〈명주보월빙〉연작 3부작 중 제1부작

낙 선 재 본 과 박 순 호 본 을 교 감 주 석 한

교감본
明珠寶月聘

교감본

明珠寶月聘

3

교주

최길용

김영숙

學古房

이 저서는 2010년도 정부재원(교육부 인문사회연구역량강화사업비)으로 한국연구재단의 지원을 받아 연구되었음(NRF-2010-327-A00283)

This work was supported by the National Research Foundation of Korea Grant funded by the Korean Government(NRF-2010-327-A00283)

서 문

〈명주보월빙〉은 100권 100책으로 된 거질의 대장편소설로, 105권 105책의 〈윤하정삼문취록〉과 30권 30책의 〈엄씨효문청행록〉을 그 속편으로 거느리고 있어, 이들 두 작품과 함께 《명주보월빙 연작》을 구성하고 있으면서, 연작 전체를 하나의 예술적 총체 곧 하나의 작품으로 묶는 중심작의 기능을 하고 있다. 그런데 이 연작은 그 3부작을 합하면 원문 글자 수가 도합 332만3천여 자(〈보월빙〉1,475,000, 〈삼문취록〉1,455,000, 〈청행록〉393,000)에 이를 만큼 방대하여, 세계문학사에서도 그 유례를 찾아볼 수 없는 대장편서사체인 동시에, 1700년대 말 내지 1800년대 초의 조선조 소설문단의 창작적 역량을 한눈에 보여주는 대작이자, 한국고소설사상 최장편소설로 꼽히고 있다.

양식 면에서, 《명주보월빙 연작》은 중국 송나라를 무대로 하여 윤ㆍ하ㆍ정 3가문의 인물들이 대를 이어 펼쳐가는 삶을 다룬 〈보월빙〉ㆍ〈삼문취록〉과, 윤문과 연혼가인 엄문의 인물들이 펼쳐가는 삶을 다룬 〈청행록〉으로 이루어져, 그 외적양식 면에서는 〈보월빙〉-〈삼문취록〉-〈청행록〉으로 이어지는 3부 연작소설이며, 내적양식 면에서는 윤ㆍ하ㆍ정ㆍ엄문이라는 네 가문의 가문사가 축이 되어 전개되는 가문소설이다.

내용면에서 보면, 이 연작에는 모두 787명(〈보월빙〉275, 〈삼문취록〉399, 〈청행록〉113)에 이르는 엄청난 수의 인물들이 등장하여, 군신ㆍ부자ㆍ부부ㆍ처첩ㆍ형제ㆍ친구 등 다양한 인간관계에서 벌어지는 수많은 사건들을 펼쳐가면서, 충ㆍ효ㆍ열ㆍ화목ㆍ우애ㆍ신의 등의 주제를 내세워, 인륜의 수호와 이상적인 인간 공동체의 유지, 발전을 위한 善的 價値들을 권장하고 있다. 아울러 주동인물군의 삶을 통해 고귀한 혈통ㆍ입신양명ㆍ전지전능한 인간ㆍ일부다처ㆍ오복향수ㆍ이상향의 건설 등과 같은 사대부귀족계급의 현세적 이상을 시현해놓고 있다.

이 책 『교감본 명주보월빙』은 〈명주보월빙〉의 두 이본, 곧 100권100책으로 필사된 '낙선재본'과 36권36책으로 필사된 '박순호본'을 原文內校와 異本對校의 2단계 원문교정 과정을 거쳐 각 텍스트의 필사과정에서 생긴 원문의 오자ㆍ탈자ㆍ오기ㆍ연문ㆍ결락들을 교정하고, 여기에 띄어쓰기와 한자병기 및 광범한 주석을 가해 편찬한 것이다.

그 목적은, 첫째로는 필사본 텍스트들이 갖고 있는 태생적 오류, 곧 작품의 창작 또는 전사가 手記로 이루어질 수밖에 없었던 한계 때문에, 마땅한 퇴고나 교정 수단이 없음으로 해서 불가피하게 방치해버린, 잘못 쓰고(誤字), 빠뜨리고(脫字), 거듭 쓴(衍字)글자들과, 또 거듭쓰고(衍文) 빠뜨린(缺落) 문장들, 그리고 문법이나 맞춤법ㆍ표준어 규정 같은 어문규범이 없었던 시대에, 글쓰기가 전적으로 필사자의 작문능력에 따라 달라질 수밖에 없음으로 해서 생겨난 무수한 비문들과 오기들, 이러한 것들을 텍스트의 이본대교와, 전후 문장이나 문맥, 필사자의 문투나 글씨체, 그리고 고사·성어·속담·격언·관용구·인용구 등을 비교·대조하여 바로잡음으로써, 정확한 원문을 구축하는 데 있다. 또 이러한 교정과정을 일정한 기호를 사용하여 원문에 병기함으로써, 원문을 원표기 그대로 보존하여 보여주는 한편으로, 독자가 그 교정·교주의 타당성을 판단할 수 있게 하는데 있다. 그 이유는, 이렇게 함으로써 텍스트의 불완전성을 극복할 수 있을 뿐만 아니라, 원문의 표기법을 원문 그대로 재현해 놓음으로써 원본이 갖고 있는 문학적·어학적 가치는 물론 그 밖의 여러 인문·사회학적 가치를 훼손함이 없이 보존하고 전승해 갈 수 있다고 믿기 때문이다.

둘째로는 한 작품의 이본들을 교감·주석하여 竝置시켜 보여줌으로써, 그 교정과 주석의 타당성은 물론, 각 이본이 갖고 있는 표현과 서사의 차이를 한눈에 볼 수 있게 하여, 적층문학적 성격을 갖고 있는 한국 필사본 고소설들에[1] 대한 해석학적 지평을 확장하는 데 있다. 나아가 이 연구의 수행을 통해 '原文校訂'이라는 한·중의 오랜 학문적 전통의 하나인 텍스트 교감학[2]의 유용성을 실증하여, 앞으로의 필사본 고소설들의 정리작업[데이터베이스(data base)구축과 출판]의 한 모델을 수립하는데 있다.

셋째로는 정확한 원문구축과 광범한 주석으로 작품의 可讀性을 높이고 해석적 불완전성을 제거하여, 일반 독자들이나 연구자들이 쉽게 원문 자료에 접근할 수 있게 하는데 있다.

넷째로는 이렇게 정리 구축한 교감본을 현대어본 편찬의 저본(底本)으로 활용하기 위함이다. 현대어본 편찬의 선결과제는 정확한 원문텍스트의 구축과 원문에 대한 정확한 주석이다. 이 책은 처음부터 이 현대어본의 저본 구축을 목표로 편찬된 것이기 때문에 이점 곧 정확한 원문텍스트의 구축과 원문에 대한 정확한 주석에 각별한 정성을 쏟았다.

컴퓨터 문서통계 프로그램이 계산해준 이 책의 파라텍스트(para-text)를 제외한 본문 총글자수는 5,389,773자다. 원문 289만5천자(낙본 145만9천자, 박본143만6천자)를 입력하고, 여기에 15,360곳(낙본2,736곳, 박본12,624곳)의 오자·탈자·오기·연문·결락 등에 대한 원문교정과 31만4천자(낙본16만6천자, 박본14만8천자)의 한자병기, 그리고 15,701개(낙본8,240개, 박본7,461개)의 주석이 더해지고, 또 116만 4천 곳(낙본60만2천 곳, 박본56만2천 곳)의 띄어쓰기가 가해져서 이루어진 결과다. 앞서 언급한 것처럼 이 책은 현대어본 출판까지를 계획하고 편찬한 것이다. 따라서 두 이본 중 선본인 '낙선재본'을 현대어로 옮겨 현재 출판 작업이 진행 중이다. 그 분량도 273만자에 이른다. 전자 교감본은 전문 연구자와 국문학도에게 바치는 학술도서로, 후자 현대어본은 일반 독자들에게 드리는 교

---

1) 여러 이본들을 갖고 있는 한국 필사본 고소설들은 필사자들이 이를 轉寫하는 과정에서 원작의 표현과 서사에 임의적으로 첨삭과 변개를 가한다는 점에서 원작자의 생각에 필사자들의 생각이 보태져서 유통되는 적층문학적 성격을 갖는다.

2) 고증학의 한 분파로, 경전이나 일반서적을 서로 다른 판본 또는 관련 있는 자료와 대조하여 내용이나 문자·문장의 異同을 밝히고 誤記·誤傳 따위를 찾아 바로잡는 학문이다. 중국 前漢 시대의 학자 劉向에 의해 창시되었으며, 청나라 때 가장 성하였다. 우리나라에서도 고려 때 한림원에 종 9품 校勘을 두었고, 조선시대에는 승문원에 종4품 校勘을 두어 경서 및 외교 문서를 조사하고 교정하는 일을 맡아보게 하였다.

양도서로, 전자는 국배판(A4규격) 3600쪽 5책1질로, 후자는 국판(A5규격) 3400쪽 10책1질로 간행될 예정이다.

그러나 필자의 편찬 작업은 이것으로 끝나는 것이 아니다. 필자는 2010년에 〈명주보월빙〉을, 2011년에는 〈윤하정삼문취록〉을, 그리고 2012년에는 〈엄씨효문청행록〉을 각각 한국연구재단의 연구지원 사업 과제에 지원하여 3회 연속 선정되는 결과를 안았다. 그리하여 지금껏 4년 동안을 필자는 두문불출, 주야불철하며 이 《명주보월빙 연작》의 원문입력과 교정, 주석에 골몰하면서 답답하고 지리한 일상을 보내고 있다. 현재 〈삼문취록〉의 교감본과 현대어본 편찬 작업은 초벌 작업만 마쳐, 출판사에 원고를 넘기기 전의 마지막 교정을 남겨두고 있는 상태다. 〈청행록〉은 교감본 편찬 작업 중 지난해 11월부터 일단 작업을 제쳐둔 채로, 지금 이 책 〈보월빙〉의 교감본과 현대어본의 출판을 위한 마지막 교정에 여념이 없다. 그 교감본은 이제 서문을 넘기게 되니 이달, 곧 2014년 2월 10일자로 간행이 될 것이다. 현대어본은 또 하루에 원문 두 권 분량을 목표로 교정작업을 진행하고 있지만, 그 분량이 100권이나 되니 오는 4월 결과물제출 마감시한을 꼬박 채워서야 발간이 될 것 같다. 〈삼문취록〉은 또 내년인 2015년4월이 제출 마감시한이고, 〈청행록〉은 2016년 4월까지 제출해야 한다. 지금까지의 작업결과로 보아 〈삼문취록〉의 분량은 교감본이 292만2천자, 현대어본이 281만자가 되고, 〈청행록〉은 아직 초벌작업도 마치지 못한 상태이지만 어림잡아 그 분량이 교감본 136만6천자(낙선재본 74만6천자, 고려대본62만자), 현대어본이 74만자(낙선재본)가 되어, 이들을 〈보월빙〉과 같은 형태로 출판을 한다면, 〈삼문취록〉은 교감본 5책, 현대어본 10책, 또 〈청행록〉은 교감본 2책, 현대어본 3책이 될 것이다.

이 3부작을 모두 합하면 교감본 12책, 현대어본 23책이 되어, 23책1질의 현대어본을 단순히 책 수로만 비교한다면 우리 현대소설사상 최장편 소설로 평가되는 20책1질로 출판된 박경리 선생의 〈토지〉를 훌쩍 넘어서는 분량이다. 등장인물 수도 〈토지〉 인물사전에는 600여명이 등장하는 것으로 소개되어 있는데 《명주보월빙 연작》에는 이보다 더 많은 인물이 등장한다. 필자가 작성하여 2007년에 〈한·중 고전소설 인명지명대사전〉 편찬사업팀에 제출한, A4용지 224쪽 분량의 《명주보월빙 연작》 인명사전 원고에는 앞에서 잠깐 언급한 것처럼 787명의 인물이 등장하여 각각 작가가 부여한 작품 속 삶을 펼쳐가고 있다. 필자는 이 등장인물 사전을 현대어본 마지막 권(24권)으로 독자에게 제공할 계획이다.

"인내는 쓰고 열매는 달다"고 하였던가! 과정은 힘들었지만 결과를 이렇게 큰 출판물로, 또 DB화된 기록물로 세상에 내놓게 되니, 한국문학의 위대함을 한 자락 열어 보인 것 같아 여간 기쁘지 않다. 또 하나 이 책의 성과를 든다면, 이본 대교 작업을 통해 낙선재본 결권 '卷之七十八'을 박순호본 가운데서 찾아 복원하였다는 점이다. 이로써 이제 '낙본'은 그간 낙질 상태에 있던 자료적 불완전성을 해소하고 완전한 텍스트로 거듭나게 되어, 완질본으로서의 새로운 지위와 가치를 부여받게 된 것이다.

아무쪼록 이 책의 출판을 계기로 이 연작이 더 많은 독자들과 연구자, 문화계 인사들의 사랑과 관심을 받게 되고, 영화나 TV드라마 등으로 제작되어 민족의 삶과 문화가 더 널리 전파되어 갈 수 있

기를 기대한다. 이 작품들 속에 등장하는 앵혈·개용단·도봉잠·회면단·도술·부적·신몽·천
경 등의 다양한 상상력을 장착한 소설적 도구들은 민족을 넘어 세계인들의 사랑과 흥미를 이끌어내
기에 충분할 것이다. 또 세계문학사적 대작이자 한국고소설사상 최장편소설로 평가되는 이 작품이
국민들의 더 높은 사랑과 관심을 받을 수 있도록 국가 보물로 지정되는 날이 쉬이 오기를 기대해 마
지않는다.

이 책이 결과물제출 마감시한 전에 출판될 수 있게 된 데에는 박순호본 17권부터 36권까지의 원문
입력을 해 준 김영숙 박사의 도움이 컸다. 또 어려운 출판 여건 속에서도 인문학의 위기를 걱정하며
이 책의 출판을 흔쾌히 맡아주신 도서출판 학고방의 하운근 대표님과 편집과 출판을 맡아 애써주신
직원 여러분의 후의를 잊을 수가 없다. 도움을 주신 분들께 이 자리를 빌어 깊은 감사를 드린다.

2014년 설날 아침
최 길 용
(전북대학교 겸임교수)

❋ 일러두기 ❋

　이 책 『교감본 명주보월빙』은 〈명주보월빙〉의 두 이본, 곧 100권100책으로 필사된 '낙선재본'과 36권36책으로 필사된 '박순호본'의 입력원문을 서사진행순서에 따라 같은 내용을 같은 지면에다 단락단위로 竝置시켜, 이를 각본의 '원문 내 교정'과 '이본 간 상호대조를 통한 교정'의 2단계 원문교정 과정을 거쳐, 각 텍스트의 필사과정에서 생긴 원문의 誤字·脫字·誤記·衍文·缺落·落張·錯寫들을 교정하고, 여기에 띄어쓰기와 한자병기 및 광범한 주석을 가해 편찬한 것이다.

　이 때문에 이 책은 불가피하게 원문에 대한 많은 교정과 보완이 가해졌다. 따라서 이 책은 이처럼 원문에 가해진 많은 교정·보완 사항들을 일관성 있게 보여주고, 누구나 이를 원문과 쉽게 구별할 수 있게 하기 위해 다음 부호들을 사용하였다.

(　) : 　한자병기를 나타내는 부호. ( )의 앞에 한글을 적고 속에 한자를 적는다.
　　　　예) 붕성지통(崩城之痛)

〔 〕 : 　원문의 잘못 쓴 글자를 바로잡거나 빠진 글자를 보충해 넣은 부호. 오자·탈자·결락·낙장·마멸자 등의 교정에서 바로잡거나 빠진 글자를 보충해 넣을 때 사용한다.
　　　　예) 번셩ㅎ믄〔믈〕, 번셩○〔ㅎ〕믈, 번□□〔셩ㅎ〕믈,

　○ : 　원문의 필사 과정에서 생긴 탈자를 표시하는 부호. 3어절 이내, 또는 8자 이내의 글자를 실수로 빠트리고 쓴 것을 교정하는 경우로, 빠진 글자 수만큼 '○'를 삽입하고 그 뒤에 '〔 〕'를 붙여, '〔 〕' 안에 빠진 글자를 보완해 넣어 교정한다.
　　　　예) 넉넉ㅎ○○○〔미 이시〕니

〔 〕 : 　중복된 글자나 불필요하게 들어간 말을 표시하는 부호. 衍字나 衍文을 교정하는 경우로, 중복해서 쓴 글자나 불필요한 말의 앞·뒤에 '〔'과 '〕'를 삽입하여 연자나 연문을 '〔 〕'로 묶어 중복된 글자이거나 불필요한 말임을 표시한다.
　　　　예) 공이 청파의 희연히〔희연히〕 쇼왈

《‖》 : 　원문의 필사 과정에서 두 글자 이상의 단어나 구·절 등을 잘못 쓴 오기를 교정하는 부호. 이때 '‖'의 앞은 원문이고 뒤는 바로잡은 글자를 나타낸다.
　　　　예) 《잠비‖잠미》를 거스리고

○…결락○자…○ : 　원문에 3어절 이상의 말을 빠트리고 쓴 것을 보완하여 교정할 때 사용하는 부호. '○…결락○자…○' 뒤에 '〔 〕'를 붙여 보완할 말을 넣고, 빠진 글자 수를 헤아려 결락 뒤의 '○'를

지우고 결락된 글자 수를 밝힌다.

    예) ○…결락9자…○[계손의 혼인을 셔돌식]

○…낙장○자…○ : 원문에 본디 낙장이 있거나, 원본의 책장이 손상되어 떨어져 나간 것을 보완할 때 사용하는 부호. '○…낙장○자…○' 뒤에 'ˈ ˈ'를 붙여 보완할 말을 넣고, 빠진 글자 수를 헤아려 낙장 뒤의 '○'를 지우고 빠진 글자 수를 밝힌다.

    예) ○…결락9자…○[계손의 혼인을 셔돌식]

□ :   원본의 글자가 마멸되거나 汚損으로 인해 판독이 불가능한 글자를 표시하는 부호. 오손된 글자 수만큼 '□'를 삽입하고 그 뒤에 'ˈ ˈ'를 붙여, 오손된 글자를 보완해 넣는다.

    예) 예) 번□□[셩ᄒᆡ]믈,

▌①( )▐ : 원문에 필사자가 책장을 잘 못 넘기거나 착오로 쓰던 쪽이나 행을 잘못 인식하여 글의 순서가 뒤바뀐 착사(錯寫; 필사 착오)를 교정하는 부호. 필사착오가 일어난 처음과 끝에 '▌'를 넣어 착오가 일어난 경계를 표시한 후, 순서가 뒤바뀐 부분들을 '( )'로 묶어 순서에 맞게 옮긴 뒤, 각 부분들 곧 '( )'의 앞에 원문에 놓여 있던 순서를 밝혀 두어, 교정 전 원문의 순서를 알 수 있게 한다.

    예) 원문의 글이 ▌①( )②( )③( )▐의 순서로 쓰여 있는 것이 ②( )-①( )-③( )의 순서로 써야 옳다면, 이를 옳은 순서대로 옮기고, 각 부분들의 앞에는 본래 순서에 해당하는 번호를 붙여 ▌②( )①( )③( )▐으로 교정한다.

목 차

〈낙선재본〉	〈박순호본〉

낙선재본과 박순호본의 권차(券次) 대조표

낙선재본		박순본		낙선재본		박순호본	
권차	쪽수	쪽수	권차	권차	쪽수	쪽수	권차
권디 일	1-68	1-41	권지 일 (103쪽)	권디이십일	1-73	40-71	권지 팔 (82″)
권디 이	1-74	41-80		권디이십이 (75쪽)	1-30	71-82	
권디 삼 (70쪽)	1-46	80-103			30-75	1-19	권지 구 (76″)
	46-70	1-16	권지 이 (89″)	권디이십삼	1-75	19-43	
권디 ᄉ	1-75	16-68		권디이십ᄉ	1-75	43-72	
권디 오 (75″)	1-33	68-89		권디이십오 (75″)	1-14	72-76	
	33-75	1-22	권지 ᄉ (106″)		14-75	1-38	권지 십 (106″)
권디 뉵	1-75	23-60		권디이십뉵	1-73	38-77	
권디 칠	1-75	60-106		권디이십칠 (72″)	1-55	77-106	
권디 팔	1-75	1-35	권지 ᄉ (100″)		55-72	1-7	권지 십일 (65″)
권디 구	1-75	35-64		권디이십팔	1-75	7-31	
권디 십	1-73	64-98		권디이십구	1-71	31-58	
권디 십일 (75″)	1- 5	98-100		권디 삼십 (73″)	1-20	58-65	
	5-75	1-24	권지 오 (93″)		20-73	1-22	권지 십이 (71″)
권디 십이	1-73	24-51		권디삼십일	1-75	22-52	
권디 십삼	1-73	51-83		권디삼십이 (73″)	1-46	52-71	
권디 십ᄉ (76″)	1-27	83-93			46-73	1-12	권지 십삼 (68″)
	27-76	1-29	권지 뉵 (103″)	권디삼십삼	1-71	12-46	
권디 십오	1-71	29-65		권디삼십ᄉ (74″)	1-44	46-68	
권디 십뉵	1-71	65-99			44-74	1-13	권지 십ᄉ (60″)
권디 십칠 (73″)	1-12	99-103		권디삼십오	1-75	13-41	
	12-73	1-34	권지 칠 (95″)	권디삽십뉵 (75″)	1-46	41-60	
권디 십팔	1-69	34-69			46-75	1-15	권지 십오 (122″)
권디 십구 (70″)	1-55	69-95		권디삼십칠	1-74	15-54	
	55-70	1-7	권지 팔	권디삼십팔	1-73	54-86	
권디 이십	1-74	7-40		권디삼십구	1-73	86-115	
				권디ᄉ십 (74″)	1-15	115-122	
					15-74	1-43	권지 십육 (152″)
				권디ᄉ십일	1-74	43-99	
				권디ᄉ십이	1-73	99-152	

낙선재본		박순호본		낙선재1-본		박순호본	
권차	쪽수	쪽수	권차	권차	쪽수	쪽수	권차
권디ᄉ십삼	1-73	1-51	권지십칠 (152쪽)	권디칠십삼	1-71	1-78	권지이십칠 (187〃)
권디ᄉ십ᄉ	1-73	51-103		권디칠십ᄉ	1-70	79-140	
권디ᄉ십오	1-72	103-152		권디칠십오	1-70	141-187	
권디ᄉ십뉵	1-75	1-49	권지십팔 (157〃)	권디칠십뉵	1-72	1-55	권지이십팔 (163〃)
권디ᄉ십칠	1-75	49-104		권디칠십칠	1-71	55-108	
권디ᄉ십팔	1-73	104-157		권디칠십팔	'박본'복원	108-163	
권디ᄉ십구	1-73	1-61	권지십구 (184〃)	권디칠십구	1-71	1-40	권지이십구 (128〃)
권디오십	1-73	61-122		권디팔십	1-73	40-71	
권디오십일	1-72	122-184		권디팔십일	1-69	71-114	
(74쪽)	72-74	1-2	권지이십 (176〃)	권디팔십이 (71〃)	1-19	114-128	
권디오십이	1-74	2-59			19-71	1-32	권지삼십 (160〃)
권디오십삼	1-70	59-112		권디팔십삼	1-69	32-78	
권디오십ᄉ	1-72	112-176		권디팔십ᄉ	1-69	78-135	
권디오십오	1-75	1-67	권지이십일 (207〃)	권디팔십오	1-36	135-160	
권디오십뉵	1-73	67-137		(69〃)	36-69	1-22	권지삼십일 (137〃)
권디오십칠	1-72	137-207		권디팔십뉵	1-71	22-66	
권디오십팔	1-73	1-64	권지이십이 (196〃)	권디팔십칠	1-71	66-105	
권디오십구	1-73	64-131		권디팔십팔	1-73	105-137	
권디뉵십	1-72	131-196		권디팔십구	1-73	1-50	권지삼십이 (97〃)
권디뉵십일	1-73	1-63	권지이십삼 (188〃)	권디구십	1-70	50-97	
권디뉵십이	1-73	63-124		(71〃)	70-71	1-2	권지삼십삼 (119〃)
권디뉵십삼	1-73	124-188		권디구십일	1-69	2-49	
권디뉵십ᄉ	1-74	1-64	권지이십ᄉ (189〃)	권디구십이	1-70	49-94	
권디뉵십오	1-73	64-124		권디구십삼	1-46	94-119	
권디뉵십뉵	1-74	124-189		(75〃)	46-75	1-19	권지삼십ᄉ (177〃)
권디뉵십칠	1-71	1-66	권지이십오 (185〃)	권디구십ᄉ	1-76	19-96	
권디뉵십팔	1-69	66-126		권디구십오	1-75	96-172	
권디뉵십구	1-76	126-175		권디구십뉵	1-6	172-177	
권디칠십 (74〃)	1-2	175-185		(70〃)	6-70	1-63	권지삼십오 (174〃)
	2-74	1-63	권지이십육 (167〃)	권디구십칠	1-74	63-128	
				권디구십팔	1-54	128-174	
권디칠십일	1-71	63-114		(76〃)	54-76	1-21	권지삼십육 (131〃)
권디칠십이	1-71	114-167		권디구십구	1-71	21-79	
				권디일빅	1-68	79-131	

명듀보월빙 권디스십일

화셜 금평휘 양공의 허락을 엇고 대열ᄒ
여 굴오ᄃᆡ,

"셰으로뻐 과격다 나모라 ᄒ여 텬흥만 못
ᄒ게 넉여, 동상(東床)을 삼으믈 깃거 아니
ᄒ거니와, 원늬 텬흥으로브터 여러 ᄋ히 ᄒ
나토 가쥐디ᄉᆞ(加取之事) 업스나, 셰이 죵시
용이튼 아니리니, 형이 굿ᄐ여 퇴셔를 잘못
ᄒ든 아닐 거시오. 친옹(親翁)1)으로 닐러도
형이 날 ᄀᆞᆺᄐᆞ니ᄂᆞᆫ 텬하를 다 도라도 쉽디
아니리니, 만일 녕녀 긔특하면 겹겹 인아디
의(姻婭之義)2)를 미즈미 긔블미ᄉᆞ(豈不美之
事)리오3)."

양공이 대쇼【1】왈,

"내 몬져 홀 말을 형이 ᄒᆞᄂᆞᆫ다. 챵빅의
오형뎨는 형의게 비ᄒᆞᆯ딘딕, 연작(燕雀)이 봉
황(鳳凰)을 나흐며 우미(牛馬) 긔린(騏驎)을
싱ᄒᆞ미니, 녕윤(令胤) 등이 긔특ᄒᆞᆷ 곳 아니
면 형으로 더브러 친옹이 되고져 아니리
라."

빈쥬(賓主) 이처로 담쇼ᄒᆞ며 쥬비를 날녀
즐길ᄉᆡ, 이윽고 뎡학ᄉ 셰흥이 출번(出番)ᄒ
여 도라와, 부젼의 비알ᄒᆞ고 양공긔 녜를
맛고 댱형을 향ᄒ여 졀ᄒᆞ고 말셕의 시좌ᄒ
니, 이 날 양평댱이 뎡학ᄉ를 유의ᄒᆞ여 보
건딕, 오ᄉ(烏紗)4)는 월익(月額)의 빗겨시
며, ᄌᆞ포(紫袍)는 옥산(玉山)5)의 엄연ᄒᆞ고,
옥ᄃᆡ(玉帶)는 일요(逸腰)의 나죽ᄒᆞ여, 념
【2】슬위좌(斂膝危坐)ᄒ여 슉슉(肅肅)ᄒᆞᆫ 격
조(格調)와 앙앙(昂昂)6)ᄒᆞᆫ 태되 창희의 유

1)친옹(親翁) : 바깥사돈.
2)인아디의(姻婭之義) : 혼인으로 맺어진 사돈(査頓)
　의 의리(義理).
3)긔블미ᄉᆞ(豈不美之事)리오 : '어찌 아름다운 일이
　아니겠는가?'라는 뜻으로, 아름다운 일이라는 말.
4)오ᄉ(烏紗) : 오사모(烏紗帽). 관복을 입을 때 머리
　에 쓰던 검은 사(紗)로 만든 모자.
5)옥산(玉山) : 외모와 풍채가 뛰어난 사람을 비유적으
　로 이르는 말.

ᄀ로ᄃᆡ,

"형이 셰아로뻐 《관셩∥과격》다 나모라
ᄒᆞ여 텬흥만 못ᄒ게 넉여, 동상(東床)을 삼
으믈 깃거 아니ᄒᆞ시거니와, 원늬 쳔흥으로
브터 여러 아히 ᄒᆞ낫토 가쥐(加取)ᄒᆞ미 업
스나, 셰이 죵시 용이틋[튼]【43】 아니리
니, 형이 굿타여 퇴셔 잘못ᄒ든 아닌[닐]
거시오. 친옹(親翁)1)으로 일너도 형이 날
갓튼 니난 쳔흥을[를] 다 도라도 쉽디 아니
리니, 만일 영녜 긔특ᄒᆞ면 겹겹 인아지의
(姻婭之義)2)를 미즈리라."

ᄒᆞ니, 양공이 대쇼왈,

"늬 먼져 헐 말 {ᄒᆞᆫ 마ᄃᆡ}을 《졍히∥형
이》 ᄒᆞ고[여], 일이 되도록 결단ᄒ여난지
라. 챵빅의 오형뎨난 형의게 비ᄒᆞᆯ진딕 연작
(燕雀)이 봉황(鳳凰)을 나ᄒᆞ며 우마(牛馬)
기린(騏驎)을 싱ᄒᆞ미니, 영윤(令胤) 등이 긔
특험 곳 아니면 형으로 더브러 친옹이 되고
져 아니ᄒ리라."

빈쥬 이처럼 담쇼ᄒᆞ며 쥬비을 너여 즐길
ᄉᆡ, 이윽고 뎡학ᄉᆡ 츌궐(出闕)ᄒ여 부친게
비알ᄒᆞ고, 양공게 예을 맛고 양형(兩兄)을
향ᄒᆞ여 졀ᄒᆞ고 말셕의 시좌ᄒ니, 이 날 양
평댱이 뎡학ᄉ을 유의ᄒᆞ여 보건딕, 엄연ᄒ
고 앙앙(昂昂)3)ᄒᆞᆫ 티되 창희 유룡(有龍)이
오, 신긔로운 품질이【44】 당산(堂山)4)의
봉황이라. 츄월명광(秋月明光)은 《남졍∥남
견(藍田)5)》의 빅벽(白璧)이 틋글을 씨사며,
츄슈봉안(秋水鳳眼)6)의　　징청발월(澄淸發

1)친옹(親翁) : 바깥사돈.
2)인아지의(姻婭之義) : 혼인으로 맺어진 사돈(査頓)
　의 의리(義理).
3)앙앙(昂昂) : 높고 빼어난 모양.
4)당산(堂山) : 토지나 마을의 수호신이 있다고 하여
　신성시하는 마을 근처의 산이나 언덕.
5)남견(藍田) : 중국(中國) 섬서성(陝西省)에 있는 산
　이름으로 옥의 명산지.
6)츄슈봉안(秋水鳳眼) : 가을 물처럼 맑고 봉황의 눈

룡(有龍)이오, 신긔로운 픔딜이 단산(丹山)7)의 봉황(鳳凰)이라. 츄월명광(秋月明光)은 남뎐(藍田)8)의 빅벽(白璧)이 쯧글을 찌스며, 츄슈봉안(秋水鳳眼)9)의 징청발월(澄淸發越)10)ᄒ미 일월(日月)의 졍긔(精氣)를 거두고, 냥미강산(兩眉江山)11)은 건곤(乾坤)의 됴화를 아스, 쥰슌늠연(俊純凜然)ᄒ 긔상은 츄텬이 의의(儀儀)12)ᄒ 듯, 안모(眼眸)의 찬연이 고은 빛츤 녕농(玲瓏) 쇄락(灑落)ᄒ여, 홍일(紅日)이 산두(山頭)의 거닐고 명월이 광휘를 팔황(八荒)의 흘니는 듯, 늠늠 쇄락ᄒ여 체체(棣棣)13)ᄒ 위의 가온디나, 발호ᄒ 긔운과 암암(巖巖)14)ᄒ 긔상이 발양(發揚)ᄒ기를 겸ᄒ여【3】시니, 팔쳑 신댱과 뉵쳑 신비(伸臂)15) 언건댱슉(偃蹇壯肅)ᄒ여 대댱부의 미딘(未盡)ᄒ미 업스니, 양공이 견주의는 뎡혹스로 대인의 틀이 브죡ᄒ믈 흡연치 못ᄒ여 동상을 유의치 아니ᄒ다가, 금평후의 말슴으로 좃ᄎ 듯 우ᄒ셔 친스를 뇌약(牢約)ᄒ고, 신낭을 디ᄒ여 이러틋 특이ᄒ니, ᄉ랑ᄒᄂᆫ 졍이 ᄀ득ᄒ여 흔연 집슈 왈,

"젼일은 예빅으로써 친우의 ᄌ졔로 보미 잇거니와, 금일은 옹서디의(翁壻之義)로 보미, 나의 눈이 다르지 아녀시며 너의 풍신이 쏘 다를 거시 아니로딕, 식로이 긔이 황홀ᄒ【4】믈 니긔디 못ᄒᄂᆫ니, 내 이졔 녕엄으로 더브러 친스를 뇌약ᄒ미, 비록 화쵹의 녜를 일우미 업스나, 엇디 죵닉의 변ᄒᆯ 니 이시리오."

금평휘 글오딕,

越)7)ᄒ미 일월(日月)의 졍긔(精氣)를 거두고, 냥미강산(兩眉江山)8)은 건곤(乾坤)의 조화를 아스, 쥰슌늠연(俊純凜然)ᄒ 긔상은 츄텬이 의의(儀儀)9)ᄒ 듯, 안모(眼眸)의 찬연이 고은 빛츤 영농(玲瓏) 쇄락(灑落)ᄒ여, 홍일(紅日)이 산두(山頭)의 걸이고, 명월이 광휘를 팔황(八荒)의 흘니는 듯, 늠늠 쇄락ᄒ여 체체(棣棣)10)ᄒ 위의 가온디나, 발호ᄒ 긔운과 암암(巖巖)11)ᄒ 긔상이 발양(發揚)ᄒ기를 겸ᄒ여시니, 팔쳑신장과 뉵쳑 신비(伸臂)12) 언건장슉(偃蹇壯肅)ᄒ여 대장부의 미진(未盡)ᄒ미 업스니, 양공이 젼주의는 뎡혹스를 대인의 틀미[이] 브죡ᄒ믈 흡연치 못ᄒ여, 동상을 유의치 아니ᄒ다가, 금평후의 말슴으로 조ᄎ 듯13) 우ᄒ셔 친스를 뇌약(牢約)ᄒ고, 신낭을 디ᄒ여 이러틋 특이ᄒ니, ᄉ【45】랑ᄒᄂᆫ 졍이 ᄀ득ᄒ여 흔연 집슈 왈,

"젼일은 예빅으로써 《치우∥친우》의 ᄌ졔로 보미 잇거니와, 금일은 옹셔지의(翁壻之義)로 보매, 나의 눈이 다르지 아녀시며, 너의 풍신이 다른 거시 아니로딕, 식로이 긔이 황홀ᄒ믈 니긔지 못ᄒᄂᆫ니, 내 이졔 녕엄으로 더브러 친스를 뇌약ᄒ매, 비록 화쵹의 녜를 일우미 업스나, 엇지 죵닉의 변ᄒᆯ 니 이시리오."

금평휘 글오딕,

---

6)앙앙(昂昂) : 높고 빼어난 모양.
7)단산(丹山) : 중국 복건성(福建省) 북부(北部) 무이산(武夷山) 안에 있는 산 이름. 벽수단산(碧水丹山)의 수려한 경치로 유명하다.
8)남뎐(藍田) : 중국(中國) 섬서성(陝西省)에 있는 산 이름으로 옥의 명산지.
9)츄슈봉안(秋水鳳眼) : 가을 물처럼 맑고 봉황의 눈처럼 가늘고 길며 붉은 기운이 있는 눈.
10)징청발월(澄淸發越) : 맑고 훤칠함.
11)냥미강산(兩眉江山) : 아름다운 두 눈썹.
12)의의(儀儀) : 의용을 갖추어 덕이 있는 모양.
13)체체(棣棣) : 위의가 있는 모양. 예의에 밝은 모양.
14)암암(巖巖) : 산이 높은 모양.
15)신비(伸臂) : 팔을 아래로 곧게 뻗음.

처럼 가늘고 길며 붉은 기운이 있는 눈.
7)징청발월(澄淸發越) : 맑고 훤칠함.
8)냥미강산(兩眉江山) : 아름다운 두 눈썹.
9)의의(儀儀) : 의용을 갖추어 덕이 있는 모양.
10)체체(棣棣) : 위의가 있는 모양. 예의에 밝은 모양.
11)암암(巖巖) : 산이 높은 모양.
12)신비(伸臂) : 팔을 아래로 곧게 뻗음.
13)돗 : 돗자리. 자리. 왕골이나 골풀의 줄기를 재료로 하여 만든 자리. 줄기를 잘게 쪼개서 만들기 때문에 발이 가늘다. 영남・호남 지방이 주산지로 용문석과 별문석 따위가 유명하다. 늑골풀자리・석자(席子)

"ᄉ귀신쇽(事貴迅速)이니 슈히 셩녜케 ᄒ라."

양공 왈,

"형의 말이 올흐나 녜빅은 십삼이로ᄃᆡ, 당대ᄒ여 미딘ᄒᆞᆫ 곳이 업ᄉᆞ나, 쇼녀는 유튱 미약ᄒ여 티ᄋᆞ(稚兒)를 면ᄒᆞᆯ 날이 머러시니, 녕윤(令胤)ᄀᆞᆺ치 셰쳔 대군ᄌᆞ의 건긔(巾器)를 밧들기 어려올가 넘녀ᄒᆞᄂᆞ니, 쇼뎨 ᄆᆞᄋᆞᆷ인즉 슈삼년을 기다리미 올흘 거시로ᄃᆡ, 윤보의 쳘업시 쵹혼(促婚)ᄒᆞ미 여ᄎᆞ【5】ᄒ니, 브득이 셩녜ᄒ리로다."

평휘 쇼이답 왈,

"쇼뎨 엇디 돈ᄋᆞ(豚兒)의 티년(稚年)을 ᄉᆡᆼ각디 아녀 그리 밧브리오마는, 당(堂)의 편친이 간졀이 기다리시니 노친의 ᄯᅳᆺ을 밧들고, 셰이 쇼쇼(小小) 셔싱이 아니라 이러므로 밧바 ᄒᆞᄂᆞ이다."

양공이 도라가 퇵일ᄒ여 보ᄂᆡᆯ 니르고 이윽이 한담ᄒ다가 도라갈ᄉᆡ, 남후 등이 하당 빈숑(拜送)ᄒ니, 양공이 좌슈로 남후의 손을 잡고 우슈로 《양공‖흑사》의 팔흘 어로만져 문득 탄식ᄒ여 ᄀᆞᆯ오ᄃᆡ,

"녜빅으로써 동상을 뎡ᄒᆞ미, 젼ᄌᆞ의 댱녀와 뎡혼ᄒ여 쾌달이 즐기던【6】 일을 혜아리니, 이제 믄득 녯 일이 되엿ᄂᆞᆫ디라. 감챵ᄒᆞᆫ 심회를 춤기 어렵도다."

남휘 위로ᄒ여 ᄀᆞᆯ오ᄃᆡ,

"이 도시 명야(命也)오, 텬야(天也)라. 비인력디소애(非人力之所也)16)오, 슬허ᄒ여 무익ᄒ니, 실인의 ᄉᆡᆼ 거쳐를 인사로 니를 딘ᄃᆡ ᄉᆞ랏기 쉽디 못ᄒᆞ오나, 하날이 맛ᄎᆞᄂᆡ 슬피시리니 악댱은 과도히 슬허 마르쇼셔."

양공이 츄연 탄식ᄒ고 거륜(車輪)의 올나 도라가니, 남후 등이 드러와 부공을 뫼셔 니헌에 문안ᄒ고, 태부인긔 양가의 뎡혼ᄒᆞᆷ믈 고ᄒ니, 태부인이 양쇼져의 셩화를 닉이 드럿ᄂᆞᆫ 고로, ᄀᆞ쟝 깃거 ᄀᆞᆯ【7】오ᄃᆡ,

"셰홍은 인듕영걸(人中英傑)이오, 어듬농

"ᄉ귀신쇽(事貴迅速)이니 슈이 셩○[녜]케ᄒ라."

양공 왈,

"형의 말이 올흐라[나], 녜빅은 십삼이로ᄃᆡ 당디ᄒ여 미진ᄒᆞᆫ 곳이 업ᄉᆞ나, 쇼녀는 유즁[튱](幼沖) 미약ᄒ여 치ᄋᆞ(稚兒)를 면ᄒᆞᆯ 날이 머러시니, 녕윤(令胤)ᄀᆞᆺ치 셰쳔 대군ᄌᆞ의 건긔(巾器)를 밧들기 어려올가 넘녀ᄒᆞᄂᆞ니, 쇼뎨 ᄆᆞᄋᆞᆷ인즉 슈삼년을 기다리미 올흘 거시로ᄃᆡ, 윤【46】보의 쳘업시 쵹혼(促婚)ᄒᆞ미 여ᄎᆞᄒ니 브득이 셩녜ᄒ리로다."

평휘 쇼이답 왈,

"쇼뎨 엇지 돈ᄋᆞ(豚兒)의 치년(稚年)을 ᄉᆡᆼ각지 아녀 그리 밧브리오마는, 당(堂)의 편친이 간졀이 기다리시니 노친의 ᄯᅳᆺ을 밧들고, 셰ᄋ 쇼쇼(小小) 셔싱이 아니라 이러므로 밧바 ᄒᆞᄂᆞ니다."

양공이 도라가 퇵일ᄒ여 보ᄂᆡᆯ 니로고, 이윽이 한담ᄒ다가 도라갈ᄉᆡ, 남후 등이 하당 빈숑(拜送)ᄒ니, 양공이 좌슈로 남후의 손을 잡고 우슈로 흑사의 팔를 어로 ᄆᆞᆫ져 문득 탄식ᄒ여 ᄀᆞᆯ오ᄃᆡ,

"녜빅으로써 동상을 졍ᄒ매, 젼ᄌᆞ의 댱녀와 졍혼ᄒ여 쾌달이 즐기던 일을 혜아리니, 이제 믄득 녜 일이 되엿ᄂᆞᆫ지라. 감챵ᄒᆞᆫ 심회를 춤기 어렵도다."

남휘 위로ᄒ여 ᄀᆞᆯ오ᄃᆡ,

"이 도시 명야(命也)○[오], 텬야(天也)라. 비인녁지소애(非人力之所也)14)오, 슬【47】허ᄒ여 무익ᄒ니, 실인의 ᄉᆡᆼ 거쳐를 인ᄉᆞ로 니를진ᄃᆡ ᄉᆞ랏기 쉽지 못ᄒᆞ오나, 하날이 맛ᄎᆞᄂᆡ 슬니시리니 악댱은 과도히 슬허 마르쇼셔."

양공이 츄연 탄식ᄒ고 거륜(車輪)의 올나 도라가니, 남후 등이 드러와 부공을 뫼셔 니헌에 문안ᄒ고, 태부인긔 양가의 졍혼ᄒᆞᆷ믈 고ᄒ니, 부인이 양쇼져의 셩화를 닉이 드럿ᄂᆞᆫ 고로, ᄀᆞ쟝 깃거 ᄀᆞᆯ오ᄃᆡ,

"셰홍은 인즁영걸(人中英傑)이오, 어즁농

---

16)인력디소애(非人力之所也) : 사람의 힘으로 할 수 있는 일이 아님.

14)인력디소애(非人力之所也) : 사람의 힘으로 할 수 있는 일이 아님.

(魚中龍)17)이라. 풍치용화(風采容華)와 문댱긔졀(文章氣節)이 졔형의 아린 아니리니, 노모의 손부 죄이는 무음이 윤·양 곳트니를 구호는 비라. 틴스(親事)를 그곳의 뎡호미 엇디 깃브디 아니리오. 모로미 슈히 셩녜케 호라."

금휘 복슈 되왈,
"쇼지 양시의 셩화를 조시 듯즈온 고로, 양공이 셰으로 스회 삼고져 아니호는 거술 쇼지 스스로 쳥호여 구디 뎡혼호엿누이다."

태부인이 크게 두굿기며 다힝호여, 흑시 양시나 밧비 취호여 즈긔 안젼의 니시와 긔화(奇花)를 삼고져 호더라.
양공이 도라가 퇵【8】일호여 뎡아(鄭衙)의 보호니 길긔 촉박호여 계오 일삭이 가렷더라. 뎡·양 냥가의셔 혼구를 셩비하더니, 믄득 댱샤로 조츠 시녀 노복과 니곽이 올나와 취운산의 니르니, 금평후 부지 대경호여 밧비 쇼져의 안부를 므르니, 니곽이 젼후 슈말을 일일이 고호고 시녀 등이 소져의 샹셔를 올니니, 금휘 놀난 거술 딘뎡호여 녀ᄋ의 봉셔를 써혀 들고 너루의 드러와 태부인긔 뵈오미, 딘부인을 도라보아 왈,
"녀ᄋ이 총명이 과인호고 디뫼 여츠호니 슈화듕(水火中)의도 위틱호미 업슬디라. 니곽과 시녀 등【9】을 다 올녀 보닉고 홍션만 다려 남댱(男裝)으로 이시니 반드시 넘녜 업는디라. 져는 참참흔 화익을 한치 아니호고 주뎐(慈殿)18)과 우리의 넘녀를 근심호여 만편셔스(滿篇書辭)의 가득흔 말이 다 존당과 우리 부부를 영모호는 졍니(情理)○○[니, 그] 인효 셩힝이 남다른 연괴라. 우리 브졀업시 져를 넘녀호미 가치 아니니, 타일 무스히 환쇄(還刷)호믈 기다려, 구구 비쳑디 말거시니이다."

17)어듕뇽(魚中龍) : '물고기류 가운데 용(龍)'이란 뜻으로 동류 가운데서 가장 뛰어나다는 것을 비유적으로 표현한 말.
18)주뎐(慈殿) : 임금의 어머니를 이르던 말. 여기서는 어머니를 높여 이르는 말로 쓰임.

(魚中龍)15)이라. 풍치용화(風采容華)와 문장긔졀(文章氣節)이 졔형의 아린 아니리니, 노모의 손부 죄이는 무음이 윤·양 곳트니를 구호는 바라. 양공의 ᄎ녀는 유명흔 규쉬라. 인인이 그 형의셔 낫다 닐는ᄇ라. 친스를 그곳의 뎡호미 엇지 깃브지 아니ᄒ리오. 모로미 슈히 셩녜케 호라."

금휘 복슈디 디왈,
"쇼지 양【48】시의 셩화를 주시 듯즈온 고로, 양공이 셰으로 스회 삼고져 아니ᄒ는 거슬 쇼지 스스로 쳥호여 구지 졍혼호엿느이다."

태부인이 크게 두굿기며 다힝호여, 흑시 양시나 밧비 취호여 즈긔 안젼의 니시와 긔화(奇花)를 삼고져 호더라.
양공이 도라가 퇵일호여 뎡아(鄭衙)의 보호니 길긔 촉박호여 계오 일삭이 ᄀ렷더라. 뎡·양 냥가의셔 혼구를 셩비하더니, 믄득 댱ᄉ로 조츠 시녀 노복과 니곽이 올나와 취운산의 니르니, 금평후 부지 대경호여 밧비 쇼져의 안부를 므르니, 니곽이 젼후 슈말을 일일히 고호고 시녀 등이 소져의 샹셔를 올니니, 금휘 놀난 거술 진졍호여 녀ᄋ의 봉셔를 써혀 들고 너헌의 드러가 태부인긔 뵈오며, 진부인을 도라보아 왈,
"녀ᄋ이 총명이 과【49】인호고 지뫼 여츠호니 슈화즁(水火中)의도 위틱호미 업슬지라. 니곽과 시녀 등을 다 올녀보닉고 홍션만 다려 남장으로 이시니 반드시 염녜 업는지라. 져는 참참흔 화익을 한치 아니호고 ᄌ졍(慈庭)16)과 우리의 넘녀를 근심호여 만편셔스(滿篇書辭)의 가득흔 말이 다 존당과 우리 부부를 영모ᄒ는 졍니(情理)○○[니, 그] 인효 셩힝이 남다른 연괴라. 우리 브졀업시 져를 넘녀호미 가치 아니니, 타일 무스히 환쇄○[키]를 기다려, 구구 비쳑지 말거시니이다."

15)어즁뇽(魚中龍) : '물고기류 가운데 용(龍)'이란 뜻으로 동류 가운데서 가장 뛰어나다는 것을 비유적으로 표현한 말.
16)ᄌ졍(慈庭) : 어머니를 높여 이르는 말.

부인이 녀ᄋ의 셔간을 보미 금슈쥬옥(錦繡珠玉) ᄀᆞᆺ튼 필획이 안져(眼底)의 현난ᄒᆞ니, 그 얼굴 용화를 듸흔 듯 반갑기를 니긔디 못ᄒᆞ여, 츄연이 그 젹소도 보젼치 못ᄒᆞ여 시녀【10】 노복의 무리 도라오믈 슬허 심ᄉᆞ여취(心思如醉)[19]ᄒᆞ나, 태부인 슬허ᄒᆞ시믈 돕디 아니려 강인(强忍) ᄉᆞ식(辭色)ᄒᆞ고, 남후는 미데의 참참ᄒᆞᆫ 화익을 슬허ᄒᆞ나 비열(悲咽)ᄒᆞ믈 낫토디 아녀 조모와 부모를 위로ᄒᆞ며, 댱샤(長沙)[20]로셔 온 시녀 등을 블너 쇼져의 목인(木人)을 민ᄃᆞ라 상강(湘江)[21]의 씌온 바를 므르며, 남장으로 홍션을 다리고 나가던 바를 므러 그 힝디(行止) 쳐ᄉᆞ(處事) 남다르믈 크게 칭션ᄒᆞ여 부젼의 고왈,

"쇼미ᄂᆞᆫ 텬신이라. 슈화의 급ᄒᆞ믈 당ᄒᆞ나 신긔히 피화ᄒᆞ리니, 그 ᄉᆞ싱을 넘허홀 비 업ᄂᆞᆫᄃᆞ라. 존당과 부모ᄂᆞᆫ 쇼미를 위ᄒᆞ샤 우려치 마르시고, 타일【11】의 늉복(戎服)이 졔미(齊美)ᄒᆞ믈 두굿기쇼셔."

태부인이 셔간을 어로만져 눈물을 쓰려 글오ᄃᆡ,

"혜쥬의 성힝슉덕이 맞츰ᄂᆡ 복을 바드며 슈(壽)를 향(享)홀 비로ᄃᆡ, 초년의 긔구참난(崎嶇慘難)[22]이 사름의 견듸디 못홀 비오, 약딜이 남방만니(南方萬里)의 잔잉[23]치 아니리오."

금휘 됴흔 말ᄉᆞᆷ으로 ᄌᆞ위를 위로ᄒᆞ여 녀ᄋ의 지모를 긔특이 넉이나, 그 익회(厄會) 비상ᄒᆞ여 뎍소(謫所)도 보젼치 못ᄒᆞ믈 크게 잔잉ᄒᆞ여, 즉시 윤태우를 쳥ᄒᆞ여 녀ᄋ의 피화한 곡졀을 니르고, 시녀 노복이 와시믈 니른ᄃᆡ, 태위 미미히 우어 글오ᄃᆡ,

---

19)심ᄉᆞ여취(心思如醉) : 마음이 취한 듯 경황이 없음.
20)댱샤(長沙) : 중국 호남성의 동부 곧 동정호(洞庭湖) 남쪽 상강(湘江) 동쪽 하류에 있는 도시. 수륙교통의 요충지이며 호남성의 성도(省都)이다.
21)상강(湘江) : 소상강(瀟湘江).
22)긔구참난(崎嶇慘難) : 세상살이가 순탄치 못하고 참혹한 어려움이 많음.
23)잔잉ᄒᆞ다 : 자닝하다. 애처롭고 불쌍하여 차마 보기 어렵다.

부인이 녀ᄋ의 셔간을 보매 금슈쥬옥(錦繡珠玉) ᄀᆞᆺ튼 필획이 안져(眼底)의 현난ᄒᆞ니, 그 얼골 용화를 듸흔 듯 반갑기를 니기지 못ᄒᆞ여, 츄연이 그 젹소도 보젼치 못ᄒᆞ여 시녀 노복의 무리 도라오믈 슬허 심ᄉᆞ여취(心思如醉)[17]ᄒᆞ나, 태부인 슬허ᄒᆞ시믈 돕지 아니려 강인(强忍) ᄉᆞ식(辭色)【50】ᄒᆞ고, 남후는 미데의 참참ᄒᆞᆫ 화익을 슬허ᄒᆞ나 비열(悲咽)ᄒᆞ믈 낫토지 아야[18], 조모와 부모를 위로ᄒᆞ며, 댱샤(長沙)[19]로셔 온 시녀를 블너 쇼져의 목인○[을] 민ᄃᆞ라 상강(湘江)[20]의 씌온 바를 므르며, 남장으로 홍션만 다리고 나가던 바를 므러, 그 힝지(行止) 쳐ᄉᆞ(處事) 남다르믈 크게 칭션ᄒᆞ여, 부젼의 고왈,

"쇼미ᄂᆞᆫ 텬신이라. 슈화의 급ᄒᆞ믈 당ᄒᆞ나 신긔히 면화(免禍)ᄒᆞ리니, 그 ᄉᆞ싱을 염녀홀 비 업ᄂᆞᆫ지라. 존당과 부모ᄂᆞᆫ 쇼미을 위ᄒᆞ여 우려치 마르시고, 타일의 늉복(戎服)이 졔미(齊美)ᄒᆞ믈 두굿기쇼셔."

태부인이 셔간을 어로믄져 눈물을 쓰려 글오ᄃᆡ,

"혜쥬의 성힝슉덕이 맞츰ᄂᆡ 복을 바드며 슈(壽)를 챵(昌)홀 비로ᄃᆡ, 초년의 긔구참난(崎嶇慘難)[21]이 사름의 견듸지 못홀 비오. 약질이 남방말[만]니(南方萬里)의 잔잉[22]치 아니리오."

금휘 됴【51】흔 말ᄉᆞᆷ으로 ᄌᆞ위를 위로ᄒᆞ여 녀ᄋ의 지모를 긔특이 넉이나, 그 익회(厄會) 비상ᄒᆞ여 뎍소(謫所)도 보젼치 못ᄒᆞ믈 크게 참년(慘然)ᄒᆞ여, 즉시 윤태우를 쳥ᄒᆞ여 녀ᄋ의 피화한 곡졀을 니르고, 시녀

---

17)심ᄉᆞ여취(心思如醉) : 마음이 취한 듯 경황이 없음.
18)아야 : 아냐. 아니하여.
19)댱샤(長沙) : 중국 호남성의 동부 곧 동정호(洞庭湖) 남쪽 상강(湘江) 동쪽 하류에 있는 도시. 수륙교통의 요충지이며 호남성의 성도(省都)이다.
20)상강(湘江) : 소상강(瀟湘江).
21)긔구참난(崎嶇慘難) : 세상살이가 순탄치 못하고 참혹한 어려움이 많음.
22)잔잉ᄒᆞ다 : 자닝하다. 애처롭고 불쌍하여 차마 보기 어렵다.

"실인(室人)이 쇼싱 굿튼 용우흔 쟈【12】의 쳐실되믈 탄돌ᄒ여 녀즈 되믈 한ᄒ다가, 이졔 됴히 댱샤의 나아가 녀화위남(女化爲男)ᄒ여 건복(巾服)24)으로 동셔의 것칠 거시 업시 단니미, 이 녀즈의 엇기 어려온 팔지라. 악댱이 오즈(五子)를 브족ᄒ여 실인으로 마즈 ᄋ들을 삼으시고, 이러틋 깃거 쇼싱을 급히 블너 니르시니, 가히 합하의 즈궁(子宮)25)을 유복(有福)다 ᄒ려니와 쇼싱은 ᄀ장 무류(無聊)ᄒ도소이다."

금휘 역(亦) 쇼왈,

"너는 녀ᄋ의 화란을 잔잉ᄒ여 아니코 이러틋 비쇼ᄒ나, 녀ᄋ 곳 ᄋ니면 젼후 화란의 보젼ᄒ리 업슬가 ᄒ노라."

태위 함쇼(含笑) 딕왈,

"녕녀(令女)의 댱슈ᄒ믄 족히 빅셰를 긔약ᄒ리【13】니, 헛되이 죽는 변이 업슬디라. 유죄무죄 간 살인죄명의 오히려 면ᄉᄒ여시니, 그 녀화위남(女化爲男) ᄒ는 거죄 업스나 경이 ᄉ화(死禍)의 밋디 아니ᄒ리이다."

금평휘 태우의 늠연흔 신위와 샹쾌흔 긔상을 본 적마다 흠이(欽愛) 경복(敬服)ᄒ믈 마디 아니나, 녀ᄋ의 화란을 어나 쎡의 딘뎡흘 바를 모르니, 그 부뷔 됴히 화락흘 시져를 보디 못흘가 슬허 ᄒ더라.

츠시 《초디∥교디(交趾)26)》 참졍이 부상(父喪)을 만나 경샤로 도라오니, 됴졍이 보닉려 홀식 《쵸디∥교디》 참졍은 칙임이 듕대흔 고로 인믈을 굴희는디라. 평남후 뎡병뷔 윤츄밀의 변심【14】상셩(喪性)ᄒ미 뉴부인을 말미암아 사름이 되디 못ᄒ믈 탄

노복이 와시믈 니른딕, 태위 미미히 우어 골오딕,

"실인(室人)이 쇼싱 굿튼 용우흔 사름의 쳐실되믈 탄ᄒ여 녀즈 되믈 탄ᄒ다가, 이졔 됴히 댱샤의 나아가 녀화위남(女化爲男)ᄒ여 건복(巾服)23)으로 동셔의 것칠 거시 업시 단니미, 이 녀즈의 엇기 어려온 팔지라. 악댱이 오즈(五子)를 부족ᄒ여 실인으로뼈 마즈 ᄋ들을 삼으시고, 이러틋 깃거 쇼싱을 급히 블너 니르시니, 가히 합하의 즈궁(子宮)24)을 유복(有福)다 ᄒ려니와 쇼싱은 ᄀ장 무류(無聊)ᄒ도소이다."

금휘 역(亦) 쇼왈,

"너는 녀ᄋ의 화란을 잔잉ᄒ여 아니코 이러틋 비쇼ᄒ나, 녀ᄋ【52】곳 아니면 젼후 환란의 보젼ᄒ리 업슬가 ᄒ노라."

태위 함쇼(含笑) 딕왈,

"녕녀(令女)의 댱슈ᄒ믄 족히 빅년을 긔약ᄒ리니, 헛되이 죽는 변이 업슬지라. 유죄무죄간 살인죄명의 오히○[려] 면ᄉᄒ여시니, 그 녀화위남(女化爲男) ᄒ는 거죄 업스나 경이 ᄉ화(死禍)의 밋지 아니ᄒ리이다."

금평휘 태우의 늠연흔 신위와 샹쾌흔 긔상을 볼 적마다 흠이(欽愛) 경복(敬服)ᄒ믈 마지 아니나, 녀ᄋ의 화란을 어느 쎡의 진졍흘 바를 모를[르]니, 그 부뷔 됴히 화락흘 시졀을[를] 보지 못흘가 탄식ᄒ더라.

츠시 《쵸지∥교지(交趾)25)》 참졍 유휴이 부상(父喪)을 만나 경샤로 도라오니, 됴졍이 보닉려 홀식 《쵸지∥교지》 참졍은 칙임이 즁대흔 고로 인믈을 굴희는지라. 평남후 뎡병뷔 윤츄밀의 변심 상셩(喪性)ᄒ미 뉴부인을 말미암아 사름이 되지 못ᄒ믈 탄【53】

---

24)건복(巾服) : 늑옷갓. 남복(男服). 웃옷과 갓을 아울러 이르는 말. 흔히 예전에 남자가 정식으로 갖추던 옷차림을 이른다.

25)즈궁(子宮) : 점술에서 쓰는 십이궁의 하나. 자손에 관한 운수를 점치는 별자리이다. 늑남녀궁.

26)교지(交趾) : 중국 한(漢)나라 때에, 지금의 베트남 북부 통킹, 하노이 지방에 둔 행정 구역. 전한(前漢)의 무제가 남월(南越)을 멸망시키고 설치하였다.

23)건복(巾服) : 늑옷갓. 남복(男服). 웃옷과 갓을 아울러 이르는 말. 흔히 예전에 남자가 정식으로 갖추던 옷차림을 이른다.

24)즈궁(子宮) : 점술에서 쓰는 십이궁의 하나. 자손에 관한 운수를 점치는 별자리이다. 늑남녀궁.

25)교지(交趾) : 중국 한(漢)나라 때에, 지금의 베트남 북부 통킹, 하노이 지방에 둔 행정 구역. 전한(前漢)의 무제가 남월(南越)을 멸망시키고 설치하였다.

ᄒᆞ여, ᄀᆞ마니 태우를 보아 니르ᄃᆡ,

"내 보건ᄃᆡ 녕존슉의 변심ᄒᆞ시믄 실노 닉당의 팀닉(沈溺)ᄒᆞ신 연괴라. 만일 집을 ᄶᅥ나디 아니신즉 빅년이라도 녯 ᄆᆞᄋᆞᆷ이 나디 못ᄒᆞ시리니, 수원 등의 니측하는 졍니 비록 슬프나, 녕존슉으로 ᄒᆞ여곰 《초ᄃᆡǁ교ᄃᆡ》 참졍을 슈쳔(守薦)27)ᄒᆞ여 나가시면 엇더ᄒᆞ뇨?"

태위 져두(低頭) ᄉᆞ량(思量)의 츄연 탄왈,

"샤슉의 환휘 오ᄅᆡ 신음ᄒᆞ샤 디금 낫디 못ᄒᆞ신 고로 외당이 번거ᄒᆞ여 닉당의 드러 계시거니와, 집을 ᄶᅥ나시므로 나으실 비 아니오. ᄒᆞ물며 교ᄃᆡ(交趾)는 졍되 요원ᄒᆞ고 녜ᄉ 댱임(將任)과 【15】 달나 대단 ᄉᆞ괴 아니면 삼년 젼의 도라오디 못ᄒᆞᄂᆞᆫ 곳이라. 븡노디하(奉老之下)의 엇디 능히 ᄶᅥ나시리오."

병뷔 미미히 우어 왈,

"녕존슉 합하의 변심(變心) 샹셩(喪性) ᄒᆞ시미 졈졈 더어 아조 인ᄉᆞ를 일허 계시니, 수원이 ᄯᅩ흔 녕존슉의 신관28)을 보올디라. 안광의 졍긔를 일흐시고 면모의 흔졈 혈긔 업술 ᄲᅮᆫ 아니라, 거디(擧止) 실조(失措) ᄒᆞ시니, 원간 근믹(筋脈)29)이 굿셰디 못ᄒᆞᆫ 연고로 요얼(妖孽)의 샹ᄒᆞ시미라. 삼년 니졍(離情)을 결연ᄒᆞ여 ᄎᆞ마 니측(離側)디 못ᄒᆞ다가, 환휘 셰월노좃ᄎᆞ 팀듕(沈重)ᄒᆞ여 위태키의 밋ᄎᆞᆫ즉, 쳔방빅계(千方百計)로 구호하나 회츈ᄒᆞ믈 엇디 못홀 거시오, 뉘웃쳐 【16】도 밋디 못ᄒᆞ리니, 내 이 말을 ᄉᆞ빈다려 의논코져 ᄒᆞᄃᆡ, ᄃᆡ인ᄌᆞ뎨(對人子弟)30)ᄒᆞ여 닉당(內堂) 팀닉지ᄉᆞ(沈溺之事)를 드노ᄒᆞ미 불가ᄒᆞᆫ 고로, 수원다려 니르미라. 젹은 ᄉᆞ졍(私情)의 결흘(缺欻)31)ᄒᆞ믈 ᄎᆞᆷ고, 츄밀 합하

---

27)슈쳔(守薦) : 새로이 무과에 급제한 사람 가운데서 수문장이 될 만한 사람을 천거하던 일. 여기서는 천거(薦擧)를 뜻하는 말인 듯.
28)신관 : '얼굴'의 높임말.
29)근믹(筋脈) : 힘줄과 핏줄을 아울러 이르는 말.
30)ᄃᆡ인ᄌᆞ뎨(對人子弟) : 남의 아들을 마주 대하여.
31)결흘(缺欻) : 무엇인가를 잃은 것 같은 서운한 마음이 일어남. 홀연(欻然); 어떤 일이 생각할 겨를 도 없이 급히 일어나는 모양.

ᄒᆞ여, ᄀᆞ마니 태우를 보아 니르ᄃᆡ,

"내 보건ᄃᆡ 녕존슉의 변심ᄒᆞ시믄 실노 닉당의 침닉(沈溺)《ᄒᆞ여더라ǁᄒᆞ신 연괴라.》 만일 집을 ᄶᅥ나지 아닌즉 빅년이라도 옛 ᄆᆞ옴이 나지 못ᄒᆞ시리니, 수원 등의 니측ᄒᆞᆫ 졍니 비록 슬푸나, 영존슉으로 ᄒᆞ여곰 교지 참졍을 ᄒᆞ여 닉려 가시면 엇더ᄒᆞ리요?"

틱위 져두(低頭) ᄉᆞ양(思量)의 ᄎᆞ탄 왈,

"샤슉의 환후 오ᄅᆡ 신음ᄒᆞᆫᄉᆞ 지금 낫지 못ᄒᆞ신 고로 외당이 번거ᄒᆞ여 닉당의 드러 계시거니와, 집을 ᄶᅥ나시《믈ǁᄆᆞ로》 나으실 비 아니오. ᄒᆞ물며 교지(交趾)난 도로 요원ᄒᆞ여 예ᄉ 장임(將任)과 달나 디단ᄒᆞ ᄉᆞ괴 아니면, 삼년 젼의 도라오시지 못홀 곳시라. 붕노지하(奉老之下)의 엇지 능히 ᄶᅥ나시리오."

《병위ǁ병뷔》 미미히 우어 왈,

"영존슉 합하의 변심(變心) 샹셩(喪性) ᄒᆞ시미 졈졈 더어 아조 인ᄉᆞ를 일허 계시니, 수원이 【54】 ᄯᅩ흔 영존슉의 신관26)을 보올지라. 안광의 졍긔를 일흐시고 면모의 흔졈 혈긔 업술 ᄲᅮᆫ 아니라, 거지(擧止) 실조(失措) ᄒᆞ시니, 원간 근믹(筋脈)27)이 굿셰지 못ᄒᆞᆫ 연고로 요얼(妖孽)의 샹ᄒᆞ시미라. 삼년 니졍(離情)을 결연ᄒᆞ여 ᄎᆞ마 이측(離側)지 못ᄒᆞ다가, 환휘 셰월노조ᄎᆞ 침즁(沈重)ᄒᆞ여 위태키의 밋ᄎᆞᆫ즉, 쳔방빅계(千方百計)로 구호하나 회츈ᄒᆞ믈 엇지 못홀 거시오, 뉘웃쳐도 밋지 못ᄒᆞ리니, 내 이 말을 ᄉᆞ빈다려 의논코져 ᄒᆞᄃᆡ, ᄃᆡ인ᄌᆞ뎨(對人子弟)28)ᄒᆞ여 닉당 침익지ᄉᆞ(沈溺之事)를 드노ᄒᆞ미 불가ᄒᆞ 고로, 수원다려 니르미라. 젹은 ᄉᆞ졍(私情)의 결흘(缺欻)29)ᄒᆞ믈 ᄎᆞᆷ고, 츄밀 합하의 환휘 ᄎᆞ셩(差成)ᄒᆞ여 긔운이 소쾌(蘇快)30)ᄒᆞ

---

26)신관 : '얼굴'의 높임말.
27)근믹(筋脈) : 힘줄과 핏줄을 아울러 이르는 말.
28)ᄃᆡ인ᄌᆞ뎨(對人子弟) : 남의 아들을 마주 대하여.
29)결흘(缺欻) : 무엇인가를 잃은 것 같은 서운한 마음이 일어남. 홀연(欻然); 어떤 일이 생각할 겨를 도 없이 급히 일어나는 모양.
30)소쾌(蘇快) : 완쾌(完快). 병이 완전히 나아 다시

의 환휘 ᄎᆞ셩(差成)ᄒ여 긔운이 소쾌(蘇快)32)ᄒᄆᆡ, 부운의 옹폐(壅蔽)ᄒᆫ 흐리믈 회ᄎᆞ(回差)33)ᄒ고 젼일 총명이 다시 니러나, 힝신(行身) 쳐ᄉᆞ(處事) 광풍제월(光風霽月) ᄀᆞᆺ기의 니ᄅᆞᆯ딘ᄃᆡ, ᄌᆞ딜의 큰 경ᄉᆞ(慶事)라. 교ᄃᆡ 삼년을 {니별을} 니별ᄒᆞᆫ즉 댱슈ᄒ시려니와, 블연즉 ᄉᆞ빈의 망극디변(罔極之變)이 머디 아닐가 ᄒ노라."

태위 ᄯᅩᄒᆫ ᄎᆞ의(此意) 업디 아니턴 비라. ᄒ믈며 가변의 망극ᄒᆞᄆᆡ 계부(季父)로 ᄒ여금 가듕의 이시【17】나 악악ᄒᆫ34) 조모를 감화치 못ᄒᆞ며, 뉴부인의 간흉을 금치 못ᄒ여 젼후 변고를 닐위ᄆᆡ 불가사문어타인(不可使聞於他人)35)이니, 출하리 계뷔 먼니 나가시면 가간(家間)의 아모 일이 이셔도 계부의 허믈은 되디 아닐디라. 슈셩(數聲) 탄식 왈,

"형의 말이 너모 괴이ᄒ거니와 됴당(朝堂)36) 공논(公論)이 샤슉으로 교ᄃᆡ참졍을 슈쳔(守薦)37)ᄒ면 아둥(我等)이 엇디 ᄉᆞ졍을 거리쪄 국ᄉᆞ를 막ᄌᆞ르리잇가?"

병뷔 쇼왈,

"츄밀합히 젼일 ᄀᆞᆺ트면 뉘 교ᄃᆡ참졍을 슈쳔ᄒ리오. 디금의 환휘 ᄽᅥ나디 아니시니, ᄉᆞ람이 닉당의 팀닉(沈溺)ᄒᆫ 딜환이믈 아디 못ᄒ고 진짓 병만 넉이고, 교ᄃᆡ참졍을 ᄒᆞ일 ᄯᅳᆺ이 업ᄉᆞ려니와, 삼종슉 태ᄉᆞ공【18】을 내가 보고, 녕존슉을 천거ᄒ여 묘당의 여러히 의논ᄒ여 녕슉(令叔)으로 교ᄃᆡ참졍을 ᄒ이게 ᄒ리라."

태위 다시 말을 아니나, 실노 병부의 말을 ᄡᅵᆮᄃᆞ라 교ᄃᆡ참졍 슈쳔ᄒᆞ믈 말니디 아니

ᄆᆡ, 부운의 《옹톄 ‖ 옹폐(壅蔽)》ᄒᆫ 흐리믈 회ᄎᆞ(回差)31)ᄒ고 젼일 총명이 다시 니러나, 힝신(行身) 쳐ᄉᆞ(處事) 광풍제월(光風霽月) ᄀᆞᆺ기의 니ᄅᆞᆯ진ᄃᆡ ᄌᆞ딜의 큰 경ᄉᆞ라. 【55】 교지 삼년을 니별ᄒᆞᆫ즉 댱슈(長壽)ᄒ시려니와, 블연즉 ᄉᆞ빈의 망극지변(罔極之變)이 머지 아닐[닐]가 ᄒ노라."

태위 ᄯᅩᄒᆫ ᄎᆞ의(此意) 업지 아니턴 비라. ᄒ믈며 가변의 망극ᄒᆞᄆᆡ 계부(季父)로 ᄒ여금 가즁의 이시나, 악악ᄒᆫ32) 조모를 감화치 못ᄒᆞ며, 뉴부인의 간흉을 금치 못ᄒ여 젼후 변고를 니로ᄆᆡ 불가사문어타인(不可使聞於他人)33)이니, 출하리 계뷔 먼니 나가시면 가간(家間)의 아모 일이 이셔도 계부의 허믈은 되지 아닐지라. 슈셩(數聲) 탄식 왈,

"형의 말이 너모 괴이ᄒ거니와 됴당(朝堂)34) 공논(公論)이 ᄉᆞ슉을 교지참졍을 슈쳔(守薦)35)ᄒ면 아둥(我等)이 엇지 ᄉᆞ졍을 거리쪄 국ᄉᆞ를 막ᄌᆞ를리잇가?"

병뷔 쇼왈,

츄밀합히 젼일 ᄀᆞᆺ트면 뉘 교지참졍을 슈쳔ᄒ리오. 지금의 환휘 ᄽᅥ나지 아니시니, ᄉᆞ름이 닉당의 침닉(沈溺)ᄒᆫ 질환이믈 아지【56】 못ᄒ고 진짓[짓] 병만 넉이고, 교지참졍을 ᄒ일 ᄯᅳᆺ이 업ᄉᆞ려니와, 삼종슉 뎡태ᄉᆞ공을 내가 보고, 영존슉을 천거ᄒ여 묘당의 여러히 의논ᄒ여 녕슉(令叔)으로 교지참졍을 ᄒ이게 ᄒ리라."

태위 다시 말을 아니나, 실노 병부의 말을 ᄡᅵᆮᄃᆞ라 교지참졍 슈쳔ᄒᆞ믈 말니지 아니터

32)소쾌(蘇快) : 완쾌(完快). 병이 완전히 나아 다시 기운을 차림.
33)회ᄎᆞ(回差) : 회복(回復).
34)악악ᄒ다 : 악악거리다. 억지를 부리고 고함을 지르며 떠들썩거리다
35)불가사문어타인(不可使聞於他人) : 남이 알게 할 수 없다. 남이 알까 두렵다
36)됴당(朝堂) : 조정(朝廷).
37)슈쳔(守薦) : 새로이 무과에 급제한 사람 가운데서 수문장이 될 만한 사람을 천거하던 일. 여기서는 천거(薦擧)를 뜻하는 말인 듯.

기운을 차림.
31)회ᄎᆞ(回差) : 회복(回復). 병 따위가 나아 원래의 상태를 되찾음.
32)악악ᄒ다 : 악악거리다. 억지를 부리고 고함을 지르며 떠들썩거리다
33)불가사문어타인(不可使聞於他人) : 남이 알게 할 수 없다. 남이 알까 두렵다
34)됴당(朝堂) : 조정(朝廷).
35)슈쳔(守薦) : 새로이 무과에 급제한 사람 가운데서 수문장이 될 만한 사람을 천거하던 일. 여기서는 천거(薦擧)를 뜻하는 말인 듯.

터라. 뎡병뷔 녕태스(領太史) 뎡공을 보고
윤츄밀노뻐 교디참정 슈쳔ᄒᆞᆯ 고ᄒᆞ니, 뎡
태시 왈,

"현딜의 말이 올ᄒᆞ나, 윤추밀이 유질ᄒᆞ여
찰임 못ᄒᆞ연디 오란디라. 만니(萬里)의 보닉
기 가치 아닌가 ᄒᆞ노라."

병뷔 왈,

"윤츄밀이 병드럿거니와 대단치 아니ᄒᆞ
고, 위인이 교디참정을 ᄒᆞ염즉ᄒᆞ니 엇디 그
ᄉᆞ정을 넘녀ᄒᆞ여 앗기리오. 쇼딜이 윤츄밀
이 쳐슉(妻叔)이나 됴【19】당(朝堂) 공의
(公議)를 잡고 그 가간(家間) ᄉᆞ정을 보디
아니ᄒᆞᄂᆞ이다."

뎡태시 그러히 넉여 츠일 묘당의셔 상의
ᄒᆞ여 윤츄밀로 슈쳔ᄒᆞ고, 상달(上達) 왈,

"츄밀ᄉ 윤쉬 비록 노뫼 잇ᄉᆞ오나 그 지
죄 교디를 다ᄉᆞ리올디라. 국가 듕사로 ᄉᆞ정
을 ᄡᅳ디 못ᄒᆞ올디니, 됴졍 공논을 좃ᄎ 슈
쳔ᄒᆞ엿ᄉᆞ오니, 비록 졔 ᄉᆞ딕(辭職)ᄒᆞ오나 듯
디 마르쇼셔."

샹이 의윤ᄒᆞ시고 슈일닉 치힝ᄒᆞ여 교디
로 가기를 지쵹ᄒᆞ시고, 태우 윤광텬은 임의
병부와 맛춘 일이오, 학ᄉᆞ 윤희텬은 비록
아디 못ᄒᆞ나, 가변(家變)을 넘녀ᄒᆞ여 대인의
병이 집을 써나디 아닌 젼은 나을 길히 업
ᄉᆞᆷ을 알므로, ᄉᆞ정을 쥬ᄒᆞ여 왈,【20】

"신뷔 병셰 침듕(沈重)ᄒᆞ오니 신이 원컨
딕 삼년 말미를 엇ᄉᆞ와 교디의 ᄯᅡ라가 구병
ᄒᆞ여디이다."

샹이 불윤 왈,

"경의 ᄉᆞ정은 ᄯᅡ라가고져 ᄒᆞ나, 딕ᄉᆞ(職
事)는 폐치 못ᄒᆞ리니, 이런 일을 다시 쳥치
말라."

흑시 딘졍으로 회쳥(回請)[38]ᄒᆞ여 삼삭(三
朔) 말미를 어더 아비를 교디가지 다려다
두고 오믈 쳥ᄒᆞ니, 샹이 그 효의를 년이(憐
愛)ᄒᆞ샤 특디로 의윤(依允)ᄒᆞ샤, 윤츄밀을
교디가지 호힝(護行)ᄒᆞ고 즉시 도라와 힝공
ᄒᆞ믈 하됴(下詔)ᄒᆞ시니, 흑시 샤은ᄒᆞ고 퇴됴
(退朝)ᄒᆞ여 환가ᄒᆞ미, 발셔 교디참정 호힝ᄒᆞᆯ

---

[38]회쳥(回請) : 여러 번 쳥함.

라. 뎡병뷔 영태스(領太史) 뎡공을 보고 윤
츄밀노뻐 교지참정을 슈쳔ᄒᆞ라 ᄒᆞ니, 뎡태
시 왈,

"현딜의 말이 올ᄒᆞ나, 윤추밀이 유질ᄒᆞ여
찰임 못ᄒᆞ연지 오란지라. 만니(萬里)의 보닉
기 가치 아닌가 ᄒᆞ노라."

병뷔 왈,

"윤츄밀이 병드럿거니와 대단치 아니코,
위인이 교지참정을 ᄒᆞ염즉ᄒᆞ니 엇지 그 ᄉᆞ
졍【57】을 넘녀ᄒᆞ여 앗기리오. 쇼딜이 윤
츄밀이 쳐슉(妻叔)이나 됴당(朝堂) 공의(公
議)를 잡고 그 가간(家間) ᄉᆞ졍을 보지 아
니ᄒᆞᄂᆞ이다."

뎡태시 그러히 넉여 츠일 묘당의셔 상의ᄒᆞ
여 윤츄밀로 슈쳔ᄒᆞ고, 상달(上達) 왈,

"츄밀ᄉ 윤쉬 비록 노뫼 잇ᄉᆞ오나, 그 지
죄 교지를 다ᄉᆞ리올지라. 국가 즁ᄉᆞ로 ᄉᆞ정
을 ᄡᅳ지 못ᄒᆞ올지니, 됴졍 공논을 조ᄎ 슈
쳔ᄒᆞ엿ᄉᆞ오니, 비록 졔 ᄉᆞ직(辭職)ᄒᆞ오나 듯
지 마르쇼셔."

샹이 의윤ᄒᆞ시고 슈일닉 치힝ᄒᆞ여 교지로
가기를 지쵹ᄒᆞ시고, 태우 윤광편[텬]은 임
의 병부와 맛촌 일이오, 흑ᄉ 윤희텬은 비
록 아지 못ᄒᆞ나 가변(家變)을 넘녀ᄒᆞ여 대
인의 병이 집을 써나지 아닌 젼은 나을 길
히 업슬믈 알므로, ᄉᆞ정을 쥬ᄒᆞ여 왈,

"신뷔 병셰 침즁(沈重)ᄒᆞ오니 신이 원컨딕
삼년 말미를 엇ᄉᆞ와 교지의 ᄯᅡ라가 구병ᄒᆞ
여지이다."

샹이 불윤 왈,

"경의 ᄉᆞ정은 ᄯᅡ라가고져【58】 ᄒᆞ나, 직
ᄉᆞ(職事)는 폐치 못ᄒᆞ리니, 이런 일을 다시
쳥치 말라."

흑시 진졍으로 회쳥(回請)[36]ᄒᆞ여 삼삭(三
朔) 말미를 어더 아비를 교지가지 다려다
두고 오믈 쳥ᄒᆞ니, 샹이 그 효의를 년이(憐
愛)ᄒᆞ샤 특지로 의윤(依允)ᄒᆞ샤, 윤츄밀을
교지까지 호힝(護行)ᄒᆞ고 즉시 도라와 힝공
ᄒᆞ믈 하됴(下詔)ᄒᆞ시니, 흑시 샤은ᄒᆞ고 퇴됴
ᄒᆞ여 환가ᄒᆞ미, 발셔 교지참정 호힝ᄒᆞᆯ 하리

---

[36]회쳥(回請) : 여러 번 쳥함.

하리 군관이 구름곳치 모혀시니, 태부인은 공을 붓들고 원별을 슬허ᄒ고, 뉴시ᄂ 악연(愕然) 비도(悲悼)【21】ᄒ여 합문(閤門)39) 이 슬픈 빗치 니러나니, 태위 좌의 잇셔 조모ᄅᆞᆯ 위로ᄒ며 계부의 힝거ᄅᆞᆯ 출히고, 츄밀은 쥬견이 업ᄉᆞᆷ ᄀᆞ투여 위·뉴의 슬허ᄒᄆᆞᆯ 보면 눈물○[을] 나리와 금치 못ᄒ고, ᄌᆞ딜이 위로ᄒᄆᆞᆯ 당ᄒᆞᆫᄌ, 눈물을 거두고 역시 모친을 위로할 ᄉᆞᆫ이라. 혹시 부공의 환휘 오라디 아냐 나으실 바ᄅᆞᆯ 힝열ᄒ고, 가변(家變)의 참예치 아니실 바ᄅᆞᆯ 듕심의 깃거, ᄯᅩᄒ 유열(愉悅)ᄒ 사싴(辭色)과 브드러온 셩음으로 조모의 슬허ᄒᄆᆞᆯ 위로ᄒ고, 교디ᄀᆞ지 뫼셔 힝ᄒ랴 ᄒ시, 하원슈 부인 현이 야야의 만니 힝도ᄅᆞᆯ 결연ᄒ여, 구고긔 사졍을 고ᄒ고 친당에 도라와 니측ᄒᄂ 하졍(下情)을 알의【22】여, 교디의셔 홀홀40)ᄒ 셰월을 보니여 긔약이 ᄎᆞᆫ 후 무ᄉᆞ히 도라오실 바ᄅᆞᆯ 쳥ᄒ나, 효녀의 니친지회(離親之懷) ᄎᆞ아(嵯峨)ᄒ여, ᄌᆞ긔 촉디로셔 도라완디 오라디 아녀셔 야애 교디로 힝ᄒ시니, 일일도 하졍을 펴 죵용이 뫼시지 못ᄒᄆᆞᆯ 슬허ᄒ더라.

　훌훌ᄒ 슈일이 얼픗 사이의 니르니, 뎡히 니발일(離發日)이라. 윤공이 교디로 힝ᄒ올시, 모ᄌᆞ의 써나ᄂ 졍이 참연 비졀ᄒᄆᆞᆯ 춤디 못ᄒ고, 태우ᄂ 가변으로 말미암아 계부의 원별이 되ᄆᆞᆯ 더욱 슬허, ᄌᆞ긔 등의 디힝(代行)치 못ᄒᄆᆞᆯ 결연(缺然)ᄒ여 형상키 어려오딕, 츄밀은 ᄆᆞᄋᆞᆷ이 아모란 상을 몰나 웃듬은 뉴시 써나ᄆᆞᆯ 결연ᄒ고, ᄌᆞ딜의 니별【23】은 그딕도록 악연(愕然)ᄒᄆᆞᆯ 아디 못ᄒᄂᄃᆞ라. 일싞이 반오(半午)의 공이 위태부인 슬하의 빅례ᄒ올시, 위태 붓들고 톄읍오열(涕泣嗚咽) 왈,

　“너ᄅᆞᆯ 일시 샹니(相離)ᄒᄆᆞᆯ 결연턴 바로, 이제 삼ᄉᆞ년 아득ᄒ 원별(遠別)을 당ᄒ니,

군관이 구름곳치 모혀시니, 태부인은 공을 붓들고 원별을 슬허ᄒ고, 뉴시ᄂ 악연(愕然) 비도(悲悼)ᄒ여 합문(閤門)37)이 슬픈 빗치 니러나니, 태위 좌의 이셔 조모ᄅᆞᆯ 위로ᄒ며 계부의 힝거ᄅᆞᆯ 출히고, 츄밀은 쥬견이 업ᄉᆞᆷ ᄀᆞ투여 위·뉴의 슬허ᄒᄆᆞᆯ 보면 눈물○[을] ᄂ리와 금치 못ᄒ고, ᄌᆞ딜이 위로ᄒᄆᆞᆯ 당ᄒᆞᆫ 즉, 눈물을 거두고 역시 모친을 위로할 ᄉᆞᆫ이라. 【59】

흑시 부공의 환휘 오라디 아야[냐] 나으실 바ᄅᆞᆯ 힝열ᄒ고, 가변(家變)을 염예(念慮)치 아니실 바ᄅᆞᆯ 즁심의 깃거, ᄯᅩᄒ 유열(愉悅)ᄒ 사싴(辭色)과 브드러온 셩음으로 조모의 슬허ᄒᄆᆞᆯ 위로ᄒ고, 교지ᄭᅡ지 뫼셔 힝ᄒ랴 ᄒ시, 하원슈 부인 현이 부친의 만니 힝도ᄅᆞᆯ 결연ᄒ여, 구고긔 사졍을 고ᄒ고 친당에 도라와 니측ᄒᄂ 하졍(下情)을 알외여, 교지의셔 홀홀38)ᄒ 셰월을 보니여 긔약이 ᄎᆞᆫ 후 무ᄉᆞ히 도라오실 바ᄅᆞᆯ 쳥ᄒ나, 효녀의 니친지회(離親之懷) ᄎᆞ아(嵯峨)ᄒ여, ᄌᆞ긔 촉지로셔 도라온지 오라지 아니ᄒ여셔 부친이 교지로 힝ᄒ시니, 일일도 하졍을 펴 죵용이 뫼시지 못ᄒᄆᆞᆯ 슬허ᄒ더라.

　훌훌ᄒ 《슌일‖슈일》이 《얼틋‖얼픗》 사이의 니르니, 졍히 니발일(離發日)이라. 윤공이 교지로 힝ᄒ올시, 모ᄌᆞ의 써나ᄂ 졍이 참【60】연 비졀ᄒᄆᆞᆯ 춤지 못ᄒ여[고], ○○[틔우ᄂ] 가변《을‖으로》 말미암아 계부의 원별이 되ᄆᆞᆯ 더욱 슬허, ᄌᆞ긔 등의 딕힝치 못ᄒᄆᆞᆯ 결연(缺然)ᄒ여 형상키 어려오딕, 츄밀은 ᄆᆞᄋᆞᆷ이 아모란 상을 몰나 웃듬은 뉴시 써나ᄆᆞᆯ 결연ᄒ고, ᄌᆞ딜의 니별은 그딕도록 악연(愕然)ᄒᄆᆞᆯ 아지 못ᄒᄂ지라. 일싞이 반오(半午)의 공이 위태부인 슬하의 빅례ᄒ올시, 위흥이 붓들고 체읍오열(涕泣嗚咽) 왈,

　“너ᄅᆞᆯ 일시 샹니(相離)ᄒᄆᆞᆯ 결연턴 바로, 이제 삼ᄉᆞ년 아득ᄒ 원니(遠離)을 당ᄒ니,

---

39)합문(閤門) : 문을 닫는다는 뜻으로, '전가(全家)' 곧 '온 가족'을 이르는 말
40)훌훌 : 시간 따위가 빨리 지나감.

37)합문(閤門) : 문을 닫는다는 뜻으로, '전가(全家)' 곧 '온 가족'을 이르는 말
38)훌훌 : 시간 따위가 빨리 지나감.

엇디 모지 산 낫츠로 보믈 어드리오."

츄밀이 츄연 딕왈,

"원(願) ᄌ위는 쇼ᄌ로뻐 념녀치 마르샤, 타일 슬젼의 빗알ᄒᆞ믈 기다리샤 만슈(萬壽) 안강(安康)ᄒᆞ시믈 쳥ᄒᆞ고, 냥부와 이녀를 다 어로만져 기리 무양ᄒᆞ라 ᄒᆞ고, 총총이 모젼의 비샤ᄒᆞ고 밧그로 나가미, 혹시 존당 ᄌ위와 이미(二妹)로 지비 분슈ᄒᆞ여, 총총이 부지 궐하의 샤은 하딕ᄒᆞ온딕, 샹이 교디참졍 윤슈의 하딕ᄒᆞ믈 드르시고, 즉【24】시 편뎐의 인견ᄒᆞ샤, 돈유 왈,

"경의 지조로 교디를 무ᄉᆞ히 딘무ᄒᆞ믈 가히 알 거시오. 경ᄌᆞ(卿子) 희텬이 경의 힝거를 호행ᄒᆞ니 모로미 슈히 도라 보닉라."

하시고 《어은∥어온(御醞)》을 반샤(頒賜)[41]ᄒᆞ샤 위무ᄒᆞ시고 혹샤를 샤듀(賜酒)ᄒᆞ샤 슈히 도라와 힝공(行公)ᄒᆞ라 ᄒᆞ시니, 윤공 부지 지비 샤은ᄒᆞ여 셩은을 슉샤ᄒᆞ고, 날이 느ᄌᆞ믈 듀ᄒᆞ여 뇽누(龍樓)의 팔비대례(八拜大禮)로 하딕고 퇴됴ᄒᆞ미, 윤공의 친붕졔우와 만됴거경(滿朝巨卿)이 별댱(別章)을 디으며 쥬호(酒壺)를 닛그러 문외의 젼별홀ᄉᆞ, 윤참졍이 후의를 샤ᄉᆞ(謝辭)ᄒᆞ고 비쥬(盃酒)를 거후를ᄉᆞ, 금평휘 참졍의 손을 잡고 기리 탄왈,

"남ᄋᆞ의 샤환(仕宦)이 즐겁고 영화로【25】오딕, 형이 만니의 가기를 당ᄒᆞ여 쇼뎨 ᄆᆞ음이 결연 비졀ᄒᆞᆷ은 골육을 샹니함과 다르디 아닌디라. ᄒᆞ믈며 형이 근간 괴이ᄒᆞᆫ 딜환(疾患)을 어더 오릭 신음ᄒᆞ민, 시러곰 샹견(相見)이 쉽디 못ᄒᆞ던 바로, 금일 원별ᄒᆞ니 셰월이 비록 '빅구(白駒)의 틈 디남'[42] ᄀᆞᆺ나, 그 ᄉᆞ이 인ᄉᆞ를 아디 못ᄒᆞ니, 형의 회환시의 능히 이러틋 반기믈 어이 긔필 ᄒᆞ리오."

하공이 말을 니어 굴오딕,

엇지 모지 산 낫츠로 보믈 어드리오."

츄밀이 츄연 딕왈,

"원(願) ᄌ위는 쇼ᄌ로뻐 염녀치 마르샤, 타일 슬젼의 빗알ᄒᆞ믈 기다리ᄉ 만슈(萬壽) 안강(安康)ᄒᆞ시믈 쳥ᄒᆞ고, 냥부와 이녀를 다 어로만져 기리 무양ᄒᆞ라 ᄒᆞ고, 총총이 모젼의 비샤ᄒᆞ고 밧그로 나가미,【61】 혹시 존당 ᄌ위와 이미(二妹)로 지비 분슈ᄒᆞ여, 총총이 부지 궐하의 샤은 하직ᄒᆞ온딕, 샹이 교지참졍 윤슈의 하직ᄒᆞ믈 드르시고 즉시 편뎐의 인견 돈유(敦諭) 왈,

"경의 지조로 교지를 무ᄉᆞ히 진무ᄒᆞ믈 가히 알 거시오. 경ᄌᆞ(卿子) 희텬이 경의 힝거를 호힝ᄒᆞ니 모로미 슈히 도라 보닉라."

하시고 어온[온](御醞)을 반샤(頒賜)[39]ᄒᆞᄉ 위무ᄒᆞ시고, 혹샤를 샤듀(賜酒)ᄒᆞ샤 슈히 도라와 힝공ᄒᆞ라 ᄒᆞ시니, 윤공 부지 지비 샤은ᄒᆞ여 셩은을 슉샤ᄒᆞ고, 날이 느ᄌᆞ믈 쥬ᄒᆞ여 뇽누(龍樓)의 팔비대례(八拜大禮)로 하직고 퇴궐ᄒᆞ미, 윤공의 친붕졔우와 만됴거경(滿朝巨卿)이 별장(別章)을 지으며 쥬효(酒肴)를 닛그러 문외의 젼별홀ᄉᆞ, 윤참졍이 후의를 ᄉᆞ샤(謝辭)ᄒᆞ고 비쥬(盃酒)를 거후를ᄉᆞ, 금평휘 참졍의 손을 잡고 기리 탄왈,

"남ᄋᆞ의 ᄉᆞ【62】환(仕宦)이 즐겁고 영화로오딕, 형이 만니의 가기를 당ᄒᆞ여 쇼뎨 ᄆᆞ음이 결연 비졀ᄒᆞᆷ은 골육을 샹니홈과 다르지 아닌지라. ᄒᆞ믈며 형이 근간 괴이ᄒᆞᆫ 질환(疾患)을 어더 오릭 신음ᄒᆞ매, 시러곰 샹면(相面)이 쉽지 못ᄒᆞ던 바로, 금일 원별ᄒᆞ니 셰월이 비록 '빅구(白駒)의 틈 지남'[40] ᄀᆞᆺ나, 그 ᄉᆞ이 인ᄉᆞ를 아지 못ᄒᆞ니, 형의 회환시의 능히 이러틋 반기믈 어이 긔필 ᄒᆞ리오."

하공이 말을 니어 굴오딕,

---

41)반샤(頒賜) : 임금이 녹봉이나 물건을 내려 나누어 주던 일.

42)빅구(白駒)의 틈 디남 : 백구과극(白駒過隙). 흰 망아지가 빨리 달리는 것을 문틈으로 본다는 뜻으로, 인생이나 세월이 덧없이 빨리 흘러감을 이르는 말.

39)반샤(頒賜) : 임금이 녹봉이나 물건을 내려 나누어 주던 일.

40)빅구(白駒)의 틈 지남 : 백구과극(白駒過隙). 흰 망아지가 빨리 달리는 것을 문틈으로 본다는 뜻으로, 인생이나 세월이 덧없이 빨리 흘러감을 이르는 말.

"쇼데는 더욱 촉(蜀)으로 좃츠 도라온 후, 여러 달이 되디 못ᄒ여서 형이 교디로 향ᄒ니, 상니디졍(相離之情)을 펴디 못ᄒ엿ᄂ디라. 엇디 훌훌43) 비졀(悲絶)ᄒ믈 춤으리오. 모로미 만니의 무ᄉ히 득달ᄒ여 삼년 긔약【26】이 ᄎᆞᆫ 후 영화로이 모드믈 기다리ᄂ이다."

츄밀이 뎡·하 이공의 손을 잡고 역시 의의(依依)44) 비졀(悲絶)ᄒ믈 니기디 못ᄒ여 동긔를 상니(相離)ᄒ므로 다르디 아니ᄒ더라.

초일 뎡병부 삼곤계 부공을 뫼셔 ᄯ한 교외의 나왓ᄂ디라, 병뷔 참졍을 향ᄒ여 만니 원노의 무ᄉ히 득달ᄒ믈 쳥ᄒ며, 삼셰(三歲) 원별이 아득ᄒ믈 일ᄏᆞ르니, 윤공이 츄연 댱탄 왈,

"댱뷔 몸을 나라히 허ᄒ미, 동셔의 샤환ᄒ여 집의 드디 못ᄒ기ᄂ 괴이치 아니커와, 나의 편친(偏親)이 년노ᄒ샤 ᄒ낫 안항(雁行)45)이 업ᄉ니, 위로ᄒ여 뫼시 리 업시 봉노봉ᄉ(奉老奉祀)46)를 다 딜ᄋ의게 맛디ᄂ 빈오,【27】만니 임소의 나아가 외로온 졍니 슬프믈 니기지 못ᄒᄂ니, 광텬의 부뷔 화락ᄒ여 ᄌᄂ녜 층층(層層)ᄒ믈 엇디 못ᄒ고, 녕민ᄂ 뎍소(謫所)도 보젼치 못ᄒ여 닉슈디환(溺水之患)을 만나 ᄉ라시믈 긔필치 못ᄒ고, 딘시ᄂ 발셔 셰상을 바린 비라. 광이 ᄒ낫47) 유ᄌ(乳子)를 거ᄂ리디 못ᄒ여 실니ᄒ니, 져의 신셰 환부의 괴롭기를 겸ᄒ여 닉ᄉ를 도울 쳐실이 업ᄉ니, 누뒤봉ᄉ(累代奉祀)를 밧ᄃᄂ 바로 이런 불ᄒᆡᆼ이 업고, 더욱 참연ᄒ 밧ᄌᄂ 딜녀를 내 다려오다가 듕노의셔 일허 디금 ᄉᆞᆼ 거쳐를 모르니, 만일 명믹이 씃디 아냐 후릭의 혹즈 슉딜이 상봉

43)훌훌 : 눈이나 낙엽 따위가 가볍게 날려 사라지듯 덧없음.
44)의의(依依) : 헤어지기가 서운하다.
45)안항(雁行) : 형제. 기러기의 행렬이란 뜻으로, 남의 형제를 높여 이르는 말.
46)봉노봉ᄉ(奉老奉祀) : 늙으신 어버이를 봉양하고 조상의 제사를 받드는 일.
47)ᄒ낫 : 한낱. 기껏해야 대단한 것 없이 다만. 늙한 개.

"쇼데는 더욱 촉(蜀)으로 조츠 도라온 후, 여러 달이 되지 못ᄒ여서 형이 교지로 향ᄒ니, 상니지졍(相離之精)을 펴지 못ᄒ엿《고 ‖ ᄂᄃᆞᆯ라》. 엇지 훌훌41) 비졀(悲絶)ᄒ믈 춤으리오. 모로미 만니의 무ᄉ히 득달ᄒ여 삼년 긔약이 ᄎᆞᆫ 후 영화로이 므드믈 기다리ᄂ이다."

츄밀이 뎡·하 이공의 손을 잡고 역시 의의(依依)42) 비졀(悲絶)ᄒ믈 니기지 못ᄒ여 동긔를 상니(相離)ᄒ므로【63】 다르지 아니ᄒ더라.

초일 뎡병부《삼공셰 ‖ 삼곤계》《분군 ‖ 부군》을 뫼셔 ᄯ한 교외의 나왓ᄂ지라. 병부 참졍을 향ᄒ여 만니 원노의 무ᄉ히 득달ᄒ믈 쳥ᄒ며, 삼셰(三歲) 원별이 아득ᄒ믈 일크르니, 윤공이 츄연 장탄 왈,

"댱뷔 몸을 나라의 허ᄒ미, 동셔의 ᄉ환ᄒ여 집의 드지 못ᄒ기ᄂ 괴이치 아니커와, 나의 편친(偏親)이 년노ᄒ샤 ᄒ낫 안항(雁行)43)이 업ᄉ니, 위로ᄒ여 뫼시 리 업시 봉노봉ᄉ(奉老奉祀)44)를 다 딜ᄋ의게 맛지ᄂ 빈오, 만니 임소의 나아가 외로온 졍니 슬프믈 니기지 못ᄒᄂ니, 《광평 ‖ 광텬》의 부뷔 화락ᄒ여 ᄌᄂ녜 층층(層層)ᄒ믈 엇지 못ᄒ고, 녕민ᄂ 젹소(謫所)도 보젼치 못ᄒ여 닉슈지환(溺水之患)을 만나 ᄉ라시믈 긔필치 못ᄒ고, 진시ᄂ 발셔 셰상을 ᄇ린 비라. 광이 ᄒ낫45) 유ᄌ(乳子)를 거ᄂ리지 못ᄒ여 실니ᄒ니, 져의 신셰【64】환부의 괴롭기를 겸ᄒ여 닉ᄉ를 도울 쳐실이 업ᄉ니, 누뒤봉ᄉ(累代奉祀)를 밧ᄃᄂ 바로 이런 불ᄒᆡᆼ이 업고, 덕[더]욱 참연ᄒ 밧ᄌᄂ 질녀를 내 다려오다가 즁노의셔 일허 지금 ᄉᆞᆼ 거쳐를 모르니, 만일 명믹이 씃지 아냐 후의

41)훌훌 : 눈이나 낙엽 따위가 가볍게 날려 사라지듯 덧없음.
42)의의(依依) : 헤어지기가 서운하다.
43)안항(雁行) : 형제. 기러기의 행렬이란 뜻으로, 남의 형제를 높여 이르는 말.
44)봉노봉ᄉ(奉老奉祀) : 늙으신 어버이를 봉양하고 조상의 제사를 받드는 일.
45)ᄒ낫 : 한낱. 기껏해야 대단한 것 없이 다만. 늙한 개.

ㅎ면, 나의 유한이 풀니【28】려니와, 불연 즉 미스디젼의 닛기 어려온 슬프미오. 구쳔 타일(九泉他日)의 션빅(先伯)긔 뵈오미 면목 이 업스리로다."

남휘 호언(好言) 관위(款慰)ㅎ고 윤태우 등은 담화ㅎ나, 태위 계부를 원니(遠離)ㅎ눈 심식 버히눈 둣ㅎ여, 스스로 눈물을 금치 못ㅎ니, 뎡녜부 곤계 윤태우의 심약ㅎ믈 니 르고, 흑스를 향ㅎ여 츄밀공을 뵈셔 만니의 무ㅅ히 힝ㅎ믈 니르니, 학식 그덧 스이나 무양(無恙)ㅎ믈 니를식, 만됴공경과 일가친 쳑이 면면(面面)48) 작별ㅎ여 일싁이 느즈 미, 참졍이 슈리의 오르니, 이 マ온디 뎡‧ 하 이공의 결혼ㅎ믄 동긔를 니별홈 굿고, 윤태우눈 계부를 뵈셔 슈십니를 더 힝홀 【29】식, 학스 곤계과[와] 참졍을 옹호ㅎ 눈 하리 츄종과 군관의 무리 슈를 혜기 어 렵고, 옥부졀월(玉斧節鉞)49)이 알플 인도ㅎ 여 댱흔 위의 대로의 덥허시니, 위권(威權) 과 작녹(爵祿)인즉 사룸의 불위홀 빈로디, 윤태우의 ○○[졍식] 남과 다른 연고로, 마 디 못ㅎ여 참졍공을 나가게 ㅎ나, 비졀(悲 絶)흔 회푀 만쳡(萬疊)ㅎ여 형용키 어렵더 라.

윤학식 옥화산이 이곳의셔 갓가오므로 춍 춍이 모친긔 하딕을 고ㅎ미, 조부인이 어로 만져 무ㅅ히 단녀오믈 니르고, 구파눈 츄밀 의 아득히 나가믈 결홀○○[ㅎ디], 낫츠로 보아 니별치 못ㅎ믈 더욱 슬허ㅎ더라. 흑식 모부인긔 그 ㅅ이 안강ㅎ시믈 쳥ㅎ고,【3 0】밧비 부친의 슈리를 ᄯ라 힝ㅎ니, 참졍 은 조부의 잠간 단녀오므로 아더라.

태우의 계부 원니ㅎ눈 심식 츠아ㅎ여, 슈 십니를 호힝ㅎ엿다가 하딕을 고홀식, 참졍

혹ᄌ 슉딜이 상봉ㅎ면, 나의 유한이 풀니려 니와, 불연죽 미스지젼의 닛기 어려온 슬프 미오, 구쳔타일(九泉他日)의 션형(先兄)긔 뵈오미 면목이 업스리로다."

남휘 호언(好言) 관위(款慰)ㅎ고 윤태우 등으로 담화ㅎ나, 태위 계부를 원니(遠離)ㅎ 눈 심식 버히눈 둣ㅎ여, 스스로 눈물을 금 치 못ㅎ니, 뎡녜부 곤계 윤태우의 심약ㅎ믈 니르고, 흑스를 향ㅎ여 츄밀공을 뵈셔 만니 의 무ㅅ히 힝ㅎ믈 니르니, 흑식 그 ㅅ이 무 양(無恙)ㅎ믈 니를식, 만됴공경과 일가친쳑 이 면면(面面)46) 작별ㅎ여 일싁이 【65】 느 즈미, 참졍이 슈리의 오를[르]니, 이 マ온디 뎡‧하 이공의 결혼ㅎ믄 동긔를 니별홈 굿 고, 윤태우눈 슉부를 뵈셔 슈십니를 더 힝 홀식, 학스 곤계○[와] 참졍을 옹호하눈 하 리 츄종과 군관의 무리 슈를 혜기 어렵고, 옥부졀월(玉斧節鉞)47)이 알플 인도ㅎ여 쟝 흔 위의 대로의 덥허시니, 위권과 작녹인즉 사룸의 불위홀 빈로디, 윤태우의 졍식 남과 다른 연고로, 마지 못ㅎ여 참졍공을 나가게 ㅎ나, 《비졀∥비졀(悲絶)》흔 회푀 만쳡(萬 疊)ㅎ여 형용이[키] 어렵더라.

윤흑식 옥화산이 이곳의셔 갓가오믈[므] 로 춍춍이 모친긔 하직을 고ㅎ매, 조부인이 어로만져 무ㅅ히 단녀오믈 니르고, 구파눈 츄밀의 아득히 ᄂ가믈 결홀ㅎ디, 낫츨 보아 니별치 못ㅎ믈 더욱 슬허ㅎ더라. 흑식 모친 긔 그 ㅅ이 안강ㅎ시믈 쳥ㅎ고, 밧비 부친 의 슈리를 ᄯ【66】라 힝ㅎ니, 참졍은 조부 의 잠간 단녀오《믈∥므로》아더라.

태우의 계부 원니ㅎ눈 심식 츠아ㅎ여, 슈 십니를 호힝ㅎ엿다가 하직을 고홀식, 참졍

---

48)면면(面面) : 각각(各各).
49)옥부졀월(玉斧節鉞) : 절(節)과 옥으로 만든 부월
　(斧鉞). 절부월(節斧鉞). 절월(節鉞). 조선 시대에,
　관찰사・유수(留守)・병사(兵使)・수사(水使)・대
　장(大將)・통제사 들이 지방에 부임할 때에 임금
　이 내어 주던 물건. 절은 수기(手旗)와 같이 만들
　고 부월은 도끼와 같이 만든 것으로, 군령을 어긴
　자에 대한 생살권(生殺權)을 상징하였다.

46)면면(面面) : 각각(各各).
47)옥부졀월(玉斧節鉞) : 절(節)과 옥으로 만든 부월
　(斧鉞). 절부월(節斧鉞). 절월(節鉞). 조선 시대에,
　관찰사・유수(留守)・병사(兵使)・수사(水使)・대
　장(大將)・통제사 들이 지방에 부임할 때에 임금
　이 내어 주던 물건. 절은 수기(手旗)와 같이 만들
　고 부월은 도끼와 같이 만든 것으로, 군령을 어긴
　자에 대한 생살권(生殺權)을 상징하였다.

이 비록 변심 상성ᄒ여시나, 슉딜의 ᄯ써나는 졍니 의의(依依) 참연(慘然)ᄒ여 집슈타루(執手墮淚)ᄒᄆᆯ 면치 못ᄒᄂ니라. 태우는 계부의 존휘 기리 안강ᄒ샤 삼년 임소의 무ᄉ히 디닉시믈 쳥ᄒ며, 참졍은 태우를 어로만져, 모친을 뫼셔 닉외가ᄉ를 슬펴, 삼년 ᄉ이의 대단흔 ᄉ괴 업ᄉᄆᆯ 닐너, 기리 보듕ᄒᄆᆯ 당부ᄒ이, 한 잔 술을 부어 ᄀᆯ오ᄃ,

"우슉이 금일 일비쥬로ᄡ 슉딜의 ᄯ써나는 졍【31】을 펴ᄂ니, 네 존당(尊堂)을 밧드오며 봉ᄉ를 녕(領)ᄒ여50) 삼ᄌ디닉(三載之內)51)의 안과(安過)홀딘ᄃ, 우슉이 도라오는 날 ᄯ또흔 이 잔을 권ᄒ여 즐거오믈 니르리라."

태위 년망(連忙)이 밧ᄌ와 마시고 봉안의 츄쉬(秋水) 동ᄒᄆᆯ 씌ᄃ디 못ᄒ여 비샤 왈,

"유ᄌ(猶子) 블초무상ᄒ와 계부대인 명녕을 쥰힝치 못ᄒ려니와, 대인은 만니의 봉ᄉᄒ시미 가사를 넘녀ᄒ실 비 아니라. 국ᄉ를 션치(善治)ᄒ시고 긔한의 도라오시믈 당ᄒ여, 유지 만일 나려가 뫼셔오디 못홀딘ᄃ, 이 문의 다시 나와 힝거를 마ᄌ리이다."

공이 졈두ᄒ고 ᄎ마 손을 노치 못ᄒ니, 군관 등이 참쉬(站數)52) 멀믈 고ᄒᄆᆡ, 마디 못ᄒ여 태우의 손을 노코, 혹시 형【32】을 ᄯ써나는 졍을 일ᄏ고 길흘 날ᄉ, 이에 태우는 도셩으로 드러오니라.

ᄎ셜 뉴시 뎡·딘 등을 업시ᄒ며 태우의 유ᄌ(乳子)를 업시ᄒ고, 간계를 운동ᄒ여 현인을 ᄎ례로 셔르ᄌᄆᆡ, ᄌ긔의 능흔 슈단에 비로ᄉᄆᆡ 되니, 스스로 직죄 남다르고 디혜 과인ᄒᄆᆯ ᄌ랑ᄒ며, 하·댱을 마ᄌ 업시ᄒ여 거리낀 근심이 업과져 ᄒ나, 당ᄎ시(當此時)ᄒ여는 어딘 ᄯᆯ이 경샤의 올나와, 비

이 비록 변심 상성ᄒ여시나, ᄎ시를 당ᄒ여 슉딜의 ᄯ써나는 졍니 의의(依依) 참연(慘然)ᄒ여 집슈타루(執手墮淚)ᄒᄆᆯ 면치 못ᄒᄂ니라. 태우는 계부의 존휘 기리 안강ᄒ여 삼년 임쇼의 무ᄉ히 지닉시믈 쳥ᄒ며, 참졍은 태우를 어로만져 모친을 뫼셔 《닉의‖닉외》가ᄉ를 슬펴, 삼년 ᄉ이의 대단○[흔] ᄉ괴 업ᄉᄆᆯ 닐너, 기리 보즁ᄒᄆᆯ 당부ᄒ이, 흔 즌 술을 부어 ᄀᆯ오ᄃ,

"우슉이 금일 일비쥬로ᄡ 슉딜의 ᄯ써나는 졍을 펴ᄂ니, 네 ᄌ당(慈堂)을 밧드오며 봉ᄉ를 녕(領)ᄒ여48) 삼지디닉(三載之內)49)의 안과(安過)홀진ᄃ, 우슉이 도라오는 날 ᄯ또흔 이 잔으로 권ᄒ여 즐거오믈 니르리라."

태위 년망(連忙)이【67】 밧ᄌ와 마시고 봉안의 츄쉬(秋水) 동ᄒᄆᆯ 씌ᄃ지 못ᄒ여 비샤 왈,

"유지(猶子) 블초무상ᄒ와 계부의 명영(命令)을 쥰힝치 못ᄒ려니와, 계부는 만니의 봉ᄉᄒ시매 가ᄉ를 넘녀ᄒ실 비 아니라. 국ᄉ를 션친[치](善治)ᄒ시고 긔한의 도라오시믈 당ᄒ여, 유지 만일 나려가 뫼셔오지 못홀진ᄃ, 이 문의 다시 나와 힝거를 마ᄌ리이다."

공이 졈두ᄒ고 ᄎ마 손을 노치 못ᄒ니, 군관 등이 참쉬(站數)50) 멀믈 고ᄒᄆᆡ, 마지 못ᄒ여 태우의 손을 노코, 혹시 형을 ᄯ써나는 졍을 일ᄏ고 길흘 날ᄉ, 이의 태우는 도셩으로 드러오니라.

ᄎ셜 뉴시 뎡·진 등을 업시ᄒ며 태우의 유ᄌ(乳子)를 업시ᄒ고, 간계를 운동ᄒ여 현인을 ᄎ례로 셔로[르]ᄌᄆᆡ, ᄌ긔의 능흔 슈단의 비로ᄉᄆᆡ 되니, 스스로 직죄 남다르고 지혜 과인ᄒᄆᆯ ᄌ랑ᄒ며, 하·댱을【68】《만ᄉ‖마ᄌ》 업시ᄒ여 거리낀 근심이 업과져 ᄒ나, 당ᄎ시(當此時)ᄒ여는 어진 ᄯᆯ

---

50) 녕(領)ᄒ다 : 종통이나 제사 따위를 이어 받다.
51) 삼ᄌ디닉(三載之內) : 3년 내에.
52) 참쉬(站數) ; 역참(驛站)과 역참 사이의 거리. 역참(驛站); 조선 시대에 역로(驛路)에 세워 국가가 경영하던 여관. 대개 25리마다 1참(站)을 두었다.

48) 녕(領)ᄒ다 : 종통이나 제사 따위를 이어 받다.
49) 삼지디닉(三載之內) : 3년 내에.
50) 참쉬(站數) ; 역참(驛站)과 역참 사이의 거리. 역참(驛站); 조선 시대에 역로(驛路)에 세워 국가가 경영하던 여관. 대개 25리마다 1참(站)을 두었다.

록 주로 귀근치 아나나, 모친을 미양 고요히 디흐면 악을 먼니흐고 인을 슝상호라 간권호며, 조부인 거쳐 업스믈 일크라 블힝코 비절호미 이 밧긔 업스믈 딘졍으로 탄호여 슬허호니, 뉴부인이【33】 츠녀를 늬외호미 극딘호여, 현♀ 보는 듸는 악을 곰초고 현(賢)을 낫토나, 쇼졔 엇디 모친의 심사를 모르리오. 흐믈며 조부인이 옥화산 조부의 이시듸, 감히 스라시믈 통치 못호여 죽은듯시 감초여시믈 하쇼져로 인연호여 드른 비오. 즈개 경샤의 울나온 후 벽옥 등 비즈를 가마니 화산의 보늬여 조부인과 구파를 문후호며, 디극흔 졍셩이 친녀의 감치 아니니, 조부인이 쏘흔 애듕호여 셔간을 보면 심곡의 졍을 펴 답간을 일워 보늬듸, 쇼졔 가변을 헤아리미, 조모와 모친의 악착호미 즈긔 구셜(口舌)이 무익호여 효험이 업고, 조부인의 스라시믈 드르미 더욱 급히 희코【34】져 홀 거시므로, 빅모의 거쳐를 아득히 모로는 듯시 흐는 고로, 뉴시 친싱 녀이나 범스를 긔이고 바로 니르디 아니며, 누년을 써낫던 비로듸 죵요로이 심곡을 펴디 아냐, 녀♀ 보는 듸는 은악양션(隱惡佯善)을 힘쓰니, 쇼졔 모친의 힝사를 졀박히 근심호듸 간호여 듯디 아니호고, 즈긔 미양 닛디 못호여 셔의흔 빈객궃치 얼프시 단녀가니, 모친의 악수를 막즈를 길히 업는디라.

야야를 만니의 원별코져 옥누항의 슈삼일 머므더니, 윤공이 교디 발힝 후 뎡국공이 교외의 윤공을 숑별흐고 도라올 길히 들녀, 거교를 출혀 식부의 가기를 지쵹호니, 쇼졔 모친긔 일언을【35】 죵용히 못호고 즉시 취운산으로 도라가니, 뉴부인이 비록 결연호나 현♀ 와 이신족, 즈긔 간악을 나는 듸로 브리디 못호여 크게 굼거이53) 넉이다가, 도라간 후는 극악 간음을 한업시 발흐는디라. 흐믈며 츄밀이 만니의 나가니 음황(淫荒)흔 졍을 펼 길히 업셔 더욱 심홰 되니, 분한이 태우와 하·댱의게 다 못겨54), 겻틱

───────────
53)굼거이 : 궁금히, 궁금하게.

이 경샤의 울나와, 비록 주로 귀근치 아니나, 모친을 미양 고요히 디흐면 악을 먼니흐고, 인을 슝상호라 간권호며, 조부인 거쳐 업스믈 일크라 블힝코 비절호미 이 밧긔 업스믈 진졍으로 탄호여 슬허호니, 뉴부인이 츠녀를 늬외호미 극진호여, 현♀ 보는 듸는 악을 곰초고 현(賢)을 《낫초나‖낫토나》, 쇼졔 엇지 모친의 심사를 모르리오. 흐믈며 조부인이 옥화산 조부의 이시듸 감히 스라시믈 통치 못호여 죽은듯시 감초여시믈 하쇼져로 인년호여 드른 비오. 즈가 경스의 울나온 후 벽옥 등 비즈를 가마니 화산의 보늬여 조부인과 구파를 문후호며, 지극흔 졍셩이 친녀의셔 감치 아니니, 조부인이 쏘흔 이즁흔【69】여 셔간을 보면 심곡의 졍을 펴 답간을 일워 보늬듸, 쇼졔 가변을 혜아리매 조모와 모친의 악착호미 즈긔 구셜(口舌)이 무익호여 효험이 업고, 조부인의 스라시믈 드르매 더욱 급히 희코져 홀 거시므로, 빅모의 거쳐를 아득히 모로는 듯시 흐는 고로, 뉴시 친싱 녀이나 범스를 긔이고 바로 니르지 아니며, 누년을 써나[낫]던 비로듸 죵요로이 심곡을 펴지 아냐, 녀♀ 보는 듸는 은악양션(隱惡佯善)을 힘쓰니, 쇼졔 모친의 힝사를 졀박히 근심호듸 간호여 듯지 아니호고, 즈긔 미양 잇지 못호여 셔의흔 빈객궃치 얼프시 단녀가니, 모친의 악수를 막즈를 길히 업는지라.

부친을 만니의 원별코져 옥누항의 슈삼일 머므더니, 윤공이 교지 발힝후 뎡국공이 교외의 윤공을 숑별흐고 도라올 길히 들녀,【70】 거교를 돌혀 식부의 가기를 직쵹호니, 쇼졔 모친긔 일언을 죵용히 못호고 즉시 취운산으로 도라가니, 뉴부인이 비록 결년호나 현♀ 와 이신족, 즈긔 간간(間間) 악을 나는 듸로 브리지 못호여 크게 굼거이51) 넉이다가, 도라간 후는 극악 간음을 한업시 발흐는지라. 흐믈며 츄밀이 만니의 나가니 음황(淫荒)흔 졍을 펼 길히 업셔 더욱 심홰 되니, 분한이 태우와 하·댱의게

───────────
51)굼거이 : 궁금히, 궁금하게.

셔 태부인을 도도와 태우를 못 견듸도록 보
치며, 즈긔는 하·댱을 날마다 즐욕 난타ᄒ
여, 여러 이목이 보디 못ᄒ는 곳의는, 하·
댱을 협실의 모라너코 쇠와 돌흘 혜디 아
냐, 손의 잡히는 족족 그 만신을 즛두다리
디, 오딕 그 면모를 상히오디 아니믄 힝
【36】혀 녀익 알가 넘○[녀]ᄒ미라.

하쇼져와 댱쇼져의 만단고경(萬端苦境)이
뎡·딘 등의 년원졍의 가도인 바도곤55) 더
ᄒ여, 혈육디신이 견듸디 못하게 되어시듸,
텬셩의 인효ᄒ미 가디록 온슌 나죽기를56)
쥬ᄒ여 조금도 원ᄒ는 ᄉ식을 낫토디 아닐
ᄲᆞᆫ 아니라, 닉심의도 딜원디심(疾怨之心)57)
을 머므르디 아니ᄒ니, 싀호(豺虎)라도 족히
감화ᄒ며, 싱텰(生鐵)이라도 거의 녹일 거시
로듸, 뉴시의 극악요ᄉᄒ며 위시의 궁흉싀
험ᄒ미 조금도 감동홀 의ᄉ 업셔, 날노 사
룸의 못홀 말과 견듸디 못홀 도리로 즐타
(叱打) 구욕(詬辱)ᄒ미 일일층가ᄒ고, 뉴시
미양 교아졀치(咬牙切齒)ᄒ여 하시다려 왈,

　"너의 　악악요ᄉ(惡惡妖邪)58)ᄒ【37】믈
뎡국공과 묘부인은 오히려 모로고, 우리를
인ᄌ(仁慈)치 못ᄒ게 넉이니, 너를 됴히 거
나리디 못ᄒ는 년좌(緣坐)로, 녀으를 일분이
나 블평케 ᄒ미 이실딘듸, 흔갓 너를 만단
의 ᄲ져59) 분을 풀 ᄲᆞᆫ 아니라, 하딘의 보는
곳의셔 　ᄌ문이ᄉ(自刎而死)ᄒ여 　하딘으로
ᄒ여금 친옹의 부인 죽인 죄를 므릅ᄢᅱ워,
ᄋᆞ들 원경 등ᄀᆞᆺ치 흉ᄉ케 ᄒ리라."

다 《못셔∥못겨52)》, 겻틔셔 태분[부]인을
도도와 태우를 못 견듸도록 보치며, 즈긔는
하·댱을 날마다 즐욕 난타ᄒ여, 여러 이목
이 보지 못ᄒ는 곳의는, 하·댱을 협실의
모라너코 쇠 돌흘 혜지 아냐 손의 잡히는
족족 그 만신을 즛두다리디, 오작53) 그 면
모를 상히오지 아니믄 힝혀 녀ᄋ 알가 염○
[녀]ᄒ미라.

하쇼져와 댱쇼져의 만단고경(萬端苦境)이
뎡·진 등의 년원【71】졍○[의] 가도인 바
도공[곤]54) 더ᄒ여, 혈육지신이 견듸디 못
ᄒ게 되어시듸, 텬셩의 인효ᄒ미 가지록 온
슌 나죽기를55) 쥬ᄒ여, 조금도 원ᄒ는 ᄉ식
을 낫토지 아닐ᄲᆞᆫ 아니라, 쇽모음의도 질원
지심(疾怨之心)56)을 머믈지 아니ᄒ니, 싀호
(豺虎)라도 족히 감화ᄒ며, 싱쳘(生鐵)이라
도 거의 녹일 거시로듸, 뉴시의 극악요ᄉᄒ
며 위시의 궁흉싀험ᄒ미 조곰도 감동홀 의
시 업셔, 늘노 ᄉ룸의 못홀 말과 견듸지 못
헐 도리로 즐타(叱打) 슈욕(數辱)ᄒ미 일일
칭[층]가(日日層加)ᄒ고, 뉴시 미양 교아졀
치(咬牙切齒)ᄒ여 하쇼져다려 왈,

　"너의 악악요ᄉ(惡惡妖邪)57)ᄒ믈 뎡국공과
묘부인은 오히려 모로고, 우리을[를] {인ᄒ
여} 인ᄌ치 못ᄒ게 넉이니, 너을 조히 거나
리고 잇지 못ᄒ난 연좌(緣坐)로, 늬 ᄯᆞᆯ을 일
분이나 블평케 ᄒ미 잇슬진듸, 흔갓 너을
[를] 만단(萬端)의 나 ᄲ져58) 분을 풀 분
아니라,【72】하진의 보난 듸셔 늬 ᄌ문이
ᄉ(自刎而死)ᄒ여 ᄒ진으로 ᄒ여금 친옹의
부인 죽인 죄를 무릅싀워 워[원]경 등 갓치
흉ᄉ케 ᄒ리라."

---

54)못겨 : 모여, 못기다: 모이다.
55)-도곤 : -보다.
56)나죽ᄒ다 : 나직하다. 겸손하다. ①위치나 소리 따
　위가 꽤 낮다. ②남을 존중하고 자기를 낮추거나
　내세우지 않는 태도가 있다.
57)딜원디심(疾怨之心) : 미워하고 원망하는 마음.
58)악악요ᄉ(惡惡妖邪) : 몹시 악하고 요망하며 간사
　함.
59)ᄲᆞᆺ다 : 찢다. 뜯다. ①붙거나 닫힌 것을 떼거나 찢
　거나 하다. ②물체를 잡아당기어 가르다.

52)못겨 : 모여, 못기다: 모이다.
53)오작 : 오직.
54)-도곤 : -보다.
55)나즉ᄒ다 : 나직하다. 겸손하다. ①위치나 소리 따
　위가 꽤 낮다. ②남을 존중하고 자기를 낮추거나
　내세우지 않는 태도가 있다.
56)질원디심(疾怨之心) : 미워하고 원망하는 마음.
57)악악요ᄉ(惡惡妖邪) : 몹시 악하고 요망하며 간사
　함.
58)ᄲᆞᆺ다 : 뜯다. 찢다. ①붙거나 닫힌 것을 떼거나 찢
　거나 하다. ②물체를 잡아당기어 가르다.

하쇼져 부친긔 욕이 이에 밋츠딕, 감히 흔 마딕 블공흔 말을 못ᄒ고 ᄉ긔 온화ᄒ여 드를 ᄯᄅᆞᆷ이라. 존고의 극악이 날노 심ᄒ여 이러틋 ᄒ믈 크게 졀민(切憫) 초황(焦惶)ᄒ여, 혹ᄌ 아름답디 아닌 쇼문이 부모긔 갈가 두릴 ᄲᆞᆫ 아니라, 그 거거(哥哥)의 셩졍을 혜아리건딕, 【38】 뉴시의 악악(惡惡) 간험(姦險)ᄒ믈 드를딘딕, 결단ᄒ여 윤시를 됴히 딕졉디 아닐 거시오, 가친(家親)긔 즐욕이 비상ᄒ믈 알면, 존고를 원슈ᄀᆞᆺ치 믜워ᄒᆞᆯ 거시므로, 혹ᄌ 타일 거게 ᄌᆞ연 드르미 될가 근심ᄒ여, 시녀 등을 본 젹마다 엄히 당부ᄒ여, 태부인 고식(姑媳)의 브덕을 입밧긔 닉디 말나 ᄒᄆᆞ로, 하부의셔ᄂᆞᆫ 윤부 변고를 ᄌ시 아디 못ᄒ더라.

남쥐 츄관 오셰웅이 댱샤겸관으로 뎡쇼져의 슈ᄉ(水死)ᄒ믈 계문(啓聞)[60]ᄒ온딕, 샹이 ᄀᆞ장 참졀이 넉이샤 금평후긔 듕사(中使)[61]를 보닉샤 참쳑 보믈 티위(致慰)ᄒ시고, 힘뻐 시신을 ᄎᆞᄌ 윤가 묘산(墓山)의 무드라 ᄒ시니, 금평휘 셩은을 블승황【39】공ᄒ여 빅빅 샤은ᄒ고 회쥬 왈, '녀식이 비록 죽어시나 분명이 죽으믈 모로므로 복졔(服制)[62]를 츌히디 아니믈' 쥬ᄒ온딕, 샹이 그러히 넉이시더라.

이러구러 뎡혹ᄉ 셰홍의 길일이 다ᄃᆞ르니, 뎡부의셔 대연을 개장ᄒ여 신낭을 보니며 신부를 마즐ᄉᆡ, 딘부인이 태부인을 뫼시며 공쥬와 쇼니시를 거느려 빈긱을 졉딕ᄒ미, 부인의 년긔 ᄉᆞ슌이 넘어시딕 긔려흔 풍용(風容)과 보벽(寶璧) ᄀᆞᆺ튼 픔격이 놉고 묽아, 츄슈(秋水) 빙옥(氷玉) ᄀᆞᆺ튼 긔운과 삼엄흔 녜뫼, 힝동 언어의 ᄌᆞ유법도(自有法度)[63]ᄒ니, 관인(寬仁)흔 긔상이 녀듕유유도

하쇼져 부친긔 욕이 ○○[이에] 밋쳐도, 감히 한 쇼릭 말을 못ᄒ고 온화이 드를 ᄯᆞ롬이라. 존고의 극악이 날노 심ᄒ여 이러틋 ᄒ믈 초황졀민(焦惶切憫)ᄒ여, 혹ᄌ 이 소문이[을] 부모게[가] 알가 두렬 ᄲᆞᆫ 아니라, 그 거거의 셩졍을 혜아린[릴]진딕, ᄌ긔 존고의 이럿틋 악악(惡惡) 간험(姦險)ᄒ믈 드르면, 결단ᄒ여 윤시를 조히 딕졉디 아릴[닐] 거시오, 가친(家親)긔 즐욕이 비상ᄒ믈 알면, 존고을 원슈갓치 뮈워ᄒᆞᆯ 거시《믈ǁ므로》, 혹ᄌ 타일 ○○[거게(哥哥)] ᄌᆞ연 드르미 될가 근심ᄒ여, 시여[녀](侍女) 등을 본 젹마다 엄히 당부ᄒ여, 태부인 고식[식](姑媳)의 부덕이[을] 《이ǁ입》밧게{지} 닉디 말나 ᄒ《믈ǁ므로》, 하부의셔 난 윤부 변고을 ᄌ셰 아지 못ᄒ더라.

ᄎᆞ시에 남쥐【73】 츄관 오셰웅이 댱샤겸관으로 뎡쇼져의 슈ᄉ(水死)ᄒ믈 계문(啓聞)[59]ᄒ온딕, 샹이 ᄀᆞ장 참졀이 넉이샤 금평후긔 즁ᄉ(中使)[60]를 보닉샤 참쳑 보믈 치위(致慰)ᄒ시고, 힘쎠 시신을 ᄎᆞᄌ 윤가 묘산(墓山)의 무드라 ᄒ시니, 금평휘 셩은을 블승황공ᄒ여 빅비샤은ᄒ고 쥬 왈, '녀식이 비록 죽어시나 분명이 죽은[으]믈 모로무로 복졔(服制)[61]를 츌히지 아니믈' 쥬ᄒ온딕, 샹이 그러히 넉이시더라.

이러구러 뎡혹식 셰홍의 길일이 다다르니, 뎡부의셔 대연을 개장ᄒ여 신낭을 보닉며 신부를 마즐ᄉᆡ, 진부인이 태부인을 뫼시며 공쥬와 쇼니시를 거ᄂᆞ려 빈긱을 졉딕ᄒ매, 부인의 년긔 ᄉᆞ슌이 넘어 시딕 긔려흔 풍용(風容)과 보벽(寶璧) ᄀᆞᆺ튼 품격이 놉고 묽아, 츄슈(秋水) 빙옷(氷玉) ᄀᆞᆺ튼 긔운과 삼엄흔 녜뫼, 힝동 언어의 ᄌᆞ유법도(自有法度)[62]ᄒ니, 관인(寬仁)흔 긔상이 녀즁【7

---

60) 계문(啓聞) : 조선 시대에, 신하가 글로 임금에게 아뢰던 일. ≒계품(啓稟). 계달(啓達).
61) 듕사(中使) : 왕의 명령을 전하던 내시(內侍).
62) 복졔(服制) ; 상례(喪禮)에서 정한 복식제도(服飾制度). 참최(斬衰), 재최(齋衰), 대공(大功), 소공(小功), 시마(緦麻)를 이른다.
63) ᄌᆞ유법도(自有法度) : (하는 일들이 다) 절로 법도

59) 계문(啓聞) : 조선 시대에, 신하가 글로 임금에게 아뢰던 일. ≒계품(啓稟). 계달(啓達).
60) 즁사(中使) : 왕의 명령을 전하던 내시(內侍).
61) 복졔(服制) ; 상례(喪禮)에서 정한 복식제도(服飾制度). 참최(斬衰), 재최(齋衰), 대공(大功), 소공(小功), 시마(緦麻)를 이른다.
62) ᄌᆞ유법도(自有法度) : (하는 일들이 다) 절로 법도

지(女中唯有道者)64)라. 보느니 경복호믈 마디 아니호니, 쇼니시(小李氏)의 츄월명광(秋月明光)과 빅【40】년용안(白蓮容顏)의 긔이호미, 보고 곳쳐 볼스록 눈 옴기기 앗가와, 만좌의 홍장분티(紅粧粉黛)65) 슈플 굿 틋티, 니쇼져를 쫄올 지 업는더라. 존당과 딘부인의[이] 두굿기며 아름다오믈 쯰여시나, 윤·양 냥부의 일월광휘(日月光輝)와 화옥긔딜(花玉氣質)을 싱각고, 만좌를 고면(顧眄)호여○[도] 현부 윤시와 녀ᄋ의 딘뒤(對頭)66) 업스믈 츠탄호여, 윤·양·니 삼부와 혜쥬의 ᄌ최 업고, 좌(座)히 뷔믈 크게 슬허, 연셕의 깃브믈 아디 못호고, 탄식하루(歎息下淚)호믈 면치 못호니, 친쳑 부인닉 태부인과 딘부인을 위로호여, 윤·양·니 삼인과 슉녈의 견정이 미몰치 아닐 바를 일ᄏᄅ니, 일식이 반오(半午)의 금평휘 졔ᄌ를 거느려 닉루(內樓)【41】의 드러오니, 친쳑 부인닉는 만좌의 잇고, 연인가(連姻家)67) 부인닉는 댱닉로 드러, 평남후 곤계(昆季) 오인을 여어보고 식로이 긔이호믈 니긔디 못호더라.

금평휘 《녀부∥네부(禮部)68)》를 명호여 혹ᄉ의 길복을 닙혀 뎐안디녜(奠雁之禮)를 습위(習爲)호라 호니, 혹식 늠늠훈 풍신의 길복을 굿초고 존당 부모긔 뵈올식, 태부인이 습녜(習禮)호라 호니, 혹식 춤디 못호여 고 왈,

"쇼손이 용우호오나 군젼(君前)의도 팔비대례(八拜大禮)를 닉인 일 업시 실녜호미 업숩느니, 이졔 뎐안디녜를 습녜토록 호리잇가?"

금평휘 뎡식 왈,

"굿틋여 실녜홀 거시 아니로디, 인인(人

에 맞음.
64)녀듕유유도쟈(女中唯有道者) : 여자 가운데 천도(天道) 곧 '하늘의 도'를 갖춘 사람.
65)홍장분티(紅粧粉黛) : '붉게 연지를 찍고 분을 바른 얼굴과 먹으로 그린 눈썹'이란 뜻으로, 화장한 아름다운 여자를 비유적으로 이르는 말
66)딘뒤(對頭) : 대적(對敵). 맞서 겨룰만한 상대.
67)연인가(連姻家) : 혼인으로 맺어진 친척.
68)네부(禮部) : 예부상서 정인홍을 말함.

4】유유도쟈(女中唯有道者)63)라. 보느니 경복호믈마져 아니호니, 쇼니시(小李氏)의 츄월명광(秋月明光)과 빅년용안(白蓮容顏)의 긔이호미, 보고 고쳐 볼스록 눈 옴기기 앗가와, 만좌의 홍장분티(紅粧粉黛)64) 《슈를∥슈플》 굿틋여 니쇼져를 쫄올 지 업는지라. 존당과 진부인의[이] 두굿기며 아름다오믈 쯰여시나, 윤·양 냥부의 일월광휘(日月光輝)와 화옥긔질(花玉氣質)을 싱각고, 만좌를 고면(顧眄)호여○[도] 윤현부와 녀ᄋ의 딘뒤(對頭)65) 업스믈 츠탄호여, 윤·냥·니 삼부와 혜쥬의 ᄌ최업고, 《터∥좌(座)》히 뷔믈 크게 슬허, 연셕의 깃브믈 아지 못호고, 탄식(歎息) 하루(下淚)호믈 면치 못호니, 친쳑 부인닉 태부인과 진부인을 위로호여, 윤·양·니 삼인과 슉녈의 견정이 미믈치 아닐 바를 일ᄏᄅ니, 일식이 반오(半午)의 금평휘 졔ᄌ를 거느려 닉루(內樓)의 드러오니, 친쳑 부인닉는 만좌의 잇고, 연인가(連姻家)66) 부인닉는 댱닉【75】로 드러, 평남후 곤계 오인을 여어보고 식로이 긔이호믈 니긔지 못호더라.

금령휘 《녀부∥네부(禮部)67)》를 명호여 혹ᄉ의 길복을 닙혀 젼안지녜(奠雁之禮)를 습위(習爲)호라 호니, 혹ᄉ 늠름훈 풍신의 길복을 굿초고 존당 부모게 뵈을식, 태부인이 습녜(習禮)호라 호니, 혹식 참지 못호여 고왈,

"쇼손이 용우호오나 군젼(君前)의도 팔비대례(八拜大禮)를 닉인 일 업시 실녜호미 업숩느니, 이졔 젼안지녜를 습녜토록 호리잇가?"

금령휘 정식 왈,

"굿틋여 실녜홀 거시 아니로디, 인인(人

에 맞음.
63)녀듕유유도쟈(女中唯有道者) : 여자 가운데 천도(天道) 곧 '하늘의 도'를 갖춘 사람.
64)홍장분티(紅粧粉黛) : '붉게 연지를 찍고 분을 바른 얼굴과 먹으로 그린 눈썹'이란 뜻으로, 화장한 아름다운 여자를 비유적으로 이르는 말
65)딘뒤(對頭) : 대적(對敵). 맞서 겨룰만한 상대.
66)연인가(連姻家) : 혼인으로 맺어진 친척.
67)네부(禮部) : 예부상서 정인홍을 말함.

人)이 입댱디시(入丈之時)의 습위ᄒ미 녜시오, 존당이 보고져 ᄒ시ᄂᆞᆫ 바를 네 도【42】리 아모 괴괴ᄒᆫ 일이라도 샤양치 못 ᄒᆯ 거시어늘, 엇디 군젼의 그릇 아니믈 ᄌᆞ랑ᄒᆞ여 노친의 보고져 ᄒ시ᄂᆞᆫ 바를 밧드디 아닛ᄂᆞ뇨?"

흑시 부공 말ᄉᆞᆷ의 ᄀᆞ장 황뉼(惶慄)ᄒᆞ여, 즉시 긔운을 낫초아 뎐안디녜를 습위ᄒ니, 동탕(動蕩)[69] 슈려ᄒᆫ 긔상이며, 늠연 엄웅(嚴雄)ᄒᆫ 정신이 더욱 시로오니, 교야(郊野)의 긔린(麒麟)이오, 창ᄒᆡ(蒼海) 유룡(有龍)이라. 화풍경운이 안모의 어릐여시니, 츈일이 다샤ᄒᆫ ᄃᆡ 일만(一萬) 화신(花神)이 닷토아 웃ᄂᆞᆫ 듯, 언건(偃蹇)ᄒᆫ 톄디(體肢)와 거여(巨餘)[70]온 격됴(格調) 표표(表表)히 ᄲᅱ여나니, 조모의 한 업슨 ᄉᆞ랑이 우음을 쥬리디 못ᄒᆞᄃᆡ, 금후 부부ᄂᆞᆫ 그 방일(放逸)ᄒᆞᄆᆞᆯ 깃거 아냐, 그윽이 두굿기나 ᄉᆞ랑ᄒᆞᄂᆞᆫ 졍을 낫토디 아니터【43】라.

흑시 존당 부모긔 하딕고 허다 위의를 거ᄂᆞ려 양부의 나아가, 옥상의 홍안을 뎐ᄒᆞ고 텬디긔 비례를 맛촘이, 양한님이 읍양(揖讓)ᄒᆞ여 좌의 드니, 양공이 ᄯᅩᄒᆫ 대연을 개장ᄒᆞ여 신부를 보ᄂᆞ며 신낭을 맛ᄂᆞᆫ디라. 평일 흑ᄉᆞ의 방탕호일(放蕩豪逸)ᄒᆞᄆᆞᆯ ᄡᅥ려 동상을 유의치 아니ᄒᆞ다가, 텬연(天緣)이 디듕(至重)ᄒᆞ여 금후의 청혼ᄒᆞ믈 좃ᄎᆞ 금일 녜를 일우ᄆᆡ, 신낭의 농봉(龍鳳) ᄀᆞᆺᄐᆞᆫ ᄌᆞ딜과 텬일디표(天日之表)[71] 태산졔월디위(泰山霽月之威)[72]를 겸ᄒᆞ여 만좌의 소ᄉᆞ나믈 보ᄆᆡ, 만심 흔열ᄒᆞ믈 니긔디 못ᄒᆞ여, ᄀᆞᆯ오ᄃᆡ,

"만싱이 댱녀로ᄡᅥ 듁쳥 ᄀᆞᆺᄐᆞᆫ 대군ᄌᆞ를 마ᄌᆞᄆᆡ 분의 과ᄒᆞ여, 녀식(女息)의 화란(禍亂)이【44】 참참(慘慘)ᄒᆞᄆᆡ, 결ᄒᆞ여 일개 단ᄉᆞ(端士)를 어더 녀셔(女婿)를 삼아, 가득ᄒᆞᄆᆡ

人)이 입장지시(入丈之時)의 습위ᄒ미 녜소오, 존당이 보고져 ᄒ시ᄂᆞᆫ 바를 네 도리 아모 괴괴ᄒᆫ 일이라도 ᄉᆞ양치 못ᄒᆞᆯ 거시어늘 엇지 군젼의 그릇 아니믈 ᄌᆞ랑ᄒᆞ여 노친의 보고져 ᄒ시ᄂᆞᆫ 바를 밧드지 아닛ᄂᆞ뇨?"

흑ᄉᆞ 부친 말ᄉᆞᆷ의 ᄀᆞ장 황뉼(惶慄)ᄒᆞ여, 즉시 긔운을 낫초아 젼안지녜ᄅᆞᆯ 습【76】위ᄒᆞ니, 동탕(動蕩)[68] 슈려ᄒᆫ 긔샹이며, 늠년 엄웅(嚴雄)ᄒᆫ 정신이 《덕‖더욱》 시로오니, 교야(郊野)의 긔린(麒麟)이오, 창ᄒᆡ(蒼海) 유룡(有龍)이라. 화풍경운이 안모의 어릐여시니, 츈일의 다ᄉᆞᄒᆫ ᄃᆡ 일만(一萬) 화신(花神)이 닷토아 웃ᄂᆞᆫ 듯, 언건(偃蹇)ᄒᆫ 쳬지(體肢)와 거여(巨餘)[69]온 격최[됴](格調) 표표(表表)히 ᄲᅱ여나니, 조모의 한업슨 ᄉᆞ랑이 우음을 쥬리지 못ᄒᆞᄃᆡ, 금후 부부ᄂᆞᆫ 그 방일(放逸)ᄒᆞᄆᆞᆯ 깃거 아냐, 그윽이 두굿기나 ᄉᆞ랑ᄒᆞᄂᆞᆫ 낫빗츠로 ᄃᆡ○[치] 아니터라.

흑ᄉᆞ 존당 부모긔 하직고 허다 위의를 거ᄂᆞ려 양부의 나아가, 옥상의 홍안을 젼ᄒᆞ고 텬지긔 비례를 맛츠ᄆᆡ, 양한님이 읍양(揖讓)ᄒᆞ여 좌의 드니, 양공이 ᄯᅩᄒᆫ 대연을 긔장ᄒᆞ여 신부를 보ᄂᆞ며 신낭을 맛ᄂᆞᆫ지라. 평일 흑ᄉᆞ의 방탕호일(放蕩豪逸)ᄒᆞᄆᆞᆯ ᄡᅥ려 동상을 유의치 아니ᄒᆞ다가, 텬년(天緣)이 지즁(至重)ᄒᆞ여 금후의 청혼을 조ᄎᆞ 금일 녜를 일우ᄆᆡ,【77】 신낭의 농봉(龍鳳) ᄀᆞᆺᄐᆞᆫ ᄌᆞ딜과 현[텬]일지표(天日之表))[70] 태산제일지위(泰山霽日之威)[71]를 겸ᄒᆞ여 만좌의 소ᄉᆞ나믈 보ᄆᆡ, 만심 흔열ᄒᆞ믈 니긔지 못ᄒᆞ여 ᄀᆞᆯ오ᄃᆡ,

"만싱이 댱녀로 듁쳥 ᄀᆞᆺᄐᆞᆫ 대군ᄌᆞ를 마ᄌᆞᄆᆡ 분의 과ᄒᆞ여, 녀식의 《화괴‖화란(禍亂)이》 참참(慘慘)《ᄎᆞᆺᄆᆡ‖ᄒᆞᄆᆡ》, 결ᄒᆞ여 일

---

69)동탕(動蕩) : 얼굴이 두툼하고 잘생김.
70)거여(巨餘) : 크고 넉넉함.
71)텬일디표(天日之表) : 사해(四海)에 군림할 인상(人相). 곧 임금의 인상을 이르는 말이다.
72)태산졔월디위(泰山霽月之威) : 비가 갠 밤하늘의 밝은 달빛을 받으며 우뚝 솟아 있는 태산의 위용.

68)동탕(動蕩) : 얼굴이 두툼하고 잘생김.
69)거여(巨餘) : 크고 넉넉함.
70)텬일지표(天日之表) : 사해(四海)에 군림할 인상(人相). 곧 임금의 인상을 이르는 말이다.
71)태산제일지위(泰山霽日之威) : 비가 갠 날 밝은 태양 아래 우뚝 솟아 있는 태산의 위용.

찌이눈73) 환(患)이 업고져 ㅎ엿더니, 텬연
이 긔구ㅎ여 뎡형이 우싱(愚生)의 용우ㅎ믈
나모라디 아니ㅎ고, 겹겹 친용 되기를 쳥ㅎ
므로 마디 못ㅎ여 츈혼을 셩젼(成全)ㅎ미,
신낭의 걸츌뇌락(傑出磊落)ㅎ미 소망의 과
(過)의라. 녈위(列位) 제공은 나의 셔랑을
엇더타 ㅎ시느뇨?"

만좨(滿座) 년셩(連聲) 티하 왈,
"녜빅은 티년(稚年)의 계디(桂枝)를 썩거
쳥현(淸賢)의 오유(遨遊)ㅎ여 경악(經幄)의
근시(近侍) 되미, 면졀졍징(面折廷爭)74)이
흔갓 보과습유(補過拾遺)의 비치 못홀 거시
오, 뎡튱딕졀(貞忠直節)이 이윤(伊尹)75) 녀
망(呂望)76)의 나리디 아니며, 경뉸대지와
문댱지홰 낭묘(廊廟)77)의 큰 그룻시오, 국
가【45】의 고굉(股肱)이라. 우흐로 샹튱(上
寵)이 늉늉(融融)ㅎ시고, 아리로 만됴의 칭
앙(稱仰)ㅎ는 비라. 녕ᄋ(令兒) 쇼져로 녜빅
ᄀᆺ튼 쥰걸을 마즈시니, 젼졍의 쾌ㅎ실 바를
보디 아냐 알니니, 존합하(尊閤下)의 문난의
광치 빗승ㅎ고, 아등 제긱이 티하ㅎ미 말숨
이 빗치 잇고, 셩연(盛宴)의 참예ㅎ미 눈이
유광(有光)ㅎ도소이다."
양공이 소슈(小手)로 댱염(長髯)을 어로만
져 만안 쇼식(笑色)이 영ᄌ(盈藉)78)ㅎ여 비
작(杯酌)을 날녀 만좌듕빈(滿座衆賓)이 다
취ㅎ 빗출 씌엿고, 뎡병부와 녜뷔 아올 다
려○[와]79) 이에 잇는 고로, 양공이 취후

기 단ᄉ(端士)를 어더 녀셔(女壻)를 삼아,
ᄀ득ㅎ매 찌이눈72) 환(患)이 업고져 ㅎ엿더
니, 텬연이 긔구ㅎ여 뎡형이 우싱(愚生)의
용우ㅎ믈 나모라지 아니ㅎ고, 겹겹 친용되
기를 쳥ㅎ므로, 마지 못ㅎ여 츈혼을 셩녜
(成禮)ㅎ매, 신낭의 걸츌뇌락(傑出磊落)ㅎ
미 소망의 과(過)의라. 녈위(列位) 제공은
나의 셔랑을 엇더타ㅎ시느뇨?"
졔좨(諸座) 여셩(厲聲) 치하 왈,
"녜빅은 치년(稚年)의 계지(桂枝)를 썩거
쳥현(淸賢)의 오유(遨遊)ㅎ여 경악(經幄)의
ᄌ시(紫士)73)되매 면졀졍징(面折廷爭)74)이
흔갓 보과습유(補過拾遺)의 비치 못홀거시
오, 졍츙직졀(貞忠直節)이 이윤(伊尹)75) 녀
망(呂望)76)의 니리지 아【78】니며, 경뉸대
지와 문장지홰 낭묘(廊廟)77)의 큰 그룻시
오. 국가의 고굉(股肱)이라. 우흐로 상츙(上
寵)이 늉늉(融融)ㅎ시고, 아리로 만됴의 칭
앙(稱仰)ㅎ는 비라. 녕ᄋ(令兒) 쇼져 녜빅
ᄀᆺ튼 쥰걸을 마즈시니, 젼졍의 쾌ㅎ실 바를
보지 아냐 알니니, 존합하(尊閤下)의 문난의
광치 빗승ㅎ고, 아등 제긱이 치하ㅎ매 말숨
이 빗치 잇고, 셩년(盛宴)의 참녜ㅎ매 눈이
유광(有光)ㅎ도소이다."
양공이 쇼슈(小手)로 장염(長髯)을 어로믄
져 만안 쇼식(笑色)이 영ᄌ(盈藉)78)ㅎ여 비
작(杯酌)을 날녀 만좌즁빈(滿座衆賓)이 다
취식을 씌엿고, 뎡병부와 녜뷔 아올 다려○
[와]79) 이의 잇는 고로, 양공이 취후(醉後)

---

73)찌이다 : 찢어지다. 찢기어 갈라지다.
74)면졀졍징(面折廷爭) : 임금의 면전에서 허물을 기
탄없이 직간하고 쟁론함.
75)이윤(伊尹) : 중국 은나라의 전설상의 인물. 이름
난 재상으로 탕왕을 도와 하나라의 걸왕을 멸망시
키고 선정을 베풀었다.
76)녀망(呂望) : 중국 주(周)나라 초기의 정치가. 태
공망(太公望)의 다른 이름. 여(呂)는 그에게 봉해
진 영지(領地)이며, 상(尙)은 그의 이름이다. 강태
공(姜太公). 여상(呂尙) 등의 다른 이름으로도 불
린다.
77)낭묘(廊廟) : 조정의 정무(政務)를 돌보던 궁전(宮
殿. 의정부(議政府)를 달리 이르는 말.
78)영ᄌ(盈藉) : 가득하다.
79)다려오다 : 데려오다.

72)찌이다 : 찢어지다. 찢기어 갈라지다.
73)ᄌ시(紫士) : 붉은 관복(官服)을 입은 선비.
74)면졀졍징(面折廷爭) : 임금의 면전에서 허물을 기
탄없이 직간하고 쟁론함.
75)이윤(伊尹) : 중국 은나라의 전설상의 인물. 이름
난 재상으로 탕왕을 도와 하나라의 걸왕을 멸망시
키고 선정을 베풀었다.
76)녀망(呂望) : 중국 주(周)나라 초기의 정치가. 태
공망(太公望)의 다른 이름. 여(呂)는 그에게 봉해
진 영지(領地)이며, 상(尙)은 그의 이름이다. 강태
공(姜太公). 여상(呂尙) 등의 다른 이름으로도 불
린다.
77)낭묘(廊廟) : 조정의 정무(政務)를 돌보던 궁전(宮
殿. 의정부(議政府)를 달리 이르는 말.
78)영ᄌ(盈藉) : 가득하다.

(醉後)의 상감(傷感)ᄒᆞ믈 니긔디 못ᄒᆞ여, 남후의 손을 잡고, 츄연 탄식 왈,

"젼즈의 챵빅으로써 이 당 가온ᄃᆡ셔 신낭으로 마【46】줄 즈음의, 이 씌의 의졀(義絶)ᄒᆞᆫ 셔랑(壻郞)이 될 줄 싱각디 아닌 비라. 녕뎨로써 동상을 삼으미 챵빅으로써 신낭으로 보던 비 의연ᄒᆞᆫ 녯 일이 되고, 참상(慘喪)ᄒᆞᆫ 녀식은 거쳐도 업스니 엇디 통박(痛迫)디 아니리오."

평남휘 안식을 화히 ᄒᆞ여 호언으로 ○○[위로]ᄒᆞ며 연셕디간(宴席之間)의 슬허ᄒᆞ시미 유익디 아니믈 고ᄒᆞ니, 양공이 기리 탄식ᄒᆞ고, 남후를 췩둥 과이홈과 학ᄉᆞ를 ᄋᆞ경ᄒᆞ미 측냥 업더라.

일식이 느즈미 신부의 샹교를 직쵹ᄒᆞ여, 양쇼졔 덩의 들ᄆᆡ 흑시 봉교(封轎)ᄒᆞ기를 맛ᄎᆞᆫ, 허다 위의를 휘동ᄒᆞ여 도라올ᄉᆡ, 싱소고악(笙簫鼓樂)80)은 하날을 드레고, 공경녈후【47】는 위요(圍繞)81) 되여 젼츠후옹(前遮後擁)ᄒᆞ니, 위의 일노의 덥혀시니 견ᄌᆡ 칭찬블이(稱讚不已)82)ᄒᆞ더라. 힝ᄒᆞ여 부듕의 도라와 냥신인이 화쵹(華燭)의 교비(交拜)83)홀ᄉᆡ, 남풍녀뫼(男風女貌) 발월(發越)ᄒᆞ여 고은 빗츨 ᄌᆞ랑ᄒᆞ니, 그 광치 명쥬와 보옥이 빗츨 닷토고, 일월이 텬듕(天中)의 붉앗는 ᄃᆞᆺᄒᆞ더라. 천고의 희한ᄒᆞᆫ 슉녀오 빅셰가위(百世佳偶)라. 좌긱이 졍혼을 일코 칭복 갈치ᄒᆞ니, 존당 구괴 회동안식이러니, 신낭이 녜필의 외당으로 나가고, 신뷔 존당구고긔 조뉼(棗栗)을 밧드러 이현구고(以見舅姑)84)ᄒᆞ고, 팔비대례(八拜大禮)를 일울ᄉᆡ, 힝동녜뫼 ᄌᆞ유법도(自有法度)ᄒᆞ여, 구브며

---

80)싱소고악(笙簫鼓樂) : 생황(笙簧)과 통소(簫), 북 등의 악기.
81)위요(圍繞) : 혼인 때에 가족 중에서 신랑이나 신부를 데리고 가는 사람. 늑상객(上客). 요객(繞客).
82)칭찬블이(稱讚不已) : 칭찬하기를 그치지 아니함.
83)교비(交拜) : 전통 혼인례에서, 신랑과 신부가 서로 맞절을 함.
84)이현구고(以見舅姑) : 현구고례(見舅姑禮). 전통혼인례에서 신부가 시집에 와서 신랑의 부모에게 처음 뵈는 예(禮)를 행하는 의식. 이 때 신부는 신랑의 부모에게 8번 큰절을 올려 예(禮)를 표한다.

의 상감(傷感)ᄒᆞ믈 니긔지 못ᄒᆞ여, 남후의 손을 잡고, 츄연 탄식 왈,

"젼즈의 챵빅으로써 이 당(堂) 가온ᄃᆡ셔 신낭○○[으로] 마줄 즈음의, 이 씌의 의졀(義絶)ᄒᆞᆫ 셔랑(壻郞)이 될 쥴 싱각지 아닌 비라. 녕뎨로써【79】 동상을 삼으미, 챵빅으로써 신낭으로 보던 비 녜 일이 되고, 참상(慘喪)ᄒᆞᆫ 녀식은 거쳐도 업스니 엇지 통박(痛迫)지 아니리오."

평남휘 안식을 화히 ᄒᆞ여 호언으로 위로ᄒᆞ며, 연셕지간(宴席之間)의 슬허ᄒᆞ시미 유익지 아니믈 고ᄒᆞ니, 양공이 기리 탄식ᄒᆞ고 남후를 췩즁 과이홈과 흑ᄉᆞ를 ᄋᆞ경ᄒᆞ미 측냥업더라.

일식이 느즈미 신부의 상교를 직쵹ᄒᆞ여, 양쇼졔 덩의 들ᄆᆡ 흑시 봉교(封轎)ᄒᆞ기를 맛ᄎᆞᆫ, 허다 위의를 휘동ᄒᆞ여 도라올ᄉᆡ, 싱쑈고악(笙簫鼓樂)80) 은 하날을 들네고, 공경열후는 위요(圍繞)81) 되여 견츠후옹(前遮後擁)ᄒᆞ니, 위의 일노의 덥펴시니 견ᄌᆡ 칭찬ᄒᆞ더라. 힝ᄒᆞ여 부즁의 도라와 냥신인이 화쵹(華燭)의 교비(交拜)82)홀ᄉᆡ, 남풍녀뫼(男風女貌) 발월(發越)ᄒᆞ여 고은 빗츨 ᄌᆞ랑ᄒᆞ니, 그 광치 명쥬와 보옥이 빗츨 닷토고, 【80】 일월이 텬즁(天中)의 《브려∥붉》앗는지라. 천고의 희한ᄒᆞᆫ 슉녀오 빅셰가위(百世佳偶)라. 좌직이 졍신을 일코 칭복 갈치ᄒᆞ니, 존당이 회열안식이러라. 예필의 신랑이 외당으로 나가고 신뷔 존당구고(尊堂舅姑)계 됴뉼(棗栗)을 밧드러 《납폐(納幣)83)∥이현구고(以見舅姑)84)》홀ᄉᆡ, 홍일

---

79)다려오다 : 데려오다.
80)싱쑈고악(笙簫鼓樂) : 생황(笙簧)과 통소(簫), 북 등의 악기.
81)위요(圍繞) : 혼인 때에 가족 중에서 신랑이나 신부를 데리고 가는 사람. 늑상객(上客). 요객(繞客).
82)교비(交拜) : 전통 혼인례에서, 신랑과 신부가 서로 맞절을 함.
83)납폐(納幣) : 혼인할 때에, 사주단자의 교환이 끝난 후 정혼이 이루어진 증거로 신랑 집에서 신부 집으로 예물을 보냄. 또는 그 예물. 보통 밤에 푸른 비단과 붉은 비단을 혼서와 함께 함에 넣어 신부 집으로 보낸다. 늑납빙·납징·납채
84)이현구고(以見舅姑) : 현구고례(見舅姑禮). 전통혼

펴는 절치 규구와 법되 잇셔, 【48】 딘퇴 녜절이 규구응묵(規矩應墨)[85]ᄒ여 유법ᄒ니, 좌긱과 존당 구긔 눈을 다시 드러 ᄌ시 술피민, 반월텬졍(半月天庭)[86]의 팔ᄌ츈산(八字春山)[87]은 강산의 슈츌ᄒ 긔운을 거두어시며, 냥안(兩眼)은 일월 졍긔 묘화를 오로디 품슈ᄒ엿고, 홍슌(紅脣)은 단ᄉ(丹砂)를 먹음은 듯, 만틱광염(萬態光艶)[88]은 일눈은섬(日輪銀閃)[89]이 벽신[산](碧山)의 써러디고, 명월(明月)이 보름을 만난 듯, 화열 《온윤‖온유(溫柔)》ᄒ 긔운은 태양이 만물을 부휵(扶慉)ᄒᄂ 듯, 묽은 긔상은 츄텬(秋天)이 의의(猗猗)ᄒ고 망월(望月)이 교교(皎皎)ᄒ 듯, 늠연ᄒ 위의와 어위츈[90] 도량이 발어외모(發於外貌)ᄒ여, 의연이 ᄉ군ᄌ(士君子)의 틀이 이시니, 아름다온 거동이 흐억 쇄락ᄒ여, 쳔고 슉녀오 만고명완(萬古明婉)【49】이라. 잠간 의논ᄒ건딕, 윤부인과 덩슉녈의 한 업손 어위춤과 남달니 신셩ᄒ 거동은 신뷔 잠간 불급ᄒ나, 얼프시 보민ᄂ 또ᄒ 츠등치 아니코, 긔형(其兄) 대(大)양시와 쇼니시(小李氏)긔 비ᄒ여ᄂ 신뷔 삼ᄉ층이 승(勝)ᄒᄃ라. 금평휘 만면 희식이 혜풍(惠風)을 닛그러, 스스로 웃ᄂ 입이 열니이고 즐기ᄂ 미위(眉宇) 요동ᄒ믈 니긔지 못ᄒ여, 좌를 써나 ᄌ젼(慈殿)긔 고 왈,

"신부의 셩화를 젼일 닉이 듯ᄌ와시나 이 디도록 긔이ᄒ믄 싱각디 못ᄒ온 비라. 금일 그 셩모긔딜(性貌氣質)[91]을 보오미 딘실노 망외(望外)라. 셰오의 과람(過濫)ᄒ 쳐실이오, 쇼ᄌ의 박덕으로 블감(不堪)ᄒ 며나리라. 이 도시 ᄌ위의 젹덕여음(積德餘蔭)이

(紅日)이 산두(山頭)의 만방을 비최난 듯, 셔광(瑞光)이 요일(繞日)ᄒ고 팔치(八彩)[85] 요요(姚姚)ᄒ여, 창졸의 어ᄂ 곳의[이] 고으며 어딕 빗나믈 아지 못ᄒ니, 임의 팔빅딕례(八拜大禮)를 일울세 힝녜(行禮)ᄒ미 ᄌ유법도(自有法度)ᄒ여, 진퇴 예졀이 《규구응무‖규구응묵(規矩應墨)[86]》ᄒ여[니], 좌긱과 존당구고 눈을 드러 ᄌ시 살피민, 만월쳔졍(滿月天庭)[87]의 팔ᄌ츈산(八字春山)[88]이 강산의 슈츌ᄒ 졍긔와 조화을 오로지 품어, 늠연ᄒ 위의와 어위찬[89] 도량이 잇ᄂ 즁, 늠열(凜烈)ᄒ여 의연이 군ᄌ의 틀이 이시니, 아름다온 거동과 아리짜온 ᄌ틱 쇄락ᄒ여, 쳔고의 슉녀【81】요 만고의 명완(明婉)이라. 잠간 의논ᄒ건딕, 윤부인과 뎡슉열의 한업시 어위츠고 남달니 신명ᄒ 거동은 양쇼졔 잠간 불급ᄒ나, 얼푸시 보미 쏘ᄒ 츠등치 아니코, 그 형 양시와 쇼이시(小李氏)게 비견(比見)[90]컨딕, 신뷔 삼ᄉ층이 승(勝)ᄒ지라. 금평휘 만면의 희식이 혜풍(惠風)을 닛그러 스스로 웃ᄂ 입이 열니고 즐기ᄂ 미위(眉宇) 요동ᄒ믈 니긔지 못ᄒ여, 좌를 써나 ᄌ젼(慈殿)긔 고 왈,

"신부의 셩화를 젼일 닉이 듯ᄌ와시나 이 디도록 긔이ᄒ믄 싱각지 못ᄒ 비라. 금일 그 셩모긔질(性貌氣質)[91]을 보미 진실노 망

85)규구응묵(規矩應墨) : 법도가 먹줄에 맞듯 조금도 어긋남이 없음.
86)반월텬졍(半月天庭) : 반달 모양의 이마. 천정(天庭)은 관상(觀相)에서 양 눈썹의 사이, 또는 이마의 복판을 이른다.
87)팔ᄌ츈산(八字春山) : 화장한 눈썹.
88)만틱광염(萬態光艶) : 만 가지의 어여쁜 자태.
89)일눈은섬(日輪銀閃) : 저무는 해의 은빛 햇살.
90)어위츠다 : 넓고 크다. 너그럽다.
91)셩모긔딜(性貌氣質) : 성품, 외모, 기운, 체질 등을 함께 이르는 말.

인례에서 신부가 시집에 와서 신랑의 부모에게 처음 뵈는 예(禮)를 행하는 의식. 이 때 신부는 신랑의 부모에게 8번 큰절을 올려 예(禮)를 표한다.

85)팔치(八彩) : 여덟 가지 빛깔의 광채. 눈썹이 여덟 팔(八)자 모양을 하고 있어서, 또는 요(堯)임금의 눈썹이 여덟 가지 빛을 띠었다고 하여, 화장한 아름다운 눈썹을 뜻하는 말로 쓰인다.
86)규구응묵(規矩應墨) : 법도가 먹줄에 맞듯 조금도 어긋남이 없음.
87)만월쳔졍(滿月天庭) : 둥근 달 모양의 이마. 천정(天庭)은 관상(觀相)에서 양 눈썹의 사이, 또는 이마의 복판을 이른다.
88)팔ᄌ츈산(八字春山) : 화장한 눈썹.
89)어위차다 : 넓고 크다. 너그럽다.
90)비견(比見)ᄒ다 : 비교하여 보다.

【50】먼니 흘너, 드러오는 즈부마다 이러 틋 긔특ᄒ미로소이다."

태부인이 신부의 긔이ᄒ믈 만심 환열ᄒ여, 양쇼져의 옥슈를 잡고 운환을 어로만져, 금후다려 왈,

"셰흥은 쳔고 영걸이라. 혹즈 샹덕흔 비우를 만나디 못홀가 근심ᄒ더니, 금일 신부를 보미 쇼망의 과의(過矣)라. 셰흥의 쳐궁이 유복ᄒ여 명문 슉녀를 취ᄒ미, 용모 긔딜이 져의게 승(勝)ᄒ미 이시니 문호의 영ᄒ이라. 션군(先君)의 지텬디령(在天之靈)이 [의] 도으시믈 힘닙어, 즈라는 손ᄋ와 드러오는 며나리마다 이러틋 츌인ᄒ미어니와, 오날늘 연셕을 당ᄒ고 신ᄋ(新兒)의 영현(英賢)ᄒ믈 디ᄒ미, 손부【51】냥인의 일월안모와 손녀의 츈풍 화긔를 싱각ᄒ미, 연셕의 대흠(大欠)이라. 츠시 어나 곳의 뉴락ᄒ여 능히 보명(保命)ᄒ미 이시며, 운긔 등 ᄋ쇼(兒小)의 즈최 묘연ᄒ니, 슬픔과 참졀흔 회포를 어이 능히 금억ᄒ리오."

언파의 상연하루(傷然下淚)ᄒ니, 금평후와 병부 등이 화열흔 말숨으로 태부인을 위로ᄒ고, 만좌 빈긱이 년셩ᄒ여 신부의 특이ᄒ믈 일시의 티하ᄒ나[니], 즈못 요요분분(擾擾紛紛)ᄒ여 이로 응졉기 어려오디, 태부인이 좌슈우응(左酬右應)92)의 일호 샤양치 아니ᄒ고, 금후 부뷔 ᄉ샤ᄒ더라.

빈쥐 낙극달난(樂極團欒)ᄒ여 일모도원(日暮途遠)ᄒ미 닉외 빈긱【52】이 취흔 거슬 붓들녀 각산기가(各散其家)ᄒ고, 신부의 슉소를 션삼졍의 뎡ᄒ여 도라보닌 후, 태원뎐의셔 쵹을 니어 금후 부지 태부인을 뫼셔 말숨홀식, 태부인이 신부의 텬향아딜(天香雅質)이 윤시와 방불ᄒ고 대양시의 우히믈 닐너, 깃브믈 니긔디 못ᄒ나, 윤·양과 혜쥬

외(望外)라. 셰ᄋ의 과람(過濫)흔 쳐실이오, 쇼즈의 박덕으로 불감(不堪)ᄒ 며ᄂ리라. 이 도시 즈위의 젹덕여음(積德餘蔭)이 먼니 흘너, 드러오는 즈부마다 이러틋 긔특ᄒ미로소이다."

태부인이 신부의 긔이ᄒ믈 만심 환【82】열ᄒ여, 양쇼져의 옥슈를 잡고 운환을 어로ᄆᆞ져, 금후 다려 왈,

"셰흥은 쳔고 영걸이라. 혹즈 상젹흔 비우믈 만나지 못홀가 근심ᄒ더니, 금일 신부를 보미 소망의 과의(過矣)라. 셰흥의 쳐궁이 유복ᄒ여 명문 슉녀를 취ᄒ미, 용모 긔질이 져의게 승ᄒ미 이시니 문호의 영ᄒ이라. 션군(先君)의 직텬지령(在天之靈)이 도으시믈 힘닙어, 즈라는 손ᄋ와 드러오는 녀즈마다 이럿틋 과인(過人)ᄒ미어니와, 오늘날 연셕을 당ᄒ고 신ᄋ(新兒)의 영현(英賢)ᄒ믈 디ᄒ미, 손부 냥인의 일월안모(日月顔貌)와 손녀의 츈풍화긔(春風和氣)를 싱각ᄒ미, 《연젹∥연셕(宴席)》의 대흠(大欠)이라. 츠시 어ᄂ 곳의 뉴락ᄒ여 능히 보명(保命)ᄒ여 이시며, 운긔 등 ᄋ소(兒小)의 즈최 묘연ᄒ니, 슬픔과 참졀흔 회포를 어이 능히 금억ᄒ리오"

언파의 상연하루(傷然下淚)ᄒ니, 금평후와 【83】병부 등이 화열흔 말숨으로 태부인을 위로ᄒ고, 만좌 빈긱이 년셩ᄒ여 신부의 특이ᄒ함을 일시의 치하ᄒ나[니], 즈못 요요분분(擾擾紛紛)ᄒ여 이로 응졉기 어려오디, 태부인이 좌슈우응(左酬右應)92)의 일호 ᄉ양치 아니ᄒ고, 금휘 부뷔 ᄉ샤ᄒ더라.

빈쥐 낙극달난(樂極團欒)ᄒ여 일모도원(日暮途遠)ᄒ미, 닉외 빈긱이 취흔 거슬 붓들녀 각산귀가(各散歸家)ᄒ고, 신부의 슉소를 션삼졍의 졍ᄒ여 도라보닌 후, 태원젼의셔 쵹을 니어 금후 부지 태부인을 뫼셔 말숨홀식, 태부인이 신부의 텬향아질(天香雅

---

92)좌슈우응(左酬右應) : 좌우 모든 사람의 요구에 응함.

91)셩모긔딜(性貌氣質) : 성품, 외모, 기운, 체질 등을 함께 이르는 말.
92)좌슈우응(左酬右應) : 좌우 모든 사람의 요구에 응함.

를 싱각ᄒ여 상연 하루ᄒ믈 마디 아니ᄒ고, 딘부인이 탄 왈,

"금일 신부를 보미 얼프시 윤현부와 방불ᄒ 풍용이 이시나, 오히려 윤시의 건곤의 오롯ᄒ 졍긔와 산쳔의 슈이(秀異)ᄒ 긔운을 가져, 창ᄒ믜 깁긔와 듕산(重山)의 무거온 대량(大量)은 바라디 못ᄒ리【53】니, 원간 윤시와 혜ᄋ의 방불ᄒ 즈도 업스니, 이러므로 홍안디희(紅顔之害)를 보미라. 딘실노 녀즈의 식광이 블관(不關)ᄒ믈 알과이다93)."

남휘 우음을 씌여 고왈,

"미뎨ᄂ 쳔고이릭(千古以來)의 희한ᄒ 인물이라. 참화듕의도 대단이 넘녀로울 빈 아니라. 그 상모의 화긔와 가득ᄒ 부귀 휘덕의 존귀ᄒ믈 긔필ᄒ오리니, 누명이 부운 ᄀᆺ고 위란이 츈몽 ᄀᆺᄐ여, 즈연 길시를 만날 거시오, 윤·양 등이 ᄯᅩᄒ 조요(早夭) 박복(薄福)ᄒᆯ 상격이 아니오니, 위틱로운 가온ᄃᆡ 하날이 도으시믈 힘닙어 스라날 도리 업디 아니ᄒ올디라. 엇디 미양 쇼미와 윤·양 등을 위ᄒ여 과도【54】히 우려ᄒ시ᄂᆞ니잇고? 금일 신슈(新嫂)의 긔특ᄒ시미 셰뎨(弟)의 외람ᄒ 부인이라. 일노 좃ᄎ ᄋ94)의 가되 챵셩ᄒ며 즈손이 만당ᄒ믈 보디 아녀 아오려니와, 원간 녀즈의 식광이 너모 슈발ᄒ 후ᄂ, 초년 익회(厄會) 업디 아니ᄒ옵ᄂ니, 신쉬 ᄯᅩᄒ 쇼쇼 익경이 업디 아니리이다."

태부인이 경아 왈,

"노뫼 혜쥬와 윤·양 등 화란을 본 후ᄂ, 드러오ᄂ 며나리와 즈라ᄂ 손녀 등을 넘녀ᄒ여, 팔직 비록 남달니 유복디 못ᄒ나 일싱이 안한무ᄉ(安閒無事)ᄒ기를 바라ᄂ니, 신뷔 엇더ᄒ관ᄃᆡ 익경을 면치 못ᄒ리라 ᄒᄂ뇨?"

남휘 함쇼 딕 왈,

質)이 윤시와 방불ᄒ고 대양시의 우히믈 닐너, 깃부믈 니긔지 못ᄒ나, 윤·양과 혜쥬를 싱각ᄒ여 상연 하루ᄒ믈 마지 아니ᄒ고, 진부인이 탄 왈,

"금일 신부를 보미 얼포시 윤현부와 방불ᄒ 풍용이 이시나, 오히려 윤시의 건곤의【84】오롯ᄒ 졍화와 산쳔의 슈이(秀異)ᄒ 긔운으로 창ᄒ믜 깁긔와 즁산(重山)의 무거온 대량(大量)은 ᄇ라지 못ᄒ리니, 원간 윤시와 혜ᄋ의 방불ᄒ 즈도 업스니, 이러므로 홍안지희(紅顔之害)를 보미라. 진실노 녀즈 식광이 불관ᄒ믈 알과이다93)."

남휘 우음을 씌여 고왈,

"미뎨ᄂ 쳔고이릭(千古以來)의 희한ᄒ 인물이라. 참화지즁(慘禍之中)의도 딕단이 염녀로을 빈 아니라. 그 상모의 화긔와 ᄀ득ᄒ 부귀 휘젹의 존귀ᄒ믈 긔필ᄒ오리니, 누명이 부운 갓고 위란이 츈몽 ᄀᆺᄐ여 즈연 길시를 만나올 거시오, 윤·양 등이 ᄯᅩᄒ 조요(早夭) 박복(薄福)ᄒᆯ 상격이 아니오니, 위틱로온 가온치[ᄃᆡ]나 하날이 도으시믈 힘입어 스라날 도리 업지 아니ᄒ올지라. 엇지 미양 쇼미와 윤·양을 위ᄒ여 과도히 우려ᄒ시ᄂᆞ니잇고? 금일 신슈(新嫂)의 긔특ᄒ미 셰뎨(弟)의 외람ᄒ 부인이라. 일【85】노 조ᄎ 《ᄂᆡᄋ94)》의 가되 창(昌)ᄒ며 즈손이 만당ᄒ믈 보지 아냐 알녀니와, 원간 《녀즈∥녀즈》의 식광이 너모 슈발ᄒ 후ᄂ 초년 익회(厄會) 업지 아니ᄒ옵ᄂ니, 신쉬 ᄯᅩᄒ 소소 익경이 업지 아니리이다."

태부인이 경아 왈,

"노모ᄂ 혜쥬와 윤·양 등 화란을 본 후ᄂ 드러오ᄂ 며ᄂ리, 즈라ᄂ 손녀 등을 염녀ᄒ여 팔지 비록 남달리 유복지 못ᄒ나, 일싱이 안한무ᄉ(安閒無事)ᄒ기를 ᄇ라ᄂ니, 신뷔 엇더ᄒ관ᄃᆡ 익경을 면치 못ᄒ리라 ᄒᄂ뇨?"

남휘 함소딕 왈,

---

93)-과이다 : -었/았습니다. '-과라; -었/았다'의 '하쇼셔'체 어미.
94)ᄋ : 아우. 동생.

93)-과이다 : -었/았습니다. '-과라; -었/았다'의 '하쇼셔'체 어미.
94)ᄋ : 아우. 동생.

"신쉬 임의 셰【55】흥의 쳐실이 된 후
는 싱계 안한홀 니 업슬 거시오, 광긱(狂客)
의 쳐실노 괴로오미 업디 아닐 거시므로,
면모의 어론기는 염광이 너모 찬난ᄒᆞ여 초
년의 홍안디히(紅顔之害) 이실 듯ᄒᆞ오나, 복
덕이 완젼ᄒᆞ시고 슈한이 댱원홀 골격이시
니, 일시 곤익(困厄)이야 현마 엇디 ᄒᆞ리잇
고?"

태부인이 블열 왈,

"네 초년 익경을 관겨치 아닌 줄 알거니
와, 맛춤ᄂᆞ 아니 굿기95)○[니]만 곳디 못ᄒᆞ
고, 셰셰 약딜이 능히 명텰보신(明哲保身)이
엇디 그리 흔ᄒᆞ리오. 여모(汝母)는 식광이
슈츌ᄒᆞ되, ᄋᆞ시로브터 호티듕 싱댱ᄒᆞ여 년
긔 십칠의 뎡문의 속현(續絃)ᄒᆞ미, 슉덕현ᄒᆡᆼ
이 일가의 칭복ᄒᆞ는 비 되고, 여【56】부의
듕디를 바다 안젼의 ᄒᆞᆫ낫 뎍인이 업고, 여
등 칠남미를 싱ᄒᆞ여 개개히 비속(非俗)ᄒᆞ니,
나는 손부 등의 복을 원ᄒᆞᆯ믈 타인을 니르디
아니코 여모 곳ᄐᆞᆯ 원ᄒᆞ노라."

남후와 녀부 등이 우음을 ᄯᅴ여, 고왈,

"대인과 즈졍의 놉흐신 복녹은 인인의 흠
앙ᄒᆞ는 비라. 즈손녀부(子孫女婦)96) 항의
엇디 감히 우러러 바라리잇고?"

태부인이 쇼 왈,

"너의 형뎨 풍치 위인을 니를딘디 가위승
어뷔(可謂勝於父)오, 여뫼 비록 긔특ᄒᆞ나 오
히려 윤시를 불급(不及)ᄒᆞ리니, 복녹이 위인
으로 갈딘디 여등이 아비의셔 더욱 유복홀
거시로되, 망망ᄒᆞᆫ 텬슈를 도망키 어【57】
렵고, 윤·양 등의 화란과 현긔 등의 실니
ᄒᆞ미 노모의 심ᄉᆞ 버히는 듯ᄒᆞ도다."

이러툿 말숨ᄒᆞ여 야심ᄒᆞ미, 금평휘 모친
의 취팀ᄒᆞ시믈 쳥ᄒᆞ여 태부인이 상요(床

"신쉬 임의 셰흥의 쳐실이 된 후는 싱계
안한ᄒᆞ미 업슬거시오, 광긱(狂客)의 쳐실
노 괴로오미 이시리니, 면목의 어로기는 염
광이 너모 찬난ᄒᆞ여 초년의 홍안지히(紅顔
之害)이실 듯ᄒᆞ오나, 복덕이 완젼ᄒᆞ시고 슈
한이 댱원홀 골격이{이}시니, 일시 곤익(困
厄)이냐[야] 현마 엇지 ᄒᆞ리잇고?"

태부인이 불열 왈,

"네【86】초년 익경은 관겨치 아닌 쥴
노 알거니와, 죵ᄂᆞ 아니 국기니95)만 곳지
못ᄒᆞ고, 셤셰(纖細)ᄒᆞᆫ 약질이 능히 보신쳘명
(保身哲明)이 엇지 그리 흔ᄒᆞ리오. 여모(汝
母)는 식광이 슈츌ᄒᆞ되, ᄋᆞ시로브터 호화부
귀쥼 싱장ᄒᆞ여 년지이칠(年之二七)의 뎡문
의 속현(續絃)ᄒᆞ미, 슉덕현ᄒᆡᆼ이 ○…결락10
자…○[일가의 칭복ᄒᆞ는 비 되고], 여부의
쥼디를 바다, 안젼의 ᄒᆞᆫ낫 젹인을 보지
《못ᄒᆞ고∥아니코》 여등 칠남미를 싱ᄒᆞ여
기기히 비속(非俗)ᄒᆞ니, 나는 손부 등의 복
을 원ᄒᆞ미 타인을 닐치 아니코, 여모 곳ᄐᆞ
믈 원ᄒᆞ노라"

평남후 녀부 등이 우음을 ᄯᅴ여, 고왈,

"듸인과 즈졍의 놉흔 복녹은 인인의 흠앙
ᄒᆞ는 비라. 즈손녀부(子孫女婦)96) 항의 엇
지 감히 부모의 위덕과 셩ᄒᆡᆼ을 만분의 일이
나 ᄇᆞ라리잇고?"

틱부인이 크게 두굿겨, 되쇼ᄒᆞ고 갈오되,

"여등 형졔의 릉[풍]칙 위인으로 《갈∥니
를》진되, 여등이 아비의【87】셔 더욱 유
복홀 거시로되, 망망ᄒᆞᆫ 텬슈를 도망키 어렵
고, 윤·양 등의 화란과 현긔 등 실니ᄒᆞ미
노모의 심ᄉᆞ 버히는 듯 ᄒᆞ도다."

이러툿 말숨ᄒᆞ여 야심ᄒᆞ매, 금평휘 모친
의 취침ᄒᆞ시믈 쳥ᄒᆞ여 태부인이 상요(床

---

95) 굿기다 : 고생하다. 궂은일을 당하다. 죽다. ⇒국
　기다.
96) 즈손녀부(子孫女婦) ; 아들·손자·딸·며느리를
　함께 일컫는 말.

95) 국기다 : 고생하다. 궂은일을 당하다. 죽다. ⇒굿
　기다.
96) 즈손녀부(子孫女婦) ; 아들·손자·딸·며느리를
　함께 일컫는 말.

褥)97)의 나아간 후, 병부 등이 야야를 뫼셔 밧그로 나오미, 흑시 부명을 듯줍디 {못}못 ㅎ여시므로, 신방의 나아가디 못ㅎ여 이데(二弟)로 더브러 쳥듁헌을 쩌나디 못ㅎ니, 금평휘 학스를 나아오라 ㅎ여 경계 왈,

"너와 신뷔 다 십삼 튱년(沖年)98)이라. 구상유취(口尙乳臭)를 계오 면ㅎ여시니, 부부 동거홀 쩌 아니믈 알오디, 신방을 븨오미 녜 아닌 고로 드러가믈 허ㅎ고, 츠후 션삼졍 왕니를 금치 아니ㅎ【58】느니, 규니 츌입은 네 ᄆᆞ음디로 ㅎ여 졔가를 임의로 ㅎ려니와, 신부의 긔질과 동용 녜졀이 슈군ᄌᆞ의 풍을 가져시니, 너의 외람ᄒᆞᆫ 쳐실이니 모로미 공경듕디ㅎ여 가니 화평ㅎ고 법되 착난치 아니미 올흐니, 네 비록 광망ㅎ고 블인무식(不仁無識)ㅎ나 미셰ᄒᆞᆫ 쳑동(尺童)과 ᄀᆞᆺ지 아냐, 옥당명환(玉堂名宦)이오, 사름의 가댱(家長)이라. 힝실을 삼가고 화홍 관대ᄒᆞ기를 쥬ㅎ여, 광망(狂妄) 패려(悖戾)ᄒᆞᆫ 거죄 업게 ㅎ라."

흑시 브복 문교(聞敎)의 니러 직비 슈명이오, 감히 말슘을 못ㅎ니, 금휘 심니의 그 영풍쥰골(英風俊骨)을 두굿기나, 그 긔운이 넘나믈 근【59】심ㅎ여 ᄉᆞ랑ㅎᄂᆞᆫ 빗츨 낫토디 아니터라.

어시의 흑시 부명을 니어 션삼졍의 니러 부뷔 동셔로 좌를 분ㅎ미, 학스의 양쇼 져 ᄇᆞ라보는 눈이 젼도(顚倒)ㅎ믈 면치 못ㅎ여, 명촉하(明燭下)의 ᄌᆞ시 술피미, 봉관화리(鳳冠花䍦)99) 가온디 승졀ᄒᆞᆫ 틱도와 ᄌᆞ약ᄒᆞᆫ 염광(艶光)이 암실의 됴요ㅎ니, 팔광(八光)100)이 휘휘(輝輝)101)ㅎ여 쳔고의 회ᄒᆞᆫ 명염(名艶)이오, 만디의 디뒤(對頭) 업

褥)97)의 나아간 후, 병부 등이 야야를 뫼셔 밧그로 나오미, 흑시 부명을 듯지 못ᄒᆞ여 시므로, 신방의 느아가지 못ᄒᆞ여 이데(二弟)로 더부러 《쳥측현‖쳥듁헌》을 쩌나지 못ᄒᆞ니, 금평휘 흑스를 나아오라 ᄒᆞ여 경계 왈,

"너와 신뷔 다 십삼 츙년(沖年)98)이라. 구싱[상]유취(口尙乳臭)를 계오[우] 면ᄒᆞ여 시니, 부부 동거홀 쩌 아니믈 알오디, 신방을 븨오미 녜 아닌고로, 드러가믈 허ᄒᆞ고 츠후 션삼졍 왕니를 금치 아니ᄒᆞ느니, 규니 츌입은 네 ᄆᆞ음디로 ᄒᆞ여 졔가를 임의로 ᄒᆞ려니와, 신부의 긔질과 동용 녜졀이 슈군ᄌᆞ【88】의 풍을 가져시니, 너의 외람ᄒᆞᆫ 쳐실 이니 모로미 공경즁디ᄒᆞ여, 가니 화평ᄒᆞ고 법되 착난치 아니미 올흐니, 네 비록 광망(狂妄) 블인무식(不仁無識)ᄒᆞ나 미셰ᄒᆞᆫ 쳑동(尺童)과 ᄀᆞᆺ지 아냐, 옥당명환(玉堂名宦)이오, 사름의 가댱(家長)이라. 힝실을 삼가고 화평 관디ᄒᆞ기를 쥬ᄒᆞ여, 광망 픠려ᄒᆞᆫ 거죄 업게 ᄒᆞ라".

흑스 부복 문교(聞敎)의 니러 직비 슈명이오, 감히 말슘을 못ᄒᆞ니 금휘 심니의 그 영풍쥰걸(英風俊傑)을 두굿기나, 그 긔운이 넘나믈 근심ᄒᆞ여 ᄉᆞ랑ᄒᆞ는 빗츨 낫토지 아니터라.

어시의 흑시 부명을 니어 션삼졍의 니러 부뷔 동셔로 좌를 분ᄒᆞ미, 흑스의 양쇼 져 ᄇᆞ라보는 눈이 젼도(顚倒)ᄒᆞ믈 면치 못ᄒᆞ여, 명촉하(明燭下)의 ᄌᆞ셰히 살피미, 봉관화리(鳳冠花䍦)99) 가오[온]디 승졀ᄒᆞᆫ 틱도와 ᄌᆞ약ᄒᆞᆫ 염광(艶光)이 됴요ᄒᆞ니, 팔광(八光)100)이 황황(煌煌)101)ᄒᆞ여 쳔고의 회ᄒᆞᆫ 명【89】염(名艶)이오, 만디의 디뒤(對

---

97)상요(床褥) : 침상에 편 요라는 뜻으로, '잠자리'를 말함.
98)튱년(沖年) : 열 살 안팎의 어린 나이.
99)봉관화리(鳳冠花䍦) : 신부가 쓰던 봉황 모양으로 장식한 관과 꽃을 수놓아 만든 얼굴 가리개.
100)팔광(八光) : 눈썹의 광채. 팔(八)은 눈썹의 모양을 나타냄.
101)휘휘(輝輝) : 광채가 매우 아름답게 빛남.

97)상요(床褥) : 침상에 편 요라는 뜻으로, '잠자리'를 말함.
98)튱년(沖年) : 열 살 안팎의 어린 나이.
99)봉관화리(鳳冠花䍦) : 신부가 쓰던 봉황 모양으로 장식한 관과 꽃을 수놓아 만든 얼굴 가리개.
100)팔광(八光) : 눈썹의 광채. 팔(八)은 눈썹의 모양을 나타냄.
101)황황(煌煌) : 번쩍번쩍 빛나서 밝다.

순 듯 영복(榮福) 다남ᄌ(多男子) 긔상이 가득ᄒ고, 임ᄉ(姙似)102)의 너른 냥(量)과 이비(二妃)103)의 쳥결ᄒ믈 ᄀ초 가져시니, 뎡학시 평싱 원ᄒᄂ 빈 식덕이 가죽ᄒ 슉녀를 구ᄒ여, 스스로 혜오딕,

"녀진 비록 임강(任姜)104) 마등(馬鄧)105)의 덕이 【60】 잇다 ᄒ나, 무염(無艶)의 박식이면 댱뷔 비위 눅눅ᄒ여 ᄎ마 딕치 못ᄒᆯ 거시오, 셔ᄌ(西子)106) 왕댱(王嬙)107)의 식이 잇다 ᄒ여도, 셩덕(性德)이 온슌치 못ᄒ 즉 군ᄌ의 화락ᄒᆯ 빅 아니라. 각별이 화월(花月)의 식과 슉녀의 덕을 구ᄒ여, 눈으로 그 얼골을 보고 귀로 그 셩화를 드른 후 취ᄒ리라."

쥬의를 뎡ᄒ엿더니, 양쇼져로 뎡혼ᄒᄆᆡ, 양쇼져ᄂ 빅시의 쳐뎨오, 셩화를 드르ᄆᆡ 츌뉴ᄒᄆᆞᆯ 본ᄃ시 아라시므로, 미혼 젼의 보고져 ᄠᆞᆺ을 아낫다가 금일의 빅량(百輛)108)으

頭) 업슨 듯 영복(榮福) 다남ᄌ지상(多男子之相)이 ᄀ득ᄒ고, 임ᄉ(姙似)102)의 너른 냥(量)과 이비(二妃)103)의 《쳥셜∥쳥결(淸潔)》ᄒ믈 ᄀ초 가져시니, 뎡혹시 평싱 원ᄒᄂ 빈 식덕이 가준 슉녀를 구ᄒ여, 스스로 혜오딕,

"녀진 비록 임강(任姜)104) 마등(馬鄧)105)의 덕이 있다 ᄒ나, 무염(無艶)의 박식(薄色)이면 댱부 비위 눅눅ᄒ여 ᄎ마 딕치 못ᄒᆯ거시오, 셔ᄌ(西子)106) 왕댱(王嬙)107)의 식이 잇다ᄒ여도 셩덕(性德)이 온슌치 못ᄒ 즉 군ᄌ의 화락치 못ᄒᆯ지라. 각별히 화월(花月)의 식과 슉녀의 덕을 구ᄒ여, 눈으로 그 얼골을 보고 귀로 그 셩화를 드른 후 취ᄒ리라."

쥬의를 졍ᄒ엿더니, 양쇼져로 졍혼ᄒᄆᆡ, 양쇼져ᄂ 빅시의 쳐뎨오, 셩화를 츌뉴ᄒᄆᆞᆯ 본ᄃ시 아라시므로, 미혼젼의 보고져 ᄠᆞᆺ을 아낫다가 금일의 빅냥(百輛)108)의 마ᄌ 일

---

102)임ᄉ(姙似) : 중국 주(周)나라 현모양처(賢母良妻)인 문왕의 어머니 태임(太姙)과 무왕(武王)의 어머니 태사(太似)를 함께 일컫는 말.

103)이비(二妃) : 중국 순(舜)임금의 두 왕비이자 요(堯)임금의 두 딸인 아황(娥皇)과 여영(女英).

104)임강(任姜) : 중국 주(周) 문왕(文王)의 모친 태임(太姙)과 주(周) 선왕(宣王)의 비(妃) 강후(姜后)를 함께 이르는 말. 모두 어진 덕으로 유명하다.

105)마등(馬鄧) : 중국 동한(東漢) 명제(明帝)의 후비 마후(馬后)와 동한(東漢) 화제(和帝)의 후비(后妃) 등후(鄧后)를 함께 이르는 말. 둘 다 후궁 가운데 덕이 높았다.

106)셔ᄌ(西子) : 중국 춘추시대의 월(越)나라의 미인 서시(西施). 오나라에 패한 월나라 왕 구천이 서시를 부차에게 보내어 부차가 그 용모에 빠져 있는 사이에 오나라를 멸망시켰다.

107)왕댱(王嬙) : 왕소군(王昭君). 중국 전한 원제(元帝)의 후궁. 이름은 장(嬙). 자는 소군(昭君). 기원전 33년 흉노와의 화친 정책으로 흉노의 호한야선우(呼韓邪單于)와 정략결혼을 하였으나 자살하였다. 후세의 많은 문학 작품에 애화(哀話)로 윤색되었다

108)빅량(百輛) : '백대의 수레'라는 뜻으로, 『시경(詩經)』「소남(召南)」편, <작소(鵲巢)>시의 '우귀(于歸) 백량(百輛)'에서 유래한 말이다. 즉 옛날 중국의 제후가(諸侯家)에서 혼례를 치를 때, 신랑이 수레 백량에 달하는 많은 요객(繞客)들을 거느려 신부집에 가서, 신부을 신랑집으로 맞아와 혼례를 올렸는데, 이 시는 이처럼 혼례가 수레 백량이 운

---

102)임ᄉ(姙似) : 중국 주(周)나라 현모양처(賢母良妻)인 문왕의 어머니 태임(太姙)과 무왕(武王)의 어머니 태사(太似)를 함께 일컫는 말.

103)이비(二妃) : 중국 순(舜)임금의 두 왕비이자 요(堯)임금의 두 딸인 아황(娥皇)과 여영(女英).

104)임강(任姜) : 중국 주(周) 문왕(文王)의 모친 태임(太姙)과 주(周) 선왕(宣王)의 비(妃) 강후(姜后)를 함께 이르는 말. 모두 어진 덕으로 유명하다.

105)마등(馬鄧) : 중국 동한(東漢) 명제(明帝)의 후비 마후(馬后)와 동한(東漢) 화제(和帝)의 후비(后妃) 등후(鄧后)를 함께 이르는 말. 둘 다 후궁 가운데 덕이 높았다.

106)셔ᄌ(西子) : 중국 춘추시대의 월(越)나라의 미인 서시(西施). 오나라에 패한 월나라 왕 구천이 서시를 부차에게 보내어 부차가 그 용모에 빠져 있는 사이에 오나라를 멸망시켰다.

107)왕댱(王嬙) : 왕소군(王昭君). 중국 전한 원제(元帝)의 후궁. 이름은 장(嬙). 자는 소군(昭君). 기원전 33년 흉노와의 화친 정책으로 흉노의 호한야선우(呼韓邪單于)와 정략결혼을 하였으나 자살하였다. 후세의 많은 문학 작품에 애화(哀話)로 윤색되었다

108)빅냥(百輛) : '백대의 수레'라는 뜻으로, 『시경(詩經)』「소남(召南)」편, <작소(鵲巢)>시의 '우귀(于歸) 백량(百輛)'에서 유래한 말이다. 즉 옛날 중국의 제후가(諸侯家)에서 혼례를 치를 때, 신랑이 수레 백량에 달하는 많은 요객(繞客)들을 거느려 신부집에 가서, 신부을 신랑집으로 맞아와 혼례를 올렸는데, 이 시는 이처럼 혼례가 수레 백량이 운

로 마즈 일실의 샹딕ᄒᄆᆡ, 용화긔질(容華氣質)과 셩덕문믹(盛德文脈)이 의연이 셩니도학(性理道學)이라. 뜻의 ᄎ고 ᄆ【61】음의 죡ᄒᆞ니, 비로소 슉녀를 바라던 바의 합당ᄒᆞᆷ을 환열ᄒᆞ여, 이에 흔연이 말ᄉᆞᆷ을 펴 글오ᄃᆡ,

"싱은 년쇼브ᄌᆡ(年少不才)로 빅ᄉᆞ의 일ᄏᆞ름죡디 아니ᄒᆞ거늘, 녕존대인의 후의를 닙어 외람이 쇼져로 부부디의를 일우니, 싱의 힝심이나, 혹즈 슉녀의 평ᄉᆡᆼ을 욕홀가 두리ᄂᆞ이다."

쇼졔 슈용뎡금(修容整襟)[109]ᄒᆞ여 ᄆᆞᆨ연브답ᄒᆞ니, 어리롭고 긔려ᄒᆞᆫ 풍용 가온ᄃᆡ 오치샹운(五彩祥雲)이 어른겨 광휘 됴요ᄒᆞ니, 가히 눈 옴기기 앗가온디라. 뎡셰홍 ᄀᆞᆺ튼 풍뉴영걸(風流英傑)이 졀ᄉᆡᆨ슉완(絶色淑婉)을 일실의 디ᄒᆞ여 엇디 은졍의 유츌ᄒᆞᆷ을 춤을 비리오. 이에 금침을 【62】포셜ᄒᆞ고 쵹을 믈닌 후 년망(連忙)이 쇼져를 븟드러 샹요의 나아가ᄆᆡ, 은졍의 딘듕ᄒᆞᆷ이 여산약히(如山若海)ᄒᆞ여 하애심단(夏夜甚短)ᄒᆞᆷ을 한ᄒᆞ더라. 계명의 학시 관소(盥梳)ᄒᆞ고 외헌으로 나아가고, 쇼졔 신댱(新粧)을 일워 존당 구고긔 문안ᄒᆞᆯ시, 양쇼졔 비록 년소 튱년(沖年)이나 그 가부의 호일 방탕ᄒᆞᆷ이 남다르믈 모르리오. 그윽이 힝디의 죵용치 못ᄒᆞᆷ을 ᄎᆞ탄ᄒᆞ여, 뎡인군지 아니믈 ᄉᆡᆨ드라 탄셕홀 ᄯᆞ름이더라.

존당이 쇼니시와 양시를 안젼의 두어 두굿기나, 미양 윤·양·니와 현긔 등의 ᄌᆞ최 묘연(杳然)ᄒᆞᆷ을 셰월이 오랄ᄉᆞ록 닛디 못ᄒᆞ여 슬허ᄒᆞ【63】니, 금평후 부지 위로ᄒᆞᆷ을 마디 아니나, ᄯᅩᄒᆞᆫ 윤·양의 거쳐 업스믈 참연ᄒᆞ고, 현긔 등 일흐믈 통셕ᄒᆞ여, 그 부모디심으로뻐 남후의 신셰 괴로오미, 젼ᄌᆞ 여러 쳐실을 모화 번화를 취코져 ᄒᆞ던 비, 당초시ᄒᆞ여는 요악ᄒᆞᆫ 공쥬 밧 다른 부인이 업ᄉᆞᆫ디라. 경시를 블고이ᄎᆔ(不告而娶) ᄒᆞ여

실의 샹딕ᄒᆞᄆᆡ, 용화긔질(容華氣質)과 셩덕문믹(盛德文脈)이 의연이 셩니도혹(性理道學)【90】이라. 뜻이 ᄎ고 ᄆᆞ음의 죡ᄒᆞ니, 비로소 슉녀를 ᄇᆞ라던 바의 합당ᄒᆞᆷ을 환열ᄒᆞ여, 이의 흔연히 말ᄉᆞᆷ을 펴 글오ᄃᆡ.

"싱은 년소브ᄌᆡ(年少不才)로 빅ᄉᆞ의 일ᄏᆞ름죡지 아니ᄒᆞ거늘, 영존딕인의 후의를 닙어 외람이 쇼져로 부부지의를 일우니, 싱의 힝심이나, 혹즈 슉녀의 평ᄉᆡᆼ을 욕홀가 두리ᄂᆞ이다."

쇼졔 슈용졍금(修容整襟)[109]ᄒᆞ여 묵연브답ᄒᆞ니, 아리ᄯᅡ온 풍용 가온ᄃᆡ 오치샹운(五彩祥雲)이 어른겨 광휘 됴요ᄒᆞ니, 가히 눈 옴기기 앗가온지라. 뎡셰홍 ᄀᆞᆺ튼 풍우[유]영걸(風流英傑)이 졀ᄉᆡᆨ슉완(絶色淑婉)을 일실의 디ᄒᆞ여 엇지 은졍의 뉴츌ᄒᆞᆷ을 춤으리오. 이의 금침을 포셜ᄒᆞ고 쵹을 믈닌 후 연망(連忙)이 쇼져를 븟드러 샹샹(床上)의 나아가ᄆᆡ, 은졍의 진즁ᄒᆞᆷ이 여산약히(如山若海)ᄒᆞ여 하야(夏夜) 져르믈[110] 한ᄒᆞ더라. 계명이 흑시 관소(盥梳)ᄒᆞ고 외헌으로 나가고, 쇼졔 신댱(新粧)【91】을 일워 존당의 문안ᄒᆞᆯ시, 양쇼졔 비록 년소 츙년(沖年)이나 그 가부의 호일방탕ᄒᆞᆷ이 남다르믈 모로리오. 그윽이 힝지의 죵용치 못ᄒᆞᆷ을 ᄎᆞ탄ᄒᆞ여, 졍인군즈 아니믈 ᄉᆡᆨ드를 ᄲᅮᆫ이러라.

존당이 쇼니시와 양시를 안견의 두어 두굿기나, 미양 윤·양·니와 현긔 등의 ᄌᆞ최 뇨연(窈然)ᄒᆞᆷ을 셰월이 오랄ᄉᆞ록 닛지 못ᄒᆞ여 슬허ᄒᆞ니, 금평후 부지 위로ᄒᆞᆷ을 마지 아니나, ᄯᅩᄒᆞᆫ 윤·양의 거쳐 업스믈 참연ᄒᆞ고, 현긔 등 일흐믈 통셕ᄒᆞ여, 그 부모지심으로뻐 남후의 신셰 괴로오미, 견즈 여러 쳐실을 모화 번화를 취코져 ᄒᆞ던 비, 당초시 ᄒᆞ여는 요악ᄒᆞᆫ 공쥬 밧 다른 부인이 업

집할 만큼 셩대하게 치러진 것을 노래하고 있다.

109)슈용뎡금(修容整襟) : 얼굴빛을 고치고 옷깃을 여밈.

집할 만큼 셩대하게 치러진 것을 노래하고 있다.

109)슈용졍금(修容整襟) : 얼굴빛을 고치고 옷깃을 여밈.

110)져르다 : 짧다.

발셔 긔린 ᄀᆞ튼 ᄋᆞ즈를 싱ᄒᆞ여시믈 아디 못
ᄒᆞ고, 딘긱의 번극(煩劇)홈과 의복 한셔를
맛초 리 업스믈 도로혀 불상이 넉이미 되
여, 원닉 남휘 일즉 문양궁의 머므는 일이
업슨 고로, 빈긱이 다 상부로 모혀 윤·양
·니 삼인이 업슨【64】후는 딘긱의 쥬찬
을 딘부인이 긔렴ᄒᆞ는110) 빅 되엿는 고로,
공줘 금슈나룽(錦繡羅綾)으로 부마의 의복
을 못 밋출ᄃᆞ시 밧드나, 남후의 셩졍이 빗
난 깁과 고은 비단을 부인 녀ᄌᆞ도 닙디 못
ᄒᆞ게 ᄒᆞ므로, ᄌᆞ긔 더욱 문양궁 금슈의복을
어이 닙으리오. 졀셰(節序)로 좃ᄎᆞ 공쥬는
금의화복(錦衣華服)으로 외헌의 보닌즉, 부
마는 친쳑 붕우의 궁곤ᄒᆞᆫ ᄌᆞ를 난화주고,
ᄌᆞ긔는 부친 여벌 헌 옷과 상셔의 의복을
어더 닙는디라.

딘부인이 도로혀 궁상(窮狀)져오믈 니르
나, 남후의 ᄠᅳᆺ이 텰셕 ᄀᆞ트여 문양궁 의식
을 갓가이【65】아니ᄒᆞ고, 술을 즐기딘 문
양궁 믈 ᄀᆞ튼 쥬찬을 구(求)치 아니ᄒᆞ더라.
혹ᄉᆞ 쳐 양쇼졔 인ᄒᆞ여 구가(舅家)의 머
므러 효봉구고(孝奉舅姑) ᄒᆞ고 승슌군ᄌᆞ(承
順君子) ᄒᆞ여 일마다 초츌 긔이ᄒᆞ여, 님하
(林下) 샤군ᄌᆞ(士君子)의 풍이 이셔, ᄋᆞ녀ᄌᆞ
의 거동이 업고, 쳔연비약(天然卑弱)111)ᄒᆞ
여 온슌 겸공ᄒᆞ는 덕이 디우하쳔(至愚下賤)
의 다ᄃᆞ라도 교오(驕傲)ᄒᆞ는 빗치 업셔, ᄌᆞ
존ᄌᆞ듕(自尊自重)ᄒᆞ는 버르술 두디 아니ᄒᆞ
딘, 슉슉ᄒᆞᆫ 위의 한월(寒月)이 셜상(雪上)의
바임 ᄀᆞ트여, 사ᄅᆞᆷ이 셜만(褻慢)ᄒᆞ며 가바야
이 넉이디 못홀 비라. 니른바 강약(强弱)이
득듕(得中)ᄒᆞ며 셩힝이 딘션딘미(盡善盡美)
ᄒᆞ여 당셰의 텰부명염(哲婦名艷)이니, 존당
구고【66】의 만금 ᄉᆞ랑이 ᄋᆞ들의 우히오,
일가친쳑과 닌니 향당의 칭예(稱譽)ᄒᆞ는 소
리 원근의 《훼ᄌᆞ(毀訾)∥훤자(喧藉)》ᄒᆞ니,

순지라. 경시를 블고이취(不告而娶)ᄒᆞ여 발
셔 긔린 ᄀᆞ튼 ᄋᆞ즈를 싱ᄒᆞ여시믈 아지 못ᄒᆞ
고, 딘긱 의 번극(煩劇)홈과 의복 한셔를 맛
초 리 업스믈 도로혀【92】불상히 넉이미
되어, 원닉 남휘 일즉 문양궁의셔 머무는
일이 업슨 고로, 빈긱이 다 상부로 모혀 윤
·양·이 삼니니 업슨 후는 딘긱의 쥬찬을
진부인이 긔렴ᄒᆞ는111) 빅 되엿고, 공줘 금
슈나룽(錦繡羅綾)으로 부마의 의복을 못 밋
출ᄌᆞ시 밧드나, 남후의 셩졍이 빗난 깁과
고은 비단을 부인 여자도 닙지 못ᄒᆞ게 ᄒᆞ므
로, ᄌᆞ긔 더옥 문양궁 금슈의복을 어이 입
으리오. 졀셰(節序)로 조ᄎᆞ 공쥬는 금의화복
(錦衣華服)으로[을] 외헌의 보닌즉, 부마는
친쳑 붕우의 궁곤ᄒᆞᆫ ᄌᆞ를 난화쥬고 ᄌᆞ긔는
부친 여벌 헌옷과 상셔의 의복을 어더 닙는
지라.

진부인이 도로혀 궁상(窮狀)져오믈 니로
나, 남후의 ᄠᅳᆺ이 쳘셕 ᄀᆞ트여 문양궁 의식
을 갓가이 아니ᄒᆞ고, 술을 즐기딘 문양궁
물ᄀᆞ튼 쥬찬을 구(求)치 아니ᄒᆞ더라.
혹ᄉᆞ 쳐 양시 인ᄒᆞ여 구가(舅家)의 머무
러 효【93】봉구고(孝奉舅姑) ᄒᆞ고 승슌군자
(承順君子)ᄒᆞ여 일마다 초츌ᄒᆞ여 님하(林下)
사군ᄌᆞ(士君子)의 풍이 이셔, 아녀ᄌᆞ의 거동
이 업고, 쳔연비약(天然卑弱)112)ᄒᆞ여 온슌
경딕ᄒᆞ는 덕이 지우하쳔(至愚下賤)의 다다
라도 《교우∥교오(驕傲)》ᄒᆞ는 빗치 업셔,
ᄌᆞ존ᄌᆞ즁(自尊自重)ᄒᆞ는 버릇슬 두지 아니
ᄒᆞ딘, 《규규∥슉슉》ᄒᆞᆫ 위의 한월(寒月)이
셜상(雪上)의 바임 ᄀᆞ트여, 사ᄅᆞᆷ이 가비야이
넉이지 못홀 비라. 니른 바 강약(强弱)○[이]
《쥬즁∥득즁(得中)》ᄒᆞ며, 셩힝이 진션(眞
善)ᄒᆞ여 당셰의 쳘부명염(哲婦名艷)이니, 존
당구고의 ᄉᆞ랑이 ᄋᆞ들의 우히오, 친쳑 일가
의 칭녜(稱譽)ᄒᆞ는 소리 닌니(隣里)의 들니
니, 혹ᄉᆞ의 황홀ᄒᆞᆫ 은졍이 텬상○[과] 인간

---

110)긔렴ᄒᆞ다 : 기념(記念)하다. 잊지 않고 생각하다.
유의하다.
111)쳔연비약(天然卑弱) : 생긴 그대로 조금도 꾸밈
이 없으며, 스스로를 낮추고 자신의 뜻을 드러내
어 주장하지 않음.

111)긔렴ᄒᆞ다 : 기념(記念)하다. 잊지 않고 생각하다.
유의하다.
112)쳔연비약(天然卑弱) : 생긴 그대로 조금도 꾸밈
이 없으며, 스스로를 낮추고 자신의 뜻을 드러내
어 주장하지 않음.

학수 황홀흔 은정이 텬샹○[과] 인간을 통흐여 다시 업는 듯, 견권흐는 쯧이 슈유블니(須臾不離)코져 흐디, 텬셩의 엄슉흐미 비록 부부디간이나 위의를 일치 아니려 디에 흐믈112) 각별이 흐고, 양시 범스를 즈긔 쯧을 셰오게113) 홀 쁜 아니라, 평싱 쥬의(主義) 녀지 가부의 명이 나린즉, 아모 어려온 일이라도 승슌흐기를 못 밋출드시 흐며, 가 뷔 비록 그른 일이 잇셔도 쳐지 감히 허물을 니르디 못흐며, 녀즈는 온【67】슌 인즉 흐여 브드럽고 나즉흐미 소릭를 놉히지 말 며, 불공흔 스쇠을 뵈디 마라 시비 곡딕을 닷토디 아닛는 거시 올타 흐여, 양쇼져를 비록 이듕흐는 가온딕나 쳔만스(千萬事)의 즈긔 쯧을 셰오고, 감히 스스로이 쯧을 어 긔오디 못흐게 흐니, 양쇼져는 쳥한고결흐고 유한정뎡(有閑貞靜)흔 녀지라. 가부의 황홀탐혹흔 은이를 실노뼈 깃거 아니흐거니, 엇디 온유 나즉흐고, 낭정(狼情)114) 혜힐(慧黠)115)흔 빗츨 디어 흑스의 은통을 요구할 니 이시리오.

흑스의 즈최 미양 닉실을 쩌나디 아니흐 여, 밤을 당흔즉 술을 취호고, 쇼져를 닛그 러【68】쳔만은이(千萬恩愛)와 만죵풍뉴(萬種風流) 블가형언(不可形言)이라. 방탕 무례 흔 거동이 풍뉴화식(風流花士) 챵누의 단니 며 미녀를 탐혹홈 굿투니, 쇼졔 그 힝스를 블복흐여 졈졈 닝녈(冷烈)흔 낫빗과 슉묵(肅默)흔 위로, 학스의 은졍을 몽니(夢裏)의도 가랍(嘉納)디 아니흐딕, 츈풍이 화란(和暖)흐미 미개홰(未開花) 붓치이믈116) 면 치 못흐니, 쇼졔 딘졍으로 흑스의 호일흔 졍의를 깃거 아니흐나, 시러곰 능히 학스의 구뎡(九鼎)117)을 가바야이 넉이는 힘을 방

을 통흐여 다시 업는 듯, 견권흐는 쯧이 슈 유블니(須臾不離)코져 흐딕, 텬셩의 엄슉흐 미 비록 부부지간이나 위의를 일치 아니려, 제어(制御)흐믈 각별이 흐고, 양시 범스를 즈긔 쯧을 셰오게113) 홀 쁜아니라, 평싱 쥬 의 녀지 가부의 명이 나린즉, 아모【94】 어려온 일이라도 승슌흐기를 못 밋츌드시 흐며, 가뷔 비록 그른 일이 이셔도 쳐지 감 히 허믈을 니르지 못흐며, 녀즈는 온슌인즉 흐여 브드럽고 나즉흐미 소릭를 놉히지 말 며, 불공흔 스식을 뵈지 말며, 시비곡직을 닷토지 아닛는 거시 올타 흐여, 양시를 비 록 이즁흐는 가온딕나 쳔만스(千萬事)의 즈 긔 쯧을 셰오고, 감히 스스○○[로이] 쯧 을 어긔 오지 못흐게 흐니, 양쇼져는 쳥한 졍졍(淸閑貞靜)흔 녀지라. 가부의 황홀흔 은 이를 실노뼈 깃거 아니흐니, 엇지 온유(溫柔) 나즉흐고, 낭졍(狼情)114) 혜힐(慧黠)115) 흔 빗출 지어 흑스의 은총을 요구흐니 이시 리오.

흑스의 즈최 미양 닉실을 쩌나지 아니흐 여, 밤을 당흔즉 술을 취호고, 쇼져를 닛그 러 쳔만은이(千萬恩愛)와 《만쥼‖만죵(萬種)》 풍뉴(風流) 블가형언(不可形言)이라. 방탕 무례흔 거동이 풍뉴화식(風流花士) 챵 누의 단니며 미녀를 침혹홈【95】 굿투니, 쇼졔 그 힝스를 불복흐여 졈졈 《영엄‖닝 엄(冷嚴)》흔 낫빗과 슉묵(肅默)흔 위로, 흑스의 은졍을 몽니(夢裏)의도 가랍지 아니 흐딕, 츈풍이 화란(和暖)흐미 미개홰(未開花) 붓치이믈116) 면치 못흐니, 쇼졔 진졍으 로 흑스의 호일흔 졍의를 깃거 아니흐나, 시러곰 능히 학스의 구졍(九鼎)117)을 가바

---

112)디에흐다 : 제어(制御)하다. 상대편을 억눌러서 제 마음대로 다룸.

113)셰오다 : 세우다. 규율이나 질서 따위가 올바르 게 유지되게 하거나 이에 따르게 하다.

114)낭정(狼情) : 어지러이 정을 폄.

115)혜힐(慧黠) : 슬기롭고 영리함.

116)붓치이다 : 부치이다. 바람에 불려 날리거나 펴 지거나 함.

117)구뎡(九鼎) : 중국 하(夏)나라의 우왕(禹王) 때에,

113)셰오다 : 세우다. 규율이나 질서 따위가 올바르 게 유지되게 하거나 이에 따르게 하다.

114)낭정(狼情) : 어지러이 정을 폄.

115)혜힐(慧黠) : 슬기롭고 영리함.

116)붓치이다 : 부치이다. 바람에 불려 날리거나 펴 지거나 함.

117)구졍(九鼎) : 중국 하(夏)나라의 우왕(禹王) 때에, 전국의 아홉 주(州)에서 쇠붙이를 거두어서 만들 었다는 아홉 개의 큰 솥. 주(周)나라 때까지 대대

초ᄒᆞ여 썰치디 못ᄒᆞ여, 능히 ᄌᆞ긔 집심(執心)을 셰올 길히 업스니 괴롭고 통완ᄒᆞ며, 신혼셩뎡(晨昏省定)의 졀노 더브러【69】언어를 슈작(酬酌)ᄒᆞ믈 븟그리 넉여, 일월이 밧괴이디 입을 닷고 뭇는 바를 듸답디 아니나, 식이는 비 이시면 승슌홀 ᄯᆞ롬이니, 학시 미양 언어를 슈작디 아닛는다 쥰졀이 칙ᄒᆞ여 그 옥음낭셩(玉音朗聲)을 듯고져 ᄒᆞ듸, 쇼졔 경이(輕易)히 호치(皓齒)를 여러 언어를 통치 아니ᄒᆞ더라.

ᄎᆞ시 문양공쥬 윤·양 이부인과 현긔 등 삼ᄋᆞ를 업시ᄒᆞ여 거리낀 근심이 ᄒᆞ나토 업스나, 남휘 운영을 통이ᄒᆞ는 비 업스듸 오히려 뎍인(敵人)118)의 명회(名號) 이시므로 ᄀᆞ마니 업시코져 묘랑으로 의논ᄒᆞ니, 묘랑이 굴오듸,.

"운영을 업시키는 어렵디 아니ᄒᆞ고 밧브【70】디도 아니ᄒᆞ듸, 옥쥬 남후 노야의 은이를 엇디 못ᄒᆞ시미 졀박흔 근심이라. 빈되 맛당이 텬디신명긔 옥쥬의 슈복을 튝원ᄒᆞ여 크게 셜졔(設祭)ᄒᆞ고, 명산대쳔의 두로 비러 옥쥬의 장옥(璋玉)119)이 션션(詵詵)120)ᄒᆞ기를 튝원코져 ᄒᆞᄂᆞ이다."

공쥬 홀연 슈루(垂淚) 탄왈,

"뎡군은 남다른 사름이라. 셰월노 간장만 허비홀 ᄯᆞ롬이오, 직믈만 업시홀 ᄯᆞᆫ이니, 셔의흔121) ᄭᅬ와 엿튼 계교는 아이의 시작디 아닛는 거시 올흐니, 스부는 닉이 혜아려 보라. 내 맛춤닉 뎡군의 텰셕 ᄀᆞᆺ흔 ᄆᆞ음을 두로혀 화락게 홀 냥ᄎᆡᆨ이 업ᄂᆞ냐? 만흔 직믈【71】과 허다 심녁을 허비ᄒᆞ여 계오 윤·양·니 삼녀를 졀졔ᄒᆞ고, 요츄(夭雛)122)

전국의 아홉 주(州)에서 쇠붙이를 거두어서 만들었다는 아홉 개의 큰 솥. 주(周)나라 때까지 대대로 천자에게 전해진 보물이었다고 한다.
118)뎍인(敵人) : ①원수. ②남편의 자기 이외의 처(妻)나 첩(妾).
119)장옥(璋玉) : '자식'을 달리 이르는 말.
120)션션(詵詵) : 수가 많은 모양.
121)셔의ᄒᆞ다 : 서어(齟齬)하다. 어설프다. ①틀어져서 어긋나다. ②하는 일이 익숙하지 못하고 엉성하고 거친 데가 있다.
122)요츄(夭雛) : 어린 병아리. 여기서는 윤·양·이

냐이 넉이는 힘을 썰치지 못ᄒᆞ여, 능히 ᄌᆞ긔 집심(執心)을 셰올 길이 업스니 괴롭고 통한ᄒᆞ며, 신혼셩졍(晨昏省定)의 졀노 더브러 언어를 슈작ᄒᆞ믈 븟그리 넉여, 일월이 밧고이듸 입을 닷고 뭇는 말을 듸답지 아니나, 식이는 비 이시면 승슌홀 싸름이니, 혹 스 미양 언어를 슈작지 아닛는다 쥰졀이 칙ᄒᆞ여 그 옥음낭셩(玉音朗聲)을 듯고져 ᄒᆞ듸, 쇼졔 경이히 언어를 통치 아니하더라.

ᄎᆞ시 문양공쥬, 두 부인과 현긔 삼인을 업시ᄒᆞ여 거리낀 근심이【96】ᄒᆞ나토 업스나, 남휘 운영을 춍이ᄒᆞ는 비 업스듸, 오히려 젹인(敵人)118) 명회(名號) 이시므로 ᄀᆞ마니 업시고져 묘랑으로 의논ᄒᆞ니, 묘랑왈.

"운영을 업시키는 어렵지 아니ᄒᆞ고 밧브도 아니ᄒᆞ듸, 옥쥬 남후 노야의 은이를 엇지 못ᄒᆞ시미 졀박흔 근심이라. 빈되 마땅히 텬지신명긔 옥쥬의 슈복을 츅원ᄒᆞ여 크게 셜졔(設祭)ᄒᆞ고, 명산듸쳔의 두로 비러 옥쥬의 장옥(璋玉)119)이 션션(詵詵)120)ᄒᆞ기를 츅원코져 ᄒᆞᄂᆞ이다."

공쥬 홀연 슈루(垂淚) 탄 왈,

"뎡군은 남다른 사름이라. 셰월노 간장만 허비홀 싸름이오, 직믈만 업시홀 ᄯᆞᆫ이니, 셔의흔121) ᄭᅬ와 엿튼 계교는 아이의 시작지 아닛는 거시올흐니, 스부는 닉이 혜어보라. 닉 마춤닉 뎡군의 쳘셕 ᄀᆞᆺ튼 ᄆᆞ음을 두로혀 화락게 홀 냥ᄎᆡᆨ이 업ᄂᆞ냐? 만흔 직믈과 허다 심역을 허비ᄒᆞ여, 계오【97】윤·양·니 삼녀를 졀졔ᄒᆞ고, 요믈(妖物) 등은 믓질너시나, 싱각건듸, 본셩이 호방흔 남지니 다시 번화를 구치 아닐 줄 엇지 알니오."

로 천자에게 전해진 보물이었다고 한다.
118)젹인(敵人) : ①원수. ②남편의 자기 이외의 처(妻)나 첩(妾).
119)장옥(璋玉) : '자식'을 달리 이르는 말.
120)션션(詵詵) : 수가 많은 모양.
121)셔의ᄒᆞ다 : 서어(齟齬)하다. 어설프다. ①틀어져서 어긋나다. ②하는 일이 익숙하지 못하고 엉성하고 거친 데가 있다.

낙선제본 명듀보월빙 권디ᄉᆞ십일　　　31　　　명쥬보월빙 권지십뉵 **박순호본**

등을 뭇딜너시나, 싱각건딘, 뎡군은 본셩이 호방훈 남지니 다시 번화를 구치 아닐 줄 엇디 알니오."

묘랑이 공쥬의 말을 드르미 졔 아딕 지믈을 탐ᄒ여 젼후 흉계를 베퍼시나, 딘실노 군ᄌ 슉녀의 원복(元福)123)을 져의 요술노 임의키 어려오니, 팀음ᄒ여 싱각다가 눈셥을 찡긔고 왈,

"부마 노야는 젼신이 샹계(上界)의 딘군(眞君)124)이오, 금셰의 영걸이라. ᄌ가의 슈복(壽福)은 죡히 남산북히(南山北海)의 비길 비오, 쳐궁의 번화훔과 ᄌ손의 번셩ᄒᆞᆷ믄 가히 쥬(周) 문왕(文王)125)을 블【72】워 아닐 비니, 만복의 무흠ᄒ거니와 목젼의 졈식 괴이ᄒ니, 옥쥬의 넘녀ᄒ시는 가온딘 이 말ᄉᆞᆷ을 고ᄒ미 어려울가 ᄒᆞᄂᆞ이다."

공쥬 남후의 팔ᄌ 기리는 거슬 깃거 아니미 아니로딘, 여러 쳐쳡을 두기의 다ᄃᆞ라는 번연이 깃거 아냐 낫빗츨 변ᄒ고, 묘랑의 토셜치 아냐 디디(遲遲)ᄒ는 바를 므르니, 묘랑의 공교ᄒ미 사ᄅᆞᆷ의 팔ᄌ 길흉과 쳐쳡 슈를 반ᄃᆞ시 아는 고로, 부마의 쳐궁이 발셔 그윽ᄒ ᄀᆞ온딘 부인을 두어 싱남가지 ᄒᆞ엿는디라. 져의 졈식 젼후의 그르디 아니ᄒ므로 ᄀᆞ장 놀나, 공쥬를 향ᄒ여 ᄀᆞᆯ오딘,

"샹공의 쳡희(妾姬)는 혹ᄌ 그 슈를 아디 못【73】ᄒ시믄 괴치 아니ᄒ딘, 의법훈 뎡실은 옥쥬 모로시디 아닐 비라. 빈도의 졈식 괴이ᄒ여 샹공이 윤·양·니 삼인 밧긔 쏘 부인을 두어 계실 듯ᄒ니, 이런 괴이코 슈상훈 일이 업는디라. ᄒ물며 싱남가디 훈 듯 시브니, 옥쥬는 일노 좃ᄎ 쇼문을 널니 듯보아 아라ᄂᆞᆫ쇼셔."

공쥬 ᄎ언을 드르미 놀납고 분ᄒᆞ미 비길 딘 업셔 ᄒᆞ더라【74】

삼부인의 어린 아이들을 말함.
123)원복(元福) : 본디 타고난 복(福).
124)딘군(眞君) : '신선(神仙)'의 높임말.
125)문왕(文王) : 중국 주나라 무왕의 아버지. 이름은 창(昌). 주나라 건국의 기초를 닦았고 고대의 이상적인 성인군주(聖人君主)의 전형으로 꼽는다.

묘랑이 공쥬의 말을 드르미 졔 아직 지믈을 탐ᄒ여 젼후 흉계를 《베허시나‖베퍼시나》, 진실노 군ᄌ 슉녀의 원복(元福)122)을 졔 임의키 어려오니, 침음ᄒ여 싱각다가 눈셥을 찡긔고 왈,

"부마 노야는 젼신이 샹계(上界)의 진군(眞君)123)이오, 금셰의 영걸이라. ᄌ가의 슈복(壽福)은 죡히 남산(南山)의 비길비오, 쳐궁의 번화훔과 ᄌ손의 번셩ᄒᆞᆷ믄 가히 쥬(周) 문왕(文王)124)을 블워 아닐 비니, 만복의 무흠(無欠)ᄒ거니와, 목젼의 졈식 괴이ᄒ니, 옥쥬의 넘녀ᄒ는 가온딘, 이 말ᄉᆞᆷ을 고ᄒ미 어려울가 ᄒᆞ나이다."

공쥬 남후의 팔ᄌ 기리는 거슬 깃거 아니미 아니로딘, 여러 쳐쳡을 두기의 다ᄃᆞ라는 번연이 깃거아냐 낫빗츨 변ᄒ고,【98】 묘랑의 토셜치 아냐 지지(遲遲)ᄒ는 바를 므르니, 묘랑의 공교ᄒ미 사ᄅᆞᆷ의 팔ᄌ 길흉과 쳐쳡 슈를 반ᄃᆞ시 아는 고로, 부마의 쳐궁이 발셔 그윽ᄒ 가온딘 부인을 두어 싱남까지 ᄒᆞ엿는지라. 져의 졈ᄉ 젼후의 그르지 아니ᄒ므로 ᄀᆞ장 놀나, 공쥬를 향ᄒ여 ᄀᆞᆯ오딘.

"샹공의 쳡희(妾姬)는 혹ᄌ 그 슈를 아지 못ᄒ시믄 괴치 아니ᄒ딘, 의법훈 졍실은 옥쥬 모로시지 아닐 비라. 빈도의 졈식 괴이ᄒ여 샹공이 윤·양·니 삼인 밧게 쏘 부인을 두어 계실 듯ᄒ니, 이런 괴이코 슈상훈 일이 《잇‖업》는지라. ᄒ믈며 싱남까지 훈 듯 시부니, 옥쥬는 일노 조ᄎ 쇼문을 널니 듯보아 아라ᄂᆞᆫ쇼셔"

공쥬 ᄎ언을 드르미 놀납고 분ᄒᆞ미 비길 딘 업셔 ᄒᆞ더라

---

122)원복(元福) : 본디 타고난 복(福).
123)딘군(眞君) : '신선(神仙)'의 높임말.
124)문왕(文王) : 중국 주나라 무왕의 아버지. 이름은 창(昌). 주나라 건국의 기초를 닦았고 고대의 이상적인 성인군주(聖人君主)의 전형으로 꼽는다.

명듀보월빙 권디ᄉ십이

화셜 문양공쥬 묘랑의 말을 드르미 놀납고 분한흐미 밋쳐 경시 이시믈 아도 못흐여셔 왼 몸이 썰녀 히음업시 눈물을 쓰려 굴오디,

"윤·양·니 삼녀를 계오 졀혼니이(絕婚離異)흐여, 윤·양을 아조 업시 흐고 현긔 등을 강슈(江水)의 바리미, 남은 근심이 운영 ᄀ튼 거슬 마즈 업시코져 흐미러니, 또 어디 부인이 잇다 흐ᄂ뇨? 만일 ᄉ부의 말 ᄀ틀딘디 내 싱젼의 덕인을 다 업시흘 길히 업스니, 나는 쇽졀업시 심간(心肝)만 슬오다가, 쳥츈의 【1】조ᄉ(早死)한 원귀 되리로다."

묘랑이 웃고 위로 왈,

"옥쥬는 빈도를 미드시고 과도히 넘녀치 마르쇼셔. 비록 지죄 업스나 족히 옥쥬의 덕인이 빅이라도 혜여가며 업시 흐리이다."

공쥬 슬허 왈,

"내 젼혀 ᄉ부를 미듸126)엿거니와, 원간 팔지 엇더흐여 그러흐며 윤·양 등은 싱환흐미 다시 업스랴?"

묘랑이 죽디 아냐시믈 어이 모로리오마는 오히려 활인ᄉ의 이시믄 모로고, 아딕 공쥬의 ᄆ음을 깃거흐게 흐여 금은을 낫고려 흐므로, 윤·양 이부인을 영영 죽다 흐며 공쥬는 팔지 대귀흐믈 니르디, 부마의 다른 부인이 분명이 【2】잇다 흐니, 공쥬 분분 통히흐여 묘랑으로 흐여금 그 부인의 셩시와 잇는 거슬 아라오라 흐니, 묘랑이 온가디로 공쥬의 ᄆ음을 깃거 맛치랴 흐는 고로, ᄎ후 의혹흐여, 화(化)흐여 나는 즘싱이 되여 단니며, 혹 십여셰 흔 ᄋ희도 되여, 미양 뎡병부의 묘참흐라 왕뉘흐는 쩌와 출입디시(出入之時)를 다 아라, 감히 갓가이 나아가디 못흐나, 먼녀셔 바랄만치 ᄰ라 뒤흘

───────
126)미듸다 : 믿다.

ᄎ시 공쥬 눈물을 쑤리며 왈

"윤·양·이 삼녀을[를] 겨우 졀혼(絕婚)흐여, 【99】윤·양은[을] 아조 업시 흐고, 현긔 등을 강슈의 바리미, 남은 근심이 운영 ᄀ튼 거슬 마즈 업시코져 흐미러니 또 어디 《분인‖부인》이 잇다 흐ᄂ뇨? 만일 ᄉ부의 말 ᄀ틀진디, 내 싱젼의 젹인을 다 업시흘 길히 업시니, 나는 쇽졀업시 심간(心肝)만 살오고 쳥츈의 요ᄉ(夭死)흔 귀신이 되리로다."

묘랑이 웃고 위로 왈,

"옥쥬는 빈도를 미드시고 과도히 넘여치 마르쇼셔. 소리(小尼) 비록 지죄 업시나 족히 옥쥬의 덕인이 빅이라도 다 혜여ᄀ[가]며 업시 흐리이다."

공쥬 탄 왈,

"내 젼혀 ᄉ부를 밋고 잇ᄂ이다."

흐니, 묘랑이 함소디 왈.

"옥쥬는 과도히 염녀을 므르쇼셔"

흔디, 공쥬왈,

"부인이 분명잇다 흐니, 그 부인의 셩시와 잇는 거슬 아라 오라."

흐니, 묘랑이 온가지로 공쥬의 ᄆ음을 깃겨 맛츠랴고 흐는 고로, ᄎ후의 화(化)흐여 나는 즘싱이 되여 【100】 다니며, 혹 십여셰 된 ᄋ희도 되여 미양 뎡병부의 묘참흐라 왕뉘흐는 쩌와 출입지시를 다 아라, 가히 갓가이 나아가디 못흐나 먼녀셔 《발랄‖바랄》만치 ᄰ라 뒤흘 조ᄎ 다니며, 도셩 디로상의 슈업손 스름 가온디 ᄊ라 섯겨 든니

좃ᄎ 단니며, 도성 대로상의 슈업순 사름 가온디 ᄯ라 섯겨 단니니, 뉘 알 니 이시리오.

이ᄀᆞ치 흐기를 ᄉ오슌(四五旬)의, 병뷔 일일은 파됴ᄒᆞ고 궐문 밧긔 나오며, 하리를 명ᄒᆞ여 【3】 '젹은덧 경부의 나아가 ᄋᆞ병(兒病)이 나은가 아라 오라' ᄒᆞ고, ᄌᆞ긔는 바로 췌운산으로 나아오니, 묘랑이 ᄋᆞ환(兒患)을 아라 오라 ᄒᆞ니, 의심을 발ᄒᆞ여 젹은 시 되여 경부의 가는 하리를 ᄯᆞᆯ와 니르니, 하리 경참졍긔 남후의 젼어로 ᄋᆞ환을 므르민, 회답ᄒᆞ여 ᄋᆞ환이 낫디 못ᄒᆞᄆᆞᆯ 니르거늘, 묘랑이 제 몸이 시 되여시므로 두릴 거시 업셔 안흐로 말미암아 니루의 나라 드러가니, 일위 듕년의 부인이 쇼부인으로 더브러 고당화루(高堂華樓)의 안거ᄒᆞ여, 어린 ᄋᆞ히를 금금(錦衾)의 ᄲᅡ 누이고, ᄌᆞ로 그 몸을 달호며127) 머리를 집허 니르디,

"어린 거시 엇디 ᄒᆞ여 여러 날을 【4】 낫디 못ᄒᆞ뇨?"

ᄒᆞ며, 쇼부인은 유이 셔열(暑熱)의 달호여128) 그러ᄒᆞ다 ᄒᆞᄂᆞᆫ디라. 쇼부인의 식모(色貌) 염광(艶光)이 화월(花月)을 우이 넉이며, 명듀(明珠) 보벽(寶璧)을 더러이 넉일 빈니, 빅ᄐᆡ미딜(百態美質)이 눈의 바일 ᄲᅮᆫ 아니라, 영복이 어릿여시니, 묘랑이 놀나 즉시 밧그로 나와 니고(尼姑)의 복식을 ᄒᆞ고 경부 하리를 디ᄒᆞ여 길흉화복을 츄졈(推占)ᄒᆞ라 ᄒᆞ니, 묘랑의 얼골이 빅셜 ᄀᆞᆺ고 거동이 신긔로오니, 하쳔 무디ᄒᆞᆫ 안견으로 요악을 엇디 알니오. '보살이 강님(降臨)ᄒᆞ다' ᄒᆞ여 일시의 문슈(問數)129) 츄졈ᄒᆞ니, 묘랑이 과거 미릭ᄉᆞ를 본ᄃᆞ시 니르고 신긔ᄒᆞ니, 시녀 양낭이 경희ᄒᆞ 【5】 믈 니긔디 못ᄒᆞ여, 니고의 신통ᄒᆞ믈 부인긔 고ᄒᆞ여 블너 보쇼셔 ᄒᆞᆫ디, 경소졔 유이 슈십일이나 유병ᄒᆞ여 낫디 못ᄒᆞ니 부인이 ᄋᆞ환을 근심ᄒᆞ여 블너

127)달호다 : 다루다. 어루만지다. 처리하다.
128)달호이다 : 달구어지다. 빨개지다. 더위 먹다. 더운 기운을 쏘이거나 들이마심.
129)문슈(問數) : 늑문복(問卜). 점쟁이에게 길흉(吉凶)을 물음

니 뉘 알 니 이시리오.

이ᄀᆞ치 흐기를 ᄉ오슌(四五旬)의 병뷔 일일은 파됴ᄒᆞ고 궐문 밧긔 나오며, 하리를 명ᄒᆞ여 '젹은덧 경부의 나아가 ᄋᆞ병(兒病)이 나은가 아라 오라' ᄒᆞ고, ᄌᆞ긔는 바로 췌운산으로 나아오니, 묘랑이 ᄋᆞ환(兒患)을 아라 오라 ᄒᆞ니 의심을 발ᄒᆞ여, 젹은 시 되여 경부의 가는 하리를 ᄯᆞᆯ아 니르니, 하리 참졍긔 남후의 젼어로 ᄋᆞ환을 므르미, 회답ᄒᆞ여 ᄋᆞ환이 낫지 못ᄒᆞᄆᆞᆯ 이로거늘, 묘랑이 제 몸이 시 되여시므로 두리는 일이 업셔 안흘 말미암아 니루의 나라 드러가니, 일위 듕년의 분[부]인이 쇼부인으로 더【101】브러 고당화루(高堂華樓)의 안거ᄒᆞ여, 어린 ᄋᆞ히를 금금(錦衾)의 싸 누이고, ᄌᆞ로 그 몸을 달흐며125) 머리를 집허 니르디,

"어린 거시 엇지 ᄒᆞ여 여러 날을 낫지 못ᄒᆞ뇨."

ᄒᆞ며 쇼부인은 유이 셔열(暑熱)의 달흐여126) 그러ᄒᆞ다 ᄒᆞᄂᆞᆫ지라. 쇼부인의 식모(色貌) 염광(艶光)이 《화왈∥화월(花月)》을 우이 넉이며, 명쥬(明珠) 보벽(寶璧)을 더러이 넉일 빈니, 빅틔 미질(百態美質)이 눈의 바일 ᄲᅮᆫ 아니라, 영복이 어릿여시니, 묘랑이 놀나 즉시 밧그로 나와 니고(尼姑)의 복식을 ᄒᆞ고, 경부 하리를 디ᄒᆞ여 길흉화복을 츄졈(推占)ᄒᆞ라 ᄒᆞ니, 묘랑의 얼골이 빅셜 ᄀᆞᆺ고 거동이 신긔로오니, 하쳔 무지ᄒᆞᆫ 안견으로 요악을 엇지 알니오. '보살이 강임(降臨)ᄒᆞ다' ᄒᆞ여, 일시의 문슈(問數)127) 츄졈ᄒᆞ니, 묘랑이 과거 미릭ᄉᆞ를 본ᄃᆞ시 니르고 신긔ᄒᆞ니, 시녀 양낭이 경희ᄒᆞ믈 니긔디 못ᄒᆞ여, 니고의 신통ᄒᆞ믈 부인긔 고ᄒᆞ여, '블너 보쇼셔' ᄒᆞᆫ디, 경【102】소졔 유이

125)달흐다 : =달호다. 다루다. 어루만지다. 처리하다.
126)달호이다 : 달구어지다. 빨개지다. 더위 먹다. 더운 기운을 쏘이거나 들이마심.
127)문슈(問數) : 늑문복(問卜). 점쟁이에게 길흉(吉凶)을 물음

보고 ᄋ히 병을 뭇고져 ᄒ더니, 쇼졔 모친
긔 간ᄒ여 글오ᄃᆡ,

"사름의 젼졍과 길흉화복이 졍ᄒᆫ 쉬(數)
잇ᄉᆞᆸᄂᆞᆫ디라. 엇디 져 무리 산간의셔 공교로
온 말과 요괴로온 방슐(方術)의 가리잇고?
무디(無知) 하쳔(下賤)의 길흉을 짐작ᄒᆞ오나
엇디 상문후튁(相門侯宅)가디 안흘 임의로
통ᄒ여 ᄃᆞ니오며, 졔 엇디 방ᄌᆞ 무례히 여
긔 드러오리잇가? ᄒᆞ믈며 대인이 미양 승니
(僧尼)130)의 무리를 보시면 괴려【6】히 녁
이샤, 바로 보미 아닛꼽다 ᄒᆞ시던 빈라. 혹
ᄌᆞ 니루의 불너 문복(問卜)131)ᄒᆞ믈 드르시
면, ᄀᆞ장 불관이 녁이샤 인쳥(引請)ᄒᆞᆫ 비복
을 듕티ᄒᆞ여, 비비(婢輩)로 급히 ᄊᆞ어 니치
시리니, 원컨ᄃᆡ ᄌᆞ위ᄂᆞᆫ 고요ᄒᆞᆫ 가ᄂᆞ를 소요
케 마르쇼셔."
부인이 쇼왈,
"내 역시 무복(巫卜)의 허탄(虛誕)ᄒᆞ믈 밋
디 아니나, 이승(異僧)이 왓다 ᄒᆞᄆᆞ로 불너
보고져 ᄒᆞ엿더니, 네 이러틋 막으니 굿ᄐᆞ여
안히 드릴 일이 아니라. 여등은 니고를 그
져 도라 보ᄂᆡ라."
양낭이 밧긔 나와, 져히가ᄃᆡ 니르ᄃᆡ,
"부인은 불너 보고져 ᄒᆞ시는 거슬 쇼졔
막으시니 그져 보ᄂᆡ라 ᄒᆞ시니, 금은을 ᄡᅡ하
두고【7】도 이런 싱불을 어더 보기 어려오
니, 우리 약간 문슈ᄒᆞᄂᆞᆫ 갑슬 넉여 대노야
와 ᄌᆞᄉ 니외를 다 츄졈ᄒᆞ리라."
ᄒᆞ거늘 묘랑이 웃고 왈,
"문슈ᄒᆞᄂᆞᆫ 갑슬 넉디 아니타, 사름의 싱
년일시와 부부의 셩명 곳 알면, 길흉화복을
거의 츄졈ᄒᆞ리라."
여러 시녀 등이 다 모화 문슈의 갑슬 넉
고, 몬져 경참졍 부부의 싱년월일시를 닐너
팔ᄌᆞ를 뭇고, 버거 쇼져의 싱년과 병부의
싱년을 니르거늘, 묘랑이 이윽이 츄졈ᄒᆞ다
가 홀연 몸을 흔드러 즌져리132) 치고 닐오

슈십일이나 유병ᄒᆞ여 낫지 못ᄒᆞ니, 부인이
ᄋᆞ환을 근심ᄒᆞ여 블너 보고 ᄋᆞ히 병을 뭇고
져 ᄒᆞ더니, 쇼졔 모친긔 간ᄒᆞ여 글오ᄃᆡ,

"사름의 젼졍과 길흉화복이 뎡ᄒᆞᆫ 쉬(數)
잇ᄉᆞ온지라. 엇지 져 무리 산간의셔 공교로
온 말과 요괴로온 방슐(方術)의 가리잇고?
무지(無知) 하쳔(下賤)의 길흉을 짐작ᄒᆞ오
나, 엇지 상문후튁(相門侯宅)가지 안을 임의
로 통ᄒᆞ여 ᄃᆞ니오며, 졔 엇지 방ᄌᆞ 무례히
여긔 드러오리잇가? ᄒᆞ믈며 디인이 미양 승
니(僧尼)128)의 무리를 보시면 괴히 넉이샤,
바로 보미 아닛곱다 ᄒᆞ시던 빈라. 혹ᄌᆞ 니
루의 불너 문슈(問數)129)ᄒᆞ믈 드르시면 ᄀᆞ
장 분완이 넉이샤 인쳥(引請)ᄒᆞᆫ 비복을 즁
치ᄒᆞ여, 비비(婢輩)로 급히 ᄊᆞ어 니치시리
니, 원컨ᄃᆡ ᄌᆞ위ᄂᆞᆫ 고요ᄒᆞᆫ 가ᄂᆞ를 소요케
마르쇼셔."
부인이 쇼왈,
"내 역시 무복(巫卜)의 허탄(虛誕)ᄒᆞ믈 밋
지 아【103】니나, 이승(異僧)이 왓다 ᄒᆞᄆᆞ
로 불너 보고져 ᄒᆞ엿더니, 네 이러틋 막으
니 굿ᄐᆞ여 안히 드릴 일이 아니라. 여등은
니고를 그져 도라 보ᄂᆡ라."
양낭이 밧긔 나와 져히가지 니르ᄃᆡ,
"분[부]인은 불너 보고져 ᄒᆞ시는 거슬 쇼
졔 막으ᄉ 그져 보ᄂᆡ라 ᄒᆞ시니, 금은을 ᄡᅡ
하 두고도 이런 싱불을 어더 보기 어려오
니, 우리 약간 문슈ᄒᆞᄂᆞᆫ 갑슬 넉여 대노야
와 ᄌᆞᄉ 니외를 다 츄졈ᄒᆞ리라."
ᄒᆞ거늘 묘랑이 웃고 왈,
"문슈ᄒᆞᄂᆞᆫ 갑슬 넉디 아니타, ᄉᆞ름의 싱
년일시와 부부의 셩명 곳 알면, 길흉화복을
거의 츄졈ᄒᆞ리라."
여러 시녀 등이 다 모화 문슈의 갑슬 넉
고, 몬져 경참졍 부부의 싱년월일시를 일너
팔ᄌᆞ를 뭇고, 버거 쇼져의 싱년과 병부의
싱년을 니르거늘, 묘랑이 이윽이 츄졈ᄒᆞ다
가 홀연 몸을 흔드러 즌져리130) 치고 닐오

---

130)승니(僧尼) : 비구와 비구니를 아울러 이르는 말.
131)문복(問卜) : =문수(問數). 점쟁이에게 길흉(吉凶)
을 물음.

128)승니(僧尼) : 비구와 비구니를 아울러 이르는 말.
129)문슈(問數) : =문복(問卜). 점쟁이에게 길흉(吉凶)
을 물음.

디,

　"쇼부인 팔지 어이 그리 슌치 못ᄒ시뇨? 참혹, 참혹, 앗【8】갑도다! 심ᄉ는 어지르시ᄃᆡ 명슈(命數)는 괴이ᄒ여 셰샹이 오라디 못홀 거시오, ᄒᆞᆫ낫 골육도 디니지 못ᄒ여 오리ᄃᆡ 아냐 업시 ᄒ리로다."

　시녀 등이 대경ᄒ여 변ᄉᆡᆨ 왈,

　"우리 쇼부인의 팔지 엇디 ᄒ여 그ᄃᆡ도록 괴이ᄒ시뇨? 아디 못게라 슈륙티지(水陸致齋)133) ᄒ면 익회 소멸ᄒ시랴?"

　묘랑이 눈섭을 모호고 손을 곱작여 산통(算筒)134)을 더져 이윽이 ᄉ량(思量)ᄒ다가, 머리를 흔드러 왈,

　"만금을 드려도 부인의 팔ᄌᆞ는 곳치디 못ᄒ리니, 원간 혼ᄉ의 연분을 잘 만나디 못ᄒ샤, 뎡노야와 인연이 업셔 슈화(水火) 상극(相剋) ᄀᆞᆺᄐᆡ여, 아닐 혼ᄉ를 ᄒ【9】여 계시니, 쳔인 ᄀᆞᆺᄐᆞ면 뎡병부를 비반ᄒ고 타셩을 셤기면 나으련마는, 상부대가(相府大家)의 이런 일은 업슬 거시오, 뎡부마의 살긔 금죽ᄒ여135) 쳐실노 삼기136)니와 ᄌᆞ녀로 나니는 다 업시코 말 거시니, 쇼제 갓득 단슈ᄒ신ᄃᆡ, 뎡병부 만나시기로 슈를 더 감ᄒ 빈 되여 계시니 블힝ᄒ도다."

　ᄒ니, 양낭 시녀비 경희ᄎᆞ악 하여 면면이 셔로 도라보고, 그 가온ᄃᆡ 언경(言輕)ᄒᆞᆫ 뉴는 혀ᄎᆞ 왈,

　"우리 노야와 ᄌᆞᄉ 노야의 ᄆᆞ음을 실노 측냥키 어려온디라. 우리 쇼부인 ᄀᆞᆺᄐᆞᆫ 식광

디,

　"쇼부인 팔지 어이 그리 슌치【104】 못ᄒ시뇨? 참혹, 참혹, 앗갑도다! 심ᄉ는 어지로시ᄃᆡ 명슈(命數)는 괴이ᄒ여 셰샹이 오라지 못홀 거시오, ᄒᆞᆫ낫 골육도 지니지 못ᄒ여, 오라[릭]지 아냐 업시 ᄒ리로다."

　시녀 등이 대경ᄒ여 변ᄉᆡᆨ 왈,

　"우리 《도부인∥쇼부인(小婦人)》의 팔지 엇지 ᄒ여 그ᄃᆡ도록 괴이ᄒ시뇨? 아지 못게라 슈륙치지(水陸致齋)131) ᄒ면 익회 소멸ᄒ시랴?"

　묘랑이 눈섭을 모호고 손을 곱작여 산통(算筒)132)을 더져 이윽이 ᄉ량(思量)ᄒ다가, 머리를 흔드러 왈,

　"만금을 드려○[도] 쇼부인의 팔ᄌᆞ는 곳치지 못ᄒ리니, 원간 혼ᄉ의 연분을 잘 만나지 못ᄒ샤, 뎡노야와 인연이 업셔 슈화(水火) 상극(相剋) ᄀᆞᆺᄐᆡ여, 아닐 혼ᄉ를 ᄒ여 계시니, 쳔인 갓ᄐᆞ면 뎡병부를 비반ᄒ고 타셩을 셤기면 나으련마는, 상부ᄃᆡ가(相府大家)의 이런 일은 업슬 거시오, 뎡부마의 살긔 금죽ᄒ여133), 쳐실노 삼기134)니와 ᄌᆞ녀로 나 니는 다 업시코 말 거시니, 쇼제 갓득【105】 단슈(短壽)ᄒ신ᄃᆡ, 뎡병부 만나시기로 슈를 더 감ᄒ 빈 되여 게[계]시니 블힝ᄒ도다."

　ᄒ니, 양낭 시녀비 경희ᄎᆞ악 하여 면면이 셔로 도라보고, 그 가온ᄃᆡ 언경(言輕)ᄒᆞᆫ 뉴는 혀ᄎᆞ 왈,

　"우리 노야와 ᄌᆞᄉ 노야의 ᄆᆞ음을 실노 측양(測量)키 어려온지라. 우리 쇼부인 ᄀᆞᆺᄐᆞᆫ

---

132)즌져리 : 진저리. 차가운 것이 몸에 닿거나 무서움을 느낄 때에, 또는 오줌을 눈 뒤에 으스스 떠는 몸짓.

133)슈륙티지(水陸致齋) : 수륙재(水陸齋). 물과 육지의 홀로 떠도는 귀신들과 아귀(餓鬼)에게 공양하는 재. 늑수륙굿

134)산통(算筒) : 점쟁이가 점을 칠 때 쓰는, 산가지를 넣은 통.

135)금죽ᄒ다 : 끔찍하다. 보기에 너무 참혹하여 놀랄만하다.

136)삼기다 : 없던 것이 새로 있게 되다. '생기다'의 옛말.

---

130)즌져리 : 진저리. 차가운 것이 몸에 닿거나 무서움을 느낄 때에, 또는 오줌을 눈 뒤에 으스스 떠는 몸짓.

131)슈륙티지(水陸致齋) : 수륙재(水陸齋). 물과 육지의 홀로 떠도는 귀신들과 아귀(餓鬼)에게 공양하는 재. 늑수륙굿

132)산통(算筒) : 점쟁이가 점을 칠 때 쓰는, 산가지를 넣은 통.

133)금죽ᄒ다 : 끔찍하다. 보기에 너무 참혹하여 놀랄만하다.

134)삼기다 : 없던 것이 새로 있게 되다. '생기다'의 옛말.

미딜(色光美質)의 규슈를 두시고, 하날 굿튼 긔구(器具)와 뫼굿치 댱흔 직물을 사름마【10】다 당히 넉일 비오, 상문후빅가(相門侯伯家)의셔 구혼ᄒᆞᄂᆞᆫ 슈를 혜디 못ᄒᆞ거늘, 뎡노야의 뎨ᄉᆞ부실을 허ᄒᆞ시고, 동셔 구친(求親)을 다 물니치샤, 뎡노야로 동상을 삼으시미 풍치ᄂᆞᆫ 만고의 회한ᄒᆞ시거니와, 셩졍은 남달니 엄격ᄒᆞ샤 쇼부인의 힝ᄉᆞ를 낫비 넉이실 젹이 만코, 호령이 싱풍ᄒᆞ여 져젹 후졍의 올므시믈 인ᄒᆞ여, 유랑과 시녀를 다 듕댱을 더으시고, 쇼부인을 여ᄎᆞ여ᄎᆞ 곤욕ᄒᆞ시니, 쇼부인이 어이 ᄆᆞ음이 편ᄒᆞ실 젹이 이시리오."

ᄒᆞ니, 묘랑이 임의 경쇼졔 병부의 부인이믈 분명이 알미, 징그라오미137) 가려온 ᄃᆡ를 긁【11】ᄂᆞᆫ 듯ᄒᆞ여, 공쥬를 보아 이 말을 젼ᄒᆞ미 밧븐 고로, 경부 시녀를 작별ᄒᆞ고 표연이 문양궁으로 도라오니, 공쥬와 최상궁이 협실의 잇다가 묘랑을 보고 그 곱초인 부인 셩시와 잇ᄂᆞᆫ 곳을 아라 온가 밧비 므르니, 묘랑이 손바닥을 두다리며 머리를 그덕여 왈,

"과연 빈도의 말이 흔 일이나 그르믈 드러 계시니잇가? 빈되 계오 여ᄎᆞ여ᄎᆞ 하여 아라ᄂᆞ니, 도위 노애 여ᄎᆞ여ᄎᆞ 취쳐ᄒᆞ여 계시고 발셔 옥동을 싱ᄒᆞ여 계시더이다."

공쥬 ᄎᆞ언을 드르미 가슴의 불이 니러 오쟝을 틱오는 듯, 노흡고 분ᄒᆞ며 이둛고 믜오믈 니긔디 못ᄒᆞ여, 오ᄅᆡ【12】 말을 못ᄒᆞ다가 이윽고 졍신을 뎡ᄒᆞ여 손으로 창젼(窓前)을 치고 왈,

"나의 아는 바는 윤·양·니 삼녀와 운영 쓴이러니, 뉘 싱각 밧 경가 요믈이 밋친 뎡군의 안히 되여시믈 혜아려시리오. 밋고 바라ᄂᆞ니 ᄉᆞ부는 슈고를 다ᄒᆞ여 경녀의 모ᄌᆞ를 다 업시 ᄒᆞ여 나의 분을 플게 ᄒᆞ면, ᄉᆞ부의 대은이 하날이 낫고 쓰히 좁을디라. 내 공경ᄒᆞ여 셤기기를 모비 낭낭과 달니 아니ᄒᆞ리라."

식광미질(色光美質)의 규슈를 두시고, 하날 굿튼 긔구(器具)와 뫼굿치 쟝흔 직물을 사룸마다 당히 넉일 비오, 상문후빅가(相門侯伯家)의셔 구ᄒᆞᄂᆞᆫ 슈를 혜지 못ᄒᆞ거늘, 뎡노야의 뎨ᄉᆞ부실을 허ᄒᆞ시고, 동셔 구친(求親)을 다 물니치샤 뎡노야로 동상을 삼으시미, 풍치ᄂᆞᆫ 만고의 회한ᄒᆞ시거니와 셩졍은 남달니 엄격ᄒᆞ샤, 쇼부인의 힝ᄉᆞ를 낫비 넉이실 젹이 만코, 호령이 싱풍ᄒᆞ여 져젹 후졍의 올므시므로[믈] 인ᄒᆞ여, 유랑과 좌우 시녀를 다 즁장을 더{더}으시고 쇼부인을 여ᄎᆞ여ᄎᆞ 곤욕ᄒᆞ시【106】니, 쇼부인이 어이 ᄆᆞ음이 편ᄒᆞ실 젹이 이시리오."

ᄒᆞ니, 묘랑이 임의 경쇼졔 병부의 부인이믈 분명이 알미, 징그라오미135) ᄀᆞ려온 ᄃᆡ를 《그러ᄂᆞᆫ‖긁ᄂᆞᆫ》 듯ᄒᆞ여, 공쥬를 보아 이 말을 젼ᄒᆞ미 밧븐 고로, 경부 시녀를 작별ᄒᆞ고 표연이 문양궁으로 도라오니, 공쥬와 최상궁이 협실의 잇다가 묘랑을 보고, 그 곱초인 부인 셩시와 잇ᄂᆞᆫ 곳을 아라 온가 밧비 므르니, 묘랑이 손바닥을 두다리며 ᄃᆡ골136)을 그덕여 왈,

"과연 빈도의 말이 흔 일이나 그름을 드러 계시니잇가? 빈되 계오 여ᄎᆞ여ᄎᆞ 하여 아라ᄂᆞ니, 도위 노애 여ᄎᆞ여ᄎᆞ 취쳐ᄒᆞ미 계시고 발셔 옥동을 싱ᄒᆞ여 계시더이다."

공쥬 ᄎᆞ언을 드르미 가슴의 불이 이러 오쟝을 틱우는 듯, 노흡고 분ᄒᆞ며 이둛고 믜오믈 이긔지 못ᄒᆞ여, 오ᄅᆡ 말을 못ᄒᆞ다가 이윽이 졍신을 졍ᄒᆞ여 손으로 창젼(窓前)을【107】 치고 왈,

"나의 아는 바는 윤·양·이 삼녀와 운영 쓴이러니, 뉘 싱각 밧 경가 요믈이 밋친 뎡군의 안히 되여시믈 혜아려시리오. 밋고 ᄇᆞ라ᄂᆞ니 ᄉᆞ부○[ᄂᆞᆫ] 슈고를 다ᄒᆞ여 경녀의 모ᄌᆞ를 다 업시 ᄒᆞ여 나의 분을 플게 ᄒᆞ면, ᄉᆞ부의 ᄃᆡ은이 하날이 낫고 쓰히 좁을지라.

---

137)징그럽다 : 징그럽다. 마음이 간질간질할 정도로 깜찍하고, 치사스러울 정도로 다라운 데가 있다.

---

135)징그럽다 : 징그럽다. 마음이 간질간질할 정도로 깜찍하고, 치사스러울 정도로 다라운 데가 있다.

136)ᄃᆡ골 : 대가리. 대갈통. '머리'를 속되게 이르는 말.

묘랑이 공쥬의 이곳치 빌기를 당ᄒᆞ여ᄂᆞᆫ ᄀᆞ장 존대ᄒᆞᆫ 체ᄒᆞ며, 유공(有功)건 체ᄒᆞ여138), 소리를 가다듬고 안ᄉᆡᆨ을 뎡히ᄒᆞ여 왈,

"빈도ᄂᆞᆫ 심산의셔 도힝과 션술을 비【13】홀 ᄯᆞ름이오, 블의악ᄉᆞ(不義惡事)ᄂᆞᆫ 듯도 보도 아녓더니, 경샤의 올나와 여러 곳의셔 쳥ᄒᆞ믈 인ᄒᆞ여 ᄌᆞ최 번거히 셰상의 단녀, 투긔ᄒᆞᄂᆞᆫ 부인과 괴이ᄒᆞᆫ 녀ᄌᆞ들을 ᄉᆞ괴여 그 디셩으로 간걸ᄒᆞ믈 ᄎᆞ마 물니치디 못ᄒᆞ여, 괴악(怪惡)ᄒᆞᆫ 거조를 만히 ᄒᆞ고, 낭낭과 옥쥬의 후의를 감격ᄒᆞ여 ᄒᆞ고져 ᄒᆞᄂᆞᆫ 바를 비록 니르디 아니시나, 빈되 딘심극녁ᄒᆞᄂᆞ니, 윤·양 등과 그 ᄌᆞ녀를 다 업시ᄒᆞ며 빈되 경시 거쳐를 아라 싱남가디 ᄒᆞ여시믈 귀쥬긔 고ᄒᆞ미, 빈도의 춍명디식(聰明之識)이 남다른 연괴라. 낭낭과 옥쥬를 위ᄒᆞ여ᄂᆞᆫ 내 몸이 슈고롭고 어려오믈 아디 못【14】ᄒᆞᄂᆞ니, 공쥬의 뎍인을 개개히 업시 ᄒᆞ랴 뎡ᄒᆞ엿고, 금일 경시를 보미 범연ᄒᆞᆫ 녀ᄌᆞᄂᆞᆫ 아니어니와, 빈되 옥쥬를 위ᄒᆞ여 이 ᄀᆞᇀᄐᆞᆫ 졍셩이 현마 상텬(上天)의 어엿비 넉이시믈 엇디 못ᄒᆞ리잇고?"

인ᄒᆞ여, 경부의 가 시녀로 츄졈 문답ᄉᆞ와 시금(時今)의 ᄋᆞ환이 이시믈 일일히 고ᄒᆞ니, 공쥐 묘랑을 향ᄒᆞ여 두 번 졀ᄒᆞ여 왈,

"ᄉᆞ뷔 아니면 나의 원을 일울 도리 업ᄉᆞᆯ디라. 이제 날을 위ᄒᆞ여 놉흔 몸이 슈고를 도라보디 아냐, 궁극히 경녀의 모ᄌᆞ(母子) 이시믈 아라ᄂᆡ여 나의 강뎍을 업시코져 ᄒᆞ니, ᄎᆞᄂᆞᆫ 미ᄉᆞ디젼(未死之前)의 다 갑디 못홀 비라. 싱젼의 모낭낭(母娘娘)과 ᄀᆞᆺ【15】치 셤기다가 ᄉᆞ후의 '구슬을 먹음어 갑기를 긔약ᄒᆞ노라.'139)"

---

138)유공(有功)건 체ᄒᆞ다 : 어떤 일에 공을 세운 체 하여 생색내다.

139)구슬을 먹음어 갑기를 긔약ᄒᆞ노라 : 함환이보(銜環以報)를 번역한 말. '남에게 받은 은혜를 살아서는 물론 죽어서까지도 꼭 갚겠다'는 말. *'함환이보(銜環以報); 중국 후한 때 양보(楊寶)라는 소년

닉 공경ᄒᆞ여 셤기기를 모비 낭낭○[과] 달니 아니ᄒᆞ리라."

묘랑이 공쥬의 이곳치 빌기를 당ᄒᆞ여ᄂᆞᆫ ᄀᆞ장 존대ᄒᆞᆫ 체ᄒᆞ며, 유공(有功)컨 체ᄒᆞ여137), 소리를 가다듬고 안ᄉᆡᆨ을 졍히ᄒᆞ여 왈,

"빈도ᄂᆞᆫ 심산의셔 도힝과 션술을 빅홀 ᄯᆞ름이오, 블의악ᄉᆞ(不義惡事)ᄂᆞᆫ 듯도 보도 아녓더니, 경샤의 올나와 여러 곳의셔 쳥ᄒᆞ믈 인ᄒᆞ여, ᄌᆞ최 번거히 셰상의 ᄃᆞ녀 투긔ᄒᆞᄂᆞᆫ 부인과 괴이ᄒᆞᆫ 녀ᄌᆞ들을 ᄉᆞ괴여, 그 지셩으로 ᄀᆞᆫ걸ᄒᆞᆷ믈 ᄎᆞ마 물니치지 못ᄒᆞ여, 괴약ᄒᆞᆫ 거조를 만히 ᄒᆞ고, 낭낭과 옥쥬의 후의를【108】감격ᄒᆞ여, ᄒᆞ고져 ᄒᆞᄂᆞᆫ 바를 비록 니르지 아니시나 빈되 진심극역 ᄒᆞᄂᆞ니, 윤·양 등과 그 ᄌᆞ녀를 다 업시ᄒᆞ며, 빈되 경시 거쳐를 아라 싱남가지 ᄒᆞ여시믈 귀쥬긔 고ᄒᆞ미, 빈도의 춍명지식(聰明之識)이 남다른 연고라. 낭낭과 옥쥬를 위ᄒᆞ여뇨[ᄂᆞᆫ] 닉 몸이 슈고롭고 어려오믈 아지 못ᄒᆞᄂᆞ니, 공쥬의 젹인을 긔긔히 업시 ᄒᆞ랴 졍ᄒᆞ엿고, 금일 경시를 보미 범연ᄒᆞᆫ 녀ᄌᆞᄂᆞᆫ 아니어니와, 빈되 옥쥬를 위ᄒᆞ여 이 ᄀᆞᆺᄐᆞᆫ 졍셩이, 현마 상텬(上天)의 어엿비 넉이시믈 엇지 못ᄒᆞ리잇고?"

인ᄒᆞ여, 경부의 가 시녀로 츄졈 문답ᄉᆞ와 시금(時今)의 ᄋᆞ환이 이시믈 일일히 고ᄒᆞ니, 공쥬 묘랑을 향ᄒᆞ여 두 번 졀ᄒᆞ여 왈,

"ᄉᆞ뷔 아니면 나의 원을 일울 도리 업ᄉᆞᆯ지라. 이제 나를 위ᄒᆞ여 놉흔 몸이 슈고를 도라보지 아냐, 궁극히 《경녀∥경녀》의 모ᄌᆞ(母子) 이시믈 아라ᄂᆡ여 ᄂᆡ의【109】강젹을 업시코져 ᄒᆞ니, ᄎᆞᄂᆞᆫ 비[미]ᄉᆞ지젼(未死之前)의 다 갑지 못 홀 비라. 싱젼의 모낭낭(母娘娘)과 ᄀᆞᆺ치 《셩기다가∥셤기다가》 ᄉᆞ후의 '구슬을 먹음어 갑기를 긔약ᄒᆞ노라.'138)"

---

137)유공(有功)건 체ᄒᆞ다 : 어떤 일에 공을 세운 체 하여 생색내다.

138)구슬을 먹음어 갑기를 긔약ᄒᆞ노라 : 함환이보(銜環以報)를 번역한 말. '남에게 받은 은혜를 살아서는 물론 죽어서까지도 꼭 갚겠다'는 말. *'함환이보

묘랑이 년망이 붓드러 황공ᄒᆞ믈 일쿳고, 종용이 경시 업시키믈 의논ᄒᆞᆯᄉᆡ, 묘랑 왈,

"경시ᄅᆞᆯ 보니 범용ᄒᆞᆫ 녀지 아니라. 좀 슐법으로는 업시키 어렵고, 싱월일시ᄅᆞᆯ 니르거늘 팔ᄌᆞᄅᆞᆯ 츄졈ᄒᆞ미 크게 길ᄒᆞ되, 짐줏 그 집 양낭을 되ᄒᆞ여 여ᄎᆞ여ᄎᆞ ᄒᆞᆫ 경시ᄅᆞᆯ 업시 ᄒᆞ여 나의 말이 맛게 ᄒᆞ미라. 빈되 경시ᄅᆞᆯ 후려다가 죽이믄 후일을 보아 가며 패루(敗漏)치 아니케 ᄒᆞ고, 유ᄌᆞ는 삼ᄉᆞ일ᄂᆡ 업시ᄒᆞ리이다."

공줘 대열ᄒᆞ여 천만 칭샤ᄒᆞ고, 경시의 모ᄌᆞᄅᆞᆯ 슈히 업시 ᄒᆞ여, 남후의 화【16】락ᄒᆞ는 길흘 ᄭᆞᆫ코, 텬뉸즈이ᄅᆞᆯ 펼 곳이 업게 ᄒᆞ라 ᄒᆞ니, 묘랑이 언언이 응낙ᄒᆞ더라.

시의 평남휘 만금보옥ᄀᆞᆺ치 귀듕ᄒᆞ는 유ᄌᆞ(乳子)의 병이 여러 날 낫디 못ᄒᆞᄆᆞᆯ 넘녀ᄒᆞ여, 일일은 관부의 드러가믈 고ᄒᆞ고 바로 경부의 와 유ᄋᆞ의 병을 보며, 경시ᄅᆞᆯ 보려 ᄒᆞᆯᄉᆡ, 맛촘 참졍의 죵미(從妹) 강시둥 부인이 녀부(女婦)ᄅᆞᆯ 거나려 단니라 와시므로, 남휘 비편ᄒᆞ여 드러가디 못ᄒᆞ고 시녀ᄅᆞᆯ 명ᄒᆞ여 유ᄋᆞᄅᆞᆯ 안아 닉여오라 ᄒᆞ여 외루의셔 보더니, 맛초와 금평휘 뎡히 경공을 보고져 ᄒᆞ여 거류을 모라 경아(-衙)의 니르러, 문 밧긔 평남후의 하리 츄죵【17】이 가득ᄒᆞ여시믈 괴이히 넉이나, 말을 아니ᄒᆞ고 다만 ᄌᆞ긔 와시믈 고ᄒᆞ니, 경공이 크게 반겨 드러오믈 청ᄒᆞ고, 부매 뎡히 유ᄋᆞᄅᆞᆯ 어로만져 그 병을 슬펴 약을 쓰고져 ᄒᆞ더니, 쳔만 긔약디 아닌 부공의 힝게(行車) 이에 님ᄒᆞ시믈 드르미, 번연 경동ᄒᆞ여 유아ᄅᆞᆯ 최우도 못ᄒᆞ고, 년망(連忙)이 마ᄌᆞ 나아가 부친을 붓드러 드러오미, 경공이 금후로 녜필 좌뎡후, 빈줘(賓主) 근간 보디 못ᄒᆞ던 바를 니르고, 금휘 눈을 드러 좌우를 슬피미, 경공의 겻티 ᄒᆞᆫ낫 유이 누어시되 작인이 비상ᄒᆞ여, 와잠뇽미(臥蠶龍眉)는 텬창(天窓)을 ᄯᅥᆯ쳣고,

---

묘랑이 년망이 붓드러 황공ᄒᆞ믈 일쿳고 종용이 경시 업시키믈 의논ᄒᆞᆯᄉᆡ, 묘랑 왈,

"경시ᄅᆞᆯ 보니 범용ᄒᆞᆫ 녀지 아니라. 좀 슐법으로는 업시키 어렵고, 싱월일시ᄅᆞᆯ 니르거날 팔즈ᄅᆞᆯ 츄졈ᄒᆞ미 크게 길ᄒᆞ되, 《짐즉∥짐줏》 그 집 양낭을 되ᄒᆞ여 여ᄎᆞ여ᄎᆞ ᄒᆞᆫ, 경시ᄅᆞᆯ 업시 ᄒᆞ여 나의 말이 맛게 ᄒᆞ미라. 빈되 경시ᄅᆞᆯ 후려다가 죽이믄 후일을 보아 가며 픠루(敗漏)치 아니케 ᄒᆞ고, 유ᄌᆞᄅᆞᆯ 삼ᄉᆞ일ᄂᆡ 업시ᄒᆞ리이다."

공줘 되열ᄒᆞ여 천만 칭샤ᄒᆞ고, 경시의 모ᄌᆞᄅᆞᆯ 슈히 업시ᄒᆞ여 ○[평]남후의 화락ᄒᆞ난 길흘 ᄭᆞᆫ코, 텬뉸즈이ᄅᆞᆯ 펼 곳이 업게 ᄒᆞ라 ᄒᆞ니, 묘랑이 언언이 응낙ᄒᆞ더라

시의 평남휘 만금보옥ᄀᆞᆺ【110】치 귀듕ᄒᆞ는 유ᄌᆞ의 병이 여러 날 낫지 못ᄒᆞᄆᆞᆯ 넘여ᄒᆞ여, 일일은 관부의 드러가믈 고ᄒᆞ고 바로 경부의 와, 유ᄋᆞ의 병을 보며 경시ᄅᆞᆯ 보려ᄒᆞᆯᄉᆡ, 맛촘 참졍의 동미(從妹) 강시쥼 부인이 녀부(女婦)ᄅᆞᆯ 거나려 단니라 와시므로, 남휘 비편ᄒᆞ여 드러가지 못ᄒᆞ고, 시녀ᄅᆞᆯ 명ᄒᆞ여 유ᄋᆞᄅᆞᆯ 안아 닉여오라 ᄒᆞ여 외루의셔 보더니, 맛초와 금평휘 정히 경공을 보고져 ᄒᆞ여 거류을 ○○[모라] 경아(衙)의 니르어, 문 밧긔 평남후의 하리 츄죵이 ᄀᆞ득ᄒᆞ여시믈 괴이히 넉이나, 말을 아니ᄒᆞ고 다만 ᄌᆞ긔 와시믈 고ᄒᆞ니, 경공이 크게 반겨 드러오믈 청ᄒᆞ고, 부매 정히 유ᄋᆞᄅᆞᆯ 어로만져 그 병을 슬펴 약을 쓰고져 ᄒᆞ더니, 쳔만 긔약지 아닌 부친의 힝게(行車) 이에 님ᄒᆞ시믈 드르미, 번연 경동ᄒᆞ여 유ᄋᆞᄅᆞᆯ 최우도 못【111】ᄒᆞ고 년망(連忙)이 마ᄌᆞ 나아가 부친을 붓드러 드러오미, 경공이 금후로 예필 좌졍후, 빈줘 근간 보지 못ᄒᆞ던 바를 니르고, 금휘 눈을 드러 좌우를 슬피미 경공의 겻티 ᄒᆞᆫ낫 유이 누어시되, 작인이 비상

이 다친 꾀꼬리 한 마리를 잘 치료하여 살려 보낸 일이 있었는데, 후에 이 꾀꼬리가 양보에게 백옥환(白玉環)을 물어다 주어 보은했다는 남북조 시기 양(梁)나라 사람 오균(吳均)이 지은 『續齊諧記』의 고사에서 유래하였다.

보(銜環以報); 중국 후한 때 양보(楊寶)라는 소년이 다친 꾀꼬리 한 마리를 잘 치료하여 살려 보낸 일이 있었는데, 후에 이 꾀꼬리가 양보에게 백옥환(白玉環)을 물어다 주어 보은했다는 남북조 시기 양(梁)나라 사람 오균(吳均)이 지은 『續齊諧記』의 고사에서 유래하였다.

성안(星眼)의 영긔 당당ᄒ여 가을 물결【1
8】을 헤치며 힛발이 빗쵠 듯ᄒ거늘, 면뫼
두렷ᄒ여 츄월이 텬공의 걸닌 듯, ᄂᆞᆸ흔 코
와 븕은 냥협의 녀ᄉ140) 쥬슌(朱脣)의 상격
(相格)이 복녹《일ǁ이 가죽ᄒᆞᆯ》 ᄲᆞᆫ 아니라,
완연(完然)이 ᄌᆞ긔 일흔 손ᆞ 운긔의 풍용
과 방불ᄒ여, 대쇠 다르나 병부의 면모와
ᄀᆞᆺ튼 곳이 만흐니, 혈믹의 유동홈과 그윽흔
가온ᄃᆡ나 조손의 졍이 각별ᄒᆞ미 잇ᄂᆞᆫᄃᆡ라.
스스로 몸을 움죽여 경공의 겻틔 나아가 유
ᆞ의 손을 잡고 눈을 옴기디 아니코 보기를
냥구히 ᄒᆞ다가, 경공을 향ᄒ여 문 왈,

　"형이 텬유를 계후ᄒ여 옥슈신월 ᄀᆞᆺ튼 손
이 ᄡᅡᆼᄡᅡᆼᄒᆞᆷ을 아랏거니와, 이 ᆞ히ᄂᆞᆫ 아딕
슈삼《셰ǁ삭》도　츠디【19】못ᄒᆞ엿ᄂᆞᆫ가
시브니, 텬위 엇디 임소로 다려가디 아니코
형의 슬하의 두엇ᄂᆞᆢ? 그 작인흔 바 긔골
이 셰간의 회한ᄒ니, 딘실노 쇼뎨의 경희
(驚駭)ᄒᆞᄂᆞᆫ 비라. 형이 비록 ᆞ들을 나티 못
ᄒ여시나, 텬유 ᄀᆞᆺ튼 어딘 명녕(螟蛉)141)을
뎡ᄒ여 문호를 흥긔ᄒ고, ᄯᅩ 이 ᄀᆞᆺ튼 손ᆞ
를 두어 타일 댱셩ᄒᆞᆯᄃᆞᆫᄃᆡ, 흔갓 경시의 쳔
니귈(千里駒) ᄲᆞᆫ 아니라, 숑됴의 명신이 되
리니 엇디 긔특디 아니리오."
　경공이 금평후의 아득히 모로므로 이 ᄀᆞ
튼믈 당ᄒ니, 심듕의 가쇼롭기를 니긔디 못
ᄒ여, 유이 남후의 ᆞ들이믈 쾌히 셜파ᄒ고
친옹이 되연 디 삼년이 거의믈 니르고져 ᄒ
ᄃᆡ,【20】금평후의 훈교 ᄌᆞ뎨(子弟) 엄슉ᄒ
여 평남후 ᄀᆞᆺ튼 튱텬댱긔(衝天壯氣)로도 부
젼을 님ᄒᆞ면, 황공 숑뉼ᄒᆞᆷ믈 금초디 못ᄒᆞᆫᄂᆞᆫ
ᄃᆡ라. ᄒᆞᆯ며 금평후의 셩되 녈일 단엄ᄒ여,
반졈 불법을 용납디 아냐, 츄호를 관샤(寬
赦)치 아니믈 아ᄂᆞᆫ 고로, 다만 미미히 웃고
굴오ᄃᆡ,

---

140) 녀ᄉ : '四' 자(字) 모양.
141) 명녕(螟蛉) : 나나니가 명령(螟蛉)을 업어 기른다
　는 뜻으로, 타성(他姓)에서 맞아들인 양자(養子)를
　이르는 말. ≒명사14(螟嗣).

ᄒ여 와잠농미(臥蠶龍眉)ᄂᆞᆫ 텬창(天窓)을 썰
치고, 성안(星眼)의 영긔 당당ᄒ여 ᄀᆞ을 물
결을 헤치며 힛발이 빗쵠 듯ᄒ거늘, 면뫼
두렷ᄒ여 츄월이 텬공의 걸인 듯, ᄂᆞᆸ흔 코
와 《ᄇᆞᆯ근ǁ븕은》 냥협의 녀ᄉ139) 쥬슌(朱
脣)의 상격(相格)이 복녹일[이] ○○○[가
죽ᄒᆞᆯ] ᄲᆞᆫ 아니라, 완년(完然)이 ᄌᆞ긔 일흔
손ᆞ 운긔의 풍용과 방불ᄒ여, 되쇼 다르나
병부의 면모와 ᄀᆞᆺ튼 곳이 만흐니, 혈믹의
《유통ǁ유동(流動)》 홈과 그윽흔 가온ᄃᆡ나
조손의 졍이 각별ᄒᆞ미 잇ᄂᆞᆫ지라. 스스로 몸
을 움죽여 경공의 겻틔 나아가, 유ᆞ의 손
을 잡고 눈을 옴기지 아니코 보기를 냥구히
ᄒᆞ다가, 경공을 향ᄒ여 문 왈,【112】

　"형이 텬유로 계후○○[ᄒ여] 옥슈신월
(玉樹新月) ᄀᆞᆺ튼 손이 쌍쌍ᄒᆞᆷ믄 아랏거니와,
이 ᆞ히ᄂᆞᆫ 아직 슈삼셰도 츠지 못ᄒᆞ엿ᄂᆞᆫ가
시브니, 현위 엇지 임소로 다려가지 아니코
형의 슬하의 두엇ᄂᆞᆢ? 그 작인흔 바 긔골
이 셰간의 희한(稀罕)ᄒ니 진실노 쇼뎨의
경희(驚駭)ᄒᆞᄂᆞᆫ 비라. 형이 비록 ᆞ들을 낫
치 못ᄒ여시나, 현유 ᄀᆞᆺ튼 어진 명녕(螟
蛉)140)을 졍ᄒ여 문호를 흥긔ᄒ고, ᄯᅩ 이
ᄀᆞᆺ튼 손ᆞ를 두어 타일 셩장ᄒᆞᆯ진ᄃᆡ, 흔갓
경시의 쳔니귈(千里駒) ᄲᆞᆫ 아니라, 숑됴의
명신이 되리니 엇지 긔특지 아니리오."
　경공이 금평후의 아득히 모로고 이 갓치
ᄒᆞᆷ믈 당ᄒ니 심즁의 가쇼로와 유이 남후의
ᆞ들이믈 쾌히 셜파ᄒ고, 친옹이 되연 디
삼년이 거의믈 니르고져 ᄒ되, 금평후의 훈
교ᄌᆞ졔(訓敎子弟) 엄슉ᄒ여 《형남후ǁ평남
후》 ᄀᆞᆺ튼 츙텬장긔(衝天壯氣)로도 부젼을
님ᄒ면 황공 숑뉼【113】ᄒᆞᄂᆞᆫ지라. ᄒᆞᆯ며
금평후의 셩졍이 《닐일ǁ녈일》 단엄ᄒ여
반졈 불법을 용납지 아니ᄒ고, ᄯᅩ흔 츄호를
관샤(寬赦)치 아니믈 아ᄂᆞᆫ 고로, 다만 미미
히 웃고 굴오ᄃᆡ,

---

139) 녀ᄉ : '四' 자(字) 모양.
140) 명녕(螟蛉) : 나나니가 명령(螟蛉)을 업어 기른다
　는 뜻으로, 타성(他姓)에서 맞아들인 양자(養子)를
　이르는 말. ≒명사14(螟嗣).

"돈이 임소로 갈 제 ᄋ손이 유딜(有疾)ᄒ
여 쳔니 원노의 득달치 못홀 고로, 유모를
맛져 우리 슬하의 두어시나 딜양(疾恙)이
셔나디 아니ᄒ니 뎡히 우민ᄒᄂ 빈라. 타일
댱셩ᄒ여 문호를 흥긔ᄒᄆ 긔필치 못ᄒ고
병이나 업기를 바라디, 딜양이 쟝142) 이시
니 ᄀ장 민울ᄒ더니이다."

금평휘 유ᄋ의 손을 【21】노치 못ᄒ여 ᄉ
랑ᄒᄂ 졍이 십 솟듯ᄒ니, 홀연 감상ᄒᄆ를
니기디 못ᄒ여 탄식고 왈,

"우뎨의 일흔 손ᄋ와 ᄎ이 만히 방불ᄒᄃ
라. 일가 죡친이 아니로디 이 ᄋ히 운긔와
츄호 다르디 아니니, 남으로 이 ᄀᄐ미 이
상ᄒ도다."

경공이 본디 사ᄅ 속이ᄆ를 깃거 아니므로
금후의 이러툿 아디 못ᄒᄆ를 실노뼈 불안이
넉여 타일 병부의 남ᄉ를 알오미 이신죽 죄
칙이 젹디 아닐 바를 근심이 만흔디라.

이 ᄯ 남후는 ᄌ긔 관부의 가ᄆ를 고ᄒ고
이의 왓다가 부친을 만나니, 힝혀 경공이
말을 그릇ᄒ여 ᄌ긔 남ᄉ 드러날가 경황숑
구ᄒ여 한한(寒汗)143)이 텸의(沾衣)ᄒᄆ를
【22】○○○○[면치 못ᄒ]디, 다만 봉안을
낫초고 ᄉ긔 화열 ᄌ약ᄒ여 공슈 뎡줴러니,
금휘 냥안을 기우려 오릭 보다가 문 왈,

"네 관부의 가ᄆ를 일큿고 셩니의 드러 오
더니 엇디 이의 잇더뇨?"

병뷔 복슈 디왈,

"관부의 공ᄉ를 쳐결ᄒ라 드러왓ᄉᆸ더니,
맛춤 동관(同官)과 하당(下堂) 졔긱이 연괴
잇셔 관부의 못디 못ᄒ여시므로, 도로 취운
산으로 나아가ᄋᆸ더니, 경합히 ᄋ병을 잠간
보아 증졍(症情)을 아라 명약(命藥)ᄒᄆ를 간
청ᄒ여 브르시므로 이에 드러왓ᄂ이다."

금휘 비록 총명ᄒ나 ᄋ지 경공의 ᄉ회 되
믄 몽니의도 싱각디 못ᄒᄂ 고로, 병뷔 의

"돈이 임소로 갈 ᄯ ᄋ손이 유질(有疾)ᄒ
여 쳔니 원노의 득달치 못홀 고로, 유모를
맛져 우리 슬하의 두어시나, 질양(疾恙)이
셔나지 아니ᄒ니 졍히 우민ᄒᄂ 빈라. 타일
댱셩ᄒ여 문호를 흥긔ᄒᄆ 긔필치 못ᄒ고
병이나 업기를 ᄇ라디, 질양이 쟝141) 이시
니 ᄀ장 민울ᄒ더니이다."

금평휘 유ᄋ의 손을 노치 못ᄒ여 ᄉ랑ᄒ
ᄂ 졍이 십 솟듯ᄒ니, 홀연 감상ᄒᄆ를 니기
디 못ᄒ여 탄식 왈,

"우뎨의 일흔 손아와 《츠위‖ᄎ이》 만
히 방불ᄒ니, 일가 죡친이 아니은[로]디 이
러듯 운긔와 츄호 다르지 아니니, 남으로
이 ᄀᄐ미 이상ᄒ도다."

경공이 본디 사ᄅ 속이ᄆ를 깃거 아니므로,
금후의 이【114】러툿 아지 못ᄒᄆ를 실노
불안이 넉여, 타일 병부의 남ᄉ를 알오미
이신죽 죄칙이 젹지 《아릴‖아닐》 바를
근심이 만흔지라.

이 ᄯ 남후는 ᄌ긔 관부의 가ᄆ를 고ᄒ고
이의 왓다가 부친을 만나니, 힝혀 경공이
말을 그릇ᄒ여 ᄌ긔 남ᄉ 드러날가 경황숑
구ᄒ여, 한한(寒汗)142)이 쳠의(沾衣)ᄒᄆ를 면
치 못ᄒ디, 다만 봉안을 낫초고 ᄉ긔 화열
ᄌ약ᄒ여 공슈 졍좌러니, 금휘 냥안을 기우
려 오릭 보다가 문 왈,

"네 관부의 가ᄆ를 일큿고 셩니의 드러 오
더니, 엇지 이의 잇ᄂ뇨?"

병뷔 복슈 디왈,

"관부의 공ᄉ를 쳐결ᄒ라 드러왓ᄉᆸ더니,
맛춤 동관(同官)과 하당(下堂) 졔긱이 연괴
이셔 관부의 뫼이지 못ᄒ여시므로, 도로 취
운산으로 나아가ᄋᆸ더니, 경합히 ᄋ병을 잠
간 브[보]아 증졍(症情)을 아라 명약(命藥)
ᄒᄆ를 간청ᄒ여 브르시므로 이의[에] 드러왓
【115】ᄂ이다."

금휘 비록 총명ᄒ나 ᄋ지 경공의 ᄉ회 되
믄 몽니의도 싱각지 못ᄒᄂ 고로, 병뷔 의

---

142)쟝 : 장. (구어체로) 언제나 늘, 계속하여 줄곧.
143)한한(寒汗) : 식은땀. 몹시 긴장하거나 놀랐을 때
　　흐르는 땀.

141)쟝 : 장. (구어체로) 언제나 늘, 계속하여 줄곧.
142)한한(寒汗) : 식은땀. 몹시 긴장하거나 놀랐을 때
　　흐르는 땀.

리의 붉으니 경공이 ᄋᆞ병을 【23】므러 증
졍을 알고져 브르민 줄 혜아려 굿ᄐᆞ여 칙지
아니니, 원닉 경공의게 쏠이 이시믄 아득히
아디 못ᄒᆞ고, 다만 명녕(螟蛉)144)으로 경츈
긔 일인만 두어시믈 알 ᄯᆞᄅᆞᆷ이니, 엇디 유
이 즈긔 손이믈 싱각ᄒᆞ여시리오. 운긔와 이
상이 ᄀᆞᄐᆞ믈 보미 속졀업시 슬허ᄒᆞᆯ ᄲᅮᆫ이라.
경공이 금후의 젼혀 의심치 아니믈 도로혀
답답이 넉여 녀ᄋᆞᄂᆞᆫ 구괴 모로ᄂᆞᆫ 사롬이 되
여시믈 잇둘와 ᄒᆞ더라.
　이윽고 금휘 도라갈ᄉᆡ, 경공이 슈일 후
회샤(回謝)ᄒᆞ믈 일큿고 남후를 잠간 머믈기
를 쳥ᄒᆞ여 ᄋᆞ병을 보아 달나 ᄒᆞᆫ딕, 남휘 힝
혀 부공의 의심을 일월가 두리므로 오딕
【24】명약(命藥)145)ᄒᆞ고 부공을 뫼셔 도라
가니, 경참졍이 공쥬의 포악ᄒᆞ믈 두려 병부
의 왕닉를 깃거 아니나, 즉시 도라가믈 심
니의 결울ᄒᆞ미 업디 아니ᄒᆞ딕, 평후146)다려
ᄂᆞᆫ 딘졍으로 니르디 아냐 오디 아닐ᄉᆞ록 깃
거ᄒᆞ더라.
　신묘랑이 경시의 유ᄌᆞ를 마ᄌᆞ 업시코져
ᄒᆞ여, 몸을 화ᄒᆞ여 나ᄂᆞᆫ 즘싱이 되여 경샤
로 왕닉ᄒᆞ며, 경부 가샤(家舍)를 닉외로 도
라 동졍을 슬펴 요술을 힝ᄒᆞ려 ᄒᆞᆯᄉᆡ, ᄎᆞ시
일긔 엄녈(嚴熱)ᄒᆞ여 사룸이 셔증(暑症)의
상ᄒᆞ리 만흔 고로, 혹ᄌᆞ 경쇼졔 ᄋᆞ희 병이
더을가 념녀ᄒᆞ더니, ᄋᆞ희 잠간 나으미 쇼졔
쏘 셔열(暑熱)의 신고(辛苦)ᄒᆞ여 슈【25】
삼일 고통ᄒᆞ니, 공과 부인이 쇼져 팀소를
ᄯᅥ나디 아냐 겻틔셔 구호ᄒᆞ며, 유ᄌᆞ를 화부
인 침소의 두어 유모로 밤낫 다리고 잇게
ᄒᆞ더니, 일야ᄂᆞᆫ 쇼졔 잠간 나으므로, 공은
외헌의 나가고 부인은 쇼져와 ᄒᆞᆫ가디로 잠

리(醫理)의 붉으니, 경공이 ᄋᆞ병을 므러 증
졍을 알고져 브르민 줄 혜아려 굿ᄐᆞ여 칙지
아니니, 원닉 경공의게 쏠이 이시믄 아득히
아지 못ᄒᆞ고, 다만 명녕(螟蛉143)으로 경츈
긔 일인만 두어시믈 알 ᄯᆞᄅᆞᆷ이니, 엇지 유
이 즈긔 손ᄋᆞ믈 싱각ᄒᆞ여시리오. 운긔와 이
상이 ᄀᆞᄐᆞ믈 보미 속졀업시 슬허ᄒᆞᆯ ᄲᅮᆫ이라.
경공이 금후의 젼혀 의심치 아니믈 도로혀
답답이 넉여, 녀ᄋᆞᄂᆞᆫ 구괴 모로ᄂᆞᆫ 사롬이
되여시믈 잇둘와 ᄒᆞ더라.
　이윽고 금휘 도라갈ᄉᆡ, 경공이 슈일 후
회샤(回謝)ᄒᆞ믈 일큿고, 남후를 잠간 머믈기
를 쳥ᄒᆞ여 ᄋᆞ병을 보아 달나 ᄒᆞᆫ딕, 평휘144)
힝혀 부친의 의심을 일월가 두리므로 오직
명약(命藥)145)ᄒᆞ고, 부친을 뫼셔 도라가니,
【116】경참졍이 공쥬의 포악ᄒᆞ믈 두려
병부의 왕닉를 깃거 아니나, 즉시 도라가믈
심니의 결울ᄒᆞ미 업지 아니ᄒᆞ딕, 평후다려
ᄂᆞᆫ 진졍을 니르지 아냐 오지 아닐ᄉᆞ록 깃거
ᄒᆞ더라.
　신묘랑이 경시의 유ᄌᆞ를 마ᄌᆞ 업시고져
ᄒᆞ여, 몸을 화ᄒᆞ여 나ᄂᆞᆫ 즘싱이 되여 경샤
로 왕닉ᄒᆞ며, 경부 가스(家舍)를 닉외로 도
라 동졍을 슬펴 요술을 힝ᄒᆞ려 ᄒᆞᆯᄉᆡ, ᄎᆞ시
일긔 엄열(嚴烈)ᄒᆞ여 사룸이 셔증(暑症)의
상ᄒᆞ 리 만흔 고로, 혹ᄌᆞ 경쇼졔 ᄋᆞ희 병이
더을가 념녀ᄒᆞ더니, ᄋᆞ희 잠간 나으미 쇼졔
쏘 셔열(暑熱)의 신고(辛苦)ᄒᆞ여 슈 삼일 고
통ᄒᆞ니, 공과 부인이 쇼져 침소를 ᄯᅥ나지
아냐 겻틔셔 구호ᄒᆞ며, 유ᄌᆞ를 화부인 침소
의 두어 유모로 밤낫 다리고 잇게 ᄒᆞ더니,
일야ᄂᆞᆫ 쇼졔 잠간 나으므로 공은 외헌의 나
ᄀᆞ고 부인은 쇼져와 흔가지로 잠【117】들

---

144)명녕(螟蛉) : 나나니가 명령(螟蛉)을 업어 기른다
　는 뜻으로, 타성(他姓)에서 맞아들인 양자(養子)를
　이르는 말. 늑명사14(螟嗣).
145)명약(命藥) : 약을 쓰게 하거나 약을 지어 줌.
146)평휘 : ‘평남후’를 줄여 이르는 말. 정천흥의 작
　위명칭은 ‘평남후(平南侯)’인데, 이를 줄여 ‘남후’
　또는 ‘평후’를 혼용해 쓰고 있다. 그런데 청천흥의
　아버지 정연의 작위가 ‘금평후’여서, 이를 줄여 ‘금
　후’ 또는 ‘평후’를 씀으로써, 그 지칭 대상이 누구
　인지에 대해, 독자가 혼동을 일으킬 수 있다.

143)명녕(螟蛉) : 나나니가 명령(螟蛉)을 업어 기른다
　는 뜻으로, 타성(他姓)에서 맞아들인 양자(養子)를
　이르는 말. 늑명사14(螟嗣).
144)평휘 : ‘평남후’를 줄여 이르는 말. 정천흥의 작
　위명칭은 ‘평남후(平南侯)’인데, 이를 줄여 ‘남후’
　또는 ‘평후’를 혼용해 쓰고 있다. 그런데 청천흥의
　아버지 정연의 작위가 ‘금평후’여서, 이를 줄여 ‘금
　후’ 또는 ‘평후’를 씀으로써, 그 지칭 대상이 누구
　인지에 대해, 독자가 혼동을 일으킬 수 있다.
145)명약(命藥) : 약을 쓰게 하거나 약을 지어 줌.

들미, 녀름이 혼곤(昏困)ᄒ여 슈히 씨디 못
ᄒ니, 유ᄋᄂ 유뫼 부인 침뎐의셔 여러 양
낭 추환으로 조심ᄒ여 잠드니, 묘랑이 쯰를
엿ᄂᆞ디라. 현긔 등 후려갈 젹ᄌ치 졔인이
씨디 못ᄒ게 작법ᄒ고, 앙연이 드러가 유ᄋ
를 두로쳐 업고 니ᄃᆞ라, ᄒᆞᆫ 번 몸을 소소미
아아히 나라 문양궁으로 오니, 공쥬ᅥ 최상궁
으로 더브러 묘랑이 경부의【26】간 지 여
러 날이 되디 긔쳑이 업스니, ᄀᆞ장 굼거이
넉여 경시 모ᄌᆞ 업시키를 하ᄂᆞᆯ긔 튝원ᄒ더
니, 묘랑이 ᄒᆞᆫ 낫 옥동을 업고 방듕의 드려
노ᄒ미, 공쥬와 최상궁이 썰니 눈을 드니
이 블과 슈삼삭(數三朔) 된 히지(孩子)로되,
발췌 특이ᄒᆞᆫ 거동이 난봉(鸞鳳)의 삿기오,
긔린의 ᄋᆞ희라. 빅년 디쳑(大隻)[147]과 삼디
원슈라도 유ᄋ의 비상코 어엿븐 용화를 보
미, ᄎᆞ마 히코져 ᄆᆞ음이 나디 아닐 거시로
되, 공쥬의 극악 흉참ᄒ미 ᄉᆞ갈(蛇蝎)의 모
질기와 일희의 스오나오믈 겸ᄒ여, 녀후(呂
后)[148]의 됴왕(趙王)[149]을 딤살(鴆殺)ᄒ며
쳑희(戚姬)[150]를 인톄(人彘)[151] 민드던 대
악 투심이 잇ᄂᆞ디라, 엇디 유ᄋ 죽이믈 쩌
리미【27】이시리오.

민, 녀름이 혼곤(昏困)ᄒ여 슈히 씨지 못ᄒ
니, 유ᄋᄂ 유뫼 부인 침뎐의셔 여러 양낭
추환으로 조심ᄒ여 잠드니, 묘랑이 쯰를 엿
ᄂᆞ지라. 현긔 등 후려갈 젹 ᄌ치 졔인이 씨
디 못ᄒ게 작법ᄒ고, 안연이 드러가 유ᄋ를
두로쳐 업고 니ᄃᆞ라, ᄒᆞᆫ 번 몸을 소소미 아
아히 나라 문양궁으로 오니, 공쥬ᅥ 최상궁으
로 더브러 묘랑이 경부의 간 지 여러 날이
되디 긔쳑이 업스니, ᄀᆞ장 굼거이 넉여 경
시 모ᄌᆞ 업시키를 하ᄂᆞᆯ긔 츅원ᄒ더니, 묘랑
이 ᄒᆞᆫ 낫 옥동을 업고 방듕의 드려 노ᄒ미,
공쥬와 최상궁이 썰니 눈을 드미, 이 블과
슈삼삭(數三朔) 된 히ᄌᆞ(孩子)로되, 발췌(拔
萃) 특이(特異)ᄒᆞᆫ 거동이 난봉(鸞鳳)의 삿기
오, 긔린(騏驎)의 ᄋᆞ희라. 빅년 디쳑(大
隻)[146]과 삼디 원슈라도 유ᄋ의 비상코 어
엿븐 용화를 보미, ᄎᆞ마 히코져 ᄆᆞ음이 나
지 아닐 거시로되, 공【118】쥬의 극악 흉
참ᄒ미 ᄉᆞ갈(蛇蝎)의 모질기와 일희의 스오
나오믈 겸ᄒ여, 녀후(呂后)[147]의 됴왕(趙
王)[148]을 짐살(鴆殺)ᄒ며 쳑희(戚姬)[149]를
인톄(人彘)[150] 민드던 디악 투심이 잇ᄂᆞ지
라. 엇지 유ᄋ 죽이믈 쩌리미 이시리오.

---

[147]디쳑(大隻) : 그게 쳑(隻)을 진 사이. 서로 크게
　　원한을 품어 반목하는 사이.
[148]녀후(呂后) : BC241-180. 중국 한고조의 황후.
　　성은 여(呂). 이름은 치(雉). 고조를 보좌하여 진말
　　(秦末)・한초(漢初)의 국난을 수습하였으나, 고조
　　가 죽은 뒤 실권을 장악하여, 고조의 애첩인 척부
　　인(戚夫人)과 척부인 소생 왕자 조왕(趙王)을 죽이
　　는 등 포악을 일삼아, 측천무후(測天武后), 서태후
　　(西太后)와 함께 중국의 3대 악녀로 꼽힌다.
[149]됴왕(趙王) : 이름 유여의(劉如意). 중국 한(漢)고
　　조(高祖)와 척부인(戚夫人) 사이에 난 아들. 고조
　　가 후계자로 삼고자 했을 만큼 그의 사랑을 받았
　　으나, 고조 사후 여후(呂后)에게 독살을 당했다.
[150]척희(戚姬) : 척부인(戚夫人). 중국 한 고조의 후
　　궁. 고조의 사랑을 받아 아들 조왕(趙王)을 두었으
　　나, 고조가 죽은 뒤, 여후(呂后)에게 조왕은 독살
　　당하고, 그녀는 팔다리를 잘리고 눈을 뽑히는 악
　　형을 당하고 '인간돼지(人彘)'로 학대를 받으며 측
　　간에 갇혀 지내다 죽었다.
[151]인톄(人彘) : '인간돼지'라는 뜻으로 중국 한(漢)
　　고조(高祖) 비(妃) 여후(呂后)가 고조의 애첩 척부
　　인(戚夫人)을 팔다리를 자르고 눈을 뽑는 혹형을
　　가한 후, 측간에 처넣고 그녀를 지칭해 부르게 한
　　이름.

[146]디쳑(大隻) : 그게 쳑(隻)을 진 사이. 서로 크게
　　원한을 품어 반목하는 사이.
[147]녀후(呂后) : BC241-180. 중국 한고조의 황후.
　　성은 여(呂). 이름은 치(雉). 고조를 보좌하여 진말
　　(秦末)・한초(漢初)의 국난을 수습하였으나, 고조
　　가 죽은 뒤 실권을 장악하여, 고조의 애첩인 척부
　　인(戚夫人)과 척부인 소생 왕자 조왕(趙王)을 죽이
　　는 등 포악을 일삼아, 측천무후(測天武后), 서태후
　　(西太后)와 함께 중국의 3대 악녀로 꼽힌다.
[148]됴왕(趙王) : 이름 유여의(劉如意). 중국 한(漢)고
　　조(高祖)와 척부인(戚夫人) 사이에 난 아들. 고조
　　가 후계자로 삼고자 했을 만큼 그의 사랑을 받았
　　으나, 고조 사후 여후(呂后)에게 독살을 당했다.
[149]척희(戚姬) : 척부인(戚夫人). 중국 한 고조의 후
　　궁. 고조의 사랑을 받아 아들 조왕(趙王)을 두었으
　　나, 고조가 죽은 뒤, 여후(呂后)에게 조왕은 독살
　　당하고, 그녀는 팔다리를 잘리고 눈을 뽑히는 악
　　형을 당하고 '인간돼지(人彘)'로 학대를 받으며 측
　　간에 갇혀 지내다 죽었다.
[150]인톄(人彘) : '인간돼지'라는 뜻으로 중국 한(漢)
　　고조(高祖) 비(妃) 여후(呂后)가 고조의 애첩 척부
　　인(戚夫人)을 팔다리를 자르고 눈을 뽑는 혹형을
　　가한 후, 측간에 처넣고 그녀를 지칭해 부르게 한
　　이름.

발연이 드리다라 유ᄋ의 머리를 잡아 벽의 브듸이즈며, 만면이 프르러 썰며 왈,

"요악혼 년이 싱각 밧고 삼겨 기다리디 아닛는 ᄌ식{들}은 퍼디워 나의 근심을 삼고, ᄉ부의 슈고를 허비ᄒᄂ뇨? 현긔 등은 슈삼세(數三歲)152)나 ᄒ 거시미 녀환을 맛져 죽엿거니와, 이런 거시야 열흰들 못 죽이랴."

이리 니르며 죽이기를 급히 ᄒ니, 히이 쳐음은 크게 우더니 나죵은 소리를 못ᄒ고 슘을 쉬디 못ᄒ여 거의 딘홀 둣ᄒ다라. 묘랑이 공쥬의 노를 머추어 왈,

"빈되 츠후는 졍셩과 힘을 다ᄒ여 갑흐리니 비록 ᄉ오삭 유인들 옥쥐 엇디 인명 쳐살을 ᄌ임【28】ᄒ리잇고? 녀환을 주어 먼니 가져다가 믈의 너흐라 ᄒ미 올토소이다."

공쥐 ᄋ히를 노코 묘랑의 팔흘 어로만져 왈,

"ᄉ부는 나의 은인이라. 범ᄉ의 가르치미 이 ᄀ틋여 날노 ᄒ여금 빅힝이 온젼혼 사름이 되과져 ᄒ니 엇디 감샤치 아니리오."

즉시 은ᄌ 일빅 냥을 봉ᄒ여 녀환을 상샤ᄒ고 유ᄋ를 먼니 가져가 죽이라 ᄒ니, 녀환이 최상궁다려 ᄋ히 근본을 므르니, 녀환은 최시 심복이라 의심치 아니코 젼후 곡졀을 ᄌ시 니른듸, 녀환이 ᄋ히를 바다 밧그로 나오며 싱각ᄒ듸,

"뎌 젹 한관인이 냥공ᄌ와 쇼져를 구호ᄒ여 다려가고 날을 금은【29】을 주어 이런 쇼문을 니디 말나 ᄒ던 거시니, 내 이졔 ᄋ공ᄌ를 브졀 업시 죽이디 말고 한관인긔 보닉고 금은을 어드리라."

ᄒ여 ᄋ히 머리를 ᄲᆞᆺ미고 피를 ᄡᅵ스며 슈족을 만져 아조 죽디 아냐시믈 다힝ᄒ여 밧비 외루의 니르니, 이 날 한퉁이 궁의셔 ᄌᄂ다라. 본듸 잠이 젹고 용긔 남 달나 월야를 당ᄒ면 무거온 돌흘 운젼ᄒ여 힘을 시험ᄒᄂ라, 당ᄎ시 ᄒ여는 뎡히 다른 궁뇌 다

발연이 드러다라 유ᄋ의 머리를 잡어 벽의 브듸이즈며 만면이 프르러 썰며 왈,

"요악혼 년이 싱각 밧고 삼겨, 기드리지 아닛는 ᄌ식들은 퍼디워, 나의 근심을 삼고 ᄉ부의 슈고를 허비ᄒᄂ뇨? 현긔 등은 슈삼셰(數三歲)151)나 ᄒ 거시미 녀환을 맛져 죽엿거니와, 이런 거시야 열흰들 못 죽이랴."

하고, 죽이기를 급히 ᄒ니, 히ᄋ 쳐음은 크게 우더니, 나죵은 소리를 못ᄒ고 슘을 쉬지 못ᄒ여 거의 진홀 둣 ᄒ지라, 묘랑이 공쥬의 노를 멈츄어 왈,

"빈되 츠후는 졍셩과 힘을 다ᄒ여 갑흐리니, 비록 ᄉ오 삭 유인들 옥쥐 엇지 인명 쳐살을 ᄌ【119】임ᄒ리잇고? 녀환을 주어 먼니 가져다가 믈의 너흐라 ᄒ미 올토소이다."

공쥐 ᄋ히를 노코 묘랑의 팔흘 어로만져 왈,

"ᄉ부는 나의 은인이라. 범ᄉ의 가르치미 이 ᄀ틋여, 날노 ᄒ여금 빅힝이 온젼혼 사름이 되고져 ᄒ니, 엇지 감ᄉ치 아니리오."

즉시 은ᄌ 일빅 냥을 봉ᄒ여 녀환을 상샤ᄒ고, 유ᄋ를 먼니 가○○[져가] 죽이라 ᄒ니, 녀환이 최상궁다려 ᄋ히 근본을 므르니, 녀환은 최시 심복이라. 의심치 아니코 젼후 곡졀을 ᄌ시 니른듸, 녀환이 ᄋ히를 바다 밧그로 나오며 싱각ᄒ듸,

"뎌 젹 한관인니[이] 냥공ᄌ와 쇼져를 구호ᄒ여 다려가고 나을 금은을 주어 이런 쇼문을 니지 말나 ᄒ던 거시니, 닉 이졔 ᄋ공ᄌ를 브졀 업시 죽이지 말고 한관인긔 보닉고 금은을 어드리라."

ᄒ여 ᄋ히 머리를 ᄲᆞᆺ미고 피를 ᄡᅵ스며 슈족을 만져, 아조 죽지 아냐시믈 다【120】힝ᄒ여 밧비 외루의 니르니, 이 날 한춍이 궁의셔 ᄌᄂ지라. 본듸 잠이 젹고 용긔 남 달나, 월야를 당ᄒ면 무거온 돌흘 운젼ᄒ여 힘을 시험ᄒ노라, 당ᄎ시 ᄒ여는 졍히 다른

---

152)슈삼셰(數三歲) : 두서너 살. 수삼(數三); 그 수량이 두서너 개임을 나타내는 말.

151)슈삼셰(數三歲) : 두서너 살. 수삼(數三); 그 수량이 두서너 개임을 나타내는 말.

줌들고 관인이 홀노 난간 밧긔 안줏거늘, 녀환이 나아가 귀예 다혀 곡졀을 히비히 베프니, 튱이 경 왈,

"으공즈를 죽엿다가는 네 스디 못ᄒ리니, 식빙를 기다려 내 집으로 다려【30】가려 니와, 너의 혜아리미 심원ᄒ여 블의를 먼니ᄒ고 날다려 니르니, 츠는 너의 식견이 심원ᄒ미라. 내 비록 궁곤하나 너의 어딘 공을 크게 갑흐리라."

원닉 녀환의 극악 흉패ᄒ미 못 ᄒ울 일이 업스디, 임의 현긔 등을 죽이디 아니ᄒ고 일빅냥 은을 바다시미, 무한흔 욕심이 으공즈를 마즈 파라 금은을 취ᄒ려 ᄒ더니, 한튱의 니르는 말이 이 ᄀᆺᄐ여 져의 공을 알마[153]ᄒ니, 만심 환열ᄒ여 흉흔 눈을 금젹이며,

"범연흔 원슈 스이라도 사룸을 간딕로 못 죽이려든, ᄒ믈며 도위(都尉) 노야의 만금 귀공진 그 엇디 ᄒ관딕 흔갓 옥쥬의 명녕만【31】슌슈하여 인명을 쳐살ᄒ고, 슈스난쇽(雖死難贖)[154]의 듕죄를 디으리오. 츠고로 으공즈를 마즈 관인의게 드려 기르시게 ᄒ느니, 관인은 후릭의 일이 발각ᄒ여도 노야긔 내 죄 업스믈 고ᄒ쇼셔."

한튱이 언언이 졈두 응낙ᄒ고 평명(平明)의 으히를 녀환의 품의 품겨[155] 졔 집의 도라와, 기쳐(其妻) 양시다려 공쥬의 스오나옴과 유으의 참참ᄒ믈 닐너 극딘이 보호ᄒ여 스경을 면케 ᄒ라 ᄒ고, 녀환을 금은필빅(金銀疋帛)을 주어 욕심이 츠도록 ᄒ니, 환이 샤례ᄒ고 도라가거늘, 튱이 경시의 유즈를 즈시 보미 운긔와 다르미 업셔 긔이ᄒ나, 참혹히 상흔 거동이【32】츠마 보디 못ᄒ올디라. 한튱과 양시 유되 풍죡흔 녀즈를 어더 의티(醫治)를 극딘히 ᄒ여, 유이 상체 낫고 현긔 등과 흔가디로 한튱의 집의셔 기

궁뇌 다 줌들고 관인이 홀노 난간 밧긔 안줏거늘, 녀환이 나아가 귀의 다혀 곡졀을 히비히 베프니, 튱이 경 왈,

"으공즈를 죽엿다가는 네 스지 못ᄒ리니, 식빙를 기다려 내 집으로 다려가련[려]니와, 너의 혜아리미 심원ᄒ여 블의를 먼니ᄒ고 날다려 니르니, 츠는 너의 식견이 심원ᄒ미라. 내 비록 곤궁하나 너의 어진 공을 크게 갑흐리라."

원닉 녀환의 극악 흉픾ᄒ미 못 ᄒ울 일이 업스디, 임의 현긔 등을 죽이지 아니ᄒ고 일빅 냥 은을 바다시미, 무한흔 욕심이 으공즈를 마즈 파라 금은을 취ᄒ려 ᄒ더니, 한튱의 니르는 말이 이 ᄀᆺᄐ여【121】졔 공을 알마[152]ᄒ니, 만심 환열ᄒ여 흉흔 눈을 금젹이며,

"범연흔 원슈 스이라도 사룸을 간딕로 못 죽이려든, ᄒ믈며 도위(都尉) 노야의 만금 귀공진 그 엇더 ᄒ관딕, 흔갓 옥쥬의 명영(命令)만 슌슈하여 인명을 쳐살ᄒ고, 슈스난쇽(雖死難贖)[153]의 즁죄를 지으리오. 츠고로 으공즈를 마즈 관인의게 드려 기르시게 ᄒ느니, 관인은 후릭의 일이 발각ᄒ여도 노야긔 내 죄 업스믈 고ᄒ쇼셔."

한튱이 언언이 졈두 응낙ᄒ고, 평명(平明)의 으히를 녀환의 품의 품겨[154] 졔 집의 도라와, 기쳐(其妻) 양시다려 공쥬의 스오나옴과 유으의 참참ᄒ믈 닐너, 극진○[이] 보호ᄒ여 스경을 면케 ᄒ라 ᄒ고, 녀환을 금은필빅(金銀疋帛)을 주어 욕심이 츠도록 ᄒ니, 환이 샤례ᄒ고 도라가거늘, 튱이 경시의 유즈를 즈시 보미 운긔와 다름이 업셔 긔이ᄒ나, 참혹히 상흔 거동이 츠마【122】보지 못 ᄒ올지라. 한튱과 양시 유되 풍죡흔 녀즈를 어더 의티(醫治)를 극진히 ᄒ여, 유이 상쳐 낫고 현긔 등과 흔가지로 한튱의 집의셔

---

153)알마 : 알아주마. *-마; 해라할 자리에 쓰여, 상대편에게 약속하는 뜻을 나타내는 종결 어미

154)슈스난쇽(雖死難贖) : 죽도록 갚아도 다 갚지 못함.

155)품다 : 품속에 넣거나 가슴에 대어 안다. *품겨; 품에 안겨.

---

152)알마 : 알아주마. *-마; 해라할 자리에 쓰여, 상대편에게 약속하는 뜻을 나타내는 종결 어미

153)슈스난쇽(雖死難贖) : 죽도록 갚아도 다 갚지 못함.

154)품다 : 품속에 넣거나 가슴에 대어 안다. *품겨; 품에 안겨.

르미 되엿더라.

녀환이 공쥬긔 ᄋ히 죽여시믈 회쥬ᄒ니, 공쥐 환열ᄒ여 언필칭(言必稱)156) 튱뇌(忠奴)라 ᄒ니, 뉘 도로혀 죽은가 넉이던 바 공ᄌ와 ᄋ쇼졔 한튱의 집의셔 길니이믈 알니오.

공쥐 신묘랑 ᄃ졉ᄒ믈 조금도 산간 승니 《ᄀ지 ‖ ᄀ티》 아냐, ᄉ뎨(師弟)의 도를 다ᄒ여 ᄒ 탑(榻)의 잠 ᄌ고, ᄒ 상의 밥 먹으믈 넘(厭)치 아니니, 묘랑은 그 외람ᄒ믈 아디 못ᄒ고 더옥 업슈히 넉여, 희【33】학(戲謔)기를 평교(平交)ᄀ치 ᄒ며, 공쥬의 싱산 길흘 도모코져 ᄒ나, 병뷔 윤·양·니 삼부인 졀혼니이(絕婚離異)ᄒ 후는 발ᄌ최 궁문의 님ᄒ디 아냐, 작위(作爲)ᄒ던 언쇼(言笑)와 화긔(和氣)도 업스니, 어딕로 좃ᄎ ᄌ녀를 싱산ᄒ리오.

공쥐 이둛고 통한ᄒ미 흉금(胸襟)의 밋치여, 만일 싱셰의 뎡병부로 화락디 못ᄒ면, ᄉ후의 원혼이 되여 디하의 명목(瞑目)디 못 ᄒ 듯 ᄒ더라. 무궁ᄒ 노분을 풀 곳이 업셔 쥬야 가슴이 믜는 듯, 병부의 풍치 긔상이 안듕의 삼삼ᄒ여 그리오미 밋칠 듯 ᄒ 젹은, 상부(上府) 신혼셩졍디시(晨昏省定之時)의 그 얼골을 본즉,【34】넘치를 일코 눈이 ᄶ러질드시 ᄒ고 바라보아, 반가온 듯, 노호은 듯, 슬픈 듯, 이들은 듯, 모양ᄒ여 디향치 못ᄒ는 거동이 ᄌ연 듕목(衆目)의 아라 뵈이니, 금휘 잇다감 공쥬의 긔식을 보고 한심 통히ᄒ여, 다시 남후의 문양궁 왕닉를 아른쳬 아니ᄒ더라.

어시의 경부의셔 유뢰 씨여 겻틱 《누엇던 ‖ 뉘엇던》 ᄋ히를 보려 ᄒ즉, 간 곳이 업스니, 혹ᄌ 부인이 쇼져 침소로 다려간가 ᄒ여, 쇼져 침소의 니르러 ᄋ히를 ᄎᄌ즉, 다려온 일이 업고, 야리디간(夜來之間)의 거체 업스믈 실식(失色) 경악(驚愕)ᄒ여 당샤(堂舍)를 두로 어더보라 ᄒ믹, 합문(閤門)이 ᄌ연 소요ᄒ【35】여, 여러 ᄎ환이 두로 당샤마다 어드나, 츄풍의 낙엽과 대히의 평초

---

156)언필칭(言必稱) : 말을 할 때마다 이르기를.

기르미 되엇더라.

녀환이 공쥬긔 ᄋ히 죽여시믈 회쥬ᄒ니, 공쥐 환열ᄒ여 언필칭(言必稱)155) 츙노(忠奴)라 ᄒ니, 뉘 《도로려 ‖ 도로혀》 죽은가 너긴 바 공ᄌ 남믹 한총의 집의셔 《길이이믈 ‖ 길니이믈》 알니오.

공쥐 신묘랑 ᄃ졉ᄒ믈 조금도 산간 승니 《ᄀ지 ‖ ᄀ치》 《아야 ‖ 아냐》, ᄉ뎨(師弟)의 도를 다ᄒ여 ᄒ 탑(榻)의 잠 ᄌ고 ᄒ 상의 밥 먹으믈 넘(厭)치 아니니, 묘랑은 그 외람ᄒ믈 아지 못ᄒ고 더옥 업슈히 넉여 희학(戲謔)기를 평교(平交)ᄀ치 ᄒ며, 공쥬의 싱산 길흘 도모코져 ᄒ나, 병뷔 윤·양·니 삼부인 졀혼니이(絕婚離異)ᄒ 후는 발ᄌ최 궁문의 님ᄒ지 아냐 작위(作爲)ᄒ던 언쇼(言笑)와 화긔(和氣)도 업스니 어딕로 조ᄎ ᄌ녀을 싱산ᄒ리오.

공쥐 이둛고 통한ᄒ미 흉금(胸襟)의 밋치여 만일 싱【123】셰의 뎡부마로 화락지 못ᄒ면, ᄉ후의 원혼이 되여 지하의 명목(瞑目)지 못 ᄒ 듯 ᄒ지라. 무궁ᄒ 노분을 풀 곳이 업셔 쥬야 가슴이 믜는 듯, 병부의 풍치 긔상이 안즁의 《삼엄 ‖ 삼삼》ᄒ여 그리오미 밋칠 듯ᄒ 젹은, 상부(上府) 신혼셩졍지시(晨昏省定之時)의 그 얼골을 본즉, 염치를 일코 눈이 ᄶ러질드시 ᄒ고 ᄇ라보아, 반가온 듯, 노호은 듯, 슬픈 듯, 이들은 듯, 모양ᄒ여 지향치 못ᄒ는 거동이, ᄌ연 즁목(衆目)의 아라 뵈이니, 금휘 잇다감 공쥬의 긔식을 보고 한심 통히ᄒ여 다시 남후의 문양궁 왕닉를 아른쳬 아니ᄒ더라.

어시의 경부의셔 유뢰 씨여 겻틱 《누엇던 ‖ 뉘엇던》 ᄋ히를 보려 ᄒ즉, 간 곳이 업스니, 혹ᄌ 부인이 쇼져 방으로 다려간가 ᄒ여 쇼져 침소의 니르러 ᄋ히를 ᄎᄌ즉, 다려온 일이 업고, 야리지간(夜來之間)의 거쳐 업스믈 실식(失色) 경악(驚愕)ᄒ여 당샤(堂舍)를 두로 어더보라 ᄒ믹,【124】 합문(閤門)이 ᄌ연 소요ᄒ여, 《그러 ‖ 여러》 ᄎ환이 두로 당샤마다 어드나, 츄풍의 낙엽과

---

155)언필칭(言必稱) : 말을 할 때마다 이르기를.

(萍草)157)를 어듸 가 어드리오. 참정과 부인의 참절한 심수는 니르도 말고, 쇼져의 놀나며 슬허 ㅎ미 목전의 죽엄을 노화심 ㄱ 투여, 오열쳬읍ㅎ믈 마디 아니ㅎ고, 경쇼제 츠악비도(嗟愕悲悼)ㅎ여 식음을 물니쳐 주리의 니디 못ㅎ니, 공의 부뷔 일혼 손 이도 앗갑고 츠악ㅎ거니와, 오히려 목전의 시신을 노치 아냐시니, 혹주 텬신이 보호ㅎ미 이실가 일분 미드미 이시나, 쇼져의 과상(過傷)ㅎ믈 더욱 졀민ㅎ여, 공과 부인이 친히 그릇술 드러 음식을 권ㅎ고 톄루(涕淚)를 드리워 왈,

"유 이를 일흐미【36】츠악ㅎ나 오히려 죽으믈 목전의 보디 아냐시니, 혹주 아모듸나 가 스라시미 이실 듯ㅎ니, 제 작인이 비상ㅎ니 결단ㅎ여 강보(襁褓)158)의 맛디 아닐디라. 이 흔갓 네 팔지 괴이ㅎ미 아니라, 챵빅의 익회 무궁ㅎ여 샴쳐를 니이졀혼(離異絕婚)ㅎ고, 셰 주녀를 몬져 일헛더니, 쏘 유 이를 마주 일흐니, 전혀 뎡가 문운(門運)이 불힝ㅎ 연괴라. 너의 쳥츈 녹발이 쇠홀 날이 머러시니 흔 주식을 일혼들 댱니 몃 주녀를 둘 동159) 알니오 모로미 병을 일위디 말고 심수를 관회(寬懷)ㅎ라."

쇼제 츄연 타루 딕 왈,
"져젹 뎡군이 주녀 셰 이희를 일야더니(一夜之內)의 실니(失離)타 ㅎ거늘, 쳔고(千古)【37】대변으로 알오듸, 뎡군은 타연주약(泰然自若)ㅎ믈 괴이히 넉엿더니, 이제 유 이를 마주 일흐니 젹은 화변이 아니라.

---

157)평초(萍草) : =개구리밥. 개구리밥과의 여러해살이 수초(水草). 몸은 둥글거나 타원형의 광택이 있는 세 개의 엽상체(葉狀體)로 이루어져 있는데 겉은 풀색이고 안쪽은 자주색이다. 논이나 못에서 자라는데 전 세계에 널리 분포한다. =부평초(浮萍草).

158)강보(襁褓) : 포대기. 어린아이의 작은 이불. 덮고 깔거나 어린아이를 업을 때 쓴다. 여기서는 포대기 속에 감싸여 있는 때. 곧 '갓난아기 때'를 말함.

159)동 : =줄. *줄;「의존명사」어떤 방법, 셈속 따위를 나타내는 말.

딕희의 평초(萍草)156)를 어듸 가 어드리오. 참정과 부인의 참절한 심수는 니르도 말고, 쇼져의 놀나며 슬허ㅎ미 목전의 죽엄을 노하심 ㄱ 투여, 오열쳬읍ㅎ믈 마지 아니ㅎ고, 경쇼제 츠악비도(嗟愕悲悼)ㅎ여 식음을 물니쳐 주리의 니지 못ㅎ니, 공의 부뷔 일혼 손아도 앗갑고 츠악ㅎ거니와, 오히려 목전의 시신을 노치 아냐시니, 혹주 텬신이 구호ㅎ미 이실가 일분 미드미 이시나, 쇼져의 과상(過傷)ㅎ믈 더욱 졀민ㅎ여, 공과 부인이 친히 그릇술 드러 음식을 권ㅎ고 쳬루(涕淚)를 드리워 왈,

"유 이를 일흐미 츠악ㅎ나 오히려 죽으믈 목전의 보지 아냐시니, 혹주 아모듸나 가 스라시미 이실 듯 ㅎ니, 제 작인이 비상ㅎ니 결단ㅎ여 강보(襁褓)157)의 맛지《아일지라∥아닐지라》. 이 흔갓 네 팔지 어이ㅎ미158) 아니라, 챵빅의【125】익회 무궁ㅎ여 샴쳐를 졀혼니이(絕婚離異)ㅎ고, 셰 주녀를 몬져 일헛더니, 쏘 유 이를 마주 일흐니, 전혀 뎡가 문운(門運)이 불힝흔 연괴라. 너의 쳥츈 녹발이 쇠홀 날이 머러시니, 흔 주식을 일혼들 쟝니 몃 주녀를 둘 즁159) 알니오. 모로미 병을 일위지 말고 심수를 관회(寬懷)ㅎ라."

쇼제 츄연 타루 딕 왈,
"져젹 뎡군이 주녀 셰 이희를 일야지니(一夜之內)의 실니(失離)타 ㅎ거늘, 쳔고듸변(千古大變)으로 알오듸, 뎡군은 타연주약(泰然自若)ㅎ믈 괴이히 넉엿더니, 이제 유

---

156)평초(萍草) : =개구리밥. 개구리밥과의 여러해살이 수초(水草). 몸은 둥글거나 타원형의 광택이 있는 세 개의 엽상체(葉狀體)로 이루어져 있는데 겉은 풀색이고 안쪽은 자주색이다. 논이나 못에서 자라는데 전 세계에 널리 분포한다. =부평초(浮萍草).

157)강보(襁褓) : 포대기. 어린아이의 작은 이불. 덮고 깔거나 어린아이를 업을 때 쓴다. 여기서는 포대기 속에 감싸여 있는 때. 곧 '갓난아기 때'를 말함.

158)어이ㅎ다 ; 어찌하다. (('어찌하여' 꼴로 쓰여)) '어떠한 이유 때문에'의 뜻을 나타낸다.

159)즁 : '줄'의 전라도방언. *줄;「의존명사」어떤 방법, 셈속 따위를 나타내는 말.

필연 간당이 쇼녀의 일ᄉᆡᆼ이 뎡군긔 ᄆᆡ여시믈 알고, 몬져 유ᄋᆞ를 업시 ᄒᆞ고 버거 쇼녀를 ᄒᆡᄒᆞ리니, 이 거의 짐작ᄒᆞᆯ 일이라. 사ᄅᆞᆷ의 화ᄋᆡᆨ은 임의로 못ᄒᆞ려니와 원간 유ᄋᆞ를 일키와 쇼녀를 위ᄐᆡ롭게 ᄒᆞ기ᄂᆞᆫ 뎡군의 ᄌᆞ로 왕ᄂᆡᄒᆞᄂᆞᆫ 타시라. 이 말을 뎡군이 드르면 쇼녀의 ᄉᆞ리 모로믈 욕ᄒᆞᆯ 거시로ᄃᆡ, 쇼네 실노 ᄋᆡ돏고 한심ᄒᆞ믈 니긔디 못ᄒᆞᄋᆞᆸᄂᆞ니, 뎡군은 범ᄉᆞ의 요동이 업ᄉᆞ니, 유ᄋᆞ를 몬져 일흐믈 드러도 놀나든 아니려니와, 쇼네 【38】 유ᄋᆞ롤 다리고 구가(舅家)의 잇다가 일흠과 달나, 우리 집의셔 일허시니, 져ᄂᆞᆫ 쇼녀의 무복(無福)ᄒᆞ믈 ᄉᆞ지ᄌᆞ려니와, ᄋᆞ히 일흐믈 취운산의 통ᄒᆞ시고, 부모ᄂᆞᆫ 쇼녀를 위ᄒᆞ여 과려치 마르쇼셔. 쇼네 출하리 유ᄋᆞ롤 병 드러 죽어시면 이ᄃᆡ도록 놀나오리잇가마ᄂᆞᆫ, 일야디ᄂᆡ의 후려가ᄂᆞᆫ 요ᄉᆡᆨ(妖邪) 이시니, 심한경ᄒᆡ(心寒驚駭)[160] ᄒᆞᄋᆞᆸᄂᆞ니, 윤・양의 화란이 쇼녀의게 머디 아냐시믈 탄ᄒᆞᄂᆞ이다."

공의 부뷔 그러히 넉여 녀ᄋᆞ를 위ᄒᆞᆫ 근심이 듕ᄒᆞ여 호언 관위ᄒᆞ고, 경공이 일봉셔(一封書)를 닷가 손ᄋᆞ를 실니ᄒᆞᆫ 연유를 뎡병부긔 통ᄒᆞ니라.

이ᄶᅴ 뎡병뷔 친【39】우 박신 형뎨 외임(外任)을 구ᄒᆞ여 형쥬 ᄌᆞᄉᆞ와 영쳔 태쉬 되여 나가믈 보고져, 별장(別章)과 쥬찬(酒饌)을 가져 박부의 나아가니, 박신 형뎨와 태학ᄉᆞ 녀슉과 시어ᄉᆞ 화경은 평남후의 문필을 어더 등과ᄒᆞᆫ 뉘(類)로ᄃᆡ, 병뷔 조금도 ᄉᆞᄉᆡᆨ디 아니코, 녀・박・화 ᄉᆞ인이 ᄌᆞ긔 글노 등과ᄒᆞ믈 동긔간(同氣間)도 니르디 아니ᄒᆞ니, 셰상이 알 니 업더라. 녀・박・화 ᄉᆞ인이 감격ᄒᆞ여 ᄒᆞ더니, 이 날 졔인으로 ᄇᆡ작(杯酌)을 날녀 죵일 담화ᄒᆞ다가, 분슈(分手)ᄒᆞ여 운산의 도라오ᄃᆡ ᄀᆞ장 취하여시므로, 감히 부젼의 뵈디 못ᄒᆞ여 ᄉᆞ뎨 유흥으로 ᄒᆞ여금 부친이 ᄎᆞ즈시거든, ᄌᆞᄉᆞ를 【40】 보라

160)심한경히(心寒驚駭) : 마음이 떨리고 놀람.

ᄋᆞ를 마ᄌᆞ 일흐니 젹은 화변이 아니라. 필연 간당이 쇼녀의 일ᄉᆡᆼ이 뎡군긔 ᄆᆡ여시믈 알고, 몬져 유ᄋᆞ를 업시 ᄒᆞ고 버거 쇼녀을 ᄒᆡᄒᆞ리니, 이 거의 짐작ᄒᆞᆯ 일이라. 사ᄅᆞᆷ의 화ᄋᆡᆨ은 임의로 못ᄒᆞ려니와, 원간 유ᄋᆞ를 일키와 쇼녀를 위ᄐᆡ롭게 ᄒᆞ기ᄂᆞᆫ 뎡군의 ᄌᆞ로 왕ᄂᆡᄒᆞ난 타시라. 이 말을 뎡군이 【126】 드르면 쇼녀의 ᄉᆞ리 모로믈 용속(庸俗)ᄒᆞ다 ᄒᆞᆯ 거시되, 쇼네 실노 ᄋᆡ답고 한ᄒᆞ므로 ○…**결락32자**…○[한심ᄒᆞ믈 니긔디 못ᄒᆞᄋᆞᆸᄂᆞ니, 뎡군은 범ᄉᆞ의 요동이 업ᄉᆞ니 유ᄋᆞ를 몬져 일흐믈] 드러도 놀나든 아니려니와, 쇼녀 유ᄋᆞ롤 다리고 구가(舅家)의 잇다가 일흠과 달나, 우리 집의셔 일허시니, 져ᄂᆞᆫ 쇼녀의 무복(無福)ᄒᆞ믈 ᄉᆞ지ᄌᆞ려니와, ᄋᆞ히 일흐믈 취운산의 통ᄒᆞ시고, 부모ᄂᆞᆫ 쇼녀를 위ᄒᆞ여 과려치 마르쇼셔. 쇼네 출하리 유ᄋᆞ롤 병 드러 죽어시면 이ᄃᆡ도록 놀나오리잇가마ᄂᆞᆫ, 일야지ᄂᆡ의 후려가ᄂᆞᆫ 요ᄉᆡᆨ(妖邪) 이시니, 심한경ᄒᆡ(心寒驚駭)[160] ᄒᆞᄋᆞᆸᄂᆞ니, 윤・양의 화란이 쇼녀의게 머지 《아야∥아냐》시믈 탄ᄒᆞᄂᆞ이다."

공의 부뷔 그러히 넉여 녀ᄋᆞ를 위ᄒᆞᆫ 근심이 ᄎᆞᆼ(愴)ᄒᆞ여 호언 관위ᄒᆞ고, 경공이 일봉셔(一封書)를 닷가 손ᄋᆞ를 실니ᄒᆞᆫ 연유를 뎡병부긔 통ᄒᆞ니라.

이ᄶᅴ 뎡병뷔 친우 박신 형뎨 외임(外任)을 구ᄒᆞ여 형쥬 ᄌᆞᄉᆞ와 영쳔 태쉬 되여 나가믈 보고져, 별장(別章)과 쥬찬(酒饌)을 【127】 가져 박부의 나아가니, 박신 형뎨와 태ᄒᆞᆨᄉᆞ 녀슉과 시어ᄉᆞ 화경은 평남후의 문필을 어더 등과ᄒᆞᆫ 뉘(類)로ᄃᆡ, 평후 조곰도 ᄉᆞᄉᆡᆨ지 아니코 녀・박・화 ᄉᆞ인이 ᄌᆞ긔 글노 등과ᄒᆞ믈 동긔간(同氣間)도 니르지 아니ᄒᆞ니, 셰상이 알 니 업더라 녀・박・화 ᄉᆞ인이 감격ᄒᆞ여 ᄒᆞ더니, 이 날 졔인으로 ᄇᆡ작(杯酌)을 날녀 죵일 담화ᄒᆞ다가 분슈(分手)ᄒᆞ여 운산의 도라오ᄃᆡ ᄀᆞ장 취하여시므로, 감히 부젼의 뵈지 못ᄒᆞ여 ᄉᆞ뎨 유흥으로 ᄒᆞ여금 부친이 ᄎᆞᄌᆞ시거든, ᄌᆞᄉᆞ를 보

160)심한경히(心寒驚駭) : 마음이 떨리고 놀람.

갓다가 못 먹는 술을 두어 잔 마셔 취ᄒ여시므로, 감히 부젼의 뵈ᄋᆸ디 못ᄒ고[니], 황공ᄒᄆᆯ 알외라 ᄒ고, 심회 울울ᄒᄆᆯ 인ᄒ여 수미를 썰치고 디월누의 니르러 졔창을 블너 구희(九姬)를 좌우의 안치고 친히 현금을 ᄂᆞᆼᄒ여 ᄌᆞ란 등 졔창으로 노ᄅᆡ를 불너 곡됴를 맛초라 ᄒ니, 구창(九娼)이 교틱를 먹음고 가셩(歌聲)을 느리혀 곡됴를 맛초니, 요요(夭夭)ᄒᆫ 염틱(艶態)ᄂᆞᆫ 춘홰(春花) 우ᄉ며, 청화아셩(淸和雅聲)은 ᄒᆡᆼ운(行雲)을 머므르니, 남휘 만ᄉᆞ를 파락(擺落)161)ᄒ고 구창(九娼)으로 병와(竝臥)ᄒ여 술을 거후르고162), 현금(玄琴)을 ᄂᆞᆼ(弄)ᄒ여 호긔 발양ᄒ니, 졔창이 남후의 쳥텬빅【41】일디상(靑天白日之相)과 태산졔월디풍(泰山霽月之風)을 우러러, 빅년(百年)의 늣거온163) 졍이 잇셔, 미양 이ᄀᆞᆺ치 열낙디 못ᄒᄆᆯ 이들와 ᄒ니, 윤태우의 유졍ᄌᆞ(有情者) 옥비·슌월 등 십창(十娼)은 윤태위 심회 블호ᄒ여 일삭의 ᄒᆞᆫ 번도 즐길 적이 업ᄉ니, 현ᄋᆞ 등을 불위 ᄒ고[ᄂᆞ], 윤태우의 풍신용화를 ᄉᆞ상ᄒ여 죽어도 타인은 셤길 ᄯᅳᆺ이 업더라.

초일 셕반시의 금휘 졔ᄌᆞ를 거ᄂᆞ려 태부인 압히셔 딘식(進食)ᄒᆞᆯ시, 태부인이 남후의 업ᄉᆞᆷ을 ᄆᆞ르니, 유흥이 형의 가르친디로 디답ᄒ여 고ᄒᆞᆫ디, 금휘 닝쇼왈,

"텬흥은 미양 못 먹는 술을 먹엇노라 ᄒ니,【42】 아이의164) 시작디 말미 올커늘, 쥬량(酒量)은 적을와 ᄒ며 취키ᄂᆞᆫ 그리 ᄌᆞ로 ᄒ니, 괴이ᄒᆫ 일이로다."

태부인 왈,

"댱부란 거시 일작블음(一酌不飮)이 블가ᄒ니 친우 회좌듕(會座中) 쥬비를 거훌너 취ᄒᄆᆡ 므슨 허믈되미 이시리오."

금휘 말을 아니코 셕반을 물닌 후 외헌으

───────

161)파락(擺落) : 털어 없앰.
162)거후르다 : 거우르다. 속에 든 것이 쏟아지도록 기울이다
163)늣겁다 : 느껍다. 어떤 느낌이 마음에 북받쳐서 벅차다.
164)아이의 : 아예. 일시적이거나 부분적이 아니라 전적으로. 또는 순전하게.

라 갓다가 못 먹는 술을 두어 잔 마셔 취ᄒ여시므로, 감히 부젼의 나오지 못ᄒ고[니], 황공ᄒᄆᆯ 알외라 ᄒ고, 심회 울울ᄒᄆᆯ 인ᄒ여 수미를 썰치고 디월누의 니르러 졔창을 블너 구희(九姬)를 좌우의 안치고 친히 현금을 ᄂᆞᆼᄒ여 ᄌᆞ란 등 졔창으로 노ᄅᆡ를 불너 곡됴를 맛초라 ᄒ니, 구창(九娼)이【128】교틱를 먹음고 가셩(歌聲)을 느리혀 곡됴를 맛초니, 요요(夭夭)ᄒᆫ 염틱(艶態)ᄂᆞᆫ 춘화(春花) 우ᄉ며, 청화아셩(淸和雅聲)은 ᄒᆡᆼ운(行雲)을 머므르니 남휘 만사를 파락(擺落)161)ᄒ고 구창으로 병와(竝臥)ᄒ여 술을 거후르고162) 현금(玄琴)을 ᄂᆞᆼ(弄)ᄒ여 호긔 발양ᄒ니, 졔창이 남후의 쳥텬빅일지상(靑天白日之相)과 태산혜[졔]월지풍(泰山霽月之風)을 우러러, 빅년(百年)의 늣거온163) 졍이 잇셔, 미양 이ᄀᆞᆺ치 열낙지 못ᄒᄆᆯ 이들와 ᄒ니, 윤태우의 유졍ᄌᆞ(有情者) 옥비·슌월 등 십창(十娼)은 윤태위 심회 블호ᄒ여 일삭의 ᄒᆞᆫ 번도 즐길 적이 업ᄉ니, 현ᄋᆞ 등을 불위ᄒ고[ᄂᆞ], 윤태우의 풍신 용화를 ᄉᆞ랑ᄒ여 죽어도 타인은 셤길 ᄯᅳᆺ이 업더라.

초일 셕반시의 금휘 졔ᄌᆞ를 거ᄂᆞ려 태부인 압히셔 진식(進食)ᄒᆞᆯ시, 태부인이 남후의 업ᄉᆞᆷ을 ᄆᆞ르니, 유흥이 형의 가르친디로 디답ᄒ여 고ᄒᆞᆫ디, 금휘 닝쇼왈,

"텬흥은 미양 못 먹는 술【129】을 먹엇노라 ᄒ니, 아초(初)164)의 시작지 말미 올커늘, 쥬량(酒量)은 적을와 ᄒ며 취키ᄂᆞᆫ 그리 ᄌᆞ로 ᄒ니, 괴이ᄒᆫ 일이로다."

태부인 왈,

"댱부란 거시 일작블음(一酌不飮)이 블가ᄒ니, 친우 회좌즁(會座中) 쥬비를 거훌너 취ᄒᄆᆡ 므슴 허믈되미 이시리오."

금휘 말을 아니코 셕반을 물닌 후, 외헌으로 나오더니, 셔동 연학이 일봉셔를 손의

───────

161)파락(擺落) : 털어 없앰.
162)거후르다 : 거우르다. 속에 든 것이 쏟아지도록 기울이다
163)늣겁다 : 느껍다. 어떤 느낌이 마음에 북받쳐서 벅차다.
164)아초(初) : 애초(初). 맨 처음.

로 나오더니, 셔동 연학이 일봉셔를 손의 들고 후졍 다히로 가거늘, 금휘 명ᄒᆞ여 셔간을 가져오라 ᄒᆞ니, 연학이 만면이 통홍(通紅)ᄒᆞ여 아모리 훌 줄 모로는 거동이라. 금휘 문왈,

"그 셔간이 어듸로셔 뉘게 온 거시뇨?"

원ᄂᆡ 경부 하리 참졍의 셔간을【43】 가디고 취운산의 나오니, 남휘 맛춤 나가고 업스므로 셔동 연학을 맛디되 이 셔간을 다른 노야긔 드리디 말고 평남후 노야긔 드러라 ᄒᆞ여시므로, 연학이 바다 제 집의 두엇다가 남휘 도라온 후 즉시 드리고져 ᄒᆞ나, 금후긔 스후(伺候)ᄒᆞ므로 틈을 엇디 못ᄒᆞ엿다가, 금휘 ᄂᆡ루(內樓)의 간 ᄲᅦ를 타, 남후긔 젼ᄒᆞ랴 ᄒᆞ나, 여러 곳 셔실이 다 븨여 아모도 업고, 남후의 잇는 곳을 아디 못ᄒᆞ다가, 노ᄌᆞ 경필이,

"듸월누의 가 보라."

ᄒᆞ거늘, 후졍으로 가다가 금후긔 들닌 비 되니, 경황ᄒᆞᆷ을 니긔디 못ᄒᆞ여 잠간 ᄭᅥ며 보【44】고져 ᄒᆞ여 듸왈,

"ᄌᆞᆺ 노애 남후 노야긔 븟친 셔간이라 ᄒᆞ더이다."

금휘 경ᄌᆞᆺ 셔간으로 아라 흑ᄉᆞ를 명ᄒᆞ여 셔간을 달나 ᄒᆞ여 보라 ᄒᆞ니, 흑ᄉᆡ 연학의 가진 셔간을 바다 손의 쥐고 부친을 뫼셔 쳥듁헌 방듕의 들ᄆᆡ, 금휘 셔동으로 쵹을 혀고 경ᄌᆞᆺ 셔간을 닑으라 ᄒᆞ니, 흑ᄉᆡ 봉셔를 ᄶᅥ혀 잠간 본죽 경ᄌᆞᆺ 셔간이 아니오, 경공의 셔찰이로듸, ᄌᆞ긔는 아득히 모로던 일이라.

분명이 빅시의 ᄒᆡᆼ식 능녀(凌厲)ᄒᆞ여, 블고이취(不告而娶)ᄒᆞ여 ᄉᆡᆼ남(生男)ᄒᆞ다 ᄒᆞ엿다가, 유ᄋᆞ(乳兒)를 실니(失離)ᄒᆞ민 줄 ᄭᅵᆺ드라, 부친이 아르시면 형의 몸의【45】 죄칙(罪責)이 듕훌가 두려, 경ᄌᆞᆺ의 샤어(私語)로 닑어 조곰도 의심치 아니케 ᄒᆞ고, 날이 어듭고져 ᄒᆞ므로 먼니 안ᄌᆞ 닑으니, 슈필(手筆)을 보디 아닐가 ᄒᆞ미라.

금후의 ᄌᆞ상ᄒᆞᆷ이 범연훈 사름과 ᄀᆞᆺ디 아닌디라. 연학의 거동과, 흑ᄉᆞ의 쳐음은 봉셔

들고 후졍 다히로 가거늘, 금휘 명ᄒᆞ여 셔간을 가져오라 ᄒᆞ니, 연학이 만면이 통홍(通紅)ᄒᆞ여 아모리 훌 줄 모로는 거동이라. 금휘 문왈,

"그 셔간이 어듸로셔 뉘게 온 거시뇨?"

원ᄂᆡ 경부 하리 참졍의 셔간을 가지고 취운산의 나오니, 남휘 맛춤 나가고 업스므로 셔동 연학을 맛끼되, 이 셔간을 《단른∥다른》 노야긔 드리지 말고 평남후 노야긔 드러라 ᄒᆞ여시므로, 연학이 바다 제 집의 두엇다가 남휘 도라온 후【130】 즉시 드리고져 ᄒᆞ나, 금후긔 스후(伺候)ᄒᆞ므로 틈을 엇지 못ᄒᆞ엿다가, 금휘 ᄂᆡ루(內樓)의 간 ᄲᅦ를 타 남후긔 젼ᄒᆞ랴 ᄒᆞ나, 여러 곳 셔실이 다 븨여 아모도 업고, 남후의 잇는 곳을 아지 못ᄒᆞ다가, 노ᄌᆞ 경필이 왈,

"듸월누의 가 보라."

ᄒᆞ거늘 후졍으로 가다가 금후긔 들닌 비 되니, 경황ᄒᆞᆷ을 이긔지 못ᄒᆞ여 잠간 ᄭᅥ며 보고져 ᄒᆞ여 듸왈,

"ᄌᆞᆺ 노야 남후 노야긔 븟친 셔간이라 ᄒᆞ더이다."

금휘 경ᄌᆞᆺ 셔간으로 아라 흑ᄉᆞ를 명ᄒᆞ여 셔간을 달나 ᄒᆞ여 보라 ᄒᆞ니, 흑ᄉᆡ 연학의 가진 셔간을 바다 손의 쥐고 부친을 뫼셔 쳥듁헌 방쥼의 들ᄆᆡ, 금휘 셔동으로 쵹을 혀고 경ᄌᆞᆺ 셔간을 닑으라 ᄒᆞ니, 흑ᄉᆡ 봉셔를 ᄶᅥ혀 잠간 본죽, 경ᄌᆞᆺ 셔간이 아니오, 경공의 셔찰이로듸, ᄌᆞ긔는 아득히 모로던 일이라.

분명히 빅시의 ᄒᆡᆼ식 능여(凌厲)【131】ᄒᆞ여, 블고이취(不告而娶)ᄒᆞ여 ᄉᆡᆼ남(生男)ᄒᆞ지 ᄒᆞ엿다가, 유ᄋᆞ를 실니(失離)ᄒᆞ민 줄 ᄭᅵᆺ드라, 부친이 아르시면 형의 몸의 죄칙(罪責)이 쥼훌가 두려, 경ᄌᆞᆺ의 ᄉᆞ어(私語)로 닑어 조곰도 의심치 아니케 ᄒᆞ고, 날이 어듭고져 ᄒᆞ므로 먼니 안ᄌᆞ 닑으니, 슈필(手筆)을 보지 아닐가 ᄒᆞ미라.

금후의 ᄌᆞ상ᄒᆞᆷ이 범연훈 사름과 ᄀᆞᆺ지 아닌지라. 연학의 거동과, 흑ᄉᆞ의 쳐음은 봉셔

를 써혀 보고 잠간 지졍이다가 넓으나, 몸을 굽혀 슈필을 ㄱ리오믈, 괴이히 녁여 학ㅅ다려 왈,

"경츈긔 학문이 유여(裕餘)ᄒ고 필법이 당셰의 일쿳ᄂᆞᆫ 빈라. 너의 형뎨 슈필이 져의게 못ᄒ믄 아니로ᄃᆡ, 유흥의 글시 아딕 톄격(體格)이 느디 못ᄒ여시니, 유명ᄒᆫ 《셔셰∥셔톄(書體)》를 만히 뵈염【46】즉 ᄒ디라. 츈긔 셔간의 번화ᄒᆫ 말이 업ᄉ리니, 셔집(書集)의 븟쳐 유흥을 줄거시라."

학ㅅ 디왈,

"하괴 맛당ᄒ시나 냥형(兩兄)의 필톄 경ᄌᆞᄉᆞ를 묘시(藐視)ᄒ오리니, 엇디 굿ᄐᆞ여 그 셔간을 주어 슈필을 삼게 ᄒ리잇고? 거년의 경츈긔 쇼ᄌᆞ의게 병풍셔를 환슈ᄒᆞ여 쇼ᄌᆞ의 슈필은 경부의 가고 츈긔의 필획은 빅형의게 잇ᄉᆞᆸᄂᆞ니, 브ᄃᆡ 그 ᄌᆞ톄(字體)를 본밧고져 ᄒ시면, 그 병풍셔를 주어 본바드라 ᄒᆞ샤이다."

금휘 우왈,

"젼일의 내 경츈긔 슈필을 보디 못ᄒᆞ여시니 그 셔간을 보고져 ᄒ노라."

흑ㅅ 졀민ᄒᆞ여 고왈,

"이 셔간이 하【47】리빈의 딕셔(代書)○[ᄒᆞᆫ] 글시오, 츈긔의 셔톄(書體) 아닌가 시브오니, ᄌᆞ시 보시랴 ᄒ시면 이졔 병풍셔ᄒᆞᆯ 어더 닉리이다."

금휘 학ㅅ의 거동이 슈상ᄒ믈 더욱 의심ᄒᆞ여 뎡식 왈,

"비록 하리 딕필ᄒᆫ 거시나 내 보고져 ᄒ거늘, 네 엇디 괴로이 막ᄂᆞ뇨? 츈긔 텬흉으로 디심친위(知心親友)니, 다ᄉᆞᄒᆞ여 딕필ᄒᆞ여 븟쳐도 허믈치 아니려니와, 긴급히 통ᄒᆞᆯ 말이 업고, 예ᄉ 셔찰의[을] 굿ᄐᆞ여 남의 손을 비러 밧분 왕닉의 보닉디 아니리라."

흑ㅅ 부공의 말ᄉᆞᆷ이 이의 밋고, 셔간을 보시려 ᄒ시니, 출하리 쳐음의 바로 넓던들 ᄌᆞ긔게ᄂᆞᆫ 죄칙이 업ᄉᆞᆯ 거【48】ᄉᆞᆯ, 빅형의 허믈을 무ᄉᆞ코져 ᄒ다가, ᄌᆞ긔 여러 가디로 긔망ᄒᆫ 죄를 면치 못ᄒ게 되어시니, 블승황

를 써혀 보고 잠간 지졍이다가 넓으나, 몸을 굽혀 슈필을 가리오믈, 괴이히 녁여 흑ㅅ다려 왈,

"경츈긔 학문이 유여(裕餘)ᄒ고 필법이 당셰의 일쿳ᄂᆞᆫ 빈라. 너의 형뎨 슈필이 져의게 못ᄒ믄 아니로ᄃᆡ, 유흥의 글시 아즉 톄격이 《늣지∥느지》 못ᄒ여시니, 유명ᄒᆫ 《셔셰∥셔톄(書體)》를 만히 뵈염즉 ᄒᆞ지라. 츈긔 셔간의 번화ᄒᆫ 말이 업ᄉ리니, 셔집(書集)의 븟쳐 유흥을 줄거시라."

학ㅅ 디왈,

"하괴【132】 맛당ᄒ시나 냥형(兩兄)의 필쳬 츈긔를 묘시(藐視)ᄒ오리니 엇지 굿ᄐᆞ여 그 셔간을 두어 슈필을 삼게 ᄒ리잇고? 거년의 경츈긔 쇼ᄌᆞ의게 병풍셔를 환슈ᄒᆞ여 쇼ᄌᆞ의 슈필은 경부의 가고, 츈긔의 필획은 빅형의게 잇ᄉᆞᆸᄂᆞ니, 브ᄃᆡ 그 ᄌᆞ톄(字體)를 본밧고져 ᄒ시면 그 병풍셔를 《두어∥주어》 본바드라 ᄒᆞ샤이다."

금휘 우왈,

"젼일의 닉 경츈긔 슈필을 보지 못ᄒᆞ여스니, 그 셔간을 보고져 ᄒ노라."

흑ㅅ 졀민ᄒᆞ여 고왈,

"이 셔간이 하리빈의 딕셔(代書)ᄒᆫ 거시오 츈긔의 셔쳬(書體) 아닌가 시부오니, ᄌᆞ셔이 보시랴 ᄒ시면 이졔 병풍셔를 어더 닉리이다."

금휘 학ㅅ의 거동이 슈상ᄒ믈 더욱 의심ᄒᆞ여 정식 왈,

"비록 하리 딕필ᄒᆫ 거시나 내 보고져 ᄒ거늘, 네 엇지 괴로이 막ᄂᆞ뇨? 츈긔 텬흉으로 지심친위(知心親友)니, 다ᄉᆞᄒᆞ여 딕필ᄒᆞ여 븟쳐도 허믈치 아니려니와, 긴급히 통ᄒᆞᆯ 말이 업고,【133】 예ᄉ 셔찰에 굿ᄐᆞ여 남의 손을 비러 밧분 왕닉의 보닉디 아니리라."

흑ㅅ 부친 말ᄉᆞᆷ이 이의 밋고, 셔간을 보시려 ᄒ시니, 출하리 쳐음의 바로 넓던들 ᄌᆞ긔게ᄂᆞᆫ 죄칙이 업ᄉᆞᆯ 거ᄉᆞᆯ, 빅형의 허믈을 무ᄉᆞ코져 ᄒ다가, ᄌᆞ긔 여러 가지로 긔망ᄒᆫ 죄를 면치 못ᄒ게 되어시니, 블승황민(不勝

민(不勝惶悶)ᄒ나 어ᄃᆡ가 칭탈(稱頉)165)ᄒ리오. 학ᄉ의 능활(能猾)ᄒ미나 말이 막히고 변식ᄒ믈 ᄭᅴᄃᆺ디 못ᄒ여, ᄲᅡᆼ슈로 셔간을 밧드러 부젼의 노코 리셕(離席) 청죄 왈,

"그 셔듕ᄉ에(書中辭語) 괴이ᄒ와 히᐀ 등도 아디 못ᄒᆞᆸᄂᆞᆫ 일이오ᄆᆡ, 몬져 형ᄃᆞ려 므러 곡졀을 알고져 ᄒ오므로, 올흔ᄃᆡ로 낡디 못ᄒ엿ᄉ오니, 긔망(欺罔)ᄒ 죄를 쳥ᄒᄂᆞ이다."

금휘 귀로 혹ᄉ의 말을 드르며 눈으로 셔간을 보니, 경공이 남후의게 붓친 바로 작야의 손ᄋᆞ를 실니ᄒᄃᆡ, 굿ᄐᆞ여 도뎍이【49】드러 요란이 짓ᄀᆧᆫ 일도 업고, 괴이ᄒᆞᆫ 즘싱이 왕ᄂᆡᄒᆞᆫ 일이 업시 브디거쳐(不知去處)ᄒ니, 녀ᄋᆞ의 참통비졀ᄒ미 딜을 일우게 되어심과, 남후의 익회 괴이ᄒ여 반년ᄃᆡᄂᆡ(半年之內)의 네 ᄌᆞ식을 죽인 일 업시 실니(失離)ᄒ믈 일ᄏ라, 불ᄒᆡᆼ차악(不幸嗟愕)ᄒ믈 탄ᄒ여, 만편ᄉ의(滿篇辭意) 졍의(情誼) 디극ᄒ 옹셔디간(翁壻之間)이○[믈] 블문가디(不問可知)라.

금휘 견필의 대로대분(大怒大憤)ᄒ여 봉안(鳳眼)이 둥글고 면식이 한슉(寒肅)ᄒ여, 츈양화긔(春陽和氣) 변ᄒ여 추풍상셜(秋風霜雪)이 되니, 미우의 묵묵ᄒᆫ 노긔 참엄ᄒ여 견ᄌᆞ로 ᄒ여금 블감앙시(不敢仰視)할디라. 이윽이 침음 뎡좌ᄒ여 묵연블에(黙然不語)라. 녜부와 공ᄌᆞ【50】들은 곡졀을 모로고, 이윽이 부친의 엄녈ᄒ신 노긔를 슬펴 경황숑구ᄒᄃᆡ, 녜부는 오히려 형의 블고이취(不告而娶)ᄒ믈 거의 아라시므로, 일이 발각ᄒ믈 짐작ᄒᆞᄃᆡ, ᄋᆞ딜(兒姪){의} 마ᄌᆞ 실니ᄒ믈[믄] 아디 못ᄒ더라.

금휘 태원뎐의 드러가 모부인의 취팀(就寢)ᄒ시믈 쳥ᄒ고, 혼뎡디녜(昏定之禮)를 일울ᄉᆡ, 녜부와 이공ᄌᆞᄂᆞᆫ 부친을 뫼셔가고, 학ᄉᆞᄂᆞ 안연이 의관을 ᄀᆞᆺ초와 혼뎡(昏定)의 참예치 못ᄒ여, 관영(冠纓)을 히탈(解脫)ᄒ고 쳥듁헌 당하에 ᄭᅮ러시나, 부공의 노긔를 혜아리미 형의 몸의 죄칙이 아모 디경의 밋

165)칭탈(稱頉): 무엇 때문이라고 핑계를 댐.

惶悶)ᄒ나 어ᄃᆡ가 다시 칭탁(稱託)ᄒ올 의ᄉᆞ를 감히 싱각이나 ᄒ리오. 이의 쌍슈로 셔간을 밧드러 부젼의 노코, 쳥죄ᄒ고 왈,

"그 기셔ᄉ의(其書辭意) 크게 괴이ᄒ와 히᐀ 등의 망연이 아지 못ᄒᆞᆸ는 일이오ᄆᆡ, 몬져 형더러 물어 곡졀을 알고져 ᄒ오므로, 올흔ᄃᆡ○[로] 낡지 못ᄒ엿ᄉ오니, 긔망(欺罔)ᄒ 죄를 쳥ᄒᄂᆞ이다."

금휘 귀로 혹ᄉ의 말을 드르며, 눈으로 셔간을 살피[펴]보니, 경공이 남후의게 붓친 ᄇᆞ로, 작야의 손아를 실니ᄒᄃᆡ 굿ᄐᆞ여 도뎍이 드러 요란이 지져건 일도 업고, 고이ᄒᆫ 즘싱이 왕ᄂᆡᄒᆞᆫ 일【134】도 업시 부지거쳐(不知去處)ᄒ니, 녀ᄋᆞ의 참통비졀ᄒ미 질병을 일위게 되여[여]심과, 남후의 익회 괴이ᄒ여 반년지ᄂᆡ(半年之內)에 ᄉᆞᄌᆞ를 죽인 일 업시 실니(失離)ᄒ믈 일커러, 불ᄒᆡᆼ차악(不幸嗟愕)ᄒ믈 탄ᄒ여, 만편ᄉ의(滿篇辭意) 졍의(情誼) 지극ᄒᆫ 옹셔지간(翁壻之間)이라.

금휘 견필의 ᄃᆡ로ᄃᆡ분(大怒大憤)ᄒ여 봉안(鳳眼)이 둥글고 면식이 한슉(寒肅)ᄒ여 춘양화긔(春陽和氣) 일시의 변ᄒ여 츄풍상셜(秋風霜雪)이 되니, 미우의 묵묵ᄒᆫ 노긔 참엄ᄒ여 견ᄌᆞ로 ᄒ여곰 블감앙시(不敢仰視)라. 이윽히 침음 정좌ᄒ여 묵연블어(黙然不語)라. 녜부와 공ᄌᆞ 등은 곡졀을 모로고, 그윽이 부친의 엄열ᄒ신 노긔를 슬펴 경황숑구ᄒᄃᆡ, 녜부는 오히려 형의 블고이취(不告而娶)ᄒ믈 거의 아라시므로, 일이 발각되믈 짐작ᄒᆞᄃᆡ, ᄋᆞ딜(兒姪){의} 《만ᄉᆞᄱ마ᄌᆞ》 실니ᄒ믈[믄] 아지 못ᄒ더라.

금휘 틔원뎐의 드러가 《모친ᄱ모부인》의 취침(就寢)ᄒ시믈 쳥ᄒ고, 혼졍지녜(昏定之禮)를 일울ᄉᆡ, 녜부와【135】이공ᄌᆞᄂᆞ 부친을 뫼셔가고, 학ᄉᆞᄂᆞ 안년이 의관을 ᄀᆞᆺ초와 혼졍(昏定)의 참예치 못ᄒ고, 관영(冠纓)을 히탈(解脫)ᄒ고 쳥츅[듁]헌 당하에 ᄭᅮ러시나, 부친의 노긔를 혜아리미 형의 몸에 죄칙이 아모 지경의 밋츨 줄 아지 못ᄒ

출 줄 아디 못ᄒ여, 근심이 가득ᄒ더라.

금휘【51】 혼뎡을 파ᄒ고 외헌의 도라와, 좌우 셔동으로 ᄒ여금 평남후의 심복노ᄌ 등을 잡아오라 ᄒ여, 계하의 니르니, 금휘 문왈,

"텬흥이 경참졍의 동상(東床)이 어ᄂ 쎄의 되어시며, 엇디ᄒ여 동상이 되엿ᄂ뇨? 내 임의 아라시니, 여등이 블초ᄌ(不肖子)를 일시도 쎠나디 아니코 좃ᄎ 다니시미 모로디 아닐디라. 만일 바로 고치 아니미 이시면 즉긱의 쳐참ᄒ여 셜분(雪憤)ᄒ리라."

금휘 팀뎡단묵(沈靜端默)ᄒ여 과도히 노를 발ᄒᆯ 적이 업ᄉ나, 금일 병부의 남ᄉ를 분완통히ᄒ여 분뇌 격발ᄒ미, 늠늠ᄒᆫ 위풍이 셕년의 안눌도를 버히던 긔【52】습(氣習)이 도라왓ᄂᆫ디라. 노복이 황황송구ᄒ여 만신(滿身)을 썰기를 니기디 못ᄒ고, 남후의 블고이취ᄒᆫ 바를 임의 알고 뭇는 바의, 은닉ᄒ여 ᄉ죄(死罪)를 면치 못ᄒ고, 남후긔 유익디 아닐디라. 경필이 몬져 브복 듀왈,

"남후노애 경부인 취ᄒ시믄 운남뎡벌 회환시(回還時)의 졀강(浙江)의 니르러 셩혼ᄒ신 빅어니와, 구혼셰밀디ᄉ(求婚細密之事)는 쇼복 등이 딘실노 아디 못ᄒ옵ᄂ니, 이밧긔 죽어도 알욀 말ᄉᆷ이 업셔이다."

금휘 우왈,

"경시 취ᄒᆫ 밧 다른 남ᄉᆡ 업관ᄃᆡ 몰닉라 ᄒᆫ다? 소항듀(蘇杭州)166) 닌읍(隣邑) 주현(州縣)이 챵악(娼樂)으로뻐 그 ᄆ음을 즐기니, 챵녀는 언마나【53】 시러 왓ᄂ뇨?"

졔뇌(諸奴) 듀왈,

"노애 각읍의 흔낫 챵물(娼物)을 샤후(伺候)케 아니ᄒ샤 녀악(女樂)을 믈니치시니, 인인이 고집ᄒ믈 니르던 비오니, 엇디 챵물을 시러오리잇가? 졀강 고대랑이란 챵기 어ᄃ 기른 녀ᄌ ᄉ인을 다려 오시니이다."

금휘 듯는 말마다 어히업고 통완ᄒ나 졔노를 믈리치고, 필공ᄌ로 ᄒ여금 텬흥이 어

여 근심이 가득ᄒ더라.

금휘 혼졍을 파ᄒ고 외헌의 도라와, 좌우 셔동으로 ᄒ여금 평남후의 심복노ᄌ 등을 잡아○○○○[오라 ᄒ여], 계하의 니르니, 금휘 문왈,

"텬흥이 경참졍의 동상(東床)이 어ᄂ 희의 되어시며, 엇지ᄒ여 동상이 되엿ᄂ뇨? 닉 임의 아라시니, 여등이 블초ᄌ(不肖子)를 일시도 쎠나디 아니코 조ᄎ 둔녀시미 모로지 아닐지라, 만일 바로 고치 아니미 이시면, 즉긱의 쳐참ᄒ여 셜분(雪憤)ᄒ리라."

금휘 침졍단묵(沈靜端默)ᄒ여 과도히 노를 발ᄒᆫ적이 업ᄉ나, 금일 병부의 남ᄉ를 분완통히ᄒ여 분뇌격발ᄒ미, 늠늠ᄒᆫ 위풍이 셕년의 안눌도를 버히던 긔습(氣習)이 도라왓ᄂᆫ지라.【136】 노복이 황황숑구ᄒ여 만신(滿身)을 썰기를 니기지 못ᄒ고, 남후의 블고이취ᄒᆫ 바를 임의 알고 뭇는 바의, 은닉ᄒ여 ᄉ죄(死罪)를 면치 못ᄒ고 남후긔 유익지 아닐지라. 경필이 몬져 부복 쥬왈,

"남후노애 경부인 취ᄒ시믄 운남졍벌 회환시(回還時)의 졀강(浙江)의 니르러 셩혼ᄒ신 빅어니와, 구혼셰밀지ᄉ(求婚細密之事)는 쇼복 등이 진실노 아지 못ᄒ옵ᄂ니, 이밧긔 죽어도 알욀 말ᄉᆷ이 업셔이다."

휘 우왈,

"경시 취ᄒᆫ 밧 다른 남ᄉᆡ 업관ᄃᆡ 몰닉라 ᄒᆫ다? 소·항쥬(蘇杭州)165) 닌읍(隣邑) 쥬현(州縣)이 챵악(娼樂)으로뻐 그 ᄆ음을 즐기니, 챵녀는 언만[마]나 시러 왓ᄂ뇨?"

졔뇌(諸奴) 쥬왈,

"노애 각읍의 흔낫 챵물(娼物)을 ᄉ후케 아니ᄒ샤 녀악(女樂)을 믈니치시니, 인인이 고집ᄒ믈 니르던 비오니, 엇지 챵물을 시러오리잇가? 졀강 고대랑이란 챵기 어ᄃ 기른 녀ᄌ ᄉ인을 다려 오시니이다."

휘 듯는 말마다 어히업고 통【137】완ᄒ나 졔노를 믈리치고 필공ᄌ로 ᄒ여금 텬

---

166)소항듀(蘇杭州) : 중국의 도시인 소주(蘇州)와 항주(杭州)를 함께 이르는 말. 소주는 강소성(江蘇省}에, 항주는 절강성(浙江省)에 있다.

165)소항듀(蘇杭州) : 중국의 도시인 소주(蘇州)와 항주(杭州)를 함께 이르는 말. 소주는 강소성(江蘇省}에, 항주는 절강성(浙江省)에 있다.

디 잇는고 보고 오라 ᄒᆞ니, 필흥이 슈명ᄒᆞ여 여러 당샤와 딘부 하부가디 가 ᄎᆞᄌᆞ디 업스니, 딕월누의 이시믈 아디 못ᄒᆞ고 도라와 보디 못ᄒᆞᄆᆞᆯ 고ᄒᆞ니, 금휘 임의 ᄒᆞᆫ 곳츨 드러 의심이 동ᄒᆞᄆᆡ 녜부 등을 향ᄒᆞ여 【54】 셔헌의 이시라 ᄒᆞ고, 친히 후졍 화월누의 나아가니, 원ᄂᆡ 딕월누와 화월뉘 마조 잇셔 딕월누는 창녀의 무리 드럿고, 화월누는 잇다감 완경체(玩景處)니, 화월누의 오로면 딕월누를 구버 보는디라.

이ᄯᅥ 남후는 쥬안(酒顔)이 방타(放惰)ᄒᆞ고 희긔(喜氣) 영농ᄒᆞ여, 금현(琴絃)을 어로만져 곡됴를 맛초며, 구창은 좌우의 버러 쳔교아ᄐᆡ(千嬌雅態)로 병부의 은이를 요구ᄒᆞ니, 즐기는 흥이 바야흐로 놉하, 명쵹(明燭)이 휘황ᄒᆞ나, 남후의 찬난ᄒᆞᆫ 광휘로 비컨딕 쵹영(燭影)이 쇠잔(衰殘)ᄒᆞ고 망월(望月)이 텬디를 통낭(通朗)[167]ᄒᆞ나, 오히려 남후의 미려ᄒᆞᆫ 용화와 【55】 슈앙(秀昂)ᄒᆞᆫ 골격을 밋출 길히 업스니, 당당ᄒᆞᆫ 상모와 쥰미(俊邁)ᄒᆞᆫ 거동이 영영발월(英英發越)[168]ᄒᆞ여, 그 풍뉴신치(風流身彩) 우연ᄒᆞᆫ 남이 보아도 긔특ᄒᆞ며 아룸다오믈 니긔디 못ᄒᆞ려든, ᄒᆞ물며 텬눈ᄌᆞ이 디극ᄒᆞᄆᆞ로ᄡᅥ 두굿기고 긔이ᄒᆞ믈 모로리오마는, 그 남활 방탕ᄒᆞᄆᆡ 젼후의 부모를 긔망ᄒᆞ여 호쥬기싴(好酒嗜色)이 남다르고 능녀신긔(凌厲神奇)ᄒᆞ미 ᄂᆡ외(內外)를 달니ᄒᆞ며, 힝디(行止)를 변ᄒᆞ여 ᄌᆞ긔 면젼의는 죵용안셔(從容安舒)[169]ᄒᆞ며, 부인녀자의 온듕나약(穩重懦弱)ᄒᆞ믈 가졋다가도, ᄌᆞ긔 압흘 써나면 방약무인(傍若無人)ᄒᆞ미 이 ᄀᆞᆺ트여, 온가디로 ᄌᆞ긔를 속이미 되어시ᄃᆡ, ᄌᆞ긔 능휼ᄒᆞᆫ ᄋᆞᄌᆞ 【56】 의 힝ᄉᆞ를 아디 못ᄒᆞ여, 엄졀히 금단(禁斷)치 못ᄒᆞᄆᆞᆯ 이들와 홀 ᄲᅮᆫ 아니라, 남후의 방ᄌᆞᄒᆞ미 범연이 잡죄여는 뎡도의 나아가미 어려오믈 ᄭᆡᄃᆞ라, 이윽이 셔셔 그 거동을 찰시ᄒᆞ더니, 야심ᄒᆞ미 남휘 대취ᄒᆞ여 조으름이 몽농ᄒᆞᆫ 고로,

---

흥이 어딕 잇는고 보고 오라 ᄒᆞ니, 필흥이 슈명ᄒᆞ여 여러 당샤와 진부 하부가지 가 ᄎᆞ져도 업스니, 대월누의 이시믈 아지 못ᄒᆞ고 도라와 보지 못ᄒᆞᄆᆞᆯ 고ᄒᆞ니, 금휘 임의 ᄒᆞᆫ 곳츨 드러 의심이 동ᄒᆞᄆᆡ 녜부 등을 향ᄒᆞ여 셔헌의 이시라 ᄒᆞ고, 친히 후졍 화월누의 나아가니, 원ᄂᆡ 딕월누와 화월뉘 마조 잇셔 딕월누는 창녀의 무리 드럿고, 화월누는 잇다금 완경쳐(玩景處)니, 화월누의 오르면 딕월누를 구버 보는지라.

이ᄯᅥ 남후는 쥬안(朱顏)이 《방탕‖방타(放惰)》ᄒᆞ고 희긔(喜氣) 영농ᄒᆞ여, 금현(琴絃)을 어로만져 곡됴를 맛초며, 구창은 좌우의 버러 쳔교아ᄐᆡ(千嬌雅態)로 병부의 은이를 요구ᄒᆞ니, 즐기는 흥이 바야흐로 놉하 명쵹(明燭)이 휘황ᄒᆞ나, 남후의 찬난ᄒᆞᆫ 광휘로 비컨딕 쵹영(燭影)이 쇠잔(衰殘)ᄒᆞ고 망월(望月)이 텬지를 통낭(通朗)[166]ᄒᆞ나, 오히려 남후 【138】 의 미려ᄒᆞᆫ 용화와 슈앙(秀昂)ᄒᆞᆫ 골격을 밋출 길히 업스니, 당당ᄒᆞᆫ 상모와 쥰미(俊邁)ᄒᆞᆫ 거동이 영영발월(英英發越)[167]ᄒᆞ여, 그 풍뉴신치(風流身彩) 우연ᄒᆞᆫ 남이 보아도 긔특ᄒᆞ며 아룸다오믈 니긔지 못ᄒᆞ려든, ᄒᆞ물며 텬눈ᄌᆞ이 지극ᄒᆞᄆᆞ로ᄡᅥ 두굿기고 긔이ᄒᆞ믈 므로리오마는, 그 남활 방탕ᄒᆞ미 젼후의 부모를 긔망ᄒᆞ여, 호쥬기싴(好酒嗜色)이 남다르고, 능녀신긔(凌厲神奇)ᄒᆞ미 ᄂᆡ외(內外)를 달니ᄒᆞ며, 힝지(行止)를 변ᄒᆞ여 ᄌᆞ긔 면젼의는 죵용안셔(從容安舒)[168]ᄒᆞ며 부인녀ᄌᆞ의 온즁나약(穩重懦弱)ᄒᆞ믈 가졋다가도, ᄌᆞ긔 압흘 써나면 방약무인(傍若無人)ᄒᆞ미 이ᄀᆞᆺ트여, 온가지로 ᄌᆞ긔를 속이미 되어시ᄃᆡ, ᄌᆞ긔 능휼ᄒᆞᆫ 잇ᄌᆞ의 힝ᄉᆞ를 아지 못ᄒᆞ여, 엄졀히 금단(禁斷)치 못ᄒᆞᄆᆞᆯ 이들와 홀 ᄲᅮᆫ 아니라, 남후의 방ᄌᆞᄒᆞ미 범년[연]이 《잡딕여는‖잡죄여는》 졍도의 나아가미 어려오믈 ᄭᆡᄃᆞ라, 이윽히 셔셔 그 거동을 찰시ᄒᆞ더니, 야심ᄒᆞ미 남휘

---

167)통낭(通朗) : 두루 속속들이 비치어 환함.
168)영영발월(英英發越) : 용모가 헌걸차고 빼어남.
169)죵용안셔(從容安舒) : 마음이 차분하고 조용함.

166)통낭(通朗) : 두루 속속들이 비치어 환함.
167)영영발월(英英發越) : 용모가 헌걸차고 빼어남.
168)죵용안셔(從容安舒) : 마음이 차분하고 조용함.

금현을 믈니고, 인ᄒ여 그곳의셔 현오의 므릅흘 베고, 치란의 손을 줍고, 녹빙·명월노 다리를 두다리라 ᄒ며, 향미·녹영·셰요·부용·비화 등 오창은 겻티 눕기를 명ᄒ여 유희 방탕ᄒ니, 금휘 ᄌ긔는 평싱 단엄뎡대ᄒ여 녀식을 먼니ᄒ며, 다만 조강결발(糟糠結髮)[170]로 딘부인을 취ᄒ미, 부인【57】의 슉뇨(淑窈)[171]ᄒ미 군ᄌ의 호귀(好逑)라. 니른바 관져(關雎)[172]는 낙(樂)ᄒ듸 음(淫)치 아니며, 이(愛)ᄒ되 공경ᄒ미, 금후와 딘부인 ᄀᆞ트니를 니르미라. 여러 셰월의 부뷔 ᄒᆞᆫ 번 낫도 밧곤 일이 업시, ᄒᆞᆫ낫 쇼희도 두미 업고, 부인긔 은졍이 온젼홀 ᄯᆞ름이오, 션화(仙花)[173] ᄀᆞᆺᄐᆞᆫ 미인을 보아도 유의ᄒᆞ는 일이 업스므로, 남후의 여ᄎᆞᄒᆞᆫ 거동을 보미 희연망측(駭然罔測)ᄒᆞ여 ᄌᆞ탄(自歎) 왈,

"군ᄌ(君子) 비례믈쳥(非禮勿聽)ᄒᆞ고 비례믈시(非禮勿視)라. 내 이졔 탕ᄌ(蕩子)의 음황방일(淫荒放逸)ᄒᆞᆫ 거동을 오릐 셔셔 보는 거시, 욕되고 마음이 측(惻)ᄒᆞ니[174] 도라가리라."

ᄒᆞ고 스매를 썰쳐 쳥듀헌의 니르니, 녜부와 학ᄉ 등이 뎡히【58】 부공을 기다리다가 년망이 하당영지(下堂迎之)ᄒᆞ여 팀뎐(寢殿)의 들미, 금휘 옷슬 그르디 아니ᄒᆞ고 듁침(竹枕)을 나와 광슈(廣袖)로 면ᄎᆞ(面遮)[175]ᄒᆞ고 누으며, 분개ᄒᆞᆫ 소릐로 탄왈,

"욕ᄌ(辱子)의 흉음방탕(凶淫放蕩)ᄒᆞ미 사롬으로 ᄒᆞ여금 ᄎᆞ마 보디 못홀 빈니, 흔갓 져의 무상(無狀)ᄒᆞ미 아니라, 웃듬은 나의 훈괴(訓敎) 블엄ᄒᆞᆫ 연괴오, 젼혀 싱휵(生慉)기를 잘 못ᄒᆞᆫ 탓시라. 내 결단ᄒᆞ여 욕ᄌᆞ로

대취ᄒᆞ여 조【139】으름이 몽농ᄒᆞ여 금현을 믈니고, 인ᄒᆞ여 그곳의셔 현오의 므릅을 베고, 치란의 손을 잡고, 녹빙·명월노 다리를 두다리라 ᄒᆞ며, 향미·녹영·셰요·부용·비화 등 오창은 겻티 눕기를 명ᄒᆞ여 유희방탕ᄒᆞ니, 금휘 ᄌᆞ긔는 평싱 단엄졍대ᄒᆞ여 녀식을 먼니ᄒᆞ며, 다만 조강결발(糟糠結髮)[169]로 진부인을 취ᄒᆞ미, 부인의 슉뇨(淑窈)[170]ᄒᆞ미 군ᄌ의 호귀(好逑)라. 니른바 관져(關雎)[171]는 낙(樂)ᄒᆞ듸 음(淫)치 아니며, 이(愛)ᄒᆞ되 공경ᄒᆞ미, 금후와 진부인 ᄀᆞ트니를 니르미라. 여러 셰월의 부뷔 ᄒᆞᆫ 번 낫도 밧곤 일이 업시 ᄒᆞᆫ낫 쇼희도 두미 업고, 부인긔 은졍이 온젼홀 ᄯᆞ름이오, 션화(仙花)[172] ᄀᆞᆺᄐᆞᆫ 미인을 보아도 유의ᄒᆞ는 일이 업스므로, 남후의 여ᄎᆞᄒᆞᆫ 거동을 보미 희연망측(駭然罔測)ᄒᆞ여 ᄌᆞ탄(自歎) 왈,

"군ᄌ(君子) 비례믈쳥(非禮勿聽)ᄒᆞ고 비례믈시(非禮勿視)라. 늬 이졔 탕ᄌ(蕩子)의 음황방일(淫荒放逸)ᄒᆞᆫ 거동을 오릐셔셔 보는 거시, 욕되고 마음이 측(惻)ᄒᆞ니[173] 도라【140】가리라."

ᄒᆞ고 스매를 썰쳐 쳥듁헌의 니르니, 녜부와 학ᄉ등이 졍히 부공을 기다리다가, 년망이 하당영지(下堂迎之)ᄒᆞ여 침뎐(寢殿)의 들미, 금휘 옷슬 그르지 아니ᄒᆞ고 듁침(竹枕)을 나와, 광슈(廣袖)로 면ᄎᆞ(面遮)[174]ᄒᆞ고 누으며, 분기ᄒᆞᆫ 쇼릐로 탄왈,

"욕ᄌ(辱子)의 흉음방탕(凶淫放蕩)ᄒᆞ미 사롬으로 ᄒᆞ여금 ᄎᆞ마 보지 못홀 빈니, 흔갓 져의 무상(無狀)ᄒᆞ미 아니라, 웃듬은 나의 훈괴(訓敎) 블엄ᄒᆞᆫ 연고요, 젼혀 싱휵(生慉)기를 잘 못ᄒᆞᆫ 탓시라. 늬 결단ᄒᆞ여 욕ᄌᆞ로

---

170) 조강결발(糟糠結髮) : 고생을 함께 해온 아내와 관례(冠禮)를 행하고 처음 맞은 아내를 함께 이르는 말로, '본처(本妻)'를 비유적으로 표현한 말.
171) 슉뇨(淑窈) : 행실이 맑고 정숙함.
172) 관져(關雎) : 『시경』 <주남(周南)> '관져(關雎)'장의 군자숙녀(君子淑女)를 말함.
173) 션화(仙花) : 봉선화(鳳仙花).
174) 측(惻)ᄒᆞ다 : 언짢다. 거북하다. 마음이 어색하고 겸연쩍어 편하지 않다.
175) 면ᄎᆞ(面遮) : 얼굴을 가림.

169) 조강결발(糟糠結髮) : 고생을 함께 해온 아내와 관례(冠禮)를 행하고 처음 맞은 아내를 함께 이르는 말로, '본처(本妻)'를 비유적으로 표현한 말.
170) 슉뇨(淑窈) : 행실이 맑고 정숙함.
171) 관져(關雎) : 『시경』 <주남(周南)> '관져(關雎)'장의 군자숙녀(君子淑女)를 말함.
172) 션화(仙花) : 봉선화(鳳仙花).
173) 측(惻)ᄒᆞ다 : 언짢다. 거북하다. 마음이 어색하고 겸연쩍어 편하지 않다.
174) 면ᄎᆞ(面遮) : 얼굴을 가림.

더브러 텬뉸의 졍을 버혀 가닉의 용납디 아니리라."

네부와 공쥬 등이 부공의 말슴을 듯고, 빅형을 위ᄒ여 ᄌ긔 각각 몸의 죄를 디음 ᄀᆺᄐᆞ여 아모리 홀 줄을 모로고, 금휘 옷슬 그르디 아【59】니므로 네부 등이 감히 ᄌ디 못ᄒ여 부친 겻틱 시좌(侍坐)ᄒ여시니, 반애(半夜) 되도록 금휘 ᄌ리의 나아가디 아니니, 네뷔 절민ᄒᆞᆷᆯ 니긔디 못ᄒ여 취팀ᄒ시믈 나죽이 쳥ᄒ딕, 금휘 드른쳬 아니ᄒ더니, 하애(夏夜) 심단(甚短)ᄒ므로 오라디 아냐 효계(曉鷄) 창명(唱鳴)ᄒ니, 금휘 비로소 니러나 관소ᄒ고 태원뎐의 신셩(晨省)ᄒ려 ᄒ니, 평남후ᄂᆞᆫ 딗월누의셔 구창으로 열낙(悅樂)ᄒ다가, 계셩을 듯고 의관을 슈렴ᄒ여 몬져 쳥듁헌의 드러온즉, 당하의 학시 딗죄ᄒ여 밤을 디닌 거동이라. 경악ᄒ여 학시 므슴 죄를 디엇ᄂᆞᆫ가 ᄒ고, ᄌ긔 득죄ᄒᆞᆫ 연【60】고로 져러ᄒ는 줄을 모로고, 방듕의 드러와 신셩ᄒ고 야리 존후를 뭇ᄌ올ᄉᆡ, 온슌ᄒᆞᆫ 낫빗츤 춘양화긔(春陽和氣)와 동일디ᄋᆡ(冬日之愛)176)를 겸ᄒ여, 나죽이 조심ᄒ며 디극단듕(至極端重)ᄒ여 유유도ᄌ(唯有道者)177)의 풍이 잇고, 작야 구창으로 병와(竝臥)ᄒ여 탄금작가(彈琴作歌)ᄒ며 언쇼희학(言笑戲謔)이 낭ᄌᄒ여 호호방탕(浩浩放蕩)ᄒ던 비 업고, 브드러온 셩음으로 인심을 눅이고 노를 풀 거시어늘, 눈을 옴기고져 ᄠᅳᆺ이 업고, 경근(敬謹)ᄒᄂᆞᆫ 녜졀노 '가득ᄒᆞᆫ 거슬 밧들며178)' 황공ᄒᆞᆫ ᄉ식(辭色)과

더브러 텬뉸의 졍을 버혀, 가닉의 용납지 아니리라."

네부와 공쥬 등이 부친의 말슴을 듯고, 빅형을 위ᄒ여 ᄌ긔 각각 몸의 죄를 지음 ᄀᆺᄐᆞ여 아모리 홀 줄을 모로고, 금휘 옷슬 그르지 아니므로 네부 등이 감히 ᄌ지 못ᄒ여, 부친 겻틱 시좌(侍坐)ᄒ여시니, 반야(半夜) 되도록 금휘 ᄌ리의 나아가지 아니니, 네뷔 절민ᄒᆞᆷᆯ 니긔지 못ᄒ여 취침ᄒ시믈 나죽이 쳥ᄒ딕, 금휘【141】 드른쳬 아니ᄒ더니, 하야(夏夜) 단(短)ᄒ므로 오라지 아냐 효계창명(曉鷄唱鳴)ᄒ니, 금휘 비로소 이러나 관소ᄒ고 태원뎐의 신셩(晨省)ᄒ려 ᄒ니, 평남후ᄂᆞᆫ 딗월누의셔 구창으로 연낙(悅樂)ᄒ다가 계셩을 듯고 의관을 슈렴ᄒ여 몬져 쳥듁헌의 드러온즉 당하의 혹시 딗죄ᄒ여 밤을 지닌 거동이라, 경악ᄒ여 혹시 므슴 죄를 지엇ᄂᆞᆫ가 ᄒ고, ᄌ긔 득죄ᄒᆞᆫ 연고로 져러ᄒ는 줄을 모로고, 방즁의 드러와 신셩ᄒ고 야리 존후를 뭇ᄌ올ᄉᆡ, 온슌ᄒ 낫빗츤 춘양화긔(春陽和氣)와 동일지ᄋᆡ(冬日之愛)175)를 겸ᄒ여 나죽이 조심ᄒ며, 지극단즁(至極端重)ᄒ여 은연이 ○○[유유]도ᄌ(唯有道者)176)의 풍이 잇고, 작야 구창으로 병와(竝臥)ᄒ여 탄금작가(彈琴作歌)ᄒ며 언쇼희학(言笑戲謔)이 낭ᄌᄒ여 호호방탕(浩浩放蕩)ᄒ던 비 업고, 브드러온 셩음으로 인심을 눅이고 노를 풀 거시어늘, 《눌ǁ눈》을 옴기고져 ᄠᅳᆺ이 업고 경근(敬謹)ᄒᄂᆞᆫ 예졀노 'ᄀ득ᄒᆞᆫ 거슬 밧들며177)', 황공

---

176)동일디ᄋᆡ(冬日之愛) : 겨울 햇살처럼 따뜻한 사랑.
177)유유도ᄌ(唯有道者) : 천도(天道) 곧 '하늘의 도'를 갖춘 사람. 『노자(老子)』77장에 나오는 말. 有餘者損之 不足者補之 天之道, 人之道則不然 損不足以奉有餘. 孰能有餘以奉天下 唯有道者.(하늘의 도는 여유가 있는 것을 덜어내어 부족한 것을 보충하는데, 사람의 도는 그렇지 않아서 부족한 데서 덜어 내어 여유가 있는 데에다 바친다. 누가 능히 여유가 있어서 천하를 받을 수 있겠는가? 오직 도(=하늘의 도)를 갖춘 사람일 뿐이다.
178)가득ᄒᆞᆫ 거슬 밧들며 : '봉영(奉盈)'을 번역한 말. 『예기(禮記)』, 「제의(祭義)」편에 "효자는 부모에게 효도함에 옥을 집는 듯이 하고 물이 가득 찬 그릇을 들듯이 한다(.孝子如執玉如奉盈)"이라는 구절에

175)동일디ᄋᆡ(冬日之愛) : 겨울 햇살처럼 따뜻한 사랑.
176)유유도ᄌ(唯有道者) : 천도(天道) 곧 '하늘의 도'를 갖춘 사람. 『노자(老子)』77장에 나오는 말. 有餘者損之 不足者補之 天之道, 人之道則不然 損不足以奉有餘. 孰能有餘以奉天下 唯有道者.(하늘의 도는 여유가 있는 것을 덜어내어 부족한 것을 보충하는데, 사람의 도는 그렇지 않아서 부족한 데서 덜어 내어 여유가 있는 데에다 바친다. 누가 능히 여유가 있어서 천하를 받을 수 있겠는가? 오직 도(=하늘의 도)를 갖춘 사람일 뿐이다.
177)가득ᄒᆞᆫ 거슬 밧들며 : '봉영(奉盈)'을 번역한 말. 『예기(禮記)』, 「제의(祭義)」편에 "효자는 부모에게 효도함에 옥을 집는 듯이 하고 물이 가득 찬 그릇을 들듯이 한다(.孝子如執玉如奉盈)"이라는 구절에

방탕흔 긔식이 업셔, 셕목(石木)을 요동홀 거시로딕, 금평휘 강맹녈일(强猛烈日)ᄒ미 주긔를 스스(事事)의 속이믈 통완ᄒ여, 문후(問候)ᄒ기를 당ᄒ여【61】는 안싁이 참엄(斬嚴)ᄒ여 쎼 ᄲᆞᆯ히고 ᄆ음이 셜녀 동졀(冬節)을 만남 ᄀᆞᆺ투니, 남휘 불감앙시ᄒ나, 주긔를 미온ᄒ시믈 모로고, 경황상심(驚惶喪心)ᄒ여 아모 연괸 줄을 아디 못ᄒ나, 본딕 작죄ᄒ미 만흔 고로 좌와슉식간(坐臥宿食間) 방하치 못ᄒ던디라.

졔뎨를 딕ᄒ여 곡졀이나 뭇고져 ᄒ딕, 부친이 드르시므로 감히 말을 못ᄒ고, 금휘 의딕를 슈렴ᄒ여 태원뎐으로 향ᄒ미, 일시의 뫼셔 안흐를 드러오딕 혹스는 신셩의 참예치 못ᄒ더라.

금휘 태원뎐의 드러가 모친긔 야리 톄후를 뭇주오니, 태부인이 일양 평안ᄒ여 작셕과 ᄀᆞᆺ트믈 일콧고, 딘부인이 식부를 거느려【62】 존당의 모다시니, 금휘 태부인긔 남후의 힝ᄉ를 고ᄒ려 ᄒᄆ로 화긔 주연 젼주와 ᄀᆞᆺ디 못ᄒ여 ᄉ식이 불평ᄒ니, 태부인이 문왈,

"근간 일긔 엄녈ᄒ나 네 굿투여 셔열의 상치 아니터니, 신긔(神氣) 블안흔가, ᄉ식이 젼일과 ᄀᆞᆺ디 못ᄒ뇨?"

금휘 알픈 딕 업ᄉ믈 고ᄒ고, 태부인 식상을 드려 딘식ᄒ신 후, 금휘 히의딕(解衣帶)ᄒ고 듕계(中階)의 나려 쳥죄ᄒ니, 병부 둥이 일시의 당하의 나리고, 딘부인과 니·양 둥이 안연이 당샹의 잇디 못ᄒ여 계하의 나리니, 경싁이 괴ᄒᆞᆫ디라. 태부인이 경왈,

"너의 므스 일이 잇관딕 이 거조를 ᄒᄂ뇨?"

금휘 ᄇᆡ이고왈(拜而告曰),

"쇼지 불초ᄒ오【63】나 일즉 몸소 작죄ᄒᆞᆫ 업ᄉ더니, 불초패주(不肖悖子) 텬흥의 흉음무식(凶淫無識)흠과 호쥬탐식(好酒貪色)

서 온 말로, '봉영(奉盈)은 물이 가득한 그릇을 드는 것처럼, 효자는 어버이를 섬김에 있어 항상 조심하며 공경하여 받든다는 말.

【142】흔 ᄉ식(辭色)과 동탕(動蕩)흔 긔식이 업셔, 셕목(石木)을 요동홀 거시로딕, 금평휘 강밍열일(强猛烈日)ᄒ미 주긔를 스스(事事)의 속이믈 통원ᄒ여, 문후(問候)ᄒ기를 당ᄒ여는 안싁이 참엄(斬嚴)ᄒ여 쎼 슬히고178) ᄆ음이 셜녀 동졀(冬節)을 만남 ᄀᆞᆺ투니, 남휘 불감앙시ᄒ나 주긔를 미온ᄒ믈 모로고, 경황상심(驚惶喪心)ᄒ여 아모 연괸 줄을 아지 못ᄒ나, 본딕 작죄ᄒ미 만흔 고로 좌와슉식간(坐臥宿食間) 방하치 못ᄒ던지라.

졔뎨를 딕ᄒ여 곡졀이나 뭇고져 ᄒ딕, 부친이 드르시므로 감히 말을 못ᄒ고, 금휘 의딕를 슈렴ᄒ여 태원뎐으로 향ᄒ미, 일시의 뫼셔 안흐를 드러오딕, 혹스는 신셩의 참예치 못ᄒ더라.

금휘 태원뎐의 드러가 모친긔 야리 톄후를 뭇주오니, 태부인이 일양 평안ᄒ여 작셕과 ᄀᆞᆺ트믈 일콧고, 진부인이 식부를 거느려 존당의 모다시니, 금휘 태부인긔 남후의 힝ᄉ【143】를 고ᄒ려 ᄒᄆ로, 화긔 주연 젼주와 ᄀᆞᆺ지 못ᄒ여 ᄉ식이 불평ᄒ니, 태부인이 문왈,

"근간 일긔 엄열ᄒ나 네 굿투여 셔열의 상치 아니터니, 신긔 블안흔가 ᄉ식이 젼일과 ᄀᆞᆺ지 못ᄒ뇨?"

금휘 아픈 딕 업ᄉ믈 고ᄒ고 태부인 식상을 드려 진식ᄒ신 후, 금휘 히의딕(解衣帶)ᄒ고 즁계(中階)의 나려 쳥죄ᄒ니, 병부 둥이 일시의 당하의 나리고, 진부인과 니·양 둥이 안연이 당샹의 잇지 못ᄒ여 계하의 나리니, 경식이 괴ᄒᆞᆫ디라. 태부인이 경왈,

"너의 므스 일이 잇관딕 이 거조를 ᄒᄂ뇨?"

금휘 ᄇᆡ이고왈(拜而告曰),

"쇼지 불초ᄒ오나 일즉 몸소 작죄ᄒᆞᆫ 업ᄉ더니, 불초○[패]주(不肖悖子) 텬흥의 흉

서 온 말로, '봉영(奉盈)은 물이 가득한 그릇을 드는 것처럼, 효자는 어버이를 섬김에 있어 항상 조심하며 공경하여 받든다는 말.
178)슬히다 : 쓰리다. 쑤시는 것같이 아프다.

ᄒᄂ 힝실이 빅ᄉ(百事)의 히연망측(駭然罔
測)홀 ᄲᆫ 아니오라, 아비를 업슴[슌] 것 ᄀᆞ
치 녁이고, 잠간 집을 쩌나면 대ᄉ(大事)를
힝ᄒ오ᄃᆡ, 쇼ᄌᆞ로뼈 잔암불명(殘暗不明)〇
[케]ᄒ오ᄆᆡ, 져 ᄀᆞᄐᆞᆫ 난자(亂子)를 졔어치
못ᄒ리라 ᄒᆞ여, 쳔 가디로 속이며 만 가디
로 업슈히 녁여, 쟝춧 집을 망홀 거시오, 조
션(祖先)의 욕이 머디 아닐디라. 졔 임의 쇼
ᄌᆞ를 아비로 아디 아니ᄒ오니, 쇼지 져를
ᄯᅩ훈 ᄌᆞ식으로 아디 아니ᄒ오리니, 쇼지 ᄌᆞ
위긔 쳥죄ᄒ오믄, 텬흉ᄀᆞᄐᆞᆫ 욕ᄌᆞ를 두어, 문
호의 불힝을 니르혀물 한심ᄎᆞ악ᄒ와, 교
【64】ᄌᆞ 못훈 죄를 밧줍고, 버거 욕ᄌᆞ를
아조 부자뉸의(父子倫義)를 버혀 싱ᄉ존망
(生死存亡)을 모로려 ᄒ나이다."

태부인이 대경변식(大驚變色) 왈,
"텬흉이 므슴 대죄를 디엇관ᄃᆡ 너의 말이
이디도록 과도ᄒᆞ뇨? 모로미 죄의 경듕곡딕
(輕重曲直)을 니르라."

금휘 즉시 슈듕(袖中)[179]으로셔 경공의
셔간을 녀여, 모친긔 드려 왈,
"텬흉이 운남을 뎡벌ᄒ고 도라올 젹 경참
졍의 녀를 불고이취ᄒ고 ᄉᆞ챵(四娼)을 시러
오니, 비록 남ᄌᆞ의 풍뉴호신(風流豪身)이 변
괴라 니르디 아니ᄒ오나, 원간 쳐쳡 모호긔
도 곡졀이 잇ᄉᆞᆸᄂᆞ니, 욕지 츌뎡시의 년긔
계오 이팔은 넘엇고, 윤·양·니 삼쳐를 두
어 져의 너ᄉᆞ를 빗【65】너고, 삼뷔 뇨됴슉
완(窈窕淑婉)이니 과람(過濫)혼 안히라. 탐
욕이 무상ᄒᆞ여 ᄯᅩ다시 잡 ᄆᆞ음이 업슬 거시
어늘, 미ᄉᆡ(每事) 과분ᄒᆞ믈 아디 못ᄒ고, 미
녀셩식을 모호고져 ᄒᆞ여 경시를 녯디 부실
노 취ᄒᆞᄃᆡ, 인뉸대ᄉ(人倫大事)를 졔 임의로
결단ᄒᆞ여 존당의 고치 아니ᄒ고, 쇼ᄌᆞ다려
니르디 아냐, 혼녜를 일우고 경샤의 올나와
다시 문양공쥬의 하가(下嫁)ᄒ믈 당ᄒ니, 임
의 경시를 바리디 못홀 디경의 은닉ᄒ온 거
죄 더욱 블가ᄒ온디라. 져의 도리 쇼ᄌᆞ다려
즉시 니르고 황샹긔 알외여 네 안히 이시믈

음무식(凶淫無識)홈과 탐식호쥬(貪色好酒)ᄒ
ᄂ 힝실이 빅ᄉ(百事)의 히연망측(駭然罔測)
홀 ᄲᆫ 아니오라, 아비를 업슴[슌] 것ᄀᆞ치
녁이고, 잠간 집을 쩌나면 대ᄉ(大事)를 힝
ᄒ오ᄃᆡ, 쇼ᄌᆞ로뼈 잔암불명(殘暗不明)〇[케]
ᄒ오ᄆᆡ, 져 ᄀᆞᄐᆞᆫ 난ᄌᆞ(亂子)【144】를 졔어
치 못ᄒ리라 ᄒᆞ여, 쳔 가지로 속이며 만 가
지로 업슈히 녁여, 쟝춧 집을[이] 망ᄒ고
조션(祖先)의 욕이 머지 아릴[닐]지라. 졔
임의 쇼ᄌᆞ를 아비로 아지 아니ᄒ오니, 쇼지
져를 ᄯᅩ훈 ᄌᆞ식으로 아지아니ᄒ오리니, 쇼
지 ᄌᆞ위긔 쳥죄ᄒ오믄, 텬흉 ᄀᆞᄐᆞᆫ 욕ᄌᆞ를
두어 문호의 불힝을 니로혀물 한심ᄎᆞ악ᄒ
와, 교ᄌᆞ 못훈 죄를 밧줍고, 버거 욕ᄌᆞ를 아
조 부자뉸의(父子倫義)를 버혀 싱ᄉ존망(生
死存亡)을 모로려 ᄒ나이다."

태부인이 ᄃᆡ경변식(大慶變色) 왈,
"텬흉이 므슴 대죄를 지엇관ᄃᆡ 너의 말이
이디도록 과도ᄒᆞ뇨? 모로미 죄의 경즁곡졀
(輕重曲折)을 니로라."

금휘 즉시 슈즁(袖中)[179]으로셔 경공의 셔
간을 녀여 모친긔 드려 왈,
"텬흉이 운남을 뎡벌ᄒ고 도라올 젹 경침
의 녀를 불고이취ᄒ고 ᄉᆞ챵(四娼)을 시러오
니, 비록 남ᄌᆞ의 풍뉴호신(風流豪身) 이 변
괴라 니르지 아니ᄒ오나, 원간 쳐쳡 모
【145】호긔도 곡졀이 잇ᄂᆞ니, 욕지 츌졍
시의 년긔 계오 이팔은 넘엇고, 윤·양·니
삼쳐를 두어 져의 너ᄉᆞ를 빗닉고, 삼뷔 뇨
됴슉완(窈窕淑婉)이니 과람(過濫)혼 안히라.
탐욕이 무상ᄒᆞ여 ᄯᅩ다시 잡 ᄆᆞ음이 업슬 거
시어늘, 미ᄉᆡ(每事) 과분ᄒᆞ믈 아지 못ᄒ고
미녀셩식을 모호고져 ᄒᆞ여, 경시를 녯지 부
실노 취ᄒᆞᄃᆡ, 인뉸ᄃᆡᄉ(人倫大事)를 졔 임의
로 결단ᄒᆞ여, 존당의 고치 아니ᄒ고 쇼ᄌᆞ다
려 니르지 아냐 혼녜를 일우고, 경샤의 올
나와 다시 문양공쥬의 하가(下嫁)ᄒ믈 당ᄒ
니, 임의 경시를 ᄇᆞ리지 못홀 지경의 은닉
ᄒ온 거죄 더욱 블가ᄒ온지라. 졔 도리 쇼
ᄌᆞ다려 즉시 니르고 황샹긔 알외여 네 안히

---

[179]슈듕(袖中): 소매 가운데.

[179]슈듕(袖中): 소매 가운데.

쥬ㅎ는 거시 맛당ㅎ거늘, 흔갈ㄳ치 쇼즈를
속이고 경가의셔 벳집【66】의 올나온 후
거줏 경츈긔를 츠즈 보노라 ㅎ고, 관부의
가믈 일홈ㅎ며, 경시와 구츠히 화락기를 요
구ㅎ고, 경가 동상이 되연디 삼지(三載)의,
자식을 나하 오륙삭(五六朔)이 되도록 맛춤
늬 긔망키를 위쥬ㅎ고, 슈삼일젼(數三日前)
텬흥이 관부의 가믈 일큿즙거늘, 쇼즈는 굿
틔여 허언이믈 아디 못ㅎ고 그러히 넉엿습
더니, 그날 맛초아 경참졍을 보고 경부의
가온즉, 텬흥이 그곳의 잇고, 경공의 겨틔
흔낫 유ᄋ를 누여시니, 의형이 운긔와 만히
ㄳ튼디라. 쇼지 텬흥의 ㅈ식이믄 몽니의도
싱각디 못ㅎ고, 남으로셔 이상이 ㄳ트믈 니
르고, 텬흥다려 마을의 가디 아니【67】코
경부의 이시믈 므르니, 욕지 흐르는ᄃ시 디
답ㅎ여 아비 속이믈 극흔 능스로 아다가,
텬흥의 음패무상(淫悖無狀)ㅎ믈 텬되(天道)
벌ㅎ여, 아비 모로게 취한 경시 골육도 보
젼치 못ㅎ고 일야디간의 일ㅎ니, 힝실이 브
졍참측(不正僭仄)흔 후는 신명(神明)의 믜이
믈 바드미 괴이치 아니ㅎ거늘, 조금도 조심
훌 줄을 아디 못ㅎ고 요음(妖淫)흔 창녀로
유회방탕ㅎ며 음쥬달난(飮酒團欒)ㅎ는 거동
이 츠마 고치 못ㅎ올디라. 쇼지 젼후의 져
를 디ㅎ여 쥬식(酒色)을 경계ㅎ오미 흔두
번이 아니오디, 욕지 아비 말을 홍모(鴻毛)
ㄳ치 넉이고, 범스를 졔 쯧디로 ㅈ힝ㅈ디
(自行自止)ㅎ오니, ㅎ믈며 그 쟉녹(爵祿)과
병권(兵權)이 크【68】게 태과(太過)하와,
타일 망신멸문디화(亡身滅門之禍)를 취ㅎ기
쉽고, 조션을 텸욕(添辱)훌 ᄋ히라. 쇼지 당
츠시(當此時)ㅎ여 부ㅈ디의(父子之義)를 끗
쳐, 타일의 년좌(連坐) 밋는 화를 피ㅎ려 ㅎ
ᄂ이다."

　태부인이 귀로 드르며 눈으로 경공의 셔
간을 보민, 남후의 남스를 어히업시 넉이는
듯, 유즈를 마즈 일흐믈 알고 츠셕발비(嗟
惜發悲)ㅎ여 함누(含淚) 왈,

　"너는 텬흥의 과실을 니르나, 경시의 쇼
싱 유즈를 일흐미 실노 이상코 괴이흔 변이

이시믈 쥬ㅎ는 거시 맛당ㅎ거늘, 흔갈ㄳ치
쇼즈를 속이고, 경가의셔 벳집의 올나온 후,
거줏 경츈긔를 츠즈보노라 ㅎ고 관부의 가
믈 일홈ㅎ며, 경시와 구츠히 화락기를 요구
【146】ㅎ고 경가 동상이 되연지 삼지(三
載)의, 자식을 나하 오륙삭(五六朔)이 되도
록 맛춤늬 긔망키를 위쥬ㅎ고, 슈삼일젼(數
三日前) 텬흥이 관부의 가믈 일큿거늘, 쇼
즈는 굿틔여 허언이믈 아지 못ㅎ고 그러히
넉엿더니, 그날 맛초아 경침을 보고져 경부
의 가온즉, 텬흥이 그곳의 잇고 경공의 겨
틔 흔낫 유ᄋ를 누여시니, 용모가 운긔와
만히 ㄳ튼지라. 쇼지 텬흥의 ㅈ식이믄 몽니
의도 싱각지 못ㅎ고, 남으로 이상이 ㄳ트믈
니르고, 텬흥다려 마을의 가지 아니코 경부
의 이시믈 므르니, 욕지 흐르는듯 디답ㅎ여
아비 속이믈 극흔 능스로 아다가, 텬흥의
음패무상(淫悖無狀)ㅎ믈 텬되(天道) 벌ㅎ여,
아비 모로게든 경시 골육도 보젼치 못ㅎ
고 일야지간의 일ㅎ니, 힝실이 브졍참측(不
正僭仄)흔 후는 신명(神明)의 믜이믈 바드
미 괴이치 아니ㅎ거늘, 좀[조]금도 조심훌
줄을 아지 못ㅎ【147】고, 요음(妖淫)흔 창
녀로 유회방탕ㅎ며 음쥬달난(飮酒團欒)ㅎ는
거동이 츠마 ○[다] 고치 못ㅎ올지라. 쇼지
젼후의 져를 디ㅎ여 쥬식(酒色)을 경계ㅎ오
미 흔두 번이 아니오디, 욕지 아비 말을 홍
모(鴻毛)ㄳ치 넉이고, 범스를 졔 쯧디로 ㅈ
힝ㅈ지(自行自止)ㅎ오니, ㅎ믈며 그 쟉녹과
병권(兵權)이 크게 틔과(太過)ㅎ와, 타일 망신멸문
지화(亡身滅門之禍)를 취ㅎ기 쉽고, 조션을
텸욕훌 ᄋ히라. 쇼지 당츠시(當此時)ㅎ여 부
ㅈ지의(父子之義)를 끗쳐, 타일의 년좌(連
坐) 밋는 화를 피ㅎ려 ㅎᄂ이다."

　태부인이 귀로 드르며 눈으로 경공의 셔
간을 보민, 남후의 남스를 어히업시 넉이는
즁, 유즈를 마즈 일흐믈 알고 츠셕발비(嗟
惜發悲)ㅎ여 함누(含淚) 월[왈],

　"너는 텬흥의 과실을 니르나, 경시의 쇼
싱 유즈를 일흐미 실노 이상코 괴이흔 변이

라. 텬흥의 즈궁(子宮)이 머흘미180) 괴이흐
믈 노모는 우려흐느니, ᄋ히 년쇼흐여 일시
삼가디 못흐고 경시를 블고이취흐미 비록
그르나, 죵용이 경계흐는 거시 올흐니 어이
【69】 과도흔 말을 흐느뇨?"

금휘 브복 듸왈,

"쇼지 즈교(慈敎)를 거역흐미 아니라, 텬
흥을 가니의 머므른 후는 쇼즈의 비위로 춤
고 견듸디 못훌 ᄯ뿐아니라, 제 ᄯᅩ흔 쇼즈를
아비로 아는 일이 업습느니, 블초 패즈는
아비 알플 ᄯ나날스록 쇠훤이 넉일디라. 즈위
는 텬흥 욕즈를 셩념(聖念)의 거리끼디 마
르시고 아이의 업스니로 ○○[아르]쇼셔."

태부인이 녜부로 흐여금 금후의 의관을
주어 평신흐라 흐고, 이에 히유(解諭) 왈,

"텬흥이 일시 호신으로 경시를 취흐고 너
다려 즉시 니르디 못흐믄, 딘실노 두리는
연고로 발셜키를 난【70】 안(赧顔)흐여 니
르디 못흐엿고, 이왕지스(已往之事)오, 즉금
유즈(乳子)를 ᄯᅩ 일허 그 심시 추악흐리니,
노모의 텬흥 ᄉ랑흐믈 도라보아 과도히 칙
디 말나."

금휘 듸왈,

"쇼지 비록 텬뉸즈이 디극디 못흐오나,
텬흥이[의] 흔 일이나 가니의 용납흐여 부
즈의 도를 온젼이 하오량이면181), 엇디 즈
교를 거역흐리잇가마는, 욕즈를 가니의 두
는 날은 즈라는 제ᄋ를 다 못쓰게 밀들 거
시니, 쇼지 화를 취흐오미 쉬울디라. 아조
부즈뉸의를 폐졀흐여 셰상이 다 쇼즈와 텬
흥으로 남ᄀᆺ치 되여시믈 알게 흐고, 면목
(面目)을 블상견(不相見)흐여, 혹즈 타【7
1】일 욕지 화를 보미 잇셔도, 쇼즈는 그
년좌를 밧디 아니리니, 아비를 업슨 거스로
아라 우이 넉이는 거시 곳 난지(亂子)니, 집
의 난즈와 나라히 역신(逆臣)을 티죄(治罪)
흐미 고히(高下) 업술 거시오나, 즈졍이 패
즈를 과도히 편익흐시는 바를 싱각흐여, 오

180)머흘다 : 험하고 사납다.
181)하오량이면 : 하올 수 있을 것 같으면,

라. 텬흥의 즈궁(子宮)○[이] 머흘믈[
미]180) 괴이흐므로 노모는 우려흐느니, ᄋ
히 년쇼흐여 일시 삼가지【148】 못흐고
경시를 취흐미 비록 그르나, 죵용이 경계흐
는 거시 올흐니 어이 과도흔 말을 흐느뇨?"

금휘 부복 듸왈,

"쇼지 즈교를 《긔역‖거역(拒逆)》흐미
아니라, 텬흥을 가니의 머므른 후는, 쇼즈의
비위로 춤고 견듸지 못훌 ᄯ뿐아니라, 제 ᄯᅩ
흔 쇼즈를 아비로 아는 일이 업습느니, 블
초 패즈는 아비 압플 ᄯ나날스록 시원이 넉일
지라. 즈위는 텬흥 욕즈를 셩염(聖念)의 거
리끼지 마르시고 아이의 업스니로 아르쇼
셔."

태부인이 녜부로 흐여금 금후의 의관을
주어 평신흐라 흐고, 이의 히유(解諭) 왈,

"텬흥이 일시 호신으로 경시를 취흐고 너
더러 즉시 니르지 못흐믄 진실노 두리는 연
고로 발셜키를 난난[안](赧顔)흐여 니르지
못흐엿고 이왕○[지]스(已往之事)오, 즉금
유즈(乳子)를 ᄯᅩ 일허 그 심시 추악흐리니,
노모의 텬흥 ᄉ랑흐믈 도라보아 과도히 칙
지 말나."

금휘 듸【149】왈,

"쇼지 비록 텬뉸즈이 지극지 못흐오나,
텬흥이 흔 일이나 가니의 용납흐여 부즈의
도를 온젼이 흐오량이면181), 엇지 즈교를
거역흐리잇가마는, 욕즈를 가니의 두는 날
은 즈라는 제ᄋ를 다 못쓰게 밀달[들] 거시
니, 쇼지 화를 취흐오미 취[쉬]울지라. 아조
부즈뉸의를 폐졀흐여, 셰상이 다 쇼즈와 텬
흥으로 남ᄀᆺ치 되여시믈 알게 흐고, 면목
(面目)을 블상견(不相見)흐여 혹즈 타일 욕
지 화를 보미 잇셔도, 쇼즈는 그 년좌를 밧
지 아니리니, 아비를 업슨 거스로 아라 우
이 넉이는 거시 곳 난지(亂子)니, 집의 난즈
와 나라히 역신(逆臣)을 치죄(治罪)흐미 고
히(高下) 업술 거시오나, 즈졍이 픠즈를 과
도히 편익흐시는 바를 싱각흐여, 오직 부즈

180)머흘다 : 험하고 사납다.
181)하오량이면 : 하올 수 있을 것 같으면,

딕 부ᄌ디졍을 버히고 졔 ᄯᅳᆺ디로 ᄌ힝케 ᄒ리이다."

태부인이 과도ᄒᆷ믈 니르딕, 금후의 뎡심이 풀닐 길히 업셔 직비 고왈,

"욕지 원간 쇼ᄌᄅᆯ 아비로 아디 아니ᄒᆞ옵나니, 부ᄌ뉸의ᄂᆞᆫ 곳출ᄉ록 깃거ᄒ오리니, 쇼지 ᄯᅩᄒᆫ 져를 ᄌ식으로 칙망ᄒᆞ올 일이 업ᄉ오니, ᄌ위ᄂᆞᆫ【72】 과려치 마르쇼셔."

인ᄒᆞ여 외헌으로 나가니, 금휘 평싱 오날ᄂᆞᆯᄀ짓치 태부인의 말ᄉᆷ믈 욱인 젹이 업ᄉ니, 대강 남후의 힝디를 통완ᄒᆞᆯ ᄯᆞᆫ아니라, 아조 미몰박졀(埋沒迫切)ᄒᆫ 거조(擧措)를 뵈여 남후로 ᄒ여금 브딕 뎡도의 나아가과져 ᄒ미라.

태부인도 금후의 ᄯᅳᆺ을 아라 다시 말을 아니코, 남후ᄂᆞᆫ ᄌ긔 남ᄉ긔 발각ᄒ믈 놀나고 유ᄌ 실니ᄒ믈 비로소 ᄃ르미, ᄎ악(嗟愕) 황공(惶恐)ᄒ믈 니긔디 못ᄒ더라.

금후의 쳐시 하여(何如)오. ᄎ간하회(且看下回)ᄒ라.【73】

지졍을 버히고 졔 ᄯᅳᆺ디로 ᄌ힝케 ᄒ리이다."

태부인이 과도ᄒᆷ믈 니른딕, 금후의 졍심【150】이 풀○[닐] 길히 업셔, 직비 고왈,

"욕지 원간 쇼ᄌᄅᆯ 아비로 아지 아니ᄒ옵나니, 부ᄌ뉸의ᄂᆞᆫ 곳출ᄉ록 깃거ᄒ오리니, 쇼지 ᄯᅩᄒᆫ 져를 ᄌ식으로 칙망ᄒ올 일이 업ᄉ오니 ᄌ위ᄂᆞᆫ 과려치 마르쇼셔."

인ᄒᆞ여 외헌으로 나가니, 금휘 평싱 오날ᄂᆞᆯᄀ짓치 태부인의 말ᄉᆷᆷ믈 욱인 젹이 업ᄉ니, 대강 평후의 힝지를 통한ᄒᆞᆯ ᄯᆞᆫ아니라, 아조 미몰박졀(埋沒迫切)ᄒᆫ 거조(擧措)를 뵈여, 남후로 ᄒ여금 브딕 졍도의 나아가과져 ᄒ미라.

태부인도 금후의 ᄯᅳᆺ을 아라 다시 말을 아니코, 남후ᄂᆞᆫ ᄌ긔 남ᄉ긔 발각ᄒ믈 놀나고 유ᄌ 실니ᄒ믈 비로소 ᄃ르미, ᄎ악(嗟愕) 황공(惶恐)ᄒ믈 니긔지 못ᄒ더라.

금후의 쳐시 하여(何如)오. ᄎ간하회(且看下回)ᄒ라.【151】

명쥬보월빙 권지 ᄉ십일 이 삼.【152】

명듀보월빙 권디ᄉ십ᄉ

익셜 뎡병뷔 ᄌ긔 남ᄉᆡ(濫事) 발각ᄒᆞᄆᆞᆯ 놀나고, 유지 마ᄌ 실니ᄒᆞᄆᆞᆯ 비로소 드르ᄆᆡ, 츠악 황공ᄒᆞ여 스스로 ᄯᅡᄒᆞᆯ 파고 들고 시븐디라. 아모리 훌쥴 아디 못ᄒᆞ고 오딕 부공을 ᄯᅡ라나가ᄆᆡ 금휘 쳥듁헌의 가디 아냐 미듁헌으로 가니, 원ᄂᆡ 이곳은 쳥듁헌 뒤히오, 손이 못디 아냐 공ᄌ 등의 슈학(修學)ᄒᆞᄂᆞᆫ 당이니 가장 그윽ᄒᆞ디라. 네부와 이공ᄌ 빅형을 더브러 미듁헌 당하의 디죄ᄒᆞᄆᆡ, 금휘 셔동을 명ᄒᆞ여 분슈(糞水)를 쩌오라 ᄒᆞ니, 셔동이 【1】 즉시 분슈 ᄒᆞᆫ 그릇슬 밧드러 압히 노흔디, 금휘 병부를 계하의 ᄭᅮᆯ니고 탄식ᄒᆞ기를 오릭 하다가 날호여 왈,

"금일 너와 내 부ᄌ디뉸(父子之倫)을 ᄭᅳᆺ쳐 남이 되ᄂᆞᆫ 날이라. 내 교ᄌ(敎子)ᄒᆞᄆᆡ 블명암약(不明暗弱)ᄒᆞᄆᆡ니, 너를 보ᄆᆡ 참괴ᄒᆞ디라. 우리 부뷔 너 ᄀᆞᆺ튼 블초(不肖) 패자(悖子)를 둔 줄을 이ᄃᆞᆯ아 ᄒᆞᄂᆞ니, 요순디ᄌ(堯舜之子)도 불초ᄒᆞ거니와, 너의 무상ᄒᆞᆷ은 젼혀 나의 교훈치 못ᄒᆞᆫ 죄오, 네 모친의 ᄐᆡ교 못ᄒᆞᆫ 죄라. 엇디 너를 나흔 부뫼 벌을 받디 아니리오. 이러므로 ᄌ졍긔 쳥죄ᄒᆞ디 ᄌ졍이 나의 죄를 다스리디 아니시니 마디 못ᄒᆞ여 스스로 벌 【2】 슈(罰水)를 마셔 훈ᄌ(訓子)치 못ᄒᆞᆫ 죄를 속ᄒᆞ고, 네 모친이 ᄐᆡ교치 못ᄒᆞᆫ 죄로 고루(高樓)의 안거(安居)치 못ᄒᆞ리라.

이에 ᄉ공ᄌ 유흥으로 ᄒᆞ여금 부인긔 젼어 왈,

"우리 부뷔 결발대뉸(結髮大倫)으로 만나 화락ᄒᆞ연디 여러 십년이로디, 일즉 희로(喜怒)를 요동(搖動)ᄒᆞᆫ 일이 업고, 피ᄎᆞ의 녜경(禮敬)ᄒᆞ더니, 이졔 불초 난ᄌ(亂子) 텬흥을 둔 연고로 듕도의 화긔 손상하니, ᄉᆡᆼ이 벌슈를 마시ᄂᆞᆫ 디경은 부인을 딘부로 보닐 거시로디, ᄌ졍(慈庭)이 부인의 도라가믈 깃거 아니실 거시므로 츌거치 못ᄒᆞ나, 부인의 도

명쥬보월빙 권지십칠

화셜 뎡병뷔 ᄌ긔 남ᄉᆡ(濫事) 발각ᄒᆞᄆᆞᆯ 놀나고, 유지 마ᄌ 실니ᄒᆞᄆᆞᆯ 비로소 드르ᄆᆡ, 츠악 황공ᄒᆞ여 스스로 ᄯᅡᄒᆞᆯ 파고 들고 시븐지라. 아모리 훌 줄 아지 못ᄒᆞ고 오직 부친을 ᄯᅡ라 나가ᄆᆡ, 금휘 쳥쥭헌으로 가지 아냐 미쥭헌으로 가니, 원ᄂᆡ 이곳은 쳥쥭헌 두[뒤]의 잇고, 손이 못지 아냐 공ᄌ 등○[의] 슈혹(修學)ᄒᆞᄂᆞᆫ 당이니, ᄀᆞ장 그윽ᄒᆞ지라. 네부와 이공ᄌ 빅형으로 더브러 미쥭헌 당하의 디죄ᄒᆞᄆᆡ, 금휘 셔동을 명ᄒᆞ여 분슈(糞水)를 쩌오라 ᄒᆞ니, 셔동이 즉시 분슈 ᄒᆞᆫ 그릇슬 밧드러 압히 노흔디, 금휘 병부를 계하의 ᄭᅮᆯ니고 탄식ᄒᆞ기를 오릭 하다가 왈,

"금일 너와 내 부ᄌ지뉸(父子之倫)을 ᄭᅳᆺ쳐 남이 되ᄂᆞᆫ 날이라. 내 교ᄌ(敎子)ᄒᆞᄆᆡ 블명암약(不明暗弱)ᄒᆞᄆᆡ니, 너를 보ᄆᆡ 참괴ᄒᆞ지 【1】 라. 우리 부뷔 너 ᄀᆞᆺ튼 블초(不肖) 픠자(悖子)를 둔 쥴을 이ᄃᆞᆯ나 ᄒᆞᄂᆞ니, 요슌지ᄌ(堯舜之子)도 불초ᄒᆞ거니와, 너의 무상(無狀)ᄒᆞᆷ은 젼혀 나의 교훈치 못ᄒᆞᆫ 죄오, 네 모친의 ᄐᆡ교 못ᄒᆞᆫ 죄라. 엇지 너을 나흔 부뫼 벌을 받지 아니리오. 이러므로 ᄌ졍긔 쳥죄ᄒᆞ디 ᄌ졍이 나의 죄을 다사리지 아니시니, 《맛지‖마지》 못ᄒᆞ여 스스로 벌슈(罰水)를 마셔 훈ᄌ(訓子)치 못ᄒᆞᆫ 죄를 속(贖)ᄒᆞ고, 네 모친이 ᄐᆡ교치 못ᄒᆞᆫ 죄로 고루(高樓)의 안거(安居)치 못ᄒᆞ리라."

이의{이의} ᄉ공ᄌ 유흥으로 ᄒᆞ여금 부인긔 젼어 왈,

"우리 부뷔 결발디륜(結髮大倫)으로 만나 화락ᄒᆞ연지 여러 십 년이로디, 일호(一毫) 희로(喜怒)를 요동(搖動)ᄒᆞᆫ 일이 업고, 피ᄎᆞ의 녜경(禮敬)ᄒᆞ더니, 이졔 불초 난ᄌ(亂子) 텬흥을 둔 연고로 즁도의 화긔 손상하니, ᄉᆡᆼ이 벌슈를 마시ᄂᆞᆫ 지경은 부인을 진부로 보닐 거시로디, ᄌ졍(慈庭)이 부인의 도라가믈 깃거 【2】 아닐 거시므로 츌거치 못ᄒᆞ

리 고루화각의 평상이 안거치 못ㅎ리니, 모로미 주식 그【3】룻 나흔 죄로 쇼당(小堂)의 나리쇼셔, ㅎ라."

셜파의 머니 ㅅ당을 향ㅎ여 ㅅ무러안주 분슈를 마시랴 ㅎ니, 이씨 남휘 황황 망극ㅎ여, 관영(冠纓)을 히탈(解脫)ㅎ여 죄슈의 모양으로 계하(階下)의 브복ㅎ여 쳬읍이걸 왈,

"불초주의 무상흔 죄과는 쳔ㅅ무셕(千死無惜)이오 만ㅅ유경(萬死猶輕)이니 복망 대인은 쇼주로 ㅎ여금 텬일디하(天日之下)의 잇과져 ㅎ시거든, 엄히 쟝칙(杖責)을 더으시고 이런 망극흔 거조롤 긋치샤, 불초주(不肖子)의 죄를 더으디 마르시면, 쇼지 비록 토목심장(土木心腸)이나, 금일 이후는 개과쳔션ㅎ여 명을 밧들니니, 복원 대인은 벌슈를 물니치쇼셔."

금휘 병부【4】의 말을 못듯는 듯, 묵묵히 노를 머금고, 뎡식단좌(正色單坐)ㅎ여 분즙(糞汁)을 마시랴 ㅎ니, 녜뷔 쏘흔 톄루간걸(涕淚懇乞) ㅎ나, 금휘 듯디 아니ㅎ고 그룻슬 드러 마시려 홀 즈음의, 남휘 죽기를 그음ㅎ고 나는 두시 당샹의 치다라 부친의 드럿는 분슈를 아ㅅ 스스로 마시고, 실셩통읍 왈,

"블초를 당하의셔 죽이셔도 죄를 쇽(贖)디 못홀 거시어늘, 대인이 추마 엇디 이런 망극흔 거조를 ㅎ시ㄴ니잇고?"

공이 바야흐로 마시랴 홀 즈음의 병뷔 급히 아ㅅ니, 무심결의 노화바리고 밋쳐 말을 못ㅎ여셔 남휘 발셔 마시니, 그 닉음식 아니쏘으【5】디 남후는 아모란 줄 모로고 쳔항누쉬(千行淚水) 옥면을 덥허시니, 그 창황ㅎ고 망극흔 가온디 보암죽흔 풍치 더옥 헌앙(軒昂)ㅎ여, 출범(出凡)흔 골격과 수려흔 용뫼 만고의 독보(獨步)홀 신치(神彩)라.

공이 분노듕(忿怒中)이나, 그 작인의 이상ㅎ믈 그윽이 두굿기나, 분슈(糞水)를 드리다라 아ㅅ믈 대로ㅎ여, 딘목 즐왈,

"블초패지 아비 업슈히 넉이미 가디록 심ㅎ여, 감히 나의 드럿는 바를 우격182)으로

나, 부인의 도리 고루화각의 평상이 안거치 못ㅎ리니, 모로미 주식 그룻 나흔 죄로 쇼당(小堂)의 나리쇼셔, ㅎ라."

셜파의 머니[먼니] ㅅ당을 향ㅎ여 ㅅ무러안주 분슈를 마시랴 ㅎ니, 이씨 남휘 황황 망극ㅎ여, 관영(冠纓)을 히탈(解脫)ㅎ여 죄슈의 모양으로 계하(階下)의 브복ㅎ여 쳬읍이걸 왈,

"불초주의 무상흔 죄과는 쳔ㅅ무셕(千死無惜)이오 만ㅅ유경(萬死猶輕)이니, 복망 대인은 쇼주로 ㅎ여금 텬일지하(天日之下)의 두고져 ㅎ시거든, 엄히 쟝칙(杖責)을 더으시고 이런 망극흔 거조롤 긋치샤, 볼초주의 죄를 더으지 마르시면, 쇼지 비록 초목심장(草木心腸)이나 금일 이후는 ㄱ과쳔션ㅎ여 명을 밧들니니, 복원 디인은 벌슈를 물니치쇼셔."

금휘 병부의 말을 못 듯는 듯, 묵묵히 노를 머금고, 졍식단좌(正色單坐)ㅎ여 《분집∥분즙(糞汁)》을 마시랴 ㅎ니, 녜뷔 쏘흔 쳬루간걸(涕淚懇乞) ㅎ나【3】 금휘 듯지 아니ㅎ고, 그룻슬 드러 마시려 홀 즈음의, 남휘 죽기를 그음ㅎ고 나는 두시 당샹의 치다라 부친의 드럿는 분슈를 아ㅅ, 스스로 마시고 실셩통읍 왈,

"블초를 당하의셔 죽이셔도 죄를 쇽지 못홀 거시어늘, 대인이 추마 엇지 이런 망극흔 거조를 ㅎ시ㄴ니잇고?"

공이 바야흐로 마시랴 홀 즈음의 병뷔 급히 아ㅅ니, 무심결의 노화바리고 밋쳐 말을 못ㅎ여셔 남휘 발셔 마시니, 그 닉음식 십분 아니쏘으디, 남후는 아모란 줄 모로고 쳔항누쉬(千行淚水) 옥면을 덥허시니, 그 창황ㅎ고 망극흔 가온디 보암죽 흔 풍치 더옥 헌(軒昂)앙ㅎ여, 출범(出凡)흔 골격과 수려흔 용뫼 만고의 독보(獨步)홀 신치(神彩)라.

공이 분노(忿怒) 가온디나 그 작인의 이상ㅎ믈 그윽이 두굿기나, 분슈를 드리다라 아ㅅ믈 대로ㅎ여, 진목 즐왈,

"블초픽지 아비 업슈히 넉이미【4】 가디록 심ㅎ여, 감히 나의 드럿는 바를 우격182)

아스며, 짐줏 흉휼(凶譎)혼 말노 날을 다리여, 스스로 삼셰쳑동(三歲尺童)ᄀᆞᆺ치 넉이니 엇디 더옥 통완치 아니리오. 금일 부ᄌᆞ디뉸을 ᄭᅳᆽᄎᆞ미 완연이 혐극(嫌隙)을 품은 남 【6】과 ᄀᆞᆺ트리니, 텬흉 패ᄌᆞ 이졔란 다시 날다려 아비라 일ᄏᆞᆺ디 말나. 오문(吾門)이 셰딕로 튱신효뎨(忠信孝悌)ᄒᆞ며 관인화홍(寬仁和弘)ᄒᆞ여 비록 녜의를 삼가는 가온딕라도, 사ᄅᆞᆷ의 허물 용납ᄒᆞᄆᆞᆯ 브ᄌᆞ러니 ᄒᆞᄂᆞ 빈니, 패ᄌᆞ 흔 일이나 가니의 머므럼죽 ᄒᆞ며, 닐너 곳칠 것 ᄀᆞᆺ트면 내 엇디 이러ᄒᆞ리오마ᄂᆞᆫ, 젼후의 패ᄌᆞ를 죵용이 니르며 당부ᄒᆞ여, 쥬식을 즐기지 말나 ᄒᆞ미 몇 번인동183) 알니오. 금일이라도 경공의 집의 가 남 모르게 어든 안히로 더브러 화락ᄒᆞ며 무흠이 즐기리니, 네 만일 물러나디 아니면 내 너 보는 딕셔 업더져184) 네 ᄆᆞ음을 쾌케 【7】ᄒᆞ리라."

뎡언간(停言間)의 유흥이 나와 모친이 잠이(簪珥)185)를 ᄲᅢ히고 옥패(玉佩)를 글너 쇼당의 나리시믈 고ᄒᆞ고, 젼어(傳語)로 회답 왈,

"쳡이 무상(無狀)하여 고인의 틱교를 법측디 못ᄒᆞ고, 텬흉 ᄀᆞᆺ튼 블초ᄌᆞ를 두어 존문을 츄락하며, 상공으로 분슈(糞水)를 당ᄒᆞ시게 ᄒᆞ니, 이 다 쳡의 ᄌᆞ식 그릇 나혼 죄라, 참안황공(慙顔惶恐)ᄒᆞ미 욕ᄉᆞ무디(欲死無地)로소이다."

ᄒᆞᄂᆞ디라. 남휘 듯는 말마다 심담이 ᄶᅥ러디는 듯ᄒᆞ여, ᄌᆞ긔 츌쳔셩효 '그린 쩍'186)이 되고, 부모긔 여ᄎᆞ 심우를 ᄭᅵ치니, 바야흐로 츄회(追悔)ᄒᆞ나 어딕 가 다시 부공의 노(怒)를 범ᄒᆞ여 일언이나 ᄒᆞ리오. ᄒᆞᆫ갓 고두비읍(叩頭悲泣) ᄲᅮᆫ【8】이러니, 금휘 녜부를 나아오라 ᄒᆞ여 왈,

182)우격 : 억지로 우김.
183)-ㄴ동 : 어간 뒤에 붙어 '-지'의 뜻을 나타내는 어미.
184)업더지다 : 엎어지다.
185)잠이(簪珥) : 비녀와 귀고리를 함께 이르는 말.
186)그린 쩍 : 그림의 떡. 아무리 소망해도 이룰 수 없거나 차지할 수 없는 경우를 이르는 말.

으로 아ᄉᆞ며, 짐줏 흉휼(凶譎)혼 말노 날을 달닉여 삼셰쳑동(三歲尺童)ᄀᆞᆺ치 넉이니, 엇지 더옥 통완치 아니리오. 금일 부ᄌᆞ지뉸을 ᄭᅳᆽᄎᆞ미 완연이 혐극(嫌隙)을 품은 남과 ᄀᆞᆺ트리니, 텬흉 픠지 이졔는 다시 날다려 아비라 일ᄏᆞᆺ지 말나. 오문(吾門)이 셰딕로 튬신효뎨(忠信孝悌)ᄒᆞ며 단[관]인화홍(寬仁和弘)ᄒᆞ여 비록 녜의를 삼가는 가온딕라도, 사ᄅᆞᆷ의 허물 용납ᄒᆞᄆᆞᆯ 브ᄌᆞ러니 ᄒᆞᄂᆞ 빈니, 픠지 흔 일이나 가니의 머므럼죽 ᄒᆞ며, 닐너 곳칠 것 갓트면, 내 엇지 이러ᄒᆞ리오마ᄂᆞᆫ, 젼후의 픠지를 죵용이 니르며 당부ᄒᆞ여, 쥬식을 즐기지 말나 ᄒᆞ미 몇 번인동183) 알니오. 금일이라도 경공의 집의 가 남모르게 어든 안히로 더브러 화락ᄒᆞ며, 무흠이 즐길 거시니, 네 만일 물러나지 아니면 내 너 보는 딕셔 업【5】더져184) 네 ᄆᆞ음을 《쾌케∥쾌케》ᄒᆞ리라."

졍언간(停言間)의 유흥이 나와 모친이 잠이(簪珥)185)를 ᄲᅢ히고 옥픠(玉佩)를 글너 쇼당의 《나리 ᄭᅮᆯ흘고∥나리시믈 고ᄒᆞ고》 젼어(傳語)로 회답 왈,

"쳡이 무상(無狀)ᄒᆞ여 고인의 틱교를 법밧치 못ᄒᆞ고, 텬흉 ᄀᆞᆺ튼 블초ᄌᆞ를 두어 존문을 츄락하며, 상공으로 벌슈(罰水)를 당ᄒᆞ시게 ᄒᆞ니, 이 다 쳡의 ᄌᆞ식 그릇 나혼 죄라. 참안황공(慙顔惶恐)ᄒᆞ미 욕ᄉᆞ무지(欲死無地)로소이다."

ᄒᆞᄂᆞ지라. 남휘 듯는 말마다 심담이 ᄶᅥ러지는 듯ᄒᆞ여, ᄌᆞ긔 츌텬셩회 '그린 쩍'186)이 되고, 부모게 여ᄎᆞ 심우를 ᄭᅵ치니, 바야흐로 츄회(追悔)ᄒᆞ나 어딕 가 다시 부친의 노(怒)를 범ᄒᆞ여 일언이나 ᄒᆞ리오. ᄒᆞᆫ갓 고두비읍(叩頭悲泣) ᄲᅮᆫ이러니, 금휘 녜부를 나오라 ᄒᆞ여 왈,

182)우격 : 억지로 우김.
183)-ㄴ동 : 어간 뒤에 붙어 '-지'의 뜻을 나타내는 어미.
184)업더지다 : 엎어지다.
185)잠이(簪珥) : 비녀와 귀고리를 함께 이르는 말.
186)그린 쩍 : 그림의 떡. 아무리 소망해도 이룰 수 없거나 차지할 수 없는 경우를 이르는 말.

"텬흥 패직 나의 싱젼(生前)의 여ᄎ 패만포려(悖慢暴戾)ᄒ여 일분 긔탄ᄒ미 업ᄉ니, 수후(死後)ᄂᆞᆫ 작난이 더옥 비경(非輕)홀디라. 여븨 아딕 쇠로튼 아녓거니와, 혹ᄌ 나의 죽은 후, 난직 나의 시신이 말이 업다 ᄒ여 발상분곡(發喪奔哭)ᄒ미 잇셔도, 나의 ᄯᅳᆺ을 아ᄂᆞᆫ ᄌᆞᄂᆞᆫ 패ᄌᆞ를 닉쳐 혼백이라도 놀납디 아니케 ᄒᄂᆞᆫ 거시 회(孝)라. 패직 만일 내 압흘 쎠나디 아니면 내 스스로 피ᄒ여 져를 보디 말과져 ᄒ노라. 내 임의 부ᄌ 디졍을 버혓거든 여등이 형뎨디졍(兄弟之情)을 두ᄂᆞᆫ 거시 엇디 올흐리오."

녜븨 듕계의셔【9】 브복(仆伏) 쳥필(聽畢)의, 누쉬여우(淚水如雨)ᄒ여 다만 부이ᄌᆞ포(父愛慈哺)187) ᄒ시ᄂᆞᆫ 덕을 드리오시믈 쳥ᄒ나, 금휘 불쳥ᄒ고 하리 복부를 명ᄒ여 남후의 등의 미러 닉여 먼니 닉치라 ᄒ고, ᄯᅩ 군관류를 블러 왈, 텬흥이 취운산 곡구(谷口) 닉의 이시면, 그 븟쳐 두ᄂᆞᆫ ᄌᆞ를 ᄉᆞ죄를 녕ᄒ고, 혹ᄉᆞ를 잡아드려 ᄭᅮᆯ니고, 슈죄(數罪) 왈,

"네 비록 인면슈심(人面獸心)이나 오히려 아비 눈이 머디 아녀시면 모로디 아니ᄒ려든, 텬흥의 흉음ᄒᆞ믈 은닉고져, 아비 속이믈 뭇ᄆᆞᆺ출 ᄃᆞ시 ᄒ며, 말을 여러 가디로 ᄒ디, 경츈긔 셔간ᄉᆞ를 경긱의 디어닉여 넑으니, 궁흉ᄒᆞ미 텬흥의【10】 무상ᄒᆞᆫ 힝실을 비홀디라. 내 실노 ᄌᆞ식 업순 시름이 되여 박복을 감슈(甘受)홀디언졍, 너희 패ᄌᆞᄂᆞᆫ 살녀 두고뎌 ᄆᆞᄋᆞᆷ이 업ᄉ나, 골육상잔(骨肉相殘)이 인가의 대변이므로, 다만 부ᄌᆞ디눈(父子之倫)을 ᄭᅮᆾ쳐 텬흥을 먼니 닉쳣ᄂᆞ니, 너를 마쟈188) 가닉의 용납디 못홀 거시로ᄃᆡ, 양식븨 갓 드러와 ᄉᆞ좌(四座)의 친ᄒ니 업시 너를 가븨라 ᄒ여 의앙ᄒᆞ믈 싱각ᄒ여, 약간 쟝칙을 더어 ○○○○[경계ᄒ니], ᄎᆞ후 개심슈힝(改心修行)ᄒ여 아비 속이믈 능ᄉᆞ로 말나."

"텬흥픠직 나의 싱젼의 여ᄎ 픠만포악(悖慢暴惡)ᄒ여 일분 긔탄ᄒ미 업ᄉ니, 수후(死後)○[ᄂᆞᆫ] 작난이 더옥 비경(非輕)홀지라. 여븨 아직 쇠로튼 아엿거니【6】와, 혹ᄌ 나의 죽은 후 난직 나의 시신이 말이 업다 ᄒ여 발상분곡(發喪奔哭)ᄒ미 잇셔도, 나의 ᄯᅳᆺ을 아ᄂᆞᆫ ᄌᆞᄂᆞᆫ 픠[패]ᄌᆞ를 닉쳐 혼백이라도 놀납지 아니케 ᄒᄂᆞᆫ 거시 회(孝)라. 픠직 만일 닉 압흘 쎠나지 아니면 닉 스스로 피ᄒ여 져를 보지 말과져 ᄒ노라. 내 임의 부ᄌᆞ지졍을 버혓거든, 여등이 형뎨지졍(兄弟之情)을 두ᄂᆞᆫ 거시 엇지 올흐리오."

녜븨 즁계의셔 부복(仆伏) 쳥필(聽畢)의, 누쉬여우(淚水如雨)ᄒ여 다만 부ᄋᆡᄌᆞ포(父愛慈哺)187) ᄒ시ᄂᆞᆫ 덕을 드리오시믈 쳥ᄒ나, 금휘 불쳥ᄒ고 하리 복부를 명ᄒ여 남후의 등을 미러 닉쳐 먼니 닉치라 ᄒ고, ᄯᅩ 군관뉴를 블러 왈, 텬흥이 취운산 곡구(谷口)닉의 이시면 그 븟쳐 두ᄂᆞᆫ ᄌᆞ를 ᄉᆞ죄를 녕ᄒ고, 혹ᄉᆞ를 잡아드려 ᄭᅮᆯ니고, 슈죄(數罪) 왈,

"네 비록 인면슈심(人面獸心)이나 오히려 아비 눈이 머지 아냐시면 모로지 아니ᄒ려든, 텬흥의 흉음ᄒ【7】믈 은닉고져 아비 속이믈 뭇ᄆᆞᆺ친[출] ᄃᆞ시 ᄒ며, 말을 여러 가지로 ᄒ디, 경츈긔 셔간ᄉᆞ를 경갹의 지어 닉여 넑으니, 궁흉ᄒᆞ미 텬흥의 무상ᄒᆞᆫ 힝실을 비홀지라. 내 실노 ᄌᆞ식 업ᄂᆞᆫ 스름이 되여 박복을 감슈(甘受)홀지언졍, 너희 픠ᄌᆞᄂᆞᆫ 살녀 두고져 ᄆᆞᄋᆞᆷ이 업ᄉ나, 골육상견[잔](骨肉相殘)이 인간의 딕변이므로, 다만 부ᄌᆞ지눈(父子之倫)을 ᄭᅮᆾ쳐 텬흥을 먼니 닉쳣ᄂᆞ니, 너를 마ᄌᆞ188) 가닉의 용납지 못홀 거시로ᄃᆡ, 양식븨 갓 드러와 ᄉᆞ파[좌](四座)의 친ᄒ 니 업시, 너를 가븨라 ᄒ여 의앙흑믈 싱각ᄒ여, 약간 쟝칙을 더어 ○○○○[경계ᄒ니], ᄎᆞ후 기심슈힝(改心修行)ᄒ여 아비 속이믈 능ᄉᆞ로 말나."

187)부ᄋᆡᄌᆞ포(父愛慈哺) : 아버지는 사랑으로 어머니는 젖을 먹여 자식을 기름.
188)마쟈 : 마저. 또.

187)부ᄋᆡᄌᆞ포(父愛慈哺) : 아버지는 사랑으로 어머니는 젖을 먹여 자식을 기름.
188)마쟈 : 마저. 또.

언필의 스예(司隷)189)를 호령ᄒᆞ여 학스를 결박ᄒᆞ고 치기를 시작ᄒᆞ니, 스십의 밋ᄎᆞ믹 붉은 피 소스나 깁 ᄀᆞᆴ튼 가족이 믜여져시나,【11】조금도 소릭ᄒᆞ며 들네미190) 업스니, 흑스는 강밍ᄒᆞ므로 일신을 브동ᄒᆞ고 졈누(點淚)를 먹음디 아니나, 녜뷔 ᄎᆞ마 보디 못ᄒᆞ여 부젼의 샤ᄒᆞ시믈 이걸ᄒᆞ니, 금휘 이에 학스를 샤ᄒᆞ고 연학을 잡아드려 말 ᄭᅮ민 죄를 다스리고, 군관과 하리 슈십인을 딕월누의 보닉여 남후의 유졍(有情)ᄒᆞᆫ 구창(九娼)을 다 뭇고, 다시 딕월누의 두면 스죄를 녕(領)ᄒᆞ리라191) ᄒᆞ니, 현아 등 구창이 불시의 난니를 만나 급히 딕월누를 써나딕, 머리를 버혀도 실졀(失節) 개가(改嫁)치 아닐 뎡심(貞心)이 텰셕ᄀᆞᆮ트니, 창물듕(娼物中) 녈녜(烈女)러라.

남휘 부공의 급히 구튝(驅逐)ᄒᆞ믈 당ᄒᆞ여, 감히 디류(遲留)치 못ᄒᆞ고 밧【12】비 ᄲᅮᆺ치여 문을 나믹, 황황망극ᄒᆞᆫ 심시 디향ᄒᆞ여 니를 거시 업스니, 즈긔 일이나 브졀업시 블고이ᄎᆔ(不告而娶)ᄒᆞ여 여ᄎᆞ 난안디변(赧顔之變)을 만나니 뉘웃고 이들은 한이 무궁ᄒᆞ나 홀일업고, 부젼(父前)의 졍스를 고ᄒᆞᆯ 길히 업스니, 심장이 믜여지는 듯ᄒᆞ여 아모 곳으로 갈 줄을 아디 못ᄒᆞᆫ 듕, 부친이 ᄯᅩ 군관을 보닉여 취운산 곡듕의 머므디 못ᄒᆞ게 ᄒᆞᄂᆞᆫ디라. 봉안(鳳眼)의 쳔항누쉬(千行淚水) 여우(如雨)ᄒᆞ여 왈,

"내 이졔 부젼의 닉치인 ᄌᆞ식이 되여 일신이 의디ᄒᆞᆯ 곳이 업슬 ᄲᅮᆫ 아니라, 대인이 니르시는 말ᄉᆞᆷ이 다시 면젼의 용납ᄒᆞ기를 바라디 못ᄒᆞ리니, 인직 엇【13】디 ᄎᆞ마 쳐실로 인ᄒᆞ여 죄를 더어 부모 슬젼(膝前)의 용납디 못ᄒᆞ고 안연이 살기를 취ᄒᆞ리오. 출하리 ᄒᆞᆫ번 죽어 불효디죄(不孝之罪)를 쇽ᄒᆞ

언필의 스예(司隷)189)를 호령ᄒᆞ여 흑스를 결박ᄒᆞ고 치기를 시작ᄒᆞ,니 스십의 밋ᄎᆞ믹 붉은 피 소스나 깁 ᄀᆞᆴ튼 가족이 믜여져시나, 조금도 소릭ᄒᆞ며 들네미190) 업스니, 흑스는 강밍ᄒᆞ므【8】로 일신을 부동ᄒᆞ고, 졈누(點淚)를 먹음지 아니나, 녜뷔 ᄎᆞ마 보지 못ᄒᆞ여 부젼의 스ᄒᆞ시믈 이걸ᄒᆞ니, 금휘 이의 흑스를 샤ᄒᆞ고, 연학을 자바드려 말 ᄭᅮ민 죄를 다스리고, 군관과 하리 슈십인을 딕월누의 보닉여, 남후의 유졍(有情)ᄒᆞᆫ 구창(九娼)을 다 뭇고, 다시 딕월누의 두면 스죄를 영(領)ᄒᆞ리라191) ᄒᆞ니, 현ᄋᆞ 등 구창이 불시의 난니를 만나 급히 딕월누를 써나딕, 각각 머리를 버혀도 실졀(失節) 기가(改嫁)치 아닐 졍심(貞心)이 쳘셕ᄀᆞᆮ트니, 창물즁(娼物中) 녈녜(烈女)러라.

남휘 부친의 급히 구축(驅逐)ᄒᆞ믈 당ᄒᆞ여, 감히 지류(遲留)치 못ᄒᆞ고 밧비 ᄭᅩᆺ치여 문을 나믹, 황황망극ᄒᆞᆫ 심시 지향ᄒᆞ여 니를 거시 업스니, 즈긔 일이나 브졀 업시 블고이ᄎᆔ(不告而娶)ᄒᆞ여 여ᄎᆞ 난안지변(赧顔之變)을 만나니, 뉘웃고 이들은 한이 무궁ᄒᆞ나 홀일업고, 부젼(父前)의 졍스를 고【9】ᄒᆞᆯ 길히 업스니, 심장이 믜여지는 듯ᄒᆞ여 아모 곳으로 갈 줄을 아지 못ᄒᆞᆫ 즁, 부친이 ᄯᅩ 군관을 보닉여 취운산 곡즁의 머므지 못ᄒᆞ게 ᄒᆞᄂᆞᆫ지라. 봉안(鳳眼)의 쳔항누쉬(千行淚水) 여우(如雨)ᄒᆞ여 왈,

"닉 이졔 부친긔 닉친 ᄌᆞ식이 되여 일신이 의지ᄒᆞᆯ 곳이 업슬 ᄲᅮᆫ 아니라, 딕인이 니르시는 말ᄉᆞᆷ이 다시 면젼의 용납ᄒᆞ기를 ᄇᆞ라지 못ᄒᆞ리니, 인직 웃지 ᄎᆞ마 쳐실노 인ᄒᆞ여 죄를 더어, 부모 슬젼(膝前)의 용납지 못ᄒᆞ고, 안연이 살기를 취ᄒᆞ리오. 출하리 ᄒᆞᆫ번 죽어 불효ᄒᆞᆫ 죄를 쇽ᄒᆞ고, 븟그러오믈 니즐

189)스예(司隷) : 중국 주나라 때 추관(秋官; 조선시대 형조를 달리 이르던 말)에 소속된 관리. 여기서 사예(司隷)는 사대부가에서 형리(刑吏)의 역할을 맡은 노복(奴僕)을 일컫는 말로 쓰이고 있다.
190)들네다 : 들레다. 야단스럽게 떠들다
191)녕(領)ᄒᆞ다 : ①형벌 따위를 받다. ②종통 제사 따위를 이어받다.

189)스예(司隷) : 중국 주나라 때 추관(秋官; 조선시대 형조를 달리 이르던 말)에 소속된 관리. 여기서 사예(司隷)는 사대부가에서 형리(刑吏)의 역할을 맡은 노복(奴僕)을 일컫는 말로 쓰이고 있다.
190)들네다 : 들레다. 야단스럽게 떠들다
191)녕(領)ᄒᆞ다 : ①형벌 따위를 받다. ②종통 제사 따위를 이어받다.

고 붓그러오믈 니줄[줌]만 굿디 못ᄒ도다."

ᄒ더니, 녜뷔 잠간 나와 형의 말을 듯고, 쳐연 슈루(垂淚)ᄒ여[며], 형댱의 손을 잡고 왈,

"슈원슈귀(誰怨讎仇)리오. 형댱이 딘실노 호신(豪身)의 히를 오늘날 씨드르시니, 젼의 이 ᄆ음을 열히 ᄒ나흘 두어 계시던들, 어이 엄젼의 용납디 못ᄒᄂ 변을 보시리잇고? 다만 야애(爺爺) 형댱의 개과뎡대(改過正大)하시믈 바라시므로 과거(過擧)192)를 ᄒ시나, 굿트여 오릭 넉치시든 아니리시니, 형댱은 심스를 안온이 ᄒ샤 고요【14】ᄒ시기를 취ᄒ시고, 너모 초젼(焦煎) 번뇌(煩惱)ᄒ여 셩딜(成疾)케 마르쇼셔."

남휘 ᄋ의 팔을 어로만져 읍왈(泣曰),

"대인이 우형의 죄를 다스리시미, 맛당이 일빅 장칙을 더으샤 후일을 징계케 하시미 가ᄒ시거늘, 스스로 벌슈(罰水)를 잡으시며, 즈졍의 존듕ᄒ신 톄위를 일시의 낫초아 쇼당(小堂)의 나리시게 ᄒ니, 우형의 블초ᄒ미 만스무셕(萬死無惜)이오, 쳔스유경(千死猶輕)이라. 사름이 부모긔 효도를 닐위디 못ᄒᄂᆫ들, 브졀업시 번화(繁華)를 즐기던 연고로 블회 이 디경의 밋츠니, 우형이 하면목(何面目)으로 닙어텬일디히(立於天日之下)193)리오."

샹셰 형댱을 지삼 위로ᄒ며, 챵졸의 갈 곳【15】을 싱각디 못ᄒ여, 취운산의셔 십여리를 더 드러가는 곳의 취벽산이란 뫼히 잇고, 뫼 아릭 뎡부 졍직(亭子) 잇셔 호왈 별유졍이니, 금평후 부친 뎡쇼시 풍경 유람ᄒ기를 즐기던 고로, 취벽산이 슈묘(秀妙)ᄒ믈 인ᄒ여 산하의 졍주를 일우고, 과목(果木)을 심어 각각 녀름194)이 셩ᄒ믈 보더니, 쇼ᄉ(少師)195) 별셰ᄒᄆᆯ로브터 금휘 션군의 유뎍을 ᄎ마 보디 못ᄒ여 근신ᄒ 노복으로

[줌]만 굿지 못ᄒ도다."

ᄒ더니, 녜뷔 잠간 나와 형의 말을 듯고, 쳐연 슈루(垂淚)ᄒ며, 형○[댱]의 손을 잡고 왈,

"슈원슈귀(誰怨誰咎)리오. 형댱이 진실노 호신(豪身)의 히를 오늘날 씨드르시니, 젼의 이 ᄆ음을 열히 ᄒ나흘 두시던들, 어이 엄젼의【10】 용납지 못ᄒᄂ 변을 보시리잇고? 다만 야애(爺爺) 형댱의 기과졍됴(改過正大)하시믈 ᄇ라시므로, 과거(過擧)192)를 ᄒ시나 굿트여 오릭 넉치시든 아니리시니, 형댱은 심스를 안돈ᄒ샤 고요ᄒ시기를 취ᄒ시고, 너모 초젼(焦煎) 번뇌(煩惱)ᄒ여 셩질(成疾)케 마르쇼셔."

남휘 ᄋ오의 팔을 어로만져 읍왈(泣曰),

"딕인이 우형의 죄를 다스리시미, 맛당이 일빅 장칙을 더으샤 후일을 징계케 하시미 가ᄒ시거늘, 스스로 벌슈(罰水)를 잡으시며, 즈졍의 존즁ᄒ신 톄위를 일시의 낫초아 쇼당(小堂)의 나리시게 ᄒ니, 우형의 블초ᄒ미 만스무셕(萬死無惜)이오, 쳔스유경(千死猶輕)이라. 사름이 부모긔 효도를 일위지 못ᄒᄂᆫ들, 브졀업시 번화(繁華)를 즐기던 연고로 블회 이 지경의 밋츠니, 우형이 하면목(何面目)으로 닙의[어]텬일지히(立於天日之下)193)리오."

샹셰 남후를 지삼 위로ᄒ며, 챵졸의 갈 곳을 싱각지 못ᄒ여, 취운산의셔 십【11】여리를 더 드러가는 곳의 취벽산이란 뫼히 잇고, 뫼 아릭 뎡부 졍직(亭子) 잇셔, 호왈 별유졍이니, 금후 부친 뎡쇼시 《풍셩∥풍경》 유람ᄒ기를 즐기던 고로, 취벽산이 슈묘(秀妙)ᄒ믈 인ᄒ여, 산하의 졍주을 일우고 과목(果木)을 심어 각각 여름194)이 셩ᄒ믈 보더니, 쇼ᄉ(少師)195) 별셰ᄒᄆᆯ로브터 금휘 션군의 유젹을 ᄎ마 보지 못ᄒ여, 근신

---

192)과거(過擧) : 정도에 지나친 거동.
193)닙어텬일디히(立於天日之下) : 하늘의 햇볕아래 섬.
194)녀름 : 열매.
195)쇼ᄉ(少師) : 고려 시대에, 태자부(太子府)에 둔 종이품 벼슬.

192)과거(過擧) : 정도에 지나친 거동.
193)닙어텬일디히(立於天日之下) : 하늘의 햇볕아래 섬.
194)녀름 : 열매.
195)쇼ᄉ(少師) : 고려 시대에, 태자부(太子府)에 둔 종이품 벼슬.

딕회여 두고 졀을 좃초 유람ᄒ더라. 남휘
별유졍의 나아가잇고져 ᄒ딕 ᄯᅳᆺ을 아디 못
ᄒ여, 녜부(禮部)를 딕ᄒ여 왈,

"대인이 췌운산 곡듕(谷中)의도 범치 못
ᄒ리라 ᄒ시【16】니, 내 감히 엄명(嚴命)
을 역(逆)디 못ᄒ올디라. 아모 곳의도 참괴ᄒ
ᄂᆞᆺ츨 들고 갈 ᄯᅳᆺ이 업슬 ᄹᅢᆫ 아니라, 사ᄅᆞᆷ으
로 샹졉ᄒ올 곳을 구치 아니ᄒᄂᆞ니, 별유졍이
유벽ᄒ여 죵일 지게를 열 《길히‖일이》
업슬 거시로딕, 션조부(先祖父)의 디으신 바
졍ᄌᆡ의 안연이 가 이시믈, 야얘 드르시면
깃거 아니실가 ᄒ노라."

녜뷔 위로 왈,

"대인이 분노ᄒ시미 과도ᄒ샤 형댱으로
췌운산의 머므디 말라 ᄒ시나, 딘졍으로 먼
니 닉치고져 아니시리니, 별유졍의 가 머므
시ᄂᆞᆫ 거슬 굿터여 대단이 막디 아니실디라.
원컨딕 형댱은 방심ᄒ여 별유졍으로 가쇼
셔."

남【17】휘 말을 ᄒ고져 ᄒᄆᆡ 가슴이 막
히고 안쉬(眼水) 압흘 가리와, 이윽이 가슴
을 어로만져 딘뎡ᄒ여, 모친긔나 잠간 뵈옵
고 가고져 ᄒ딕, 부친을 두려 다시 드러가
디 못ᄒ고, 참황(慘惶)ᄒᆫ 심ᄉᆡ(心思) 촌할
(寸割)ᄒ거ᄂᆞᆯ, 금후ᄂᆞᆫ 년ᄒ여 하리 군관을
보ᄂᆡ여 남후를 아모 딕로나 슈히 가라 지쵹
이 셩화 ᄀᆞᆺᄐᆞ니, 인졍이 조금도 업ᄂᆞᆫ디라.

남휘 ᄒᆞᆯ일업셔 군관쳥(軍官廳)의셔 뎡당
(正堂)을 바라 지빅 하딕고 별유졍으로 갈
ᄉᆡ, 태부인도 금후의 노긔를 막디 못ᄒ여
남후를 가ᄂᆡ의 머므르디 못ᄒ니, 기여(其餘)
를 의논ᄒ리오. 딘부인은 남후의 어ᄂᆞ 곳으
로 가ᄂᆞᆫ【18】줄도 아니 못ᄒ여, 냥찬(糧
饌)도 ᄂᆡ여주디 아니ᄒ니, 남휘 조모와 모친
긔도 하딕지 못ᄒᄆᆞᆯ 더욱 슬허, 별유졍으로
가믈 녜부다려 고ᄒ라 ᄒ고, 계오 슬프믈
딘뎡ᄒ고 몰긔 올나 췌별[벽]산 별유졍의
니ᄅᆞ니, 뉴졍 노복과 시녀 등이 댱샹공(長
相公)의 오믈 보고, 딘동(振動)ᄒ여 방샤를
쇄소ᄒ고 ᄎᆡ셕(彩席)을 펴거ᄂᆞᆯ, 남휘 친히

ᄒᆫ 노복으로 직회여 두고 졀을 조ᄎ 유람ᄒ
더라. 남휘 별유졍의 나아가 잇고져 ᄒ딕
부친 ᄯᅳᆺ을 아지 못ᄒ여, 녜부(禮部)를 딕ᄒ
여 왈,

"딕인이 췌운산 곡즁(谷中)의ᄂᆞᆫ 범치 못ᄒ
리라 ᄒ시니, 너 감히 엄의(嚴意)를 역(逆)
지 못ᄒ올지라. 아모 곳의도 참괴ᄒ 낫츨 들
고 갈 ᄯᅳᆺ이 업슬 ᄹᅢᆫ 아니라, 사ᄅᆞᆷ으로 샹졉
ᄒᆞᆯ 곳을 구치 아니ᄒᄂᆞ니, 별유졍이 유벽ᄒ
여 《롱일‖죵일》 지게를 열 《길히‖일
이》 업슬 거시로딕, 션조부(先祖父)의【1
2】지으신 바 졍ᄌᆡ의 안연이 가 이시믈,
야얘 드르시면 깃거 아니실가 ᄒ노라."

녜뷔 위로 왈,

"대인이 분노ᄒ시미 과도ᄒ샤 형댱으로
췌운산의 머므지 말나 ᄒ시나, 진졍으로 먼
니 닉치고져 아니시리니, 별유졍의 가 머므
시ᄂᆞᆫ 거슬 굿터여 딕단이 막지 아니실지라.
원컨딕 형댱은 방심ᄒ여 별유졍으로 가쇼
셔."

남휘 말을 ᄒ고져 ᄒᄆᆡ 가슴이 막히고 안
쉬(眼水) 압흘 ᄀᆞ리와, 이윽이 가슴을 어로
만져 진졍ᄒ여, 모친긔나 잠간 뵈옵고 가고
져 ᄒ딕, 부친을 두려 다시 드러가지 못ᄒ
여 참황(慘惶)ᄒᆫ 심식(心思) 《츳활‖촌활
(寸割)》ᄒ거ᄂᆞᆯ, 금휘 다시 군관을 보ᄂᆡ여,
남후를 아모 딕로나 슈히 가라 지쵹이 셩화
ᄀᆞᆺᄐᆞ니, 인졍이 조금도 업ᄂᆞᆫ지라.

남휘 ᄒᆞᆯ일업셔 군관쳥(軍官廳)의셔 졍당
(正當)을 바라고 지빅 하직고 별유졍으로
갈ᄉᆡ, 태부인도 금후의【13】노긔를 막지
못ᄒ여 남후를 가ᄂᆡ의 머므르지 못ᄒ니, 기
여(其餘)를 의논ᄒ리오. 진부인은 남후의 어
ᄂᆞ 곳으로 가ᄂᆞᆫ 줄도 아지 못ᄒ여, 냥찬(糧
饌)도 ᄂᆡ여주지 아니ᄒ니, 남휘 조모와 모친
긔도 하직지 못ᄒᄆᆞᆯ 더욱 슬허, 별유졍으로
가믈 녜부다려 고ᄒ라 ᄒ고, 계오 슬프믈
진졍ᄒ고 몰긔 올나 췌벽산 별유졍의 니ᄅᆞ
니, 유졍 노복과 시녀 등이 뎡샹공(鄭相公)
의 오믈 보고, 진동(振動)ᄒ여 방샤를 쇄소
ᄒ고 ᄎᆡ셕(彩席)을 펴거ᄂᆞᆯ, 남휘 친히 나준

나준 당샤를 굴회여 두어 닙 초셕의 관영
(冠纓)을 히탈ㅎ여 ᄒ번 누으미, 셔동으로
디게를 다드라 ᄒ여 죵일토록 옥면 화용의
흐르는 거시 안쉬라. 일긔 극열ᄒ여 사ᄅᆷ으
로 ᄒ여금 견디디 못홀 거시로ᄃᆡ, 디게를
닷고 고요히 누【19】어시나 더운 줄을 아
디 못ᄒ고, ᄌ긔 힝스를 뉘읏츠며 이돌
와196), 번화(繁華) 셩ᄉᆡᆨ(聲色)을 너모 즐기
다가 부젼의 닉친인 ᄌᆞ식이 되어, 샤(赦)ᄒ
실 긔약을 뎡치 못ᄒ니, 당ᄎᆞ시 ᄒ여는 쳐
실과 ᄌᆞ녀의게 넘녜 밋디 아냐, 가득이 바
라는 거시 부친의 샤명을 슈히 나리기를 원
ᄒ나 능히 밋디 못홀디라. 혼ᄌᆞ말노 탄식
왈,

"대인이 이디도록 아니ᄒ시고, 내 몸의
일빅 장칙을 더으시면197), 샹쾌ᄒ고 싀훤ᄒ
미 텬샹의나 오로는 둧홀 거시로ᄃᆡ, 장칙을
더으시디 아니시고, 이러툿 닉치시는 거슨
결단코 슈히 샤치 아니실디라 일일디닉의도
존당 부모를 샹니(相離)【20】ᄒ는 졍이 이
러ᄒ거늘, 혹ᄌᆞ 오릭 샤치 아니시면 내 반
ᄃᆞ시 초젼 번뇌ᄒ여 죽으리로다."

이러툿 댱탄단우(長歎慱憂)198)ᄒ여 비뤼
(悲涙) 광슈(廣袖)를 덕시고, 후간(喉間)199)
이 다 타 마르는 둧ᄒ니, 뎡히 츠를 구쿄뎌
ᄒ더니, 녜뷔 밧긔 니르러 디게를 열나 ᄒ
니, 남휘 그 스이나 반갑기 극ᄒ며 슬프미
더욱 무궁ᄒ여 ○○○○○○[셔동으로 하
여]금 디게를 여러 녜뷔 드러오미, 남휘 존
당 부모의 일일디간 존후를 므르며 눈물이
하슈 ᄀᆞᆺ고, 모친이 그져 쇼당의 계신가 므
르니, 녜뷔 딕 왈, 모친은 아딕 그져 쇼당의
계셔, 뎡팀의 드디 못ᄒ시고 존당 부모의
톄후는 일양(一樣)이시믈 딕ᄒ고, 형【21】
의 의용이 일일디닉의 환탈ᄒ여 냥안이 붓

196)이돌오다 : 애달프다. 안타깝도록 마음이 쓰리다.
197)더으다 : 더하다. 가(加)하다. 어떤 행위를 하거
나 영향을 끼치다.
198)댱탄단우(長歎慱憂) : 길이 탄식하고 몹시 근심
함.
199)후간(喉間) : 목구멍.

당샤를 굴회여 두어 닙 초셕의 관영(冠纓)
을 히탈ᄒ여 ᄒ번 누으미, 셔동으로 디게를
다드라 ᄒ여, 죵일토록 옥면 화용의 흐르는
거시 안쉬라. 일긔 극열ᄒ여 사ᄅᆷ으로 ᄒ여
금 못 견딜 거시로ᄃᆡ, 지게을 닷고 고요히
누어시나 더운 줄을 아지 못ᄒ고, ᄌ긔 힝
스를 뉘웃츠며 이돌와196) 번화(繁華)【14】
셩ᄉᆡᆨ(聲色)을 너모 즐기다가 부젼의 닉치닌
[인] ᄌᆞ식이 되어, 샤(赦)ᄒ실 긔약을 졍치
못ᄒ니, 당ᄎᆞ시 ᄒ여는 쳐실과 ᄌᆞ녀의게 넘
녜 밋지 아녀, ᄀᆞ득이 바라는 거시 부친의
샤명을 슈히 나리기를 원ᄒ나, 능히 밋지
못홀지라. 혼ᄌᆞ말노 탄식 왈,

"대인이 이디도록 아니ᄒ시고, 내 몸의 일
빅 장칙을 더으시면197), 샹패[쾌](爽快)ᄒ
고 싀원ᄒ미 텬샹의나 오로는 둧홀 거시로
ᄃᆡ, 장칙을 더으시지 아니시고, 이러툿 닉치
시는 거슨 결단코 슈히 샤치 아니실지라.
일일지닉의 《돈당∥존당》 부모를 샹니(相
離)ᄒ는 졍이 이러ᄒ거늘, 혹ᄌᆞ 오릭 샤치
아니시면 내 반ᄃᆞ시 초젼 번뇌ᄒ여 죽으리
로다."

이러툿 장탄단우(長歎慱憂)198)ᄒ여 비쉬
(悲水) 광슈(廣袖)를 적시고, 후간(喉間)199)
이 다 타 마르는 둧ᄒ니, 졍히 츠를 구쿄뎌
ᄒ더니, 녜뷔 밧긔 니르러 지게을 열나 ᄒ
니, 남휘 그 스이나 반갑기 극ᄒ며, 슬푸
【15】미 더욱 무궁ᄒ여, 셔동으로 하여금
지게를 여러 녜뷔 드러오미, 남휘 존당 보
모의 일일지간 존후를 므르며 눈물이 하슈
ᄀᆞᆺ고, 모친이 아직 그져 쇼당의 계신가 므
르니 녜뷔 딕 왈, '모친은 아직 그져 쇼당의
계셔 졍침의 드지 못ᄒ시고, 존당 부모의
톄후는 일양(一樣)이믈' 딕ᄒ고, 형의 의용
이 일일지닉의 환탈ᄒ여 냥안이 붓고 쥬슌

196)이돌오다 : 애달프다. 안타깝도록 마음이 쓰리다.
197)더으다 : 더하다. 가(加)하다. 어떤 행위를 하거
나 영향을 끼치다.
198)댱탄단우(長歎慱憂) : 길이 탄식하고 몹시 근심
함.
199)후간(喉間) : 목구멍.

고 쥬슌(朱脣)이 다 타 마르기의 밋쳐시니, 거동이 망극디변(罔極之變)을 당흔 사름 굿트며, 능히 슬프믈 금치 못ᄒᆞ니, 이ᄀᆞᆺ치 초전(焦煎)ᄒᆞ기를 일슌만 ᄒᆞ면, 결단ᄒᆞ여 듕흔 딜양을 일월 거시오, 그 쳐셔 옹식ᄒᆞ여 팔쳑 댱신이 용신(容身)키 어렵고, 일긔는 ᄭᅴ눈둣 훈열(薰熱)²⁰⁰)ᄒᆞ니 능히 견듸디 못홀디라. 네뷔 셔동을 도라보아 남후의 됴셕 식반을 나온신가 므르니, 물도 아니 딘음ᄒᆞ시믈 고ᄒᆞᆫ는디라. 네뷔 대경ᄒᆞ여 식상(食床)을 가져오라 ᄒᆞ여, 남후의 압히 노코 권ᄒᆞ며 왈,

"대인이 일시 분노ᄒᆞ샤 형【22】댱을 비록 면젼의 용납디 아니시나, 불과 형댱이 호일방탕흔 픔²⁰¹)을 바리고 온듕 뎡대ᄒᆞ기를 기다려 브르고져 ᄒᆞ시미니, 형댱이 엄의를 아르시리니 번뇌ᄒᆞ기를 이ᄀᆞᆺ치 ᄒᆞ여, 쳔금디신(千金之身)을 상ᄒᆞ시믈 싱각디 못ᄒᆞ시며, 죵일 일긔슈(一器水)를 나오디 아니시ᄂᆞ잇가? 결단ᄒᆞ여 보젼ᄒᆞ쇼셔. 이러ᄒᆞ즉 평일의 관대ᄒᆞ시던 도량이 아니라. 모로미 식반을 나오시고 회포를 널니ᄒᆞ샤 엄졍의 샤ᄒᆞ시믈 기다리쇼셔."

남휘 비읍 왈,

"우형이 싱셰디후(生世之後)의 부귀를 ᄭᅴ여 근심과 슬프믈 아디 못하던 비라. 셩졍이 슉【23】녀 미식의 팀닉고져 ᄒᆞ는 거슨 아니로ᄃᆡ, 녜 일을 의논ᄒᆞ여도, 문왕(文王)이 셩군(聖君)이샤ᄃᆡ, 태ᄉᆞ(太姒) ᄀᆞᆺ튼 슉녀를 두시고, 삼쳔 후비(后妃)를 거ᄂᆞ려 일빅 ᄌᆞ식을 나흐시니, 남ᄌᆞ의 호신ᄎᆔ식(豪身取色)은 녜ᄉᆞ로 아라, 칠 부인과 십이 금ᄎᆞ(金釵)²⁰²)를 ᄀᆞ쵸고져 ᄠᅳᆺ이오, 대인을 두리오디 아니미 아니로ᄃᆡ, 경공의 간쳥ᄒᆞ믈 좃ᄎᆞ 스스로 블고이ᄎᆔᄒᆞ미러니, 이졔 엄하(嚴下)의 용납디 못홀 ᄲᅮᆫ아니라, 내 일이 다 이듧고 뉘웃ᄎᆞ미 무궁흔디, 엄하의 ᄉᆞ못출 길히

200)훈열(薰熱) : 날씨가 찌는 듯이 무더움.
201)픔 : 품. 품새. 행동이나 말씨에서 드러나는 태도나 됨됨이.
202)금ᄎᆞ(金釵) : ①금비녀. ②첩(妾)을 달리 이르는 말.

(朱脣)이 다 타 말ᄂᆞ시니, 거동이 망극지변(罔極之變)을 당흔 사람 ᄀᆞᆺᄐᆞ며, 능히 슬프믈 금치 못ᄒᆞ니, 이갓치 초젼(焦煎)ᄒᆞ기를 일슌만 ᄒᆞ면, 결단ᄒᆞ여 즁흔 질양을 일월 거시오. 그 쳐소 옹식ᄒᆞ여 팔쳑 댱신이 용신(容身)이 어렵고, 일긔눈 ᄭᅴ는듯 훈열(薰熱)²⁰⁰)ᄒᆞ니, 능히 견듸지 못홀지라. 네뷔 셔동을 도라보아 남후의 조셕 식반을 나온가 므르니, 물도 아니 먹어시믈 고ᄒᆞ니, 네뷔 디경ᄒᆞ여 식상(食床)을 가져오라 ᄒᆞ여 남후의 압히【16】 노코 권ᄒᆞ여 왈,

"대인이 일시 분노ᄒᆞ사 형댱을 비록 면젼의 용납지 아니시나, 불과 형댱이 호일방탕ᄒᆞ믈 ᄇᆞ리고 온즁졍디ᄒᆞ기를 기ᄃᆞ려 브르고져 ᄒᆞ시미니, 형댱이 엄의를 아르시리니 번뇌ᄒᆞ기를 이ᄀᆞᆺ치 ᄒᆞ여, 쳔금지신(千金之身)을 상ᄒᆞ시믈 싱각지 못ᄒᆞ시며, 동일 일긔슈(一器水)를 나오지 아니시ᄂᆞᆫ잇가? 결단ᄒᆞ여 보젼ᄒᆞ쇼셔. 이러ᄒᆞ즉 평일의 관디ᄒᆞ시던 도량이 아니라. 모로미 식반을 나오고 회포를 널니ᄒᆞ샤 엄졍의 샤ᄒᆞ시믈 기ᄃᆞ리쇼셔."

남휘 비읍 왈,

"우형이 싱셰지후(生世之後)의 부귀를 ᄭᅴ여 근심과 슬프믈 아지 못ᄒᆞ던 비라. 셩졍이 슉여(淑女) 미식의 침닉고져ᄒᆞ는 거슨 아니로ᄃᆡ, 녜 일을 의논ᄒᆞ여도 문왕(文王)이 셩군(聖君)이스ᄃᆡ, 태ᄉᆞ(太姒)ᄀᆞᆺ튼 슉녀를 두시고 삼쳔후비(三千后妃)를 거ᄂᆞ려 일빅 ᄌᆞ식을 나흐시니, 남ᄌᆞ의 호신ᄎᆔ식(豪身取色)은 녜ᄉᆞ로 아라,【17】 칠 부인과 십이 금ᄎᆞ(金釵)²⁰¹)를 ᄀᆞ초고져 ᄠᅳᆺ이오, 대인을 두리오지 아니미 아니로ᄃᆡ, 경공의 간쳥ᄒᆞ믈 조ᄎᆞ 스스로 블고이ᄎᆔᄒᆞ미러니, 이졔 엄하(嚴下)의 용납지 못홀 ᄲᅮᆫ아니라, 닉 일이 다 이듧고 뉘웃ᄎᆞ미 무궁흔디, 엄하의 ᄉᆞ못출 길히 업스니, 어나 시졀의 ᄉᆞ명을 어드

200)훈열(薰熱) : 날씨가 찌는 듯이 무더움.
201)금ᄎᆞ(金釵) : ①금비녀. ②첩(妾)을 달리 이르는 말.

업스니, 어나 시졀의 샤명을 어드리오. 대인이 분슈를 나오려 ᄒ시던 바와, 주졍이 쇼당의 파쳔(播遷)203)【24】ᄒ시ᄂ 바를 싱각건딕 심졍이 씻ᄂ 듯ᄒ니, 비록 식반을 나오고져 ᄒ나 가슴이 막히고 목이 메여 먹고 슬고져 의시 이시리오."

언파의 ᄎ를 드러 마시고, 식상을 아ᄉ라 ᄒ니, 녜뷔 민박(憫迫)ᄒ믈 니긔디 못ᄒ여, 시녀 등으로 ᄒ여금 ᄒ 그릇 미쥭(糜粥)을 가져오라 ᄒ여 권ᄒ여 왈,

"식반이 가슴의 ᄲ히시거든 듁음(粥飲)을 마셔 긔아를 면ᄒ시미 올흐니, 엇디 이딕도록 조급히 구르시ᄂᄂ잇고?"

남휘 마디 못ᄒ여 듁음을 마시고, 시녀다려 왈,

"ᄎ후 나의 식상의 여러가디 찬션을 【25】버리디204) 말고, 나쥰 상의 다만 두어 그릇슬 넘기디 말나."

시녜 슈명하고 물너난 후, 남휘 녜뷔로 더브러 슬픈 말과 뉘웃ᄂ 탄(歎)을 니르며, 비회를 쳔만 관억ᄒ여 눈물을 거두고 잠을 일우고져 ᄒ나, 반졈 조으름이 업셔 댱일댱야(長日長夜)의 망극비황(罔極悲惶)ᄒ믈 형상치 못ᄒ니, 쳐실과 주녀의게ᄂ ᄒ 조각 넘녜 가디 아닛ᄂ디라. 다만 눅여, 왈,

"대인이 다만 나의 불효 무상ᄒ 죄를 다스리시고 슈히 안젼의 시봉케 ᄒ샤, 싱닉의 녀관(女款)205)을 원거ᄒ고, 산간의 힝실 닥ᄂ 고승 ᄀᆺ타라 ᄒ셔도, 내 죡히 명녕을 쥰봉ᄒ 거시로딕, 우형의 광【26】망무식(狂妄無識)ᄒ믈 통원(痛寃)ᄒ시미, 이런 말ᄉᆷ을 미드실 길히 업ᄉ니, 우형이 만일 여러 히를 부모긔 뵈옵디 못ᄒ고 엄뇌 ᄒ갈ᄀᆺᄐ시면, 실셩발광(失性發狂)ᄒ여 도로의 딜쥬(疾走)ᄒᄂ 거죄(擧措)이시로다"

녜뷔 믄득 안식을 뎡히ᄒ고, ᄀᆯ오딕,

---

203)파쳔(播遷) : 임금이 도성을 떠나 다른 곳으로 피란하던 일.
204)버리다 : 벌이다. 차리다. 여러 가지 물건을 늘어 놓다. 일을 계획하여 시작거나 펼쳐 놓다.
205)녀관(女款) : 여성과의 육체적 관계를 맺는 행위. 또는 그 대상이 되는 여성.

리오. 대인이 분슈를 나오려 ᄒ시던 바와 주졍의 쇼당의 곤(困)ᄒ시ᄂ 바를 싱각건딕, 심졍이 씻ᄂ 듯ᄒ니, 우형의 블회 쳔고의 희한ᄒ믈 슬허ᄒᄂ니, 비록 식반을 나오고져 ᄒ나, 가슴이 막히고 목이 메여 먹고 슬고져 의시 이시리오."

언파의 ᄎ를 드러 마시고 식상을 아ᄉ라 ᄒ니, 녜뷔 민박(憫迫)ᄒ믈 니긔지 못ᄒ여 시녀 등으로 ᄒ여금 ᄒ 그릇 미쥭(糜粥)을 가져오라 ᄒ여 권ᄒ여 왈,

"식반이 가슴의 ᄲ히시거든 쥭음(粥飲)을 마셔 긔아를 면ᄒ시미 올흐니, 엇【18】지 이딕도록 조급히 구르시ᄂᄂ잇고?"

남휘 마지 못ᄒ여 쥭음을 마시고, 시녀ᄃ려 왈,

"ᄎ후 나의 식상의 여러가지 찬션을 버리지202) 말고, 나쥰 상의 다만 두어 그릇슬 넘기지 말나."

시녀 슈명하고 물너난 후, 남휘 녜뷔로 더브러 슬픈 말과 뉘웃ᄂ 탄을 니르며, 비회를 쳔만 관억ᄒ여 눈물을 거두고 잠을 일우고져 ᄒ나, 반졈 조으름이 업셔 쟝일쟝야(長日長夜)의 망극비황(罔極悲惶)ᄒ믈 형상치 못ᄒ니, 쳐실과 주녀의게ᄂ ᄒ 조각 염녜 가지 아닛ᄂ지라. 다만 눅여, 왈,

"대인이 다만 나의 불효 무상ᄒ 죄를 다스리시고 슈히 안젼의 시봉케 ᄒ샤, 싱닉의 녀관(女款)203)을 원거ᄒ고 산간의 힝실 닥ᄂ 고승 ᄀᆺ타라 ᄒ셔도, 내 죡히 명영(命令)을 쥰봉ᄒ 거시로딕, 우형의 광망무식(狂妄無識)ᄒ믈 통한(痛恨)ᄒ시미, 이런 말ᄉᆷ을 미드실 길히 업ᄉ니, 우형【19】이 만일 여러 히를 부모긔 뵈옵지 못ᄒ고 엄뇌 ᄒ갈ᄀᆺᄐ시면, 실셩발광(失性發狂)ᄒ여 도로의 질쥬ᄒᄂ 거죄(擧措) 이시로다"

녜뷔 믄득 낫빗ᄎᆯ 졍히ᄒ고, 왈,

---

202)버리다 : 벌이다. 차리다. 여러 가지 물건을 늘어 놓다. 일을 계획하여 시작거나 펼쳐 놓다.
203)녀관(女款) : 여성과의 육체적 관계를 맺는 행위. 또는 그 대상이 되는 여성.

"고어의 주식을 기르미 부모의 은혜를 안다 호니, 형댱은 아뎍 년긔 이십이 추디 못호시고, 현긔 등을 다 일흐시니 도로혀 어히업셔 텬뉸의 졍을 씨둧디 못호시거니와, 연이나 현긔 등을 귀듕호시미 심상치 아니시던 빈라. 대인이 우리 형뎨를 주이호시미 디극히 경계호샤, 타류(他流)의셔 각별【27】이 낫과져 호시며, 힝신(行身) 만수의 무흠코져 바라시는 졍이 주별호신디라. 형댱이 부모의 댱주로 누딗봉수(累代奉祀)를 녕(領)호시고, 쳔금 듕탁(重託)이 흔 몸의 온젼호니, 일가의 우럼옴과 부모의 취듕교이(取重嬌愛) 그 엇더호니잇고마는, 형댱이 오시로브터 엄훈을 딕히디 못호샤, 입댱젼의 딗월누의 왕닉호여 요괴로운 창녀 등을 유졍호시고, 한번 운남 뎡벌의 집을 써나시민, 농누(龍樓)의 됴회호시고 친당(親堂)의 봉비(奉拜)호며, 제뎨(諸弟)로 더브러 광금(廣衾) 댱침(長枕)의 힐항(頡頏)206)호던 졍의를 싱각호시미 시긱이 밧바 호는 거시 맛당호【28】시거늘, 닙공승젼(立功勝戰)호여 즐거이 도라오시는 힝거를 늣추샤, 경슈(嫂)를 불고이취호시니, 형댱이 그 써 가실이 업수니와 달나, 윤·양·니 삼슈를 두시며 덕힝이 뇨됴호심과 부덕의 초츌호시미 딘짓 슉녜시니, 문왕(文王)의 태수(太姒)를 불워호실 빈 아니라. 지어(至於)207) 식광(色光)이란 거슨 말기여시(末技餘事)오, 홍안(紅顏)의 히(害)를 취호니 ᄀ장 블관호거니와, 윤슈의 일월명광(日月明光)과 양슈의 화월디틱(花月之態) 만고의 무비(無比)호시니, 아모리 싱각하여도 브족흔 일이 업술 거시어늘, 형댱이 삼위 슉완을 오히려 낫비 넉이샤, 경슈를 불고이【29】취호시니, 형댱은 호화디스를 구호시므로 신상의 허물되믈 씨둧디 못호여 계시거니와, 사름으로 호여금 형댱의 힝스를 드르○○[게 호]미 히연

206)힐항(頡頏) : '새가 날면서 오르락내리락 함'을 뜻하는 말로 형제간에 우애하며 지내는 모양을 이르는 말.
207)지어(至於) : 심지어. 더욱 심하다 못하여 나중에는.

"고어의 주식을 기르미 부모의 은혜를 안다 호니, 형댱은 아직 년긔 이십이 추지 못호시고, 현긔 등을 다 일흐시니 도로혀 어히업셔 텬뉸의 졍을 씨둧지 못호시거니와, 연이나 현긔 등을 귀즁호시미 심상치 아니시던 빈라. 대인이 우리 형뎨를 주이호시미 지극히 경계호샤, 타류(他流)의셔 각별이 낫고져 호시며, 힝신(行身) 만수의 무흠코져 브라시는 졍이 주별호신지라. 형댱이 부모의 댱주로 누딗봉수(累代奉祀)를 녕호시고, 쳔금 즁탁(重託)이 흔 몸의 《은젼‖온젼》호니, 일가의 우럼과 부모의 취듕교익(取重嬌愛) 그 엇더호니잇고마는, 형댱이 오시로브터 엄훈을 직히지 못호샤, 입댱 젼의 딗월누의 왕닉【20】호여, 요괴로운 창녀 등을 유졍호시고, 한번 운남 졍벌의 집을 써나시민, 몬져 농누(龍樓)의 됴회호시고 친당(親堂)의 봉비(奉拜)호며, 제뎨(諸弟)로 광금 댱침(廣衾長枕)의 힐항(頡頏)204)호던 졍을 싱각호시미 맛당호시거늘, 입고[공]승젼(立功勝戰)호여 즐거이 도라오시는 힝거를 늣추샤, 경슈(嫂)를 불고이취호시니, 형댱이 그 써 가실이 업수니와 달나, 윤·양·니 삼슈를 두시며 덕힝이 뇨됴홈과 부덕의 초츌호시미 진짓 슉녀시니, 《무왕‖문왕(文王)》의 태수(太姒)를 불워호실 빈 아니라. 지어(至於)205) 식광(色光)이란 거슨 말기여시(末技餘事)오, 홍안(紅顏)의 히(害)를 취호니 ᄀ장 블관호거니와, 윤슈의 일월명광(日月明光)과 양슈의 화월지틱(花月之態) 만고의 무○[비](無比)호시니, 아모리 싱각하여도 브족흔 일이 업거늘, 형댱이 삼위 슉완을 낫비 넉이샤, 경슈를 굿투여 취호시니, 형댱은 호화지스를 구호시므로 신상의 허물되믈 씨【21】둧지 못호여 계시거니와, 사룸으로 호여금 형댱의 힝스를 드르○○[게 호]민, 히연○○[호고] 괴이히 넉일 바는 인

204)힐항(頡頏) : '새가 날면서 오르락내리락 함'을 뜻하는 말로 형제간에 우애하며 지내는 모양을 이르는 말.
205)지어(至於) : 심지어. 더욱 심하다 못하여 나중에는.

ᄒ고 괴이히 넉일 바는 인뉸대ᄉᆞ를 ᄌᆞ젼(自
專)ᄒ시미라. 경공과 텬위 형댱의 풍치 문
댱과 지조 덕힝을 과혹ᄒ여 혼ᄉᆞ를 일워시
나, 대인의 훈교도 엄(掩)치 못ᄒ시믈 우울
거시니, 형댱이 딘실노 큰 허물을 디어 계
신디라. 일이 발각ᄒ미 대인이 ᄒᆞᆫ 조각 졍
니를 도라보디 아니샤, 형댱을 영영이 닉치
시며 ᄌᆞ졍을 쇼댱의 나라시게 ᄒᆞ시믄 분노
를 니【30】ᄀᆞ디 못ᄒ신 연괴어니와, 기실
은 형댱으로 ᄒ여금 부모긔 닉치샤 튱텬댱
긔(衝天壯氣) 주러디게 ᄒ시며, 발양ᄒ신 ᄆᆞ
음으로써 고요ᄒᆞᆫ 거슬 밧고게 ᄒ시고, 안졍
ᄒᆞᆫ 쳐소의 머므러 허믈을 씌듯고, 녀악(女
樂)을 먼니ᄒ여 창기란 거시 군ᄌᆞ 힝실의
유희ᄒᆞᆷ을 아르시과져 ᄒ시미니, 초젼 번뇌
ᄒ여 죽으라 ᄒ신 명이 업고, 광분딜쥬(狂
奔疾走)ᄒ라 ᄒ신 일이 아니라, 개과ᄌᆞ칙(改
過自責)ᄒ샤 셩인군ᄌᆞ 되고져 ᄒ시미니, 형
댱의 부모를 니측ᄒ신 심ᄉᆞ로써, 조초208)
대인이 형댱을 바리시고 홀연(欻然)이209)
못니ᄌᆞ시는 졍을 임의 혜아【31】리실디라.
형댱의 도리, 디는 일을 뉘웃고 식로 슈힝
셥신(修行攝身)210)ᄒ샤 이러틋이 과격히 구
디 마르쇼셔."

병뷔 ᄋᆞ의 말을 고요히 듯기를 다ᄒ미,
셕연이 니러 안ᄌᆞ 돈연이 낫빗츨 곳치고,
녜부의 손을 잡아 탄디칭션(歎之稱善) 왈,

"션ᄌᆡ(善哉)라 내 아이211)여 효의 츌텬홈
과 의논의 명셩(明聖)ᄒ미 이 ᄀᆞᆺᄐᆞ니, 우형
이 슈블인무상(雖不仁無狀)이나, 우흐로 엄
훈을 밧들고 아리로 현뎨 뎡대히 규간(規
諫)212)ᄒᆞᆷ을 인ᄒᆞ여, 무힝블의(無行不義)를
면홀가 바라는 비라. 이 말ᄉᆞᆷ을 엄졍의 알

뉸대ᄉᆞ(人倫大事)를 ᄌᆞ젼(自傳)ᄒ시미라. 경
공과 텬위 형댱의 풍치 문댱과 지조 덕화를
과혹ᄒ여 혼ᄉᆞ를 일워시나, 대인의 훈교도
엄(掩)치 못ᄒ시믈 우울 거시니, 형댱이 진
실노 큰 허물을 지어 계신지라. 일이 발각
ᄒ미 대인이 ᄒᆞᆫ 조각 졍니를 도라보지 아니
샤, 형댱을 영영이 닉치시며 ᄌᆞ졍을 쇼댱의
나리시게 ᄒᆞ시믄, 분노를 니기지 못ᄒ신 연
괴어니와, 기실은 형댱으로 ᄒ여금 부모긔
닉치샤 츙텬댱긔(衝天壯氣) 쥬러지게 ᄒ시
며, 발양ᄒ신 ᄆᆞ음으로써 고요ᄒᆞᆫ 거슬 밧고
게 ᄒ시고, 안졍ᄒᆞᆫ 쳐소의 머므러 허믈을
씌듯고, 여악(女樂)을 먼니ᄒᆞ여 창기란 거시
군ᄌᆞ 힝실의 유희ᄒᆞᆷ을 알니시고져 ᄒ시미
니, 초젼 번뇌ᄒ여 죽으라 ᄒ신 명이 업고,
광【22】분질쥬(狂奔疾走)ᄒ라 ᄒ신 일이
아니라, 기과ᄌᆞ칙(改過自責)ᄒ샤 셩인군지
되고져 ᄒ시미니, 형댱의 부모를 니측ᄒ신
심ᄉᆞ로써, 《조초∥조초206)》 대인이 형댱
을 바리시고 홀연(欻然)이207)이 못니ᄌᆞ시는
졍을 이의 혜아리실지라. 형댱의 도리 지는
일을 뉘웃고 식로 슈힝셥신(修行攝身)208)ᄒ
샤 이러틋이 과격히 구지 마쇼셔."

병뷔 ○…결락13자…○[ᄋᆞ의 말을 고요히
듯기를 다ᄒ미], 셕연이 니러 안ᄌᆞ 돈연이
낫빗츨 곳치고, 녜부의 손을 잡아 탄지칭션
(歎之稱善) 왈,

"션ᄌᆡ(善哉)라 내 아이209)여, 효의 츌텬홈
과 의논의 명셩(明聖)ᄒ미 이 ᄀᆞᆺᄐᆞ니, 우형
이 슈블인무상(雖不仁無狀)이나, 우흐로 엄
훈을 밧들고, 아리로 현뎨 졍딕히 규간(規
諫)210)ᄒᆞᆷ을 인ᄒ여, 무힝블의(無行不義)를
면홀가 바라는 비라. 이 말ᄉᆞᆷ을 엄졍의 알

---

208)조초 : 좇아, 따라.
209)홀연(欻然)이 : 갑자기. 홀연(欻然); 어떤 일이 생
  각할 겨를도 없이 급히 일어나는 모양.
210)슈힝셥신(修行攝身) : 행실을 닦고 몸이 병들지
  않도록 건강을 잘 관리함.
211)아이 : 아우.
212)규간(規諫) : 옳은 도리나 이치로써 웃어른이나
  왕의 잘못을 고치도록 말함.

206)조초 : 좇아, 따라.
207)홀연(欻然)이 : 갑자기. 홀연(欻然); 어떤 일이 생
  각할 겨를도 없이 급히 일어나는 모양.
208)슈힝셥신(修行攝身) : 행실을 닦고 몸이 병들지
  않도록 건강을 잘 관리함.
209)아이 : 아우.
210)규간(規諫) : 옳은 도리나 이치로써 웃어른이나
  왕의 잘못을 고치도록 말함.

외디 못ㅎ고, 샤명(赦命)이 아모 제213) 나
릴 줄 아디 못ㅎ니 창황흔 회포를 긔억기
어렵【32】도다."

네뷔 지삼 위로ㅎ고 종야토록 형뎨 담논
(談論)ㅎ다가, 원촌(遠村)의 계셩(鷄聲)이 들
니ᄂᆞᆫ디라. 네뷔 니러 부듕으로 도라올ᄉᆡ 병
부를 위로 왈,

"쇼뎨 도라가 태모긔 형댱의 졍수를 고ᄒᆞ
여, 엄노를 도로혀214) 슈히 샤ᄒᆞ시기를 도
모ᄒᆞ리니, 형댱은 식음을 ᄡᅵ의 나오시고 울
울흔 회포를 ᄎᆞᆷ으쇼셔."

병뷔 쳑연 함누 왈,

"대인의 셩졍이 스스로 프르시기 젼의,
권간(勸諫)215)으로 좃ᄎᆞ 우형을 샤ᄒᆞ시면,
십년이 다 가도 통한ᄒᆞᆷ믈 니긔디 못ᄒᆞ시리
니, 현뎨 브졀업시 우형의 말ᄉᆞᆷ을 알외디
말고, 대모긔도 고치 말디어다."

네뷔 ᄃᆡ왈,【33】

"쇼뎨 암용ᄒᆞ오나 엄의를 아디 못ᄒᆞ고,
형댱의 말ᄉᆞᆷ을 간ᄃᆡ로 아니ᄒᆞ리니, 형댱은 넘
녀치 마르쇼셔."

병뷔 탄식고 네뷔로 더브러 잠간 밧긔 나
와 췌운산을 향ᄒᆞ여 부모 존당의 신셩디녜
(晨省之禮)를 집의셔 뫼심ᄀᆞᆺ치 ᄒᆞ고, 즉시
드러와 디게를 닷고 누으니, 네뷔 형을 ᄡᅥ
나 본부로 도라오ᄆᆡ, 발셔 홍일(紅日)이 부
상(扶桑)의 오르고겨 ᄒᆞ더라.

금휘 병부를 니치고 ᄂᆡ당(內堂)의 드러와
태부인 샹하의 ᄭᅮ러, 낫빗츨 화히 ᄒᆞ며 소
리를 브드러이 ᄒᆞ여 고왈,

"쇼지 텬ᄋᆞ를 믜워 니치미 아니오라, 그
위인의 남활ᄒᆞ고 방즈ᄒᆞ미 나날 더ᄒᆞ니, 범
【34】연흔 쟝칙으로ᄂᆞᆫ 뎡도의 도라가게
ᄒᆞ오미 어렵ᄉᆞ온디라. 짐즛 부즈디뉸을 버
혀 아조 니치는 ᄃᆞᆺ시 ᄒᆞ엿ᄉᆞ오니, 텬이 본
ᄃᆡ 춍명ᄒᆞ온디라, 져도 괴롭고 난안흔 경계
를 당ᄒᆞ와, 호신(豪身)이 브졀업ᄉᆞ믈 ᄭᆡᄃᆞᆺ기

외지 못ㅎ고, ᄉᆞ명(赦命)이 아모 제211) 나
릴 줄 아지 못ㅎ니, 창황흔 회포를 긔억기
어렵도다."

네뷔 지삼 위로ㅎ고 종야토록 형뎨 담논
(談論)【23】ㅎ다가, 원촌(遠村)의 게[계]셩
(鷄聲)이 들니ᄂᆞᆫ지라. 네뷔 니러 집으로 도
라올ᄉᆡ, 병부을[를] 위로 왈,

"쇼뎨 도라가 태모긔 형댱의 졍수를 고ᄒᆞ
여 엄노를 도로혀212) 슈히 샤ᄒᆞ시기를 도모
ᄒᆞ리니, 형댱은 식음을 ᄡᅵ의 나오시고 울울
흔 회포를 ᄎᆞᆷ으쇼셔."

병뷔 쳑연 함누 왈,

"대인의 셩졍이 스스로 프르시기 젼의, 권
간(勸諫)213)으로 조ᄎᆞ 우형을 샤ᄒᆞ시면, 십
년이 다 가도 통한ᄒᆞᆷ믈 니긔지 못ᄒᆞ시리니,
현뎨 브졀업시 우형의 말ᄉᆞᆷ을 알외지 말고
대모긔도 고치 말지어다."

네뷔 ᄃᆡ왈,

"쇼뎨 암용ᄒᆞ오나 엄의를 아지 못ᄒᆞ고, 형
댱의 말ᄉᆞᆷ을 간ᄃᆡ로 아니ᄒᆞ리니, 형댱은 염녀
치 마르쇼셔."

병뷔 탄식고 네뷔로 더브러 잠간 밧긔 나
와 췌운산을 향ᄒᆞ여 부모 존당의 신셩지녜
(晨省之禮)를 집의셔 뫼심ᄀᆞᆺ치 ᄒᆞ고, 즉시
드러와 디게를 닷고 누으니, 네뷔【24】형
을 ᄡᅥ나 본부의 ○○[도라]오ᄆᆡ, 발셔 홍일
(紅日)이 부상(扶桑)의 오르고 겨 ᄒᆞ더라.

금휘 병부를 니치고 ᄂᆡ당(內堂)의 드러와
태부인 샹하의 ᄭᅮ러, 낫빗츨 화히ᄒᆞ며 소리
를 부드러이 ᄒᆞ여 고왈,

"쇼지 텬ᄋᆞ를 믜워 니치미 아니오라, 그
위인의 남활ᄒᆞ고 방즈ᄒᆞ미 나날 더ᄒᆞ니, 범
연흔 쟝칙으로ᄂᆞᆫ 정도의 도라가게 ᄒᆞ미 어
렵ᄉᆞ온지라. 《짐죽∥짐즛》 부즈디뉸을 버
혀 아조 니치는 ᄃᆞᆺ시 ᄒᆞ엿ᄉᆞ오니, 텬이 본
ᄃᆡ 춍명ᄒᆞ온지라, 져도 괴롭고 난안흔 경계
를 당ᄒᆞ와, 호신(豪身)이 브졀업ᄉᆞ믈 ᄭᆡᄃᆞᆺ기

---

213)제 : 때에. '적에'가 줄어든 말.
214)도로혀다 : 돌이키다. 돌리다.
215)권간(勸諫) : 간언(諫言). 웃어른이나 임금에게
　　옳지 못하거나 잘못된 일을 고치도록 말함.

211)제 : 때에. '적에'가 줄어든 말.
212)도로혀다 : 돌이키다. 돌리다.
213)권간(勸諫) : 간언(諫言). 웃어른이나 임금에게
　　옳지 못하거나 잘못된 일을 고치도록 말함.

를 시작ᄒ온 후ᄂᆞᆫ, ᄯᅩᄒᆞᆫ 남의셔 나으미 잇
ᄉᆞ오리니, 복망 ᄌᆞ위ᄂᆞᆫ ᄉᆞ정을 ᄎᆞᆷ으샤 삼ᄉᆞ
삭 더져두어, 텬ᄋᆞ로 ᄒᆞ여금 뎡도외 나아가
게 ᄒᆞ쇼셔.”

태부인이 남후를 먼니 닉치믈 결연ᄒᆞ나,
ᄋᆞ지의 말이 그르디 아니코, 남후의 남활
방ᄌᆞᄒᆞ미 그리 아녀셔ᄂᆞᆫ 졔어치 못ᄒᆞᆯ 줄 아
라, 잠쇼 왈,

“텬ᄋᆞ의 현효(賢孝)ᄒᆞ미 과거(過擧)를 힝
치 아녀도 씨【35】ᄃᆞ르미 잇실 거시오. ᄋᆞ
시로부터 너를 두리기ᄂᆞᆫ 녜사 사룸의 부형
두리기로 비홀 빅 아니어ᄂᆞᆯ, 영영이 취운산
근쳐의 못잇게 ᄒᆞ미 엇디 박졀치 아니리
오.”

금휘 ᄯᅩᄒᆞᆫ 함쇼(含笑)러니, 초일 셕식 후
의 녜뷔 부젼의 나아가 명일 도라오믈 고ᄒᆞᆫ
딕, 감히 형을 보고 오믈 알외디 못ᄒᆞ나 금
휘 거의 짐작고 허ᄒᆞ엿더니, 명일 신셩 밋
쳐 도라오디 못ᄒᆞ니, 태부인이 병부를 싱각
고 불승민울(不勝悶鬱)ᄒᆞ미, 녜부의 나간 곳
을 므르니, 금휘 병부의 간 곳을 몰나 뎡히
굼거이 넉이나, 굿트여 므르미 업더니, 비로
소 알고 녜부의 도라오기를【36】기다려
뎡싴 왈,

“별유졍은 션인(先人)의 유완ᄒᆞ시던 곳이
니, 욕ᄌᆞ의 더러온 ᄌᆞ최 감히 머므디 못ᄒᆞᆯ
곳이어ᄂᆞᆯ, 텬흥은 인ᄉᆞ를 몰나 가려ᄒᆞᆯ디라
도, 네 반ᄃᆞ시 가디 못ᄒᆞᆯ 줄 니르미 올커ᄂᆞᆯ
긔 어인 일이뇨?”

녜뷔 브복 딕왈,

“형이 아모 딕도 갈 곳이 업셔 마디 못ᄒᆞ
여 별유졍으로 가시나, 감히 왕부의 거쳐ᄒᆞ
시던 당샤의 머므디 못ᄒᆞ여, 젼일 싀목(柴
木) 너튼 일간(一間) 누쳐(陋處)의 잇ᄉᆞ와,
셕고딕죄(席藁待罪)216) ᄒᆞ옵ᄂᆞ니, 이곳이라
도 ᄶᆞ나라 ᄒᆞ시면, 형이 엇디 엄명을 거역
ᄒᆞ리잇고?”

금휘 뎡싴 무언이오, 태부인 왈,

“텬【37】흥이 별유졍 너른 당샤를 바리

---
216)셕고딕죄(席藁待罪) : 거적을 깔고 엎드려서 임
    금의 처분이나 명령을 기다리던 일.

를 시작ᄒ온 후ᄂᆞᆫ, ᄯᅩᄒᆞᆫ 남의셔 나으미 잇
ᄉᆞ오리니, 복망 ᄌᆞ위ᄂᆞᆫ ᄉᆞ정을 ᄎᆞᆷ으샤 삼ᄉᆞ
삭 더져두어, 텬ᄋᆞ로 ᄒᆞ여금 졍도의 나아가
게 ᄒᆞ쇼셔.”

태부인이 남후를 먼니 닉치믈 결연ᄒᆞ나,
ᄋᆞ지의 말이 그르지 아니코, 남후의 남활
방ᄌᆞᄒᆞ미 그리 아녀셔ᄂᆞᆫ 졔어치 못ᄒᆞᆯ 줄 아
라,【25】잠쇼 왈,

“텬ᄋᆞ의 현효(賢孝)ᄒᆞ미 과거(過擧)를 힝
치 아녀도 씨드르미 잇실 거시오, ᄋᆞ시로○
○[부터] 너를 두리기ᄂᆞᆫ 녜ᄉᆞ 사룸의 부형
두리기로 비홀 빅 아니어ᄂᆞᆯ, 《영고히‖영
영히》 취운산 근쳐의 못잇게 ᄒᆞ미 엇지 박
졀치 아니리오.”

금휘 ᄯᅩᄒᆞᆫ 함쇼(含笑)러니, 초일 셕식 후
의 녜뷔 부젼의 나아가 명일 도라오믈 고ᄒᆞᆫ
딕, 감히 형을 보고 오믈 알외지 못ᄒᆞ나, 금
휘 거의 짐작고 허ᄒᆞ엿더니, 명일 신셩 밋
쳐 도라오지 못ᄒᆞ니, 태부인이 병부를 싱각
고 불승민울(不勝悶鬱)ᄒᆞ매, 녜부의 나간 곳
을 므르니, 금휘 병부의 간 곳을 몰나 졍히
굼거이 넉이나, 굿트여 므르미 업더니, 비로
소 알고 녜부의 도라오기를 기ᄃᆞ려, 졍식
왈,

“별유졍은 션인의 유완ᄒᆞ시던 곳이니, 욕
ᄌᆞ의 더러온 ᄌᆞ최 감히 머므지 못ᄒᆞᆯ 곳이어
ᄂᆞᆯ, 텬흥은 인ᄉᆞ를 몰나 가랴ᄒᆞᆯ지라도, 네
반ᄃᆞ시 가지 못ᄒᆞᆯ 줄 니르미 올【26】커ᄂᆞᆯ,
긔 어인 일이뇨?”

녜뷔 부복 딕왈,

“형이 아모 딕도 갈 곳이 업셔 마지 못ᄒᆞ
여 별유졍으로 가시나, 감히 대부의 거쳐ᄒᆞ
시던 당상의 머므지 못ᄒᆞ여, 젼일 싀목(柴
木) 너튼 일간(一間) 누쳐(陋處)의 잇ᄉᆞ와,
셕고딕죄(席藁待罪)214) ᄒᆞ옵ᄂᆞ니, 이곳이라
도 ᄶᆞ나라 ᄒᆞ시면, 형이 엇지 엄명을 거역
ᄒᆞ리잇고?”

금휘 졍식 무언이오, 태부인 왈,

“텬흥이 별유졍 너른 당샤를 ᄇᆞ리고, 누

---
214)셕고딕죄(席藁待罪) : 거적을 깔고 엎드려서 임
    금의 처분이나 명령을 기다리던 일.

고, 누일(累日)217) 그러툿 디죄흐미 이시면, 반드시 병이 날디라, 엇디 념녜롭디 아니리오. 노뫼 져의게 글월을 븟쳐 너른 쳐소의 올므라 흐리니, 너는 어이 별유정도 못잇게 흐느뇨?"

금휘 고왈,

"텬흥과 쇼지 부즈뉸의를 싯츠미 남이나 다르디 아니흐오니, 졔 엇디 션인의 디으신 졍즈의 이시리잇가?"

태부인이 이심(已甚)흐믈218) 니르고, 남후의게 글월을 붓치려 흐더니, 금휘 간흐여 셔찰을 보니디 마르쇼셔 흐고, 다시 병부의 말을 아니흐며, 그 거쳐를 아른 쳬흐미 업스니, 【38】 남휘 별유정 쇼당을 써나디 아니흐고, 녜부와 공즈등이 틈을 어드면 왕니흐디, 학시' 부젼의 슈장흐고 금휘 쏘한 별유정의 가디 못게 흐니, 혹시 장칙의 알프믄 젹은 일이로딕 빅형을 가보디 못홈과 모친의 쇼당의 쳐흐시믈 졀박히 넉여, 일일은 가마니 조모를 쵹흐며 모친을 뎡침으로 도라보닉 쇼셔 흐니, 태부인은 딘부인이 쇼당의 나리를 모로던 비라. ᄀ장 놀나 금후를 불너 딘부인을 쇼당의 곤케 흐미 가치 아니믈 칙흐고, 밧비 뎡팀의로 도라보닉라 흐니, 금휘 쇼이대왈, 【39】

"져를 쇼당의 나리게 흐오믄 그 즈식 잘못 나흔 허믈을 쇽(贖)고져 흐오미러니, 즈괴 이 ᄀ투시니 금일노브터 뎡침으로 도라가라 흐샤이다."

이에 녜부를 블너 왈,

"태임(太姙)219)이 태교흐미 문왕(文王)이 나시며, 밍뫼(孟母) 틱교흐여 밍즈(孟子)를 나흐시니, 즈식의 현불쵸(賢不肖)는 그 어믜 십삭 틱교의 만히 달므미 잇거늘, 텬흥의 무상흐미 오문(吾門)의는 업슨 거시라. 내 스스로 벌슈(罰水)를 마셔 가르치디 못흔 허믈을 쇽고져 흐더니, 욕지 아스 마시나,

일(累日)215) 그러툿 디죄흐미 이시면, 반드시 병이 날지라. 엇지 념녜롭지 아니리오. 노뫼 져의게 글월을 븟쳐 너른 쳐소의 올프라 흐리니, 너는 어이 별유정도 못잇게 흐느뇨?"

금휘 고왈,

"텬흥과 쇼지 부즈뉸의를 싯츠미 남이나 다르지 아니흐오니, 졔 엇지 션인의 지으신 졍즈의 이시리잇가?"

태부인이 이심(已甚)흐믈216) 니르고, 남후의게 글월을 붓치려 흐더니, 금휘 간흐여 셔찰를 보닉지 마르쇼셔 흐고, 다시 병부의 말【27】을 아니흐며, 그 거쳐를 아른 쳬흐미 업스니, 남휘 별유정 쇼당을 써나지 아니흐고, 녜부와 공즈 등이 틈을 어드면 즈로 왕니흐디, 혹시 부젼의 슈장흐고 금휘 쏘한 별유정의 가지 못흐게 흐니, 혹시 장칙의 알프믄 젹은 일이로딕, 빅형을 가보지 못홈과 모친의 쇼당의 쳐흐시믈 졀박히 넉여, 일일은 가마니 조모를 쵹흐며 모친을 졍침으로 도라보닉쇼셔 흐니, 태부인은 진부인이 쇼당의 나리를 모로던 비라. ᄀ장 놀나 금후를 불너 진부인을 쇼당의 곤케 흐미 가치 아니믈 칙흐고, 밧비 졍팀의 도라보닉라 흐니, 금휘 웃고 틱왈,

"져를 쇼당의 나리게 흐오믄 그 즈식 ○[잘]못 나흔 허믈을 쇽(贖)고져 흐오미러니, 즈괴 이 ᄀ투시니 금일노브터 졍침으로 도라가라 흐샤이다."

이에 녜부를 블너 왈,

"태임(太姙)217)이 태교흐미 문왕(文王)이 나시며, 밍뫼(孟母) 틱교【28】흐여 밍즈(孟子)를 나흐시니, 즈식의 현불쵸(賢不肖)는 그 어믜 십삭 틱교의 만히 달므미 잇거늘, 텬흥의 무상흐미 오문(吾門)의는 업슨 거시라. 내 스스로 벌슈(罰水)를 마셔 ᄀ릭치지 못흔 허믈을 쇽고져 흐더니, 욕지 아스 마

---

217)누일(累日) : 연일(連日). 여러 날을 계속하여.
218)이심(已甚)흐다 : 지나치게 심하다.
219)태임(太姙) : 중국 주(周)나라 문왕(文王)의 어머니. 부덕(婦德)이 높아 며느리 태사(太姒: 문왕의 비)와 함께 성녀(聖女)로 추앙된다.

215)누일(累日) : 연일(連日). 여러 날을 계속하여.
216)이심(已甚)흐다 : 지나치게 심하다.
217)태임(太姙) : 중국 주(周)나라 문왕(文王)의 어머니. 부덕(婦德)이 높아 며느리 태사(太姒: 문왕의 비)와 함께 성녀(聖女)로 추앙된다.

네 모친이 퇴교 못ᄒᆞᆷ믈 절졀이 이들와 쇼당의 나리왓더니, ᄌᆞ정이 칙ᄒᆞ시미 셩녀【40】를 끼치옵디 아니려, 네 모친을 뎡침으로 오르게 ᄒᆞ려니와, 이런 말을 텬흥 욕지 드르면 더욱 양양ᄒᆞ리니, 모로미 브졀업시 젼치 말고 일양 쇼당의 이시믈 알게 ᄒᆞ라."

네븨 ᄌᆡ빈 슈명ᄒᆞ고 물너나 모친긔 뎡침으로 드르시믈 쳥ᄒᆞ니, 딘부인이 쇼당의 이션디 삼일의, 니·양 등 냥븨(兩婦) 일시도 ᄶᅥ나디 아니ᄒᆞ며, 가듕 경식이 황황ᄒᆞᆷ믈 니긔디 못ᄒᆞ나, 부인이 ᄯᅩᄒᆞᆫ 쇼당의 나려 시녀 등을 당부ᄒᆞ여 이런 말ᄉᆞᆷ을 태부인긔 고치 말나 ᄒᆞ더니, 믄득 태부인이 아르시미 되여 금휘 뎡침으로 도라가믈【41】 허ᄒᆞ미, 네부와 학시 이공ᄌᆞ로 더브러 경ᄉᆞ를 만남ᄀᆞᆺ치 깃브미 비ᄒᆞᆯ 곳이 업셔ᄒᆞ믈 보고, 도로혀 탄식고 미우를 ᄲᅵ긔여 왈,

"네 어미 박덕누딜(薄德陋質)노 셩문의 입승ᄒᆞᆫ,여 존고의 무이ᄒᆞ시믈 밧ᄌᆞ와 큰 죄를 디운 빈 업고, 너의 대인이 녜딕(禮待)ᄒᆞ여 블평한 ᄉᆞ식을 보디 못ᄒᆞ엿더니, ᄌᆞ식을 퇴교치 못ᄒᆞᆫ 연고로 년긔 ᄉᆞ슌을 넘고, 미셰ᄒᆞ나 인인이 톄위 존듕ᄒᆞᆷ믈 니르거늘, 일간 쇼당의 쳔누(賤陋)히 곤ᄒᆞ니 위인ᄌᆞ(爲人子)ᄒᆞ여 효도를 닐위디 못ᄒᆞᆫ들, 이ᄀᆞᆺ치 불효ᄒᆞ미 어이 이시리오. 여등이 일노 징계ᄒᆞ여 엄훈을 거스리디 말고 텬ᄋᆞ의【42】 닉치믈 효측디 말디어다. 나의 넘녀ᄒᆞᄂᆞᆫ 밧ᄌᆞᄂᆞᆫ 셰흥이라. 과급(過急)ᄒᆞ며 무식ᄒᆞᆷᄇᆞ 텬흥의게 셰 번 디나니, 날노 ᄒᆞ여금 쇼당의 다시 곤ᄒᆞᄂᆞᆫ 욕을 뵐 ᄋᆞ히라. 엇디 근심되미 업스리오."

네븨 낫빗츨 화히 ᄒᆞ여 모친을 위로 왈,

"쇼ᄌᆞ 등이 불초ᄒᆞ와 ᄌᆞ위의 희열ᄒᆞ실 바를 일위디 못ᄒᆞ옵고, 엄훈을 닥회디 못ᄒᆞ와 형의 남식 잇ᄉᆞ오나, 형의 위인이 당셰의 독보ᄒᆞᆯ 영쥰이라. 호화의 ᄶᅴ여 그릇 일시 삼가디 못ᄒᆞ미 잇ᄉᆞ오나, 문호를 흥긔ᄒᆞ며 부모긔 대효를 빗닉리니, 쇼ᄌᆞ 등 다ᄉᆞᆺ 사ᄅᆞᆷ의 형이 웃듬이 되오리【43】니, ᄌᆞ졍은

시나, 네 모친이 퇴교 못ᄒᆞᆷ믈 졀졀이 이들와 《그∥쇼》당의 나리왓더니, ᄌᆞ졍이 칙ᄒᆞ시매 셩녀를 끼치옵지 아니려 네 모친을 침젼으로 오르게 ᄒᆞ려니와, 이런 말을 텬흥 욕지 드르면 더욱 양양ᄒᆞ리니, 모로미 브졀업시 젼치 말고 일양 쇼당의 이시믈 알게 ᄒᆞ라."

네븨 ᄌᆡ빈 슈명ᄒᆞ고 물너나 모친긔 졍침으로 드르시믈 쳥ᄒᆞ니, 진부인이 쇼당의 이션지 삼일의, 니·양 등이 일시도 ᄶᅥ나지 아니ᄒᆞ며, 가즁 경식이 황황ᄒᆞᆷ믈 니긔지 못ᄒᆞ나, 부인이 ᄯᅩᄒᆞᆫ 쇼당의 나려 시녀 등을 당부ᄒᆞ여, 이런 말ᄉᆞᆷ을 태부인긔 고치 말나 ᄒᆞ더니, 믄득 태부【29】인이 아르시미 되여 금휘 졍침으로 도라가믈 허ᄒᆞ미, 네부와 흑식 이공ᄌᆞ로 더브러 경ᄉᆞ를 만남ᄀᆞᆺ치 깃브미 비ᄒᆞᆯ 곳이 업셔ᄒᆞᆷ믈 보고, 도로혀 탄식고 미우를 ᄲᅵᆼ긔여 왈,

"네 어미 박덕누질(薄德陋質)노 셩문의 입승ᄒᆞ와, 존고의 무이ᄒᆞ시믈 밧ᄌᆞ와 큰 죄를 지운 빈 업고, 너의 ○○○[대인이] 녜딕(禮待)ᄒᆞ여 블평한 ᄉᆞ식을 보지 못ᄒᆞ엿더니, ᄌᆞ식을 퇴교치 못ᄒᆞᆫ 연고로 년긔 ᄉᆞ슌을 넘고, 미셰ᄒᆞ나 인인이 쳬위 존즁ᄒᆞᆷ믈 니르거늘, 일간 쇼당의 쳔누(賤陋)히 곤ᄒᆞ니 위인ᄌᆞ(爲人子)ᄒᆞ여 효도를 일위지 못ᄒᆞᆫ들, 이ᄀᆞᆺ치 불회○○[ᄒᆞ미] 어이 이시리오. 여등이 일노 징계ᄒᆞ여 엄훈을 거스리디 말고, 텬ᄋᆞ의 닉치믈 효측지 말지어다. 나의 넘녀ᄒᆞᄂᆞᆫ 밧ᄌᆞᄂᆞᆫ 셰흥이라. 과급(過急)ᄒᆞ며 무식ᄒᆞᆷᄇᆞ 텬흥의게 셰 번 지나니, 날노 ᄒᆞ여금 쇼당의 다시 곤ᄒᆞᄂᆞᆫ 욕을 뵐ᄋᆞ히라. 엇지 근심되미【30】 업스리오."

네븨 낫빗츨 화히 ᄒᆞ여 모친을 위로 왈,

"쇼ᄌᆞ등이 불초ᄒᆞ와 ᄌᆞ위의 희열ᄒᆞ실 바를 일위지 못ᄒᆞ○[옵]고, 엄훈을 직희지 못ᄒᆞ와 형의 남식 잇ᄉᆞ오나, 형의 위인이 당셰의 독보○[ᄒᆞᆯ] 영쥰이라. 호화의 ᄶᅴ여 그릇 일시 삼가지 못ᄒᆞ미 잇ᄉᆞ오나, 문호를 흥긔ᄒᆞ며 부모긔 딕효를 빗닉리니, 쇼ᄌᆞ 등 다ᄉᆞᆺ 사ᄅᆞᆷ의 형이 웃듬이 되오리니, ᄌᆞ졍은

넘녀치 마르시고, 셰뎨(弟)의 인물이 단듕키를 버셔 나오나, 졔 쏘 사롬이라. 엄교의 명셩ᄒ시믈 됴셕의 듯ᄌᄋ오니, ᄌ연 뎡도의 나아가오리니, 아뎍 다닷디 아닌 일노뼈 근심을 삼디 마르쇼셔."

부인이 탄식 무언이오 혹시 웃고 왈,

"쇼ᄌᄂᆞ 나히 오륙셰 넘으므로브터 엄젼의 증분ᄒ시ᄂᆞᆫ ᄌᆞ식이 되어, 시노(侍奴) 하리(下吏) 등의도 쇼ᄌᄎ쳐로 ᄌ로 슈장(受杖)ᄒ리ᄂᆞᆫ 업소올디라. 일신이 셕목(石木)이 아니라, 미양 혈육이 셩홀 쩨 업고, 쟝흔(杖痕)이 몸의 허물 짓기를 면치 못ᄒ니, 이딕도록 ᄒ신 후 ᄌ졍이 쇼ᄌ로 인ᄒ여 괴로오실 바ᄂᆞᆫ 업스오리니, 브졀업시【44】 넘녀치 마르쇼셔."

부인이 뎡식 칙왈,

"너ᄂᆞᆫ 블초하여 부모디심(父母之心)을 아디 못하고, 부형의 엄슉ᄒᄆᆞᆯ 원(怨)하거니와, 텬뉸ᄌᄋ이(天倫慈愛)ᄂᆞᆫ 인디샹졍(人之常情)이라. ᄒᆞᆯ믈며 너의 대인이 하쳔(下賤) 삼쳑동(三尺童)의도 미몰ᄒ고 엄졀ᄒ 거죄 업셔, 인ᄌ(仁慈) 화홍(和弘)키를 위쥬ᄒ니, ᄌ식된 지 일분이나 그 교훈을 밧들던디, 므슴 믜오미 잇셔 혈육이 샹ᄒᄂᆞᆫ 듕장을 더으리오. 내 실노 고인의 태교를 효측디 못ᄒ고, 이 ᄀᆞᆺᄐᆞᆫ 블초ᄒᆞᆫ ᄌᆞ식이 묽은 가풍을 츄락ᄒᆞᆯ가 두리노라."

녜ᄇᆡ 니어 쑤지져 왈,

"졔 힝실의 무상ᄒ믄 아디 못ᄒ고 대인이 쟝칙ᄒ시믈 그윽【45】이 원망ᄒ니, 블초 광망ᄒ미 ᄶ뚝이 업ᄂᆞᆫ디라. 네 비록 형댱의 허물이 드러나믈 민박ᄒ나, 엄젼의 긔망홈도 곡졀이 잇ᄂᆞ니, 너ᄂᆞᆫ 셔간을 디어닉 조히 넑다가 일이 발각ᄒ미, 칙죄(責罪)ᄒ시믈 ᄒᆞᆫᄒ니, 아디 못게라, 경공의 셔간으로뼈 경텬유의 셔찰인ᄃᆞ시 디어 넑으미, 형댱긔 므어시 유익ᄒ미 이시며, 네 몸의도 므슴 일이 낫더뇨?"

학식 낫빗츨 곳쳐 모친과 즁시(仲氏)의게 샤죄 왈,

"쇼ᄌ 비록 불초 무상ᄒ오나 엇디 엄졍의

넘녀치 마르시고, 셰뎨(弟)의 인물이 관즁(寬重)키를 버셔 나오나, 졔 쏘 사롬이라. 엄교의 명셩ᄒ시믈 됴셕의 듯ᄌᄋ오니, ᄌ연 졍도의 나아가오리니, 아직 다닷지 아닌 일노뼈 근심을 삼지 마르쇼셔."

부인이 탄식 무언이오 혹시 웃고 왈,

"쇼ᄌᄂᆞ 나히 오륙셰 넘으므로○○[브터] 엄젼의 증분ᄒ시ᄂᆞᆫ ᄌᆞ식이 되어, 시노(侍奴)하리(下吏) 등의도 쇼ᄌᄎ쳐로 ᄌ로 슈장(受杖)ᄒ리ᄂᆞᆫ 업소올지라. 일신이 셕목(石木)이 아니라. 미양 혈육이 셩홀 쩨 업고, 쟝흔(杖痕)이 몸의【31】 허물 짓기를 면치 못ᄒ니, 이딕도록 ᄒ신 후 ᄌ당이 쇼ᄌ로 인ᄒ여 괴로오실 바ᄂᆞᆫ 업스오리니, 브졀업시 넘녀치 마르쇼셔."

부인이 졍식 칙왈,

"너ᄂᆞᆫ 블초하여 부모지심(父母之心)을 아지 못ᄒ고, 부형의 엄슉ᄒᄆᆞᆯ 원(怨)하거니와, 텬뉸ᄌᄋ이(天倫慈愛)ᄂᆞᆫ 인지샹졍(人之常情)이라. ᄒᆞᆯ믈며 너의 부친이 하쳔(下賤) 삼쳑동(三尺童)의도 미몰ᄒ고 엄졀ᄒ 거죄 업셔, 인ᄌ(仁慈) 화홍(和弘)키를 위쥬ᄒ니, ᄌ식된 지 일분이나 그 교훈을 밧들진디, 므슴 믜오미 잇셔 혈육이 샹ᄒᄂᆞᆫ 즁장을 더으리오. 내 실노 고인의 퇴교를 효측지 못ᄒ고, 이 ᄀᆞᆺᄐᆞᆫ 블초ᄒᆞᆫ ᄌᆞ식이 묽은 가풍을 츄락ᄒᆞᆯ가 두리노라."

녜ᄇᆡ 니어 쑤지져 왈,

"졔 힝실의 무상ᄒ믄 아지 못ᄒ고 대인이 쟝칙ᄒ시믈 그윽이 원망ᄒ니, 블초 광망ᄒ미 ᄶᆨ이 업ᄂᆞᆫ지라. 네 비록 형댱의 허물이 드러나믈 민박ᄒ나, 엄젼의 긔망홈도 곡졀이 잇ᄂᆞ니, 너【32】ᄂᆞᆫ 셔간을 지어닉 슈히 넑다가 일이 발각ᄒ미, 칙죄(責罪)ᄒ시믈 ᄒᆞᆫ ᄒ니, 아지 못게라, 네 경공의 셔간으로뼈 경텬유의 셔찰인 ᄃᆞ시 지어 넑으미, 형댱긔 므어시 유익ᄒ며] 네 몸의도 므슴 일 낫더뇨?"

혹시 낫빗츨 곳쳐 모친과 즁시의게 샤죄 왈,

"쇼ᄌ 비록 불초 무상ᄒ오나 엇지 엄졍

슈쟝ㅎ믈 원망홀 인직(人子)이{시}리잇고마
ᄂᆞ, 우연이 말ᄉᆞᆷ을 삼가디 못ᄒᆞ미라. 츠후
경심계【46】디(警心戒之)ᄒᆞ여 다시 작죄ᄒᆞ
미 업ᄉᆞ오리니, 금번 경공의 셔간을 쳐흠
바른듸로 넑디 못ᄒᆞ오믄, 빅시의 몸의 죄칙
이 급ᄒᆞ믈 근심ᄒᆞ오미러니, 대인이 브듸 그
셔간을 친히 보샤, 빅시의 남ᄉᆡ 발각ᄒᆞ고
쇼즈의 긔망ᄒᆞᆫ 죄 낫타나니 뉘웃ᄎᆞ나 밋츨
길히 업ᄂᆞ이다.”

　부인이 다시 말을 아니코, 태부인이 시녀
로 딘부인의 뎡침으로 옴기믈 직쵹ᄒᆞ니, 부
인이 마디 못ᄒᆞ여 침뎐으로 도라오미, 즈뷔
다 ᄆᆞ음을 잠간 노ᄒᆞ나, 남후의 별유졍 고
초를 근심ᄒᆞ여 각각 몸의 당ᄒᆞ미ᄂᆞ 다르디
아니ᄒᆞ듸, 금후ᄂᆞᆫ 단연이 싱각디 아님 ᄀᆞᆺᄐᆞ
여【47】언두의 남후의 말을 일ᄏᆞ르미 업
ᄉᆞ듸, 부즈디졍(父子之情)의 불과 삼ᄉᆞ일의
그 츌뉴ᄒᆞᆫ 풍뉴(風流) 신칙(神彩)와 늠연(凜
然) 슈앙(秀昻)ᄒᆞᆫ 골격이 안젼(眼前)의 삼연
(森然)ᄒᆞ고, 쳥음(淸音) 봉셩(鳳聲)이 이변
(耳邊)의 의연ᄒᆞ여, 신혼셩뎡디시(晨昏省定
之時)와 슉식디간(宿食之間)의 남후의 자최
어른기ᄂᆞᆫ 듯, 믄득 그리온 ᄆᆞ음이 니러나니,
스스로 싱각ᄂᆞᆫ 졍을 주리잡아220) 남후의 황
연(晃然)221)이 씨듯기를 기다려 샤(赦)코져
ᄒᆞ므로, 삼ᄉᆞ삭을 그음ᄒᆞ여 ᄒᆞᆫ갈ᄀᆞᆺ치222) 엄
열(嚴烈)ᄒᆞᆷ믈 뵈여, 아조 부즈뉸의(父子倫
義)를 버힌 ᄃᆞ시 ᄒᆞ려 ᄒᆞᄂᆞᆫ디라.

　남휘 별유졍의 너치연 지 삼ᄉᆞ일이 되도
록 문양공쥐 아디 못ᄒᆞᆷ믄, 다른 연괴 아니
라. 묘랑이 대【48】귀홀 ᄋᆞ공즈(兒公子)를
후려오미, 요신(妖神)223)이 미양 갓브고224)
긔운이 어득ᄒᆞ여, 삼ᄉᆞ일가디나 상요(床褥)
의 졋바져시므로, 공쥐 친히 듁음을 맛보며

의 슈쟝ᄒᆞᆷ믈 원망홀 인직(人子)이{시}리잇
고마ᄂᆞ, 우연이 말ᄉᆞᆷ을 삼가지 못ᄒᆞ미라. 츠
후 경심계지(警心戒之)ᄒᆞ여 다시 작죄ᄒᆞ미
업ᄉᆞ오리니, 금번 경공의 셔간을 쳐흠 바른
듸로 넑지 못ᄒᆞ오믄, 빅시의 몸의 죄칙이
급ᄒᆞ믈 근심ᄒᆞ오미러니, 대인이 브듸 그 셔
간을 친히 보샤, 빅시의 남식 발각ᄒᆞ고 쇼
즈의 긔망ᄒᆞᆫ 죄 낫타나니,　뉘웃ᄎᆞ나 밋츨
길히 업ᄂᆞ이다.”

　부인이 다시 말을 아니코, 태부인이 시녀
로 진부인의 졍침으로 옴기믈 직쵹ᄒᆞ니,
《분인‖부인》이 마지 못ᄒᆞ여 침젼으로 도
라오미, 즈뷔 다【33】ᄆᆞ음을 잠간 노ᄒᆞ
나, 남후의 별유졍 고초를 근심ᄒᆞ여 각각
몸의 당ᄒᆞ미나 다르지 아니ᄒᆞ듸, 금후ᄂᆞᆫ 단
연이 싱각지 아님 ᄀᆞᆺᄐᆞ여 언두의 남후의 말
을 일크를[르]미 업ᄉᆞ듸, 부즈지졍(父子之
情)의 불과 삼ᄉᆞ일의 그 츌뉴ᄒᆞᆫ 풍뉴(風流)
신칙(神彩)와 늠연(凜然) 슈앙(秀昻)ᄒᆞᆫ 골격
이 안견(眼前)의 삼연(森然)ᄒᆞ고, 쳥음(淸音)
봉셩(鳳聲)이 이변의 의연ᄒᆞ여, 신혼셩졍지
시(晨昏省定之時)와　슉식지간(宿食之間)의
남후의 자최 어른기ᄂᆞᆫ듯, 믄득 그리온 ᄆᆞ음
이 니러나니, 스스로 싱각ᄂᆞᆫ 졍을 주리잡
아218) 남후의 황연(晃然)219)이 씨둣기를 기
드려 샤(赦)코져 ᄒᆞ므로, 삼ᄉᆞ삭을 그음ᄒᆞ여
ᄒᆞᆫ갈ᄀᆞᆺ치220) 엄녈(嚴烈)ᄒᆞᆷ믈 뵈여, 아조 부
즈뉸의(父子倫義)를 버힌 ᄃᆞ시 ᄒᆞ려 ᄒᆞᄂᆞᆫ지
라.

　남휘 별유졍의 너치연 지 삼ᄉᆞ일이 되도
록 문양이 아지 못ᄒᆞᆷ믄, 다른 연괴 아니라.
묘랑이 대귀홀 ᄋᆞ공즈(兒公子)를 후려오미
요신(妖神)221)이 미양 갓브고222) 긔운이 어
득ᄒᆞ여　삼ᄉᆞ일가지나 상요(床褥)의【34】
졋바져시므로, 공쥐 친히 듁음을 맛보며 쥬

---

220)주리잡다 : 줄잡다. 생각이나 기대 따위를 표준
　　보다 줄여서 헤아려보다.
221)황연(晃然) : 환히 깨닫는 모양.
222)ᄒᆞᆫ갈ᄀᆞᆺ치 : 한결같이. 처음부터 끝까지 변함없이
　　꼭 같이.
223)요신(妖神) : 요망하고 간사한 귀신.
224)갓브다 : 가쁘다. 숨이 몹시 차다.

218)주리잡다 : 줄잡다. 생각이나 기대 따위를 표준
　　보다 줄여서 헤아려보다.
219)황연(晃然) : 환히 깨닫는 모양.
220)ᄒᆞᆫ갈ᄀᆞᆺ치 : 한결같이. 처음부터 끝까지 변함없이
　　꼭 같이.
221)요신(妖神) : 요망하고 간사한 귀신.
222)갓브다 : 가쁘다. 숨이 몹시 차다.

쥬야 겻티셔 구호ᄒ노라, 병을 칭ᄒ여 상부의 신혼셩뎡(晨昏省定)을 참예치 아니ᄒ고, 상부 비지 문양궁의 혹 왕니ᄒ나 공쥬의 뭇디아닛ᄂᆞᆫ 말을 굿ᄐᆞ여 젼치 아니므로, 남후의 니치이믈 모르더니, 최상궁이 우연이 최형과 말ᄒ다가, 문왈,

"거거ᄂᆞᆫ 도위 노야의 군관이니 도위 노애시 부인 경시 이시믈 아ᄂᆞ냐?"

최형 왈,

"우리도 아득히 아디 못ᄒ더니, 대강 드르미 이 일이 발각ᄒ여 도위 상공이 【49】 금후 노야긔 니치이샤, 별유졍이란 곳의 가 계시므로, 아등 군관비와 샹하 관뇌(官僚) 별유졍으로 문후ᄒ라 나가니, 샹공이 보디 아니시고 다 믈너가 다시 오디 말나 ᄒ시므로 도라가노라."

최상궁이 곡졀을 ᄌᆞ시 므러, 바야흐로 병뷔 금후의 노를 만나 먼니 니치이믈 알고, 밧비 드러와 공쥬긔 이 쇼유를 고ᄒ니, 공쥐 춘언을 드르미 징그라오미 가려온 ᄃᆡ를 긁ᄂᆞᆫ 듯ᄒ나, 인ᄉ의 마디 못ᄒ여 즉시 상부(上府)의 나아가니, 바야흐로 태원뎐의 낫 문안을 당ᄒ여 금후 부부와 녜부의 ᄉ형데 태부 【50】 인을 뫼셧고, 니ㆍ양 등이 다 모닷ᄂᆞ니라. 공쥐 당상의 오로미 태부인이 방셕을 미러 안기를 쳥ᄒᆞᆫ딕, 공쥐 좌셕을 피ᄒ고 존당 구고긔 고왈,

"쳡의 셔감(暑感)225)으로 신음ᄒ와 삼ᄉ일 신셩치 못ᄒ엿습더니, 금일 듯ᄌᆞ오미 가군이 엄노를 만나와 집을 써나미 잇다 ᄒ오니, 쳡의 도리 엇디 금누화각(金樓花閣)의 안거(安居)코져 ᄒ오며, 금슈치셕(錦繡彩席) 우히 좌를 일우리잇고?"

딘부인은 굿ᄐᆞ여 말이 업고, 태부인이 위로 왈,

"텬흥을 니치미 제 아비 마디 못ᄒ미라. 비록 귀주(貴主)의 하가젼(下嫁前)이나, 윤ㆍ양ㆍ니 삼쳐를 두고 브졀 【51】 업슨 번화를 구ᄒ여, 경시를 불고이취ᄒ미 잇ᄂᆞᆫ 고로, 디난 일이나 방ᄌᆞᄒᆞᆷ믈 칙ᄒᆞ미니, 귀쥬ᄂᆞᆫ

야 겻티셔 구호ᄒ노라, 병을 칭ᄒ여 상부의 신혼셩졍(晨昏省定)을 참녜치 아니ᄒ고, 상부 비지 문양궁의 혹 왕니ᄒ나 공쥬의 뭇지 아닛ᄂᆞᆫ 말을 굿ᄐᆞ여 젼치 아니므로, 남후의 니치이믈 므[모]로더니, 최상궁이 우연이 최형과 말ᄒ다가, 문왈,

"거거ᄂᆞᆫ 도위 노야의 군관이니 도위 시 부인 경시 이시믈 아ᄂᆞ냐?"

최형 왈,

"우리도 아득히 아지 못ᄒ더니, 대강 드르미 이 일이 발각ᄒ여 도위 상공이 금후 노야긔 니치이샤, 별유졍이란 곳의 가 계시므로, 아등 군관비와 샹하 관뇌 별유졍으로 문무ᄒ라 나가니, 샹공이 보지 아니시고 다 믈너가 다시 오지 말나 ᄒ시므로, 그져 도라가노라."

최상궁이 곡졀을 ᄌᆞ시 므러 바야흐로 병뷔 금후의 노를 만나 먼니 니치이믈 알고, 밧비 드러와 공쥬긔 이 쇼유를 고ᄒ니, 공쥐 【35】 춘언을 드르미 징그라오미 가려온 ᄃᆡ를 긁ᄂᆞᆫ 듯ᄒ나, 인ᄉ의 마지 못ᄒ여 즉시 상부(上府)의 나아가니, 바야흐로 태원뎐의 낫 문안을 당ᄒ여 금후 부부와 녜부의 ᄉ형데 태부인을 뫼셧고, 니ㆍ양 등이 다 모닷ᄂᆞ지라. 공쥐 당상의 오로미 태부인이 방셕을 미러 안기를 명ᄒᆞᆫ딕, 공쥐 좌셕을 피ᄒ고 존당 구고긔 고왈,

"쳡의 셔감(暑感)223)으로 삼ᄉ일 신셩치 못ᄒ엿습더니, 금일 듯ᄌᆞ오미 가군이 엄노를 만나 집을 써나미 잇다 ᄒ오니, 쳡의 도리 엇지 금누화각(金樓花閣)의 안거(安居)코져 ᄒ오며, 금슈치셕(錦繡彩席) 우히 좌를 일우리잇고?"

진부인은 굿ᄐᆞ여 말이 업고 태부인이 위로 왈,

"텬흥을 니치미 제 아비 마지 못ᄒ미라. 비록 귀쥬(貴主)의 하가젼(下嫁前)이나, 윤ㆍ양ㆍ니 삼쳐를 두고 브졀업슨 번화를 구ᄒ여 경시를 불고이취ᄒ미 잇ᄂᆞᆫ 고로, 지난 일이나 방ᄌᆞ 【36】 ᄒᆞᆷ믈 칙ᄒ미니, 귀쥬ᄂᆞᆫ

---

225)셔감(暑感): 더운 여름에 걸리는 감기.

223)셔감(暑感): 더운 여름에 걸리는 감기.

놀나디 말고 ᄆᆞ음을 편히 ᄒᆞ여, 방탕ᄒᆞᆫ 가
부의 ᄂᆞᆨ치이미 졔 탓신 줄 아라 넘녀치 마
르쇼셔."

공쥬 브복ᄒᆞ여 듯즙기를 다ᄒᆞ미, 셩안(星
眼)의 이루(哀淚)를 머금고, 니러 졀ᄒᆞ여
왈,

"쇼첩이 존당 하교(下敎)를 듯ᄌᆞ오니, 군
지 존하의 용납디 못ᄒᆞ오미 호신(豪身)의
비로ᄉᆞ미나, 남ᄌᆞ의 풍뉴(風流) 번화(繁華)
ᄂᆞᆫ 녜ᄉᆞᆯ(例事)라. 대인의 셩덕 ᄌᆞ인로ᄡᅥ 디
ᄂᆞᆫ 일을 태과(太過)히 죄칙디 아니실 비로
딕, 첩이 부운 ᄀᆞᆺᄉᆞᆫ 왕희(王姬)의 존ᄒᆞᄆᆞᆯ
가져, 가군의 ᄂᆞᆨᄉᆞ를 찰【52】임ᄒᆞ오므로,
혹ᄌᆞ 뎍인(敵人)을 싀애ᄒᆞᆯ가226) 넘녀ᄒᆞ시고
경시를 용납디 아니시민가 시브오나, 첩이
조금도 녀염(閭閻) 녀ᄌᆞ와 달니 ᄒᆞ옵ᄂᆞᆫ 일
이 업고, 불ᄒᆡᆼᄒᆞ여 윤ㆍ양ㆍ니 삼부인이 간
악ᄒᆞᆫ 비ᄌᆞ의 무초(誣招)227)로 말미암아 이
미ᄒᆞᆫ 누얼(陋孼)을 므릅ᄡᅥ, 샹명이 니이졀혼
ᄒᆞ시미, 다시 안항(雁行)의 즐거오믈 엇디
못ᄒᆞ고, 늣거이 써나온 한이 피ᄎᆞ의 닛디
못ᄒᆞᆯ 비로딕, 첩의 궁ᄂᆡ로 좃ᄎᆞ 괴이ᄒᆞᆫ 요
예디믈(妖穢之物)228)이 잇ᄉᆞ와, 윤ㆍ양ㆍ니
삼부인이 화를 만나오니, 첩이 동긔ᄀᆞᆺ치 ᄉᆞ
랑ᄒᆞ여 '황영(皇英)의 고사(故事)'229)를 효
측(效則)고져 ᄒᆞ옵던 비, 그린 쎡이 되어시
니, 【53】쥬야의 이들오미 무궁ᄒᆞ와, 브디
ᄉᆞ덕(四德)이 겸비ᄒᆞᆫ 슉녀를 어더 군ᄌᆞ긔
쳔거ᄒᆞ여 안항(雁行)의 외로오미 업고져 ᄒᆞ
옵ᄂᆞᆫ 비러니, 경부인이 계시믈 듯ᄌᆞ오니 볼
승영ᄒᆡᆼ(不勝榮幸)ᄒᆞ옵ᄂᆞᆫ 비니, 군ᄌᆞ의 듕궤
(中饋)를 첩 ᄀᆞᆺᄐᆞᆫ 암용(暗庸) 불인(不人)이
감당ᄒᆞᄂᆞᆫ 일이 업습고, 존당 구고를 봉효ᄒᆞ
오미 셔로 ᄆᆞ음을 다ᄒᆞ고 졍셩을 펴 ᄒᆞᆫ갈ᄀᆞᆺ

226)시애ᄒᆞ다 : 시새우다. 시새움하다. 자기보다 잘되
거나 나은 사람을 공연히 미워하고 싫어하다.
227)무초(誣招) : 거짓으로 범죄사실을 진술한 것.
228)요예디물(妖穢之物) : 무속(巫俗)에서 방자를 할
때 쓰는 해골(骸骨)이나 인형(人形) 따위의 요사스
럽고 흉측한 물건.
229)황영(皇英)의 고ᄉᆞ(故事) : 중국 요(堯)임금의 두
딸인 아황(娥皇)과 여영(女英)이 함께 순(舜)에게
시집 가, 서로 화목하며 순임금을 섬겼던 일.

놀나지 말고 ᄆᆞ음을 편히 ᄒᆞ여, 방탕ᄒᆞᆫ 가
부의 ᄂᆞᆨ치이미 졔 탓신 줄 아라 넘녀치 마
르쇼셔."

공쥬 부복ᄒᆞ여 듯즙기를 다ᄒᆞ미 셩안(星
眼)의 이루(哀淚)를 머금고, 졀ᄒᆞ여 왈,

"첩이 존당 하교(下敎)를 듯ᄌᆞ오니, 군지
《ᄎᆞ하‖존하》의 용납지 못ᄒᆞ오미 호신(豪
身)의 비로ᄉᆞ미나, 남ᄌᆞ의 풍뉴(風流) 번화
(繁華)ᄂᆞᆫ 녜ᄉᆞᆯ(例事)라. 대인의 셩덕으로ᄡᅥ
지난 일을 태과(太過)히 죄칙지 아니실 비
로딕, 첩이 부운 ᄀᆞᆺᄐᆞᆫ 왕희(王姬)의 존ᄒᆞᄆᆞᆯ
가져, 가군의 ᄂᆞᆨᄉᆞ를 찰임ᄒᆞ오므로 혹ᄌᆞ 젹
인(敵人)을 싀긔ᄒᆞᆯ가 넘녀ᄒᆞ시고, 경시를 용
납지 아니시민가 시브오나, 첩이 조곰도 녀
념(閭閻) 녀ᄌᆞ와 달니 ᄒᆞ옵ᄂᆞᆫ 일이 업고, 불
ᄒᆡᆼᄒᆞ여 윤ㆍ양ㆍ니 삼부인이 간악ᄒᆞᆫ 비ᄌᆞ로
이미ᄒᆞᆫ 누얼(陋孼)을 므릅ᄡᅥ, 샹명이 니이졀
혼ᄒᆞ시미, 다시 안항(雁行)의 즐거오믈 엇지
못ᄒᆞ고, 늣거이 써나온 한니 피ᄎᆞ의 닛지
못ᄒᆞᆯ 비【37】로딕, 첩의 궁ᄂᆡ로 조ᄎᆞ 괴이
ᄒᆞᆫ 요녀[예]지믈(妖穢之物)224)이 이셔, 윤
ㆍ양ㆍ니 삼부인이 화(禍)를 만나니, 첩이
동긔ᄀᆞᆺ치 ᄉᆞ랑ᄒᆞ여 '황영(皇英)의 고사(故
事)'225)를 효측고져 ᄒᆞ던 비, 그린 쎡이 되
어시니, 쥬야의 이들오미 무궁ᄒᆞ와, 브디 ᄉᆞ
덕이 겸비ᄒᆞᆫ 슉녀를 어더 군ᄌᆞ긔 쳔거ᄒᆞ여
안항(雁行)의 외로오미 업고져 ᄒᆞ옵ᄂᆞᆫ 비러
니, 경부인이 계시믈 듯ᄌᆞ오니 불승영ᄒᆡᆼ(不
勝榮幸)ᄒᆞ옵ᄂᆞᆫ 비니, 군ᄌᆞ의 즁궤(中饋)를
첩 ᄀᆞᆺᄐᆞᆫ 암용불인(暗庸不人)이 감당ᄒᆞᄂᆞᆫ 일
이 업고, 존당 구고를 봉효ᄒᆞ오미 셔로 ᄆᆞ
음을 다ᄒᆞ고 졍셩을 펴, ᄒᆞᆫ갈ᄀᆞᆺ치 화우ᄒᆞ오
믈 일우혀, 윤ㆍ양ㆍ니 삼인을 샹니(相離)ᄒᆞᆫ
이들오믈 닛고져 ᄒᆞ옵ᄂᆞ니, 존당 구고는 쇼
첩의 지극ᄒᆞᆫ 원을 조ᄎᆞ샤, 경부인을 슈히

224)요예디물(妖穢之物) : 무속(巫俗)에서 방자를 할
때 쓰는 해골(骸骨)이나 인형(人形) 따위의 요사스
럽고 흉측한 물건.
225)황영(皇英)의 고ᄉᆞ(故事) : 중국 요(堯)임금의 두
딸인 아황(娥皇)과 여영(女英)이 함께 순(舜)에게
시집 가, 서로 화목하며 순임금을 섬겼던 일.

치 화우(和友)ᄒ오믈 닐위혀, 윤·양·니 삼인을 상니(相離)ᄒᆞᆫ 이들오믈 닛고져 ᄒᆞ옵ᄂᆞ니, 존당 구고ᄂᆞᆫ 쇼쳡의 디극ᄒᆞᆫ 원을 좃ᄎᆞ샤, 경부인을 슈히230) 못게231) ᄒᆞ쇼셔."

금휘 공쥬의 어딘 쳬ᄒᆞ고 언스를 치례ᄒᆞ여232) 괴로이 말 만흐【54】믈 보고, 더옥 통완 분히ᄒᆞ여 공교롭고 요악흔 공쥬의 탓스로 윤·양·니 삼부를 가닉의 머므르디 못ᄒᆞ믈 싱각ᄒᆞ니, 심홰 불니듯ᄒᆞᆫᄃᆡ라. 낫빗츨 싁싁이 ᄒᆞ고 왈,

"텬흥의 무상(無狀) 불인(不仁)ᄒᆞᆷ믄 니ᄅᆞᆯ 거시 업ᄂᆞᆫᄃᆡ라. 범ᄉᆞ를 ᄌᆞᄒᆡᆼᄌᆞ디(自行自止)ᄒᆞ여 제 우ᄒᆡ 아비 이시믈 아디 못ᄒᆞ니, 교훈 잘못ᄒᆞᆷ믈 탄ᄒᆞ노라."

공쥬 피셕 딕왈,
"쳡이 거쳐를 아라 나아가 비회(悲懷) 고락(苦樂)을 일쳬로 ᄒᆞ고져 ᄒᆞᄂᆞ이다."

금평휘 우어 굴오딕,
"욕ᄌᆞ(辱子)를 닉치민 그 거쳐ᄂᆞᆫ 나의 아디 못ᄒᆞᄂᆞᆫ 비어니와, 옥쥬ᄂᆞᆫ 귀인이라 엇디 텬흥 ᄀᆞᆺ튼 박힝 필부를 ᄯᆞ라 단니【55】리오. 욕지 내 눈의 뵈디 아닐디언정 어딕를 못단니리오 반드시 문양궁 왕닉도 업디 아니ᄒᆞ려니와, 욕ᄌᆞ의 왕닉의 귀쥬 ᄯᆞ라가기ᄂᆞᆫ 각각 임의(任意)예 이시니 텬흥의 아비라 ᄒᆞ여 뭇디 마르쇼셔."

공쥬 간악ᄒᆞ나 영오흔디라, ᄌᆞ긔를 졈졈 통완(痛惋)이 넉이믈 쩌ᄃᆞ라, 말을 못ᄒᆞ고 궁으로 도라와 묘랑을 딕ᄒᆞ여 엄구(嚴舅)의 말을 다ᄒᆞ니, 최상궁이 머리를 흔드러 왈,

"금평후의 단엄(端嚴)ᄒᆞᆷ믄 이상홀 썬 아니라, 윤·양·니 삼인을 과익ᄒᆞ다가 익화를 만나믜, 분과 한이 다 옥쥬긔 도라졋ᄂᆞ니233), 그러나 옥쥬ᄂᆞᆫ 부덕을 삼가 허물을 잡디【56】못ᄒᆞ게 ᄒᆞ시고, 분을 풀미 맛당

뭇게226) ᄒᆞ쇼셔."

금휘 공쥬의 어진 쳬ᄒᆞ고 언샤를 치례ᄒᆞ여227) 괴로이 말 만흐믈 보고, 더옥 통완 분히ᄒᆞ여, 공【38】교롭고 요악흔 공쥬의 탓스로 윤·양·니 삼부를 가닉의 머므르지 못ᄒᆞ믈 싱각ᄒᆞ니, 심홰 불니듯 ᄒᆞᄂᆞᆫ지라. 낫빗츨 싁싁이 ᄒᆞ고 왈,

"텬흥의 무상불인(無狀不仁)ᄒᆞᆷ믄 니를 거시 업ᄂᆞᆫ지라. 범ᄉᆞ를 ᄌᆞᄒᆡᆼ(自行)ᄒᆞ여 제 우ᄒᆡ 아비 이시믈 아지 못ᄒᆞ니, 교훈 잘못ᄒᆞ믈 탄ᄒᆞ노라."

공쥬 피셕 딕왈,
"쳡이 거쳐를 아라 나아가 비회고락(悲懷苦樂)을 일쳬로 ᄒᆞ고져 ᄒᆞᄂᆞ이다."

금평휘 우어 굴오딕,
"욕ᄌᆞ(辱子)를 닉치민 그 거쳐ᄂᆞᆫ 나의 아지 못ᄒᆞᄂᆞᆫ 비어니와, 옥쥬ᄂᆞᆫ 귀인이라 엇지 텬흥○○[ᄀᆞᆺ]튼 박힝 필부를 ᄯᆞ라 ᄃᆞ니리오. 욕지 내 눈의 뵈이지 아닐지언정, 어딕를 못ᄃᆞ니리오. 반드시 문양궁 왕닉도 업지 아니ᄒᆞ려니와, 욕ᄌᆞ의 왕닉의 옥쥬 ᄯᆞ라가기ᄂᆞᆫ 각각 임의(任意)예 이시니, 텬흥의 아비라 ᄒᆞ여 뭇지 마르쇼셔."

공쥬 간악ᄒᆞ나 영오흔지라. ᄌᆞ긔를 졈졈 통【39】완(痛惋)니[이] 넉이믈 쩌ᄃᆞ라, 말을 못ᄒᆞ고 궁으로 도라와, 묘랑을 딕ᄒᆞ여 엄구(嚴舅)의 말을 다ᄒᆞ니, ○[최]상궁이 머리를 흔드러 왈,

"금평후의 《관엄‖단엄(端嚴)》ᄒᆞᆷ믄 이상홀 썬아니라, 윤·양·니 삼인을 과익ᄒᆞ다가 익화를 만나믜, 분과 한이 다 옥쥬긔 도라졋ᄂᆞ니228), 그러나 옥쥬ᄂᆞᆫ 부덕을 삼가 허물을 잡지 못ᄒᆞ게 ᄒᆞ시고, 분을 풀미 맛

---

230)슈히 : ①쉽게. ②빨리.
231)못다 : 모이다.
232)치례ᄒᆞ다 : 치레하다. 무슨 일에 실속 이상으로 꾸미어 드러내다.
233)도라지다 : 돌아서다. 생각이나 태도가 다른 쪽으로 바뀌다.

226)뭇다 : 맞다. 오는 사람이나 물건을 예의로 받아들이다.
227)치례ᄒᆞ다 : 치레하다. 무슨 일에 실속 이상으로 꾸미어 드러내다.
228)도라지다 : 돌아서다. 생각이나 태도가 다른 쪽으로 바뀌다.

ᄒ니이다."

묘랑 왈,

"옥쥐 만승교익(萬乘嬌愛)로 인인이 츄앙ᄒ미 범연흔 디 비홀 비 아니오. 초방승틱(椒房承擇)234)은 인신(人臣)의 구ᄒ여 엇기 어려온 비로디, 금후 노야의 ᄆ음은 승승낙낙(乘勝落落)235)ᄒ여 부귀를 헌 신ᄀᆞᆺ치 넉이고, 도위 노야는 귀쳔을 혜디 아냐 사름의 현우션악(賢愚善惡)만 술피시나, 옥쥬의 단심혜딜(丹心惠質)236)과 빙ᄌᆞ옥골(氷姿玉骨)을 나모라 홀니 이시리잇고마는, 윤·양 두 부인은 옥쥬의 디는 용모 긔딜이오, 경시 쏘흔 윤·양의 나리미 업스니 그 안고(眼高)ᄒ미, 무산(巫山)237)과 월궁(月宮)을 구경ᄒ여, 범연흔 자식과 등한흔 슉녀는 우이 넉이ᄂᆞ니라.【57】옥쥬를 마디 못ᄒ여 군상(君上)의 녀ᄌᆞ로 공경ᄒ는 빗츨 디으나, 실은 눈의 ᄎᆞ디 못ᄒ게 넉이며 심곡을 여러 디졉ᄒ미 업셔, 존당 태부인으로부터 외친내소(外親內疏)를 힘쓰니, 옥쥬의 셔의(齟齬)ᄒ미 구가(舅家)의 흔 사름도 졍셩으로 디졉디 아니ᄒᆞᄂᆞᆫ 고로, ᄌᆞ연이 소(疏)흔 가온디 허물이 잘 드러나고, 어딘 부인들이 화를 만나므로ᄡᅥ 원한이 옥쥬긔 도라디니, 평싱 이 근심 업기를 긔약디 못ᄒ리니, 빈되 딘심갈녁(盡心竭力)ᄒ여 경시가디 없이 ᄒ려니와, 낭낭이 국구노야의 화란을 위ᄒ여 텬통(天寵)을 일흐시미 쉽고, 하원쉬 초디로 나아가미 발셔【58】여러 관익(關阨)238)을 아샤 공뇌(功勞)ᄌᆞ로 텬졍의 오른다 ᄒ오니, 초왕이 잡혀오는 날은 국구

ᄃᆞᆼᄒ니이다."

묘랑 왈,

"옥쥐 만승교익(萬乘嬌愛)로 인인이 츄앙ᄒ미 범연흔 디 비홀 비 아니오, 초방승틱(椒房承擇)229)은 인신(人臣)의 구ᄒ여 엇기 어려온 비로디, 금후 노야의 ᄆ음은 승승낙낙(乘勝落落)230)ᄒ여 부귀를 헌 신ᄀᆞᆺ치 넉이고, 도위 노야는 귀쳔을 혜지 아녀 사름의 현우션악만 술피시나, 옥쥬의 난심혜질(蘭心蕙質)231)과 빙ᄌᆞ옥골(氷姿玉骨)을 나모라 홀니 이시리잇고마는, 윤·양 두 부인은 옥쥬의 지난 긔딜이오, 경시 쏘흔 윤·양의 나리미 업스니, 그 안고(眼高)【40】ᄒ미 무산(巫山)232)과 월궁(月宮)을 구경ᄒ여, 범연흔 자식과 등한흔 슉녀는 우이 넉이ᄂᆞᆫ지라. 옥쥬를 마지 못ᄒ여 군상(君上)의 녀ᄌᆞ로 공경ᄒ는 빗츨 지으나, 실은 눈의 ᄎᆞ지 못ᄒ계 넉이며, 심곡을 여러 디졉ᄒ미 업셔, 존당 태부인으로부터 외친닉소(外親內疏)를 힘쓰니, 옥쥬의 셔의(齟齬)ᄒ미 구가(舅家)의 흔 사름도 졍셩으로 디졉지 아니ᄒ는 고로, ᄌᆞ연이 소(疏)흔 가온디 허물이 잘 드러나고, 어진 부인들이 화를 만나므로ᄡᅥ 원한이 옥쥬긔 도라지니, 평싱이 근심 업기를 긔약지 못ᄒ리니, 빈되 진심갈역(盡心竭力)ᄒ여 경시가지 없이 ᄒ려니와, 낭낭이 국구노야의 화란을 위ᄒ여 텬춍(天寵)을 일호시미 쉽고, 하원쉬 초지로 나아가미 발셔 여러 관익(關阨)233)을 아ᄉ 공뇌(功勞)ᄌᆞ로 텬졍의 오른다 ᄒ오니, 초왕이 잡혀오난 날은 국구 노얘 쇽졀업시 ᄉ【41】

---

234)초방승틱(椒房承擇) : 왕실의 부마(駙馬)나 비빈(妃嬪)으로 간택됨.

235)승승낙낙(乘勝落落) : 높은 기운을 타고 작은 일에 얽매이지 않고 대범함.

236)단심혜딜(丹心惠質) : 속에서 우러나오는 정성스러운 마음과 좋은 자질.

237)무산(巫山) : 중국 중경(重慶) 시 동쪽에 있는 현. 우산 십이봉(巫山十二峯)이 솟아 있는데 기암과 절벽으로 이루어진 경치가 아름답기로 유명하다.

238)관익(關阨) : ①국경이나 요지의 통로에 두어 드나드는 사람이나 화물을 조사하던 곳. ②군사적으로 중요한 곳에 세운 요새.

229)초방승틱(椒房承擇) : 왕실의 부마(駙馬)나 비빈(妃嬪)으로 간택됨.

230)승승낙낙(乘勝落落) : 높은 기운을 타고 작은 일에 얽매이지 않고 대범함.

231)난심혜질(蘭心蕙質) : 난초와 같이 고결한 마음과 혜초와 같이 아름다운 자질.

232)무산(巫山) : 중국 중경(重慶) 시 동쪽에 있는 현. 우산 십이봉(巫山十二峯)이 솟아 있는데 기암과 절벽으로 이루어진 경치가 아름답기로 유명하다.

233)관익(關阨) : ①국경이나 요지의 통로에 두어 드나드는 사람이나 화물을 조사하던 곳. ②군사적으로 중요한 곳에 세운 요새.

노애 쇽졀업시 수화(死禍)를 만나실더니, 낭낭의 망극ᄒᆞ신 졍ᄉᆞ를 혜아리민, 빈도의 ᄆᆞ음이 츄연 통졀ᄒᆞᆷ믈 니긔디 못ᄒᆞᄂᆞ이다."

공쥬 눈물을 ᄲᅳ리고 늣겨 왈,

"우리 모녀의 팔지 긔구ᄒᆞ여 쳔승(千乘)의 부귀로ᄡᅥ 사름의 업슈히 넉이믈 바드며, 외가의 화란이 아모 디경의 밋츨 줄을 아디 못ᄒᆞ니, 모비 일노 인ᄒᆞ여 심장을 술오시는 비라. 내 이제 수부의 지조를 보미 딘실노 둘 업슨 신긔 묘술이라. 황야(皇爺)의 셩심을 요동(搖動)ᄒᆞ여 외조(外祖)의 화화를 면케 ᄒᆞᆯ 【59】 딘딕, 우리 모녜 수부의 은혜를 더옥 명심(銘心) 각골(刻骨)ᄒᆞ리라."

묘랑이 눈섭을 ᄲᅵᆼ긔여 왈,

"빈되 옥쥬의 이리 니르시믈 기다리디 아녀서, 낭낭의 졍ᄉᆞ를 혜아려 국구노야의 면화(免禍)ᄒᆞ신[실] 도리를 싱각ᄒᆞ딕, 실노 난쳐ᄒᆞᆫ 밧ᄌᆞ는 다른 일이 아니라 김니부(金吏部)의 슈디(手指)를 버혀오며, 국구(國舅)노야의 죄과를 발각게 ᄒᆞ미, 젼혀 도위 상공의 ᄒᆞ신 일이니, 국구노야를 면ᄉᆞ케 ᄒᆞ려 ᄒᆞ실딘딕, 도위 상공이 그 가온딕 화를 바드실 거시니, 츠시 ᄀᆞ장 졀민(切憫)ᄒᆞᆫ디라. 옥쥬는 혜아려 도위 상공이 화를 당ᄒᆞ실디라도, 국구 노애 면ᄉᆞᄒᆞ시면 깃부【60】시리잇가?"

공쥬 뎡부마 향ᄒᆞᆫ 은졍은 쇠와 돌이 되어, 비록 져의 박딕를 한ᄒᆞ나 병부의 몸을 위ᄒᆞ미는, ᄌᆞ긔 몸이 죽을디언졍, 병부로 ᄒᆞ여금 일싱이 호화코져 ᄒᆞᄂᆞ디라. ᄒᆞᆫ 조각 포악디심(暴惡之心)이 남달나, 뎍인으로 삼기니는 무러먹으며 마아 죽이고져 ᄒᆞ미, 뎡병부의 은이를 ᄌᆞ긔 온젼이 밧고져 ᄒᆞ미오, 현긔 등을 다 업시ᄒᆞ믄 윤·양·니·경 등의 골육을 믜이 넉이미오, 뎡시의 종통을 밧들며 남후의 듕딕를 밧고져 ᄒᆞ미라. 남휘 힝혀 병이 이실가 넘녀ᄒᆞ고, 풍한(風寒) 셔열(暑熱)의도 다 ᄆᆞ음을 노치 못ᄒᆞ미 되어시니, 어이 그 외조 【61】를 위ᄒᆞ여 남휘 화란을 당케ᄒᆞᆯ 니 이시리오. 비록 극악디심이나 묘랑의 요술이 너모 무서워, 혹ᄌᆞ ᄌᆞ

화(死禍)를 만나실지니, 낭낭의 《망즈∥망극》ᄒᆞ신 졍ᄉᆞ를 혜아리미, 빈도의 ᄆᆞ음이 츄연 통졀ᄒᆞᆷ믈 니긔지 못ᄒᆞᄂᆞ이다."

공쥬 눈물을 ᄲᅥ리고 늣겨 왈,

"우리 모녀의 팔지 긔구ᄒᆞ여 쳔승(千乘)의 부귀로ᄡᅥ 샤름의 업슈히 넉이믈 바드며, 외가의 화란이 아모 지경의 밋츨 줄을 아지 못ᄒᆞ니, 모비 일노 인ᄒᆞ여 심장을 술오시는 비라. 내 이제 수부의 지조를 보미, 진실노 둘 업슨 신긔묘술(神技妙術)이라. 황야의 셩심을 요동(搖動)ᄒᆞ여 외조(外祖)의 ᄉᆞ화(死禍)를 면케 ᄒᆞᆯ진딕, 우리 모녜 은혜를 더옥 명심(銘心) 각골(刻骨)ᄒᆞ리라."

묘랑이 눈섭을 ᄲᅵᆼ긔여 왈,

"빈되 옥쥬의 이리 니르시믈 기ᄃᆞ리지 아녀셔 낭낭의 졍ᄉᆞ를 혜아려 국구노야의 면화(免禍)ᄒᆞ실 도리를 싱각ᄒᆞ딕, 실노 난쳐ᄒᆞ 밧ᄌᆞ는 다른 일이 아니라, 김니부(金吏部)의 슈지(手指)를 버혀오며, 국구(國舅) 노야 【42】의 죄과를 발각게 ᄒᆞ미, 젼혀 도위 상공의 ᄒᆞ신 일이니, 국구노야를 면ᄉᆞ케 ᄒᆞ려 ᄒᆞ실진딕, 도위 상공이 그 가온딕 화를 바드실 거시니, 츠시 ᄀᆞ장 졀민(切憫)ᄒᆞ지라. 옥쥬는 혜아려 도위 상공이 화를 당ᄒᆞ실지라도, 국구노애 면ᄉᆞᄒᆞ시면 깃부시리잇가?"

공쥬 뎡부마 향ᄒᆞᄂᆞ 졍은 쇠·돌이 되어, 비록 져의 박딕를 한ᄒᆞ나 병부의 몸을 위ᄒᆞ미는, ᄌᆞ긔 몸이 《쥴∥죽》을지언졍 뎡병부로 ᄒᆞ여금 일싱이 호화코져 ᄒᆞᄂᆞ지라. ᄒᆞᆫ 조각 포악지심(暴惡之心)이 남달나, 젹인으로 삼기ᄂᆞ니는 무러 먹으며 마아 죽이고져 ᄒᆞ미, 뎡병부의 은이를 ᄌᆞ긔 온젼이 밧고져 ᄒᆞ미오, 《텬긔∥현긔》 등을 다 업시ᄒᆞ믄 윤·양·○[니]·경 등의 골육을 믜이 넉이미오, 뎡시의 종통을 밧들며 남후의 즁딕를 밧고져 ᄒᆞ미라. 남휘 힝혀 병이 이실가 넘녀ᄒᆞ고, 【43】 풍한(風寒) 셔열(暑熱)의도 다 ᄆᆞ음을 노치 못ᄒᆞ미 되어시니, 어이 그 외조를 위ᄒᆞ여 남휘 화란을 당케ᄒᆞᆯ 니 이시리오. 비록 극악지심이나 묘랑의 요술이 너

긔 부부의게 히로오미 이실가 두려, 믄득
낫빗츨 변호고 왈,

"외가의 화란이 슉야의 졀민호나, 이른바
ᄌ작디얼(自作之孽)239)이라. 일을 그릇호여
화를 만나니 남을 탓홀 거시 업고, 뎡군은
위인이 남달니 사름의 싱각디 못홀 디뫼(智
謀)이셔, 표슉(表叔)240)을 속이고 젼젼악ᄉ
(前前惡事)를 므러 하가를 신셜(伸雪)호니
뎡군의 일을 그르다 못홀디라. 이둘은 거시
외조의 허물이니, 내 이제 외가를 위호 졍
이 브족호며 모비 낭낭의 참졀(慘切)호신
심ᄉ【62】를 아니 도라보는 거시 아니로
디, 츠마 이미훈 뎡군을 화의 나아가게 홀
비 아니라. 슉부는 이런 놀나온 말을 다시
입밧긔 ᄂᆞ디 말나."

묘랑이 공쥬의 말을 듯고, 본디 요악훈
용심이 뇨됴슉녀와 대현군ᄌ를 히코져 호는
비 다른 일이 아니라, 텬하의 진명귀인(眞
明貴人)241)이 업셔디면, 져의 요슐(妖術)이
당디의 뎨일이 되여 것칠 거시 업고져 호미
오, 구몽슉과 디극훈 졍분이 모ᄌ간(母子間)
ᄀᆞᆺ투여, 몽슉이 묘랑을 디호여 미양 져의
심곡을 닐너 뎡병부 곤계와 윤태우 등 업시
키를 도모호며, 뉴부인이 ᄌ딜을 죽이랴 홀
ᄲᅡᆫ아니【63】라 뎡병부 믜워호기를 비상이
호여, 그윽이 묘랑과 몽슉으로 의논호여, 태
우 형뎨와 뎡부마ᄀᆞᆮ 업시호려 호는 뜻이
니, 비록 윤부인 명이 죽어시므로 아나, 뎡
병부의 윤태우 등 향훈 졍의는 윤부인이 ᄉ
라셔도 그디도록디 아닐디라. 뉴부인이 뎡
병부를 크게 히코져 호미 윤태우 형뎨의 우
익을 업시호려 호미라.

신묘랑이 귀비와 공쥬를 ᄉ괴여 디극히
디졉호는 은혜를 닙으나, 오히려 깁흔 졍의
는 뉴부인과 구몽슉의게 잇는디라. 뎡병부
히홀 의논을 호여 틈을 타 악ᄉ를 힝코져
호므로, 짐즛 김국구의 화란【64】을 넘녀

모 무셔워 혹ᄌ ᄌ긔 부부의게 히로오미 이
실가 두려, 믄득 낫빗츨 변호고 왈,

"외가의 화란이 슉야의 졀민호나, 니른바
ᄌ작지죄(自作之罪)234)라. 일을 그릇호여
화를 만나니 남을 탓홀 거시 업고, 뎡군은
위인이 남달나 사름의 싱각지 못홀 지뫼 이
셔, 표슉(表叔)235)을 속이고 젼젼악ᄉ(前前
惡事)를 므러 하가를 신셜(伸雪)호니, 뎡군
의 일을 그르다 못홀지라. 이둘은 거시 외
○○[조의] 허물이니, 내 이제 외가를 위훈
졍이 브족호며, 모비 낭낭의 참졀(慘切)호신
심ᄉ를 아니 도라보는 거시 아니로디, 츠마
이미훈 뎡군을 화의 나아가게 홀 비 아니
라. 슉부는 이런 놀나온 말을 다시 입밧긔
ᄂᆞ지 말나."

묘랑이 공쥬의 말을 듯고,【44】 본디 요
악훈 용심이 뇨됴슉녀와 디현군ᄌ를 히코져
호는 비 다른 일이 아니라, 텬하의 신명귀
인(神明貴人)236)이 업셔지면, 졔 요슐(妖術)
이 당디의 뎨일이 되여 것칠 거시 업고져
호미오, 구몽슉과 지극훈 인졍이 모ᄌ간(母
子間) ᄀᆞᆺ투여, 몽슉의 묘랑을 디호여 미양
져의 심곡을 닐너 뎡병부 곤계와 윤태우 등
업시키를 도모호며, 뉴부인이 《ᄌ걸∥ᄌ
질》을 죽이랴 홀 ᄲᅡᆫ 아니라, 뎡병부 믜워
호기를 비상이 호여, 그윽이 묘랑과 몽슉으
로 의논호여, 태우 형뎨와 뎡부마ᄁᆞ지 업시
호려 호는 뜻이니, 비록 윤부인 명이 죽어
시므로 아나, 뎡병부의 윤태우 등 향훈 졍
의는 윤부인이 ᄉ라셔도 그디도록지 아닐지
라. 뉴부인이 뎡병부를 크게 히코져 호미,
윤태우 형뎨의 우익을 업시호려 호미라.

신묘랑이 귀비와 공쥬를 ᄉ괴여 지극히
디졉호는 은혜를 닙【45】으나, 오히려 깁
흔 졍의는 뉴부인과 구몽슉의게 잇는지라.
뎡병부 히홀 의논을 호여 틈을 타 악ᄉ를
힝코져 호므로, 짐즛 김국구의 화란을 넘녀

---

239)ᄌ작디얼(自作之孽) : 자기가 저지른 일로 말미
  암아 생긴 재앙.
240) 표슉(表叔) : 외삼촌(外三寸). 외숙(外叔).
241)진명귀인(眞明貴人) : 진리를 깨쳐 밝은 지혜를
  얻은 사람. 진인(眞人).

234)ᄌ작디얼(自作之罪) : 자기가 저지른 일로 말미
  암아 얻은 죄.
235) 표슉(表叔) : 외삼촌(外三寸). 외숙(外叔).
236)신명귀인(神明貴人) : 신령스럽고 이치에 밝은
  사람. 신인(神人).

ᄒ여 귀비의 참절ᄒ 비회을 일ᄏ라, 뎡병부 히코져 ᄒᄂ 뜻을 잠간 빗최여, 공쥬의 뜻을 시험ᄒ여 보미러니, 이ᄀᄎ치 놀나며 쎄치기를 당ᄒ니, 심니의 분ᄒ 녁여 혜오ᄃᆡ,

"내 젼후의 공쥬를 위ᄒ여 그 덕인과 ᄌ녀를 다 업시ᄒ여 무한ᄒ 슈고를 ᄒᄒᄃ, 뎡병부ᄂ[로] ○○○[하여금] 맛춤ᄂᆡ 공쥬를 후ᄃᆡ○[케] ᄒᆯ 길히 업ᄉ니, 쇽졀업시 심녁을 허비ᄒᆯ ᄲᆫ이라. 출하리 구학ᄉ의 쳥을 드러, 뎡병부를 히ᄒ여 먼니 찬츌ᄒ기를 도모ᄒ고, 김국구를 술와ᄂᆡ고져 ᄒ더니, 공쥬 미미히 쎄치며 인졍업시 니르기를 이ᄀᄎ치 ᄒ니,【65】가히 더브러 의논을 ᄒᆫ가디로 ᄒᆯ 사름이 아니라. 그만ᄒ여 공쥬를 졀교ᄒ고 구학ᄉ와 뉴시로 동심 일당이 되려 《ᄒᄂ 듕∥ᄒ더니》, 공쥐 뎡병부 귀듕ᄒᄆᆯ ᄌ긔 몸의셔 《더으ᄂᆫ디라∥더으니》, 나의 뎡병부 히코져 ᄒᄂ 뜻을 알ᄃᆡᆫ, 어이 즐겨 드를 니 이시리오."

요악ᄒᆫ 의ᄉᆡ 이에 밋쳐 믹믹히 다시 말을 아니니, 최상궁 흥인이 묘랑의 즐겨 아니믈 보고, 눈주어 금은 필빅을 만히 내여와 묘랑을 주고 왈,

"우리 옥쥐 츠마 부마 상공긔 유히ᄒᆯ 의논을 ᄂᆡ디 못ᄒ시믄 부도(婦道)의 디극ᄒ신 일이라. ᄉ부ᄂ 괴이히 녁이디 마르시고, 쥬군의 ᄆᆞ음【66】을 도로혀 옥쥐긔 은졍이 온젼ᄒ며, 옥쥬의 슈복이 늉늉ᄒ시게 튝원ᄒᆯ디니, 불공을 두터이 ᄒ여 녕험ᄒᆫ 부쳐의 도으시믈 바라나니, ᄉ부ᄂ 원컨ᄃᆡ 모름죽이 금은필빅(金銀疋帛)을 드려 암ᄌ를 일우고, 부쳐를 디셩으로 공양ᄒ여, 우리 쥬군과 옥쥬의 남산슈(南山壽)242)와 븍ᄒᆡ복(北海福)243)을 튝원ᄒ쇼셔."

신묘랑이 누만금(累萬金)을 ᄲᅡ하도 금빅을 보면 졍신을 일허, ᄌᆡ리(財利)의 욕심이

242)남산슈(南山壽) : 남산(南山)이 다 닳아 없어질 때까지의 영원한 시간의 수명(壽命). 오래 살기를 빌 때 쓴다.

243)븍ᄒᆡ복(北海福) : 한량없이 넓은 북해 바다처럼 무한히 많은 복(福)을 말함.

ᄒ여 귀비의 참절ᄒ 비회을 일ᄏ라, 뎡병부 히코져 ᄒᄂ 뜻을 잠간 빗최여, 공쥬의 뜻을 보미러니, 이ᄀᄎ치 놀나며 쎄치기를 당ᄒ니, 심니의 분ᄒ 녁여 혜오ᄃᆡ,

"내 젼후의 공쥬를 위ᄒ여 그 젹인과 ᄌ녀를 다 업시ᄒ여 무한ᄒ 슈고를 ᄒᄒᄃ, 뎡병부ᄂ[로] ○○○[하여금] 맛춤ᄂᆡ 공쥬를 후ᄃᆡ○[케] ᄒᆯ 길히 업ᄉ니, 쇽졀업시 심녁을 허비ᄒᆯ ᄲᆫ이라. 출하리 구학ᄉ의 쳥을 드러, 뎡병부를 히ᄒ여 《머니∥멀니》 찬츌ᄒ기를 도모ᄒ고, 김국구를 술와ᄂᆡ고져 ᄒ더니, 공쥐 미미히 쎄치며 인졍업시 니르기를 이ᄀᄎ치 ᄒ니, 가히 더브러 의논을 ᄒᆫ가지로 ᄒᆯ 사름이 아니라. 그만ᄒ여 공쥬를 졀교ᄒ고 구【46】학ᄉ와 뉴시로 동심 일당이 되려 《ᄒᄂ 듕∥ᄒ더니》, 공쥐 뎡병부 귀즁ᄒᄆᆯ ᄌ긔 몸의셔 《더으ᄂᆫ디라∥더으니》, 나의 뎡병부 히코져 ᄒᄂ 뜻을 알진ᄃᆡ 어이 즐겨 《드르니∥드를니》 이시리오."

요악ᄒᆫ 의ᄉᆡ 이의 밋쳐 믹믹히 《마시∥다시》 말을 아니니, 최상궁 흥인이 묘랑의 즐겨 아니믈 보고, 눈겨 금은 필빅을 만히 ᄂᆡ여와 묘랑을 쥬고 왈,

"우리 옥쥐 츠마 부마 상공의[긔] 유히ᄒᆯ 의논을 ᄂᆡ지 못ᄒ시믄, 부도(婦道)의 지극ᄒ신 일이라. ᄉ부ᄂ 괴이히 녁이지 마르시고, 쥬군의 ᄆᆞ음을 도로혀 옥쥐긔 은졍이 온젼ᄒ며, 옥쥬의 슈복이 늉늉ᄒ시게 ᄒᆯ지니, 불공을 두터이 ᄒ여 영험ᄒᆫ 부쳐의 도으시믈 《바들지라∥바라나니》 ᄉ부ᄂ 모로미 금은필빅(金銀疋帛)을 드려 암ᄌ를 일우고, 부쳐를 공양ᄒ여 우리 쥬군과 옥쥬의 복녹을 축원ᄒ쇼셔."

신묘랑이 누만금(累萬金)을 ᄲᅡ하도 금빅을【47】보면 졍신을 일허, ᄌᆡ리(財利)의 욕심이 괴○[이]ᄒ 요졍이라. 공쥬를 그만ᄒ여 ᄉ괴기를 긋고져 ᄒᄃᆡ, 금은 필빅을 보미 인졍업시 믈니칠 의ᄉᆡ 나지 아냐, 눈섭을 공교히 ᄲᅥᆼ기고 왈,

괴이흔 요정이라. 공쥬를 그만흐여 ᄉ괴기를 슷고져 흐되, 금은필빅을 보미 인정업시 믈니칠 의ᄉ 나디 아냐, 눈섭을 공교【67】히 삥긔고, 굴오되,

"내 이졔 옥쥬를 위흐미 졍셩이 브죡흔 거시 아니로되, 윤·양 이부인과 ᄋ공ᄌ 등을 업시흐미, 나의 심녁이 딘흔듯 시븐다라. 아모리 싱각흐여도 됴흔 계교를 엇디 못흐며, 부마 샹공의 뜻을 도로혀기 어려오므로, 츌하리 부마 샹공으로 흐여금 옥쥬를 박되흐시ᄂ 죄를 바다 먼니 찬츌흐여 곡경을 잠간 격근 후, 그 ᄆᄋᆷ이 비로소 옥쥬의 부귀를 놉히 넉이고, 황샹의 위엄을 두려 부부 은졍을 요동흐고, 윤·양 등을 니즈며, 이 가온되 국구노야의 ᄉ화를 구흐여, 낭낭의 비황(悲況)흐신 심ᄉ를 위로【68】코져 흐미러니, 옥쥬 나의 깁흔 뜻을 모로시고 부마 샹공의 굿길 바를 놀나이 넉이시니, 실노 헌계흘 말숨과 모칰이 업ᄂ다라. 아덕 일이 되여가믈 보고 경시를 급히 업시흐랴 흐엿더니, 혹ᄌ 사름이 옥쥬를 의심흐여 여러 부인의 화란과 공ᄌ 남미를 다 일흐미 옥쥬의 작얼(作孼)인가 넉인 후ᄂ, 발명(發明)이 괴로오니, 임의 경시 이시믈 금후노애 아랏ᄂ다라, 반ᄃ시 슈히 다려오리니, 옥쥬ᄂ 디극히 화우흐시ᄂ 덕을 힘쓰시면, 존당 구괴 다 옥쥬의 힝ᄉ를 하ᄌ흐리 업순 후, 내 당당이 경시를 히흐여 ᄉ디의 모【69】라 너흐리니, 잠간 경시 히흘 의논을 굿치고, 부마 샹공의 별유졍으로 도라오시기와 경시의 못기를 기다리시고, 국구 노야의 화란은 ᄎ악흐나, ᄌ작지얼(自作之孼)이니 구치 못흘 밧, 다른 계꾀 업도다."

최샹궁이 언언이 올타 흐여 칭예흐믈 마디 아니흐고, 부쳐를 공양흐ᄂ 의논을 착실이 흐여, 문양궁 부귀를 기우려 셩ᄉ를 일우려 흐니, 물녁(物力)의 댱흠과 금은은 반졈 브죡흔 거시 업ᄉ되, 묘랑이 미양 공쥬ᄂ 졍외가작(情外假作)[244]으로 딕졉흐고,

"내 이졔 옥쥬를 위흐미 졍셩이 젹은 거시 아니로되, 윤·양 냥인(兩人)과 ○[ᄋ]공쥬 등을 업시흐미, 나의 심녁이 진흘 듯 시븐지라. 아모리 싱각흐여도 됴흔 계교를 엇지 못흐며, 부마의 뜻을 도로혀지 《못흐므로 ‖못홀 것이므로》, 츌하리 부마로 흐여금 옥쥬를 박되흐시ᄂ 죄를 바다, 먼니 찬츌흐여 곡경을 겻근 후, 그 ᄆᄋᆷ이 비로소 공쥬의 부귀를 놉히 넉이고, 황샹의 위엄을 두려 부부 은졍을 요동흐고, 윤·양 등을 니즈며, 이 가온되 국구노야의 ᄉ화를 구흐여 낭낭의 비황(悲況)흐신 심ᄉ를 위로코져 흐더니, 옥쥬 나의 깁흔 뜻을 모로시고 뎡부마의 굿길 바를 놀나이 넉이시니,【48】 진실노 헌계흘 말숨이 업ᄂ지라, 아직 일이 되여가믈 보고 경시를 급히 업시흐려 흐엿더니, 혹ᄌ 사름이 옥쥬를 의심흐여 여러 부인의 화란과 공ᄌ 남미를 다 일흐미, 옥쥬의 작얼(作孼)인가 넉인 후ᄂ, 발명(發明)이 괴로오니, 임의 경시 이시믈 금후노애 아랏ᄂ지라. 반ᄃ시 슈히 드려오리니, 옥쥬ᄂ 지극히 화우흐시ᄂ 덕을 힘쓰시면, 존당 구괴 다 옥쥬의 힝ᄉ를 하ᄌ흐리 업슨 후, 늬 당당이 경시를 히흐여 ᄉ지의 모라 너흐리니, 잠간 경시 히흘 의논을 긋치고, 부마의 별유졍으로 도라오시기와, 경시의 뭇기를 기ᄃ리시고, 국구 노야의 화란은 ᄎ악흐나 ᄌ작지얼(自作之孼)이니, 구치 못흘 밧 다른 계꾀 업도다."

최샹궁이 언언이 올타 흐여 칭예흐믈 마지 아니흐고, 부쳐를 공양흐ᄂ 의논을 착실이 흐여, 문양궁 부귀를【49】기우려 셩ᄉ를 일우려 흐니, 물녁(物力)의 쟝흠과 은금(銀金)의 반졈 부죡흔 거시 업ᄉ되, 묘랑이 미양 공쥬ᄂ 졍외(情外)[237]로 딕졉흐고, 뉴

---

[244]졍외가작(情外假作) : 거짓으로 졍(情)이 많은 체 꾸밈.

[237]졍외(情外) : 인졍 밖. 사람을 졍으로 대하지 않고 멀리함.

뉴부인과 구몽슉의게 졍셩이 디극ᄒ나, 아
딕 공쥬를 쐬와가며 금은【70】을 낫고려
ᄒ므로, 식로 터를 잡아 븍문 밧긔 태안산
이라 ᄒᄂᆞᆫ 곳의 션경시란 졀의 블탑(佛塔)
을 일우고, 뎨ᄌᆞ를 모화 불공을 착실히 ᄒ
ᄂᆞ 쳬ᄒᄂᆞᆫ 거시 다 요믈(妖物)245)이니, 엇
디 통한치 아니리오마ᄂᆞᆫ, 문양공쥬ᄂᆞᆫ 묘랑
의 근본이 요졍(妖精)이믈 아디 못ᄒ고, 본
젹마다 밧들기를 디극히 ᄒ더라.
　츠시 평남휘 별유졍의 잇셔 두문블츌(杜
門不出)ᄒ연디 일삭의 니르딘, 금평휘 단연
이 ᄎᆞᆺᄂᆞᆫ 일이 업셔 흔갈ᄀᆞᆺ치 엄졍 셕셕ᄒ
니, 졔ᄌᆞ(諸子)들이 감히 평남후를 언두(言
頭)의 드노치 못ᄒ게 ᄒ니, 일노 보건딘 싱
젼의 샤치 아닐 거동【71】ᄀᆞᆺ트니, 남휘 부
친의 미믈ᄒ시믈 듯고 망극ᄒ여 촌장이 ᄎᆞᆺ
ᄂᆞᆫ 듯ᄒ여[며], 딘태우 형뎨 이 소문을 듯
고 별유졍의 가보미, 거쳬(居處) 협칙(狹
窄)246)ᄒ여 여러히 안즐 길도 업거니와, 남
휘 머리를 드디 아니코 샤왈,
　“쇼뎨ᄂᆞᆫ 엄졍의 닉치인 ᄌᆞ식으로 붓그
러온 면목을 드러 표형들도 볼 낫치 업스
니, 원컨딘 불인무상(不仁無狀)ᄒ 쇼뎨를 ᄎᆞᆺ
디 마르쇼셔.”
　말노좃ᄎᆞ 안쉬(眼水) 빅옥용화(白玉容華)
를 젹시고, 쇄락 슈려ᄒ던 풍광이 날노 쇠
약ᄒ여 대병(大病)을 디닌 사ᄅᆞᆷ ᄀᆞᆺ트니, 딘
태우 등이 그 ᄯᅳᆺ을 욱이디 못ᄒ여 즉시 도
라오나, 됴혼 말노 위로【72】ᄒ여 너모 조
급히 심녀를 상히오디 말나 ᄒ더니, 월여의
밋쳐ᄂᆞᆫ 남휘 밤의 능히 ᄌᆞ디 못ᄒ고 식음을
나오디 못ᄒ여 딜양이 니러나니, 이ᄂᆞᆫ 젼혀
심녀로 난 병이러라.【73】

부인과 구몽슉의게 졍셩이 지극ᄒ나, 아즉
공쥬를 쐬와가며 금은은 낭탁(囊橐)238)ᄒ려
ᄒ므로, 식로 터를 잡아 븍문 밧게 틱암산
이라 ᄒᄂᆞᆫ 곳의 션경시란 졀의 블탑(佛塔)
을 일우고, 졔ᄌᆞ를 모화 불공을 착실히 ᄒ
ᄂᆞ 쳬ᄒᄂᆞᆫ 거시 다 요믈(妖物)239)이니, 엇
지 통한치 아니리오마ᄂᆞᆫ, 문양공쥬 묘랑의
근본이 요신(妖神)이믈 아지 못ᄒ고, 본 젹
마다 밧들기를 지극히 ᄒ더라.
　츠시 평남휘 별유졍의 잇셔 두문블츌(杜
門不出)ᄒ연지 일삭의 니르딘, 금평휘 단연
히 ᄎᆞᆺᄂᆞᆫ 일이 업셔 흔갈ᄀᆞᆺ치 엄졍 ᄲᅵᆨᄲᅵᆨᄒ
니, 졔ᄌᆞ(諸子) 등이 감히 평남후를 언두(言
頭)의 드노치 못ᄒ게 ᄒ니, 일노 보건딘, 싱
젼의 샤치 아닐 거동 갓트니, 평후 부【5
0】친의 미믈ᄒ시믈 듯고 망극ᄒ여 촌장이
ᄎᆞᆺᄂᆞᆫ 듯ᄒ여[며], 진틱우 형뎨 이 소문을
듯고 별유졍의 가면 거쳐(居處) 협칙(狹
窄)240)ᄒ여 여러히 안즐길도 업거니와, 남
휘 머리를 드지 아니코 ○○[샤왈,]
　“쇼뎨ᄂᆞᆫ 엄젼의 닉치인 ᄌᆞ식으로, 붓그
러온 면목을 드러 표형들도 볼 낫치 업스니,
원컨딘 불인무상(不仁無狀)ᄒ 쇼뎨를 ᄎᆞᆺ지
마르쇼셔.”
　말노좃ᄎᆞ 안쉬(眼水) 빅옥용화(白玉容華)
를 젹시고, 풍광이 날노 쇠약ᄒ여 딕병(大
病)을 지닌 사ᄅᆞᆷ ᄀᆞᆺ트니, 진태우 등이 그
ᄯᅳᆺ을 욱이지 못ᄒ여 즉시 도라오나, 됴혼
말노 위로ᄒ여, 너모 조급히 심녀를 상히오
지 말나 ᄒ더니, 월여의 밋쳐ᄂᆞᆫ 남휘 ᄌᆞ지
못ᄒ고 식음을 나리오지 못ᄒ여, 질양이 니
러나니, 젼혀 심녀을 허비ᄒ여,

---

245)요믈(妖物) : 요망스러운 짓거리.
246)협칙(狹窄) : ①차지하고 있는 자리가 매우 좁음.
　②처하여 있는 사정이나 형편이 매우 어려움.

238)낭탁(囊橐) : 어떤 물건을 자기의 차지로 만듦.
　또는 그렇게 한 물건.
239)요믈(妖物) : 요망스러운 짓거리.
240)협칙(狹窄) : ①차지하고 있는 자리가 매우 좁음.
　②처하여 있는 사정이나 형편이 매우 어려움.

어시의 남휘 별유졍의 이션디 월여의, ᄌ
디 못ᄒ고 식음을 나오디 못ᄒ여 딜양이 이
러나니, 젼혀 심녀(心慮)로 난병이라. 쏘흔
증셰 가비압디 아니니, 녜부 등이 졀민초조
ᄒᄆᆯ 니긔디 못ᄒ나, 감히 이런 말ᄉᆷ을 부
젼의 고치 못ᄒ고, 딘 각뇌(閣老)247) 딘 태
상(太常)248) 등으로 더브러 금평후를 딕ᄒ
여 병부의 딜양이 듕ᄒᄆᆯ 젼ᄒ고, 비록 소
년 호식의 남시(濫事) 업디 아니나, 오리 니
쳐 보디 아니미 블가ᄒᆷ을 니르딕, 금평후의
뎡ᄒᆫ 쯧【1】이 텰옥(鐵玉) ᄀᆞᆺᄐᆞ여 가비야
이 요동치 아니ᄒ고, 답왈,

"텬흥의 남활ᄒ미 타류와 다르니, 니쳐
ᄆᆞ음을 도로혈 니 업스려니와, 맛춤내 ᄌ식
을 믜워ᄒ미 아니니, 다시 니르디 마르쇼
셔."
졔공(諸公)이 그 답언을 보고, ᄌ긔 등이
말ᄒ나 무안(無顔)ᄒᆯ 줄 알고, 취별산의 나
와 젼후를 보고져 ᄒ여 통ᄒ니, 남휘 셔동
으로 ᄒ여금 왕님ᄒ시미 황공ᄒᄆᆯ 고ᄒ고,
낫츨 드러 뵈옵디 못ᄒᄆᆯ 회보ᄒ며, 또 니
르딕,
"혹ᄌ 친젼(親前)의 샤명을 어더 인눈이
온젼ᄒᆫ 사ᄅᆞᆷ이 될진딕, 년슉(緣叔)의 나
디249) 므르시ᄂᆞᆫ 은혜를 갑ᄉ오리이다."

하공【2】이 남후의 고집이 보디 아니니,
딘졍으로 부젼의 니치이믈 붓그리고 슬허,
딕인상졉(對人相接)을 아니려 ᄒᄂᆞᆫ 바를 아
라, 심닉(心內)의 그러ᄒᆯ 듯ᄒ여 다시 쳥치

병셰 가비압지 아니ᄒ니, 녜부 졀민초조ᄒ
믈 마지 아니ᄒ나, 감히 이런 말도 부젼의
고치 못ᄒ고, 진 각뇌(閣老)241)와 진 태상
(太常)242)이 빅형 《남양호∥낙양후》로 더
브러 금평후【51】을 딕ᄒᆞ여, 병부의 병셰
즁ᄒᆞ믈 젼ᄒ고, 비록 년소 호신의 남시(濫
事) 업지 아니나, 오릭 니쳐 보지 아니 ᄒ
난 거시 블가ᄒᆞ믈 니르딕, 금평후의 뎡ᄒᆫ
쯧시 쳘셕(鐵石) 갓ᄐᆞ여 가비야이 요동치
아니코, 졍국공이 쏘ᄒ 금평후를 힘뼈 긔유
ᄒᆞ여, 병부을 블너보라 ᄒᆞᆫ딕, 금평후의 딕답
이 엇더ᄒᆞᆫ고? ᄒ회를 분회ᄒ라.
어시의 금평휘 답왈
"텬흥○[의] 《남확∥남활》ᄒ미 타류와
다르니, 니쳐 ᄆᆞ음을 도로혈니 업스려니와,
맛춤○[내] ᄌ식을 믜워ᄒ미 아니니, 다시
니르지 마르쇼셔."
졔공(諸公)이 그 답언을 보고 ᄌ긔 등이
말ᄒ나 무안(無顔)ᄒᆯ 줄 알고, 취운산의 나
와 젼후를 보고져 ᄒ여 통ᄒ니, 남휘 셔동
으로 ᄒ여곰 왕님ᄒ시믈[미] 황감ᄒ{시}믈
고ᄒ고, 낫츨 드러 뵈옵지 못ᄒᆷᄆᆯ 《고ᄒ니
∥고ᄒᆫ 후》, 쏘 니르딕,
"혹ᄌ 친젼(親前)의 ᄉ명을 어더 인눈이
온젼ᄒᆫ 사ᄅᆞᆷ이 될진딕, 년슉(緣叔)의 《아지
∥나지243》》 므【52】르시ᄂᆞᆫ 은혜를 갑ᄒ
리이다."
하공이 남후의 고집이 보지 아니ᄒ니,
진졍으로 부젼의 니치이믈 붓그리고 슬허
딕인상졉(對人相接)을 아니려 ᄒᄂᆞᆫ 바를 아
라, 심닉(心內)의 그러ᄒᆯ 듯ᄒ여 다시 쳥치

---

247)각뇌(閣老) : 중국 명나라 때에, '재상(宰相)'을
　　이르던 말.
248)태상(太常) : 태상경(太常卿).고려 시대에, 태상시
　　의 으뜸 벼슬.
249)나디 : 낮이. 낮추어. 몸을 낮추어.

241)각뇌(閣老) : 중국 명나라 때에, '재상(宰相)'을
　　이르던 말.
242)태상(太常) : 태상경(太常卿).고려 시대에, 태상시
　　의 으뜸 벼슬.
243)나디 : 낮이. 낮추어. 몸을 낮추어.

못ᄒ여, 다만 젼어(傳語)ᄒ여 위로ᄒ고 도라와 금후를 보고 슈말(首末)을 젼ᄒ니, 금휘 완이히 미소 왈,

"욕지(辱子) 흉휼(凶譎)ᄒ여 짐즛 사ᄅ을 보디 아니ᄒ고 뉘웃는 쳬ᄒ여, 나의 브르기를 요구ᄒ미니, 형은 아른쳬 말고 바려두라."

하공이 쇼왈,

"챵빅은 나의 은인이라, 그 심회 불평ᄒ믈 엇디 괄시ᄒ리오. 실노 챵빅의 죄를 난화 밧고 슈히 샤(赦)ᄒ딘딘, 뎨심(弟心)이 흔흡(欣洽)250)ᄒ리로다."

금휘 가(可)치【3】 아니믈 일ᄏ라 미미(微微)히 우스나 슈히 샤홀 뜻이 업ᄉ니, 여러 가디 딕임을 겸ᄒ여 관부(官府)와 뇽두각(龍頭閣)251)의 밀니인 공ᄉ 뫼 ᄀᆺ고, 여러 날 됴회의 블참ᄒ기를 오리 ᄒ니, 됴졍 문뮈 다 경의(驚疑)ᄒ고, 만셰 황애 그 연고는 아디 못ᄒ시고, 오래 뎡병부의 브됴(不朝)ᄒ믈 괴이히 녁이샤 여러 날이 되미 브르시니, 녜부 등이 대주(對奏)홀 말ᄉ이 업셔 유딜(有疾)ᄒ므로ᄡᅥ 쥬ᄒ온딘, 샹이 경녀ᄒ샤 어의(御醫)와 약물을 보내여 구호ᄒ라 ᄒ시고, 여러 관부의 밀닌 공ᄉ 뫼ᄀᆺ치 ᄲᅡ혀 당하졔관(堂下諸官)이 절민ᄒ믈 마디 아니나, 오딕 뎡병부 츌ᄉ(出仕)ᄒ【4】기를 기다리고, 군관하리와 당하졔관이 취벽산의 모다 문후ᄒ딘, 남휘 병의 경듕을 니르디 아니ᄒ고 일인도 블너 보디 아냐, 다 믈너가라 홀 ᄯᆞ름이오. 하관의 뉘며 녈휘(列侯) 모다 와 므르도 슌슌이 다 후의를 칭샤ᄒ여 도라 보닌더니, 태의 샹명을 밧ᄌ와 남후의 병을 보아디라 ᄒ기의 당ᄒ여는 마디 못ᄒ

못ᄒ여, 다만 젼어(傳語)ᄒ여 위로ᄒ고 도라와, 금후를 보고 슈말(首末)을 젼ᄒ니, 금휘 완이히 미소 왈,

"욕지(辱子) 흉휼(凶譎)ᄒ여 짐즛 사ᄅ을 보지 아니ᄒ고, 뉘웃는 쳬ᄒ고 나의 브르기를 요구ᄒ미니, 형은 아른 쳬 말고 바려두라."

하공이 쇼왈,

"챵빅은 나의 은인이라 그 심회 불평ᄒ믈 엇지 괄시ᄒ리오 실노 챵빅의 죄를 난화 밧고 슈히 샤(赦)ᄒ진딘 뎨심(弟心)이 흔흡(欣洽)244)ᄒ리로다."

금휘 가(可)치 아니믈 일크라 미미히 우스나 슈히 ᄉ홀 뜻이 업스니, 이 ᄡᅥ 남휘 녀러 가지 직품을 겸ᄒ여, 관부(官府)와 뇽두각(龍頭閣)245)의 밀니인 공ᄉ 뫼 ᄀᆺ고, 여러 날 됴회의 블참ᄒ기를 오【53】리 ᄒ니, 됴졍 문뮈 다 경히(驚駭)ᄒ고, 만셰 황애 그 연고는 아지 못ᄒ시고 오릭 뎡병부의 부됴(不朝)ᄒ믈 괴이히 넉이샤, 여러 날이 되미 므르시니, 녜부 등이 딕주(對奏)홀 말이 업셔 유질(有疾)ᄒ므로○[ᄡᅥ] 쥬ᄒ온딘, 샹이 경녀ᄒ샤 어의(御醫)와 약물을 보니여 구호ᄒ라 ᄒ시고, 여러 관부의 밀닌 공ᄉ 뫼ᄀᆺ치 ᄲᅢ혀 당하졔관(堂下諸官)이 절민ᄒ믈 마지 아니나, 오직 뎡병부 츌ᄉ(出仕)ᄒ기를 기다리고, 군관 하리와 당하 졔관이 취벽산의 모다 문후ᄒ딘, 남휘 병의 경즁을 니르지 아니ᄒ고 일인도 블너보지 아냐 다 믈너가라 홀 ᄯᆞ름이오, 하관의 뉘며 녈휘(列侯)라도 슌슌이 다 후의를 칭샤ᄒ여 도라 보닌더니, 태의 샹명을 밧ᄌ와 남후의 병을 보아지라 ᄒ기의 당ᄒ여는, 마지 못ᄒ

---

250)흔흡(欣洽) : 기뻐하고 흡족해 함.

251)뇽두각(龍頭閣) : 학사원(學士院)을 달리 이르는 말. 과거(科擧)에 장원급제자를 '용두(龍頭)'라 하였는데, 이들을 곧바로 직학사(直學士)에 임명하고 학사원(學士院)에 소속시켜 임금의 사명(詞命)을 짓는 일을 맡아보게 한데서 유래한 말. 학사원(學士院) : 고려 초기에, 사명(詞命) 짓는 일을 맡아보던 관아. 광종 때 원봉성을 고친 것인데, 뒤에 한림원·문한서·예문관·사림원·춘추관 따위로 고쳤다.

244)흔흡(欣洽) : 기뻐하고 흡족해 함.

245)뇽두각(龍頭閣) : 학사원(學士院)을 달리 이르는 말. 과거(科擧)에 장원급제자를 '용두(龍頭)'라 하였는데, 이들을 곧바로 직학사(直學士)에 임명하고 학사원(學士院)에 소속시켜 임금의 사명(詞命)을 짓는 일을 맡아보게 한데서 유래한 말. 학사원(學士院) : 고려 초기에, 사명(詞命) 짓는 일을 맡아보던 관아. 광종 때 원봉성을 고친 것인데, 뒤에 한림원·문한서·예문관·사림원·춘추관 따위로 고쳤다.

여 불너 보딕, '심홰(心火) 이셔 사름을 보면 병이 더으고, 사름의 소릭를 드르면 두골이 쯸히는 듯ㅎ니, 스스로 고요흔 곳을 갈희여 잠간 낫기를 기다리믈' 닐너, '샹명이 비록 날마다 보라 ㅎ실디라도, 병이 【5】 대단튼 아니딕 아딕 긔거치 못ㅎ믈' 쥬ㅎ고, '《의약을 착실이 ㅎ므로뼈 밧긔 잇고‖밧긔셔 의약을 착실이 하고》 다시 드러오디 말나' ㅎ니, 의지 어딕가 병부의 명녕을 위월(違越)ㅎ리오. 직비 슈명ㅎ여 믈너나 이딕로 쥬달ㅎ온딕, 샹이 날마다 태의원 졔의(諸醫)를 명ㅎ샤 그 병을 슈히 하리게 ㅎ라 ㅎ시니, 은영(恩榮)이 가디록 호셩(豪盛)ㅎ고 부귀 당셰의 결우리 업스딕, 남후는 셩은의 과도ㅎ시믈 더욱 블안ㅎ며, 부젼의 샤명을 어들 길히 업셔 병셰 졍치 아니니, 녜부와 공즈 등이 그윽이 틈을 어더 별유졍의 아니 오는 날이 업셔[시], 【6】 빅형을 구호ㅎ나, 남휘 죵일 입을 다드며 눈을 쩌보는 일이 업셔, 즈로 탄식ㅎ여 즈긔 힝스를 뉘웃츠며 스친디회(思親之懷) 간졀홀 쌷름이니, 모든 졔뎨(諸弟) 츠마보디 못ㅎ여 눈을 가리와 슬허ㅎ더라.

츠시 경부의셔 오공즈를 일코, 경공 부부와 쇼져의 통상ㅎ미 죽엄을 겻틱 노흠도곤 더으고, 이 소유를 뎡병부긔 통ㅎ딕 남휘 일졀 오는 일이 업고, 혼자 셔간을 붓치는 비 업스니 가쟝 괴이히 넉이더니, 최후의 경참졍이 딘각노를 만나미 남후의 곡졀을 듯고, 일변 즈긔 녀이 구고의 아디 못ㅎ는 며나리 【7】 되여시믈 졀박히 넉이다가, 이졔야 금후의 아라시믈 깃거ㅎ나, 공쥬의 희를 두려ㅎ며 남후의 닉치이믈 놀나, 쇼져다려 이 말을 니르니, 쇼졔 아미(蛾眉)를 삥긔고 기리 탄식 딕왈,

"쇼녀의 명되 괴이ㅎ여 인뉸을 일우미 구괴 모르는 사름이 되고, 흔낫 골육을 보젼치 못ㅎ여 일야디간의 일허바리니, 그 참졀흔 믈 닛기 어렵거늘, 이졔 뎡군이 쇼녀로 인ㅎ여 친젼의 닉치이는 변을 당ㅎ니, 엇디 참괴치 아니리잇고? 야야는 엄구를 보시거

여 불너 보딕, '심홰(心火) 이셔 사름을 보면 병이 더으고 사름의 소릭를 드르면 두골이 쯴【54】리는 듯ㅎ니, 스스로 고요흔 곳을 갈희여 잠간 낫기를 기드리믈' 닐너, '샹명이 비록 날마다 보라 ㅎ실디라도, 병이 대단튼 아니딕 아직 긔거치 못ㅎ믈' 쥬ㅎ고, '《의약을 착실이 ㅎ므로뼈 밧긔 잇고‖밧긔셔 의약을 착실이 하고》 다시 드러오지 말나' ㅎ니, 의지 어딕가 병부의 명녕을 위월(違越)ㅎ리오 직비 슈명ㅎ여 믈너나 이딕로 쥬달ㅎ니, 샹이 날마다 태의원 졔의(諸醫)를 명ㅎ샤, 그 병을 슈히 하리게 ㅎ라 ㅎ시니, 은녕(恩榮)이 가지록 호셩(豪盛)ㅎ고, 부귀 당셰의 결우 리 업스딕, 남후는 셩은의 과도ㅎ시믈 더욱 블안ㅎ며, 부젼의 샤명을 어들 길히 업셔 병셰 졍치 아니니, 녜부와 공즈 등이 그윽이 틈을 어더 별유졍의 아니 오는 날이 업셔[시], 빅형을 구호ㅎ나, 남휘 죵일 입을 다드며 눈을 쩌보는 일이 업셔, 즈로 탄식ㅎ여 즈긔 힝스를 뉘웃츠며 스친지회(思親之懷) 간졀홀 쌷름【55】이니, 모든 졔뎨 츠마보지 못ㅎ여 눈을 ᄂᆞ리와 슬허ㅎ더라.

츠시 경부의셔 오공즈를 일코, 경공 부부와 쇼져의 통상ㅎ미 죽엄을 겻틱 노흠도곤 더으고, 이 소유를 뎡병부긔 통ㅎ딕 남휘 일졀 오는 일이 업고, 혼자 셔간을 붓치는 비 업스니, ᄀᆞ쟝 괴이히 넉이더니, 최후의 경참졍이 진 각노를 만나미 남후의 곡졀을 듯고, 일변 즈긔 녀이 구고의 아지 못ㅎ는 며느리 되여시믈 졀박히 넉이다가, 이졔야 금후의 아라시믈 깃거ㅎ며, 공쥬의 희를 두려ㅎ며, 남후의 닉치이믈 놀나 쇼져다려 이 말을 니르니, 쇼졔 아미(蛾眉)를 삥긔고 기리 탄식 딕왈,

"쇼녀의 명되 괴이ㅎ여 인뉸을 일우미, 구괴 모르는 사름이 되고, 흔낫 골육을 보젼치 못ㅎ여 일야지간의 일허버리니, 그 참졀흔믈 닛기 어렵거늘, 이졔 뎡군이 쇼녀 【56】로 인ㅎ여 친젼의 닉치이는 《명‖변(變)》을 당ㅎ니, 엇지 참괴치 아니리잇

든 쇼녀 일신이 유뮈블관(有無不關)ᄒ니 부
모슬하의 죵신(終身)케 ᄒ소셔."

경공이 녀ᄋ의 【8】 심니 편치 아니믈 잔
잉ᄒ여, 됴흔 말노 위로ᄒ고, 즉시 금후를
가보려 ᄒ더니, 역시 셔열(暑熱)의 상ᄒ여
신음ᄒ므로 가디 못ᄒ엿다가, 잠간 ᄎ셩(差
成)흔 후 드르니, 남휘 병이 듕ᄒ므로 샹이
어의로 간병ᄒ라 ᄒ신다 ᄒᄂ니라. 경공이
일일은 ᄎ운산의 나아가니, 금휘 마자 녜필
의 경공이 몬져 함쇼, 왈,

"쇼뎨 형으로 인아(姻婭)의 각별ᄒ미 발
셔 이셤즉 ᄒ디, 쇼뎨 퇴셔ᄒ미 외람ᄒ여,
챵빅으로 셔랑을 삼안디 삼ᄉ삭이 못ᄒ여
문양 귀줘 하가(下嫁)ᄒ시니, 챵빅의 놉흔
복을 그윽이 칭희(稱喜)ᄒ나, 암용누뒬(暗庸
陋質)의 쇼녀는 챵빅으로 부운(浮雲) ᄀᆺᄐᆫ
인연【9】을 디어시나, 구고도 모로는 사름
이 되여 존문의 주부의 도를 힝치 못ᄒ니,
쇼뎨 엇디 이 말을 형다려 발셔 니르디 아
니리오마는, 챵빅의 남ᄉ를 형이 과히 칙망
할가 넘녀ᄒ여 발셜치 아녓더니, 져젹 형이
와실 ᄲᅥ 유병ᄒ엿던 ᄋ휘252) 챵빅의 ᄋ지
(兒子)오, 츈긔의 ᄋ돌이 아니라. 블힝ᄒ여
일야디간(一夜之間)의 실니ᄒ미, 약녀(弱
女)253)의 통상ᄒᆷ믄 니르도 말고, 챵빅이 반
년이 못ᄒ여 셰 ᄋ돌과 일녀를 일흐미 되
니, 그 운슈의 불길ᄒ미어니와, 어이 참악
(慘愕) 비상(悲傷)치 아니리오. 주식을 일흐
딕 아비 모르미 가치 아닌고로, 글월을 닷
가 챵빅의게 보닉엿【10】더니, 딘형의 말
을 드르니, 형이 그 셔간으로 인ᄒ여 챵빅
을 닉쳣다 ᄒ니, 쇼뎨 형을 알오믈 인현군
자(仁賢君子)로 아랏더니 어이 쳐시 그딕도
록 박졀ᄒ리오."

금휘 쳥파의 답왈,

"소뎨 형으로 더브러 교도를 미즌 디 하
마 삼십년이라. ᄋ시(兒時)○○○[고우(故
友)로], 피ᄎ 밋고 ᄇᆞ라미 일가디친(一家至

252) ᄋ휘 : =ᄋ직(兒子). 아이.
253) 약녀(弱女) : 어린 딸.

고? 야야는 엄구를 보시거든 쇼녀 일신이
유뮈블관(有無不關)ᄒ니, 부모슬하의 죵신
(終身)케 ᄒ소셔."

경공이 녀ᄋ의 심니 편치 아니믈 잔잉ᄒ
여, 됴흔 말노 위로ᄒ고, 즉시 금후를 가보
려 ᄒ더니, 역시 셔열(暑熱)의 상ᄒ여 신음
ᄒ므로 가지 못ᄒ엿다가, 잠간 ᄎ셩흔 후
드르니, 남휘 병이 즁ᄒ므로 샹이 어의로
간병ᄒ라 ○○[ᄒ다] 《ᄒ신지라‖ᄒᄂ니
라》. 경공이 일일은 ᄎ운산의 나아가니, 금
휘 마자 녜필의, 경공이 몬져 함쇼 왈,

"쇼뎨 형으로 인아(姻婭)의 각별ᄒ미 발
셔 이셤 즉ᄒ되, 퇴셔ᄒ미 외람ᄒ여 챵빅으
로 셔랑을 삼안지 삼ᄉ삭이 못ᄒ여 문양 귀
줘 하가(下嫁)ᄒ시니, 챵빅의 놉흔 복을 그
윽이 칭희(稱喜)ᄒ나, 암용누질(暗庸陋質)의
쇼녀는 챵빅으로 부운(浮雲) ᄀᆺᄐᆫ 인년을
지어시나, 구고도 모르는 사름이 되【57】
여 《ᄎ문‖존문》의 주부의 도를 힝치 못
ᄒ니, 쇼뎨 엇지 이 말을 형다려 발셔 니르
지 아니리오마는, 챵빅의 남ᄉ를 형이 과히
칙망할가 넘녀ᄒ여 발셜치 아엿[녓]더니,
져젹 형이 와실 ᄲᅥ 유병ᄒ엿던 ᄋ지(兒
子)246) 챵빅의 ᄋ지오, 츈긔의 ᄋ돌이 아니
라. 블힝ᄒ여 일야지간(一夜之間)의 실니ᄒ
미, 약녀(弱女)247)의 통상ᄒᆷ믄 니르도 말고,
챵빅이 반년이 못ᄒ여 셰 ᄋ돌과 일녀를 일
흐미 되니, 그 운슈의 불길ᄒ미어니와, 어이
참악(慘愕) 비상(悲傷)치 아니리오. 주식을
일흐딕 아비 모르미 가치 아닌 고로, 글월
을 닷가 챵빅의게 보닉엿더니, 진형의 말을
드르니, 그 셔간으로 인ᄒ여 형이 챵빅을
닉쳣다 ᄒ니, 쇼뎨 형을 알오미 인현군자
(仁賢君子)로 아랏더니, 어이 쳐시 그딕도록
ᄒ리오."

금휘 쳥파의 답왈,

"소뎨 형으로 더브러 교도를 미즌 지 하
마 삼십년이【58】라. ᄋ시고우(兒時故友)
로, 피ᄎ 밋고 ᄇᆞ라미 일가의 지친(至親)의

246) ᄋ지(兒子) : =아희. 아이.
247) 약녀(弱女) : 어린 딸.

親)의 더을 쯧이 이시니 쇼데 밋는 빗어늘, 형이 스리로 칙ᄒᆞ고 녜의로 경계ᄒᆞ여 ᄌᆞ딜 ᄀᆞ치 ᄒᆞ미 올코, 허물을 니르미 올커늘, 쇼데는 딘실노 형을 그딕도록 블명코 프러디믈 아디 못ᄒᆞ엿더니, 싱각 밧 일이 만하 욕ᄌᆞ의 방탕(放蕩) 호신(豪身)이 금텬하(今天下) 데일이라. 【11】 군ᄌᆞ 힝신은 삼가디 아니코, 나히 십셰를 너므○[므]로브터 쥬야 모호는 거시 미녀 셩식이라. 저의 삼쳐는 슉녀명염(淑女名艶)이니, 외람코 과분ᄒᆞᆫ 쳐실이믈 아디 못ᄒᆞ고, 형의 쳔금옥와(千金玉瓦)²⁵⁴를 뎨ᄉᆞ부실(第四副室)노 구ᄒᆞ여, 제 우히 아비 이시믈 아디 못ᄒᆞ고 인뉸대ᄉᆞ(人倫大事)²⁵⁵를 ᄌᆞ젼(自專)ᄒᆞ여, 닙공승젼(立功勝戰)ᄒᆞᄂᆞᆫ 힝거(行車)를 느추고 혼인을 일움도 극ᄒᆞᆫ 남ᄉᆞ(濫事)어늘, 오히려 욕심이 ᄎᆞ디 못ᄒᆞ여 ᄉᆞ창(四娼)을 시러오니, 졀졀(節節)²⁵⁶이 쇼데를 어둡게 넉여 범빅(凡百)²⁵⁷을 긔이며²⁵⁸ 속이기를 위쥬ᄒᆞ여, 미양 형의 집을 ᄌᆞ로 왕ᄂᆡᄒᆞ믈 므른즉, 쳔방빅계(千方百計)로 두로다혀²⁵⁹ 니언(利言)²⁶⁰이 쑤미고, 틈을 타면 형의 【12】 집에 가 즐기고, 그러치 아니면 창누의 가 유희 방탕ᄒᆞ니, 엇디 통ᄒᆡ(痛駭)치 아니리오. 형이 쇼년디시로브터 안하무인(眼下無人)ᄒᆞ여 의긔 거오(倨傲)ᄒᆞ고, 칭찬ᄒᆞᄂᆞᆫ 사름이 업는 줄 쇼데 아는 빗라. 텬흥이 무상블인ᄒᆞ여 혼인을 구ᄒᆞ미 잇셔도, 형이 어룬의 도리로 쥰졀이 칙ᄒᆞ미 올커늘, 만금 교ᄋᆞ를 가져 ᄎᆞ마 져 ᄀᆞᆺᄐᆞᆫ 박힝탕ᄌᆞ를 맛져 쇼데다려 니르디 아니니, 셔랑이 ᄋᆞ들ᄀᆞ치 귀듕ᄐᆞᆫ

더을 쯧이 이시니 쇼데 밋는 빗어늘, 형이 스리로 칙ᄒᆞ고 녜의로 경계ᄒᆞ여 ᄌᆞ딜ᄀᆞ치 ᄉᆞ랑ᄒᆞ미 올코, 허물을 니르미 올커늘, 쇼데는 진실노 형을 그딕도록 블명코 트러지믈 아지 못ᄒᆞ엿더니, 싱각 밧 일이 만하 욕ᄌᆞ의 방탕(放蕩) 호신(豪身)이 금텬하(今天下) 데일이라. 군ᄌᆞ 힝신은 조곰도 삼가지 아니코, 나히 십셰를 너모무로브터 쥬야 모호는 거시 미녀 셩식이라. 저의 삼쳐는 슉녀명염(淑女名艶)이니, 외람코 과분ᄒᆞᆫ 쳐실이믈 아지 못ᄒᆞ고, 형의 쳔금옥완(千金玉婉)²⁴⁸을 뎨ᄉᆞ부실(第四副室)노 구ᄒᆞ여, 제 우히 아비 이시믈 아지 못ᄒᆞ고 인뉸대ᄉᆞ(人倫大事)²⁴⁹를 ᄌᆞ젼(自專)ᄒᆞ여, 닙공승젼(立功勝戰)ᄒᆞᄂᆞᆫ 힝거(行車)를 느추고 혼인을 일움도 극ᄒᆞᆫ 남ᄉᆞ(濫事)어늘, 오히려 욕심이 ᄎᆞ지 못ᄒᆞ여 ᄉᆞ창(四娼)을 시러오니, 졀졀(節節)²⁵⁰이 쇼데를 어둡게 넉여 범빅(凡百)²⁵¹을 긔이며²⁵² 속이기를 위【59】쥬ᄒᆞ여, 미양 형의 집을 ᄌᆞ로 왕ᄂᆡᄒᆞ믈 니른즉, 쳔방빅계(千方百計)로 두로다혀²⁵³ 니언(利言)²⁵⁴이 쑤미고, 틈을 타면 형의 집에 가 즐기고, 그러치 아니면 창누의 가 《슈의‖유희》 방탕ᄒᆞ니, 엇지 통히치 아니리오. 형이 쇼년지시로브터 안하무인(眼下無人)ᄒᆞ여 의긔 거오(倨傲)ᄒᆞ고, 칭찬ᄒᆞᄂᆞᆫ 사름이 업는 줄 쇼데 아는 빗라. 텬흥이 무상블인ᄒᆞ여 혼인을 구ᄒᆞ미 이셔도, 형이 어룬의 도리로 쥰졀이 칙ᄒᆞ미 올커늘, 만금 교ᄋᆞ를 가져 ᄎᆞ마 져ᄀᆞᆺᄐᆞᆫ 박힝탕ᄌᆞ를 맛져 쇼데다려 니르지 아니니, 셔랑이 ᄋᆞ들ᄀᆞ치 귀즁ᄐᆞᆫ 아니나 오히려 쌀의 젼졍(前程)이 둘녀시니, ᄉᆞ회 인현(仁

---

254)쳔금옥와(千金玉瓦) : 귀한 딸. 옥와(玉瓦)는 옥으로 만든 실패라는 뜻으로, 딸을 낳은 경사를 말하는 농와지경(弄瓦之慶)의 '와(瓦)'와 같은 뜻임.

255)인뉸대ᄉᆞ(人倫大事) : 혼인(婚姻)을 뜻하는 말.

256)졀졀(節節) : 절목(節目)마다. 하나의 일을 구성하고 있는 낱낱의 절목마다.

257)범빅(凡百) : 갖가지의 모든 것.

258)긔이다 : 기이다. 어떤 일을 숨기고 바른대로 말하지 않다.

259)두로다히다 : 둘러대다. 그럴듯한 말로 꾸며 대다.

260)니언(利言) : 유리한 말. 그럴듯한 말.

---

248)쳔금옥와(千金玉瓦) : 천금(千金)이나 할 만큼 귀하고 예쁜 딸.

249)인뉸대ᄉᆞ(人倫大事) : 혼인(婚姻)을 뜻하는 말.

250)졀졀(節節) : 절목(節目)마다. 하나의 일을 구성하고 있는 낱낱의 절목마다.

251)범빅(凡百) : 갖가지의 모든 것.

252)긔이다 : 기이다. 어떤 일을 숨기고 바른대로 말하지 않다.

253)두로다히다 : 둘러대다. 그럴듯한 말로 꾸며 대다.

254)니언(利言) : 유리한 말. 그럴듯한 말.

아니나, 오히려 쓸의 전정(前程)이 달녀시니, 소회 인현(仁賢)ᄒ면 깃불 거시어늘, 형은 친우의 ᄌ식으로ᄡᅥ 가마니 옹서(翁壻)의 정을 미ᄌᄃᆡ, 망연이 그 힝사의 무상【13】ᄒᆞᆷ믈 념(念)치 아니코, 쇼뎨 긔이믈 욕ᄌ(辱子)와 ᄀᆞᆺ치 ᄒᆞ니, 평일 디극던 정분이 어ᄃᆡ 잇ᄂᆞ뇨? 쇼뎨 그를 싱각ᄒᆞᄆᆡ 엇디 노홉디 아니리오. 이졔 욕ᄌ의 팔지 긔이ᄒᆞ여 ᄌᄂ녀로 삼긴 거슨 다 실니(失離)ᄒᆞ라 뎡ᄒᆞ여시니, 녕녀의 골육도 보젼치 못ᄒᆞ미라. 다만 잔잉흔 밧ᄌᆞ는 녕녀니, 텬흥 ᄀᆞᆺ튼 경박ᄌ(輕薄子)의 쳐실이 되여 일신이 안한(安閒)치 못ᄒᆞ고, 그 초혼디시(初婚之時)의 구고 모르는 사ᄅᆞᆷ이 되여, 스스로 신셰를 탄ᄒᆞ미 이시리니, 구식(舅媳)의 정이 보디 못ᄒᆞᄆᆞ로 가장 셔의(齟齬)ᄒᆞᆯ 거시로ᄃᆡ, 쇼뎨는 녕녀를 위ᄒᆞ여 그 일싱을 앗기노라. 형의 퇵셔ᄒᆞ미 이ᄃᆡ도록 괴【14】이ᄒᆞᆯ 줄 ᄯᅳᆺᄒᆞ여시리오. 욕ᄌ의 블고이췌디ᄉᆞ(不告而娶之事)도 통완ᄒᆞ미 극ᄒᆞ거니와, 녕녀도 내 집 사ᄅᆞᆷ이라. 아득히 몰나 구부(舅父)의 도리를 폐ᄒᆞ고 식부항(媳婦行)의 두디 못ᄒᆞ엿ᄂᆞᆫ디라. 이졔야 녕녀(令女) 내 집 식뷘 줄 아ᄂᆞ니, 안 후 아니 다려오리오마ᄂᆞᆫ, ᄋᆞ뷔 구가의 니른즉, 친ᄒᆞ니 가뷔라. 그 가뷔 먼니 닉치이믈 블평이 넉일가 넘녀ᄒᆞ여 아딕 다려오디 못ᄒᆞ엿거니와 편친이 밧비 보고져 ᄒᆞ시니, 슈삭 후 비현(拜見)케 ᄒᆞ리니, 형은 퇵셔 그릇ᄒᆞ믈 날다려 ᄎᆞ후 니르디 말고, 스스로 사ᄅᆞᆷ아는 구슬이 어두오믈 붓그리라."

경공이 금후의 말【15】을 드르ᄆᆡ, 남후의 불고이췌를 통완(痛惋)ᄒᆞᆯ디언졍, 아죠 닉칠 의ᄉᆞ도 아니오, 녀ᄋᆞ는 의법흔 ᄌᆞ부로 아라 슈히 다려오고져 ᄒᆞᆷ믈 깃거ᄒᆞ나, 문양공쥬를 두려, 웃고 왈,

"형이 쇼뎨로ᄡᅥ 퇵셔 잘못ᄒᆞᆷ믈 니르거니와 쇼뎨는 현블쵸(賢不肖)를 살피지 아냐 셔랑 흔 사ᄅᆞᆷ만 취ᄒᆞ여 혼ᄉᆞ를 일윗ᄂᆞ니, 챵빅의 대현디풍(大賢之風)과 영준긔습(英俊氣習)이 그 부형의 용우키로 비컨딕 소양(霄壤)이 블함(不咸)261) ᄀᆞᆺ튼디라. 다만 ᄌᆞ

賢)ᄒᆞ면 깃불 거시어늘, 형은 친우의 ᄌ식으로ᄡᅥ 가마니 옹서(翁壻)의 졍을 미ᄌᄃᆡ, 망연이 그 힝사의 무상ᄒᆞᆷ믈 념(念)치 아니코, 쇼뎨 긔이믈 욕ᄌ(辱子)와 ᄀᆞᆺ치 ᄒᆞ니, 평일 지극던 정분이 어ᄃᆡ 잇ᄂᆞ뇨? 쇼뎨 그를 싱각ᄒᆞ【60】미 엇지 노홉지 아니리오. 이졔 욕ᄌ의 팔지 긔이ᄒᆞ여 ᄌᄂ녀로 삼긴 거슨 다 실니(失離)ᄒᆞ라 졍ᄒᆞ여시니, 녕녀의 골육도 보젼치 못ᄒᆞ미라. 다만 잔잉흔 밧ᄌᆞ는 녕녀니, 텬흥ᄀᆞᆺ튼 경박ᄌ(輕薄子)의 쳐실이 되여 일신이 안한(安閒)치 못ᄒᆞ고, 그 쵸혼지시(初婚之時)의 구고 모르는 사ᄅᆞᆷ이 되여 스스로 신셰를 탄ᄒᆞ미 이시리니, 구식(舅媳)의 정이 보지 못ᄒᆞᄆᆞ로 가장 셔의(齟齬)ᄒᆞᆯ 거시로ᄃᆡ, 쇼뎨는 녕녀를 위ᄒᆞ여 그 일싱을 앗기노라. 형의 퇵셔ᄒᆞ미 이ᄃᆡ도록 괴이ᄒᆞᆯ 줄 ᄯᅳᆺᄒᆞ여시리오. 욕ᄌ의 블고이췌디ᄉᆞ(不告而娶之事)도 통완ᄒᆞ미 극ᄒᆞ거니와, 녕녀도 너 집 사ᄅᆞᆷ이라. 아득히 몰나 구부(舅父)의 도리를 폐ᄒᆞ고 식부항(媳婦行)의 두지 못ᄒᆞ엿ᄂᆞᆫ지라. 이졔 녕녀(令女) 내 집 식뷘 줄 아ᄂᆞ니, 안 후 아니 다려오리오마ᄂᆞᆫ, ᄋᆞ뷔 구가의 니른 즉, 친ᄒᆞ니 가뷔라. 그 가뷔 먼니 닉쳐이믈 불평이 넉일가 넘녀ᄒᆞ여【61】 아직 다려 오지 아엿[넛]거니와, 편친이 밧비 보고져 ᄒᆞ시니 슈삼삭 후 비현(拜見)케 ᄒᆞ리니, 형은 퇵셔 그릇 ᄒᆞ믈 날다려 ᄎᆞ후 니르지 말고, 스스로 사ᄅᆞᆷ아는 구슬이 어두오믈 붓그리라."

경공이 금후의 말을 드르ᄆᆡ, 남후의 불고이췌를 통완(痛惋)ᄒᆞᆯ지언졍, 아조 닉칠 의ᄉᆞ도 아니오, 녀ᄋᆞ는 의법흔 ᄌᆞ부로 아라 슈히 다려오고져 ᄒᆞᆷ믈 깃거ᄒᆞ나, 문양공쥬를 두려, 이의 웃고 왈,

"형이 쇼뎨로ᄡᅥ 퇵셔 잘못ᄒᆞ믈 니르거니와 쇼뎨는 본ᄃᆡ 현블쵸(賢不肖)를 살피지 아야[냐] 셔랑 흔 사ᄅᆞᆷ만 취ᄒᆞ여 혼ᄉᆞ를 일윗ᄂᆞ니, 챵빅의 ᄃᆡ현(大賢)과 영준긔습(英俊氣習)이 그 부형의 용우키로 비컨딕, 소양 블모(霄壤不侔)255)치 아니리오마ᄂᆞᆫ, ᄌᆞ식

식 되오미 어려워 용속(庸俗)흔 아비 대현(大賢)의 ᄋᆞ들 칙흐미 싱각밧 거죄라. 챵빅이 입이 이시나 기부의 용우흐믈 니를 길히 업고, 그 ᄋᆞ들이【16】닉치이는 환을 만나니, 쇼뎨 위흐여 개연(慨然)흐믈262) 니긔디 못흐리로다. 녀식은 본듸 암용잔딜(暗庸孱質)263)이라, 흔 일도 군ᄌᆞ의 비위(配位) 되염죽지 아니흐듸, 쇼뎨 챵빅의 원치 아닛는 바를 쇼뎨 간쳥흐여 죽쳥의 허락을 어든디라. 이졔 챵빅이 반ᄃᆞ시 쇼뎨를 한흐리니 형은 쇼뎨의 낫츨 보아 듁쳥을 슈히 샤흐고, 녀식(女息)은 굿투여 ᄌᆞ부항(子婦行)의 튱슈(充數)264)치 말고, 쇼뎨의 슬히 젹막흐믈 고렴(顧念)흐여 일싱을 우리 냥노(兩老) 알플 써나디 아니케 흐라."

금휘 슈염을 어로만져 미쇼왈,

"텬흥이 갈구(渴求)ᄒ【17】여 녕녀를 취흔 줄도 내 임의 짐작흐거늘, 형이 어룬을 속여 방일흔 텬흥과 미스를 동심흐니, 인ᄉᆞ(人士) 져러흐미 퇵셔를 잘못흐미 괴이치 아닌디라. 형의 흐는 말이 흐나토 듯고져 시브디 아니토다. 비록 슬히 뎍막흐나 쏠이란 거시 졔 구가를 칫ᄂᆞ니, 므슴 연고로 옥 ᄀᆞᆺ튼 식부를 미양 형의 집의 두며, 불초자의 음황흔 죄를 다스리디 아니코, 형의 권흐믈 드러 ᄆᆞᄋᆞ믜 통한흔 거슬 프디 못흐여셔 샤(赦)흐리오. 모로미 긴 셜화를 날회고265), 식부를 도라 보니라 ᄒᆞᄂᆞ 쎠의 비현디녜(拜見之禮)266)를 일우게 흐라."

경공이 크게 웃고,【18】빈쥬 죵용이 담화흐다가 비작(杯酌)을 날녀 경참졍이 대취흐여시나, 남후를 잠간 보고져 하리로 붓들

되오미 어려워 용속(庸俗)흔 아비 대현의 ᄋᆞ들 칙흐미 싱각밧 거죄라. 챵빅이 입이 이시나 기부의 용우흐믈 니르[를] 길히【62】업고, 그 ᄋᆞ들이 닉치이는 화를 만나니, 쇼뎨 위흐여 가[개]연(慨然)흐믈256) 니긔지 못흐리로다. 녀식은 본듸 암용잔질(暗庸孱質)257)이라, 흔 일도 군ᄌᆞ의 비위 되염죽지 아니흐듸, 쇼뎨 챵빅을 보아 그 걸츌흔 위인을 ᄉᆞ(赦)치 못흐여, 챵빅의 원치 아닛는 바를 쇼뎨 간쳥흐여, 죽쳥의 허락을 어든지라, 이졔 챵빅이 반ᄃᆞ시 쇼뎨를 한흐리니, 형은 쇼뎨의 낫츨 보아 죽쳥을 슈히 샤흐고, 녀식(女息)은 굿투여 ᄌᆞ부항의 튱슈(充數)258)치 말고, 쇼뎨의 슬히 젹막흐믈 고렴(顧念)흐여 일싱을 우리 냥노(兩老) 압플 써나디 아니케 흐라."

금휘 슈염을 어로만져 미쇼왈,

"텬흥이 갈구(渴求)흐여 녕녀를 취흔 줄도《어∥내》임의 짐작흐거늘, 형이 어룬을 속여 방일흔 텬흥과 미스를 동심흐니, 인ᄉᆞ(人士) 져러흐미 퇵셔를 잘못흐미 괴이치 아닌지라. 형의 흐는 말이 흐나토 듯고져 시브지 아【63】니토다. 비록 슬히 젹막흐나 쏠이란 거시 졔 구가를 칫ᄂᆞ니, 므슴 연고로 옥 ᄀᆞᆺ튼 식부를 미양 형의 집의 두며, 불초자의 음황흔 죄를 다스리지 아니코, 형의 권흐믈 드러 ᄆᆞᄋᆞ믜 통한흔 거슬 프지 못흐여셔 샤(赦)흐리오. 모로미 긴 셜화를 난[날]회고259), 식부를 도라 보니라 ᄒᆞᄂᆞ 쎠의 비현지녜(拜見之禮)260)를 일우게 흐라."

경공이 크게 웃고 빈쥬 죵용이 담화흐다가 비작(杯酌)을 날녀 경참졍이 듸취흐여시나, 남후를 잠간 보고져 하리로 붓들여 슈

261)블함(不咸) : 같지 아니함.
262)개연(慨然)흐다 : 원통하고 분하다.
263)암용잔딜(暗庸孱質) : 암띠고 용렬하며 잔약한 기질임.
264)튱슈(充數) : 일정한 수효를 채움. 또는 그 수효.
265)날회다 : 느리게 하다. 천천히 하다. 멈추다.
266)비현디녜(拜見之禮) : 웃어른을 뵙는 예절. 여기서는 현구고례(見舅姑禮)를 말함.

255)소양블모(霄壤不侔) : 하늘과 땅처럼 큰 차이가 있음.
256)개연(慨然)흐다 : 원통하고 분하다.
257)암용잔딜(暗庸孱質) : 암띠고 용렬하며 잔약한 기질임.
258)튱슈(充數) : 일정한 수효를 채움. 또는 그 수효.
259)날회다 : 느리게 하다. 천천히 하다. 멈추다.
260)비현디녜(拜見之禮) : 웃어른을 뵙는 예절. 여기서는 현구고례(見舅姑禮)를 말함.

녀 슈리의 올나 별유정의 니르러, 셔동으로 ᄒᆞ여금 남후 보기를 쳥ᄒᆞ니, 남휘 ᄃᆡᄒᆞ여 왈,

"쇼싱의 블초무상(不肖無狀)ᄒᆞ미 가엄의 닉치인 ᄌᆞ식이 되어, {비록} 젼젼 허믈과 죄를 혜아려 힝신의 망측ᄒᆞᆷ믈 싱각ᄒᆞ니, 가엄의 벌죄ᄒᆞ시미 오히려 경ᄒᆞ고 쇼싱의 허믈이 호대ᄒᆞ니 바야흐로 츄회막급이라. 친젼의 용납디 못ᄒᆞᆯ 벌을 만나니, 하면목으로 악장(岳丈)권들 현알(見謁)ᄒᆞ리오. 이에 니르러 츠ᄌᆞ시ᄂᆞᆫ 후의ᄂᆞᆫ 다감(多感)ᄒᆞ오나, 싱이 친【19】젼의 샤명을 엇디 못ᄒᆞᆫ 젼은 텬일디하(天日之下)의 셔디 못ᄒᆞᆯ 붓그러움과 인뉸의 죄인이라. 하면목으로 악댱을 비견(拜見)ᄒᆞ리잇고?"

경공이 남후의 고집을 아ᄂᆞᆫ디라. 또 셔동다려 므르니 디게를 안흐로 걸고 잇다 ᄒᆞ니, 능히 볼 길히 업셔 헛도이 도라가는 길히 금후를 다시 보고, 남후의 두문샤킥(杜門謝客)ᄒᆞ고 ᄌᆞ칙죄인(自責罪人)ᄒᆞᆷ믈 드른 ᄃᆡ로 젼ᄒᆞ여 슈히 샤ᄒᆞᆷ믈 쳥ᄒᆞ니, 금휘 미쇼ᄒᆞ고 말이 업더라.

경공이 부듕의 도라와 부인과 녀ᄋᆞ를 ᄃᆡᄒᆞ여 문답 셜화를 젼ᄒᆞ고, 남후의 과도ᄒᆞᆷ믈 닐너 ᄌᆞ긔도 보디 아니믈 결연ᄒᆞ니, 부인【20】이 금후의 ᄯᅳᆺ이 녀ᄋᆞ를 그 식부로 아던 일을 깃거ᄒᆞ나, 쇼져ᄂᆞᆫ ᄌᆞ긔로 인ᄒᆞ여 남휘 친젼의 용납디 못ᄒᆞᆷ믈 그윽이 불안(不安) 참슈(慙羞)ᄒᆞ여, 스스로 죄를 디음 ᄀᆞᆺ고, ᄋᆞ즈를 실니ᄒᆞ연지 둘이 밧괴이ᄃᆡ 싱ᄉᆞ 거쳐를 알 길히 업스니, 참연통셕ᄒᆞᆫ 심시 쥬야 칼흘 삼킨 듯ᄒᆞ더라.

화셜 평초 대○○○[원수 하]원광이 됴명(朝命)을 밧ᄌᆞ와 십원(十員) 명댱과 삼만 졍병을 거ᄂᆞ려 초디(楚地)로 향ᄒᆞ미, 쇼년대댱의 영풍쥰골은 일노(一路)의 휘황ᄒᆞ고, 법뉼이 삼엄ᄒᆞ여 ᄒᆞᆫ번 녕을 ᄂᆞ리미 댱ᄉᆞ 군졸이 그 머리도 앗기디 아닛ᄂᆞᆫ디라. ᄉᆞ졸을 무위(撫慰)ᄒᆞ여 은위(恩威) 병힝(竝行)ᄒᆞ니, 부원슈로【21】브터 말좌(末座) 군졸의 니르히267) 원슈를 바라ᄂᆞᆫ ᄆᆞ음이 젹지(赤子)268)

리의 올나 별유정의 니르러, 셔동으로 ᄒᆞ여금 남후 보기를 쳥ᄒᆞ니, 남휘 ᄃᆡᄒᆞ여 왈,

"쇼싱의 블초무상(不肖無狀)ᄒᆞ미 가엄의 닉치인 ᄌᆞ식이 되어, {비록} 젼젼 허믈과 죄를 혜아려 힝신의 망측ᄒᆞᆷ믈 싱각ᄒᆞ니, 가엄의 벌죄ᄒᆞ시미 오히려 경ᄒᆞ고 쇼싱의 허믈이 호대ᄒᆞ니, 바야흐로 츄회【64】막급이라. 친젼의 용납지 못ᄒᆞᆯ 벌을 만나니, 하면목으로 악댱(岳丈)권들 현알(見謁)ᄒᆞ리오. 이의 니르러 츠ᄌᆞ시ᄂᆞᆫ 후의ᄂᆞᆫ 다감(多感)ᄒᆞ나, 싱이 친젼의 샤명을 엇지 못ᄒᆞᆫ 젼은 텬일지하(天日之下)의 셔지 못ᄒᆞᆯ 붓그러움과 인뉸의 죄인이라. 하면목으로 악장을 비견(拜見)ᄒᆞ리잇고?"

경공이 부마의 고집을 아ᄂᆞᆫ지라. 또 셔동다려 므르니 지게를 안흐로 걸고 잇다 ᄒᆞ니, 능히 볼 길히 업셔 헛도이 도라가는 길히 금후를 다시 보고, 남후의 두문샤킥(杜門謝客)ᄒᆞ고 ᄌᆞ쳐죄인(自處罪人)ᄒᆞᆷ믈 드른 ᄃᆡ로 젼ᄒᆞ여 슈히 샤ᄒᆞᆷ믈 쳥ᄒᆞ니, 금휘 미쇼ᄒᆞ고 말이 업더라.

경공이 부즁의 도라와 부인과 녀ᄋᆞ를 ᄃᆡᄒᆞ여 문답 셜화를 젼ᄒᆞ고, 남후의 과도ᄒᆞᆷ믈 닐너 ᄌᆞ긔도 보지 아니믈 결연ᄒᆞ니, 부인이 금후의 ᄯᅳᆺ이 녀ᄋᆞ를 그 식부로 아던 일을 깃거ᄒᆞ나, 쇼져ᄂᆞᆫ ᄌᆞ긔로 인ᄒᆞ여 남휘 친젼의 용납지【65】 못ᄒᆞᆷ믈 그윽이 불안(不安) 참슈(慙羞)ᄒᆞ여, 스스로 죄를 지음 ᄀᆞᆺ고, ᄋᆞ즈를 실니ᄒᆞ연지 날이 밧고이ᄃᆡ 싱싱 거쳐를 알 길히 업스니, 참연통셕ᄒᆞᆫ 심시 쥬야 칼흘 삼킨 듯ᄒᆞ더라.

화셜 평초 대원슈 하원광이 됴명(朝命)을 밧ᄌᆞ와 십원명댱(十員名將)과 삼만졍병을 거ᄂᆞ려 초지(楚地)로 향ᄒᆞ미, 쇼년 대댱의 영풍 쥰골은 일노(一路)의 휘황ᄒᆞ고, 법뉼은 삼엄ᄒᆞ여, ᄒᆞᆫ번 영을 ᄂᆞ미 댱ᄉᆞ 군졸이 그 머리{라}도 앗기지 아닛ᄂᆞᆫ지라. ᄉᆞ졸을 무위(撫慰)ᄒᆞ여 은위(恩威) 병힝(竝行)ᄒᆞ니, 부원슈로브터 말좌(末座) 군졸의 니르히261)

---

261)니르히 : 이르도록, 이르기까지.

즈모(慈母)를 바람 ㄳ고, 두리미 비길 딕 업
스니, 힝군ᄒᄂᆞᆫ 바의 츄호(秋毫)를 블범ᄒᆞ여
계견(鷄犬)이 놀나디 아닛ᄂᆞᆫ디라. 그 힝ᄒᄂᆞᆫ
바의 위엄이 딕딘(大振)ᄒᆞ고 덕홰 늉흡(隆
洽)ᄒᆞ여, 숑셩(頌聲)이 먼니 들니ᄂᆞᆫ디라. 각
읍 쥬현(州縣) 즈ᄉᆡ(刺史) 황황디영(惶惶祗
迎)ᄒᆞᄃᆡ, 원쉬 미리 하령ᄒᆞ여 풍악과 미녜
(美女)며 연향(宴饗)ᄒᄂᆞᆫ 상을 물니치니, 쇼
과(所過) 쥬·현이 덕화를 감열(感悅)ᄒᆞ고
위의를 두려 칭복(稱福) 갈치(喝采)ᄒᆞᆷᄋᆞᆯ 마
디 아니코, 참모사 녀헌이 넌긔 ᄉᆞ슌을 넘
엇고, 경샤의셔 본딕이 동평댱ᄉᆞ 광녹태우
로, 그 조션(祖先)이 공신(功臣)이므로, 연안
빅을【22】봉ᄒᆞ여 ᄌᆞ손이 계계승습(繼繼承
襲)ᄒᄂᆞᆫ 고로 참뫼 ᄯᅩ 연안빅이라. 사ᄅᆞᆷ되
오미 ᄉᆞ오납디 아니ᄒᆞᄃᆡ, 승긔(勝氣)269) 과
ᄒᆞ고 일을 당ᄒᆞ여 급촉(急促)ᄒᆞᆷᄋᆞᆯ 취홀디언
졍, 법되 업스므로 하원쉬 힝군디시(行軍之
時)의도 그 쇼견을 므르미 업셔 ᄌᆞ긔 임의
로 힝ᄒᆞ니, 참뫼 앙앙ᄒᆞ여 혜오ᄃᆡ,

　"나의 넌긔 오히려 하진의 우히오, 등과
ᄒᆞ연디 삼십여년의 작녹(爵祿) 위권(威權)이
놉거늘, 엇디 하원광 쇼ᄋᆞ를 밋디 못ᄒᆞ여
몸이 그 슈하의 굴ᄒᆞ여, 싱살디권(生殺之權)
이 져의 손 가온딕 이시니, 엇디 붓그럽고
한홉디 아니리오. 원광 쇼이 필연 패군(敗
軍)ᄒᆞ미 이시리니, 내 긔시의 당당이 대
【23】원슈인을 아ᅀᅡ 초디를 평뎡ᄒᆞ여 개
가(凱歌)로 회군ᄒᆞ리라."
　어린 의ᄉᆡ 이의 밋쳐는 두리오미 업스ᄃᆡ,
다만 부원쉬 이희 다 년댱 ᄉᆞ십의 위거공후
(位居公侯)와 직렬(宰列)이로ᄃᆡ, 대원슈의
대덕과 군법이 엄ᄒᆞ여 블복디심(不服之心)
이 업스니, 녀헌이 더브러 의논홀 곳이 업
스미, 셔어(齟齬)ᄒᆞᆫ 의ᄉᆞ를 두엇다가 발각ᄒᆞ
면 죄를 바들가 넘녀ᄒᆞ여 공슌ᄒᆞ더라.

───────────────

267) 니르히 : 이르도록, 이르기까지.
268) 젹직(赤子) ; 갓난아이.
269) 승긔(勝氣) : ①지지 않고 이기려는 기개. ②뛰어
　난 기상(氣象).

원슈를 ᄇᆞ라는 ᄆᆞ음이 젹직(赤子)262) 즈모
(慈母)를 바람 ㄳ고, 두리미 비길 딕 업스
니, 힝군ᄒᄂᆞᆫ 바의 츄호(秋毫)를 블범ᄒᆞ여
계견(鷄犬)이 놀나지 아닛ᄂᆞᆫ지라. 그 힝ᄒᄂᆞᆫ
바의 위엄이 대진(大振)ᄒᆞ고 덕홰 늉흡(隆
洽)ᄒᆞ여, 숑셩(頌聲)이 먼니 들니ᄂᆞᆫ지라. 각
읍 지현(知縣) 즈ᄉᆡ(刺史) 황황지녕(惶惶祗
迎)ᄒᆞᄃᆡ, 원쉬 미리 하령ᄒᆞ여 풍악【66】과
미녀(美女)며 연향(宴饗)ᄒᄂᆞᆫ 상을 물니치
니, 쇼과(所過) 쥬현이 덕화를 감열(感悅)ᄒᆞ
고, 위의를 두려 칭복(稱福) 갈쳑(喝采)ᄒᆞᆷᄋᆞᆯ
마지 아니코, 참모사 《연헌‖녀헌》이 넌
긔 ᄉᆞ슌을 넘엇고, 경샤의셔 본직이 동평댱
ᄉᆞ 광녹태우로, 그 조션(祖先)이 공신(功臣)
이므로 연안빅을 봉ᄒᆞ여 ᄌᆞ손이 세세승습
(世世承襲)ᄒᄂᆞᆫ 고로, 참뫼 ᄯᅩ 연안빅이라.
사ᄅᆞᆷ되오미 ᄉᆞ오납지 아니ᄒᆞᄃᆡ 승긔(勝
氣)263) 과ᄒᆞ고, 일을 당ᄒᆞ여 급촉(急促)ᄒᆞᆷᄋᆞᆯ
취홀지언졍 법되 업스므로, 하원쉬 힝군지
시(行軍之時)의도 그 쇼견을 므르미 업셔
ᄌᆞ긔 임의로 힝ᄒᆞ니, 참뫼 앙앙ᄒᆞ여 혜오ᄃᆡ,
　"나의 넌긔 오히려 하진의 우히오, 등과
ᄒᆞ연지 삼십여년의 작녹(爵祿) 위권(威權)이
놉거늘, 엇지 하원광 쇼ᄋᆞ를 밋지 못ᄒᆞ여
몸이 그 슈하의 굴ᄒᆞ여, 싱살지권(生殺之權)
이 져의 손 가온딕 이시니, 엇지 붓그럽고
한홉지 아니리오. 원광 쇼이 필연 픽군(敗
軍)ᄒᆞ미 이시리니, 내 긔시의 당당이 대원
슈인【67】을 아ᅀᅡ 초지를 평정ᄒᆞ여 개가
(凱歌)로 회군ᄒᆞ리라."
　어린 의ᄉᆡ 이의 밋쳐는 두리오미 업스ᄃᆡ,
다만 부원쉬 이희 다 년댱 ᄉᆞ십의 위거공후
(位居公侯)과[와] 직렬(宰列)이로ᄃᆡ, 대원슈
의 대덕과 군법이 엄ᄒᆞ여 블복지심(不服之
心)이 업스니, 녀헌이 더브러 의논홀 곳이
업스니[미], 셔어(齟齬)ᄒᆞᆫ 의ᄉᆞ를 두엇다가
발각ᄒᆞ면 죄를 바들가 넘녀ᄒᆞ여 공슌ᄒᆞ더
라.

───────────────

262) 젹직(赤子) ; 갓난아이.
263) 승긔(勝氣) : ①지지 않고 이기려는 기개. ②뛰어
　난 기상(氣象).

대군이 물미둧 힝흐여 초디의 니르러 뎍군의 형셰를 므르니, 졀도시 바야흐로 하북병을 거나려 초국 작폐(作弊)를 막아시나, 초왕의 대댱이 용녁이 과인ᄒ여 군을 모라 관익(關阨)【24】을 범ᄒ민, 여러 곳을 앗고 졀도ᄉ의 군긔를 여러 슌(巡)270) 아ᄉ 예긔(銳氣) 승승댱구(乘勝長驅)ᄒ니, 졀도시 능히 져당치 못ᄒ여 텬됴 대병이 니르기를 기다리다가, 임의 대군이 초역(楚逆)을 문죄(問罪)ᄒᆞᆯ시, 하원슈의 동탕ᄒᆞᆫ 풍뉴와 늠연ᄒᆞᆫ 신광이 몬져 사름의 졍신을 샹쾌ᄒ게 ᄒ거ᄂᆞᆯ, 그 위덕과 행군 법뉼이 엄슉ᄒ믈 경복ᄒ여, 이의 초국 용병(用兵)의 용이(容易)치 아님과 조숭의 만고무뎍디용(萬古無敵之勇)을 일일이 고ᄒ고, 초왕이 먼니 댱슈를 초모(招募)ᄒ며 군긔를 다ᄉ려, 황셩을 범코져 ᄒᄂᆞᆫ 바를 낫낫치 고ᄒ니, 원쉬 묵연 량구의 미위 싁싁ᄒ여 왈,

"졀도시 초뎍(楚賊)【25】의 용녁만 기리고, 힘힘히 손을 미ᄌ 대국 토디를 역뎍의게 아인 비 되니, 이 므슴 도리뇨?"

졀도시 황공 디왈,

"쇼댱이 뎍을 막디 아니려 ᄒᄂᆞᆫ 거시 아니라, 본부군이 뎍을 쓴아니라, 용녁이 초군을 막디 못ᄒ고, 초군 댱슈와 군시 풍족ᄒᆞᆫ 연고로 쇼댱의 잔병(殘兵) 약졸(弱卒)노 셔로 막으면, 초군은[을] 일변 디뎍ᄒ며[미] 일변 아이미 되니, 이는 여러 관익을 딕흰 지 초국과 동심ᄒᆞᆫ 연괴라. 쇼댱이 뎡히 아모리 ᄒᆞᆯ 줄을 아디 못ᄒ여, 본토 군읍도 딕희디 못ᄒᄂᆞᆫ 비로소이다."

원쉬 미쇼왈,

"역텬ᄌ(逆天者)는 망(亡)이오, 슌텬ᄌ(順天者)는 챵(昌)이라. 초국 군시 용댱ᄒ고 댱쉬 강밍ᄒ【26】나, 하날이 대역을 도울니 업ᄉ니, 졀도는 너모 두리디 아닐 듯ᄒ니, 원간 군심을 요동치 말고 힘과 ᄆᆞ음을 다ᄒ여, 님딘디뎍지시(臨陣對敵之時)의 셩명을 도라보디 말고, 우리 셩쥬(聖主)의 홍복(鴻福)만 미더 파뎍(破敵)기를 긔약ᄒᆞᆯ디어다."

대군이 물미둧 힝흐여 초지의 니르러 젹군의 형셰를 므르니, 졀도시 바야흐로 하북병을 거ᄂ려 초국 작폐(作弊)를 막아시나, 초왕의 대댱이 용녁이 《관인‖과인》ᄒ여 군을 모라 관녁(關域)을 범ᄒ민, 여러 곳을 앗고 졀도ᄉ의 군긔를 여러 슌(巡)264) 아ᄉ 예긔(銳氣) 승승댱구(乘勝長驅)ᄒ니, 졀도시 능히 져당치 못ᄒ여, 샹국 대병이 니르기를 기드리다가, 임의 대군이 초역(楚逆)을 문죄(問罪)ᄒᆞᆯ시, 하원슈의 동탕ᄒᆞᆫ 풍뉴와 늠연ᄒᆞᆫ 신광이 몬져 사름의 졍신을 샹쾌【68】케 ᄒ거ᄂᆞᆯ, 그 위덕과 힝군 법뉼이 엄슉ᄒ믈 경복ᄒ여, 이의 초국 용병의 용이치 아님과 조숭의 만고무젹지용(萬古無敵之勇)을 일일히 고ᄒ고, 초왕이 먼니 댱슈를 초모(招募)ᄒ며 군긔를 다ᄉ려, 황셩을 범코져 ᄒᄆᆞᆯ 낫낫치 고ᄒ니, 원쉬 묵연 양구의 미위 싁싁ᄒ여 왈,

"졀도시 초젹(楚賊)의 용녁만 기리고, 힘힘히 손을 미ᄌ 대국 토지를 역젹의게 《아닌‖아인》 비 되니, 이 므슴 도리뇨?"

졀도시 황공 디왈,

"쇼댱이 젹을 막지 아니려 ᄒᄂᆞᆫ 거시 아니라, 본부군이 젹을 쓴아니라, 용녁이 초군을 막지 못ᄒ고, 초군 댱슈와 군시 풍족ᄒᆞᆫ 연고로, 쇼댱의 잔병(殘兵) 약졸(弱卒)로 셔로 막으면, 초군은[을] 일변 디젹ᄒ며[미] 일변 아이미 되니, 이는 여러 관역(關域)을 직흰 지 초국과 동심ᄒᆞᆫ 연괴라. 쇼댱이 졍히 아모리 ᄒᆞᆯ 줄을 아지 못ᄒ여, 본토 군읍도 직희지 못ᄒᄂᆞᆫ 비로소이다."

원쉬 미쇼왈,

"역【69】텬ᄌ(逆天者)는 망(亡)이오, 슌텬ᄌ(順天者)는 챵(昌)이라. 초국 군시 용댱ᄒ고 댱쉬 강밍ᄒ나, 하날이 대역을 도울니 업ᄉ니 졀도는 너모 두리지 아닐 듯ᄒ니 원간 군심을 요동치 말고 힘과 ᄆᆞ음을 다ᄒ여 님진디뎍지시(臨陣對敵之時)의 셩명을 도라보지 말고, 우리 셩쥬(星主)의 홍복(鴻福)만 미더 파젹(破敵)기를 긔약ᄒᆞᆯ지어다."

절되(節度) 슈명이퇴(受命而退)러라. 원쉬 즉일 격셔를 닷가 살의 미여 초디(楚地)의 보닉니, 시시의 초왕이 대역을 쇠흐여, 참남흐미 만승디위(萬乘之位)를 싱각흐여 군냥을 쥰비흐고, 댱ᄉ를 초모흐여, 대댱군 조슘으로 일국 병권을 맛겨, 뎡히 대국 익구(阨口)[271]를 아ᄉ 십여 쳐(處)를 앗고, ᄲᅡᆺ호디 아냐셔 댱슈를 항복 바드니, 이는 조슘이 감언미어로 인심을 항복 【27】게 흐며, 덕졍(德政)을 뵈여 힝흐는 바의 아모도 당흐리 업게 흐는 고로, 초디 졔읍이 칭앙경복(稱仰敬服)[272]흐미 되여, 대국 셩디(城地)를 딕흰 댱슈라도 망풍귀슌(望風歸順)흐는 비라. 초왕의 예긔(銳氣) 댱구(長驅)흐고 승긔(勝氣) 양양흐여 만니강산을 슈하의 둔ᄃ시 환희흐믈 마디 아니흐더니, 홀연 대국 문죄흐는 군병이 니르미, 그 위명(威名)이 대딘(大振)흐는디라. 뎡히 그 셩명을 몰나 흐더니, 슝딘(宋陣) 격셰 살히 미여 ᄡᅩ미, 쇼픠(小校)[273] 어더 왕긔 드리니, 왕이 문무 신뇨를 모흐고 격셔를 써히미, 몬져 묵광(墨光)이 찬난흐고 필획이 비등(飛騰)흐여 이목이 황홀흐디라. 그 대개의 왈,

"텬됴 대ᄉ마 태 【28】학ᄉ 평초대원슈 졔로도총병(天朝 大司馬 太學士 平楚大元帥 諸路都總兵) 하모(河某)는 글을 닷가 삼가 초딘의 보닉ᄂ니, 유텬디연후(有天地然後)[274]의 오륜(五倫)이 삼기니, 군신유의(君臣有義)는 만고강상(萬古綱常)이라. 금(今)애 셩텬지(聖天子) 슈명어텬(受命於天)[275]흐샤 일월디덕(日月之德)이 만방의 빗최시니, ᄉ히(四海) 번국(藩國)이 귀슌치 아니리 업고, 교화 대힝흐여 국태민안의 요텬슌일(堯天舜日)이 도라옴 ᄀᆺ트여, 오릭 병혁의 슈고를 폐흐엿거늘, 이제 초왕이 몸 우희

271)익구(阨口) : 관액(關阨). 군사적으로 중요한 곳에 세운 요새.
272)칭앙경복(稱仰敬服) :칭찬하여 우러르고 공경하여 복종함.
273)쇼픠(小校) : 하급 장교(將校).
274)유텬디연후(有天地然後) : 천지가 있은 후에,
275)슈명어텬(受命於天) : 하늘의 명(命)을 받음.

절되(節度) 슈명이퇴(受命而退)러라. 원쉬 즉일 격셔를 닷가 살의 미여 초지(楚地)의 보닉니, 시시의 초왕이 대역을 쇠흐여, 참남흐미 만승지위(萬乘之位)를 싱각흐여, 군냥을 쥰비흐고 댱ᄉ를 초모흐여, 대댱군 조슌으로 일국 병권을 맛겨 졍히 대국 익구(阨口)[265]를 아ᄉ, 십여 쳐(處)를 앗고 ᄲᅡᆺ호지 아냐셔 댱슈를 항복 바드니, 이는 조슌이 감언미어로 인심을 항복○[게] 흐며, 덕졍(德政)을 뵈여 힝흐는 바의 아모도 당흐리 업게 흐는 고로, 초지 졔읍이 칭앙경복(稱仰敬服)[266]흐미 되여, 대국 셩지(城地)를 직흰 댱슈라도 【70】 망풍귀슌흐(望風歸順)는 비라. 초왕의 예긔(銳氣) 댱구(長驅)흐고 승긔(勝氣) 양양흐여 만니강산을 슈하의 둔ᄃ시 환희흐믈 마지 아니흐더니, 홀연 대국 문죄흐는 군병이 니르미, 그 위명(威名)이 딕진(大振)흐는지라. 졍히 그 셩명을 몰나 흐더니, 슝딘(宋陣) 격셰 살히 미여 쓰미, 쇼픠(小校)[267] 어더 왕긔 드리니, 왕이 이의 문무 신뇨를 모흐고 격셔를 써히미, 몬져 묵광(墨光)이 찬난흐고 필획이 비등(飛騰)흐여 이목이 황홀흐지라. 그 대긔의 왈,

"대국 대ᄉ마 태흑ᄉ 평초 대원슈 졔로도총병(大國 大司馬 太學士 平楚大元帥 諸路都總兵) 하모(河某)는 글을 닷가 삼가 초진의 보닉ᄂ니, 유텬지연후(有天地然後)[268]의 오륜이 삼기니 군신유의(君臣有義)는 만고강상(萬古綱常)이라. 금(今)애 셩텬지(聖天子) 슈명어텬(受命於天)[269]흐샤 일월지덕(日月之德)이 만방의 빗최시니, ᄉ히(四海) 번국(藩國)이 귀슌치 아니 리 업고, 교화 대힝흐여 국태 민안의 요텬슌일(堯天舜日)이 ○[도]라옴 ᄀᆺ트여, 오릭 병혁의 슈고를 폐흐엿거늘, 이제 초왕이 몸 【71】 우희 딕죄

265)익구(阨口) : 관액(關阨). 군사적으로 중요한 곳에 세운 요새.
266)칭앙경복(稱仰敬服) :칭찬하여 우러르고 공경하여 복종함.
267)쇼픠(小校) : 하급 장교(將校).
268)유텬지연후(有天地然後) : 천지가 있은 후에,
269)슈명어텬(受命於天) : 하늘의 명(命)을 받음.

대죄를 싯고 나명(拿命)을 응치 아냐 언연이 본국(本國)을 웅거ᄒ여 블궤(不軌)를 쇠ᄒ고, 위샤(衛士)를 가도아 만ᄉ무셕디듕죄(萬死無惜之重罪)를 가디록 디으미, 병혁을 니르혀 대국토디를 노략ᄒ며, 황성【29】을 침노코져 ᄒ니, 내 텬ᄌ 명됴(命詔)를 밧ᄌ와, 쳔원(千員) 명댱과 삼심만 대병을 거ᄂ려, 토디를 회복ᄒ고 초왕을 잡아 텬문의 밧치랴 ᄒᄂ니, 내 시러곰 황명을 밧ᄌ을 ᄯᆞ녀니라, 초왕으로 더브러 싱셰의 다 갑디 못홀 원쳑(怨隻)²⁷⁶)이 이시니, 초왕 흉덕의 분골쇄신(粉骨碎身)ᄒ믈 보고져 ᄒ거니와, 국디듕ᄉ(國之重事)의 ᄉ슈(私讎)를 니를 비 아니라. 왕이 만일을 뉘웃고 식로 어딘 곳의 나아가, 이졔라도 위샤(衛士)를 좃ᄎ 나명(拿命)을 밧들면, 내 ᄯᅩᄒ 대군을 물니려니와, 악을 힘쓰고 흉역(凶逆)을 힝홀딘ᄃᆡ, 당당이 대군을 모라 초국을 어육(魚肉)²⁷⁷)을 민들니니, 왕은 스ᄉ로 싱각ᄒ여 임의로【30】ᄒ라. 슈연이나 흉역을 문죄ᄒᄂ 날인즉, 초국 문무신뇨(文武臣僚) 옥셕(玉石)이 구분홀 거시오, 빅셩이 탕화(湯火)의 들믈 면치 못ᄒ리니, 밍지(孟子) 니르샤ᄃᆡ, '보텬디히(普天之下) 막비왕퇴(莫非王土)오, 솔토디빈(率土之濱)이 막비왕신(莫非王臣)이라'²⁷⁸) ᄒ시니, 어ᄂ 짜히 우리 셩샹의 ᄯ히 아니며, 뉘 우리 쥬샹의 신민이 아니리오. 초민(楚民)이 불힝ᄒ여 국군(國君)이 불인(不仁)ᄒᄆ로 말미암아, 이미흔 싱녕(生靈)이 상홀 바를 앗기ᄂ니²⁷⁹), 왕이 일분 인심이 이실딘ᄃᆡ, 뎨실디친(帝室至親)으로

를 싯고, 나명(拿命)을 응치 아냐, 언연히 본국을 웅거ᄒ여 블궤(不軌)를 쇠ᄒ고, 위ᄉ를 가도아 만ᄉ무셕지듕죄(萬死無惜之重罪)를 가지록 지으미, 병혁을 니르혀 대국토지를 노략ᄒ며, 황성을 침노코져 ᄒ니, 내 텬ᄌ 명됴(命詔)를 밧ᄌ와, 쳔원 명댱과 삼심만 디병을 거ᄂ려, 초지를 회복ᄒ고 초왕을 잡아 텬문의 밧치랴 ᄒᄂ니, 니 시러곰 황명을 밧ᄌ을 ᄯᆞ녀니라, 초왕으로 싱셰의 다 갑지 못홀 원쳑(怨隻)²⁷⁰)이 이시니, 초왕 흉적의 분골쇄신(粉骨碎身)ᄒ믈 보고져 ᄒ거니와, 국지듕ᄉ(國之重事)의 ᄉ슈(私讎)를 《거ᄅᆯ∥니를》 비 아니라. 왕이 만일 젼일을 뉘웃고 식로 어진 곳의 나아가, 이졔라도 위샤(衛士)를 조ᄎ 나명(拿命)을 밧들면, 내 ᄯᅩᄒ 대군을 물니려니와, 악을 힘쓰고 흉역(凶逆)을 힝홀진ᄃᆡ, 내 당당이 대군을 모라 초국을 어육(魚肉))²⁷¹)을 민들니니, 왕은 스ᄉ로 싱각ᄒ여 임의로 ᄒ라. 슈연이나 흉역【72】을 문죄ᄒᄂ 날인즉, 초국 문무신뇨(文武臣僚) 옥셕(玉石)이 구분홀 거시오. 빅셩이 탕화(湯火)의 들믈 면치 못ᄒ리니, 밍지(孟子) 니르샤ᄃᆡ '보텬지히(普天之下) 막비왕퇴오(莫非王土)오, 솔토지민[빈](率土之濱)이 막비왕신(莫非王臣)이라'²⁷²) ᄒ시니, 어ᄂ 짜히 우리 셩샹의 ᄯ히 아니며, 뉘 {아니} 우리 쥬샹의 신민이 아니리오. 초민(楚民)이 불힝ᄒ여 국군(國君)이 불인(不仁)ᄒᄆ로 말미암아, 이미흔 싱녕(生靈)이 상홀 바를 앗기ᄂ니²⁷³), 왕이 일분

---

276)원쳑(怨隻) : 원수(怨讎).
277)어육(魚肉) : 생선과 짐승의 고기를 아울러 이르는 말로,, 짓밟고 으깨어 아주 결딴낸 상태를 비유적으로 일컫는 말.
278)보텬디히(普天之下) 막비왕퇴(莫非王土)오, 솔토디빈(率土之濱)이 막비왕신(莫非王臣)이라 : 『맹자』〈만장(萬章) 상〉편에 나오는 말로, '온 천하의 땅이 임금의 땅 아닌 것이 없고, 온 땅에 사는 사람들이 임금의 신하 아닌 사람이 없다.'는 말.
279)앗기다 : 아끼다. ①사람이나 물건을 소중하게 여겨 보살피거나 위하는 마음을 가지다. ②물건이나 돈, 시간 따위를 함부로 쓰지 아니하다.

270)원쳑(怨隻) : 원수(怨讎).
271)어육(魚肉) : 생선과 짐승의 고기를 아울러 이르는 말로,, 짓밟고 으깨어 아주 결딴낸 상태를 비유적으로 일컫는 말.
272)보텬지히(普天之下) 막비왕토(莫非王土)오, 솔토지빈(率土之濱)이 막비왕신(莫非王臣)이라 : 『맹자』〈만장(萬章) 상〉편에 나오는 말로, '온 천하의 땅이 임금의 땅 아닌 것이 없고, 온 땅에 사는 사람들이 임금의 신하 아닌 사람이 없다.'는 말. *위 원문은 '솔토지민(率土之民)'으로 되어 있는데, 이 또한 '온 나라 안의 백성'이라는 말로, 같은 뜻이다. 맹자 원문은 '빈(濱)'으로 되어 있다.
273)앗기다 : 아끼다. ①사람이나 물건을 소중하게 여겨 보살피거나 위하는 마음을 가지다. ②물건이

대역디명(大逆之名)을 취ᄒ리오. 우흐로 불궤디심(不軌之心)280)을 두미니, 엇디 초국 군신이 션심(善心)으로 도으면 이런 일이 이시리오."

ᄒ엿더라.【31】

초왕이 견필의 대로ᄒ여 글을 믯쳐281) ᄶ히 바리고 분완 절치 왈,

"듕국의 비록 사ᄅᆷ이 업스나, 엇디 져 입 누른 ᄋ히 하원광 역츄(逆酋)282) 뎍ᄌ(賊者)의 여지(餘枝)283)로 원융(元戎) 대임(大任)을 맛겨 보ᄂᆞ니, 그 패망ᄒᆞᆷ믈 보디 아냐 알 비오, 이졔 원광 역츄(逆酋) 혼군(昏君)의 은샤(恩赦)를 닙어 작녹(爵祿)과 위권(威權)이 분의 넘고, 져의 복이 손상ᄒᆞᆯ 징죄어늘, 두리온 줄 모르고 말이 패만(悖慢)ᄒ니 엇디 통완(痛惋)치 아니리오. 과인이 결(決)ᄒᆞ여 원광 소뎍(小賊)을 마ᄌ 죽여 분을 풀고, 대군을 모라 듕원(中原)284)의 ᄉ슴285)을 ᄶᆯ와286), 나의 평싱디원(平生之願)을 일워 강산(江山)을 취ᄒ고 말니니, 모로미 졔경은 딘튱(盡忠)ᄒ라."

문뮈 비복 하례ᄒ여【32】맛당ᄒᆞ시믈 일ᄏᆞᆺ고, 조승이 더욱 깃거 하원광 잡으믈 일ᄏᆞᆺ고, 병무를 총독(總督)ᄒ여 ᄡᆞ홈을 도도니, 하원쉬 마디 못ᄒ여 격셔(檄書)를 젼ᄒ나, 듕심의 분완졀치(憤惋切齒)ᄒᆞ여 초왕의 머리를 버히고 오장을 헷쳐 그 념통을 너흘고져287) ᄯᆮ이 이시니, 초왕이 비록 ᄡᆞ호고

---

280)불궤디심(不軌之心) : 반역을 일으키려는 마음을 품음.
281)믯치다 : 찢다.
282)역츄(逆酋) : 반역의 수괴(首魁).
283)여지(餘枝) : '남은 가지'라는 말로 '아들'을 뜻함.
284)듕원(中原) : ①넓은 들판의 중앙. ②경쟁하는 곳. 또는 정권을 다투는 무대.
285)ᄉ슴 : 사슴. 제위(帝位)를 상징한다. 중원축록(中原逐鹿); 넓은 들판 한가운데서 사슴을 쫓는다는 뜻으로, 군웅(群雄)이 제위(帝位)를 얻으려고 다투는 일을 이르는 말.
286)ᄶᆯ오다 : 따르다. 쫓다. 무엇을 잡기위해 뒤를 급히 따르다. 여기서는 '(사슴을 놓고) 다투다'는 뜻으로 쓰였다.
287)너흘다 : 물다. 물어뜯다. 씹다.

인심이 이실딘딕 뎨실지친(帝室之親)으로 딕역지명(大逆之名)을 취ᄒ리오. 우흐로 불궤지심(不軌之心)274)을 두미니, 엇지 초국 군신이 션심(善心)으로 도으면, 이런 일이 이시리오."

ᄒ엿더라.

초왕이 견필의 대로ᄒ여 글을 믜쳐275) ᄶ히 ᄇ리고 분완 졀치 왈,

"즁국의 비록 사ᄅᆷ이 업스나 엇지 져 입 누른 ᄋ히 하원광 역츄(逆酋)276) 젹ᄌ(賊者)의 여지(餘枝)277)로 원융대임(元戎大任)을 맛겨 보ᄂᆞ니, 그 패망ᄒᆞ믈 보지 아냐 알 비오, 이졔 원광 역취(逆酋) 혼군(昏君)의【73】은ᄉ(恩赦)를 닙어 작녹(爵祿)과 위권(威權)이 분의 넘고, 져의 복이 손상ᄒᆞᆯ 징죠어늘, 두리온 줄 모르고 말이 《태만‖패만(悖慢)》ᄒ니 엇지 통완(痛惋)치 아니리오. 과인이 결(決)ᄒᆞ여 원광 소뎍(小賊)을 마ᄌ 죽여 분을 풀고, 대군을 모라 즁원(中原)278)의 ᄉ슴279)을 ᄶᆯ와280), 나의 평싱지원을 일워 강산을 취ᄒ고 말니니, 모로미 계경은 진츙(盡忠)ᄒ라."

문뮈 비복 하례ᄒ여 맛당ᄒᆞ시믈 일ᄏᆞᆺ고, 조승이 더욱 깃거 하원광 잡으믈 일ᄏᆞᆺ고, 병무를 총독(總督)ᄒ여 ᄡᆞ홈을 도도니, 하원쉬 마지 못ᄒ여 격셔(檄書)를 젼ᄒ나, 즁심의 분완졀치(憤惋切齒)ᄒᆞ여 초왕의 머리를 버히고 오장을 헷쳐 그 염통을 너흘고져281)

나 돈, 시간 따위를 함부로 쓰지 아니하다.
274)불궤디심(不軌之心) : 반역을 일으키려는 마음을 품음.
275)믜치다 : 찢다.
276)역츄(逆酋) : 반역의 수괴(首魁).
277)여지(餘枝) : '남은 가지'라는 말로 '아들'을 뜻함.
278)듕원(中原) : ①넓은 들판의 중앙. ②경쟁하는 곳. 또는 정권을 다투는 무대.
279)ᄉ슴 : 사슴. 제위(帝位)를 상징한다. 중원축록(中原逐鹿); 넓은 들판 한가운데서 사슴을 쫓는다는 뜻으로, 군웅(群雄)이 제위(帝位)를 얻으려고 다투는 일을 이르는 말.
280)ᄶᆯ오다 : 따르다. 쫓다. 무엇을 잡기위해 뒤를 급히 따르다. 여기서는 '(사슴을 놓고) 다투다'는 뜻으로 쓰였다.
281)너흘다 : 물다. 물어뜯다. 씹다.

져 아냐도 브딕 초왕을 죽이고 말녀 호느니라.

냥군이 딕딘홀식, 하원쉬 비록 년긔 십칠 쇼년이나, 병법과 딘셰의 신긔흔 직죄 셰딕(世代)의 희한호니, 조슝이 비록 용밍호나 엇디 하원슈를 밋출 길히 이시리오. 멀니 바라보미 딘듕의 긔이흔 셔긔(瑞氣) 어【33】릿고, 묽은 바름이 니러나며, 오치 샹광(五彩祥光)이 됴요(照耀)흔 바의, 군병 댱스의 개갑(介甲)이 션명흐고, 대외(隊伍) 뎡슉흐여 법되 삼엄흐거늘, 조슝이 초왕을 도라보아 왈,

"대강 하원광이 용이튼 아닌가 시브니, 대왕은 뎍군을 보아 말흐고져 흐믈 통흐쇼셔."

왕이 분연 통한 왈,

"과인이 셕년의 원녀(遠慮) 업셔 원광 역추(逆酋)를 죽이디 못흔 연고로, 이제 도로혀 제 샹국의 문죄흐는 듕임을 맛트, 과인의 토디를 팀범흐는 욕을 바드니, 엇디 통완 분히치 아니리오. 원광이 날을 슈인(讐人)이라 흐여 말흐믈 괴로와 흐리니,【34】 댱군이 하원광으로 말흐믈 쳥흐여, 그 위인(爲人)과 의표(儀表)를 보라."

조슝이 올히 넉여 제 스스로 딘젼(陣前) 출마(出馬)흐여, 스졸(士卒)노 흐여금 초국 대댱군 조 병미(兵馬) 원슈로 말흐고져 흐믈 쇼교(小校)로 통흐니, 숑(宋) 딘듕의셔 딘문이 열니는 바의 큰 긔 알플 인흐여, 금즈(金字)로 크게 뼈시딕 평초대원슈 대스마 졔로도총병(平楚大元帥 大司馬 諸路都總兵) 하뫼(河某)라 뼛더라. 조슝이 눈을 드러 숑딘을 술피미, 하원쉬 몸의 홍금슈젼포(紅錦繡戰袍)288)의 즈금쇄즈갑(紫錦鎖子甲)289)을 쎠닙고 허리의 냥디빅옥스직[딕](兩枝白玉

쯧이 이시니, 초왕이 비록 뿟호고○[져] 아냐도 브딕 《춍왕∥초왕》을 죽이고 말녀 흐느지라.

냥군이 딕진홀식, 하원쉬 비록 년긔 십칠 쇼년이나 병법과 진셰의 신긔흔 직죄 셰딕의 희한호니, 조슝이 비록【74】 용밍호나 엇지 하원슈를 밋출 길히 이시리오. 먼니 바라보미 진듕의 긔이흔 셔긔(瑞氣) 어리고, 묽은 바름이 니러나며, 오치샹광(五彩祥光)이 됴요(照耀)흔 바의, 군병 댱스의 ᄀ갑(介甲)이 션명흐고, 《대의∥대외(隊伍)》 졍슉흐여 법되 삼엄흐거늘, 조슝이 초왕을 도라보아 왈,

"대강 하원광이 용이튼 아닌가 시브니 대왕은 젹군을 보아 말흐고져 흐믈 통흐쇼셔."

왕이 분연 통한 왈,

"과인이 셕년의 원녀(遠慮) 업셔 원광 역추를 죽이지 못흔 연고로, 이제 도로혀 제 샹국의 문죄흐는 즁임을 맛트, 과인의 토지를 침범흐는 욕을 바드니, 엇지 통완 분히치 아니리오. 원광이 날을 슈인(讐人)이라 흐여 말흐믈 괴로와 흐리니, 댱군이 하원광으로 말흐믈 쳥흐여, 그 위인(爲人)과 의표(儀表)를 보라."

조슝이 올히 넉여 제 스스로 진젼(陣前) 출마(出馬)흐여, 스졸(士卒)노 흐여곰 초국 대댱군 조 병미(兵馬) 원슈로【75】 말흐고져 흐믈 쇼교(小校)로 통흐니, 숑진즁의셔 진문이 열니는 바의 큰 긔 알플 인흐여, 금즈(金字)로 크게 뼈시딕 평초딕원슈 대스마 졔로도총병(平楚大元帥 大司馬 諸路都總兵) 하모(河某)라 뼛더라. 조슝이 눈을 드러 숑진을 술피미, 하원쉬 몸의 홍금슈젼포(紅錦繡戰袍)282)의 즈금쇄즈갑(紫錦鎖子甲)283)을 쎠닙고, 허리의 냥지빅옥스{직}딕](兩枝白

---

288) 홍금수젼포(紅錦繡戰袍) : 붉은 비단에 화려하게 수를 놓아 지은 젼포(戰袍). 젼포는 장수가 입던 긴 웃옷.

289) 자금쇄즈갑(紫錦鎖子甲) : 갑옷의 일종. 자주색 명주옷에 사방 두 치 정도 되는 돼지가죽으로 된 미늘들을 작은 고리로 꿰어 붙여서 만들었다.

282) 홍금수젼포(紅錦繡戰袍) : 붉은 비단에 화려하게 수를 놓아 지은 젼포(戰袍). 젼포는 장수가 입던 긴 웃옷.

283) 자금쇄즈갑(紫錦鎖子甲) : 갑옷의 일종. 자주색 명주옷에 사방 두 치 정도 되는 돼지가죽으로 된 미늘들을 작은 고리로 꿰어 붙여서 만들었다.

紗帶)290)를 두르고, 머리의 슌금 봉시(鳳翅)투고291)를 뼈시니, 위풍이 늠늠ᄒ고 상뫼 당당ᄒ여【35】반월텬졍(半月天庭)292)은 일월각(日月角)293)이 셔시며, 냥미(兩眉)졍화(精華)ᄂᆫ 강산의 슈츌(秀出)ᄒᆫ 졍긔를 모도와 텬창(天窓)294)을 쎨쳣고295), 봉안(鳳眼)명광(明光)은 졍치(精彩) 찬난ᄒ여 두 줄긔 묽은 졍광(精光)이 삼군(三軍)296)을 붉히거ᄂᆞᆯ, 오악(五嶽)297)이 늉긔(隆起)ᄒ고 신치(身彩) 쇄락(灑落)ᄒ여, 흉듕(胸中)의ᄂᆫ 졔셰안민디칙(濟世安民之策)298)과 안방뎡국디슐(安邦定國之術)299)을 장(藏)ᄒ여시니, 엄위(嚴威)ᄒᆫ 긔상과 쇄연(灑然)ᄒᆫ 의푀(儀表) 쳔고(千古) 대군지오, 셰ᄃᆡ의 일인이라. 일냥(一輛) ᄉ륜거(四輪車)의 안ᄌ, 좌슈의ᄂᆫ 빅옥(白玉) 쥬미(塵尾)300)를 들고, 우슈의ᄂᆫ 상방보검(尙方寶劍)301)을 잡아시니, 군용(軍

玉紗帶)284)를 두로고, 머리의 슌금 봉시(鳳翅)투고285)를 뼈시니, 위풍이 늠늠ᄒ고 상뫼 당당ᄒ여 반월텬졍(半月天庭)286)은 일월리[각](日月角)287)이 셔시며, 냥미(兩眉)졍화(精華)ᄂᆫ 강○[산]의 슈츌(秀出)ᄒᆫ 졍긔를 모도와 텬창(天窓)288)을 쎨쳣고289) 봉안(鳳眼) 명광(明光)은 졍치(精彩) 찬난ᄒ여 두 줄긔 묽은 졍광이 삼군(三軍)290)을 붉히거ᄂᆞᆯ, 오악(五嶽)291)이 늉긔(隆起)ᄒ고, 신치(身彩) 동탕(動蕩) 쇄락(灑落)ᄒ여, 흉즁(胸中)의ᄂᆫ 졔셰안민지칙(濟世安民之策)292)과 안방졍국지슐(安邦定國之術)293)을 장(藏)ᄒ여시니, 엄위(嚴威)ᄒᆫ 긔상과 쇄연(灑然ᄒᆫ 의푀(儀表) 쳔고(千古) 대군지오, 셰ᄃᆡ의 일인이라. 일냥(一輛) ᄉ륜거(四輪車)의 안ᄌ, 좌슈의ᄂᆫ 빅옥(白玉)【76】 쥬미(塵尾)294)를 들고, 우슈의ᄂᆫ 상방보검(尙方寶劍)295)

290)냥디빅옥ᄉᄃᆡ(兩枝白玉紗帶) : 명주에 백옥(白玉)을 붙여 만든 허리띠.
291)봉시(鳳翅)투고 : 봉시(鳳翅)투구. 봉(鳳)의 깃으로 꾸민 투구. 봉시(鳳翅)는 봉의 깃. 투구는 예전에, 군인이 전투할 때에 적의 화살이나 칼날로부터 머리를 보호하기 위하여 쓰던 쇠로 만든 모자.
292)반월텬졍(半月天庭) : 반달 모양의 이마. 천정(天庭)은 관상(觀相)에서 양 눈썹의 사이, 또는 이마의 복판을 이른다.
293)일월각(日月角) : 관상법(觀相法)에서 부모운(父母運)을 나타내는 일각(日角)과 월각(月角)을 함께 이르는 말. 일각은 왼쪽 눈 위 약 3㎝ 부분, 월각은 오른쪽 눈 위 약 3㎝ 부분의 이마를 말하는데, 일월각이 뚜렷하면 높은 관직에 오를 상(相)이라 한다.
294)텬창(天窓) : '눈'을 달리 표현한 말.
295)쎨치다 : 떨치다. 떨어뜨리다. 욕심 따위를 강하게 버리다.
296)삼군(三軍) : ①예전에, 군 전체를 이르던 말. ②현대의 육군, 해군, 공군으로 이루어진 군 체제.
297)오악(五嶽) : 얼굴의 두 눈과 두 콧구멍, 입을 말함.
298)졔셰안민디칙(濟世安民之策) : 세상을 구제하고 백성을 편안하게 할 방책.
299)안방뎡국디슐(安邦定國之術) : 국가를 안정시키고 공고하게 할 꾀.
300)쥬미(塵尾) : 말총으로 만든 총채.
301)상방보검(尙方寶劍) : 상방검(尙方劍). 임금이 출정 장수에게 하사하던 칼. 임금의 권위를 상징하는 역할을 하여 부하나 군졸 등이 명을 거역할 때 임금에게 보고하지 않고도 그들의 생사를 마음대로 할 수 있는 권위를 지니는 칼이다.

284)냥디빅옥ᄉᄃᆡ(兩枝白玉紗帶) : 명주에 백옥(白玉)을 붙여 만든 허리띠.
285)봉시(鳳翅)투고 : 봉시(鳳翅)투구. 봉(鳳)의 깃으로 꾸민 투구. 봉시(鳳翅)는 봉의 깃. 투구는 예전에, 군인이 전투할 때에 적의 화살이나 칼날로부터 머리를 보호하기 위하여 쓰던 쇠로 만든 모자.
286)반월텬졍(半月天庭) : 반달 모양의 이마. 천정(天庭)은 관상(觀相)에서 양 눈썹의 사이, 또는 이마의 복판을 이른다.
287)일월각(日月角) : 관상법(觀相法)에서 부모운(父母運)을 나타내는 일각(日角)과 월각(月角)을 함께 이르는 말. 일각은 왼쪽 눈 위 약 3㎝ 부분, 월각은 오른쪽 눈 위 약 3㎝ 부분의 이마를 말하는데, 일월각이 뚜렷하면 높은 관직에 오를 상(相)이라 한다.
288)텬창(天窓) : '눈'을 달리 표현한 말.
289)쎨치다 : 떨치다. 떨어뜨리다. 욕심 따위를 강하게 버리다.
290)삼군(三軍) : ①예전에, 군 전체를 이르던 말. ②현대의 육군, 해군, 공군으로 이루어진 군 체제.
291)오악(五嶽) : 얼굴의 두 눈과 두 콧구멍, 입을 말함.
292)졔셰안민디칙(濟世安民之策) : 세상을 구제하고 백성을 편안하게 할 방책.
293)안방뎡국디슐(安邦定國之術) : 국가를 안정시키고 공고하게 할 꾀.
294)쥬미(塵尾) : 말총으로 만든 총채.
295)상방보검(尙方寶劍) : 상방검(尙方劍). 임금이 출정 장수에게 하사하던 칼. 임금의 권위를 상징하는 역할을 하여 부하나 군졸 등이 명을 거역할 때 임금에게 보고하지 않고도 그들의 생사를 마음대로 할 수 있는 권위를 지니는 칼이다.

容)이 뎡졔ᄒ고 대외(隊伍) 엄슉ᄒ여 회음후(淮陰侯)302)의 디나니, 조슝이 경복(敬服) 흠션(欽羨)ᄒ여 마【36】샹의셔 녜ᄒ여 왈,

"쇼방이 일즉 대국을 반ᄒᆫ 일이 업거늘, 텬지 일홈 업시 위샤를 보ᄂᆞ여 나명(拿命)을 직쵹ᄒ라 ᄒ나, 기시 우리 왕샹(王上)이 환휘 듕ᄒ샤 긔거를 임의치 못ᄒ시는 고로, 능히 텬명을 디디(遲遲)ᄒᄆᆡ 잇거니와, 텬됴 일노뼈 죄목을 삼아 원슈 먼니 쳔산만슈(千山萬水)를 건너 니르니, 아국이 아디 못ᄒ여 시러곰 ᄃᆡ진(對陣)ᄒ거니와, 아디 못게라 원슈 므ᄉᆞ 지죠로 아국을 파(破)코져 ᄒ시ᄂᆞ뇨?"

원슈 조슝의 말을 듯고, 분연이 ᄶᅮ지져 왈,

"네 본ᄃᆡ 초왕 흉덕의 신지(臣子)니 튱의 녜졀을 아디 못ᄒ려니와, 네 님【37】군을 도으미 션을 나오고 악을 먼니ᄒᄆᆡ 올커늘, 흉심의 반역을 도도와 텬됴 나명(拿命)을 불슈(不受)ᄒ고, 갑병(甲兵)을 니르혀 황도를 침범ᄒ니, 기죄블용쥐(其罪不容誅)303)라. 초왕 반역이 일분(一分) 인심(人心)일딘ᄃᆡ, 황샹의 셩은을 감굴(感屈)304)치 아니코, ᄃᆡ실디친(帝室之親)으로 여츠 무례ᄒ미 이시리오. 이는 몬져 초왕의 죄어니와, ᄯᅩᄒᆞᆫ 여등이 국군을 도으미 오륜디도(五倫之道)의 이실딘ᄃᆡ, ᄯᅩ 엇디 이디도록 궁흉(窮凶)ᄒ리오. 네 이졔 셔졀구투(鼠竊狗偸)305)의 기얌이306) ᄀᆞᆺ튼 군졸과 조고만 용녁을 미더 날노뼈 초국을 파치 못ᄒ리라 ᄒ거니와, 금일이라도 쾌히 승부를 결ᄒ라."

조슝【38】이 원슈의 일월디광(日月之光)과 하날 ᄀᆞᆺ튼 위풍을 보미, 져의 밋친 예긔

을 잡아시니, 군용(軍容)이 졍졔ᄒ고 대의[외](隊伍) 엄○[슉]ᄒ여 회음후(淮陰侯)296)의 지나니, 조슝이 경복 흠션(欽羨)ᄒ여 마샹의셔 녜ᄒ여 왈,

"쵸국이 일즉 대국을 반ᄒᆫ 일이 업거늘, 텬지 일홈업시 위샤를 보ᄂᆞ여 나명(拿命)의 직쵹ᄒ라 ᄒ나, 기시 우리 왕샹(王上)이 환휘 즁ᄒ샤 긔거를 임의치 못ᄒ시는 고로, 능히 텬명을 지지(遲遲)ᄒᄆᆡ 잇거니와, 텬됴 일노뼈 죄목을 삼아 원슈 먼니 쳔산만슈(千山萬水)를 건너 니르니, 아국이 마지 못ᄒ여 시러곰 대진(對陣)ᄒ거니와, 아지 못게라 원슈 므ᄉᆞ 지죠로 아국을 파(破)고져 ᄒ시ᄂᆞ뇨?"

하원슈 조슝의 말을 듯고, 분연이 ᄶᅮ지져 왈,

"네 본ᄃᆡ 초왕 흉덕의 신지(臣子)니 튱의 녜졀을 아지 못ᄒ려니와, 네 님군을 도으미 션을 나오고 악을 먼니ᄒᄆᆡ 올커늘, 흉심의 반역을 도도아 텬됴 나명(拿命)을 불슈(不受)ᄒ고 갑병(甲兵)【77】을 니르혀 황도를 침범ᄒ니, 기죄블용쥐(其罪不容誅)297)라. 초왕 반역이 일분 인심일진ᄃᆡ 황샹의 셩은을 감굴(感屈)298)치 아니코, 뎨실(帝室)의 친(親)으로 여츠 무례ᄒ미 이시리오. 이는 몬져 초왕의 죄어이[니]와, ᄯᅩᄒᆞᆫ 여등이 국쥬(國主)을 도으미 오륜지도(五倫之道)의 이실진ᄃᆡ, ᄯᅩ 엇지 이디도록 궁흉(窮凶)ᄒ리오. 네 이졔 셔졀구투(鼠竊狗偸)299)의 기얌이300) ᄀᆞᆺ튼 군졸과 조고만 용역을 미더, 날노뼈 초국을 파치 못ᄒ리라 ᄒ거니와, 금일이라도 쾌히 승부를 결ᄒ라."

조슝이 원슈의 일월지광(日月之光)과 하날 ᄀᆞᆺ튼 위풍을 보미, 져의 밋친 예긔 만히 쥬

---

302)회음후(淮陰侯) : 중국 한(漢)나라 개국공신 한신(韓信)의 작위(爵位).
303)기죄블용쥐(其罪不容誅) : 그 죄가 너무 커서 죽음으로도 용서받을 수 없다.
304)감굴(感屈) : 감격하여 복종함.
305)셔졀구투(鼠竊狗偸) : 쥐나 개처럼 몰래 물건을 훔친다는 뜻으로, '좀도둑'을 이르는 말.
306)기얌이: 개미.

296)회음후(淮陰侯) : 중국 한(漢)나라 개국공신 한신(韓信)의 작위(爵位).
297)기죄블용쥐(其罪不容誅) : 그 죄가 너무 커서 죽음으로도 용서받을 수 없다.
298)감굴(感屈) : 감격하여 복종함.
299)셔졀구투(鼠竊狗偸) : 쥐나 개처럼 몰래 물건을 훔친다는 뜻으로, '좀도둑'을 이르는 말.
300)기얌이: 개미.

만히 주러디디, 또흔 강용을 미더, 대쇼왈,

"원슈 대국 위엄을 즈랑ᄒ여 초국을 업슈히 넉이거니와, 아국이 일즉 대됴(大朝)를 모반ᄒ미 업거늘, 텬됴 무명디군(無名之軍)[307]을 니르혀 먼니 뎡벌ᄒ니, 아국이 슈쇠(雖小)나 힘힘히 손을 뭇거 속슈(束手)치 아니리니, 원슈 친히 군을 모라 결딘(結陣)ᄒ라. 오슈무용디댱(吾雖武勇之將)[308]이나 두리디 아닛노라."

원슈 대쇼왈,

"네 이리 니르디 아니나 내 또흔 대군을 모라 흉덕을 탕멸(蕩滅)ᄒ고, 초왕 흉덕을 잡아 만단(萬端)의 닉여 셜분(雪憤)ᄒ리【39】라."

조슝이 대로ᄒ여 뎡창출마(挺槍出馬)ᄒ여 딕취(直取) 원슈ᄒ니, 원슈 잠간 뉸거(輪車)를 두로혀 딘문의 드러가, 쳥춍옥셜만니운(青驄玉雪萬里雲)[309]을 ᄐ고, 제댱을 거느려 딘문의 나 ᄡᅡ홈을 도오니[310], 냥딘의 고각(鼓角)[311]이 년텬(連天)[312]ᄒ고 검극(劍戟)이 삼녈(森列)ᄒ여 일광을 ᄀ리오고, 하 원슈 친히 치[313]를 격여[314] 딘샹(陣上)의 나미, 용녁의 졀뉸홈과 창법의 신이ᄒ미 다ᄃᆞᆺᄂᆞᆫ 곳마다 댱슈의 머리 버히믈 풀 ᄲᅧ[315]ᄃᆞᆺᄒ여, 뎍딘의 티빙(馳騁)ᄒ믈 무인지경(無人之境)ᄀᆞᆺ치 ᄒ니, 츌몰(出沒)ᄒᄂᆞᆫ 농(龍)ᄀᆞᆺ고 경요(競搖)[316]ᄒᄂᆞᆫ 범 ᄀᆞᆺᄐᆞ여, 횡힝(橫行)ᄒ니, 조슝이 평싱 용녁으로도 능히 져

러지디, 또흔 강용을 미더, 대쇼왈,

"원슈 대국 위엄을 즈랑ᄒ여 초국을 업슈히 넉이거니와, 아국이 일즉 대됴(大朝)를 모반ᄒ미 업거늘, 텬됴 무명지군(無名之軍)[301]을 니르혀 먼니 졍벌ᄒ니, 아국이 슈쇠(雖小)나 힘힘히 손을 뭇거 속슈(束手)치 아니리니, 원슈 친히【78】제군(諸軍)을 모라 결진(結陣)ᄒ라. 이(我) 무용지댱(武勇之將)[302]이나 두리지 아닛노라."

원슈 대쇼왈,

"네 이리 니르지 아니나 늬 또흔 대군을 모라 흉젹을 탕멸(蕩滅)ᄒ고, 초왕 흉역(凶逆)을 잡아 만단(萬端)의 닉여 셜분(雪憤)ᄒ리라."

조슝이 대로ᄒ여 졍창출마(挺槍出馬)ᄒ여 직취(直取) 원슈ᄒ니, 원슈 잠간 뉸거(輪車)를 두로혀 진문의 드러가, 쳥춍옥셜만니운(青驄玉雪萬里雲)[303]을 타고, 제댱을 거느려 진문의 나 ᄡᅡ홈을 도으니[304], 냥진의 고각(鼓角)[305]이 년텬(連天)[306]ᄒ고, 검극(劍戟)이 삼녈(森列)ᄒ여 일광을 ᄀ리오고, 하 원슈 친히 치[307]를 격여[308] 진샹(陣上)의 나미, 용녁의 졀뉴홈과 창법의 신이ᄒ미 다ᄃᆞᆺᄂᆞᆫ 곳마다 댱슈의 머리 버히믈 풀 ᄲᅦᆺ[309]ᄃᆞᆺ ᄒ여 젹딘의 치빙(馳騁)ᄒ믈 무인지경(無人之境)ᄀᆞᆺ치 ᄒ니, 츌몰(出沒)ᄒᄂᆞᆫ 농(龍)ᄀᆞᆺ고 경요(競搖)[310]ᄒᄂᆞᆫ 범 ᄀᆞᆺᄐᆞ여, 횡힝(橫行)ᄒ니, 조슝이 평싱 용녁으로도 능히

---

307)무명디군(無名之軍) : 명분 없는 군사행동.

308)오슈무용디댱(吾雖武勇之將) : '내 비록 용맹하지 못한 장수이지만'의 뜻.

309)쳥춍옥셜만니운(青驄玉雪萬里雲) : 하루에 만리를 가는 옥설(玉雪)처럼 하얀 쳥춍마(青驄馬). 쳥춍마는 털이 흰 백마(白馬)로,, 갈기와 꼬리부분이 파르스름한 빛을 띠고 있다.

310)도으다 : 돋우다. 돕다.

311)고각(鼓角) : 군중(軍中)에서 호령할 때 쓰던 북과 나발.

312)년텬(連天) ; 하늘에 닿음.

313)치 : 채. 채찍.

314)격다 : 치다.

315)ᄲᅧ다 : 베다. 날이 있는 연장 따위로 무엇을 끊거나 자르거나 가르다.

316)경요(競搖) : 요란스럽게 다툼.

301)무명디군(無名之軍) : 명분 없는 군사행동.

302)무용디댱(武勇之將) : '용맹하지 못한 장수'라는 뜻.

303)쳥춍옥셜만니운(青驄玉雪萬里雲) : 하루에 만리를 가는 옥설(玉雪)처럼 하얀 쳥춍마(青驄馬). 쳥춍마는 털이 흰 백마(白馬)로,, 갈기와 꼬리부분이 파르스름한 빛을 띠고 있다.

304)도으다 : 돋우다. 돕다.

305)고각(鼓角) : 군중(軍中)에서 호령할 때 쓰던 북과 나발.

306)년텬(連天) ; 하늘에 닿음.

307)치 : 채. 채찍.

308)격다 : 치다.

309)ᄲᅧ다 : 베다. 날이 있는 연장 따위로 무엇을 끊거나 자르거나 가르다

310)경요(競搖) : 요란스럽게 다툼.

당치 못하니, 심니(心裏)의 대로하여 급히 비젼(飛箭)【40】을 쌘혀 궁시(弓矢)로 시험하미, 살히 덩히 원슈의 앞플 향하니, 원슈 《옥견∥옥졀(玉節)317)》을 드러 쓰리치며318) 왈,

"냥군(兩軍)이 처음으로 디딘(對陣)하미 맛당이 용녁을 시험하여 승부를 결하미 올커늘, 뎍군이 몬져 비젼(飛箭)을 쏘니 아군이 또한 궁젼(弓箭)을 쏘아 뎍병을 남기디 아니리라."

슝이 대로하여 창을 쓰어 원슈를 취하니, 원쉬 졉젼할시, 용녁을 의논홀딘디, 조슝이 원슈의게 나리디 아니하디, 신츌귀몰혼 지조를 당홀 길히 업는디라. 졉젼(接戰) 삼십여 합(合)319)의 블분승부(不分勝負)320)로디, 원슈의 창법이 졈졈 신츌귀몰하고 긔운이 비승하니,【41】조슝이 뎡히 물러나고져 하더니, 원쉬 슝의 튼 물을 질너 것구로치니321) 초군이 대경하여 급히 구하여 물긔 올니더니, 원쉬 일셩(一聲) 음아(吟哦)322)의 몸을 날녀 조슝의 튼 물의 올나, 슝의 투고를 벗기고, 상토323)를 잡아 마샹의 두로기를 이윽이 하더니, 셩샹(城上)의셔 초왕이 조슝이 헛도이 잡히믈 보고 대로하여 출젼조봉(出戰助鋒)324)코져 하더니, 졔댱이 일

---

317)옥졀(玉節) : 옥으로 만든 졀월(節鉞). *졀월(節鉞); 조선 시대에, 관찰사·유수(留守)·병사(兵使)·수사(水使)·대장(大將)·통제사 들이 지방에 부임할 때에 임금이 내어 주던 물건. 절은 수기(手旗)와 같이 만들고 부월은 도끼와 같이 만든 것으로, 군령을 어긴 자에 대한 생살권(生殺權)을 상징하였다. =절부월(節斧鉞)

318)쓰리치다 : 쓸어버리다. 뿌리치다. 따라붙거나 다가오는 것을 막아내다.

319)합(合) : 칼이나 창으로 싸울 때, 칼이나 창이 서로 마주치는 횟수를 세는 단위

320)블분승부(不分勝負) : 승부를 가리지 못함.

321)것구로치다 : 거꾸러뜨리다. 쓰러뜨리다. 거꾸러지다.

322)음아(吟哦) : ①시(詩) 따위를 음영(吟詠)하는 소리. ②싸움이나 경기에서 상대편의 기선(機先)을 제압하기 위해 내지르는 고함(高喊)소리.

323)상토 : 상투. 예전에, 장가든 남자가 머리털을 끌어 올려 정수리 위에 틀어 감아 맨 것.

324)출젼교봉(出戰交鋒) : 전장(戰場)에 나가 적과 칼을 맞대 싸움.

제어치 못하니, 심니(心裏)의 대로하여 급히 비젼(飛箭)을 쌘혀 궁시(弓矢)【79】로 시험하미, 살히 졍히 원슈의 앞플 향하니, 원슈 《옥견∥옥졀(玉節)311)》을 드러 쓰리치며312) 왈,

"냥군(兩軍)이 처음으로 디진(對陣)하미 맛당이 용녁을 시험하여 승부를 결하미 올커늘, 젹군이 몬져 비젼(飛箭)을 쏘니, 아군이 또한 궁젼(弓箭)을 쏘아 젹병을 남기지 아니리라."

슝이 디로하여 창을 쓰어 원슈를 취하니, 원쉬 졉젼할시, 용녁을 의논홀진디 조슝이 하원슈의게 나리지 아니하디, 신츌귀몰혼 지조를 당홀 길히 업는지라. 졉젼(接戰) 삼십여 합(合)313)의 블분승부(不分勝負)314)로디, 원슈의 창법이 졈졈 신츌귀몰하고 긔운이 비승하니, 조슝이 졍히 물러나고져 하더니, 원쉬 슝의 튼 말을 질너 것구로치니315) 초군이 디경하여 급히 구하여 말긔 올니더니, 원쉬 일셩(一聲) 음아(吟哦)316)의 몸을 날녀 조슝의 튼 말의 올나 슝의 투고를 벗기고 상토317)를 잡아 마샹의 두로기를【80】이윽이 하더니, 셩샹(城上)의셔 초왕이 조슝이 헛도이 잡히믈 보고 대로하여 진젼교봉(進戰交鋒)318)코져 하니, 졔댱이 극간

---

311)옥졀(玉節) : 옥으로 만든 졀월(節鉞). *졀월(節鉞); 조선 시대에, 관찰사·유수(留守)·병사(兵使)·수사(水使)·대장(大將)·통제사 들이 지방에 부임할 때에 임금이 내어 주던 물건. 절은 수기(手旗)와 같이 만들고 부월은 도끼와 같이 만든 것으로, 군령을 어긴 자에 대한 생살권(生殺權)을 상징하였다. =절부월(節斧鉞).

312)쓰리치다 : 쓸어버리다. 뿌리치다. 따라붙거나 다가오는 것을 막아내다.

313)합(合) : 칼이나 창으로 싸울 때, 칼이나 창이 서로 마주치는 횟수를 세는 단위

314)블분승부(不分勝負) : 승부를 가리지 못함.

315)것구로치다 : 거꾸러뜨리다. 쓰러뜨리다. 거꾸러지다.

316)음아(吟哦) : ①시(詩) 따위를 음영(吟詠)하는 소리. ②싸움이나 경기에서 상대편의 기선(機先)을 제압하기 위해 내지르는 고함(高喊)소리.

317)상토 : 상투. 예전에, 장가든 남자가 머리털을 끌어 올려 정수리 위에 틀어 감아 맨 것.

318)진젼교봉(進戰交鋒) : 전장(戰場)에 나가 적과 칼을 맞대 싸움.

시의 '경(輕)이 딕뎍(對敵)디 마르쇼셔' 극간
ᄒ고, 초국 댱ᄉ군졸 슈만여 인이 죽기를
그음ᄒ여 원슈의게 다라드니, 원슈 조승을
초딘(楚陣) 듕의 머니 더져 왈,

"네 나라히 여ᄎ 소댱(小將)으로 군마를
춍독게【42】ᄒ고, 감히 텬됴를 항거ᄒ여
멸족디화(滅族之禍)를 취ᄒ니, 엇디 가쇼롭
디 아니리오. 네 나라히 이런 무용(無用) 쇼
뎍(小賊)을 보비ᄀᆞᆺ치 디셩(至誠) 갈구(渴求)
ᄒ니 기졍(其情)이 역(亦) 잔(殘)ᄒ도다325).
이졔 도라 보닉ᄂᆞ니 슈히 갑(甲)을 벗고 항
복ᄒ여 멸족디환을 밧디 말나."

언파의 대군을 모라 일딘을 혼살(混殺)ᄒ
니, 죽엄이 들의 가득ᄒ고 혈뉴셩쳔(血流成
川)326)ᄒ니, 뎍딘이 상혼낙담ᄒ더라. 원슈
일딘을 딕살(大殺)ᄒ고, 날이 어두오므로 징
(鉦)327) 쳐 군을 거두어 본영으로 도라가
다. 초군의 패잔 여졸이 조승을 구ᄒ여 본
딘의 도라오니, 초왕이 조승의 손을 잡고
분탄 왈,

"아국 군【43】위(軍威) 오히려 져 황구
쇼ᄋᆞ(黃口小兒)328)를 밋디 못ᄒ니[여], 댱
군이 원광의게 욕을 보니, 엇디 통완 분히
치 아니리오. 이번 패ᄒᄆᆫ 뎍을 업슈히 넉
인 탓시니, 모로미 댱군은 안심 됴보(調保)
ᄒ여, 군긔를 숙이고 댱슈를 쵸모(招募)ᄒ여
군냥을 모ᄒ며 히ᄌᆞ(垓字)329)를 굿게 ᄒ여,
져회로 ᄒ여금 오리 셰월을 쳔연ᄒ여 군심
이 요동홀 즈음의 군량을 긋쳐, 뎍군이 피
폐(疲弊) 골몰(汨沒)330)ᄒ거든, 군을 드러

ᄒ여 경(輕)이 딕뎍(對敵)지 마르쇼셔 간ᄒ
고, 초국 댱ᄉ 군졸 슈만여 인이 죽기를 그
음ᄒ여 원슈의게 ᄃᆞ라드니, 원슈 조승을 초
진(楚陣) 즁의 머니 더져 왈,

"네 나라히 여ᄎ 소댱(小將)으로 군마를
춍독게 ᄒ고, 감히 텬됴를 항거ᄒ여 멸족지
화(滅族之禍)를 취ᄒ니, 엇지 가쇼롭지 아니
리오. 네 나라히 이런 무용(無用) 쇼젹(小
賊)을 보비ᄀᆞᆺ치 녁여 지셩(至誠) 갈구(渴求)
ᄒ니 기졍(其情)이 역(亦) 잔(殘)ᄒ도다319).
이졔 도라 보닉ᄂᆞ니 슈히 갑(甲)을 벗고
《황복∥항복》ᄒ여 멸족지환을 밧지 말
나."

언파의 대군을 모라 일진을 혼살(混殺)ᄒ
니, 죽엄이 《즐∥들》의 가득ᄒ고 헐워셩쳔
(血流成川)320)ᄒ니 젹진이 상혼낙담ᄒ더라.
원슈 일진을 대살(大殺)ᄒ고, 날이 어두오므
로 징(鉦)321)을 쳐 군을 거두어 본영으로
도라가다. 초군의 【81】픽잔 여졸이 조승
을 구ᄒ여 본진의 도라오니, 왕이 조승의
손을 잡고 분탄 왈,

"아국 군위(君威) 오히려 져 황구쇼ᄋᆞ(黃
口小兒)322)를 밋지 못ᄒ니[여], 댱군이 원
광의게 욕을 보니, 엇지 통완 분히치 아니
리오. 이번 픽ᄒᄆᆫ 젹을 업슈히 녁인 타시
니 모로미 댱군은 안심 조보(調保)ᄒ여 군
긔를 숙이고 댱슈를 쵸모(招募)ᄒ며 군냥을
모화 히ᄌᆞ(垓字)323)를 굿게 ᄒ여, 져의로
ᄒ여금 오리 셰월을 쳔연ᄒ여 군심이 요동
홀 즈음의 군냥을 긋쳐, 젹군이 피폐(疲弊)
골몰(汨沒)324)ᄒ거든, 군병을 닐워 즉, 숑군

---

325)잔(殘)ᄒ다 : 잔인(殘忍)하다. 잔잉하다. 자닝하
다. 애처럽고 불쌍하여 차마 보기 어렵다.
326)혈뉴셩쳔(血流成川) : 피가 흘러 내를 이룸.
327)징(鉦) : 징. 타악기의 하나. 놋쇠로 전이 없는
대야같이 만들어, 울의 한쪽에 두 개의 구멍을 내
어 끈을 꿰고 채로 쳐서 소리를 낸다. 음색이 부
드럽고 장중하다.
328)황구쇼ᄋᆞ(黃口小兒) : 젖내 나는 어린아이라는
뜻으로, 철없이 미숙한 사람을 낮잡아 이르는 말.
329)히ᄌᆞ(垓字) : 성 주위에 둘러 판 못.
330)골몰(汨沒) : 다른 생각을 할 여유도 없이 한 가
지 일에만 파묻힘.

319)잔(殘)ᄒ다 : 잔인(殘忍)하다. 잔잉하다. 자닝하
다. 애처럽고 불쌍하여 차마 보기 어렵다.
320)혈뉴셩쳔(血流成川) : 피가 흘러 내를 이룸.
321)징(鉦) : 징. 타악기의 하나. 놋쇠로 전이 없는
대야같이 만들어, 울의 한쪽에 두 개의 구멍을 내
어 끈을 꿰고 채로 쳐서 소리를 낸다. 음색이 부
드럽고 장중하다.
322)황구쇼ᄋᆞ(黃口小兒) : 젖내 나는 어린아이라는
뜻으로, 철없이 미숙한 사람을 낮잡아 이르는 말.
323)히ᄌᆞ(垓字) : 성 주위에 둘러 판 못.
324)골몰(汨沒) : 다른 생각을 할 여유도 없이 한 가
지 일에만 파묻힘.

흔번 친죽 맛당이 숑군을 즛볿고 하원광을 잡아 쥬륙(誅戮)ᄒ여, 댱군의 금일 욕보믈 씻고, 졀도ᄉ 아오로 죽여 대국의 급히 쥬문(奏聞)ᄒᄂᆫ 길을 ᄭᅵᆺ고, 대병을 모라 황셩을 취【44】ᄒ리라."

조슝이 눈물을 드리워 패군ᄒᄆᆯ 쳥죄ᄒ고, 제댱이 빈복ᄒ여 왕의 의논이 맛당ᄒᄆᆯ 일ᄏᆮ더라. 초왕이 ᄉ문(四門)을 구디 다드며, 댱슈를 브르고 군긔를 벗하 안병브동(按兵不動)ᄒ더라.

하원쉬 초왕이 들고 나디 아니믈 인ᄒ여 ᄲᅡᆺ호기를 구치 아니ᄒ고, 날마다 군ᄉ를 거ᄂᆞ려 대국 관익(關阨) 십여 쳐를 도로 아ᄉ며, 초국 셩디(城地) 슈십여 셩(城)과 삼십여 관(關)을 일시의 취흔 비 되니, 원슈의 신츌귀몰흔 지죄 무궁ᄒᄃᆡ 오히려 대강만 긔록ᄒ니라.

지셜 하원쉬 초왕의 들고 나디 아님과 조슝의 예긔 쥬려져 ᄲᅡᆺ호디 아【45】니믈 보고, 짐짓 여러 일월을 쳔연ᄒ여 그윽흔 가온ᄃᆡ 흉계를 힝ᄏᆞ져 ᄒᄆᆯ 짐작고, 즈긔 ᄯᅩ흔 속여 승패의 결미(結尾)를 슈히 니고져 ᄒᄆᆞ로, 함평관의 치칙(砦柵)331)을 일워 군ᄉ를 쉬오고 날마다 잔치ᄒ여 즐길ᄉᆡ, 군ᄉ 듕 년쇼 미려흔 즈 칠팔인과 셔동 슈인으로 녀복(女服)을 개착ᄒ여 홍군취삼(紅裙翠衫)을 닙히며, 칠보(七寶) 응장(凝粧)332)을 셩히 ᄒ고, 디분(脂粉)을 다ᄉ려 ᄉ오 인은 원슈의 압히 머므르고, 부원슈와 좌우 션봉의게 다 일인식 두게 ᄒ여, 풍뉴 가곡으로 즐기ᄂᆫ 거동을 초진(楚陣)으로 ᄒ여금 알게 ᄒ니, 그윽흔 일이라도 초군의 탐쳥ᄒ미 즈못 궁극ᄒ거늘, 날마【46】다 우양(牛羊)을 잡고 쥬찬을 ᄀᆞ초아 삼군 댱졸이 잔치ᄒ며, 금슬가곡(琴瑟歌曲)이 뇨량(嘹喨)ᄒ여 구텬(九天)의 ᄉ못ᄎᆞ니, 엇디 탐쳥ᄒᄂᆫ 뉘 모로미 이시며, ᄒ믈며 졀도ᄉᄂᆫ 밧긔 이셔 미

을 즛볿고 하원광을 잡아 쥬륙(誅戮)ᄒ여, 댱군의 욕보믈 씻고 졀도ᄉ 《아오를∥아오로》 죽여, 대국의 급히 쥬문(奏聞)ᄒᄂᆫ 길을 ᄭᅵᆺ고, 대병을 모라 황셩을 취ᄒ리라."

조슝이 눈물을 드리워 픠군ᄒᄆᆯ 쳥죄ᄒ고, 제댱이 빈복ᄒ여 왕의 의논이 맛당ᄒᄆᆯ 일ᄏᆮ더라. 초왕이 셩 ᄉ【82】문(四門)을 구지 다드며, 댱슈를 브르고 군긔를 벗하 안병브동(按兵不動)ᄒ더라.

하원쉬 초왕이 들고 나지 아니믈 인ᄒ여 ᄲᅡᆺ호기를 구치 아니ᄒ고, 날마다 군병을 거ᄂᆞ려 대국 관익(關阨) 십여쳐를 도로 아ᄉ며 초국 셩지(聖地) 슈십여 셩(城)과 삼십여 관(關)을 일시의 취흔 비 되니 원슈의 신츌귀몰흔 지죄 무궁ᄒᄃᆡ 오히려 ᄃᆡ강만 긔록ᄒ니라.

지셜 하원쉬 초왕의 들고 나지 아님과, 조슝이 예긔 쥬려져 ᄲᅡᆺ호지 아니믈 보고, 《짐죽∥짐짓》 여러 일월을 쳔연ᄒ여 그윽흔 가온ᄃᆡ 흉계를 힝ᄏᆞ져 ᄒᄆᆯ 짐작고, 즈긔 ᄯᅩ흔 속여 승픠의 결미(結尾)를 슈이 니고져 ᄒᄆᆞ로, 함평관의 치칙(砦柵)325)을 일워 군병을 쉬오고, 날마다 잔치ᄒ여 즐길ᄉᆡ, 군ᄉ즁 년쇼 미려흔 즈 칠팔인과 셔동 슈인으로 녀복(女服)을 기착ᄒ여, 홍군취삼(紅裙翠衫)을 닙히며, 칠보(七寶) 응장(凝粧)326)을 셩【83】히 ᄒ고, 지분(脂粉)을 다ᄉ려 ᄉ오인은 원슈의 압히 머므르고, 부원슈와 좌우 션봉의게 다 일인식 두게 ᄒ여, 풍뉴 가곡으로 즐기ᄂᆫ 거동을 초진(楚陣)으로 ᄒ여금 알게 ᄒ니, 그윽흔 일이라도 초군의 탐쳥ᄒ미 즈못 궁극ᄒ거늘, 날마다 우양(牛羊)을 잡고 쥬찬을 ᄀᆞ초아 삼군 댱졸이 잔치ᄒ며, 금슬가곡(琴瑟歌曲)이 뇨량(嘹喨)이 구텬(九天)의 ᄉ못ᄎᆞ니, 엇지 탐쳥ᄒᄂᆫ 뉘 모로미 이시며, ᄒ믈며 졀도ᄉᄂᆫ 밧긔 이셔

---

331)치칙(砦柵) : 울짱. 말뚝 따위를 죽 잇따라 박아 만든 울타리.

332)응장(凝粧) : 화장을 그 정도가 지나치게 짙게 한 것. 담장(淡粧; 가볍게 한 화장), 농장(濃粧; 짙게 한 화장)보다 더 짙게 한 화장을 말함.

325)치칙(砦柵) : 울짱. 말뚝 따위를 죽 잇따라 박아 만든 울타리.

326)응장(凝粧) : 화장을 그 정도가 지나치게 짙게 한 것. 담장(淡粧; 가볍게 한 화장), 농장(濃粧; 짙게 한 화장)보다 더 짙게 한 화장을 말함.

양 미우를 삥긔고,

"원쉬 위인 지덕인죽 당셰의 회한ᄒᆞᄃᆡ, 쥬식을 탐ᄒᆞᄂᆞᆫ 거시 병되여, 날마다 잔치ᄒᆞ여 즐기미 더옥 가치 아닌디라. 이러므로 댱슈 군졸이 다 희틱(解怠)ᄒᆞ여 ᄡᅪ홈의 넘이 업스니, 샹댱(上將)으로브터 말댱(末將)의 니르히 음쥬달난(飲酒團欒)ᄒᆞ여 미녀셩식(美女聲色)으로 날을 보ᄂᆡ니, 만일 적군이 우리 치칙(寨柵)을 겁칙333)홀딘ᄃᆡ, 패군ᄒᆞ미 여반장(如反掌)이리니 엇디 한흡디 아【47】니리오. 내 원슈를 보아 음쥬셩식이 불가ᄒᆞᆷ믈 간ᄒᆞᄃᆡ, 드른 쳬 아니코 초덕의 잔미ᄒᆞᆷ믈 니르니, 이둘은 바ᄂᆞᆫ 황샹이 이딕도록 년쇼ᄃᆡ인으로 대댱을 삼아 대국 위엄을 최찰케334) ᄒᆞ신고?"

ᄒᆞ니, 졀도ᄉᆞ의 이리 니르믄 하원슈의 디휘ᄒᆞᆫ 비라. 초왕이 년일ᄒᆞ여 숑딘 소식을 탐디ᄒᆞ미, 하원쉬 셩디 슈십여 셩과 삼십여 관을 취ᄒᆞᆷ믈 드르미, 분한이 팅즁(撑中)ᄒᆞ여335) 이를 갈고 잇ᄂᆞᆫ 바의, 원쉬 져의 군을 잔미(屍微)히 넉여 일분 방비ᄒᆞ미 업고, 딘즁의셔 음쥬달난ᄒᆞ여 미녀셩식으로 즐기믈 드르미, 분연 졀치 왈,

"원광 덕취(賊酋) 셩곽을 만히 취ᄒᆞ미, ᄆᆞ【48】음을 프러 다시 젼ᄉᆞ(戰事)를 개렴336)치 아니니, 우리 여러 일월을 쳔연(遷延)치 아냐셔 죡히 원광을 죽이고 숑딘을 취ᄒᆞ리니, 이ᄢᅢ를 타 과인이 친히 대군을 거나려 안평관의 나아가 원광을 잡아 만단의 ᄠᅵᄌᆞ리라."

조승이 고ᄒᆞᄃᆡ,

"하원광이 디뫼 유여ᄒᆞ고 용녁이 과인ᄒᆞ니 그 심폐(心肺)를 다 알기 어려온디라. 이제 날마다 음쥬달난ᄒᆞᆷ믈 진짓 일노 밋기 어

미양 미우를 삥긔고,

"원쉬 위인 지덕인죽 당셰의 회한ᄒᆞᄃᆡ, 쥬식을 탐ᄒᆞᄂᆞᆫ 거시 병 되여, 날마다 셜연ᄒᆞ여 즐기미 더옥 가치 아닌지라. 이러므로 댱슈 군졸이 다 희틱(解怠)ᄒᆞ여 ᄡᅪ홈의 넘이 업스니, 샹댱(上將)으로브터 말댱(末將)의 니르히 음쥬달난(飲酒團欒)ᄒᆞ여 미녀셩식(美女聲色)으로 날을 보ᄂᆡ니, 만일 적군이 우리 치칙(寨柵)을 겁칙327)홀진ᄃᆡ, 픠군ᄒᆞ미 여반장(如反掌)이리니,【84】 엇지 한흡지 아니리오. 너 원슈를 보아 음쥬 셩식이 불가ᄒᆞᆷ믈 간ᄒᆞ되, 드른 쳬도 아니코, 초젹의 잔미ᄒᆞᆷ믈 니르니, 이둘은 바ᄂᆞᆫ 황샹이 이딕도록 년쇼지인으로 딕댱을 삼아, 대국 위엄을 최[최]찰케328) ᄒᆞ신고?"

ᄒᆞ니, 졀도ᄉᆞ의 이리 니르믄 하원슈의 지휘ᄒᆞᆫ 비라. 초왕이 년일ᄒᆞ여 숑진 소식을 탐지ᄒᆞ미, 하원쉬 셩지 슈십여 셩과 삼십여 관을 취ᄒᆞᆷ믈 드르미, 분한이 팅즁(撑中)ᄒᆞ여329) 니를 갈고 잇ᄂᆞᆫ 바의, 원쉬 져의 군을 잔미(屍微)히 넉여, 일분 방비ᄒᆞ미 업고, 진즁의셔 음쥬달난ᄒᆞ여 미녀셩식으로 즐기믈 드르미, 분연 졀치 왈,

"원광 역취(逆酋) 셩곽을 만히 취ᄒᆞ미, ᄆᆞ음을 프러 다시 젼ᄉᆞ(戰事)를 기렴330)치 아니니, 우리 여러 일월을 쳔연(遷延)치 아냐셔 죡히 원광을 죽이고 숑진을 취ᄒᆞ리니, 이ᄢᅢ를 타 과인이 딕군을 거나려 친【85】히 안평관의 나아가 원광을 잡아 만단의 ᄡᅳᄌᆞ리라."

조승이 고ᄒᆞᄃᆡ,

"하원광이 지뫼 유여ᄒᆞ고 용역이 과인ᄒᆞ니 그 심폐(心肺)를 다 알기 어려운지라. 이제 날마다 음쥬 단난ᄒᆞᆷ믈 진짓 일노 밋기

---

333)겁칙 ; 겁측. 겁탈. 위력으로 쳐서 빼앗음. 또는 폭행이나 협박을 하여 강제로 부녀자와 성관계를 맺음.
334)최찰 : 최절(摧折). 사기 따위가 꺾임. 또는 위축(萎縮)됨.
335)팅즁(撑中)ᄒᆞ다 : 화나 욕심 따위가 가슴속에 가득 차 있다.
336)개렴 : 괘념(掛念). 마음에 두고 걱정하거나 잊지 않음.

---

327)겁칙 ; 겁측. 겁탈. 위력으로 쳐서 빼앗음. 또는 폭행이나 협박을 하여 강제로 부녀자와 성관계를 맺음.
328)최찰 : 최절(摧折). 사기 따위가 꺾임. 또는 위축(萎縮)됨.
329)팅즁(撑中)ᄒᆞ다 : 화나 욕심 따위가 가슴속에 가득 차 있다.
330)기렴 : 괘념(掛念). 마음에 두고 걱정하거나 잊기 않음.

려오니, 뎐하는 소식을 ᄌᆞ시 듯보아 그릇ᄒᆞ
미 업게 ᄒᆞ쇼셔.”

왕이 분연 왈,

“원광 역지 나힌즉 이팔이 계오 넘엇고,
져히 부지 도흑을 슈련ᄒᆞᄂᆞᆫ 션비오, 무예의
소여(疏如)홀[337] 거【49】시로ᄃᆡ, 용녁이
남 다르고 슈하의 거나린 졔댱이 디뫼 유여
(裕餘)ᄒᆞᆫ 고로, ᄒᆡᆼ혀 여러 관익을 어더시나,
이졔 미쥬(美酒) 셩싁(聲色)으로 달난(團欒)
ᄒᆞ미, 만ᄉᆞ의 넘이 업셔 젼혀 쥬싁의 골몰
홀 ᄯᆞᆫ이니, 소식을 더 듯볼 거시 어이 이시
리오.”

졔댱은 왕의 말이 올흐믈 일ᄏᆞᆯ로ᄃᆡ, 조승
은 의심이 업디 아냐 두로 댱ᄉᆞ를 초모홀
ᄉᆡ, 초국 평산 아ᄅᆡ 일위 강밍ᄒᆞᆫ 댱식 이시
니 셩명은 신법홰라. 용밍이 졀뉸홀 ᄯᆞᆫ 아
니라 지죄 비샹ᄒᆞ여, 호풍환우(呼風喚雨)를
임의로 ᄒᆞ며, 신병(神兵)을 브르ᄂᆞᆫ 술법이
이시니, 일즉 심산의 은거ᄒᆞ여 괴이ᄒᆞᆫ 도ᄉᆞ
를 만나 온갓【50】 지죠를 비화, 평싱 ᄌᆞ부
ᄒᆞ미 셰샹의 져를 당ᄒᆞ리 업ᄉᆞ리라 ᄒᆞ여 것
칠 곳이 업더니, 초왕이 신법화의 지죠를
듯고 셰번 평산의 나아가 닐위고져 ᄒᆞᄃᆡ,
신법홰 무궁히 빗ᄉᆡ와[338] 즉시 듯디 아니터
니, 초왕이 쳔만 간쳥ᄒᆞ여, 만일 원슈를 죽
이고 황셩의 드러가 대공을 일울던ᄃᆡ, 텬하
강산을 둘히 난화 남북 황뎨 되기를 언약ᄒᆞ
니, 신법홰 비로소 몸을 두로혀 초딘의 도
라오니, 왕이 즉시 도총병마대댱(都摠兵馬
大將)을 삼아 왕태부(王太傅)를 겸ᄒᆞ니, 위
권이 조승의 우히 잇고, 신법화의 지죄 고
금의 독보ᄒᆞ니, 왕이 만심 환희【51】ᄒᆞ여
대ᄉᆞ를 거의 일웟노라 ᄒᆞ며, 영오흔 군ᄉᆞ를
송딘의 보ᄂᆡ여 소식을 탐디ᄒᆞ니, 하원슈ᄂᆞᆫ
가디록 딘취(盡醉) 미란(迷亂)ᄒᆞ여 풍악으로
소일(消日)ᄒᆞ고, 댱ᄉᆞ 군졸이 다 취ᄒᆞ여 인
ᄉᆞ를 바려 져마다 얼골이 쥬토(朱土) 칠흔
듯ᄒᆞ며 거름이 븨듯기[339]를 면치 못ᄒᆞᆫ다 ᄒᆞ

어려오니, 뎐하ᄂᆞᆫ 소식을 ᄌᆞ시 듯보아 그릇
ᄒᆞ미 업게 ᄒᆞ쇼셔.”

왕이 분연 왈,

“원광 역지 나힌즉 이팔이 계오 넘엇고,
져의 부지 도흑을 슈련ᄒᆞᄂᆞᆫ 션비오, 무예의
소여(疎如)홀[331] 거시로ᄃᆡ, 용녁이 남다르
고 슈하의 거나린 졔댱이 지뫼 유여(裕餘)
ᄒᆞᆫ 고로, ᄒᆡᆼ혀 여러 관익을 어더시나, 이졔
미쥬(美酒) 셩싁(聲色)으로 단난(團欒)ᄒᆞ미,
만ᄉᆞ의 염(念)이 업셔 젼혀 쥬싁의 골몰홀
ᄯᆞᆫ이니, 소식을 더 듯볼 거시 이시리오.”

졔댱은 왕의 말이 올흐믈 일ᄏᆞ르ᄃᆡ, 조승
은 의심이 업지 아냐 두로 댱ᄉᆞ를 초모홀
ᄉᆡ, 초국 평산 아ᄅᆡ 일위 강밍ᄒᆞᆫ 댱식 이시
니, 셩명은 신법홰라. 용밍【86】이 졀뉸홀
ᄯᆞᆫ아니라, 지죄 비샹ᄒᆞ여 풍우(風雨)를 임의
로 ᄒᆞ며, 신병(神兵)을 브르ᄂᆞᆫ 술법이 이시
니, 일즉 심산의 은거ᄒᆞ여 괴이ᄒᆞᆫ 도ᄉᆞ를
만나 온갓 지죠를 비화, 평싱 ᄌᆞ부ᄒᆞ미 ○○
○[셰샹의] 져를 당ᄒᆞ리 업ᄉᆞ리라 ᄒᆞ여, 것
칠 곳이 업더니, 초왕이 신법화의 지죠를
듯고 셰번 《편산∥평산》의 나아가 일위고
져 ᄒᆞᄃᆡ, 신법홰 무궁히 빗ᄉᆡ와[332] 즉시 좃
지 아니터니, 초왕이 쳔만 간쳥ᄒᆞ여 만일
원슈를 죽이고 도셩의 드러가 대공을 일울
진ᄃᆡ, 텬하 강산을 둘히 난화 남북 황뎨 되
기를 언약ᄒᆞ니, 신법홰 비로소 몸을 두로혀
초진의 도라오니, 왕이 즉시 도총병마딕댱
군(都摠兵馬大將軍)을 삼아, 왕태부(王太傅)
를 겸ᄒᆞ니, 위권이 조승의 우히 잇고, 신법
화의 지죄 고금의 독보ᄒᆞ니, 왕이 만심 환
희ᄒᆞ여 대ᄉᆞ를 거의 일웟노라 ᄒᆞ며, 송진의
영오흔 군ᄉᆞ를 보ᄂᆡ【87】여 소식을 탐지
ᄒᆞ니, 하원슈ᄂᆞᆫ 가지록 진취(盡醉) 미란(迷
亂)ᄒᆞ여 풍악으로 소일(消日)ᄒᆞ고, 댱ᄉᆞ 군
졸이 다 취ᄒᆞ여 인ᄉᆞ를 바려, 져마다 얼골
이 쥬토(朱土) 칠흔 듯ᄒᆞ며, 거름이 븨듯

---

337)소여(疏如)ᄒᆞ다 : 생소(生疏)하다. 익숙하지 못하
고 서투르다.
338)빗ᄉᆡ오다 : 핑계하다. 구실을 삼다. 토라지다.

331)소여(疏如)ᄒᆞ다 : 생소(生疎)하다. 익숙하지 못하
고 서투르다.
332)빗ᄉᆡ오다 : 핑계하다. 구실을 삼다. 토라지다.

니, 초왕이 대열ᄒ여 즉시 신법화다려 길일을 갈히라 ᄒ니, 법혜 왈,

"우리의게 대길ᄒᆫ 날을 갈히여 숑딘의 통치 말고, 밤을 당ᄒ여 불의예 함평관 치칙(砦柵)을 겁칙ᄒ여 하원광을 죽이고, 조초340) 대국으로 드러가미 울ᄒ니이다."

초왕이 흔흔낙낙(欣欣樂樂)ᄒ여 함평관 겁칙ᄒᆯ 날【52】을 갈히니, 우명일(又明日)이 대길ᄒᆫ다라. 삼군 댱시 각각 용녁을 비양ᄒ여 숑군 즛치기를 긔약ᄒ더라.

어시에 하원슈 계교로 졔군댱ᄉ(諸軍將士)의 히타(懈惰)ᄒᄆᆯ 뎍군으로 {알}알게 ᄒ고, 뎍심(賊心)을 붉히 디긔(知機)ᄒ여, 이의 춍명ᄒᆫ 스졸노 초군의 민도리341)를 ᄒ여, 셩의 드러가 초왕의 ᄒᄂᆫ 바를 탐디ᄒ여 오라 ᄒ엿더니, 스오일 후 스졸이 도라와 보ᄒ디, 초왕이 시로 댱ᄉ를 바야흐로 어더 통우ᄒ미 빅뇨(百寮)의 읏듬이오, 법화의 직죄 풍우와 귀신을 브린다 ᄒ거늘, 원슈 대쇼 왈,

"흉뎍이 계괴 궁딘ᄒ여 어듸 가 요졍(妖精)을 어더왓거니와, 군지 엇디 쥬【53】무리를 두려 ᄒ리오."

ᄒ고, 즉시 부원슈와 좌션봉을 명ᄒ여,

"각각 삼쳔군식 거나려, 뎍군이 관을 겁칙ᄒ려 오거든, 뒤흐로 궁실을 불지르고 냥초(糧草)를 소화ᄒ라."

ᄒ고,

"좌션봉은 초왕이 패ᄒ여 다라날 졔 뒤흘 ᄡᅡ라 크게 엄살(掩殺)하라."

냥댱이 쳥녕이퇴(聽令而退)여늘, 원슈 우션봉 《역휴‖셕휴》로 더브러 딘듕의 이시니, 참모 녀헌이 원슈긔 고왈,

"이졔 뎍군이 댱ᄉ를 초모ᄒ고 냥초 긔계를 쥰비ᄒᆫ다 하니, 이ᄂᆫ 그 계괴 장ᄎᆺ 큰

───

기333)를 면치 못ᄒ다 ᄒ니, 초왕이 대열ᄒ여 즉시 신법화다려 길일을 갈히라 ᄒ니, 법혜 왈,

"우리의게 대길ᄒᆫ 날을 굴히여 숑진의 통치 말고 밥을 당ᄒ여, 불의예 함평관 치칙(砦柵)을 겁칙ᄒ여, 하원광을 죽이고 조초334) 대국으로 드러가미 울ᄒ니이다."

초왕이 흔흔낙낙(欣欣樂樂)ᄒ여 함평관 겁칙ᄒᆯ 날을 굴히니, 우명일(又明日)이 되길ᄒ지라. 삼군 댱시 각각 용역을 비냥(飛揚)ᄒ여 숑군 즛치기를 긔약ᄒ더라.

어시에 하원슈 계교로 졔군댱ᄉ(諸軍將士)의 히타(懈惰)ᄒᄆᆯ 젹군으로 알게 ᄒ고, 젹심(賊心)을 붉히 지긔(知機)ᄒ여, 이의 춍명ᄒᆫ 스졸노 초군의 민도리335)를 ᄒ여, 셩의 드【88】러가 초왕의 ᄒᄂᆫ 바를 탐지ᄒ여 오라 ᄒ엿더니, 스오일 후 스졸이 도라와 보ᄒ디, 초왕이 바야흐로 시 댱ᄉ를 어더 춍우ᄒ미 빅뇨(百寮)의 읏듬이오, 법화의 직죄 풍우와 귀신을 부린다 ᄒ거늘, 원슈 미쇼 왈,,

"흉젹이 계괴 궁진ᄒ여 어듸 가 요졍(妖精)을 어더왓거니와 군지 엇지 쥬 무리를 두리리오."

즉시 부원슈와 좌션봉을 명ᄒ여 각각 삼쳔군식 거나려, ○○○[젹군이] 관을 겁칙ᄒ려 오거든, 뒤흐로 궁실을 불지르고 냥초(糧草)를 소화ᄒ라."

ᄒ고,

"좌션봉은 초왕이 픠ᄒ여 ᄃ라날 졔, 뒤흘 ᄡᅡ라 크게 엄살(掩殺)ᄒ라."

냥댱이 쳥녕이퇴(聽令而退)여늘, 원슈 우션봉 《역휴‖셕휴》로 더브러 진즁의 이시니, 참모 녀헌이 원슈긔 고왈,

"이졔 뎍군이 댱ᄉ를 초모ᄒ고 냥초 긔계를 쥰비ᄒᆫ다 하니, 이ᄂᆫ 그 게괴 장ᄎᆺ 큰 곳의

───

339)븨듯기다 : 비틀거리다. 힘이 없거나 어지러워서 몸을 바로 가지 못하고 이리저리 쓰러질 듯이 걷다.
340)조초 : 좇아. 이어. 따라. 뒤따라.
341)민도리 : 맨드리. 모양새, 차림새. 옷을 입고 매만진 맵시.

333)븨듯기다 : 비틀거리다. 힘이 없거나 어지러워서 몸을 바로 가지 못하고 이리저리 쓰러질 듯이 걷다.
334)조초 : 좇아. 이어. 따라. 뒤따라.
335)민도리 : 맨드리. 모양새, 차림새. 옷을 입고 매만진 맵시.

곳의 이시미니, 원쉬 미양 음쥬연낙(飲酒宴樂)ᄒ여 뎍군의 업슈히 넉이믈 바드미, 아군의 유익ᄒ미 업【54】솔디라. 쇼쟝이 슈블용무지(雖不勇無才)나, 일디병무(一枝兵馬)를 빌니시면, 뎍의 딘문을 쎗쳐드러가 초왕의 머리를 버혀 휘하의 헌ᄒ리니, 원슈ᄂᆞᆫ 미ᄒᆞᆫ 졍셩을 쳥납ᄒ라.”

원쉬 쇼왈,

“참모의 말ᄉᆞᆷ이 올ᄒ나, 셰샹ᄉᆡ 안즈 말ᄒ미 쉽고, 일이 능히 ᄯᅳᆺᄀᆞᆺ치 못ᄒ리니, 져 초왕이 비록 흉완ᄒ나 ᄯᅩᄒᆞᆫ 디혜 업디 아니코, 조습은 범연ᄒᆞᆫ 댱쉬 아니라. 경이(輕易)히 딕뎍기 어려오니, 댱군은 밧비 구디 말고 일이 되여감만 보라.”

녀참뫼 다시 쳥ᄒᆞ딕, 원쉬 맛ᄎᆞᆷ닉 블허(不許)ᄒ니, 참뫼 심니의 앙앙(怏怏) 분분(忿憤)ᄒ여 혀오딕,

“부원슈【55】와 좌션봉은 대ᄉᆞ를 디휘ᄒ여 보닉딕, 날을 못미더 ᄒ여 뉴딘(留陣)ᄒ여 군병을 빌니디 아니ᄒ여, 직조를 펴디 못ᄒ게 ᄒ여, 공을 일우디 못ᄒ량으로 아ᄂᆞᆫ 다라. 내 이졔 만니 젼딘의 종군ᄒ여 촌공(寸功)을 일우디 못ᄒ면, 황셩의 도라가 붓그러오믄 니르도 말고, 하원광이 초디 셩곽을 두로 아ᄉᆞ미, ᄆᆞᄋᆞᆷ이 프러디고 의ᄉᆡ 므르녹아342) 초딘으로 ᄒ여금 히타ᄒᆞᆷ믈 알게 ᄒᆞᆯ ᄲᅢᆫ이오, 군긔를 다ᄉᆞ리ᄂᆞᆫ 일이 업ᄉᆞ니, 이 ᄯᅢ를 타 뎍군의 돌입ᄒᄂᆞᆫ 환을 만나면, 슬고져 ᄒ여도 셩명을 보젼ᄒ기 어려오리니, 출하리 슈하 ᄉᆞ졸노 더브러 초【56】딘을 겁칙ᄒ고, 초왕과 조습을 죽여 뎨일 공을 셰오리라.”

의ᄉᆡ 이의 밋ᄎᆞ미, ᄭᅩᆺ치 누르디343) 못ᄒ여, 이날 황혼의 져의 거나린 슈하 오빅군으로 더브러 초딘을 바라고 급히 나아가딕, 원슈긔 고치 아니미 원슈는 아득히 모로미 되엿더니, 후응(後應) ᄉᆞ관(士官)이 보

---

342)므르녹다 : 무르녹다. ①단단하지 못하고 물러 흐무러지다. ②일이나 상태가 한창 이루어지려는 단계에 달하다.
343)누르다 : 억제하다. 억누르다. 자신의 감정이나 생각을 밖으로 드러내지 않고 참다

이시미니, 원쉬 미양 음쥬연낙(飲酒宴樂)ᄒ여【89】젹군의 업슈히 넉이믈 바드미, 아군의 유익ᄒ미 업술지라. 쇼쟝이 슈블용무지(雖不勇無才)나, 일지병무(一枝兵馬)를 빌니시면, 초젹의 진문을 씌쳐 드러가 초왕의 머리를 버혀 휘하의 헌ᄒ리니, 원슈는 미ᄒᆞᆫ 졍셩을 쳥납ᄒ라.”

원쉬 쇼왈,

“참모의 말ᄉᆞᆷ이 올ᄒ나, 셰샹ᄉᆡ 안즈 말ᄒ미 쉽고, 일이 능히 ᄯᅳᆺᄀᆞᆺ치 못ᄒ리니, 져 초왕이 비록 흉완ᄒ나 ᄯᅩᄒᆞᆫ 지혜 업지 아니코, 조습은 범연ᄒᆞᆫ 댱쉬 아니라. 경이(輕易)히 딕젹기 어려오니, 댱군은 밧비 구지 말고 일이 되여감만 보라.”

녀참뫼 다시 쳥ᄒᆞ딕 원쉬 죵블허(終不許)ᄒ니 참뫼 심니의 앙앙(怏怏) 분분(忿憤)ᄒ여 혜오딕,

“부원슈와 좌션봉은 대ᄉᆞ를 지휘ᄒ여 보닉딕, 날을 못미더 ᄒ여 뉴진(留陣)ᄒ여 군병을 빌니지 아냐, 지조를 펴지 못ᄒ게 ᄒ여 공을 못 일우량으로 아ᄂᆞᆫ지라. 내 이졔 만니 젼진의 종군ᄒ여,【90】촌공(寸功)을 일우지 못ᄒ면, 황도의 도라가 붓그러오믈[믄] 니르도 말고, 하원광이 초지 셩곽을 두로 아ᄉᆞ미 ᄆᆞᄋᆞᆷ이 프러지고 의ᄉᆡ 므르녹아336) 초진으로 ᄒ여금 히타ᄒᆞᆷ믈 알게 ᄒᆞᆯ ᄲᅢᆫ이오, 군긔를 다ᄉᆞ리ᄂᆞᆫ 일이 업ᄉᆞ니, 이 ᄯᅢ를 타 젹군의 돌입ᄒᄂᆞᆫ 환을 만나면, 슬고져 ᄒ여도 셩명을 보젼ᄒ기 어려오리니. 닉 출하리 슈하 ᄉᆞ졸노 더브러 초진을 겁칙ᄒ고, 초왕과 조습을 죽여 뎨일 공을 셰오리라.”

의ᄉᆡ 이의 밋ᄎᆞ미 ᄭᅩᆺ치 누르지337) 못ᄒ여, 이날 황혼의 져의 거나린 슈하 오빅 군졸노 더브러 초진을 ᄇᆞ라고 급히 나아가딕, 원슈긔 고치 아니미 원슈는 아득히 모로미 되엿더니, 후응(後應) ᄉᆞ관(士官)이 보

---

336)므르녹다 : 무르녹다. ①단단하지 못하고 물러 흐무러지다. ②일이나 상태가 한창 이루어지려는 단계에 달하다.
337)누르다 : 억제하다. 억누르다. 자신의 감정이나 생각을 밖으로 드러내지 않고 참다

왈,

"참모스 녀헌이 오빅군을 거나려 초딘으로 향호느이다."

원슈 대경 왈,

"여츠 즉 일이 그룻 되리니, 밧비 참모를 브르라."

댱수관(將士官)이 물을 치쳐 녀헌의 가는 곳을 보고 셜니 힝호여 원슈의 쇼명을 전호되, 녀헌이 머리를 흔드러, 왈,

"원슈의 결단 업스미 아모 시졀의【57】도 초덕을 파호며, 덕댱을 잡을 길히 업고, 져적 첫 빗홈의 조슝을 잡으되, 죽이디 아니코 마샹의셔 휘뿟차 제 곳으로 보닉니, 덕댱의 구호여 엇기 어려온 영힝이라. 우리 군듕의 츄호도 유익호미 업순디라. 브졀업시 일월만 쳔연호고 승패(勝敗) 결미(結尾)를 닐 길히 업스니, 나 녀헌이 비록 용밍과 지죄 업스나 초덕을 두릴 거시 아니라, 원슈의 허락을 엇디 못호고 분울호믈 춤디 못호여, 슈하 군졸만 다리고 초딘을 향호느니, 댱군은 브르디 말나."

亽관이 년호여 브르되 녀참뫼 드른쳬 아니코 군亽를 호【58】령호여 초딘을 향호여 닷거늘, 亽관이 홀일업셔 본딘의 도라와 원슈긔 녀헌의 댱녕(將令)을 듯디 아니코 닷던 바를 고호니, 원슈 분완호나 즈긔 친히 뜬라 잡을 길히 업스니, 대亽 그룻될가 넘녀호여 우션봉 셕휴를 명호여 이쳔군을 거나려 녀헌을 구호라 호고, 후응 댱수관으로 일쳔군을 거나려 초댱(楚將)의 민도리를 호고 안창관의 가 여츠여츠하여 초왕을 마즈드리라 호니, 이인이 명을 바다 군亽를 거나려 딘문으로 나가거늘, 원쉬 바야흐로 녀복 개착호엿던 군졸을 다 남의를 닙으라 호고, 댱듕의 미녀 亽오인【59】을 풀노 민드라 금슈(錦繡) 의복을 빗나게 호고, 즈긔 의형(儀形)을 쪼흔 목인으로 민드라, 미녀로 집기슈년기슬(執其手連其膝)[344]호여 유희 방탕혼 거동을 호고, 즈긔는 댱졸을 거나려

---

[344]집기슈년기슬(執其手連其膝) : 서로 손을 잡고 무릎을 맞대어 앉음.

왈,

"참모스 녀헌이 오빅군을 거느려 초진으로 향호느이다."

원슈 딕경 왈,

"여츠즉 일이 그룻 되리니 밧비 녀헌을 브르라."

댱수관(將士官)이【91】 말을 치쳐 녀헌의 가는 곳을 보고 셜니 힝호여 원슈의 브르믈 전호되, 녀헌이 머리를 흔드러, 왈,

"원슈의 결단 업스미 아모 시졀의도 초적을 파호며 적댱을 잡을 길히 업고, 져적 첫 빗홈의 조슝을 잡으되 죽이지 아니코, 마샹의셔 휘뿟츠 제 곳으로 보닉니, 적댱의 구호여 엇기 어려온 영힝이라. 우리 군듕의 츄호도 유익호미 업지라. 브졀업시 일월만 쳔연호고, 승픽(勝敗) 결미(結尾)를 닐 길히 업스니, 나 녀헌이 비록 용밍이 업스나 초적을 두릴 거시 아니라, 원슈의 허락을 엇지 못호고 분울호믈 춤지 못호여, 슈하 군졸만 드리고 초진을 향호느니, 댱군은 브르지 말나."

亽관이 연호여 브르딘 헌이 드른쳬 아니코 군졸을 호령호여 초진을 브라고 닷거늘, 亽관이 홀일업셔 본진의 도라와 원슈긔 녀헌의 듯【92】지 아니코 닷던 바를 고호니, 원슈 분완호나 즈긔 친히 뜬라 잡을 길히 업스니, 딕시 그룻될가 염녀호여 우션봉 셕휴를 명호여 일쳔군을 거느려 녀헌을 구호라 호고, 후응 댱수관으로 일쳔군을 거나려 초댱(楚將)의 민도리를 호고 안창관의 가 여츠여츠하여 초왕을 마즈드리라 호니, 이인이 명을 바다 군亽를 거느려 《진무∥진문》으로 나가거늘, 원쉬 바야흐로 녀복 기축호엿던 군졸을 다 남의를 닙으라 호고, 댱즁의 미녀 亽오인을 풀노 민드라 금슈(錦繡) 의복을 빗나게 호고, 즈긔 의형(儀形)을 쪼흔 목인으로 민드라, 미녀로 집기슈년기슬(執其手連其膝)[338]호여 유희 방탕혼 거동을 호고, 즈긔는 댱졸을 거나려 진 밧 그윽

---

[338]집기슈년기슬(執其手連其膝) : 서로 손을 잡고 무릎을 맞대어 앉음.

낙선제본 명듀보월빙 권디亽십亽   113   명쥬보월빙 권지십칠 박순호본

딘 밧 그윽흔 곳의 미복ᄒ니, 일이 고요 비밀ᄒ여 알 니 업더라.

이째 초왕이 신법화 조승으로 더브러 날을 갈히여 함평관을 겁칙홀ᄉ, 개갑(介甲)³⁴⁵을 각별이 빗나게 ᄒ고, 창검을 날니게 ᄒ여, 삼군 댱졸을 비브르게 먹여, 삼경 반야를 타 함평관을 향ᄒ더니, 길히셔 숑딘 참모ᄉ 녀헌을 만난다라. 초군은 오만여인이오, 신법화 조승의 강용이 녀련【60】ᄀᆞ튼 뉴는 흔 칼히 포집어³⁴⁶ 죽일 비어늘, ᄒ물며 신법화의 풍우와 귀신을 임의로 브리ᄂ 직죄 녀헌 ᄀᆞ튼 뉴는 《항복디ǁ밧호디》 아냐셔 ᄌ연 항복 바드미 잇ᄂ디라. 초왕이 녀헌의 거ᄂ린 바 군병이 뎍고, 거동이 용상(庸常)ᄒ믈 우이 넉여, 신법화를 도라보아 왈,

"져ᄀᆞ튼 뎍군은 가히 근심되디 아니커니와 태부의 지조를 시험ᄒ여 밧호디 아냐셔 스스로 위엄을 두려 갑을 벗고 항복게 ᄒ라."

신법홰 웃고 머니 녀헌을 향ᄒ여 딘언(眞言)³⁴⁷을 념ᄒ며, 손 가온딕 흔 댱 부작(符作)³⁴⁸을 더디니, 경긱의 거믄 안개 니러나고 광풍이 대작(大作)ᄒ는【61】 바의, 아니쏘은 닉음시 코흘 거스리고, 녀헌으로 더브러 말지 ᄉ졸의 니르히 두골이 쫄며, 정신이 어득ᄒ여 텬디를 분변치 못ᄒ니, 엇디 초병과 결울 의ᄉ 나리오. 녀헌과 졔군이 정신을 슈습디 못ᄒ여, 투고를 버ᄉ며 드럿던 창검을 노코, 황망ᄒ여 아모리 홀줄 모로니, 초왕과 조승이 박댱대쇼(拍掌大笑) 왈,

"원광이 져린 거슬 대댱이라 ᄒ여 대ᄉ를

───────────────

345)개갑(介甲) : 갑옷.
346)포집다 : 거듭 집다. 놓인 것 위에 또 놓다. 여기서는 '여럿을 한데 거듭 놓아 한꺼번에'의 의미로 쓰임.
347)딘언(眞言) : 늑다라니. 범문을 번역하지 아니하고 음(音) 그대로 외는 일. 자체에 무궁한 뜻이 있어 이를 외는 사람은 한없는 기억력을 얻고, 모든 재액에서 벗어나는 등 많은 공덕을 받는다고 한다.
348)부작(符作) : 부적(符籍).

흔 곳의 미복ᄒ니, 일이 고요 비밀ᄒ여 알 니 업더라.

이썩 초왕이 신법화 조승으로 더브러 날을 갈히여 함평관을 겁칙홀ᄉ, 긔【93】갑(器甲)³³⁹을 각별이 빗나게 ᄒ고, 창검을 날니게 ᄒ여, 삼군 댱졸을 비블니 먹여 삼경 반야를 타 함평관을 향ᄒ더니, 길히셔 참모 녀헌을 만난지라. 초군은 오만여인이오, 신법화 조승의 강용이 녀련 ᄀᆞ튼 뉴는 흔 칼히 포집어³⁴⁰ 죽일 비어늘, ᄒ물며 신법화의 풍우와 귀신을 임의로 부리ᄂ 직죄, 녀헌 ᄀᆞ튼 뉴는 《항복지ǁ밧호디》 아냐셔 ᄌ연 항복 바드미 잇ᄂ지라. 초왕이 녀헌의 거ᄂ린 바 군병이 젹고 거동이 용상(庸常)ᄒ믈 우이 넉여 신법화를 도라보아 왈,

"져ᄀᆞ튼 젹군은 가히 근심치 아니커니와 태부의 지조를 시험ᄒ여 밧호지 아냐셔 스스로 위엄을 두려 갑을 벗고 항복게 ᄒ라."

신법홰 웃고 머니 녀헌을 향ᄒ여 진언(眞言)³⁴¹을 념ᄒ며, 손 가온딕 흔 쟝 부작(符作)³⁴²을 더지니, 경각의 거믄 안긔 니러나고 광풍이 니는 바의, 아니쏘은 닉음【94】이 코흘 거스리고, 녀헌으로부터 말지 ᄉ졸의 니르히, 두골이 짜리며 정신이 어득ᄒ여 텬지를 분변치 못ᄒ니, 엇지 초병과 결울 의ᄉ 나리오. 녀헌과 졔졸이 정신을 슈습디 못ᄒ여 투고를 버ᄉ며, 드럿던 창검을 노코 황망ᄒ여 아모리 홀줄 모로니, 초왕과 조승이 박쟝디쇼(拍掌大笑) 왈,

"《원관ǁ원광》이 져린 거슬 딕댱이라 ᄒ

───────────────

339)긔갑(器甲) : 병기와 갑옷.
340)포집다 : 거듭 집다. 놓인 것 위에 또 놓다. 여기서는 '여럿을 한데 거듭 놓아 한꺼번에'의 의미로 쓰임.
341)딘언(眞言) : 늑다라니. 범문을 번역하지 아니하고 음(音) 그대로 외는 일. 자체에 무궁한 뜻이 있어 이를 외는 사람은 한없는 기억력을 얻고, 모든 재액에서 벗어나는 등 많은 공덕을 받는다고 한다.
342)부작(符作) : 부적(符籍).

맛겨 보니미 쇼ᅌ의 회롱 ᄀᆺ투여 가히 우엄 죽 ᄒ더라. 태부의 지조를 발ᄒ미 슈고로이 ᄯᆺ호디 아냐 뎍군이 죽을 형상이 이시니, 과인이 므슨 복으로 태부를 만낫ᄂᆞ뇨?"

신법홰 쇼왈,【62】

"하원광이 텬샹ᄋᆞ[과] 인간을 통ᄒ여 업ᄂᆞᆫ 놈이라도, 쇼댱의 지조는 밋디 못ᄒ리니, 속졀업시 만니 타국의 와 검하(劍下) 경혼(驚魂)이 될 ᄯᆞ롬이라. 엇디 ᄒᆞᆫ갓 녀헌의 죽어가는 거슬 괴이타 ᄒ리잇가?"

초왕이 깃거 ᄉᆞ졸을 분부, 왈,

"숑댱 녀헌으로브터 거ᄂᆞ린 바 졔졸의 갑쥬와 투고 창검과 마필 긔계를 아ᄉᆞ오라."

ᄒᆞᆫ디, 군졸이 슈명ᄒ여 갑쥬 마필을 아ᄉᆞ디, 녀헌과 졔졸이 반죽엄이 되여 인ᄉᆞ를 모를 ᄲᅮᆫ이라. 초왕이 신법화다려 왈,

"숑군 오빅인과 녀헌을 죽여, 우리 첫 ᄲᅮᆺ홈의 ᄉᆞ졸 댱ᄉᆞ 삼빅인 업시ᄒᆞᆫ 분을 플미 올ᄒ니라."

신법홰 왈,【63】

"대왕 하ᄀᆈ 맛당ᄒ시나, 녀헌은 오히려 젹은 도뎍이오, 원광을 잡으미 급ᄒ니, 대왕이 빅여긔를 거ᄂᆞ려 후군이 되샤, 녀헌과 거ᄂᆞ린 군졸을 죽이쇼셔."

초왕이 졈두ᄒ고, 길흘 터 조승과 신법화로 ᄒᆞ여금 오만군을 거ᄂᆞ려 숑딘으로 보ᄂᆡ고, 왕은 뒤히 쳐져 녀헌을 즛치려[349] ᄒᆞᆯ시, 우션봉 셕휘 대로를 바리고 즈렘길[350]노 녀헌을 ᄯᆞ라 니르디, 초병의 형셰 댱ᄒ여 오만군과 신법화의 귀신 ᄀᆺᄐᆞᆫ 지조를 당홀 길히 업ᄉᆞ니, 잠간 머므러 미복ᄒ여 죵시를 보려 ᄒ더니, 신법홰 군을 거ᄂᆞ려 함평관으로 믈미둣 나아가고, 왕이 머므러 빅여군을 거ᄂᆞ【64】려 졍신을 가다듬아 녀헌으로브터 졔졸을 죽이려 ᄒ더니, 셕션봉이 이쳔군을 거ᄂᆞ려 일시의 고함ᄒ고 ᄂᆡ다르니, 초왕이 밋쳐 일인도 죽이디 못ᄒ여셔

<hr>

여 딧ᄉᆞ를 맛겨 보니미 쇼ᅌ의 회롱 ᄀᆺᄐᆞ여, 가히 우엄 죽ᄒᆞᆫ지라. 태부의 지조를 발ᄒ미 슈고로이 ᄯᆺ호지 아냐, 젹군이 죽을 형상이 이시니, 과인이 므슨 복으로 태부를 만낫ᄂᆞ뇨?"

신법홰 쇼왈,

"원광이 텬샹ᄋᆞ[과] 인간을 통ᄒ여 업ᄂᆞᆫ 놈이라도, 쇼댱의 지조는 밋지 못ᄒ리니, 속졀업시 만니 타국의 와 검하경혼(劍下驚魂)이 될 ᄯᆞ롬이라. 엇지 ᄒᆞᆫ갓 녀헌의 죽어가는 거슬 괴이타 ᄒ리잇가?"

초왕이 깃거【95】 ᄉᆞ졸을 분부 왈,

"숑댱 녀헌으로브터 거ᄂᆞ린 바 졔졸의 갑쥬와 투고와 창검ᄋᆞ[과] 마필을 ᄋᆞᄋᆞᄋᆞ[긔계를] 아ᄉᆞ라."

ᄒᆞᆫ디, 군졸이 슈명ᄒ여 갑쥬 마필을 아ᄉᆞ디, 녀헌과 졔졸이 반죽엄이 되여 인ᄉᆞ를 모를 ᄲᅮᆫ이라. 초왕이 신법화다려 왈,

"숑군 오빅인과 녀헌을 죽여, 우리 첫싸홈의 ᄉᆞ졸 댱ᄉᆞ 삼빅인 업시ᄒᆞᆫ 분을 플거시 올ᄒ니라."

신법홰 왈,

"대왕 하ᄀᆈ 맛당ᄒ시나 녀헌은 오히려 젹은 도젹이오, 원광을 잡으미 급ᄒ니 대왕이 빅여긔를 거ᄂᆞ려 후군이 되샤, 녀헌과 거ᄂᆞ린 군졸을 죽이쇼셔."

초왕이 졈두ᄒ고 길흘 터, 조승과 신법화로 ᄒᆞ여금 오만군을 거ᄂᆞ려 숑진으로 보ᄂᆡ고, 왕은 뒤히 쳐져 녀헌을 즛치려[343] ᄒᆞᆯ시, 우션봉 셕휘 대로를 ᄇᆞ리고 즈렘길[344]노 녀헌을 ᄯᆞ라 니르디, 초병의 형셰 댱(壯)ᄒ여, 오만군과 신법화의 귀신ᄀᆺ【96】ᄐᆞᆫ 지조를 당홀 길히 업ᄉᆞ니, 잠간 머므러 미복ᄒ여 죵시를 보려 ᄒ더니, 신법홰 군을 거ᄂᆞ려 믈미둣 함평관으로 나아가고, 왕이 머므러 빅여군을 거ᄂᆞ려 졍신을 가다듬아 녀헌으로브터 졔졸을 죽이려 ᄒ더니, 셕션봉이 이쳔군을 거ᄂᆞ려 일시의 고함ᄒ고 ᄂᆡ드르니, 초왕이 밋쳐 일인도 죽이지 못ᄒ여

<hr>

349)즛치다 : 짓치다. 함부로 마구 치다.
350)즈렘길 : 지름길.

343)즛치다 : 짓치다. 함부로 마구 치다.
344)즈렘길 : 지름길.

대병을 만나니, 블승분완ᄒ여 죽으믈 도라
보디 아니코 셕휴와 딘녁ᄒ여 ᄡᅡ흘ᄉᆡ, 셕휘
일변 ᄉᆞ졸을 명ᄒ여 녀헌과 오빅군을 구호
ᄒ여 물긔 올니라 ᄒ고, 일변 왕을 디덕ᄒ
여 삼십여합을 ᄡᆞ호ᄃᆡ 불분승뷔오, 초왕의
강용이 오히려 셕휴의 우히로ᄃᆡ, 초왕은 거
나린 군시 빅여인의 넘디 못ᄒ고, 셕션봉은
오히려 이쳔군이니, 젹은 거스로ᄡᅥ 만【6
5】혼 거슬 당키 어렵고, 숑군의 예긔 당당
ᄒ여 브ᄃᆡ 초군을 즛치고 말녀 ᄒ더, 초왕
이 좌튱우돌의 졍신이 빅빅(倍倍)ᄒ여351)
칼 ᄡᅳ는 법이 싁싁ᄒ니, 셕휴와 디뎍ᄒᄆᆡ
피ᄎᆞᆺ 군졸이 상ᄒᄂᆞ니 업스ᄃᆡ, 셕휘 초왕과
졉젼ᄒᄆᆡ 능히 긔운이 밋디 못ᄒ고 힘이 딘
ᄒ니, 짐ᄌᆞᆺ 군듕의 녕왈(令曰),

"녀참뫼 훙덕의 히ᄒ믈 인ᄒ여 졍신을 일
허시니 진짓 영웅이 아니라. 녀댱군으로ᄡᅥ
오빅 군졸을 다 죽게 못ᄒ리니, 졔댱은 녀
댱군과 오빅군을 거ᄂᆞ려 물긔 올녀 오는 길
로 오게 ᄒ라."

이리 이르며 딘을 프러 산곡으로 향ᄒ니,
초왕이 셕휴를 ᄯᅡ라 히코져 ᄒ더, 숑군이
별이 ᄒ【66】르ᄃᆞᆺ ᄒᆡᆼᄒ니 잡기 어려온디
라. 싱각ᄒᄃᆡ,

"녀헌과 셕휴는 용이ᄒᆞᆫ 도뎍이라. 신법화
를 만나면 경긱의 다 죽을 것들이니, 쏠와
브졀업다 ᄒ여 군을 두로혀 함평관의 가,
원광 등 파ᄒ믈 보리라."

ᄒ여, 군을 모라 함평관으로 나아가니라.

션시의 조승과 신법홰 딘디 군마를 모라
숑딘의 나아가ᄆᆡ, 관문이 오히려 열넛고 은
은이 풍뉴 소ᄅᆡ 들니니, 이ᄂᆞᆫ 하원쉬 관문
밧 산곡의 미복ᄒ여 금현(琴絃)을 농(弄)ᄒ
며, 쇼졸노 풍뉴(風流)를 식여 함평관 안히
셔 풍뉴홈ᄀᆞᆺ치 ᄒᄂᆞᆫ디라. 신법화와 조승이
원슈의 풍뉴달난(風流團欒)ᄒ여352) 군심을

351)빅빅(倍倍)ᄒ다 : 기세나 양 따위가 더욱 더 높
아지거나 많아지다.
352)풍뉴달난(風流團欒)ᄒ다 : 여럿이 한데 어우러져
멋스럽고 풍치 있고 즐겁게 놀다.

서 딘병을 만ᄂᆞ니, 블승분완ᄒ여 죽으믈 도
라보지 아니코 셕휴와 진역(盡力)히 ᄡᅡ흘ᄉᆡ,
셕휘 일변 ᄉᆞ졸을 명ᄒ여 《녀허∥녀헌》과
오빅군을 구호ᄒ여 물긔 올니라 ᄒ고, 일변
왕을 디젹ᄒ여 삼십여합을 ᄡᆞ호ᄃᆡ 불분승뷔
오, 초왕의 강용이 오히려 셕휴의 우히로ᄃᆡ,
초왕은 거ᄂᆞ린 군시 빅여인의 넘지 못ᄒ고
셕션봉은 오히려 이쳔군이니, 젹은 쉬 만흔
거슬 당키 어렵고, 숑군의 예긔 당당ᄒ여
브ᄃᆡ 초군을 즛치고【97】말녀 ᄒ더, 초왕
이 좌튱우돌의 졍신이 빅빅(倍倍)ᄒ여345)
칼 ᄡᅳ는 법이 싁싁ᄒ니, 셕휴와 디젹ᄒᄆᆡ
피ᄎᆞᆺ 군졸이 상ᄒ니 업스ᄃᆡ, 셕휘 초왕과
졉젼ᄒᄆᆡ 능히 긔운이 밋디 못ᄒ고 힘이 진
ᄒ니, 짐ᄌᆞᆺ 군즁의 영왈(令曰),

"녀참뫼 훙젹의 히ᄒ믈 인ᄒ여 졍신을 일
허시니 진짓 영웅이 아니라, 녀댱군으로ᄡᅥ
오빅 군졸을 다 죽게 못ᄒ리니, 졔댱(諸將)
은 녀댱군과 오빅군을 거ᄂᆞ려 물긔 올녀 오
ᄂᆞ 길로 오게 ᄒ라."

이리 이르며 진을 프러 산곡으로 향ᄒ니,
초왕이 셕휴를 ᄯᅡ라 히코져 ᄒ더, 숑군이
별이 흐르ᄃᆞᆺ ᄒᆡᆼᄒ니 잡기 어려온지라. 싱각
ᄒ더,

"녀헌과 셕휴는 용이ᄒᆞᆫ 도젹이라. 신법화
를 만나면 경각의 다 죽을 것들이니, 쏠와
브졀업다 ᄒ여 군을 두로혀 함평관의 가,
원광등 파ᄒ믈 보리라"

ᄒ여, 군을 모라 함평관으로 나아가니
【98】라."

션시의 조승과 신법홰 딘디 군마를 모라
숑진의 나아가ᄆᆡ, 관문이 오히려 열넛고
은은이 풍뉴 소ᄅᆡ 들니니, 이ᄂᆞᆫ 하원쉬 관문
밧 산곡의 미복ᄒ여 금현(琴絃)을 농(弄)ᄒ
며 쇼졸노 풍뉴(風流)를 식여 함평관 안히
셔 풍뉴홈ᄀᆞᆺ치 ᄒᄂᆞᆫ지라 신법화와 조승이
원슈의 풍뉴단난(風流團欒)ᄒ여346) 군심을

345)빅빅(倍倍)ᄒ다 : 기세나 양 따위가 더욱 더 높
아지거나 많아지다.
346)풍뉴달난(風流團欒)ᄒ다 : 여럿이 한데 어우러져
멋스럽고 풍치 있고 즐겁게 놀다.

히틔케 흐믈 슷치고, 일【67】변 하날이 도
으샤 초왕으로 흐여금 만승지위를 누리게
도으시미라 흐여, 흔흔낙낙흐여 대군을 모
라 관듕(關中)의 드리다르미, 함평관 안히
흔 사룸도 잇디 아니나, 풍뉴소릭는 긏디
아니흐거늘, 신법화와 조슝이 계교의 샌딘
줄 씌다라 황망이 군을 믈니려 흐더니, 문
득 고함이 대딘(大振)흐고 포향(砲響)이 쓰
흘 움죽이는 가온딕, 관문 밧그로 죷츠 쳔
병만미 즛쳐오는디라.

　신법홰 일이 급흐고 홰 당젼흐믈 보고,
쏘 부작을 더디고 딘언(眞言)을 념(念)흐니,
거믄 안개 숑딘을 덥흐며 밋친 바롬이 크게
니러나, 사룸이라도 불니일 듯흔 바의 괴이
흔 늬음식 코【68】흘 거스리는 둧흐여, 숑
군이 다 졍신을 일는디라.

　하원쉬 졔죨이 황황흐믈 보고, 즉시 입으
로 '텬명(天明)' 두 즈를 일크르며 즈금션
(紫錦扇)을 드러 안개를 붓츠니, 딘뎡귀인
(眞正貴人)의게 잡술(雜術)이 범치 못흐는디
라. 오릭디 아냐 안개와 광풍·늬음이 스러
디고, 일안(一安)353) 쳥명(淸明)흐니, 숑군
이 쏘흔 졍신이 도로 싁싁흐고, 하원쉬 짐
즛 스죨의 민도리로 보군(步軍)의 셧겨시니,
조슝과 신법홰 하원쉬 아모 곳의 이시믈 아
디 못흐고, 다만 광풍과 안개 스러디믈 대
경흐여, 신법홰 다시 신병(神兵)을 쳥흐며
대우(大雨)를 튝(祝)흐는 부작을 더【69】
디며, 딘언(眞言)354)을 힘뼈 외오미, 급흔
비발355)이 딕줄기356)ㄱ치 나리 쓰드니, 삼
군 스죨이 의갑(衣甲)이 다 졋고 벽녁 소릭
요란흐니, 사룸이 셔로 딕흐여 셧기 어려오
나, 오딕 텬병을 상희오고 초군은 상치 아
닛는디라.

353)일안(一安) : 한결같이 편안하다.
354)진언(眞言) : =다라니. 범문(梵文)을 번역하지 아
　니하고 음(音) 그대로 외는 일. 자체에 무궁한 뜻
　이 있어 이를 외는 사람은 한없는 기억력을 얻고,
　모든 재액에서 벗어나는 등 많은 공덕을 받는다고
　한다.
355)비발 : 빗발. 빗줄기.
356)딕줄기 : 댓줄기. 대나무의 줄기. 빗줄기나 물줄
　기 따위가 굵고 세찬 것을 비유적으로 이르는 말.

히틔케 흐믈 슷치고, 일변 하날이 도으샤
초왕으로 흐여금 만승지위를 누리게 도으시
미라, 흔흔(欣欣)흐여, 딕군을 모라 관즁(關
中)의 드리다르미, 함평관 안히 흔 사룸도
잇지 아니나, 풍뉴소릭는 긏지 아니흐거늘,
신법화와 조슝이 계교의 샌진 줄 씌다라,
황망이 군을 믈니려 흐더니, 문득 고함이
딕진(大震)흐고, 포향(砲響)이 쓰흘 움죽이
는 가온딕, 관문 밧그로 죷츠 쳔병만미 즛
쳐오는지라.

　신법홰 일이 급흐고 홰 당젼흐믈 보고,
쏘 부작을 더지고 진언(眞言)을 염(念)흐니,
거【99】믄 안ㄱ 숑군을 덥흐며 밋친 바롬
이 크게 니러나, 사룸이라도 불니일 듯흔
바의 괴이흔 늬음식 코흘 거스리는 둧흐여,
숑군이 다 졍신을 일는디라.

　하원쉬 졔죨이 황황흐믈 보고, 즉시 입으
로 '쳥명(淸明)' 두 즈를 일크르며, 즈금션
(紫錦扇)을 드러 안기를 붓츠니, 진졍귀인
(眞正貴人)의게 잡술(雜術)이 범치 못흐는지
라. 오릭지 아냐 안기와 광풍·늬음이 스러
지고, 일안(一安)347) 쳥명(淸明)흐니, 숑군
이 쏘흔 졍신이 도로 싁싁흐고 하원쉬 짐즛
스죨의 민도리로 보군(步軍)의 셧겨시니, 조
슝과 신법홰 하원쉬 아모 곳의 이시믈 아지
못흐고, 다만 광풍과 안기 스러지믈 대경흐
여, 신법홰 다시 신병(神兵)을 쳥흐며 대우
(大雨)를 츅흐는 부작을 더지며, 진언(眞
言)348)을 힘뼈 외오미 급흔 비발349)이 딕줄
기350) ㄱ치 나리 쓰드니, 삼군 스죨이 의갑
(衣甲)이 다 졋고 벽녁 소릭 요란흐니, 사룸
이 셔로 딕흐여 셧기 어【100】려오나 오
직 텬병을 상희오고 초군은 상치 아닛는지
라.

347)일안(一安) : 한결같이 편안하다.
348)진언(眞言) : =다라니. 범문(梵文)을 번역하지 아
　니하고 음(音) 그대로 외는 일. 자체에 무궁한 뜻
　이 있어 이를 외는 사람은 한없는 기억력을 얻고,
　모든 재액에서 벗어나는 등 많은 공덕을 받는다고
　한다
349)비발 : 빗발. 빗줄기.
350)딕줄기 : 댓줄기. 대나무의 줄기. 빗줄기나 물줄
　기 따위가 굵고 세찬 것을 비유적으로 이르는 말.

원슈 요정(妖精)의 환슐(幻術)이 궁극ᄒᆞ믈 대로ᄒᆞ여, 평싱 신긔(神技)를 비양(飛揚)ᄒᆞ여 산호편(珊瑚鞭)을 둘너 뎍딘을 가ᄅᆞ치며 크게 소릭ᄒᆞ여, 풍빅(風伯)과 우ᄉᆞ(雨師)를 호령ᄒᆞ니, 경긱의 딜풍(疾風) 뇌위(雷雨) 거두치며 공즁으로셔 ᄒᆞᆫ 줄기 프른 불덩이 나려와 초군을 즛디르니357), 벽녁홰(霹靂火)358) 구으는 곳의 초군이 사ᄅᆞᆷ이나 말이나【70】 만난즉 쇄신분골(碎身粉骨)ᄒᆞᄂᆞᆫ디라. 만군의 우름소릭 진동ᄒᆞᄂᆞ, 죵시 원슈는 츳디못ᄒᆞ니, 신법홰와 조승이 딘력 튱살(衝殺)ᄒᆞ나 무가녁하(無可奈何)359)라. 원슈 신무(神武) 영재(靈才)로 요술이 업게 ᄒᆞ며, 일변 창검을 드러 초군을 버히니, 초군이 벽녁화 ᄒᆞᆫ 덩이 나리믈 인ᄒᆞ여 오십여인이 죽고, 졔졸이 다 지 되기를 면ᄒᆞ려, 투괴 머리의 버셔디며 창검이 손의 나려디믈 아디 못ᄒᆞ고 동셔로 분쥬(奔走)ᄒᆞ니, 신법홰 일이 급ᄒᆞ믈 보고 평싱 직조를 다ᄒᆞ여 숑군을 향ᄒᆞ여 비검(飛劍)을 더디니, 츠검(此劍)은 녜ᄉᆞ(例事) 칼히 아니라, 신법홰【71】 요술을 비흘 ᄯᅢ, 그 스싱360)이 '위란ᄒᆞᆫ ᄯᅢ의 이 칼흘 가디면, 슈고 아녀 스스로 나라가 사ᄅᆞᆷ을 버히리라' ᄒᆞ고 주던 고로, 법홰 평싱 듕보(重寶)로 아라 곰초앗더니, 평산의셔 법화의 ᄋᆞ돌을 쳐 죽이리 잇거늘, 법홰 슈인(讐人)을 향ᄒᆞ여 칼을 더디니, 슈인의 합문(闔門) 샹하 삼십여인이 다 비검의 버힌 비 되거늘, 법홰 긔특이 넉여 미양 몸의 디녓더디, 이날 숑딘을 향ᄒᆞ여 더디니, 칼이 공듕의 ᄡᅥ 공교히 하원슈의 머리를 디나, 디 휘ᄉᆞ 댱흠의 앞플 향ᄒᆞ여 드러오니, 원슈 나는 ᄃᆞ시 댱흠의 겻틱 나아가 비검을 잡【72】아 썻거 바리니, 칼히 두 조각의 나는 바의 프른 빗치 번득여 원슈의 손이 ᄯᅥ

원슈 요젹(妖賊)의 환슐(幻術)이 궁극ᄒᆞ믈 대로ᄒᆞ여 평싱 신긔(神技)를 비양ᄒᆞ여 산후[호]편(珊瑚鞭)을 둘너 젹진을 ᄀᆞ르치며 크게 소릭ᄒᆞ여 풍빅(風伯)과 우ᄉᆞ(雨師)를 호령ᄒᆞ니, 경각의 질풍(疾風) 뇌위(雷雨) 거두치며 공즁으로셔 ᄒᆞᆫ 줄기 프른 불덩이 나려와 초군을 즛지르니351), 벽역홰(霹靂火)352) 구으는 곳의 초군이 사ᄅᆞᆷ이나 말이나 만난즉 쇄신분골ᄒᆞ니, 만군의 우름소릭 진동ᄒᆞ나 죵시 원슈는 츳지 못ᄒᆞ니, 신법화와 조승이 진역(盡力) ○○[츙살(衝殺)]ᄒᆞ나 무가녁하(無可奈何)353)라. 원슈 신무(神武) 영지(靈才)로 요슐이 업게 ᄒᆞ며, 일변 창금[검]을 드러 초군을 버히니, 초군이 벽역화(霹靂火) ᄒᆞᆫ 덩이 나리믈 인ᄒᆞ여 오십여인이 죽고, 졔졸이 다 지 되기를 면ᄒᆞ려, 투괴 버셔지며 손의 창검이 나려지믈 아지 못ᄒᆞ고, 동셔로 분쥬(奔走)ᄒᆞ니, 신법홰 일이 급ᄒᆞ믈 보고 평싱 직조【101】를 다ᄒᆞ여 숑군을 향ᄒᆞ여 비검(飛劍)을 더지니, 츠검(此劍)은 예ᄉᆞ(例事) 칼이 아니라, 신법홰 요슐을 비흘 ᄯᅢ, 그 스싱354)이 '위란ᄒᆞᆫ ᄯᅢ의 ○[이] 칼흘 가지면, 슈고 아녀 스스로 아라 ○○○ ○○[나라가 사ᄅᆞᆷ을] 버히리라' ᄒᆞ고 주던 고로, 법홰 평싱 즁보(重寶)로 아라 곰초와[앗]더니, 평산의셔 법화의 ᄋᆞ돌을 쳐 《죽고오날‖죽이리 잇거늘》, 법홰 슈인(讐人)을 향ᄒᆞ여 칼을 더○[지]니, 슈인의 합문(闔門) 샹하 삼십여인이 다 비검의 《바힌‖버힌》 비 되거늘, 법홰 긔이이 넉여, 미양 몸의 지엿[녓]더니, 이날 숑진을 향ᄒᆞ여 더지니, 칼이 공즁의 ᄡᅥ 공교히 하원슈의 머리를 지닉 지휘ᄉᆞ 댱흠의 알플 향ᄒᆞ여 드러오니, 원슈 나는 ᄃᆞ시 《함‖댱흠》의 겻틱 나아가, 비검을 잡아 썻거ᄇᆞ리니, 칼이

---

357)즛디르다 : 짓찌르다. 무찌르다. ①함부로 마구 찌르다. ②닥치는 대로 남김없이 마구 쳐 없애다.

358)벽녁홰(霹靂火) : 벼락불. 벼락이 칠 때에 번득이는 불빛.

359)무가녁하(無可奈何) : 달리 어찌할 수 없음. =막무가내(莫無可奈).

360)스싱 : 스승.

351)즛디르다 : 짓찌르다. 무찌르다. ①함부로 마구 찌르다. ②닥치는 대로 남김없이 마구 쳐 없애다.

352)벽녁홰(霹靂火) : 벼락불. 벼락이 칠 때에 번득이는 불빛.

353)무가녁하(無可奈何) : 달리 어찌할 수 없음. =막무가내(莫無可奈).

354)스싱 : 스승.

러질번 ᄒ니라. 원슈 요괴로온 칼힌 줄 아
라, 졔요가(制妖歌)361)를 외오며 산산이 바
아 바리고, ᄉ졸을 지촉ᄒ여 초군을 즛지르
니, 승뷔하여(勝負何如)오? 하회를 보라.
【73】

두 조각의 나ᄂᆫ 바의, 프른 빗치 번득여 원
슈의 손이 써러질 번 ᄒ니라. 원슈 요괴로
온 칼힌 줄 아라, 졔요(制妖歌)355)가를 외
오며 산산이 바아 바리고, ᄉ졸을 지촉ᄒ여
초군을 【102】 즛지르니,

---

361)졔요가(制妖歌) : 요술을 제압하는 노래.

355)졔요가(制妖歌) : 요술을 제압하는 노래.

명듀보월빙 권디스십오

셜표 하원쉬 스졸을 지촉ᄒ여 초군을 뭇디를식, 신법화·조슝이 법술이 다 《파∥픠》ᄒ미 다ᄃ라는 홀 일이 업난디라. 앙텬 탄왈,

"하날이 초국을 돕디 아니시미 여ᄎᄒ니, 가히 쌋화 무익홀디라. 그러나 하원광의 거쳐를 모로니, 어나 곳의 잇는고 보리라."

이리 니르며 댱듕(帳中)의 쎄쳐 드러가니, 하원쉬 반취(半醉)ᄒ 얼골의 우음을 먹음고 미녀 스오인으로 더브러 병좌(竝坐)ᄒ여 희긔(喜氣) 므르녹으니, 고은 얼골의 쇄락ᄒ 풍광이 만고무뎍(萬古無敵)이라. 【1】 조슝과 신법홰 대경 왈,

"우리는 댱듕(帳中)이 븨엿는가 ᄒ여, 하원광이 업스믈 괴이히 넉엿더니, 이제 미녀로 병좌ᄒ여 유희 방탕ᄒ니, 아디못게라 이 어인 일이뇨? 도로혀 의심되고 이상ᄒ니 이 아니 하원광이 분신법(分身法)을 ᄒ여 져 미녀를 유회ᄒ는가? 원간 숑딘(宋陣) 삼군(三軍) 가온ᄃ 그디도록 신긔ᄒ여 나의 여러가디 지조를 발뵈디 못ᄒ고, 비검도 업스니, 이 엇던 사름인고? 셩명을 아라 ᄒ번 구경ᄒ리라."

ᄒ여, 셔로 닐너 졍신이 어리고 심긔 황홀ᄒ니, 감히 쌋홀 ᄆ음이 업고, 목인(木人)이믈 씨ᄃ디 못ᄒ여, 그 비상ᄒ 지죄 【2】 엇디 이러ᄒ민가. 쳔스만녀(千思萬慮) 빅출ᄒ여 범치 못ᄒ니, ᄒ믈며 그 거나린 바 졔졸의 경황ᄒ미야 어이 형상ᄒ리오. 조슝과 신법화의 항(降)ᄒ믈 기다리디 아냐, 퇴반이나 소리를 놉혀 왈,

"아등 쇼졸은 댱슈의 거ᄂ린 바를 바다 이에 니를디언졍, 원간362) 국군(國君)의 불인(不仁)을 도아 대국을 범코져 ᄯᆺ이 아니라, 이제 갑을 버셔 보젼키를 바라ᄂ니, 대국 댱군은 무죄ᄒ 쇼졸 등의 잔명을 빌니쇼

362)원간 : 원래. 워낙. 본디부터.

하원쉬 스졸을 지촉ᄒ여 초군을 뭇지를식, 신법화·조슝이 법술이 다 ○○○[픠ᄒ미] 다ᄃ라는 홀 일이 업난지라. 앙텬 탄왈,

"하날이 《츤국∥초국》을 돕지 아니미 여ᄎᄒ니, 가히 쌋화 무익ᄒ지라. 그러나 하원광의 거쳐를 모로니, 어나 곳의 잇는고 보리라."

이리 니르며 댱즁(帳中)의 쎄쳐 드러가니, 하원쉬 반취(半醉)ᄒ 얼골의 우음을 먹음고 미녀 스오인으로 더브러 병좌(竝坐)ᄒ여 희긔(喜氣) 므르녹으니 고은 얼골의 쇄락ᄒ 풍광이 만고무젹(萬古無敵)이라. 《조슌∥조슝》과 신법홰 《증히∥대경》 ○[왈],

"우리는 댱즁(帳中)이 븨엿는가 넉여, 하원광이 업스믈 괴이히 넉엿더니, 이제 미녀로 병좌ᄒ여 유희 방탕ᄒ니, 아지못게라 이 어인 일이뇨? 도로혀 의심되고 이상ᄒ니, 이 아니 화원광이 분신법을 ᄒ여 져 미녀를 유회ᄒ는가? 원간 숑진 삼군(三軍) ᄀ온ᄃ 그디도록 ○○[신긔]ᄒ여, 나의 여러가지 지조를 발뵈지 못ᄒ고, 비검도 업스니 이【103】 엇던 사름인고? 셩명을 아라 ᄒ번 구경ᄒ리라."

ᄒ여, 셔로 닐너 졍신이 어리고 심긔 황홀ᄒ니, 감히 쌋홀 ᄯᆺ이 업고, 목인(木人)이믈 씨ᄃ지 못ᄒ여, 그 비상ᄒ 지죄 엇지 이러ᄒ민가. 만스쳔녀(萬思千慮) 빅출ᄒ여 범치 못ᄒ니, ᄒ믈며 그 거나린 바 졔졸의 경황ᄒ미야 어이 형샹ᄒ리오. 조슝과 신법화의 항(降)ᄒ믈 기ᄃ리지 아냐, 태반이나 소리를 놉혀 왈,

"아등 소졸은 댱슈의 거ᄂ린 바를 바다 이의 니를지언졍, 원간356) 국군(國君)의 불인을 도와 대국을 범코져 ᄯᆺ이 아니라, 이제 갑을 바려 보젼키를 바라ᄂ니, 대국 댱군은 무죄ᄒ 쇼졸 등의 잔명을 빌니쇼셔."

356)원간 : 원래. 워낙. 본디부터.

셔."

원쉬 보군(步軍)의 셧겨 얼골을 뎍군이 보디 아니케 흐더니, 항(降)흐는 군스의 웨는 소릭를 듯고, 딕답흐여 왈,

"초왕의 죄역(罪逆)이 텬디의 관영(貫盈)【3】흐나, 초국 빅셩은 무죄흐니 엇디 항흐는 뉴를 슬오디 아니리오. 모로미 갑쥬(甲冑)를 버셔 우리 군졸 가온딕 드러오라."

초군이 즉시 갑쥬를 벗고 옷슬 메와, 다 숑딘으로 나아가는 지 그 슈를 혜기 어려오니, 조숭이 이를 보믹, 더욱 심장이 터디는 듯, 크게 소릭흐고 눈을 브릅써 왈,

"하원광을 만단(萬斷)의 《나‖닉》 쓰져 죽이고, 우리 죽기를 도라보디 말고 헷쳐 나아가, 일을 다시 일우리라."

언파의 신법홰 칼을 들고 교위363)예 치다라 하원슈를 버히노라 흔 거시, 목인(木人)의 머리 두 조각이 나고 사룸이 아니라. 조숭과 신법홰 버힌 거시 원쉬 아【4】니오 목인이믈 보고, 졀졀이 분완(憤惋)흐여 팔을 쏩닉며 왈,

"하원광 뎍디 우리를 일마다 업슈히 넉여 목인을 믿느라 두고, 져는 발셔 피흐엿거늘, 우리 졀졀이 속아, 분명이 하원광으로 아라 버히려 달녀들기를 두려흐여시니, 엇디 통한치 아니리오."

법홰 역시 분흐믈 씌여 즉시 물긔 올나, 일만스쳔군을 거느려 반 거슬 헤치려 흐더니, 하원쉬 비로소 쳥춍마(靑驄馬)를 타고, 좌슈의 샹방쳥농검(尙方靑龍劍)364)을 잡고, 우슈의 젹은 긔를 드러 스졸을 디휘흐며, 신법화 조숭의 알플 당흐여 줏치니, 위풍의 늠늠홈과 샹모의 당당【5】흐미 '회음후(淮陰侯)의 나죵 업스믈'365) 우스며, 복녹완젼

원쉬 보군(步軍)의 셧겨 얼골을 젹군이 보지 아니케 흐더니, 항(降)흐는 군스의 웨는 소릭를 ○○[듯고], 딕답흐여 왈,

"초왕의 죄역(罪逆)이 텬지의 관영흐나, 초국 빅셩은 무죄흐니 엇지 항흐는 뉴를 슬오지 아니【104】흐리오. 모로미 갑쥬(甲冑)를 버셔 우리 군졸 가온딕 드러오라."

초군이 즉시 갑쥬를 벗고 옷고 메와 다 숑진으로 나아가는 지 그 슈를 혜기 어려오니, 조숭이 이를 보믹 더욱 심장이 터지는 듯, 크게 소릭흐고 눈을 브릅써, 왈,

"하원광을 만단의 《나‖닉》 쓰져 죽이고 우리 죽기를 도라보지 말고 헷쳐 나아가 일을 다시 일우리라."

언파의 신법홰 칼을 들고 교위357)의 치다라 하원슈를 버히노라 흔 거시, 목인(木人)의 머리 두 조각이 나고 사룸이 아니라. 조숭과 신법홰 버힌 거시 원쉬 아니오, 목인이믈 보고, 졀졀이 분완(憤惋)흐여 풀흘 쏩닉며 왈,

"하원광 젹지 일마다 우리를 업슈히 넉여 목인을 믿느라 두고, 져는 발셔 피흐엿거늘, 우리 졀졀이 속아, 분명이 하원광으로 아라 버히려 둘녀 들기를 두려흐여시니, 엇지 통한치【105】 아니리오."

법홰 역시 분흐믈 씌여 즉시 물긔 올나, 일만스쳔군을 거느려 반 거슬 헤치려 흐더니, 하원쉬 비로소 쳥춍마(靑驄馬)를 타고, 좌슈의 샹방쳥농검(尙方靑龍劍)358)을 잡고, 우슈의 젹은 긔를 드러 스졸을 지휘흐며, 바로 신법화·조숭의 알플 당흐여 줏치니, 위풍의 늠늠홈과 샹모의 당당흐미 '회음후(淮陰侯)의 나죵 업스믈'359) 우스며, 복녹완

---

363)교위 : 교의(交椅). 의자(椅子). ①회좌(會座)홀 때 당상관이 앉는 의자. ②제사를 지낼 때 신주(神主)를 모시는, 다리가 긴 의자.
364)샹방쳥농검(尙方靑龍劍) : 청룡을 새겨 임금이 하사한 상방검(尙方劍).
365)회음후(淮陰侯)의 나죵 업스믈 : 회음후(淮陰侯) 한신(韓信)은 한(漢) 고조(高祖)를 도와 한나라 건국에 큰 공을 세웠으나, 건국 후 반역죄에 몰려 고조와 고조의 비(妃) 여후(呂后)에게 살해된 것을

357)교위 : 교의(交椅). 의자(椅子). ①회좌(會座)홀 때 당상관이 앉는 의자. ②제사를 지낼 때 신주(神主)를 모시는, 다리가 긴 의자.
358)샹방쳥농검(尙方靑龍劍) : 청룡을 새겨 임금이 하사한 상방검(尙方劍).
359)회음후(淮陰侯)의 나죵 업스믈 : 회음후(淮陰侯) 한신(韓信)은 한(漢) 고조(高祖)를 도와 한나라 건국에 큰 공을 세웠으나, 건국 후 반역죄에 몰려 고조와 고조의 비(妃) 여후(呂后)에게 살해된 것을

디샹(福祿完全之相)이 곽영공(郭令公)366)으로 대두(對頭)367)홀디라. 냥안을 잠간 놉히 쓰미 두 줅이368) 묽은 빗치 삼군을 빗쵀고, 와잠미(臥蠶眉)를 거스리미 엄슉흔 거동이 사름으로 ᄒᆞ여금 불감앙시(不敢仰視)홀 ᄲᅵ라. 조슝과 신법화를 졉응ᄒᆞ디, 검법의 신긔흠과 용녁의 댱ᄒᆞ미, 초패왕(楚覇王)369)의 일뉴(一類)라. 신법홰 죽기를 가을ᄒᆞ여370) 딘력히 ᄡᅡ화 브디 히코져 ᄒᆞ더니, 원쉬 조슝을 향ᄒᆞ여 딘목(瞋目) 즐왈(叱曰),

"져젹 첫 ᄡᅡ홈의 너를 죽이디 아니ᄒᆞ고 몸을 보젼ᄒᆞ여 도라보니믄, 네 개과칙션(改過責善)ᄒᆞ여 불인의 쥬인을 어디리 도【6】와 다시 ᄡᅡᄒᆞᄂᆞᆫ 일이 업과져 ᄒᆞ미러니, 이제 조금도 뉘웃ᄂᆞᆫ 일이 업고, 요괴로온 댱슈를 어더 대역의 초왕을 도으니, 텬신이 엇디 흉덕을 도을 니 이시리오. 마디 못ᄒᆞ여 네 머리를 버혀 초왕 흉덕 바라는 ᄆᆞ음을 싯츠리라."

언파의 슝을 죽이려 ᄒᆞ더니, 신법홰 칼을 빗기고 몸을 쇠여 원슈 믈 우히 치다라 바로 원슈를 디르랴 ᄒᆞ니, 조슝이 승셰(乘勢)ᄒᆞ여 창을 빗기고 원슈의게 달녀드니, 범연흔 용녁과 등한흔 지조로 니를딘디, 신법화의 요술과 조슝의 흉딩을 당ᄒᆞ여 셩명을 보젼ᄒᆞ리오마ᄂᆞᆫ, 원슈ᄂᆞᆫ 하날이 각별【7】달슈귀복(達壽貴福)371)으로　강셰(降世)ᄒᆞ여

젼지샹(福祿完全之相이　곽영공(郭令公)360)으로 딕두(對頭)361)홀지라. 냥안을 잠간 놉히 쓰미 두 줄기 묽은 빗치 삼군을 빗쵀고 와잠미(臥蠶眉)를 거스리미 엄슉흔 거동이 사름으로 ᄒᆞ여금 불감앙시(不敢仰視)홀 ᄲᅵ라. 조슝과 신법화를 졉응ᄒᆞ디, 검법의 신긔흠과　용녁의　쟝ᄒᆞ미《한왕‖초패왕(楚覇王)362)》의 일뉴(一類)라. 신법홰 죽기를 가을ᄒᆞ여363) 하원슈와 진력히 ᄡᅡ화 브디 히코져 ᄒᆞ더니, 원쉬 조슝을 향ᄒᆞ여 진목(瞋目) 즐왈(叱曰),

"져젹 첫 ᄡᅡ홈의 너를【106】 죽이지 아니ᄒᆞ고 몸을 보젼ᄒᆞ여 도라보니믄, 네 긔과칙션(改過責善)ᄒᆞ여 불인의 쥬인을 어지리 도와 다시 ᄡᅡᄒᆞᄂᆞᆫ 일이 업과져 ᄒᆞ미러니, 이제 조금도 뉘웃ᄂᆞᆫ 일이 업고, 요괴로온 댱슈를 어더 딕역의 초왕을 도으니, 텬신이 엇지 흉젹을 도을 니 이시리오. 마디 못ᄒᆞ여 네 머리를 버혀 초왕 흉덕 ᄇᆞ라는 ᄆᆞ음을 싯츠리라."

언파의 슝을 죽이려 ᄒᆞ더니, 신법홰 칼흘 빗기고 몸을 쇠여 원슈 말게 지치ᄃᆞ라 바로 원슈를 지르랴 ᄒᆞ니, 조슝이 승셰(乘勢)ᄒᆞ여 창을 빗기고 원슈의게 달녀드니, 범년(凡然)흔 용역과 등한흔 지조로 니를진디, 신법화의 요슐과 조슝의 흉딩을 당ᄒᆞ여 셩명을 보젼ᄒᆞ리오마ᄂᆞᆫ, 원슈ᄂᆞᆫ 하날이 각별 달슈귀복(達壽貴福)364)으로　강셰(降世)ᄒᆞ여, 하국

말함.

366)곽영공(郭令公) : 곽자의(郭子儀). 697~781. 중국 당(唐)나라 중기의 무장(武將). 안녹산 사사명의 반란을 평정하고 토번을 쳐 큰 공을 세워 분양왕에 올랐다.

367)대두(對頭) : 대적(對敵). 적이나 어떤 세력, 힘 따위와 맞서 겨룸. 또는 그 상대.

368)줅이 : 줄기. 갈래.

369)초패왕(楚覇王) : 항우(項羽). B.C.232~B.C.202. 중국 진(秦)나라 말기의 무장. 이름은 적(籍). 우는 자(字)이다. 숙부 항량(項梁)과 함께 군사를 일으켜 유방(劉邦)과 협력하여 진나라를 멸망시키고 스스로 서초(西楚)의 패왕(霸王)이 되었다. 그 후 유방과 패권을 다투다가 해하(垓下)에서 포위되어 자살하였다

370)가을ᄒᆞ다 : 가을하다. 거두어들이다. 여기서는 '다하다'의 뜻.

말함.

360)곽영공(郭令公) : 곽자의(郭子儀). 697~781. 중국 당(唐)나라 중기의 무장(武將). 안녹산 사사명의 반란을 평정하고 토번을 쳐 큰 공을 세워 분양왕에 올랐다.

361)대두(對頭) : 대적(對敵). 적이나 어떤 세력, 힘 따위와 맞서 겨룸. 또는 그 상대.

362)초패왕(楚覇王) : 항우(項羽). B.C.232~B.C.202. 중국 진(秦)나라 말기의 무장. 이름은 적(籍). 우는 자(字)이다. 숙부 항량(項梁)과 함께 군사를 일으켜 유방(劉邦)과 협력하여 진나라를 멸망시키고 스스로 서초(西楚)의 패왕(霸王)이 되었다. 그 후 유방과 패권을 다투다가 해하(垓下)에서 포위되어 자살하였다

363)가을ᄒᆞ다 : 가을하다. 거두어들이다. 여기서는 '다하다'의 뜻.

364)달슈귀복(達壽貴福) : 천수(天壽)를 다하도록 장

하국공의 덕심튱냥(赤心忠良)을 갑고져 ᄒ신 비니, 일셩(一聲) 음아(吟哦)의 댱신(長身)을 굽히며 원비(猿臂)를 느리혀 신법화의 허리를 버혀 나리치고, 버거 조슘을 잡고져ᄒ니, 슘이 의식 황홀ᄒ고 혼빅이 비월(飛越)ᄒ니, 손을 놀리디 못ᄒ여 원슈의 칼이 니는 곳의 조슘을 버혀 나리치고, 싀살(弑殺)372)ᄒ고[니], 좌우 션봉과 졔댱이 원슈의 니긔믈 보고 합녁ᄒ여 덕딘을 싀살ᄒ니, 죽는 지 브디기쉬(不知其數)러라. 모든 덕군이 임의 텬신 ᄀᆺ치 밋고 바라던 신법화와 조슘이 죽으니, 다시 바랄 거시 업ᄂᆞᆫ디라. 져마다 죽기를 져허 ᄉ산분궤(四散奔潰)373)ᄒ여 호텬통곡(呼天痛哭)【8】ᄒ다가 일시의 항ᄒ니, 원쉬 다 각각 무휼ᄒ여 초군을 안무ᄒ고, 도라보ᄂᆞ여 부모 쳐ᄌᆞ를 ᄎᆞᆽ 싱업을 일우○○[게 ᄒ]고, 원슈와 졔댱이 댱듕(帳中)의 드러가 쉴시, 디휘ᄉ 《댱한‖댱함》이 고왈,

"원쉬 작일 ᄉ경초(四更初)374)로 브터 결젼ᄒ여 금일 미시(未時)375)의 크게 니긔고, 조·신 냥댱(兩將)을 죽이며, 오만군을 항복 바다시나, 오히려 괴슈를 잡디 못ᄒ엿거ᄂᆞᆯ, 엇디 댱ᄉ 군졸을 편히 쉬라 ᄒ시ᄂᆞ니잇고?"

원쉬 쇼왈,

"초왕 흥덕을 잡으미 어렵디 아니ᄒ고, 좌션봉이 그 가는 길흘 막아 ᄭᅳᆺ출 거시오, 부원쉬 초왕의 궁실을 불딜너 이실 곳을 업시홀 거시니, 초왕이 계궁녁딘(計窮力盡)ᄒ【9】여 안챵관으로 가리니, 후응관(後應官) 샤반이 발셔 안챵관의 몬져 가 초왕을 마ᄌ 드릴디라. 군을 잠간 쉬워 명일 대병

371)달슈귀복(達壽貴福) : 천수(天壽)를 다하도록 장수하고 귀하게 될 복.
372)싀살(弑殺) : 싸움터에서 마구 침.
373)ᄉ산분궤(四散奔潰) : 싸움 따위에서 져서 사방으로 흩어져 달아남.
374)ᄉ경초(四更初) : 새벽 1시경. *사경(四更); 하룻밤을 오경(五更)으로 나눈 넷째 부분. 새벽 1시에서 3시 사이이다.
375)미시(未時) : 십이시(十二時)의 여덟째 시. 오후 한 시부터 세 시까지이다.

공의 졍심츔냥(貞心忠良)을 갑고져 ᄒ신 비니, 일셩(一聲) 음아(吟哦)의 댱신(長身)을 굽히며 원비(猿臂)를 날녀 신【107】법화의 허리를 버혀 ᄂᆞ리치고, 버거 조슘을 잡고져 ᄒ니, 슘이 의식 황홀ᄒ고 혼빅이 비월(飛越)ᄒ니, 손을 놀리지 못ᄒ여 원슈의 칼이 니는 곳의 조슘을 버혀 ᄂᆞ리치고, 싀살(弑殺)365)ᄒ니, 좌우 션봉과 졔댱이 원슈의 니긔믈 보고 합녁ᄒ여 젹진을 싀살ᄒ니, 죽는 지 부지기쉬(不知其數)러라. 모든 젹군이 임의 텬신 ᄀᆺ치 밋고 ᄇᆞ라던 신법화와 조슘이 죽으니, 다시 ᄇᆞ랄거시 업ᄂᆞᆫ지라. 져마다 죽기를 져허 산산분궤(四散奔潰)366)ᄒ여, 호텬통곡(呼天痛哭)ᄒ다가 일시의 항ᄒ니, 원쉬 다 각각 무휼ᄒ여 초군을 안무ᄒ고 도라보ᄂᆞ여, 부모 쳐ᄌᆞ를 ᄎᆞᆽ 싱업을 일우○○[게 ᄒ]고, 원슈와 졔댱이 장즁(帳中)의 드러가 쉴시, 지휘ᄉ 《댱한‖댱함》이 고왈,

"원쉬 작일 ᄉ경초(四更初367)로 브터 결젼ᄒ여, 금일 미시(未時)368)의 크게 니긔고, 《초‖조》·신 냥댱(兩將)을 죽이며 오만군을 항복 바다시나, 오히려 괴슈를 잡지 못ᄒ엿거ᄂᆞᆯ, 엇지 댱【108】사 군졸을 편히 쉬라 ᄒ시ᄂᆞ니잇고?."

원쉬 쇼왈,

"초왕 흥젹을 잡으미 어렵지 아니ᄒ고, 좌션봉이 그 가는 길흘 막아 ᄭᅳᆺ출거시오, 부원쉬 초왕의 궁실을 블질너 이실 곳을 업시홀 거시니, 초왕이 계궁역진(計窮力盡)ᄒ여 안챵관으로 가리니, 후응관(後應官) ᄉ반이 발셔 안챵관의 몬져 가 초왕을 마ᄌ 드릴지라. 군을 잠간 쉬워 명일 대병이 안챵으로 드러간즉, 초왕을 죽이믄 근심이 업ᄉ

수하고 귀하게 될 복.
365)싀살(弑殺) : 싸움터에서 마구 침.
366)ᄉ산분궤(四散奔潰) : 싸움 따위에서 져서 사방으로 흩어져 달아남.
367)ᄉ경초(四更初) : 새벽 1시경. *사경(四更); 하룻밤을 오경(五更)으로 나눈 넷째 부분. 새벽 1시에서 3시 사이이다.
368)미시(未時) : 십이시(十二時)의 여덟째 시. 오후 한 시부터 세 시까지이다.

이 안챵으로 드러간죽, 초왕을 죽이믄 근심
이 업스리니 댱군은 넘녜 말나."

댱함이 원슈의 디혜를 항복ᄒ여, 비복 칭
하ᄒ여 신긔묘산(神技妙算)을 일ᄏᄅ니, 원
슈 잠쇼 겸양ᄒ여,

"우흐로 셩텬즈 홍복을 힘닙습고, 아리로
졔댱의 도으믈 어드미니, 졔댱의 칭하를 블
감승당(不敢昇堂)이라."

ᄒ더라.

션시의 초왕이 녀헌과 셕휴를 바리고 숑
딘으로 나아오더니, 쳬탐이 보ᄒ되,

"하원슈 쳔병만무를 거느려 조댱군과 신
태부를 에【10】워ᄡ 나아갈 길히 업스니,
신 태뷔(太傅) 온갓 지조를 시험치 아니미
업스되, 맛춤ᄂᆡ 효험이 업셔 뎡히 위틱ᄒ니
이다."

초왕이 대경ᄒ여 싱각ᄒ되,

"하원광의 지조와 디혜 사름의 싱각디 못
홀 일이 만ᄒ니, 이졔 빅여군을 거나리고
숑딘으로 나아간죽, 셩명을 보젼치 못ᄒ리
니, 출하리 본딘의 도라가 남은 군ᄉ를 거
나려 밧비 신법화와 조슝을 구ᄒ리라."

의시 이에 밋쳐 군긔를 도로혀 본딘으로
오더니, 부원슈 발셔 궁실을 소화ᄒ며 냥초
(糧草)376)를 불디르고, 초왕의 후비와 셰즈
를 잡아 옥의 나리오고, 대국의셔 초【11】
왕을 나릐(拿來)ᄒ라 왓던 위샤(衛士)를 비
로소 옥 밧긔 ᄂᆡ여노코, 바야흐로 초왕을
짓디르고져 ᄒ더니, 초왕이 빅여군을 거나
리고 나아{가}오다가, 일야디간(一夜之間)의
금누옥궐(金樓玉闕)이 다 소화ᄒ여 화염이
창텬(漲天)ᄒ며, 빈 터히 참담ᄒ거늘, 궁노
시녀(宮奴侍女) 등의 창황 망극ᄒ미 텬디를
분변치 못ᄒ여, 져마다 일신이 화염(火焰)
듐 지되기를 면코져 ᄒ므로, 밀니여 노변
(路邊)의 나와 셔로 즛불와377) 죽는 거시
무슈ᄒ니, 초왕이 보고 심장이 ᄃᆞᆫ는 듯, 앙
텬 탄왈,

리니 댱군은 염녀 말나."

댱함이 원슈의 지혜를 항복ᄒ여, 비복 칭
하ᄒ여, 신긔묘산(神技妙算)을 일크르니, 원
슈 잠쇼 겸양ᄒ여,

"우흐로 셩텬즈 홍복을 힘닙ᄉ[습]고 아리
로 졔댱의 도으믈 어드미니, 졔댱의 칭하를
블감승답[당](不敢昇堂)이라."

ᄒ더라.

션시의 초왕이 녀헌과 셕휴를 ᄇᆞ리고 숑
진으로 나아오더니, 쳬탐이 보ᄒ되,

"하원슈 쳔병만무를 거ᄂᆞ려 조댱군【10
9】과 신태부를 에워ᄡ 나아갈 길히 업ᄉ
니, 신 태위[뷔](太傅) 온갓 지조를 시험치
아니미 업ᄉ되, 맛춤ᄂᆡ 효험이 업셔 졍히
위틱ᄒᄂᆡ이다."

초왕이 ᄃᆡ경ᄒ여 싱각ᄒ되,

"하원광의 지조와 지혜 사름의 싱각지 못
홀 일이 만ᄒ니, 이졔 빅여군을 거ᄂᆞ리고
숑진으로 나아간죽, 셩명을 보젼치 못ᄒ리
니, 출하리 본진의 도라가 남은 군ᄉ를 거
ᄂᆞ려, 밧비 신법화와 조슝을 구ᄒ리라."

의시 이의 밋쳐 군긔를 도로혀 본진으로
오더니, 부원슈 발셔 궁실을 소화ᄒ며 냥초
(糧草)369)를 불지르고, 초왕의 후비와 셰즈
를 잡아 옥의 나리오고, 대국의셔 초왕을
잡으라은 위ᄉ를 비로소 옥 밧긔 ᄂᆡ여노코,
바야흐로 초왕을 즛지르고져 ᄒ더니, 초왕
이 빅여군을 거ᄂᆞ리고 나아오다가, 일야지
간(一夜之間)의 쥬궁패궐(珠宮貝闕)이 다 소
화ᄒ여 화염【110】이 창텬(漲天)ᄒ며, 빈
터히 참담ᄒ거늘, 궁노시녀(宮奴侍女) 등의
창황 망극ᄒ미 텬지를 분변치 못ᄒ여, 져마
다 일신이 화염(火焰) 듐 지되기를 면코져
ᄒ므로, 밀니여 노변(路邊)의 나와 셔로 즛
불370)와 죽는 거시 무슈ᄒ니, 초왕이 보고
심장이 ᄃᆞᆫ는 듯, 앙텬 탄 왈,

---

376)냥초(糧草) : 군사(軍士)가 먹을 양식과 말을 먹
　　일 꼴을 통틀어 이르는 말.
377)즛불다 ; 짓밟다.

---

369)냥초(糧草) : 군사(軍士)가 먹을 양식과 말을 먹
　　일 꼴을 통틀어 이르는 말.
370)즛불다 ; 짓밟다.

"텬디신명이 초국을 돕디 아니미 이 굿투여, 하가 뎍즈의게 죽으미 여디업셔, 나의 용댱 조·신이 원광의 히를 면키 어【12】렵거늘, 이졔 뉘라셔 궁실을 소화(燒火)ᄒ며 냥초(糧草)를 다 튀와 국도(國都)를 아조 망멸(亡滅)ᄒᄂ뇨."

말노 좃ᄎ 피를 토ᄒ고 믈긔 써러져 인ᄉ를 모로니, 좃ᄎᆫ ᄉ졸(士卒)이 븟드러 구호 왈,

"승패ᄂᆫ 병가(兵家)의 상ᄉ(常事)라. 뎐히 일시 패ᄒ시믈 인ᄒ여 이졔 이ᄃ도록 ᄒ실 일이 아니니, 모로미 과상치 마르시고 다른 셩녁로 가샤이다."

왕이 냥구후(良久後) 졍신을 출혀, 계오 마샹의 올나 창졸의 갈 곳을 싱각디 못ᄒ고, 도로의셔 엇디홀 바를 모로더니, 산곡간으로 좃ᄎ 일셩(一聲) 대포(大砲)의 숑딘 대션봉(大先鋒) 오영이 쳔병만마(千兵萬馬)를 모라 믈밀닷 닉드라, 대호(大呼) 왈,

"내 임의 원슈의 댱녕(將令)을 바다 뎍을 기다린【13】디 오리니, 흔 칼노 버혀 텬디의 관영(貫盈)흔 죄를 속(贖)ᄒ리라."

왕이 대악대담(大惡大膽)이나 이 소릭를 드르미, 낙담상혼(落膽喪魂)ᄒ여 불분텬디(不分天地)ᄒ고 빅여긔를 거나려 믈을 치쳐 도망ᄒ거늘, 오션봉이 승셰ᄒ여 ᄉ졸을 지쵹ᄒ여 쎌니 쓸와 초군을 풀 쎗378) 닷 버히니, 초왕의 단신(單身)이 필마단창(匹馬單槍)으로 급히 닷기를 한업시 ᄒ니, 원닉 왕의 용녁이 졀뉸ᄒ여 먼니 다르며, 창을 둘너 사름이 갓가이 못오게 ᄒ니, 오영이 댱녕(將令)을 바다 초왕을 궁딘히 쏠을 쎤이오, 죽이라 ᄒᄂᆫ 바ᄂᆫ 업ᄉᆫ 고로, 못견딕도록 쏫ᄎ 거일(去日) 신시(申時)379)의 산곡간의 미복ᄒ여, 효신(曉晨)의 왕을 만나 쏠【14】오기를 어둡도록 삼빅여리를 좃ᄎ 안창관이 십여리를 격ᄒ니, 홀연 쇼졸(小卒)

"텬지신명이 초국을 돕지 아니미 이 굿투여, 하가 젹즈의게 속으미 여지업셔, 나의 용댱 초신이 원광의 히를 면키 어렵거늘, 이졔 뉘○[라]셔 궁실을 소화(燒火)ᄒ며 냥초(糧草)를 다 튀와 국도(國都)를 아조 망멸(亡滅)ᄒᄂ뇨?"

말노 조ᄎ 피를 토ᄒ고 말긔 써러져 인ᄉ를 모로니, 좃ᄎᆫ ᄉ졸(士卒)이 븟드러 구호 왈,

"승픽ᄂᆫ 병가(兵家)의 상ᄉ(常事)라. 뎐ᄒ 일시 픽ᄒ시믈 인ᄒ여 이졔 이ᄃ도록 ᄒ실 일이 아니니, 모로미 과상치 마르시고 다른 셩닉로 가ᄉ이다."

왕이 냥구후(良久後) 졍신을 출혀, 계오 마샹의 올나 창졸의 갈 곳을 싱각지【111】못ᄒ고, 도로의셔 ○○[엇지]홀 바를 모로더니, 산곡간 ○○○○[으로 좃ᄎ] 일셩(一聲) 대포(大砲)의 숑진 대션봉(大先鋒) 오영이 쳔병 만마(千兵萬馬)를 모라 믈밀닷 닉드라 대호(大呼) 왈,

"내 임의 젹을 기드린지 오라니, 흔 칼노 버혀 텬지의 관영(貫盈)흔 죄를 속(贖)ᄒ리라."

왕이 딕악딕담(大惡大膽)이나 이 소릭를 드르미, 낙담상혼(落膽喪魂)ᄒ여 불분텬지(不分天地)ᄒ고 빅여긔를 거느려 말을 치쳐 도망ᄒ거늘, 오션봉이 승셰ᄒ여 ᄉ졸을 지쵹ᄒ여 쎌니 쓸와 초군을 풀 쎗371) 닷 버히니, 초왕의 단신(單身)이 필마단창(匹馬單槍)으로 급히 닷기를 한업시 ᄒ니, 원닉 왕의 용역이 졀뉸ᄒ여 먼니 다르며, 창을 둘너 사름이 갓가이 못오게 ᄒ니, 오영이 댱영(將令)을 바다 초왕을 궁진히 쏠을 쎤이오. 죽이라 ᄒᄂᆫ 바ᄂᆫ 업ᄉᆫ 고로 못견딕도록 쏫ᄎ 거일(去日) 신시(申時)372)의 산곡간의 미복ᄒ여, 명일 효신(曉晨)의 왕을 만나 쏠오기를 어둡도록 삼빅여【112】리를 조ᄎ 안창관이 십여리를 격ᄒ니, 홀연 쇼졸

---

378)쎄다 : 베다. *쎠흐다; 썰다.

379)신시(申時) : 십이시(十二時)의 아홉째 시. 오후 세 시에서 다섯 시까지이다

371)쎄다 : 베다. *쎠흐다; 썰다.

372)신시(申時) : 십이시(十二時)의 아홉째 시. 오후 세 시에서 다섯 시까지이다

이 관으로 좃츠 나와 흔 댱 셔간을 션봉긔
드리미, 바다본즉 후응댱 샤반이 안창 슈댱
(戍將) 셔탐을 계교로 항복 바다 관을 딕희
여시니, 초왕을 모라 관으로 너흐라 호엿거
늘, 션봉이 깃거 쳔쳔이 초왕을 쓰라 관하
의 니르니, 샤반이 빗난 말노 초왕의 불인
흐믈 닐너 반(叛)ᄒ라 ᄒ니, 그 말을 올히
넉여 즉시 항복ᄒ니, 샤반이 쏘 니르ᄃᆡ,

"초왕이 강포ᄒ여 죽이디 아닌즉 빅셩과
군졸을 못견듸게 ᄒ리니, 이ᄯᅥᆯ의 모다 죽이
미 맛당ᄒ리라. 하원슈의 디모의【15】아득
히 속아 오션봉의게 쫏치여 일 오리니, 셔
댱군과 졔군이 관문을 여러 마자드려, 조금
도 {반심도} 반심(叛心)을 ᄉᆞ식(辭色)디 말
고, 원슈의 대군을 기다려 초왕을 죽이미
긔특흔 계괴니라."

ᄒ니, 셔탐과 졔졸이 만구응슌(萬口應順)
ᄒ거늘, 샤반이 뎡계(定計)ᄒᆞᆫ 후, 초왕이 니
르러 혹ᄌᆞ 의심ᄒᆞᆯ가 잠간 ᄉᆞ졸을 거ᄂᆞ려 숨
엇더니, 오리디 아냐 초왕이 필마단창(匹馬
單槍)380)으로 관하(關下)의 와, 창황ᄒᆞᆫ 소ᄅᆡ
로 문을 열나 ᄒᆞᄂᆞᆫ다라.

셔탐이 임의 디휘를 드럿ᄂᆞᆫ 고로, 밧비
문을 여러 마ᄌᆞ 드리고, 밧비 온 바와 외로
이 니르믈 므른ᄃᆡ, 왕이 ᄯᅮᆯ 치고 호텬 통
곡 왈,

"과인이 국도를 보젼ᄒᆞ여 쳔【16】승디
위(千乘之位)도 안과ᄒᆞᆯ 길히 업셔, 하원광
덕ᄌᆞ의 손의 죽기를 면치 못ᄒᆞ게 되어시니,
쟝ᄎᆞᆺ 엇디 ᄒᆞ리오."

셔탐이 ᄎᆞ악ᄒᆞ여 왕을 위로ᄒᆞ며, 식반을
올녀 긔아를 구ᄒᆞᄃᆡ, 왕이 흔 술 밥을 먹디
못ᄒᆞ고, 가슴을 두다려 조승과 신법화를 브
르며, ᄉᆞ이ᄉᆞ이 하원광의 고기를 너흐디381)
못ᄒᆞᄆᆞᆯ 한ᄒᆞ며, 칼을 드러 난간을 쳐 왈,
"셕년의 하가 삼형뎨를 죽일졔 하원광을

<hr>

380)필마단창(匹馬單槍) : 한 필의 말과 한 자루의
창이란 뜻으로, 혼자 간단한 무장을 하고 한 필의
말을 타고 감을 이르는 말. 또는 그렇게 하는 사
람.
381)너흐다 : 너흘다. 물다. 물어뜯다. 씹다.

(小卒)이 관으로 좃츠 ○○[나와] 흔 장 셔
간을 션봉긔 드리미, 바다본 즉 후응댱 ᄉᆞ
반이 안창 슈댱(戍將) 셔탐을 계교로 항복
바다 관을 직희여시니, 초왕을 모라 관으로
너흐라 호엿거늘, 션봉이 깃거 쳔쳔이 초왕
을 쓰라 관하의 니르니, 《ᄉᆞ관∥ᄉᆞ반》이
빗ᄂᆞᆫ 말노 초왕의 불인흐믈 닐너 반(叛)ᄒ
라 ᄒ니, 그 말을 올히 넉여 즉시 항복ᄒ니,
《ᄉᆞ관∥ᄉᆞ반》이 쏘 니르ᄃᆡ,

"초왕이 강포ᄒ여 죽이지 아닌즉 빅셩과
군졸을 못견듸게 ᄒ리니, 이ᄯᅥᆯ의 모다 죽이
미 맛당ᄒ리라. 하원슈의 지모의 아득히 ○
○[속아] 오션봉의게 쫏치여 이리 오리니,
셔댱군과 졔군이 관문을 여러 마ᄌᆞ드려, 조
금도 반심을 ᄉᆞ식지 말고, 원슈의 ᄃᆡ군을
기ᄃᆞ려 초왕을 죽이미 긔특흔 계괴니라."

ᄒ니. 셔탐과 졔졸이 만구응슌(萬口應順)
【113】ᄒ거늘, ᄉᆞ관[반]이 뎡계(定計)흔
후 초왕이 니르러 혹ᄌᆞ 의심ᄒᆞᆯ가, 잠간 ᄉᆞ
졸을 거ᄂᆞ려 숨엇더니, 오리지 아냐 초왕이
필마단창(匹馬單槍)373)으로   관하(關下)의
와 창황흔 소ᄅᆡ로 문을 열나 ᄒᆞᄂᆞᆫ지라.

셔탐이 임의 지휘를 드럿ᄂᆞᆫ 고로, 밧비
문을 여러 마ᄌᆞ 드리고, 밧비 온 바와 외로
이 니르믈 므른ᄃᆡ, 왕이 ᄯᅮᆯ 치고 호텬 통
곡 왈,

"과인이 국도를 보젼ᄒᆞ여 쳔승지위(千乘
之位)도 안과ᄒᆞᆯ 길히 업셔, 하원광 젹ᄌᆞ의
손의 죽기를 면치 못ᄒᆞ게 되어시니, 쟝ᄎᆞᆺ
엇지 ᄒᆞ리오."

셔탐이 ᄎᆞ악ᄒᆞ여 왕을 위로ᄒᆞ며, 식반을
올녀 긔아를 구ᄒᆞᄃᆡ, 왕이 흔 술 밥을 못
먹고, 가슴을 두ᄃᆞ려 조승과 신법화를 브르
며, ᄉᆞ이ᄉᆞ이 하원광의 고기를 너흐지374)
못ᄒᆞᄆᆞᆯ 한ᄒᆞ며, 칼을 드러 난간을 쳐 왈,
"셕년의 하가 삼형뎨를 죽일졔, 하원광○

<hr>

373)필마단창(匹馬單槍) : 한 필의 말과 한 자루의
창이란 뜻으로, 혼자 간단한 무장을 하고 한 필의
말을 타고 감을 이르는 말. 또는 그렇게 하는 사
람.
374)너흐다 : 너흘다. 물다. 물어뜯다. 씹다.

아오로 죽엿던들, 엇디 오날눌 패ᄒ미 이시리오. 나의 디혜 져르고 원녜(遠慮) 업셔, 원광 덕즈를 살왓다가 패망을 취ᄒ니, 슈원슈한(誰怨誰恨)이리오."

셔탐이 그윽이 믜이【17】넉이나, 참연(慘然)ᄒ 거동으로 군신디의(君臣之義)를 출ᄒ니, 왕이 일호 의심치 아니터라. 우션봉 셕휘 녀헌을 구ᄒ여 산곡간의 일쥬야(一晝夜)를 머므러, 원쉬 조슝 등을 죽이고 초왕이 필마단창으로 다라나믈 안 후, 녀헌을 다리고 본딘으로 도라오니, 원쉬 바야흐로 스졸을 거나려 안창관으로 향코져 ᄒ다가, 셕션봉이 녀참모를 구ᄒ여 도라오믈 고ᄒ니, 원쉬 대로ᄒ여 녀헌을 잡아드려 당하의 ᄭ울니고, 군령을 어그릇고 대ᄉ를 그릇ᄒ믈 ᄀᆞ초 닐너, 일장을 슈죄(數罪)ᄒ고,

"내 황샹의 인검(引劍)[382]을 밧ᄌ와 위령즈를 션참후계(先斬後啓)ᄒ라 ᄒ신 명이【18】계시니, 엇디 군령을 범ᄒ 즈의게 벌이 업스리오."

언파의 무ᄉ(武士)를 호령ᄒ여 녀헌을 원문 밧긔 참ᄒ라 ᄒ니, 녀헌이 참황 슈괴ᄒ여 블출일언(不出一言)ᄒ니, 디휘ᄉ 당함이 우션봉 셕휴로 더브러 ᄭ우리 이걸 왈,

"녀헌의 죄ᄂᆞᆫ 가살(可殺)이나, 원슈의 신명ᄒ시미 곳곳이 구ᄒ시미, ᄉ졸이 ᄒ나토 상ᄒ니 업스니, 원컨딘 관인 대덕으로 초로(草露) ᄀᆞ튼 일명을 빌니쇼셔."

원쉬 짐ᄌ 녀헌을 버히라 ᄒ미 군령을 셰오미나, 본ᄯᆞᆺ이 죽일 ᄆᆞ음이 업ᄂᆞᆫ 고로, 이에 《빈비∥빈미(嚬眉)》 왈,

"녀헌의 목슘을 빌니미 법눌이 히틱ᄒ리니, 또 만니【19】젼딘(萬里戰陣)의 날을 ᄶᆞᆯ와 죵군ᄒ엿거늘, 회군ᄒᆞᆯ 긔약이 머디 아냣ᄂᆞᆫ디, 그 머리를 버혀 검하경혼(劍下驚魂)이 될딘딘, 그 쳐실 ᄌ녀의 기다리던 심장을 믲ᄎᆞ미 되리니, 역시 참연ᄒ더라. 쳐참

─────────
[382]인검(引劍) : 임금이 병마를 통솔하는 장수에게 주던 검. 명령을 어기는 자는 보고하지 않고 죽일 수 있는 권한을 주었다.

─────────

[을]《아오를∥아오로》죽엿던【114】들, 엇지 오날눌 픽ᄒ미 이시리오. 나의 지혜 젹고 원녜(遠慮) 업셔, 원광 젹즈를 살왓다가 픽망을 취ᄒ니, 슈원슈한(誰怨誰恨)이리오."

셔탐이 그윽이 믜이 넉아[이]나 참연(慘然)ᄒ 거동으로 군신지의(君臣之義)를 출ᄒ니, 왕이 일호 의심치 아니터라. 우션봉 셕휘 녀헌을 구ᄒ여 산곡간의 일쥬야(一晝夜)를 머므러, 원쉬 조슝 등을 죽이고 초왕이 필마단창으로 가믈 안 후, 녀헌을 다리고 본진으로 도라오니, 원쉬 바야흐로 스졸을 거ᄂᆞ려 안창관으로 향코져 ᄒ다가 셕션봉이 녀참모를 구ᄒ여 도라오믈 고ᄒ니 원쉬 디로ᄒ여 녀헌을 잡아드려 당하의 ᄭ울니고 군영(軍令)을 어그릇고 대ᄉ를 그릇ᄒ믈 ᄀᆞ초 닐너 일장을 슈죄(數罪)ᄒ고,

"닌 황샹의 인검(引劍)[375]을 밧ᄌ와 위령즈를 참ᄒ라 ᄒ신 명이 계시니, 엇지 군영을 범ᄒ 즈의게 벌이 업스리오."

언파의 무ᄉ를 호령ᄒ여 녀헌을 참【115】ᄒ라 ᄒ니, 녀헌이 참황 슈괴ᄒ여 블출일언(不出一言)ᄒ니 지휘ᄉ 당함과 우션봉 셕휴 ᄭ우리 이걸 왈,

"녀헌의 죄ᄂᆞᆫ 가살(可殺)이나 원슈의 신명ᄒ시미 곳곳이 구ᄒ시미, ᄉ졸이 ᄒ나토 상ᄒ 니 업스니, 원컨딘 관인 디덕으로 초로 ᄀᆞ튼 인명을 빌니쇼셔."

원쉬 짐ᄌ 녀헌을 버히라 ᄒ미 군녕을 셰오미나, 본ᄯᆞᆺ이 죽일 ᄆᆞ음이 업ᄂᆞᆫ고로, 이의 빈미(嚬眉) 왈,

"녀헌의 목슘을 빌니미 법눌이 히틱ᄒ리니, 또 만니젼진(萬里戰陣)의 날을 ᄶᆞᆯ와, 회군ᄒᆞᆯ 긔약이 머지 아냣거늘, 그 머리를 버혀 검하경혼(劍下驚魂)이 될진딘, 그 쳐실 ᄌ녀의 기다리던 심장을 믲ᄎᆞ미 되니, 역시 참연ᄒ지라. 쳐참(處斬) 회시(回示)[376]ᄒᄂᆞᆫ

─────────
[375]인검(引劍) : 임금이 병마를 통솔하는 장수에게 주던 검. 명령을 어기는 자는 보고하지 않고 죽일 수 있는 권한을 주었다.

(處斬) 회시(回示)383)ᄒᆞᄂᆞᆫ 녕을 거두고, 대
죄(大罪)를 샤ᄒᆞᄂᆞ니, 별곤(別棍)384) ᄉᆞ십
도(度)385)를 ᄒᆞ여 죄 크고 벌이 경(經)ᄒᆞᆷ믈
알게 ᄒᆞ라."

셕·댱 냥인이 덕화를 칭샤하고, 녀헌을
별곤 ᄉᆞ십을 더으니, 참뫼 상부 후문의 귀
히 싱댱ᄒᆞ여, 일쯕 희미ᄒᆞᆫ 티벌(笞罰)도 디
닌 일이 업다가, 듕댱을 당ᄒᆞ니 죽기를 면
ᄒᆞᆫ 영힝ᄒᆞ나, 실(實)노386) ᄲᅥ 살 ᄆᆞ음이
업셔 반싱반ᄉᆞ(半生半死)ᄒᆞ여 쓰이여 나갈
ᄉᆡ, 원쉬 하령 왈,【20】

"슈십일 됴리ᄒᆞ여 빅의로 죵군ᄒᆞ라"

ᄒᆞ고, 디휘ᄉᆞ 댱합으로 함평관을 딕희오
고, 즉시 ᄉᆞ졸을 거ᄂᆞ려 안창관의 니르니,
셔탐이 문을 여러 원슈를 마ᄌᆞ 대군이 물밀
닷 일시의 관의 들민, 초왕이 낙담(落膽) 경
혼(驚魂)ᄒᆞ여 급히 댱창(長槍)을 빗겨 물기
오르거늘, 셔탐의 졔졸과 샤반의 군시 원슈
의 대군을 합ᄒᆞ여 초왕을 텰통갓치 둘너ᄲᅡ
니, 초왕이 앙텬 탄왈,

"쇽담의 '천댱(千丈) 슈셰(水勢)ᄂᆞᆫ 아라도
사름의 ᄆᆞ음은 알기 어렵다' ᄒᆞ미, 뎡히 이
런 곳을 니르미라. 셔탐이 엇디 날을 죽이
기를 도모ᄒᆞᆯ 줄 알니오. 이졔 계궁녁딘(計
窮力盡)ᄒᆞ며 용댱(勇將)【21】이 다 죽어시
니, 텬의(天意) 돕디 아니미 여ᄎᆞᄒᆞ거늘, 내
이졔 ᄉᆞ라 므엇ᄒᆞ리오."

언파의 ᄌᆞ문(自刎)코져 ᄒᆞ더니, 원쉬 초
왕 흉인을 친히 죽여 삼형의 원슈를 갑흐려
ᄒᆞᄂᆞᆫ디라. 나ᄂᆞ 디시 물을 쒸워 초왕의 알
피 가, 녀셩(厲聲) 대즐(大叱) 왈,

"흉덕의 무상ᄒᆞ미 셕년의 튱현을 온가디
로 히ᄒᆞ여, 내 집의 참화를 씨치고, 셩쥬(聖
主)의 일월디춍(日月之聰)을 가리와, 만고
간악 역신의 졍틱(情態) 극딘히 가ᄌᆞᄂᆞᆫ디

녕을 거두○[고] ○○○○○○[대죄를 샤ᄒᆞ
ᄂᆞ]니, 별곤(別棍)377) ᄉᆞ십장(四十杖) ᄒᆞ여
죄 크고 벌이 경(輕)ᄒᆞᆷ믈 알게ᄒᆞ라."

셕·댱 냥인이 덕화를 칭ᄉᆞᄒᆞ고, 녀헌을
별곤 ᄉᆞ십을 더으니, 참뫼 상부 후문의 귀
히 싱댱ᄒᆞ여, 일쯕 희미ᄒᆞᆫ 티벌(笞罰)도
【116】 디닌 일이 업다가, 즁장을 당ᄒᆞ니
죽기를 면ᄒᆞᆫ 영힝ᄒᆞ나, 실(實)노378)ᄲᅥ 살
ᄆᆞ음이 업셔 반싱반ᄉᆞᄒᆞ여 쓰이녀[여] 나갈
ᄉᆡ, 원쉬 하령 왈,

"슈십일 됴리ᄒᆞ여 빅의로 죵군ᄒᆞ라."

ᄒᆞ고, 지휘ᄉᆞ 댱합으로 함평관을 직희오
고, 즉시 ᄉᆞ졸을 거ᄂᆞ려 안창관의니르니, 셔
탐이 문을 여러 원슈를 마ᄌᆞ 딕군이 물밀듯
일시의 관의 들민, 초왕이 낙담(落膽) 경혼
(驚魂)ᄒᆞ여 급히 장창(長槍)을 빗겨 말기 오
르거늘, 셔탐의 졔졸과 ᄉᆞ관[반]의 군시 원
슈의 딕군을 합ᄒᆞ여 초왕을 쳘통갓치 둘너
ᄲᅡ니, 초왕이 앙텬 탄왈,

"쇽담의 '천쟝(千丈) 슈셰(水勢)ᄂᆞᆫ 아라도
사름의 ᄆᆞ음은 알기 어렵다' ᄒᆞ미, 졍히 이
런 곳을 니르미라. 셔탐이 엇지 날을 죽이
기를 도모ᄒᆞᆯ 줄 알니오. 이졔 계궁역진(計
窮力盡)ᄒᆞ며 용댱(勇將)이 다 죽으니, 텬의
돕지 아니미 여ᄎᆞᄒᆞ거늘, 닉 이졔 ᄉᆞ라 므
엇ᄒᆞ리오."

언파의 ᄌᆞ문(自刎)코져 ᄒᆞ더니, 원쉬 초왕
흉인【117】을 친히 죽여 삼형의 원슈를
갑흐려 ᄒᆞᄂᆞᆫ지라. 나ᄂᆞ 디시 물을 쒸여 초
왕의 알피 가. 녀셩(厲聲) 딕즐(大叱) 왈,

"흉역의 무상ᄒᆞ미 셕년의 튱현을 온가지
로 히ᄒᆞ여 닉 집의 참화를 씨치고, 셩쥬의
일월지춍(日月之聰)을 ᄀᆞ리와 만고 간악 역
신의 졍틱(情態) 극진히 가ᄌᆞᄂᆞᆫ지라379). ᄉᆞ
ᄉᆞ로 참남(僭濫)ᄒᆞᆫ ᄯᅳᆺ을 두어 나명(拿命)을

---

383)회시(回示) : 예전에, 죄인을 끌고 다니며 뭇사람
　　에게 보이던 일.
384)별곤(別棍) : 형구(刑具)의 하나로 아주 크고 단
　　단하게 만든 곤장(棍杖).
385)도(度) : 예전에 곤장으로 볼기를 때리는 장형(杖
　　刑)을 가할 때, 치는 횟수를 세는 단위.
386) 실(實)노 : 참으로.

376)회시(回示) : 예전에, 죄인을 끌고 다니며 뭇사람
　　에게 보이던 일.
377)별곤(別棍) : 형구(刑具)의 하나로 아주 크고 단
　　단하게 만든 곤장(棍杖).
378) 실(實)노 : 참으로.
379)가ᄌᆞ다 : 고루 갖추다.

라387). 스스로 참남(僭濫)한 뜻을 두어 나명(拿命)을 역(逆)하고, 초디를 굿게 넉여 텬됴를 항형(抗衡)388)코져 하다가, 멸망디화(滅亡之禍)를 자취(自取)하니, 너의 죄를 니를딘디 천스무석(千死無惜)이오 만사【23】유경(萬死猶輕)이라. 엇디 형톄(形體)를 네 손의 맛출 니 이시리오."

언미의 농텬검이 니는 곳의 초왕의 머리 마하의 써러디니, 원쉬 스졸노 그 머리를 성문의 다랏다가 황성으로 가져가믈 니르고, 친히 그 복장(腹臟)을 헤치고 념통과 간을 씬혀니고, 창자를 쓰어 도듕의 바리라 하니, 임의 초왕이 죽으미 초국을 평(平)한디라. 원쉬 스졸을 디하여,

"흉역을 탕멸하고 초국을 평뎡하미 제군의 공이라. 황성의 도라가 작상을 밧자오려니와, 몬져 셜연(設宴)하여 위로하미 맛당하디, 흉뎍을 죽이미 셕년 오가 참화를 혜아리미, 그쩌 슈인의 고기【23】를 너흐디 못하미 시로이 통박하니, 《초뎡∥초뎍(楚賊)》의 장부(臟腑)389)를 가져 삼형의 원혼을 위로코져 하느니, 금일은 제젼(祭奠)을 슉셜(熟設)390)하여 명일 효신(曉晨)의 셜졔(設祭)하고, 우명일(又明日) 스졸을 모화 셜연하리라."

졔댱 군졸이 졔셩갈채(齊聲喝采) 왈,

"이졔 흉뎍을 죽여 우흐로 국뎍(國賊)을 멸하고 아리로 스슈(私讐)를 갑흐시니, 공시(公私) 만힝(萬幸)이라. 쇼댱 등은 댱녕을 밧드러 견마력(犬馬力)391)을 허비홀 쓰름이니 므슴 공을 일카르시리잇고?"

원쉬 탄식고 군듕의 하령하여 제젼을 출히라 하고, 제문을 디을시, 딘졍 심곡(心曲)의 가득한 통상(痛傷)을 베플미, 문치(文彩)

언미의 농검이 니는 곳의 초왕의 머리 마하의 써러지니, 원쉬 스졸노 그 머리를 성문의 다랏다가 황성으로 가져가믈 니르고, 친히 그 복장(腹臟)을 헷치고 념통과 간을 씬혀니고, 창자를 쓰어 《도충∥도즁》의 바리라 하니, 임의 초왕이 죽으미 초국을 졍(定)한디라. 원쉬 스졸을 디하여,

"흉역을 탕멸하고 초【118】국을 평졍하미 제군의 공이라. 황성의 도라가 작상(爵賞)을 밧자오려니와, 몬져 셜연(設宴)하여 위로하미 맛당하디, 흉젹을 죽이미 셕년 오가 참화를 《혜여∥혜아리미》 그쩌 슈인의 고기를 너흐지 못하미 시로이 통박하니, 초젹(楚賊)의 장부(臟腑)381)를 가져 삼형의 원혼을 위로코져 하느니, 금일은 제젼(祭奠)을 슉셜(熟設)382)하여 명일 효신(曉晨)의 셜졔(設祭)하고, 우명일(又明日) 스졸을 모화 셜연하리라."

졔댱 군졸이 졔셩갈치(齊聲喝采) 왈,

"이졔 흉젹을 죽여 우흐로 국젹(國賊)을 멸하고 아리로 스슈(私讐)를 갑흐시니, 공시(公私) 만힝(萬幸)이라. 쇼댱 등은 댱녕을 밧드러 견마지력(犬馬之力)383)을 허비홀 쓰름이니, 므슴 공을 일크르시리잇고?"

원쉬 탄식고 군듕의 하령하여 제젼을 출히라 하고, 제문을 지을시, 진졍 심곡(心曲)의 가득한 통상(痛傷)을 베플미, 문치(文彩) 만고의 독보하고, 스의(辭意) 처졀 비황하여

---

387)가초다 : 갖추다.
388)항형(抗衡) : 서로지지 아니하고 맞섬.
389)장부(臟腑) : '오장육부'를 줄여 이르는 말.
390)슉셜(熟設) : 잔치와 같은 큰일이 있을 때에 음식을 만듦.
391)견마력(犬馬力) : '개나 말과 같이 천하고 보잘것없는 것'의 힘이라는 뜻으로, 자신이 수고한 것을 낮추어 이르는 말.

380)항형(抗衡) : 서로지지 아니하고 맞섬.
381)장부(臟腑) : '오장육부'를 줄여 이르는 말.
382)슉셜(熟設) : 잔치와 같은 큰일이 있을 때에 음식을 만듦.
383)견마력(犬馬力) : '개나 말과 같이 천하고 보잘것없는 것'의 힘이라는 뜻으로, 자신이 수고한 것을 낮추어 이르는 말.

만고의 독보ᄒ고, ᄉ의(辭意) 쳐졀 비황ᄒ
여, 듯ᄂ 즈로 ᄒ여【24】금 상연(傷然) 타
루(墮淚)ᄒᄆ를 씨듯디 못ᄒᆯ더라. 명일 효신의
안창관 빅여간(百餘間) 듕의 향쵹을 ᄀᆺ초며,
졔젼(祭奠)을 버려 삼형의 원혼을 위로ᄒᆯᄉᆡ,
졔문 ᄉ의 비졀ᄒ여 눈물 아니 흘니리 업ᄉ
니, 졔문 닑기를 맛고 초왕의 념통과 간을
상하의 노코, 원쉬 일셩 댱통(長痛)의 안쉬
(眼水) 쳔항(千行)이라.

원ᄂᆡ 하원쉬 삼형의 참망ᄒᄆ믈 슬허ᄒᆯ ᄲᅮᆫ
아니라, 유한(遺恨)이 만쳡(萬疊)ᄒᆫ믄 초상
(初喪) 습념디시(襲殮之時)392)의 시슈(屍首)
를 붓드러 동긔의 졍을 펴디 못ᄒ고, ᄯᅩ
《션형‖션영(先塋)》의 안쟝(安葬)키를 당
ᄒ여 쳔츄곡별(千秋哭別)393)을 못ᄒ니, 흉
억(胸臆)의 얽미인 디통(至痛) 비한(悲恨)이
라. 그 삼년ᄂᆡ(三年內)394)도 부모의 과상
【25】ᄒ시믈 슬허 곡읍(哭泣)을 임의로 못
ᄒ여 슬프믈 펴디 못ᄒ고 여러 일월을 됴흔
ᄃᆞ시 보ᄂ나, 참원(慘怨)이 흉억의 얽혓던디
라. 초일 통곡을 시작ᄒᄆᆡ 슬프고 쳐열(悽
咽)ᄒᆫ 곡셩이 앙장쳐초(怏壯凄楚)395)ᄒ여
초목이 위ᄒ여 슬허ᄒᆯ더라. 효신으로브터
황혼의 니르도록 통곡ᄒ더니, 믄득 피를 토
ᄒ고 업더디니, 이 본ᄃᆡ 화란(禍亂)의 상ᄒ
여 회푀 남다르고 촌장(寸腸)이 녹으믈 면
치 못ᄒᄃᆡ, 부모 면젼의 화기(和氣)를 작위
(作爲)ᄒ나, 삼형의 참망(慘亡)ᄒᄆ로브터
싱셰 즐거오믈 아디못ᄒ고, 원상 등 형뎨
분명이 삼형의 녕빅(靈魄)이믈 디긔(知機)ᄒ
나, 참화디시(慘禍之時)의 망극 통원【26】
이 오ᄂᆡ(五內)396) 붕녈(崩裂)ᄒ던 바로, 금

듯ᄂ 즈로 ᄒ여곰 상연(傷然) 타루(墮淚)ᄒ
【119】믈 씨듯지 못ᄒᆯ지라. 명일 효신(曉
晨)의 안창관 빅여간(百餘間) 듕청의 향쵹
을 ᄀᆺ초며, 졔젼(祭奠)을 버려, 삼형의 원혼
을 위로ᄒᆯᄉᆡ, 졔문 ᄉ의 비졀ᄒ여 눈물 아
니 흘니리 업ᄉ니, 졔문 닑기를 맛고 초왕
의 념통과 간을 상하의 노코, 원쉬 일셩 댱
통(長慟)의 안쉬(眼水) 쳔항(千行)이라.

원ᄂᆡ 하원쉬 삼형의 참망ᄒᄆ믈 슬허ᄒᆯ ᄲᅮᆫ
아니라, 유한(遺恨)이 만쳡(萬疊)ᄒᆫ믄 초상
습념지시(襲殮之時)384)의 시슈(屍首)를 붓
드러 동긔의 졍을 못 펴고, ᄯᅩ 션영(先塋)의
안쟝(安葬)키를 당ᄒ여 쳔츄곡별(千秋哭
別)385)을 못ᄒᄆᆡ, 흉억(胸臆)의 얽미인 지통
비한(至痛悲恨)이라. 그 삼년ᄂᆡ(三年內)386)
의조[도] 부모의 과상ᄒ시믈 슬허 곡읍(哭
泣)을 임의로 못ᄒ여, 슬프믈 펴지 못ᄒ고,
여러 일월을 됴흔 ᄃᆞ시 보ᄂ나 참원(慘怨)
이 흉억의 얽혓던지라. 초일 통곡을 시작ᄒ
ᄆᆡ 슬프고 쳐열(悽咽)ᄒᆫ 곡셩이 앙장쳐초
(怏壯凄楚)387)ᄒ여 초목이 위ᄒ여 슬허ᄒᆯ지
라. 효신으로브터 황혼【120】의 니르도록
통곡ᄒ더니, 믄득 피를 토ᄒ고 업더지니, 이
본ᄃᆡ 화란(禍亂)의 상ᄒ여 회푀 남다르고
촌장(寸腸)이 녹으믈 면치 못ᄒᄃᆡ, 부모 면
젼의 화긔(和氣)를 작위(作爲)ᄒ나 삼형의
참망ᄒᄆ로붓터 싱셰 즐거오믈 아지못ᄒ고,
원상 등 형뎨 분명이 삼형의 녕빅(靈魄)이
믈 지긔(知機)ᄒ나, 참화지시의 망극 통원이
오ᄂᆡ(五內)388) 붕녈(崩裂)ᄒ던 바로, 금일

---

392)습념디시(襲殮之時) : 상례에서 초상이 나 시신
　을 씻기고 수의(壽衣)로 갈아입힌 다음 베나 이
　불로 시신을 싸는 일련의 의례가 진행되는 때,
　*습(襲); 쑥이나 향나무 삶은 물로 시신을 씻긴 뒤
　옷을 갈아입힘. *염(殮); 시신을 수의로 갈아입힌
　다음, 베나 이불 따위로 쌈.
393)쳔츄곡별(千秋哭別) : 죽은 이를 곡(哭)하여 영결
　(永訣)함.
394)삼년ᄂᆡ(三年內) : 삼년상(三年喪)의 상기(喪期).
395)앙장쳐초(怏壯凄楚) : 원망스럽고 비장하며 슬프
　고 쓰라림.

384)습념지시(襲殮之時) : 상례에서 초상이 나 시신
　을 씻기고 수의(壽衣)로 갈아입힌 다음 베나 이
　불로 시신을 싸는 일련의 의례가 진행되는 때,
　*습(襲); 쑥이나 향나무 삶은 물로 시신을 씻긴 뒤
　옷을 갈아입힘. *염(殮); 시신을 수의로 갈아입힌
　다음, 베나 이불 따위로 쌈.
385)쳔츄곡별(千秋哭別) : 죽은 이를 곡(哭)하여 영결
　(永訣)함.
386)삼년ᄂᆡ(三年內) : 삼년상(三年喪)의 상기(喪期).
387)앙장쳐초(怏壯凄楚) : 원망스럽고 비장하며 슬프
　고 쓰라림.
388)오ᄂᆡ(五內) : 오장(五臟). 간장, 심장, 비장, 폐장,
　신장의 다섯 가지 내장을 통틀어 이르는 말

일 젹튝(積蓄)흔 비한(悲恨)을 발ᄒᆞ여 우름을 시작ᄒᆞ니, 긋칠 줄을 모로다가 엄흘ᄒᆞ니, 졔군등댱(諸軍衆將)이 대경ᄒᆞ여 약을 드리워 일시의 구호ᄒᆞ민, 이윽고 졍신을 출혀 토ᄒᆞᄂᆞᆫ 피를 거두어 업시ᄒᆞ고, 광슈(廣袖)를 드러 누슈를 졔어ᄒᆞ며, 초왕의 간을 너흐러 비왓타 업시ᄒᆞ고, 기리 탄왈,

"초왕 흉덕과 김탁 흉인 곳 아니면 삼형이 엇디 그디도록 참화를 당ᄒᆞ시리오. 이제 초젹을 죽여 삼형의 원슈를 갑하시니, 김탁의 고기를 맛보면, 거의 슈인(讐人)의 멸망ᄒᆞᄆᆞᆯ 보리로다."

졔댱이 쳔만 위로ᄒᆞ고 식반을 나【27】와 권ᄒᆞ니, 원슈 쳐연 무언이오, 식상을 바다 잠간 던식ᄒᆞ고, 츠야를 안평관의셔 디닉고, 명일 초국 도읍의 나아가 소화(燒火)흔 뷘 터희 댱막을 둘너 삼군 ᄉᆞ졸을 크게 셜연ᄒᆞ며, 셩닉의 '안민브동(安民不動)' 네 ᄌᆞ를 뼈 ᄉᆞ문(四門)의 붓쳐 빅셩이 니산(離散)ᄒᆞᄂᆞᆫ 일이 업고, 초왕의 젼가(全家)397)를 잡아 경샤로 올니려 ᄒᆞ더니, 셰ᄌᆞ 임의 부왕의 시신이 일만 조각의 나 뼈흘니믈 드르민, ᄉᆞ라 무익ᄒᆞ믈 씨ᄃᆞ라 ᄌᆞ문이ᄉᆞ(自刎而死)398)ᄒᆞ고, 왕비 쏘흔 결항(結項)ᄒᆞ여 죽으니, 원슈 초국 남은 신뇨로 ᄒᆞ여금 왕비와 셰ᄌᆞ를 셔민디녜(庶民之禮)로 쟝(葬)ᄒᆞ라 ᄒᆞ고, 인ᄒᆞ여 이의【28】 슈월을 머므러 학교를 널니 ᄒᆞ고 녜의를 권댱ᄒᆞ여, 빅셩의 농업을 착실이 권ᄒᆞ니, 원슈 이에 머믄 슌여의 교화(敎化) 대힝(大行)ᄒᆞ여, 도덕이 화ᄒᆞ여 냥민이 되고, 도블습유(道不拾遺)399)ᄒᆞ며 야블폐문(夜不閉門)ᄒᆞ여, 남녜 길흘 샤양ᄒᆞ고 빅셩이 농업을 브ᄌᆞ러니 ᄒᆞ여, 부ᄌᆞᄌᆞ효(父慈子孝)ᄒᆞ고   형우뎨공(兄友弟恭)ᄒᆞ며

---

396)오닉(五內) : 오장(五臟). 간장, 심장, 비장, 폐장, 신장의 다섯 가지 내장을 통틀어 이르는 말

397)젼가(全家) : 가족 전체.

398)ᄌᆞ문이ᄉᆞ(自刎而死) : 스스로 목숨을 끊어 죽음.

399)도블습유(道不拾遺) : 길에 떨어진 물건을 주워 가지지 않는다는 뜻으로, 형벌이 준엄하여 백성이 법을 범하지 아니하거나 민심이 순후함을 비유하여 이르는 말. ≪한비자≫의 <외저설좌상편(外儲說左上篇)>에 나오는 말이다.

젹튝(積蓄)흔 비한(悲恨)을 발ᄒᆞ여 우름을 시작ᄒᆞ니, 긋칠 줄을 모로다가 엄흘ᄒᆞ니, 졔군즁댱(諸軍衆將)이 디경ᄒᆞ여 약을 드리워 일시의 졍신을 출혀 토ᄒᆞᄂᆞᆫ 피를 거두어 업시ᄒᆞ고, 광슈(廣袖)를 드러 누슈를 졔어ᄒᆞ며, 초왕의 간을 너흐러 비왓타 업시ᄒᆞ고 기리 탄왈,

젹튝(積蓄)흔 비한(悲恨)을 발ᄒᆞ여 우름을 시작ᄒᆞ니, 긋칠 줄을 모로다가 엄흘ᄒᆞ니, 졔군즁댱(諸軍衆將)이 디경ᄒᆞ여 약을 드리워 일시의 졍신을 출혀 토ᄒᆞᄂᆞᆫ 피를 거두어 업시ᄒᆞ고, 광슈(廣袖)를 드러 누슈를 졔어ᄒᆞ며, 초왕의 간을 너흐러 비왓타 업시ᄒᆞ고 기리 탄왈,

"초왕 흉역과 김탁 흉인 곳 아니면 삼형이 엇지 그디도록 참화를 당ᄒᆞ시리오. 이제 초젹을 죽여 삼형의 원슈를 갑하시니, 김탁의 고기를 맛보면 거의 【121】 슈인(讐人)의 멸망ᄒᆞ믈 보리로다."

졔댱이 쳔만 위로ᄒᆞ고 식반을 나와 권ᄒᆞ니, 원슈 쳐연 무언이오. 식상을 바다 잠간 진식ᄒᆞ고, 츠야를 안평관의셔 지닉고, 명일 초국 도읍의 나아가 《소화∥소화(燒火)》흔 뷘 터희 댱막을 둘너 삼군 ᄉᆞ졸을 크게 셜연ᄒᆞ며, 셩닉의 '안민(安民)' 두 ᄌᆞ를 뼈 ᄉᆞ문(四門)의 붓쳐 빅셩이 니산(離散)ᄒᆞᄂᆞᆫ 일이 업고, 초왕의 젼가(全家)389)를 잡아 경샤로 올니려 ᄒᆞ더니, 셰ᄌᆞ 임의 부왕의 시신이 일만 조각의 나 뼈흘니믈 드르민, ᄉᆞ라 무익ᄒᆞ믈 씨ᄃᆞ라 ᄌᆞ문이ᄉᆞ(自刎而死)390)ᄒᆞ고, 왕비 쏘흔 결항(結項)ᄒᆞ여 죽으니, 원슈 초국 남은 신뇨로 ᄒᆞ여금 《황후∥왕비》와 셰ᄌᆞ를 {냥민}냥민녜(良民禮)로 쟝(葬)ᄒᆞ라 ᄒᆞ고, 인ᄒᆞ여 이의 슈월을 머므러 흑교를 널니 ᄒᆞ고, 녜의를 권장ᄒᆞ여, 빅셩의 농업을 착실이 권ᄒᆞ니, 원슈 이에 머믄 슌여의 교화(敎化) 디힝(大行)ᄒᆞ여 도젹이 화ᄒᆞ여 냥민이 되고, 도【122】블습유(道不拾遺)391)ᄒᆞ며 야블폐문(夜不閉門)ᄒᆞ여, 남녀 길흘 ᄉᆞ양ᄒᆞ고 빅셩이 농업을 브ᄌᆞ러니 ᄒᆞ여, 부ᄌᆞᄌᆞ효(父慈子孝)ᄒᆞ여 형우뎨공(兄友弟恭)ᄒᆞ며 댱유유셔(長幼有序)ᄒᆞ며 녜

---

389)젼가(全家) : 가족 전체.

390)ᄌᆞ문이ᄉᆞ(自刎而死) : 스스로 목숨을 끊어 죽음.

391)도블습유(道不拾遺) : 길에 떨어진 물건을 주워 가지지 않는다는 뜻으로, 형벌이 준엄하여 백성이 법을 범하지 아니하거나 민심이 순후함을 비유하여 이르는 말. ≪한비자≫의 <외저설좌상편(外儲說左上篇)>에 나오는 말이다.

당유유셔(長幼有序)ᄒ며 녜의를 슈련ᄒ니, 혁연(赫然)ᄒ 녜의와 슌후ᄒ 인심이 의연이 다른 ᄯᆞ히 되여시니, 인민이 원슈의 덕화를 우러러 감은각골(感恩刻骨)ᄒ며, 그 셩덕대혜(聖德大惠)400)를 우럴미, 스셔디민(士庶之民)의 니르히 젹ᄌᆞ(赤子) ᄌᆞ모(慈母) 우럼 ᄀᆞᆺ더라.

하원쉬 삼ᄉᆞ삭【29】디닌의 초국을 평뎡ᄒ고 흉역을 탕멸ᄒ미, 삼군 댱졸의 즐기미 무궁ᄒ고, 잔치ᄒ여 즐기미 홀노 녀챰뫼 듕댱을 바다 병이 위듕ᄒᆞᆯ ᄲᅮᆫ 아니라, 원슈의 나흘 혜고 ᄌᆞ긔 년치를 싱각ᄒ면, 션됴의 등양ᄒ여 하마 노ᄌᆡ상(老宰相)의 튱슈ᄒᆞᄂᆞᆫ 빅어ᄂᆞᆯ, 후ᄉᆡᆼ 쇼년의 슈하댱(手下將)이 되여, 쳑쵼디공(尺寸之功)을 셰오디 못ᄒ고, 도로혀 죄를 므릅뼈 듕댱을 바드미 참안슈괴(慙安羞愧)ᄒ여, 딕인ᄒᆞᆯ 면목이 업ᄉᆞᆫ디라. 스스로 욕ᄉᆞ무디(欲死無地)ᄒ여 듁음(粥飮)을 물니치고, 쥬야로 댱쳐(杖處)를 고통ᄒ니, 삼군졔졸(三軍諸卒)이 참연ᄒ여 의약을 착실히 ᄒ되 쵼회(寸效) 업ᄉᆞ니, 원쉬 그 병이 ᄉᆞ경(死境)의 이시【30】믈 듯고 친히 보고져 ᄒ여, 함평관의 니르러 슈일을 머므더니, 일야는 댱듕이 고요ᄒ고 명월이 교교ᄒ여 원근(遠近)이 여쥬(如晝)ᄒ니, 경샤(京師)를 바라 군친을 영모ᄒᄂᆞᆫ ᄆᆞᄋᆞᆷ이 비길 곳이 업다가, 홀연 녀챰모의 병을 보려 날호여 병소의 니르니, 그 슈하 졔졸이 오릭 구병(救病)의 셋쳐401) 댱외(帳外)의 ᄡᅳ러져 잠이 깁고, 챰뫼 홀노 통셩이 의의(依依)402)ᄒ거ᄂᆞᆯ, 원쉬 사댱(紗帳)ᄋᆞᆯ[을] 들혀고, 그 누은 겻티 나아가 손을 잡고 므러 왈,

"션싱의 딜양이 일망(一望)이 넘어시ᄃᆡ 츠셩ᄒ미 업고, 졈졈 위약ᄒ미 니르다 ᄒ니, 아디 못게라 증셰 엇더ᄒᆞ시뇨?"

챰뫼 쳔만 긔약디 아닌 원쉬【31】니르

400)셩덕대혜(聖德大惠) : 셩스러운 덕과 큰 은혜.
401)셋치다 : 삐치다. 피곤하다. 일에 시달리어서 몸이나 마음이 몹시 느른하고 기운이 없어지다.
402)의의(依依)ᄒ다 : 소리나 기억 따위가 어렴풋이 들리거나 생각나거나 하다.

의를 슈련ᄒ니, 혁연(赫然)ᄒ 녜의와 슌후ᄒ 인심이 의연이 다른 ᄯᆞ히 되여시니, ○○○ [인민이] 원슈의 덕화를 우러러 감은ᄀᆞᆨ골(感恩刻骨)ᄒ며, 그 셩덕ᄃᆡ혜(聖德大惠)392)를 우럴미, 스셔디민(士庶之民)의 니르히 젹ᄌᆞ(赤子) ᄌᆞ모(慈母) 우럼 ᄀᆞᆺ더라.

하원쉬 삼ᄉᆞ삭지닌의 초국을 평졍ᄒ고 흉젹을 탕멸ᄒ미, 삼군 댱졸의 즐기미 무궁ᄒ고, 잔치ᄒ여 즐기미, 홀노 녀챰뫼 즁댱을 바다 병이 위즁ᄒᆞᆯ ᄲᅢᆫ 아니라, 원슈의 나흘 혜고 ᄌᆞ긔 년긔를 싱각ᄒ면 션됴의 등양ᄒ여 하마 노ᄌᆡ상(老宰相)의 츙슈ᄂᆞᆫ 빅어ᄂᆞᆯ, 후ᄉᆡᆼ 쇼년의 슈하댱(手下將)이 되어, 쵼공(寸功)도 업고, 도로혀 죄를 므릅뼈 즁댱을 바드미 참안슈괴(慙安羞愧)ᄒ여, 딕인ᄒᆞᆯ 면목이 업ᄉᆞᆫ지라. 스스로 욕ᄉᆞ【123】쳐 무지(欲死無地)ᄒ여 쥭음(粥飮)을 물니치고 쥬야로 댱쳐(杖處)를 고통ᄒ니, 삼군졔졸(三軍諸卒)이 참연ᄒ여 의약을 착실이ᄒ되 쵼회(寸效) 업ᄉᆞ니, 원쉬 그 병이 ᄉᆞ경(死境)의 이시믈 듯고 친히 보고져 ᄒ여, 함평관의 니르러 슈일을 머므더니, 일야는 댱즁이 고요ᄒ고 명월이 교교ᄒ여 원근(遠近)이 여쥬(如晝)ᄒ니, 경샤(京師)를 ᄇᆞ라 군친을 영모ᄒᄂᆞᆫ ᄆᆞ음이 비길 곳이 업다가, 홀연 녀헌의 병을 보려 날호여 병소의 니르니, 그 슈하 졔졸이 오릭 구병(救病)의 쎄393)쳐, 댱외(帳外)의 ᄡᅳ러져 잠이 깁고, 참뫼 홀노 통셩[셩](痛聲)이 의의(依依)394)ᄒ거ᄂᆞᆯ, 원쉬 사댱(紗帳)을 들혀고 그 누은 겻티 나아가, 손을 잡고 므러 왈,

"션싱의 질양이 일망(一望)이 넘어시ᄃᆡ 츠셩ᄒ미 업고 졈졈 위악ᄒ미 니른다 ᄒ니 아지 못게라 증휘(症候) 엇더ᄒᆞ시뇨?"

참뫼 쳔만 긔약지 아닌 원쉬 니르러 문병

392)셩덕대혜(聖德大惠) : 셩스러운 덕과 큰 은혜.
393)쎗치다 : 삐치다. 피곤하다. 일에 시달리어서 몸이나 마음이 몹시 느른하고 기운이 없어지다.
394)의의(依依)ᄒ다 : 소리나 기억 따위가 어렴풋이 들리거나 생각나거나 하다.

러 문병ㅎ는 말을 드르니, 놀나온듯 두리온 듯 ᄆᆞ음을 뎡치 못ᄒᆞ여, 타루(墮淚) 블응(不應)ᄒᆞ니, 원쉬 그 머리를 집흐며 좌우슈(左右手)를 딘ᄇᆞᆨᄒᆞ고, 기리 탄왈,

"쇼싱이 무식ᄒᆞ오나 댱유유셔(長幼有序)를 모로리잇고마는, 부운 ᄀᆞᆺᄐᆞᆫ 작딕(爵職)을 인ᄒᆞ여 원융(元戎)[403] 듕임을 당ᄒᆞ니, 쳔병 만마를 슈하의 거나리미, 비록 미셰ᄒᆞ오나 댱녕(將令)의 엄ᄒᆞᆷ믄 황명의 나리디 아니커ᄂᆞᆯ, 션싱이 이 일을 그룻 싱각ᄒᆞ여 싱의 말을 듯디 아니ᄒᆞ시고, 셔의(齟齬)한 의ᄉᆞ를 너여 오빅군을 거ᄂᆞ려 초왕 흉덕의 오는 곳의 마조 힝ᄒᆞ니, 만일 션봉의 구ᄒᆞ미 아니런들 션싱과 다못 오빅 군졸이 ᄉᆞ화(死禍)를 【32】 면치 못ᄒᆞ리니, 이런 일을 싱각ᄒᆞ미 엇디 놀납고 추악디 아니리오. 싱이 딘실노 션싱을 멸시ᄒᆞ미 아니라, 군듕의 법녕을 상히오디 못ᄒᆞ여, 초의 브득이 ᄉᆞ명(死命)을 니르나, 심니(心裏)의 블승참연(不勝慘然)ᄒᆞ더니, 셕·댱 냥댱군과 졔댱이 구ᄒᆞ믈 인ᄒᆞ여, 별곤 ᄉᆞ십댱(四十杖)을 더으미[404], 션싱의 쳔금 듕신의 딜양이 이딕도록 위독ᄒᆞ샤 추셩(差成)홀 길이 업ᄉᆞ니, 쇼싱이 엇디 안안ᄒᆞ리오. 군듕 댱임(將任)의 법규로ᄡᅥ 션싱을 슈하로 딕졉ᄒᆞ나, 션싱의 츈취 ᄉᆞ십이 넘으시고 작녹이 늉늉ᄒᆞ시믈 혜건딕, 쇼싱 ᄀᆞᆺᄐᆞᆫ 【33】 년쇼 후싱비(後生輩) 존경치 아니리잇고? 밤이 깁고 만뇌(萬籟) 구뎍(俱寂)ᄒᆞ믈 좃ᄎᆞ, 션싱 병후를 보옵고져 니르럿ᄂᆞ니, 쇼싱이 의슐이 불명ᄒᆞ나 거의 션싱의 딜양을 추셩케 ᄒᆞ리니, 모로미 장쳐를 보게 ᄒᆞ쇼셔."

참뫼 비로소 노분(怒憤)ᄒᆞ던 ᄆᆞ음이 프러져, 감은(感恩)혼 의ᄉᆞ 니러나, 고두 뉴쳬왈,

"쇼댱이 죄당ᄉᆞ죄(罪當死罪)어늘, 원슈의 호싱디덕으로 일명을 니으나, 디혜 쳔단(淺短)ᄒᆞ고 지죄 비박ᄒᆞ믈 그윽이 붓그리미,

ᄒᆞ는 말을 드르니, 놀나온 듯 두리온 듯 【124】 ᄆᆞ음을 졍치 못ᄒᆞ여, 타루(墮淚) 블응(不應)ᄒᆞ니, 원쉬 그 머리를 집흐며 좌우슈(左右手)를 진ᄇᆞᆨᄒᆞ고 기리 탄왈,

"쇼싱이 무식ᄒᆞ오나 댱유유셔(長幼有序)를 모로리잇고마는 분[부]운(浮雲) ᄀᆞᆺᄐᆞᆫ 작직(爵職)을 인ᄒᆞ여 원융(元戎)[395] 즁임을 당ᄒᆞ니, 쳔병 만마를 슈하의 거ᄂᆞ리미, 비록 미셰ᄒᆞ오나 댱녕(將令)의 엄ᄒᆞᆷ믄 황명의 ᄂᆞ리지 아니커ᄂᆞᆯ, 션싱이 일을 그룻ᄒᆞ여 싱의 말을 듯지 아니ᄒᆞ고, 셔의(齟齬)한 의ᄉᆞ를 너여 오빅군을 거ᄂᆞ려 초왕 흉젹의 오는 곳의 마조 힝ᄒᆞ니, 만일 셕션봉의 구ᄒᆞ미 아니런들 션싱과 다못 오빅 군졸이 ᄉᆞ화(死禍)를 면치못ᄒᆞ리니, 이런 일을 싱각ᄒᆞ미 엇지 놀납고 추악지 아니리오. 싱이 진실노 션싱을 멸시ᄒᆞ미 아니라, 군즁의 법녕을 상히오지 못ᄒᆞ여, 초의 브득이 ᄉᆞ명(死命)을 니르나, 심니(心裏)의 블승참연(不勝慘然)ᄒᆞ더니, 셕·댱 냥댱군과 졔댱의 【125】 구ᄒᆞ믈 인ᄒᆞ여, ○○[별곤] ᄉᆞ십장(四十杖)을 더으미[396], 션싱의 쳔금 즁○○[신의] 질○[양]이 이딕도록 위독ᄒᆞ샤, 추셩(差成)홀 길이 업ᄉᆞ니, 쇼싱이 엇지 안안ᄒᆞ리오. 군즁 댱임(將任)의 법규로ᄡᅥ 션싱을 슈하로 딕졉ᄒᆞ나, 션싱 츈취ᄉᆞ십이 넘으시고 작녹이 늉즁ᄒᆞ믈 혜건딕, 쇼싱○○[ᄀᆞᆺᄐᆞᆫ] 년쇼 후싱비(後生輩) 존경치 아니리잇고? 밤이 깁고 만뇌구젹(萬籟俱寂)ᄒᆞ믈 조ᄎᆞ, 션싱 병후를 보옵고져 니르럿ᄂᆞ니, 쇼싱이 의슐이 불명ᄒᆞ나, 거의 션싱의 질양을 추셩케 ᄒᆞ리니, 모로미 댱쳐를 보게 ᄒᆞ쇼셔."

참뫼 비로소 노분(怒忿)ᄒᆞ던 ᄆᆞ음이 프러져 감은(感恩)혼 의ᄉᆞ 니러나니, 고두 뉴쳬왈,

"쇼댱이 죄당ᄉᆞ죄(罪當死罪)어늘 원슈의 호싱지덕으로 일명을 니으나, 지혜 쳔단(淺短)ᄒᆞ고 지죄 비박ᄒᆞ믈 그윽이 붓그리미,

---

403)원융(元戎) : 군사의 우두머리.
404)더으다 : 가(加)하다. 더하다. 어떤 행위를 하거나 영향을 끼치다.

395)원융(元戎) : 군사의 우두머리.
396)더으다 : 가(加)하다. 더하다. 어떤 행위를 하거나 영향을 끼치다.

딕인홀 낫치 업셔 ᄒᆞ더니, 원쉬 친님ᄒᆞ여 이ᄀᆞᆺ치 은덕을 드리오시니, 블승감은 ᄒᆞ이다."

원쉬 츄【34】연 왈,

"쇼싱이 댱듕(帳中)의셔ᄂᆞᆫ 허다 졔댱 가온ᄃᆡ 홀노 션싱을 네딕치 못ᄒᆞ거니와, 엇디 고요ᄒᆞᆫ 밤의 이목이 업슨 곳을 당ᄒᆞ여, 년치(年齒) 다쇼를 싱각디 아니시고, 이러ᄐᆞᆺ 존경ᄒᆞ시ᄂᆞ뇨? 모로미 디ᄂᆞᆫ 일을 제긔치 마르시고 쟝쳐를 뵈쇼셔."

인ᄒᆞ여 금금(錦衾)을 헷쳐 쟝쳐를 보ᄆᆡ, 대종(大腫)이 셩농(成膿)ᄒᆞ고 쟝독(杖毒)이 대발(大發)ᄒᆞ여 심녜(心慮) 편치 못ᄒᆞᄆᆞ로, 식음을 젼폐ᄒᆞ여 긔운을 수습디 못ᄒᆞ미라. 원쉬 친히 듁음을 가져 참모의 입의 드리워 마시게 ᄒᆞᆫ 후, 낭듕(囊中)의 침을 ᄂᆡ여 파종(破腫)홀ᄉᆡ, 의술이 본ᄃᆡ 신이ᄒᆞᆫ 고로 참모【35】의 종쳬(腫處)를 파ᄒᆞ고, 농즙(膿汁)을 ᄲᅡ 약을 ᄲᅡ시ᄆᆡ, 악취 코흘 거스리고 농즙이 ᄌᆞ리의 괴이며 낫치 ᄶᅱ더, 조금도 ᄉᆞ식을 변ᄒᆞ미 업셔, 약을 붓친 후 원쉬 웃옷ᄉᆞᆯ 버셔 농즙을 뭇쳐닉고, 농즙 무든 ᄌᆞ리를 거더 먼니 더디ᄆᆡ, ᄉᆡ 금침을 어더 병신(病身)이 편토록 누이고, 그 믹후를 다시 보아 심녀치 마르쇼셔 ᄒᆞ며, 식음을 권ᄒᆞ여 슈히 ᄎᆞ셩ᄒᆞ여 공을 일울 바를 니른ᄃᆡ, 참뫼 젼과를 붓그려 슌슌이 다 마시고 셩ᄒᆞᆫ 덕을 샤례ᄒᆞ며, 쟝쳐를 파종ᄒᆞᄆᆡ, 일신의 일만 칼노 ᄲᅧ흘며 ᄲᅮ시던 빗 가비압고 싀훤ᄒᆞ미 하날이라도 오를ᄃᆞᆺᄒᆞ니, 참뫼【36】비로소 셩덕을 항복ᄒᆞ여 다시금 샤례ᄒᆞ니, 원쉬 그 손을 잡아 편히 누어시믈 니르고, 속히 ᄎᆞ셩ᄒᆞ여 태창관 슈댱(戍將) 빅츈을 인의(仁義)로 항복 바다, 다시 공을 셰오라 ᄒᆞ며, 수오쳡 약을 디어 참모의 겻ᄐᆡ 노하 명일 달혀 먹으라 ᄒᆞ고, 효계(曉鷄) 창명(唱鳴)ᄒᆞᄆᆞ로 댱듕의 도라오ᄆᆡ, 신셩(晨省)ᄒᆞ려 모든, 댱관 ᄉᆞ졸이 당하의 모혀 원슈의 갓던 곳을 아디 못ᄒᆞᄃᆡ, 호위댱군 녀한이 녀헌의 종뎨(從弟)러니, 참모의 병소 겻방의셔 {ᄌᆞ}ᄌᆞ다가 원슈의 녀헌 위로ᄒᆞ던 말과 파

딕인홀 낫치 업셔 ᄒᆞ더니, 원쉬 친님ᄒᆞ여 이 ᄀᆞᆮ튼 은덕을 드리○[오]시니 블승감은 ᄒᆞ이다."

원쉬 츄【126】연 왈,

"쇼싱이 댱듕(帳中)의셔ᄂᆞᆫ 허다 졔댱 가온ᄃᆡ 홀노 션싱을 네딕치 못ᄒᆞ거니와, 엇지 고요ᄒᆞᆫ 밤의 이목이 업슨 곳을 당ᄒᆞ여 년치(年齒) 다쇼를 싱각지 아니시고, 이러ᄐᆞᆺ 존경ᄒᆞ시ᄂᆞ뇨? 모로미 지난 일을 제긔치 마르시고 쟝쳐를 뵈쇼셔."

인ᄒᆞ여 금금(錦衾)을 혀[헷]쳐 쟝쳐를 보ᄆᆡ, 딕종(大腫)이 셩농(成膿)ᄒᆞ고 댱독(杖毒)이 딕발(大發)ᄒᆞ여 심녜(心慮) 편치 못ᄒᆞᄆᆞ로 식음을 젼폐ᄒᆞ여 긔운을 수습지 못ᄒᆞ미라. 원쉬 친히 죽음을 가져 참모의 닙의 드리워 마시게 ᄒᆞᆫ 후, 낭듕(囊中)의 침을 ᄂᆡ여 파종(破腫)홀ᄉᆡ, 원슈 의술이 본ᄃᆡ 신이ᄒᆞᆫ 고로, 참모의 종쳐를 파ᄒᆞ고, 농즙(濃汁)을 ᄲᅡ 약을 ᄲᅡ시ᄆᆡ, 악취 코흘 거스리고 농즙이 ᄌᆞ리의 괴이며 낫치 ᄶᅱ더, 조곰도 ᄉᆞ식을 변ᄒᆞ미 업셔, 약을 붓친 후 원쉬 웃옷ᄉᆞᆯ 버셔 농즙을 뭇쳐닉고, 농즙 무든 ᄌᆞ리를 거더 먼니 더지ᄆᆡ, ᄉᆡ 금【127】침(衾枕)을 어더 병신(病身)이 편토록 누이고, 그 믹후를 다시 보아 심녀치 마르쇼셔 ᄒᆞ며, 식음을 권ᄒᆞ여 슈히 ᄎᆞ셩ᄒᆞ여 공을 일울 바을 니른ᄃᆡ, 참뫼 젼과를 붓그려 슌슌이 죽음을 다 마시고, 셩ᄒᆞᆫ 덕을 샤례ᄒᆞ며, 쟝쳐를 파종ᄒᆞᄆᆡ, 일신의 일만 칼노 ᄲᅧ흘며 ᄲᅮ시던 빗, 가비압고 싀훤ᄒᆞ미 하날이라도 오를ᄃᆞᆺ ᄒᆞ니, 참뫼 비로소 셩덕을 항복ᄒᆞ여 다시금 샤례ᄒᆞ니, 원쉬 그 손을 잡아 편히 누어시믈 니르고, 슈히 ᄎᆞ셩ᄒᆞ여 태창관 슈댱(戍將) 빅츈을 인의(仁義)로 항복 바다, 다시 공을 셰오라 ᄒᆞ며, 수오쳡 약을 지어 참모의 겻ᄐᆡ 노하 명일 달혀 먹으라 ᄒᆞ고, 효계 창명(曉鷄唱鳴)ᄒᆞᄆᆞ로 댱듕의 도라오ᄆᆡ, 신셩(晨省)ᄒᆞ려 모든, 댱관 ᄉᆞ졸이 당하의 모혀 원슈의 갓던 곳을 아지 못ᄒᆞᄃᆡ, 호위댱군 녀한이 녀헌의 종뎨(從弟)러니, 참모의 병소 겻방의셔 ᄌᆞ다가 원슈의 녀헌 위

종ᄒ던 거동을 문틈으로 여어보고, 감탄ᄒ여 참모【37】를 디ᄒ여 원슈의 화홍 대덕을 칭복ᄒ니, 참뫼 왈,

"하원슈ᄂᆫ 셩현 유풍(遺風)이라. 기량(器量)이 여ᄒᆡ(如海)ᄒ고 기디(機智) 여신(如神)ᄒ여 샤광지총(師曠之聰)405)을 가져시니, 속인으로 의논홀 빅 아니라. 내 초의 싱각ᄒ믈 그릇ᄒ여 져를 업슈히 넉인 빅, ᄒ마 ᄉᆞ멸디화(死滅之禍)를 취홀 번 ᄒ니 누를 탓ᄒ리오."

녀한이 블승감덕(不勝感德)ᄒ고, 부원슈이ᄒᆡ 녀한의 니르믈 인ᄒ여 ○○○○○○○[원슈의 야간힝젹을] 듯고, 졔댱이 그 덕화를 항복ᄒ더라.

녀참뫼 원슈의 약을 년ᄒ여 먹으며 십여 일을 편히 ᄒᆞ미, 쟝쳐ᄂᆞᆫ 파종ᄒ믈 좃ᄎ 즉시 낫고, 빅병이 스러져 블급슌여(不及旬餘)의【38】쾌ᄎᆞ(快差) 소셩(蘇醒)ᄒ니, 원슈긔 즉시 비알ᄒᆞ미, 원쉬 발셔 태창관 빅츈의게 보닐 글을 디엇다가 참모를 주고,○···**결락21자**···○[군사 일쳔을 주어 태창관을 항복 받으라 ᄒ니, 녀참뫼] 일쳔 병ᄆᆞ를 거나려 ○○○○○○[태창관의 나가], 몬져 글을 살히 미여 ᄡᅩ아 관듕의 보ᄂᆞ니, 슈댱(戍將) 빅츈이 한번 보미, 디샹(紙上)의 난봉이 춤추며, 쥬옥이 낙낙(落落)ᄒ여 튱의디언(忠義之言)과 녜의션힝디셜(禮儀善行之說)이 ᄌᆞᄌᆞ히 스리의 당연ᄒ고 녜모의 합도ᄒ니, 츈이 일견의 탄복흠션(歎服欽羨)ᄒ여 관문을 크게 열고, 녀헌을 마ᄌ 셜연 관디ᄒ니, 참뫼 원슈의 ᄒᆞᆫ 댱 글월노 빅츈을 항복 밧고 관익을 어드니, 만심 환열ᄒ여 슈일【39】을 머므러 인심을 딘졍ᄒ고 도라올ᄉᆡ, 빅츈이 군을 거나려 녀참모와 ᄒᆞᆫ가디로 대딘의 니르러 원슈긔 항복ᄒᆞ미, 가ᄉᆡ를 디며 옷슬 메와 다 늦게야 항복ᄒ믈 쳥죄ᄒ니, 원쉬 은혜로 디졉ᄒᆞ며 됴흔 말노 위로ᄒ고, 군졍ᄉᆞ(軍政使)406)의 녀참모의 공을 졔댱과

【128】로ᄒ던 말과 파종ᄒ던 거동을 문틈으로 여어보고, 감탄ᄒ여 녀헌을 디ᄒ여 원쉬의 화홍 디덕을 칭복ᄒ니. 헌 왈,

"하원슈ᄂᆫ 셩현 유풍이라. 기량(器量)이 여ᄒᆡ(如海)ᄒ고 기지(機智) 여신(如神)ᄒ여 ᄉᆞ광지총(師曠之聰)397)을 가져시니, 속인으로 의논홀 빅 아니라. 내 초의 그릇 싱각 ᄒ여 져룻 업슈히 넉인 빅, ᄒ마 ᄉᆞ멸지화(死滅之禍)를 취홀 번 ᄒ니 눌을 탓ᄒ리오."

녀한이 블승감덕(不勝感德)ᄒ고, 부원슈이ᄒᆡ 녀한이 ᄀᆞ마니 원슈의 ○○○○[야간힝젹을]니르믈 인ᄒ여 듯고, 졔댱이 그 덕화를 항복ᄒ더라.

녀참뫼 원슈의 약을 년ᄒ여 먹으며 십여 일을 편히 ᄒᆞ미, 쟝쳐ᄂᆞᆫ 파종ᄒ믈 조ᄎ 즉시 낫고, 빅병이 스러져 블급슌여(不及旬餘)의 쾌ᄎᆞ(快差) 소셩(蘇醒)ᄒ니, 원슈긔 즉시 비알ᄒᆞ미, 원쉬 발셔 태창관 빅쥰의게 보닐 글을지엇다가 참모를 주고, ○···**결락21자**···○[군사 일쳔을 주어 태창관을 항복 받으라 ᄒ니, 녀참뫼] 일쳔 병을 거ᄂᆞ려 ○○○○○○[태창관의 나가], 몬져 글을 살히 미여 ᄡᅩ아 관즁의 보ᄂᆞ【129】니, 슈댱(戍將) 빅쥰이 한번 보미, 지샹(紙上)의 난봉이 춤추며 쥬옥이 낙낙(落落)ᄒ여 츙의지언(忠義之言)과 녜의션힝지셜(禮儀善行之說)이 ᄌᆞᄌᆞ히 스리 당연ᄒ고, 녜모의 합도ᄒ니, 쥰이 일견의 탄복흠션(歎服欽羨)ᄒ여 관문을 크게 열고, 녀헌을 마ᄌ 셜연 관디ᄒ니, 참뫼 원슈의 ᄒᆞᆫ 쟝 글월노 빅쥰을 항복 밧고 관익을 어드니, 만심 환열ᄒ여 슈일을 머므러 인심을 진졍ᄒ고 도라올ᄉᆡ, 빅쥰의[이] 군을 거ᄂᆞ려 ○[녀]참모와 ᄒᆞᆫ가지로 디진의 니르러 원슈긔 납항(納降)ᄒᆞ미, 가ᄉᆡ를 지며 옷슬 메와 다 늦게야 항(降)ᄒ믈 쳥죄ᄒ니, 원쉬 은혜로 디졉ᄒᆞ며 됴흔 말노 위로ᄒ고, 군졍ᄉᆞ(軍政使)398)의 녀참모의 공을 졔쟝과

---

405)샤광지총(師曠之聰) : 사광의 총명이란 뜻으로, 중국 춘추(春秋) 때 사광이란 사람이 소리를 잘 분변하여 길흉을 점쳤다는 고사에서 유래한 말.

397)샤광지총(師曠之聰) : 사광의 총명이란 뜻으로, 중국 춘추(春秋) 때 사광이란 사람이 소리를 잘 분변하여 길흉을 점쳤다는 고사에서 유래한 말.

ᄀᆞ치 티부(置簿)ᄒᆞ라 ᄒᆞ고, 그 허물을 ᄡᅵᆺ히
며 빅의(白衣)를 버셔 평샹호 젼복(戰服)으
로 이시라 ᄒᆞ니, 참모 일마다 감은ᄒᆞ여 슈
명ᄒᆞ더라.

원쉬 초국을 평뎡ᄒᆞᄆᆡ 오리 디류ᄒᆞᆯ 일이
업순 고로, 드듸여 퇴일 회군ᄒᆞᆯ식, 초국 승
샹 몽셥은 위인이 돈후인【40】명(敦厚仁
明)ᄒᆞ고 강엄쳥검(剛嚴淸儉)ᄒᆞ므로, 초왕의
남활ᄒᆞ믈 ᄌᆞ로 간ᄒᆞᄆᆡ, 왕이 미양 증염ᄒᆞ여
믜이 넉여, 하옥 삼년의 뎡히 죽이고져 ᄒᆞ
다가 밋디 못ᄒᆞ엿더니, 왕이 멸망ᄒᆞᆫ 고로
몽셥이 ᄉᆞ라난디라. 하원쉬 셥으로 ᄒᆞ여금
아딕 국도를 딕회여 ᄉᆞ민을 거ᄂᆞ리라 ᄒᆞ고,
대군이 개가(凱歌)를 브르며 승젼곡으로 도
라올식, 초국 빅셩이 남녀 노쇼업시 눈믈을
흘니디 아니리 업스니, 원쉬 흔연이 빅셩의
올린 바 마육(馬肉)과 탁쥬(濁酒)를 맛보아
그 디극ᄒᆞᆫ 졍을 믈니치디 아니ᄒᆞ고, 면면
(綿綿)이 셩언(聖言) 현어(賢語)로 무위【4
1】ᄒᆞ여 기리 됴히 이시라 ᄒᆞ고, 대군을 모
라 나아갈식, 초민(楚民)이 십니의 ᄡᅩᆯ와 뎐
별코져 ᄒᆞ니, 원쉬 지삼 위로ᄒᆞ여 머므르고,
대군이 믈미ᄃᆺ 힝ᄒᆞ니, 원쉬 ○○○○[졀도
ᄉᆞ로] 흔연이 작별ᄒᆞ여 왈,

 "금번 벌초디젼(伐楚之戰)의 군냥을 풍죡
히 니으며 습ᄉᆞ(習射)를 브즈러니 ᄒᆞ여 대
공을 셰오미, ᄯᅩᄒᆞᆫ 댱군의 공뇌 호대(浩大)
ᄒᆞᆫ디라. 임의 군졍ᄉᆞ의 티부ᄒᆞᆫ 빈니, 텬안이
슬피시미 댱군을 승픔ᄒᆞ여 브르시리이다."

 졀도시 블감승당(不敢承當)이믈 칭샤ᄒᆞ
고, 날이 져믈기로ᄡᅥ 각각 분슈ᄒᆞ여 후회를
니르더라.

 초국 ᄉᆞ민(四民)407)이 원슈의 덕화를 보
답ᄒᆞᆯ【42】 길히 업셔, 셩남(城南) 고루(高
樓)의 일좌(一座) 누디(樓臺)를 셰오고, 화
법 고명호 뇨셰휘 원슈의 화상을 도화(圖

ᄀᆞ치 치부(置簿)ᄒᆞ라 ᄒᆞ고, 그 허물을 ᄡᅵᆺ히
며 빅의(白衣)를 버셔 평샹호 젼복(戰服)으
로 이시라 ᄒᆞ니, 참뫼 일마다 감은ᄒᆞ여 슈
명ᄒᆞ더라.

 원쉬 초국을 평졍ᄒᆞᄆᆡ 오릭 지류ᄒᆞᆯ 일이
업【130】산 고로, 드듸여 퇴일 회군ᄒᆞᆯ식,
초국 승샹{은} 몽셥은 위인이 츠[돈]후인명
(敦厚仁明)ᄒᆞ고 강엄쳥검(剛嚴淸儉)ᄒᆞ므로,
초왕의 남활ᄒᆞ믈 ᄌᆞ로 간ᄒᆞᄆᆡ, 왕이 미양
증염ᄒᆞ여 믜이 넉여, 하옥 삼년의 졍히 죽
이고져 ᄒᆞ다가 밋지 못ᄒᆞ여, 왕이 망멸(亡
滅)ᄒᆞᆫ 고로 몽셥이 ᄉᆞ라 난지라. 하원쉬 셥
으로 ᄒᆞ여곰 아즉 국도를 직회여 ᄉᆞ민을 거
ᄂᆞ리라 ᄒᆞ고, 딕군이 긔가(凱歌) 승젼곡으로
도라올식, 초국 빅셩이 남녀노소 업시 마육
과 탁쥬를 가져 비별ᄒᆞᆯ식, 초국 빅셩이 남
녀노쇼 업시 눈믈을 흘니지 아니리 업스니,
원쉬 흔연이 쥬육(酒肉)을 맛보아 그 지극
ᄒᆞᆫ 졍을 믈니치지 아니ᄒᆞ고, 면면(綿綿)이
○○○○○[셩언(聖言) 현어(賢語)로] 무위ᄒᆞ
여 기리 됴히 이시라 ᄒᆞ고, 딕군을 모라 나
아갈식, 초민(楚民)이 십니의 ᄡᅩᆯ와 젼별코져
ᄒᆞ니, 원쉬 지삼 위로ᄒᆞ여 머므르고, 딕군이
믈미닷 힝ᄒᆞ니, 원쉬 ○○○○[졀도ᄉᆞ로]
흔연이 작별【131】 왈,

 "금번 벌초지젼(伐楚之戰)의 군냥을 풍죡
히 니으며, 습ᄉᆞ(習射)를 브즈러니 ᄒᆞ여 딕
공을 셰오미, ᄯᅩᄒᆞᆫ 댱군의 공뇌 큰지라. 임
의 군졍ᄉᆞ의 치부ᄒᆞᆯ빈니 텬안이 슬피시미
댱군을 승픔ᄒᆞ여 브르시리이다."

 졀도시 블감승당(不敢承當)이믈 칭ᄉᆞᄒᆞ고
날이 져믈기로 분슈ᄒᆞ여 각각 후회를 니르
더라.

 초국 ᄉᆞ민(四民)399)이 원슈의 덕화를 갑
흘 길히 업셔 셩남(城南) 고루(高樓)의 일좌
(一座) 누디(樓臺)를 셰오고, 화법 유명호
뇨셰휘 원슈의 화상을 그려 누각의 봉안ᄒᆞ

---

406)군졍ᄉᆞ(軍政使) : 전쟁 중에 군대 내의 행정을
　　맡아보는 관리.
407)ᄉᆞ민(四民) : 온 백성. 사(士)·농(農)·공(工)·
　　상(商) 네 가지 신분이나 계급의 백성.

398)군졍ᄉᆞ(軍政使) : 전쟁 중에 군대 내의 행정을
　　맡아보는 관리.
399)ᄉᆞ민(四民) : 온 백성. 사(士)·농(農)·공(工)·
　　상(商) 네 가지 신분이나 계급의 백성.

畵)ᄒᆞ여 누각의 봉안ᄒᆞ고, ᄉᆞ민이 젼결(田結)408)을 버려 ᄉᆞ시향화(四時香火)를 빅만년의 긋디 아니려 ᄒᆞᆯᄉᆡ, 누호(樓號)를 활명누(活命樓)라 ᄒᆞ니, ᄎᆞᄂᆞᆫ 원슈 초민을 구활ᄒᆞ미 만타 ᄒᆞ여 활명누로 칭ᄒᆞ고, 만흔 젼결의 ᄉᆞ시 향화를 니으며, 딕힌 관원이 환과고독(鰥寡孤獨)의 참잔(慘殘)ᄒᆞ니를 거두어, 의식을 니으미 되여시니, 이ᄂᆞᆫ 원슈의 디극ᄒᆞᆫ 덕을 싱각ᄒᆞ미러라.

ᄎᆞ셜 교디참정(交趾參政) 윤공이 흑ᄉᆞ를 다리고 교디로 향ᄒᆞᆯᄉᆡ, 경샤를 ᄯᅥ난【43】 슈슌(數旬) 가디는 인ᄉᆞ를 아는 둣 모로ᄂᆞᆫ 둣, 독약의 미양 간간이 혼미ᄒᆞ믈 면치 못ᄒᆞ니, 흑시 의약을 착실히 ᄒᆞ며 술을 과음치 마르쇼셔 ᄒᆞ여, 월여의 니르러ᄂᆞᆫ 참정이 졈졈 녯 총명이 도라오며, 젼일 ᄆᆞ음이 셕연(釋然)이 ᄭᅵ드르미 잇ᄂᆞᆫ디라. 히음업시409) 흑ᄉᆞ 귀듕ᄒᆞ미 강보유ᄌᆞ(襁褓乳子) ᄀᆞᆺᄐᆞ여, 만니 험노의 샹ᄒᆞᆯ가 우려ᄒᆞ미 ᄌᆞ긔 몸의 더ᄒᆞ고, 슌식간도 ᄯᅥ나디 아냐 보기홀 찬션과 아름다온 과품을 갈히여 먹여 귀듕ᄒᆞᄂᆞᆫ 졍이 디극ᄒᆞ며, 모친을 영모ᄒᆞᄂᆞᆫ 심ᄉᆞ 쳐연 비졀ᄒᆞ믈 니긔디 못ᄒᆞ여, 흑ᄉᆞ【44】를 디ᄒᆞ여 쳐연 하루(下淚) 왈,

"내 비록 니친(離親)ᄒᆞ나 형댱이 계실딘디 엇디 가ᄉᆞ를 녀렴(慮念)ᄒᆞ며, ᄌᆞ위 봉양을 근심ᄒᆞ리오마ᄂᆞᆫ, 밧그로 형댱이 기셰ᄒᆞ샤 셰월이 오릭엿고, 안흐로 슈쉬(嫂嫂) 실니ᄒᆞ샤 디금 계신 곳을 아디 못ᄒᆞ니, 오가(吾家) 변괴 이상ᄒᆞ디라. 내 유딜(有疾)ᄒᆞ므로브터 안히 잇셔 만ᄉᆞ를 아른체 못ᄒᆞ엿거니와, 아디 못게라, 너희 형뎨 엇디 슈슈의 거쳐를 알녀 아니며, 뎡·딘 이부ᄂᆞᆫ 평일 빅힝 ᄉᆞ덕이 남달니 초츌 특이ᄒᆞᆫ가 ᄒᆞ엿더니, 엇디ᄒᆞ므로 간뷔(姦夫) 존당의 돌입ᄒᆞ여 날을 욕ᄒᆞ며, ᄌᆞ위를 샹ᄒᆞ시게 ᄒᆞ고,【45】 딘시ᄂᆞᆫ 하·댱 이현부(二賢婦)를 디ᄒᆞ여 존당 모히를 니르며, 뎡시ᄂᆞᆫ 뉴시를 나 보ᄂᆞᆫ

고, ᄉᆞ민이 젼결(田結)400)을 버려 ᄉᆞ시향화(四時香火)를 빅만년의 긋지 아니려 ᄒᆞᆯᄉᆡ, 누명(樓名)을 활명누(活命樓)라 ᄒᆞ니, ᄎᆞᄂᆞᆫ 원슈 초민을 만히 구활타ᄒᆞ여 활명누로 칭ᄒᆞ고, 만흔 젼결의 ᄉᆞ시향화를 니으며, 누직 흰 관원이 ○○[환과]고독(鰥寡孤獨)의 참잔(慘殘)ᄒᆞ니를 거두어 의식을 니으미 되어시니, 이ᄂᆞᆫ 하원슈의 지극흔 덕을【132】미러라.

ᄎᆞ셜 교지참졍(交趾參政) 윤공이 《효ᄉᆞ‖흑ᄉᆞ》를 ᄃᆞ리고 교지로 향ᄒᆞᆯᄉᆡ, 경ᄉᆞ를 ᄯᅥ난 슈슌(數旬) 가지ᄂᆞᆫ 인ᄉᆞ를 아ᄂᆞᆫ 둣, 모로난둣, 독약의 미양 간간이 혼미ᄒᆞ믈 면치 못ᄒᆞ니, 흑시 '의약을 착실히 ᄒᆞ며 술을 과음치 마르쇼셔' ᄒᆞ여, 월여의 니르러ᄂᆞᆫ 참졍이 졈졈 녯 총명이 니러나며 젼일 ᄆᆞ음이 셕연(釋然)이 도라오ᄂᆞᆫ지라. 히음업시401) 흑ᄉᆞ 귀즁ᄒᆞ미 강보유ᄌᆞ(襁褓乳子) ᄀᆞᆺᄐᆞ여, 만니 험노의 샹ᄒᆞᆯ가 우려ᄒᆞ미 ᄌᆞ긔 몸의 더ᄒᆞ고, 슌식간도 ᄯᅥ나지 아냐 보기홀 찬션과 아름다온 과품을 갈히여 먹여 귀즁ᄒᆞ미 지극ᄒᆞ며, 모친을 영모ᄒᆞᄂᆞᆫ 심ᄉᆞ 쳐연 비졀ᄒᆞ믈 니긔지 못ᄒᆞ여, 흑ᄉᆞ를 디ᄒᆞ여 쳐연(悽然) 하루(下淚) 왈,

"내 비록 니친(離親)ᄒᆞ나 형댱이 계실진디 엇지 가ᄉᆞ를 녀렴(慮念)ᄒᆞ며, ᄌᆞ위 봉양을 근심ᄒᆞ리오마ᄂᆞᆫ, 밧그로 형댱이 기셰ᄒᆞ샤 셰월【133】이 오릭엿고, 안흐로 슈쉬(嫂嫂) 실니ᄒᆞ샤 지금 계신 곳을 아지 못ᄒᆞ니, 오가(吾家) 변괴 이상ᄒᆞ지라. 내 유질(有疾)ᄒᆞ므로브터 안히 잇셔 만ᄉᆞ를 아른체 못ᄒᆞ엿거니와, 아지 못게라 너의 ○○[형뎨] 엇지 슈슈 거쳐를 알녀 아니며, 뎡·진 이부ᄂᆞᆫ 평일 빅힝 ᄉᆞ덕이 남달니 ᄲᅢ혀난가 ᄒᆞ엿더니, 엇진고로 간뷔 존당의 돌입ᄒᆞ여 날을 욕ᄒᆞ며, ᄌᆞ위를 샹ᄒᆞ시게 ᄒᆞ고, 진시ᄂᆞᆫ 하·댱 이현부(二賢婦)를 디ᄒᆞ여 존당 모히를 니르며, 뎡시ᄂᆞᆫ 뉴시를 나 보ᄂᆞ 디 질녀, 살

---

408)젼결(田結) : 밭에 물리는 세금.
409)히음업다 : 하염없다. 어떤 행동이나 심리 상태가 자신의 의지와는 상관없이 계속되다.

---

400)젼결(田結) : 밭에 물리는 세금.
401)히음업다 : 하염없다. 어떤 행동이나 심리 상태가 자신의 의지와는 상관없이 계속되다.

딕 딜너 죽여 살인죄명(殺人罪名)을 자취ᄒ 엿ᄂ뇨? 내 경샤의 이실 졔ᄂ 정신이 혼미 ᄒ 듕 밋쳐 이런 일을 싱각디 못ᄒ여, 앗춤 의 보아도 져녁의 니즈미 되엿더니, 근일의 잠간 긔운이 소쾌(蘇快)ᄒ고 정혼(精魂)이 모히ᄂ디라. 슈슈의 실산과 뎡·딘의 죄패 만만 이상ᄒ고, 광텬의 유즈를 실니ᄒ미 문 운의 대불힝이라. 모로미 너ᄂ 젼후 곡졀과 뎡·딘 이딜부(二姪婦)의 죄명 허실(虛實)을 즈시 니르라."

학시 부공의 녯 ᄆᄋᆷ이 졈졈 환연(渙然) ᄒᄆᆯ410) 블승영힝(不勝榮幸)ᄒ여 인간【4 6】낙시 이밧긔 업스나, 모친이 외가의 계 신 연유와 뎡·딘 이슈(二嫂)의 죄명이 만 만 무거ᄒ믈 고코져 ᄒ나, 조모와 양모의 허물이 곳곳치 드러나ᄂ 고로, 출하리 즈긔 ᄂ 모로ᄂ 드시 딕답ᄒ여 부친의 노긔를 요 동치 말고져 ᄒ여, 모친이 옥화산의 계신 줄 아르시면 조모긔 이 스연을 통ᄒ여 조부 인을 청ᄒ여 ᄒ가디로 디닉믈 청ᄒ실디라. 태부인 고식(姑媳)이 알오미 된죽, 모친긔 대홰이실 줄 짐작ᄒ고, 낫빗츨 화히 ᄒ고 말슴을 브드러이 ᄒ여, 딕왈,

"가변이 긔괴ᄒ와 즈위 실산디화(失散之 禍)를 만나시니, 인즈(人子)의 졍니 망극ᄒ 오나, 형이 팔【47】○[황]구쥬(八荒九 州)411)로 도라 즈위 거쳐를 알녀 ᄒ오딕, 오딕 대모와 야애 여츠여츠 니르시니, 형의 ᄆᄋᆷ딕로 못ᄒ게 ᄒ시미, 쇼즈ᄂ 불초무상 (不肖無狀)ᄒ와 거디(擧止) 평상ᄒ오나, 형 은 일노뻐 근심ᄒ옵고, 디어(至於) 뎡·딘 이슈의 죄과ᄂ, 평일 힝스로뻐 비겨 의논컨 딕, 소양블모(宵壤不侔)ᄒ와 고디드를412) 빅 아니오. 뎡쉬(鄭嫂) 뉴슈(劉嫂)를 디르미 '증삼(曾參)의 살인(殺人)'413) ᄀᆺᄐ딕, 대인

─────────

410)환연(渙然)ᄒ다 : 의혹이 풀리어 가뭇없다.
411)팔황구쥬(八荒九州) : 온 세상. 팔황(八荒)은 여 덟 방위의 멀고 너른 땅을, 구주(九州)는 고대에 중국을 나눈 9개의 주를 뜻하는 말로, 둘 다 '온 세상'을 이르는 말임.
412)고디들다 : 곧이든다. 남의 말을 듣고 그대로 믿 다.

─────────

인죄명(殺人罪名)을 자취ᄒ엿ᄂ뇨? 내 경소 의 이실 졔ᄂ 정신이 밋쳐 이런 일을 싱각 지 못ᄒ여, 앗춤의 보아도 져녁의 니즈미 되엿더니, 근일의 잠간 긔운이 소쾌(蘇快)ᄒ 고 정혼(精魂)이 모히ᄂ지라. 슈슈 실산과 뎡 진 죄패 만만 이상홈과, 광텬의 유즈를 실니ᄒ미 문운의 큰 불힝이라. 모로미 너ᄂ 젼후 곡졀과 뎡·진의 죄명【134】 허실 (虛實)을 즈시 니르라."

학시 부친의 녯 ᄆᄋᆷ이 졈졈 환연(渙然) ᄒᄆᆯ402) 블승영힝(不勝榮幸)ᄒ여 인간 낙시 이밧긔 업스나, 모친이 외가의 게신 연 유와 뎡·진 ○○[이슈(二嫂)]의 죄명이 만 만 무거(無據)ᄒ믈 고코져 ᄒ나, 조모와 양 모의 허물이 곳곳치 드러나ᄂ 고로, 출하리 즈긔ᄂ 모로ᄂ 드시 딕답ᄒ여 부친의 노긔 를 요동치 말고져 ᄒ여, 모친이 옥화산의 게신 줄 아르시면, 조모긔 이 스연을 통ᄒ 여, 조부인을 청ᄒ여 ᄒ가지로 지닉믈 청ᄒ 실지라. ○[태]부인 고식(姑媳)○[의] 알오 미 된죽, 모친긔 딕화 이실 줄 알고, 낫빗츨 화히ᄒ고 말슴을 브드러이 ᄒ여 딕왈,

"가변이 긔괴ᄒ와 즈위 실산지화(失散之 禍)를 만나시니 인즈지졍(人子之情)의 망극 ᄒ오나 형이 팔방[황]구쥐(八荒九州)403)로 도라 모친 거쳐를 알녀 ᄒ오딕, 오직 대모 와 야애 여츠여츠 니르시니, 형의 ᄆᄋᆷ딕로 못ᄒ게 ᄒ시미, 쇼즈ᄂ 불초무상(不肖無狀) ᄒ와 거지(擧止)【135】평상ᄒ오나, 형은 일노 근심 ᄒ옵고, 지어(至於) 뎡·진 이슈 의 죄과ᄂ, 평일 힝스를 ○○[비겨] 의논컨 딕, 소양블모(宵壤不侔)ᄒ와 고지드를404) 빅 아니오, 뎡쉬(鄭嫂) 뉴슈(劉嫂)를 지르미 '증삼(曾參)의 살인(殺人)'405) ᄀᆺᄐ딕, 딕인

─────────

402)환연(渙然)ᄒ다 : 의혹이 풀리어 가뭇없다.
403)팔황구쥐(八荒九州) : 온 세상. 팔황(八荒)은 여 덟 방위의 멀고 너른 땅을, 구주(九州)는 고대에 중국을 나눈 9개의 주를 뜻하는 말로, 둘 다 '온 세상'을 이르는 말임.
404)고지들다 : 곧이든다. 남의 말을 듣고 그대로 믿 다.

이 친견(親見)ᄒ신 비오, 망측 긔괴ᄒ와 소
ᄌ디심(小子之心)인즉, 힝혀 요얼(妖孼)의
작희오, 뎡슈 실ᄉᆞ(實事) 아닌듯ᄒ오나, 아
모리 싱각ᄒ여도 아디 못ᄒ옵고, 딜ᄋᆞ를 실
니(失離)ᄒ오미   일마다【48】 츄악ᄒᆞ니라.
도시(都是) 문운의 불힝과 형의 익회 비상
ᄒᆞᆫ 연괴(然故)가 ᄒᆞ나이다."

공이 탄식 왈,

"셔모ᄂᆞᆫ 션인(先人)의 통이ᄒᆞ시던 바로,
그 어딜미 ᄌᆞ손을 귀듕ᄒᆞ고 ᄌᆞ위 실덕을 보
익(輔翊)ᄒᆞ여 딕간(直諫)ᄒᆞ던디라. 내 셔모
셤기미 ᄌᆞ위 버금으로 ᄒᆞ더니, 흔번 졀강
ᄒᆡᆼ도의 실산디환(失散之患)을 만나디, 내 유
질(有疾)ᄒᆞ여 친히 ᄎᆞᆺ디 못ᄒᆞ고 너의 형뎨
두로 ᄎᆞᆺ자본 일이 업ᄉᆞ니, 쳥문(聽聞)의 아
ᄂᆞᆫ 지 우리 부ᄌᆞ슉딜의 무상ᄒᆞ믈 ᄭᅮ지즐가
ᄒᆞ노라."

흑시 이셩화긔(怡聲和氣)로 위로 쥬왈,

"구조모 거쳐를 모로미 ᄯᅩᄒᆞᆫ 츄악ᄒᆞ오나,
쇼ᄌᆞ 등은 ᄌᆞ위 가【49】신 곳도 아디 못
ᄒᆞ오니, ᄌᆞ연 ᄆᆞ음이 구조모긔ᄂᆞᆫ 버금이 되
올 ᄲᅮᆫ 아니오라, 조모 딜ᄌᆞ 셔로 돌려가며
여러 일월의 동셔남북으로 ᄌᆞ최를 심방ᄒᆞᄂᆞᆫ
비오니, 미구(未久)의 드르실디라. 복원(伏
願) 대인은 이런 일의 셩녀(聖慮)를 허비치
마르시고, 일이 되여가믈 보샤 필경 ᄌᆞ연
회합홀 시졀을 기다리시고, 교디의 가샤 국
ᄉᆞ를 션티(善治)ᄒᆞ시고, 가간(家間) 셰밀디
ᄉᆞ(細密之事)를 넘녀치 마르쇼셔."

공이 ᄀᆞ장 울울불낙(鬱鬱不樂)ᄒᆞ여 탄식
냥구의 안슈(眼水)를 금치 못ᄒᆞ여 왈,

"오ᄋᆞᄂᆞᆫ 비록 가사를 불념(不念)ᄒᆞ라 ᄒᆞ
나, 가듕(家中)의셔ᄂᆞᆫ 내 ᄆᆞ음이 연【50】
무듕(煙霧中) 사름 ᄀᆞᆺᄐᆞ여 쥬견이 업더니,
이제 만니(萬里)를 격(隔)ᄒᆞ여 삼년을 교디
의 잇게 되니, 쳔빅ᄉᆞ(千百事) 나의 슬픔과

이 친견(親見)ᄒ신 비오, 망측 긔괴ᄒ와 소
ᄌᆞ지심(小子之心)인즉, 힝혀 요얼(妖孼)의
작희오, 뎡슈 실ᄉᆞ(實事) 아니오나, 아모리
싱각ᄒ여도 아지 못ᄒ옵고, 딜ᄋᆞ를 실니(失
離)ᄒ오미 일마다 츄악ᄒᆞᆫ지라. 도시(都是) 문
운의 불힝과 형의 익회 무상ᄒᆞᆫ 연괴(然故)
가 ᄒᆞ나이다."

공이 탄식 왈,

"셔모ᄂᆞᆫ 션인(先人)의 통이ᄒᆞ시던 바로,
그 어질미 ᄌᆞ손을 귀즁ᄒᆞ고 ᄌᆞ위 실덕을 보
익(輔翊)ᄒᆞ여   직간(直諫)ᄒᆞ던지라. ○[내]
셔모 셤기미 ᄌᆞ위 버금으로 ᄒᆞ더니, 흔번
졀강 힝도의 실산지화(失散之禍)를 만나디,
내 유질(有疾)ᄒᆞ여 친히 ᄎᆞᆺ지 못ᄒᆞ고, 너의
형뎨 두로 ᄎᆞ자본 일이 업ᄉᆞ니, 쳥문(聽聞)
의 아ᄂᆞᆫ 지 우리 부ᄌᆞ 슉질의 무상ᄒᆞ믈 ᄭᅮ
지즐가 ᄒᆞ노라."

흑시○○○○[이셩화긔(怡聲和氣)로] 위로
【136】 왈,

"구조모 거쳐를 모로미 ᄯᅩᄒᆞᆫ 츄악ᄒᆞ오나,
쇼ᄌᆞ 등은 ᄌᆞ위 가신 곳도 아지 못ᄒᆞ오니,
ᄌᆞ연 ᄆᆞ음이 구조모긔ᄂᆞᆫ 버금이 되올 ᄲᅮᆫ 아
니오라, 조모 딜지(姪子) 셔로 돌녀가며 여
러 일월의 동셔 남북으로 ᄌᆞ최를 심방ᄒᆞᄂᆞᆫ
비오니, 미구(未久)의 소식을 드르실지라.
복원(伏願) 딕인은 이런 일의 셩녀(聖慮)를
허비치 마르시고, 일이 되여가믈 보샤 필경
ᄌᆞ연 회합홀 시졀을 기다리시고, 교지의 가
샤 국ᄉᆞ를 션치(善治)ᄒᆞ시고, 가간(家間) 셰
밀지ᄉᆞ(細密之事)를 넘녀치 마르쇼셔."

공이 ᄀᆞ장 불낙(不樂)ᄒᆞ여 탄식 양구의
안슈(眼水)를 금치 못ᄒᆞ여 왈,

"오ᄋᆞᄂᆞᆫ 비록 가사를 불넘(不念)ᄒᆞ라 ᄒᆞ나,
가즁(家中)의셔ᄂᆞᆫ 닉 ᄆᆞ음이 연무즁(煙霧中)
○○[사름] ᄀᆞᆺᄐᆞ여 쥬견이 업더니, 이졔 만
니(萬里)를 격(隔)ᄒᆞ여 삼년을 교지의 잇게
되니, 쳔빅ᄉᆞ(千百事) 나의 슬픔과 근심이

---

413)증삼(曾參)의 살인(殺人) : 헛소문, 또는 잘못된
소문. 증자의 어머니가 증자가 사람을 죽였다는
헛된 소문을 듣고 베 짜던 북을 던지고 사건 현장
으로 달려갔다는 고사 곧 '증모투저(曾母投杼)에서
유래된 말.

405)증삼(曾參)의 살인(殺人) : 헛소문, 또는 잘못된
소문. 증자의 어머니가 증자가 사람을 죽였다는
헛된 소문을 듣고 베 짜던 북을 던지고 사건 현장
으로 달려갔다는 고사 곧 '증모투저(曾母投杼)에서
유래된 말.

근심이 되느니라. 여미(汝妹)를 다려오다가 도듕의셔 일홈과, 슈슈의 거쳐를 모로미 비도차악(悲悼嗟愕)흔 일이오, 셔모의 조손 사랑흐시던 은혜를 갑디 못흐고, 그 실산흐믈 당흐디 우리 부조슉딜이 흐나토 니드라 추조리 업스믈 싱각흐니, 엇디 참연치 아니리오. 가변이 이디도록 이상 긔괴홀 줄 몽니(夢裏)의도 싱각디 못흔비라. 흔 일도 무음이 합흐여 깃븐 일이 업셔, 쳡쳡흔 괴란과 망측디홰(罔測之禍)【51】 오가(吾家)의 다 못겨414), 뎡·딘 등의 누얼도 오아(吾兒)의 말 굿투여 귀미(鬼魅)의 작변이오, 몸소 힝흐미 아니라. 앗갑고 참졀(慘絶)흐미 형상치 못홀 비라. 만일 그 신셜홀 시졀을 못본죽, 미스디젼(未死之前)의 한이 플니디 아닐가 흐노라."

흑시 다시 위로 왈,

"만시명애(萬事命也)라, 인력으로 밋츌비 아니오니, 뎡·딘 냥슈의 누얼과 구조모와 모친의 거쳐를 모로오미, 다 명도의 괴이흐미니 현마 엇디흐리잇고? 쇼조 등은 만스의 념이 밋디 못흐옵고, 조위 거쳐를 모로미 인조의 춤디 못홀 슬프미니다."

공이 혀추 왈,

"조졍과 내 비【52】록 병듕의 일을 잘못 싱각흐고, 딜아의 슈슈 춫기를 막으미 이신들, 너희 인조디도(人子之道)로써 텬하를 다 도라도, 슈슈의 계신 곳을 아라니미 올커늘, 엇디 추스의 다드라 평일 효힝을 니져바리고 사룸의 괴이히 넉이믈 췌흐느뇨? 금번 도라가 형뎨 돌녀가며 일년식 그음흐여 슈슈의 거쳐를 춫조라."

흑스 비이슈명(拜而受命)흐고 다시 말을 아니흐더라.

스오일을 더 힝흐이 교디의 다드르미, 관아의 댱녀흐미 궁실 굿고, 위의 부려영요(富麗榮耀)흐여 왕공의 존지나 다르미 업슨디라. 참졍이 그 너모 부셩(富盛)흐믈 깃거아【53】냐, 일졀 슝검(崇儉) 졀추(切磋)흐기를 위쥬흐며, 연향(宴饗)흐는 상과 됴셕

되는지라. 여미(汝妹)를 다려오다가 도즁의 일홈과, 슈슈의 거쳐를 모로미 비도차악(悲悼嗟愕)흔 념(念)【137】이오. 셔모의 조손 사랑흐시던 은혜를 못 갑고, 그 실산흐믈 당흐디, 우리 부조 슈질이 흐나토 니드라 추조리 업스믈 싱각흐니, 엇지 참연치 아니리오. 가변이 이디도록 이상 긔괴홀 줄 몽니(夢裏)의도 싱각지 못흔 비라. 흔 일도 무음이 합흐여 깃븐 일이 업셔, 쳡쳡흔 괴란과 망측지홰(罔測之禍) 오가(吾家)의 다 못겨406), 뎡·진 등 누얼도 오으(吾兒)의 말 굿투여 귀미(鬼魅)의 작변이오, 몸소 힝흐미 아니라. 앗갑고 참졀(慘絶)흐미 형상치 못홀 비라. 만일 그 신셜홀 시졀을 못본죽, 나의 미스지젼(未死之前)의 한니[이] 플니지 아닐가 흐노라."

흑시 다시 위로 왈,

"만시명애(萬事命也)라, 인력으로 밋츌 비 아니오니, 뎡·진 냥슈의 누얼과 구조모와 모친의 거쳐를 모로오미, 다 명도의 괴이흐미니 현마 엇지흐리잇고? 쇼조 등은 만스의 념이 밋지 못흐고, 조위 거쳐를 모로미 인조의 춤지 못홀 슬프미니이다."

공이 혀추 왈,

"조【138】졍과 닉 비록 병즁의 일을 잘못 싱각흐고, 딜으와[의] 슈슈 춫기를 막으미 이신들, 너의 인조지도로 뻐 텬하를 다 도라도 슈쉬의 계신 곳을 아라니미 올커늘, 엇지 추스의 다다라 평일 효힝을 니져바리고, 사룸의 괴이히 넉이믈 췌흐느뇨? 금번 도라가 형뎨 돌녀가며 일년식 그음흐여 슈슈의 거쳐를 춫조라."

흑스 비이슈명(拜而受命)흐고 다시 말을 아니흐더라.

스오일을 더 힝흐여 교지의 다드르미, 관아의 댱녀흐미 궁실 굿고, 위의 부려영요(富麗榮耀)흐여 왕공의 존귀나 다르미 업슨지라. 참졍이 그 너모 부셩(富盛)흐믈 깃거아야[냐], 일졀 슝검(崇儉) 졀추(切磋)흐기를 위쥬흐며, 연향(宴饗)흐는 상과 《음식의

---

414)못기다 : 모이다. 모여들다. 못다; 모이다.

406)못기다 : 모이다. 모여들다. 못다; 모이다.

식반(朝夕食飯)의 찬션을 남달니 간략히 ᄒ
여 쳥빈혼 한ᄉ(寒士)의 모양 ᄀᆺ트니, 교디
니민(吏民)이 호호(戶戶) 대열(大悅)ᄒ여 써
낫던 부모를 만난듯, 덕화를 감격홀 ᄯᅢᆫ아니
라, 젼관(前官)의 미결ᄒ엿던 옥ᄉᆞ 뫼ᄀᆺ치
ᄡᄒ엿던 바를 ᄒ로 앗츰의 다 쳐결ᄒ미, 붉
으미 신명(神明) ᄀᆺ고, 위엄이 광풍졔월(光
風霽月) ᄀᆺ트여, 이미혼 ᄌᆞ를 벗기며 유죄
ᄌᆞ를 벌ᄒ되, 발간덕복(發奸摘伏)415)이 사
룸의 심폐를 ᄉᆞ못ᄎᆞ, 그 말을 듯디 아냐 각
각 그 힝ᄉᆞ를 디긔ᄒ여, 티숑(治訟) 결옥(決
獄)이 신명(神明) 특달(特達)ᄒ믄[니], 혼갓
참졍의【54】 총명이 도라올 ᄯᆫ아니라, 혹
시 범빅(凡百) 만ᄉᆞ(萬事)의 뎡도로 부공을
도아, 결옥ᄒ미 이시나, 혹ᄉᆞ의 힝디(行止)
동용(動容)이 나죽ᄒ여, 셩음이 놉디 아니
코, 여러 니민(吏民)들이 관ᄉᆞ(官事)를 간예
치 아닌 줄노 알게ᄒ니, 이러므로 참졍긔
근시ᄒᄂᆞ 하리(下吏) 등도 혹ᄉᆞ의 일을 아
디 못ᄒ더라.

참졍이 닌읍 하관을 거ᄂᆞ려 여러 댱교(將
校)416)를 모화 번국(藩國) 도덕(盜賊)을 방
비ᄒ미 십분 계괴 잇고, ᄉᆞ민(士民)을 교유
ᄒ여 화홍인덕(和弘仁德)이 사룸의 허믈을
용납ᄒ고 개과쳔션을 힘뼈 권ᄒ니, 일노좃
ᄎᆞ 도임(到任) 월여의 ᄉᆞ민이 그 교화를 므
릅뼈 득죄하리【55】 드므니, 관듕(官
中)417)이 ᄀᆞ장 고요ᄒ여 어ᄌᆞ러이 졍변(廷
辨)418)ᄒ리 업더라.
혹시 말미 긔한이 디날가 두려 무한혼 하
졍(下情)과 츌텬혼 대효를 펴디 못ᄒ고 도
라올ᄉᆡ, 군관 숑잠 등이 튱근 슌후ᄒ여, 참
졍을 위혼 졍셩이 디극ᄒ고, ᄉᆞ리를 아ᄂᆞᆫ

부셩(富盛)ᄒ미 경도의 다르미 업더라∥됴
셕 식반(朝夕食飯)의 찬션(饌膳)을 남달니
간략히 ᄒ니 교디 니민(吏民)이 대열(大悅)
ᄒ더라》. 참졍이 도임혼 후 치민 힝공의
붉그미 신명(神明) 졍직(正直)ᄒ고, 관ᄉᆞ(官
事)의 ᄉᆞᄉᆞ(私私)ᄒ미 업셔 위엄이 광풍졔
월(光風霽月) ᄀᆞ트니, 관홍인덕(寬弘仁德)과
활달딕도(豁達大道)의[로] 사룸의 허믈을
용【139】납ᄒ고, 션도로 인도ᄒ며, 도적을
화ᄒ여 양민이 되○○[게 ᄒ]니, 인읍 슈령
이 칙칙 칭션○[치] 아니리 업더라. 참졍이
[의] 힝슌(行巡)407)○[이] 근검ᄒ여, 밤마
드 민간의 원억ᄒ믈 발켜 슌찰이 엄준ᄒ여
[며], 쥬야의 ᄆᆞ음을 놋치 안코 치민을 공
평히ᄒ여, 혼갓○**결락28자**○○[참졍의 총
명이 도라올 ᄯᆫ아니라, 혹시 범빅(凡百) 만ᄉᆞ
(萬事)의 뎡도로 부공을 도아], 치졍과 결옥
ᄒ미 이시나, 혹ᄉᆞ의 힝지(行止) 동용(動容)
이 나죽ᄒ여, 셩음이 놉지 아니코, 여러 니
민(吏民) 즁 관ᄉᆞ를 간예치 아닛ᄂᆞᆫ 줄노 알
게ᄒ니, 이러므로 참졍긔 근시ᄒᄂᆞ 하리(下
吏) 등도, 혹ᄉᆞ의 일을 아지 못ᄒ더라.
참졍이 닌읍 하관을 거ᄂᆞ려 여러 댱교(將
校)408)를 모화 번국(藩國) 도적(盜賊)을 방
비ᄒ미 십분 계괴 잇고, ᄉᆞ민(士民)을 교유
ᄒ여 화홍인덕(和弘仁德)이 사룸의 허믈을
용납ᄒ고 ᄀᆡ과쳔션을 힘뼈 권ᄒ니, 일노조
ᄎᆞ 도임(到任) 월여의 ᄉᆞ민이 그 교화를 므
릅뼈 득죄하리 드므니, 관즁(官中)409)이 ᄀᆞ
장 고요ᄒ여 어ᄌᆞ러이 졍변(廷辨)410)ᄒ리
업더라.
혹시 말미 긔한이 지날가【140】 두려,
무한혼 하졍(下情)과 츌텬혼 딕효를 펴지
못ᄒ고 도라올ᄉᆡ, 군관 숑잠 등이 츙근 슌
후ᄒ여, 참졍을 위혼 졍셩이 지극ᄒ고, ᄉᆞ리
를 아ᄂᆞ 위인이라. 혹시 쳔만 당부ᄒ여 부

---

415) 발간덕복(發奸摘伏) : 숨겨져 있는 정당하지 못
    한 일을 밝혀냄.
416) 댱교(將校) : 조선 시대에, 각 군영과 지방 관아
    의 군무에 종사하던 낮은 벼슬아치. 늑군관.
417) 관듕(官中) : 관청(官廳). 관아(官衙).
418) 졍변(廷辨) : 관청에서 옳고 그름을 따져 변론하
    던 일.

---

407) 힝슌(行巡) : 살피며 돌아다님.
408) 댱교(將校) : 조선 시대에, 각 군영과 지방 관아
    의 군무에 종사하던 낮은 벼슬아치. 늑군관.
409) 관듕(官中) : 관청(官廳). 관아(官衙).
410) 졍변(廷辨) : 관청에서 옳고 그름을 따져 변론하
    던 일.

위인이라. 학시 쳔만 당부ᄒᆞ여 부젼의 일시
도 ᄯᅥ나디 말며, 좌와긔거(坐臥起居)를 ᄉᆞᆯ펴
삼년 ᄉᆞ이 혹ᄌ 풍한 셔열의 딜환이 계실디
라도, 의티(醫治)를 착실이 ᄒᆞ고 조심ᄒᆞ여
시봉(侍奉)ᄒᆞ믈 당부ᄒᆞ니, ᄉᆞᆼ잠 등이 졀ᄒᆞ여
웅명ᄒᆞ고 눈물을 흘녀 원별을 슬허ᄒᆞ니, 혹
시 츄연이 낫빗츨 곳쳐 면면【56】이 무위
ᄒᆞ고, 부젼의 님힝(臨行) 하딕을 당ᄒᆞ미, 공
이 부듕의 셔간을 붓치며, ᄋᆞᄌᆡ의 손을 잡
아 삼지(三載) 원별이 아득ᄒᆞ믈 참비(慘悲)
ᄒᆞ여 회푀 암암(暗暗)ᄒᆞ고[419] 톄뤼(涕淚)
산산(潸潸)ᄒᆞ믈 씨듯디 못ᄒᆞ니, 이 ᄒᆞᆫ갓 니
별을 슬허홀 ᄲᅡ이어늘, 뉘 도로혀 그 ᄉᆞ이
ᄒᆞᆨᄉ 형뎨 변괴 풍상이 망측홀 바를 알니
오. 참졍은 만니 원졍(遠程)의 무ᄉᆞ히 가 됴
히 이시라 ᄒᆞ며, 형뎨 돌녀가며 슈슈와 셔
모며 딜녀의 거쳐를 츠ᄌᆞ라 ᄒᆞ며, 기리 탄
왈,

"ᄌᆞ위 봉양은 내 굿ᄐᆞ여 너희를 당부치
아니 ᄒᆞᄂᆞ니, 너희 힝신 만ᄉᆞ 듕, 슈슈 거쳐
를 몸소 나 츳디 아니미 대흠(大欠)【57】
일디어졍, 텬싱 셩효 남다르던 비라. 내 비
록 업ᄉᆞ나 ᄌᆞ위 밧드오믄 츄호도 나의 이실
젹과 다르디 아닐디라. 다만 모친의 셩홰
(性火)[420] 셩ᄒᆞ시고 너희 양뢰 ᄉᆞ리를 모로
니, 일분이나 너의 ᄆᆞᄋᆞᆷ이 불평ᄒᆞ미 이실가
넘ᄒᆞ노라. 오ᄋᆞ 등은 효힝을 삼가는 가온디
도 각각 몸을 조심ᄒᆞ여, 여린 옥ᄀᆞᆺ치 앗기
고, ᄌᆞ위와 너의 양뢰 니르는 일이라도, ᄉᆞ
리의 불가ᄒᆞ거든 지삼 간ᄒᆞ여, 나의 도라가
디 아닌 젼 대단흔 ᄉᆞ괴 업시 디니라."

학시 슌슌 비샤 슈명ᄒᆞ여 부친 넘녀ᄒᆞ시
믈 요동치 아니려 ᄒᆞ나, 환가ᄒᆞ여 조모와
모친의 악착히 보쳐【58】이믈 바드며 쳡
쳡히 괴란이 츙츌홀 바를 싱각ᄒᆞ니, ᄌᆞ긔등
이 능히 보젼ᄒᆞ여 부젼의 다시 졀ᄒᆞ기를 긔
필치 못홀디라. 심회(心懷) 츠악ᄒᆞ여 촌장
(寸腸)이 ᄉᆞᆾ쳐 디ᄂᆞᆺ듯ᄒᆞ디, 계오 강인ᄒᆞ여

젼의 일시도 ᄯᅥ나지 말며, 좌와긔거(坐臥起
居)늘[롤] ᄉᆞᆯ펴, 삼년 ᄉᆞ이 혹ᄌ 풍한 셔열
의 질환이 계실지라,도 의치(醫治)를 착실이
ᄒᆞ고, 조심ᄒᆞ여 시봉(侍奉)ᄒᆞ믈 당부ᄒᆞ니,
ᄉᆞᆼ잠 등이 졀ᄒᆞ여 웅명ᄒᆞ고, 눈물을 흘녀
원별을 슬허ᄒᆞ니, 혹시 츄연이 낫빗츨 곳쳐
면면이 무위(撫慰)ᄒᆞ고, 부젼의 님힝(臨行)
하직을 당ᄒᆞ미, 공이 부듕의 셔간을 붓치며,
ᄋᆞᄌᆡ의 손을 잡아 삼지(三載) 원별이 아득
ᄒᆞ믈 참비(慘悲)ᄒᆞ여, 회푀 암암(暗暗)ᄒᆞ
고[411] 쳬뤼(涕淚) 산산(潸潸)ᄒᆞ믈 씨듯지
못ᄒᆞ니, 이 ᄒᆞᆫ갓 니별을 슬허홀 ᄲᅡ이어늘,
뉘 도로혀 그 ᄉᆞ이 혹ᄉ 형뎨 변괴 풍상이
망측홀 바를 알니오. 참졍은 만니 원졍(遠
程)의 무ᄉᆞ히 가 됴히 이시라 ᄒᆞ며,【141】
형뎨 돌녀가며 슈슈와 셔모며 딜녀의 거쳐
를 츠ᄌᆞ라 ᄒᆞ며, 기리 탄왈,

"ᄌᆞ위 봉양은 내 굿ᄐᆞ여 너희를 당부치
아니 ᄒᆞᄂᆞ니, 너희 힝신 만ᄉᆞ 듕, 슈슈 거쳐
를 몸소 나 츳지 아니미 대흠(大欠)일지언
졍, 텬싱 셩효는 남다르던 비라. 내 비록 업
ᄉᆞ나 ᄌᆞ위 밧드오믄 츄호도 나의 이실 젹과
다르지 아닐지라. 다만 모친의 셩홰(性
火)[412] 셩ᄒᆞ시고, 너희 양뢰 ᄉᆞ리를 모로니,
일분이나 너의 ᄆᆞᄋᆞᆷ이 불평ᄒᆞ미 이실가 넘
ᄒᆞ노라. 오ᄋᆞ 등은 효힝을 삼가는 가온디도
각각 몸을 조심ᄒᆞ여, 여린 옥ᄀᆞᆺ치 앗기고,
ᄌᆞ위와 너의 양뢰 니르는 일이라도, ᄉᆞ리의
불가ᄒᆞ거든 지삼 간ᄒᆞ여, 나의 도라가지 아
닌 젼 디단흔 ᄉᆞ괴 업시 지니라."

혹시 슌슌 비샤 슈명ᄒᆞ여 부친의 심녀를
요동치 아니려 ᄒᆞ나, 환가ᄒᆞ여 조모와 모친
의 악착히 보쳐이믈 바드며, 쳡쳡히 괴란이
츙츌홀【142】 바를 싱각ᄒᆞ미, ᄌᆞ긔 등이
○○[능히] 보젼ᄒᆞ여 부젼의 다시 졀ᄒᆞ기를
긔필치 못ᄒᆞ니, 《심회∥심회(心懷)》 츠악
ᄒᆞ여 촌댱(寸腸)이 ᄉᆞᆾ쳐 지ᄂᆞᆺ듯ᄒᆞ디, 계오

---

419)암암(暗暗)ᄒᆞ다 : ①기억에 남은 것이 눈앞에 아
른거리는 듯하다. ②깊숙하고 고요하다.
420)셩홰(性火) : 본성 가운데 있는 불같은 성품.

411)암암(暗暗)ᄒᆞ다 : ①기억에 남은 것이 눈앞에 아
른거리는 듯하다. ②깊숙하고 고요하다.
412)셩홰(性火) : 본성 가운데 있는 불같은 성품.

안식을 화(和)히 ᄒ고, 이셩(怡聲) 대왈,

"히이 금일 엄하를 니측ᄒ오미 하졍이 결홀(缺欻)421)ᄒᄆᆞᆯ 니긔디 못ᄒ오나, 삼년디닉의 두어 슌(順) 근친 졍소(呈疏)ᄒ여, 황샹의 윤허 ᄒ시믈 엇ᄌᆞ온죽, 다시 나려와 삼ᄉᆞ삭 시봉ᄒ오리니, 복원(伏願) 대인은 믈념 가ᄉᆞ ᄒ시고, 셩톄 안강ᄒ샤 삼지(三載) 긔한을 디닉샤, 평안이 환경ᄒ시믈 바라ᄂᆞ이다."

공이 ᄎᆞ마 ᄋᆞᄌᆞ의 손【59】을 노치 못ᄒ고, 팔흘 어로만져 년년(戀戀) 교이(嬌愛)ᄒᄆᆡ 강보유ᄌᆞ(襁褓乳子) ᄀᆞᆺ트니, 문득 탄식 왈,

"삼년디닉의 혹 부ᄌᆡ 만남도 이시려니와, 셰ᄉᆞᄂᆞᆫ 미리 알기 어려오니, 므ᄉᆞᆫ 마얼(魔孼)이 이실 동 알니오. 금번 너를 ᄯᅥ나ᄆᆡ 쳔슈만녀(千愁萬慮) ᄀᆞᆺ초 어ᄌᆞ러오니, 쟝부 웅심이 ᄌᆞ연 셜셜(屑屑)ᄒᄆᆞᆯ422) 면치 못ᄒ리로다."

혹시 무한ᄒᆞᆫ 니회(離懷)를 품고 심회를 굿게 ᄒ여 부젼의 비례 하딕홀시, 보ᄂᆞᆫ 졍이 참연 비졀ᄒ여 냥ᄒᆡᆼ누(兩行淚)를 금치 못ᄒ나, 도라가ᄂᆞᆫ ᄆᆞᄋᆞᆷ이 더욱 측냥이 업셔 ᄎᆞ마 도라셔디 못ᄒ니, 공이 기리 희허(唏噓) 태식(太息)ᄒ여 언언이 보듕ᄒᄆᆞᆯ 당부ᄒ니,【60】 학ᄉᆡ 우러러 보듕ᄒ시믈 쳔만 고ᄒᄆᆡ, 소릭 엄열(奄咽)423)ᄒ여 지삼 하딕ᄒ니, 거름을 두로혀ᄂᆞᆫ 바의 츄슈봉졍(秋水鳳睛)424)의 믈결이 요동ᄒ니, 군관ᄒᆞ리 등이 위ᄒ여 져마다 슬허ᄒ며 탄복ᄒ더라. 공이 학ᄉᆞ를 보닉고 니별의 ᄎᆞ아(嗟哦)ᄒᆞᆫ425) 심ᄉᆡ 무궁ᄒ니, 본딕 휴휴댱부(休休丈夫)426)로 만ᄉᆡ 대쳬(大體)ᄒ여 잔 곡졀을

---

421)결홀(缺欻) : 무엇인가를 잃은 것 같은 서운한 마음이 일어남.
422)셜셜(屑屑)ᄒ다 : 자잘하게 굴다, 구구(區區)하다.
423)엄열(奄咽) : 목이 메어 말을 제대로 잇지 못함.
424)츄슈봉졍(秋水鳳睛) ; 가을 물처럼 맑은 눈동자.
425)ᄎᆞ아(嗟哦)ᄒ다 : 탄식하다. 한탄하다.
426)휴휴댱부(休休丈夫) : 사소한 일에 얽매이지 않아 도량이 크고 마음이 편한 대장부.

강인ᄒ여 안식을 화(和)히 ᄒ고, 이셩(怡聲) 듸왈,

"히ᄋ 금일 엄하를 니측ᄒ오미, 하졍이 결홀(缺欻)413)ᄒᄆᆞᆯ 니긔지 못ᄒ오나, 삼년지닉의 두어 슌(順) 근친 졍소(呈疏)ᄒ여, 황샹의 윤허 ᄒ시믈 엇ᄌᆞ온죽, 다시 나려와 삼ᄉᆞ삭 시봉ᄒ리오니, 복원(伏願) 듸인은 믈념ᄒ시고, 셩톄 안강ᄒᆞᄉ 삼지(三載) 긔한을 지닉샤 평안이 환경ᄒ시믈 ᄇᆞ라ᄂᆞ이다."

공이 ᄎᆞ마 ᄋᆞᄌᆞ의 손을 노치 못ᄒ고 팔흘 어로만져 년년(戀戀) 교이(嬌愛)ᄒᄆᆡ 강보유ᄌᆞ(襁褓乳子) ᄀᆞᆺ트니, 문득 탄식 왈,

"삼년지닉의 혹 부ᄌᆡ 만남도 이시려니와, 셰ᄉᆞᄂᆞᆫ 미리 알기 어려오니 므산 마얼(魔孼)이 이실 동 알니오. 금번 너를 ᄯᅥ나ᄆᆡ 쳔슈만녀(千愁萬慮) ᄀᆞᆺ초 어ᄌᆞ러오니 ○○[쟝부] 웅심이 ᄌᆞ연 셜셜(屑屑)ᄒᄆᆞᆯ414) 면치 못ᄒ리로다."

혹시 무한ᄒᆞᆫ【143】 니회(離懷)를 품고 심회를 굿게 ᄒ여 부친긔 비례 하직홀시, 보ᄂᆞᆫ 졍이 참연 비졀ᄒ여 냥ᄒᆡᆼ누(兩行淚)를 금치 못ᄒ나, 도라가ᄂᆞᆫ ᄆᆞᄋᆞᆷ이 더욱 측냥이 업셔 ᄎᆞ마 도라셔지 못ᄒ니, 공이 언언이 보쥼ᄒᄆᆞᆯ 당부ᄒ니[고] 기리 희허(噫噓)ᄒ고[니], 혹시 우러러 보쥼ᄒ시믈 쳔만 고ᄒᄆᆡ 소릭 엄열(奄咽)415)ᄒ여 지삼 하직ᄒ니, 거름을 두로혀ᄂᆞᆫ 바의 츄슈봉졍(秋水鳳睛)416)의 믈결이 요동ᄒ니, 군관 ᄒᆞ리 등이 위ᄒ여 져마다 슬허ᄒ며 탄복ᄒ더라.

공이 혹ᄉᆞ를 보닉고 니별의 ᄎᆞ아(嗟哦)ᄒᆞᆫ417) 심ᄉᆡ 무궁ᄒ니, 본딕 휴휴댱부(休休丈夫)418)로 만ᄉᆡ 듸쳬(大體)ᄒ여 잔 곡졀을

---

413)결홀(缺欻) : 무엇인가를 잃은 것 같은 서운한 마음이 일어남.
414)셜셜(屑屑)ᄒ다 : 자잘하게 굴다, 구구(區區)하다.
415)엄열(奄咽) : 목이 메어 말을 제대로 잇지 못함.
416)츄슈봉졍(秋水鳳睛) ; 가을 물처럼 맑은 눈동자.
417)ᄎᆞ아(嗟哦)ᄒ다 : 탄식하다. 한탄하다.
418)휴휴댱부(休休丈夫) : 사소한 일에 얽매이지 않아 도량이 크고 마음이 편한 대장부.

모로는 고로, 총명이 도라와시나 모친과 뉴시의 간험 대악은 오히려 씨닷디 못ᄒᆞ는 고로, 가ᄉᆞ를 넘녀ᄒᆞᆯ디언졍 회곡(回曲)ᄒᆞᆫ[427] 의심은 나디 아니ᄒᆞ고, ᄯᅩᄒᆞᆫ 괴이ᄒᆞᆫ 비, 즈긔 히츈각 디게를 나디 못ᄒᆞ고, 황황(遑遑) 침닉(沈溺)ᄒᆞ여 아는 비 다만 뉴【61】시오, 귀듕ᄒᆞᆫ 비 뉴시 뿐이런 줄 싱각ᄒᆞ니, 도로혀 가쇼롭고, 신혼디시(新婚之時)도 이듕ᄒᆞ는 졍이 업던 부부간이, 그쩍 유딜(有疾) 후(後)로, 인ᄒᆞ여 부인을 귀듕ᄒᆞ던 일이 괴이코 긔괴ᄒᆞᆷ믈 측냥치 못ᄒᆞ고, 이졔 만니디외(萬里之外)예 샹니(相離)ᄒᆞᄃᆡ, 금ᄎᆞ디시(今此之時)는 ᄆᆞᄋᆞᆷ의 싱각ᄒᆞ는 비 업ᄉᆞ믈 스ᄉᆞ로 의괴 난측ᄒᆞ고, 군관 숑잠이 흑ᄉᆞ의 디효를 싱각고 스ᄉᆞ로 쥬야 공의 알플 일시도 ᄯᅥ나디 아냐, 좌와긔거(坐臥起居)의 디극ᄒᆞ미 효ᄌᆞ와 튱노(忠奴) ᄀᆞᆺᄐᆞ니, 공이 젹이 관회(寬懷)ᄒᆞ미 되더라. 흑ᄉᆞ 교디를 ᄯᅥ나 ᄲᅨᆯ니 힝ᄒᆞᄃᆡ 도뢰 요원ᄒᆞᆫ 고로 일삭디ᄂᆡ의 황셩의 밋디 못ᄒᆞ니【62】라.

어시의 국구 김탁의 일개(一家) 국구의 ᄉᆞ화(死禍)를 크게 슬허ᄒᆞᆯ ᄲᅮᆫ아니라, 하원광이 평초(平楚)ᄒᆞ미 쳡음(捷音)이 ᄌᆞ로 단봉(丹鳳)[428]의 오로고, 초왕의 멸국(滅國) 망신(亡身)ᄒᆞᆷ믈 드르니, 더욱 근심이 비ᄒᆞᆯ 곳이 업ᄂᆞᆫ디라. 김듕관이 등과ᄒᆞ여 문화던 태학ᄉᆡ 되엇더니, 남후의 발간뎍복(發奸摘伏)기로 견젼과악(前前過惡)이 낫낫치 드러나니, 김국구의 죄 호대(浩大)ᄒᆞ다 ᄒᆞ여, 취리(就理)[429]ᄒᆞᆷ믈 인ᄒᆞ여, 벼슬을 갈고 집의 드러잇셔, 의ᄉᆞ 공교롭고 극악ᄒᆞᆷ믄 승어부죄(勝於父祖)라. 졔 집 화란이 급ᄒᆞᆷ믈 초조(焦燥) 우황(憂惶)ᄒᆞ여, 브ᄃᆡ 면죄ᄒᆞᆯ 도리를 싱각ᄒᆞ미 못ᄒᆞᆯ 일이 업고, 【63】아니 스ᄭᅵᆯ 사름이 업ᄂᆞᆫ디라. 신묘랑의 요술(妖術) 신힝(神行)이 만고무쌍(萬古無雙)ᄒᆞᆷ믈 드르미, 듕관이 친히 태암산 션졍ᄉᆞ의 나아가, 녜물

---

[427]회곡(回曲)ᄒᆞ다 : 휘어서 굽다.
[428]단봉(丹鳳) : ①목과 날개가 붉은 봉황. ②궁궐'을 달리 이르는 말.
[429]취리(就理) : 죄를 지은 벼슬아치가 의금부에 나아가 심리를 받던 일.

모로ᄂᆞᆫ 고로, 총명이 도라와시나 모친과 뉴시의 간험 딕악은 오히려 씨닷지 못ᄒᆞᄂᆞᆫ 고로, 가ᄉᆞ를 넘녀ᄒᆞᆯ지언졍 회곡(回曲)ᄒᆞᆫ[419] 의심은 나지 아니ᄒᆞ고, ᄯᅩ 흔 괴이ᄒᆞᆫ 비, 즈긔 히츈각 지게를 나지 못ᄒᆞ고 황황(遑遑) 침익(沈溺)ᄒᆞ여 아는 비 뉴시【143】오, 귀듕ᄒᆞᆫ 비 뉴시 쑨 이런 줄 싱각ᄒᆞ니, 도로혀 가쇼롭고 신혼지시(新婚之時)도 이즁ᄒᆞᄂᆞᆫ 졍이 업던 부부간이, 그쩍 유질후(有疾後)로 인ᄒᆞ여 부인을 귀즁ᄒᆞ던 일이 괴이코 긔괴ᄒᆞᆷ믈 측냥치 못ᄒᆞ고, ○○[이졔] 만니지외(萬里之外)예 샹니(相離)ᄒᆞᄃᆡ, 금ᄎᆞ디시(今此之時)는 ᄆᆞᄋᆞᆷ의 싱각ᄒᆞᄂᆞᆫ 써 업ᄉᆞ믈 스ᄉᆞ로 의괴 난측ᄒᆞ고, 군관 숑잠이 흑ᄉᆞ의 지효를 싱각고 스ᄉᆞ로 쥬야 ○○[공의] 알플 ○○○[일시도] ᄯᅥ나지 아녀, 죄[좌]와긔거(坐臥起居)의 지극ᄒᆞ미 효ᄌᆞ와 츙노(忠奴) ᄀᆞᆺᄐᆞ니, 공이 져기 관회(寬懷)ᄒᆞ미 되더라. 흑ᄉᆞ 교지를 ᄯᅥ나 ᄲᅨᆯ니 힝ᄒᆞᄃᆡ, 도뢰 요원ᄒᆞ고로 일삭지ᄂᆡ의 황셩의 밋지 못ᄒᆞ니라.

어시의 국구 김탁의 일개(一家) 국구의 ᄉᆞ화(死禍)를 크게 슬허ᄒᆞᆯ ᄲᅮᆫ아니라 하원광이 평초(平楚)ᄒᆞᆫ 쳡음(捷音)이 ᄌᆞ로 단봉(丹鳳)[420]의 오로니[고], 초왕의 멸국(滅國) 망신(亡身)ᄒᆞᆷ믈 드르니, 더욱 근심이 비ᄒᆞᆯ 곳이 업ᄂᆞᆫ지라. 김츙관이 등과ᄒᆞ여 문화던 태학ᄉᆡ【145】 되엇더니, 평후○[의] 발간젹복(發奸摘伏)[421]기로 견젼 과악이 낫낫치 드러나니, 김국구의 죄 크다ᄒᆞ여 취리(就理)[422]ᄒᆞᆷ믈 인ᄒᆞ여, 벼슬을 갈고 집의 드러잇셔, 의ᄉᆞ 공교롭고 극악ᄒᆞᆷ믄 승어○[부]죄(勝於父祖)라. 졔 집 화란이 급ᄒᆞᆷ믈 초조 우황(焦燥憂惶)ᄒᆞ여 브ᄃᆡ 면죄ᄒᆞᆯ 도리를 싱각ᄒᆞ미 못ᄒᆞᆯ 일이 업고, 아니 스ᄭᅵᆯ 사름이 업ᄂᆞᆫ지라. 신묘랑의 요술신힝(妖術神行)이

---

[419]회곡(回曲)ᄒᆞ다 : 휘어서 굽다.
[420]단봉(丹鳳) : ①목과 날개가 붉은 봉황. ②궁궐'을 달리 이르는 말.
[421]발간젹복(發奸摘伏) : 숨겨져 있는 정당하지 못한 일을 밝혀냄.
[422]취리(就理) : 죄를 지은 벼슬아치가 의금부에 나아가 심리를 받던 일.

을 두터이 ㅎ고 묘랑을 쳥ㅎ니, 뉴(類) 뉴(類)를 좃는디라. 묘랑은 요정이오, 듕관은 쇼인(小人)이라. 처음으로 보나 평싱 아던 바 ㄱㅌ여 심듕소회(心中所懷)를 펼싀, 조부의 면ㅅ케 ㅎ믈 익걸ㅎ니, 묘랑이 눈섭을 삥긔고 냥구(良久)의 글오ᄃᆡ,

"이런 일이 극히 어렵거니와, 상공이 산문(山門)의 친님ᄒᆞ여 디셩으로 공경ᄒᆞ시니, 빈되 진심(盡心) 갈셩(竭誠)ᄒᆞ려니와, 문양공쥬 쯧을 보니, 국구 노야의 면ㅅㅎ시기ᄂᆞᆫ 도모치 아냐, 뎡병부긔 조금이나 유희【64】홀가 두려ᄒᆞ니, 속담의 '외손 ᄉᆞ랑이 거짓 거시라'430) ᄒᆞ거니와, 문양공쥬 ᄀᆞᆺ치 무졍ᄒᆞᆫ 사름이 어ᄃᆡ 이시리오. 이제 국구노야를 면화케ᄒᆞᆯ 도리ᄂᆞᆫ 뎡부를 모히ᄒᆞ여, 니부노야(吏部老爺) 슈디(手指)를 버히미 헛일노 다ᄒᆞ고431), 존부의 화를 도로혀 뎡부마긔 도라보ᄂᆡ고져 ᄒᆞᄃᆡ, 빈되 공쥬와 디극ᄒᆞᆫ 졍이 이시니, 아딕 젼졍(前程)을 유희케 못ᄒᆞᆯ디라. 출하리 여ᄎᆞ여ᄎᆞᄒᆞ여 노야를 면ㅅ케 ᄒᆞ고, 일이 되여가믈 보아 셰셰히 결단ᄒᆞ미 올홀가 ᄒᆞ나이다."

듕관이 고두 샤례ᄒᆞ고 하원슈의 젼부(全部)432)를 다 구ᄒᆞ고, 의논을 뎡ᄒᆞ여 훗터【65】디니, 일이 비밀ᄒᆞ여 알니 업더라. 원내 김국구ᄂᆞᆫ 하가를 참히(慘害)ᄒᆞ미 이시나, 초왕이 잇고, 샹이 귀비를 통이ᄒᆞ시ᄂᆞᆫ 고로 아딕 옥의 가도와 왕의 일이 뎡ᄒᆞᆫ 후 다스리랴 ᄒᆞ시고, 김후ᄂᆞᆫ 오히려 죄 디ᄆᆞ미 국구만 못ᄒᆞᆫ 줄 아르샤, 죽이든 아니랴 ᄒᆞ시거ᄂᆞᆯ, 듕관은 텬의를 모로고 황겁ᄒᆞ여 묘랑을 익걸ᄒᆞ니, 아비 살오기를 도모ᄒᆞ여 타일 뎡병부의 원(怨)을 갑흐려 밍셰ᄒᆞ더라.

만고무쌍(萬古無雙)ᄒᆞᆷ믈 드르미, 듕관이 친히 태암산 션경ᄉᆞ의 나아가, 녜물을 두터이 ᄒᆞ고 묘랑의 쳥ᄒᆞ니, 뉴(類) 뉴(類)를 좃는지라. 묘랑은 요정이오, 듕관은 쇼인(小人)이라. 처음으로 보나 평싱 아던 바 ㄱㅌ여 심즁소회(心中所懷)를 펼싀, 조부의 면ㅅㅎ믈 익걸ᄒᆞ니, 묘랑이 눈섭을 씽긔고 냥구(良久)의 글오ᄃᆡ,

"이런 일이 극히 어렵거니와, 상공이 산문(山門)의 친님ᄒᆞ여 지셩으로 공경ᄒᆞ시니, 빈되 졍셩(精誠)을 다ᄒᆞ려니와, 문양 공쥬 쯧을 보【146】니, 국구 노야 면ㅅㅎ시기○[ᄂᆞᆫ] 도모치 아냐, 뎡병부긔 조곰이나 유희홀가 두려ᄒᆞ니, 속담의 '외손 ᄉᆞ랑이 거즛 거시라'423) ᄒᆞ거니와, 문양공쥬 ᄀᆞᆺ치 무졍ᄒᆞᆫ 사름이 어ᄃᆡ 이시리오. 이제 국구 노야를 면화○[케]홀 도리ᄂᆞᆫ 뎡병부를 모히ᄒᆞ여, 니부노야(吏部老爺) 슈지(手指)를 버히미 헛일노 다ᄒᆞ고424), 존부의 화를 도로혀 뎡부마긔 도라보ᄂᆡ고져 ᄒᆞᄃᆡ, 빈되 공쥬와 지극ᄒᆞᆫ 졍이 이시니 아직 젼졍(前程)을 유희케 못ᄒᆞᆯ디라. 출하리 여ᄎᆞ여ᄎᆞᄒᆞ여 노야를 면ㅅ케 ᄒᆞ고, 일이 되여가믈 보아 셰셰히 결단ᄒᆞ미 올홀가 ᄒᆞ나이다."

듕관이 고두 샤례ᄒᆞ고 하원슈의 젼부(全部)425)를 다 구ᄒᆞ고, 의논을 졍ᄒᆞ여 훗터지니, 일이 밀밀(密密)ᄒᆞ여 알니 업더라. 원내 김국구ᄂᆞᆫ 하가를 참히(慘害)ᄒᆞ미 ○○○[이시나] 초왕이 잇ᄂᆞᆫ 고로, 샹이 ○○○[귀비를] 춍이ᄒᆞᄉᆞ 옥의 가도와 왕의 일이 뎡ᄒᆞᆫ 후 다스리랴 ᄒᆞ시고, 《김슈‖김후》ᄂᆞᆫ 오히려 죄【147】지ᄆᆞ미 국구만 못ᄒᆞᆫ 줄 아르샤, 죽이든 아니랴 ᄒᆞ시거ᄂᆞᆯ, 듕관은 텬의를 모로고 황겁ᄒᆞ여 묘랑을 익걸ᄒᆞ니, 아비 살오기를 도모ᄒᆞ여 타일 뎡병부의 원(怨)을

---

430)외손 ᄉᆞ랑이 거짓 거시라 : 외손자는 아무리 귀여워하고 공을 들여도 귀여워한 보람이 없다는 말. ≒'외손자를 귀애하느니 방앗공이[절굿공이]를 귀애하지.'

431)다히다 : 대다. 어떤 사실을 드러내어 말하다.

432)젼부(全部) : 어떤 대상을 이루는 낱낱을 모두 합친 것.

---

423)외손 ᄉᆞ랑이 거짓 거시라 : 외손자는 아무리 귀여워하고 공을 들여도 귀여워한 보람이 없다는 말. ≒'외손자를 귀애하느니 방앗공이[절굿공이]를 귀애하지.'

424)다히다 : 대다. 어떤 사실을 드러내어 말하다.

425)젼부(全部) : 어떤 대상을 이루는 낱낱을 모두 합친 것

묘랑이 김듕관과 날을 긔약ᄒ고 밤을 당ᄒ여 금위부(禁衛府)433) 옥의 나아가, 쳘쇄(鐵鎖)ᄒ 문을 ᄉ못츠434) 앙연(央然)435) 돌입ᄒ여, 국구 부ᄌ의 엄슈(嚴囚)ᄒ 옥을 ᄎᄌ 나아가, 【66】 딘언(眞言)을 넘ᄒ니 문이 졀노 열미, 다시 변화ᄒ여 믄득 큰 갈회(葛虎)436)되여, 흉독을 발ᄒ여 급히 국구를 업어 공듕의 소ᄉ니, 옥니와 슌시군이 대경ᄒ여 일시의 소릭ᄒ여 죄인 김국구를 범이 므러간다 ᄒ니, 좌위 역경(亦驚)ᄒ여 금의(禁義)437) 딕슉관원(直宿官員)의게 급고(急告)ᄒ니, 금오관원(金吾官員)이 대경ᄒ여 위스를 발ᄒ여 두로 살피라 ᄒ나, 거쳬(去處) 업더니, ᄯ 갈회 파람438)ᄒ며 ᄲ여드러 니부 김후의 가돈 옥의 나아가 김후를 업고, 공듕의 아아히 소ᄉ 운무 ᄉ이의 ᄀᆷ초이니, 닙긱의439) 간 곳이 업ᄂᆞ다. 위졸(衛卒)440)이 모다 측냥치 못ᄒ고, 김후 부ᄌ를 일흐미 죄 경치【67】 아닌다. 차악ᄒ고 상심ᄒ여 날이 ᄉ기를 기다려, 평명(平明)441)의 김후 부ᄌ를 비회(飛虎) 일시의 문을 초고 므러가되, 운무의 나라 ᄌ최를 초ᄌ 길히 업ᄉ믈 쥬달(奏達)ᄒ고 쳥죄ᄒ니, 샹이 대경대로(大驚大怒)ᄒ샤 왈,

"딤이 만긔(萬機)442)를 님ᄒ여 ᄉ히구쥬(四海九州)를 부림(俯臨)443)ᄒ되, 덕이 박ᄒ

갑흐려 밍셰ᄒ더라.

묘랑이 즁관과 날을 긔약ᄒ고 밤을 당ᄒ여 금위부(禁衛府)426) 옥의 나아가 쳘쇄(鐵鎖)ᄒ 문을 ᄉ못츠427) 안연(晏然)428) 츌입ᄒ여 국구 부ᄌ의 엄슈(嚴囚)ᄒ 옥을 ᄎᄌ 나아가, 진언(眞言)을 넘ᄒ니 문이 졀노 열니미, 다시 변화ᄒ여 믄득 큰 갈회(葛虎)429)되여, 흉독을 발ᄒ여 급히 국구를 업어 공듕의 소ᄉ니, 옥니와 슌시군이 딕경ᄒ여 일시의 소릭ᄒ여 죄인 국구를 범이 무러간다 ᄒ니, 좌위 역경(亦驚)ᄒ여 금의(禁義)430) 직슉관원(直宿官員)의게 급고ᄒ니, 금오관원(金吾官員)이 딕경ᄒ여 위스를 발ᄒ여 두로 살피라 ᄒ나 거쳬(去處) 업더니, ᄯ 갈회 파람431)ᄒ며 ᄲ여드러 김니부(金吏部)의 ○○[가돈] 옥의 가 《슈∥김후》를 업고 공【148】즁의 아아히 소ᄉ 운무 ᄉ이의 ᄀᆷ초이니, 닙긱의432) 간 곳이 업ᄂᆞ지라. 위졸(衛卒)이 모다 측냥치 못ᄒ고, 김후 부ᄌ를 일흐미 죄경치 아닌지라. 츠악 ᄒ고 상심ᄒ여 ○○[날이] 싀기를 기다려 평명(平明)433)의 김후 부ᄌ를 비회(飛虎) 일시의 문을 초고 무러가되, 운무의 나라 ᄌ최를 초ᄌ 길히 업ᄉ믈 쥬달(奏達)ᄒ고 쳥죄ᄒ니, 샹이 딕경딕로(大驚大怒) ᄒ샤 왈,

"딤이 만승[긔](萬機)434)을 님ᄒ여 ᄉ히구쥐(四海九州)를 부림(俯臨)435)ᄒ되, 덕이

---

433)금위부(禁衛府) : 금오부(金吾府). 의금부(義禁府).
434)ᄉ못츠다 : 사무치다. 통(通)하다.
435)앙연(央然)히 : 한 가운데로, 거침없이.
436)갈회(葛虎) : 갈범(葛-). 칡범. 몸에 칡덩굴 같은 어룽어룽한 줄무늬가 있는 범.
437)금의(禁義) : 의금부(義禁府).
438)파람 : ①휘파람. 입술을 좁게 오므리고 혀끝으로 입김을 불어서 맑게 내는 소리. 또는 그런 일. 늑구적(口笛) ②포효(咆哮). 으르렁. 크고 사나운 짐승 따위가 성내어 크고 세차게 울부짖는 소리. 또는 그 모양.
439)닙긱(立刻)의 : 입각(立刻)에. 눈 깜짝할 사이에. 순식간에, 바로, 즉각, 즉시.
440)위졸(衛卒) : 어떤 대상을 지키는 군사.
441)평명(平明) : 해가 뜨는 시각. 또는 해가 돋아 밝아질 때.
442)만기(萬機) : 세상의 온갖 일. 정치상의 온갖 중요한 기틀.

426)금위부(禁衛府) : 금오부(金吾府). 의금부(義禁府).
427)ᄉ못츠다 : 사무치다. 통(通)하다.
428)안연(晏然)히 : 편안히, 거침없이.
429)갈회(葛虎) : 갈범(葛-). 칡범. 몸에 칡덩굴 같은 어룽어룽한 줄무늬가 있는 범.
430)금의(禁義) : 의금부(義禁府).
431)파람 : ①휘파람. 입술을 좁게 오므리고 혀끝으로 입김을 불어서 맑게 내는 소리. 또는 그런 일. 늑구적(口笛) ②포효(咆哮). 으르렁. 크고 사나운 짐승 따위가 성내어 크고 세차게 울부짖는 소리. 또는 그 모양.
432)닙긱(立刻)의 : 입각(立刻)에. 눈 깜짝할 사이에. 순식간에, 바로, 즉각, 즉시.
433)평명(平明) : 해가 뜨는 시각. 또는 해가 돌아 밝아질 때.
434)만기(萬機) : 세상의 온갖 일. 정치상의 온갖 중요한 기틀.
435)부림(俯臨) : 굽어보다. 굽어 살피다. 아랫사람이

여 그런가, 비회 잇셔 사룸을 능히 무러 즈최 업스믄 의월(意外) 뿐 아니라, 쳔고 이리의 듯디 못흔 변괴니, 이는 위관이 므슴 일이 잇셔 짐줏 노흔 일인가. 위관의 죄 경치 아니니 딕슉ᄒ던 나졸을 져주어444) 므르라."

ᄒ시니, 동평댱ᄉ 양필광이 쥬왈,

"신의 댱녀 뎡텬홍의 쳐【68】실이러니, 셩교(聖敎)의 니이졀혼(離異絶婚)ᄒ믈 인ᄒ여 신의 집의 다려왓습더니, 일야디간(一夜之間)의 비회 무러가, 디금 ᄉ싱존망을 미득(未得)ᄒ오미 쳔고의 둘히 업순가 ᄒᆞ옵더니, 김탁 부ᄌ를 일ᄉ오미 역시 신의 집 변괴와 일톄오니, 복망 셩샹은 명찰ᄒ샤 위관과 나졸의 무죄ᄒ믈 살피시고, 셩딕티화(聖代治化)445)의 여ᄎ디변(如此之變)이 죵죵(種種)ᄒ오니446), 구쥬팔황(九州八荒)447)의 젼디ᄒ샤 요졍(妖精)을 잡게 ᄒ쇼셔."

샹이 양공의 튱덕ᄒ믈 아르시ᄂᆞᆫ 고로, 그 ᄯᆞᆯ의 일흐믈 드르시고 그 말을 좃ᄎ샤, 드ᄃᆡ여 나졸을 샤(赦)ᄒ시고, 양공을 ᄃᆡᄒ여 굴오샤ᄃᆡ,

"경의 ᄯᆞᆯ을 일흐미 츠악흔 변괴라. 엇디 발셔 됴졍의 고ᄒ여 요졍을 잡디 못ᄒ뇨? 김탁의 부ᄌ를 일흠【69】믄 금의관(禁義官)이 엄히 딕희디 못흔 허믈이 업디 아니ᄒᄃᆡ, 경의 쥬ᄉ(奏辭) 여ᄎ하니 다 믈시(勿視)ᄒ여 죄를 샤ᄒ거니와, 셰상의 요졍이 이시믄 길됴(吉兆) 아니라. ᄉᆞ희의 젼디ᄒ샤 [여] 비호 요졍을 잡아 밧치ᄂᆞᆫ ᄌᆞᄂᆞᆫ 쳔금샹(千金賞)과 만호후(萬戶侯)를 봉ᄒ리라."

ᄒ시니 삼공이 슈명ᄒ여 즉일의 젼디ᄒ여 구쥬(九州)의 반포ᄒ고, 각각 댱졸을 발ᄒ여 비호를 착포(捉捕)ᄒ라 ᄒ나, 둔갑(遁甲)ᄒ

열워 그런가, 비회 이셔 사룸을 능히 무러 즈최 업스믄 의외(意外)라. 이는 위관이 므슴 일이 이셔 짐줏 노흔 일인가. 위관의 죄 경치 아니니 직슉ᄒ던 나졸을 져주어436) 므르라."

ᄒ시니, 동평댱ᄉ 양필광이 쥬왈,

"신의 댱녀 뎡텬홍의 쳐실이러니, 셩교(聖敎)의 니이졀혼(離異絶婚)ᄒ믈 인ᄒ여 신의 집의 다려왓습더니, 일야지간(一夜之間)의 비회 무러가 일흔 후, 지금 ᄉ싱 존망을【149】미득(未得)ᄒ오미 쳔고의 둘히 업순가 ᄒᆞ옵더니, 김탁 부ᄌ를 일ᄉ오미 역시 신의 집 변괴와 일톄오니, 복망 셩샹은 명찰ᄒ사 나졸의 무죄ᄒ믈 《갈리시고∥살피시고》 셩교[딕]치화(聖代治化)437)의 여ᄎ지변(如此之變)이 죵죵(種種)ᄒ○[오]니438), 구쥐팔황(九州八荒)439)의 젼지ᄒ샤 요졍(妖精)을 잡게 ᄒ쇼셔."

샹이 양공의 츙직ᄒ믈 아르시ᄂᆞᆫ 고로, 그 ᄯᆞᆯ의 일ᄒ믈 드르시고 그 말을 좃ᄎ샤 드ᄃᆡ여 나졸을 샤(赦)ᄒ시고 양공을 ᄃᆡᄒ여 왈,

"경녀(卿女)을 일ᄒ미 츠악흔 변괴라. 엇지 발셔 됴졍의 고ᄒ여 요졍을 잡지 못ᄒ뇨? 김탁의 부ᄌ 일ᄒ믄 금의관(禁義官)이 엄히 직희디 못흔 허믈이 업지 아니ᄒᄃᆡ, 경의 쥬ᄉ(奏辭) 여ᄎ하니 다 믈시(勿視)ᄒ여 죄를 샤ᄒ거니와, 셰상의 요졍이 이시믄 길됴(吉兆) 아니라. ᄉᆞ희의 젼지ᄒ샤[여] 비호 요졍을 잡아 밧치ᄂᆞᆫ ᄌᆞᄂᆞᆫ 쳔금샹(千金賞)○[과] 만호후(萬戶侯)를 봉ᄒ리라."

ᄒ시니, 삼공이 슈명ᄒ여 즉일【150】의 젼지ᄒ여 구쥬(九州)의 반포ᄒ고, 각각 댱졸을 발ᄒ여 비호를 착포(捉捕)ᄒ라 ᄒ나, 둔갑(遁甲)ᄒᄂᆞᆫ 요졍이 암ᄌᆞ의 집히 숨엇거늘,

443)부림(俯臨) : 굽어보다. 굽어 살피다. 아랫사람이나 불우한 사람을 돌보아 주려고 사정을 살피다.
444)져주다 : 형신(刑訊)하다. 심문하다.
445)셩딕티화(聖代治化) : 현 임금이 다스리는 시대의 다스림과 교화.
446)죵죵(種種)ᄒ다 : 어떠한 일이 가끔 있다.
447)구쥬팔황(九州八荒) : 온 세상. 온 나라.

나 불우한 사람을 돌보아 주려고 사정을 살피다.
436)져주다 : 형신(刑訊)하다. 심문하다.
437)셩딕티화(聖代治化) : 현 임금이 다스리는 시대의 다스림과 교화.
438)죵죵(種種)ᄒ다 : 어떠한 일이 가끔 있다.
439)구쥬팔황(九州八荒) : 온 세상. 온 나라.

는 요졍이 암주의 집히 숨엇거놀, 어듸 가 잡으리오. 샹이 김탁의 블인무상(不仁無狀)【70】ᄒ믈 통히(痛駭)ᄒ시나, 그 간졍(奸情)을 아디 못ᄒ시고, 김후ᄂᆞᆫ 본듸 죽이디 아니랴 ᄒ시던 비라. 부지 일시의 비호의게 죽으믈 측은ᄒ샤, 즁샤(中使)를 보니여 듕관을 위로ᄒ시고, 궁녀로 ᄒᆞ여금 귀비를 붓드러 디통을 위로ᄒ라 ᄒ시니, 대개 귀비를 북궁의 슈계(囚繫)ᄒ시나 통이ᄒ시ᄂᆞᆫ 뜻이 덕디 아니시더라.

어시의 듕관이 묘랑으로 더브러 요악ᄒᆞᆫ 계교를 베퍼, 부조(父祖)를 ᄉᆞ디(死地)의 벗겨 션경스로 도라오니, {망}망명디죄(亡命之罪) 타일(他日) 낫타나 ᄉᆞ디이쳐(四肢離處)ᄒᆞᆯ 줄을 모로고, ᄉᆞ디의 구ᄒᆞᆫ 줄만 즐겨 져의 디혜를 ᄌᆞ랑ᄒᆞ고, 뎡병부를 졀【71】치ᄒᆞ여 원슈 갑기를 모의ᄒ니, 국귀(國舅) 듕관을 어로만져 칭찬 왈,

"손이 비상ᄒᆞᆫ 지조로 우리를 구ᄒ니, 여뷔(汝父) 너 ᄀᆞᆺᄐᆞ죽 뎡텬흥이 비록 무디모야(無知暮夜)448)의 므른들, 실상(實狀)을 닐너시리오. 텬흥의 흉휼(凶譎)ᄒᆞᆫ 니르디 말고 츄화를 ᄌᆞ취ᄒᆞᆫ 여부의 허겁(虛怯)ᄒᆞᆫ 연괴라."

ᄒᆞ고, 셔로 모의ᄒᆞ미 밀밀(密密)ᄒᆞ여 불의를 더욱 힝ᄒᆞ고, 묘랑으로 더브러 나라 ᄉᆞ졍을 탐디ᄒᆞ고 계교(計巧)ᄒ더라.

츠셜 뎡병뷔 ᄉᆞ친디회(思親之懷) 간졀ᄒᆞ고, ᄌᆞᄀᆡ 힝ᄉᆞ를 졀졀이 뉘웃고 슬허ᄒ더라.【72】

어듸 가 잡으리오. 샹이 김탁의 블인무상(不仁無狀)ᄒᆞ믈 통히(痛駭)ᄒ시나, 그 간졍(奸情)을 아지 못ᄒ시고, 김후ᄂᆞᆫ 본듸 죽이지 아니랴 ᄒ시던 비라. 부지 일시의 비호의게 죽으믈 측은ᄒ샤, 즁ᄉᆞ(中使)를 보니여 즁관을 위로ᄒ시고, 궁녀로 ᄒᆞ여금 귀비를 붓드러 지통을 위로ᄒ라 ᄒ시니, 디기 귀비를 북궁의 슈계(囚繫)ᄒ시나, 춍이ᄒ시ᄂᆞᆫ 뜻이 적지 아니시더라.

어시의 즁관이 묘랑으로 더브러 요악ᄒᆞᆫ 계교를 베퍼, 부조(父祖)를 ᄉᆞ지(死地)의 벗겨 션경스로 도라오니, 망명지죄(亡命之罪) 타일(他日) 낫타나 ᄉᆞ지(四肢)의 이쳐(離處)ᄒᆞᆯ 줄을 모로고, 부조(父祖)를 ᄉᆞ지의 구ᄒᆞᆫ 줄만 즐겨 져의 지혜를 ᄌᆞ랑ᄒᆞ고, 뎡병부를 졀치ᄒᆞ여 원슈 갑기를 모의ᄒ니, 국귀(國舅)【151】즁관을 어로만져 칭찬 왈,

"손이 비상ᄒᆞᆫ 지조로 우리를 구ᄒ니, 여뷔(汝父) 너 ᄀᆞᆺᄐᆞ면 텬흥이 비록 무지모야(無知暮夜)440)의 므른들, 실상(實狀)을 닐너시리오. 텬흥의 흉휼(凶譎)ᄒᆞᆫ 니르도 말고 츄화를 ᄌᆞ취ᄒᆞᆫ 여부의 허겁(虛怯)ᄒᆞᆫ 연괴라."

ᄒᆞ고, 셔로 모의ᄒᆞ미 밀밀(密密)ᄒᆞ여 불의를 더욱 힝ᄒᆞ고, 묘랑으로 더브러 나라 ᄉᆞ졍을 탐지ᄒᆞ고 계교(計巧)ᄒ더라.

계괴 엇지 된고 하권 분히ᄒ라.

명쥬보월빙 ᄉᆞ십ᄉᆞ·오·륙.【152】

---

448)무디모야(無知暮夜) : 아무도 모르는 어두운 밤.

440)무디모야(無知暮夜) : 아무도 모르는 어두운 밤.

츠셜 뎡병뷔 스친디회(思親之懷) 간절ᄒ
고 ᄌ긔 힝스를 절절이 슬허 뉘웃츠미, 야
야의 경칙(警責)이 과도치 아니시믈 혜아리
나, 샤명이 어나 ᄹ의 이실 줄을 모로니, 쥬
야 번뇌ᄒ여 됴셕 식음을 나리오디 못ᄒ고,
평싱 즐기던 술이 잇시나 도라보디 아냐,
두문샤긱(杜門謝客)ᄒ여 관부 공식(公事) 번
다ᄒ디 젼폐ᄒ여, 종일(終日) 달야(達夜)토
록 제뎨의 스매를 닛그러 븍당훤초(北堂萱
草)449)의 무치디락(舞彩之樂)450)이 난득(難
得)일 둧, 신혼모뎡(晨昏慕情)451)의 존당 부
모를 앙모ᄒ미[미]【1】 식블감미(食不甘
味)452) ᄒ고 침블안셕(寢不安席)453) ᄒ여
긔거를 임의로 못ᄒ니, 녜부 등 제뎨 우황
초조(憂惶焦燥)ᄒ여 호언으로 위로ᄒ나, 엄
젼(嚴前)의 비알치 못 ᄒ 후는 병이 나을
길히 업ᄂᆞ니라. 의형이 환탈ᄒ고 혈긔 쇼감
(少減)ᄒ여 보기의 위틱ᄒᆞ니라. 녜부 등이
우황ᄒ여 부젼의 회과ᄌ칙ᄒ미 셩병(成病)
ᄒ믈 고코져 ᄒᆞ디, 부공의 엄졍ᄒ미 졈졈
더으시니 감히 번득디 못ᄒ더니, 샹이 병부
의 병이 오릭믈 근심ᄒ샤 날마다 어의로 간

---

449)븍당훤초(北堂萱草) : '어머니'를 이르는 말. '북
당'은 집의 북쪽에 있는 건물로 집안의 주부(主婦)
가 거처하는 곳이어서 어머니를 이르는 말로 쓰였
다. 훤초 또한 『시경』 <위풍(衛風)> '백혜(伯兮)'
편의 "어디에서 훤초를 얻어 북당에 심을꼬.(焉得
萱草 言樹之背 *背는 이 시에서 北堂을 뜻함)"라
한 시구에서 유래하여, 주부가 자신의 거처인 북
당에 심고자 했던 풀이라는 데서, 어머니를 이르
는 말로 쓰였다.

450)무치디락(舞彩之樂) : 색동옷 입고 춤을 추어 어
버이를 즐겁게 해 드림. 중국 춘추 때 초나라 사
람 노래자(老萊子)가 70세에 색동옷을 입고 어린
애 장난을 하여 늙은 부모를 즐겁게 해드렸다는
고사에서 유래한 말.

451)신혼모뎡(晨昏慕情) : 부모를 떠나 있는 자식이
아침저녁 또는 신성(晨省) 혼정(昏定) 때를 당해
부모의 안부를 생각하며 그리는 마음.

452)식블감미(食不甘味) : 근심과 걱정으로 음식을
먹어도 맛이 없음.

453)침블안셕(寢不安席) : 걱정이 많아서 잠을 편히
자지 못함.

츠셜 뎡병뷔 스친지회(思親之懷) 간절ᄒ
고 ᄌ긔 힝스를 절절이 늬웃쳐 슬허ᄒ미,
야야의 경칙(警責)이 과도치 아니시믈 혜아
리나 스명이 어느 ᄹ 이실 줄을 모로니, 쥬
야 번뇌ᄒ여 죠셕 식음을 나리오디 못ᄒ고,
평싱 즐기던 술이 잇시나 도라보지 아냐,
두문스긱(杜門謝客)ᄒ여 관부 공식(公事) 번
다ᄒ디 젼폐ᄒ여 종일(終日) 달야(達夜)토록
제뎨의 스미를 잇그러 븍당훤초(北堂萱
草)441)의 무치지락(舞彩之樂)442)이 난득(難
得)일 둧, 신혼낙쳥[모졍](晨昏慕情)443)의
존당 부모를 앙모ᄒ미 식블감미(食不甘
味)444) ᄒ고 침블안셕(寢不安席)445) ᄒ여
긔거를 임의로 못ᄒ니, 녜부 등 제뎨 우황
초조(憂惶焦燥)ᄒ여 호언으로 위로ᄒ나, 엄
젼(嚴前)의 비알치 못 ᄒ 후는 병이 나을
길이 업ᄂᆞ지라. 의형이 환탈ᄒ고 혈긔 쇼감
(少減)ᄒ여 보기의 위틱ᄒᆞ지라. 예부 등이
우황ᄒ여 부젼【1】의 형이 회과ᄌ칙ᄒ미
셩병(成病)ᄒ기의 밋고져 ᄒᆞ디, 부공의 엄졍
ᄒ미 졈졈 번득이러니, 불감 번득이러니, 샹이
병부의 병이 오라믈 근심ᄒ샤 날마다 ○○

---

441)븍당훤초(北堂萱草) : '어머니'를 이르는 말. '북
당'은 집의 북쪽에 있는 건물로 집안의 주부(主婦)
가 거처하는 곳이어서 어머니를 이르는 말로 쓰였
다. 훤초 또한 『시경』 <위풍(衛風)> '백혜(伯兮)'
편의 "어디에서 훤초를 얻어 북당에 심을꼬.(焉得
萱草 言樹之背 *背는 이 시에서 北堂을 뜻함)"라
한 시구에서 유래하여, 주부가 자신의 거처인 북
당에 심고자 했던 풀이라는 데서, 어머니를 이르
는 말로 쓰였다.

442)무치디락(舞彩之樂) : 색동옷 입고 춤을 추어 어
버이를 즐겁게 해 드림. 중국 춘추 때 초나라 사
람 노래자(老萊子)가 70세에 색동옷을 입고 어린
애 장난을 하여 늙은 부모를 즐겁게 해드렸다는
고사에서 유래한 말.

443)신혼모뎡(晨昏慕情) : 부모를 떠나 있는 자식이
아침저녁 또는 신성(晨省) 혼정(昏定) 때를 당해
부모의 안부를 생각하며 그리는 마음.

444)식블감미(食不甘味) : 근심과 걱정으로 음식을
먹어도 맛이 없음.

445)침블안셕(寢不安席) : 걱정이 많아서 잠을 편히
자지 못함.

병호시고, 듕샤(中使)를 명호샤 시절 음식과 상방(尙方) 어션(御膳)을 보뇌샤, 병구(病求)의 딘뎡(盡情)454)호라【2】호시며, 금평후의게 젼교호샤 부마의 병을 티료호라 호샤, 추셩(差成)케 흐믈 하교호시니, 금휘 네부로 호여곰 병부의게 젼어 왈,

"블쵸(不肖) 본딕 아비를 업숨궂치 너겨 범스를 즈힝즈디(自行自止) 호니, 내 알플 써나민 너의 쾌활흔 시절이라. 무힝 방탕을 임의로 흐려든, 므스 일 병을 닐위여 딕임(職任)을 젼폐호고, 군샹(君上)의 우려호시믈 씻치와, 부졀 업슨 의뉴(醫類)455)와 약믈(藥物)을[이] 슷츨 길 업고, 문병호시는 듕싴(中使) 도로의 니어시니, 날노 호여곰 네 병을 티료호라 하교호신디라. 내 임의 널노 뉸의(倫義)【3】를 슷츤 후는 얼굴을 딕홀 길히 업스니, 비록 군명이 계시나 위월(違越)호니 블튱이 더은디라. 이 또 블쵸의 연괴니 죄 업스랴? 스스의 나의 심화를 돕디 말고 힝공찰딕(行公察職)호여 황야의 념녀를 더으옵고 나의 분완흐믈 더으디 말나."

네뷔 브복(仆伏) 문파(聞罷)의 소리를 화히 호여 고왈,

"형이 근간 병셰를 더으믄 젼후 허믈을 뉘웃고, 존당 부모를 영모(永慕)호는 하졍(下情)으로 병이 더으니, 딕스(職事)의 념(念)이 업스올디라. 엄교(嚴敎)456) 여츠호시나 능히 강딜(强疾)457)치 못홀가 호느이다."

공이 뎡싴 왈,

"블쵸의 스싱을 내 실노 녀렴(慮念)치【4】 아닛느니, 엇디 괴로이 나의 심화(心火)를 돕느뇨? 텬흉의 남활 흉휼호미 거줏 뉘웃츠미라. 엇디 여등의 말을 고지 드러 힝흐리오."

네뷔 황공이퇴(惶恐而退)호여 별유졍의

---

454)딘뎡(盡情) : 마음 곧 정성을 다함.
455)의뉴(醫類) : 여기서는 '의원(醫員)들'을 이르는 말.
456)엄교(嚴敎) : '아버님의 말씀'을 이르는 말.
457)강딜(强疾) : 별을 억지로 참음.

○[어의로] 간병호시고, 즁스(中使)를 명호여 시졀 음식과 상방어션(尙方魚膳)을 보닉스, 병구(病求)의 진졍(盡情)446)호라 호시며, 금평후의게 젼교호샤 부마의 병을 치료호샤, 추셩(差成)케 호라 하교호시니, 금평휘 네부로 호여곰 병부의게 젼어 왈,

"블쵸(不肖) 본딕 아비를 업숨궂치 너겨 범스를 즈힝즈지(自行自止) 호니, 내 알플 써나민 너희 쾌활흔 시졀노 아라, 무힝방탕을 임의로 흐려든, 므스 일 병을 닐위여 딕임(職任)을 젼폐호고, 군샹(君上)의 우려를 씻치스, 부졀 업슨 의유(醫類)447)를 번거히 호고, 약믈(藥物)을[이] 슷츨 길 업고, 문병호시는 듕싴(中使) 도로의 이어시니, 날노 호여곰 네 병을 치약(治藥)호라 호신디라. 닉 임의 널노 뉸의(倫義)를 슷츤 후는 얼골을 딕홀【2】 길히 업스니, 비록 군명이 계시나 위월(違越)호니 블튱이 더은지라 이 또 블쵸의 연괴니 죄 업스랴? 스스의 나의 심화를 돕지 말고 힝공찰딕(行公察職) 호여 황야의 념녀를 더으옵고, 나의 분완흐믈 더으지 말나."

네뷔 부복(仆伏) 문파(聞罷)의 소리를 화히흐여 고왈,

"형이 근간 병셰를 더으믄 젼후 허믈을 뉘웃고, 존당 부모를 영모(永慕)호는 하졍(下情)으로 병이 더으니, 직스(職事)의 념(念)이 업스올지라. 엄교(嚴敎)448) 여츠호시나 능히 강질(强疾)449)치 못 홀가 호느이다."

공이 뎡싴 왈,

"블쵸의 스싱을 닉 실노 녀렴(慮念)치 아닛느니, 엇지 괴로이 나의 심화(心火)를 돕느뇨? 텬흉의 남활 흉휼호미 거줏 닉웃츠미라. 엇지 너등의 말을 고지 드러 힝흐리오."

네뷔 황공이퇴(惶恐而退)호여 ○[별]유졍

---

446)딘뎡(盡情) : 마음 곧 정성을 다함.
447)의유(醫類) : 여기서는 '의원(醫員)들'을 이르는 말.
448)엄교(嚴敎) : '아버님의 말씀'을 이르는 말.
449)강딜(强疾) : 별을 억지로 참음.

니르러 병부를 보아 엄교를 젼ᄒ니, 셕의 병뷔 듁음(粥飮)을 토(吐)ᄒ고 긔운이 혼미(昏迷)ᄒ여 금금(錦衾)의 ᄲ엿더니, 야야의 젼어(傳語)ᄒ시믈 듯ᄌᆞ고 경황ᄒ여 계오 몸을 움죽여 듯ᄌᆞᆸ기를 맛ᄎ미, 봉안(鳳眼)의 누쉬(淚水) 여우(如雨)ᄒ여 왈,

"내 심곡의 가득ᄒᆫ 소회(所懷)를 엄하(嚴下)의 쥬달홀 길히 업ᄉᆞ니, 젼어로 회쥬(回奏)ᄒ미 더옥 황공ᄒᆞ다라. 두어 줄 글노 하졍(下情)을 주ᄒᆞ리라."

언【5】파의 졍신을 슈습ᄒ여 필연을 나와 공경ᄒ여 샹셔를 일울ᄉᆡ, 톄뤼(涕淚) 여우ᄒ여 화젼(華箋)458)의 년낙(連落)ᄒ니, 쓰기를 맛ᄎ미 아을 도라 보아 왈,

"대인이 우형의 심ᄉᆞ를 모로시고, 션조의 유완ᄒᆞ시던 졍조의 머므는 거ᄉᆞᆯ 미안ᄒᆞ시니, 쟝ᄎᆞᆺ 어ᄃᆡ로 가리오."

녜뷔 위로 왈,

"대인이 비록 엄뎡(嚴正)ᄒᆞ시나 유졍을 ᄶᅥ나라 ᄒᆞ시미 업ᄉᆞ니, 형댱은 과도히 초황(焦惶)치 마르시고, 병회(病懷)를 안보(安保)ᄒᆞ샤 명이 나려 엄하의 졀ᄒᆞ시믈 기다리쇼셔."

병뷔 츄연 왈,

"우형이 블초무상ᄒᆞ여 엄젼의 죄를 디어시니, 엄의를 혜아리고 샤명을 슈히【6】바라리오. 념급디ᄎᆞ(念及至此)459)의 ○○[낙담]경혼(落膽驚魂)ᄒ니, 초ᄉᆞ(焦思)ᄒᆫ 심쟝이 ᄉᆞᆺᄎᆞᆯ 쓴이라. 우형이[의] 견젼힝ᄉᆡ(前前行事) 망측ᄒᆞ니 스스로 괴히(怪駭)ᄒᆞ믈 니긔디 못ᄒᆞ노라."

녜뷔 지삼 위로ᄒᆞ고 샹셔(上書)를 가져 도라와 부젼의 드리니, 공이 바다 보디 아니ᄒᆞ더니, 혼뎡 후 외헌의 쵹을 붉히고 비로소 셔간을 피열(披閱)460)ᄒ니, ᄉᆞ의 왈,

"블초ᄌᆞ 텬홍은 빅빅(百拜) 돈슈(頓首)ᄒ

의 이르러 병부를 보아 엄교를 젼ᄒ니, 셕의 병뷔 죽음(粥飮)을 토(吐)ᄒ고 긔운이 혼미(昏迷)ᄒ여 금금(錦衾)의 ᄲ혀더니, 야야의 뎐어(傳語)를 듯ᄌᆞ고 경황ᄒ여 겨요 몸【3】을 움죽여 듯ᄌᆞ기를 맛ᄎ미, 봉안(鳳眼)의 누쉬(淚水) 여우(如雨)ᄒ여 왈,

"내 심곡의 가득ᄒᆫ 소회(所懷)를 엄하(嚴下)의 쥬달홀 길히 업ᄉᆞ니, 뎐어로 회쥬(回奏)ᄒ미 더옥 황공ᄒᆞ지라. 두어 줄 글노 하졍(下情)을 주ᄒᆞ리라."

언파의 졍신을 슈습ᄒ여 필연을 나와 공경ᄒ여 샹셔를 일울ᄉᆡ, 쳬뤼 여류ᄒ여 화젼(華箋)450)의 년낙(連落)ᄒ니, 쓰기를 맛ᄎ미 아을 도라 보아 왈,

"듸인이 우형의 심ᄉᆞ를 모로시고, 션조의 유완ᄒᆞ시던 졍조의 머믈기를 미안ᄒᆞ시니, 쟝ᄎᆞᆺ 어ᄃᆡ로 가리오."

녜뷔 위로 왈,

"듸인이 비록 엄뎡(嚴正)ᄒᆞ시나 유졍을 ᄶᅥ나라 ᄒᆞ시미 업ᄉᆞ니, 형댱은 과도히 ○[초]황(焦惶)치 마르시고, 병회(病懷)를 안보(安保)ᄒᆞ샤 명이 나려 엄하의 졀ᄒᆞ시믈 기다리쇼셔."

병뷔 츄연 왈,

"우형이 블초무상ᄒᆞ여 엄젼의 죄를 지엇시니, 엄의를 혜아리고 ᄉᆞ명을 슈히 ᄇᆞ라리오. 념급지ᄎᆞ(念及至此)451)의 낙담경혼(落膽驚魂)ᄒ니, 초ᄉᆞ(焦思)ᄒᆫ 심쟝이 ᄉᆞᆺᄎᆞᆯ 쓴이로다. 우형【4】이 견젼힝ᄉᆡ(前前行事) 망측ᄒᆞ니 스스로 괴히(怪駭)ᄒᆞ믈 니긔지 못ᄒᆞ노라."

녜뷔 지삼 위로ᄒᆞ고 샹셔(上書)를 가져 도라와 부친의 드리니, 공이 바다 보지 아니 ᄒᆞ더니, 혼졍 후 외뎐(外殿)의 쵹을 붉히고 비로소 셔간을 피열(披閱)452)ᄒ니, ᄉᆞ의 왈,

"블초ᄌᆞ 텬홍은 빅빅(百拜) 돈슈(頓首)ᄒ

---

458)화젼(華箋) : 화젼지(花箋紙). 시나 편지 따위를 쓰는 종이.
459)념급디ᄎᆞ(念及至此) : 생각이 이에 미침.
460)피열(披閱) : 서류 따위를 펴서 읽거나 살펴봄.

450)화젼(華箋) : 화젼지(花箋紙). 시나 편지 따위를 쓰는 종이.
451)념급지ᄎᆞ(念及至此) : 생각이 이에 미침.
452)피열(披閱) : 서류 따위를 펴서 읽거나 살펴봄.

고 죄를 므릅뻐 앙달ᄒᆞᆸᄂᆞ니, 블초지 무상
ᄒᆞ와 엄훈을 져바리옵고, 작죄ᄒᆞ온 비 만ᄉᆞ
무셕(萬死無惜)이라. 슬하의 니치시믈 닙ᄉᆞ
와 슈월의 니르오니, 블초의 죄ᄂᆞᆫ 죽어 족
(足)의오나, 어【7】린 졍셩이 일죽 니측(離
側)ᄒᆞ와 ᄉᆞ모ᄒᆞ오미 국ᄉᆞ 밧근 집을 나가미
업ᄉᆞᆫᄂᆞᆫ디라. 몽혼(夢魂)이 젼도(顚倒)히 훤
졍(萱庭)461)을 님ᄒᆞᆸ다가, 츄연이 황공(惶
恐) 경각(驚覺)ᄒᆞ온즉 앙모디회(仰慕之懷)
시시(時時) 층익(層益)ᄒᆞ와, 업드여 됴셕셩
뎡(朝夕省定)의 안항(雁行)으로 참예ᄒᆞ와 슬
하무휼디은(膝下撫恤之恩)462)을 밧ᄌᆞᆸ던 비
약여츈몽(若如春夢)이오. 엄안을 앙모ᄒᆞ오미
구회(舊懷)463) 젼식(塡塞)464)ᄒᆞ오니, 블초이
(不肖兒) 비록 무상ᄒᆞ오나 또한 인ᄌᆞ디심
(人子之心)이라. ᄉᆞ졍(私情)의 젼후 회포를
어이 잘 견디리잇고? 죄를 헤아리오미 가히
딕인(對人)ᄒᆞᆯ 안면이 업ᄉᆞᆫᄂᆞᆫ디라. 됴셕의 톄
ᄋᆞᆸᄒᆞ고 슉야(夙夜)의 젼숑(戰悚)465)ᄒᆞ와, 훈
【8】번 엄하의 칙(責)을 당ᄒᆞᆸ고 슬하의
네ᄎᆞ치 뫼시기를 바라오나, 구구훈 하졍이
엄하를 ᄉᆞ못디 못ᄒᆞ오니, 훈 번 앙모ᄒᆞ오미
쥬쥬야야(晝晝夜夜)의 업디여 브디소향(不
知所向)ᄒᆞ온 심회(心懷)를 달(達)ᄒᆞ고져 ᄒᆞ
오나, 불승황공(不勝惶恐)ᄒᆞ와 블감딘득(不
敢進得)466)이라. 블최 오셰브터 훈교를 밧
ᄌᆞ와 튱효(忠孝)ᄂᆞᆫ 빅힝(百行)의 원야(源也)
믈 아ᄋᆞᆸᄂᆞ니, 엇디 엄칙을 밧ᄌᆞ와 니치시믈
당ᄒᆞ와 망극ᄒᆞ믈 아디 못ᄒᆞ고, 임타(任
他)467) ᄌᆞ젼(自專)ᄒᆞ여 국ᄉᆞ를 바리리잇고
마ᄂᆞᆫ, 미(微)훈 병이 찰임을 능히 못ᄒᆞ올디

옵고 죄를 무릅뻐 앙달ᄒᆞᆸᄂᆞ니, 블초지 무
상ᄒᆞ와 엄훈을 져바리고 죽죄ᄒᆞ온 비 만ᄉᆞ
무셕(萬死無惜)이라. 슬하의 니치시믈 닙ᄉᆞ
와 슈월의 미치오니 블초의 죄ᄂᆞᆫ 죽어 족
(足)의나, 어린 졍셩이 일죽 이측(離側)ᄒᆞ와,
ᄉᆞ모ᄒᆞ오미 국ᄉᆞ 밧근 집을 나가미 업ᄂᆞᆫ
지라. 몽혼(夢魂)이 젼도(顚倒)히 훤졍(萱
庭)453)을 님ᄒᆞᆸ다가, 츄연니 황공경각(惶
恐驚覺)ᄒᆞ온즉, 앙모지회(仰慕之懷) 시시(時
時) 층익(層益)ᄒᆞ와, 업디여 죠셕셩뎡(朝夕
省定)을 안항(雁行)의[으로] 참예ᄒᆞ와, 슬하
무휼지은(膝下撫恤之恩)454)을 밧ᄌᆞᆸ던 비 약
여츈몽(若如春夢)이오, 엄안을 앙모ᄒᆞ오미
구회(舊懷)455)이 젼식(塡塞)456)ᄒᆞ오니, 블초
이(不肖兒) 비록 무상ᄒᆞ오나 또한 인ᄌᆞ지심
(人子之心)이라. ᄉᆞ졍(私情)의 젼후【5】회
포를 어이 잘 견디리닛고? 죄를 헤아리오미
가히 딕인(對人)ᄒᆞᆯ 안면이 업ᄂᆞᆫ지라. 조셕
(朝夕)의 톄ᄋᆞᆸᄒᆞ고 슉야(夙夜)의 젼숑(戰
悚)457)ᄒᆞ와, 훈 번 엄하의 칙(責)을 당ᄒᆞᆸ
고 슬하의 예ᄎᆞ치 뫼시기를 바라오나, 구구
훈 하졍이 엄의를 ᄉᆞ못지 못ᄒᆞ오니, 훈 번
앙모ᄒᆞ오미 일야(日夜)의 업디여 부지소향
(不知所向)ᄒᆞ온 심회(心懷)를 달(達)ᄒᆞ고져
ᄒᆞ오나, 불승황공(不勝惶恐)ᄒᆞ와 블감진득
(不敢進得)458)이라. 블최 오셰붓터 훈교를
밧ᄌᆞ와 츙효(忠孝)ᄂᆞᆫ 빅힝(百行)의 원야(原
也)믈 아ᄋᆞᆸᄂᆞ니, 엇지 엄칙을 밧ᄌᆞ와 니치
시믈 당ᄒᆞ와 망극ᄒᆞ믈 아지 못ᄒᆞ고, 임타
(任他)459) ᄌᆞ젼(自專)ᄒᆞ여 국ᄉᆞ를 바리리잇
고마ᄂᆞᆫ, 미(微)훈 병이 츌임을 능히 못ᄒᆞ올

461) 훤졍(萱庭) : 어버이의 뜰. 훤(萱)은 훤초(萱草)
　　곧 '원추리'로 어머니를 상징하는 화초(花草)인데,
　　여기서는 아버지와 어머니를 함께 이르는 말로 쓰
　　였다.
462) 슬하무휼디은(膝下撫恤之恩) ; 무릎에 두고 어루
　　만져 길러준 은혜.
463) 구회(舊懷) : 지난날을 생각하고 그리는 마음.
464) 젼식(塡塞) : 메어서 막힘. 또는 메워서 막음.
465) 젼숑(戰悚) : =전율(戰慄). 몹시 무섭거나 두려워
　　몸이 벌벌 떨림.
466) 블감딘득(不敢進得) : 감히 나아가 볼 수 없음.
467) 임타(任他) : 남의 일에 간섭하지 아니하고 내버
　　려 둠.

453) 훤졍(萱庭) : 어버이의 뜰. 훤(萱)은 훤초(萱草)
　　곧 '원추리'로 어머니를 상징하는 화초(花草)인데,
　　여기서는 아버지와 어머니를 함께 이르는 말로 쓰
　　였다.
454) 슬하무휼디은(膝下撫恤之恩) ; 무릎에 두고 어루
　　만져 길러준 은혜.
455) 구회(舊懷) : 지난날을 생각하고 그리는 마음.
456) 젼식(塡塞) : 메어서 막힘. 또는 메워서 막음.
457) 젼숑(戰悚) : =전율(戰慄). 몹시 무섭거나 두려워
　　몸이 벌벌 떨림.
458) 블감진득(不敢進得) : 감히 나아가 볼 수 없음.
459) 임타(任他) : 남의 일에 간섭하지 아니하고 내버
　　려 둠.

라, 엄교를 위월ᄒ오니, 이 ᄯ 죄 일단이 더
ᄋ으미라. 명교(明敎)를 밧ᄌ와 블효【9】블
튱ᄒ오미 황황(惶惶) 숑뉼(悚慄)ᄒ와 욕ᄉ무
디(欲死無地)468)로소이다. 당시의 급히 닉
치시ᄂ 명을 밧ᄌ와, 동구(洞口)의 머믈기를
허치 아니시니, 붓그러온 낫츨 드러 친쳑을
디홀 ᄯᄉ이 업ᄉ오니, 평일 셩ᄌ(聖慈)469)를
밋ᄌ옵고 유졍의 고요ᄒᄆ를 싱각고, 블초의 누
힝은 챵졸의 ᄲ딧디 못ᄒ와, 이에 엄뉴(淹
留)470)ᄒ오미, 다시 니러나디 못ᄒ오니, 나
ᄌ 집 기슭의 업디여 황민(惶憫)ᄒᆫ 소유를
품달치 못ᄒᆞᆸ더니, 엄교를 밧ᄌ오미 알외
올 바를 아디 못ᄒ리로소이다. 쳔딜(賤疾)이
ᄎ셩(差成)ᄒ오나 엄젼(嚴前)의 용납디 못ᄒ
온 후ᄂ, 텬뉴의 죄인이라. 엇디 병권(兵權)
과 【10】 졀졔ᄉ(節制使) 대작(大爵)을 밧ᄌ
와 녈후(列侯)의 튱슈(充數)ᄒ와 국가 듕임
을 욕ᄒ오며, 금ᄎ(今此) 외람ᄒ온 셩은이
블초의○【게】 과도ᄒ샤, 문병ᄒ시ᄂ 듕시
낙역ᄒ니, 우구불안(憂懼不安)ᄒ와 딘퇴를
뎡치 못ᄒᆞᆸ더니, 금일 하교를 듯ᄌ오미 황
황ᄒᄆ를 니긔디 못ᄒᆞᆸᄂ니, 맛당이 군샹긔
됴회ᄒᆞᆸ고, 딕임의 나아가미 인신디되(人
臣之道)오나, 엄젼의 샤죄(赦罪)를 밧ᄌ디
못ᄒ온 후ᄂ, ᄆ슴 ᄆ음으로 금ᄌ(金紫)471)
를 씌고 안여평셕(晏如平席)ᄒ리잇고? ᄎ고
로 엄훈을 밧드디 못ᄒ고 머리를 두다려 일
만 번 죽기를 므릅써, 황민ᄒ 졍ᄉ를 딘달
ᄒ오나, 엄교를 위월ᄒ와 쳡쳡【11】ᄒ 죄
만ᄉ무셕(萬死無惜)이로소이다. 복망 대인은
히ᄋ의 블초무상ᄒ 죄를 다ᄉ리시고, 면젼
(面前)의 용납ᄒ샤 ᄉᆽ쳐 가ᄂ 목슘을 니
으시고, 아득ᄒ 회포를 펴게 ᄒ시면, 부이ᄌ
은(父愛慈恩)472)ᄒ시ᄂ 셩덕일가 ᄒᄂ이

지라 엄교을 위월ᄒ오니, 이 ᄯ 죄 일단니
더ᄒ으미라. 명교(明敎)를 밧ᄌ와 블효블튱
ᄒ오미 황황(惶惶) 숑율(悚慄)ᄒ와 욕ᄉ무지
(欲死無地)460)로소이다. 당시의 급히 닉치
시ᄂ 명을 밧ᄌ와 동구(洞口)의 머믈기를
허치 아니시니, 붓그러온 낫츨 드러【6】
친쳑을 디홀 ᄯᆺ이 업ᄉ오니, 평일 셩ᄌ(聖
慈)461)를 밋ᄌ옵고 유졍의 고요ᄒᄆ를 싱각고,
블초의 누힝은 챵졸의 ᄲ딧지 못ᄒ와, 이의
[에] 엄뉴(淹留)462)ᄒ오미 다시 이러나지
못ᄒ오니, 나ᄌ 집 기슭의 업디여 황민(惶
憫)ᄒ 소유를 품달치 못ᄒ오니, 엄교를
밧ᄌ오미 알외올 바를 아지 못ᄒ리로소이
다. 쳔질(賤疾)이 ᄎ셩(差成)ᄒ오나 엄젼(嚴
前)의 용납지 못ᄒ온 후ᄂ, 텬류의 죄인이
라, ○○【엇지】 병권(兵權)과 졀졔ᄉ(節制使)
디쥭(大爵)을 밧ᄌ와 열후(列侯)의 츙슈(充
數)ᄒ와 국가 즁임을 욕ᄒ오며, 금ᄎ(今此)
외람ᄒ 셩은이 《블츄∥블초》의 과도ᄒᄉ
문병ᄒ시ᄂ 듕시 낙역ᄒ니, 우구불안(憂懼
不安)ᄒ와 진퇴를 뎡치 못ᄒᆞᆸ더니, 금일
하교를 듯ᄌ오미 황황ᄒᄆ를 이긔지 못ᄒ오
니, 맛당이 군샹긔 ᄌ회ᄒᆞᆸ고 직임의 나아
가미 인신지되(人臣之道)오나, 엄젼의 ᄉ죄
(赦罪)를 밧ᄌ지 못ᄒ온 후ᄂ, 무슴 마음으
로 금ᄌ(金紫)463)를 씌고 안녀방[평]셕(晏
如平席) ᄒ리잇고? ᄎ고로【7】 엄훈을 밧
드지 못ᄒ고, 머리를 두다려 일만 번 죽기
를 므릅써, 황민ᄒ 졍ᄉ를 진달ᄒ오나, 엄교
를 위월ᄒ와 쳡쳡ᄒ온 죄 만ᄉ무셕(萬死無
惜)이로소이다. 복망 딕인은 히아의 블초
무상ᄒ 죄를 다ᄉ리시고, 면젼의 용납ᄒᄉ
ᄉᆽ쳐 가ᄂ 목슘을 이으시고, 아득ᄒ 회포를
펴게 ᄒ시면, 부이ᄌ은(父愛慈恩)464) ᄒ시

---

468)욕ᄉ무디(欲死無地) : 죽고자 하나 죽을 땅이 없
　음.
469)셩ᄌ(聖慈) : 임금 또는 부모의 은혜.
470)엄뉴(淹留) : 오래 머무름.
471)금ᄌ(金紫) : 금인(金印)과 자수(紫綏)라는 뜻으
　로, 존귀한 사람을 비유적으로 이르는 말.
472)부이ᄌ은(父愛慈恩) : 아버지는 사랑하고 어머니
　는 은혜를 베풂.

460)욕ᄉ무디(欲死無地) : 죽고자 하나 죽을 땅이 없
　음.
461)셩ᄌ(聖慈) : 임금 또는 부모의 은혜.
462)엄뉴(淹留) : 오래 머무름.
463)금ᄌ(金紫) : 금인(金印)과 자수(紫綏)라는 뜻으
　로, 존귀한 사람을 비유적으로 이르는 말.
464)부이ᄌ은(父愛慈恩) : 아버지는 사랑하고 어머니
　는 은혜를 베풂.

다."

ᄒᆞ엿더라.

신긔흔 필획은 창뇽(蒼龍)이 셔리고, 간절
흔 회포ᄂᆞᆫ 튱회 낫타나, 텬셩디회 츌텬ᄒᆞ고,
화흔 거동이 글 우희 버러시니, 공이 젹은
노(怒)호오믄 츈셜(春雪)의 양츈(陽春)이 아
오로고, 큰 귀흐믄 만심을 능쥰ᄒᆞ니473) 엇
디 오릴 집미(執迷)474)ᄒᆞ리오. 츄월(秋月)
ᄀᆞᆺᄐᆞᆫ 면모와 츈양(春陽) ᄀᆞᆺᄐᆞᆫ 화긔로 승안
ᄒᆞ던 거ᄉᆞᆯ 보디 못ᄒᆞ니, 듕심이 훌연(欻
然)475)ᄒᆞ여【12】 못 닛ᄂᆞᆫ 졍이 유츌(流出)
ᄒᆞ니, 셔간을 어로만져 지삼 피람(披覽)ᄒᆞ다
가 날호여 연갑(硯匣)의 너흐니, 졔지 맛ᄎᆞᆷ
업ᄂᆞᆫ 쩌라, 공의 간절ᄒᆞᆷ믈 알 니 업더라.

이러구러 슈십일이 디나고 병뷔 유졍의
팀병(寢病)476)ᄒᆞ미 삼삭이 된디라. 스친디
회 시일(時日)477)[노] 층가(層加)ᄒᆞ니, 병셰
졈졈 더어 식음을 거스리고, 풍광(風光)478)
이 환탈(換奪)ᄒᆞ여 십분 위경(危境)의 밋ᄎᆞ
니, 녜부 등이 십분 우려ᄒᆞ여 의약으로 티
료ᄒᆞᄆᆞᆯ 쳥ᄒᆞ니, 병뷔 함누(含淚) 휘디(揮
之)479) 왈,

"아니라, 쳔방(千方)480) 빅약(百藥)이 가
득ᄒᆞ나, 비위(脾胃)만 패(敗)홀481) 쓰름이
오, 무익ᄒᆞ니, 엄젼의 가 츠싴(借色)482) 허
ᄒᆞ시【13】믈 어드면 졀노 ᄎᆞ셩(差成)ᄒᆞ려
니와, 흉장이 칼노 버히며, 노흐로 ᄌᆞ르는

---

465)능쥰ᄒᆞ다 : 능준하다. 역량이나 수량 따위가 표
준에 미치고도 남아서 넉넉하다.
466)집미(執迷) : 고집이 세어 갈팡질팡함.
467)훌연(欻然) : 어떤 마음이나 생각이 갑작스럽게
떠오름.
468)팀병(寢病) : 병석(病席)에 누움.
469)시일(時日) : 시(時)로 날로. 때와 날을 아울러
이르는 말.
470)풍광(風光) : ①경치(景致). ②사람의 용모와 품
격.
471)휘디(揮之) : 손을 흔들다. 여기서는 거부의 뜻으
로 손을 흔듦.
472)쳔방(千方) : 온갖 처방.
473)패(敗)ᄒᆞ다 : 실패하다. 해치다. 상(傷)하다. 망하
다. 야위다.
474)츠싴(借色) : '얼굴빛을 빌리다'는 뜻으로,

ᄂᆞᆫ 셩덕일가 ᄒᆞᄂᆞ니다."

ᄒᆞ엿더라.

신긔흔 필획은 창뇽(蒼龍)이 셔리고, 간졀
흔 회포ᄂᆞᆫ 츙회 낫타나, 쳔셩지회 츌쳔ᄒᆞ고
화한 거동이 글 우희 버럿시니, 공이 젹은
노(怒)호오믄 츈셜(春雪)의 양츈(陽春)이 아
오로고, 큰 귀흐믄 만심을 능쥰ᄒᆞ니465) 엇
지 오릴 집미(執迷)466)ᄒᆞ리오. 츄월(秋月)
갓흔 면모와 츈양(春陽) ᄀᆞᆺᄐᆞᆫ 화긔로 승안
ᄒᆞ던 거동을 보지 못ᄒᆞ니, 즁심이 후련(欻
然)467)ᄒᆞ여 못 잇ᄂᆞᆫ 졍이 뉴츌(流出)ᄒᆞ니,
셔간을 어로만져 지삼 피람(披覽)ᄒᆞ다가 날
호여 연갑(硯匣)의 너흐니, 졔ᄌᆞ(諸子) 맛ᄎᆞᆷ
업ᄂᆞᆫ 쩌라. 공의 간【8】졀ᄒᆞᆷ믈 알 니 업더
라

이러구러 슈십일이 되고 병뷔 유졍의 침
병(寢病)468)ᄒᆞᆫ연지 삼슉이 된지라. 스친지
회 시일(時日)469)노 층가(層加)ᄒᆞ니, 병셰
졈졈 더어 식음을 거스리고, 풍광(風光)470)
이 환탈(換奪)ᄒᆞ여 십분 위경(危境)의 밋ᄎᆞ
니, 녜부 등이 십분 위려ᄒᆞ여 의약으로○○
○○[티료ᄒᆞᆷ믈] 쳥ᄒᆞ니, 병뷔 함(含淚)누 휘
지(揮之)471) 왈,

"아니라, 《쳔양‖쳔방(千方)472)》 빅약(百
藥)이 가득ᄒᆞ나, 비위(脾胃)만 픠(敗)홀473)
쓰름이오, 무익ᄒᆞ니 엄젼의 가 ᄎᆞ싴(借
色)474) 허ᄒᆞ시믈 어드면 졀노 ᄎᆞ셩(差成)ᄒᆞ
려니와, 흉장이 칼노 버히며, 노흐로 ᄌᆞ르는

---

465)능쥰ᄒᆞ다 : 능준하다. 역량이나 수량 따위가 표
준에 미치고도 남아서 넉넉하다.
466)집미(執迷) : 고집이 세어 갈팡질팡함.
467)훌연(欻然) : 어떤 마음이나 생각이 갑작스럽게
떠오름.
468)팀병(寢病) : 병석(病席)에 누움.
469)시일(時日) : 시(時)로 날로. 때와 날을 아울러
이르는 말.
470)풍광(風光) : ①경치(景致). ②사람의 용모와 품
격.
471)휘디(揮之) : 손을 흔들다. 여기서는 거부의 뜻으
로 손을 흔듦.
472)쳔방(千方) : 온갖 처방.
473)패(敗)ᄒᆞ다 : 실패하다. 해치다. 상(傷)하다. 망하
다. 야위다.
474)ᄎᆞ싴(借色) : '얼굴빛을 빌리다'는 뜻으로,

돗 흔 바의, 편작(扁鵲)483)이 부싱(復生)ᄒ
나 무가ᄂᆡ하(無可奈何)라."

네부 등이 홀 일 업서, 흔 첩(貼) 약을 쓰
디 못ᄒ고 초조홀 ᄲᅮᆫ이라.

낙양후 삼곤계 듯고 대경ᄒ여 유졍의 간
즉, 병부의 홍년(紅蓮) ᄀᆞᆺᄐᆫ 얼골이 변ᄒ여
빅셜의 무광홈과 낙화의 쇠잔ᄒ미 되엿거
ᄂᆞᆯ, 튱텬(衝天) 호긔(豪氣)ᄂᆞᆫ 십년 니학(理
學)484)을 빈화시니 ○○○○○○[ᄯᅩ 엇더ᄒ
리오]. 봉안(鳳眼)의 톄뤼(涕淚) 방방ᄒ여
마를 적이 업고, 긔거(起居)를 임의로 못ᄒ
여 흔 번 셔믜 두 번 업더디니, 낙양후 삼
곤계 참연(慘然) 경아(驚訝)ᄒ여 손을 잡고
머리【14】를 집허, 일시의 굴오ᄃᆡ,

"너의 댱긔(壯氣)로ᄡᅥ 슈삼삭 ᄉᆞ이의 이
디도록 위악(危惡) 환형(幻形)ᄒ엿ᄂᆞ뇨? 뎡
형의 인ᄌᆞ 관후ᄒᄆᆞ로 너의게 이리 박졀홀
비 아니어ᄂᆞᆯ, 져ᄃᆡ도록 셩딜(成疾)ᄒ기의 밋
ᄎᆞᆺᄂᆞ뇨? 범ᄉᆞ 과도ᄒ미 듕도를 엇디 못ᄒ
니, 디난 바를 츄회(追悔)ᄒ여 회심(回心)
ᄌᆞ칙(自責)《으로‖ᄒ여도》, 엄부의 노를
도로혀ᄂᆞᆫ 날, 평상흔 웃ᄂᆞᆫ 낫ᄎᆞ로 부ᄌᆞ의
졍의를 펴미 아니 올ᄒ냐?"

남휘 쳑연 ᄃᆡ왈,

"쇼딜이 범ᄉᆞ를 ᄎᆞᆷ디 못ᄒ던ᄃᆡ, 부모디측
(父母之側)을 일긱만 써나도 못 견ᄃᆡ옵ᄂᆞᆫ
비어ᄂᆞᆯ, 삼삭을 믈너 이셔 앙모디졍(仰慕之
情)이 유ᄋᆞ【15】의 실회(失懷)485)홈 ᄀᆞᆺᄐᆞ
다라. 능히 견ᄃᆡ고 ᄎᆞᆷ디 못ᄒ오미라. 구구ᄒ

---

483)편작(扁鵲) : 중국 전국 시대의 의사. 성은 진
(秦). 이름은 월인(越人). 임상 경험을 바탕으로 치
료하였다. 장상군(長桑君)으로부터 의술을 배워 환
자의 오장을 투시하는 경지에까지 이르렀다고 전
한다.
484)니학(理學) : 성리학(性理學). 중국 송나라·명나
라 때에 주돈이(周敦頤), 정호, 정이 등에서 비롯
하고 주희가 집대성한 유학의 한 파. 이기설(理氣
說)과 심성론(心性論)에 입각하여 격물치지(格物致
知)를 중시하는 실천 도덕과 인격과 학문의 성취
를 역설하였다. 우리나라에는 고려 말기에 들어와
조선의 통치 이념이 되었고, 길재·정도전·권근
·김종직에 이어 이이·이황에 이르러 조선 성리
학으로 체계화되었다. 늑도학(道學)
485)실회(失懷) : 어버이의 품속을 떠남.

돗 흔 바의, 편죽(扁鵲)475)이 부싱(復生)ᄒ
나 무가ᄂᆡ하(無可奈何)라."

예부 등이 할 일 업서, 한 첩(貼) 약을 쓰
디 못ᄒ고 초조홀 ᄲᅮᆫ이라.

낙양후 삼곤계 듯고 ᄃᆡ경ᄒ여 유졍의 간
즉, 병부의 홍년(紅蓮) ᄀᆞᆺᄒᆫ 얼골이 변ᄒ여
빅셜의 무광홈과 낙화의 쇠잔ᄒ미 되엿거
ᄂᆞᆯ, 츙텬(衝天) 호긔(豪氣)ᄂᆞᆫ 십년 이학(理
學)476)을 빈화시니, ○○○○○○[ᄯᅩ 엇더
ᄒ리오]. 봉안(鳳眼)의 쳬뤼(涕淚) 방방ᄒ여
마를 적이 업고, 긔거(起居)을 임의로【9】
못ᄒ여 한 ○[번] 셔믜 두 번 업더디니, 낙
양후 삼곤계 참연(慘然) 경아(驚訝)ᄒ여 손
을 잡고 머리를 집허, 일시의 굴오ᄃᆡ,

"너의 장긔(壯氣)로 슈삼삭 ᄉᆞ이의 이ᄃᆡ
도록 위악(危惡) 환형(幻形)ᄒ엿ᄂᆞ뇨? 뎡형
의 인ᄌᆞ 관후ᄒᄆᆞ로 너의게 이리 박졀홀 빈
아니어ᄂᆞᆯ, 져ᄃᆡ도록 셩질(成疾)ᄒ기의 미쳐
ᄂᆞ뇨? 범시 과도ᄒ미 듕도를 엇지 못ᄒ니,
지난 바를 츄회(追悔)ᄒ여 회심(回心) ᄌᆞ칙
(自責)《으로‖ᄒ여도》, 엄부의 노를 도로
혀ᄂᆞᆫ 날, 평상흔 웃ᄂᆞᆫ 낫ᄎᆞ로 부ᄌᆞ의 졍의
를 펴미 아니 됴ᄒ냐?"

남휘 쳑연 ᄃᆡ왈,

"쇼딜이 범ᄉᆞ를 ᄎᆞᆷ지 못ᄒ던ᄃᆡ, 부모귀측
(父母貴側)을 일긱만 써나도 못 견ᄃᆡ옵ᄂᆞᆫ
빈, 삼삭을 믈너 잇셔 앙모지졍(仰慕之情)이
유아의 실회(失懷)477)홈 ᄀᆞᆺᄐᆞᆫ지라. 능히 견
ᄃᆡ고 ᄎᆞᆷ지 못ᄒᄂᆞᆫ지라. 구구ᄒ온 쳔셩을 엄

---

475)편작(扁鵲) : 중국 전국 시대의 의사. 성은 진
(秦). 이름은 월인(越人). 임상 경험을 바탕으로 치
료하였다. 장상군(長桑君)으로부터 의술을 배워 환
자의 오장을 투시하는 경지에까지 이르렀다고 전
한다.
476)니학(理學) : 성리학(性理學). 중국 송나라·명나
라 때에 주돈이(周敦頤), 정호, 정이 등에서 비롯
하고 주희가 집대성한 유학의 한 파. 이기설(理氣
說)과 심성론(心性論)에 입각하여 격물치지(格物致
知)를 중시하는 실천 도덕과 인격과 학문의 성취
를 역설하였다. 우리나라에는 고려 말기에 들어와
조선의 통치 이념이 되었고, 길재·정도전·권근
·김종직에 이어 이이·이황에 이르러 조선 성리
학으로 체계화되었다. 늑도학(道學)
477)실회(失懷) : 어버이의 품속을 떠남.

온 쳔셩을 엄하의 스뭇디 못ᄒ오니, 젼과(前過)를 뉘웃고 죄를 혜아려 참황 슈괴ᄒ오미 딕인홀 면목이 업ᄂ이다."

졔딘이 위로ᄒ여 왈,

"너의 호방을 졔어ᄒ여 온듕ᄒ 딕 나아가게 ᄒ미 젼혀 남의셔 낫게콰져 ᄒᄆ로 그러ᄒ미라. 너희 쾌히 씌ᄃ라시믈 드르면 엇디 형이 감동치 아니리오."

ᄒ고 좌우로 향온(香醞) 슈비를 나와 왈,

"듁음도 나리오디 못ᄒ고 비위 샹ᄒ여시니 이를 마시고 딘뎡ᄒ라."

남휘 술을 공경ᄒ여 바다 노코, 탄식 왈,

"쇼【16】딜이 슈블쵀(雖不肖)오나 가친긔 득죄ᄒᆫ 빅 웃듬이 쥬싁이라, 이졔 다시 술을 졉구(接口)ᄒ리잇고?"

딘휘 찬조 왈,

"현ᄌ(賢哉)라! 네 말이 올ᄒ니 아이의 술을 권ᄒ미 브졀업도다."

남휘 함구 믁연ᄒ니, 낙양후 삼곤계 지삼 위로ᄒ고,

"슈히 샤(赦)를 닙어 부젼의 브르는 명을 어들 거시니, 번뇌ᄒ여 병을 일위디 말나."

ᄒ고, 도라가니, 병뷔 샤례 비별ᄒ더라. 졔공이 취운산의 도라가 금후를 보고, 병부의 병이 듕ᄒ여 ᄌᆞᆺ못 비경(非輕)ᄒ고, 개과 슈힝ᄒ여 젼일과 소양블모(宵壤不侔)ᄒᄆᆯ 니르고, 권ᄒ여 샤죄(赦罪)ᄒᄆᆯ【17】니르니, 금휘 심니(心裏)의 경녀(驚慮)ᄒ나, 단연(端然)이 스싁디 아니코, 냥구(良久) 후 답 왈,

"형 등이 텬흥을 ᄉᆞ랑이 과도ᄒᄆ로 그 흉휼(凶譎)486) 능측(能測)487)ᄒᄆᆯ 치 모로나, 쇼뎨는 디ᄌᆞ막여뷔(知子莫如父)488)니 혼암ᄒ나 붉히 아ᄂᆞ니, 인믈이 졸연이 남활(濫闊)ᄒᄆᆯ 업시 홀 뉘 아니라. 쇼뎨 ᄀᆞᆺ튼 아비는, 남활(濫闊) 능경(凌輕)ᄒ미 아니 밋춘 곳이 업ᄂᆞ니, 그런 ᄌᆞ식은, 보디 아니랴

---

486)흉휼(凶譎) : 간사하고 능청스럽게 남을 잘 속임.
487)능측(能測) : 남의 마음을 잘 헤아려 앎.
488)디ᄌᆞ막여뷔(知子莫如父) : 아들을 알기는 아버지만한 사람이 없다.

하의 스뭇지 못ᄒ오니, 견과(前過)를 뉘웃고 죄를 혜아려 참황 슈괴ᄒ오미 딕인홀 면목이 업ᄂ이다."

졔진[이] 위로ᄒ여 왈,

"너의【10】화려 호방을 졔어ᄒ여 온즁ᄒ 딕 나아가 젼혀 남의셔 낫게코져 ᄒᄆ로 그러ᄒ미라. 너희 콰히 씌ᄃ라시믈 드라면 엇지 형니[이] 감동치 아니리오."

ᄒ고, 좌우로 향온(香醞) 슈비를 나와 왈,

"쥭음도 나리오지 못ᄒ고 비위 샹ᄒ엿시니 이를 마시고 진졍ᄒ라."

남휘 술을 공경ᄒ여 바다 노코 탄식 왈,

"쇼딜이 슈블쵀(雖不肖)나 가친게 득죄ᄒ미 웃듬이 쥬싁이라 이졔 다시 술을 졉구(接口)ᄒ리잇고?"

진휘 찬조 왈,

"현ᄌ(賢哉)라! 네 말이 올ᄒ니 아이의 술을 권ᄒ미 부졀업도다."

남휘 함구 믁연ᄒ니, 낙양휘 삼곤계 지삼 위로ᄒ고,

"슈히 샤(赦)를 입어 부젼의 부르는 명을 어들 거시니, 번뇌ᄒ여 병을 일위지 말나."

ᄒ고, 도라가니, 병뷔 ᄉ례 비별ᄒ더라.

졔공이 취운산의 도라가 금후를 보고 병부의 병이 듕ᄒ여 ᄌᆞᆺ못 비경(非輕)ᄒ고, 기과 슈힝ᄒ여 젼일과 소양블모(宵壤不侔)ᄒᄆᆯ 이르고, 권ᄒ여 ᄉ죄(赦罪)ᄒᄆᆯ 이르【11】니, 금휘 심이(心裏)의 경녀(驚慮)ᄒ나, 단연(端然)니[이] 스싁지 아니코, 양구(良久) 후 답왈,

"형 등이 텬흥이[을] ᄉᆞ랑이 과도ᄒᄆ로 그 흉휼(凶譎)478) 능측(能測)479)ᄒᄆᆯ 치 모로나, 쇼뎨는 지ᄌᆞ막여뷔(知子莫如父)480)니 혼암ᄒ나 붉히 ᄋᆞᆫᄂᆞ니, 인믈이 졸연니 남활(濫闊)ᄒᄆᆯ 업시 홀 뉘 아니라. 쇼뎨 ᄀᆞᆺ튼 아비는 남활(濫闊) 능경(凌輕)ᄒ미 아니 밋춘 곳지 업ᄉᆞ니, 그런 ᄌᆞ식은 보지 아니려

---

478)흉휼(凶譎) : 간사하고 능청스럽게 남을 잘 속임.
479)능측(能測) : 남의 마음을 잘 헤아려 앎.
480)디ᄌᆞ막여뷔(知子莫如父) : 아들을 알기는 아버지만한 사람이 없다.

ᄒᆞᄂ이다."

딘공 왈,

"윤보는 실노 비인졍이로다. ᄌᆞ식의게도 위엄을 브리고 호령을 셰오미 곡졀이 잇ᄂᆞ니, 텬흥 ᄀᆞᄐᆞᆫ ᄋᆞᄌᆞ를 흉휼 능측ᄒᆞᆫ 곳의 밀위여, 이러틋 부귀 호화 듕 싱댱【18】ᄒᆞ여 셰샹 괴로오믈 모로던 바로, 블시의 엄젼의 믈니쳐, 용녀(用慮)ᄒᆞ여 셩딜ᄒᆞ기의 니르니, 단명ᄒᆞᆯ 징됴로뼈, 고집ᄒᆞ미 아니리오."

금휘 미쇼왈,

"형 등이 쇼뎨를 격동ᄒᆞ나, 텬흥의 긔운이 하날을 밧들며, 픔딜이 산악의 구드믈 가져시니, 좀 병은 침노치 못ᄒᆞ고, 샹모의 댱원ᄒᆞᆫ 빅셰를 긔약ᄒᆞ리니, 그만 용녀의 단명토록 ᄒᆞ리오."

낙양휘 금후의 박졀ᄒᆞ믈 니르고, 딘각뇌 날호여 굴오ᄃᆡ,

"텬흥이 경시를 블고이취ᄒᆞ고, 졔창을 모화 연낙ᄒᆞ던 비, 단듕타 니를 거시 아니오, 위인부(爲人父)ᄒᆞ여 남활【19】ᄒᆞᆫ ᄌᆞ식을 엄히 경계ᄒᆞ미 가ᄒᆞ거니와, 경ᄒᆞᆫ 허믈노 듕ᄒᆞᆫ ᄉᆞ죄(死罪)ᄀᆞ치 ᄒᆞ고, 개과슈ᄒᆡᆼ(改過修行)ᄒᆞᄃᆡ 샤명(赦命)이 업스니, 형의 쳐시 그르디 아니냐? 당ᄎᆞ시 ᄒᆞ여는 젼일 호방을 뉘웃고, 발월ᄒᆞᆫ 긔운을 곳쳐 단뎡ᄒᆞ며, 쾌활ᄒᆞᆫ 셩딜이 온듕ᄒᆞ여, 형의게 닉치이므로 블견텬일(不見天日)ᄒᆞ고, 블식화미(不食華味)ᄒᆞ고[며], 관잠(冠簪)을 히탈(解脫)ᄒᆞ고, 두문샤ᄀᆡᆨ(杜門謝客)ᄒᆞ여, 유졍 쇼실(小室)의 금화치셕(錦畵彩席)을 믈니치고, 됴셕 식반의 나즌 샹의 찬션이 육치(肉菜)[489] 두 그르시 넘디 아니코, 일두쥬(一斗酒)를 격게 넉이던 쥬량이, '쥬식(酒色)의 슈죄(受罪)라'[490] 칭ᄒᆞ며, 금일 여ᄎᆞ여ᄎᆞ 권쥬(勸酒)ᄒᆞ니 ᄃᆡ답【20】이 여ᄎᆞ여ᄎᆞᄒᆞ여, 뉘웃고 슬허 ᄉᆞ모디졍이 간졀ᄒᆞ여, 쇠뷔(衰膚)[491]ᄒᆞ고 병근(病根)이 위경(危境)이니, 쇼뎨 블명

───────────────

489)육치(肉菜) : 고기와 나물을 함께 이르는 말.
490)쥬식(酒色)의 슈죄(受罪)라 : '술과 여색 때문에 죄를 입었다'는 말.
491)쇠뷔(衰膚) : 살갗이 까칠하고 마름.

ᄒᆞᄂ이다."

진공 왈,

"윤보는 실노 비인졍이로다. ᄌᆞ식의게도 위엄을 부리고 호령을 셰오미 곡졀이 잇ᄂᆞ니, 텬흥 ᄀᆞᄒᆞᆫ 아ᄌᆞ를 흉휼 능측ᄒᆞᆫ 곳의 밀위여, 이러틋 부귀 호화ᄒᆞᆫ 싱댱으로 셰샹 괴로옴을 모로던 바로, 블시의 엄젼의 믈니쳐, 용녀(用慮)ᄒᆞ여 셩질ᄒᆞ기의 이르니, 단명ᄒᆞᆯ 증죄(徵兆)로뼈 고집ᄒᆞ미 아니리오."

금휘 미소왈,

"형등이 쇼뎨를 격동ᄒᆞ나, 텬흥의 긔운니 하늘을 밧들며, 품질이 산악의 구드믈 가젓시니, 좀병【12】은 침노치 못ᄒᆞ고, 샹모의 장원ᄒᆞᆫ 빅셰를 긔약ᄒᆞ니, 그만 셩의 단명토록 ᄒᆞ리오."

낙양휘 금후의 박졀ᄒᆞ믈 이르고, 진각뇌 날호여 왈,

"텬흥이 경씨를 블고이취 ᄒᆞ고, 졔창을 모다 연락ᄒᆞ던 비, 단듕타 이를 거시 아니오, 위인부(爲人父)ᄒᆞ여 남활ᄒᆞᆫ ᄌᆞ식을 엄히 경계ᄒᆞ미 가ᄒᆞ거니와, 경ᄒᆞᆫ 허믈노 즁ᄒᆞᆫ ᄉᆞ죄(死罪)ᄀᆞ치 ᄒᆞ고, 기과슈ᄒᆡᆼ(改過修行)ᄒᆞᄃᆡ 샤명(赦命)이 업스니, 형의 쳐시 그르지 아니냐? 당ᄎᆞ시 ᄒᆞ여는 젼일 호방을 뉘웃고, 발월ᄒᆞᆫ 긔운을 곳쳐 단졍ᄒᆞ며, 쾌활ᄒᆞᆫ 셩질이 온듕ᄒᆞ여, 형의게 닉치이므로 블견쳔일(不見天日)ᄒᆞ고 블식화미(不食華味)ᄒᆞ고[며], 관잠(冠簪)을 히탈(解脫)ᄒᆞ고 두문샤ᄀᆡᆨ(杜門謝客)ᄒᆞ여, 유졍 쇼실(小室)의 금화치셕(錦畵彩席)○…결락17자…○[을 믈니치고, 됴셕 식반의 나즌 샹의 찬션이] 한치(寒菜)[481] 두 그릇시 넘지 아니코, 일두쥬(一斗酒)를 격게 넉이던 쥬량이 '쥬식(酒色)의 슈죄(受罪)라'[482] 칭ᄒᆞ고, 【13】 금일 여ᄎᆞ여ᄎᆞ 권쥬(勸酒)ᄒᆞ니 ᄃᆡ답이 여ᄎᆞᄒᆞ여, 뉘웃고 슬허 ᄉᆞ모지졍이 근졀ᄒᆞ여, 쇠뷔(衰膚)[483]ᄒᆞ고 병근(病根)이 위경(危境)이니,

───────────────

481)한치(寒菜) : =유채(油菜). 김치를 담그거나 나물로 무쳐 먹는다.
482)쥬식(酒色)의 슈죄(受罪)라 : '술과 여색 때문에 죄를 입었다'는 말.
483)쇠뷔(衰膚) : 살갗이 까칠하고 마름.

ᄒ나 사름의 작위ᄒ는 거동을 모로며, 혈심
딘졍(血心眞情)을 아라 보디 못ᄒ리오. 텬
딜(姪)이 진짓 닉외 가죽ᄒ며 셩ᄒ이 빈빈
ᄒ여, 도덕 슈ᄒ이 안밍디측(顔孟之側)492)
의도 블급(不及)디 아니ᄒ리니, 져의 긔상인즉
쳔고 영쥰으로, 겸ᄒ야 만고무뎍(萬古無敵)
ᄒᆫ다. 형이 회한ᄒᆫ 복녹으로 그 ᄀᆞᆺᄐᆫ ᄋᆞ
들을 두어 교훈ᄒᆞ미 딘션딘도(盡善盡道)ᄒ
니, 과연 아비 되미 븟그럽디 《아니랴‖아
니리라》. 금일이라도 불너 부ᄌᆞ쳔뉸(父子
天倫)의 ᄌᆞ별ᄒᆫ 졍을 니으리니, 엇디【21】
강위(强爲)를 젼쥬(專主)ᄒ여 사름의 니ᄅᆞᆷ을
고디듯디 아니ᄒ고, 샹뫼(相貌) 당원ᄒᆫ들,
팀병ᄒ미 므어시 유익ᄒ뇨? 형의 이런 일은
진실노 항복디 아니 ᄒ노라."

　말ᄉᆞᆷ이 졀당온듕(切當穩重)ᄒ니, 원닉 딘
각뇌 ᄒᆫ 조각 비례 블법을 용납ᄒ미 업셔,
도로혀 댱부의 쾌활ᄒ미 브죡ᄒ여 셰쇄(細
瑣)ᄒᆫ 둧ᄒ되, ᄒ일싯 빈빈슉슉(彬彬肅肅)493)
ᄒᆫ다. 일셰 슈류의 츄앙ᄒ는 도혹군ᄌᆞ로
밀위는 빈니, 낙양후와 태상의 위인이 굿ᄐ
여 각노만 못ᄒ미 아니라, 영웅 쥰걸노 대
댱부의 쾌활ᄒᆫ은 각노긔 디나나, 침듕(沈重)
녜공(禮恭)ᄒᆫ은 각노긔 밋디 못 ᄒ되라.
【22】금휘 각노의 말을 신듕(愼重)ᄒ는디
라. 미미히 웃고 왈,

　"부ᄌᆞ디간은 사름의 시비(是非)ᄒᆞᆯ 빈 아
니니, 익계의 녜법 알기로ᄡᅥ 이를 모로미
아니라, 엇디 슌셜을 슈고로이 ᄒ리오."

　태상이 쇼왈,

　"형이 부ᄌᆞ디간을 남이 도노치 말고져 ᄒ
나, 아등 곤계는 텬흥의 외구(外舅)니, 형의
부ᄌᆞ간의 감치 아니ᄒ고, 형이 우리로ᄡᅥ 범
연ᄒᆫ 쳐남으로 아디 못ᄒ여, 듁마디의(竹馬
之誼)494)와 관포디교(管鮑之交)495)를 겸ᄒ

소뎨 블명ᄒ나 사름의 작위ᄒ는 거동을 모
로며, 혈심진졍(血心眞情)을 못 아라 보리
오. 텬 질(姪)이 진짓 닉외 가죽ᄒ며 셩ᄒ이
빈빈ᄒ여, 도덕 슈ᄒ이 안밍지측(顔孟之
側)484)의도 범연치 아니리니, 져의 긔샹인
즉 쳔고 영쥰으로, 겸ᄒ여 만고무뎍(萬古無
敵)ᄒᆫ다. 형이 회한ᄒᆫ 복녹으로 그 ᄀᆞᆺᄐᆫ
아들을 두어, 교훈ᄒ미 진션진도(盡善盡道)
ᄒ니, 가히 아비되미 븟그럽지 《아니랴‖
아니리라》. 금일이라도 불너 부ᄌᆞ쳔뉸(父
子天倫)의 ᄌᆞ별ᄒᆫ 졍을 이으리니, 엇지 강
위(强爲)를 젼쥬(專主)ᄒ여 사름의 이르믈
고지듯지 아니ᄒ고, 샹뫼(相貌) 당원ᄒᆫ들 침
병ᄒ미 무어시 유익ᄒ뇨? 형의 이런 일은
진실노 항복지 아니 ᄒ노라."

　말ᄉᆞᆷ이 졀당온즁(切當穩重)ᄒ니 원닉 진
각뇌 ᄒᆫ 조각 비례 블법을 용납ᄒ【14】미
업셔, 도로혀 댱부의 쾌활ᄒ미 부죡ᄒ여 쇼
쇼(小小)ᄒᆯ 둧ᄒ되, ᄒ일싯 빈빈슉슉(彬彬肅
肅)485)ᄒᆯ지라, 일셰 슈류의 츄앙ᄒ는 도학
군ᄌᆞ로 미뤼는 빈니, 낙양후와 틱상의 위인
니[이] 구타여 각노만 못ᄒ미 아니라, 영웅
쥰걸노 딕댱부의 쾌활ᄒᆫ은 각노긔 지나나,
침즁(沈重) 녜공(禮恭)ᄒᆫ은 각노긔 지나ᄂᆞ,
침듕 예공(禮供)ᄒᆫ은 각노긔 밋지 못ᄒᆯ지라.
금휘 각노의 말을 가댱 신즁(愼重)ᄒᆫ는지라.
미미히 웃고 왈,

　"부ᄌᆞ지간은 사름[남]의 시비(是非)ᄒᆞᆯ 빈
아니니 익계의 예법 알기로ᄡᅥ 이를 모로미
아니라 엇지 슌셜을 슈고로이 ᄒ리오."

　틱상이 웃고[쇼]왈,

　"형이 부ᄌᆞ지간을 남이 드노치 말과져 ᄒ
나, 아등 곤계는 텬흥의 외구(外舅)니 형의
【15】부ᄌᆞ 간의 감치 아니ᄒ고, 형이 우리
로ᄡᅥ 범연ᄒᆫ 쳐남으로 아지 아냐, 쥭마지의
(竹馬之誼)486)와 　관포지교(管鮑之交)487)를

---

492)안밍디측(顔孟之側) ; 중국의 유학자인 '안자(顔
　子; 顔回)와 맹자(孟子; 孟軻)의 곁'이라는 듯으로,
　안자·맹자와 대등한 경지라는 말.
493)빈빈슉슉(彬彬肅肅) : 사람됨이 아름답고 훌륭하
　며 말이나 태도가 위엄 있고 정중하다.
494)듀마지의(竹馬之誼) : 죽마고우(竹馬故友)의 두터

484)안밍디측(顔孟之側) ; 중국의 유학자인 '안자(顔
　子; 顔回)와 맹자(孟子; 孟軻)의 곁'이라는 듯으로,
　안자·맹자와 대등한 경지라는 말.
485)빈빈슉슉(彬彬肅肅) : 사람됨이 아름답고 훌륭하
　며 말이나 태도가 위엄 있고 정중하다.
486)쥭마지의(竹馬之誼) : 죽마고우(竹馬故友)의 두터

여 골육동긔(骨肉同氣) ᄀᆞᆺᄐᆞ니, 이제 ᄉᆡ로이 심곡을 ᄂᆡ외(內外)ᄒᆞ여 셔의(齟齬)ᄒᆞᆯ 거시 아니니, 형의 쳐ᄉᆡ 너모 집벽(執僻)[496]ᄒᆞ고, ᄉᆡᆼᄋᆞ(甥兒)[497]의 심ᄉᆡ 잔잉ᄒᆞᆯ[498]ᄉᆡ, 시러곰 ᄇᆡᆨ【23】시(伯氏)와 듕시(仲氏) 말과져 ᄒᆞ시거ᄂᆞᆯ, 도로혀 졀칙ᄒᆞᄂᆞ뇨? 쇼뎨 쇼학이 박누(薄陋)ᄒᆞ고 식견이 쳔단(淺短)ᄒᆞ나 형의 일은 실노 답답ᄒᆞ여 보디 못ᄒᆞ리로다."

금휘 함쇼(含笑) 왈,

"원간 텬흥의 방일ᄒᆞ미 ᄂᆞᆯ을 달마 그러ᄒᆞ뇨? 내집은 본ᄃᆡ 녜ᄒᆡᆼ(禮行)을 셥녑(涉獵)ᄒᆞ고 쥬ᄉᆡᆨ을 원거(遠居)ᄒᆞ거ᄂᆞᆯ, 슌계 등의 호방ᄒᆞ믈 픔슈(稟受)ᄒᆞ미, 텬ᄋᆡ 젼습(傳襲)ᄒᆞ여 이ᄀᆞᆺ치 우환 된디라. 맛촘 익계 일인이 단듕ᄒᆞᆯ디언졍, 졔딘의 노쇼 업시 뎡대 ᄒᆞ니 어이 이시리오."

낙양후 형뎨 쇼왈,

"윤뵈 복이 놉하 아ᄆᆡ(我妹)를 취ᄒᆞ여 텬흥 ᄀᆞᆺᄐᆞᆫ 영ᄌᆞ를 두어, 그 오쇼(迂疎)[499]ᄒᆞᆫ 아비를 담디 아니【24】ᄒᆞ고 우리 ᄀᆞᆺᄐᆞᆫ 호걸을 픔슈ᄒᆞ여 특이ᄒᆞ니, 가히 아둥을 ᄃᆡᄒᆞ여 념복(念福) ᄇᆡ샤(拜辭)ᄒᆞ염즉ᄃᆡ 아니리오."

뎡언간의 뎡국공이 니르러 ᄉᆞ오 교친(交親)이 졍홰(情話) 밀밀ᄒᆞ니, 딘휘 금후의 고집을 닐너 병부의 병셰 비경ᄒᆞ믈 니르니, 하공이 경녀ᄒᆞ여 녁권ᄒᆞ나, 금휘 미미ᄒᆞᆫ 쇼안으로 도로혀디 아니ᄒᆞ더라.

일일은 샹이 금후를 명초ᄒᆞ샤, 슈돈(繡墩)[500]을 미러 샤좌(賜座)ᄒᆞ시고 텬흥의 병

운 정. *죽마고우(竹馬故友): 대말을 타고 놀던 벗이라는 뜻으로, 어릴 때부터 같이 놀며 자란 벗. ≒죽마교우(竹馬交友)・죽마구우(竹馬舊友)・죽마지우(竹馬之友)・죽마지교(竹馬之交)

495)관포디교(管鮑之交) : 관중(管仲)과 포숙(鮑叔)의 사귐이란 뜻으로, 우정이 아주 돈독한 친구 관계를 이르는 말.

496)집벽(執僻) : 지나치게 고집스럽고 편벽됨.

497)ᄉᆡᆼᄋᆞ(甥兒) : 생질(甥姪).

498)잔잉ᄒᆞ다 : 자닝하다. 애처롭고 불쌍하여 차마 보기 어렵다.

499)오쇼(迂疎)ᄒᆞ다 : 오소(迂疎)하다. 세상 물정에 어둡고 예민하지 못하다.

겸ᄒᆞ여 골육동긔(骨肉同氣) ᄀᆞᆺᄒᆞ니, 이제 ᄉᆡ로이 심곡을 《ᄀᆡ외∥ᄂᆡ외(內外)》ᄒᆞ여 셔의(齟齬)ᄒᆞᆯ 거시 아니니, 형의 쳐ᄉᆡ 너모 집벽(執僻)[488]ᄒᆞ고 ᄉᆡᆼ아(甥兒)[489]의 심ᄉᆡ 잔닝ᄒᆞᆯ[490]ᄉᆡ, 시러곰 ᄇᆡᆨ시(伯氏)와 즁시(仲氏) 말과져 ᄒᆞ시거ᄂᆞᆯ 도로혀 졀칙ᄒᆞᄂᆞ뇨? 쇼뎨 《그학∥소학(所學)》이 박누(薄陋)ᄒᆞ고 식견이 쳔단(淺短)ᄒᆞ나 형의 일은 실노 답답ᄒᆞ여 보지 못ᄒᆞ리로다."

금휘 함쇼(含笑) 왈,

"원간 텬흥의 방일ᄒᆞ미 누를 달마 그러ᄒᆞ뇨? ᄂᆡ집은 본ᄃᆡ 예ᄒᆡᆼ(禮行)을 셥녑(涉獵)ᄒᆞ고 쥬ᄉᆡᆨ을 원거(遠居)ᄒᆞ거ᄂᆞᆯ, 슌계 등 호방ᄒᆞ믈 픔슈(稟受)ᄒᆞ여 텬ᄋᆡ 젼습(專襲)ᄒᆞ여 이ᄀᆞᆺ치 우환 된지라. 맛촘 익계 ᄒᆞᆫ ᄉᆞᄅᆞᆷ이 단듕ᄒᆞᆯ지언졍 졔진의 노쇼 업시 뎡ᄃᆡᄒᆞ니 어이 이시리오."

낙양후 대소 왈,

"윤뵈 복이 놉하 아ᄆᆡ(我妹)를 취ᄒᆞ여 텬흥 ᄀᆞᆺᄐᆞᆫ 영ᄌᆞ를 두어, 그 ○○○[오쇼(迂疎)[491]ᄒᆞᆫ] 아비를 담지 아니ᄒᆞ고 우리 ᄀᆞᆺᄐᆞᆫ 호걸을 품슈ᄒᆞ여 특이ᄒᆞ니, 가히 아둥을 ᄃᆡᄒᆞ여 념복(念福) ᄇᆡ샤(拜謝)ᄒᆞ염즉지 아니리오."

졍언간의 뎡국공이 니르러 ᄉᆞ오 교친(交親)니[이] 졍홰(情話) 밀밀ᄒᆞ니,【16】 진휘 금후의 고집을 닐너 병부의 병셰 비경ᄒᆞ믈 니르니, 하공이 경녀ᄒᆞ여 녁권ᄒᆞ나, 금휘 미미ᄒᆞᆫ 쇼안으로 도로혀지 아니ᄒᆞ더라.

일일은 샹이 금후를 명초ᄒᆞ샤, 수돈(繡墩)[492]을 밀어 ᄉᆞ좌(賜座)ᄒᆞ시고 텬흥의 병

운 정. *죽마고우(竹馬故友): 대말을 타고 놀던 벗이라는 뜻으로, 어릴 때부터 같이 놀며 자란 벗. ≒죽마교우(竹馬交友)・죽마구우(竹馬舊友)・죽마지우(竹馬之友)・죽마지교(竹馬之交)

487)관포지교(管鮑之交) : 관중(管仲)과 포숙(鮑叔)의 사귐이란 뜻으로, 우정이 아주 돈독한 친구 관계를 이르는 말.

488)집벽(執僻) : 지나치게 고집스럽고 편벽됨.

489)ᄉᆡᆼᄋᆞ(甥兒) : 생질(甥姪).

490)잔닝ᄒᆞ다 : 자닝하다. 애처롭고 불쌍하여 차마 보기 어렵다.

491)오쇼(迂疎)ᄒᆞ다 : 오소(迂疎)하다. 세상 물정에 어둡고 예민하지 못하다.

을 므르시니, 텬심이 울울ᄒ여 옥식의 시름을 쯰여 계시니, 공이 셩은의 이 ᄀᆺᄐ시믈 황공 감은ᄒ나, 병부를 경이히 샤홀 ᄯᅳᆺ이 업거늘, 텬의【25】 여ᄎᆞᄒ시니 기리 민면(黽勉)ᄒ여501) 돈슈(頓首) 쥬왈,

"텬흥의 병이 ᄎ셩(差成)치 못ᄒ오나 크게 넘녀ᄒ올 비 아니오니, 셩녀의 거리ᄭᅵ디 마르시고, 텬흥이 원ᄂᆡ 위인이 무식 소활ᄒ와 문무 대작을 밧ᄌᆞ와 국가 듕임을 어즈러이미 되오니, 복망(伏望) 폐하는 쳔딜(賤疾)을 녀렴(慮念)치 마르시고, 싀로 쳥현 도덕의 영걸을 퇴츌(擇出)ᄒ샤 농두각(龍頭閣)502) 듕임과 병부상셔 졀졔ᄉᆞ를 밧고시미 힝심(幸心)○○[일가] ᄒᆞ이다."

샹이 경아(驚訝)ᄒ샤 왈,

"텬흥은 딤의 고굉쥬셕(股肱柱石)으로 군신의 대의와 옹셔의 졍을 겸ᄒ니, ᄉᆞ랑코 미드미 산두(山斗)503)의 우히라. 아딕 년쇼ᄒ므로 큰 모504)히 밀위미 업【26】ᄉᆞ나 타일 듕디(重地)를 맛딜 ᄯᅳᆺ이 이시니, 경이 비록 겸퇴(謙退)ᄒ나 이런 말을 ᄒᆞᄂᆞ뇨?"

금평휘 미급ᄃᆡ쥬(未及對奏)의, 동평댱ᄉ 양공이 금평후의 병부를 ᄂᆡ쳐 유병ᄒ여 비경(非輕)ᄒ믈 쥬홀ᄉᆡ, 젼후ᄉᆞ를 셰셰히 쥬ᄒ오니, 샹이 양공의 쥬ᄉᆞ로 좃ᄎᆞ 병부의 유질ᄒᆞᆫ ᄉᆞ고를 드르시미, 텬안이 도로혀 함쇼ᄒ샤, 금평후를 보아 글오샤ᄃᆡ,

---

을 무로시니, 텬심이 울울ᄒ여 옥식의 시름을 쯰여 계시니, 공이 셩은의 이 ᄀᆺᄐ시믈 황공 감은ᄒ나, 병부를 경이히 ᄉ홀 ᄯᅳᆺ이 업거늘, 텬의 여ᄎᆞᄒ시니 기리 민면(黽勉)ᄒ여493) 돈슈(頓首) 쥬왈,

"텬흥의 병이 ᄎ셩(差成)치 못ᄒ오나 크게 넘녀ᄒ올 비 아니오니, 셩녀의 거리ᄭᅵ지 마르시고, 텬흥이 위인이 원ᄂᆡ 무식 소활ᄒ와, 문무 대죽을 밧ᄌᆞ와 국가 즁임을 어즈러이미 되오니, 복망(伏望) 폐하는 쳔질(賤疾)을 여렴(慮念)치 마르시고, 싀로 쳥현 도덕의 영걸을 퇴츌(擇出)ᄒ샤, 농두각(龍頭閣)494) 즁임과 병부상셔 졀졔ᄉᆞ을 밧고심이 힝【17】심(幸心)○○[일가] ᄒᆞ이니다."

샹이 경아(驚訝) 왈,

"텬흥은 딤의 《괴공‖고굉》쥬셕(股肱柱石)으로 군신의 듸의와 옹셔의 졍을 겸ᄒ니, ᄉᆞ랑코 미드미 산두(山斗)495)의 우히라 아직 년쇼ᄒ므질 큰 모496)희 밀위미 업ᄉᆞ나, 타일 즁디(重地)를 맛질 ᄯᅳᆺ이 잇시니, 경이 비록 겸퇴(謙退)ᄒ나 이런 말을 ᄒᆞᄂᆞ뇨?"

금평휘 미급쥬(未及奏)의 동평댱ᄉ 양공이 평후의 병부를 ᄂᆡ쳐 유병ᄒ여 비경(非輕)ᄒ믈 쥬홀ᄉᆡ, 젼후ᄉᆞ를 셰셰히 쥬ᄒ니, 샹이 양공의 쥬ᄉᆞ로 좃ᄎᆞ 병부의 유질ᄒ ᄉᆞ고을 드르시미, 텬안이 도로혀 함쇼ᄒ샤, 금평후를 보아 글오샤ᄃᆡ,

---

500)슈돈(繡墩) : 수를 놓은 앉을 자리.
501)민면(黽勉)ᄒ다 : 민면(黽勉)하다. ①부지런히 힘써 하다. ②마음이 내키지 않는 일을 억지로 힘써 하다.
502)농두각(龍頭閣) : 학사원(學士院)을 달리 이르는 말. 예전에 과거(科擧)에 장원급제자를 '용두(龍頭)'라 하였는데, 이는 이들을 곧바로 직학사(直學士)에 임명하고 학사원(學士院)에 소속시켜 임금의 사명(詞命)을 짓는 일을 맡아보게 한데서 유래한 말이다. *학사원(學士院); 고려 초기에, 사명(詞命) 짓는 일을 맡아보던 관아. 광종 때 원봉성을 고친 것인데, 뒤에 한림원·문한서·예문관·사림원·춘추관 따위로 고쳤다.
503)산두(山斗) : 태산북두(泰山北斗)의 줄임 말. 세상 사람들로부터 존경받는 사람을 비유적으로 이르는 말
504)모 : 모서리, 모퉁이. 일정한 범위의 어느 부분.

---

492)수돈(繡墩) : 수를 놓은 앉을 자리.
493)민면(黽勉)ᄒ다 : 민면(黽勉)하다. ①부지런히 힘써 하다. ②마음이 내키지 않는 일을 억지로 힘써 하다.
494)농두각(龍頭閣) : 학사원(學士院)을 달리 이르는 말. 예전에 과거(科擧)에 장원급제자를 '용두(龍頭)'라 하였는데, 이는 이들을 곧바로 직학사(直學士)에 임명하고 학사원(學士院)에 소속시켜 임금의 사명(詞命)을 짓는 일을 맡아보게 한데서 유래한 말이다. *학사원(學士院); 고려 초기에, 사명(詞命) 짓는 일을 맡아보던 관아. 광종 때 원봉성을 고친 것인데, 뒤에 한림원·문한서·예문관·사림원·춘추관 따위로 고쳤다.
495)산두(山斗) : 태산북두(泰山北斗)의 줄임 말. 세상 사람들로부터 존경받는 사람을 비유적으로 이르는 말
496)모 : 모서리, 모퉁이. 일정한 범위의 어느 부분.

"텬흥이 경시 취흐믄 공쥬 하가 젼 져의 쥬스로 좃ᄎ 딤은 발셔 아라시니, 견혀 년쇼흐므로 일시 삼가디 못ᄒ미라. 굿ᄐ여 비법비의디ᄉ(非法非義之事)505) 아니어늘, 경이 과도히 칙망ᄒ여 먼【27】니 닉쳐 셩딜ᄒ도록 넘녀치 아니믄, 부ᄌ의 죵용흔 졍이 아니라. 더욱 무명 유싱과 달나, 녈후(列侯) 뉵경(六卿)으로 쇼임이 문무의 대용(大用)ᄒ는 ᄇᆡ 되여, 여러 관부 쇼임 공ᄉ를 누월 폐ᄒ고 딤의 ᄆᆞ음을 우려케 ᄒ니, 경의 훈 ᄌᆞᄒ미 너모 엄졀ᄒ고 딤의 우려ᄒ던 ᄇᆡ 너므 구구ᄒ도다. 이졔 개과 슈힝ᄒ여신즉 밧 비 블너 관샤(寬赦)ᄒ미 가ᄒ니, 금일 도라가 죄를 샤ᄒ여 슈히 힝공 찰임케 ᄒ라."

옥음이 슌슌(諄諄) 유화ᄒ시디 엄졍ᄒ시니, 뎡공이 년망(連忙)이 돈슈 왈,

"미신이 무상ᄒ와 탕ᄌ를 엄칙(嚴飭)디 못【28】ᄒ온 고로, 년쇼디시로브터 쥬야 위업(爲業)ᄒ는 ᄇᆡ 쥬싴이오디, 신이 망연이 속은 ᄇᆡ 되여 혼암 블명ᄒ오니, 비록 옥쥬하가 젼이오나, 이졔 쥬쳐(住處)506) 어즈럽ᄉ옵고, 몬져 취ᄒ온 바 윤·양·니 삼녜 녀염(閭閻) 쇼녜(少女)오나, 셩힝이 져의게 외람흔 쳐실이로디, 졔가(齊家)ᄒ믈 무상히 ᄒ와, 망측흔 누얼노 졀의ᄒ시는 셩디를 좃ᄎ 각각 도라 보니올ᄉᆡ, 다 각각 ᄉᆞ싱 거쳐를 모로게 되오니, 경녀 아냐 쳘옥디인(鐵玉之人)이라도 텬흥의 쳐실이라 ᄒ온즉, 보젼키 어렵ᄉ온디라. 져의 명되 긔【29】박ᄒ오미, 일년디닉(一年之內)의 네 ᄌᆞ식을 실니ᄒ오니, 신이 그윽이 넘녀ᄒ옵는 바는, 타일 옥쥬 남녀간 싱산ᄒ여도, 텬흥의 험흔 팔ᄌᆞ로 잘 댱셩키를 긔필치 못ᄒ오리니, 블초는 졔 죄를 아디 못ᄒ고, 가득ᄒ미 ᄞᆡ는507) 화를 두리온 줄을 모로고, 귀쥬 하가ᄒ믈 조심홀 줄 모로옵고, 요악흔 기녀(妓女)로 음쥬 달난을 일삼으니, 신이 히연(駭然) 분"

"텬흥이 경써 취흐믄 공쥬 하가 젼 져의 쥬스로 좃ᄎ 딤은 ○○[발셔] 아라시니, 견혀 년쇼흔 고로 일시 삼가지 못ᄒ미라. 구ᄐ여 비법비의(非法非義)497) 아니어늘, 경이 과도히 칙망ᄒ여 먼니 닉쳐 셩질ᄒ도록 넘○[녀]치 아니믄, 부ᄌ의 죵용흔 졍이 아니라. 더옥 무명 유싱과【18】 달나, 녈후(列侯) 뉵경(六卿)으로 쇼임이 문무의 ᄃᆡ용(大用)ᄒ는 ᄇᆡ 되여, 여러 관부 쇼임 공ᄉ를 누월 폐ᄒ고, 딤심을 우려케 ᄒ니, 경의 훈 ᄌᆞᄒ미 너모 엄졀ᄒ고 딤의 우려ᄒ던 ᄇᆡ 너무 구구ᄒ도다. 이졔 긔과 슈힝ᄒ여신즉, 밧 비 블너 관샤(寬赦)ᄒ미 가ᄒ니, 금일 도라가 죄를 ᄉᆞᄒ여 슈히 힝공 찰임케 ᄒ라."

옥음이 슌슌(諄諄) 유화ᄒ시디 엄졍ᄒ시니, 뎡공이 년망이 돈슈쥬 왈,

"미신니[이] 무상ᄒ와 탕ᄌ를 엄칙(嚴飭)지 못ᄒ온 고로, 년쇼지시로 쥬야 위업(爲業)ᄒ는 ᄇᆡ 쥬싴이오디, 신니[이] 망연이 속은 ᄇᆡ 되여 혼암 블명ᄒ오니, 비록 옥쥬 하가 젼이오나 이졔 쥬쳐(住處)498) 어렵습고, 몬져 취흔온 바 윤·양·니 삼녜 녀염(閭閻) 쇼녜(少女)오나, 셩힝이 《졔가의‖져의게》 외람흔 《슉녀로‖쳐실이로디》, 졔가(齊家)ᄒ믈 무상히 ᄒ와 망측흔 누얼노 졀의ᄒ시는 셩지를 죠ᄎ, 각각 도라보니올ᄉᆡ, 다 각각 ᄉᆞ싱 거쳐를 모로【19】게 되오니, 경녀 아냐 쳘옥지인(鐵玉之人)이라도 텬흥의 쳐실이라 ᄒ온즉 보젼키 어렵ᄉ온디라, 져의 명되 긔박ᄒ오미 일년지닉의 네 ᄌᆞ식을 실이(失離)ᄒ오니, 신이 그윽이 넘녀ᄒ옵는 바는, 옥쥬 타일 남녀간 싱산ᄒ여도, 텬흥의 험흔 팔ᄌᆞ로 잘 쟝셩키를 긔필치 못ᄒ오리니, 블초는 졔 죄를 아지 못ᄒ고, 가득ᄒ미 ᄞᆡ이는499) 화를 두려온 줄을 모로고, 귀쥬 하가ᄒ믈 조심홀 줄 모로고, 요악흔 기녀(妓女)로 음쥬 달난을 일삼으니, 신"

505) 비법비의디ᄉ(非法非義之事) : 불법(不法)·불의 (不義)한 일
506) 쥬쳐(住處) : '거주하는 처소'란 뜻으로 여기서는 '쳐(妻)의 위계(位階)'를 말함.
507) ᄞᆡ이다 : 찢어지다.

497) 비법비의(非法非義) : 불법(不法)·불의(不義) 한 일
498) 쥬쳐(住處) : '거주하는 처소'란 뜻으로 여기서는 '쳐(妻)의 위계(位階)'를 말함.
499) ᄞᆡ이다 : 찢어지다.

(憤)히 ᄒᆞ와, 먼니 닉쳐 면목을 상견치 아니
라 ᄒᆞ옵더니, 셩심이 미셰흔 곳의 과우(過
憂)ᄒᆞ오시니, 텬흥이 므슴 사룸이라 이 ᄀᆞᆺ
ᄌᆞ온 통우를 당ᄒᆞ【30】리잇고? 신이 황공
불안ᄒᆞ와 알욀 바를 아디 못ᄒᆞ와, 물너가와
져를 블너 셩은을 니르옵고, 죵신토록 텬은
을 져바리디 말게 ᄒᆞ샤이다."

  샹이 혼연이 우듸ᄒᆞ시고, 지삼 부탁ᄒᆞ시
니, 공이 비샤이퇴(拜謝而退)ᄒᆞ여 본부의 도
라와 ᄌᆞ졍(慈庭)508)의 소유를 고ᄒᆞ니, 태부
인이 병부를 닛디 못ᄒᆞ나, 부인의 품질이
화열ᄒᆞ고 덕셩이 유한ᄒᆞ나, 녜법의 삼엄○
○[ᄒᆞ미] 규각(閨閣)의 ᄉᆞ군ᄌᆞ(四君子)라.
ᄌᆞ손을 교훈ᄒᆞ미 비례의 니르디 아니므로,
병부의 남활ᄒᆞ믈 근심ᄒᆞ고 다ᄉᆞ리미 과도ᄒᆞ
믈 니르디 아닐디언졍, 병든 《줄∥지》 삼
ᄉᆞ 삭【31】의 니른 줄 알오듸, 일양 잠잠
ᄒᆞ여 말을 아니ᄒᆞ더니, 셩교로 좃ᄎᆞ 니르듸,

  "텬흥의 브드러온 거동과 화열흔 소리 ᄌᆞ
미로오미 일시를 닛디 못ᄒᆞ나, 너의 쳐ᄉᆞ
(處事) ᄯᅩ흔 그르디 아니ᄒᆞ기로 니르디 아
니ᄒᆞ더니 샹푀 여ᄎᆞᄒᆞ시니 금일 샤(赦)ᄒᆞ여
브르라."

  원ᄂᆡ 뎡공이 졔ᄌᆞ를 당부ᄒᆞ여 병부의 병
을 ᄌᆞ젼의 고ᄒᆞᄂᆞ ᄌᆞᄂᆞ 병부와 ᄀᆞᆺ치 죄 주
리라 ᄒᆞ니, 이러므로 부인이 병부의 병이
이듸도록 흔 줄은 모로더라. 공이 비샤 왈,

  "ᄋᆞ히 죄괘(罪過) 태듕ᄒᆞ오나, 셩괴(聖敎)
여ᄎᆞᄒᆞ시고 ᄌᆞ괴(慈敎) 디극ᄒᆞ시니, 삼가 명
을 밧듭ᄂᆡ이다."

  ᄒᆞ고 녜부를 명【32】ᄒᆞ여,

  "유졍의 가 여형(汝兄)의게 샤ᄒᆞᄂᆞ 명을
젼ᄒᆞ고 ᄌᆞ교를 좃ᄎᆞ 불너{불너}오라."

  언미필의 네뷔 비샤 슈명ᄒᆞ고 녕명(領
命)509)ᄒᆞ여 환텬희듸(歡天喜地)510)ᄒᆞ듸, 안

니[이] 희연(駭然) 분(憤)히 ᄒᆞ와 먼니 닉
쳐, 면목을 상견치 아니라 ᄒᆞ옵더니, 셩심이
미셰흔 곳의 과우(過憂)ᄒᆞ오시니, 텬흥이 므
슴 사룸이라 이 ᄀᆞᆺ튼 총우를 당ᄒᆞ리잇고?
신니 황공 불안ᄒᆞ와 알욀 바를 아지 못ᄒᆞ
와, 물너가와 져를 블너 셩은을 이르옵고
죵신토록 텬은을 져바리디 말게 ᄒᆞ샤이다."

  샹이 혼【20】년(欣然)이 우위(優慰)ᄒᆞ시
고 지삼 부탁ᄒᆞ시니, 공이 비ᄉᆞ이퇴(拜謝而
退)ᄒᆞ여 본부의 도라와, ᄌᆞ젼(慈殿)500)의 소
유를 고ᄒᆞ니, 틱부인니 병부를 잇지 못ᄒᆞ나,
부인의 품질이 화열ᄒᆞ고 덕셩이 유한ᄒᆞ나,
예법의 삼엄ᄒᆞ미 규각(閨閣)의 ᄉᆞ군ᄌᆞ(四君
子)라. ᄌᆞ손을 교훈ᄒᆞ미 비례의 이르지 아
니므로, 병부의 남활ᄒᆞ미 근심되고 다ᄉᆞ리
미 과도ᄒᆞ믈 이르지 아닐지언졍, 병든 줄
삼ᄉᆞ 삭의 ○○○[니른 줄] 알오듸, 일양 줌
줌ᄒᆞ여 말을 아니ᄒᆞ더니, 셩교로 죠ᄎᆞ 이르
듸,

  "텬흥의 부드러온 거동과 화○[열]흔 소리
ᄌᆞ미로오미 일시 ᄉᆞ모ᄒᆞ나, 너의 ᄉᆞ식(事事)
그르디 아니ᄒᆞ기로 이르지 아니ᄒᆞ더니, 샹
교 여ᄎᆞᄒᆞ시니 금일 ᄉᆞ(赦)ᄒᆞ여 브르라."

  원ᄂᆡ 뎡공이 졔ᄌᆞ를 당부ᄒᆞ여 병뷔의 병
을 ᄌᆞ젼의 고ᄒᆞᄂᆞ ᄌᆞᄂᆞ 병부와 ᄀᆞᆺ치 죄 주
리라 ᄒᆞ니, 이러무로 부인은 병부의 병이
그듸도록 ᄒᆞ믈【21】 모로더라. 공이 비샤
왈,

  "아히 죄괘(罪過) 틱듕ᄒᆞ오나, 셩교(聖敎)
여ᄎᆞᄒᆞ시고 ᄌᆞ○[의](慈意) 지ᄎᆞ(至此)ᄒᆞ시
니, 삼가 명을 밧듭ᄂᆡ이다."

  ᄒᆞ고 녜부을 명ᄒᆞ여,

  "유졍의 가 여형(汝兄)의게 ᄉᆞᄒᆞᄂᆞ 명을
젼ᄒᆞ고 ᄌᆞ교를 조ᄎᆞ 불너 오라."

  언미필의 네뷔 비샤ᄒᆞ고 영명(領命)501)ᄒᆞ
여 환쳔희지(歡天喜地)502)ᄒᆞ듸, 안뫼 나작

---

508)ᄌᆞ졍(慈庭): '어머니'를 높여 이르는 말.
509)녕명(領命): 수명(受命). 명(命)을 받음.
510)환텬희듸(歡天喜地): 하늘도 즐거워하고 땅도
    기뻐한다는 뜻으로, 아주 즐거워하고 기뻐함을 이
    르는 말.

500)ᄌᆞ젼(慈殿): '임금의 어머니'를 이르던 말로, '어
    머니'를 높여 이르는 말.
501)녕명(領命): 수명(受命). 명(命)을 받음.
502)환텬희지(歡天喜地): 하늘도 즐거워하고 땅도
    기뻐한다는 뜻으로, 아주 즐거워하고 기뻐함을 이

뫼 나죽ᄒᆞ고 거디(擧止) 안셔(安徐)ᄒᆞ여 아는 듯 모로는 ○[돗] 혼 ᄌᆞ는 오딕 딘부인이라. 텬셩의 닝졍ᄒᆞᆷ과 위인의 단듕ᄒᆞᄆᆡ 그 거거(哥哥) 각노(閣老) 공과 흡ᄉᆞᄒᆞ더라.

네뷔 즉시 유졍의 나아가니, 병뷔 스친디 회 촌쟝을 슬오고 뉘웃츠미 골돌ᄒᆞ여, 능히 잠을 ᄌᆞ디 못ᄒᆞ고 식음을 나리오디 못ᄒᆞ여 근일 더으니, 댱긔(壯氣) 소삭(消索)ᄒᆞ여 ᄒᆞᆫ 낫 어림쟝이 ᄋᆞ히 ᄀᆞᆺ더니, 츠일도 앗【33】춤 듁을 믈니치고 오읍(嗚泣)ᄒᆞ여 긔딘ᄒᆞᄆᆡ, 셔동의 무리 붓드러 황망ᄒᆞ더니, 네뷔 다ᄃᆞ라 보고 역시 비읍(悲泣)이라. 년망이 약을 가라 드리오고 슈죡을 쥐믈너 이윽고 회소(回蘇)ᄒᆞᄆᆡ, 눈을 드러 ᄋᆞ을 보고 소ᄅᆡ 오열ᄒᆞ여 훤당(萱堂) 안부를 뭇ᄌᆞ오니, 네뷔 년망(連忙)이 엄졍의 샤명을 젼ᄒᆞ고 니르딕,

"형댱이 능히 긔거를 ᄒᆞ실가 시브거든 이졔 가샤이다."

병뷔 여취여광(如醉如狂)ᄒᆞ여 번연(翻然) 기신(起身) 왈,

"이 엇딘 말가! 이 딘짓 말이냐? 날을 위로ᄒᆞ미냐?"

네뷔 뎡식 왈,

"쇼뎨 엇디 엄명을 쥬작(做作)ᄒᆞ리잇고?"

병뷔 비【34】로소 샤ᄒᆞ시믈 즐겨, 냥익(兩翼)을 붓쳐 운텬(雲天)의 비등(飛騰)홀 듯, 두뷔(頭部) 가빅압고 흉ᄒᆡ(胸海)511) 상연(爽然)ᄒᆞ니, 년망이 셰슈를 나와 삼삭 진ᄋᆡ(塵埃)를 업시 ᄒᆞ고 건즐을 ᄀᆞᆺ초미, 청풍의 금편(金鞭)을 바야 네부를 직쵹ᄒᆞ여 부듕의 도라올식, 네뷔 칭하 왈,

"형댱이 아ᄌᆞ의 위악ᄒᆞ시던 경식으로 방금의 셩휘(聖候) 여상(如常)ᄒᆞ신 듯ᄒᆞ니, 그 ᄉᆞ이 초우(焦憂) 민박(憫迫)ᄒᆞ시던 바를 뭇디 아냐 알니로이다. 쇼뎨 심신이 식로이 졀졀(切切)ᄒᆞ고 긔운이 강작(强作)ᄒᆞ오미 대인 니르신 바의 어긔디 아니시니 블승힝심(不勝幸甚)ᄒᆞ이다."

---

511) 흉ᄒᆡ(胸海) : 가슴.

ᄒᆞ고 거지(擧止) 안셔(安徐)ᄒᆞ여 아는 듯 모로는 듯혼 ᄌᆞ는 오즉 진부인이라. 텬셩의 닝졍ᄒᆞᆷ과 위인의 너도ᄒᆞᄆᆡ 그 거거(哥哥) 진각노(閣老)와 흡ᄉᆞᄒᆞ더라.

네뷔 즉시 유졍의 나아가니, 병뷔 ᄉᆞ친지 회 촌쟝을 슬오고 뉘웃츠미 골돌ᄒᆞ여, 능히 잠을 ᄌᆞ지 못ᄒᆞ고, 식음을 ᄂᆞ리오지 못ᄒᆞ여 근일 더으니, 장긔(壯氣) 소삭(消索)ᄒᆞ여 ᄒᆞᆫ 낫 어림쟝이 아히 ᄀᆞᆺ더라. 츠일도 앗춤 쥭을 믈니치고 오읍(嗚泣)ᄒᆞ여 긔진ᄒᆞᄆᆡ, 셔동의 무리 붓드러 황망ᄒᆞ더니, 네뷔 다ᄃᆞ라 보고 역시 비읍(悲泣)이라. 년망이 약을 가라【22】드리오고 수죡을 쥐믈너, 이윽고 회소(回蘇)ᄒᆞ여 눈을 드러 아이를 보고, 소ᄅᆡ 오열ᄒᆞ여 훤당(萱堂) 안부를 무르니, 네뷔 년망(連忙)이 엄졍의 샤명을 젼ᄒᆞ고 이르딕,

"형댱이 능히 힝보를 홀가 시부거든 ᄲᆞᆯ리 가ᄉᆞ이다."

병뷔 여취여광(如醉如狂)ᄒᆞ여 번연(翻然) 기신(起身) 왈,

"니[이] 엇진 말가! 이 진짓 말가! 날을 위로홈이냐?"

네뷔 졍식 왈,

"쇼뎨 엇지 엄명을 쥬즉(做作)ᄒᆞ리잇고?"

병뷔 비로소 ᄉᆞᄒᆞ시믈 즐겨, 냥익(兩翼)을 붓쳐 《웅쳔‖운쳔(雲天)》의 비등(飛騰)홀 듯, 두뷔(頭部) 가뱌엽고 흉ᄒᆡ(胸海)503) 상연(爽然)ᄒᆞ여, 년망이 셰슈를 나와 삼삭 진ᄋᆡ(塵埃)를 업시 ᄒᆞ고 건즐을 ᄀᆞᆺ초며, 청풍의 금편(金鞭)을 바야 네부를 직쵹ᄒᆞ여 부듕의 도라올식, 네뷔 칭하 왈,

"형댱이 아ᄌᆞ의 위악ᄒᆞ시던 경식으로 방금의 셩휘(聖候) 《여생‖여상(如常)》ᄒᆞ심 ᄀᆞᆺᄒᆞ니, 그 ᄉᆞ이 초우(焦憂) 민박(憫迫)ᄒᆞ시던 바를 뭇지 아녀 알니로소이다. 쇼뎨 심【23】신니 식로이 졀졀(切切)ᄒᆞ고 긔운이 강작(强作)ᄒᆞ오미 딕인 이르신 바의 어긔지 아니시니, 블승힝심(不勝幸甚)ᄒᆞ이다."

르는 말.
503) 흉ᄒᆡ(胸海) : 가슴.

병뷔 탄왈,

"우형의 병이【35】다른 근위(根位) 아니라, 전혀 망극(罔極) 초황(焦惶)ㅎ므로 ○○[비로]스미니, 근본인즉 빅식 뉘웃고 한심ㅎ여 병을 일위니, 대인이 뜻을 뎡ㅎ시미 경이(輕易)히 두로혀디 아니시니, 샤명이 이쎡의 이시믄 망외(望外)라. 금일이 하일(何日)이완듸, 엄견의 결홀 줄 알니오. 셕시나 무한이로다."

드듸여 부문의 다드라 녜뷔 믄득 몬져 드러가니, 존당의 식반을 갓 파ㅎ고 공이 주젼의 시좌(侍坐)ㅎ엿더니, 녜뷔 형의 샤죄쳥듸(赦罪請待)ㅎ믈 고ㅎ니, 태부인이 밧비 드러 오라 직쵹ㅎ는디라. 공이 명ㅎ여,

"태명이 계시니 밧비 ○○○[부르라]"

녜뷔 형을 도라보아 존【36】명을 고ㅎ고, 조모의 직쵹ㅎ시믈 젼ㅎ니, 병뷔 계하의 다드라 돈슈 쳥죄ㅎ니, 그 튝쳑흔 거동과 근심ㅎ는 모양이 슈삼 삭 쩌낫다가 보미, 완슌흔 화풍은 태양이 승됴(昇朝)512)ㅎ는 돗, 신신요요(新新曜曜)흔 광휘○[는] 일쳔 양뉘(一千楊柳) 금당(金塘)513)의 고고(高高)ㅎ고, 일만 화신(花信)이 츈원(春園)의 광냥(廣量)ㅎ디라. 머리의 관을 버셔시니 두렷흔 텬졍(天庭)514)은 쳥공(靑空)의 미월(微月)이오, 냥미(兩眉)의 화긔를 쯰여 시쳠(視瞻)이 고요ㅎ나, 풍광(風光)이 소삭(消索)ㅎ여 어름을 삭이고515) 눈을 무어시니516), 묽은 쎄 빗최고 화(華)흔 살이 여외여시니517), 부공이 일안의 대경(大驚) 년이(憐愛)ㅎ고, 왕모는 반기믈【37】쯰여 년이ㅎ며 경동ㅎ니, 공이 평상이 니르듸,

"임의 오로기를 허ㅎ여시니 샐니 올나 존젼의 명을 슌ㅎ고 슬하의 뫼시라."

---

512)승됴(昇朝) : 아침에 해가 떠오름.
513)금당(金塘) : 연꽃이나 버드나무 등을 심어 아름답게 가꾼 연못.
514)텬졍(天庭) : 관상에서, 두 눈썹의 사이 또는 이마의 복판을 이르는 말.
515)삭이다 : 새기다.
516)무으다 : 쌓다. 뭉치다. 만들다.
517)여외다 : 여위다. 몸의 살이 빠져 파리하게 되다.

병뷔 탄왈,

"우형의 병이 다른 근위(根位) 아니라, 전혀 망극(罔極) 초황(焦惶)으로 비로스미니, 근본인즉 빅식 뉘웃고 한심ㅎ여 병을 일위니, 듸인이 뜻을 뎡ㅎ시미 경(輕)히 두로혀지 아니시니, 샤명이 잇듸의 잇스믄 망외(望外)라. 금일이 하일(何日)이완듸 엄견의 졀홀 줄 알니오. 셕시(夕死)나 무한(無恨)이로다."

드듸여 부문의 다드라 녜뷔 믄득 몬져 드러가니, 존당의 식반을 갓 파ㅎ고 공이 주젼의 시좌(侍坐)ㅎ엿더니, 녜뷔 형의 샤죄쳥듸(赦罪請對)를 고ㅎ니, 틱부인이[이] 밧비 드러오라 직쵹ㅎ는디라. 공이 명ㅎ여,

"틱명이 계시니 밧비 부르라."

녜뷔 형을 도라보아 존명을 고ㅎ고, 조모의 직쵹ㅎ시믈 젼ㅎ니, 병뷔 계하의 다드라 돈슈 쳥죄ㅎ니, 그 튝쳑흔 거동과 근심ㅎ는 모양이【24】슈삼 삭 쩌낫다가 보미, 완슌흔 화풍은 태양이 승됴(昇朝)504)ㅎ는 돗, 신신요요(新新曜曜)흔 광휘○[는] 일쳔양뤼(一千楊柳) 금당(金塘)505)의 고고(高高)ㅎ고, 일만 화신(花信)니 츈원(春園)의 광량(廣量)ㅎ지라. 머리의 관을 버셔시니 두렷흔 쳔졍(天庭)506)은 쳥공(靑空)의 미월(微月)이오, 냥미(兩眉)의 화긔를 쯰여 시쳠(視瞻)이 고요ㅎ나, 풍광(風光)이 소삭(消索)ㅎ여 어름을 삭이고507), 눈을 무엇시니508), 묽은 쎄 빗최이고 화(華)흔 술이 여외여시니509), 부공이 일견의 듸경(大驚) 년이(憐愛)ㅎ고, 왕모는 반기믈 쯰여 년이ㅎ시며 경동ㅎ시니, 공이 평상이 이르듸,

"임의 오기를 허ㅎ여시니, 샐니 올나 존젼의 명을 슌ㅎ고 슬하의 뫼시라."

---

504)승됴(昇朝) : 아침에 해가 떠오름.
505)금당(金塘) : 연꽃이나 버드나무 등을 심어 아름답게 가꾼 연못.
506)쳔졍(天庭) : 관상에서, 두 눈썹의 사이 또는 이마의 복판을 이르는 말.
507)삭이다 : 새기다.
508)무으다 : 쌓다. 뭉치다. 만들다.
509)여외다 : 여위다. 몸의 살이 빠져 파리하게 되다.

병뷔 비샤 승당ᄒ여 왕모와 존전의 비례
ᄒ고 공슈 시립ᄒ니, 식블여야(息不如
也)[518]의 호흡여야(呼吸如也)[519] ᄒ여, 감
히 존후를 뭇ᄌᆸ디 못ᄒ니, 태부인이 집슈
경계 왈,

"내 ᄋ히 스림의 튱슈(充數)ᄒ고 빅뇨의
튱반(充班)ᄒᄆᆡ, 부모긔 효ᄒᄆᆡ 하ᄌᆞ홀 것
업거늘, 흔갓 호긔를 장튝ᄒ여 아븨게 득죄
ᄒ니 엄부의 쳐시 응당ᄒ디라. 노혼흔 한미
신혼모졍(晨昏慕情)[520]의 안젼의 삼삼ᄒ니,
이졍을 잘 금ᄒ리【38】오. 너의 익회 괴이
ᄒ여 쳐실 ᄌ녀를 실산ᄒ고, 슈삭을 부모를
니측ᄒ여, 형뫼(形貌) 소삭(消索)ᄒ여 대병
을 일운 모양 ᄀᆞᆺᄐᆞ니, 노뫼 ᄆᆞ음이 것거
질[521] 둣 시브도다."

셜파의 함누 쳑연ᄒ니, 병뷔 ᄉ○[ᄉ](事
事)의 불효를 슬허ᄒᆞᆷ믈 마디 아니ᄒ여, 민
망흔 둣, 손을 밧드러 관겨치 아니흔 줄을
고ᄒ고, 샹하 졍의 무궁ᄒ나, 부공은 일언을
아니니, 황공ᄒᄆᆡ 비한(背汗)이 쳠의(沾衣)
ᄒ니, ᄉ식(辭色)의 낫타나ᄂᆞᆫ디라. 공이 그
ᄉ졍(私情)을 보고 아는 바의, 이 ᄋ들 경계
ᄒᄆᆡ 넛브디 [522] 아니흘 줄은 알오ᄃᆡ, ᄉ식
을 온유ᄒ여 ᄎᄎ 셰홍 ᄀᆞᆺᄐᆞᆫ ᄋ들을 계칙이
가ᄎ(假借)흔죽[523],【39】그 ᄌᆞ손으로 텬흥
ᄀᆞᆺᄐᆞᆫ 작난이 무슈홀가, 댱ᄌ(長子)를 졔어
(制御)ᄒᆞᄆᆡ라.

야심토록 태부인이 병부의 손을 잡아 침
슈(寢睡)를 니ᄌ시니, 금평휘 친히 침셕을
바로ᄒ여 취침ᄒ시믈 보고, 졔ᄌ를 거ᄂᆞ려
청듁헌으로 퇴홀ᄉ, 병뷔 녜부 등으로 더브
러 야야의 《팀슈(寢睡)를∥침금(寢衾)을》
포셜ᄒ니, 공이 상요의 나아가ᄆᆡ 병뷔 상하
의 국궁 시좌ᄒ여시니, 긔운이 허약ᄒ여 허

병뷔 비샤 승당ᄒ여 왕모와 존젼의 비례
ᄒ고 공슈 시립ᄒ나, 식블여야(息不如
也)[510]의 호흡여야(呼吸如也)[511] ᄒ여, 감
히 존후를 뭇ᄌᆸ지 못ᄒ니 틱부인이 집슈 경
계 왈,

"니 아히 스림의 튱슈(充數)ᄒ고 빅옥의
츙반(充班)ᄒᄆᆡ 부모긔 효ᄒᄆᆡ 하ᄌᆞ홀 것
시 업거늘,【25】흔ᄎᆺ 호긔를 장츅ᄒ여 아
비게 득죄ᄒ니, 엄부의 쳐시 응당ᄒ지라. 노
혼흔 한미 신혼모졍(晨昏慕情)[512]의 안젼의
삼삼ᄒ니, 이졍을 잘 금ᄒ리오. 너의 익회
괴이ᄒ여 쳐실 ᄌ녀를 실산ᄒ고, 슈삭을 부
모를 니측ᄒ여, 형뫼(形貌) 소삭(消索)ᄒ여
틱병을 일원 모양 ᄀᆞᆺᄐᆞ니, 노뫼 ᄆᆞ음이 것
거질[513] 둣 시부도다."

셜파의 함누 쳑연ᄒ니, 병뷔 ᄉ사(事事)의
불효를 슬허ᄒᆞᆷ믈 마지 아니ᄒ여, 민망ᄒ여
손을 밧드러 관겨치 아니흔 줄을 고ᄒ고,
샹하 졍의 무궁ᄒ나, 부공은 일언을 아니니
황공ᄒᄆᆡ 비한(背汗)니 쳠의(沾衣)ᄒ니, ᄉ
식(辭色)의 낫타나ᄂᆞᆫ지라. 공이 그 ᄉ졍(私
情)을 보고 아는 바의, 이 아들 경계ᄒᄆᆡ
넛부지[514] 아니홀 줄은 알오ᄃᆡ, ᄉ식을 온
유ᄒ여 ᄎᄎ 셰홍 ᄀᆞᆺᄐᆞᆫ 아들을 계칙이 가ᄎ
(假借)흔죽[515], 그 ᄌᆞ손으로 텬흥 ᄀᆞᆺᄐᆞᆫ 죽
난이 무슈홀가, 댱ᄌ(長子)를 졔어(制御)ᄒ
ᄆᆡ라.

야심【26】토록 틱부인이 병부의 손을
잡아 침슈(寢睡)를 이ᄌ시니, 공이 친히 침
구을 바로ᄒ여 취침ᄒ시믈 보고, 졔ᄌ를 거
ᄂᆞ려 청듁헌으로 퇴홀ᄉ, 병뷔 녜부 등으로
더부러 야야의 팀구(寢具)를 포셜ᄒ니, 공이
상요의 나아가ᄆᆡ 병뷔 상하의 국궁 시좌ᄒ
여시니, 긔운이 허약ᄒ여 허한이 낫ᄎ 흐르

---

518)식블여야(息不如也) : 숨을 쉬지 않는 듯함.
519)호흡여야(呼吸如也) : 숨을 쉬는 듯함.
520)신혼모졍(晨昏慕情) : 신셩(晨省) 혼졍(昏定) 때마다 그리워하는 정.
521)것거지다 : 꺾어지다. 끊어지다.
522)넛브다 : 힘들다. 피곤하다.
523)가ᄎ(假借)ᄒ다 : 편하고 너그럽게 대하다. 관용을 베풀다. 사정을 봐주다.

510)식블여야(息不如也) : 숨을 쉬지 않는 듯함.
511)호흡여야(呼吸如也) : 숨을 쉬는 듯함.
512)신혼모졍(晨昏慕情) : 신셩(晨省) 혼졍(昏定) 때마다 그리워하는 정.
513)것거지다 : 꺾어지다. 끊어지다.
514)넛브다 : 힘들다. 피곤하다.
515)가ᄎ(假借)ᄒ다 : 편하고 너그럽게 대하다. 관용을 베풀다. 사정을 봐주다.

한이 낫치 흐르고 옷시 스못츠니, 공이 으
즉 등을 다 믈너가 쉬라 ᄒᆞ미, 녜뷔 졔뎨
등을 듸ᄒᆞ여 왈,

"금일은 나와 필흥이 슉딕 츠례니 졔뎨
등은 믈너가라."

ᄒᆞ고, 상하의 【40】 헐슉(歇宿)ᄒᆞᆯ시, 병뷔
부공이 말슘을 아니시미 엄의를 탁냥(度量)
치 못ᄒᆞ고, 튝연(踧然)ᄒᆞ여524) 댱침(長枕)
ᄒᆞᆫ 모525)흘 취ᄒᆞ나, 만심이 구숑(懼悚)ᄒᆞ여
팀상(針上)의 안즌 듯, 죵야(終夜) 슈미(睡
寐)ᄒᆞ믈 엇디 못ᄒᆞ여 젼젼(戰戰)ᄒᆞ니526), 공
이 근심ᄒᆞ여 겻티 누으믈 명ᄒᆞ니, 대개 졔
ᄌᆞ 가온듸 위인이 걸츌홈과 죵댱(宗長)의
듕탁(重託)을 가져시니, 가히 만금(萬金) 소
탁디ᄌᆞ(所託之子)라.

명효(明曉)의 신셩 후 녜부와 혹시 됴참
ᄒᆞ고, 졔이 독셔당의 강학ᄒᆞ니, 셔헌이 뎍연
(寂然)ᄒᆞ고, 공이 좌우를 도라 보니 병뷔 관
을 뎡히 ᄒᆞ고 의듸(衣帶)를 슈렴ᄒᆞ여 공슈
(空手) 시좌(侍坐)ᄒᆞ여시니, 봉목이 나죽ᄒᆞ
고 거디 안뎡ᄒᆞ여, 【41】 젼일 부견의 작위
(作爲)ᄒᆞ나 발월(發越)ᄒᆞ미[믈] 장튝(藏縮)
디 못ᄒᆞ던 빅, 홀연 긔운이 온용온듕(溫容
穩重)ᄒᆞ여 유유도ᄌᆞ(唯有道者)527)의 틀을
일워, 듕산(重山)의 무거옴과 하ᄒᆡ(河海)의
깁흐믈 겸ᄒᆞ니, 동동쵹쵹(洞洞屬屬)528)ᄒᆞᆫ
효심은 증삼(曾參)529)을 계뎍(繼蹟)ᄒᆞ여시
니, 가히 이 ᄋᆞ둘을 므어시라 하ᄌᆞᄒᆞ며 견
집(堅執)ᄒᆞ여 칙ᄒᆞ리오. 공이 미위 화안(和
安)ᄒᆞ여 집슈 왈,

"네 삼삭 유졍의셔 아비를 그려시면, 노
부디심(老父之心)이 역ᄌᆞ부졍(亦玆父情)530)

고 옷시 스못츠니, 공이 아즉 등을 다 믈너
가 쉬라 ᄒᆞ미, 녜뷔 졔뎨 등을 듸ᄒᆞ여 왈,

"금일은 나와 필흥이 슉직 츠례니 졔뎨
등은 믈너가라."

ᄒᆞ고, 상하의 헐슉(歇宿)ᄒᆞᆯ시, 병뷔 부친
의[이] 말슘을 아니시미 엄의를 탁냥(度量)
치 못ᄒᆞ고, 츅연(踧然)ᄒᆞ여516) 쟝침(長枕)
ᄒᆞᆫ 모517)흘 취ᄒᆞ나, 만심이 구숑(懼悚)ᄒᆞ여
팀상(針上)의 안즌 듯, 죵야(終夜) 슈미(睡
寐)ᄒᆞ믈 엇지 못ᄒᆞ여 ○○[젼젼(戰戰)]ᄒᆞ
니518), 공이 근심ᄒᆞ여 겻히 누으믈 명ᄒᆞ니,
디기 졔ᄌᆞ 가온듸 위인니 걸츌홈과 죵댱(宗
長)의 즁○[탁](重託)을 가져시니, 가히 만
금소탁 【27】 지ᄌᆞ(萬金所託之子)라.

명일 효신(曉晨)의 신셩후 녜뷔와 학시
됴참ᄒᆞ고, 졔이 독셔당의 강학ᄒᆞ니, 셔헌이
쳑연(慽然)ᄒᆞ고, 공이 좌우를 도라 보니 병
뷔 관을 졍히 ᄒᆞ고 의듸를 슈렴ᄒᆞ여 공슈
(拱手) 시좌(侍坐)ᄒᆞ엿시니, 봉목이 나죽ᄒᆞ
고 거지 안졍ᄒᆞ여, 젼일 부견의 작위(作爲)
ᄒᆞ나 발월(發越)ᄒᆞ미[믈] 장츅(藏縮)지 못ᄒᆞ
던 빅, 홀연 긔운니 온용(溫容) 온듕(穩重)
ᄒᆞ여 유유 도ᄌᆞ(唯有道者)519)의 틀을 일위,
쥼산(重山)의 무거옴과 하ᄒᆡ(河海)의 깁흐믈
겸ᄒᆞ니, 쵹쵹(屬屬)520)ᄒᆞᆫ 효심은 증삼(曾
參)521)을 계뎍(繼蹟)ᄒᆞ여시니, 가히 이 아ᄌᆞ
을 무어시라 하ᄌᆞᄒᆞ며 견집(堅執)히 칙ᄒᆞ리
오 공이 미위 화안(和安)ᄒᆞ여 집슈 왈,

"네 삼삭을 유졍의셔 아비를 그려시면,
노부지심(老父之心)이   역ᄌᆞ부졍(亦玆父

---

524)튝연(踧然)ᄒᆞ다 : 삼가고 조심하다.
525)모 : 물건의 거죽으로 쑥 나온 귀퉁이
526)젼젼(戰戰)ᄒᆞ다 : 몹시 두려워서 벌벌 떨다
527)유유도ᄌᆞ(唯有道者) : 천도(天道) 곧 '하늘의 도'
　　를 갖춘 사람.
528)동동쵹쵹(洞洞屬屬) : 공경하고 삼가며 매우 조
　　심함.
529)증삼(曾參) : 중국 노나라의 유학자. 공자의 덕행
　　과 사상을 조술(祖述)하여 공자의 손자인 자사(子
　　思)에게 전하였다. 후세 사람이 높여 증자(曾子)라
　　고 일컬었으며, 저서에 ≪효경≫ 이 있다.

516)츅연(踧然)ᄒᆞ다 : 삼가고 조심하다.
517)모 : 물건의 거죽으로 쑥 나온 귀퉁이
518)젼젼(戰戰)ᄒᆞ다 : 몹시 두려워서 벌벌 떨다
519)유유도ᄌᆞ(唯有道者) : 천도(天道) 곧 '하늘의 도'
　　를 갖춘 사람.
520)쵹쵹(屬屬) : 동동쵹쵹(洞洞屬屬)의 줄임말. 공경
　　하고 삼가며 매우 조심함.
521)증삼(曾參) : 중국 노나라의 유학자. 공자의 덕행
　　과 사상을 조술(祖述)하여 공자의 손자인 자사(子
　　思)에게 전하였다. 후세 사람이 높여 증자(曾子)라
　　고 일컬었으며, 저서에 ≪효경≫ 이 있다.

이니, 부즈는 텬셩(天性)이라. 그 귀듕호고 무거오미 만믈의 비홀 거시 업거늘, 왕스(往事)는 한심호나, 허믈을 슬피고 죄를 뉘웃쳐 힝실을 닷그면, 내 쏘호 감동호미 업스랴."

인호여【42】믹을 본즉, 크게 허약호여 근위 가비압디 아닌디라. ᄀ장 경녀호여 왈, "내 너를 닉치미 병 들나 호미 아니오, 개과 슈힝코져 호미어늘, 엇디 이딕도록 병을 일위뇨? 네 쏘 의리(醫理) 망미(茫昧)치 아니호거늘, 티약티병(治藥治病)531)치 아니믄 엇디오?"

병뷔 야야의 이 ᄀᆺ즈오신 즈의는 싱셰디 후 처음이라. 비로소 쾌히 샤호시믈 어드니 환열호미 황감(惶感) 협골(浹骨)532)호이니, 인졍이 즐거온 바의 슬프미 씌치는디라. 유졍의셔 황황초조(惶惶焦燥)호고[며] 스모(思慕) 야졍(爺情)533)호던 비 상냥(商量)컨디, 비회(悲懷) 녈녈(咽咽)호디라. 불승이경(不勝以敬)534)호니[여] 슬젼(膝前)의 ᄭ러 스죄를 일ᄏᆺ고【43】병의 티료를 고호여, 슈히 초도 이실 줄을 쥬홀ᄉᆡ, 공이 다시 경계 왈,

"군신디의하딕무디(君臣之義何代無之)리오535)마는, 황샹의 너를 툥우(寵遇)호시믄 도로혀 인신의 슈블힝회(雖不幸希)536)홀 비라[나], 삼삭(三朔) 블츌(不出)의 유병홀가 념녀호샤믄 노부(老父)의셔 더으시고, 미셰(微細)혼 일의도 다 슬피샤 툥이(寵愛)호샤미 빅뇨(百寮)의 바랄 비 아니라. 은권(恩眷)이 늉듕호시니 분골쇄신(粉骨碎身)호나

___

530)역주부졍(亦玆父情) : '또한 이 부모의 졍이 있다'는 말.
531)티약티병(治藥治病) : 약을 조제하여 병을 치료함.
532)협골(浹骨) : 뼈에 사무침.
533)야졍(爺情) : 아버지의 졍.
534)불승이경(不勝以敬) ; 공경하는 마음을 억제하지 못함.
535)군신디의하딕무디(君臣之義何代無之)리오 : 군신 사이의 의(義)가 어느 시대엔들 없을 것이랴.
536)슈블힝회(雖不幸希) : '비록 즐겨 바랄 것은 아니지만'의 뜻

情)522)이니, 부즈는 쳔셩(天性)이라. 그 귀즁호고 무거우미 만믈의 비홀 거시 업거늘, 왕스(往事)는 한심호나 허믈을 슬피고 죄를 뉘웃쳐 힝스를 닷그면, 내 쏘호 감동호미 업스랴."

인호【28】여 믹을 본즉, 크게 허약호여 근위 가비얍지 아닌지라. 가장 경녀호여 왈, "닉 너를 닉치미 병 들나 호미 아니요, 기과 슈힝코져 호미어늘, 엇지 이딕도록 병을 일위뇨? 네 쏘 의리(醫理) 망미(茫昧)치 아니호거늘, 치약치병(治藥治病)523)치 아니믄 엇지오?"

병뷔 야야의 이 ᄀᆺ탄 즈의는 싱셰 쳐음이라. 비로소 쾌히 샤호시믈 어드니 환열호여 황감(惶感) 협골(浹骨)524)호이니, 인졍이 즐거온 바 슬푸미 씌치는지라. 유졍의셔 황황초조(惶惶焦燥)호고[며] 스모(思慕) 야졍(爺情)525)호던 비 상냥(商量)○○[컨디] 비회(悲懷)로 열열(咽咽)호지라. 불승이경(不勝以敬)526)호니[여] 슬젼(膝前)의 ᄭ러 스죄를 일ᄏᆺ고 병의 치료를 닐너, 슈이 초도 이슬 줄을 고홀ᄉᆡ, 공이 다시 경계 왈,

"군신지의하딕무지(君臣之義何代無之)527)리오마는, 황샹의 너를 총우(寵遇)호시믄 도로혀 인신의 슈블힝○[희](雖不幸希)528)홀 비라[나], 삼삭 블츌의 유병홀가 염녀호샤믄 노부의셔 더으시고, 미쇄(微瑣)혼 일의도【29】다 슬피스미 통이호샤미 빅뇨(百寮)의 바랄 비 아니라. 은권(恩眷)이 융듕호시니 분골쇄신(粉骨碎身)호나 다 갑습지 못호

___

522)역주부졍(亦玆父情) : '또한 이 부모의 졍이 있다'는 말.
523)치약치병(治藥治病) : 약을 조제하여 병을 치료함.
524)협골(浹骨) : 뼈에 사무침.
525)야졍(爺情) : 아버지의 졍.
526)불승이경(不勝以敬) ; 공경하는 마음을 억제하지 못함.
527)군신디의하딕무디(君臣之義何代無之)리오 : 군신 사이의 의(義)가 어느 시대엔들 없을 것이랴.
528)슈블힝회(雖不幸希) : '비록 즐겨 바랄 것은 아니지만'의 뜻

다 갑습디 못호올디라. 호믈며 님군의 주시
는 바는 견마(犬馬)라도 스랑호며 가비야이
넉이디 못호느니, 호믈며 만승텬즈(萬乘天
子)의 싱(生)호신 바 공쥬랴. 아딕 드러난
허믈이 업고 원호고 구호미 아【44】니나,
너의 하위의 비굴(卑屈)호여 일싱이 즐겁디
못 홀 비니, 비록 만악이 구비호고 칠거(七
去)의 죄괘(罪過)537) 가득홀디라도, 네 가히
박디치 못호고, 합개(闔家) 념오(厭惡)치 못
홀디라. 추후 공쥬를 녜우(禮遇)호여 군샹의
구구(區區)호오신 념녀를 덜고, 아븨 경계를
져바리디 말며, 국스의 몸을 바려 나라흘
갑습고, 님군 알믈 아비ᄀᆞᆺ치 호면, 거의 블
튱을 면호리니, 셩샹이 너의 긔승(氣勝)538)
이 병이라 호시니, 이졔는 범스를 근신(謹
愼) 겸퇴(謙退)호여 쇼심익익(小心翼翼)539)
호라.”

병뷔 ᄇᆡ이슈명(拜而受命) 왈,

“블최 무상호오나 삼가 엄훈을 간폐(肝
肺)의 삭이리이다.”

인호여 퇴셔,【45】누월(累月) 니측호 회
포디졍(懷抱之情)을 펴디 못호나, 부즈디졍
이 즈별호더라.

초일 딘후 등 삼곤계와 뎡국공이 병부의
와시므로 니르러 볼식, 긔이호 거동과 풍광
을 스모호여 집슈 년이호미, 병뷔 원슈의
닙공반샤(立功班師)540)호는 바를 칭하호니,
하공이 쏘호 화답호며, 딘태샹이 금후를 향
호여 쇼왈,

“형이 텬ᄋᆞ를 졀의(絶義)타 호더니, 금ᄎᆞ
(今此)는 엇디 하형 등 졔좌(諸座)로 졍의
(情誼) 이이(怡怡)호니541), 금일이 하일(何

---

537)칠거(七去)의 죄괘(罪過) : 칠거지악(七去之惡).
　　예젼에, 아내를 내쫓을 수 있는 이유가 되었던 일
　　곱 가지 허물. 시부모에게 불손함, 자식이 없음,
　　행실이 음탕함, 투기함, 몹쓸 병을 지님, 말이 지
　　나치게 많음, 도둑질을 함 따위이다.
538)긔승(氣勝) : 성미가 억척스럽고 굳세어 좀처럼
　　굽히지 않음. 또는 그 성미.
539)쇼심익익(小心翼翼) : 조심하고 겸손함.
540)닙공반샤(立功班師) : 전장에 나가 승리하여 공
　　을 세우고 군사를 이끌고 돌아옴.
541)이이(怡怡)호다 : 이연(怡然)하다. 기쁘고 좋다.

올지라. 호믈며 님군의 주시는 바는 견마
(犬馬)라도 스랑호며, 가비야이 넉이지 못호
느니, 호믈며 만승텬즈(萬乘天子)의 싱(生)
아[호]○○[신 바] 공쥬○[랴]! 아직 드러
난 허믈이 업고, 원호고 구호미 아니나, 너
의 하위의 《빈굴∥비굴(卑屈)》호여 일싱
이 즐겁지 못 홀 비니, 비록 만악이 구비호
고 칠거(七去)의 죄(罪)529) 가득홀지라도,
네 가히 박디치 못호고, 합기(闔家) 염오(厭
惡)치 못 홀지라. 추후 공쥬를 예우(禮遇)호
여 군샹의 구구(區區)호신 《예우∥념녀》
를 덜고, 아비 경계를 져바리지 말며, 국ᄉᆞ
의 몸을 바려 나라흘 갑고, 임군 알믈 아비
ᄀᆞᆺ치 호면 거의 블츙을 면호리니, 셩샹이
너의 긔승(氣勝)530)이 병이라 호시니, 이졔
는 범ᄉᆞ를 근신(謹愼) 겸퇴(謙退)호여 쇼심
익익(小心翼翼)531)호라.”

병뷔 슈명(受命) 왈,

“블최 무상호오나 삼가 엄훈을 간폐(肝
肺)의 삭이리이다.”

인호여【30】퇴셔 누월(累月) 회포지졍
(懷抱之情)을 펴지 못호나, 부즈지졍이 즈별
호더라.

초일 진후 등 삼곤계와 뎡국공이 병부의
와시므로, 이르러 볼식, 긔이호 거동과 풍광
을 스모호여 집슈 년이호미, 병뷔 원슈의
입공 반샤(立功班師)532)호는 바를 칭하호
니, 하공이 쏘호 화답호며, 진틱상이 ○○○
○○[금후를 향호여] 쇼왈,

“형이 텬아을 졀의(絶義)타 호더니, 금즈
(今者)는 엇지 하형 등 졔좌(諸座)로 졍의
(情誼) 이이(怡怡)호니533), 금일이 하일(何

---

529)칠거(七去)의 죄(罪) : 칠거지악(七去之惡). 예젼
　　에, 아내를 내쫓을 수 있는 이유가 되었던 일곱
　　가지 허물. 시부모에게 불손함, 자식이 없음, 행실
　　이 음탕함, 투기함, 몹쓸 병을 지님, 말이 지나치
　　게 많음, 도둑질을 함 따위이다.
530)긔승(氣勝) : 성미가 억척스럽고 굳세어 좀처럼
　　굽히지 않음. 또는 그 성미.
531)쇼심익익(小心翼翼) : 조심하고 겸손함.
532)닙공반샤(立功班師) : 전장에 나가 승리하여 공
　　을 세우고 군사를 이끌고 돌아옴.
533)이이(怡怡)호다 : 이연(怡然)하다. 기쁘고 좋다.

日)이완틱 삼삭 망극던 유정 덕막(寂寞)이 일장춘몽(一場春夢)이 되도다?"

딕각뇌 광슈(廣袖) 스이로 쇼슈(小手)를 닉여 병부를 딕딕 왈,

"긔운이 허【46】약ㅎ나 댱즈와 영웅의 긔운이니 관겨튼 아니딕, 엇디 병들디 아니리오."

ㅎ니, 하공이 뎡공을 보아 왈,

"챵빅의 병이 그리 깁흘딘딕 슈삭을 고렴(顧念)치 아니뇨?"

공이 쇼왈,

"형 등이나 쇼뎨나 다르리오. 비로소 작셕(昨夕)의야 아랏노라."

낙양휘 쇼왈,

"고슈(瞽瞍)542) ㄹㄷ튼 아비 효즈디병(孝子之病)을 놀날 빈 아니라. 내 실노 윤보의 ㅁ음을 모로느니, 평일 도덕을 힘쓰더니 딜ㅇ의게 밋쳐는 인졍이 이리 박졀ㅎ여, 위딜의 니르딕 놀나디 아니터니, 작셕은 엇디 샤ㅎ뇨?"

공이 함쇼왈,

"형 등이 훈즈(訓子)홀 줄을 모로고 날【47】을 고슈(瞽瞍)로 쑤지즈니, 내 족가(足枷)ㅎ리오543)."

낙양휘 대쇼왈,

"훈즈의 너모 강위(强爲)ㅎ므로 즈뎨 가듕을 써나미 블고이췌ㅎ고 챵녀를 ○○[시러] 오도다."

금휘 쇼왈,

"요슌디즈(堯舜之子)도 즈못 블초ㅎ니, 텬흥이 여츠고(如此故)로 삼삭을 닉쳐 개과 슈힝을 가르치미라."

태상이 쇼왈,

"훈즈의 너모 엄졍흔 연괴라."

ㅎ고, 이러툿 희쇼(喜笑) 달난(團欒)544)ㅎ

---

542)고슈(瞽瞍) : 중국 순(舜)임금의 아버지. 어리석고 사리에 어두웠기 때문에 붙여진 이름이라 함.
543)족가(足枷)ㅎ다 : 족가(足枷)하다. 도망치지 못하도록 발에 족가(足枷; 차꼬)나 족쇄(足鎖; 쇠사슬) 따위를 채우다. 아랑곳하다. 참견하다. 다그치다. 탓하다. 따지다.
544)달난(團欒) : 단란(團欒). 여럿이 모여 화목한 가

日)이완틱 삼삭 망극던 유정 젹막(寂寞)이 일장춘몽(一場春夢)이 되도다?"

진각뇌 광슈(廣袖) 스이로 ○○○○○[쇼슈(小手)를 닉여] 병부를 진딕 왈,

"긔운이 허약ㅎ나 장즈와 영웅의 긔운이니 관겨튼 아니딕, 엇지 병들지 아니리오."

ㅎ니, 하공이 뎡공을 보아 왈,

"챵빅의 병이 그리 깁흘진딕 슈삭을 고렴(顧念)치 아니뇨?"

공이 쇼왈,

"형 등이나 쇼뎨나 다르리오. 비로소 작셕(昨夕)의야 아랏노라."

낙양휘 쇼왈,

"고슈(瞽瞍))534) ㄹㄷ튼 아비 효즈지병(孝子之病)을 놀날 빈 아니라.【31】내 실노 윤보의 ㅁ음을 모로느니, 평일 도덕을 힘쓰더니 질아의 미쳐는 인졍이 이리 박졀ㅎ여, 위질의 이르딕 놀나지 아니터니, 작셕은 ○○[엇디] 샤ㅎ뇨?"

공이 함쇼왈,

"형 등이 《교훈∥훈즈(訓子)홀 줄》을 모로고 날을 고슈(瞽瞍)로 쑤지즈니, 내 족가(足枷)ㅎ리오535)."

낙양휘 대쇼 왈,

"훈즈의 너모 《알기로∥강위(强爲)ㅎ기로》 즈뎨 가듕을 써나 블고이췌(不告而娶)ㅎ고 챵녀를 시러 오도다."

공이 쇼왈,

"요슌지즈(堯舜之子)도 블초ㅎ니 텬흥이 여츠 고로 삼삭을 닉쳐 기과 슈힝을 가르치미라."

틱상이 쇼왈,

"훈즈의 너모 엄졍흔 연괴라."

ㅎ고, 이러툿 희소(喜笑) 달난(團欒)536)ㅎ

---

534)고슈(瞽瞍) : 중국 순(舜)임금의 아버지. 어리석고 사리에 어두웠기 때문에 붙여진 이름이라 함.
535)족가(足枷)ㅎ다 : 족가(足枷)하다. 도망치지 못하도록 발에 족가(足枷; 차꼬)나 족쇄(足鎖; 쇠사슬) 따위를 채우다. 아랑곳하다. 참견하다. 다그치다. 탓하다. 따지다.
536)달난(團欒) : 단란(團欒). 여럿이 모여 화목한 가

딕, 병뷔 웃는 빗치 업고, 신광이 찬난ᄒᆞ여 영치(靈彩) 좌우의 쏘이니, 승안화긔(承顔和氣)545) 영웅호걸이 밧괴여 도혹군ᄌᆞ디풍(道學君子之風)이 가족ᄒᆞ디라. 부공이 만심 환익(歡愛)546)ᄒᆞ고 딘·하 ᄉᆞ공(四公)이 만구 칭하의 죵일 음쥬 달난ᄒᆞ고 훗터디다.

초일 공【48】쥐 부마의 오믈 듯고 슈삭 ᄉᆞ모디졍(思慕之情)을 니긔디 못ᄒᆞ여, 상부의 니ᄅᆞ러 부마를 기다리딕, 문안의 오미 업ᄉᆞ니 심니(心裏)의 홀연ᄒᆞ여 도라왓더니, 능히 춤디 못ᄒᆞ여 혼뎡의 니르니, 바야흐로 금휘 졔ᄌᆞ를 거ᄂᆞ려 니르니, 공쥐 너러 마자 부마를 바라보는 눈이 황홀ᄒᆞ여 어린 듯ᄒᆞ고, 병부는 눈을 낫초와시니 이런 줄 모로고 안항의 머리 디어547) 안고져 ᄒᆞ거늘, 태부인 왈,

"공쥐 계시니 셔로 보는 녜를 폐치 말나."

남휘 왕모 말ᄉᆞᆷ으로 좃ᄎᆞ, 눈을 드러 공쥬의 셧는 곳을 슬피고 팔흘 드러 녜ᄒᆞ니, 공쥐 부【49】마의 풍완 윤틱던 긔딜이 슈패(瘦敗)ᄒᆞ여, 일월의 화긔 것치여 묽으믄 젼일노 승(勝)ᄒᆞ디라. 년망 답비의 유졍(有情)ᄒᆞ딕, 부마는 모로는 듯, 다시 공쥬를 슬피미 업고, 부형의 경계로 영졀(永絶)튼 아니려 ᄒᆞ나, 경시 찻기 젼은 공쥬긔 식음《을∥과》 의건(衣巾)548)을 젼치 아니랴 ᄒᆞᄂᆞᆫ디라. 듕심의 공쥬 믜오미 원슈 ᄀᆞᆺ튼여 통완ᄒᆞ미, ᄌᆞ긔 쳔금 ᄀᆞᆺ튼 ᄌᆞ녀를 실산ᄒᆞ고, 혹ᄌᆞ 현긔 등이 죽어실딘딕 공쥬긔 보슈(報讐)코져 ᄒᆞ니, 어이 몽듕의나 공쥬를 싱각ᄒᆞ리오.

공쥬는 그 마음을 모로고 용광(容光)을 ᄉᆞ모ᄒᆞ여, 싀로이 빅년을 늣거이549) 아ᄂᆞᆫ디

딕 병뷔 조곰도 웃지 아니ᄒᆞ고, 《징광∥신광(身光)》이 찰난ᄒᆞ여 영치(靈彩) 좌우의 쓰이니, 승안화긔(承顔和氣)537) 영웅호걸이 밧괴여 도학군ᄌᆞ지풍(道學君子之風)이 ○○○○[가족ᄒᆞ지]라. 부공이 만심 환회ᄒᆞ고, 하·진 ᄉᆞ공이 만구 칭하의 죵일 음쥬 달난ᄒᆞ고 훗터지더라.

초일 문양공쥬 부마의 오믈 듯고 슈삭 ᄉᆞ모지졍(思慕之情)【32】을 이긔지 못ᄒᆞ여 상부의 이르러 부마를 기다리딕, 문안의 오미 업ᄉᆞ니, 심이(心裏)의 ○…결락17자…○[홀연ᄒᆞ여 도라왓더니, 능히 춤디 못ᄒᆞ여 혼]졍의 이르니, 바야흐로 금휘 졔ᄌᆞ를 거ᄂᆞ려 이르니, 공쥐 이러 맛고 부마를 바라보되. 병부는 눈을 낫초와시니 이런 줄 모로고, 안항의 머리 지어538) 안고져 ᄒᆞ거늘, 틱부인 왈,

"공쥐 계시니 셔로 보는 녜를 폐치 말나."

남휘 조모 말ᄉᆞᆷ으로 조ᄎᆞ 눈을 드러 공쥬의 셧는 곳을 슬피고 팔을 드러 녜ᄒᆞ니, 공쥬 부마의 풍완 윤틱던 긔질이 슈픽(瘦敗)ᄒᆞ여, 일월의 《호긔∥화긔(和氣)》 것치여 묽으믄 젼일노 승(勝)ᄒᆞ지라. 년망(連忙) 답비의 유졍(有情)ᄒᆞ딕, 부마는 모로는 듯 다시 공쥬를 슬피미 업고, 부형의 경계로 ○[영]졀(永絶)은 아니려 ᄒᆞ나, 경시 찻기 젼은 공쥬긔 식음○○○[과 의건(衣巾)539)]을 젼치 아니랴 ᄒᆞᄂᆞᆫ디라. 듕심의 공쥬 믜오미 원슈 ᄀᆞᆺ튼여 통완ᄒᆞ미, ᄌᆞ긔 쳔금 ᄀᆞᆺ튼 ᄌᆞ녀를 실산ᄒᆞ고,【33】 혹ᄌᆞ 현긔 등이 죽어실진딕 공쥬긔 보슈(報讐)코져 ᄒᆞ니, 어이 몽즁의나 공쥬를 싱각ᄒᆞ리오.

공쥬는 그 마음을 모로고 용광(容光)을 ᄉᆞ모ᄒᆞ여, 싀로이 빅년을 늣거이540) 아ᄂᆞᆫ지

라. 넘치를 싱각디【50】아냐, 녜부 등이 갓가이 안즈시디, 분분이 눈을 써 부마를 보아 음일(淫佚)흔 거동이 측냥 업스니, 좌상 졔인이 공쥬의 거동을 보고 히연(駭然) 믁믁ㅎ고, 금후도 공쥬로 화답ㅎ믈 괴로과[와], ᄋ즈로뻐 공쥬를 후딕ㅎ라 니ᄅ다가도, 공쥬의 거동을 보면 히연ㅎ여 그윽이 탄ㅎ여, 윤·양 ᄀᆞᆺ튼 현부를 보젼치 못ㅎ믈 그윽이 슬허 ㅎ더라.

혼뎡(昏定)550) 후 금평휘 병부다려 왈,

"금야는 독셔당의 몸을 쉬여 듁헌의 시침(侍寢)ㅎ라."

남휘 비샤 슈명ㅎ고 《모침‖모친》팀뎐의 나아가니, 딘부인이 촉하의셔 녜긔를 보다가, 남후를 보고 탄식 왈,

"너의【51】 방일ㅎ미 힝실의 유히ㅎ니 눌을 탓ㅎ리오. 추후나 개과셥신(改過攝身)ㅎ라."

병뷔 비이샤죄(拜而謝罪) 왈,

"블초이 죄 ᄌ교(慈教)를 봉승치 못ㅎ고 허다 블효를 증(贈)ㅎ오니, 쇼ᄌ의 죄 만ᄉ유경(萬死猶輕)이라. 졀졀이 뉘웃고 슬허ㅎ읍다가, 친젼의 계오 용납ㅎ오니, ᄌ졍은 쇼ᄌ의 슈패(瘦敗)ㅎ믈 거리끼디 마르쇼셔."

부인이 츄연 왈,

"너의 호방 남ᄉ로 이졔 ㅎ나토 너의 쳐실 소임ㅎ리 업고 화란만 상싱(相生)ㅎ니, 아덕 경시는 다려 오디 못ㅎ엿거니와, 실노 보젼홀 줄 모로니, 나의 넘녜 촉쳐(觸處)의 번다ㅎ고, 윤·양과 현긔 등 ᄉ싱(死生) 거쳐(去處)를 모로고, 영쥬의 젼졍이 아모리【52】 될 줄 모로니, 그 몸이 농담(龍潭) 호혈(虎穴)의 든 동 알니오."

남휘 만안 쇼식(笑色)으로 관위 왈,

"만ᄉ | 텬슈오, 니합(離合)이 써 잇ᄉ오니,

─────────────

549)늣겁다 : 느껍다. 어떤 느낌이 마음에 북받쳐 벅차다.
550)혼뎡(昏定) : 잠자리에 들 때에 부모의 침소에 가서 잠자리를 살피고 밤 동안 안녕하기를 여쭘.

라. 넘치를 싱각지 아냐 녜부 등이 갓가이 안즈시디, 분분이 눈을 써 남후를 보아 음일(淫佚)흔 거동이 측냥 업스니, 좌샹 졔인이 공쥬의 거동을 보고 히연(駭然) 믁믁ㅎ고, 금후도 공쥬로 화답ㅎ믈 ○…결락14자…○[괴로와, ᄋ즈로뻐 공쥬를 후딕ㅎ라]이르다가도, 공쥬의 거동을 보면 히연ㅎ여 그윽이 탄ㅎ여, 윤·양 ᄀᆞᆺ튼 현부를 보젼치 못ㅎ믈 그윽이 슬허ㅎ더라.

혼경(昏定)541) 후 금평휘 병부더러 일너 왈,

"금야는 둑셔당의 몸을 쉬여 죽헌의 시침(侍寢)ㅎ라."

남휘 비샤 슈명ㅎ고 모친 침젼의 나아가니, 진부인이 촉하의셔 예긔를 보다가, 남후를 보고 탄식 왈,

"너의 방일ㅎ미 힝실의 유히ㅎ니 누【34】구를 탓ㅎ리오. 추후나 기과셥신(改過攝身)ㅎ라."

병뷔 비이샤죄(拜而謝罪) 왈,

"블초이 죄 ᄌ교(慈教)를 봉승치 못ㅎ읍고 허다 블효를 《당‖증(贈)》ㅎ오니 쇼ᄌ의 죄 만ᄉ유경(萬死猶輕)이라. 졀졀이 뉘웃고 슬허 ㅎ읍다가, 친젼의 겨오 용납ㅎ오시니, ᄌ졍은 쇼ᄌ의 슈픽(瘦敗)ㅎ오믈거리끼지 마르쇼셔."

부인이 츄연 왈,

"너의 호방 남ᄉ로 이졔 ㅎ나토 너의 쳐실 소임ㅎ리 업고 화란만 상싱ㅎ니, 아직 경시는 다려 오지 못ㅎ엿거니와 실노 보젼홀 줄 모로니, 나의 넘네 촉쳐(觸處)의 번다ㅎ고, 윤·양과 현긔 등 ᄉ싱거쳐(死生去處)을 모로고, 영쥬의 젼졍이 아모리 될 줄 모로니, 그 몸이 농담호구(龍潭虎口)의 든 동 알니오."

남휘 만안 쇼식(笑色)으로 관위 왈,

"만ᄉ | 쳔슈오 이합(離合)이 써 잇ᄉ오니, ᄌ졍은 쳔빅 시름을 다 슬와바리스, 타일

─────────────

차다.
541)혼뎡(昏定) : 잠자리에 들 때에 부모의 침소에 가서 잠자리를 살피고 밤 동안 안녕하기를 여쭘.

복망 조정은 쳔빅 시름○[을] 다 술와바리샤, 타일 윤·양과 쇼미 젼졍이 편호믈 기다리실 싸름이라. 쇼즈는 각각 샹모(相貌)의 완젼호믈 밋줍느니, 현○ 남미 독슈(毒手)의 히를 만나오나 힘힘히 죽디 아니리니, 쇼지 거의 의심된 사름을 짐작호오니, 즈연 간당이 망호고 ○히 슈복(收復)호리이다."

부인이 탄식 믁연이러라. 남휘 모친을 위로호고 셔당의 나와 졔졔로 더브러 즈리의 나아갈시, 혹시 왈,

"대인이 형댱을 믈너가 쉬라 호시믄, 【53】 믈약(物藥)551)의 당졔(當劑)를 뼈 병을 곳치과져 호시미어늘, 형댱은 바려두시느니잇고?"

남휘 올히 넉여, 단의(單衣) 침건(寢巾)552)으로 안즈, 약뉴를 가르쳐 스스로 십여 쳡 약을 달혀 먹게 호라 호고, 더브러 누어 형우뎨공(兄友弟恭)553) 호는 졍이 비길 듸 업더라.

이후 남휘 당약(當藥)554)을 먹고 심녀를 프러바리니, 의형(儀形)이 졈졈 나으미, 부모 존당이 다 깃거호고, 금후의 두굿김과 거개(擧家) 다 환희호미 측냥 업더라.

일일은 태부인이 병부를 블너 안히 드러가고, 공의 좌우의 졔지 업스니, 우어 왈,

"졔죡이 홀노 나의 교즈(敎子)를 칭션(稱善)호고, 오○의 아름다오믈 모로니 내 붉히 니 【54】 르리라. 셰샹 경박즈는 아븨 알플 써날스록 연음 희락호는 힝시 크거늘, 오○는 붓그리고 슬프믈 겸호여, 나의 닌치므로 죵일 근심호고 병을 일위며 호방호믈 씌드라, 경계(警戒)를 당호는 드시 호니, 엇디 호곳 교즈 잘 호기로 가리오."

졔긱이 올히 넉여 만구 칭션호더라. 금휘

윤·양과 누의 젼졍이 편【35】호믈 기다리실 《ᄉᆞ름∥싸름》이라. 쇼즈는 각각 샹모(相貌)의 완젼호믈 밋느니, 현아 남미 독슈(毒手)의 히를 만나나, 힘힘히 죽지 아니리니, 쇼지 거의 의심된 사름을 짐작호오니, 즈연 간당이 망호고 ○히 슈복(收復)호리이다."

부인니[이] 탄식호더라. 남휘 모친을 위로호고 셔당의 나와 졔졔로 즈리의 나아갈시, 학시 왈,

"듸인니[이] 《빅시∥형댱》을 믈너가 쉬라 호시믄, 약(藥)의 당졔(當劑)를 써 병을 곳치고져 호시미어늘, 형댱은 바려두시느니잇고?"

남휘 올히 넉여, 단의(單衣) 침건(寢巾)542)으로 안즈, 약뉴를 가라쳐 스스로 십여 쳡 약을 달혀 먹게 호라 호고, 더부러 누어 형우뎨공(兄友弟恭)543)호는 졍이 비길 듸 업더라.

이후 남휘 당약(當藥)544)을 먹고 심녀를 푸러바리니, 의형(儀形)이 졈졈 나으니, 부모 존당이 다 깃거 호고, 금후의 두긋긔홈과 거기(擧家) 다 환희【36】호미 측냥 업더라.

일일은 틱부인이 병부를 블너 안히 드러가고, 공의 좌우의 졔지 업스니, 우어 왈,

"졔죡이 홀노 나의 교즈(敎子)를 칭션(稱善)호고 오아의 아름다오믈 모로오니 내 붉히 이르리라. 셰샹 경박즈는 아비 압흘 써날스록 연음 희락호는 힝시 크거늘, 오아는 붓그리고 슬푸믈 겸호여, 나의 닌치므로 죵일 근심호고 병을 일위며, 호방호믈 씌드라, 경계(警戒)를 당호는 다시 호니, 엇지 호곳 교즈 잘호기로 가리오."

졔긱이 올히 넉여 만구 칭션호더라. 금휘 경공을 듸호여 틱일호여 신부를 보니라 호

---

551) 믈약(物藥) : 약물(藥物). 약의 재료가 되는 물질.
552) 침건(寢巾) : 잠잘 때 머리에 두르거나 쓰는 형겊 따위로 만든 두건.
553) 형우뎨공(兄友弟恭) : 형은 우애하고 동생은 공경함.
554) 당약(當藥) : 당졔(當劑). 어떤 병에 딱 들어맞는 약.

542) 침건(寢巾) : 잠잘 때 머리에 두르거나 쓰는 형겊 따위로 만든 두건.
543) 형우뎨공(兄友弟恭) : 형은 우애하고 동생은 공경함.
544) 당약(當藥) : 당졔(當劑). 어떤 병에 딱 들어맞는 약.

경공을 디흐여 신부를 틱일흐여 보니라 흐
니, 경공이 비록 훤훤555) 댱뷔나, 녀ᄋ 위
흔 정이 구구흐여, 공쥬의 작용을 두려 현
알디녜(見謁之禮)를 흔 후, 일삭은 집의 두
렷노라 흐니, 금휘 쇼왈,

"녀필죵부(女必從夫)오. '빅니(百里)의 블
분상(不奔喪)'556)이라. 형의 슬히 덕막흔들
【55】미양 쏠을 슬하의 두리오. 쇼뎨 며나
리 다려오며 두기는 내 임의로 흐리니, 형
의 ᄉ졍디로 못 흘디라. 브졀 업손 말 말
나."

경공이 ᄌ긔 ᄯᅳᆺ과 다르나, 녀필죵부로 당
연흐니 므어시라 흐리오. 다만 쇼왈,

"형은 슬히 번셩흐니 나의 ᄉ졍을 모로민
가. ᄯᅩ흔 산계비질(山鷄卑質)557)노뼈 감히
만승교ᄋ(萬乘嬌兒)로 동녈(同列)의 두며,
미약흔 긔질노 챵빅의 비위(配位) 되디 못
흐리니, 일개(一個)로558) 녜(禮)를 셰오리
오. 다만 빈알지녜(拜謁之禮)를 힝흔 후, 나
의 슬하의 바려 두어 셔로 위회(慰懷)흐기
를 바라노라."

금휘 경공의 말을 알것마는 다만 굴오디,

"만시 관슈(關數)559)흐니 당치 아닌【5
6】근심을 미리 말고, 녕녀(令女)를 슈히
보니라."

경공이 다시 말이 업셔 빈쥬 다른 말 흐
다가 흣터디다.

샹이 병부의 찰임(察任)을 지촉흐시니, 병
뷔 군은을 감격흐여, 누월 밀닌 공ᄉ 만코
부친이 지촉흐시는 고로, 이에 됴참흐고 관
ᄉ(官事)를 쳐결흐민, 샹이 깃그샤 굿틔여
금평후의게 닉치엿던 말을 아른 체 아니시
니, 병뷔 황공 감은흐여 나와, 날이 맛도록
관부 공ᄉ를 쳐결흘시, 상벌이 분명흐고 덕

니, 경공이 비록 훤훤545) 댱뷔나, 여아 위
흔 정이 구구흐여, 공쥬의 작용을 두려 현
알지예(見謁之禮) 후, 일삭은 집의 두렷노라
흐니, 금휘 쇼왈,

"녀필죵부(女必從夫)요. '빅니(百里)의 블
분상(不奔喪)'546)이라. 형의 슬하【37】 젹
막흔들 미양 쏠을 슬하의 두리오. 쇼뎨 며
누리 다려오며 두기는 내 임의로 흐리니,
형의 ᄉ졍디로 못 흘디라. 브졀 업손 말
말나."

경공이 ᄌ긔 ᄯᅳᆺ과 다르나, 녀필죵부로 당
연흐니 무어시라 흐리.오 다만 쇼왈,

"형은 슬히 만흐니 나의 ᄉ졍을 모로민
가. ᄯᅩ흔 산계비질(山鷄卑質)547)노 감히 만
승교아(萬乘嬌兒)로 동녈(同列)의 두며, 미
약흔 긔질노의 병뷔에 비위(配位) 아니니,
일기(一個)로548) 녜(禮)를 셰오리오. 다만
빈알(拜謁) 후 나의 슬하의 바려 두기를 바
라노라."

공이 경공의 말을 알것마는 다만 굴오디,

"만시 관슈(關數)549)흐니 당치 아닌 근심
말고 영녀(令女)를 슈히 보니라."

경공이 다시 말이 업셔 빈쥬 다른 말 흐다
가 흣터지더라.

샹이 병부의 찰임(察任)을 지촉흐시니, 병
뷔 군은을 감격흐여 누월 밀닌 공식 만코
부친니 지촉흐시는 고로, 이의 됴참흐고 관
【38】ᄉ(官事)를 쳐결흐민, 샹이 깃그ᄉ
굿타여 금평후의게 닉치엿던 말을 아른 체
아니시니, 병뷔 황공 감은흐여 나와, 날이
맛도록 관부 공ᄉ를 쳐결흘시, 상벌이 분명

---

555)훤훤 : 시원시원함.
556)빅니(百里)의 블분상(不奔喪) : 여자는 한번 시집
　가면, 부모가 죽어도 백리 밖에서 달려와 조상(弔
　喪)할 수 없다는 말.
557)산계비질(山鷄卑質) : 꿩처럼 자질이 비천함.
558)일개로 : 한가지로. 똑같이.
559)관슈(關數) : 운수소관(運數所關). 모든 일이 운
　수에 달려 있어 사람의 힘으로는 어찌할 수 없음.

545)훤훤 : 시원시원함.
546)빅니(百里)의 블분상(不奔喪) : 여자는 한번 시집
　가면, 부모가 죽어도 백리 밖에서 달려와 조상(弔
　喪)할 수 없다는 말.
547)산계비질(山鷄卑質) : 꿩처럼 자질이 비천함.
548)일개로 : 한가지로. 똑같이.
549)관슈(關數) : 운수소관(運數所關). 모든 일이 운
　수에 달려 있어 사람의 힘으로는 어찌할 수 없음.

홰 가족ᄒ여 인인이 블감앙시러라. 병뷔 졍
ᄉ(政事)ᄒ미, 도덕군ᄌᄃ풍과 요슌의 티화
(治化)로 환과고독(鰥寡孤獨)560)을 슬피고,
【57】긔렴(記念)이 일가(一家) 슉친(熟親)
은 니르도 말고, 범연ᄒ 남과 허다 만민의
○[게] 평등ᄒ니, 일신이 한가치 못ᄒ여
[고], 졍졔(整齊)561) 엄슉ᄒ며, 관ᄉ 여가의
죤당을 밧들고 죵일 빈킥을 슈응(酬應)ᄒ여,
ᄌ긔 녹봉과 남국 봉딘(奉進)ᄒᄂ 지믈을
믈니치나, 남은 거ᄉ 고듕의 두어 평후로
일가권당(一家眷黨)562) 구급(救急)을 위업
(爲業)ᄒ고, 극ᄒ 부귀로 사ᄅᆷ 구졔ᄒᄆᆯ 근
심 삼아 젹션을 일삼으니, 가히 일노 죷ᄎ
뎡부의 경시 듕첩ᄒ리러라. 병부의 쳐ᄌᄅᆯ
실니(失離)ᄒ미 셰월이 오릴ᄉ록, 슌태부인
이 통졀ᄒ여 젹션도 거즛 거시라 니르니,
금휘 화셩 유어로 위로ᄒ더라.【58】

츳셜, 윤부의셔 튜밀은 교디로 가고, 혹시
부친을 뫼셔 가 밋쳐 도라오디 못ᄒ여시나,
위태부인과 뉴부인 간계 빅츌ᄒ여, 태우 형
뎨와 하·댱 등을 업시ᄒ여 쇼원을 일우고
져 ᄒᆯ시, 명쳔공의 ᄡᅵ를 업시ᄒ여 황부인
ᄌ최 업셔딘 후, 뉴시는 튜밀이 도라오기를
기다려 아름다온 명녕(螟蛉)563)을 어더 후
ᄉ(後嗣) 뎡키를 결단ᄒ니, 흉심이 일일 빅
츙ᄒ더라.

평일은 하·댱 이쇼져의 비홍이 완연ᄒ
니, 그려도 남녀간 싱산이 곳ᄎ믈 바랏더니,
츈간의 하시 일삭을 하부의 머므러 혹ᄉ로
더브러 이【59】셩디낙(二姓之樂)564)을 일
우고, 댱ᄉ매 녀ᄋ로 일삭 동쳐(同處)를 식

---

560)환과고독(鰥寡孤獨) : 늙어서 아내 없는 사람, 젊
　　어서 남편 없는 사람, 어려서 어버이 없는 사람,
　　늙어서 자식 없는 사람을 아울러 이르는 말.
561)졍졔(整齊) : ①정돈하여 가지런히 함. ②격식에
　　맞게 차려입고 매무시를 바르게 함.
562)일가권당(一家眷黨) : 일가친척(一家親戚). 자기
　　집안과 친족(親族), 인척(姻戚; 혼인으로 맺어진
　　친척)을 아울러 이르는 말.
563)명녕(螟蛉) : 나나니가 명령(螟蛉; 애벌레)을 업
　　어 기른다는 뜻으로, 타성(他姓)에서 맞아들인 양
　　자(養子)를 이르는 말.
564)이셩디낙(二姓之樂) : 금실지락(琴瑟之樂). 부부
　　간의 사랑.

ᄒ고 덕홰 가족ᄒ여, 인인이 블감앙시러라.
병뷔 졍ᄉ(政事)ᄒ미, 도덕군ᄌᄃ지풍과 요슌
의 치화(治化)로 환과고독(鰥寡孤獨)550)을
슬피고, 긔렴(記念)이 일가(一家) 슉친(熟親)
은 이르도 말고, 범연ᄒ 남과 허다 만민의
평등ᄒ니, 일신이 한가치 못ᄒ여[고], 졍졔
(整齊)551) 엄슉ᄒ며, 관ᄉ 여가의 죤당을
밧들고, 죵일 빈킥을 슈응(酬應)ᄒ여, ᄌ긔
녹봉과 남국 봉진(奉進)ᄒᄂ 지믈을 믈니치
나, 남은 거ᄉ 고듕의 두어 평후로 일가권
당(一家眷黨)552) 구급(救急)을 위업(爲業)ᄒ
고, 극ᄒ 부귀로 ᄉ람 구졔ᄒᄆᆯ 근심 삼아
젹션을 일삼으니, 가히 일노 뎡부의 경시
듕첩ᄒ더라 병부의 쳐ᄌᄅᆯ 실이(失離)ᄒ미
셰월이 오랄ᄉ【39】록, 슌퇴부인니 통졀ᄒ
여 젹션도 거즛 거시라 이르니, 금휘 화셩
유어로 위로ᄒ더라.

츳셜, 윤부의셔 튜밀은 교지로 가고, 학시
부친을 뫼셔 가 밋쳐 못왓시나, 위퇴부인·
뉴부인 간계 빅츌ᄒ여, 퇴우 형뎨와 하·댱
등을 업시 ᄒ여 쇼원을 일울시, 명쳔공 ᄡᅵ
를 업시 ᄒ랴, 황부인 ᄌ최 업셔진 후, 뉴부
인니 튜밀의 오기를 기ᄃ려, 아름다온 명녕
(螟蛉)553)을 어더 ᄉ후(嗣後) 뎡키를 결단
ᄒ니, 흉심이 일일 빅츙ᄒ더라.

평일은 하·댱 이쇼져의 비홍이 완연ᄒ
니, 그려도 남녀간 싱산이 곳ᄎ믈 바랏더니,
츈간의 하씨 일삭을 하부의 머므러 학ᄉ로
더부러 이셩지락(二姓之樂)554)을 일우고,
댱ᄉ매 여아로 일삭 동쳐(同處)를 식여 금

---

550)환과고독(鰥寡孤獨) : 늙어서 아내 없는 사람, 젊
　　어서 남편 없는 사람, 어려서 어버이 없는 사람,
　　늙어서 자식 없는 사람을 아울러 이르는 말.
551)졍졔(整齊) : ①정돈하여 가지런히 함. ②격식에
　　맞게 차려입고 매무시를 바르게 함.
552)일가권당(一家眷黨) : 일가친척(一家親戚). 자기
　　집안과 친족(親族), 인척(姻戚; 혼인으로 맺어진
　　친척)을 아울러 이르는 말.
553)명녕(螟蛉) : 나나니가 명령(螟蛉; 애벌레)을 업
　　어 기른다는 뜻으로, 타성(他姓)에서 맞아들인 양
　　자(養子)를 이르는 말.
554)이셩디낙(二姓之樂) : 금실지락(琴瑟之樂). 부부
　　간의 사랑.

여 금슬이 하시긔 디디 아니ᄒᆞ니, 시의 하시 잉티 뉵삭이오, 댱쇼져는 오삭이니, 냥인의 위인(爲人)이 침뎡ᄒᆞ여 팃듕(胎中)의 쳔단고샹(千端苦狀)이나 쳔연(天然)ᄒᆞ고565), 존고의 용심을 더옥 두려 셤요(纖腰)를 잘나566) 스싁디 아니ᄒᆞ디, 위흉과 뉴녜 심히 슬피고, 신묘랑이 운슈를 츄졈ᄒᆞ여 고ᄒᆞ니, 분긔 일쳔 구뷔567) 쮜노라 착급히 하·댱을 업시코져 ᄒᆞᆯᄉᆡ, 뉴시와 경이 태부인긔 고ᄒᆞ디,

"하시ᄂᆞᆫ 하원쉬 닙공반샤시의 다려갈 거시니 ᄌᆞ연 묘계로 업시 ᄒᆞ려니와, 댱시ᄂᆞᆫ 【60】 녀ᄂᆞ군지라, 하시의 셤약흠과 ᄀᆞᆺ디 아니니, 출하리 줏두려 딘시쳐로568) 업시ᄒᆞ미 가ᄒᆞ니이다."

위흉이 밧비 업시ᄒᆞ라 ᄒᆞ니, 뉴시 믄득 츄연 왈,

"존고ᄂᆞᆫ 쳡의 모녀를 이ᄀᆞᆺ치 뉴렴ᄒᆞ시나, 인심을 헤아리니 즐거오미 업셔, 불관ᄒᆞᆫ 두 녀ᄋᆞ를 츌가ᄒᆞ연디 여러 셰월의 가디록 힝노(行路)569) ᄀᆞᆺ고, 현ᄋᆞᄂᆞᆫ 오년을 촉디의 간괴(艱苦) 비샹ᄒᆞ다가, 텬신의 도으므로 하개(河家) 원(冤)을 신셜ᄒᆞ고 모녜 모드나, 마음이 대샹브동(大相不同)570) ᄒᆞ여 졍의(情誼)를 통ᄒᆞᆯ 길히 업셔 슬프미오. 광텬 등이 하·댱을 어디리 넉이니 【61】 엇디 분개치 아니리잇고? 일마다 긔구ᄒᆞ여 회텬을 죽이고 다른 명녕(蜋蛉)을 어든들, 쳡이 ᄯᅩ 엇디 맛당ᄒᆞᆯ 줄 알니잇고? 셕낭의 마음을 두로혀 유ᄌᆞᄉᆡᆼ녀(有子生女)ᄒᆞ고 화락기만 원ᄒᆞᄂᆞ이다."

태부인이 탄식 왈,

"일이 엇디 이돏디 아니리오. 혹ᄌᆞ 셕낭의 마음을 도로혈 도리 이실가 묘랑과 의논

슬이 하씨로 지지 아니ᄒᆞ니, 시일 하씨 잉티 뉵삭이오, 댱쇼져는 오삭이니, 냥인의 《우인∥위인(爲人)》니 침졍 【40】 ᄒᆞ여 팃듕(胎中)의 쳔단고샹(千端苦狀)이나 쳔연(天然)ᄒᆞ고555), 존고의 용심을 더옥 두려 셤요(纖腰)를 잘나556) 스싁지 아니ᄒᆞ디, 위흉○ [과] 뉴녜 심히 슬피고, 신묘랑이 운슈를 츄졈ᄒᆞ여 고ᄒᆞ니, 분긔 일쳔 구뷔557) 쮜노라 착급히 하·댱 이닌[인]을 업시치 못ᄒᆞ믈 졀치부심ᄒᆞ고, ᄯᅩ 잉티ᄒᆞ여 산삭(産朔)558)이 블원ᄒᆞ므로, 마음의 일쳔 잣나뷔 쮜여 훌련 손퍽559)쳐 광인 ᄀᆞᆺ치 날뒤니, 스름으로 ᄒᆞ여금 댱관(壯觀)이러라.

팃노(太老)560)와 뉴씨년이 계교 아니 밋츨 곳이 업셔, 즉지의 하·댱 이인을 셔르져 업시ᄒᆞ믈 셜계ᄒᆞ니, 궁흉극악ᄒᆞ미 비홀 디 업더라.

하·댱 두 소졔 익회가 엇지 될고 하회을 분히ᄒᆞ라.

잇디의 신묘랑이 뉴씨을 쇠와 허다 직물을 탈취ᄒᆞ여 니여, 경아를 위ᄒᆞ여 비필이 《슌허믈∥슌(順)ᄒᆞᄆᆞᆯ》 츅슈ᄒᆞ고, 일은 하·댱 이소져을 졀졔ᄒᆞ여 【41】 업시ᄒᆞ다 ᄒᆞ며, 직물을 스러ᄂᆡ여 부쳐의 졍셩 드린다 ᄒᆞ고, 샤샤(事事)의 제 몸의 탐심만 부려 윤씨 집을 망케 ᄒᆞ니, 엇지 쳔의(天意) 소소(昭昭)ᄒᆞ지 아니ᄒᆞ리오. 츠회(嗟乎) 셕지(惜哉)라. 위팃부인과 뉴씨 흉녀의 죄악이 젹으리오.

565)쳔연(天然)ᄒᆞ다 : 아무 일도 없는 듯이 하다.
566)잘나 : 졸라매어. 느슨하지 않도록 단단히 동여매어.
567)구뷔 : 굽이. 휘어서 구부러진 곳.
568)-쳐로 : -처럼. 체언 아래 붙어서 '-처럼', '-과 같이' 등의 뜻을 나타내는 조사.
569)힝노(行路) : '길가는 사람' 곧 '남'을 뜻함.
570)대샹브동(大相不同) : 조금도 비슷하지 않고 아주 다름.

555)쳔연(天然)ᄒᆞ다 : 아무 일도 없는 듯이 하다.
556)잘나 : 졸라매어. 느슨하지 않도록 단단히 동여매어.
557)구뷔 : 굽이. 휘어서 구부러진 곳.
558)산삭(産朔) : 산월(産月). 산달.
559)손퍽 : 손뼉.
560)팃노(太老) : 윤수의 모(母) '위씨부인'을 달리 이르는 말.

ᄒᆞ여 경ᄋᆞ의 젼졍을 도모ᄒᆞ라."

뉴시 슬허 왈,

"묘랑을 ᄉᆞ괴연 디 오뉵 년의 억만금을 드려 부쳐를 공양ᄒᆞ고, 보암ᄉᆞ를 일워시디, 경ᄋᆞ의 젼졍은 홀일업ᄂᆞ니, 묘랑이 ᄯᅩ 문양 공쥬를 ᄉᆞ괴【62】여 션경ᄉᆞ를 딧다 ᄒᆞ니, 쳡이 젼일 허비ᄒᆞᆫ 지믈이 만금의 디난들, 다시 엇디 공쥬의 지믈을 당ᄒᆞ리잇고? 다시 암즈ᄂᆞᆫ 일우기 어려오니 삭망(朔望)으로 공양을 ᄒᆞ려 ᄒᆞ디, 다시 쳑분(隻分)571)이 업ᄉᆞ니 엇디 싱의(生意)572)ᄒᆞ리잇가?"

태부인이 탄왈,

"션셰로 지믈이 흙 ᄀᆞᆺᄐᆞ여 궁딘(窮盡)치 아닐가 ᄒᆞ엿더니, 이졔 푼젼(分錢)이 업ᄉᆞ니 개야미 ᄲᅮ시 ᄃᆞᆺᄒᆞ던 노복도 업ᄉᆞ니, 추후ᄂᆞᆫ 경ᄋᆞ를 위ᄒᆞ여 내 의상을 파라 삭망으로 부쳐나 공양ᄒᆞ라."

뉴시 본디 지믈이 구산(丘山)573) ᄀᆞᆺᄐᆞ나 일가의 친족 블상ᄒᆞ니 구ᄒᆞᄂᆞᆫ 일 업고, 빈궁【63】ᄒᆞᆫ 친쳑은 거졀ᄒᆞ디, 무녀(巫女) 복즈(卜者)ᄂᆞᆫ 앗기디 아니ᄒᆞ더니, 더옥 졔 ᄯᆞᆯ을 위ᄒᆞ미 몸을 파라도 앗기디 아니ᄒᆞ니, 대열ᄒᆞ여 누디 졔향을 궐ᄒᆞ며, 졔긔(祭器)를 다 파ᄂᆞᆫ디라. 삭망으로 묘랑을 주어 부쳐 공양의 탕딘(蕩盡) 갈녁(竭力)ᄒᆞ고, 삭망(朔望) 다례(茶禮)를 폐ᄒᆞ니, 태위 뎡식 왈,

"조션 졔향을 무고히 폐치 못ᄒᆞ리이다."

ᄒᆞ고 말니니, 위시 대로ᄒᆞ여 만만 슈욕(數辱)이 블가형언(不可形言)이라. 태위 조모의 흉패ᄒᆞᆷ믈 보고 션조와 부공의 졔향 ᄭᅳᆺ츨 비통ᄒᆞ더니, 샤묘(四廟)574)를 미안(埋安)575)ᄒᆞ렷노라 말의, 하 어히 업셔 말을

뉴시 ○○○○○[틱부인긔 왈],

"○○[우리] 신묘랑의게 크게 혹ᄒᆞ여 언쳥계언[용](言聽計用)561)ᄒᆞ고 '스ᄉᆞᆷ을 가지고 말이라 ᄒᆞ여도'562) 고지 드러 써, 미년의 억만금을 드려 부쳐를 공양ᄒᆞ고, 보암ᄉᆞ를 일웟시디, 경아의 젼졍은 홀일업ᄂᆞ니, 묘랑이 ᄯᅩ 문양 공쥬를 샤괴여 션경ᄉᆞ를 짓다 ᄒᆞ니, 쳡이 젼일 허비ᄒᆞᆫ 지믈이 만금의 디난들 다시 엇지 공쥬의 지믈을 당ᄒᆞ리닛고? 다시 암즈ᄂᆞᆫ 일우기 어려오니 삭망(朔望)으로 공양을 ᄒᆞ려 ᄒᆞ디, 다시 쳑푼(隻分)563)니[이] 업ᄉᆞ니 엇지리닛가?"

틱노 탄왈,

"션셰로 지믈이 흙 ᄀᆞᆺᄐᆞ여 궁진(窮盡)치 아닐가 ᄒᆞ엿더니, 이졔 푼젼(分錢)【42】니 업ᄉᆞ니, 가야미 ᄡᅮ시 ᄃᆞᆺᄒᆞ던 노복도 업ᄉᆞ니, 추후ᄂᆞᆫ 경아를 위ᄒᆞ여 내 의상을 파라 삭망으로 부쳐나 공양ᄒᆞ라."

뉴시 본디 지믈이 구산(丘山)564) ᄀᆞᆺ타나 일가의 친족 블상ᄒᆞ니 구ᄒᆞᄂᆞᆫ 일 업고, 빈궁ᄒᆞᆫ 친쳑은 거졀ᄒᆞ디, 무녀(巫女) 복즈(卜者)ᄂᆞᆫ 앗기지 아니ᄒᆞ더니, 더옥 졔 ᄯᆞᆯ을 위ᄒᆞ여 몸을 ᄉᆞᄌ ᄒᆞ나 아니 앗기니, 틱열ᄒᆞ여 누디 졔향을 ○○○○○○[궐ᄒᆞ며 졔긔(祭器)를] 다 파ᄂᆞᆫ지라. 삭망으로 묘랑을 주어 부쳐 공양의 탕진(蕩盡) 갈녁(竭力)ᄒᆞ고, 삭망다례(朔望茶禮)를 폐ᄒᆞ니, 틱위 졍식 왈,

"조션 졔향을 무고히 폐치 못ᄒᆞ리니다."

말니니, 위씨 틱로ᄒᆞ여 만만 슈욕(數辱)이

---

571)쳑분(隻分): 쳑푼(隻分). 몇 푼 안 되는 적은 돈.
572)싱의(生意): 어떤 일을 하려고 마음먹음.
573)구산(丘山): ①언덕과 산을 아울러 이르는 말. ②물건이 많이 쌓인 모양을 비유적으로 이르는 말.
574)샤묘(四廟): 고조부모, 증조부모, 조부모, 부모 등 4대 조상의 신위를 모신 사당.

561)언쳥계용(言聽計用): 남의 말을 믿고 계략을 채택하여 씀.
562)스ᄉᆞᆷ을 가지고 말이라 ᄒᆞ다: 지록위마(指鹿爲馬). ①윗사람을 농락하여 권세를 마음대로 함을 이르는 말. 중국 진(秦)나라의 조고(趙高)가 자신의 권세를 시험하여 보고자 황제 호해(胡亥)에게 사슴을 가리키며 말이라고 한 데서 유래한다. ②모순된 것을 끝까지 우겨서 남을 속이려는 짓을 비유적으로 이르는 말.
563)쳑푼(隻分): 쳑푼(隻分). 몇 푼 안 되는 적은 돈.
564)구산(丘山): ①언덕과 산을 아울러 이르는 말. ②물건이 많이 쌓인 모양을 비유적으로 이르는 말.

못ᄒ더니, 샤묘의 【64】 올나가 실셩 톄읍이
라. 일일(日日) 긔ᄉ(饑死)의 갓가오며 됴셕
(朝夕)을 니우디 못ᄒᄃᆡ, 다만 묘랑을 주고
부쳐를 위ᄒᄆᆞᆫ, 의복 셰간을 다 파라 공양
ᄒ니, 태위 여러 셰월의 호읍(號泣)이 딘ᄒ
여 피를 토ᄒ고, 시도록 알하 신셩(晨省)을
못ᄒ고 믈너 샤죄ᄒ고, 혜틍으로 조션(祖先)
의 옷 팔기를 ᄒ여 왓거늘, 태위 혜오ᄃᆡ, 은
ᄌ를 드려간죽 조뫼 달니 허비ᄒ올 거시니,
혜틍으로 ᄒ여곰 도로 조모 등의 의상을 ᄉ
오라 ᄒ여, 닉당의 드러가 뉴시긔 드려 왈,

　"유ᄌ(猶子) 등의 블초를 ᄭ디ᄌᆞᆺ실 쌘이
오, 계부 대인긔 미명(罵名)[576)이 되디 아
니ᄒᄃᆡ, 【65】 대뫼 이ᄀᆞᆺ치 ᄒ시니, 원간
유ᄌ 등은 ᄌ모의 거쳐 모로ᄂᆞᆫ 죄인이라.
젼졍은 의논ᄒᆞᆯ 거시 업ᄉᄃᆡ, 혹ᄌ 계부의게
유히ᄒ즉 이만 블힝이 업슬거시니, 유지 비
록 블초ᄒ나 의복의 이러ᄒᄉᆞ믈 ᄎᆞ마 뵈읍
디 못ᄒ와, 이 의상을 ᄉ 드리니 고치게 ᄒ
쇼셔."
　뉴시 극히 간악ᄒᆞᆯ디언졍, 져의 튤텬 대효
와[로] 태부인의 치고 ᄭᆞ딧고 죽이랴 ᄒᄂᆞᆫ
ᄯ을 알 거시로ᄃᆡ 반졈 원망이 업고, 태부
인이 괴이ᄒ 헌 옷술 닙고 이시믈 민망ᄒ여
ᄒ믈, 심니(心裏)의 탄복ᄒ여, 혜오ᄃᆡ,

　"슉슉(叔叔)은 엇던 사ᄅᆞᆷ이완ᄃᆡ, 실노 져
런 ᄋᆞ들을 【66】 ᄒ나토 두기 어려온ᄃᆡ, ᄡᅡᆼ
ᄌ를 싱ᄒ여 희를 년ᄒ여 농방의 비등하고,
문댱긔졀과 황샹의 통이ᄒ샤미 비홀 ᄃᆡ 업
고, 만됴의 흔가디로 경복ᄒᄂᆞᆫ 비오, ᄉ림의
츄앙ᄒ미 되고, 일가의 《취듕∥츄듕(推
重)》ᄒ미 광텬 형뎨를 큰 그릇ᄉ로 밀위
믄, 슉슉 지시(在時)의셔 더흔다. 광텬 등
의 도량이 심원ᄒ여, 만니 은하(銀河)의 무

블가측(不可測)이라. 틔위 조모의 흉픠ᄒ고
○○○[션조와] 부모 졔향 긋ᄎᆞ믈 통박ᄒ더
니, ᄉ묘(四廟)[565)를 미안(埋安)[566)ᄒ렷노라
말의 하 어히 업셔 말을 못ᄒ더니, ᄉ묘(祠
廟)의 올나가 실셩 톄읍이라. 일일 긔ᄉ(饑
死)의 앗[갓]가우며 죠셕(朝夕)을 【43】 이
우지 못ᄒᄃᆡ, 다만 묘랑은[을] 주고 부쳐를
위ᄒᄆᆞᆫ, 의복 셰간을 다 파라 공양ᄒ니, 틔
위 여러 셰월의 호읍(號泣)이 진ᄒ여 피를
토ᄒ고, 시도록 알하 신셩(晨省)을 못ᄒ고
믈너 샤죄ᄒ고, 혜틍으로 조션(祖先)의 옷
팔기을 ᄒ여 왓거늘, 틔위 싱각ᄒ되, 은ᄌ로
드려간죽. 조뫼 달니 허비ᄒ실 거시니, 혜츙
으로 도로 조모 의 의상을 ᄉ오라 ᄒ여, 닉
당의 드러가 뉴씨끠 드려 왈,

　"유ᄌ(猶子) 등의 블초를 ᄭ지ᄌᆞᆺ실 쌘이
오, 계부끠 미명(罵名)[567)이 되지 아니ᄒᄃᆡ,
틔뫼 이ᄀᆞᆺ치 ᄒ시니, 원간 ○○[유ᄌ] 등은
ᄌ모의 거쳐 모로ᄂᆞᆫ 죄인이라. 젼졍은 의논
ᄒ 거시 업ᄉᄃᆡ, 혹ᄌ 계부의게 유히ᄒ즉
이만 블힝이 업슬거시니, 유지 비록 블초ᄒ
나 의복의 이러ᄒ샤믈 ᄎᆞ마 뵈읍디 못ᄒ와,
이 의상을 ᄉ 드리니 고치게 ᄒ쇼셔."

　뉴시 극히 간악ᄒ지언졍, 【44】 져의 튤쳔
ᄃᆡ효와[로] 틔부인○[이] 치고 ᄭᆞ짓고 죽이
랴 ᄒᄂᆞᆫ ᄯ을 알 거시로ᄃᆡ 반졈 원망이 업
고, 틔부인이 괴이ᄒ 헌 옷술 닙고 이시믈
민망ᄒ여 ᄒ믈, 《심의∥심니(心裏)》에 탄
왈.

　"슉슉(叔叔)은 엇던 사ᄅᆞᆷ이완ᄃᆡ, 실노 져
런 아들을 ᄒ나도 어려온ᄃᆡ, 양ᄌ(兩子)를
낳아 희를 연ᄒ여 농방의 비등하고, 문댱지
졀과 황샹의 춍이로 만됴(滿朝)의 흔가디로
긔특이 넉이고 경복ᄒᄂᆞᆫ 비오, 일가의 츄앙
(推仰)ᄒ미 광텬 형뎨를 큰 그릇ᄉ로 밀위
믄 슉슉 지시(在時)로 더흔지라. 광텬 등의

---

575)미안(埋安) : 신주(神主)를 무덤 앞에 묻음.
576)미명(罵名) : 오명(汚名). 이름을 욕되게 함.

565)샤묘(四廟) : 고조부모, 증조부모, 조부모, 부모
　등 4대 조상의 신위를 모신 사당.
566)미안(埋安) : 신주(神主)를 무덤 앞에 묻음.
567)미명(罵名) : 오명(汚名). 이름을 욕되게 함.

궁흔 조화로 하날이 도아, 광텬 등이 죽디 아닛는 날이면, 나는 초亽(焦思)흐여 죽는 귀신이 될디라. 도츠(到此)의, 광텬 등을 죽이고 아름다온 명녕(螟蛉)을 어더, 가군의 종통(宗統)을 밧들고져 흐미러니, 당츠【67】시 흐여, 십만 직산이 일푼이 ○○○○[남지안코] 업셔디고, 《봉亽디경∥봉亽디젼(奉祀之田)》577)이 《업셔디니∥업亽니》, 밧비 광텬 형뎨를 다 죽이고, 가군(家君)의 명녕(螟蛉)을 어더 삼종(三從)578)을 의탁흐미 맛당흐도다."

흐고, 공교롭고 요악흔 의亽 경긱의 빅츌흐니, 즈연 안식이 다르고 심신을 뎡치 못흐는디라. 태우의 샤광디통(師曠之聰)으로 엇디 몰나 보리오. 탄식흐고, 다만 시 의복을 닙으쇼셔 홀 뜬리라. 다시 히올 빈 업亽니 텬도의 슌환흠과 셰亽의 되여 감만 볼 뜬름이러라.

츠시 하원쉬 힝군 반亽흐여 경샤 슈십일디도(數十日之道)의 니르러, 션셩(先聲)이 텬문의 오로미, 텬디 교【68】외(郊外)의 마즈려 흐실시, 그 부모의 굴디계일(屈指計日)흐여 기다리는 졍을 어이 다 측냥흐리오. 뎡국공이 윤시다려 왈,

"원광이 슈일 후 샹경흐면 졔 졍니의 일미를 급히 반기고져 흐리니, 현부는 금일 옥누항의 가 亽친디회를 펴고 명일 녀〇로 더브러 동교(同轎)흐여 도라오라."

윤쇼졔 슈명 비샤흐고 즉시 거교(車轎)를 츌혀 옥누항의 니르니, 뉴부인이 녀〇의 오는 줄 아디 못흔 고로, 창창발발579)흔 옷슬 가라닙디 못흐엿는디라. 쇼졔 존당과 모친

577)봉亽디뎐(奉祀之田) : 제사를 지낼 비용을 마련하기 위해 마련해 둔 전답.
578)삼종(三從) : =삼종지도(三從之道). 예전에, 여자가 따라야 할 세 가지 도리를 이르던 말. 어려서는 아버지를, 결혼해서는 남편을, 남편이 죽은 후에는 자식을 따라야 하였다. 《예기》의 의례(儀禮) <상복전(喪服傳)>에 나오는 말이다.
579)창창발발 : 옷 따위가 갈기갈기 찢겨져 매우 추(醜)하고 험한 모양. *발발〉바리바리; 여러 가닥으로 갈라지거나 찢어진 모양.

도량이 심원흐여, ○○[만니] 은하(銀河)의 무궁흔 조화로 하날이 도아, 광텬 등이 죽디 아닛는 날이면 나는 초亽흐여 죽는 귀신이 되리로다. 도츠(到此)의, 광텬 등을 죽이고 아름다온 명영(螟蛉)을 어더, 가군의 종통(宗統)을 밧들고져 흐미러니, 당츠시 흐여 십만 직산니 일푼○○○○○[도 남지안코] 업셔지고, 《봉亽【45】지경∥봉亽지젼(奉祀之田)568)》이 《업셔지니∥업스니》, 밧비 광텬 형뎨을 다 죽이고, 가군(家君)의 명영(螟蛉)을 어더 ○○○[삼종(三從)569)을] 의탁흐미 맛당흐도다"

흐고, 공교롭고 요악흔 의亽 경긱의 빅츌흐니, 즈연 안식이 다르고 심신을 뎡치 못흐는디라. 틔위 ○○○○○○[샤광디통(師曠之聰)으로] 엇지 몰나 보리오. 탄식흐고 다만 시 의복을 입으쇼셔 홀 뜬리라.

츠시 하원쉬 ○○○○○○[힝군 반亽흐여 경샤 슈십일지도(數十日之道)의 이르러, 션문(先聞)이 텬졍(天廷)의 올으미, 텬지 교외의 마즈려 흐실시, 그 부모의 굴지계일(屈指計日)흐여 기다리는 졍을 어이 다 측냥흐리오. 뎡국공이 윤씨다려 왈,

"원광이 슈일 후 샹경흐면 졔 졍니의 일미를 급히 반기고져 흐리니, 현부는 금일 옥누항의 가 亽친지회를 펴고 명일 녀아로 더브러 동교(同轎)흐여 도라오라."

윤쇼졔 슈명 비샤흐고 즉시 거교(車轎)를 츌혀 옥누항의 이르니, 뉴부인니[이] 녀아의【46】오는 줄 아지 못 흔 고로 창창발발570) 흔 옷슬 가라입지 못흐엿는지라. 쇼

568)봉亽지젼(奉祀之田) : 제사를 지낼 비용을 마련하기 위해 마련해 둔 전답.
569)삼종(三從) : =삼종지도(三從之道). 예전에, 여자가 따라야 할 세 가지 도리를 이르던 말. 어려서는 아버지를, 결혼해서는 남편을, 남편이 죽은 후에는 자식을 따라야 하였다. 《예기》의 의례(儀禮) <상복전(喪服傳)>에 나오는 말이다.
570)창창발발 : 옷 따위가 갈기갈기 찢겨져 매우 추(醜)하고 험한 모양. *발발〉바리바리; 여러 가닥으로 갈라지거나 찢어진 모양.

긔 네흐고, 하·댱 냥쇼져로 네필의 밋쳐 좌를 덩치 못흐여, 조모와 모친의 놀【69】 나온 쥬졔580)를 보고, 한심 츠악흐여 이 반드시 괴이흔 간계믈 씌드르니, 계오 존후를 뭇줍고, 이의 골오딕,

"녜로브터 공검(恭儉) 졀츠(切磋)는 군즈 슉녀의 응당흔 규귀(規矩)오나, 일즉 조모와 모친이 샤치를 취흐시며 검박흐믈 달게 넉이디 아니시던 빅어늘, 이의 닙으신 바 의복이 검소 공검키의도 당치 아냐, 완연이 노샹(路上) 걸인의 모양 갓트시니, 야애 진렬(宰列)의 거흐시고, 희텬 형데 옥당 한원의 청현을 즈임흐는 명환(名宦)으로 녹봉(祿俸) 환미(宦米)581) 진렬의 나리디 아닐빅라, 만스를 졔치고 조모와 모친이 흔 벌 신의(新衣)를 흐여 닙으려 흐시【70】면 뉘 못흐게 홀 거시라, 이런 괴이 망측흔 거조를 흐샤, 쳥문(聽聞)582)의 히괴홀 바는 니르디 말고, 쇼녀 보오미 놀나온 뜻을 딘뎡치 못흐리로소이다."

태부인이 이연(怡然) 쇼왈,

"너는 귀근(歸覲)흐여 봉친(逢親) 초의 브졀 업슨 말을 흐느뇨? 연이나 내 집이 기리 등양(騰揚)흐기를 미양 즐거이 못흐여, 너의 큰 아비 금국의 가 참스흐미 되니, 노뫼 셰월이 오릴스록 심장의 칼흘 겻는583) 돗 흔디통이 되엿거늘, 금츠디시(今此之時) 흐여 즐겁디 아닌 집의 과경(過境)584)이 년흐여 나니, 내 무음이 슉야(夙夜)의 우○[구](憂懼)흐여, 네 모친과 의논흐고 짐줏 낡은 옷슬 취흐여 슝검(崇儉)흔 덕【71】을 길우고져 흐미어늘, 광텬이 하 병되이 니르니, 바야흐로 의즈(衣資)585)를 장만흐여 시방 딧느니, 너는 모로미 놀나디 말디어다."

<hr>

580)쥬졔 : 주제. 꼴. 변변하지 못한 처지.
581)환미(宦米) : 벼슬아치에게 녹봉(祿俸)으로 주던 쌀.
582)쳥문(聽聞) : 들리는 소문
583)겻는 : 끼이다. 틈새에 박히다.
584)과경(過境) : 불행하고 어려운 처지.
585)의즈(衣資) : 옷감.

제 존당과 모친긔 네흐고, 하·댱으로 예필의, 밋쳐 좌를 졍치 못흐여셔 뉴·위의 놀나온 쥬졔571)를 보고, 한심 츠악흐여 이 반드시 괴이흔 간계믈 씌다라, 계오 존후를 뭇줍고, 이의 골오딕,

"예로붓터 공검(恭儉) 졀츠(切磋)는 군즈 슉녀의 응당흔 규귀(規矩)나, 일즉 조모와 모친니 스치를 취흐시며 검박흐믈 달게 넉이지 아니시던 빅어늘, 이의 입으신 바 의복이 검소 공검키의도 당치 아냐, 완연니 노샹(路上) 걸인의 모양이니, 야야 진열(宰列)이시고 희텬 형데 옥당 한원이[의] 쳥현을 즈임흐는 명환(名宦)으로, 녹봉(祿俸) 환미(宦米)572) 진열의 나리지 아니니, 만스를 졔치고 조모와 모친이 흔 벌 신의(新衣)를 흐여 입으려 흐시면, 뉘 못흐게 하리라 이런 괴약흔 거조를 흐스, 쇼녜【47】 뵈오미 놀나온 뜻을 진정치 못흐리로소이다."

틱부인이 이연(怡然) 쇼왈,

"너는 ○○○○[귀근(歸覲)흐여] 봉친(逢親) 초의 브졀 업슨 말을 흐느뇨? 연이나 닉 집이 기리 등양(騰揚)들을 즐긔이 못흐여, 현이 금국의 가 춤스흐미 되니, 노모의 셰월이 오랄스록 심장의 칼흘 겻는573) 지통이 되엿거늘, 금츠시(今此時) 흐여 즐겁지 아닌 집의 과경(過境)574)이 년흐여 나니, 닉 무음이 슉야(夙夜)의 우구(憂懼)흐여, 녀(汝) 모친과 의논흐고 짐줏 헌 옷슬 취흐여 슝검(崇儉)흔 덕을 길우미어늘, 광텬니 하 병되이 이르니, 바야흐로 의즈(衣資)575)를 작만흐여576) 시방 짓느니 ○○[너는] 모로미 놀나지 말지어다."

<hr>

571)쥬졔 : 주제. 꼴. 변변하지 못한 처지.
572)환미(宦米) : 벼슬아치에게 녹봉(祿俸)으로 주던 쌀.
573)겻다 : 끼이다. 틈새에 박히다.
574)과경(過境) : 불행하고 어려운 처지.
575)의즈(衣資) : 옷감.
576)작만흐다 : 장만하다. 필요한 것을 사거나 만들거나 하여 갖추다.

인호여 하원슈의 승젼 닙공호믈 만만 칭
션호여, 딘졍으로 어리게 즐기미 모양치 못
호기의 밋츠니, 쇼져의 춍명 특달호므로뼈
엇디 흉특(凶慝)호 조모의 《능측히∥능슉
(能熟)히》 다히는586) 니셰(利勢)587)호 말
을 고디 드르리오. 그 심폐(心肺)를 혜아리
미 스스로 즈긔 큰 죄를 디음도곤 더호여,
졀박호 근심이 봉황미(鳳凰眉)를 잠으니, 효
셩(曉星) 썅안(雙眼)의 징패(澄波) 어릭믈
씨둧디 못호여, 누삭(累朔)만의 귀령이 든든
호믈 아디 못호고, 원슈의 닙공 승젼홈【7
2】도 깃브디 아닌 듯, 흥황(興況)이 스연
호여588) 굴오디,

"빅부 대인은 임의 기셰호신 디 희포 되
오니 뵈올 가망이 업거니와, 쇼녜 이 곳
의 오면 회푀 챵감(愴感)호오믄 빅모의 거
쳐를 모로미라. 쏘호 가듕의 녜법이 아조
업셔 대모와 모친의 호시는 빈 다 다르고,
의복이 완연이 힝노(行路) 걸인(乞人)과 굿
투시니, 뵈옵는 바와 듯줍는 말이 다 가치
아니며 당치 아니니, 도라 싱각건디, 빅뫼
집의 계시면 가시 이 모양이 되디 아닐 거
시오, 태모를 져 디경의 니르도록 밧드디
아니시리이다."

이쩌 태우는 맛춤 친우를 보라 나간 스이
오, 뉴부인【73】이 하·댱을 휘쫏츠 침션
을 다스리라 호고, 즉시 짠 방으로 보닌 휘
라. 녀으의 조부인을 이디도록 닛디 못호여
호는 거시, 친싱 즈모도곤 더호게 넉이믈
발연 대로호여, 낫출 붉히고 독호 눈을 브
릅쓰고 포악호 소리로, 굴오디,

"조시 음흉호 년이 엇던 간부를 어더 쓰
라간 디 여러 일월이 뒤이즈나589), 거쳐를
아디 못호거늘, 너는 엇디 온 젹마다 음분
도쥬(淫奔逃走)호 아즈미를 싱각호여 눈믈

인호여 하원슈의 승젼 닙공호믈 만만 칭
션호여, 진졍으로 어리게 즐기미 모양 못호
기의 이르니, 쇼져의 춍명으로 엇지 흉노
(凶老)의《능측히∥능슉(能熟)히》 다히
며577) 쑤미는 말을 고지 드르리오. 그 심폐
(心肺)을【48】혜아리미 스스로 큰 죄를
지음도곤 더호여, 졀박흔 근심이 봉황미(鳳
凰眉)를 줌으니, 효셩 쌍안의 진쥐 어릭믈
씨둧지 못호니, 《삭뇨만∥누삭(累朔)만》의
귀령이 든든호믈 아지 못호고, 원슈의 닙공
승젼도 깃브지 안인 듯, 흥황(興況)이 스연
호여578) 굴오디,

"빅부는 임의 긔셰호신 지 희포 되오니
뵈올 가망이 업습거니와, 쇼녜 이 곳의 오
면 회푀 참담(慘澹)호오믄 빅모의 거쳐를
모로미라. 가즁의 녜법이 업고, 아조 디모와
모친의 호시는 빈 다 드르고, 의복이 완연
니 힝노(行路) 걸인(乞人)과 굿타시니, 뵈옵
는 바와 듯줍는 말이 다 가(可)치 아니코,
당치 아니니, 도라 싱각건디 빅모 ○○[집
의] 계시면 가스와 티모를 져 지경의 이르
게 밧드지 아니시리이다."

이쩌 티우는 맛춤 친우을 보랴 나간 스이
오, 뉴부인이 하·댱을 휘조츠 침션을 다스
리라 호고, 즉시 짠 방으로 보닌 후【49】
라. 녀아의 조부인을 이디도록 잇지 못호여
친싱 즈모도곤 더호믈 발연 디로호여, 낫출
붉히고 독호 눈을 불읍쓰고 악○[악]히579)
굴오디,

"조시 음흉호 년니 엇던 간부를 어더 쓰
라간 지 여러 셰월이 뒤이즈나580), 거쳐를
아지 못호거늘, 너는 엇지 온 젹마다 음분
도쥬(淫奔逃走)호 아즈미를 싱각호여 눈믈

586)다히다 : 대다. 둘러대다. 그럴듯한 말로 꾸며 대
다
587)니셰(利勢) : 어떤 형편이나 세력에 유리하게 처
신함.
588)스연호다 : 사연하다. 흥미나 욕구 따위가 씻은
듯이 없어지다.
589)뒤이즈다 : 뒤집히다. 뒤집어지다.

577)다히다 : 대다. 둘러대다. 그럴듯한 말로 꾸며 대
다
578)스연호다 : 사연하다. 흥미나 욕구 따위가 씻은
듯이 없어지다.
579)악악하다 : 몹시 기를 쓰며 자꾸 소리를 내지르
다.
580)뒤이즈다 : 뒤집히다. 뒤집어지다.

을 흘니며, 어믜게 블공(不恭)이 ᄒᆞᄂᆞ뇨? 광텬 형뎨는 하 붓그러오니, 그 어미 간 곳을 ᄎᆞᄌᆞ려 아니ᄒᆞ거늘, 네 홀노 조가 음부를 스싱만 【74】 넉여 어미는 빅쳑ᄒᆞ는다?

쇼제 모친의 간악ᄒᆞᆫ 거동이 졈졈 더ᄒᆞ고, ᄌᆞ긔 조부인이 조부의 계시믈 아라 왕ᄂᆡ 셔찰이 빈빈(頻頻)ᄒᆞ거늘, 모친이 몹쓸 말노 참혹히 욕ᄒᆞ믈 한심 ᄎᆞ악ᄒᆞ여, 필경 모친의 과악이 드러날 바를 혜아리니, 심장이 타는 ᄃᆞᆺ, 구슬 ᄀᆞᆺᄐᆞᆫ 눈믈이 화협(花頰)의 황난(徨亂)ᄒᆞ더라 【75】

을 흘니며, 어미게 블공(不恭)이 ᄒᆞᄂᆞ뇨? 광쳔 형뎨는 하 붓그러오니, 그 어미 간 곳을 ᄎᆞᄌᆞ려 아니ᄒᆞ거늘, 네 홀노 조가 음부를 스싱만 넉여, 어미는 빅반 ᄒᆞ나뇨?"

쑤지ᄌᆞ니,

어시의 윤쇼졔 구슬 ᄀᆞ튼 눈믈이 화협(花頰)의 환난(汍亂)ᄒᆞ여 굴오ᄃᆡ,

"빅모의 슝덕(崇德) 명힝(明行)은 일가의 다 흠앙(欽仰)ᄒᆞᄂᆞᆫ 비라. 조뫼 부ᄌᆞ(不慈)ᄒᆞ시고, 모친이 흔 일도 빅모의 ᄯᅳᆺ ᄀᆞᆺ게 ᄒᆞ시미 업ᄉᆞ나, 일즉 조모의 브ᄌᆞᄒᆞ심과 모친의 블혜(不慧)ᄒᆞ시믈 허믈치 아니ᄒᆞ시고, 효우를 갈녁하시니, 모친이 감격도 아니ᄒᆞ시관ᄃᆡ 이런 악악(惡惡) 패만디셜(悖慢之說)을 긔탄치 아니ᄒᆞ시ᄂᆞ니잇고? 아디 못거이다, 타일 빅뫼 도라 오시면 모친이 하면목으로 뵈오려 ᄒᆞ시ᄂᆞ니잇가? 쇼녜 누년(累年)을 슬하를 써【1】나 비로○[소] 금츈의 상경ᄒᆞ여 잇다감 얼프시 단녀가니, 오히려 가간의 셰밀디ᄉᆞ와 모친의 괴이ᄒᆞ시미 흔갈 ᄀᆞᆺ트시며, 심홰(心火) 상ᄒᆞ시미 젼도곤 더ᄒᆞ시믈 아득히 몰낫더니, 이 다 모친이 태모의 실덕을 도으시고, 형이 모친의 패덕을 도으니, 댱ᄂᆡ 일이 어나 디경의 니르믈 알니잇고? 쇼녜 출하리 어셔 죽어 셰ᄉᆞ를 모로고져 ᄒᆞᄂᆞ이다."

뉴시 비록 친싱 녀으의 말이나, 절절이 ᄌᆞ긔를 낫 둘 곳이 업게 ᄒᆞᆷ믈 드르니, 독흔 노긔 빅댱이나 놉ᄒᆞ니, 져의 그르믄 싱각지 못ᄒᆞ고, 쳘골(徹骨)흔 분한이 쳘쳘ᄒᆞ여590) 도로혀 싱각ᄒᆞᄃᆡ, 텬디간 친흔【2】며 귀ᄒᆞ미 친싱 모녀 ᄉᆞ이 ᄀᆞᆺ트미 업거늘, 이졔 내 팔지 긔박ᄒᆞ여 친녜 허믈 슈죄ᄒᆞ기를 이러 툿 ᄒᆞ니, 블초무상ᄒᆞ여 셔의(齟齬)ᄒᆞ미 이 ᄀᆞᆺ트믈 엇디 아라시리오.

노분(怒忿)이 튱격(衝激)ᄒᆞ니, 브디블각(不知不覺)의 겻틔 노힌 셔징(書鎭)을 드러 쇼져를 두어 번 난타ᄒᆞ니, 머리와 팔히 듕상ᄒᆞ여 두골이 터져 피 난만이 흐르고, 팔의 깁 ᄀᆞᆺ튼 가죡이 버셔디고, 응디(凝脂) ᄀᆞᆺ튼 셜뷔(雪膚) 웃쳐져 피 급히 흐르니, 태흉

소졔 구슬 ᄀᆞᆺ튼 눈믈이 화협(花頰)의 《단난‖환난(汍亂)》ᄒᆞ여 굴오ᄃᆡ,

"빅모의 슉덕(淑德) 명힝(明行)은 일가의 다 흠앙(欽仰)ᄒᆞᄂᆞᆫ 비라. 조뫼 부ᄌᆞ(不慈)ᄒᆞ시고, 모친【50】이 흔 일도 빅모의 ᄯᅳᆺ ᄀᆞᆺ게 ᄒᆞ시미 업ᄉᆞ나, 일즉 조모의 부ᄌᆞᄒᆞ심과 모친의 블혜(不慧)ᄒᆞ시믈 허믈치 아니ᄒᆞ시고, 효우를 갈녁하시니 모친이 감격도 아니ᄒᆞ시관ᄃᆡ, 이런 악악ᄃᆡ셩(惡惡大聲)을 긔탄치 아니ᄒᆞ시나니잇고? 아지 못거이다. 타일 빅뫼 도라 오시면 모친니 무슨 ᄂᆞᆺ츠로 뵈오려 ᄒᆞ시ᄂᆞ니잇가? 쇼녜 누년(累年)을 슬하를 써나, 비록 금츈의 상경ᄒᆞ여 잇다감 얼프시 단녀가니, 오히려 《외간‖가간》의 셰밀지ᄉᆞ와 모친의 괴이ᄒᆞ시미 흔갈ᄀᆞᆺ트시며, 심홰(心火) 상ᄒᆞ시미 젼도곤 더ᄒᆞ시믈 아득히 몰낫더니, 이 다 모친니 태모의 실덕을 더으시고, 형니[이] 모친의 뉘덕(陋德)을 도으니, 장ᄂᆡ 일이 어느 지경의 이르믈 알니잇고? 쇼녜 출하리 어셔 죽어 셰ᄉᆞ를 모로고져 ᄒᆞᄂᆞ이다."

뉴시 비록 친싱 여아의 말이나, 절절이 ᄌᆞ긔를 낫 둘 곳시 업셔 ᄒᆞᆷ믈 드르니, 독흔 노긔 빅댱이나 놉흐니, 전후를 싱각지 못ᄒᆞ고 쳘골(徹骨)흔 분한이 쳡쳡(疊疊)ᄒᆞ여581), 도로혀 싱각ᄒᆞᄃᆡ, 텬지간 귀ᄒᆞ며 친흔 졍의 모녀 ᄉᆞ이 ᄀᆞᆺ트미 업거늘,【51】 이졔 닉의 팔지 긔박ᄒᆞ여 친녜 허믈 수죄(數罪)ᄒᆞ기를 이러툿 ᄒᆞ니, 블효(不孝) 무상(無狀)ᄒᆞ여 셔의(齟齬)ᄒᆞ미 이 ᄀᆞᆺ트믈 엇지 아랏시리오.

노분(怒忿)이 튱격(衝激)ᄒᆞ니, 부지블각(不知不覺)의 겻틔 노힌 셔징(書鎭)을 드러 쇼져를 두어 번 난타ᄒᆞ니, 머리와 팔히 듕상ᄒᆞ여 두골이 터져 피 난만니 흐르고, 팔의 깁 ᄀᆞᆺ튼 가쥭이 버셔지고, 응지(凝脂) ᄀᆞᆺ

---

590)쳘쳘ᄒᆞ다 : 쳘쳘하다. 크게 넘쳐흐르다.

581)쳡쳡(疊疊)ᄒᆞ다 : 근심, 걱정 따위가 많이 쌓여 있는 모양.

이 놀나 급히 쇼져의 팔흘 잡고, 뉴시다려 왈,

"이 ᄋᆞ히 본딕 ᄋᆞ시로브터 조시 모즈를 각별이 츄앙(推仰)ᄒᆞ고 졍의 무궁ᄒᆞ여, 어미와 대【3】상브동(大相不同)ᄒᆞ믈 현뷔 닉이 알거든, 엇디 금일 브졀 업시 난타ᄒᆞ여, 져의 톄위 존듕ᄒᆞ믈 모로고 흔갓 ᄌᆞ식이라 ᄒᆞ여 거죄 괴이ᄒᆞ기의 밋쳣ᄂᆞ뇨?"

뉴시 구ᄐᆞ여 녀ᄋᆞ를 피 나도록 치랴 ᄒᆞ미 아니로딕, 일시 노긔를 참디 못ᄒᆞ여 두어 번 ᄯᆞ린 거시, 머리와 팔히 듕상ᄒᆞ여 피 흐르믈 보니, 심니(心裏)의 놀나온디라, 흔갓 눈믈을 ᄲᅳ리고 태부인긔 딕왈,

"현이 조시의 거처 업ᄉᆞ믈 쳡의 탓슬 삼아, 광텬 등과 도모ᄒᆞ여 쳡을 죽일 거동이니, 음분(淫奔) 도쥬(逃走)ᄒᆞᆫ 아즈미를 위ᄒᆞ여 십삭 틱교ᄒᆞᆫ 어믜 은혜를 니즈니, 져런 원슈의【4】거시 어이 이시리잇고? 쳡이 져 보는 딕 쾌히 죽어 져의 ᄆᆞᄋᆞᆷ을 싀훤이 ᄒᆞ려 ᄒᆞᄂᆞ이다."

태흥은 뉴시 모녜 다 노ᄒᆞ여 아니케, ᄀᆞ장 소견 잇는 쳬ᄒᆞ여 ᄉᆞ식을 순히 ᄒᆞ고 소리를 브드러이 ᄒᆞ여, 굴오딕,

"현ᄋᆞ의 조시 위ᄒᆞ미 병통이어니와, 본딕 효우ᄒᆞᆫ ᄋᆞ히니 엇디 광텬 등 ᄉᆞ오나온 뉴를 동심ᄒᆞ여 현부를 히코져 흘니 이시리오. 현뷔 심홰(心火) 셩ᄒᆞ여 말이 과도ᄒᆞ믈 면치 못ᄒᆞᆫ 연괴라. 현부의 총명ᄒᆞᄆᆞ로 경ᄋᆞ의 위인을 모로며, 현ᄋᆞ의 위인을 모로디 아니리니, 죵용이 경계ᄒᆞ고 모녜 ᄌᆞ익를 합ᄒᆞ여 죵요로온 졍을 일치 말나."【5】

뉴시 츄연 함쳑(含慽)ᄒᆞ여 말이 업고, 쇼졔 모친의 거동과 조모의 말ᄉᆞᆷ을 드르미, 출하리 ᄌᆞ긔 몸이 업셔 타일 모친의 만고일악(萬古一惡)의 미명(罵名)을 취ᄒᆞ믈 보디 말고져 ᄒᆞᄂᆞᆫ디라. 도로혀 상쳐 알픈 거슬 닛고, 슈건을 드러 팔과 머리의 피를 ᄲᅵᆺ고, 탄ᄒᆞ여 굴오딕,

"고인이 유운(有云) 왈, 부뫼 그르시거든 세 번 간ᄒᆞ라 ᄒᆞ여시니, 쇼녀의 블초ᄒᆞᆫ 말

흔 셜뵈(雪膚) 웃쳐져 피 급히 흐르니, 틱흥이 놀나 급히 쇼져의 팔흘 잡고, 뉴씨다려 왈,

"이 아히 본딕 아시로브터 조시 모즈를 각별이 츄앙(推仰)ᄒᆞ고 졍의 무궁ᄒᆞ여, 어미와 딕상부동(大相不同)ᄒᆞ믈 현뷔 익이 알거든, 엇지 금일 부졀업시 난타ᄒᆞ여, 져의 쳬위 존듕ᄒᆞ믈 모로고 흔갓 ᄌᆞ식이라 ᄒᆞ여 거죄 고이ᄒᆞ기의 밋나뇨?"

뉴씨 구타여 여아를 피 나도록 치미 아니로딕, 일시 노긔를 춤지 못ᄒᆞ여 두어 번 ᄯᆞ린 거시, 머리와 팔이 듕상ᄒᆞ【52】녀[여] 피 흐르믈 보니, 심니(心裏)의 놀나온지라. 흔갓 눈믈을 ᄲᅮ리고 틱부인긔 딕왈,,

"현의 조시의 거쳐 업ᄉᆞ믈 쳡의 탓슬 삼아, 광텬 등과 도모ᄒᆞ여 쳡을 죽일 거동이니, 음분(淫奔) 도쥬(逃奔)ᄒᆞᆫ 아즈미를 위ᄒᆞ여 십삭 틱교ᄒᆞᆫ 어믜 은혜를 이즈니, 져런 원수의 것시 이시리잇고? 쳡이 져 보는 딕 쾌히 죽어 제 ᄆᆞᄋᆞᆷ을 싀원케 ᄒᆞ려 ᄒᆞᄂᆞ이다."

틱흥은 뉴씨 모녀 다 노ᄒᆞ여 아니토록, 가댱 쇼견 잇는 쳬ᄒᆞ여 ᄉᆞ식을 순히 ᄒᆞ고 소리을 부드러이 ᄒᆞ여, 굴오딕,

"현아의 조시 위ᄒᆞ미 병통이어니와, 본딕 효우ᄒᆞᆫ 아히니 엇지 광텬 등 ᄉᆞ오나온 유로 동심ᄒᆞ여, 현부를 히코져 흘니 이시리오. 현뷔 심홰(心火) 셩ᄒᆞ여 말이 과도ᄒᆞ믈 면치 못ᄒᆞᆫ 년괴라. 현부의 총명ᄒᆞᄆᆞ로 현아의 위인을 모로지 아니리니, 죵용이 경계ᄒᆞ고 모녜 ᄌᆞ익를 합ᄒᆞ여 죵요로온 졍을【53】 일치 말나."

뉴씨 츄연 함쳑(含慽)ᄒᆞ여 말이 업고, 쇼졔 모친의 거동과 조모의 말ᄉᆞᆷ을 드르미, 찰하리 ᄌᆞ긔 몸이 업셔 타일 그 모친의 만고일악(萬古一惡)의 미명(罵名)을 취ᄒᆞ믈 보지 말고져 ᄒᆞᄂᆞᆫ지라. 도로혀 그 상쳐의 알픈 거슬 잇고 수건을 드러 팔과 머리의 피를 씻고, 탄ᄒᆞ여 굴오딕,

"고인니[이] 부뫼 그르시거든 세 번 간ᄒᆞ라 ᄒᆞ엿시니, 소녀의 블초한 말ᄉᆞᆷ이 능히

숨이 능히 효험이 업고, 모친의 쯧을 맛치
디 못ᄒ여 점점 거죄 이 디경의 밋ᄎ시니,
인싱이 플 긋티 이슬이라. 쇼녜 본디 셰렴
(世念)이 스연ᄒ니, 타일 모친이 참참혼 악
명을 시러 사롬마다 포악ᄒ믈 ᄯ【6】디즐
ᄯᆡ의, 쇼녜 어나 낫ᄎ로 평상이 디닉리잇
가? 싱셰 십칠년의 괴롭고 슬푸미 무한ᄒ
니, ᄎ마 싱아(生我)ᄒ신 부모를 싱각ᄒ여
스스로 ᄌ결치 못ᄒ오나, 쥬야 죽기를 디극
히 원ᄒ옵ᄂ니, 광·희 냥뎨의 문명 도덕과
대효의 군ᄌ를 조뢰 몹ᄊᆞᆯ 놈들이라 ᄒ시니,
엇디 원억디 아니ᄒ리잇가? 셜ᄉ 모친이 어
디디 못ᄒ여도 조뢰 ᄉ리로ᄡ 계칙(戒責)ᄒ
시고, 가듕 법녕을 녜디로 ᄒ시면, 이디도록
괴이히 되디 아니리이다."

언필의 이읍(哀泣)ᄒ믈 긋치디 아니ᄒ니,
태흥은 지삼 위로ᄒ고, 뉴녀는 비록 친싱
녀이나 강포ᄒᆫ 호령【7】을 나는 대로 못ᄒ
고, 역시 분완ᄒ여 침소의 가 머리를 ᄲᆞᆺ고
움죽이디 아니니, 쇼졔 그 실덕을 각골 이
들와 ᄒ나 다시 슌셜(脣舌)591)을 아니ᄒ더
라.

임의 져믈미 태위 입닉(入內)ᄒ여 져져
(姐姐)를 무궁히 반기나, 그 옥모화안(玉貌
花顔)의 누흔(淚痕)이 가득ᄒ고, 팔ᄌ츈산
(八字春山)592)의 슈한(愁恨)이 만텹(萬疊)ᄒ
여, 유ᄉ디심(有死之心)ᄒ고 무싱디긔(無生
之氣)ᄒ니, 태위 ᄀᆞ장 놀나 굴오디,

"하형이 도덕(盜賊)을 탕멸(蕩滅)ᄒ고 대
공을 일워, 승젼개○【가】(勝戰凱歌)로 호호
탕탕(浩浩蕩蕩)이 경샤의 님ᄒ니, 만승디존
(萬乘之尊)이 교외의 맛고져 ᄒ시고, 빅뇨
그 직덕을 츄앙ᄒ니, 부영쳐귀(夫榮妻貴)는
당당ᄒᆫ 상시라, 하형의 영화롭기로ᄡ 져
【8】져의 존귀는 팔좌(八座)593)를 누리실
거시니, 쇼녜 치하홀 바를 아디 못ᄒ거늘,

효험이 업고, 모친의 쯧의[을] 맛치지 못ᄒ
여 점점 거죄 이 지경의 밋ᄎ시니, 인싱이
풀 긋희 이슬이라. 쇼녜 본디 셰렴(世念)이
스연ᄒ니, 타일 모친니 참참혼 악명을 시러
사롬마다 포한(暴悍)ᄒ믈 ᄯᆞ지즐 ᄯᆡ의, 쇼녜
어ᄂ 눗ᄎ로 평상이 지닉리잇가? 셰샹{이}
십칠년○[의] 괴롭고 슬푸미 무한ᄒ니, 참
아 슈지부모(受之父母)582)을 싱각ᄒ여 스스
로 ᄌ결치 못ᄒ오나, 쥬야 죽기를 지극히
원ᄒ옵ᄂ니, 광쳔【54】 형뎨의 문명 도덕
과 딕효의 군ᄌ를 조뢰 몹슬 놈들이라 ᄒ시
니, 엇지 원억지 아니릿가? 셜ᄉ 모친니 어
지지 못ᄒ여도, 조뢰 ᄉ리로ᄡ 칙(責)ᄒ시
고, 가즁 법녜를 예디로 ᄒ시면, 이디도록
괴이히 되지 아니리니다."

언필의 이읍(哀泣)ᄒ믈 긋치지 아니ᄒ니,
틱흥은 지삼 위로ᄒ고, 뉴녀는 비록 슬하
여이나 강포ᄒᆫ 호령을 나는 딕로 못ᄒ고,
역시 분완ᄒ여 침소의 가 머리를 ᄡ 움죽이
지 아니니, 쇼졔 그 실덕을 각골 익달아 ᄒ
나, 다시 슌셜(脣舌)583)을 아니ᄒ더라.

임의 져믈미 틱위 닙닉(入內)ᄒ여 져져
(姐姐)를 무궁히 반기나, 옥모화안(玉貌花
顔)의 누흔(淚痕)니 가득ᄒ고, 팔ᄌ 츈산(八
字春山)584)의 슈한(愁恨)니 만텹(萬疊)ᄒ여,
유ᄉ지심(有死之心)ᄒ고 무싱지긔(無生之氣)
ᄒ니, 태위 ᄀᆞ장 놀나 굴오디,

"하형이 도적(盜賊)을 탕멸(蕩滅)ᄒ고 딕
공을 일워, 승젼개가(勝戰凱歌)로 호호탕탕
(浩浩蕩蕩)이 경ᄉ의 임ᄒ니, 만승지존(萬乘
之尊)니 교외【55】에 맛고져 ᄒ시고, 빅뇨
그 직덕을 츄앙ᄒ거늘, 부영쳐귀(夫榮妻貴)

---

591)슌셜(脣舌) : ①입술과 혀를 아울러 이르는 말.
②'여러 말' 하는 것을 비유적으로 이르는 말.
592)팔ᄌ츈산(八字春山) : 화장한 눈썹.
593)팔좌(八座) : 여덟 개의 고위 관직. 곧 중국 수나
라·당나라 때에, 좌우 복야와 영(令)과 육상서를
통틀어 이르던 말.

582)슈지부모(受之父母) : 신체와 머리카락 살갗에
이르기까지 자신의 몸은 다 부모로부터 받은 것이
라는 말. 『효경』<개종명의(開宗明義)>장의, "신
체발부 수지부모 불감훼상 효지시야(身體髮膚 受
之父母 不敢毁傷 孝之始也; 몸과 머리털과 살갗은
다 부모에게서 받은 것이니 감히 훼손하거나 상하
게 하지 않는 것이 효도의 시작이다)"에서 온 말.
583)슌셜(脣舌) : ①입술과 혀를 아울러 이르는 말.
②'여러 말' 하는 것을 비유적으로 이르는 말.
584)팔ᄌ츈산(八字春山) : 화장한 눈썹.

하고(何故)로 쳑쳑(慽慽)ᄒ시ᄂ니잇가?"

쇼졔 츄연 탄왈,

"구가ᄂ 가졍이 녜스롭고, 하군이 승젼 반샤ᄒ니 내 ᄯᅩ흔 깃거ᄒ미 업디 아니나, 구가의셔 날을 거나리ᄂ 바와 ᄌ이 무휼ᄒ미 슈하 사름이 편토록 ᄒ거ᄂᆯ, 우리 집은 가듕 변괴 졈졈 긔괴 망측기의 밋쳐, 조모와 모친이 실덕이 날노 더ᄒ시니, 실노 현뎨 등의 터히 위란ᄒ고 디어 현뎨 ᄒ여ᄂ 누뒤 봉ᄉ를 녕(領)ᄒ고 듕ᄒᄆᆯ 가져, 만금 소듕(所重)이 조모긔ᄂ 현뎨(賢弟)어ᄂᆯ, 대뫼 맛ᄎ미 귀듕ᄒ실 줄을 모로시고, 무【9】음이 크게 샹ᄒ여 계시니, 아모리 싱각ᄒ여도 가닉를 편히 홀 도리 업ᄂ디라. 나의 유약ᄒ미 오히려 몰낫더니, 금일 모친과 조모의 ᄒ시ᄂ 말씀을 듯ᄌ오미 심골이 경한ᄒ니, 므릇 일이란 거시 디극히 어딘 일과, 남달니 포악디ᄉᄂ 소문이 ᄌ연 잘 나ᄂ디라. 타일 대모(大母)와 태태(太太)594)의 무궁흔 실덕(失德) 패되(悖道) 낫타나ᄂ 쩌ᄂ, 내 ᄎ마 붓그러온 낫츨 드러 사름을 딕ᄒ기 어려온[올]디라. 념급디ᄎ(念及至此)595)의 쥬야 통곡고져 ᄒ노라."

태위 믄득 쳑연이 화우(華宇)를 ᄠᅥᆼ긔고 오릭 말이 업더니, 날호여 탄식 딕왈,

"텬하(天下)의 무블시져부뫼(無不是底父母)596)시니, 슈샹(手上)【10】이 굿ᄐ여 브ᄌ(不慈)ᄒ시리잇가? 직하직(在下者) 어듸디 못ᄒ고 효도롭디 못ᄒ여 가변이 블가ᄉ문어타인(不可使聞於他人)597)이라. 쇼뎨 하면목(何面目)으로 닙어셰(立於世) ᄒ리잇가마ᄂ,

---

ᄂ 당당흔 샹시라. 하형의 영화롭기로ᄡᅥ 져져의 존귀ᄂ 팔좌(八座)585)를 누리실 거시니, 쇼뎨 놉흔 복을 힝희(幸喜)ᄒᄂ니다."

윤부인니 츄연 왈,

"구가ᄂ 참참흔 화가여싱(禍家餘生)으로 요힝 은ᄉ(恩賜)를 엇고, 가졍이 예스로와 아희을 교학(敎學)ᄒ고 며ᄂ리를 거ᄂ려 법 되잇셔, 수하 ᄉ름이 편커ᄂᆯ, 우리 집은 예로 이를진딕, 예의지기(禮義之家)라 칭ᄒ던 터이, 당ᄎ시(當此時)ᄒ여ᄂ 가변이 졈졈 망측기의 이르러, ᄌ모와 모친의 실덕이 날노 더ᄒ시니, 실노 현뎨 등의 터히 위란(危亂)ᄒ고, 지어현뎨(至於賢弟) ᄒ여ᄂ 누뒤 봉ᄉ를 영(領)ᄒ고 즁(重)ᄒᄆᆯ 가져, 만금 소듕이 조모ᄭᅴᄂ 현뎨어ᄂᆯ, 조뫼 맛ᄎ미 귀듕ᄒ신 줄 모로시고, 므음이 크게 샹ᄒ여 계시니 아모리 싱각ᄒ여도, 가닉을 편히 홀 도리 업ᄂ지라. 나의 유미(幼微)ᄒ{오}미 오히【56】려 다 몰낫더니, 금일 모친과 조모의 ᄒ시ᄂ 말씀을 드르미, 심골이 경한ᄒ니, 므릇 일이란 거시 지극히 어진 일과 남달니 포악지ᄉᄂ 소문니 잘 나ᄂ지라. 타일 조모와 틱틱(太太)586)의 무궁흔 실덕(失德) 픽되(悖道) 낫타나ᄂ 날은, ᄂᆡ ᄎ마 붓그러온 낫츨 드러 ᄉ름을 딕ᄒ기 어려온[올]지라 념급지ᄎ(念及至此)587)의 쥬야 통곡고져 ᄒ노라."

틱우 믄득 화우(華宇)를 ᄶᅵᆼ긔고 오릭 말이 업더니, 날호여 탄식 딕왈,

"텬하(天下)의 무블시져부뫼(無不是底父母)588)시니, 슈샹(手上)이 굿타여 부ᄌ(不慈)ᄒ시리잇가 직하직(在下者) 어지지 낫[못]ᄒ고 효도롭지 못ᄒ여 가변니 블가ᄉ문어타인(不可使聞於他人)589)이라. 쇼뎨 하면

---

594)태태(太太) : ①예전에 '어머니'를 이르는 말. ② 부인에 대한 존칭(중국어 간접차용어).
595)념급디ᄎ(念及至此) : '생각이 이에 미치면'의 뜻.
596)무블시져부뫼(無不是底父母) : (자식을) 옳지 않은 데에 이르게 할 부모는 없다.
597)블가ᄉ문어타인(不可使聞於他人) : '남이 알까 두렵다'는 말.

585)팔좌(八座) : 여덟 개의 고위 관직. 곧 중국 수나라·당나라 때에, 좌우 복야와 영(令)과 육상서를 통틀어 이르던 말.
586)태태(太太) : ①예전에 '어머니'를 이르는 말. ② 부인에 대한 존칭(중국어 간접차용어).
587)념급디ᄎ(念及至此) : '생각이 이에 미치면'의 뜻.
588)무블시져부뫼(無不是底父母) : (자식을) 옳지 않은 데에 이르게 할 부모는 없다.
589)블가ᄉ문어타인(不可使聞於他人) : '남이 알까 두

스스로 죽디 못ᄒᄂᆞᆫ 바는 ᄎᆞ마 조션봉ᄉᆞ(祖先奉祀)와 ᄌᆞ모를 져바리ᄋᆞᆸ디 못ᄒᆞ미라. 능히 아모리 ᄒᆞᆯ 줄 모를소이다."

쇼졔 탄식 답왈,

"뎨슌(帝舜)이 만고 대효대셩(大孝大聖)이시나, '쇼댱즉슈(小杖則受) ᄒᆞ고 대쟝즉쥬(大杖則走) ᄒᆞ라'598) ᄒᆞ여 계시니, 시금의 현뎨 등의 당ᄒᆞᆫ 비 남 다른 경계 만흔디라. 만일 슬프고 괴롭기를 견듸디 못ᄒᆞ여 힘힘히 셩명(性命)을 도라보디 아니ᄒᆞ면, 흔갓 조션후ᄉᆞ(祖先後嗣)599)와 빅모의 의탁이 업ᄉᆞᆯ ᄲᆞᆫ아니라, 조뫼 손ᄌᆞ【11】죽이신 누명이 텬디간의 용납ᄒᆞ시기 어려오리니, 현뎨 등의 블효를 쟝ᄎᆞᆺ 어나 곳의 ᄲᅳ흐리오. ᄉᆞ긔(事機)를 보아 딘실노 위란○[ᄒᆞᆫ] 형셰를 당ᄒᆞ거든 잠간 몸을 피ᄒᆞᆯ디언졍, 가븨야이 죽을 의ᄉᆞ를 말나."

태위 츄연 왈,

"져져의 명달ᄒᆞ신 말ᄉᆞᆷ이 쇼뎨의 어두온 심장을 붉히시니, 쇼뎨 비록 블초(不肖) 무상(無常)ᄒᆞ오나, 엇디 밧드디 아니ᄒᆞ리잇고? 이러므로 만ᄉᆞ를 파탁(把度)600)ᄒᆞ여 헷치기601)를 위쥬ᄒᆞ여 공부(工夫)ᄒᆞ602)되, 근일 대뫼 의식디졀을 괴이히 ᄒᆞ시고, ᄉᆡ로 규구(規矩)를 ᄂᆡ샤 삭망(朔望) 다례(茶禮)603)를 연고 업시 폐ᄒᆞ시니, 조션(祖先) 긔ᄉᆞ(忌祀)604)를 다 궐(闕)ᄒᆞ시기【12】를 뎡ᄒᆞᄂᆞᆫ디라. 이런 망극ᄒᆞᆫ 일이 어듸 이시리오."

쇼졔 듯ᄂᆞᆫ 말마다 한심ᄒᆞ니, 다만 쥬뤼

598)쇼댱즉슈(小杖則受) 대쟝즉쥬(大杖則走) : 작은 매는 맞되 큰 매는 도망하여 피함.
599)조션후ᄉᆞ(祖先後嗣) : 조상의 대(代)를 이을 자손.
600)파탁(把度) : 헤아림. 헤아려 앎.
601)헷치다 : 헤치다. 방해되는 것을 이겨 나가다.
602)공부(工夫)ᄒᆞ다 : 애쓰다. 노력하다.
603)다례(茶禮) : =차례(茶禮). 음력 매달 초하룻날과 보름날, 명절날, 조상 생일 등의 낮에 지내는 제사. '다례'라는 말은 중국 고례(古禮)에서 매월 초하룻날과 보름날에 조상에게 제사를 올릴 때 간략하게 차 한 잔만 올린 데서 유래한 말이라 한다.
604)긔ᄉᆞ(忌祀) : 기제(忌祭). 기제사(忌祭祀). 해마다 사람이 죽은 날에 지내는 제사.

목(何面目)으로 닙어셰(入於世)리잇고마ᄂᆞᆫ, 스스로 죽지 못ᄒᆞᄂᆞᆫ 바는 ᄎᆞ마 조션봉ᄉᆞ(祖先奉祀)와 ᄌᆞ모를 져바리지 못ᄒᆞ미라. 능히 아모리 ᄒᆞᆯ 쥴 모를소이다."

쇼졔 탄식 답왈,

"뎨슌(帝舜)이 만고 ᄃᆡ효ᄃᆡᆼ(大孝大聖)이시나 '소쟝즉슈(小杖則受) ᄒᆞ고 ᄃᆡ쟝즉쥬(大杖則走) ᄒᆞ라'590) ᄒᆞ【57】여 계시니, 시금의 현뎨 등의 당ᄒᆞᆫ 비 남 다른 경계 만흔지라. 만일 슬푸고 괴롭기를 견듸지 못ᄒᆞ여 힘힘이 셩명(性命)을 도라보지 아니ᄒᆞ면, 한갓 조션후ᄉᆞ(祖先後嗣)591)와 빅모의 ○[의]탁이 업ᄉᆞᆯ ᄲᆞᆫ아니라, 조뫼 손ᄌᆞ 죽인 누명이 쳔지간의 용납ᄒᆞ시기 어려오리니, 현뎨 등의 블효를 쟝ᄎᆞᆺ 어느 곳의 ᄡᅳ흐리오. ᄉᆞ긔(事機)를 보아 진실노 위란ᄒᆞᆫ 형셰를 당ᄒᆞ거든 잠간 몸을 피ᄒᆞ지언졍, 가븨야이 죽을 의ᄉᆞ를 말나."

ᄐᆡ위 츄연 왈,

"져져의 명달ᄒᆞ신 말ᄉᆞᆷ이 쇼뎨의 어두온 심장을 밝히시니, 쇼뎨 비록 블초무상(不肖無狀)ᄒᆞ오나, 엇지 밧드지 아니ᄒᆞ리닛고? 이러므로 만ᄉᆞ를 파탁(把度)592)ᄒᆞ여 혜치기593)를 위쥬ᄒᆞ되, 근일 디뫼 의식지졀을 괴이히 ᄒᆞ시고, 시 규구(規矩)을 ᄂᆡᆺ 삭망(朔望) 다례(茶禮)594)를 연고 업시 폐ᄒᆞ시고, 조션(祖先) 긔ᄉᆞ(忌祀)595)를 다 궐(闕)ᄒᆞ시기를 뎡ᄒᆞ시니, 이런 망극ᄒᆞᆫ【58】일이 어듸 이시리오."

쇼졔 듯ᄂᆞᆫ 말마다 한심ᄒᆞ니, 다만 쥐뤼

렵다'는 말.
590)쇼댱즉슈(小杖則受) 대쟝즉쥬(大杖則走) : 작은 매는 맞되 큰 매는 도망하여 피함.
591)조션후ᄉᆞ(祖先後嗣) : 조상의 대(代)를 이을 자손.
592)파탁(把度) : 헤아림. 헤아려 앎.
593)헷치다 : 헤치다. 방해되는 것을 이겨 나가다.
594)다례(茶禮) : =차례(茶禮). 음력 매달 초하룻날과 보름날, 명절날, 조상 생일 등의 낮에 지내는 제사. '다례'라는 말은 중국 고례(古禮)에서 매월 초하룻날과 보름날에 조상에게 제사를 올릴 때 간략하게 차 한 잔만 올린 데서 유래한 말이라 한다.
595)긔ᄉᆞ(忌祀) : 기제(忌祭). 기제사(忌祭祀). 해마다 사람이 죽은 날에 지내는 제사.

(珠淚) 년낙(連落)ᄒ여 죽고져 시븐다라. 다시 답디 아니코 태위 이윽ᄒ 후 출외ᄒ니, 쇼제 모친과 조모긔 ᄌ긔 쇼고(小姑)605)를 다리라 와시믈 고ᄒ고, 명일 ᄒ가디로 가기를 쳥ᄒ니, 뉴시 이 조각을 타 하시를 업시ᄒ려 ᄒ거늘, 어이 녀ᄋ로 동힝식여 ᄌ가의 계교를 헛곳의 니게 ᄒ리오. 믁믁브답(默默不答)이러니, 쇼제 잠간 몸을 니러 경ᄋ 침소로 향ᄒ거늘, 즉시 하시를 블너 압히 셰오고, 눈을 독히 소리를 모디리 ᄒ여, 글오딕,

"너 요괴년이 윤문의【13】속현(續絃)606)ᄒ 지 삼년이라. ᄒ 일도 취훌 곳이 업고, 간교(奸巧) 요악(妖惡)이 극딘ᄒ여, 가뷔 잠간 나간 ᄉ이 음심을 ᄎᆷ디 못ᄒ여 엇던 남ᄌ를 유졍ᄒ여 두고, 이 곳의셔 쾌히 화락디 못ᄒ여, 짐곳 취운산의 도라가 두리는 곳 업시 연낙(宴樂)고져 ᄒ므로, 네 부모긔 통ᄒ여 녀이 구고 명으로 너를 다리라 와시니, 간부와 즐기려 ᄒ거든 명일 ᄒ가디로 도라가고, 그러치 아니커든 예 이시라."

하시 존고의 말이 이ᄀᆞᆺ치 더럽고 측ᄒ기의 당ᄒ여는, 아니쏩기 심ᄒ니 므어시라 답ᄒ리오. 오딕 심니의 스스로 팔ᄌ를 탄ᄒ여, 삼년 고상(苦狀)의【14】쳔만 곡경(曲境)이며 만단 간익(艱厄)이, 출하리 뎡슉녈이 당샤 찬뎍과 딘쇼져의 죽으믈 칭ᄒ여 본부의 편히 이시믈 불워훌 디경이라. 감히 원억ᄒ믈 발명치 못ᄒ고, 다만 봉관을 숙여 오딕 잠잠코 오라도록 딕치 아니니, 뉴녜 대로ᄒ여 고셩 즐왈,

"현ᄋ는 어미를 반ᄒ고 하가의 흉휼ᄒ 쐬의 드러 일당이 되엿ᄂᆞ디라. 네 가고져 ᄒ거든 가고 잇고져 ᄒ거든 이시라."

쇼제 낫빗츨 뎡히 ᄒ고, 좌를 쩌나 글오딕,

"쳡슈블혜(妾雖不慧)나 ᄉ족 녀ᄌ의 ᄎᆞ마

(珠淚) 연낙(連落)ᄒ여 죽고져 시븐지라. 다시 답지 아니코 틔위 이윽ᄒ 후 출외ᄒ니, 쇼졔 모친과 조모긔 ᄌ긔 쇼고(小姑)596)를 다리려 왓시믈 고ᄒ고 명일 ᄒ가지로 가기를 쳥ᄒ니, 뉴시 이 조각을 타 하씨를 업시ᄒ려 ᄒ거늘, 어이 녀아로 동힝식여 ᄌ긔의 계교를 헷곳의 더지게 ᄒ리오. 묵묵부딕(默默不對)러니, 쇼졔 잠간 몸을 일어 경아 침소로 힝ᄒ거늘, 뉴씨 하씨를 블너 알픠 셰우고, 눈을 독히 쩌 소리를 모지리 ᄒ여, 글오딕,

"너 요괴년니 윤문의 속현(續絃)597)ᄒ 지 삼년이라. 한 일도 취훌 것시 업고 간교(奸巧) 요악(妖惡)이 극진ᄒ여, 가뷔 잠간 나간 ᄉ이 음심을 참지 못ᄒ여 엇던 남ᄌ를 유졍ᄒ여 두고, 이 곳의셔 쾌히 화락지 못ᄒ여 《짓ᄌᆺ‖짐ᄌᆺ》 취운산의 도라가 두릴 곳 업시 연락(宴樂)고져 ᄒ무로,【59】네 부모긔 통ᄒ여 여이(女兒) 구고 명으로 너를 다리라 와시니, 간부와 즐기려 ᄒ거든 명일 한가지로 도라가고, 그러치 아니커든 예 이시라."

"하씨 존고의 말이 이ᄀᆞᆺ치 더럽고 측ᄒ기의 당ᄒ여는, 아닉곱기 심ᄒ니 무어시라 답ᄒ리오. 오직 심의(心裏)에 스스로 팔ᄌ를 탄ᄒ여, 삼년 고싱(苦生)의 쳔만 곡경(曲境)이며 만단 간익(艱厄)이, 출하리 뎡슉열의 당샤 찬젹과 진쇼져의 죽으믈 칭ᄒ여 본부의 편히 이시믈 불워훌 지경이라. 감히 원억ᄒ믈 발명치 못ᄒ고, 다만 봉관을 숙여 오릭 도축 딕치 아니니, 뉴네 대로ᄒ여 고셩 즐왈,

"현이는 어미를 반ᄒ고 하가의 흉휼ᄒ 쐬의 드러 일당이 되엿ᄂᆞ지라. 네 가고져 ᄒ긔든 가고 잇고져 ᄒ거든 이시라."

쇼제 낫빗츨 뎡히 ᄒ고, 좌를 쩌나 글오딕,

"쳡슈블혜(妾雖不慧)나 ᄉ족 녀ᄌ의 ᄎᆞ마

605)쇼고(小姑) : 시누이.
606)속현(續絃) : '거문고 줄을 잇는다.'는 뜻으로, '혼인(婚姻)'을 비유적으로 이르는 말.

596)쇼고(小姑) : 시누이.
597)속현(續絃) : '거문고 줄을 잇는다.'는 뜻으로, '혼인(婚姻)'을 비유적으로 이르는 말.

듯디 못홀 누언(陋言)을 몸 우히 시른 후, 엇디 친졍을 싱각ᄒ리잇고? 쳡【15】의 부뫼 가형(家兄)의 닙공 승젼ᄒ여 도라오믈 ᄒ가디로 보고져 ᄒ시미나, 존고의 의심이 이 ᄀᆺᄐ시니, 가형을 반기미 그 므슴 대ᄉ(大事)리잇가?"

뉴시 하쇼져를 젼후의 조로고 보쳐미 ᄒ두 번이 아니로ᄃᆡ, 쇼졔 스긔 안뎡ᄒ고 화열ᄒ여 슌슌이 ᄉ죄(赦罪)를 쳥홀 ᄲᆞᆫ이오, 일의 딘가를 변빅(辨白)ᄒᄂᆞᆫ 비 업셔, 아모리 쳔만 원억ᄒᆫ 일이 잇셔도 이미ᄒ믈 일ᄏᆞᆮ디 아니터니, 금번 말ᄉᆞᆷ은 젼일 ᄉ죄를 쳥홀 적과 다른디라. 이 반ᄃ시 녀ᄋ을 ᄢᅵ고 ᄌ긔를 업슈히 넉이민가 대로 대분ᄒ여, 본ᄃᆡ 뎍튝(積蓄)ᄒᆫ 믜오미 가슴 가온ᄃᆡ ᄲᅥ혀시【16】니, 엇디 혜아릴 거시 이시리오. 챗던 장도를 ᄲᅡ혀 분연이 하시의 가슴을 디르니, 쇼졔 무심 듕 딜니여 븕은 피 돌져 흐르고, 혼졀ᄒ여 인ᄉ를 모로니. 뉴녜 힝혀 녀ᄋ 알가 괴로이 넉여 셰월 비영으로 ᄒ여곰 하시를 ᄭ어 쇼당(小堂)의 두라 홀 즈음의, 현ᄋ 쇼졔 니르러 이 경상을 목도ᄒ니, ᄒᆞᆫ갓 쇼고의 명이 ᄭᅳᆺ쳣ᄂᆞᆫ가 황황홀 ᄲᆞᆫ아니라, 모친의 거동이 결단ᄒ여 집을 망히오고 ᄌ부를 다 죽여, 쳔ᄃᆡ(千代)의 둘 업는 일악흉인(一惡凶人)[607]이 될 둣 ᄒ다라.

이에 밧비 태우를 블너 약을 어더 하시【17】를 구ᄒ며, 가슴을 어로만져 스스로 ᄆᆞᆷ을 딘뎡코져 ᄒ나, 만신이 썰니기를 면치 못ᄒ여, 신ᄉᆨ(身色)이 쳥옥(靑玉) ᄀᆺᄐ여 슬픈 한이 막힐 둣ᄒ거늘, 태위 하부인의 급히 브르믈 놀나 급히 드러와 ᄎᆞ경을 보고, 두어 말노 뉴시를 간(諫) 왈, '하슈를 친히 칼노 디르미 ᄎᆞᆷ아 부인 녀ᄌ의 ᄌ부 거ᄂᆞ리는 되 아니믈' 고ᄒ니, 뉴시 분노를 니긔디 못ᄒ여 태우를 향ᄒ여 큰 목침을 더디고, 벽샹의 걸닌 슈건을 가져 스스로 결

듯지 못홀 누언(陋言)을 몸 우히 시른 후【60】엇지 친졍을 싱각ᄒ리잇고? 쳡의 부뫼 가형(家兄)의 닙공 승젼ᄒ여 도라오믈 ᄒᆞᆫ가지로 보고져 ᄒ미라[나], 존고의 의심이 이 ᄀᆺᄐ시니, 가형을 반기미 그 므슴 ᄃᆡᄉ(大事)리닛가."

뉴씨 하쇼져를 견후의 조로고 븟치미 ᄒᆞᆫ두 번이 아니로ᄃᆡ, 쇼졔 스긔 안뎡ᄒ고 화열ᄒ녀[여] 슌슌이 ᄉ죄(死罪)를 쳥홀 ᄲᆞᆫ이오 일의 진가를 변빅(辨白)ᄒᄂᆞᆫ 비 업셔, 아모리 쳔만 원억ᄒᆫ 일이 잇셔도 이미ᄒ믈 일ᄏᆞᆯ지 아니터니, 금번 말ᄉᆞᆷ은 젼일 ᄉ죄를 쳥홀 적과 다른지라. 이 반ᄃ시 여아를 ᄢᅵ고 ᄌ긔를 업슈히 넉이민가 ᄒ여, ᄃᆡ로 ᄃᆡ분ᄒ여 본ᄃᆡ 젹튝(積蓄)ᄒᆫ 믜오미 가슴 가온ᄃᆡ ᄡᅥᆻᄂᆞᆫ지라. 엇지 혜아릴 거시 잇스리오. 챗던 장도를 ᄲᅡ혀 분연니 하씨의 가슴을 지르니, 쇼졔 무심 즁 질니여 븕은 피 돌쳐 흐르고, 혼졀ᄒ여 인ᄉ를 모로니, 뉴녜 힝혀 ᄎᆞ녜 알가 괴【61】로이 넉여, 셰월 비영으로 ᄒ여곰 하씨를 ᄭ어 쇼당(小堂)의 두라 홀 즈음의, 현아 쇼졔 니르러 이 경상을 목도ᄒ니, ᄒᆞᆫ갓 쇼고의 명이 ᄭᅳᆺ쳣ᄂᆞᆫ가 황황홀 분 아니라, 모친의 거동이 결단ᄒ여 집을 망히오고, ᄌ부를 다 죽여 쳔ᄃᆡ의 둘 업는 일악흉인(一惡凶人)[598]이 될 둣ᄒ지라.

이에 밧비 ᄐ우를 블너 약을 어더 하씨를 구ᄒ며, 가슴을 어루만져 스스로 ᄆᆞᆷ을 진뎡코져 ᄒ나, 만신이 썰니기를 면치 못ᄒ여 신ᄉᆨ(身色)이 쳥옥(靑玉) ᄀᆺ고 슬픈 한니 막힐 둣ᄒ거늘, ᄐ위 져져의 급히 불으믈 놀나 급히 드러와 ᄎᆞ경을 보고, 두어 말노 뉴씨을 간 왈, '《하씨‖하슈》을 친히 칼노 지르미 ᄎᆞᆷ아 부인 녀ᄌ의 ᄌ부 거ᄂᆞ리는 되 아니믈' 고ᄒ니, 뉴씨 분노를 니긔지 못ᄒ여 ᄐ우를 향ᄒ여 큰 목침을 더지고 벽샹의 걸닌 슈건을 가져 스스로 ᄌ결코져 ᄒ미[며],

---

[607]일악흉인(一惡凶人) : '하나밖에 없는 흉악한 사람' 이란 뜻으로, '세상에 둘도 없는 가장 흉악한 사람'이라는 말.

[598]일악흉인(一惡凶人) : '하나밖에 없는 흉악한 사람' 이란 뜻으로, '세상에 둘도 없는 가장 흉악한 사람'이라는 말.

항코져 ㅎ미[며], 악악히 굴오디,

"광텬 패지(悖子) 요괴로운 뎨슈와 디각 업슨 현으로 모의ㅎ여, 무디모야(無知暮夜)【18】의 날을 죽이려 ㅎ니, 츌하리 내 스스로 결(決)ㅎ리라608)."

언파의 슈건을 드러 목을 독히 미니, 이 씨 태위 목침의 머리를 마즈 관이 버셔디고 두골이 샹ㅎ여 피 소스나디, 알픈 거슨 씨 듯디 못ㅎ고, 뉴시의 거동이 ㅈㅈ초 괴악ㅎ여 합문(閤門) 졔인을 다 죽일 형상이니, 졀박흔 근심을 니긔디 못ㅎ나, 그 결항ㅎ는 거죄 더욱 대변이라. 년망이 한삼을 써혀 머리를 동히고, 밧비 슉모의 결항흔 슈건을 그르고 쳬읍여우(涕泣如雨)ㅎ여 온 가디로 위로ㅎ여 왈,

"유지(猶子) 언급(言急)ㅎ여 간ㅎ미 도로혀 이 디경의 니르시니,【19】{니르시니} 아디 못게이다. 가변을 어이 이디도록 일위시ᄂᆞ니잇고?"

뉴네 가디록 대로ㅎ여 머리를 브디이져 죽으려 ㅎ는 거동으로, 고셩 대미 왈,

"몹쓸 놈이 므슴 일노 날을 조로는다? 슉녀로 유명ㅎ던 조시는 음분 도쥬ㅎ엿거든, 우리 ㄷᆞᆺ튼 조급흔 셩졍의 흉흔 놈과 요괴로온 년이 조로니, 능히 견디여 죽디 아니리오. 네 어미 음분 도쥬ㅎ니, 이 거슨 대변이 아니오 예ᄉᆞ완디, 날다려 네 집의 변을 일윈다 ㅎᄂᆞ냐?"

태위 츠언의 다ᄃᆞ라는 비록 하히디심(河海之心)609)과 텬디대량(天地大量)610)이나, 분뇌 머리털이 관(冠)을 가ᄅᆞ치디, ㅈ긔 져를 갈와611)【20】 슉딜디의(叔姪之義)를 폐ㅎ미 견융(犬戎)612) ᄀᆞᆺ튼여, 도로혀 ㅈ약히 웃고 굴오디,

"슉뫼 디기인ㅈ(對其人子)613)ㅎ여 그 ㅈ

---

608)결(決)ㅎ다 ; 어떤 일을 결단하거나 결정하다.
609)하히디심(河海之心) : 큰 강이나 바다처럼 넓은 마음.
610)텬디대량(天地大量) : 하늘과 땅처럼 큰 도량.
611)갈오다 : 가리다. 겨루다. 다투다. 장난치다.
612)견융(犬戎) ; 오랑캐. 중국 고대에, 산시 셩(陝西省)에 살던 서융(西戎)의 일족.

악〇[악]히 굴오디,

"광【62】텬 패지(悖子) 요괴로운 뎨슈와 지각 업슨 현아로 모의ㅎ여, 무지모야(無知暮夜)의 날을 죽이려 ㅎ니, 스스로 츌하리니 《벌ǁ결(決)》ㅎ리라599)."

언파의 수건을 취ㅎ여 목을 독히 미니, 잇디 퇴위 목침의 머리를 마ᄌ 관니 버셔지고 두골이 샹ㅎ여 피 소스나디, ㅈ긔 알픈 거슨 씨ᄃᆞᆺ지 못ㅎ고, 뉴씨의 거동이 ㅈㅈ초 고약ㅎ여 합문(閤門) 졔인을 다 죽일 형상이니, 졀박흔 근심을 니긔지 못ㅎ나, 그 결항ㅎ는 거죄 더욱 디변이라. 년망이 한삼을 쎼혀 머리를 동히고, 밧비 슉모의 결항흔 슈건을 글으고 쳬읍여우(涕泣如雨)ㅎ여, 온 가지로 위로ㅎ여 왈,

"유지(猶子) 언급(言急)ㅎ여 간ㅎ미 도로혀 이 지경의 니르시니, 아지 못거이다. 가변을 〇〇[어이] 이디도록 일위시ᄂᆞ니잇고?"

뉴네 가지록 디로ㅎ여 머리를 부디이져 죽으려 ㅎ는 거동으로 고셩 디미 왈,

"몹슬 놈이 므슴 일노 날을 조르는다? 슉녀로 유명흔【63】던 조시는 음분 도쥬ㅎ엿거든, 우리 ㄷᆞᆺ튼 조급흔 셩졍의 흉흔 놈과 요괴로온 년니 조로니, 능히 견디여 죽지 아니리오. 네 어미 음분 도쥬한 거슨 디변니 아니관디 날다려 네 집의 변을 일윈다 ㅎᄂᆞ냐?"

퇴위 츠언의 다ᄃᆞ라는 비록 하히지심(河海之心)600)과 쳔지디량(天地大量)601)이나 분뇌 머리털이 관(冠)을 가ᄅᆞ치나, ㅈ긔 져를 갈와602) 슉딜지의(叔姪之義)를 폐ㅎ미 견융(犬戎)603) ᄀᆞᆺ튼여, 도로혀 ㅈ약히 웃고 굴오디,

"슉뫼 디인ㅈ(對人子)604) ㅎ여 그 ㅈ모

---

599)결(決)ㅎ다 ; 어떤 일을 결단하거나 결정하다.
600)하히지심(河海之心) : 큰 강이나 바다처럼 넓은 마음.
601)텬디대량(天地大量) : 하늘과 땅처럼 큰 도량.
602)갈오다 : 가리다. 겨루다. 다투다. 장난치다.
603)견융(犬戎) ; 오랑캐. 중국 고대에, 산시 셩(陝西省)에 살던 서융(西戎)의 일족.

모 욕ᄒᆞ믈 능ᄉᆞ로 아르시나, 우리 ᄌᆞ경은 텬황디로(天荒地老)[614]ᄒᆞ여도 셩ᄒᆡᆼ슉덕(聖行淑德)을 일흐실 부인ᄂᆡ 아니시라. 아딕 거쳬 업ᄉᆞ므로 좃ᄎᆞ 후일의 다시 볼 일이 업슬 줄노 아르샤, ᄉᆞ족 부녀 입의 담디 못ᄒᆞᆯ 말ᄉᆞᆷ으로 욕ᄒᆞ시거니와, 텬우신됴(天佑神助)ᄒᆞ여 타일 ᄌᆞ경을 뫼셔 오ᄂᆞᆫ 날은, 슉뫼 비록 언족이식비(言足以飾非)[615]의 디모ᄌᆡ경(智謀才精)[616]ᄒᆞ셔도 우리 ᄌᆞ위를 뵈올 안면이 업ᄉᆞ리이다."

언파의 웃ᄂᆞᆫ 얼골이 쥰녈ᄒᆞ고 노ᄒᆞᄂᆞᆫ 미위(眉宇) 셔리 ᄀᆞᆺᄐᆞ여 죵ᄆᆡ(從妹)를 도라【21】보아 ᄀᆞᆯ오ᄃᆡ,

"져져ᄂᆞᆫ 하슈를 착실히 구호ᄒᆞ시고 이런 변을 하형이 알게 마르쇼셔."

쇼졔 이ᄯᆡ 심회 비황 참괴ᄒᆞ여 입이 쌧쌧ᄒᆞ여 말을 못ᄒᆞ더니 태우의 말을 듯고 탄식 왈,

"하군이 효우의 다ᄃᆞ라ᄂᆞᆫ 인ᄉᆞ를 아디 못ᄒᆞ니, 그 일ᄆᆡ를 모친이 친히 디르믈 알딘ᄃᆡ ᄌᆞ연이 년좨 뉘게 도라오리오 반ᄃᆞ시 날을 칼노 딜너 분을 플녀ᄒᆞ리라."

쇼졔 ᄎᆞ언은 잠간 모친을 격동ᄒᆞᄂᆞᆫ 마ᄃᆡ라. 태위 엇디 몰나 드르리오. 짐즛 탄왈,

"슉뫼 ᄒᆞᆫ번 그릇 ᄉᆡᆼ각ᄒᆞ시ᄆᆡ 년좨 져져긔 밋ᄎᆞ미 쉬온디라 져져의 젼정이 위ᄐᆡᄒᆞ니 이【22】졔란 ᄉᆞ정이 결연ᄒᆞ실디라도 다시 왕ᄂᆡ치 마르샤 슉모의 ᄒᆡᆼᄉᆞ의 참예치 아니믈 하개 알게 ᄒᆞ쇼셔."

언파의 몸을 니러 밧그로 나아가니, 쇼졔 모친긔 ᄒᆞᆫ 말을 아니ᄒᆞ고 하시를 븟드러 안졍ᄒᆞᆫ 쳐소를 ᄀᆞᆯ히여 ᄉᆡ도록 구호ᄒᆞ믈 극딘히 ᄒᆞ니, ᄀᆞ장 오란 후 쇼졔 인ᄉᆞ를 출혀 눈을 드러 윤시를 보고, 츄연이 낫빗출 곳쳐 손을 잡고 말을 아니ᄒᆞ거ᄂᆞᆯ, 윤시 톄읍

613)ᄃᆡ기인ᄌᆞ(對其人子) : 그 사람의 아들을 대하여.
614)텬황디로(天荒地老) : '하늘은 황폐하고 땅은 늙었다'는 뜻으로, '오랜 시간이 흐름'을 나타낸 말.
615)언족이식비(言足以飾非) : 말로써 그른 것을 잘 감춤.
616)디모ᄌᆡ경(智謀才情) : 슬기로운 꾀와 재치 있는 생각.

욕ᄒᆞ믈 능ᄉᆞ로 아르시나, 우리 ᄌᆞ경은 쳔황지로(天荒地老)[605] ᄒᆞ여도 셩ᄒᆡᆼ숙덕(聖行淑德)을 일흐실 부인ᄂᆡ 아니시라. 아직 거쳐 업ᄉᆞ므로 조ᄎᆞ 후일의 다시 볼 일이 업슬 줄노 아르ᄉᆞ, 샤족 부녀 입의 담지 못ᄒᆞᆯ 말ᄉᆞᆷ으로 욕ᄒᆞ시거니와, 쳔우신됴(天佑神助)ᄒᆞ여 타일 ᄌᆞ경을 뫼셔 오ᄂᆞᆫ 날은, 숙뫼 비록 언쥭이식비(言足以飾非)[606]의 지모ᄌᆡ경(智謀才精)[607] ᄒᆞ셔도 우리 ᄌᆞ위를 뵈올 안면【64】이 업ᄉᆞ리이다."

언파의 웃ᄂᆞᆫ 얼골이 쥰열ᄒᆞ고 노ᄒᆞᄂᆞᆫ 미위(眉宇) 셔리 갓하여, 죵ᄆᆡ(從妹)를 도라보아 ᄀᆞᆯ오ᄃᆡ,

"져져ᄂᆞᆫ 하슈를 착실이 구호ᄒᆞ시고 이런 변을 하형이 알게 마르쇼셔."

쇼졔 이ᄯᆡ 《심히‖심회》 비황 참괴ᄒᆞ여 입이 쌧쌧ᄒᆞ여 말을 못ᄒᆞ더니, ᄐᆡ우의 말을 듯고 탄식 왈,

"하군니 효우의 다ᄃᆞ라ᄂᆞᆫ 인ᄉᆞ를 아지 못ᄒᆞ니, 그 일ᄆᆡ를 모친니 친히 지르믈 알진ᄃᆡ ᄌᆞ연니 년좌 뉘게 도라오리오. 반ᄃᆞ시 칼노 날을 질너 분을 플녀ᄒᆞ리라."

쇼졔 ᄎᆞ언은 잠간 모친을 격동ᄒᆞᄂᆞᆫ 마ᄃᆡ라. ᄐᆡ위 엇지 몰나 드르리오. 짐즛 탄왈,

"슉뫼 한번 그릇 ᄉᆡᆼ각ᄒᆞ시ᄆᆡ 년좨 져져씌 밋ᄎᆞ미 쉬온지라. 져져의 젼정이 위ᄐᆡᄒᆞ니, 이졔란 ᄉᆞ정이 결연ᄒᆞ실지라도, 다시 왕ᄂᆡ치 마르ᄉᆞ, 슉모의 ᄒᆡᆼᄉᆞ의 참예치 아니믈 하【65】개 알게 ᄒᆞ쇼셔."

언파의 몸을 일어 밧그로 나아가니, 쇼졔 모친긔 ᄒᆞᆫ 말을 아니ᄒᆞ고 하씨를 븟드러 안졍ᄒᆞᆫ 쳐소를 ᄀᆞᆯ히여 ᄉᆡ도록 구호ᄒᆞ믈 극진니 ᄒᆞ니, 가장 오란 후, 쇼졔 인ᄉᆞ를 출혀 눈을 드러 윤씨를 보고, 츄연이 낫빗출 곳쳐 손을 잡고 말을 아니ᄒᆞ거ᄂᆞᆯ, 윤씨 체읍

604)ᄃᆡ인ᄌᆞ(對人子) : 남의 아들을 대하여.
605)텬황디로(天荒地老) : '하늘은 황폐하고 땅은 늙었다'는 뜻으로, '오랜 시간이 흐름'을 나타낸 말.
606)언족이식비(言足以飾非) : 말로써 그른 것을 잘 감춤.
607)디모ᄌᆡ경(智謀才情) : 슬기로운 꾀와 재치 있는 생각.

ᄒ여 굴오딕,

"모친의 실덕ᄒ시미 다시 니를 비 업ᄂ디라. 다만 쳡이 부인의 화익을 죽어 모로고져 ᄒᄂ니, 이졔 구고의 명으로 쇼져를 다리라 왓다가, 도【23】로혀 큰 변을 닐위니, 이 븟그러운 낫츨 드러 다시 구고긔 뵈올 쓰시 업ᄂ디라. 쇼져의 아니 오믈 므어시라 고ᄒ리오."

하쇼졔 믄득 슬허 ᄒ던 얼골을 곳쳐, 위로 왈,

"쇼미 블초블의(不肖不義)ᄒ여 흔 일도 존고의 셩의를 영합디 못ᄒ고, 빅힝의 취ᄒ홀 곳이 업스니, 존괴 분두(忿頭)617)의 그러툿 ᄒ시나, 이 굿투여 깁히 믜워ᄒ시는 일이 아니라, 명일 져졔 도라가샤, 부모긔 쇼데 딜양이 잇셔 잠간 낫기를 기다려 나아갈 바를 고ᄒ쇼셔."

윤쇼졔 ᄎ마 구고긔 뵈올 낫치 업셔, 계명을 기다려 시녀를 췌운산의 보닐시, 쇼고의 유질【24】ᄒ믈 고ᄒ고, ᄎ셩ᄒ믈 기다려 흔가디로 도라가믈 고ᄒ니, 하시 ᄯ흔 쳔만 강쟉(强作)ᄒ여 부모긔 샹셔ᄒ여, 병이 잠간 낫기를 기다려 가믈 고ᄒ여, 시녀를 당부ᄒ여 ᄎ亽를 블츌구외(不出口外)ᄒ라 ᄒ니, 이 씨 하공 부븨 녀뷔(女婦)618) 동교(同轎)ᄒ여 오기를 기다리더니, 시비 샹셔(上書)를 올니니 보건딕, 녀(女)의 '유질ᄒ여 오디 못ᄒ믈' 고ᄒ고, 윤시도 '쇼고의 병을 구호ᄒ노라 ᄎ셩 후 다려 오렷노라' ᄒ여시니, 공의 부븨 녀ᄋ의 딜양이 이시믈 근심ᄒ나, 원쉬 도라 오기를 당ᄒ여 빈킥이 작벌619) 운집(雲集)620)ᄒ니, 딕킥의 쥬찬을 슈응(酬應)ᄒ미 윤시 밧 업ᄂ 고로, 시녀를 밧【25】비 도라 보닉여 녀ᄋ의 병이 대단

----

617)분두(忿頭) : 분결. 분김. 분한 마음이 왈칵 일어난 바람.
618)녀뷔(女婦) : 딸(女)과 며느리(婦)를 함께 이르는 말.
619)작벌(作閥) : 떼를 지음. 집단을 이룸. 벌(閥); 특수한 세력이나 권력을 지닌 집단.
620)운집(雲集) : '구름처럼 모인다'는 뜻으로, 많은 사람이 모여듦을 이르는 말.

ᄒ여 굴오딕,

"모친의 실덕ᄒ시미 다시 니를 비 업순지라. 다만 쳡이 부인의 화익을 죽어 모로고져 ᄒᄂ니, 이졔 구고의 녕(令)으로 쇼져를 다리라 왓다가, 도로혀 큰 변을 닐위니, 이 븟그러온 낫츨 드러 다시 구고긔 뵈올 쓰시 업순지라. 쇼져의 아니 오믈 무어시라 고ᄒ리오."

하씨 믄득 슬허ᄒ던 얼골을 곳쳐, 위로 왈,

"쇼미 블초블의(不肖不義)ᄒ여 흔 일도 존고의 셩의를 영합지 못ᄒ고, 빅힝이 취【66】홀 곳시 업스니, 존괴 분두(忿頭)608)의 그러툿 ᄒ시나, 이 굿타여 깁히 믜워ᄒ시는 일이 아니라. 명일 져져 도라가ᄉ 부모긔 쇼데 질양이 잇셔 잠간 낫기를 기다려 갈 바를 고ᄒ쇼셔."

ᄎ마 윤쇼졔 구고끠 뵈올 낫치 업셔, 명효를 기다려 시녜을 췌운산의 보낼시, 소고의 유질ᄒ믈 고ᄒ고, ᄎ싱ᄒ믈 기드려 한가지로 도라가믈 고ᄒ니, 하씨 ᄯ흔 쳔만 강죽(强作)ᄒ여 부모긔 샹셔ᄒ여, 병이 좀 낫기을 기다려 가믈 고ᄒ여, 시녀를 당부ᄒ여 ᄎ亽를 블츌구외(不出口外)ᄒ라 ᄒ니, 이 ᄊ하공 부븨 ○○[녀뷔(女婦)609]] 동교(同轎)ᄒ여 오기를 기다리더니, 시녜 슈서(手書)를 올니이[니] 보미, '여(女)의 유질ᄒ여 오지 못ᄒ믈' 고ᄒ고, 윤시도 쇼고의 병을 구호노라 ᄎ셩 후 다려 오렷노라 ᄒ여시니, 공의 부븨 여아의 질양 잇스믈 근심ᄒ【67】나, 원쉬 도라오기를 당ᄒ여 빈킥이 번다ᄒ니, 딕킥의 쥬찬을 슈응(酬應)ᄒ미 윤시 밧 업ᄂ 고로, 시녀를 밧비 도라 보내여, '여아의 병이 딕단치 아니커든 구호치 말고 어셔 오라' ᄒ니, 하소졔 넉시 권ᄒ여 '밧비 도라가 딕킥(待客) 쥬찬(酒饌)을 슈응(酬應)ᄒ라' ᄒ니, 쇼졔 쇼고를 이 곳의 더지고 가미 실노

----

608)분두(忿頭) : 분결. 분김. 분한 마음이 왈칵 일어난 바람.
609)녀뷔(女婦) : 딸(女)과 며느리(婦)를 함께 이르는 말.

치 아니커든 구호치 말고 어셔 오라 ᄒᆞ니, 하쇼졔 역시 권ᄒᆞ여 밧비 도라가 딕긱 쥬찬을 슈응ᄒᆞ라 ᄒᆞ니, 윤쇼졔 쇼고를 이 곳의 더디고 가미 실노 참연ᄒᆞᆫ 념녜 간절ᄒᆞ나, ᄌᆞ긔 아니면 원쉬 도라오는 쩌 번극(煩劇)ᄒᆞᆫ 가ᄉᆞ와 딕긱디졀(對客之節)의 존괴 근노ᄒᆞ실 바를 블안ᄒᆞ여, 마디 못ᄒᆞ여 쇼고(小姑)로 분슈ᄒᆞ여 무ᄒᆞᆫ 념녀와 가득ᄒᆞᆫ 무안(無顏)을 계오 ᄎᆞᆷ고 도라갈ᄉᆡ, 태부인긔 하딕ᄒᆞ니, 태괴(太姑) 작야ᄉᆞ를 알고 바야흐로 하가의 분뇌 손녀의게 밋출가 념녀ᄒᆞ다가, 그 도라가믈 결연ᄒᆞ여 하원슈 도라온 후 다시 오라 ᄒᆞ니【26】라 ᄒᆞ니, 쇼졔 톄읍 딕왈, '냥뎨와 하·댱을 편케 거ᄂᆞ리시믈' 지삼 고간(苦諫)ᄒᆞ고, 히츈누의 드러가 모친긔 도라가믈 고ᄒᆞᆯᄉᆡ, 뉴시 녀ᄋᆡ 말노 하시를 요란이 칼노 디르믈 뉘웃고, 실노 하원쉬 알오미 이셔 ᄌᆞ긔 ᄉᆞ오나온 년좌를 녀ᄋᆡ의게 쓰일가 시도록 근심ᄒᆞ고, 반일이 되도록 념녀ᄒᆞ여 이닯기를 니긔디 못ᄒᆞ더니, 도라가믈 드르니, 모녀의 졍니로ᄡᅥ 작일 브졀업시 두다려 그 머리와 팔흘 상히오고, 총총이 도라가믈 당ᄒᆞ니, ᄌᆞ연 훌훌(欻欻)621) 비결(悲缺)622)ᄒᆞ여 덥흔 바 니블을 열고, 눈믈이 쥬쥴623)ᄒᆞ여 ᄀᆞᆯ오ᄃᆡ,

"내 심홰 괴이ᄒᆞ여 분긔 니러나면【27】 압뒤흘 ᄉᆞᆯ피디 못ᄒᆞᆷ므로, 하시를 우연이 질너시나, 딘실노 믜워ᄒᆞᆫ 비 아니라. 하랑이 도라온 후 이 말을 듯고 네게 노분을 플딘ᄃᆡ, 내 엇디 견듸리오."

윤시 디금 도라가며, 블평ᄒᆞᆫ ᄉᆞ식으로 모친을 격동치 못ᄒᆞ여 탄식 딕왈,,

"모친이 우리 형뎨로ᄡᅥ 복을 누리과져 ᄒᆞ시거든, 덕(德)을 길우시고 인(仁)을 힝ᄒᆞ샤, 광·희 냥뎨를 친싱ᄀᆞᆺ치 ᄌᆞ이ᄒᆞ시고, 하·댱으로 ᄒᆞ여곰 참혹히 죽는 일이 업게 ᄒᆞ시면, 쇼녜 오히려 구가의 용납ᄒᆞ오려니와, 맛

621)훌훌(欻欻) : 덧없이 빠름. 덧없음. 허전함.
622)비결(悲缺) : 슬프고 서운함,
623)쥬쥴 : 줄줄. 굵은 물줄기 따위가 잇따라 부드럽게 흐르는 모양.

참연ᄒᆞᆫ 염녜 간절ᄒᆞ나, ᄌᆞ긔 아니면 원쉬 도라오는 쩌 번극(煩劇)ᄒᆞᆫ 가ᄉᆞ와 딕긱지졀(對客之節)의 존괴 근노ᄒᆞ실 바를 블안ᄒᆞ여, 마지 못ᄒᆞ여 쇼고(小姑)을 분슈ᄒᆞ여 무ᄒᆞᆫ 심녀와 가득ᄒᆞᆫ 무안(無顏)을 계오 ᄎᆞᆷ고 도라갈ᄉᆡ, 틔부인긔 하직ᄒᆞ니, 틔뇌 작야ᄉᆞ을 알고, 바야흐로 하가의 분뇌 손녀의게 밋출가 염녀ᄒᆞ다가, 그 도라가믈 결연ᄒᆞ여 하원슈 도라온 후 다시 오라 ᄒᆞ니, 쇼졔 톄읍 딕왈, '냥뎨와 하·댱을 편케 거ᄂᆞ리시믈'지【68】삼 고간(苦諫)ᄒᆞ고, 히츈누의 드러가 모친긔 도라가믈 고ᄒᆞᆯᄉᆡ, 뉴시 녀아의 말노 하씨를 요란니 칼노 지르믈 뉘웃고, 실노 하원쉬 알미 이셔 ᄌᆞ긔 ᄉᆞ오나온 년좌를 녀아의게 쓰일가 시도록 근심ᄒᆞ고, 반일이 되도록 염녀ᄒᆞ여 이답기를 이긔 못ᄒᆞ여 ᄒᆞ더니, 도라가믈 드르니, 모녀의 졍니로ᄡᅥ 작일 부졀업시 두드려, 그 머리와 팔흘 상히오고 총총이 도라가믈 당ᄒᆞ니, ᄌᆞ연 훌훌(欻欻)610) 비결(悲缺)611)ᄒᆞ여, 덥흔 바 이블을 열고 눈믈이 쥬쥴612)ᄒᆞ녀[여] ᄀᆞᆯ오ᄃᆡ,

"너 심홰 괴이ᄒᆞ여 분긔 이러나면 압뒤흘 ᄉᆞᆯ피지 못ᄒᆞᆷ므로, 하씨을 우연니 질너시나, 진실노 믜워ᄒᆞᆫ 비 아니라. 하랑이 도라온 후 이 말을 알아, 네게 노분을 플진ᄃᆡ, 내 엇지 견듸리오."

윤씨 지금 도라가며 블평ᄒᆞᆫ ᄉᆞ식으로 모친을 격동치 못ᄒᆞ【69】여, 탄식 딕왈,,

"모친니 우리 형뎨로ᄡᅥ 복을 누리고져 ᄒᆞ시거든, 덕(德)을 기루시고 인(仁)을 힝ᄒᆞᄉᆞ 《광뎨냥인∥광희냥뎨》를 친싱ᄀᆞᆺ치 ᄌᆞ이ᄒᆞ시고, 하·댱으로 ᄒᆞ여곰 참혹히 죽는 일이 업게 ᄒᆞ시면, 쇼녜 오히려 구가의 용납ᄒᆞ오

610)훌훌(欻欻) : 덧없이 빠름. 덧없음. 허전함.
611)비결(悲缺) : 슬프고 서운함,
612)쥬쥴 : 줄줄. 굵은 물줄기 따위가 잇따라 부드럽게 흐르는 모양.

춤닉 곳치디 아니시면, 쇼녀의 젼졍을 모친이 맛츠시는 일이니이다."

언파의 총총히 하딕ᄒ고, 【28】 경ᄋ로 분슈ᄒ여 거교의 올나 취운산으로 나아가니, 뉴시 홀연 비결ᄒ미 일흔 거시 잇는 둧ᄒ더라. 경이 믄득 혀츠고 굴오ᄃᆡ,

"모친이 현ᄋ로뻐 오히려 널딕(烈直)ᄒ 인믈노 아르시나, 쇼녜 작야의 하시로 ᄒ는 말을 드르니, 크게 젼일과 달나 인시 그릇 되여 실셩ᄒ엿ᄂᆞ니라. 하가 요괴년이 모친의 아니흔 말과 아닌 일을 무슈히 쥬작(做作)ᄒ미, 현이 니르ᄃᆡ, 모친이 본ᄃᆡ 어디디 못ᄒ신ᄃᆡ 그ᄃᆡ를 부ᄌ(不慈)히 거나리시미 괴이치 아닌ᄃᆞ라. 능히 셜치(雪恥)ᄒᆞᆯ 도리 업ᄉ니 가ᄂᆡ의 우리 형이 업ᄉᆞᆨ, 모친이 ᄌᆞ연 의디ᄒᆞᆯ ᄃᆡ 업슴 ᄀᆞᆺ트여, 그 【29】 ᄃᆡ를 ᄉᆞ랑ᄒ실 거시니, 하군이 도라오거든 셕상셔를 보고 형의 ᄉᆞ오나온 말을 젼ᄒ여, 셕개 형을 잡아다가 깁히 가도아, 이 곳 왕닉를 ᄉᆞᆺ게 ᄒ리라 ᄒ니, 친싱 ᄌᆞ모와 동ᄉᆡᆼ(同生)을 ᄯᆞ 아릭 누튱(陋蟲)ᄀᆞᆺ치 넉이니, 엇디 분완치 아니리잇가?"

뉴시 총명ᄒ나 경ᄋ를 ᄉᆞ랑ᄒ미 본ᄃᆡ 인ᄉᆞ를 닛고, ᄒᆞ믈며 그 신셰 뎍막(寂寞)ᄒ여 단장 박명이 디극ᄒ니, 참연 잔잉ᄒ고 뉴(類) 뉴(類)를 쏠오는 고로, 모녜 악시 이 ᄀᆞᆺ트니, 이 ᄯᆞᆯ ᄉᆞ랑은 비ᄒᆞᆯ ᄃᆡ 업셔 ᄒ던ᄃᆞ라. 츳언을 드르미 발연흔 노긔 블 니러나 ᄃᆞᆺᄒ니, 뉘 도로혀 경이 현ᄋ의 부귀를 싀애ᄒ고[624] 하시를 업시ᄒ려 【30】 ᄒ는 줄 알니오. 뉴시는 경이 하원슈 부인을 못되록 죄여, 하시를 급히 셔르져 하원쉬 그 년 좌를 부인의게 ᄒ여, 금슬의 마얼(魔孽)[625] 이 되고져 ᄒᆞᆷ믈 모로고, 밧비 니러 안ᄌᆞ며 굴오ᄃᆡ,

"내 원닉 하랑이 도라올 조각을 타, 하녀를 업시ᄒ고, 계교를 힝코져 ᄒ거늘, 싱각밧

려니와, 맛춤닉 곳치지 아니시면 쇼녀의 젼졍을 모친이 맛츠시는 일이니다."

언파의 하직ᄒ고 경아로 분슈ᄒ고 거교의 드러 취운산으로 나아가니, 뉴씨 홀연 비결ᄒ미 일흔 거시 잇는 듯ᄒ지라. 경이 믄득 혀츠고 굴오ᄃᆡ,

"모친니 현아로써 오히려 열직(烈直)흔 인믈노 아르시니[나], 쇼녜 작야의 하씨와 ᄒ는 말을 드르니, 크게 젼일과 달나 인시 그릇 되여 실셩ᄒ엿ᄂᆞ지라. 하가 요괴녀니[이] 모친니 아니흔 말과 아닌 일을 무슈히 쥬작(做作)ᄒ미, 현이 이르ᄃᆡ, '모친니 본ᄃᆡ 어지지 못ᄒ신ᄃᆡ 【70】 그ᄃᆡ를 부ᄌ(不慈)히 거나리시미 괴이치 아닌지라. 능히 셜치(雪恥)ᄒᆞᆯ 도리 업ᄉ니, 가ᄂᆡ의 우리 형이 업ᄉᆞᆨ, 모친니 ᄌᆞ연 의지ᄒᆞᆯ ᄃᆡ 업슴 ᄀᆞᆺ트여, 그ᄃᆡ니를 ᄉᆞ랑ᄒ실 거시니, 하군니 도라오거든 셕상셔를 보고 형의 사오나온 말을 젼ᄒ여, 셕개 형을 잡아다가 깁히 가도아 이 곳 왕닉를 ᄉᆞᆺ게 ᄒ리라' ᄒ니, 친싱 ᄌᆞ모와 동ᄉᆡᆼ(同生)을 ᄶᅡ 아릭 누튱(陋蟲)ᄀᆞᆺ치 넉이니, 엇지 분치 아니리잇가?"

뉴씨 총명ᄒ나 경아를 ᄉᆞ랑ᄒ미 본ᄃᆡ 인ᄉᆞ를 잇고, ᄒᆞ믈며 그 신셰 젹막(寂寞)ᄒ여 단장 박명이 지극ᄒ니, 참연 잔잉ᄒ고 뉴(類) 뉴(類)를 ᄶᅡ로는 고로, 모녜 악시 이 ᄀᆞᆺ트니, 이 ᄯᆞᆯ ᄉᆞ랑은 비ᄒᆞᆯ ᄃᆡ 업셔 ᄒ던지라. 츳언을 드르미 발연흔 노긔 블 일허 나ᄃᆞᆺᄒ니, 뉘 도로혀 경이 현아의 부귀을 싀이ᄒ고[613]고 하씨를 업시ᄒ려 ᄒ는 쥴 알니오. 뉴씨는 【71】 경이 하원슈 부인을 못되록 죄여, 하시을 급히 셔르져 하원쉬 그 연좌를 부인의게 ᄒ여, 금슬의 마얼(魔孽)[614]이 되고져 ᄒᆞᆷ믈 모로고, 밧비 이러 안ᄌᆞ며 굴오ᄃᆡ,

"닉 원닉 하랑이 도라올 조각을 타 하녀를 업시ᄒ고, 계교를 힝코져 ᄒ거늘, 싱각밧

---

624)싀애ᄒ다 : 시해(猜害)하다. 시기하여 해치다.

625)마얼(魔孽) : 재앙. 마장(魔障). 귀신의 작용으로 일어난 재앙이라는 뜻으로, 일의 진행에 나타나는 뜻밖의 방해나 훼살을 이르는 말

---

613)싀애ᄒ다 : 시해(猜害)하다. 시기하여 해치다.

614)마얼(魔孽) : 재앙. 마장(魔障). 귀신의 작용으로 일어난 재앙이라는 뜻으로, 일의 진행에 나타나는 뜻밖의 방해나 훼살을 이르는 말

녀ᄋᆡ 다리라 와시니, 하 분ᄒᆞ여 요녀를 칼노 딜너 업시코져 ᄒᆞ엿더니, 엇디 도로혀 날을 ᄆᆡ워ᄒᆞ며 너를 년좌(緣坐)ᄒᆞ여 의논이 요ᄉᆞᄒᆞᆯ 줄 아라시리오. 내 결단ᄒᆞ여 오날ᄂᆞᆯ 하시를 맛ᄎᆞ리라.”

이에 셰월노 ᄒᆞ여곰 하쇼져를 잡아 오라 ᄒᆞ니, 월이 슈명ᄒᆞ여【31】하쇼져 누은 곳의 니르러 부인의 명을 젼ᄒᆞ니, 하시 디란 ᄀᆞᆺᄐᆞᆫ 약딜이 칼히 듕상ᄒᆞ니 비록 윤시 보ᄂᆞᆫ ᄃᆡ 못견ᄃᆡᄂᆞᆫ 눈츼를 아녀시나, 상체 비상ᄒᆞ여 능히 ᄀᆡ거ᄒᆞᆯ 길히 업ᄉᆞᄃᆡ, 존고의 브르미 필유묘ᄆᆡᆨ(必有妙脈) ᄒᆞ믈 ᄭᆡᄃᆞ라 ᄌᆞ긔 가디 말고져 ᄒᆞ여도, 브르기를 시작ᄒᆞᆫ 후ᄂᆞᆫ ᄭᅳ어라도 갈디라. 이에 소두를 헤쁠고 의상을 슈렴ᄒᆞ여 계오 셰월의게 븟들녀 ᄒᆡᆼ츈누의 나아가 명을 응ᄒᆞ니, 뉴녜 하시를 보ᄆᆡ 고ᄃᆡ 죽일 ᄃᆞᆺᄒᆞᄃᆡ 간악 요샤ᄒᆞ미 여러 이목을 괴로이 녁이ᄂᆞᆫ 고로, 하시를 휘모라 ᄌᆞ긔 협실의 너코 셰월노ᄡᅧ【32】개용단을 먹여 하시를 ᄆᆡᆫᄃᆞ라, 일습(一襲) 명부(命婦)의 옷술 닙히고 하시의 빵봉관(雙鳳冠)을 벗겨 ᄡᅴ올ᄉᆡ, 이리 ᄒᆞᆯ 즈음의ᄂᆞᆫ, 하쇼져ᄂᆞᆫ 뉴시 협실노 모라 《너흘ᄉᆡ‖너코》, 쇠 방패를 드러 그 몸을 울혀[626] 년(連)ᄒᆞ여 ᄃᆡ엿[627] 번을 두다리ᄆᆡ, 혼절(昏絶)ᄒᆞ여 인ᄉᆞ를 모로거ᄂᆞᆯ, 협실 문을 닷고, 셰월노 하시를 ᄆᆡᆫᄃᆞ라 도로 하시 누엇던 곳의 가 이시라 ᄒᆞ니, ᄎᆞ비ᄂᆞᆫ 뉴녀를 응시(應時)ᄒᆞ여 난 요비(妖婢)라. 진짓 하신(河氏) 체ᄒᆞ여 쇼당의 와 금금을 츄혀 덥고 도로 누으니, 하쇼져 비ᄌᆞ 듕 초벽이 이시면 어이 쇼제 ᄒᆡᆼ츈누의 나아갈 제 ᄯᆞ라 가디 아녀시리오마ᄂᆞᆫ, 맛촘 윤부인【33】거교를 좃ᄎᆞ 하부의 나아간 ᄉᆞ이오, 그 밧 졔 비ᄌᆞᄂᆞᆫ 밤의 ᄉᆡ도록 경야 딘동ᄒᆞ여 쇼져를 구호ᄒᆞ노라 죵야ᄒᆞ고, 비로소 합장 뒤히셔 조으롬이 몽농ᄒᆞᆫ디라. 엇디 쇼졔 ᄉᆞ화를 만나고 셰월이 쇼져

626)울히다 : 울리다. 땅이나 건물 따위가 외부의 힘이나 소리로 떨리다.

627)ᄃᆡ엿 : ‘ᄃᆡ여섯’의 준말. 다섯이나 여섯이 되는 수.

여ᄋᆡ 다리라 와시니, 하 분ᄒᆞ여 요녀를 칼노 질너 업시코져 ᄒᆞ엿더니, 엇지 도로혀 날을 ᄆᆡ워ᄒᆞ며 너를 연좌(緣坐)ᄒᆞ여 의논니 요ᄉᆞᄒᆞᆯ 쥴 아랏시리오. ᄂᆡ 결단ᄒᆞ여 오날날 하씨를 맛ᄎᆞ리라.”

이의 셰월노 ᄒᆞ여곰 하쇼져을 잡아 오라 ᄒᆞ니, 월이 슈명ᄒᆞ여 하씨 누은 곳의 이르러 부인의 명을 젼ᄒᆞ니,

[[615] 하씨 잇ᄃᆡ 침방의 젹젹히 안져 침션을 다ᄉᆞ리더니, 호련(忽然) 조으름이 와 한 쑴을 어드니, 호련니 하날의셔 오ᄉᆡᆨᄎᆡ운(五色彩雲)니 일며, 한 노인니 쥬【72】의녹포(朱衣綠袍)[616]로 산호편(珊瑚鞭)을 들고 나려와, 방안으로 드러오며 ᄀᆞᆯ오ᄃᆡ,

“나ᄂᆞᆫ 젼각ᄃᆡ션 이러니 그ᄃᆡ ᄋᆡᆨ운(厄運)니 임시ᄒᆞ여 몸이 유혈(流血)이 되고 강슈(江水)로 드러갈 거시니 조심ᄒᆞ라. 너을 구호ᄒᆞᆯ ᄉᆞᄅᆞᆷ은 뎡가니, 마음을 ᄌᆞᆸ아 경동치 말나”

ᄒᆞ고, ᄯᅳᆯ에 나려 하날의 올나 경ᄀᆡᆨ의 뵈이지 아니ᄒᆞ거ᄂᆞᆯ, ᄭᆡᄃᆞ르니 침상일몽이라. 심신니 살난(散亂)ᄒᆞ며 정신이 혼암ᄒᆞ여 쥬(主)ᄒᆞᆯ 바를 아지 못ᄒᆞ더니, 이윽고 월이 뉴시 명을 뎐ᄒᆞ여 왈,

“지금 ᄐᆡ부인니 불너오라 ᄒᆞ시더이다.”

하시, 즉시 명을 ᄯᅡ라 위ᄐᆡ부인긔 이르니, 뉴시 ᄂᆡ다라 ᄭᅮ지져 왈,

“네 오라비 ᄃᆡ원슈의 세력을 밋고 ᄉᆡ부모을

615) [ ] 안에 글자모양을 달리하여 분리해 놓은 총 624자 분량의 이야기는, 문맥상 [ ] 전·후의 이야기와 서사적 연속성이 유지되고는 있으나, 문체면에서는 ‘하씨년’ ‘뉴씨년’과 같은 욕설이 표현되고 있는 등 그 분위기가 전·후의 문체와 매우 이질적이다. 이는 필사자가 4쪽 정도의 낙장이 있는 원본을 전사하면서, 그 떨어져 나간 이야기를 임으로 창작을 하여 보완해 넣음으로써 생긴 현상으로 보인다. [ ] 부분에 해당하는 낙선재본의 서사분량[하시 디란 ᄀᆞᆺᄐᆞᆫ - 만금의]은 모두 725자로 대략 4쪽(19자×10행×4쪽) 정도가 된다. [ ] 안에 창작해 넣은 이야기(624자)와 낙선재본 해당 부분(725자)의 내용을 비교해보면, [ ] 안의 창작된 이야기에는 꿈이야기가 나오는데 낙선재본 해당 이야기에는 개용단을 먹고 변용하는 이야기가 서사되어 있어, 전혀 다른 내용으로 서사가 전개되고 있다. 이 점은 ‘낙장’이나 ‘낙질’이 필사본 소설들의 이본 형성의 한 원인이 되고 있음을 보여주는 생생한 증거이다.

616)쥬의녹포(朱衣綠袍) : 붉은 옷 위에 푸른 도포를 입은 차림.

되믈 뜻ᄒ여시리오. 일인도 알 니 업스니,
이 ᄯ또 쇼져의 익회 비상ᄒ미라.

뉴시 셰월노 하시를 믿ᄃ라 보니고 경희
뎐의 드러가니, 당시 태부인 알패셔 경아의
슈원삼(繡圓衫)628)을 짓거늘, 뉴시 눈 주니
위흥이 아라보고, 당시를 ᄂ겨 노치 아니려
ᄀ오디,

"온갓 일이 다 죵용ᄒ 거시 됴ᄒ니 협실
의 가 디으라."

당시 슈샹코 의심되이【34】넉이나 므어
시라 마다 ᄒ리오. 즉시 협실노 들거늘, 뉴
시 쾌활ᄒ여 침누의 도라와, 경으로 방을
닥희오고 친히 텰편을 포집어 들고 협실의
드러가니, 하쇼제 혼졀ᄒ엿다가 스스로 ᄭ
여 졍신을 슈습ᄒ더니, 존괴 텰편을 가디고
드러오믈 보니 거의 죽긔를 맛츠려 ᄒ믈 짐
쟉고 심혼이 비월ᄒ니, 죽기 슬기를 구ᄒ미
아니라, 그 부뫼 우흐로 삼ᄌ를 참망ᄒ고,
당시ᄒ여 죽긔 남미로ᄡ 만금의 비겨 ᄉ랑
이 타인의 ᄌ이로 다르거늘, 이졔 태듕 뉴
삭의 능히 ᄉ디 못ᄒ게 되니, 양부모(養父
母)의 호텬 대은과【35】부모긔 참참ᄒ 블
효를 싱각ᄒ니, 오닉 믜여디나 계오 너러
마ᄌ니, 뉴시 마조 안ᄌ 독안(毒眼)을 노ᄒ
려 텸시(瞻視) ᄂ구의 이를 갈며, ᄶ지뎌
왈,

"네 죄 죽엄죽 ᄒ니, 아ᄂ다?"

쇼제 이ᄀ치 므르믈 당ᄒ여, 답ᄒ미 싀호
(豺虎) ᄀᄐ니 눈을 낫초고 브답ᄒ거늘, 뉴
시 텰편을 번드여 그 니마를 치며 왈,

"엇디 디답디 아니ᄒᄂ뇨?"

쇼제 쇠치로 마ᄌ니 머리 터디ᄂ 듯, 계
오 디왈,

능멸ᄒ고, 틱부인을 농낙ᄒ랴 ᄒ니, 이ᄂ 쳔지
간의 딕역부도(大逆不道) 하씨ᄂ녀니라."

ᄒ며, 능욕이 무슈ᄒ며 픽악셩(悖惡聲)이 쳔
지 딘동ᄒ고【73】 산악(山嶽)이 믄허지는 듯
ᄒ더라. 동니(洞里) ᄉ람들이 벽을 헐고 귀경
ᄒ며, 하씨를 이련(哀憐) 참혹(慘酷)히 넉여 글
오디,

"필경 두 아귀(餓鬼)의게 몸을 맛치리라"

ᄒ고, 불상이 넉이지 아니리 업더라. 위틱부
인의 흉독함과 뉴씨녀의 험악ᄒ믈 이로 말ᄒ
길이 업더라. 뉴씨ᄂ녀니 하씨 말을 직쵹ᄒ여 글
오디,

"요악ᄒ 하씨녀아, 희쳔 나간 ᄉ이을 타 음
졍을 이긔지 못ᄒ여 외간 남졍을 통졍ᄒ니, 딕
가 지상 문호의 이러ᄒ 일이 어딕 잇스리오.
음팅을 임의로 ᄒ여
　　낙장
싀어미을 모로게 ᄒ여 쳔지간 딕변을 지으랴
ᄒ니, 이ᄂ 용셔치 못ᄒ리라."

ᄒ고, 즉시 셰월을 불너 호령ᄒ며 형구를 찰
히되 거힝을 완만치 못ᄒ리라 ᄒ고, 눈을 부릅
뜨고 엄파617) ᄀ튼 손으로 미를 단단이 즙고
머리를 ᄂ려 후【74】 리쳐 두 다리니, 피육(皮
肉)이 후란(朽爛)ᄒ고, 피 흘너 ᄯ짜히 괴이니 ᄎ
마 눈으로 볼슈 업더라.
참혹ᄒ고 참혹ᄒ다. 하상셔의 금옥(金玉) ᄀ튼
교아(嬌兒)로셔,]

만금의 비겨 ᄉ랑이 타인의 ᄌ이로 다르거
날, 이의 틱즁 뉴삭의 능히 ᄉ지 못ᄒ게 되
니, 양부모의 효텬딕은(昊天大恩)과 싱부모
의 참참(慘慘)ᄒ 불효를 싱각ᄒ니, 오닉 믜
여지나 계오 졍신을 가다드무니, 뉴씨 마조
안ᄌ 독안(毒眼)을 노ᄒ려 쳠시(瞻視) ᄂ구
(良久)의 이를 갈며 ᄶ지져 왈,

"네 죄 죽업 즉ᄒ니, 아ᄂ다?"

소졔 이갓치 무르믈 당ᄒ여, 답ᄒ미 싀호
(豺虎) ᄀᄐ니, 눈을 낫초고 부답ᄒ거늘, 뉴
씨 쳘편을 번득여 그 이마를 치며 왈,

"엇지 딕답지 아닛나뇨?"

쇼졔 쇠치를 마ᄌ니 머리 터지ᄂ 듯, 계
요 답왈,

---

628)슈원삼(繡圓衫) : 수(繡)를 놓아 지은 원삼(圓衫).
원삼(圓衫); 부녀 예복의 하나. 흔히 비단이나 명
주로 지으며 연두색 길에 자주색 깃과 색동 소매
를 달고 옆을 튼 것으로 홑옷, 겹옷 두 가지가 있
다. 주로 신부나 궁중에서 내명부들이 입었다.

617)엄파 : 철퇴. 긴 쇠자루 끝에 주먹 같은 쇠뭉치
가 달린 무기.

"첩이 블초호와 존고 효봉이 극딘치 못호오니 싱블여시(生不如死)[629]오나, 오히려 십악대죄(十惡大罪)[630]는 디은 일 업숩느니, 첩의 부뫼 팔지 긔박(奇薄)호와 여러 상척(喪慽)[631]을 격거 상명디통(喪明之痛)[632]이 이시니,【36】첩의 초로잔천(草露殘喘)[633]을 빌니시면, 다시 셔하디탄(西河之嘆)[634]을 끼치디 아닐가 바라느니, 첩이 츌화(黜禍)를 보아 친당의 도라가나, 화봉인(華封人)[635]의 청튝성인(請祝聖人)[636]을 효측(效則)호리이다."

언파의 옥안셩모(玉顔星眸)의 쥬뤼(珠淚)년낙(連落)호니, 어엿븐 형상이 굿초 긔이호여 셕목도 요동호며 금블(金佛)이 도라셜디라. 슉덕셩힝(淑德聖行)이 츌어면모(出於面貌)호니, 삼디원슈(三代怨讐)와 빅년디척(百年大隻)[637]이라도 이 굿튼 긔딜과 츌뉴혼 용화를 디호여, 츠마 죽일 무음이 업술 거

"첩이 블초호와 존고 효봉이 극딘치 못호오니, 싱블여【75】시(生不如死)[618]오나, 오히려 십악디죄(十惡大罪)[619]는 지은 일 업숩느니, 첩의 부모 팔지 긔박(奇薄)호와 여러 상척(喪慽)[620]을 격거 상명지통(喪明之痛)[621]이 이시니, 첩의 초로잔천(草露殘喘)[622]을 빌이시면, 다시 셔하지탄(西河之嘆)[623]을 끼치지 아닐가 브라느니, 첩이 츌화(黜禍)를 보아 친당의 도라가나, 화봉인(華封人)[624] ○○○○[의 청튝성인(請祝聖人)[625]]을 효측호리이다."

언파의 옥안셩모(玉顔星眸)의 쥬뤼년낙(珠淚連落)호니, 어엿븐 형상이 굿초 긔특호여, 셕목도 요동호고 금블(金佛)이 도라셜지라. 슉덕셩힝(淑德聖行)이 츌어면모(出於面貌)호니, 삼디원슈(三代怨讐)와 빅년디척(百年大隻)[626]이라도 이 굿튼 긔질과 츌뉴혼 용화를 디호여, 춤아 죽일 무음이 업술 거

[629]싱블여시(生不如死) : 사는 것이 죽는 것만 못함.

[630]십악대죄(十惡大罪) : 조선 시대에, 대명률(大明律)에 정한 열 가지 큰 죄. 모반죄(謀反罪), 모대역죄(謀大逆罪), 모반죄(謀叛罪), 악역죄(惡逆罪), 부도죄(不道罪), 대불경죄(大不敬罪), 불효죄(不孝罪), 불목죄(不睦罪), 불의죄(不義罪), 내란죄(內亂罪)를 이른다.

[631]상척(喪慽) : 참척(慘慽). 자손이 부모나 조부모보다 먼저 죽는 일.

[632]상명디통(喪明之痛) : 눈이 멀 정도로 슬프다는 뜻으로, 아들이 죽은 슬픔을 비유적으로 이르는 말. 옛날 중국의 자하(子夏)가 아들을 잃고 슬퍼운 끝에 눈이 멀었다는 데서 유래한다.

[633]초로잔천(草露殘喘) : 풀잎에 맺혀있는 이슬처럼 겨우 붙어 있는 목숨.

[634]셔하디탄(西河之嘆) : 자식을 잃은 탄식. '서하의 탄식'이라는 뜻으로, 공자(孔子)의 제자인 자하(子夏)가 서하(西河)에 있을 때 자식을 잃고 너무 슬퍼한 나머지 소경이 된 고사에서 온 말.

[635]화봉인(華封人) : 중국 요임금이 화(華) 지방을 순시하였을 때 요임금을 위해 세가지 복(福) 곧 수(壽)·부(富)·다남자(多男子)를 축복하였다는 현인(賢人). 『장자(莊子)』<외편(外篇)> 천지(天地) 장에 나온다.

[636]청튝성인(請祝聖人) : "성인을 위해 복을 빌겠다"의 뜻. 중국의 현인(賢人) 화봉인(華封人)이 요임금을 위해, 수(壽)·부(富)·다남자(多男子)를 축복하겠다며 꺼낸 말.

[637]빅년디척(百年大隻) : 백년 곧 일생토록 잊지 못할 원수.

[618]싱블여시(生不如死) : 사는 것이 죽는 것만 못함.

[619]십악디죄(十惡大罪) : 조선 시대에, 대명률(大明律)에 정한 열 가지 큰 죄. 모반죄(謀反罪), 모대역죄(謀大逆罪), 모반죄(謀叛罪), 악역죄(惡逆罪), 부도죄(不道罪), 대불경죄(大不敬罪), 불효죄(不孝罪), 불목죄(不睦罪), 불의죄(不義罪), 내란죄(內亂罪)를 이른다.

[620]상척(喪慽) : 참척(慘慽). 자손이 부모나 조부모보다 먼저 죽는 일.

[621]상명디통(喪明之痛) : 눈이 멀 정도로 슬프다는 뜻으로, 아들이 죽은 슬픔을 비유적으로 이르는 말. 옛날 중국의 자하(子夏)가 아들을 잃고 슬퍼운 끝에 눈이 멀었다는 데서 유래한다.

[622]초로잔천(草露殘喘) : 풀잎에 맺혀있는 이슬처럼 겨우 붙어 있는 목숨.

[623]셔하디탄(西河之嘆) : 자식을 잃은 탄식. '서하의 탄식'이라는 뜻으로, 공자(孔子)의 제자인 자하(子夏)가 서하(西河)에 있을 때 자식을 잃고 너무 슬퍼한 나머지 소경이 된 고사에서 온 말.

[624]화봉인(華封人) : 중국 요임금이 화(華) 지방을 순시하였을 때 요임금을 위해 세가지 복(福) 곧 수(壽)·부(富)·다남자(多男子)를 축복하였다는 현인(賢人). 『장자(莊子)』<외편(外篇)> 천지(天地) 장에 나온다.

[625]청튝성인(請祝聖人) : "성인을 위해 복을 빌겠다"의 뜻. 중국의 현인(賢人) 화봉인(華封人)이 요임금을 위해, 수(壽)·부(富)·다남자(多男子)를 축복하겠다며 꺼낸 말.

[626]빅년디척(百年大隻) : 백년 곧 일생토록 잊지 못할 원수.

시로딕, 뉴녀의 극악 흉독이 처음브터 명천공과 조부인을 싀애ᄒᆞ던 ᄆᆞ음이 ᄉᆞᆺ츨 녀믈고638) 말녀 ᄒᆞ므로, 그 【37】 ᄌᆞ와 부를 다 죽이려 ᄒᆞᄂᆞᆫ디라. 태우 형뎨와 하·댱은 아름다올ᄉᆞ록 믜이 넉이고, 그 어딜며 효슌ᄒᆞᄆᆞᆯ 통완ᄒᆞ여 조곰도 감동ᄒᆞᄂᆞᆫ ᄯᅳ시 업셔, 녀셩(厲聲) 대미(大罵) 왈,

"요녜 회텬의 나간 ᄉᆞ이를 타, 괴이ᄒᆞᆫ 남ᄌᆞ를 유졍ᄒᆞ니, 가히 음ᄒᆡᆼ 대죄 아니며, 싀어미를 모로고 셜티(雪恥)ᄒᆞ기를 의논ᄒᆞ며, 쇼고(小姑)를 업시코져 도모ᄒᆞ니, 일마다 간험디악이 아니리오. 내 비록 일개 녀ᄌᆞ의 약ᄒᆞᆫ 심장이나 너 ᄀᆞᆺᄐᆞᆫ 음악 발부를 살와두어 윤·하·뎡 삼문의 욕되고 붓그러오믈 닐위디 아니리라. 발부ᄂᆞᆫ 죽으나 네 죄를 혜아려 날을 원망치 말【38】나."

ᄒᆞ고 흉억의 덕튝ᄒᆞᆫ 믜오믈 플녀 홀싀, 깁으로 쇼져의 두 팔흘 뒤흐로 미고, 두 다리를 단단이 동히고, 쳥운 ᄀᆞᆺᄐᆞᆫ 녹발(綠髮)을 플쳐 쇼져의 목을 휘감아 소리를 못ᄒᆞ게 ᄒᆞ고, 텰편을 드러 강악ᄒᆞᆫ 힘을 다ᄒᆞ여 머리로브터 낫과 몸을 혜디 아니코 즛두다리기를 시작ᄒᆞ니, 텰편을 포집어639) 별학 ᄀᆞᆺᄐᆞᆫ디라. 울히ᄂᆞᆫ640) 곳마다 븕은 피 소ᄉᆞ 닙은 옷시 ᄉᆞ못ᄎᆞ니, 경식이 참담ᄒᆞ여 참블인견(慘不忍見)641)이로딕, 뉴시ᄂᆞᆫ 악악ᄒᆞᆫ 흉심이 디은 원슈 업시 믜오미 삼킬 ᄃᆞᆺᄒᆞ여, 만신의 혈츌(血出)ᄒᆞᄆᆞᆯ 보딕, 측은ᄒᆞᆫ ᄯᅳ시 업고 가디록 니를【39】갈며, 목젼의 죽ᄂᆞᆫ 거동을 보고져 ᄒᆞᄂᆞᆫ디라. 하시 흉독ᄒᆞᆫ 민를 당ᄒᆞ여 골졀이 녹ᄂᆞᆫ ᄃᆞᆺᄒᆞ거늘, 녹발노 목을 잘녀642) 눈이 ᄲᅢ딜 ᄃᆞᆺᄒᆞ니, 오라디 아녀 반싱반ᄉᆞ(半生半死)ᄒᆞ여 졍혼을 출히디 못ᄒᆞᄂᆞᆫ 가온디나, 부모와 양부모긔 다시 뵈옵디 못ᄒᆞ고, 죽을 바를 각골디원(刻骨至冤)ᄒᆞ여

시로딕, 뉴녀의 극악 흉독이 쳐음 명쳔공과 조부인을 싀이ᄒᆞ던 ᄆᆞ음이 ᄉᆞᆺ츨 여믈고627) 말녀 ᄒᆞ무로, 그 ᄌᆞ○[와] 부를 《부리∥부디》 다 죽이려 ᄒᆞᄂᆞᆫ지라. 틔우 형뎨와 하·댱은 아름다올【76】ᄉᆞ록 믜이 넉이고, 그 어질고 효슌ᄒᆞᄆᆞᆯ 통완ᄒᆞ여 죠곰도 감동ᄒᆞᄂᆞᆫ ᄯᅳ시 업셔, 녀셩(厲聲) 딕미(大罵) 왈,

"요녜 회텬의 나간 ᄉᆞ이를 타, 괴이ᄒᆞᆫ 남ᄌᆞ를 유졍ᄒᆞ여[니], 가히 이 음ᄒᆡᆼ 딕변니 아니며, 싀어미를 모로고 셜티(雪恥)ᄒᆞ기를 의논ᄒᆞ며, 쇼고(小姑)를 업시코져 도모ᄒᆞ니 일마다 간험지악이 아니리오. 너 일기 녀ᄌᆞ의 약ᄒᆞᆫ 심장이나, 너 ᄀᆞᆺᄐᆞᆫ 음악 발부을 살와두어 윤·하·뎡 삼문의 욕 되고 붓그러오믈 일위지 아니리라. 발부ᄂᆞᆫ 죽으나 네 죄을 혜아려 날을 원망치 말나."

ᄒᆞ고, 흉억(胸臆)의 《쳑튝∥젹튝(積蓄)》ᄒᆞᆫ 믜오믈 펼싀, 깁으로 쇼져의 두 팔흘 뒤흐로 미고, 양각(兩脚)을 단단이 동히고, 쳥운(靑雲) ᄀᆞᆺᄐᆞᆫ 녹발(綠髮)을 플쳐 쇼져의 목을 휘감아, 소리을 못ᄒᆞ게 ᄒᆞ고, 쳘편을 드러 강악ᄒᆞᆫ 힘을 다ᄒᆞ여, 머리로붓터【77】낫과 몸을 혜지 안코 즛두다리기을 시작ᄒᆞ니, 쳘편을 포집어628) 별학 ᄀᆞᆺᄐᆞᆫ지라. 울히ᄂᆞᆫ629) 곳마다 븕은 피 소ᄉᆞ 입은 옷시 샤못ᄎᆞ니, 경식이 참담ᄒᆞ여 ○○[참블]인견(慘不忍見)630)이로딕, 뉴씨ᄂᆞᆫ 악악ᄒᆞᆫ 흉심이 지은 원슈 업시 믜오미 삼킬 ᄃᆞᆺᄒᆞ여, 만신의 혈츌(血出)ᄒᆞᄆᆞᆯ 보되 측은ᄒᆞᆫ ᄯᅳ시 업고, 가지록 이를 갈며 목젼의 죽ᄂᆞᆫ 거동을 보고져 ᄒᆞᄂᆞᆫ지라. 하씨 흉독ᄒᆞᆫ 민를 당ᄒᆞ여, 골졀이 녹ᄂᆞᆫ ᄃᆞᆺᄒᆞ거늘, 녹발노 목을 잘녀631) 눈이 ᄲᅢ지ᄂᆞᆫ ᄃᆞᆺᄒᆞ니, 오라지 아니ᄒᆞ여 반싱반ᄉᆞ(半生半死)ᄒᆞ여 졍혼을 출히지 못ᄒᆞᄂᆞᆫ 가온딕, 부모와 양부모긔 다시 뵈옵지 못ᄒᆞ고,

---

638)녀믈다 : 여물다. 일이나 말 따위를 매듭지어 끝 마치다.
639)포집다 : 거듭 집다. 거듭 단단히 잡아들다.
640)울히다 : 울리다. 떨리다. 움찔거리다.
641)참블인견(慘不忍見) : 참혹하여 차마 눈뜨고는 볼 수 없음.
642)잘리다 : 단단히 죄여 매이다.

627)녀믈다 : 여물다. 일이나 말 따위를 매듭지어 끝 마치다.
628)포집다 : 거듭 집다. 거듭 단단히 잡아들다.
629)울히다 : 울리다. 떨리다. 움찔거리다.
630)참블인견(慘不忍見) : 참혹하여 차마 눈뜨고는 볼 수 없음.
631)잘리다 : 단단히 죄여 매이다.

천만금을 드릴디라도 즈긔 일명을 부모 싱견의 빌고져 흔들 어이 어드리오. 의의(依依)히 두어 번 소리의 딘딘(盡盡)이 늣기며 명이 딘흐니, 츠회(嗟乎)라! 텬의(天意) 소소(昭昭)흐나, 엇디 살리미 업스시뇨?

뉴녜 쇼져의 죽으믈 보고, 반두시 싱되 업슬 바를 깃거, 문을 열고 경오를 【40】 블너, 굴오디,
"이졔야 요녜 딘(盡)커다."

흐니, 경이 쳔고의 쑥 업순 요악 간흉이나, 형봉의 머리 버힌 거슬 본 후는, 셰월이 오릭디 미양 무섭고 두리워 사름의 시신 보믈 원치 아니흐므로, 머리를 흔드러 굴오디,
"하시 죽어실딘디 어셔 밧비 시신을 업시 흐샤, 사름의 의심을 닐위디 아닛는 거시 올흐니, 쇼녀는 그 흉참히 맛춘 거동을 보기 아닛쏘아 아니보옵느니, 그러나 아조 념녀 업시 죽엇는가 다시 보쇼셔."
뉴녜 쇼왈,
"졔 아모리 모디러도 목을 머리로 단단이 굼고 슈족을 동혓는디, 내 힘을 다흐여 텰편【41】으로 두다리니, 옷 우흐로 피를 쯧게 되엿느니, 이러흔 후 죽디 아니흘 니 이시리오."
경이 손을 져어 소리를 낫초아,
"셜니 업시흐쇼셔."
흐니, 뉴녜 큰 궤를 움죽여 협실의 드려 노코, 비영으로더브러 하시를 쓰어 궤듕의 너흘시, 비영이 홀연 상감(傷感)흐여 눈물을 흘니고 굴오디,

죽을 바를 각골지원(刻骨至冤)흐여, 쳔만금을 드릴지라도 즈긔 일명을 부모 싱젼의 빌고져 흔들, 어이 어드리오. 의의히 두어 번 소리의 진진(盡盡)이 늣기며【78】 명이 진흐니, 츠회(嗟乎)라! 쳔의(天意) 소소(昭昭)흐나 엇지 스로미 업스리오.

뉴녜 쇼져의 죽으믈 보고 반두시 싱되 업슬 바를 깃거 문을 열고 경아를 블너 굴오디,
"이졔야 요녜 진(盡)컷다."

낙장632)

흐니, 경이 쳔고의 요악 간흉이나, 형봉의 머리 버힌 거슬 본 후는, 셰월이 오릭디 미양 무섭고 두리워, 사름의 시신 보기을 원치 아니흐무로, 머리를 흔드러 굴오디,
"하씨 쥭엇실진디 어셔 밧비 시신을 업시 흐스, 샤람의 의심을 일위지 아닛는 거시 올흐니, 소녀는 그 흉참이 맛춘 거동을 보기 아니쏘아 아니 보옵느니, 그러나 아조 념녀업시 쥭엇는가 다시 보쇼셔."
뉴녜 쇼왈,
"졔 아모리 모지러도 머리로 목을 단단이 굼고 슈족을 동혓는디, 니 힘을 다흐여 쳘편으로 두다리니, 옷 우흐로 피를 쓰게 되엿느니, 이러흔 후 쥭지 아녀실【79】 니 이시리오."
경이 손을 져어 소리을 낫초아 왈,
"셜니 시신을 업시흐쇼셔."
흐니, 뉴녜 큰 궤을 움죽여 협실의 드려 노코, 비영으로 더부러 하씨를 쓰어 궤듕의

---

632)필사자는 이 부분에 원본의 '낙장'이 있었다고 표시해놓고 있다. 그러나 낙선재본과 이 부분을 대조해보면 서사가 정확히 일치하고 있어, 앞【72】-【74】쪽에서 보여주고 있는 것과 같은 창작을 통한 보완은 이루어지지 않고 있다. 여기서 한 가지 유추해 볼 수 있는 사실은 박순호본의 필사 작업은 최소한 2종 이상의 저본을 통해 이루어졌다는 사실이다. 즉, 이 전사 작업에는 그 필체로 볼 때 적어도 10명 이상의 필사자가 가담하여, 100권100책에 달하는 이 작품을 분담하여 전사하고 있는데, 여기에 사용된 저본이 2종 이상이었기 때문에, 필사자는 자신이 전사하고 있는 원본에 낙장이 있는 것을, 굳이 창작하지 않고도, 다른 본을 통해 보완해 넣을 수 있었던 것으로 생각된다.

"셕년의 뎡부인을 이갓치 두다려 농듕의 너허 야반의 형봉을 주어더니, 참혹히 맛춘 후 여러 셰월이 되여시되, 디금의 그 죽인 주를 아디 못하니, 쳔비는 친쳑의 졍니로 슬프믈 니긔디 못하거든, 셰월의 ᄆᆞ음이야 닐너 므엇하리잇【42】고?"

인하여 츈월을 싱각고 슬허 하거늘, 뉴시 비영을 디극히 위로하며, 하시를 궤듕의 너허 쇄금(鎖金)643)으로 잠은 후, 비영으로 하여곰 심복주 튱학을 블너, ᄀᆞ마니 닐오되,

"네 본되 튱근하여 대ᄉᆞ를 맛졈죽 하다라. 금일 큰 궤를 줄 거시니 남강의 가 믈의 드리치고 도라오면, 금빅으로 샹샤하미 각별하리라."

튱학이 본되 쥬(住)한 계집이 업고, 도로의 단니며 미녀를 유졍하여 호강644)을 일삼으되, 미양 미녀의 ᄆᆞ음을 깃길645) 금은이 업셔 가장 우민하여, 태듕원 하리(下吏) 본되 어드쁠 거시 만하니, 그윽이 구실646)의 오로고져【43】하되, 튀위 엄졍 셕셕하여 져ᄀᆞᆺ튼 뉴를 갓가이 부리디 아니하니, 태듕원 금빅 가음아는 웃듬 구실을 엇기 어려워, 뎡히 위태부인긔 딘보(珍寶)를 어더 드리고 구실의 오로믈 쳥코져 하다가, 뉴부인 말을 듯고 크게 깃거 만구응슌(萬口應順)하고, 조초 태듕원 하리 되믈 쳥하니, 뉴시 왈,

"이는 실노 쉬온 일이라. 존괴 한 번 니르시면 태위 너를 즉시 태듕원 하리 금빅 빗647)츨 삼을 거시니, 엇디 발셔 니르디 아니하뇨?"

너흘식, 비영이 흘련 싱각하여 눈물을 흘니고 굴오되,

"셕년의 뎡부인을 이갓치 두다려 농듕의 너허 야반의 형봉을 쥬엇더니, 참혹히 맛춘 후 여러 셰월이 되엿시되, 지금의 그 죽인 주를 아지 못하니, 소비는 친쳑의 졍니로 슬푸믈 니긔지 못하거든, 셰월의 ᄆᆞ음이야 일너 무엇하리닛고?"

인하여 츈월을 싱각고 슬허 하거늘, 뉴씨 비영을 지극히 위로하며, 하씨를 궤듕의 너허 쇄금(鎖金)633)으로 잠은 후, 비영으로 하여곰 심복 노주 튱학을 블너, 가마니 일너 굴오되,

"네 본되 튱근하여 되ᄉᆞ를 맛졈죽 한지라. 금일 큰 궤을【80】줄 거시니, 남강의 가 믈의 드리치고 도라오면, 금빅으로 샹샤하미 각별하리라."

튱학이 본되 쥬(住)한 계집이 업고, 도로의 단니며 미녀를 유졍하여 호강634)을 일슴으되, 미양 미녀의 ᄆᆞ음○[을] 《깃기믈 요구하미 잇셔∥깃길635) 금은이 업셔》 가장 우민하여 하던 ᄎᆞ, 튀즁원 하리(下吏) 본되 어더 쓸 거시 만하니, 그윽이 구실636)의 오로고져 하되, 튀위 엄졍 셕셕하여 져 ᄀᆞᆺ튼 유를 갓가이 부리지 아니하니, 튀즁원 금빅 가음아는 웃듬 구실을 엇기 어려워, 뎡히 위태부인끠 딘보(珍寶)를 어더 드리고 구실의 오로믈 쳥코져 하다가, 뉴부인 말을 듯고 크게 깃거 만구응슌(萬口應順)하고, 조쵸 튀즁원 하리 되믈 쳥하니, 뉴씨 왈,

"이는 실노 쉬온 일이라. 존괴 한 번 이르시면 튀위 즉시 너를 튀즁원 하리 금빅 빗637)츨 삼을 거시【81】니, 엇지 발셔 니르지○○[아니] 하더뇨?"

643)쇄금(鎖金) : 자물쇠.
644)호강 : 호화롭고 편안한 삶을 누림.
645)깃기다 : 기쁘게 하다. '깃그다'의 사동형.
646)구실 : 관아의 임무.
647)빗 : 색(色). 사무상(事務上)으로 나눈 한 부서. 관청의 과(課) 또는 계(係)와 같은 것. ②관청에 속한 구실아치. ②관청에 예속되어 손으로 물건을 만드는 일이나 물품의 출납 등의 일을 보던 사람. 구실바치. 구실아치.

633)쇄금(鎖金) : 자물쇠.
634)호강 : 호화롭고 편안한 삶을 누림.
635)깃기다 : 기쁘게 하다. '깃그다'의 사동형.
636)구실 : 관아의 임무.
637)빗 : 색(色). ①사무상(事務上)으로 나눈 한 부서. 관청의 과(課) 또는 계(係)와 같은 것. ②관청에 예속되어 손으로 물건을 만드는 일이나 물품의 출납 등의 일을 보던 사람. 구실바치. 구실아치.

퉁학이 희열ᄒ여 이제는 태듕원 구실의 오로패라 ᄒ여, 양양ᄒ며 퀘를 닉여 달나ᄒ니, 뉴시 비영과 마조 드러【44】청샤의 계오 닉여노ᄒ니, 퉁학의 힘이 녕한(獰悍)ᄒ므로 큰 바를 가져 퀘를 가연이 등의 디고 강외로 닉드르니, 차호셕지(嗟乎惜哉)라! 하쇼져의 어름이 몱으며 옥이 틔 업손 힝스와 텬향아딜(天香雅質)노뼈, 구가의 ᄉ랑ᄒ는 졍을 엇디 못ᄒ고, 셩혼삼지(成婚三載)의 만상곡경(萬狀曲境)과 쳔단긔아(千端饑餓)를 됴혼 일 보돗 ᄒ다가, 오날늘 뉴녀의 모진 슈단의 아조 줏두다려 퀘듕의 너허 강슈의 씌오려 ᄒ니, 하날이 놉ᄒ시나 슬리시믄 소소ᄒ다. 맛ᄎᆷᄂᆡ 간인의 ᄠᅳᆺ을 맛쳐 ᄒ시 일명을 보젼치 못ᄒᆯ가 ᄎ하분셕(次下分析)ᄒ라.

어시의 병부샹셔 병마졀졔ᄉ 뎡듁쳥【45】이 삼삭을 드럿다가 다시 츌샤(出仕)ᄒ민, 졔댱 샤졸의 희틱(解怠)ᄒ미 잇는가, 각각 지조를 보고져 ᄒ여, 댱졸을 거나려 교외의 습샤(習射)ᄒ고 날이 느ᄌ미 도라올ᄉᆡ, 남문 밧긔 다드라 금션(金扇)으로 태양을 가리오고 노샹을 찰시ᄒ니, 허다ᄒᆫ ᄉ졸과 무슈ᄒᆫ 하리 사름이 길흘 건너다 ᄒ여 잡고 힐난ᄒ거늘, ᄌ시 보니 윤부 노ᄌ 퉁학이 큰 퀘를 졋는디라. 홀연 ᄆᆞᆷ이 경동(驚動)ᄒ여 츌인ᄒᆫ 총명이 쳔니를 예탁(豫度)ᄒ미 이시니, 엇디 갓가이 디고 션ᄂᆞᆫ, 퉁학의 일을 예탁디 못ᄒ리오. 셕ᄌ의 윤부인을 두다려 농【46】듕의 너허 형봉이 원문(園門)의 들고 안ᄌ던 일을 헤아리미, 이 아니 의심된 퀜가 ᄒ여, 하리를 분부ᄒ여 그 놈을 결박ᄒ여 본부로 디령ᄒ라 ᄒ고, 그 퀘를 아샤 조심ᄒ여 져 오라 ᄒ니, 하리 응명ᄒ여 퉁학을 결박ᄒ니, 퉁학이 쳔만 싱각 밧긔 뎡병부를 만난디라.

이ᄯᅵ 군졸을 통솔ᄒ여 오ᄂᆞᆫ 위의라, 대외(隊伍) 뎡졔ᄒ고 긔갑이 션명ᄒ며 검극이 삼나(森羅)ᄒ여 군위(軍威) 십분 엄슉ᄒ니, 퉁학이 길흘 건너려 ᄒ미 아니라, 퀘 가온ᄃᆡ 슈상ᄒᆫ 거슬 져시니 스스로 ᄆᆞᆷ이 황겁

ᄎ학이 디열ᄒ여 이졔ᄂᆞᆫ 틱듕원 구실의 오로래라 ᄒ여, 양양ᄒ며 퀘를 닉여 달나ᄒ니, 뉴씨 비영과 마조 드러 쳥스의 계요 닉여노ᄒ니, ᄎ학의 힘이 녕한(獰悍)ᄒ무로 큰 바흘 가져 퀘를 가연이 등의 지고 강외로 닉다르니, 차호셕지(嗟乎惜哉)라! 하쇼져의 어름이 몱으며 옥의 틔업슨 힝스와 쳔향아질(天香雅質)노뼈, 구가의 ᄉ랑ᄒᄂᆞᆫ 졍을 엇지 못ᄒ고 셩혼삼지(成婚三載)의 《만ᄉᆞᆼ‖만상》곡경(萬狀曲境)과 쳔만긔아(千萬饑餓)를 됴혼 일 보돗 ᄒ다가, 오날늘 뉴녀의 모진 수단의, 아조 줏두다려 퀘즁의 너허 강슈의 씌오려 ᄒ니, 하날이 놉ᄒ시나 슬피미 소소ᄒ지라. 맛ᄎᆷᄂᆡ 간인의 ᄠᅳᆺ을 맛쳐 ᄒ씨 일명을 보젼치 못ᄒᆯ가, ᄎ하분셕(次下分析)ᄒ라.

어시의 병부샹셔 병마스 뎡듁쳥이 삼삭을 드럿다가 다시【82】츌샤(出仕)ᄒ미, 졔댱 ᄉ졸의 희틱(解怠)ᄒ미 잇ᄂᆞᆫ가, 각각 지조를 보고져 ᄒ여, 댱졸을 거나려 교외의 습스(習射)ᄒ고 날이 느ᄌ미 도라올ᄉᆡ, 남문 밧긔 다드라 금션(金扇)으로 틱양을 가리오고 노샹을 찰시ᄒ니, 허다ᄒᆫ ᄉ졸과 무슈ᄒᆫ 하리 사름이 길흘 건네다 ᄒ여 잡고 힐난ᄒ거늘, ᄌ시 보니 윤부 노ᄌ ᄎ학이 큰 퀘를 졋ᄂᆞᆫ지라. 홀연니 ᄆᆞᆷ이 경동(驚動)ᄒ여 츌인ᄒᆫ 총명이 쳔니를 예탁(豫度)ᄒ미 이시니, 엇지 갓가이 지고 션ᄂᆞᆫ, ᄎ학의 일을 예탁치 못ᄒ리오. 셕일 윤부인을 두다려 농즁의 너허 형봉이 원문(園門)의 들고 안ᄌ던 일을 헤아리미, 이 아니 의심된 퀜가 ᄒ여, 하리를 분부ᄒ여 그 놈을 결박ᄒ여 본부로 디령ᄒ라 ᄒ고, 그 퀘를 아ᄉ 조심ᄒ여 져 오라 ᄒ【83】니, 하리 승명ᄒ여 ᄎ학을 결박ᄒ니, ᄎ학이 쳔만 싱각 밧긔 뎡병부을 만난지라.

잇ᄯᅵ 군졸을 통솔ᄒ여 오ᄂᆞᆫ 위의라. 디외(隊伍) 졍졔ᄒ고 긔갑이 션명ᄒ며 검극이 삼나(森羅)ᄒ여 군위(軍威) 십분 엄슉ᄒ니, ᄎ학이 길흘 건네려 ᄒ미 아니라, 퀘 가온ᄃᆡ 슈상ᄒᆫ 것슬 져시니 스스로 ᄆᆞᆷ이 황겁

ᄒ여 좌우를 도라보아【47】피코져 ᄒᆞ디,
대뢰 너르나 무슈흔 댱졸이 오ᄂᆞᆫ 가온디,
큰 궤을 디고 길거리의 셧다가, 만일 군병
의 밀친 비 되여 굴헝의 ᄲᅢ딜가 두려, 먼니
치워 셔시면 엇던 사람이 능히 아라보리오.
ᄒ고, 얼픗 흔편으로 건너다가 잡힌 비 되
어, 펑계의 므슨 말을 ᄒᆞ고져 ᄒᆞ여도 밋쳐
말을 발치 못ᄒ여셔, 남후의 분부로 결박ᄒ
라 ᄒ니, 텬디 망망ᄒ여 벽녁이 두샹을 님
ᄒᄂᆞᆫ 듯ᄒᆞᆫ디, 범 ᄀᆞᆺ튼 군시 남후의 녕을 드
르미 튱학을 결박ᄒ여 취운산으로 향ᄒ고,
겨의 졋던 궤ᄂᆞᆫ 하리 아샤 가디고 병부의
뒤【48】흘 좃ᄎᆞ니, 병뷔 스스로 궤를 밧비
보고져 ᄆᆞ음이 급ᄒ여, 밋쳐 취운산으로 나
아가디 못ᄒ고, 남문 안 초하동의 ᄌᆞᄀᆞ 집
줌졍(蠶亭)이 이시니, 비록 도셩이나 초하동
이 그윽ᄒ고, 젼후 좌우의 하날이 뵈디 아
니케 얽힌 거시 ᄶᆞᆼ남기라. 비ᄌᆞ 십여인이
이 곳을 딕희여 년년의 잠퉁을 쳐, 질삼ᄒ
여 올닐 ᄯᆞ름이오, ᄌᆞᄀᆞ 등도 왕늬ᄒᆞ미 업
더니, 이 날은 녕신(靈神)흔 심졍이 착급(着
急)ᄒᆞᆷ믈 니긔디 못ᄒ여, 허다 댱졸의게 하
령 왈,

“여등은 다 집으로 도라가라. 나는 초하
동의 잠간 머믈 일이 이시니 ᄯᆞ라오디 말
나.”

ᄯᅩ 하리를 명ᄒ【49】여 왈,
“앗가 길 건너던 놈을 취운산으로 잡아가
디, 요란이 구디 말고 깁히 가도아 ᄎᆞᆺ기를
기다리라.”

각각 닐너 도라보ᄂᆡ고, 오딕 궤 딘 하리
만 뒤흘 ᄯᆞ로라 ᄒ고, 남휘 급히 초하동의
드러가니, 비복 등이 황황이 당샤를 ᄲᆞᆯ고
됴흔 ᄌᆞ리를 펴 남후를 맛거ᄂᆞᆯ, 남휘 그윽
흔 당샤를 갈히여 좌ᄒ고, 궤를 드려 오라
ᄒ여 잠은 거슬 뷔틀고, ᄲᅮ에[648]를 여러 본
죽, 이 믄득 흔 낫 피빗 된 육괴(肉塊) 드러
시니, 창졸의 븬 줄 아라 보리오. 다만 놀나
오미 심한골경(心寒骨驚)ᄒ니, 힝혀 혐의로
오미 이실가 ᄒ여, 노숙흔 양낭(養娘) 월셤

ᄒ여 좌우를 도라보아 피코져 ᄒᆞ디, 디뢰
(大路) 너르나 무수흔 쟝졸이 오ᄂᆞᆫ 가온디,
큰 궤을 지고 길거리의 셧다가, 만일 군병
의 밀친 비 되여 구렁의 ᄲᅡ질가 두려, 먼니
치여 셔시면 엇던 스람이 능히 아라보리오.
ᄒ고, 얼픗 한편으로 건너다가 잡힌 비 되
어, 펑계의 므슨 말을 ᄒᆞ고져 ᄒᆞ다가, 두밋
쳐[638] 말을 발치 못ᄒ여셔, 남휘 결박ᄒ라
ᄒ니, 쳔지 망망ᄒ여 벽녁이 두샹의 임【8
4】ᄒ여ᄂᆞᆫ 듯 ᄒᆞᆫ디, 범 ᄀᆞᆺ튼 군시 남후의
영을 드르미 튱학을 결박ᄒ여 취운산으로
향ᄒ고, 겨의 졋던 궤ᄂᆞᆫ 하리 아ᄉᆞ 가지고
병부의 뒤을 조츠니, 병뷔 스스로 궤를 밧
비 보고져 ᄆᆞ음이 급ᄒ여, 밋쳐 취운산으로
나아가지 못ᄒ고, 남문 안 초하동의 ᄌᆞᄀᆞ
집 잠졍(蠶亭)이 이시니, 비록 도셩이나 초
하동이 그윽ᄒ고, 젼후 좌우의 하날이 뵈지
아니케 얽힌 거시 ᄶᆞᆼ남기라. 비ᄌᆞ 십여인이
이 곳을 딕희여 년년의 잠퉁을 쳐, 질삼ᄒ
여 올닐 ᄯᆞ람이오. ᄌᆞᄀᆞ 등도 왕늬ᄒᆞ미 업
더니, 이 날은 녕신(靈神)흔 심졍이 착급(着
急)ᄒᆞᆷ믈 니긔지 못ᄒ여, 허다 댱졸의게 하
령 왈,

“여등은 다 집으로 도라가라. 나는 초하
동의 잠간 머믈 일이 이시니 ᄯᆞ르지 말나.”

다시 하리를 명 왈,
“앗가 길 건네던 놈을 취운산으로 가【8
5】디, 번거히 구지 말고 깁히 가두와
ᄂᆡ 찻기를 기다리라.”

각각 일너 도라보ᄂᆡ고, 오직 궤 진 하리
만 뒤흘 ᄯᆞ로라 ᄒ고, 급히 초하동의 잠졍
의 드러가니, 비복 등이 황황이 당ᄉᆞᆯ 쓸
고 됴흔 ᄌᆞ리를 펴 남후를 맛거ᄂᆞᆯ, 남휘 그
윽흔 당ᄉᆞ를 굴희여 좌ᄒ고, ‘궤을 드려 오
라’ ᄒ여, 잠은 거슬 븨틀고 ○○○[ᄲᅮ에[639]
를] 여러 본 죽, 이 믄득 피빗 된 육괴(肉
塊) 드러시니, 창졸의 븬 줄 아라 보리오.
다만 놀나오미 심한골경(心寒骨驚)ᄒ니, 힝

---

648)ᄲᅮ에 : 뚜껑.

638)두밋치다 : 뒤미치다. *두밋쳐; 뒤미처.
639)ᄲᅮ에 : 뚜껑.

뉵향 냥 비즈【50】를 블너, 굴오딕,

"이 궤듕의 참혹흔 시신이 드러시니, 너
히 조심흐여 드러 닉여 노흐면, 내 그 믹후
를 슬펴 힝혀 싱되(生道) 잇는가 보리라."

냥 비지 대경흐나 명을 거스리디 못흐여,
무셥고 아니쇼은 ᄆᆞᆷ을 주리잡고 붓드러
방듕의 닉여 노흘시, 그 팔을 뒤흐로 졋딜
너649) 잡아믹 거시 피 흐르는딕, 살빗치 청
화(靑華)650) ᄀᆞ트여시니, 남휘 궤 속의 ○
[잇]셔 ᄌᆞ시 보디 못홀너니, 방듕의 닉여노
흘 적 그 팔 믹 거슬 그르며 얼굴을 슬펴
보니 엇디 몰나보리오.

비록 흔낫 피뭉치나 ᄌᆞ긔 결약동긔(結約
同氣)흔 바 하쇼졔라. 청운 ᄀᆞ튼 녹발노 목
을 찬찬이 휘감아, 만【51】신이 피빗치 되
어시니, 병부의 듕산 ᄀᆞ튼 무거온 심니로도
ᄎᆞ경(此景)을 딕흐여는, 심골이 셔늘흐
믈651) 씩듯디 못흐니, 히옴업시 두 줄 눈믈
이 써러디믈 면치 못흐고, 월셤으로 흐여금
그 믹 거슬 그르고 발을 쥐므르라 흐고, ᄌᆞ
긔는 친히 쇼져의 손을 쥐므르며 믹후를 슬
피니, 오히려 목슘이 아조 싯쳐디든 아냐
일분 싱긔 이시딕, 거동을 보아는 운명흔
사름 ᄀᆞ트여 슈족이 어름 ᄀᆞ고, 만면 일신
의 흐르는 피 일신의 ᄉᆞ못는디라.

남휘 낭듕의 약을 닉여 입의 드리오기를
식경이나 흐딕, 쇼졔 희미흔 슘소릭도 업셔
뉵믹(六脈)652)이 싯쳐디디 아냐실디언졍,
아마【52】도 살가 시브디 아닌디라. 남휘
참연비졀흐미 형상치 못흐여, 날이 어둡기
의 니르도록 온갓 약을 시험흐나, 하시 완
연이 죽은 사름이 되어시니, 남휘 ᄎᆞ마 딕
(對)치 못흐여 냥비즈로 딕희오고, 청샤의

혀 혐의로오미 잇슬가 흐여, 냥낭(養娘) 월
셤 유향 냥 비즈를 블너 굴오딕,

"이 궤듕의 참혹흔 시신이 드러시니 너희
조심흐여 드러 닉여 노흐면, 닉 그 믹후를
슬펴 힝혀 싱되(生道) 잇는가 보리라."

냥 비지 딕경흐나 명을 거스리지 못흐여,
무셥고 아니쇼은 ᄆᆞᆷ을 쥬【86】리잡고,
붓드러 방즁의 닉여노흘시, 그 팔을 뒤흐로
졧쳐640) 잡아믹 거시, 피 흐르는딕 살빗치
청화(靑華)641) ᄀᆞ트여시니, 남휘 궤 속의○
[잇]셔 ᄌᆞ시보지 못홀너니, 팔 믹 거슬 그
르며 얼골을 슬펴 보니, 엇지 몰나보리오.

비록 흔낫 피뭉치나 ᄌᆞ긔 결약동긔(結約
同氣)한 바 하소졔라. 청운 ᄀᆞ튼 녹발노 목
을 찬찬이 휘감아, 만신니 피빗치 되엿시
니, 병부의 듕산ᄀᆞ치 무거온 심지로도 ᄎᆞ경
(此景)을 딕흐여는, 심골이 션흘흐믈642) 씩
듯지 못흐고, 히옴업시 두 쥴 눈믈이 써러
지믈 면치 못흐고, 월셤으로 흐여금 그 믹
거슬 그르고 발을 쥬므르라 흐고, 친히 소
져의 손을 쥐므르며 믹후를 슬피니, 오히려
묵숨이 아조 싯쳐지든 아냐, 일분 싱긔 이
시딕 거동을 보아는 한낫 시신이라. 슈족이
어름 갓고 만면【87】 일신의 흐르는 피
엉긔엿는지라.

남휘 낭듕의 약을 닉여 입의 드리우니,
식경이나 《된 후∥되딕》, 쇼졔 ○[희]미
한 숨소릭도 업셔 뉵믹(六脈)643)이 싯쳐지
지 아냐실지언졍, 아마도 살가 시브지 아닌
지라. 남휘 참연비졀흐미 ○○○○○○[형상
치 못흐여], 날이 어둡기의 이르도록 온갓
냑(藥)을 시험흐나, 하씨 완연니 죽은 스름
이 되엿시니, 남휘 ᄎᆞ마 딕(對)치 못흐여
냥 비(婢)로 직희오고, 청샤의 나와 기리

---

649) 졋디르다 : 겯지르다. ①엇갈리게 하여 다른 쪽
　　으로 지르다. ②서로 마주 엇갈리게 걸다.
650) 청화(靑華) : 푸른 물감의 하나. 복숭아꽃 빛깔과
　　섞어 나뭇잎과 풀을 그리는 데 많이 쓴다.
651) 셔늘흐다 : 서늘하다. 갑자기 놀라거나 무서워
　　찬 느낌이 있다.
652) 뉵믹(六脈) : 여섯 가지 맥박. 부(浮), 침(沈), 지
　　(遲), 삭(數), 허(虛), 실(實)의 맥을 이른다.

640) 졧치다 : 제치다. 젖히다. 뒤로 기울어지게 하다.
641) 청화(靑華) : 푸른 물감의 하나. 복숭아꽃 빛깔과
　　섞어 나뭇잎과 풀을 그리는 데 많이 쓴다.
642) 션흘흐다 : 서늘하다. 갑자기 놀라거나 무서워
　　찬 느낌이 있다.
643) 뉵믹(六脈) : 여섯 가지 맥박. 부(浮), 침(沈), 지
　　(遲), 삭(數), 허(虛), 실(實)의 맥을 이른다.

나와 기리 탄호여 굴오디,

"두 누의를 다 윤가의 쇽현호여 호나흔 참혹호 독슈를 만나 호 뭉치 육괴 되고, 호나흔 살인죄슈로 만니의 덕거호니, 윤가와 원쉬 아니리오. 내 초의 하미를 구호여 결의남미(結義男妹)호여 범스의 긔렴호는 졍이 골육동긔 아니믈 씨둣디 못호고, 젼졍이 영화롭기를 【53】 바라더니, 이 디경의 니를 줄 엇디 쯧호여시리오. 내 혜아리미 하미는 슉녈민ᄌ도곤 형셰 다른 고로, 그 스이 니져두미 되엿더니, 위·뉴의 한악(悍惡)호믄 집을 업치고 말니로다. 기녀(其女)653)의 안면을 본들 져디경의 니르도록 호리오. 기심이 쇠량의셔 더은디라, 맛춤니 윤가를 업치고 말니로다. 창텬이 하미의 현힝 슉덕을 슬피디 아니호샤, 독슈를 만나 인호여 스디 못홀딘디, 딘실노 복션명응(福善冥應)654)이 잇다 호리오."

희허(唏噓) 댱탄(長歎)호여 셕반을 믈니치고, 심듕의 이들은 바는 하시를 구호여 다려와, 윤가로 【54】 아딕 결혼치 아냐셔도, 삼오 초츈이 늣디 아닐 거슬, 브졀업시 셩친호여 간인의 참화를 바드미[미], ᄌ긔 집 탓신 둣, 혼ᄌ말 호여 굴오디,

"하미 만일 스디 못홀딘디, 하년슉과 됴부인이 발셔 상쳑(喪慽)의 지 된 간장이라. 결단호여 셰렴(世念)을 씃츠리니, 흔 사름이 죽으미 몃 사름의 통상호미리오. 호믈며 우리 존당 부뫼 하미 스랑호샤미 친싱의 감치 아니호거놀, 그 흉음(凶音)을 드르시미 심식 장촛 엇더호시리오. 만일 하미의 일명을 구치 못호면, 내 쳐음의 희(河) 듕의셔 구흔 뜻이 헛 곳의 도라디고, 【55】 젼졍을 그릇 민둣랏는디라. 또흔 내 몸의 젹앙이 두렵디 아니리오."

념급디ᄎ(念及至此)655)의 스미를 드러 낫출 덥고, 쳥샤(廳舍)의 언와(偃臥)호여, 좌스

653)기녀(其女) : 그 딸.
654)복션명응(福善冥應) : 착한 사람에게 복을 내리는 신령(神靈)이 감응(感應).
655)념급디ᄎ(念及至此) : 생각이 이에 미침.

탄호여 굴오디,

"두 누의를 다 윤가의 쇽현호여 호나흔 참참흔 독슈를 만나 한 덩이 육괴 되고, 호나흔 살인 죄슈로 만니의 덕거호니, 윤가와 원쉬 아니리오. 내 초의 하미를 구호여 결의남미(結義男妹)호여 범스의 긔렴호는 졍이 골육동긔 아니믈 씨둣지 못호고, 젼졍이 영화롭기를 브랏더니, 이 지경의 이를 쥴 쯧호여시리오. 닉 혜아리미 하미는 슉열 【88】 ᄌ미도곤 형셰 다른 고로, 그 스이 니져두미 되엿더니, 위·뉴의 한악(悍惡)호 믄 집을 업치고 말니다. 기녀(其女)644)의 안면을 본들 져지경의 니르도록 호리오. 기심이 쇠량의셔 더은지라, 맛춤닉 윤가를 업치고 말니로다. 창텬이 하미의 현힝 슉덕을 슬피지 아니호샤, 독슈를 만나 드딕여 스지 못홀진디 진실노 복션명응(福善冥應)645)이 잇다 호리오."

희허(唏噓) 댱탄(長歎)호여 셕반을 믈니치고, 심즁의 이다른 바는 ᄌ긔 하씨를 구호여 다려와, 윤가로 아직 결혼치 아냐셔도 삼오 초츈니 늣지 아닐 거슬, 부졀업시 셩친호여 간인의 참화를 바드미[미], ᄌ긔 집 탓신 둣, 혼ᄌ말 호여 굴오디,

"하미 만일 스지 못호면, 하년슉(緣叔)과 됴부인이 발셔 상쳑(喪慽)의 지 된 간장이라. 결단호여 셰렴(世念)을 씃츠리니, 한 스름이 죽으미 몃 스름이 통상호미리 【89】 오. 호믈며 우리 존당이 하미 스랑호시미 친싱의 감치 아니호시거늘, 그 흉음(凶音)을 드르시미 심식 당촛 엇더호시리오. 만일 하미의 일명을 구치 못호면, 닉 쳐음의 희(河) 즁의셔 구흔 뜻시 헷 곳의 도라가고, 젼졍을 그릇 민둣랏는지라. 또흔 닉 몸의 젹앙이 두렵지 아니리오."

염급지ᄎ(念及至此)646)의 스미를 드러 낫출 덥고, 쳥스(廳舍)의 언와(偃臥)호여, 좌스

644)기녀(其女) : 그 딸.
645)복션명응(福善冥應) : 착한 사람에게 복을 내리는 신령(神靈)이 감응(感應).
646)염급지ᄎ(念及至此) : 생각이 이에 미침.

우상(左思右想)ᄒ미 희허(唏噓) 댱탄(長歎)
ᄒᄆᆯ 마디 아니ᄒ더니, 반얘 된 후 월셤이
나아와 향젼(向前)656) 고왈,

"쇼제 이졔야 목안히 희미ᄒ 숨소ᄅᆡ 이시
ᄃᆡ 슈족은 어름 ᄀᆞ트여이다."

병뮈 그 숨소ᄅᆡ 잇다 ᄒᄆᆯ 드르미 블승환
희ᄒ여, 젼도히 방듕의 드러가 쇼져를 볼ᄉᆡ,
하쇼졔 졍신을 출히디 못ᄒᄃᆡ, 흉억의 막힌
거ᄉᆞᆫ 져기 트여시므로, 가는 숨소ᄅᆡ 엄엄ᄒ
고 운발의 잘니엿던 목이 프르기 쳥화【5
6】ᄀᆞ트며, 일신이 피빗치니, 병뮈 댱탄슈
셩(長歎數聲)의 손을 드러 쇼져의 운발을
쓰리처, 피 무든 낫ᄎᆞ 어ᄌᆞ럽디 아니케 ᄒ
고, 직삼 단닥ᄒ니 싱긔 졈졈 나을 ᄯᆞᆫ아니
라, 틱긔 분명ᄒ여 좌믹이 셩ᄒ고, 냥믹(陽
脈)이 동ᄒ니, 복이(腹兒) 남진믈 알디라.
크게 환희ᄒ여 혜오ᄃᆡ,

"텬되 소소ᄒ샤 현인을 돕ᄂᆞᆫ디라. ᄒ미
십싱구ᄉᆞ(十生九死)ᄒ여 ᄉᆞ라날딘ᄃᆡ, 엇디
신긔치 아니리오. 틱긔(胎氣) 완연ᄒ니, 의
티를 각별이 ᄒ여 원통이 맛ᄂᆞᆫ 일이 업게
ᄒ리라. 이의 스스로 약을 싱각ᄒ여 약뉴를
혜아려, 이곳의는 ᄒ낫 직ᄅᆈ(材料) 업스니,
계명(鷄鳴)이 되기를【57】기다려 냥 비ᄌᆞ
를 당부 왈,

"여등은 쇼져를 딕희여 일시도 병소를 써
나디 말고 나의 도라오믈 기다리라."

월셤 등이 튱근ᄒᆞᆫ디라 슈명ᄒ니, 남휘 다
른 비복을 엄히 분부ᄒ여,

"쇼졔 이 곳의 이시믈 아모다려도 발셜치
말나."

ᄒ고, 하리 튜죵이 틱후ᄒᆞ믈 인ᄒ여 즉시
됴참(朝參)ᄒ려 궐하의 나아가, 《태원∥태
의원(太醫院)657)》의 ᄌᆞ긔 젹은 바 약을 십
여 쳡을 급히 디어 보ᄂᆡ라 ᄒ여시니, 양참
졍 문광은 양평댱의 빅형이라 즉시 약을 디
어 보ᄂᆡ엿거늘, 남휘 친히 ᄉᆞ믜의 너코 도

우상(左思右想) ᄒ미, 회허(唏噓) 댱탄(長歎)
ᄒ믈 마지 아니ᄒ더니, 반야 후 월셤이 나
아와 향젼(向前)647) 고왈,

"쇼졔 이졔야 목안히 희미ᄒ 숨소ᄅᆡ 이시
ᄃᆡ, 슈족은 어름 갓하여이다."

병뮈 그 숨소ᄅᆡ 잇다 ᄒᄆᆯ 드르미 블승환
희ᄒ여, 젼도히 방듕의 드러가 쇼져를 볼ᄉᆡ,
하씨 졍신을 출히지 못ᄒᄃᆡ 흉억의 막힌 거
ᄉᆞᆫ 져기 트여시므로, 가는 숨소ᄅᆡ 엄엄ᄒ고
운발의 잘니엿던 목이 프르기 쳥화 갓ᄐᆞ며,
만신의 혈【90】쳔(血川)이니, 병뮈 장탄슈
셩댱탄슈셩(長歎數聲)의 손을 드러 쇼져의
운발을 쓰리처, 피 무든 낫ᄎᆞ 어ᄌᆞ럽지 아
니케 ᄒ고, 직삼 진믹ᄒ니, 싱긔 졈졈 나을
ᄯᆞᆫ아니라, 틱긔 분명ᄒ여 퇴믹(胎脈)이 셩ᄒ
고, 냥믹(陽脈)이 동ᄒ니, 복이(腹兒) 남진믈
알지라. 크게 환희ᄒ여 혜오ᄃᆡ,

"텬되 소소ᄒ샤 현인을 돕ᄂᆞᆫ지라. ᄒ미
십싱구ᄉᆞ(十生九死)ᄒ여 ᄉᆞ라날진ᄃᆡ, 엇지
신긔치 아니리오. 틱긔(胎氣) 완연ᄒ니, 의
치를 각별이 ᄒ여 원통이 맛ᄂᆞᆫ 일이 업게
ᄒ리라. 이의 스스로 약을 싱각ᄒ여 약유
(藥類)를 혜아려, 이곳의는 한낫 직ᄎᆈ(材草)
업스니, 계명(鷄鳴)이 되기를 기다려 냥 비
ᄌᆞ를 당부 왈,

"여등은 쇼져를 직희여 일시도 병소를 써
나지 말고, 나의 도라오믈 기다리라."

월셤 등이 츙근ᄒᆞᆫ지라 슈명ᄒ니, 남휘 다
른 비복을 엄영(嚴令) 왈

"쇼졔 이 곳의 잇시믈 아모다려도 누셜치
말나"

ᄒ고, 하리 튜죵이 틱후【91】ᄒ믈 인ᄒ
여, 즉시 조참(朝參)ᄒ려 궐하의 나아가, 태
의원(太醫院)648)의 ᄌᆞ긔 젹은 바 약을 십여
쳡을 급히 지어 보ᄂᆡ라 ᄒ엿시니, 양참졍
문광은 양평장의 빅형이라. 즉시 약을 지어
보ᄂᆡ엿거늘, 남휘 친히 ᄉᆞ믜의 너코 초하동

656)향젼(向前) : 앞을 향함.
657)태의원(太醫院) : 내의원(內醫院). 조선 시대에
둔 삼의원(三醫院)의 하나. 궁중의 의약(醫藥)을
맡아보던 관아이다.

647)향젼(向前) : 앞을 향함.
648)태의원(太醫院) : 내의원(內醫院). 조선 시대에
둔 삼의원(三醫院)의 하나. 궁중의 의약(醫藥)을
맡아보던 관아이다.

로 초하동의 나아가, 금노(金爐)의 블을 피오라 ᄒ고 약을 달히디, 시녀【58】등을 식이디 아니ᄒ고 ᄌ긔 친히 굽니러658) 블을 블며, 무궁흔 슈고를 드려 하시 술오기를 바라는디라.

임의 달히기를 다ᄒ미, 쇼져 입의 드리오나, 하시 동졍이 업스니, 다시 흔 첩을 달혀 드리오미, 이윽고 슈족의 온긔 이셔, 미미흔 숨소리 나며, 피 흐르는 가온디도 슈족이 어름굿치 ᄎ기를 면ᄒ여시니, 병뷔 혹ᄌ 술오미 이실가 만심 회열ᄒ여, 향 등을 지삼 당부ᄒ여 쇼져를 뫼셔시라 ᄒ고, 취운산으로 나아갈시, 윤태우를 만나 하시의 유무를 짐줏 뭇고져 ᄒ여 옥누항의 드르가니, 윤태위 병부를 마ᄌ 크게 반겨 근【59】일 죵용이 상견치 못흔 회포를 니를시, 남휘 므러 왈,

"근간 하미 무양ᄒ냐? 엇디 취운산 왕니도 일졀 아니터뇨?"

태위 일틱디샹의 이시나 하시의 ᄉ변 당ᄒᄆ를 아득히 모로고, 셰월노 하시의 얼골이 되여 두어시믄 몽듕의도 아디 못ᄒᄂᆫ 일이라. 다만 슉뫼 하시의 가슴을 칼노 딜너시믈 병뷔 듯고 이리 뭇는가, 참괴ᄒ여 디왈,

"하쉬 작일 취운산의 나아가려 ᄒ시더니, 맛춤 딜양이 계샤 잠간 쇼셩(蘇醒)흔 후 취운산으로 가신다 ᄒ더이다."

남휘 쳥파의 미(微)흔 우음이 면간을 둘너 오릭 말이 업더니, 날호여 니러나며 ᄀᆞ오디, 【60】

"ᄉ원이 총명ᄒ디 가간 변고를 오히려 치 아디 못ᄒ여, 셕년(昔年)의 아미의 위경을 구치 못ᄒ고, 작일 쏘 데슈의 ᄉ변(死變)을 아디 못ᄒ니 블민ᄒ미 이굿투뇨?"

윤태위 남후의 말이 반ᄃ시 슉모의 발검(拔劍)ᄒ여 하슈를 디를 젹 ᄌ긔 구치 못ᄒᄆ를 니르민가 ᄒ여, 다시 곡졀을 뭇디 아냐 남후를 숑별홀 ᄯ룸이라.

남휘 취운산의 도라오니, 작일 길 건너던

의 나아가 금노(金爐)의 블○[을] 피오라 ᄒ고, 약을 달히디 시녀비을 식이지 아니ᄒ고, ᄌ긔 친히 굽일어649) 블을 블며 무궁흔 수고를 드려, 하씨 술오기를 바라는지라.

달히기를 다ᄒ미 쇼져 입의 드리오나, 하씨 동졍이 업는지라. 다시 한 첩을 달혀 드리오미, 이윽고 슈족의 온긔 잇셔 미미흔 소릭 나며, 슈족이 어름갓치 ᄎ기는 면ᄒ엿시니, 병뷔 혹ᄌ 술오미 이실가 만심 회열ᄒ여, 향 등을 지삼 당부ᄒ여 쇼져를 뫼셔 잇시라 ᄒ고, 취운산으로 나아갈시, ○[윤]틱우를 만나 하씨의 유무를 짐줏 뭇고져 ᄒ여, 옥누【92】항의 드르가니, 윤틱위 병부를 마ᄌ 크게 반겨 근일 죵용이 상견치 못흔 회포를 《일울시‖니를시》, 남휘 므러 왈,

"근간 하미 무양ᄒ냐? 엇지 취운산 왕니도 일졀 아니터뇨?"

틱위 일틱지상의 잇시나, 하씨의 ᄉ변 당ᄒᄆᆯ 아득히 모로고, 셰월노 하씨의 얼골이 되엿시믄, 몽즁의도 아지 못ᄒᄂᆫ 일이라. 다만 슉뫼 하씨의 가슴을 칼노 질넛시믈, 병뷔 듯고 이리 뭇는가, 참괴ᄒ여 디왈,

"하쉬 죽일 취운산의 나아가시려 ᄒ더니, 맛춤 질양이 계시ᄉ 잠간 소셩(蘇醒)흔 후, 가신다 ᄒ시더니다."

남휘 쳥파의 미(微)한 우음이 면모의 둘너 오릭 말이 업더니, 날호여 이러나며 ᄀᆞ오디,

"ᄉ원니 총명ᄒ디 오히려 가간 변고를 치 아지 못ᄒ여, 셕년(昔年)의 아미의 위경을 구치 못ᄒ고, 작일 쏘 데슈의 ᄉ변(死變)을 아지 못ᄒ니 블민ᄒ미 이굿투뇨?"

윤틱위 남휘의【93】 말니 반다시 슉모의 발검(拔劍)ᄒ여 하슈를 지를 젹 《ᄌᆞ갸가‖ᄌᆞ기가》 구치 못ᄒᄆᆯ 이름인가 ᄒ여, 다시 곡졀을 뭇지 아냐 남후를 숑별홀 다름이라.

남휘 취운산의 도라오니 작일 길 건너던

---

658)굽닐다 : 구부리고 일어나고 하다.

649)굽일다 : 구부리고 일어나고 하다.

놈을 하리 다ᄉ리믈 품ᄒ거늘, 남휘 아뎍
두라 ᄒ고, 존당의 드러가 빈알ᄒ고 야리
존후를 뭇ᄌ오니, 금휘 작일의 오디 아니믈
므르미, 병뷔 피셕 브복ᄒ여 작셕의【61】
습샤(習射)ᄒ고 도라 오다가, 튱학의 길 건
○○[너던] 일노 좃ᄎ 그 등의 딘 바 궤를
아샤 본죽, 그 가온디 하미 엄홀ᄒ여 시신
이 되엿거늘, 잠졍(蠶亭)으로 다리고 가 구
호ᄒ믈 고흔디, 태부인과 금평후 부뷔 추악
ᄒ여 면식이 다르믈 씌닷디 못ᄒ고, 녜부
등이 대경 분희ᄒ믈 마디 아니디 셜티(雪
恥)홀 길 업스믈 한ᄒ고, 태부인이 눈믈을
흘녀 왈,

 "텬흥의 하ᄋ를 구ᄒ미 곳곳이 조각을 어
더 슬와니미 긔특ᄒ거니와, 윤가 변고를 혜
아리미 심긔 셔늘ᄒ니, 텬하의 엇디 그런
몹쓸 집이 이시리오. 초의 뎡·하 냥문의셔
져 집으로 더브러 ᄌ녀를 결혼ᄒ【62】랴
의ᄉ를 두어 언약ᄒ엿던 일이, 당ᄎ시 ᄒ여
ᄂ 뉘웃디 아니리오."

 금평후는 하쇼져의 화란을 잔잉홀 ᄲᅮᆫ아니
라, 동긔 ᄀᆺᄐᆫ 친우를 년혼ᄒ여 허다 괴란
디식(怪亂之事) 블가ᄉ문어타인(不可使聞於
他人)이니, 한심 댱탄 왈,

 "윤가 문운이 블힝ᄒ여 명쳔형이 조셰(早
世)ᄒ니, 젹디 아닌 비원(悲怨)이나, 고금의
계모와 양뫼 업디 아니니, ᄌ녀를 히ᄒᄂᆫ
녀지 쳔고 간악ᄒ 뉴를 니를딘디, 녀회(驪
姬)659) 신싱(申生)660)을 죽이고, 녀휘(呂
后)661) 됴왕(趙王)662)을 딤살(鴆殺)ᄒ며 쳑

───────────

659)녀희(驪姬) : 중국 춘추전국시대 진(晉)나라 헌공
(獻公)의 애첩(愛妾). 자신의 소생으로 왕위를 계
승하게 하기 위해 태자 신생(申生)을 모해하여 자
결케 한 후, 자신의 아들로 태자를 삼았다가, 헌공
사후 나라를 내란에 휩싸이게 했다.
660)신싱(申生) : 중국 춘추전국시대 진(晉)나라 헌공
(獻公)의 태자(太子). 헌공의 애첩 여희(驪姬)의 모
함을 받고 자결했다.
661)녀휘(呂后) : BC241-180. 중국 한고조의 황후.
성은 여(呂). 이름은 치(雉). 고조를 보좌하여 진말
(秦末)·한초(漢初)의 국난을 수습하였으나, 고조
가 죽은 뒤 실권을 장악하여, 고조의 애첩인 척부
인(戚夫人)과 척부인 소생 왕자 조왕(趙王)을 죽이
는 등 포악을 일삼아, 측천무후(測天武后), 서태후

───────────

놈을 다ᄉ리믈 하리 품ᄒ거늘, 남휘 아뎍
두라 ᄒ고, 존당의 드러가 빈알ᄒ고 야리
존후를 뭇ᄌ오니, 금휘 작셕의 오지 아니믈
뭇거늘, 남휘 피셕 부복ᄒ여, 작셕의 습샤
(習射)ᄒ고 도라 오다가, 튱학이 길 건너무
로 조ᄎ 그 등의 진 바 궤를 아ᄉ 본죽, 그
가온디 하미 엄홀ᄒ여 시ᄉ니 되엿거늘, 잠
졍(蠶亭)으로 다리고 가 구호ᄒ믈 고흔디,
틔부인과 금평후 부븨 추악ᄒ여 면식이 다
르믈 면치 못ᄒ고, 녜부 등이 디경 분희ᄒ
믈 마지 아니디, 셜치(雪恥)홀 길 업스믈 한
ᄒ고, 틔부인니 눈믈을 흘녀 왈,

 "텬흥의 하이을 구ᄒ미 곳곳이 조각을 어
더【94】슬와니미 긔특ᄒ거니와, 늅가 변
고을 혜아리미 심긔 션흘ᄒ니, 텬하의 엇지
그런 몹슬 집이 잇시리오. 초의 뎡·하 냥
문의셔 져 집으로 더부러 ᄌ손을 결혼ᄒ랴
의ᄉ를 두어, 언냑ᄒ엿던 일이 당ᄎ시의ᄂ
뉘웃지 아니리오."

 금평후는 하쇼져의 화란을 잔닝홀 ᄲᅮᆫ아니
라, 동긔 ᄀᆺᄐᆫ 친우를 년혼ᄒ여, 하가 괴란
지식(怪亂之事) 블가ᄉ문어타인(不可使聞於
他人)이니 한심 댱탄 왈,

 "윤가 문운니 블힝ᄒ여 명텬형이 조셰(早
世)ᄒ니, 젹지 아닌 비원(悲怨)니라. 고금의
계모와 양뫼 업지 아니니, ᄌ녀를 히ᄒᄂᆫ
녀지 쳔고 간악ᄒ 유(類)를 이를진디, 녀회
(驪姬)650) 신싱(申生)651)을 죽이고, 녀휘(呂
后)652) 《초∥죠》왕(趙王)653)을 짐살(鴆

───────────

650)녀희(驪姬) : 중국 춘추전국시대 진(晉)나라 헌공
(獻公)의 애첩(愛妾). 자신의 소생으로 왕위를 계
승하게 하기 위해 태자 신생(申生)을 모해하여 자
결케 한 후, 자신의 아들로 태자를 삼았다가, 헌공
사후 나라를 내란에 휩싸이게 했다.
651)신싱(申生) : 중국 춘추전국시대 진(晉)나라 헌공
(獻公)의 태자(太子). 헌공의 애첩 여희(驪姬)의 모
함을 받고 자결했다.
652)녀휘(呂后) : BC241-180. 중국 한고조의 황후.
성은 여(呂). 이름은 치(雉). 고조를 보좌하여 진말
(秦末)·한초(漢初)의 국난을 수습하였으나, 고조
가 죽은 뒤 실권을 장악하여, 고조의 애첩인 척부
인(戚夫人)과 척부인 소생 왕자 조왕(趙王)을 죽이
는 등 포악을 일삼아, 측천무후(測天武后), 서태후

희(戚姬)663)를 인톄(人彘)664)를 민드니, 젼 혀 투긔와 포악으로 비로스미라.

지금의 윤가는 젼혀 쳔금듕신(千金重身) 이 수원 형뎨어늘, 모즈 슉딜과 조손【63】 고식간이 졍의 통치 못ᄒ고, 희홀 틈만 녀 으며, '고릭 ᄡᅩ홈의 시오 죽음'665) ᄀᆞᆺ여, 수원 형뎨 긔운이 산악 ᄀᆞᆺ트므로 히치 못ᄒ 고 몬져 그 쳐실을 죽이니, 츠례로 댱시가 디 죽인 후 수원 형뎨 위틱ᄒᆞᆯ디라. 만일 윤 명쳔의 녕빅이 알오미 이실딘듸, 어이 그 집이 그러ᄒ리오. 골육 ᄀᆞᆺ튼 친우의 집이 망ᄒᆞᆯ 바를 탄ᄒ노라."

남휘 복슈 디왈,

"즈고로 영웅쥰걸과 셩인군지 초년이 곤 ᄒᆞ온디라. 수원 형뎨 신셰와 가변을 니를딘 듸 사름이 ᄒ로도 못견딜 비오나, 수원과 수빈은 하날이 유의ᄒᆞ여 닉신 바 영쥰(英 俊)과 군지니, 그 셩【64】회 츌텬ᄒᆞ여 증 증예불격간(蒸蒸乂不格姦)666)ᄒᆞᄂᆞᆫ 효힝이 잇스오니, 맛춤니 조손 모지 화목ᄒᆞ여 위· 뉴를 감화ᄒᆞ오리니, 엇디 윤개 망ᄒᆞᆯ가 근심 ᄒ리잇고? 수원 등의 익회 슈년디니 딘뎡치

殺)ᄒᆞ며, 쳑희(戚姬)654)를 인톄(人彘)655) 민 드니, 젼혀 투긔와 포악으로 비로스미라.

시금의 윤가는 젼혀 쳔금즁신(千金重身) 이 수원 형뎨어늘, 모즈 슉딜과 조손 고식 간이 졍의을 통치 못ᄒ【95】고, 희홀 틈만 여으며, '고릭 쏘홈의 시오 죽음'656) ᄀᆞᆺ타여 사원 형뎨 긔운이 산악 ᄀᆞᆺ트무로써 히치 못 ᄒᆞ고, 몬져 그 쳐실을 죽이니, 츠례로 댱씨 거지 죽인 후, 수원 형뎨 위틱ᄒᆞᆯ지라. 만일 윤문강의 영빅이 아름이 잇실진딘, 명명 지 즁의 한을 품지 아니리오. 윤명쳔니 스랏시 면, 어이 그 집이 그러ᄒ리오. 골육 ᄀᆞᆺ튼 친 우의 집이 망ᄒᆞᆯ 바을 탄ᄒ노라."

남휘 복슈 디왈,

"즈고로 영웅쥰걸과 셩현군지 초년니 곤 ᄒ온지라. 수원 형뎨 신셰와 가변을 일을진 디, 스름이 ᄒ로도 못견딜 비오나, 수원과 수빈은 《하ᄂᆞᆯ이 닉신 뉴의ᄒᆞ신∥하ᄂᆞᆯ이 뉴 의ᄒᆞ여 닉신》 영쥰군즈(英俊君子)니, 그 셩 회 츌쳔ᄒᆞ여 증증예불격간(蒸蒸乂不格 姦)657)ᄒᆞᄂᆞᆫ 효힝이 잇스오니, 맛춤니 조손 모지 화목ᄒᆞ여 위·뉴를 감화ᄒ리니, 엇지 윤개(尹家) 망ᄒᆞᆯ가 근심ᄒ리닛고? 수원 등

(西太后)와 함께 중국의 3대 악녀로 꼽힌다.

662)됴왕(趙王) : 이름 유여의(劉如意). 중국 한(漢)고 조(高祖)와 척부인(戚夫人) 사이에 난 아들. 고조 가 후계자로 삼고자 했을 만큼 그의 사랑을 받았 으나, 고조 사후 여후(呂后)에게 독살을 당했다.

663)쳑희(戚姬) : 척부인(戚夫人). 중국 한 고조의 후 궁. 고조의 사랑을 받아 아들 조왕(趙王)을 두었으 나, 고조가 죽은 뒤, 여후(呂后)에게 조왕은 독살 당하고, 그녀는 팔다리를 잘리고 눈을 뽑히는 악 형을 당하고 '인간돼지(人彘)'로 학대를 받으며 측 간에 갇혀 지내다 죽었다.

664)인톄(人彘) : '인간돼지'라는 뜻으로 중국 한(漢) 고조(高祖) 비(妃) 여후(呂后)가 고조의 애첩 척부 인(戚夫人)을 팔다리를 자르고 눈을 뽑는 혹형을 가한 후, 측간에 처넣고 그녀를 지칭해 부르게 한 이름.

665)고릭 ᄡᅩ홈의 시오 죽는다 : =고래 싸움에 새우 등 터진다. 강한 자들끼리 싸우는 통에 아무 상관 도 없는 약한 자가 중간에 끼어 피해를 입게 됨을 비유적으로 이르는 말.

666)증증예불격간(蒸蒸乂不格姦) : 차츰 어진 길로 나아가게 하여 간악한 데에 빠지지 않음. 『동 몽선습(童蒙先習)』'부자유친(父子有親)'조에 나오 는 말.

(西太后)와 함께 중국의 3대 악녀로 꼽힌다.

653)됴왕(趙王) : 이름 유여의(劉如意). 중국 한(漢)고 조(高祖)와 척부인(戚夫人) 사이에 난 아들. 고조 가 후계자로 삼고자 했을 만큼 그의 사랑을 받았 으나, 고조 사후 여후(呂后)에게 독살을 당했다.

654)쳑희(戚姬) : 척부인(戚夫人). 중국 한 고조의 후 궁. 고조의 사랑을 받아 아들 조왕(趙王)을 두었으 나, 고조가 죽은 뒤, 여후(呂后)에게 조왕은 독살 당하고, 그녀는 팔다리를 잘리고 눈을 뽑히는 악 형을 당하고 '인간돼지(人彘)'로 학대를 받으며 측 간에 갇혀 지내다 죽었다.

655)인톄(人彘) : '인간돼지'라는 뜻으로 중국 한(漢) 고조(高祖) 비(妃) 여후(呂后)가 고조의 애첩 척부 인(戚夫人)을 팔다리를 자르고 눈을 뽑는 혹형을 가한 후, 측간에 처넣고 그녀를 지칭해 부르게 한 이름.

656)고릭 쏘홈의 시오 죽는다 : =고래 싸움에 새우 등 터진다. 강한 자들끼리 싸우는 통에 아무 상관 도 없는 약한 자가 중간에 끼어 피해를 입게 됨을 비유적으로 이르는 말.

657)증증예불격간(蒸蒸乂不格姦) : 차츰 어진 길로 나아가게 하여 간악한 데에 빠지지 않음. 『동 몽선습(童蒙先習)』'부자유친(父子有親)'조에 나오 는 말.

못ᄒ려니와, 각각 상뫼 대길ᄒ와, 형은 ᄒᆡᄂᆡ
(海內)를 기우릴 슈단이오, ᄋᆞ은 ᄉᆞ시(四時)
를 슌(順)케 ᄒᆞᆯ 덕이 이시니, 숑됴의 두 낫
고굉디신(股肱之臣)이라. 윤츄밀이 ᄯᅩᄒᆞᆫ 하
등의 품딜이 아니라, 의긔걸ᄉᆡ(義氣傑士)오
니, 타일 총명이 도라오면 그 집이 온젼홀
가 ᄒᆞᄂᆞ이다."

금휘 졈두ᄒᆞ더라.
학ᄉᆡ 분연 왈,
"위·뉴 냥흉은 만고일악(萬古一惡)이라.
위시는 윤츄밀 태부인이니, 그 머리를 버힌
즉 젼졍이 막히려【65】니와, 뉴녀는 ᄉᆞ빈
이 도라 오기 젼 그 죄상을 일일히 긔록ᄒᆞ
여 텬졍의 쥬달ᄒᆞ여 일죄(一罪)로 논죄ᄒᆞ샤
이다."
금휘 학ᄉᆞ의 말이 이ᄀᆞᆺ치 무식 과격ᄒᆞᄆᆞᆯ
한심ᄒᆞ여, 딘목(瞋目) 즐왈,
"위·뉴 두 부인이 지샹의 태부인이오,
명ᄉᆞ의 ᄌᆞ당이라. ᄒᆞᆷ믈며 년인디의(連姻之
義)667) 이시니, ᄉᆞ가간(查家間) 부인의 허믈
을 들츌 거시 아니오, 이런 패셜노 상문(相
門) 부녀를 욕ᄒᆞᄂᆞ뇨. 너희 풍녁(風力)668)
긔졀(氣節)이 댱(壯)ᄒᆞ니 아모커나 남과 의
논치 말고, 이졔 샹소ᄒᆞ여 위·뉴 두 부인
죄를 긔록ᄒᆞ여 참형ᄒᆞᄆᆞᆯ 네 ᄯᅳᄃᆡ로ᄒᆞ면, 너
희 풍녁을 항복ᄒᆞ리라."
혹시 무심코 ᄒᆞᆫ 말이 부공의 칙교(責敎)
를 당ᄒᆞ니,【66】대황ᄒᆞ여 쳥죄ᄒᆞ더라.
태부인 왈,
"하ᄋᆞ를 무디ᄒᆞᆫ 시〇[녀]만 맛져 두디 못
ᄒᆞ리니, 일을 쥬밀(周密)이 ᄒᆞ여 간인이 아
디 못게, ᄒᆞ나히 가셔 구호ᄒᆞ게 ᄒᆞ라."
금휘 슈명ᄒᆞ니, 원ᄂᆡ 남후는 디식과 원녜
이시므로 벽좌우(辟左右)ᄒᆞ고, 왕모와 부모
긔 고왈,
"하년슉이 상쳑의 상흔 심졍의 하민의 위

의 ᄋᆞᆨ회 슈년지ᄂᆡ(數年之內) 진졍【96】치
못ᄒᆞ려니와, 각각 상뫼 ᄃᆡ길ᄒᆞ와, 형은 ᄒᆡᄂᆡ
를 기우릴 슈단이오, 아오는 ᄉᆞ시(四時)를
슌ᄒᆞ게 ᄒᆞᆯ 덕이 잇시니, 숑조의 두 낫 괴굉
지신(股肱之臣)이라. 윤츄밀이 ᄯᅩᄒᆞᆫ 하등의
품질이 아니라, 의긔걸ᄉᆡ(義氣傑士)오니 타
일 총명이 도라오면, 그 집이 온젼홀가 ᄒᆞ
ᄂᆞ니다."
금휘 졈두ᄒᆞ더라.
학ᄉᆡ 분연 왈,
"위·뉴 냥흉은 만고(萬古)의 일악(一惡)
이라. 위녀는 윤츄밀의 틱부인이니, 그 머리
을 버힌즉 젼졍이 막히려니와, 뉴녀는 ᄉᆞ빈
이 도라 오기 젼 그 죄상을 일일히 긔록ᄒᆞ
여, 텬졍의 쥬달ᄒᆞ여 일죄(一罪)로 논죄ᄒᆞ샤
이다."
금휘 학ᄉᆞ의 말이 이ᄀᆞᆺ치 무식 과격ᄒᆞᄆᆞᆯ
한심ᄒᆞ여 진목(瞋目) 즐왈,
"위·뉴 두 부인니 지샹의 틱부인이오,
명ᄉᆞ의 ᄌᆞ당이라. ᄒᆞᆷ믈며 년인지의(連姻之
義)658) 이시니, ᄉᆞ가간(查家間) 부인의 허믈
을 들츌 것시 아니오, 이런 픠셜노 상문(相
門) 부녀를【97】 뇩ᄒᆞᄂᆞ뇨? 너희 풍녁(風
力)659) 긔졀(氣節)이 쟝(壯)ᄒᆞ니, 아모커나
남과 의논치 말고, 이졔 샹소ᄒᆞ여 위·뉴
두 부인 죄를 긔록ᄒᆞ여, 참형ᄒᆞᄆᆞᆯ 네 ᄯᅳᄃᆡ
로 ᄒᆞ면 너희 풍녁을 항복ᄒᆞ리라."
혹시 무심코 ᄒᆞᆫ 말이 부공의 칙교(責敎)
를 당ᄒᆞ니, 딘황ᄒᆞ여 쳥죄ᄒᆞ더라.
틱부인 왈,
"하아를 무지ᄒᆞᆫ 시녀만 맛져 두지 못ᄒᆞ리
니, 일을 쥬밀(周密)이 ᄒᆞ여 간인이 아지 못
ᄒᆞ게, ᄒᆞ나히 가셔 구호ᄒᆞ게 ᄒᆞ라."
금휘 슈명ᄒᆞ니, 원ᄂᆡ 남후는 지식과 원녜
이시무로 벽좌우(辟左右)ᄒᆞ고, ᄌᆞ모와 부모
긔 고왈,
"하년슉이 상쳑의 상흔 심졍의 하민의 위

---

667)년인디의(連姻之義) : 인척(姻戚) 사이의 의리.
　　사돈 간의 의리.
668)풍녁(風力) : 사람의 위력.

658)년인디의(連姻之義) : 인척(姻戚) 사이의 의리.
　　사돈 간의 의리.
659)풍녁(風力) : 사람의 위력.

티흔 거동을 보아셔는, 죽엄을 겻티 노흠 ᄀ치 알니니, 아딕 놀나온 소식을 통치 말고, ᄌ의 명일 드러와도 화긔 소삭(消索)ᄒ여 블평흔 거동이 잇ᄉ오리니, 쇼지 하미의 유무를 알고져 ᄒ와 ᄉ원을 보고 여ᄎ여ᄎ 뭇ᄌ온죽, ᄉ원【67】의 딕답이 여ᄎᄒ오니, 젼ᄌ 윤시를 농의 너허 바리고 츈월을 약 먹여 보닉던 지조를 ᄯᅩ 닉엿습ᄂ니, ᄌ의 긔괴흔 거슬 졔 누의로 아라 급히 가 보오려니와, 이는 대식 아니오, 하미의 ᄉ라시믈 간인이 알면 작폐(作弊) 잇ᄉ오리니, 아딕 하미을 잠졍(蠶亭)의 두어 병을 됴리ᄒ미 올흐니이다. 태태는 가ᄉ를 바리시고 가시디 못ᄒ리니, 니쉬 잠간 져 곳의 가셔 하미를 딕희고, 쇼ᄌ 등이 돌녀 가며 왕닉ᄒ여, 의약을 착실히 ᄒ면 구홀가 ᄒᄂ이다. 윤부 비지 근간의 문양궁의 왕닉ᄒ오니, 이 반드시 뎡도로 ᄉ괴미 아니라. 문양궁 소속【68】이 알면 윤부의 누통(漏通)ᄒ는 환이 잇ᄉ오리니, 이러므로 하미의 싱도를 엇거든, 하부로 보닉여 ᄌ최를 모〇[로]게 ᄒ샤이다."

태부인과 금평후 부뷔 남후의 말이 올흐믈 아라, 가듕 비ᄌ 등이라도 하시의 말을 듣니디 아니려 ᄒ며, 태부인과 딘부인이 쇼져의 그딕도록 ᄒᄆ 아디 못ᄒᄃᆡ, 잔잉코 슬프미 골졀이 녹는 듯ᄒ여, 태부인 왈,

"하이 본딕 현부로 친모와 달니 알오미 업고, 잠졍의 외로이 누어 심회 디향치 못ᄒ리니, 현뷔 친히 잠졍의 가 하ᄋᆞ를 구호ᄒ며 그 심ᄉ를 위로ᄒ고, 간인이 의심ᄒ미 잇셔도 현뷔 님호의【69】단니라 갓다 ᄒ면 뉘 고디듯디【듯디】아니리오."

원닉 딘부인의 외조모 남태ᄉ ᄌ졍이 디금 지셰ᄒ니 년긔 구십팔셰라. ᄌ손이 만당ᄒ고 현달ᄒ여 명ᄉ 된 지 슈십여 인이로딕, 딘부인 모친이 일죽 기셰ᄒᄆ로 낙양후 ᄉ남미를 각별 ᄉ랑ᄒᄆ로, 딘부인이 외조모의 년노ᄒ시믈 감상(感傷)ᄒ여, 경샤 미화항의 남뷔 이시미 ᄌ로 왕닉ᄒ고, 노태부인

티한 거동을 보아셔는, 쥭엄을 겻티 노흠ᄀ치 알니니, 아직 놀나온 소식을 통치 말고, ᄌ의 명일 드러와도 화긔 소삭(消索)ᄒ여 블평흔 거동이 잇ᄉ오리니, 쇼지 하미의 유무을 알고져 ᄒ와, ᄉ원을 보고 여ᄎ여【98】ᄎ 뭇ᄌ오니, ᄉ원이 딕답이 여ᄎᄒ오니, 젼ᄌ 윤씨을 농의 너허 바리고 츈월을 약 먹여 미골660)을 씌워 보닉던 지조를 ᄯᅩ 닉엿습ᄂ니, ᄌ의 긔괴흔 거슬 졔 누의로 아라 급히 가 보오려니와, 이는 딕시 아니오, 하미의 ᄉ랏시믈 간인이 알면 작폐(作弊) 잇ᄉ오리니, 아직 하미을 잠졍(蠶亭)의 두어 병을 조리ᄒ미 올흐니이다. 티티는 가ᄉ를 바리시고 가시지 못ᄒ리니, 니쉬 잠간 져 곳의 가셔 하미을 딕희고, 소ᄌ 등이 돌녀 왕닉ᄒ여, 약을 착실히 ᄒ면 구홀가 ᄒᄂ이다. 윤부 비지 근간의 문양궁의 왕닉ᄒ오니, 이 반다시 졍도로 ᄉ괴오미 아니라. 문양〇[궁] 소속이 알면 윤부의 누통(漏通)ᄒ는 환니 잇ᄉ오리니, 이러무로 하미의 싱도를 엇거든, 하부로 보닉여 ᄌ최를 모로게 ᄒᄉ이다."

티부인과 금평후 《부지∥부뷔》 남후 말이 올흐므로 아라, 가듕 비ᄌ【99】등이라도 하씨의 말을 듣니지 아니려 ᄒ며, 티부인과 진부인니 쇼져의 그딕도록 ᄒ믈 아지 못ᄒᄃᆡ, 자닝코 불상ᄒ며 슬푸미 골졀니 녹는 듯ᄒ여, 티부인 왈,

"하이 본딕 현부로 친모나 달니 알오미 업고, 잠졍의 외로이 누어 심회 지향치 못ᄒ리니, 현뷔 친히 잠졍의 나아가 하아를 구호ᄒ며, 그 심ᄉ를 위로ᄒ고, 간인니 의심ᄒ미 잇셔도 현뷔 임호의 단니라 갓다 ᄒ면, 뉘 고지 듣지 아니리오.

이의 원닉 딘부인의 외조모 임퇴ᄉ ᄌ졍이 지셰ᄒ니, 년긔 구십팔셰라. ᄌ손니 만당ᄒ고 현달ᄒ여, 명ᄉ 된 지 슈십여 인이로딕, 진부인 모친니 일죽 기셰ᄒᄆ로, 낙양후 ᄉ남미을 각별 ᄉ랑ᄒ고, 진부인니 외조모의 년노ᄒ{ᄒ}시믈 감상(感傷)ᄒ여, 경ᄉ 미

---

660)미골 : 축이 나셔 못쓰게 된 사람의 모습.

이 션군 묘소를 흔 번 보아디라 졔 ᄌ손을
보치니, 노인이 망녕이 심ᄒ고 울고 보치ᄂᆞ
디라. ᄌ손이 브득이 님호로 나려가니, 딘부
인의 표종들은 벼슬을 일시의 바리디 못ᄒᆞ
여 미【70】화항의 잇더라.

딘부인이 존고의 봉양으로뻐 스스로 잠졍
의 가믈 구치 못ᄒ나, 하쇼져를 못닛는 졍
이 간졀ᄒ더니, 태부인 말ᄉᆞᆷ이 여ᄎᆞᄒ시믜
즉시 슈명ᄒ고, 공이 쇼왈,
"두 며ᄂᆞ리 가ᄉᆞ를 슬피믜 죡히 부인만
못ᄒ디 아니ᄂᆞ니 녀렴(餘念)ᄒᆞᆯ 비 업ᄉ니,
부인은 하ᄋᆞ를 극딘히 보호ᄒ쇼셔."
딘부인이 탄식 무언ᄒ더라.
태부인이 니·양 두 손부를 블너 딘부인
이 잠졍의 가는 연고를 니르고, 딘부인이
가듕 닉ᄉᆞ를 맛져 존당 봉양과 디킥디졀을
당부ᄒ믜, 니·양 등이 존고의 가시믈 훌연
ᄒ나, 수졍을 고치 못ᄒ여【71】디비 슈명
ᄒ더라. 딘부인이 문양을 쳥ᄒ여,
"외조뫼 년노ᄒ샤 만나보믈 쳥ᄒ시니, 금
일 존고와 군후긔 허락을 어더 님호로 가ᄂᆞ
니, 그 ᄉᆞ이 ᄌᆞ연 일월이나 될 거시니, 귀쥬
는 무양ᄒ쇼셔."
문양이 딘부인 힝ᄎ 블의예 발ᄒ시믈 괴
이히 넉이나, 님호 말을 이젼도 넉이 드럿
던 고로, 의심이 업셔 그러히 넉이더라.
딘부인이 존고긔 하딕ᄒ고 당의 나려 거
듕(車中)의 들ᄉᆡ, 니·양 두 쇼져와 공쥐 하
당 송별ᄒ고, 녜부와 학ᄉᆞ는 모부인 덩을
옹호ᄒ여 잠졍으로 나아가니, 부인이 흔 번
움죽이믜 삼지 비힝ᄒ는 가온ᄃᆡ, 녜【72】
부는 경상이오, 학ᄉᆞ는 명환이라. 하리 츄죵
이 슈플 ᄀᆞᆺ트여 도로의 니어시니, 그 유복
ᄒ믈 알니러라.
남휘 ᄎᆔ운산의 잠간 머므러 튱학을 잡아
오라 ᄒ여, 궤 가져가던 곡졀을 므른ᄃᆡ, 학
이 감히 은닉디 아니코 뉴부인의 니르던 말
을 셰셰히 고ᄒ고, 궤 듕의 든 거슨 아모란
거시 드러시믈 아디 못ᄒᆞ므로뻐 딘졍으로
고ᄒ니, 병부의 됴심경 안광으로뻐 흔 번

화항의 님뷔(林府) 잇시믜, ᄌᆞ로 왕ᄂᆡᄒ고
그 틱부인니 션군 묘소를 한 번【100】 보
아지라, 졔손을 보치니, 노인니 망녕이 심ᄒ
여 울고 보치니, ᄌ손이 브득이 임호로 나
려가니, 딘부인의 표종들은 벼슬들을 일시
의 ᄇᆞ리지 못ᄒᆞ여 미화항의 잇더라.
진부인니 존고의 봉양으로써 스스로 잠졍
의 가믈 구치 못ᄒ나, 하쇼져 못잇는 졍이
간졀ᄒ더니, 틱부인니 말ᄉᆞᆷ이 여ᄎᆞᄒ믜 즉시
슈명ᄒ고, 공이 쇼왈,
"두 며ᄂᆞ리 가ᄉᆞ를 슬피믜 부인만 못ᄒ지
아니리니, 여렴(餘念)ᄒᆞᆯ 비 업ᄉ니, 부인은
모로미 하아을 극진히 보호ᄒ쇼셔."
진부인니 탄식 무언ᄒ더라.
틱부인니 니·양을 블너 진부인니 잠졍
의 가는 연고를 이르고, 진부인니 가듕 닉
ᄉᆞ를 맛져 존당 봉양과 디킥지졀을 당부ᄒᆞ
며, 니·양 등이 존고 가시믈 훌련ᄒ나, 수
졍을 고치 못ᄒ여 디비 슈명ᄒ더라. 진부인
니 문【101】양을 쳥ᄒ여,
"조뫼 년노ᄒᆞᄉᆞ 만나보믈 쳥ᄒ시니, 금일
존당과 군후의 허락을 어더 임호로 가ᄂᆞ니,
그 ᄉᆞ이 ᄌᆞ연 일월이나 되리니, 귀쥬는 무
양ᄒ소셔."
문양이 진부인 힝ᄎ 블의의 발ᄒ시믈 괴
이히 넉이나, 임호 말을 젼의도 드럿던 고
로 의심이 업셔 그러히 넉이더라.
진부인니 존고긔 하직ᄒ고 당의 나려 거
듕(車中)의 들ᄉᆡ, 니·양과 공쥐 하당 송별
ᄒ고, 녜부와 학ᄉᆞ는 모친 덩을 옹호ᄒ여
잠졍으로 나아가니, 부인니 한 번 움죽이믜
삼지가 비힝ᄒ는 듕, 녜부는 경상(卿相)이
오, 학ᄉᆞ는 《경환∥명환(名宦)》이라. 하리
츄죵이 도로의 이엇시니, 그 유복ᄒ믈 알
니러라.
남휘 ᄎᆔ운산의 잠간 머므러 튱학을 잡아
오라 ᄒ여, 궤가져가던 곡졀을 무른ᄃᆡ, 학이
감히 은익지 아니코 뉴부인니 이르던 말을
셰셰히 고ᄒ고, 궤 속의 아모【102】란 것
시 드럿던 동 모로믈 진졍으로 고ᄒ니, 병
뷔의 조심경 안광으로써 한 번 튱학을 보건

튱학을 보건디, 위인이 흉참 극악든 아냐 허랑ᄒ며 우패(愚悖)ᄒᆫ 인믈이라. 심니의 싱각ᄒ디 하미 스라날ᄉ록 튱학을 노화 보니는 거시【73】의심을 닐위디 아닛는 거시라 ᄒ여, 튱학다려 니ᄅ디,

"네 비록 아디 못ᄒ고 궤를 져 갈디라도 《단연{연}∥당연》이 스죄를 면치 못ᄒᆯ 거시로디, 특별이 관젼을 드리워 죄를 샤ᄒ고 일명을 빌니ᄂ니, 네 임의 궤를 가디고 가는 쯧이 뉴부인긔 상샤(賞賜)를 엇고져 ᄒ미라. 이졔 내 궤를 아ᄉ가다 ᄒ여ᄂᆫ 강슈(江水)의 드○[리]침만치 못녁여 너를 티죄ᄒᄂᆫ 도리 업디 아니ᄒᆯ 거시니, 너를 죽이디 아니코 은덕을 닙을 도리를 가ᄅ치리니, 모로미 날을 만나 궤를 아엿노라 말고, 강슈의 사ᄅᆷ 업ᄉ믈 기다려 밤의 드【74】리치노라 더디여시믈 고ᄒ고, 상샤를 만히 엇고 아모다려도 이 말을 누셜치 말나. 만일 누셜ᄒᆫ죡 너를 잡아다가 쵼참(寸斬)ᄒ리라."

튱학이 하리 등의 벼르는 말을 드러, 반드시 듕죄를 면치 못ᄒᆯ가 망극ᄒ다가, 일명이 보젼ᄒᆷ믈 황공감은(惶恐感恩)ᄒ더라.【75】

디, 위인니 흉참 극악든 아냐 허랑ᄒ며 우픠(愚悖)ᄒᆫ 인믈이라. 심의에 싱각ᄒ디, 하미 스라날ᄉ록 져 놈을 노하 보니는 것시 의심을 일위지 아닛는 일이라 ᄒ여, 학다려 니ᄅ디,

"네 비록 아지 못ᄒ고 궤를 졋실지라도, 당연니 스죄를 면치 못ᄒᆯ 거시로디, 관젼을 드리와 일명을 빌니ᄂ니, 네 임의 궤를 가지고 가는 쯧이 뉴부인긔 상ᄉ(賞賜)를 엇고져 ᄒ미라. 이졔 니 궤를 아읏다 ᄒ여셔는 강슈(江水)의 드리침만치 못녁여, 너을 치죄ᄒᄂᆫ 도리 업지 아니ᄒᆯ 거시니, 너을 죽이지 아니코 은덕 ○[닙]ᄒᆯ 도리를 가라칠 것시니, 모로미 날을 만나 궤을 아엿노라 말고, 강슈의 스ᄅᆷ 업ᄉ믈 기드려 밤의 드리치노라 더디시무로 고【103】ᄒ고, 상ᄉ를 만히 엇고, 아모다려도 누셜치 말나. 만일 누셜ᄒᆫ죡 너를 잡아다가 쵼참(寸斬)ᄒ리라."

튱학이 하리등의 벼르는 말을 드러 반다시 즁죄를 면치 못ᄒᆯ가 망극ᄒ다가 일명이 보젼ᄒᆷ믈 황공감은(惶恐感恩)ᄒ여 ᄒ더라.

명듀보월빙 권디스십팔

직셜 퉁학이 병부의 덕퇴이 져의 일명(一名)을 샤(赦)ᄒ고, ᄯᅩ 다시 뉴부인긔 공 일운 노직 되게 디휘ᄒ니, 감격ᄒ미 쎄를 바아도 갑고져 ᄯᅳᆺ이 나ᄂ디라. 눈믈을 흘니고 머리를 두다려 덕음을 일ᄏᆞ르니, 병뷔 샤ᄒ여 가라 ᄒ니, 학이 감격ᄒ여 즐거온 거름이 더옥 능ᄒ여 밧비 옥누항의 니르니, 뉴녀와 경이 퉁학을 보ᄂ이고 날이 어둡고 밤이 딘토록 오디 아니ᄒ니, 모녜 겁ᄂ이여,

"블의흉ᄉ(不義凶事)를 힝ᄒ미 텬신도 두려온 고로, 【1】학이 므슨 일노 아니 오ᄂ고?"

죄오ᄂᆫ ᄆᆞ음이 감슈(減壽)ᄒ기의 밋쳣더니, 닛튼날 셕양의 학이 밧긔 와시믈 알왼딕, 뉴부인이 반기미 쥭엇던 아비 ᄉᆞ라온 듯ᄒ여, 가마니 블너드려,

"궤를 엇디 ᄒ고?"

므르니, 학이 뎡병부의 ᄀᆞᄅ친 딕로 고ᄒ니, 앗춤의 도라와시나 태우 상공이 계시므로, 슈상ᄒ 스긔를 아르실가 두려, 나가시기를 기다려 이제야 와시믈 알외엿노라 ᄒ고, 져ᄂᆫ 딘실노 궤 둥의 든 거슨 모로딕 무거오미 심턴 바를 고ᄒ니, 뉴녜 비로소 가슴이 싀훤ᄒ여, 은ᄌᆞ 삼십 냥을 계오 어더 퉁학을 상샤【2】ᄒ고, ᄯᅩ 태듕원 구실을 ᄒ이마 ᄒ니, 학이 은ᄌᆞ를 샤양ᄒᄂᆫ 쳬ᄒ고, 구실의 오로기를 쳥ᄒ더라.

유녜 위태의게 하시 셔르즌 말을 고ᄒ니, 위태 므릅흘 치고 칭찬 왈,

"현부는 녀듕호걸이라. 간악ᄒ 년을 ᄎᆞ례로 업시ᄒ니 언마ᄒ여 광텬을 죽이리오."

뉴시 모녜 양양ᄒ여, 모녀 고식이 셔로 딕ᄒ여 졈졈 셔르져 가믈 칭하ᄒ니, 사름의 흉독 포악ᄒ미 위시와 뉴시 모녀 삼인 ᄀᆞᆺᄐ니 어이 이시리오. 위·뉴ᄂᆫ 타문 녀지어니와 경ᄋᆞᄂᆫ 윤문의 난 비, 어이 이딕도록 악

초시의 퉁학이 뎡병부의 덕퇴이 져히 일명(一名)을 사(赦)ᄒ고, 다시 뉴부인긔 공 일운 《뇌직∥노직》 되게 지휘ᄒ니, 감격ᄒ미 쎄를 바아도 갑고져 ᄯᅳᆺ이 잇ᄂᆞ지라. 눈믈을 흘니고 머리를 두다려 덕음을 일ᄏᆞ르니, 병뷔 샤ᄒ여 가라 ᄒ니, 학이 감격ᄒ여 즐거온 거름이 더옥 능ᄒ여 밧비 옥누항의 이르니, 뉴녀와 경이 퉁학을 보ᄂ이고 날이 어둡고 밤이 진토록 오지 아니ᄒ니, 모녜 겁ᄂ이여 왈,

"블의힝ᄉ(不義行事)를 ᄒ미 텬신도 두려온 고로, 학이 므삼 일노 오지 아니ᄒᄂᆫ고?"

조이ᄂᆫ ᄆᆞ음이 감슈(減壽)ᄒ기의 【104】밋쳣더니, 잇튼날 셕양의 학이 밧긔 와시믈 알왼딕, 뉴씨 반기미 쥭엇던 아비 ᄉᆞ라온 듯ᄒ여, 가만니 블너드려

"궤를 엇지 한고?"

무르니, 학이 뎡병부의 가라친 딕로 고ᄒ니, 앗춤의 도라왓시나 틱우 계시무로 슈상히 알가 두려, 나가시기를 기드려 이제야 고ᄒ엿노라 ᄒ고, 져 간 궤즁의 든 거슬 진실노 져ᄂᆫ 모로딕 무겁기 심턴 바를 고ᄒ니, 뉴녜 비로소 가슴이 싀훤ᄒ여 은ᄌᆞ 삼십 냥을 계오 어더 퉁학을 주고, ᄯᅩ 틱듕원 구실을 ᄒ이마 ᄒ니, 학이 은ᄌᆞ를 샤양ᄒᄂᆫ 쳬ᄒ고, 구실의 오로기를 쳥ᄒ더라.

뉴시 위틱의게 가마니 하씨 셔르즌 말을 고ᄒ니 위틱 므릅흘 치고 칭찬 왈,

"현부는 녀즁호걸이라. 간악ᄒ 년을 ᄎᆞ례로 업시ᄒ니 언마ᄒ여 광텬 등을 죽이리오."

뉴시 모녜 양양ᄒ여, 모녀 고식이 셔로 【105】딕ᄒ여 졈졈 셔르져 가믈 칭하ᄒ니, ᄉᆞ름의 흉독 포악ᄒ미 위씨와 뉴씨 모녀 삼인 ᄀᆞᆺᄐ니 잇시리오. 위·뉴ᄂᆫ 타문 부녀어니와, 경아ᄂᆫ 윤문의 난 비, 어이 이딕도

착호리오. 셰소를 측냥치【3】못호리러라.

남휘 모친 힝거를 뫼셔 홈긔 가디 못호
믄, 퇴학을 도라보닌 후 가려호미나, 모친이
블의예 드러가 보시면 크게 놀나실 거시므
로, 부젼의 고왈,

"하미 실노 상호믈 참혹히 호엿습는디라,
즈위 그 거동을 보시면 놀나실 거시니, 쇼
지 급히 힝호여 잠간 디졍여669) 보시믈 고
호려 호느이다."

금평휘 탄왈,

"녀오의 팔오란 거시 과연 두리온디라.
하우(河兒)의 빅스의 쳐신이 온가디로 혜아
려도, 부가(夫家)의 겨 굿튼 화를 바드믄 싱
각디 못호 비라. 내 이제 가보랴 호엿더니,
네 마즈 가려 호니 즈졍의 시봉【4】호리
업스니, 너는 몬져 가고 나는 명일이나 가
리니, 네 모친 힝거를 쓸오기 어려울가 호
노라."

병뷔 비샤호고 즉시 믈을 달녀 초하동의
니르니, 녜부와 혹시 공즈 등으로 모친 거
교를 븟드러 발셔 문 안의 드럿거늘, 병뷔
니졍의 드러가 쥬렴을 것고 모친을 븟드러
쳥샤의 오로미, 모든 시비 일시의 현알호고,
부인과 졔상공의 니르러시믈 경황치 아니리
업는디라. 남휘 모친의 머므실 방샤를 갈희
니, 부인이 굴오디,

"하우의 병쇠(病所) 용슬(容膝)670)홀만
홀딘디, 쏜 쳐쇠 브졀업스니 엇디 다른 방
샤를 갈희【5】느뇨?"

남휘 디왈,

"즈괴 맛당호시나 하미의 형용을 츠마 보
시디 못호시리니, 이 곳의 뫼셔 오믄 미데
잠간 싱도의 니르러도, 듁음과 찬션을 맛가
디 호여 주 리 업스므로, 즈졍이 친히 보술
피시게 호오미니, 즉금은 흔 뎡이 피조각이
라. 인소를 아디 못호고, 목 우희 실낫 굿튼
명믹이 씃디 아녀실 ᄲᅥ이오니, 쏜 방샤를
뎡호여 드르쇼셔."

록 악착호고, 셰소를 측냥치 못호리러라.

남휘 모친 힝거를 뫼셔 가지 못호믄, 퇴
학을 도라보닉고 가려 호미나, 블의에 드러
가 보시면 크게 놀나실 거시무로, 부젼의
고왈,

"하미 실노 상호믈 참혹히 호엿는지라.
틱틱 그 거동을 보시면 놀나실 거시니, 쇼
지 급히 힝호여 잠간 지졍혀661) 보시믈 고
호려 호느다."

금휘 탄왈,

"녀즈의 팔즈란 거시 과연 두리온지라.
하아(河兒)의 ○○○[빅스의] 쳐신이 온가지
로 헤아려도 부가의 긔 굿튼 화를 바드믄
싱각지 못호 비라. 닉 이졔 가보랴 호엿더
니, 네 마즈 가랴 호니 즈졍긔 시봉호 리
업스니, 너는 먼져 가고 나는 명일 가려 호
느니 네 모친【106】힝거를 쓸오기 어려울
가 호노라."

병뷔 비샤호고 즉시 믈을 치척 초하동의
이르니, 녜부와 혹시 공즈 등으로 더부러
모친 거교를 븟드러 발셔 문 안의 드럿거
늘, 병뷔 니졍의 드러가 쥬렴을 것고, 모친
을 븟드러 쳥스(廳舍)의 오르미, 모든 시비
일시의 현알호고, 부인과 졔상공의 이르시
믈 경황치 아니리 업는지라. 남휘 모친의
머므르실 당스를 갈희니, 부인니 굴오디,

"하○[우]의 병쇠(病所) 용슬(容膝)662)홀
만 홀진디, 쏜 쳐쇠 부졀업스니, 엇지 다른
당스를 갈희나뇨?"

남휘 디왈,

"즈긔 맛당호시나 하미의 형용을 츠마 보
시지 못호시리니, 이 곳의 뫼셔 옴은 미데
잠간 싱도의 이르러도 죽음과 찬션을 맛가
지호여 주 리 업스므로, 모친니 친히 슬피
시게 호미니, 즉금은 한 뎡이 피조각이라.
인소를 아지 못호고, 목 우희 실낫 굿튼 믹
이 씃지 아냐【107】실 분니니, 쏜 방스를
뎡호여 드르쇼셔."

---

669)디졍이다 : 지체하다. 시간을 끌다.
670)용슬(容膝) : 방이나 장소가 비좁아 겨우 무릎이
　나 움직일 수 있음. 또는 그 방이나 장소.

661)지졍히다 : 지체하다. 시간을 끌다.
662)용슬(容膝) : 방이나 장소가 비좁아 겨우 무릎이
　나 움직일 수 있음. 또는 그 방이나 장소.

부인이 그 피덩이 되여시믈 비로소 쳐음 듯는디라. 잔잉 참졀ㅎ미 더ㅎ여 왈,

"하이 비록 금죽히671) 되여시나, 내 임의 져를 구호ㅎ려 왓거늘, ㅼ반 방을 뎡ㅎ여 져를 보디 아니【6】면, 운산의 이실 적과 다르미 이시리오. 디란ᄀᆞᆺ튼 약딜이 그딕도록 참혹흔 화를 만나실딘딕 살기 어려오리니, 내 ᄎᆞ마 모녀디의로 흔번 영결ㅎ는 졍을 펴디 아니랴."

남휘 위로 고왈,

"그 얼골이 ᄎᆞ마 보디 못ㅎ게 되엿습고, 일신의 피 아니 흐르는 곳이 업ᄉᆞ오나, 속인즉 ᄉᆞ경(死境)의 니르디 아니ㅎ고, 긔특흔 거시 복듕의 틱휘(胎候) 완연ㅎ여 ᄶᅥ러딜 념녜 업ᄉᆞ오니, 이 반드시 대귀인이 복듕의 이시미, 그 어미 참화를 만나나 죽디 아니미라. 원컨딕 ᄌᆞ위는 오뉵일을 디졍여 하미 인ᄉᆞ를 출히거든 보쇼셔."

부【7】인 왈,

"젼혀 아디 못ㅎ고 잇다가 그 거동을 보면 금즉ㅎ려니와, 임의 드러시니 엇디 ᄎᆞ마 보디 아니리오."

이의 쇼져의 병소를 ᄎᆞᆽ 남후 등을 다리고 드러가니, 월셤 등이 쇼져의 누은 겻티 잇다가 믈너나거늘, 딘부인이 흔번 눈을 들미 믄득 화월용광(花月容光)과 빙ᄌᆞ아딜(氷姿雅質)이 크게 변ㅎ여 흔덩이 피조각이라. 옥 ᄀᆞᆺ튼 살빗치 곳곳이 프르고 검어 보기 무셔오니, 부인의 쳔연 단듕ㅎ므로도 ᄎᆞ경을 당ㅎ여는 참통 이상ㅎ미 시신을 겻틱 노흔 듯, 밧비 그 낫출 다히며 손을 잡아 톄루 왈,

"텬디간 사름이【8】○[이]런 불의 악ᄉᆞ를 안연이 힝ㅎ고, 신명을 두리디 아냐 무죄흔 며나리로 ㅎ여곰 이 형상을 민두라, 강슈의 ᄶᅳ이랴 ㅎ니, 실노 ᄶᅩᆯ의 젼졍과 ᄉᆞ회 낫출 보디 아니면, 원슈 갑고져 ᄯᅳᆺ이 업ᄉᆞ리오."

인ㅎ여, 쇼져를 어로만져 참혹히 샹ㅎ믈

부인이 그 피덩이 되엿시믈 비로소 쳐음 듯는지라. ᄌᆞ잉 참졀ㅎ미 더ㅎ여 왈,

"하이 비록 금죽히663) 되여시나, 내 임의 져를 구호ㅎ려 왓거늘, ᄲᆞᆫ 방을 졍ㅎ여 져를 보지 아니면, 운산의 잇실 젹과 다르미 잇시리오. 지란 갓탄 냑질이 그딕도록 참혹한 화를 만나실진딕 슬기 어려우리니, 내 ᄎᆞ마 모녀지의로 한번 영결ㅎ는 졍을 펴지 아니랴."

남휘 위로 왈,

"그 얼골이 ᄎᆞ마 보지 못ㅎ게 되엿습고, 일신의 피 아니 흐른 곳시 업ᄉᆞ오나, 속인 즉 ᄉᆞ경(死境)의 이르지 아니ㅎ엿고, 긔특흔 것시 복즁의 틱휘(胎候) 완연ㅎ여 ᄶᅥ러질 념녀 업ᄉᆞ오니, 이 반다시 귀인이 복즁의 잇시미, 그 어미 참화를 만나나 죽지 아니미라. 원컨딕 ᄌᆞ위는 오륙일을 지졍여 하미 인ᄉᆞ을 출히거든【108】 보쇼셔."

부인 왈,

"젼혀 아지 못ㅎ다가 그 거동을 보면 금즉ㅎ려니와, 임의 드럿시니 엇지 와셔 ᄎᆞ마 보지 아니리오."

이의 쇼져의 병소를 ᄎᆞ져 남후 등을 다리고 드러가니, 월셤 등이 쇼져 와상(臥床) 겻티 잇다가 믈너나거늘, 진부인이 한 번 눈을 두르미 믄득 화월용광(花月容光)과 빙ᄌᆞ아질(氷姿雅質)이 크게 변ㅎ여 한낫 피덩이라. 옥 ᄀᆞᆺ튼 살빗치 곳곳이 푸르고 검어 보기 무셔오니, 부인의 쳔연 닝담ㅎ무로도 ᄎᆞ경을 당ㅎ여는 참통 이상ㅎ미 시신을 겻희 노흔 듯, 밧비 그 낫출 딕히며 손을 잡아 쳬루 왈,

"쳔지간 스룸이 이런 불의악ᄉᆞ를 안연니 힝ㅎ고 신명을 두리지 아냐, 무죄한 며느리로 ㅎ야곰 이 형상을 민두라, 강슈의 드리치려 ㅎ니, 실노 ᄶᅩᆯ의 젼졍과 ᄉᆞ회의 낫출 보지 아니면 원슈 갑고져 ᄯᅳᆺ시 업ᄉᆞ리오."

인【109】ㅎ여 소져를 어루만져 참혹히

---

671)금죽ㅎ다 : 끔찍하다. 진저리가 날 정도로 참혹하다.

663)금죽ㅎ다 : 끔찍하다. 진저리가 날 정도로 참혹하다.

각골(刻骨) 비분(悲憤)ᄒᆞ여, ᄌᆞ긔 몸이 알프믈 씨ᄃᆞᆺ디 못ᄒᆞ고, 녜부 등이 금옥ᄀᆞ치 견고ᄒᆞ나 하시를 우익ᄒᆞ미 친미와 다르디 아닌 고로, 그 살기 어려온 거동과 흉ᄒᆞᆫ 미를 마ᄌᆞ 혈육이 이ᄃᆞ도록 상ᄒᆞ믈 슬허, 눈물을 금치 못ᄒᆞ고, 유흥 공ᄌᆞ도 ᄉᆞ미로 낫출 가리오고 ᄎᆞ마 보디【9】못ᄒᆞ니, 남휘 졔뎨의 슬허ᄒᆞ믈 금ᄒᆞ고, 모친을 쳔만 위로ᄒᆞ며, ᄯᅩ 약을 달혀 ᄌᆞ로 입의 드리오며, 딘부인이 ᄌᆞ긔 금침을 갓다가 쇼져를 편토록 누이고 구호ᄒᆞ나, 슘 잇ᄂᆞᆫ 시신이 되여 인ᄉᆞ를 모로니, 양모와 졔거거(諸哥哥)의 와시믈 어이 알니오. 부인이 잔잉코 비창ᄒᆞ믈 뎡치 못ᄒᆞ여, 남후다려 닐오디,

"초의 영쥬로 모녀디의를 덧디 아냐시면, 화란이 아모 디경의 밋쳐도 이ᄃᆞ도록 홀 일이 업ᄉᆞ디, 인연이 괴이(怪異)ᄒᆞ여 모녀디졍을 미즈미, 실노 친싱이 아니믈 아디 못ᄒᆞ고, 졔 ᄯᅩ 싱부모와 간격이【10】업더니, 이졔 간인의 독수(毒手)를 만나○[고] 쳔고의 희한ᄒᆞᆫ 화를 만나, ᄉᆞ싱을 뎡치 못홀디라. 심담(心膽)이 ᄉᆞᆺᄂᆞᆫ 듯, 참잔(慘殘)ᄒᆞᆷᄂᆞᆫ 오히려 ○○○[혜쥬의] 쳔니 밧 찬뎍의셔 더ᄒᆞ더라. 져 간인이 혜쥬ᄂᆞᆫ 어이 이리 아녓ᄂᆞᆫ고? 괴이ᄒᆞ다."

남휘 위로 왈,

"일시 보기의 경참ᄒᆞ오나, 하미의 복녹이 완젼디상으로ᄡᅥ 힘힘히 맛디 아니리이다."

부인이 졈두ᄒᆞ고 드러가 본죽, 슘소리 잠간 나고 몸의 온긔 두로 이셔 일분 나으미 이시니, 부인이 하날긔 튝원ᄒᆞ고 미음을 가져 드리오니, 은연이 삼키는 소리 잇셔 쳐음 볼 젹보【11】다{가} 나으니, 녜부 등이 만심환희(滿心歡喜)ᄒᆞ더라.

남휘 학ᄉᆞ로 더브러 운산의 도라오니, 태부인이 하시의 병을 므르며 근심ᄒᆞ니, 남후 등이 그 병셰를 바로 고치 아냐, 아딕 병이 듕ᄒᆞ나 ᄉᆞ경은 면ᄒᆞᆷ믈 고ᄒᆞ고, 모친을 반기ᄂᆞᆫ 듯ᄒᆞ던 바로ᄡᅥ 디답홀 ᄯᆞ룸이러라.

상ᄒᆞ믈 각골(刻骨) 비분(悲憤)ᄒᆞ여, ᄌᆞ긔 몸이 알푸믈 씨ᄃᆞᆺ지 못ᄒᆞ니, 녜부 등이 금옥ᄀᆞ치 견고ᄒᆞ나, 하씨를 우익ᄒᆞ미 친미와 다르지 아니ᄒᆞ니, 그 ᄉᆞᆯ기 어려운 거동과 흉ᄒᆞᆫ 미를 마ᄌᆞ 혈육이 이ᄃᆞ도록 상ᄒᆞ믈 슬허, 누슈(淚水)를 금치 못ᄒᆞ고, 유흥공ᄌᆞ도 ᄉᆞ미로 낫출 가리우고 ᄎᆞ마 보지 못ᄒᆞ니, 남휘 졔뎨의 슬허ᄒᆞ믈 금ᄒᆞ고 모친을 쳔만 위로ᄒᆞ며, ᄯᅩ 약을 달혀 ᄌᆞ로 입의 드리우며, 진부니니 ᄌᆞ긔 금침을 갓다가 쇼져를 편토록 누이고 구호ᄒᆞ나, 슘 잇ᄂᆞᆫ 시신이 되여 인ᄉᆞ를 모로니, 양모와 거거(哥哥)의 와시믈 어이 알니오. 부인니 잔잉코 비창ᄒᆞ믈 졍치 못ᄒᆞ여, 남후다려 이로디,

"초의 영쥬로 모녀지의를 짓지 아냐시면, 화란이 아모 지경의 이르러도 이ᄃᆞ도록 홀 일이 업ᄉᆞ디,【110】{디} 인년(因緣)니 고히(怪異)ᄒᆞ여664) 모녀지졍을 미즈미, 실노 친싱이 아니믈 아지 못ᄒᆞ고, 졔 ᄯᅩ 싱부모와 간격이 업더니, 이졔 간인의 독슈를 맛나 쳔고의 희한ᄒᆞᆫ 화를 당ᄒᆞ여, ᄉᆞ싱을 뎡치 못홀지라. 심담(心膽)이 ᄉᆞᆺᄂᆞᆫ 듯, 참잔(慘殘)ᄒᆞ문 오히려 혜쥬의 쳔니 밧 찬젹ᄒᆞ던 경싀의셔 더ᄒᆞ지라. 져 간인니 혜쥬ᄂᆞᆫ 어이 이리 아냐ᄂᆞᆫ고? 고이(怪異)ᄒᆞ도다."

남휘 위로 왈,

"일시 보기의 경참ᄒᆞ오나, 하미 복녹이 완젼지상으로ᄡᅥ 힘힘히 맛지 아니리다."

부인이 졈두ᄒᆞ고 드러가 본 즉, 슘소리 잠간 나고 몸의 온긔 두로 잇셔, 일분 나으미 잇셔 싱도○[ᄂᆞᆫ] 긔필(期必)홀지라. 부인이 하늘씌 튝원ᄒᆞ고 미음을 가져 드리오니, 은연니 삼키는 소리 잇셔 쳐음 볼 젹 보다 나으니, 녜부 등이 《반싱반희∥만심환희(滿心歡喜)》ᄒᆞ더라.

○[남]휘 학ᄉᆞ로 더부러 운산의 도【111】라오니, 틱부인니 하씨의 병을 무르며 근심ᄒᆞ니, 남후 등이 그 병셰를 바로 고치 아냐, 아즉 병이 즁ᄒᆞ나 ᄉᆞ경(死境)은 면ᄒᆞ믈 고ᄒᆞ고, 모친을 반기ᄂᆞᆫ 다시 디답홀

664)고히(怪異)ᄒᆞ다 : 괴이(怪異)하다. 이상야릇하다.

명일은 하원쉬 도라오는 날이라. 만셰 황
애 문무 졔신을 거나려 난가(鑾駕)를 휘동
ᄒᆞ샤 십니 밧긔 나아가 마ᄌᆞ실ᄉᆡ, 흔갓 지
뎍이 이실 ᄲᅮᆫ 아니라, 초뎍을 쥬멸ᄒᆞ고 국
가대역을 업시ᄒᆞ여, 번국의 근심을 업게 ᄒᆞ
니 샤딕【12】의 경ᄉᆡ라. 군신이 ᄒᆞᆫ가디로
딘하(進賀)의 참예ᄒᆞ여 어가를 뫼시니, 위의
댱ᄒᆞ고 빗나미 평일의셔 더은다라. 어개 교
외(郊外)의 님(臨)ᄒᆞ시믹, 하원쉬 어개 친님
(親臨)ᄒᆞ시믈 알고 긔를 둘너 결딘(結陣)ᄒᆞ
고, 나아와 산호빅무(山呼拜舞)672)홀ᄉᆡ, 졔
군 댱졸의 만셰 브르는 소릭 산악 ᄀᆞᆺ더라.
샹이 원슈의 손을 잡으샤 반기시고 위유(慰
諭)ᄒᆞ샤, 왈,

"경이 개셰흔 튱녈노 ᄌᆞ원츌뎡(自願出征)
ᄒᆞ여 초디를 평뎡ᄒᆞ고 역뎍을 버니니, 쇼년
지뎍이 희한ᄒᆞᆫ디라. ᄒᆞ믈며 경이 사원(私怨)
을 갑하 뎍튝(積蓄)흔 비원(悲怨)을 ᄡᅵᄉᆞ니
딤이 ᄯᅩ흔 위ᄒᆞ여【13】깃거ᄒᆞ노라."

원쉬 브복ᄒᆞ여 셩교를 듯ᄌᆞ오믹 니러 지
빅 샤은 왈,

"초뎍을 쥬멸ᄒᆞ오미 우흐로 폐하의 홍복
과 아릭로 졔댱의 도으믈 힘 닙ᄉᆞ오미라.
신이 년쇼(年少) 브ᄌᆡ(不才)로 외람이 모쳠
(冒添) 텬은(天恩)ᄒᆞ와 이 ᄀᆞᆺᄌᆞ오신 젼교를
듯ᄌᆞ오니, 황공 젼뉼ᄒᆞ와 쥬홀 바를 아디
못ᄒᆞᄂᆞ이다."

인ᄒᆞ여 ᄉᆞ졸이 초왕(楚王)의 머리 담은
궤를 올니니, 샹이 명ᄒᆞ여 셩하(城下)의 다
라 후셰 역뎍을 징계ᄒᆞ라 ᄒᆞ신딕, 하원쉬
주왈,

"신이 초뎍(楚賊)을 잡아 함거(檻車)의 시
러 도라와 폐하의 쳐티를 기다리오미 맛당
ᄒᆞ오딕, 초뎍이 계궁【14】녁딘(計窮力盡)
ᄒᆞ여 ᄌᆞ문코져 ᄒᆞ옵거늘, 신이 통완ᄒᆞ와 브
득이 참ᄒᆞ엿ᄂᆞ이다."

샹이 굴오샤딕,

《다름∥ᄯᆞ름》이러라.

명일은 하원슈 도라오는 날이라. 만셰 황
애 문무 졔신을 거나려 난가(鑾駕)을 휘동
ᄒᆞ여 십니 밧긔 가 마ᄌᆞ실ᄉᆡ, 한갓 지뎍이
이실 ᄲᅮᆫ 아니라, 초젹을 쥬멸ᄒᆞ고 국가딕젹
을 업시ᄒᆞ여, 번국의 근심을 업게 ᄒᆞ니, 샤
직의 경ᄉᆡ라. 군신니 한가지로 진하(進賀의
참예ᄒᆞ여 어가을 뫼시니, 위의 댱ᄒᆞ여 빗나
미 젼일의셔 더은지라. 어개 교의[외](郊外)
에 임(臨)ᄒᆞ시믹, 하원쉬 어개 친임(親臨)믈
알고 긔를 둘너 결진(結陣)ᄒᆞ고, 나아와 산
호빅무(山呼拜舞)665) 홀ᄉᆡ, 졔군 댱졸의 만
셰 부르는 소릭 산악 ᄀᆞᆺ더라. 샹이 원슈의
손을 잡으ᄉᆞ 반기시고, 위유(慰諭) 왈,

"경이 ᄀᆞ세흔 튱녈노 ᄌᆞ원【112】츌졍
(自願出征)ᄒᆞ여 초지를 평졍ᄒᆞ고 역젹을 버
히니, 쇼년지뎍이 희한ᄒᆞᆫ지라. ᄒᆞ믈며 경이
사원(私怨)을 갑하 젹튝(積蓄흔 비원(悲怨)
을 ᄡᅵᄉᆞ니, 딤이 ᄯᅩ흔 위ᄒᆞ여 깃거ᄒᆞ노라."

원슈 부복ᄒᆞ여 듯기를 맛ᄎᆞ믹 이러 지빅
ᄉᆞ은 왈

"초뎍을 쥬멸ᄒᆞ오미 우흐로 폐하의 홍복
과 아릭로 졔댱의 도으믈 힘 닙ᄉᆞ오미라.
신니 년쇼(年少) 브ᄌᆡ(不才)로셔 외람이 모
쳠(冒添) 텬은(天恩)ᄒᆞ와 이 ᄀᆞᆺᄌᆞ오신 젼교
를 듯ᄌᆞ오니, 황공 젼율ᄒᆞ와 쥬홀 바를 아
지 못ᄒᆞᄂᆞ이다."

인ᄒᆞ여 ᄉᆞ졸이 초왕(楚王)의 머리 담은
궤를 올니니, 샹이 명ᄒᆞ여 셩하(城下)의 다
라 후셰 역젹을 징계ᄒᆞ라 ᄒᆞ신딕, 원슈 쥬
왈,

"신니 초젹(楚賊)을 잡아 함거(檻車)의 시
러와 폐하의 쳐치를 기다리오미 맛당ᄒᆞ오
딕, 초젹이 셰궁역진(勢窮力盡)ᄒᆞ여 ᄌᆞ문(自
刎)코져 ᄒᆞ옵거늘, 신니 통완ᄒᆞ와 부득이
참ᄒᆞ엿ᄂᆞ이다.【113】"

샹이 굴오샤딕,

---

672)산호빅무(山呼拜舞): 나라의 중요 의식에서 신하
  들이 임금의 만수무강을 축원하여 두 손을 치켜들
  고 만세를 부르고 절하던 일.

665)산호빅무(山呼拜舞): 나라의 중요 의식에서 신하
  들이 임금의 만수무강을 축원하여 두 손을 치켜들
  고 만세를 부르고 절하던 일.

"딤이 블명ᄒ여 초뎍의게 쇽으미 무궁ᄒ
고, 뎍이 박ᄒ여 디친이 대역디심을 발ᄒ여
시니, 이 다 딤의 허믈이니, 초뎍의 죄상인
즉 쥬륙이 가ᄒᆫ디라. 경이 참ᄒ믈 잘 ᄒ엿
도다."

원쉬 비샤 슈명ᄒ고, 눈을 드러 부친이
딘ᄒ(進賀)의 참예ᄒ여시믈 보고, 반년디ᄂᆡ
(半年之內)의 안강ᄒ시믈 딤작ᄒ여, 효주의
누월 영모디졍으로ᄡᅥ 깃브미 비홀 곳이 업
ᄉᆞ디, 디쳑(咫尺) 텬안의 ᄉ졍을 빗쵀디 못
ᄒ여, 눈으로 반기ᄂᆞᆫ 졍을 보닐【15】ᄯᆞ름
이라. 샹이 하공을 갓가이 브르샤 옥비의
어온(御醞)을 반샤(頒賜)ᄒ시고, ᄋᆞ들 잘 나
ᄒ믈 칭찬ᄒ시니, 하공이 블감샤ᄉᆞ(不堪謝
辭)ᄒ고, 샹이 원슈의 젼딘(戰陣) 슈고ᄒ믈
디삼 일ᄏᆞᄅᆞ샤 향온(香醞)을 취토록 권ᄒ시
며 군신이 즐○[길]ᄉᆡ, 군졍ᄉᆞ(軍政使) 치부
(置簿)를 올니ᄆᆡ, 샹이 어람ᄒ시니, 다 원슈
의 디모와 직죄 ᄲᅢ혀나니, 샹이 아름다오믈
니긔디 못ᄒ시디, 명일 쟉상을 뎡ᄒ랴 ᄒ시
므로, 이날은 댱ᄉ 군졸을 쥬찬으로 위로ᄒ
시고, 젼딘 구치ᄒ믈 각별 니르시니, 삼군이
흔흔 쾌열ᄒ더라.

젼일 초왕 잡으라 갓던 금오랑(金吾郎)이
쳥【16】죄ᄒ온디, 샹이 금오랑의 탓시 아
니므로 굿ᄐᆞ여 죄를 삼디 아니시고, 형부시
랑《을∥으로》 도도와, 초국 옥듕의 누년
가도엿○[던] 바를 위로ᄒ시니, 위시(衛士)
감은ᄒ고 졔신이 셩덕을 열복ᄒ더라.

원쉬 샹의 년ᄒ여 권ᄒ시믈 좃ᄎ 십여 비
를 거후로ᄆᆡ, 풍광이 더욱 긔이ᄒ여 뎐샹던
하의 바이ᄂᆞᆫ디라673). 범연ᄒᆫ 타인이라도 긔
특ᄒ믈 니긔디 못ᄒ려든, ᄒ믈며 뎡국공의
귀듕ᄒᄂᆞᆫ ᄆᆞ음을 어이 형언ᄒ리오.{마ᄂᆞᆫ}
○○[공의] 사롬 되오미 싁싁 쥰녈ᄒ므로,
ᄉᆞᆨ(辭色)의 현현(顯顯)이 두굿기ᄂᆞᆫ 졍을
낫토디 아니ᄒ고, 텬은의 호셩(浩盛)ᄒ시믈
【17】 숑구ᄒ여, 불승감은(不勝感恩)ᄒ미
능히 갑ᄉᆞ올 바를 아디 못ᄒ더라. 날이 ᄂᆞ

673)바이다 : ᄂᆞᆫ밤븨다. 빛나다. (눈이) 부시다.

낙선제본 명듀보월빙 권디ᄉ십팔

"딤이 블명ᄒ여 초젹의게 쇽으미 무궁ᄒ
고, 뎍이 박ᄒ여 지친니 디역지심을 발ᄒ여
시니, 이 다 딤의 허믈이니, 초젹의 죄상인
즉 쥬륙이 가ᄒᆫ지라. 경이 참ᄒ믈 허믈ᄒ리
요."

원쉬 비샤 슈명ᄒ고, 눈을 드러 부친니
진ᄒ(進賀)의 참녜ᄒ여시믈 보고, 반년지ᄂᆡ
(半年之內)의 안강ᄒ시믈 짐작ᄒ고[여], 효
주의 누월 영모지졍으로ᄡᅥ 깃브미 비홀 곳
이 업ᄉᆞ디, 지쳑텬안(咫尺天顔)의 ᄉ졍을 빗
쵀지 못ᄒ고, 눈으로 반기ᄂᆞᆫ 졍을 보닐 ᄯᆞ
름이라. 샹이 하공을 갓가이 브르ᄉ 옥비의
어온(御醞)을 반ᄉ(頒賜)ᄒ시고, 아들 잘 나
ᄒ믈 칭찬ᄒ시니, 하공이 블감ᄉᆞᄉ(不堪謝
辭)ᄒ고, 샹이 원슈의 젼진(戰陣) 슈고ᄒ믈
지삼 일ᄏᆞᄅᆞᄉ 향온(香醞)을 취토록 권ᄒ시
며 군신니 즐기실ᄉᆡ, 군졍ᄉᆞ(軍政使) 치부
(置簿)를 올니ᄆᆡ, 샹이 어람ᄒ시니, 이 문득
원슈의 지모와 직죄 ᄲᅢ【114】혀나니, 샹이
아름다이 넉이시믈 이긔지 못ᄒ시디, 명일
샹쟉(賞爵)을 뎡ᄒ랴 ᄒ시《고∥므로》, 이
날은 댱ᄉ 군졸을 쥬찬으로 위로ᄒ시고, 젼
진 슈고ᄒ믈 각별 이르시니, 삼군니 흔흔
쾌열ᄒ더라.

젼일 초왕 잡으러 갓던 금오랑(金吾郎)이
쳥죄ᄒ니, 샹이 금오랑의 탓시 아니므로 굿
ᄐᆞ여 죄를 삼지 아니시고, 형부시랑으로 도
도와 초국 옥즁의 누년 가도엿던 쥴 위로ᄒ
시니, 위시(衛士) 감은ᄒ고 졔신이 셩덕을
열복ᄒ더라.

원슈 샹의 년ᄒ여 권ᄒ시믈 조ᄎ 십여비
를 거후로ᄆᆡ, 풍광이 더옥 긔이ᄒ여 젼샹던
하을 비이666)ᄂᆞᆫ지라. 범연ᄒᆫ 타인이라도 긔
특ᄒ믈 니긔지 못ᄒ려든, ᄒ믈며 뎡국공의
귀즁 ○○ ○○[ᄒᄂᆞᆫ ᄆᆞ음]을 어이 형언ᄒ리
오.{마ᄂᆞᆫ} ○○[공의] ᄉ롬 되오미 싁싁쥰
녈 ᄒ므로 ᄉᆞᆨ(辭色)의 현○[현](顯顯)이
두굿기ᄂᆞᆫ 졍을 낫토지 아니ᄒ고, 텬은의 호
셩(浩盛)ᄒ믈 숑구ᄒ여,【115】 불승감은
(不勝感恩)ᄒ미 능히 갑홀 바를 아지 못ᄒ

666)비이다 : =바이다. 빛나다. 부시다. ᄂᆞᆫ밤븨다.

명쥬보월빙 권지십팔 박순호본

즈미 원쉬 쥬왈,

"금일 셩개(聖駕) 교외의 친님ᄒᆞ샤 신을 마ᄌᆞ시ᄂᆞᆫ 은권(恩眷)이 과도ᄒᆞ샤, 신으로 ᄒᆞ여곰 손복(損福)홀 징되오니, 신이 황공튝쳑(惶恐蹙踖)ᄒᆞ믈 니긔디 못ᄒᆞᆸᄂᆞᆫ 빈라. 일쉭이 느져 환궁ᄒᆞ시미 어려올가 ᄒᆞᆸᄂᆞ니, 원컨디 난가(鸞駕)를 두로혀쇼셔."

샹이 우으시고 왈,

"경의 힝군ᄒᆞᄂᆞᆫ 거동을 딤이 보고져 ᄒᆞᄂᆞ니, 댱ᄉᆞ를 거나려 압셔 힝ᄒᆞ면 딤이 만됴를 거나려 뒤히 힝ᄒᆞ리라."

원쉬 슈명ᄒᆞ여 부댱 등으로 더브러 대오를 출혀 힝홀시, 위엄과 법녕【18】이 싁싁홈과 졍슉ᄒᆞ미, 삼만졍병(三萬精兵)과 십원밍댱(十員猛將)의 힝ᄒᆞᄂᆞᆫ 가온디나, 나죽ᄒᆞ고 고요ᄒᆞ여 녜의(禮義) 협녑(浹燁)674)ᄒᆞᄂᆞ다.

샹이 만됴 문무을 거나려 힝ᄒᆞ시며, 원슈의 힝군ᄒᆞ미 법되 업[엄]슉(嚴肅)ᄒᆞ믈 깃그샤 뎡국공을 도라보시며, 하공이 다만 어가를 뫼셔 반녈의 힝홀 ᄯᆞᆫ이오, 각별 희싴이 업고, 공근ᄒᆞᆫ 덕을 길우미 극딘ᄒᆞ더라. 샹이 그 ᄋᆞ들을 긔특이 나하시믈 아름다이 넉이시며, 도라 원경 등의 참소ᄒᆞ믈 뉘웃ᄎᆞ샤 셩덕의 큰 허믈을 삼으시더라.

힝ᄒᆞ여 어개 금궐(禁闕)의 드르신 후, 원슈와 만됴 퇴ᄒᆞ【19】여 궐문을 나미, 원쉬 부친 거륜(車輪)을 붓드러 반년 존후를 뭇ᄌᆞ온디, 하공 왈,

"합개(閤家) 다 무ᄉᆞᄒᆞ고 내 ᄯᅩ 딜양이 업시 디닉엿ᄂᆞ니, 네 급히 힝ᄒᆞ여 집의 도라가 ᄭᅥᆫ낫던 졍을 펴게 하라."

원쉬 빈샤ᄒᆞ고 ᄆᆞᆯ긔 올나 힝ᄒᆞ려 ᄒᆞ더니, 금평휘 거륜을 미러 원슈의 겻티 와, 칭하왈,

"ᄌᆞ의 ᄒᆞᆫ번 츌뎡ᄒᆞ미 칠죵칠금(七縱七擒)675)ᄒᆞ던 《무양후∥무향후(武鄕侯)676)》

674)협녑(浹燁) : 물이 물건을 적시듯이 널리 고루 퍼져 빛나고 아름다운 모양.
675)칠죵칠금(七縱七擒) : 마음대로 잡았다 놓아주었다 함을 이르는 말. 중국 촉나라의 제갈량이 맹획(孟獲)을 일곱 번이나 사로잡았다가 일곱 번 놓아

더라. 날이 느즈미 원슈 쥬왈,

"금일 셩개(聖駕) 교외의 친임ᄒᆞᆫᄉᆞ 소신을 마ᄌᆞ시ᄂᆞᆫ 은권(恩眷)니 과도ᄒᆞᆫᄉᆞ, 미신(微臣)으로 ᄒᆞ여곰 손복(損福)홀 징죄오니, 신이 황공츅쳑ᄒᆞ믈 니긔지 못ᄒᆞᆸᄂᆞᆫ 빈라. 일쉭이 느져 환굼ᄒᆞ시미 어려올가 두리오니, 원컨디 난가(鸞駕)를 두로혀쇼셔."

샹이 우으시고 왈,

"경의 힝군ᄒᆞᄂᆞᆫ 거동을 딤이 보고져 ᄒᆞᄂᆞ니, 쟝ᄉᆞ를 거나려 압흘 셔면 딤이 만됴로 더부러 ○○[뒤히] 힝ᄒᆞ리라."

원슈 슈명ᄒᆞ여 부댱 등으로 더브러 디오를 출혀 힝홀시, 위엄과 법녕이 씩씩홈과 졍슉ᄒᆞ미 삼만졍병(三萬精兵)과 십원밍댱(十員猛將)이 힝ᄒᆞᄂᆞᆫ 가온디나, 나죽ᄒᆞ고 고요ᄒᆞ여 녜의 협녑(浹燁)667)ᄒᆞᄂᆞ지라.

샹이 만됴 문무을 거나려 힝ᄒᆞ시며, 원슈의 힝군ᄒᆞ미 법되 《나죽∥가죽》ᄒᆞ믈 깃그ᄉᆞ 뎡국공을 도라보시며, 하공이 다만【116】 어개를 뫼셔 반열의 힝홀 ᄯᆞᆫ이요, 각별 희싴이 업고, 공근한 덕을 기루미 극진ᄒᆞ더라. 샹이 그 아들을 긔특히 나하시믈 아름다히 넉이ᄉᆞ 도로혀 원경 등의 참소ᄒᆞ믈 뉘웃ᄎᆞ샤, 셩덕의 큰 허믈을 삼으시더라.

힝ᄒᆞ여 어개 금궐(禁闕)의 드르신 후, 원슈와 만됴 퇴ᄒᆞ여 궐문을 나미, 원쉬 부공의 거륜(車輪)을 붓드러 존후를 뭇ᄌᆞ온디, 하공 왈,

"합ᄀᆞ(閤家) 다 무ᄉᆞᄒᆞ고, 네 뷔(父) ᄯᅩ 질양이 업시 지미엿ᄂᆞ니, 네 급히 ○○[집의] 도라가 ᄭᅥᆫ낫던 졍을 폐게 하라."

원쉬 빈ᄉᆞᄒᆞ고 샹마ᄒᆞ여 힝ᄒᆞ려 ᄒᆞ더니, 금평휘 거륜을 미러 원슈의 겻히 와, 칭하왈,

"ᄌᆞ의 한번 츌졍(出征)ᄒᆞ미 칠죵칠금(七縱七擒)668)ᄒᆞ던 ○○○[무향후(武鄕侯)669)]

667)협녑(浹燁) : 물이 물건을 적시듯이 널리 고루 퍼져 빛나고 아름다운 모양.
668)칠죵칠금(七縱七擒) : 마음대로 잡았다 놓아주었다 함을 이르는 말. 중국 촉나라의 제갈량이 맹획(孟獲)을 일곱 번이나 사로잡았다가 일곱 번 놓아

의 지조를 발호여 초뎍을 탕멸호미, 국가의 대경이오, 스스를 닐너도 즈안 등의 원슈를 갑핫는디라, 깃브미 이 밧긔 더 이시리오."

원쉬 샤왈,

"우흐로 셩쥬의 홍복과 아리로 댱【20】스의 도으믈 힘닙스와, 요힝 닙공반샤(立功班師)호오나, 이 쇼딜의 지릉(才能)이 아니라. 년슉의 일ᄏᄅ시믈 하감승당(何敢承當)677)이리잇고? 년딜(緣姪)의 희힝호옵는 바는 반년디닉의 친휘(親候) 안강호시고 년슉(緣叔)이 또흔 신관678)이 화열호시니, 하졍(下情)의 깃브믈 니긔디 못호리로소이다."

금평휘 굴오디,

"몸의 대단흔 딜고는 업스디 가간 우환이 쯧출 스이 업스니, ᄆᆞ음의 블평호믈 어이 다 니르리오. 즉금도 브득이흔 변고로 셩닉(城內)의셔 밤을 디닉게 《ᄒᆞ여시니∥되여시니》, 명일 도라가려니와 현딜노 더브러 누월 쩌낫던 회포를 펴디 못호니, 【21】엇디 이둛디 아니리오."

원쉬 뭇디 못호여셔, 하공이 셩닉의 머므는 연고를 므르니, 금휘 하시 스디 못호면 부녜(父女) 얼골도 보디 못흔 한이 깁흘가, 아니 날 쯧이 업셔 희긔 스라디고, 면싁이 참연호여 왈,

"마디 못흔 곡졀이 이셔 셩닉의 머믈미니, 죵용이 니르리라."

언파의 학스를 지쵹호여 믈긔 올나 뒤를 좃츠라 호고, 하리를 분부호여 거류을 두로 혀라 호니, 하공 부지 다시 곡졀을 뭇디 못호고, 밧비 평남후와 녜부로 더브러 운산으로 나올시, 원쉬 부원슈 이하를 명호여 왈,

"날【22】이 임의 느겨시니 동문(東門)의 나기를 계교홀디라. 졔댱은 모로미 각각 집으로 가 '니문(里門)의 기다리믈'679) 위로ᄒᆞ

주었다는 데서 유래한다.
676)무향후(武鄕侯) : 중국 삼국시대 촉(蜀)의 정치가 제갈량(諸葛亮; 181-234)의 봉호(封號).
677)하감승당(何敢承當) : 과분한 칭찬 따위를 '어찌 감히 받아 감당할 수 있겠습니까'의 뜻.
678)신관 : '얼굴'의 높임말.
679)'니문(里門)의 기다리믈' : 동네 어귀의 문에 기

의 지조를 발호여 초젹을 탕멸호미, 국가의 디경이오, 스스로 닐너도 즈안 등의 원슈를 갑핫는지라. 깃부미 이 밧긔 더 잇시리오."

원쉬 샤ᄉ【117】왈,

"우흐로 셩쥬의 홍복과 아리로 장슈의 도으믈 힘닙스와, 요힝 닙공반샤(立功班師)호오나, 이 쇼질의 지릉(才能)이 아니라. 년슉의 일ᄏᆞᄅ시믈 당ᄒᆞ리닛가? 년질(緣姪)의 희힝ᄒᆞ는 바는 반년지닉의 친휘(親候) 안강ᄒᆞ시고 년슉(緣叔)이 또흔 신관670)니 화열ᄒᆞ시니 하정(下情)의 깃브믈 이긔지 못ᄒᆞ리로소이다."

금평휘 굴오디,

"몸의 딕단흔 질고는 업스디 가간 우환니 쯧출 스이 업스니, 심히 블평호믈 어이 다 이르리오. 즉금도 브득이흔 변고로 셩닉(城內)의셔 밤을 지닉게 《ᄒᆞ여시니∥되여시니》, 명일 도라가려니와 현질노 ᄒᆞ여금 누월 쩌낫던 회포를 펴지 못ᄒᆞ니, 엇지 이답지 아니리오."

원쉬 뭇지 못ᄒᆞ여셔, 하공이 셩닉의 머므는 연고를 무르니, 금휘 하씨 스지 못ᄒᆞ면 부녀(父女) 얼골도 못보아 한니 깁흘【118】가, 아니 늘 쯧이 업셔 희긔 스라지고 면싁이 참연ᄒᆞ여 왈,

"마지 못흔 곡졀이 잇셔 셩닉의 머믈미니, 죵용이 이르리라."

언파의 학스를 지쵹ᄒᆞ여 상마ᄒᆞ여 뒤를 좃츠라 ᄒᆞ고, 하리를 분부ᄒᆞ여 거류을 두로 혀라 ᄒᆞ니, 하공 부지 곡졀을 다시 뭇지 못ᄒᆞ고, 밧비 평남후와 녜부로 더부러 운산으로 나올시, 원쉬 부원슈 이하를 명ᄒᆞ여 왈,

"날이 임의 느겨시니 동문(東門)의 나기를 계교홀지라. 졔댱은 모로미 각각 집으로 가 '이문(里門)의 기다리믈'671) 위로ᄒᆞ고 명

주었다는 데서 유래한다.
669)무향후(武鄕侯) : 중국 삼국시대 촉(蜀)의 정치가 제갈량(諸葛亮; 181-234)의 봉호(封號).
670)신관 : '얼굴'의 높임말.
671)'이문(里門)의 기다리믈' : 동네 어귀의 문에 기 대어 기다린 다는 말로, 의려지망(倚閭之望)을 뜻 함. 즉 자녀나 배우자가 돌아오기를 초조하게 기

고, 명일 다시 보게 ᄒ라."

부원슈 이ᄒ 빈샤 슈명ᄒ고 비로소 길흘 분ᄒ여 각각 가니라.

이 날 도셩 남녀노쇼업시 원슈의 풍치 신광과 힝군 긔률을 구경ᄒᄂ 니, 져마다 암 암 갈치ᄒ여, 하공이 비록 우흐로 삼ᄌ를 참망ᄒ나, 이 ᄋ들을 두어시니 타인의 십ᄌ를 블워ᄒᆞᆯ 비 아니라 ᄒ고, 인인이 ᄯᅩᆯ을 두고 스회를 바라미 하원슈 ᄀᆞᆺ기를 원ᄒ나, 빅의 ᄒ나토 밋츨 길히 업ᄂ디라. 흔갓 관광ᄒᄂ 【23】 눈이 어리고, 졍신이 황홀ᄒᄆᆯ 면치 못ᄒ니, 왕공후빅가(王公侯伯家)의 부녀들이 능히 녜모를 출히디 못ᄒ고 칭찬ᄒᄆᆯ 마디 아니니, 그 가온ᄃ 경안 도위(都尉) 연쥬의 일 군쥬(郡主) 모친 경안공쥬ᄂ 입궐ᄒ고, 군쥬 슉모 등을 ᄯᅩ라 집 잡은 ᄃ 니르러, 원슈의 닙공반샤(立功班師)ᄒᄂ 위의를 관경ᄒ다가, 그 츌셰흔 풍광을 보고 황홀ᄒ여 규녀의 단아(端雅)흔 톄모를 출히디 못ᄒ더니, 운산으로 도라가는 길히 공교히 연부(府) 햐쳐(下處)680) 압흘 디나ᄂᄃ라. 원쉬 부친 거륜 뒤 힝ᄒ니, 연군쥬 념치업슨 박식츄믈(薄色醜物)이라. 방인(傍人)의 시비를 관겨【24】히 아니 넉여, 쥬렴을 것고 원슈를 향ᄒ여 금녕(金鈴)을 더디니, 비록 어두어시나 좌우의 횃불과 초롱이 휘황ᄒ여 빅쥬를 묘시(藐視)ᄒᄂᄃ라. 남휘 원슈로 더브러 ᄀᆞᆺ치 힝ᄒ더니, 믄득 누각으로셔 금녕(金鈴)이 나려지며, 공교히 하원슈의 ᄉ매 ᄀ온ᄃ로 들거ᄂᆞᆯ, 남휘 원슈를 향ᄒ여 미쇼 왈,

"귤 더디기를 우ᄉ미 두목(杜牧)681)의 풍치를 안다 ᄒ니, 금녕의 나려디믄 형의 용화를 빗ᄂᆞ미라. 가히 댱부의 신치(神彩)를

___

대어 기다린 다는 말로, 의려지망(倚閭之望)을 뜻함. 즉 자녀나 배우자가 돌아오기를 초조하게 기다리는 가족들의 마음을 비유적으로 나타낸 말.

680)햐쳐(下處) : 손님이 길을 가다가 묵음. 또는 묵고 있는 그 집. 일시적으로 머물고 있는 집.

681)두목지(杜牧之) : 803~852. 이름은 두목(杜牧). 당나라 만당(晚唐)때 시인. 미남자로, 두보(杜甫)에 상대하여 '소두(小杜)'라 칭하며, 두보와 함께 '이두(二杜)'로 일컬어지기도 한다.

___

일 다시 보게 ᄒ라."

부원슈 이하 빈샤 슈명ᄒ고 비로소 길흘 분ᄒ여 각각 가니라.

이 날 도셩 남녀노소 업시 원슈의 풍치 신광과 힝군 긔률을 구경ᄒᄂ니, 져마다 암 암 갈치ᄒ여, 하공이 비록 우흐로 삼ᄌ를 참【119】망ᄒ나, 이 아들을 두어시니 타인의 십ᄌ를 블워아니ᄒ리라 ᄒ고, 인인이 ᄯᅩᆯ을 두고 스회를 바라미 하원슈 갓기를 원ᄒ나, 빅의 ᄒ나도 맛츨 길히 업ᄂ지라. 흔낫 관경ᄒᄂ 눈니 어리고, 졍신이 어줄흘 ᄲᅮ니, 왕공후빅가(王公侯伯家)의 부녀들이 능히 녜모를 출히지 못ᄒ고 칭찬ᄒᄆᆯ 마지 아니니, 그 가온ᄃ 경안 도위(都尉) 연쥬의 일 군쥬(郡主) 모친 경안공쥬ᄂ 닙궐ᄒ고, 군쥬 슉모 등을 ᄯᅩ라 집 잡은 ᄃ 이르러, 원슈의 닙공반ᄉ(立功班師)ᄒᄂ 위의를 관광ᄒ다가, 그 츌셰흔 풍광을 보고 황홀ᄒ여 규녀의 단아(端雅)ᄂᆫ[흔] 톄모를 출히지 못ᄒ더니, 운산으로 도라가는 길히 공교히 년부(府) 햐쳐(下處)672) 압흘 지ᄂᆞᄂ지라. 원쉬 부친 거륜 뒤히 힝ᄒ니, 연군쥬 염치업슨 박식츄믈(薄色醜物)이라. 방인(傍人)의 시비을 관겨히 아【120】니 넉여, 쥬렴을 것고 원수를 향ᄒ여 금녕(金鈴)을 더지니, 일세(日勢) 비록 어두어시나 좌우의 횃불과 등쵹이 휘황ᄒ여 빅쥬를 묘시(藐視)ᄒᄂ지라, 평휘 원슈로 더부어[러] 갓치 힝ᄒ더니, 누각으로셔 문득 금녕(金鈴)이 나려지며 공교히 하원슈의 ᄉ미 ᄀ온ᄃ로 들거ᄂᆞᆯ, 남휘 원슈를 향ᄒ여 미소 왈,

"귤 더지기를 우ᄉ미 두목(杜牧)673)의 풍치를 안다 ᄒ니, 금녕의 나려지믄 형의 용화를 빗ᄂᆞ미라. 가히 댱부의 신치(神彩)를 알니로다."

___

다리는 가족들의 마음을 비유적으로 나타낸 말.

672)햐쳐(下處) : 손님이 길을 가다가 묵음. 또는 묵고 있는 그 집. 일시적으로 머물고 있는 집.

673)두목지(杜牧之) : 803~852. 이름은 두목(杜牧). 당나라 만당(晚唐)때 시인. 미남자로, 두보(杜甫)에 상대하여 '소두(小杜)'라 칭하며, 두보와 함께 '이두(二杜)'로 일컬어지기도 한다.

알니로다.”

하원쉬 브답ᄒᆞ고 무심히 닉여더디고, 부친을 뫼셔 밧비 부듕의 니르니, 됴부인이 【25】 오후(午後)로브터 원슈 기다리ᄂᆞᆫ 경이 착급ᄒᆞ여, 능히 좌를 안졉(安接)디 못ᄒᆞ고, 녀ᄋᆞ의 유딜(有疾)ᄒᆞ믈 근심ᄒᆞ여 그 참참ᄒᆞᆫ 익회를 아디 못ᄒᆞ나, 혈믹의 상응ᄒᆞᄂᆞᆫ 경이 모로ᄂᆞᆫ ᄀᆞ온ᄃᆡ나, 심회 블평ᄒᆞ여 침블안셕(寢不安席)ᄒᆞ고 식블감미(食不甘味)ᄒᆞ여 슈일디닉의 형용이 슈쳑ᄒᆞ니, 윤시 졀민ᄒᆞ여 감디(甘旨) 봉양(奉養)의 가득ᄒᆞᆫ 셩효를 다ᄒᆞ여, 역시 밥을 먹디 못ᄒᆞᄂᆞᆫ 고로, 부인이 ᄌᆞ부를 위ᄒᆞ여 슬흔682) 거술 강인ᄒᆞ여 먹고 원슈를 기다리더니, 날이 어두온 후 원슈 부ᄌᆞ 도라오니, 부인이 스ᄉᆞ로 몸이 당의 나리믈 ᄭᆡ둣디 못ᄒᆞ여, 밧비 원슈의 손을 【26】 잡고 반가온 경이 황홀ᄒᆞ여, 도로혀 아모란 줄 모로고 웃ᄂᆞᆫ 입을 여러시니, 하공이 쇼왈,

“아ᄃᆞᆯ이 {영}영귀(榮貴)ᄒᆞ여 위ᄎᆞ(位次) ○[지]렬(宰列)이니[나], 당의 오로쇼셔.”

하원슈 모친을 븟드러 당의 오로시믈 쳥ᄒᆞ니, 부인이 원슈의게 븟들녀 당샹의 오로며 공의 말솜을 답ᄒᆞ여, ᄀᆞᆯ오ᄃᆡ,

“ᄋᆞᄃᆞᆯ의 작취 놉흐믹 하당ᄒᆞ여 맛ᄂᆞᆫ 거시 아니라, 반년을 상니(相離)ᄒᆞ엿다가 금일 도라오믹, 반가온 경이 황홀ᄒᆞ여 마조 닉닷기를 면치 못ᄒᆞ미로소이다.”

공이 쇼왈,

“부인으로 ᄒᆞ여곰 군젼(君前)의셔 원광을 보라 ᄒᆞᆯ딘ᄃᆡ, 능히 경근디녜(敬謹之禮)를 잡디 못ᄒᆞ리로 【27】 다.”

됴부인이 ᄯᅩᄒᆞᆫ 우ᄉᆞ나, 의용이 슈쳑ᄒᆞ여시니 원쉬 놀나 뭇ᄌᆞ와, ᄀᆞᆯ오ᄃᆡ,

“ᄌᆞ졍의 슈패(瘦敗)ᄒᆞ샤미 뵈오믹 경황ᄒᆞ온디라. 그 ᄉᆞ이 므슴 딜환이 계시더니잇가?”

공과 부인이 ᄒᆞᆷᄭᅴ 병이 업던 줄 니르니, 원쉬 우우(憂憂)ᄒᆞᆫ 념녀를 니긔디 못ᄒᆞ여,

682)슬흐다 : 싫어하다.

하원쉬 부답ᄒᆞ고 무심히 닉여더지고, 밧비 부친을 뫼셔 부즁의 이르니, 됴부인이 오후(午後)로브터 원슈 기다리ᄂᆞᆫ 경이 착급ᄒᆞ여, 능히 좌를 안졉(安接)지 못ᄒᆞ고, 녀아의 유질(有疾)ᄒᆞ믈 근심ᄒᆞ여 그 참참ᄒᆞᆫ 익회를 아지 못ᄒᆞ나, 혈믹의 달니이ᄂᆞᆫ674) 경이 모로ᄂᆞᆫ ᄀᆞ온ᄃᆡ나, 【121】 심회 블평ᄒᆞ여 침블안셕(寢不安席)ᄒᆞ고 식블감미(食不甘味)ᄒᆞ여, 슈일지닉의 ○○○[형용이] 슈쳑ᄒᆞ니, 윤씨 졀민ᄒᆞ여 감지(甘旨) 봉양(奉養)의 가득ᄒᆞᆫ 셩효를 다ᄒᆞ여, 역시 밥을 먹지 못ᄒᆞᄂᆞᆫ 고로, 부인니 ᄌᆞ부를 위ᄒᆞ여 슬흰675) 거술 강인ᄒᆞ여 먹고 원슈를 기다리더니, 날이 어두온 후의 원슈 부ᄌᆞ 도라오니, 부인니 스ᄉᆞ로 몸이 당의 나리믈 ᄭᆡ둣지 못ᄒᆞ여, 밧비 원슈의 손을 즙고 반가온 경이 황홀ᄒᆞ여, 도로혀 아모란 쥴 모로고 웃ᄂᆞᆫ 입을 쥬리지 못ᄒᆞ니, 공이 소왈,

“아ᄃᆞᆯ니 영귀(榮貴)ᄒᆞ여 위ᄎᆞ(位次) 지열(宰列)이니 당의 오로기를 이ᄌᆞ시닛가?”

하원쉬 친을 븟드러 당의 오로시믈 쳥ᄒᆞ니, 부인이 원슈의게 븟들녀 당샹의 오르며 공의 말솜을 답ᄒᆞ여, ᄀᆞᆯ오ᄃᆡ,

“아ᄃᆞᆯ의 작위 놉흐믹 하당ᄒᆞ여 맛ᄂᆞᆫ 거시 아 【122】 니라, 반년을 상니(相離)ᄒᆞ엿다가 금일 도라오믹, 반가온 경이 황홀ᄒᆞ여 마조 닉닷기를 면치 못ᄒᆞ미로소이다.”

공이 쇼왈,

“부인으로 ᄒᆞ여곰 군젼(君前)의셔 원광을 보라 ᄒᆞᆯ진ᄃᆡ, 능히 경근지녜(敬謹之禮)를 잡지 못ᄒᆞ리로다.”

ᄒᆞ니, 부인니 웃더라. 원슈 모친의 슈쳑ᄒᆞ신 신관을 우러러, 놀나와 뭇ᄌᆞ와 ᄀᆞᆯ오ᄃᆡ,

“ᄐᆡᄐᆡ의 슈패(瘦敗)ᄒᆞ시믈 뵈오믹 경황ᄒᆞ온지라. 그 ᄉᆞ이 므슴 질환니 계시더니잇가?”

공과 부인니 함ᄭᅴ 병이 업던 줄 이르니,

674)달니이다 : 달리다. 매달리다. 무엇에 의존하다.
675)슬희다 : 싫어하다.

팀슈식치디졀(寢睡食治之節)683)을　뭇줍고,
눈을 드러 좌우를 슬피미 윤부인이 봉관을
숙이고 셩안을 낫초아 단졍이 셧는디라. 원
쉬 비로소 허리를 굽혀 네흔딕, 윤부인이
쳔연이 답네흐고 좌를 뎡흐미, 원슈는 부모
면젼의 승안흐는 화긔 츈풍 ᄀᆞᆺ고, 쇼년 남
ᄌᆞ로 누월 규리(閨裏) 홍안(紅顔)을 ᄉᆞ상(思
想)흐【28】던 거동이 조곰도 잇디 아냐,
부부 냥인의 무심무려(無心無慮)흐미 남의
집 부녀와 상딕홈 ᄀᆞᆺᄐᆞ여, 힝혀도 셔로 눈
드러 보는 일이 업는디라. 됴부인은 ᄋᆞᄌᆞ의
금슬을 넘녀흐는 고로, 맛춤ᄂᆡ 졍이 박흐여
져ᄀᆞᆺ치 무심흐므로 알고, 하공은 원슈로 더
브러 파뎍(破敵)흐던 바를 딕강 므러 그 신
긔흔 직덕을 한업시 두굿기니684), 굿ᄐᆞ여
그 부부의 긔식을 슬피디 아니흐더라. 원쉬
부모긔 뭇ᄌᆞ와 왈

,

　"쇼지 초디(楚地)로 나아갈 졔 쇼민를 당
부흐여, 쇼ᄌᆞ의 도라오기 젼의 부모의 슬하
를 쩌나디 말나 흐엿습더니, 그 ᄉᆞ이 옥누
항의 므슴 ᄉᆞ괴 이셔【29】도라 갓ᄂᆞ니잇
가? 출하리 그 집 ᄯᆞᆯ을 보닉고 누의를 다려
오실 것 아니니잇가?"
　공의 부뷔 ᄀᆞᆯ오딕,
　"비록 여민(汝妹)를 당부흐여시나 녀필종
부(女必從夫)라. 엇디 녀ᄋᆞᄯᆞ려685) 구가를
좃디 아니리오. 윤츈밀이 교디로 츌힝흐미
ᄉᆞ빈이 삼ᄉᆞ삭 말미를 어더 교디로 ᄯᆞ라가
고, 녀이 위태부인과 뉴부인을 시봉흐미 쩌
나디 못흐엿더니, 너의 도라 오기를 당흐여
녀ᄋᆞ를 다려와 남민 누월 그리던 졍을 펴게
흐려 흐더니, 여민 유딜흐여 슈삼일 지 긔
거치 못흐므로 다려 오디 못흐엿ᄂᆞ니, 너는

<hr>

683)팀슈식치디졀(寢睡食治之節) : 잠자는 일과 먹는
　일의 졀도(節度).
684)두굿기다 : 자랑스러워하다. 대견해하다. 기뻐하
　다.
685)ᄯᆞ려 : 라고. 뒤에 오는 내용의 원인이나 이유라
　는 뜻을 나타내는 보조사. 뒤에는 부정의 뜻을 가
　진 말이 올 때가 많다.

원쉬 우우(憂憂)흔 념녀를 니긔지 못흐여,
《침슈숙침∥침슈식치》지졀(寢睡食治之
節)676)을 뭇줍고, 눈을 드러 좌우를 슬피미,
윤부인이 봉관을 숙이고 셩안을 낫초아 단
졍이 셧는지라. 원쉬 비로소 허리를 굽혀
네흔딕, 윤씨 《쳐연∥쳔연(天然)》니 답네
흐고 좌를 뎡흐미, 원슈는 부모 젼【123】
의 승안흐는 화긔 츈풍 ᄀᆞᆺ고, 소년 남ᄌᆞ로
누월 규리(閨裏) 홍안(紅顔)을 ᄉᆞ상(思想)흐
던 거동이 조곰도 업고, 부부 냥인의 무심
무려(無心無慮)흐미 남의 집 부녀와 상딕홈
갓흐여, 힝혀도 셔로 눈 드러 보는 일이 업
는지라. 됴부인은 ᄋᆞᄌᆞ의 금실을 염녀흐는
고로, ᄆᆞ춤ᄂᆡ 졍이 박흐여 져ᄀᆞᆺ치 무심흐무
로 알고, 하고[공]은 원슈로 더부러 파젹
(破敵)흐던 바를 딕강 무러 그 신긔흔 직덕
을 한 업시 두깃기니677), 굿타여 그 부븨의
긔식을 슬피지 아니흐더라. 원쉬 부모긔 뭇
ᄌᆞ와 왈,
　"소지 초지(楚地)로 나아갈 졔 쇼민를 당
부흐여, 소지 도라오기 젼의는 부모의 슬하
의[를] 쩌나지 말나 흐여습더니, 그 ᄉᆞ이
옥누항의 므슴 ᄉᆞ괴 잇셔 도라 갓ᄂᆞ니잇가?
출하리 그 집 ᄯᆞᆯ을 보닉고 누의를 다려오실
것 아니닛가?"
　공의 부븨 ᄀᆞᆯ오딕,
　"비록 여【124】민(汝妹)를 당부흐여시나
녀필종부(女必從夫)라. 엇지 녀아 ᄯᆞ려678)
구가를 좃지 아니리오. 윤츈밀이 교지로 츌
힝흐미, ᄉᆞ빈이 삼ᄉᆞ삭 말미를 어더 교지로
ᄯᆞ라가고, 여이 위틱부인과 뉴부인을 시봉
흐미 쩌나지 못흐엿더니, 너의 도라 오기를
당흐여 여아를 다려다 남민 누월 그리던 졍
을 폐게 흐려 흐더니, 녕줘 유질흐여 슈삼
일 지 긔거치 못흐무로 다려 오지 못흐엿ᄂᆞ

<hr>

676)팀슈식치디졀(寢睡食治之節) : 잠자는 일과 먹는
　일의 졀도(節度).
677)두깃기다 : 두굿기다. 자랑스러워하다. 대견해하
　다. 기뻐하다.
678)ᄯᆞ려 : 라고. 뒤에 오는 내용의 원인이나 이유라
　는 뜻을 나타내는 보조사. 뒤에는 부정의 뜻을 가
　진 말이 올 때가 많다.

넘녀 말나."

원쉬 미급답(未及答)의 뎡병부 곤계 낙양 【30】후 등 삼공을 뫼셔 딘태우로 더브러 밧긔 와시믈 통ᄒᆞ니, 하공이 원슈를 다리고 외루(外樓)의 나와 딘공 등을 마ᄌᆞ 당듕의 녈좌ᄒᆞ고, 쵹을 붉히믜, 딘후 등이 하공과 원슈를 향ᄒᆞ여 초덕을 탕멸ᄒᆞ고 금일 영화로이 도라와, 국가의 근심을 덜고 ᄉᆞ슈(私讐)를 더욱 갑흐믈 일ᄏᆞ라 치하ᄒᆞ니, 공이 블감(不堪) 샤ᄉᆞ(謝辭)ᄒᆞ고, 원슈는 몸을 굽혀 샤양홀 ᄯᆞ롬이라. 딘공 등이 말ᄉᆞᆷ을 긋친 후 뎡병부 딘태우 등이 죵용이 담화홀ᄉᆡ, 하공이 남후다려 문왈,

"녕엄이 므슴 스괴 잇관ᄃᆡ ○○[셩ᄂᆡ]의셔 밤을 디ᄂᆡᄂᆞ뇨?"

병뷔 ᄃᆡ왈,

"경참졍으로 잠【31】간 의논홀 말ᄉᆞᆷ이 이셔 가시니이다."

하공이 엇디 ᄌᆞ긔 녀ᄋᆞ의 참혹ᄒᆞᆫ 화를 싱각ᄒᆞ리오. 병부는 하공의 뭇기를 당ᄒᆞ여 창졸의 다힐 말이 업셔 그러틋 ᄃᆡ답ᄒᆞ고, 원슈의 파뎍ᄒᆞ던 셜화를 므르디, 언어동디(言語動止) 젼일과 ᄂᆡ도ᄒᆞ여 발월(發越)686) ᄒᆞ탕(浩蕩)ᄒᆞ던 풍습이 간 ᄃᆡ 업고, 침엄 뎡대ᄒᆞ여 유유도ᄌᆞ(唯有道者)와 대군ᄌᆞ(大君子)의 풍도를 어더, 희학(戲謔)이 입 밧긔 나디 아니ᄒᆞ고, 쳔연 온듕ᄒᆞ믜 금평후의 거동 ᄀᆞᆺ틴디, 대개 병부는 텬일디표(天日之表)와 뇽봉디딜(龍鳳之質)이 쳔만인 ᄀᆞ온ᄃᆡ 쒸여나고, 그 신명 특달ᄒᆞ믜 오히려 부형긔 디나니, ᄒᆞᆫ낫 영쥰호걸(英俊豪傑)【32】이러니, 셩졍을 곳쳐 ᄆᆞ음을 가다듬으믜 대셩(大聖)을 뫼셤죽 ᄒᆞ다라. 하원쉬 뎡병부의 달니 되여시믈 크게 이상ᄒᆞ여, ᄌᆞ연 남후를 유의ᄒᆞ여 ᄌᆞ로 보며, 반년디닉의 져ᄀᆞᆺ치 밧괴여 침엄 뎡슉ᄒᆞ믈 온 가디로 싱각ᄒᆞ나 ᄭᆡ둧디 못ᄒᆞ니, 도로혀 뎡병부를 측냥치 못ᄒᆞ여 그 위인이 남 다르믈 흠션홀 ᄯᆞ롬이라. 낙양휘 원슈의 병부 보는 눈이 괴이ᄒᆞ여 결을치 못ᄒᆞ믈 알고, 쇼왈,

니, 너는 넘녀 말나."

원쉬 미급답(未及答)의 뎡병부 곤계 낙양 후 등 삼공을 뫼셔 진틱우로 더부러 밧긔 와시믈 통ᄒᆞ니, 하공 부지 외루(外樓)의 나와 진후 등을 마ᄌᆞ 당듕의 열좌ᄒᆞ고, 쵹을 붉히믜, 진후 등이 하공과 원슈를 향ᄒᆞ여 초젹을 탕멸ᄒᆞ고 금일 녕화로이 도라와, 국가의 근심을 덜고 ᄉᆞ슈(私讐)를 갑흐믈 【125】더욱 일ᄏᆞ라 치하ᄒᆞ니, 하공이 블감샤ᄉᆞ(不堪謝辭)ᄒᆞ고, 원슈는 몸을 굽혀 샤양홀 ᄯᆞ롬이라. 진공 등이 말ᄉᆞᆷ을 긋친 후, 뎡병부 진틱우 등이 죵용이 담화홀ᄉᆡ, 하공이 평후다려 문왈,

"영엄이 므슴 스괴 잇관ᄃᆡ 셩ᄂᆡ의셔 밤을 디ᄂᆡ뇨?"

병뷔 ᄃᆡ왈,

"경참졍으로 잠간 의논홀 말ᄉᆞᆷ이 잇셔 가시니다."

하공이 엇지 ᄌᆞ긔 녀아의 참혹한 화를 싱각ᄒᆞ리오. 병부는 하공의 뭇기를 당ᄒᆞ여 창졸의 다힐 말이 업셔 그럿틋 ᄃᆡ답ᄒᆞ고, 원슈의 파젹ᄒᆞ던 셜화을 무르ᄃᆡ, 언어동지(言語動止) 젼일과 ᄂᆡ도ᄒᆞ여 발월(發越)679) ᄒᆞ탕(浩蕩)ᄒᆞ던 풍습이 간 ᄃᆡ 업고, 침엄 뎡디ᄒᆞ여 유유도ᄌᆞ(唯有道者)와 ᄃᆡ군ᄌᆞ(大君子)의 풍도를 어더, 희학이 입 밧긔 나지 아니ᄒᆞ고 쳔연 온즁ᄒᆞ믜 금평후의 거동 갓타디, ᄃᆡᄀᆞ 병부는 쳔일지【126】표(天日之表)와 용봉지딜(龍鳳之質)이 쳔만인 ᄀᆞ온ᄃᆡ 쒸여나고, 그 신명 특달ᄒᆞ믜 오히려 그 부형긔 지나니, 한낫 녕쥰호걸(英俊豪傑)이러니, 셩졍을 곳쳐 ᄆᆞ음을 가다듬으믜 ᄃᆡ셩(大聖)을 뫼셤죽 ᄒᆞ지라. 하원쉬 뎡병부의 달니 되엿스믈 크게 이상이 녁여, ᄌᆞ연 뉴의ᄒᆞ여 ᄌᆞ로 보며, 반년지닉의 져갓치 밧괴여 침엄 졍슉ᄒᆞ믈 온 가지로 싱각ᄒᆞ나, ᄭᆡ둧지 못ᄒᆞ여, 그 위인니 남 다르믈 흠션홀 ᄯᆞ롬이라. 낙양휘 원슈의 병부 보는 눈니 고이ᄒᆞ여 결을치 못ᄒᆞ믈 알고, 쇼왈,

686)발월(發越) : 용모가 깨끗하고 훤칠함

679)발월(發越) : 용모가 깨끗하고 훤칠함

"ᄌᆞ의 반년을 젼딘의 나갓다가 도라오미, 졔우붕비듕(諸友朋輩中)의 사ᄅᆞᆷ이 달니 된 지 업ᄂᆞ냐?"

원쉬 소이대왈(笑而對曰),

"사ᄅᆞᆷ이 ᄒᆞᆫ번 텬셩의 타난 픔딜이 현우간 【33】의 굿치며 달니되미 엇디 이실 거시라, 합하의 므르시미 이ᄀᆞᆺ타시니잇고? 다만 듁쳥형이 젼일과 다른듯 시브니, 년딜이 막디기고(莫知其故)687)ᄒᆞ여 블승의아(不勝疑訝)688)ᄒᆞᄂᆞ이다."

낙양휘 대쇼 왈,

"셩졍을 곳치며 픔딜을 달니ᄒᆞᄂᆞᆫ 시 규귀(規矩) 잇ᄂᆞ니, ᄌᆞ의도 부젼의 삼ᄉᆞ 삭 닉치이면, 사ᄅᆞᆷ이 ᄌᆞ연 달나디ᄂᆞᆫ 효험이 이시려니와, 하형은 ᄌᆞ의ᄅᆞᆯ 방일타 칙망ᄒᆞᆯ 일이 업ᄉᆞ니 단뎡ᄒᆞ고 디혜로오믈 곳치리오."

하공이 쇼왈,

"형ᄀᆞᆺ치 다ᄉᆞ(多事)ᄒᆞ고 말 만ᄒᆞ니 어딕 이시리오. 돈이 반년을 니가(離家)ᄒᆞ엿다가 도라오미, 츠언이 아니라도 슈작ᄒᆞᆯ 셜홰 업디 아닐 비어ᄂᆞᆯ, 엇디 급디 【34】 아닌 소식을 몬져 젼ᄒᆞᄂᆞ뇨?"

낙양휘 답 쇼왈,

"ᄌᆞ의의 거동을 보미 텬흥을 ᄀᆞ장 슈상히 넉이니, 즉시 닐너 의혹ᄒᆞ믈 덜게 ᄒᆞ미라. 형은 엇디 급디 아니타 ᄒᆞᄂᆞ뇨?"

인ᄒᆞ여 원슈ᄅᆞᆯ 딕ᄒᆞ여 쇼이농왈(笑而弄曰),

"텬흥이 삼삭을 졔 대인긔 용납디 못ᄒᆞ미 젼혀 호화의 비로ᄉᆞ미오, 웃듬은 먼니 집을 써나므로 좃ᄎᆞ 남ᄉᆞ(濫事)ᄅᆞᆯ 힝ᄒᆞ니, 남을 뎡벌ᄒᆞ고 회환 시의 취쳐(娶妻) 득쳡(得妾)ᄒᆞ여 삼년을 영영 긔엿다가, 죄상이 발각ᄒᆞᄂᆞᆫ 날 여ᄎᆞ여ᄎᆞ 윤보의게 들녀 닉치니, 츠고로 유졍 삼월의 고상이 만단이라. ᄌᆞ의의 거동이 단뎡ᄒᆞ여 대군ᄌᆞ의 틀이 이시나, 풍뉴 【35】 호식은 남ᄌᆞ의 녜ㅅ라. 혹ᄌᆞ 남ᄉᆞ

687)막디기고(莫知其故) : 그 까닭을 알지 못함.
688)블승의아(不勝疑訝) : 매우 의심스럽고 이상하게 생각함.

"ᄌᆞ의 반년을 젼진의 나갓다가 도라오미, 졔후즁(諸侯中) 붕비간(朋輩間)의 사ᄅᆞᆷ이 달니 된 지 업ᄂᆞ냐?"

원쉬 소이대왈(笑而對曰),

"사ᄅᆞᆷ이 한번 텬셩의 타난 품질이 현우간의 곳치며 달니되미 엇지 잇실 거시라, 합하의 무르시미 이 ᄀᆞᆺ타【127】시니잇고? 다만 듁쳥형이 젼일과 다른듯 시부니, 년질(緣姪)이 막지기고(莫知其故)680)ᄒᆞ여 블승의아(不勝疑訝)681) ᄒᆞᄂᆞ이다."

낙양휘 딕쇼 왈,

"셩졍을 곳치며 품질의[을] 달니ᄒᆞᄂᆞᆫ 시 규귀(規矩) 잇ᄂᆞ니, ᄌᆞ의도 부젼의 삼ᄉᆞ 삭 닉치이면, 사ᄅᆞᆷ이 ᄌᆞ연 달나지ᄂᆞᆫ 효험(效驗)이 잇시려니와, 하형은 ᄌᆞ의ᄅᆞᆯ 방일타 칙망ᄒᆞᆯ 일이 업ᄉᆞ니 단졍ᄒᆞ고 지혜로오믈 곳치리오."

하공이 쇼왈,

"형ᄀᆞᆺ치 다ᄉᆞ(多事)ᄒᆞ고 말 만ᄒᆞ니 어딕 이시리오. 돈이 반년을 이가(離家)ᄒᆞ엿다가 도라오미, 츠언니 아니라도 슈작ᄒᆞᆯ 셜홰 업지 아닐 비어ᄂᆞᆯ, 엇지 급지 아닌 소식을 몬져 젼ᄒᆞ나뇨?"

낙양휘 답 쇼왈,

"ᄌᆞ의에 거동을 보미 텬흥을 가쟝 슈샹이 넉이미, 즉시 일너 의혹ᄒᆞ믈 덜게 ᄒᆞ미라. 형은 엇지 급지 아니타 ᄒᆞᄂᆞ뇨?"

인ᄒᆞ여 원슈ᄅᆞᆯ 딕ᄒᆞ여 쏘 긔롱(譏弄)왈,

"텬흥이 삼삭을【128】 졔 딕인의 용납지 못ᄒᆞ미 젼혀 호화의 비로ᄉᆞ미오, 웃듬은 먼니 집을 써나므로 조ᄎᆞ 남ᄉᆞ(濫事)ᄅᆞᆯ 힝ᄒᆞ니, 남을 졍벌ᄒᆞ고 회환시(回還時)의 취쳐(娶妻) 득쳡(得妾)ᄒᆞ여 삼년을 녀영682) 긔엿다가, 죄상이 발각ᄒᆞᄂᆞ 날 여ᄎᆞ여ᄎᆞ 윤보의게 들녀 닉치니, 츠고로 유졍 삼삭의 고싱이 만단이라. ᄌᆞ의의 거동이 단졍ᄒᆞ여 딕

680)막디기고(莫知其故) : 그 까닭을 알지 못함.
681)블승의아(不勝疑訝) : 매우 의심스럽고 이상하게 생각함.
682)녀영 : =여영. =영. 아주. 완전히, 대단히.

를 힝ᄒ미 잇셔도, ᄌ의ᄂ 긔이디 말고 금
일 쾌히 셜파ᄒ면, 우리 모다 녕엄을 권ᄒ
여 삼삭 닉치ᄂ 일이 업게 ᄒ리라."

원쉬 뎡병부의 회과ᄌ칙ᄒ여 풍뉴 발호ᄒ
던 긔습을 바리고, 졍인군ᄌ 되여시믈 더옥
흠복ᄒ고, 낙양휘 지쵹ᄒ여,
"어셔 니르라."
ᄒ딕, 남휘 믄득 브복 고왈,
"쇼딜이 탕음 무상ᄒ여 부형긔 득죄ᄒ미
삼삭을 친젼의 용납디 못ᄒ니, 븟그러오미
싱각ᄒᆯ스록 사ᄅᆷ을 딕홀 낫치 업고, 친쳑
졔위 쇼딜의 무상ᄒᄆᆯ 뉘 모로리잇고마ᄂ,
슉뷔 츠스로ᄡ 긴 날의 우음을【36】삼으
샤 봉인즉셜(逢人卽說)689)ᄒ시니, 이ᄂ 쇼
딜의 호방턴 죄를 샤치 아니시미라. 쇼딜이
우민ᄒᄂ이다.
좌듕이 다 ○○[웃고], 낙양휘 쇼왈,
"네 대인이[의] 모질기로○[도] 너의 죄
를 샤ᄒ여 만스의 두굿기미 극ᄒ거늘, 내
므슴 사ᄅᆷ이완딕 네 죄를 샤치 아니리오.
다만 방일ᄒ미 남다르나 씌둣기를 신긔히
ᄒ여, 침믁 뎡딕ᄒᆫ 사ᄅᆷ이 되여시믈 긔특이
녁이노라."
병뷔 공슈 궤좌ᄒ여 다시 말이 업고, 하
공이 탄디칭션(歎之稱善) 왈,
"셰샹의 어나 사ᄅᆷ이 부형의 계칙(戒責)
을 아니 드르리오마ᄂ, 씌둣기를 쾌히 ᄒ여
디효(至孝)의 경읍(經泣)690)ᄒ여 삼삭(三朔)
을 친젼의 용납디 못【37】ᄒ므로, 신상의
병을 일위여 ᄉ친영모지졍(思親永慕之情)과
인현뎡대(仁賢正大)ᄒᆫ 힝식, 젼일 호탕ᄒᆫ 힝
디(行止)를 쾌히 바리고 만ᄉ 온듕ᄒ기를
쥬ᄒ여, 부형의 위엄을 셰오며 경계를 심곡
의 삭이니, 효셩이 츌텬ᄒᆫ 연괴라. 엇디 아
ᄅᆷ답디 아니리오."
남휘 몸을 굽혀 블감ᄒᄆᆯ ᄉ샤ᄒ고, 남후
형뎨 하공 부ᄌ로 담화ᄒ다가 협문으로 좃

군ᄌ의 틀이 이시나, 풍뉴 호식은 남ᄌ의
녜시라. 혹ᄌ 남ᄉ를 힝ᄒ미 잇셔도, ᄌ의ᄂ
긔이지 말고 금일 쾌히 셜파ᄒ면, 우리 모
다 녕엄을 권ᄒ여 삼삭 닉치ᄂ 일이 업게
ᄒ리라."

원쉬 뎡병부의 회과ᄌ칙ᄒ여 풍뉴 발호ᄒ
던 긔습을 바리고, 졍인군ᄌ 되여시믈 더옥
흠복ᄒ고, 낙양휘 지쵹 왈.
"어셔 니르라"
ᄒ딕, 남휘 믄득 복슈 고 왈,
"쇼딜이 탕음 무상ᄒ여 부형의 득죄ᄒ미
삼【129】삭을 친젼의 용납지 못ᄒ니, 븟그
러오미 싱각ᄒᆯ스록 스ᄅᆷ을 딕홀 낫치 업고,
친쳑 졔위 소딜의 무상ᄒᄆᆯ 뉘 모로리잇가
마ᄂ, 슉뷔 츠스로ᄡ 긴 날의 우음을 삼으
ᄉ 봉인즉셜(逢人卽說)683)ᄒ시니, 이ᄂ 소
딜의 호방턴 죄를 ᄉ치 아니심이라. 소딜이
우민ᄒᄂ이다.
좌듕이 다 웃고, 낙양휘 쇼왈,
"네 딕인이[의] 모질기로도 너의 죄를 ᄉ
ᄒ여 만스의 두굿기미 극ᄒ거늘, 니 므슴
스ᄅᆷ이완딕 네 죄를 ᄉ치 아니리오마ᄂ, 다
만 방일ᄒ미 남다르나 씌둣기를 신긔히 ᄒ
여, 침믁 뎡딕ᄒᆫ 스ᄅᆷ이 되여시믈 긔특이
녁이노라."
병뷔 공슈 궤좌ᄒ여 다시 말이 업고, 하
공이 탄지칭션(彈指稱善)왈,
"셰샹의 어나 스ᄅᆷ이 부형의 게칙(戒責)
을 아니 드르리오마ᄂ, 씌둣기를 쾌히 ᄒ여
지효(至孝)의 경읍(經泣)684)ᄒ여 삼삭(三朔)
을 친젼의 용【130】납지 못ᄒ무로ᄡ 신샹
의 병을 일위여 ᄉ친영모지졍(思親永慕之
情)과 닌현졍딕(仁賢正大)ᄒᆫ 힝식, 젼일 호
탕을 쾌히 바리고 만ᄉ 온듕ᄒ기를 쥬ᄒ여,
부형의 위엄을 셰우며 경계을 심곡의 삭이
니, 효셩이 츌텬ᄒᆫ 연괴라. 엇지 아ᄅᆷ답지
아니리오."
남휘 몸을 굽혀 블감ᄒᄆᆯ 샤ᄉᄒ고, 남후
형뎨 하공 부ᄌ로 담화ᄒ다가 각각 도라가

---

689)봉인즉셜(逢人卽說) : 만나는 사람마다 다 말함.
690)경읍(經泣) : 눈물로 지냄.

683)봉인즉셜(逢人卽說) : 만나는 사람마다 다 말함.
684)경읍(經泣) : 눈물로 지냄.

츠 각각 부듕으로 도라가니, 하공이 원슈를 다리고 밤을 디닐시, 부즈디졍이 근근쳬쳬(懃懃棣棣)691)ᄒ니, 공이 원슈의 몸을 어로만져 츄연 탄식 왈,

"셕년 화란을 당홀 씩 엇디 오날늘이 이실 줄 알니오. 너의 영【38】귀흔 복녹이 하날의 도으시미어니와, 망ᄋ 등의 원수ᄒ믈 신셜《ᄒᄆ로∥홈과》 초왕 흉덕의 머리를 버히기《와∥가》 챵빅의 디휘와 김후의 슈디(手指)를 버혀 둔 공이라. 금후 부즈의 대은을 너와 내 구슬을 먹음고692) 플흘 미즈도693) 싱셰의ᄂ 다 갑디 못홀디라. 윤츄밀의 현심이 사름의 위급디시를 인ᄒ여 디셩 구희(救解)694)홈과 여형 등의 시신을 넘빙(殮殯)695)ᄒ여 션산의 뭇게 ᄒ미 또혼 금평후와 윤츄밀의 은덕이니, 네 평싱 악댱의 대은을 감골(感骨)ᄒ여 셤기믈 범연흔 반즈디녜(半子之禮)로 말고 아비와 ᄀ치 ᄒ라."

인ᄒ여 김탁 부즈의 호환(虎患) 보【39】믈 닐너, 혹비혹탄(或悲或嘆)696)ᄒ여 잠을 일우디 못ᄒ니, 원쉬 호언으로 위로ᄒ여 셕ᄉ를 싀로이 상회(傷懷)ᄒ시미 무익ᄒ믈 고ᄒ며, 야야의 손을 밧드러 효즈의 영모ᄒ던 졍을 펴미, 하공의 원슈 스랑홈과 원슈의 동쵹(洞屬)혼 졍셩이 타인 부즈로 다르미 만흔 고로, 하공의 셩되 강엄ᄒ나 원슈의게

니, 하공이 원슈를 다리고 밤을 지닐시, 부즈지졍이 근근쳬쳬(懃懃棣棣)685)ᄒ니, 공이 원슈의 몸을 어루만져 츄연 탄식 왈,

"셕년 화란을 당ᄒ여 엇지 오날날이 잇실 쥴 알니오. 너의 영귀흔 복녹이 하늘이 도으시미어니와, 망아 등의 원수ᄒ믈 신셜《ᄒ무로∥홈과》 초왕 흉젹의 머리를 버히기와 챵빅의 지휘와 김후의 슈지를 벼혀 둔 공이라. 금후 부즈의 디은을 너와 ᄂ 구슬을【131】 먹음고686) 플흘 미즈687)○[도] 싱셰의ᄂ 다 갑지 못홀 빅라. 윤츄밀의 현심이 스름의 위급지시을 인ᄒ여 지셩 구희(救解)688)홈과 여형 등 시신을 넘빙(殮殯)689)ᄒ여 션산의 뭇게 ᄒ미 또흔 금평후와 윤츄밀의 은덕이니, 네 평싱 악댱의 딕은을 감골(感骨)ᄒ여 셤기믈 범연흔 반즈지녜(半子之禮)로 말고 아비와 ᄀ치 ᄒ라."

인ᄒ여 김탁 부즈의 호환(虎患) 보믈 일너, 혹비혹탄(或悲或嘆)690)ᄒ여 잠을 일우지 못ᄒ니, 원쉬 《호원∥호언(好言)》으로 위로ᄒ여 셕ᄉ를 싀로이 상회(傷懷)ᄒ시미 무익ᄒ믈 고ᄒ며, 야야의 손을 붓드러 효즈의 영모ᄒ던 졍을 폐미, 하공이 원슈 샤랑홈과 원슈의 동쵹(洞屬)흔 졍셩이 타인 부즈로 다르미 만흔 고로, 하공의 셩되 강엄

---

691)근근쳬쳬(懃懃棣棣) : 정성스럽고 은근함.
692)구슬을 머금다 : 구슬을 물어다 주어 은혜를 갚는다는 뜻으로, '함환이보(銜環以報)'에서 온 말. 즉, 옛날 중국의 양보(楊寶)라는 소년이 다친 꾀꼬리 한 마리를 잘 치료하여 살려 보낸 일이 있었는데, 후에 이 꾀꼬리가 양보에게 백옥환(白玉環)을 물어다 주어 보은했다는 고사에서 온 말이다.
693)플흘 믿다 : 죽은 혼령이 풀을 맺어 은혜를 갚았다는 결초보은(結草報恩) 고사(故事)에서 따온 말. 즉, 중국 춘추 시대에, 진나라의 위과(魏顆)가 아버지가 세상을 떠난 후에 서모를 순장(旬葬)하지 않고 개가(改嫁)시켜 주었더니, 그 뒤 싸움터에서 그 서모 아버지의 혼이 적군의 앞길에 풀을 묶어 적을 넘어뜨려, 위과가 공을 세울 수 있도록 함으로써 은혜를 갚았다는 고사에서 유래한 말이다.
694)구희(救解) : ①도와서 해결해 줌. ②위기에서 구해 위험을 해소해줌.
695)녑빙(殮殯) : 염빈(殮殯). 시체를 염습하여 관에 넣어 안치함.
696)혹비혹탄(或悲或嘆) ; 울다가 탄식하다가 함.

685)근근쳬쳬(懃懃棣棣) : 정성스럽고 은근함.
686)구슬을 머금다 : 구슬을 물어다 주어 은혜를 갚는다는 뜻으로, '함환이보(銜環以報)'에서 온 말. 즉, 옛날 중국의 양보(楊寶)라는 소년이 다친 꾀꼬리 한 마리를 잘 치료하여 살려 보낸 일이 있었는데, 후에 이 꾀꼬리가 양보에게 백옥환(白玉環)을 물어다 주어 보은했다는 고사에서 온 말이다.
687)플흘 믿다 : 죽은 혼령이 풀을 맺어 은혜를 갚았다는 결초보은(結草報恩) 고사(故事)에서 따온 말. 즉, 중국 춘추 시대에, 진나라의 위과(魏顆)가 아버지가 세상을 떠난 후에 서모를 순장(旬葬)하지 않고 개가(改嫁)시켜 주었더니, 그 뒤 싸움터에서 그 서모 아버지의 혼이 적군의 앞길에 풀을 묶어 적을 넘어뜨려, 위과가 공을 세울 수 있도록 함으로써 은혜를 갚았다는 고사에서 유래한 말이다.
688)구희(救解) : ①도와서 해결해 줌. ②위기에서 구해 위험을 해소해줌.
689)녑빙(殮殯) : 염빈(殮殯). 시체를 염습하여 관에 넣어 안치함.
690)혹비혹탄(或悲或嘆) ; 울다가 탄식하다가 함.

다 드라는 어로만져 즛이홀 쓰름이오, 으시
로브터 힝신과 흑문을 가르치미 업고, 겸흐
여 참화지시의 이 으즈만 천금듕탁(千金重
託)으로 싱젼수후(生前死後)의 미더, 타인의
십즈(十子)를 불워 아니흐던 무음인 고로,
범스의 종용흐고 안한흐여 엄부의 위의를
두디 아니나, 원쉬【40】삼가 조심흐여 부
젼의 경근디녜를 잡으미, 문왕(文王)697)이
왕계(王季)698)를 뫼심과 무왕(武王)699)이
문왕을 뫼심 궃트니, 보는 니 탄복흐더라.

명일 모친긔 신성흐고, 즉시 위의를 거나
려 텬궐의 나아가 됴회의 참예흐니, 샹이
태샤 덩유를 브르샤 원슈의 토덕(討賊)흔
공덕을 표홀식, 원슈로브터 댱스 군졸의 작
상(爵賞)을 더으니, 하원광으로 대스마 문연
각 태흑스 초평후를 봉흐시고 츠례로 상작
을 더으시니, 이 가온디 참모 녀헌이 또 가
즈(加資)700)를 도도고 둣터온 상을 밧즈온
디라. 전혀 하원슈의 덕인 줄 알고 감은흐
미 각골흐고, 말지 군졸의 니르히 금빅(金
帛)【41】을 상샤흐시니, 삼군 스졸이 흔흔
(欣欣) 심복흐디, 원쉬 황공흐여 뎐폐의 머
리를 두다려 후작을 샤양흐미 혈심 딘졍의
밋츠디, 샹이 블윤흐시고 초디(楚地)를 버혀
주시니, 원쉬 더옥 황공흐여, 돈슈(頓首)
왈,

"신이 년긔 계오 이팔(二八)이 넘어, 맛춤
니 금츈의 등과(登科)흐여 금츄의 봉후(封
侯)흐옵는 거죄(擧措), 결단흐여 손복(損福)

697)문왕(文王) : 중국 주나라 무왕의 아버지. 이름은
    창(昌). 무왕의 주나라 건국 기초를 닦았고 고대의
    이상적인 성인군주(聖人君主)의 전형으로 꼽힌다.
698)왕계(王季) : 중국 주 문왕(文王) 창(昌)의 아버
    지. 이름은 계력(季歷). 자손이 왕업(王業)을 이룰
    수 있는 기초를 닦았다.
699)무왕(武王) : 중국 주나라의 제1대 왕. 성은 희
    (姬), 이름은 발(發). 은(殷) 왕조를 무너뜨리고 주
    왕조를 창건하여, 호경(鎬京)에 도읍하고 중국 봉
    건 제도를 창설하였다. 후대에 현군(賢君)으로 추
    앙되었다
700)가즈(加資) : 조선 시대에, 관원들의 임기가 찼거
    나 근무 성적이 좋은 경우 품계를 올려 주던 일.
    또는 그 올린 품계.

흐나 원슈의게 다다라는 어로만져 즛이홀
쓰름이오, 아시로부터 힝신과 학문을 가라
치미 업고, 겸【132】흐여 참화시의 이 아
즈만 천금듕탁(千金重託)으로 싱견수후(生
前死後)의 밋어 타인의 십즈(十子)를 불워
아니흐던 무음인 고로, 범스의 종용흐고 안
한흐여 엄부의 위의를 두지 아니나, 원슈
삼가고 조심흐여 부젼의 경근지녜를 잡으
미, 문왕(文王)691)이 왕계(王季)692)을 뫼심
과 무왕(武王)693)이 문왕을 뫼심 궃트니,
보느니 탄복흐더라.

명일 모친긔 신성흐고 즉시 위의를 거나
려 됴회의 참예흐니, 샹이 태샤 덩유를 브
르스 원슈의 토젹(討賊)흔 공젹을 표홀식,
원슈로붓터 장스 군졸의 작샹(爵賞)을 더을
식, 하원광으로 딕스마 문연각 딕학스 초평
후을 봉흐고, 츠례로 상작을 더으시니, 이
가온디 참모 녀헌니 쏘한 가즈(加資)694)를
도도고 두터온 상을 밧즈온지라. 전혀 하원
슈의 덕인 쥴 알고 감은흐미 각골흐고, 말
지 군졸의 니르히 금빅(金帛)을 상스흐시
【133】니, 삼군 스졸이 흔흔(欣欣) 심복흐
디, 원쉬 황공흐여 젼폐의 머리를 두다려
후작을 스양흐미 혈심 진졍의 밋츠디, 샹이
블윤흐시고 초지(楚地)를 버혀 주시니, 원슈
더옥 황공흐여 돈슈(頓首) 쥬 왈,

"신니 년긔 겨오 이팔(二八)이 넘어 맛츔
니 금츈의 등과(登科)흐여 금츄의 봉후(封
侯)흐옵는 거죄(擧措) 결단흐여 손복(損福)

691)문왕(文王) : 중국 주나라 무왕의 아버지. 이름은
    창(昌). 무왕의 주나라 건국 기초를 닦았고 고대의
    이상적인 성인군주(聖人君主)의 전형으로 꼽힌다.
692)왕계(王季) : 중국 주 문왕(文王) 창(昌)의 아버
    지. 이름은 계력(季歷). 자손이 왕업(王業)을 이룰
    수 있는 기초를 닦았다.
693)무왕(武王) : 중국 주나라의 제1대 왕. 성은 희
    (姬), 이름은 발(發). 은(殷) 왕조를 무너뜨리고 주
    왕조를 창건하여, 호경(鎬京)에 도읍하고 중국 봉
    건 제도를 창설하였다. 후대에 현군(賢君)으로 추
    앙되었다
694)가즈(加資) : 조선 시대에, 관원들의 임기가 찼거
    나 근무 성적이 좋은 경우 품계를 올려 주던 일.
    또는 그 올린 품계.

ㅎ올디라. 복원 폐하는 셩디(聖旨)를 환슈ㅎ
쇼셔."

샹이 지삼 위로ㅎ샤 안심ㅎ믈 니르시고,
부원슈 이히 다 깃거ㅎ는디라. 원슈 마디
못ㅎ여 샤은ㅎ고 믈너나민, 쇼민 볼 ᄆ음이
일시 급ㅎ여 바로 옥누항의 니르니, 윤태위
반겨 마즈 녜필 【42】 좌뎡의, 태위 칭하ㅎ
여 왈,

"형이 초덕을 탕멸ㅎ고 대공을 셰워 도라
오니, 은영이 더옥 희한ᄒ디라. 쇼뎨 교외의
나가 형을 보민 반가온 졍이 무궁ㅎ나, 디
쳑 텬안의 ᄉ졍을 베프디 못ㅎ고, 놉흔 지
덕을 칭하치 못ㅎ여, 범연이 훗터져 울울ᄒ
ᄆ음을 니긔디 못ㅎ여 존부의 나아가 반기
고져 ㅎ엿더니, 엇디 이의 니르시뇨?"

ᄉ매 웃고 답왈,

"작일 ᄉ원은 오히려 군젼의 무ᄉㅎ믈 아
랏거니와, 쇼민 운산의 나와 날을 기다리디
아니ㅎ고, 이 곳의 이셔 병이 긔거치 못ㅎ
믈 드르민, 놀나오믈 니긔디 못ㅎ여 이에
니르럿ᄂ니, 원간 그 증 【43】 셰 엇더ㅎ
뇨?"

태위 ᄆ어시라 딕답ᄒ리오. 다만 몽농(朦
朧)이 답ᄒᄃᆡ.

"슈슈의 딜환이 비록 긔거치 못ㅎ시나 대
단치 아니타."

ㅎ니, ᄉ매 블열 왈,

"아등은 화란여ᄉᆡᆼ(禍亂餘生)이라. 즐거오
믈 아디 못ㅎ고 흉화(凶禍)의 샹ㅎ여 심ᄉᆡᆨ
지 되고져 ㅎ는디라. 병이 들면 덕특흔 증
셰로 나ᄂ니, 남 보기의는 관겨치 아닌 듯
ㅎ나 그 통셴즉 경치 아니ㅎ리라."

태위 답왈,

"쇼뎨 드러가 슈슈의 통셰를 ᄌ시 뭇디
아니ㅎ여시니, 형이 이졔 와시믈 통ㅎ고 그
딜환의 경듕을 술피라."

ᄉ매 위·뉘의 흉악흔 줄은 아디 못ᄒᄃᆡ,
그 붉은 안총(眼聰)의 맛츔닉 어디디 아닌
【44】 줄 혜아려 반ᄌ디졍(半子之情)701)이

───────────────
701)반ᄌ디졍(半子之情) : 사위로셔의 졍. *반자(半

ㅎ올지라. 원(願) 폐하는 셩지(聖旨)을 환수
ㅎ쇼셔."

샹이 지삼 위유ㅎᄉ 안심ㅎᄆᆯ 이르시고,
부원쉬 이히 다 깃거ㅎᄂ지라. 원슈 마지
못ㅎ여 사은ㅎ고 믈너나민, 쇼민 볼 ᄆ음이
일시 급ㅎ여 바로 옥누항의 이르니, 윤틱위
반겨 마즈 녜필 좌졍의, 틱위 칭하 왈,

"형이 초젹을 탕멸ㅎ고 딕공을 셰워 도라
오니, 은영이 더욱 희한흔지라. 쇼뎨 《교의
∥교외》에 나가 형을 보민 반가온 졍이 무
궁ㅎ나, 지쳑 텬안의 ᄉ졍을 베프지 못ㅎ고,
놉 【134】 흔 지덕을 칭하치 못ㅎ여, 범연니
훗터져 울울흔 ᄆ음을 이긔지 못ㅎ여 존부
의 나아가 반기고져 ㅎ엿더니, 엇지 이의
니르시뇨."

ᄉ민 웃고 답왈,

"작일 ᄉ원은 오히려 군젼의 무ᄉㅎᄆᆯ 아
랏거니와, 쇼민 운산의 나아와 늘을 기드리
지 아니ㅎ고, 이 곳의 잇셔 병이 긔거치 못
ㅎᄆᆯ 드르민, 놀나오믈 이긔지 못ㅎ여 이에
이르럿ᄂ니, 원간 그 증셰 엇더ㅎ뇨?"

틱위 무어시라 답ㅎ리오. 다만 몽농(朦朧)
이 답ᄒᄃᆡ.

"슈슈 질환이 비록 긔거치 못ㅎ시나 딕단
치 아니타."

ㅎ니, ᄉ민 블열 왈,

"아등은 화란여ᄉᆡᆼ(禍亂餘生)이라. 즐거오
믈 아지 못ㅎ고 흉화(凶禍)의 샹ㅎ여 심ᄉᆡᆨ
지 되고져 ㅎᄂ지라. 병이 들면 쳑특흔 증
셰로 나ᄂ니, 남 보기의 딕단치 아니나 그
통셴 즉 경치 아니ㅎ리라."

틱위 답왈,

"쇼뎨 슈씨의 통셰를 ᄌ시 뭇지 아니ㅎ
엿시니, 형이 왓시믈 통 【135】 ㅎ고 드러가
그 질환의 경듕을 술피라."

원슈 위·뉴의 흉악흔 줄은 아지 못ᄒᄃᆡ
그 밝은 안총(眼聰)의 맛츔닉 어지지 아닌
줄 혜아려 반ᄌ지졍(半子之情)695)이 업ᄉ

───────────────
695)반ᄌ지졍(半子之情) : 사위로셔의 졍. *반자(半

업스티, 인스의 마디 못호여 위·뉴 이부인
긔 몬져 현알호니, 위 뉘 쥬찬을 셩비호고
드러오믈 청호니, 태위 초평후를 인도호여
니루의 드러와 위·뉴의게 비례호고, 먼니
좌를 일우미, 반년디닉의 쇄락호 용화와 찬
난호 풍광이 더옥 대군즈의 톄되(體度) 가
죽호거늘, 위태 어리게 스랑호는 졍과 뉴녀
의 탐탐 귀듕호는 무음이 엇디 됴부인이나
다르리오마는, 스마(司馬)의 안광이 엇디 그
블인호믈 모로리오. 악모와 위흉을 디호면
심긔 셔늘호여, 윤츄밀 굿튼 어딘 지상의
태부【45】인과 쳐실이 져굿치 블인호믈
츠셕호거늘, 위태는 흉휼호나 눈츼 알기는
뉴녀만 못호므로, 하 후(侯)의 마음을 아디
못호고, 웅므럿던702) 입을 열며 쳔만 살703)
이나 삥긔엿던 살을 펴고, 하후 닙공반샤
호믈 치하호며 부귀늉늉(富貴隆隆)호믈 즐
겨할식, 손녀의 유복호믈 스스로 대찬호고,
초후의 직덕이 일셰의 무뎍이믈 일크라, 붉
은 눈을 혹독히 써 잇다감 탄식호여, 즈긔
는 ㅇ들과 손ㅇ의게 져런 경스를 보디 못호
여시믈, 기리 혀츠고 굴오디,

"현이 잇던들 나도 남을 블워호미 업술
거술, 팔지 박호【46】여 져를 여흰 후, 가
듕 만시 다 그릇 되니, 이 셜우믈 플 날이
업스리로다."

이쳐로 어리게 구다가, 초휘 일언을 다시
호는 일이 업스미 어리고 우어 뵈미 극흔디
라. 하휘 져런 괴이호 형상○[을] 보기 괴
로와 태우를 향호여 미데 보기를 니르고,
위·뉴의게 하딕호고 시녀로 쇼져의 방을
가르치라 호니, 비영이 압셔 쇼져 방의 니
르니, 뉴녜 하원슈의 즉시 올 줄 혜아려 셰
월을 옴겨, 치련각의 병댱(屛帳)을 굿초와
상문 즈부의 존귀를 누리는 드시 호여, 초
후로 호여곰 즈긔 악스를 영영 모로게 호미

딕, 인스의 마지 못호여 위·뉴 이녀의게
먼져 현알호니, 위·뉴 쥬찬을 셩비호고 드
러오믈 청호니, 틱위 초평후를 인도호여 닉
루의 드러와 위·뉴의게 비례호고, 먼니 좌
를 이루니, 반년지닉의 쇄락호 용화와 찬난
호 풍광이 더옥 딕군즈의 체되(體度) 가죽
호거늘, 위틱의 어리게 스랑호는 졍과 뉴녀
의 탐탐 귀듕호는 무음이 엇지 됴부인이나
다르리오만는, 스미(司馬)의 안광이 엇지 그
블인호믈 모로리오. 악모와 위흉을 딕호면
심긔 션홀호여 윤츄밀 굿튼 어진 지상의 틱
부인과 쳐실이 져굿치 블인호믈 츠셕호거
늘, 위틱는 흉【136】휼호나 눈치 알기는
뉴씨만 못호므로 하 후(侯)의 무음을 아지
못호고 웅믈엇던696) 닙을 열며 쳔만 술697)
이나 씽긔엇던 술흘 펴고 하후의 닙공반스
(立功班師)호믈 칭하호며 부귀늉늉(富貴隆
隆)호믈 즐겨할식, 손녀의 유복호믈 스스로
딕찬호고, 초후의 직덕이 일셰의 무젹이믈
일크라, 불근 눈을 혹독히 써 잇다감 탄식
호여, 즈긔는 아들과 손아의게 져런 경스를
보지 못호여시믈 기리 혀츠고 굴오디,

"현니 잇던들 나도 남을 블워홀 거시 업
셔실 거슬 팔지 박호여 져를 여흰 후, 가즁
만시 다 그릇되니, 이 셜움을 풀 날이 업
스리로다."

이쳐로 어리게 구다가 초휘 일언을 다시
호는 일 업스미 어리고 우어 뵈미 극흔지
라. 하휘 져런 괴이호 형상○[을] 보기 괴
로와 틱우를 향호여 미데 보기를【137】
니르고, 위·뉘를 하직고 시녜로 쇼졔의 방
을 인도호라 호니 비영이 압셔 쇼졔 방의
이르니, 뉴녜 하원슈 즉시 올 쥴 알고 셰월
을 옴겨 치련각의 병장(屛帳)을 갓초아 상
문 즈뷔 존귀를 누리는 다시 츌혀, 원슈로
호여곰 즈긔 악스를 영영 모로게 호미라.

<hr>

子); 아들이나 다름없다는 뜻으로, '사위'를 이르는
말.
702)웅믈다 : 옥물다. 악물다. 힘주어 이를 꾹 마주
물다.
703)살 : 구김살·주름살·이맛살 등처럼 주름이나
구김으로 생기는 금.

<hr>

子); 아들이나 다름없다는 뜻으로, '사위'를 이르는
말.
696)웅믈다 : 옥물다. 악물다. 힘주어 이를 꾹 마주
물다.
697)살 : 구김살·주름살·이맛살 등처럼 주름이나
구김으로 생기는 금.

라.【47】

ᄉ매 치련각의 드러가 볼ᄉᆡ, 셰월이 개용단의 요괴로오믈 인ᄒᆞ여 완연이 하쇼져의 얼골이 되여 상요의 누엇다가, 초후를 보고 니러 마ᄌᆞ 반기는 빗츨 과도히 ᄒᆞ나, ᄉ매 믄득 셰월을 보믹 반가오믈 아디 못ᄒᆞ여 그윽이 블평ᄒᆞ니, 비록 아디 못ᄒᆞ나, 진짓 미뎨는 참화를 만나 초하동의 인ᄉᆞ를 모로고 누엇거늘, 윤부 쳔비 셰월노쎄 누의라 ᄒᆞ여 골육의 졍이 날 길히 이시리오. 즈긔 ᄆᆞ음이나 슈상코 괴이ᄒᆞ여 혜오ᄃᆡ,

"내 도라오며 즉시 쇼믹를 보디 못ᄒᆞ니, 홀연ᄒᆞᆫ 심ᄉᆞ를 니긔디 못ᄒᆞ여 져를 보【48】면 반가올 줄 아랏더니, 엇디 도로혀 심긔 블안ᄒᆞᆫ뇨. 아디 못게라, 졔 병이 위듕ᄒᆞ여 스ᄉᆞ로 경동ᄒᆞ믹가."

이쳐로 싱각ᄒᆞ여 즉시 말을 못ᄒᆞ다가, 날호여 왈,

"우형이 도라오ᄃᆡ 현믜 유딜ᄒᆞ여 오디 못ᄒᆞ니, 흔가디로 부모를 뫼셔 즐기디 못ᄒᆞ믹 흠ᄉᆞ라. 원간 병이엇더ᄒᆞ뇨? 만일 움즉여 취운산을 가량이면, 우형이 이졔 거교를 출힐 거시니, 흔가디로 도라가미 무방홀가 ᄒᆞ노라."

셰월이 담을 크게 ᄒᆞ고, 하쇼져 얼골을 비러 하후와 갓가이 ᄃᆡᄒᆞ여 부모의 존후를 므르며, 닙공반샤ᄒᆞ믈 하례ᄒᆞ나, 스ᄉᆞ로【49】경황 툑쳑ᄒᆞᆫ 의식 졈졈 더ᄒᆞ여, 신음ᄒᆞᄂᆞᆫ 소리로 ᄃᆡ왈,

"쇼믜 대단이 딜통(疾痛)ᄒᆞᄂᆞᆫ 일이 업ᄉᆞᄃᆡ, 비위 거스려 음식을 나오디 못ᄒᆞᄂᆞᆫ디라. 즉금은 움즉일 길히 업ᄉᆞ니 명일 가고져 ᄒᆞᄂᆞ이다."

ᄉ매(司馬) 왈,

"일일디간(一日之間) 언마치리오704). 우형과 흔가디로 힝ᄒᆞ미 엇더ᄒᆞ뇨?"

셰월이 ᄃᆡ왈,

"쇼믹 앗춤 듁음을 마셔보아 거스리는 일이 업ᄉᆞ면 가리니, 거거는 도라가 거교를

704)언마치리오 : 얼마나 하리오. 언마; 얼마.

ᄉ믜 최련각의 드러가 볼ᄉᆡ, 셰월이 《기용단을 요괴로이 먹고∥개용단의 요괴로오믈 인ᄒᆞ여》 완연니 하씨의 얼골이 되여 상요의 누엇다가, 원슈를 보고 이러 마ᄌᆞ 반기는 빗츨 과도히 ᄒᆞ나, ᄉ믜 믄득 셰월을 보믹 반가오믈 아지 못ᄒᆞ여 그윽이 블평ᄒᆞ니, 비록 아지 못ᄒᆞ나 진짓 미뎨는 참화 즁 초하동의 인ᄉᆞ를 모로고 누엇거늘, 윤부 쳔비 셰월노셔 누의라 ᄒᆞ여 골육의 졍이 날 길이 이시리오. 즈긔 ᄆᆞ음이나 슈상코 고이ᄒᆞ여 혜오ᄃᆡ,

"내 도라오믹 즉시【138】 ○○○[소믜를] 보지 못ᄒᆞ니, 홀연ᄒᆞᆫ 심ᄉᆞ을 이긔지 못ᄒᆞ여 져를 보면 반가올 쥴 아랏더니, 엇지 도로혀 심긔 블안ᄒᆞᆫ뇨? 아지 못게라 졔 병이 위즁ᄒᆞ여 스ᄉᆞ로 경동홈인가."

이쳐로 싱각ᄒᆞ여, 왈,

"우형이 도라오ᄃᆡ 현믜 유질ᄒᆞ여 도라오지 못ᄒᆞ니, 한가지로 부모를 뫼셔 즐기지 못ᄒᆞ니 흠ᄉᆞ라. 원간 병이 엇더ᄒᆞ뇨? 만일 움작여 취운산을 갈만ᄒᆞ면, 우형이 이졔 거교를 출힐 거시○[니] 한가지로 도라가미 됴흐리로다."

셰월이 담을 크게 ᄒᆞ고 하후와 갓가이 ○[ᄃᆡ]ᄒᆞ여 부모의 존후를 무르며, 입공반샤ᄒᆞ믈 하례ᄒᆞ나, 스ᄉᆞ 경황 국튝○[ᄒᆞᆫ] 의식 졈졈 더ᄒᆞ여, 신음ᄒᆞᄂᆞᆫ 소리로 ᄃᆡ왈,

"쇼믜 ᄃᆡ단이 질통(疾痛)ᄒᆞᄂᆞᆫ 일이 업ᄉᆞᄃᆡ, 비위 거스려 음식을 나오지 못ᄒᆞᄂᆞᆫ지라. 즉금은 움죽일 길이 업ᄉᆞ니 명일 가고【139】져 ᄒᆞᄂᆞ이다."

○○○[ᄉ매(司馬) 왈,]

"일일지간(一日之間) 언마치리오698). 우형과 한가지로 힝ᄒᆞ미 엇더ᄒᆞ뇨?"

셰월이 ᄃᆡ왈,

"쇼믜 쥭음을 마셔보아 거스리는 일이 업ᄉᆞ면 가리니, 거거는 도라가 거교를 출혀

698)언마치리오 : 얼마나 하리오. 언마; 얼마.

출혀 보니쇼셔.”

뎡언간 뎡당 시녜 금반옥긔(金盤玉器)예 팔진경장(八珍瓊漿)705)을 가득이 버리고, 쥬비(酒杯)를 드러 알패 나오니, 초휘 본딕 쥬량을 존졀ᄒ여 일이비(一二杯) ᄇᆞ근 졉구치 아니므로, 쥬【50】비를 나오고 셩찬을 맛본 후, 쇼져의 알패 상을 미러 과실이나 맛보라 ᄒ더니, 셰월의 미듁(糜粥)을 가져 와시니 셰월이 짐줏 강인ᄒ여 마시ᄂᆞᆫ 쳬ᄒ고, 스마다려 왈,

“먹은 거시 나린 후 갈 거시니 거거ᄂᆞᆫ 어셔 도라가 거교(車轎)를 보니쇼셔.”

스매 답ᄒ고, 날호여 외루의 나와 태우로 담화ᄒ다가 취운산으로 도라오니, 하긱이 분분(紛紛)ᄒ고 요요(擾擾)ᄒ더라. 초휘 대셔헌의 드러가 부친을 뫼셔 빈긱을 슈응ᄒᆞᆯ시, 모다 하례ᄒᆞ믈 마디 아니터라.

초휘 군관을 분부ᄒ여 거교를 출혀 옥누항의 보니여 쇼져를 뫼셔오라【51】ᄒ니, 시노(侍奴) 등이 군관의 니르믈 좃ᄎ 치교를 메고 ᄊᆞ니 옥누항의 니르러, 쇼져를 뫼시라 와시믈 니르니, 이 ᄶᆡᄂᆞᆫ 태우는 옥화산의 가고, 위·뉴 셰월을 쳔만 당부 왈,

“일이 공교ᄒ여 광텬은 나가고 업ᄉᆞ니, 너의 거동을 보리 업고, 원간 의형이 완연ᄒ 하시니, 샤광(師曠)의 총(聰)이라도 ᄭᆡᄃᆞᆺ디 못ᄒ리니, 모로미 외면회단(外面回丹)을 가져 금일 니로 탈신ᄒ여 도라오라.”

셰월이 슈명ᄒ고 외면회단을 골흠의 ᄎ고, 두 부인긔 하딕ᄒ고 댱시로 분슈ᄒᆞᆯ시, 댱시ᄂᆞᆫ 츌셰ᄒᆞᆫ 위인이라, 가듕 ᄉᆞ긔 슈상ᄒ여 시녀 창셤으로 ᄒ여【52】금 두 부인의 문답ᄉᆞ를 드르라 흔즉, 발셔 하시를 줏두다려 업시ᄒ고, 셰월노 딕신을 삼아 변용ᄒᆞᄂᆞᆫ 약을 먹여 하가로 보니믈 드르니, 몸이 썰니고 ᄲᆈ 쓸히믈 니긔디 못ᄒᄂᆞᆫ 가온딕, 하시를 위ᄒ여 통도 비상ᄒ미 골육동긔 상ᄉ

705)팔진경장(八珍瓊漿) : 팔진지미(八珍之味)와 옥액 경장(玉液瓊漿)을 함께 이르는 말로, 아주 잘 차린 음식상에나 갖춘다고 하는 여덟 가지 진귀한 음식 과, 맑고 고운 빛깔과 좋은 향을 갖추어 신선들이 마신다고 하는 술을 뜻한다.

보니쇼셔.”

졍언간의 졍당 시녜 금반옥긔(金盤玉器)에 팔진셩찬(八珍盛饌)699)을 가득이 버려 쥬비를 드러 알픠 나오니, 초휘 본딕 쥬량을 존졀ᄒ여 일이비(一二杯) ᄇᆞ근 졉구치 아니므로, 쥬비를 나오고 셩찬을 맛본 후, 쇼져의 압ᄒ희 상을 미어 과실이나 맛보라 ᄒ더니, 셰월의 미쥭(糜粥)을 가져 와시니 셰월이 짐짓 강잉ᄒ여 마시ᄂᆞᆫ 쳬ᄒ고, 스미다려 왈,

“먹은 거시 ᄂᆞ린 후 가리니, 거거ᄂᆞᆫ 어셔 도라가 거교(車轎)를 보니쇼셔.”

휘 답ᄒ고 날호여 이러 외현의 나와 틱우로 담화ᄒ다가 취운산으로 도라오니, 하긱이 분분(紛紛)ᄒ고 요요(擾擾)ᄒ더라. 초휘 딕셔헌의 드러가 부【140】친을 뫼셔 빈긱을 슈응ᄒᆞᆯ시, 모다 하례ᄒᆞ믈 마지 아니터라.

하원슈 군관을 분부ᄒ여 거교를 출혀 옥누항의 보니라 ᄒ니, 시노(侍奴) 등이 군관의 이르무로 조ᄎᆞ, 치교를 메고 옥누항의 니르러 쇼져를 뫼시려 와시믈 고ᄒ니, 잇ᄣᆡ 틱우ᄂᆞᆫ 옥화산의 가고, 틱·뉴 셰월을 쳔만 당부, 왈,

“일이 공교ᄒ여 광텬은 나가고 업ᄉᆞ니, 너의 거동을 보리 업고, 원간 네 형용이 쳔연ᄒ 하씨니, 샤광(師曠)의 총(聰)이라도 ᄭᆡᆺ 듯지 못ᄒ리니, 모로미 외면회단(外面回丹)을 가져가 금일 니로 탈신ᄒ여 도라오라.”

셰월이 슈명ᄒ고 외면회단을 웃고름의 ᄎ고 두 부인긔 하직ᄒ고 댱시로 분슈ᄒᆞᆯ시, 댱씨ᄂᆞᆫ 츌셰ᄒᆞᆫ 《우인‖위인》이라, 가즁 ᄉᆞ긔 슈상ᄒ여 시녀 창셤으로 ᄒ여금 두 부인의 문답을 드르라 ᄒ니, 발셔 하씨를 줏두다려【141】 업시ᄒ고 셰월노 딕신을 삼아 변용ᄒᆞᄂᆞᆫ 냑을 먹여 하가로 보니믈 드르니, 몸이 썰니고 ᄲᆡ 쓰리믈 이긔지 못ᄒᆞᆫ 가온딕, 하씨를 위ᄒ여 통도 비졀ᄒᆞ믈 졍치 못ᄒᆞ미 골육동긔 상ᄉ(喪事)를 만남 ᄀᆞᆺᄒ나,

699)팔진셩찬(八珍盛饌) : 팔진지미(八珍之味) 곧 여 덟 가지 진귀한 음식을 갖추어 아주 잘 차린 음식 상을 이르는 말.

(喪事)를 만남 굿트나, 존당 존괴 긔이는 거
슬 주긔 셔어흔 일을 아른 쳬흐엿다가, 급
히 화를 만나미 이실가 흐여 슬프믈 춤고
셰월노 혼연이 분슈흐니, 뉘 심회를 알니오.
경♀의 소견인즉, 하시를 죽여 업시흐고
말을 퍼디오딕 음분도쥬타 흐여, 하개 드르
면 노분을 춤디 못흐【53】여 현♀의게 년
좨 쓰고져 흐미러니, 뉴시 쯧이 져와 달나,
셰월을 변형흐여 하부로 보닉니, 이졔는 주
최를 곰초아도 하개 쓸을 다려다가 일흔 타
시 되고, 윤시긔 년좌홀 일이 업스니, 져의
악악블인(惡惡不仁)으로도 츠마 동복(同腹)
일뎨(一弟)를 히흐라 발구(發口)치 못흐믄,
모친이 듯디 아닐 거시니 셰월 보닉기를 막
디 못흐나, 크게 앙앙흐믄, 현♀의 부귀 복
녹이 져의 바랄 빅 아니라, 그윽이 믜오믈
니긔디 못흐더라.
이날 셰월이 하신(河氏) 쳬흐고 취운산의
니르러 됴부인긔 현알흐싀, 하공 부즈는 날
이 어둡도록 외헌【54】의셔 빈긱을 슈응
흐다가, 쇼져 와시믈 알오딕 드러가 보디
못흐고, 됴부인은 녀♀로 아라 밧비 손을
잡고 근근쳬쳬(懃懃棣棣)706) 흔 졍을 니긔
디 못흐여 알는 곳을 므르니, 셰월이 오히
려 알는 소릭로 딕왈,
"통쳬 듕튼 아니나, 스디 무겁고 스식디
념(思食之念)이 업누이다."
부인이 근심흐여 편히 누어시라 흐니 셰
월 왈,
"쇼녜 졍신이 어득흐여 언어의 《념녜(念
慮)∥념(念)이》 업고, 가득흔 회포를 아딕
고치 못흐게시니, 잠간 됴보(調保)흐여 긔운
이 낫거든, 거거로 더브러 부모 슬하의셔
누월 영모흐던 하졍을 고흐오리니, 종용흔
방샤를 굴히여 눕게 흐소셔."
부【55】인이 즉시 안졍흔 방샤를 뎡흐
여 쇼져를 누어시라 흐니, 윤부인은 식쳥
(食廳)의셔 찬션을 친집흐여 구고의 감디
(甘旨) 온닝(溫冷)을 맛초노라, 쇼고의 오믈
아디 못흐엿다가, 존고의 브르시믈 좃추 드

---

706)근근쳬쳬(懃懃棣棣) : 정성스럽고 은근함.

존당 존괴 《그이는∥긔이는》 거슬 주긔
셔어흔 일을 아는 쳬흐엿다가, 급히 화를
만나미 잇실가 흐여 슬푸믈 춤고 셰월노 흔
연니 분슈흐니, 뉘 이 심회을 알니오.
경아의 소견인즉, 하씨를 죽여 업시흐고
말을 퍼지오딕 음분도쥬타 흐여, 하개 드르
면 노분을 춤지 못흐여 현아의게 년좨 쓰고
져 흐미러니, 뉴씨 쯧슨 져와 달나 셰월노
변형흐여 하부로 보닉니, 이졔는 주최를 감
초아도 하개 쓸을 다려다가 일흔 타시 되
고, 윤씨게 년좌홀 일이 업스니, 져의 악악
블인(惡惡不仁)으로도 츠마 동복【142】일
뎨(一弟)를 히흐라 발구(發口)치 못흐
믄, 뉴씨 듯지 아니홀 거시니 셰월 보닉믈
막지 못흐나, 크게 앙앙흐문 현아의 부귀
복녹이 져의 바랄 빅 아니라. 그윽이 믜우
믈 니긔디 못흐더라.
이날 셰월이 하씬(河氏) 쳬흐고 취운산의
이르러 됴부인긔 현알흐싀, 하공 부즈는 날
이 어둡도록 외헌의셔 빈긱을 슈응흐다가,
쇼져 와시믈 아로딕 드러가 보지 못흐고,
됴부인은 여아로 아라 밧비 손을 잡고 근근
쳬쳬(懃懃棣棣)700) 흔 졍을 이긔지 못흐여
알는 곳을 무르니, 셰월이 오히려 알는 소
릭로 딕왈,
"통셰 듕치 아니나 스지 무겁고 스식지념
(思食之念)이 업누니다."
부인니 근심흐여 편히 누엇시라 흐니, 셰
월 왈,
"쇼녜 졍신이 어득흐여 언어의 넘(念)이
업고, 가득한 회포를 아직 고치 못흐겟시니,
잠간 됴보(調保)흐여 긔운이 낫거든, 거거로
더부【143】러 부모 슬하의셔, 누월 영모흐
던 하졍을 고흐오리니, 종용한 방샤를 굴히
여 누엇게 흐소셔."
부인니 즉시 안졍홀 방을 졍흐여 쇼져를
누엇스라 흐니, 윤부인은 식쳥(食廳)의셔 찬
션을 친집흐여 구고의 감지(甘旨) 온닝(溫
冷)을 맛초노라, 쇼고의 오믈 아지 못흐엿
다가, 존고의 브르시믈 됴츠 쇼져를 볼식

---

700)근근쳬쳬(懃懃棣棣) : 정성스럽고 은근함.

러가 쇼져를 볼ᄉᆞᆨ, 반기믈 니긔디 못ᄒᆞ나,
외헌의셔 년ᄒᆞ여 쥬찬을 닉라 ᄒᆞ는 고로 즉
시 나가니, 셰월은 도로혀 현ᄋᆞ 쇼져의 다
ᄉᆞᄒᆞᄆᆞᆯ 깃거 가슴의 상쳬 업ᄉᆞ므로 의심치
아니ᄒᆞᆯ 바를 희힝ᄒᆞ나, 뎡병부의 입을 막디
못ᄒᆞ니, 어이 하공 부부 모지 모를 니 이시
리오.

작일 금평휘 초하동의 니르러, 흑ᄉᆞ와 유
흥을 다리고 하시의 병소의 가【56】쇼져
를 본즉, 목 우희 실낫 ᄀᆞᆺᄐᆞᆫ 명믹이 ᄶᅳᆾ디
아니ᄒᆞ여실디언졍, 완연이 만신의 피 흐르
ᄂᆞᆫ 시신이라. 두로 금창약(金瘡藥)707)을 발
나 그 얼골이 보기의 무셔오니, 금평후의
단엄 침둥ᄒᆞᄆᆞ로도 이 경상을 보믹, 희음업
시708) 냥항누(兩行淚)를 금치 못ᄒᆞ여 옷슬
젹시니, 흑식 위로 왈

"싱긔 졈졈 이셔 쳐음보다가는 만히 나ᄒᆞ
니, 대인은 놀나디 마르시고 잠간 딘믹ᄒᆞ쇼
셔"

금휘 쇼져의 손을 잡아 믹을 본즉, 과연
틱믹이 완연ᄒᆞ여, 친히 약음과 듁을 쎠 너
ᄒᆞ며 딘부인을 도라보아 왈,

"졔 몸이 이딕도록 상ᄒᆞᄃᆡ 복이 ᄶᅥ러지지
아니【57】ᄒᆞ니, 이 필연 하날이 모즈를 각
별이 보호ᄒᆞ여 슬기를 엇게 ᄒᆞ여시니, 엇디
범연ᄒᆞᆫ 일이리오."

딘부인이 디극 구호ᄒᆞ고 금휘 쏘ᄒᆞᆫ 병소
의셔 구호ᄒᆞ더니, 효신(曉晨)의 하시 믄득
냥안을 희미히 ᄯᅳ는디라. 금평후와 딘부인
이 만심 희열ᄒᆞ여 좌우로 손을 잡고, 문왈,

"녀ᄋᆞᄂᆞᆫ 우리를 아는다"

하시 오릭 딕답디 못ᄒᆞ더니, 계오 목 안
히 소릭로 답ᄒᆞ딕,

"엇디 모를 거시라 싱로이 므르시ᄂᆞ니잇
고?"

반기미 극ᄒᆞ나, 외당의셔 년ᄒᆞ여 쥬찬을 닉
라 ᄒᆞ는 고로, 즉시 나가니 셰월은 도로혀
현아 쇼져의 다ᄉᆞᄒᆞᄆᆞᆯ 깃거, 가슴의 상쳬
업ᄉᆞᄆᆞᆯ 아지 못ᄒᆞᆯ 바를 힝회ᄒᆞ나, 뎡병부의
입을 막지 못ᄒᆞ니, 어이 하공 부뷔, ○○[모
지] 모를니 잇시리오.

작일 금평휘 초하동○[의] 이르러 학ᄉᆞ와
유흥을 다리고 하씨 병소의 가 쇼져를 본
즉, 목 우희 실낫 ᄀᆞᆺᄐᆞᆫ 숨이 ᄶᅳᆾ지 아니ᄒᆞ여
실지언졍, 완연니 한 죽엄의 피뎡이라. 두
【144】로 금창냑(金瘡藥)701)을 발나 그
얼골이 보기의 무셔오니, 금평휘 {탄 왈, 아
녀즈 품으로 이 모양 당홈을 이셕ᄒᆞ여} 단
엄 침참ᄒᆞᄆᆞ로도 이 경상을 보믹, 희음업
시702) 냥항누(兩行淚)을 금치 못ᄒᆞ여 옷슬
젹시니, 학식 위로 왈,

"싱긔 졈졈 잇셔 쳐음보다가는 만히 나ᄒᆞ
니, 딕인은 놀나지 마르시고 잠간 진믹ᄒᆞ소
셔"

금휘 쇼져의 손을 줍아 믹을 보니, 과연
틱믹이 완연ᄒᆞ여 친히 약음과 죽을 쎠 너ᄒᆞ
며, 진부인을 도라보아 왈,

"졔 몸이 이딕도록 상ᄒᆞᄃᆡ 복즁 아히 무
양ᄒᆞ니, 이 필연 하날이 각별이 이 모즈를
보호ᄒᆞ여 슬기를 엇게 ᄒᆞ엿시니, 엇지 범연
ᄒᆞᆫ 일이리오."

진부인니 지극 구호ᄒᆞ고 금휘 쏘한 병소
의셔 구호ᄒᆞ더니, 효신(曉晨)의 믄【145】
득 하씨 희미히 쌍안을 ᄯᅳ는지라. 금후 뇌
외 만심 희열ᄒᆞ여 좌우로 손을 잡고, ○○
[문왈,]

"녀아는 우리를 아는다"

하씨 오릭 딕답지 못ᄒᆞ더니, 계오 목 안
의 셰셩(細聲)으로 딕답ᄒᆞ딕,

"엇지 모를 거시라 싱로이 므르시ᄂᆞ니잇
고?"

---

707)금창약(金瘡藥) : 칼, 창, 화살 따위로 생긴 상처
　　에 바르는 약. 석회를 나무나 풀의 줄기와 잎에
　　섞어 이겨서 만든다. ≒금창산(金瘡散).
708)희음업다 : 하염없다. 멍하니 이렇다 할 만한 아
　　무 생각이 없다.

701)금창냑(金瘡藥) : 칼, 창, 화살 따위로 생긴 상처
　　에 바르는 약. 석회를 나무나 풀의 줄기와 잎에
　　섞어 이겨서 만든다. ≒금창산(金瘡散).
702)희음업다 : 하염없다. 멍하니 이렇다 할 만한 아
　　무 생각이 없다.

부인이 비식을 굼초고 쇼왈,

"상공과 내 와시디 흔 소릐 반기는 정을 펴디 아니ᄒᆞᄂᆞ뇨?"

하쇼졔 비로소 정신을 잠간 출혀, 뉴시의 두다 【58】 리던 바를 알오디, 이곳이 아모 디믈 아디 못ᄒᆞ고, 므슴 연고로 양부뫼 ᄌᆞ긔를 구ᄒᆞ여 살와ᄂᆞᆫ 곡졀을 아디 못ᄒᆞ여, 계오 소릐를 일워 굴오디,

"이 곳이 어디며 대인과 티티 어이 쇼녀를 붓잡아 계시니잇고?"

금후와 부인이 그 인ᄉᆞ 알믈 쳔만 힝열ᄒᆞ여 닐오디,

"너의 익회 어이 니를 거시 이시리오."

인ᄒᆞ여, 하원슈의 도라오믈 니르니, 하쇼졔 이의 양부모의 이 ᄀᆞᆺ튼 ᄌᆞ이를 각골감은ᄒᆞ며, 거거의 도라오믈 듯고 반기미 극ᄒᆞ나, ᄌᆞ긔 화란이 참참(慘慘)ᄒᆞ고 죽기를 면ᄒᆞ믈 이상히 넉여, 기리 탄식고 말을 아니ᄒᆞ니, 금평휘 미음을 【59】 가져 써 너흐며 디극 구호ᄒᆞ니, 쇼졔 황공 민망ᄒᆞ여 스스로 마시고져 ᄒᆞ나, 몸을 운동홀 의ᄉᆞ를 ᄒᆞ리오. 이의 고왈,

"시녀 등이 이시니 대인이 써너ᄒᆞ시도록 ᄒᆞ리잇가?"

금휘 쇼 왈,

"시녀비 용녈ᄒᆞ여 써너키를 날ᄀᆞ치 못홀 거시오, 내 미양 너를 디회여실 거시 아니라. 됴반 후 즉시 취운산으로 가려 ᄒᆞ니, 이 곳은 초화동이오 우리 잠졍이니라."

쇼져 미음을 계오 먹고, 다시 굴오디,

"쇼녜 옥누항의 잇다가 이리 온 곡졀을 아디 못ᄒᆞ옵ᄂᆞ니, 원컨디 ᄌᆞ시 니르쇼셔."

딘부인 왈,

"너의 존괴 즛두다려 궤의 너허 강슈의 씌오랴 ᄒᆞ【60】니, 어이 이둛디 아니리오."

쇼졔 감히 존고를 원망치 못ᄒᆞ나, 젼일을 싱각ᄒᆞ미 놀납고 심긔 셔늘ᄒᆞ여 흔 말을 아니코, 오딕 약과 듁믈을 착실이 나와 브디 죽디 말과져 ᄒᆞᄂᆞ니라. 양부뫼 그 쯧을 알

부인이 비식을 굼초고 소왈,

"상공과 닉 와시디 한 마디 반기는 정을 펴지 아닛ᄂᆞ뇨?"

하씨 비로소 정신을 잠간 출혀 뉴씨의 두 다리던 바를 《고ᄒᆞ디∥알오디》, 이곳이 아모 딘 쥴 모로고 므슴 연고로 양부뫼 ᄌᆞ긔을 구ᄒᆞ여 살와ᄂᆞᆫ 곡졀을 아지 못ᄒᆞ여, 계오 소릐를 일워 왈,

"이 곳지 어디며 티티 어이 쇼녀를 붓즙아 계시닛가?"

금후와 부인니 그 인ᄉᆞ 알믈 쳔만 힝열ᄒᆞ여 이르디.

"너의 익회 어이 이를 것시 잇시리오."

인ᄒᆞ여 하원슈의 【146】 도라오믈 이르니, 하씨 양부모의 이 ᄀᆞᆺ튼 ᄌᆞ이를 각골감은 ᄒᆞ며, 거거의 도라오믈 듯고 반기미 극ᄒᆞ나, ᄌᆞ긔 화란이 참참(慘慘)ᄒᆞ고 죽기를 면ᄒᆞ믈 이상히 넉여, 기리 탄식고 말을 아니ᄒᆞ니, 금평휘 미음을가져 써 너흐니, 소졔 황공 민망ᄒᆞ여 스스로 마ᄭᆞ고져 ᄒᆞ나, 몸을 운동홀 의ᄉᆞ를 ᄒᆞ리오. 이의 고왈,

"시녀 등이 잇시니, 디인니 써너ᄒᆞ시도록 ᄒᆞ시릿가?"

금휘 답왈,

"시녀비 용녈ᄒᆞ여 써너키를 날갓치 못홀 거시오, 내 미양 너를 직회여실 거시 아니라. 즉시 취운산으로 됴반 후 가려 ᄒᆞ니, 이 곳은 초하동이오, 우리 잠졍이니라."

쇼져 미음을 게오 먹고 다시 고왈,

"소네 옥누항의 잇다가 이리 온 곡졀을 아지 못ᄒᆞ옵ᄂᆞ니, 원컨디 ᄌᆞ시 【147】 이르쇼셔."

진부인니 디왈,

"너의 존괴 즛두다려 궤의 너허 강슈의 드리치랴 ᄒᆞ니, 어이 이답지 아니리오."

소졔 감히 존고을 원망치 못ᄒᆞ나, 젼일을 싱각ᄒᆞ미 놀납고 심긔 셔늘ᄒᆞ여 한 말을 아니코, 오직 냑과 죽믈을 착실이 나와 부디 죽지 말과져 ᄒᆞᄂᆞ지라. 양부뫼 그 쯧을 알

고 더옥 어엿비 넉이며, 위로호믈 디극히
호여 병회를 안온히 호라 니른즉, 쇼졔 슈
명호여 왈,

"쇼녜 싱부모와 양부모 지시의 몸이 죽어
블효를 끼치디 아니려 호는 빈라. 하날이
죽이디 아니시면 쇼녀는 죽을 마음이 업스
딕, 다만 이런 흉참혼 거동을 부모긔 뵈오
니, 출하리 죽어 불효 끼치니만 곳디 못혼
【61】와, 쳡쳡혼 블효를 삣흘 곳이 업도소
이다."

금휘 어로만져 약을 긋치디 말나 호며,
됴반 후 취운산으로 갈식, 혹스는 잇다감
슈일식 이 곳의 머믈나 호여 다려가지 아니
니라.

금휘 도라오믹 태부인이 하시의 병을 므
르니, 금휘 스경을 면호여시믈 고호고, 외루
의 나와 남후를 딕호여 하ᄋ의 졍신 출히믈
니르니, 남휘 만심 환열호여 잠간 초하동의
가 하시를 보랴 홀식, 부젼의 고왈,

"하년슉이 대인이 셩녀의 머므시는 연고
를 뭇거늘, 경부의 가 계시믈 고호엿ᄂ이
다."

금휘 탄왈,

"하형이 대개 ᄌ녀의 【62】다ᄃ라 팔지
괴이혼 사름이라. 본딕 ᄌ긔 굿긴 심장이
녹기를 면치 못호리니, 아딕은 니르디 말
거시라."

남휘 딕왈,

"약을 착실히 호면, 하 관겨치 아니호오
리니, 대인은 념녀치 마르쇼셔."

인호여 하시를 잠간 보고 오믈 고호니 금
휘 허락혼딕, 남휘 초하동의 니르러 병셰를
뭇고 개유 왈,

"이 다 텬쉬(天數)니 과렴치 말나."

호니, 쇼졔 아모 말도 아니호고 양부모와
거거의 대은을 폐부(肺腑)의 삭이고, 그 거
거의 닙공반샤홀을 힝열호여 병듕의 위회호
미 되고, 약회 졈졈 신긔혼디라. 이 날 남휘
약을 더 디어 두고 도라 오니라. 【63】

고 지극히 어엿비 넉이며, 위로호미[믈] 지
극히 호여, 병회을 안온니 호라 니른즉, 소
졔 슈명호여 왈,

"쇼녜 싱부모와 양부모 지시의 몸이 쥭어
블효를 끼치지 아니려 호는 빈라. 하늘이
쥭이지 아니시면 소녀는 쥭을 마음이 업스
딕, 다만 이런 흉참혼 거동을 부모씌 뵈오
니, 출하리 쥭어 불효 끼치니만 굿지 못혼
와, 쳡쳡혼 블효를 쓰흘 곳이 업도소이
【148】다."

금휘 어로만져 왈,

"약을 긋치지 말나."

호며, 됴반 후 취운산으로 갈식, 학소는
잇다감 슈일식 이 곳의 머믈나 호여 다려가
지 아니니라.

금휘 환가호믹 틱부인니 하씨의 병을 무
르니, 금휘 스경을 면호여시무로 고호고, 외
루의 나와 남후를 딕호여 하씨 졍신 출히믈
이르니, 남휘 만심 환희호여 잠간 초하동의
가 하씨를 보랴 홀식, 부젼의 고왈,

"하년슉이 딕인니 셩녀의 머무시는 연고
를 뭇거늘, 경부의 가 계시무로 고호엿ᄂ니
다."

금휘 탄왈,

"하형이 딕기 ᄌ녀의 다ᄃ라 팔직 고이혼
스롬이라. 본딕 ᄌ긔 굿긴 심장의[이] 녹기
를 면치 못호리니, 아직은 이르지 말 거시
라."

남휘 딕왈,

"약을 착실히 호면, 하 관겨치 아니호오
리니, 딕인은 념【149】녀치 마르쇼셔."

인호여 하직호고, 하시○[를] 보고 오믈
고호니, 금휘 응낙호니, 남휘 초하동의 니르
러 병셰를 뭇고 기유 왈,

"이 다 쳔쉬(天數)니 과렴치 말나."

호니, 소졔 묵연부답호고 양부모와 거거
의 딕은을 폐부(肺腑)의 삭이고, 싱거거(生
哥哥)703)의 닙공반샤호믈 힝열호여 병듕의
위회호미 되고 약효 졈졈 신긔혼지라. 이
날 남휘 약을 더 지어 두고 도라 오니라.

---

703)싱거거(生哥哥) : 친오빠.

딘부인이 녀오의 참잔흔 경상을 보니, 디극히 인조흔 무옴의 이런 참담흐미 엇디 친녀 혜쥬 쇼져와 다르미 이시리오. 종야토록 졉목디 못흐더라.

이젹의 하부 됴부인은 셰월 요비를 즈긔 녀오로 아라, 딘실노 병이 잇는가 념녜 무궁흐고, 윤시는 심위 번다흐나 사룸이 밧괴이믄 쳔만 무심흐엿더라.

어시의 하공 부지 손을 졉응흐여 날이 어두온 후 닉당의 드러와 쇼져를 브르니, 셰월이 딕답흐딕,

"쇼네 년일 신음흐던 바로 이리 오오미 졍신이 어득흐여, 임의 옷슬 그르고 누어시니 명일 신셩(晨省)의 참예흔【64】리이다."

초후는 그 인스를 괴이히 넉이나, 하공은 녀오 볼 뜻이 급흐여 그 누은 곳의 드러가 통쳐를 무르니, 셰월 금금을 두로고 알는 체 흐다가, 마디 못흐여 니러 안즈나 스식이 ᄀ장 블평흐더라. 하공이 놀나 편히 됴리흐라 흐고 그 손을 잡아 이듕흐믈 마디 아니흐딕, 초후는 방듕의 드러가디 아니흐고, 디게 알패 셔셔, 누의 거동이 젼일과 만히 달나시믈 괴이히 넉여 ᄀ마니 혜오딕,

"쇼미 비록 괴특흐나 년긔 유튱(幼沖)흐여셔 위·뉴의 슬히 되어, 눈으로 보는 바와 귀로 듯는 일이 흔 일도 법되 업스니, 【65】 졈졈 그릇 되엿는디라. 내 결단흐여 이 곳의 두고 윤가의 보니디 아니리라."

의식 이의 밋쳐 블평흐믈 마디 아니흐고, 부친을 뫼셔 태태의 침뎐의 드러가니, 부인이 바야흐로 녀오의 병을 근심흐여 미우를 펴디 못흐는디라.

공이 문왈,

"오직 닙공승젼흐여 도라오고, 쫄을 쏘 다려와 누월 그린던 졍을 펴미, 부인긔 남은 근심이 업거늘 하고로 미우를 펴디 못흐?"

부인이 딕왈,

"명공의 니르시는 비 맛당흐나, 녀이 음식을 거스리며, 스디 무거워 긔거를 임의치

진딘부인니 여아의 참잔흔 형상을 보니, 지극히 인즈흔 무움의 이런 참담흐미 엇지 친녀 혜쥬 소져와 다르미 이시리오. 종야토록 졉목지 못흐더라.

이젹의 하부 됴부인은 셰월 요인(妖人)을 즈긔 녀이로 아라, 진실노 병이 잇는가 염녀 무궁흐고, 윤씨는 심위 번다흐나 스룸이 밧고이문 쳔만 무심흐엿【150】더라.

어시의 하공 부지 손을 졉응흐여 날이 어두온 후 닉당의 드러와 소져를 부르니, 셰월이 딕답흐딕,

"쇼네 년일 신음흐던 바로 이리 오오미 졍신니 어득흐여, 임의 옷슬 그르고 누엇시니 명일 신셩(晨省)의 참예흐리이다."

초후는 그 인스를 고이히 넉이나, 하공은 볼 뜻이 급흐여 그 누은 곳의 드러가 통쳐를 무르니, 셰월니 금금을 두로고 알는 체 흐다가 마지 못흐여 니러 안즈나, 스식이 ᄀ장 블열흔지라. 하공이 놀나 편히 됴리흐라 흐고, 그 손을 잡아 이즁흐믈 마지 아니흐딕, 초후는 방의 드러가지 아니흐고 지게 알픠 셔셔, 누의 거동이 젼일과 만히 달나시믈 괴이히 넉여, 가마니 혜오딕,

"소미 비록 괴특흐나 년긔 유튱(幼沖)흐여셔 위·뉴의 슬하 되어, 【151】 눈으로 보는 바와 귀로 듯는 일이 흔 일 법되 업스니, 졈졈 그릇 되엿는지라. 닉 결단흐여 이 곳의 두고 윤가의 아니 보닉리라."

의식 이의 밋쳐 블평흐믈 마지 아니흐고, 부친을 뫼셔 틱틱 침뎐의 드러가니, 부인니 바야흐로 녀아의 병을 근심흐녀[여] 미우를 펴지 못흐는지라.

공이 문왈,

"아직 닙공승젼흐여 도라오고, 쫄을 쏘 다려와 누월 그린던 졍을 폐미, 부인긔 남은 근심이 업거늘, 하고로 미우를 펴지 못흐뇨?"

부인니 딕왈,

"명공의 니르시는 비 맛당흐나, 여아의 음식을 거스리며 스지 무거워 긔거를 임의

못ᄒ니 병근이 비상ᄒᆫ디라. 엇디 념【66】
녀롭디 아니리오."

초휘 왈,

"미뎨의 병이 경치 아니ᄒ오나 과도히 념
녀ᄒ샤○[미] 무익ᄒ오니, 금일은 가히 쇼
요ᄒ여 빈ᄏᆡᆨ을 웅졉ᄒ기로 밋쳐 결○[을]치
못ᄒ엿ᄉ오나, 명일브터 의티를 착실이 ᄒ
여 슈히 ᄎᆞ셩케 ᄒ오리니, ᄌᆞ위는 믈우(勿
憂)ᄒ쇼셔."

하공이 ᄯᅩᄒ 부인을 위로ᄒ고, 임의 야심
ᄒ미 초휘 부모의 상요(床褥)를 바로 ᄒ여
취침ᄒ시믈 쳥ᄒ니, 공이 졈두 왈,

"우리 ᄌᆞ기는 네 니르디 아니나 상요의
나아가려니와, 네 젼딘(戰陣) 시외(塞外)의
구치ᄒ여 닛불디라. 금야ᄂᆞᆫ 치원각의 가 편
히 ᄌᆞ라."

초휘 승명이【67】퇴(承命而退)ᄒ여 치원
각으로 나아가는 길히, 쇼미 누은 곳의 니
르러, 창외의셔 므러 왈,

"미뎨 즉금은 통셰 엇더ᄒ뇨?"

셰월이 ᄃᆡ왈,

"쇼미 병을 임의치 못ᄒ고 부모의 우려를
돕ᄉ오니, 졀박ᄒ믈 형상치 못ᄒ나이다."

초휘 미뎨의 거동이 젼일과 다르믈 의딜
나 ᄒ나, 그 병을 넘녀ᄒ여 명일 약을 일위
여 곳치려 ᄒ더라.

시의 윤쇼졔 모친긔 마즌 머리와 팔히 크
게 덧나 ᄲᅮ시기를 마디 아니딕, 초휘 도라
오므로 가듕이 소요ᄒ고 빈ᄏᆡᆨ이 긋츨 ᄉᆞ이
업셔, ᄃᆡᄏᆡᆨ디졀이 더옥 번다ᄒ니, 일신이 안
한치 못ᄒ여 상쳐를 보【68】디 아니ᄒ엿
더니, 금야ᄂᆞᆫ 맛춤 하공이 외루의셔 슉침ᄒ
고 초후는 밧그로 나간 줄노 아라, 촉하의
셔 ᄌᆞ긔 팔홀 닉여 본족, 바야흐로 셩농(成
膿)ᄒ여 완연이 죵긔(腫氣) 되엿거ᄂᆞᆯ, 머리
더옥 심히 알푼디라. 벽난을 블너 운발을
헷치고 엇더ᄒ엿ᄂᆞᆫ고 보라 ᄒ니, 벽난이 경
악ᄒ여 왈,

"두골이 상ᄒ여 계시거ᄂᆞᆯ, 일일도 됴리치
아니ᄒ시고 바람을 드려 계시니, 실노 파상
풍(破傷風)709)이 두리온디라. 이졔나 조심

치 못ᄒ니 병근이 비상ᄒᆫ지라. 엇지 염녀롭
지 아니리오."

초휘 왈,

"미졔의 병이 경치 아니ᄒ오나 과도히 염
녀ᄒᄉ○[미] 무익ᄒ오니, 금일은 가히 소
요ᄒ여【152】 빈ᄏᆡᆨ을 졉웅ᄒ기로 결을치
못ᄒ엿ᄉ오나, 명일부터 의티를 착실이 ᄒ
여 슈히 ᄎᆞ셩케 ᄒ리니, 틱틱는 믈우(勿憂)
ᄒ소셔.

하공이 ᄯᅩᄒ 부인을 위로ᄒ고, 임의 야심ᄒ
미 초휘 부모의 상요(床褥)를 바로 ᄒ여 취
침ᄒ시믈 쳥ᄒ니, 공이 졈두 왈,

"우리 ᄌᆞ기는 네 니르지 아니나 상요의
나아가려니와, 네 젼진(戰陣) 시외(塞外)에
슈고ᄒ여 잇불지라. 금야ᄂᆞᆫ 치원각의 가 편
히 ᄌᆞ라."

초휘 승명이퇴(承命而退)ᄒ여 치원각으로
나아가는 길의, 하씨 누은 곳의 가 창외에
셔 무러 왈,

"미졔야, 즉금은 통셰 엇더ᄒ뇨?"

셰월이 ᄃᆡ왈,

"소미 병을 임의치 못ᄒ고, 부모의 우려
을 돕ᄉ오니, 졀박ᄒ미 측냥 업도소이다."

초휘 미졔의 거동이 젼일과 다르믈 이다
라 ᄒ나, 그 병을 염녀ᄒ여 명【153】일 약
을 일위여 곳치려 ᄒ더라.

시의 ○○○[윤쇼졔] 모친긔 마진 머리와
팔이 크게 덧나, ᄲᅮ시기를 고극(苦劇)ᄒ딕,
초휘 도라오무로 가듕이 소요ᄒ고 빈ᄏᆡᆨ이
긋츨 ᄉᆞ이 업셔, ᄃᆡᄏᆡᆨ지졀이 더욱 번다ᄒ니
일신니 한가치 못ᄒ여 상쳐를 보지 못ᄒ엿
더니, 금야ᄂᆞᆫ 하공이 외헌의셔 슉침ᄒ고 초
후는 밧그로 나간 쥴노 아라, 촉하의셔 ᄌᆞ
긔 팔을 닉여 본족, 바야흐로 셩농(成膿)ᄒ
여 완연니 죵긔(腫氣) 되엿거ᄂᆞᆯ, 머리 심히
더욱 알푼지라. 벽난을 블너 운발을 헤치고
엇더ᄒ엿ᄂᆞᆫ고 보라 ᄒ니, 벽난니 경악ᄒ여
왈,

"두골이 상ᄒ여 계시거ᄂᆞᆯ 일일도 됴리치
아니ᄒ시고, 바람을 드려 게시니 실노 파상
풍(破傷風)704)이 두리온지라. 이졔나 조심

호쇼셔."

쇼졔 탄왈,

"나의 머리와 팔히 비록 덧나나, 다른 병을 칭흐고 드러잇기도 구고의 념녀를 더으미라. 나히 쳥츈의 이만 샹【69】쳐를 못견딘리오. 그러나 약을 어더 쓰면 두골이 완합홀 거시로딘, 이목이 번거흐여 쾌치 아닌 말을 드노치 못흐느니, 너는 금창약(金瘡藥)을 어더오라."

벽난이 슈명흐고, 믄득 슬허 왈,

"본퇵 부인이 쇼져의 말숨을 듯디 아니시고, 이젼브터 대쇼져의 말만 고디 드르시고 하쇼져 거나리시미 블근인졍(不近人情) 흐시니, 초벽 등의 원망이 텰골(徹骨)흐믈, 쇼비 듯즈오니 한심흐믈 니긔디 못흐옵느니, 하쇼졔 엄금흐시나 미양 쓰라 단니디 못흐실 거시니, 초벽 등의 입을 엇디 막으리잇고? 만일 뎡당 부인이 아르시면 엇디 분노흐시미 젹으【70】리잇고?"

윤쇼졔 흔 소리를 기리 늣기고, 왈,

"너는 어즈러온 말노뼈 나의 타는 간장을 다시 녹이디 말나. 내 명되 괴이흐여 십이셰로브터 김가의 욕을 면코져 흐여 너를 다리고 강졍의 가 머믈미, 힝혀 부친이 도라오시디 아닌 젼의, 모친이 아르실가 쥬야 공구디심(恐懼之心)이 간졀흐다가, 계오 대인의 도라오시기를 님흐여 집의 드러가미, 히 밧괴여 신졍(新正)이 된 후, 믄득 먼 니별이 아득흐여 촉디(蜀地) 츌녜(出女)710) 되기를 면치 못흐니, 슈친디회와 신셰의 괴로오미 엇디 즐거온 쎡 이시리오마는, 구고의 은틱을 우러러 친부모 니측(離側)【71】흔 스졍을 빗최디 못흐고, 됴흔 드시 여러 셰월을 디닉여, 금년의 다드라는 텬되 하문의 디원극통을 살피샤 누얼을 신셜흐니, 비록 은샤를 닙어 샹경흐고 하군이 득의흐여

709)파상풍(破傷風) : 파상풍균이 일으키는 급성 전염병. 상처를 통하여 감염하며, 몸속에서 증식한 파상풍균의 독소가 중추 신경, 특히 척수를 침범함으로써 일어난다. 입이 굳어져서 벌리기 어렵게 되고, 이어서 온몸에 경직성 경련을 일으킨다.
710)츌녜(出女) : 출가녀(出嫁女). 시집가는 여자.

호소셔."

소졔 탄왈,

"나의 머리와 팔이 비록 덧나나,【154】다른 병을 칭흐고 드러잇기도 구고의 염녀를 더으미라. 나히 쳥츈의 이만 샹쳐를 못견딘리오. 그러나 약을 어더 ○○[쓰면] 두골이 완합홀 거시로딘, 이목이 번거흐여 쾌치 아닌 말을 드노치 못흐느니, 너는 금창약(金瘡藥)을 어더오라."

벽난니 수명흐고, 믄득 슬허 왈,

"본퇵 부인니 소의 말숨을 듯지 아니흐시고, 이젼부터 딕소져의 말만 고지 드르시고 하소져 거느리시미 블근인졍(不近人情)흐시니, 초벽 등의 원망이 쳘골(徹骨)흐믈 소비 듯즈오니, 한심흐믈 이긔지 못흐옵느니, 하쇼졔 엄금흐시나 미양 쓰라단니지 못흐실 거시니, 초벽 등의 입을 엇지 막으리오. 만일 졍당 부인니 아르시면 엇지 분노흐시미 젹으시리닛고?

윤씨 한 소리를 기리 늣기고 왈,

"너는 어즈러온【155】말노써 나의 타는 간장을 다시 녹이지 말나. 내 명되 고이흐여 십이셰로붓터 김가의 욕을 면코져 너를 다리고 강졍의 가 머믈미, 힝혀 부친이 도라오시기 젼의 모친이 아르실가 쥬야 공구지심(恐懼之心)이 간졀흐다가, 계오 딕인니 도라오시기를 임흐여 집의 드러가미, 히 밧고여 신졍(新正)이 된 후, 믄득 먼 니별이 아득흐여 촉지(蜀地) 츌녜(出女)705) 되기를 면치 못흐니, 슈친지회와 신셰의 괴로오미 엇지 즐거온 쎡 잇시리오마는, 구고의 은틱을 우러러 친부모 이측(離側)흔 스졍을 빗최지 못흐고, 됴흔다시 여러 셰월을 지닉여 금년의 다드라는, 텬되 하문의 지원극통을 살피 누얼을 신셜흐니, 비록 은스를 어더 샹경을흐고, 하군이 득의흐여 작위 후빅의

704)파상풍(破傷風) : 파상풍균이 일으키는 급성 전염병. 상처를 통하여 감염하며, 몸속에서 증식한 파상풍균의 독소가 중추 신경, 특히 척수를 침범함으로써 일어난다. 입이 굳어져서 벌리기 어렵게 되고, 이어서 온몸에 경직성 경련을 일으킨다.
705)츌녜(出女) : 출가녀(出嫁女). 시집가는 여자.

작치 공후의 거ᄒ고, 내 쏘 팔좌(八座)711)
의 존귀를 가져시나, 일심의 측ᄒ고 흉참ᄒ
믄 촉디의셔 신혼 초일의 흉덕이 침당을 돌
입ᄒ여, 음악난셜(淫惡亂說)이 나의 젼졍을
맛고져 ᄒᄂ니라. 내 평싱 졀의를 크게 넉
여 비록 효를 완젼치 못ᄒ나, 계집의 졀의
ᄂ 빅ᄒᆡᆼ(百行)의 원(元)으로 아라, 비샹(臂
上)의 글ᄌᆞ를 위ᄒ여 강졍 고초를 감심ᄒ
고, 아모라【72】도 내 쯧을 아ᄉ면 죽기를
결단ᄒ려 ᄒ던 일이 그림의 썩이 되여, 사
름의 쳔누(賤陋)히 넉이믈 바드니, 엇디 졀
졀 분완치 아니리오."

　　ᄒ더라【73】

거ᄒ고, 너【156】 쏘한 팔좌(八座)706)의
존귀을 가져시니[나], 일신의 측ᄒ고 흉ᄒ
고 더러오믈[믄], 촉지의셔 신혼 초야의 흉
젹이 침당(寢堂)을 도립(突入)ᄒ여 음악난셜
(淫惡亂說)이 나의 젼졍을 맛치고져 ᄒᄂ지
라. 너 평싱 졀의를 크게 넉여 비록 효를
완젼치 못ᄒ나, 계집의 졀은 빅ᄒᆡᆼ(百行)의
근원(根源)이라,"

　　ᄒ더라.【157】

---

711)팔좌(八座) : =팔좌명부(八座命婦). 팔좌(八座)에
　　오른 고위 관리의 부인. 팔좌는 중국 수나라·당
　　나라 때에, 좌우 복야와 육상서를 통틀어 이르던
　　말.

706)팔좌(八座) : =팔좌명부(八座命婦). 팔좌(八座)에
　　오른 고위 관리의 부인. 팔좌는 중국 수나라·당
　　나라 때에, 좌우 복야와 육상서를 통틀어 이르던
　　말.

어시의 윤소졔 굴오ᄃᆡ,

"내 평싱 명졀(名節)을 귀히 넉이던 일이, 다 '그림의 ᄯᅥᆨ'712)이 되여, 사름의 쳔누(賤陋)히 넉이믈 바드니, 내 셜ᄉ 녀ᄌ의 구추ᄒᆞᆫ 몸이나, 가셰 남의 아ᄅᆡ 잇디 아니ᄒᆞ고, 대인이 조고만 일도 사름의게 실신무의(失信無義)ᄒᆞᄆᆞᆯ 뵈디 아니ᄒᆞ시니, 부운 ᄀᆞᆺᄐᆞᆫ 누명을 탄홀 거시 아니오, 존귀 언두의 내 허믈을 니르디 아니ᄒᆞ시니, 내 ᄯᅩ 작죄ᄒᆞᆫ 일이 업ᄉᆡ, 기인(棄人)713)으로 ᄌᆞ쳐ᄒᆞ미 괴이ᄒᆞ여 힁셰를 녜ᄉᆞ로이 ᄒᆞ나, 하군이 날을 넘치 업시 넉임과, 무고히 측히714)【1】 넉이ᄂᆞᆫ 형상을 슷치건ᄃᆡ715), 어이 원억디 아니리오마ᄂᆞᆫ, 내 ᄆᆞ음은 일월의 빗최며 신명(神明)의 딜졍(質定)ᄒᆞ여도 붓그럽디 아니ᄒᆞ고, 져의 날을 아디 못ᄒᆞ미 디감이 블명ᄒᆞᆫ 탓시니, 이런 일을 믈외로 더져 인뉸대ᄉᆞ를 싱각디 아니ᄒᆞ거늘, 금번 귀령ᄒᆞ여 모친과 조모의 실언 실덕ᄒᆞ심과, 쇼고의게 블평디ᄉᆡ 허다ᄒᆞ믈 혜아리미, 출하리 내 몸이 업셔져 본부 소식을 듯디 말고져 ᄒᆞᄂᆞ니, 우리 대인이 하문의 은혜를 씻치시고 츄호도 져바리신 일이 업더니, 모친이 실덕ᄒᆞ시ᄆᆞ로 좃ᄎᆞ 우리 집이【2】 다 그릇 되고, 종뎨(從弟)와 샤뎨(舍弟) 셩명이 위틱ᄒᆞ니, 아모리 싱각ᄒᆞ여도 됴흘 도리를 엇디 못ᄒᆞ고, 쇼고의 블평ᄒᆞᆷ믈 인ᄒᆞ여 윤·하 냥문의 화긔를 일허 바릴 바를 각골ᄒᆞ여 ᄒᆞᄃᆡ, 내 말이 맛춤ᄂᆡ 효험이 업고, 가시 아모리 될 줄 아디 못ᄒᆞ니, 심장이 여할(如割)ᄒᆞ여 식음이 목의 넘디 아니ᄒᆞ고, 잠이 편치 아닌디라.

---

712)그림의 ᄯᅥᆨ : 화중지병(畵中之餠). 아무리 마음에 들어도 이용할 수 없거나 차지할 수 없는 경우를 이르는 말.

713)기인(棄人) : 도리에서 벗어난 행동을 하여 버림을 받은 사람.

714)측ᄒᆞ다 : 추악(醜惡)하다. 언짢다. 원망스럽다. 정도에서 벗어나다.

715)슷치다 : 스치다. 생각하다. 상상하다.

어시의 윤소졔 굴오ᄃᆡ,

"내 평싱 명졀(名節)을 귀히 넉이던 일이 '그림의 ᄯᅥᆨ'707)이 되여, ᄉᆞ름의 쳔누(賤陋)히 넉이믈 바드니, 녀ᄌ의 구추ᄒᆞᆫ 몸이나 가셰 남의 아ᄅᆡ 잇지 아니ᄒᆞ고, ᄃᆡ인이 됴고마ᄒᆞᆫ 일도 ᄉᆞ름의게 실신무의(失信無義)ᄒᆞᄆᆞᆯ 뵈지 아니ᄒᆞ시니, 부운 ᄀᆞᆺᄐᆞᆫ 누명을 탄홀 거시 아니오, 존귀 언두의 내 허믈을 니르지 아니○[ᄒᆞ]시니, 내 ᄯᅩ 작죄ᄒᆞᆫ 일 업ᄉᆡ, 죄인으로 ᄌᆞ쳐ᄒᆞ미 고이ᄒᆞ여 힁ᄉᆞ를 녜ᄉᆞ로이 ᄒᆞ나, 하군이 날을 넘치 업시 넉이며, 《롸히∥고이히》 측히708) 넉이ᄂᆞᆫ 형상을 ᄉᆡ치건ᄃᆡ709) 어이 원억지 아니리오마ᄂᆞᆫ, 닉 ᄆᆞ음은 일월의 빗최미[며] 신명(神明)의 질졍(質定)ᄒᆞ여도 붓그럽지 아니ᄒᆞ고, 져의 날을 아지 못ᄒᆞ미 지감이 블명ᄒᆞᆫ 탓시니, 이런 일을 믈외(物外)로 더져, 닌뉸대ᄉᆞ(人倫大事)를 싱각【1】지 아니ᄒᆞ거늘, 금번 귀령ᄒᆞ여 모친과 조모의 실언 실덕ᄒᆞ심과 쇼고의게 블평지ᄉᆡ 허다ᄒᆞ믈 혜아리미, 출하리 닉 몸이 업셔져 본부 소식을 듯지 말고져 ᄒᆞᄂᆞ니, 우리 ᄃᆡ인이 하문의 은혜를 씻치시고 츄호도 져바린 일이 업더니, 모친이 실덕ᄒᆞ시ᄆᆞ로 조ᄎᆞ 우리 집이 다 그릇 되고, 종뎨(從弟)와 ᄉ뎨(舍弟)의 셩명이 위틱ᄒᆞ니, 아모리 싱각ᄒᆞ여도 됴흘 도리을 엇지 못ᄒᆞ고, 소고의 블평ᄒᆞᆷ믈 인ᄒᆞ여 윤·하 냥문의 화긔를 일허바릴 바를 각골ᄒᆞ미, 닉 말이 맛춤닉 효험이 업고, 가시 아모리 될 줄 아지 못ᄒᆞ니, 심댱이 여홀(如割)ᄒᆞ여 식음(食飮)이 목의 넘지 아니ᄒᆞ고, 잠이 편치 아닌지라. 닉 널노 더브러 명위노쥬(名爲奴主)나 ○○○○○○○[실은 향규막역(香閨

---

707)그림의 ᄯᅥᆨ : 화중지병(畵中之餠). 아무리 마음에 들어도 이용할 수 없거나 차지할 수 없는 경우를 이르는 말.

708)측ᄒᆞ다 : 추악(醜惡)하다. 언짢다. 원망스럽다. 정도에서 벗어나다.

709)ᄉᆡ치다 : 스치다. 생각하다. 상상하다

내 널노 더브러 명위노쥐(名爲奴主)나 실은 향규마역(香閨莫逆)716)이라. 심스를 금일 펴느니, 너는 즈로 옥누항의 왕닉ᄒᆞ여 긔괴ᄒᆞᆫ 변이 잇거든 알게 ᄒᆞ라."

벽난이 딕왈,

"쇼져의 말숨이 맛당ᄒᆞ신ᄃᆞ라. 본부 부인이 쇼【3】져의 ᄆᆞ음을 모로시니, 하쇼져 거나리시믈 겸겸 인졍을 머므르디 아니시면, 실노 냥문의 화긔 상ᄒᆞ오리니, 쇼졔 블평ᄒᆞᆫ 씨를 당ᄒᆞ면 엇디ᄒᆞ랴 ᄒᆞ시ᄂᆞ니잇가?"

쇼졔 탄왈,

"《친졍∥진졍》으로 모친이 ᄆᆞ음을 아디 못ᄒᆞ시고, 구가도 하군이 날을 음악ᄒᆞᆫ 뉴로 아ᄂᆞ니, 사ᄅᆞᆷ이 미(微)ᄒᆞ고 힝실이 츌뉴(出類)치 못ᄒᆞ여, 녀ᄌᆞ 되여 친모와 쇼텬(所天)이 다 ᄯᅳᆺ을 모로거든 긔여를 니르랴. 다만 블평디ᄉᆞ(不平之事) 잇셔, 구괴 죽으라 ᄒᆞ시면 홀 일 업거니와, 그러치 아닌즉, 비록 편홀 도리 업셔도 브딕 ᄉᆞ라 당닉를 보고져 ᄒᆞᄂᆞ니, 나는 아모 위란ᄒᆞᆫ 일이 잇셔도【4】경이히 죽디 말고져 ᄒᆞᄂᆞᆫ비라. 다만, 조모와 모친의 실덕을 싱각ᄒᆞ면 경긱의 스러져 모로고져 ᄒᆞ노라."

인ᄒᆞ여, 노쥐 오읍ᄒᆞ기를 마디 아니ᄒᆞᄂᆞᆫ다라.

이ᄯᆡ 초휘 치련각의 다드라 창외의셔 윤시의 말을 드른다라. 셩녜 후 오년의 윤시 금야의 쳐음으로 샤실(私室)의셔 말ᄉᆞᆷ믈 드르니, 도로혀 괴이히 넉여 듯기를 다ᄒᆞ민, 일변 놀나[납]고 일변 다힝ᄒᆞ니, 놀나믄 뉴부인의 ᄉᆞ오나오미오. 그 미뎨를 못견듸게 보치ᄂᆞᆫ 바를 디긔(知機)ᄒᆞ민, 동긔를 위ᄒᆞᆫ ᄆᆞ음이 ᄎᆞ악ᄒᆞᆷ믈 니긔디 못ᄒᆞ고, 다힝ᄒᆞ믄 윤시로ᄡᅥ 일【5】분이나 음일디ᄉᆞ(淫佚之事) 잇ᄂᆞᆫ가 의심이 잇다가, 츄언으로ᄡᅥ 보건듸, 졀힝이 초셰(超世)ᄒᆞ여 반ᄃᆞ시 미혼젼 뉴시 ᄯᆞᆯ의 졀개를 회디어 김가의 셩친ᄒᆞ려 ᄒᆞ던 바를 짐작ᄒᆞ민, 그 악뫼 힝ᄉᆡ 이 ᄀᆞᆺᄐᆞ믈 분완ᄒᆞ고, 윤시 유통ᄒᆞᆫ 년긔로 졀의를

莫逆)710)이라]. 심스를 금일 펴느니, 너는 즈로 옥누항의 왕닉ᄒᆞ여 긔괴ᄒᆞᆫ 변이 잇거든 알게 ᄒᆞ라."

벽난이 딕왈,

"쇼져의 말숨이 맛당【2】ᄒᆞ신지라. 본부 부인니 쇼져의 ᄆᆞ음을 모로시니 하소져 거ᄂᆞ리시미 겸겸 인졍을 머무르지 아니시면, 실노 냥문의 화긔 상ᄒᆞ리니, 소뎨 블평ᄒᆞᆫ 씨을 당ᄒᆞ시면 엇지ᄒᆞ랴 ᄒᆞ시ᄂᆞ니잇가?"

소뎨 탄왈,

"《친졍∥진졍》으로 모친니 ᄆᆞ음을 모로시고, 구가로는 하군니 날을 음악ᄒᆞᆫ 유(類)로 아ᄂᆞ니, ᄉᆞ름이 미(微)ᄒᆞ고 힝실이 츌셰(出世)치 못ᄒᆞ여, 녀ᄌᆞ 되여 모친과 가뷔(家夫) 다 ᄯᅳᆺ을 모로거든 긔여를 이르랴. 다만 블평디ᄉᆞ(不平之事) 잇셔, 구괴 죽으라 ᄒᆞ시면 홀 일 업거니와, 그러치 아닌즉, 비록 편홀 도리 업셔도 브딕 ᄉᆞ라 장닉를 보고져 ᄒᆞᄂᆞ니, 나는 아모 위란ᄒᆞᆫ 일이 잇셔도 죽지 말고져 ᄒᆞᄂᆞᆫ 비라. 다만 조모와 모친의 실덕을 싱각ᄒᆞ면 경긱의 스러져 모로고져 ᄒᆞ노라."

인ᄒᆞ여, 노쥐 오읍ᄒᆞ기를 마지 아니ᄒᆞᄂᆞᆫ지라.

이ᄯᆡ 초휘 치련각의 다【3】드라 창외에셔 윤시의 말을 드른지라. 셩녜 후 오년의 윤시 금야의 쳐음으로 샤실(私室)의셔 문답ᄒᆞ믈 드르니, 도로혀 고이히 넉여 듯기를 다ᄒᆞ민, 일변 놀납고 일변 다힝ᄒᆞ니, 놀나오믄 뉴씨의 사오나오미오, 그 미뎨를 못견듸게 보치ᄂᆞᆫ 바를 지긔(知機)ᄒᆞ민, 동긔를 위ᄒᆞᆫ 마음이 ᄎᆞ악ᄒᆞᆷ믈 이긔지 못ᄒᆞ고, 다힝ᄒᆞ믄 윤씨로ᄡᅥ 일분이나 음일지ᄉᆞ(淫佚之事) 잇ᄂᆞᆫ가 의심이 잇다가, 츄언으로ᄡᅥ 보건듸 졀힝이 초셰(超世)ᄒᆞ고 반다시 미혼젼 뉴씨 그 ᄯᆞᆯ의 졀긔를 희지어 김가의 셩친ᄒᆞ려 ᄒᆞ던 바를 짐작ᄒᆞ민, 그 악뫼 힝ᄉᆡ 이 ᄀᆞᆺᄐᆞ믈 분완ᄒᆞ고, 윤시 유통ᄒᆞᆫ 년긔로 졀의를 구지

---

716)향규마역(香閨莫逆) : 향규막역(香閨莫逆). 규방의 허물없이 친한 벗. 마역; 막역(莫逆).

710)향규마역(香閨莫逆) : 향규막역(香閨莫逆). 규방의 허물없이 친한 벗. 마역; 막역(莫逆).

구디 잡아 타문을 싱각디 아냐, 가부로 ᄒ
여곰 감격게 ᄒ엿거늘, 즈긔는 져 ᄀᆞᆺ튼 슉
녀를 음참디스(淫僭之事)로 의심ᄒ여, 오년
을 이심히 박ᄃᆡᄒᆞ믈 져의 니름 ᄀᆞᆺᄐᆞ여, 디
감(知鑑)이 블명ᄒᆞᆫ 연괴라. 평싱의 총명 특
달ᄒᆞ미 즈긔 우희 오로리 드물니라 ᄒᆞ여,
사름을 ᄒᆞᆫ 번 보미 오장【6】뉵부(五臟六
腑)를 ᄉᆞᄆᆞᆺ○[ᄎ]717) 알오미 잇는 ᄃᆞᆺᄒᆞ던
바로ᄡᅥ, 윤시를 아라 보디 못ᄒᆞ여 단장(斷
腸) 박명(薄命)을 씻치미 스스로 참괴ᄒᆞᆫ디
라. 이윽이 디당(池塘)의 산보ᄒᆞ여 고문(古
文)을 음영ᄒᆞ니, 윤시 노줘 초후의 소ᄅᆡ를
듯고 누흔을 거두더니, 날호여 초휘 입실ᄒᆞ
니, 벽난니 댱외로 퇴ᄒᆞ고 부인이 니러 마
ᄌᆞ 먼니 좌ᄒᆞ미, 초휘 눈을 드러 냥구슉시
(良久熟視)ᄒᆞ니, 어리온718) 티도와 윤염(潤
艶)ᄒᆞᆫ 광치 암실의 됴요ᄒᆞ니, 츈양화긔(春陽
和氣) 무로녹아 일졈 가린 거시 업는 ᄃᆞᆺᄒᆞ
여, 풍화(豊華)ᄒᆞᆫ 면모의 츈양(春陽)이 무로
녹고, 엄듕ᄒᆞᆫ 위의는 한월(寒月)이 셜상(雪
上)의 바이는 ᄃᆞᆺ, 효셩(曉星)【7】ᄀᆞᆺ튼 냥
안(兩眼)과 원산(遠山) ᄀᆞᆺ튼 아미(蛾眉)는
텬디 졍화를 거두어 슉덕 셩ᄒᆡᆼ이 츌어범뉴
(出於凡類)ᄒᆞ니, 진짓 임ᄉᆞ(姙似)719)의 덕냥
(德量)이며 샤군즈(士君子)의 풍이라. 부부
냥익(兩厄)이 쾌히 단ᄒᆞ미, 하후의 이듕ᄒᆞ는
ᄆᆞᄋᆞᆷ과 공경ᄒᆞ는 의식 견일과 니도ᄒᆞ뒤720),
사름 되오미 규녀의게 녹녹히 위의를 일치
아니랴 ᄒᆞ엿ᄂᆞᆫ디라.
　묵묵 뎡좌ᄒᆞ여 말이 업ᄉᆞ니, 윤쇼졔 몬져
져의 닙공반샤(立功班師)ᄒᆞ믈 칭하ᄒᆞᆯ 줄 알
오뒤, 져를 ᄃᆡᄒᆞ면 즈긔를 쳔누히 넉이는
○[것]을 싱각ᄒᆞᆫ즉, 디은 죄 업시 참괴ᄒᆞᆯ
ᄲᅮᆫ아니라, 본ᄃᆡ 무ᄉᆞ무려(無思無慮)ᄒᆞ여 셰
샹 인ᄉᆞ(人事) 졍니(情理)를 모로는 사름 ᄀᆞᆺ

잡아 타문을 싱각지 아녀, 가부로 ᄒᆞ여곰
감격게 ᄒᆞ엿거늘, 즈긔는 져 ᄀᆞᆺ튼 슉녀를
음참지스(淫僭之事)로 의심ᄒᆞ여, 오년을 이
심히 박년ᄒᆞᄆᆞᆯ 졔 이름과 ᄀᆞᆺᄒᆞ여 지감(知
鑑)이 블명ᄒᆞᆫ【4】연괴라. 평싱의 총명 특
달ᄒᆞ미 즈긔 우희 오르리 드믈니라 ᄒᆞ여,
ᄉᆞ름을 ᄒᆞᆫ 번 보미 오장뉵부(五臟六腑)를
ᄉᆞᄆᆞᆺ○[ᄎ]711) 알오미 잇는 ᄃᆞᆺᄒᆞ던 바로ᄡᅥ,
윤씨를 아라 보지 못ᄒᆞ여 단장(斷腸) 박명
(薄命)을 씻치미 스스로 참괴ᄒᆞᆫ지라. 이윽이
지당(池塘)의 산보ᄒᆞ여 고문(古文)을 음영ᄒᆞ
니, 윤씨 노줘 초후의 소ᄅᆡ를 듯고 누흔을
거두더니, 날호여 초휘 닙실ᄒᆞ니, 벽난니 댱
외로 퇴ᄒᆞ고 부인니 마ᄌᆞ 이러 먼니 좌ᄒᆞ
미, 초휘 쌍안을 드러 냥구슉시(良久熟視)ᄒᆞ
니, 어리로온712) 티도와 윤염(潤艶)ᄒᆞᆫ 광치
암실의 됴요ᄒᆞ니, 츈양화긔(春陽和氣) 무루
녹아 일졈 가린 거시 업는 ᄃᆞᆺᄒᆞ여, 풍화(豊
華)ᄒᆞᆫ 면모의 츈양(春陽)이 무루녹고 엄듕
ᄒᆞᆫ 위의는 한월(寒月)이 셜상(雪上)의 바이
는 ᄃᆞᆺ, 효셩(曉星) ᄀᆞᆺ튼 냥안(兩眼)과 원산
(遠山) ᄀᆞᆺ튼 아미(蛾眉)는 텬지 졍화를 거두
어 슉덕 셩ᄒᆡᆼ이 츌어범유(出於凡類)ᄒᆞ니, 진
짓 임ᄉᆞ(姙似)713)의 덕냥(德量)이며 ᄉᆞ군즈
(士君子)의 풍【5】이라. 부부 냥익(兩厄)이
쾌히 진ᄒᆞ미, 하후의 이듕ᄒᆞ는 마음과 공경
ᄒᆞ는 의식 견일과 니도ᄒᆞ뒤714), ᄉᆞ름 되오
미 규녀의게 녹녹히 위의를 일치 아니랴 ᄒᆞ
엿ᄂᆞᆫ지라.
　묵묵 뎡좌ᄒᆞ여 말이 업ᄉᆞ니, 윤씨 몬져
져의 닙공반ᄉᆞ(立功班師)ᄒᆞ믈 칭하ᄒᆞᆯ 줄 알
오뒤, 후를 ᄃᆡᄒᆞ면 즈긔를 쳔누(賤陋)히 넉
이는 일이 지은 죄 업시 참괴ᄒᆞᆯ ᄲᅮᆫ아니라,
본ᄃᆡ 무ᄉᆞ무려(無思無慮)ᄒᆞ여 셰샹 인(人事)
ᄉᆞ 《셩이∥졍니(情理)》를 모로는 ᄉᆞ름 ᄀᆞᆺ

717)ᄉᆞᄆᆞᆺᄎ : 사무쳐. 통하여. 꿰뚫어.
718)어리오다 : 어리롭다. 아리땁다. 귀엽다.
719)임샤(姙似) : 중국 주(周)나라 현모양처(賢母良妻)
　　인 문왕의 어머니 태임(太姙)과 무왕(武王)의 어머
　　니 태사(太姒)를 함께 일컫는 말.
720)니도ᄒᆞ다 : 판이(判異)하다. 크게 다르다. 엉뚱하
　　다.

711)ᄉᆞᄆᆞᆺᄎ : 사무쳐. 통하여. 꿰뚫어.
712)어리롭다 : 아리땁다. 귀엽다.
713)임ᄉᆞ(姙似) : 중국 주(周)나라 현모양처(賢母良妻)
　　인 문왕의 어머니 태임(太姙)과 무왕(武王)의 어머
　　니 태사(太姒)를 함께 일컫는 말.
714)니도ᄒᆞ다 : 판이(判異)하다. 크게 다르다. 엉뚱하
　　다.

치 ᄒᆞ므로,【8】댱부를 디ᄒᆞ여 말을 시작ᄒᆞ
미 괴로워, 홍슈(紅袖)를 졍히 ᄭᅩᆺ고 냥미를
낫초와 오릿도록 입을 움죽이디 아니ᄒᆞ니,
초휘 부인이 앗가 말을 길게 시작ᄒᆞ여 쾌히
니르다가, 즈긔를 디ᄒᆞ여는 ᄒᆞᆫ 말도 아니믈
그윽이 미몰이 넉여, 날호여 시녀로 금침을
포셜ᄒᆞ라 ᄒᆞ니, 난이 나아와 부부의 금침을
포셜ᄒᆞ고 즉시 믈너나니, 초휘 부인의 겻ᄐᆡ
나아가 짐즛 상쳐를 보고져 ᄒᆞ여, 이의 홀
연이 손을 잡고 왈,

"부인이 금일 친영ᄒᆞᆫ 신뷔 아니어늘 슈습
ᄒᆞ기를 시로이 이ᄀᆞᆺ치 ᄒᆞ시ᄂᆞ뇨? 반년디ᄂᆡ
(半年之內)【9】의 이친을 뫼셔 대단ᄒᆞᆫ ᄉᆞ
괴 업시 디ᄂᆡ시니 영ᄒᆡᆼᄒᆞ디, 나의 미흡ᄒᆞᆫ
바는 미데로 더브러 부모긔 시봉치 아니ᄒᆞ
고, 싱이 초디로 츌뎡ᄒᆞᆫ 후 쇼미 즉시 옥누
항으로 나아갓다가, 싱이 도라온 후 비로○
[소] 다려오니, 그 몸이 셩ᄒᆞ믄 엇디 못ᄒᆞ
여 병이 경치 아닌디라. 딜고(疾苦) 유무는
아모 ᄃᆡ 잇셔도 임의로 홀 ᄲᅵ 아니어니와,
쇼미를 다려 오기는 부인이 악모긔 셔간만
허비ᄒᆞ여도 쾌히 허ᄒᆞ실 거슬, 어이 이만
쉬온 일을 아니ᄒᆞ여 부모의 싱각ᄒᆞ시는 졍
을 도라보디 아니ᄒᆞ시뇨?"

윤시 한셜(閑說)을 아니코,【10】다만 닙
공반샤(立功班師)ᄒᆞ믈 치하ᄒᆞ고, 쇼고를 다
려오디 못ᄒᆞ미 블민(不敏)ᄒᆞᆫ 탓시믈 일ᄏᆞ라
온유히 ᄉᆞ샤홀 ᄯᆞᄅᆞᆷ이라. 휘 좌우의 사ᄅᆞᆷ이
업고, 댱셩(長成) 남지 누월 집을 ᄯᅥ나ᄃᆡ ᄒᆞᆫ
낫 창기를 유졍ᄒᆞ미 업셔, ᄒᆡᆼ신을 도 닥는
고승ᄀᆞᆺ치 ᄒᆞ나, 윤시의 빗틱 쳔광이 시로이
긔이ᄒᆞ믈 디ᄒᆞ고, 임의 의심ᄒᆞ던 거슬 쾌히
프러바리고, 부부의 익회 딘ᄒᆞ미, 비로소 길
운이 니르럿ᄂᆞᆫ디라. 츈간(春間)의 댱몽(長
夢)을 엇고 태신(胎身)의 경시 이실 줄 디
긔ᄒᆞ여, 은졍이 여산(如山)ᄒᆞ니 어이 부인의
녜 둠 슈습ᄒᆞ믈 도라보리오. ᄒᆞᆫ가디로 금니
(衾裏)【11】의 나아가믈 쳥ᄒᆞ니, 윤시 응
연브동(凝然不動)721)이라.

---

721) 응연브동(凝然不動) : 자리에 붙은 듯이 단정하
게 앉아 움직이지 않음.

치 ᄒᆞ므로, 댱부를 디ᄒᆞ여 말을 시작ᄒᆞ미
괴로와 홍슈(紅袖)를 졍히 ᄭᅩᆺ고 냥미를 낫
초와 오라도록 입을 움죽이지 아니ᄒᆞ니, 휘
{왈} 부인니 앗가 말을 쾌히 길게 시작ᄒᆞ
여 이르다가, 즈긔를 디ᄒᆞ여는 ᄒᆞᆫ 말도 아
니믈 그윽이 미몰이 넉여, 이윽ᄒᆞᆫ 후 날호
여 시녀로 금침을 포셜ᄒᆞ라 ᄒᆞ니, 난니 나
아와 부부의 금침을 포셜ᄒᆞ고 즉시【6】 믈
너나니, 휘 부인의 겻ᄐᆡ 나아가 짐즛 상쳐
를 보고져 ᄒᆞ여, 이의 홀연니 손을 잡고 왈,

"부인니 금일 친녕(親迎)ᄒᆞᆫ 신녕 아니어
늘, 수습ᄒᆞ기를 시로이 이ᄀᆞᆺ치 ᄒᆞ시나뇨?
반년디ᄂᆡ(半年之內)의 냥친을 뫼셔 디단ᄒᆞ
스괴 업시 지ᄂᆡ셔시니 영ᄒᆡᆼᄒᆞ디, 나의 《미
읍‖미흡》ᄒᆞᆫ 바는 미데로 더브러 부모긔
시봉치 아니코, 싱이 초지로 츌졍ᄒᆞᆫ 후 소
미 즉시 옥누항으로 나아갓다가 싱이 도라
온 후 비로소 다려오나, 그 몸이 셩ᄒᆞ믄 엇
지 못ᄒᆞ여 병이 경치 아닌지라. 질고(疾苦)
유무는 아모 ᄃᆡ 잇셔도 임의로 홀 거시 아
니디, 소미를 다려 오기는 부인니 악모씌
ᄒᆞᆫ 셔간만 허비ᄒᆞ여도 쾌허ᄒᆞ실 거슬, 어이
이만 쉬온 일을 아니ᄒᆞ여 부모의 싱각ᄒᆞ시
는 졍을 도라보지 아니뇨?"

윤씨 한셜(閑說)을 아니코, 다만 닙공반샤
(立功班師)ᄒᆞ믈 치하ᄒᆞ고, 소고를 다려오지
못ᄒᆞ미 블민(不敏)ᄒᆞᆫ 탓시믈 일카【7】라
온유히 샤ᄉᆞ홀 ᄯᆞᄅᆞᆷ이라. 휘 좌우의 스ᄅᆞᆷ이
업고 댱셩(長成) 남지 누월 집을 ᄯᅥ나ᄃᆡ, ᄒᆞᆫ
낫 창기를 뉴졍ᄒᆞ미 업셔 ᄒᆡᆼ신을 도 닥는
고승ᄀᆞᆺ치 ᄒᆞ나, 윤씨의 빗틱 쳔광이 시로이
《그이‖긔이》ᄒᆞ믈 디ᄒᆞ고, 임의 의심ᄒᆞ던
것슬 쾌히 프러바리고, 부부의 익회 딘ᄒᆞ미,
비로소 길운이 이르럿ᄂᆞᆫ지라. 츈간(春間)의
댱몽(長夢)을 엇고 태신(胎身)의 경시 잇실
줄 지긔ᄒᆞ여, 은졍이 여산(如山)ᄒᆞ니 어이
부인의 녜 줌 슈습ᄒᆞ믈 도라보리오. ᄒᆞᆫ가지
로 금이(衾裏)의 나아가믈 쳥ᄒᆞ니 윤씨 응
연부동(凝然不動)715)이라.

---

715) 응연브동(凝然不動) : 자리에 붙은 듯이 단정
게 앉아 움직이지 않음.

휘 슌셜(脣舌)722)이 무익ᄒ여 구졍(九鼎)723)을 경히 넉이ᄂ 용녁으로, 쇼져를 븟드러 상요(床褥)의 님ᄒ여ᄂ 더옥 집슈(執手) 년비(聯臂)ᄒ믈 면치 못ᄒᄂ디라. 엇디 그 상쳐를 모로리오. 임의 앗가 ᄒ던 말을 다 드럿ᄂ디라. 머리와 팔이 다 상ᄒ믈 아라시ᄃ, 거즛 모로ᄂ 쳬ᄒ여 놀나ᄂ 빗출 디어 쵹을 갓가이 노코 본즉, 두골이 파상풍이 쉬윗고, 팔이 두로 부어 셩농ᄒ여 파죵(破腫)케 되엿ᄂ디라. 뉴시 슈단이 이ᄃ도록 모지러 오년을 상니(相離)ᄒ엿다가, 금년의 비로소 샹경ᄒ여 슈삼일식 얼프시 왕ᄂ【12】ᄒᄂ 쓸을, 피 나도록 상히와 대단키의 밋츠믈 보미, 그 ᄌ부ᄂ 더옥 니를 거시 업슬디라. 분연 통히ᄒ여 지삼 상흔 곡졀을 므르니, 윤시 ᄎ마 바로 니르디 못ᄒ여 몽농이 ᄃ토ᄒᄃ,

"우연이 놉흔 ᄃ 거슬 나리오다가 실슈ᄒ여 상ᄒ미로소이다."

초휘 뎡식 왈,

"부인이 사름을 엇디 어둡게 넉이ᄂ뇨? 부인의 상쳬 그릇시 상ᄒ미 아니오, 분명이 금창(金瘡)724) 터히 잇거ᄂ, 므슴 연고로 은닉기를 이ᄃ도록 ᄒᄂ뇨? 싱이 비록 미셰ᄒ나 위거후빅(位居侯伯)이오, 부인이 년쇼ᄒ나 팔좌디위(八座地位)를 가져시니, 셜샤 허믈이 이시나 미를 드러 그【13】ᄃ도록 난타ᄒ리 업슬디라. 아디못게라 엇진 거죄뇨? 곡졀을 니르라."

언파의 미위 싁싁ᄒ니, 윤시 참괴ᄒ미 ᄉᄉ의 모친의 패악을 슬허 말이 나디 아니ᄒ니, ᄌ연 옥면의 홍광이 취디(聚之)ᄒ여 오리도록 ᄃ답디 못ᄒᄂ디라. 초휘 봉안(鳳眼)을 기우려 ᄶ러질 ᄃ시 보다가, ᄎ게 웃고 왈,

---

휘 슌셜(脣舌)716)이 무익ᄒ여 구졍(九鼎)717)을 경히 넉이ᄂ 용녁으로 쇼져을 븟드러 상요(床褥)의 임ᄒ여ᄂ 더옥 집수(執手) 년비(聯臂)ᄒ믈 면치 못ᄒᄂ지라. 엇지 그 상쳐를 모로리오. 임의 앗가 문답 스어을 다 드럿ᄂ지라. 머리와 팔이 다 상ᄒ믈 아라시ᄃ 거즛 모로ᄂ 쳬ᄒ여, 놀나ᄂ 빗츨【8】지어 쵹을 갓가이 갓다 노코 본즉, 두골이 파상풍(破傷風)이 쉬윗고, 팔이 두루 부어 셩농ᄒ여 파죵(破腫)키 되엿ᄂ지라. 뉴씨 슈단니 이ᄃ도록 모지러 오년을 상니(相離)ᄒ엿다가, 금년의 비로소 샹경ᄒ여 슈삼일식 얼푸시 왕ᄂᄒᄂ 쓸을, 피 나도록 상히와 ᄃ단키의 미츠믈 보미, 그 ᄌ부ᄂ 더옥 일를 거시 업지라. 분연 통히ᄒ여 지삼 상흔 곡졀을 무르니, 윤씨 ᄎ마 바로 니르지 못ᄒ여 몽농이 ᄃ토ᄒᄃ,

"우연니 놉흔 ᄃ 것슬 ᄂ리오다가 실슈ᄒ여 상ᄒ미로소이다."

초휘 뎡식 왈,

"부인니 스름을 엇지 어둡게 넉이시ᄂ요[뇨]? 부인의 샹쳬 그릇세 샹흠이 아니오 분명이 금창(金瘡)718) 터히 잇거ᄂ, 므슴 년고로 은닉기를 이ᄃ도록 ᄒᄂ뇨? 싱이 비록 미셰ᄒ나 위거후빅(位居侯伯)이오, 부인니 년쇼ᄒ나 팔좌지위(八座地位)를 가져시니, 셜스 허믈이 이시나 미【9】를 드러 그 ᄃ도록 난타ᄒ리 업거ᄂ, 아지 못게라, 엇진 거죄뇨? 곡졀을 일으라."

언파의 스식이 분연ᄒ여 미위 싁싁ᄒ니, 윤씨 참괴ᄒ미 ᄉᄉ의 모친의 픽악을 슬허 말이 나지 아니ᄒ니, ᄌ연 옥면의 홍광이 취지(聚之)ᄒ여 오라도록 ᄃ답지 못ᄒᄂ지라. 초휘 봉안(鳳眼)을 기우려 ᄶ러질 ᄃ시 보다가, ᄎ게 웃고 왈,

---

722)슌셜(脣舌) : 입술과 혀를 아울러 이르는 말로 '말' 또는 '수다스러움'을 비유적으로 이르는 말.

723)구졍(九鼎) : 중국 하(夏)나라의 우왕(禹王) 때에, 전국의 아홉 주(州)에서 쇠붙이를 거두어서 만들었다는 아홉 개의 큰 솥. 주(周)나라 때까지 대대로 천자에게 전해진 보물이었다고 한다.

724)금창(金瘡) : 칼, 창, 화살 따위로 생긴 상처.

716)슌셜(脣舌) : 입술과 혀를 아울러 이르는 말로 '말' 또는 '수다스러움'을 비유적으로 이르는 말.

717)구졍(九鼎) : 중국 하(夏)나라의 우왕(禹王) 때에, 전국의 아홉 주(州)에서 쇠붙이를 거두어서 만들었다는 아홉 개의 큰 솥. 주(周)나라 때까지 대대로 천자에게 전해진 보물이었다고 한다.

718)금창(金瘡) : 칼, 창, 화살 따위로 생긴 상처.

"부부는 일일디간의도 그 마음을 아는디, 부인의 일은 범스의 날을 은닉기를 위쥬ᄒ여 외되ᄒ기를 못밋출ᄃ시 ᄒ니, 이 엇디 녀즈의 도리리오. 그디 상ᄒ 빅 참괴ᄒ 곡졀이 만혼가 시브거니와, 날을 되ᄒ여 못 니를 말이 어이 이시【14】리오."

윤시 초후의 말이 이 ᄀ기의 밋쳐는, 져의 도로혀 즈긔를 셔의(齟齬)ᄒᆫ가 칙망이 가쇼로와, 스스의 녀즈 되오미 어려온 줄 ᄒᆫᄒ나, 스싀디 아니코 맞춤닉 입을 여디 아니니, 초휘 임의 그 상ᄒ 곡졀을 모로디 아니미로되, 쇼져의 니르디 아니믈 분연ᄒ여, 이의 벽난 등 시비를 블너 엄문 왈,

"여등이 쥬인을 좃ᄎ 쏠오미 이시니 모를 일이 업스리니, 머리와 팔히 분명 마즈 상ᄒ 곳이니, 아모 어려온 일이라도 딕고ᄒ여 긔망(欺罔)ᄒ 죄를 엇게 말나."

영과 난이 초후의 밍녈 엄슉ᄒ믈 두려 머믓기다가【15】되왈,

"부인이 슈삼일 젼 귀령ᄒ여 계시다가 계오 일야를 디닉고 오시되, 팔과 두골이 상ᄒ여 계시나, 쇼비 등이 뫼셔 가디 못ᄒ여시므로 곡졀을 모로오디, 분명이 옥누항의가 상ᄒ여 계시니이다."

초휘,

"부인의 좃ᄎ 갓던 시녀를 브르라."

ᄒ여, 힐문ᄒ니, 여츌일구(如出一口)725) 히,

"뉴부인이 슌금셔징(純金書鎭)726)을 드러 친 거시 마이 상ᄒ여 계시이다."

초휘 다시 말을 아니ᄒ고 낭등의 침을 닉여 팔의 셩농ᄒ 거슬 파죵(破腫)ᄒ고, 금창약을 어더 쇼져의게 더지며, 뎡식(正色)고 굴오되,

"뉴부인의 포악ᄒ 힝스는 그디 상쳐로 좃ᄎ 쾌히 알디라. 악양【16】의 닉상(內相)이 엇디 그리 대악(大惡)ᄒᆯ 줄 쑷ᄒ여시리

───────────

725)여츌일구(如出一口) : 한 입으로 말한 듯이.
726)슌금셔징(純金書鎭) : 순금으로 만든 서진(書鎭). *서진(書鎭); 책장이나 종이쪽이 바람에 날리지 아니하도록 눌러두는 물건. 쇠나 돌로 만든다.

"부부는 일일지간의도 그 마음을 아는되 부인의 일은 범스의 날을 은닉기를 위쥬ᄒ여 외되ᄒ기를 못밋출ᄃ시 ᄒ니 이 엇지 녀즈의 도리리오. 그디 상ᄒ 빅 참괴ᄒ 곡졀이 만혼가 시부거니와, 날을 되ᄒ여 못 일을 말이 어이 잇시리오."

윤시 후의 언식(言事) 이의 밋쳐는, 져의 도로혀 쟈긔를 셔의(齟齬)ᄒᆫ가 칙망이 가쇼로와, 스스의 녀즈 되오미 어려온 줄 ᄒᆫᄒ나, 스싀지 아니코,【10】 마춤닉 입을 여지 아니니, 휘 임의 그 상ᄒ 곡졀을 모로지 아니미로되, 소져의 이르지 아니믈 분ᄒ여 이의 벽난 등을 블너 엄문 왈,

"여등이 쥬인을 조ᄎ 쏠오미 이시니 모를 일이 업스리니, 부인의 머리와 팔이 분명 마즈 상ᄒ 곳이니, 아모 어려온 일이라도 직고ᄒ여 긔망(欺罔)ᄒ 죄를 엇게 말나."

영과 난니 초후의 밍열 엄슉ᄒ믈 두리미 머뭇기다가 되왈,

"부인니 슈삼일 젼 귀령ᄒ여 겨시다가 계요 일야를 지닉고 오시되, 팔과 두골이 샹ᄒ여 계시나, 소비 등이 뫼셔 가지 못ᄒ엿스오니, 곡졀을 모로되 분명이 옥누항의가 상ᄒ여 계시니이다."

초휘 왈,

"부인 뫼○[시]고 갓던 시이를 부르라."

ᄒ여, 힐문(詰問)ᄒ니, 여츌일구(如出一口)719)히,

"뉴부인니 슌금셔징(純金書鎭)720)을 드러 친 것시 마이 상ᄒ여 계시이다."

초휘 다시 말을 아니ᄒ고 낭듕의 침을 닉여 팔의【11】 셩농ᄒ 것슬 파죵(破腫)ᄒ고, 금창약을 어더 소져의게 더지며, 뎡식(正色)고 왈,

"뉴부인의 포악ᄒ 힝스는 그딕 상쳐로 조ᄎ 쾌히 알지라. 악쟝의 닉상(內相)이 엇지 그리 픠악(悖惡)ᄒᆯ 쥴 쑷ᄒ엿시리오. 악댱은

───────────

719)여츌일구(如出一口) : 한 입으로 말한 듯이.
720)슌금셔징(純金書鎭) : 순금으로 만든 서진(書鎭). *서진(書鎭); 책장이나 종이쪽이 바람에 날리지 아니하도록 눌러두는 물건. 쇠나 돌로 만든다.

오. 악댱은 우리 집의 무궁흔 은혜를 씻쳐 계시니, 나의 감덕(感德)ᄒ미 슈심명골(樹心銘骨)727)ᄒᄂᆫ 비어니와, 당츠시 ᄒ여ᄂᆫ 그ᄃ 집 거동과 뉴부인의 패악이 ᄀ장 씃츨 여믈728) 모양이라. 나의 일미로 ᄒ여금 므슴 곡경이 이실 줄 몰나, 장ᄎᆺ 덕디 아닌 심위(心憂) 되ᄂᆫ도다. 친싱 녀ᄋᆞ를 희포729) 상니ᄒ엿다가, 계오 상경ᄒ여 잇다감 왕ᄂᆡᄒᄂᆫ 거슬 이러틋 비인졍의 거죄 이시니, 그 며나리 괴로와 ᄒᆫ믄 뭇디 아녀 알 거시니, 쇼민의 신셰 어이 희롭디 아니리오."

쇼졔 실노 낫치 달호여 므슨 답【17】언이 쾌히 나리오마ᄂᆞᆫ, 졔 ᄯᅩᄒᆫ 모친의 현우를 치 아도 못ᄒ고, 나모라730) ᄒᆞᆯ을 용납ᄒᆞᆯ ᄯᅡ히 업게 ᄒᆞᆯ을 깁히 미안ᄒ여, ᄌ연 츈풍화기 스라져 녈일(烈日) 닝담(冷淡)ᄒ미 셜상가상(雪上加霜) ᄀᆺᄐ여, 비로소 입을 여러 왈,

"쳡의 ᄌ뫼 비록 어디디 못ᄒ나, 일죽 군후긔 대단흔 허믈을 뵈디 아니ᄒ여 계시니, 말숨이 이ᄃ도록 만홀치 아니셤 즉ᄒ고, 쳡이 브릉누딜(不能陋質)노 셩문의 쇽현(續絃)ᄒ여 군ᄌ의 건즐(巾櫛)을 쇼임ᄒ나, 빅힝의 흔 일도 일ᄏ를 거시 업ᄉᄃᆡ 구고의 무의ᄒ시ᄂᆫ 은퇵이 하날ᄂᆞ 낫고 ᄯᅡ히 좁은디라. 쳡슈블혜(妾雖不慧)나 구고의 셩은【18】을 각골ᄒ여 빅년 시봉(侍奉)의 어린 졍셩을 다ᄒ고져 ᄯᅳᆺ이 이시므로, 젹은 딜양(疾恙)을 언두(言頭)의 일ᄏ디 못ᄒᄆᆫ 구고의 셩녀를 두리미니, 츠고로 머리털이 상ᄒᄃᆡ ᄌ모의 힝ᄉ를 유덕(有德)다 ᄒ미 아니라, 이 ᄀ장 셰쇄(細瑣)흔 일이니, 군휘 이심(已甚)히 므러 알녀 ᄒ미 가치 아닌가 ᄒᄂᆞ니, 원컨ᄃᆡ 침믁ᄒ셔 덕화를 슈련ᄒ시며, 규방의 쇼쇼

우리 집의 무궁흔 은혜를 씻쳐 계시니 나의 감덕(感德)ᄒ미 슈심명골(樹心銘骨)721)ᄒᄂᆫ 비어니와, 당츠시 ᄒ여ᄂᆫ 그ᄃ 집 거동과 뉴부인의 픽악이 ᄀᆞ쟝 씃츨 여믈722) 모양이라. 나의 일미로 ᄒ여금 므슨 곡경이 잇슬 쥴 몰나, 장ᄎᆺ 젹지 아닌 심위(心憂) 되ᄂᆫ쏘다. 친싱 녀아를 희포723) 상이(相離)ᄒ엿다가, 계오 상경ᄒ여 잇다감 왕ᄂᆡᄒᄂᆫ 거슬 이럿틋 비인졍의 거죄 잇시니, 그 며나리 괴로와 ᄒᆫ믄 뭇지 아녀 알 것시니, 쇼미의 신셰 어이 희롭지 아니리오."

소ᄃᆡ 실노 낫치 달호여 무슨 답언니 쾌히 나리오마ᄂᆞᆫ, 졔 ᄯᅩᄒᆫ 모친의 현우를 치 아도 못ᄒ고 나모라724) ᄒᆞᆯ을 농납【12】ᄒᆞᆯ ᄯᅡ히 업게 ᄒᆞᆯ을 깁히 미안ᄒ여, ᄌ연 츈풍화기 스라져 열일(烈日) 《닝삼∥닝담(冷淡)》ᄒ미 셜샹가샹(雪上加霜) ᄀᆺ타여, 비로소 입을 여러 왈,

"쳡의 ᄌ뫼 비록 어지지 못ᄒ나, 일죽 군후ᄭᅴ ᄃᆡ단흔 허믈을 뵈지 아니ᄒ여 게시거ᄂᆞᆯ, 말숨이 이ᄃ도록 만홀치 아니셤 즉ᄒ고, 쳡이 블릉누질(不能陋質)노 셩문의 쇽현(續絃)ᄒ여 군ᄌ의 건즐(巾櫛)을 쇼임ᄒ나, 빅힝의 한 일도 일ᄏ를 거시 업ᄉᄃᆡ, 구고의 무의ᄒ시ᄂᆫ 은퇵이 하날ᄂᆞ 낫고 ᄯᅡ히 좁은지라. 쳡슈블혜(妾雖不慧)나 구고의 셩은을 각골ᄒ여 빅년 시봉(侍奉)을 어린 졍셩을 다ᄒ고져 ᄯᅳᆺ이 잇시무로, 젹은 ○[질]양(疾恙)을 언두(言頭)의 일ᄏ지 못ᄒᄆᆫ 구고의 셩여를 두리미니, 츠고로 머리털이 상ᄒᄃᆡ ᄌ모의 힝ᄉ를 유덕(有德)다 ᄒ미 아니라, 이 ᄀ장 셰쇄(細瑣)흔 일이니, 군휘 이심(已甚)히 무러 알녀 ᄒ미 가치 아닌가 ᄒ【13】ᄂᆞ니 원컨ᄃᆡ 침믁ᄒ셔 덕화를 슈련ᄒ시

---

727)슈심명골(樹心銘骨) : 마음에 심고 뼈에 새김. 마음과 몸에 새겨 잊지 않음.

728)여믈다 : 여물다. ①일이나 말 따위를 매듭지어 끝마치다. ②」과실이나 곡식 따위가 알이 들어 딴딴하게 잘 익다. 늑영글다

729)희포 : 한 해가 조금 넘는 동안. 여기서는 '여러 해'의 뜻.

730)나모라다 : 나무라다. 잘못을 꾸짖어 말하다

---

721)슈심명골(樹心銘骨) : 마음에 심고 뼈에 새김. 마음과 몸에 새겨 잊지 않음.

722)여믈다 : 여물다. ①일이나 말 따위를 매듭지어 끝마치다. ②」과실이나 곡식 따위가 알이 들어 딴딴하게 잘 익다. 늑영글다

723)희포 : 한 해가 조금 넘는 동안. 여기서는 '여러 해'의 뜻.

724)나모라다 : 나무라다. 잘못을 꾸짖어 말하다

셰밀디스를 간예치 마르시고, 쇼고의 신셰
를 넘(念)ᄒ시거든, 이 곳의 머므르시고 영
영히 옥누항의 보닉디 마르시면, 쳡의 ᄌ뫼
쇼져를 블평케 홀 일이 업슬가 ᄒᄂ이다.”

초휘 셩녜 오ᄌ(五載)의 윤시의 긴【19】
말슴을 드르니 ᄀ장 희귀흔 일ᄭ고, 져의
함한(含恨)ᄒ미 ᄌ긔 언시 과도ᄒᄆᆯ 면치
못ᄒ미라. 다시 최망홀 말이 업셔 약을 상
쳐의 븟치기를 지쵹ᄒ여 왈,
“부인이 나의 말이 만흐믈 니르거니와 남
지 녀ᄌ ᄀᆺ디 아니ᄒ니, 일개 쳐모(妻母)를
그딕도록 공경ᄒ랴? 모로미 약을 븟쳐 파상
풍ᄒ여 죽는 일이나 업게 ᄒ쇼셔.”
윤시 바야흐로 약을 엇고져 ᄒ던 바의 져
의 주는 거슬 믈니치미 괴려ᄒ여, 날호여
상쳐의 바르미, 초휘 금션(錦扇)을 드러 쵹
을 멸ᄒ고 부뷔 일침디하(一枕之下)의 나아
가미, 윤시의 향염흔 긔딜과 비상흔 픔격이
【20】 시로이 댱부의 흠복홀 비라. 젼일
박딕ᄒ던 바를 크게 뉘웃쳐 ᄌ긔 블명ᄒᄆᆯ
스스로 이둘나, 평싱의 ᄌ부ᄒ던 춍명이 헛
곳의 도라가믈 탄ᄒ거니, 엇디 가득록 다시
슉녀의 신셰를 블평케 ᄒ리오마는, 뉴시의
ᄉ오나오믈 통완ᄒ여, ᄌ긔 일미를 못견딕
게 구는 날은 결ᄒ여 분을 플고 말녀 ᄒ딕,
쏘 ᄉ셰 냥난(兩難)ᄒ여 윤혹ᄉ의 디셩 효
우를 혜아리미 뉴부인을 간딕로 즐욕디 못
홀 거시오, 윤시 ᄀᆺᄐᆫ 셩녀명염(聖女名艶)으
로ᄡ 그 어미 어디디 못흔 년좌를[로] 일싱
이 미몰케 ᄒ기도 가치 아냐, 다만 혜오딕,
“누의 ᄉ변(死變)을 경녁(經歷)【21】홀
디라도 그 목슘이 보젼홀 일이 이시면, 윤
ᄉ빈으로 붕우디의를 그릇디 못ᄒ리니, 내
뉴시긔 은원(恩怨)을 프디 못ᄒ여[며] 혹ᄌ
미데 독슈(毒手)의 보젼치 못홀진딕, ᄉ빈과
붕우디졍을 의논홀 거시 업ᄉ니, 내 쾌○
[히] 뉴시긔 분원(忿怨)을 셜(雪)731)ᄒ고,
윤시 비록 긔특홀디라도 영영 츌거ᄒ여 얼

며, 규방의 쇼쇼 셰밀지ᄉ를 간예치 마르시
고, 소고의 신셰를 넘(念)ᄒ시거든, 이 곳의
머므르시고 영영히 옥누항의 보닉지 마르시
면, 쳡의 ᄌ뫼 쇼져를 블평케 홀 일이 업슬
가 ᄒᄂ니다.”

초휘 셩녜 오ᄌ(五載)의 쳐음 윤씨의 긴
말을 드르니, ᄀ장 희귀흔 일ᄭ고 져의 함
한(含恨)ᄒ미 ᄌ긔 언시 과도ᄒᄆᆯ 면치 못
ᄒ미라. 다시 최망홀 말이 업셔, 상쳐의 냑
븟치기를 지쵹ᄒ여, 왈,
“부인니 나의 말이 만흐믈 이르거니와 남
지 녀ᄌ 갓치 아니ᄒ니, 일기 쳐모(妻母)를
그딕도록 공경ᄒ랴? 모로미 약을 븟쳐 파상
풍ᄒ여 죽는 일이나 업게 ᄒ쇼셔.”
윤씨 바야흐로 약을 엇고져 ᄒ던 바의 초
휘 쥬는 것슬 믈니치미 괴이ᄒ여, 날호여
상쳐의 바르미, 휘 금션(錦扇)을【14】{을}
들어 쵹을 멸ᄒ고, 부뷔 일침지하(一枕之下)
의 나아가니, 윤씨의 향염흔 긔질과 비상흔
픔격이 시로이 댱부의 흠복할 비라. 젼일
박딕ᄒ던 바를 크게 뉘웃쳐, ᄌ긔 블명ᄒᄆᆯ
스스로 이달와, 평싱의 ᄌ부ᄒ던 춍명이 헷
곳의 도라가믈 탄ᄒ거니, 엇지 다시 슉녀의
신셰를 블평케 ᄒ리오마는, 뉴씨의 ᄉ오나
오믈 통완ᄒ여, ᄌ긔 일미를 못견딕게 구는
날은, 결ᄒ여 분을 플고 말녀 ᄒ딕, 쏘 ᄉ셰
냥난(兩難)ᄒ여, 윤학ᄉ의 지셩흔 효우를 혜
아리미 뉴부인을 간딕로 즐욕지 못홀 것시
오, 윤씨 ᄀᆺ흔 셩녀명염(聖女名艶)으로ᄡ 그
어미 어지지 못흔 년좌로 일싱이 미몰케 ᄒ
기도 가치 아냐, 다만 혜오딕,
“누의 ᄉ변(死變)을 경녁(經歷)홀지라도
그 목슘이 보젼홀 일이 이시면, 윤ᄉ빈으로
붕우지【15】의를 그릇지 못ᄒ리니, 내 뉴
씨긔 은원(恩怨)을 푸지 못ᄒ여, 혹ᄌ 미데
독수(毒手)의 보젼치 못홀진딕, ᄉ빈과 붕우
지졍을 의논홀 거시 업ᄉ니, 닉 쾌히 뉴씨
긔 분원(忿怨)을 셜(雪)725)ᄒ고, 윤씨 비록
긔특홀지라도 영영 츌거ᄒ여 얼골을 딕치

---

731)셜(雪) : ①눈. ②눈이 오다. ③더러움을 씻다. ④
　누명이나 치욕을 벗다.

725)셜(雪) : ①눈. ②눈이 오다. ③더러움을 씻다. ④
　누명이나 치욕을 벗다.

골을 티치 아니리니, 이ᄀᆞᆺ치 ᄉ랴ᇰᄒᆞ여 민뎨를 위ᄒᆞᆫ 근심이 잠을 일우디 못ᄒᆞ고, 윤시ᄯ오흔 쳔ᄉ만상ᄒᆞ여 역시 졉목디 못ᄒᆞᄂᆞᆫ디라, 초휘 그 회포를 그윽이 혜아려 더옥 이셕ᄒᆞ더라.

ᄎᆞ야의 셰월이 거즛 알ᄂᆞᆫ 쳬 ᄒᆞ고, 일죽 드러누어 《합【22】하∥합가(闔家)》 졔인의 잠 들기를 기다리더니, 임의 반애(半夜) 된 후 시녀들도 잠이 깁흐니, 셰월이 니블 가온듸셔 면회단(面回丹)732)을 삼켜, 졔 본형을 너여 쳥의 복식으로 급히 니다라, 동산 담을 넘어 슈목 ᄉᆞ이의 숨엇다가, 시벽 븍이 동ᄒᆞ믈 듯고 동산 문으로 밧비 나와 옥누항의 도라오니, 위·뉴 이부인이 대열ᄒᆞ여 됴히 탈신ᄒᆞ여 도라오믈 ᄒᆡᆼ〇[희]쾌락(幸喜快樂)ᄒᆞ며, 태우와 학ᄉ를 마ᄌ 업시ᄒᆞ여 남은 념녜 업시, 황시 ᄌᆞ손을 다 죽여, 젼상셔(前尙書) 명쳔공의 후ᄉ를 아조 멸졀ᄒᆞ믈 긔약ᄒᆞ니, 용심(用心)의 극악 흉참ᄒᆞ미 졈졈 더은디라.

이 날【23】맛초아 윤학ᄉᆞ 교디 험노의 무ᄉᆞ히 득달ᄒᆞ여 샹경ᄒᆞ미, 몬져 궐하의 나아가니 샹이 ᄀᆞ장 반기샤 말미 긔한의 도라오믈 깃거 ᄒᆞ시며, 윤츄밀이 교디의 도임ᄒᆞ연 디 일삭이 못ᄒᆞ여셔, 교홰 대ᄒᆡᆼᄒᆞ고 티졍이 슉엄ᄒᆞ믈 칭찬ᄒᆞ시니, 이ᄂᆞᆫ 안찰ᄉᆞ 교디 참졍의 이민션졍(愛民善政)을 쥬문ᄒᆞ여시므로 샹이 아라 계시미러라.

윤학ᄉᆞ 퇴ᄒᆞ여 집의 도라와 조모와 양모긔 빈알ᄒᆞ고, 삼ᄉᆞ삭디니(三四朔之內)의 존후를 뭇ᄌᆞ올시, 온화ᄒᆞᆫ 낫빗과 유열ᄒᆞᆫ 셩음이며 특이ᄒᆞᆫ 용광 풍치 쳘셕이라도 동ᄒᆞᆯ 듯ᄒᆞ듸, 위·뉴 냥인은 경긱의 즛두【24】다려 하시쳐로733) 죽여 업시코져 시브듸, 능히 마음과 ᄀᆞᆺ디 못ᄒᆞ여 발연(勃然) 노싀(怒色)ᄒᆞ고, 닐오듸,

"어리고 쥬견 업ᄉᆞᆫ 양부(養父)를 다리고

아니리니, 이ᄀᆞᆺ치 ᄉ랴ᇰᄒᆞ여 민뎨를 위ᄒᆞᆫ 근심이 잠을 일우지 못ᄒᆞ고, 윤씨 ᄯ또ᄒᆞᆫ 쳔ᄉ만샹(千思萬想)ᄒᆞ여 역시 졈목지 못ᄒᆞᄂᆞᆫ지라. 휘 그 회포를 그윽이 혜아려 더옥 이셕ᄒᆞ더라.

ᄎᆞ야의 셰월이 거즛 알ᄂᆞᆫ 쳬 ᄒᆞ고, 일죽 드러누어 합가(闔家) 졔인의 잠들기를 기다리더니, 임의 반야(半夜) 된 후, 시녀들도 잠이 깁흐니, 셰월이 이블 속의셔 회환단(回還丹)726)을 삼켜, 졔 본형을 너여 쳥의 복식으로 급히 니다라, 동산 담을 넘어 슈목 ᄉᆞ이의 숨엇다가, 시벽 북이 울믈 듯고 동【16】산 문으로 밧비 나아와, 옥누항의 도라오니, 위·뉴 두 부인니 대열ᄒᆞ여 됴히 도라오믈 쳔만(千萬) ᄒᆡᆼ희디열(幸喜大悅)ᄒᆞ여, 태우와 학ᄉ를 마ᄌ 업시 ᄒᆞ여 남은 염녀 업시, 황시 ᄌᆞ손을 다 죽여 젼상셔(前尙書) 《쳥연∥명쳔》공의 후ᄉ를 아조 멸졀ᄒᆞ믈 긔냑(期約)ᄒᆞ니, 용심(用心)의 극악 흉참ᄒᆞ미 졈졈 더은지라.

이 날 마초아 윤학ᄉᆞ 교지 험노의 무ᄉᆞ히 득달ᄒᆞ여 샹경ᄒᆞ미, 몬져 궐하의 나아가니, 샹이 ᄀᆞ장 반기ᄉ 말미 긔한의 도라옴을 깃거 ᄒᆞ시며, 윤츄밀이 교지의 도임ᄒᆞ연 지 일삭이 못ᄒᆞ여, 교홰 듸힝ᄒᆞ고 치졍이 슉엄ᄒᆞ믈 칭찬ᄒᆞ시니, 이ᄂᆞᆫ 안찰ᄉᆞ 교지 참졍의 이민션졍(愛民善政)을 쥬ᄒᆞ여시무로, 샹이 아라 계시미러라.

윤학ᄉᆞ 퇴ᄒᆞ여 환가ᄒᆞ여 조모와 양모긔 빈알ᄒᆞ고, 삼ᄉᆞ삭지니(三四朔之內)의 존후를 뭇ᄌᆞ올시, 온화ᄒᆞᆫ 낫빗과 유열ᄒᆞᆫ 셩음이〇[며] 특이ᄒᆞᆫ 용광 풍【17】치 쳘셕이라도 동ᄒᆞᆯ 듯ᄒᆞ듸, 위·뉴 냥인은 경긱의 즛두다려 하씨쳐로727) 죽여 업시코져 ᄒᆞ듸, 능히 마음과 ᄀᆞᆺ갓지 못ᄒᆞ여, 발연(勃然) 노싀(怒色)ᄒᆞ고 이르듸,

"어리고 쥬견 업ᄉᆞᆫ 양부(養父)를 다리고

---

732)면회단(面回丹) : 회면단(回面丹). 고소설에 나타나는 요약의 일종. 개용단(改容丹)을 먹고 변용된 모습을 본래의 모습으로 돌이켜 주는 요약.
733)쳐로 :처럼.

726)회환단(回還丹) : 회면단(回面丹). 고소설에 나타나는 요약의 일종. 개용단(改容丹)을 먹고 변용된 모습을 본래의 모습으로 돌이켜 주는 요약.
727)쳐로 :처럼.

온 가디로 존고와 나의 허믈을 쥬작(做作)
ᄒ여 상공을 농낙ᄒ미 오즉ᄒ랴. 보디 아냐
딤작ᄒ리로다."

혹시 양모의 말ᄉᆞᆷ을 드르미 시로이 심회
어득ᄒ니, 관을 슉이고 유유묵묵(儒儒黙
黙)734)이러라. 위·뉘 츄밀의 셔찰을 보니,
삼년디닉의 가닉를 편히 ᄒ고 조부인과 구
파의 거쳐를 심방ᄒ여, 만일 ᄉᆞ망디홰(死亡
之禍) 업거든 흔가디로 모다 디닉믈 간절이
쳥ᄒ여 젼일노 다르미【25】업스니, 다만
위·뉴 냥인이 더옥 깃거 아냐 니르딕,

"요괴로온 놈의게 심졍이 다 녹아 타ᄉᆞ
(他事)를 싱각디 아니ᄒ고[니], 음분 도쥬흔
조시를 어듸 가 ᄎᆞᄌᆞ리오."

ᄒ며, 혹ᄉᆞ를 죽일 놈 벼르 듯ᄒ딕, 혹ᄉᆞ
ᄂᆞ 유유ᄒ여 ᄌᆞ가의 원민ᄒᆞᆷ믈 발명치 아니
ᄒ더니, 태위 작일 옥화산의 갓다가 이의
도라와, 혹ᄉᆞ를 보고 반갑고 깃브미 아모
곳으로 나ᄂᆞᆫ 줄 아디 못ᄒ고, 계부의 존후
를 뭇ᄌᆞ와, 원노의 왕반이 무ᄉᆞᄒᆞᆷ믈 깃거
ᄒ나, 형데 냥인이 은위(隱憂) 만복(滿腹)ᄒᆞ
여 ᄎᆞ후 가변이 아모리 될 줄 아디 못ᄒ고,
스스로 위틱ᄒ미 박빙(薄氷)을 드듸며【2
6】침상(針上)의 안즌 둣ᄒ니, ᄌᆞ며 안ᄌᆞ미
ᄆᆞ음이 편치 못ᄒ고, 쳔ᄉᆞ만상(千思萬想)ᄒ
여도 됴흔 계교를 싱각디 못ᄒ니, 날노 촌
장이 여할(如割)ᄒ여 슈미(愁眉)를 펴디 못
ᄒ고, 슉식을 편히 못ᄒ니, 풍광이 만히 슈
쳑ᄒᆞ엿더라. 태위 슉모긔 하슈의 병을 뭇ᄌᆞ
온딕, 뉴시 답왈,

"작일 취운산의셔 거교를 보닉여 다려 가
니 ᄯᅩ 야릭(夜來) 소식을 몰낫노라."

태위 다시 말을 아니ᄒ나 하시의 가슴이
상ᄒᆞᆷ믈 하공 부지 아랏ᄂᆞᆫ가 그윽이 참괴ᄒ
더라.

ᄎᆞ시의 하부의셔 하공 부부와 초휘 윤쇼
져로 더브러 효신(曉晨)을 당ᄒ여 뎡히 니
러나고져 홀 즈음의, 영【27】쥬 쇼져 시녜

온 가지로 존고와 나의 허믈을 쥬작(做作)
ᄒ여 상공을 농낙ᄒ미 오즉ᄒ랴. 보지 아냐
짐작ᄒ리로다."

학식 양모의 말ᄉᆞᆷ을 드르미 시로이 심회
어득ᄒ니, 관을 슉이고 유유묵묵(儒儒黙
黙)728)이러라. 위·뉴 츄밀의 셔찰을 보니,
삼년지닉의 가닉을 편히 ᄒ고 조부인과 구
파의 거쳐를 심방ᄒ여, 만일 ᄉᆞ망지홰(死亡
之禍) 업거든 흔가지로 모다 디닉믈 간졀이
쳥ᄒ여, 젼일노 다름이 업스니, 다만 위·뉴
냥인이 더옥 깃거 아녀 이르딕,

"요괴로온 놈의게 심졍이 다 녹아 타ᄉᆞ
(他事)를 싱각지 아니ᄒ고[니], 음분 도쥬흔
됴쎠을 어듸 가 ᄎᆞᄌᆞ리오."

ᄒ며 학ᄉᆞ를 죽【18】일 놈 벼르 듯 ᄒ
되, 혹ᄉᆞᄂᆞ 유유ᄒ여 자가의 원민ᄒᆞᆷ믈 발명
치 아니ᄒ더니, 틱위 죽일 《옥환산∥옥화
산》의 갓다가 이의 도라와 혹ᄉᆞ를 보고 반
갑고 깃븜이 아모 곳ᄉᆞ로 나ᄂᆞᆫ 쥴 아지 못
ᄒ고, 계부의 {존후의} 존후를 뭇ᄌᆞ와, 원노
의 무ᄉᆞ 왕반ᄒᆞᆷ믈 깃거 ᄒ나, 형뎨 냥인이
은위(隱憂) 만복(滿腹)ᄒ여 ᄎᆞ후 《가연∥가
변(家變)》이 아모리 될 쥴 모로고, 위틱ᄒᆞᆷ
이 박빙(薄氷)을 드듸며 침상(針上)의 안즛
듯ᄒ니, ᄌᆞ며 안ᄌᆞ미 마음이 편치 못ᄒ고,
쳔ᄉᆞ만상(千思萬想)ᄒ여도 됴흔 계교를 싱
각지 못ᄒ니, 《말노∥날로》 촌장이 여할
(如割)ᄒ여 슈미(愁眉)를 펴지 못ᄒ니, 슉식
을 《펴지∥편히》 못ᄒ니, 풍광이 만히 슈
쳑ᄒ엿더라. 틱위 슉모의 하슈의 병을 【1
9】뭇ᄌᆞ온딕, 류시 답왈,

"죽일 취운산의셔 거교를 보닉여 다려 가
니, 야릭(夜來) 소식을 몰낫노라."

틱위 다시 말을 아니ᄒ나, 하시의 가슴이
상ᄒᆞᆷ을 하공 부지 아릿ᄂᆞᆫ가 ○○[ᄒ여] 참
괴ᄒ더라.

ᄎᆞ시의 하공 부부와 초휘 부뷔 효신(曉
晨)을 당ᄒ여 졍이 이러나고ᄌ 홀 즈음의,
영쥬 소져 시녜 창황이 방마다 단니며 쇼져

---

734)유유묵묵(儒儒黙黙) : 어떤 일에 대해 딱 잘라
결정을 내리지 못하고, 말없이 잠잠함.

728)유유묵묵(儒儒黙黙) : 어떤 일에 대해 딱 잘라
결정을 내리지 못하고, 말없이 잠잠함.

창황이 방마다 단니며 쇼져를 ᄎᆞᆺᄂᆞ니라. 하
공 부부는 힝여 뎡부의셔 시녀를 보닉여 밤
의 녀ᄋᆞ를 다려 갓ᄂᆞᆫ가 넉이나, 초후와 윤
부인은 ᄀᆞ장 경희(驚駭)ᄒᆞ여 일시의 뎡당의
드러가니, 하공 왈,

"초벽 등이 영쥬를 간 ᄃᆡ 업다 ᄒᆞ여 놀나
니, 녀이 갈 곳이 어이 이시리오. 뎡부의 갓
ᄂᆞᆫ가 ᄒᆞ노라."

초휘 ᄃᆡ왈,

"미뎨 작일 그러툿 신음ᄒᆞ던 거시니, 뎡
부의도 움즉여 갈가 시브디 아니커니와, 힝
혀 가실디라도735) 아라 오라 ᄒᆞ샤이다."

이의 초벽 등을 명ᄒᆞ여 가셔 보고 오라
ᄒᆞ니, 뎡부 ᄉᆞ이의 협문을 두어 밤이라도
【28】봉쇄(封鎖)ᄒᆞᄂᆞᆫ 일이 업순 고로, 냥
부(兩府) 시녀 등의 왕닉 ᄌᆞᆺ고, 하쇼졔 아모
ᄯᅢ라도 두 곳으로 왕닉ᄒᆞᄂᆞᆫ니라. 하공이 응
당 뎡부의 가믈 아나 초후는 ᄀᆞ장 의려ᄒᆞ더
니, 초벽 등이 즉시 도라와 쇼져의 간 일이
업ᄉᆞᄆᆞᆯ 고ᄒᆞ니, 하공과 됴부인이 면여토식
(面如土色)ᄒᆞ여 경악흔 심신이 아모리 홀
줄 모로ᄂᆞᆫ니라. 도로혀 셔로 벙어리ᄀᆞᆺ치 안
ᄌᆞᆺ더니, 날호여 몸을 니러 왼 집을 두로 보
아 ᄯᅩᆯ을 ᄎᆞᆺ즈ᄃᆡ, 음용(音容)이 묘연ᄒᆞ여 텬
향아ᄐᆡ(天香雅態)를 다시 어더 보기 어려오
니, 하공 부뷔 ᄎᆞ악(嗟愕) 발비(拔臂)ᄒᆞ여
난간을 두다리고, 실셩 통읍 왈,

"우리【29】촉디의셔 녀ᄋᆞ를 나는 범의
게 일코 참졀흔 심ᄉᆡ 비길 ᄃᆡ 업ᄉᆞ나, 요힝
뎡듁쳥의 구활 대은을 닙어 그 싱환흔 소식
을 드르미, 오히려 슬픈 거슬 ᄎᆞᆷ고 그리오
믈 억졔ᄒᆞ여 일월을 만히 넘기나 견ᄃᆡ엿더
니, 일야간 녀ᄋᆞ의 간 곳이 업ᄉᆞ니 ᄯᅩ 어ᄃᆡ
뎡챵빅 ᄀᆞᆺᄐᆞ니 이셔 구홀 니 이시리오. 반
ᄃᆞ시 죽으미 벅벅ᄒᆞ고 살미 만무ᄒᆞ거니와,
니미망냥(魑魅魍魎)736)의게 홀녀 간 동737)

---

735) 가실디라도 : 갔을지라도
736) 니미망냥(魑魅魍魎) : 온갖 도깨비. 산천, 목석의
　정령에서 생겨난다고 한다.
737) -ᄂᆞ동 : -ᄂᆞ지. 막연한 의문이 있는 채로 그것을
　뒤 절의 사실이나 판단과 관련시키는 데 쓰는 연
　결 어미.

를 ᄎᆞᆺᄂᆞᆫ지라. 하공 부부는 힝혀 뎡부의셔나
시녀를 보닉여 밤의 녀ᄋᆞ를 다려 간ᄂᆞᆫ가 넉
이나, 초후와 윤부인은 ᄀᆞ장 경해(驚駭)ᄒᆞ여
즉시 뎡당의 드러가니, 하공 왈,

"초벽 등이 영쥬를 간 ᄃᆡ 업다 ᄒᆞ여 놀나
이[나] 《녁여∥녀이》 갈 곳시 어이 이시
리오. 뎡부의 갓ᄂᆞᆫ가 ᄒᆞ노라."

초휘 ᄃᆡ왈,

"미뎨 작일 그러툿 신음ᄒᆞ더니,【20】뎡
부의도 움즉여 갈가 시브지 아니커니와, 힝
혀 가실지라도729) 아라 오라 ᄒᆞᄉᆞ이다."

이의 초벽 등을 명ᄒᆞ여 가셔 보고 오라
ᄒᆞ니, 뎡부 ᄉᆞ이의 협문을 두어 밤이라도
봉쇄(封鎖)ᄒᆞᄂᆞᆫ 일이 업ᄂᆞᆫ 고로, 냥부(兩府)
시녀 등의 왕닉 잣고, 하쇼졔 아모 ᄯᅥ라도
두 곳으로 왕닉ᄒᆞᄂᆞᆫ지라. 하공이 응당 뎡부
의 감을 아나, 초후는 ᄀᆞ장 의려ᄒᆞ더니, 초
벽 등이 즉시 도라와 쇼져의 간 일 업ᄉᆞᄆᆞᆯ
고ᄒᆞ니, 하공과 됴부인이 면여토식(面如土
色)ᄒᆞ여 경악흔 심신이 아모리 홀 쥴 모로
ᄂᆞᆫ지라. 도로혀 셔로 벙어리ᄀᆞᆺ치 안ᄌᆞᆺ더니,
날호여 몸을 이러 왼 집을 두로 보아 《왼
집을∥ᄯᅩᆯ을》 ᄎᆞᆺ즈ᄃᆡ, 음용(音容)이 묘연ᄒᆞ
여 텬향아ᄐᆡ(天香雅態)를 다시 어더【21】
보기 어려오니, 하공 부뷔 ᄎᆞ악(嗟愕) 발비
(拔臂)ᄒᆞ여 난간을 두다리고 실셩 통읍 왈,

"우리 촉디의셔 녀ᄋᆞ를 범의게 일코 참졀
흔 심ᄉᆡ 비길 ᄃᆡ 업ᄉᆞ나, 요힝 뎡듁쳥의 구
활 대은을 입어, 그 싱환흔 쇼식을 드르미,
오히려 슬픈 거슬 ᄎᆞᆷ고 그리움을 억졔ᄒᆞ여,
일월을 마니 넘기고 견ᄃᆡ엿ᄂᆞ니, 일야간 녀
ᄋᆞ의 간 곳시 업ᄉᆞ니, ᄯᅩ 어ᄃᆡ 뎡챵빅 가튼
이 이셔 구흠이 잇스리오. 반다시 죽음이
벅벅ᄒᆞ고 살미 만무ᄒᆞ거니와, 리미망냥(魑
魅魍魎)730)의게 홀녀 간 동731) 아지 못ᄒᆞ

---

729) 가실디라도 : 갔을지라도
730) 니미망냥(魑魅魍魎) : 온갖 도깨비. 산천, 목석의
　정령에서 생겨난다고 한다.
731) -ᄂᆞ동 : -ᄂᆞ지. 막연한 의문이 있는 채로 그것을
　뒤 절의 사실이나 판단과 관련시키는 데 쓰는 연
　결 어미.

아디 못ㅎ니, 유유(悠悠) 텬디(天地)의 이 셜우믈 어이 견듸리오. 우리 셕년 참화디시의 죽엄죽 ㅎ거늘, 굿튼여 투싱ㅎ여 다시 과ㅎ 부귀를 누리미 쏘 지【30】앙이 니러나니, 녀ㅇ를 실니ㅎ니 출하리 흔 번 죽어 무한흔 참척을 보디 아니미 쾌ㅎ리로다."

ㅎ며 말노좃ㅊ 안쉬 쳔항이라. 부인은 쏘흔 긔운이 엄애(奄碍)ㅎ여 거의 딘홀 둧ㅎ니, 이쩍 초휘 젼딘의 닙공반샤ㅎ여 집 문의 니른 디 미급슈일(未及數日){야간}의 홀연이 쳔금 곳튼 일미(一妹)를 《빅일디하(白日之下)∥일야지간(一夜之間)》의 일코, 경참ㅎ믄 니르도 말고 부모의 이러틋 과상ㅎ시믈 보미 망극ㅎ믈 니긔디 못ㅎ니, 모친을 붓들고 부친긔 이걸ㅎ여, 왈,

"셕년의 누의를 호표(虎豹) 무러간 쩍의도, 오히려 삼뎨와 쇼ㅈ의 졍ᄉ(情事)를 슬피샤 이【31】딕도록 아냐 계시거늘, 이졔 누의 일흠믄 기시(其時)와 곳디 아냐, 괴이흔 즘싱의 무러가믈 보디 아냐시니, 결단ㅎ여 죽디 아녀실 거시오, 쇼미는 상뫼 위틱ㅎ미 업습ᄂ니, 대인은 소려(消慮)ㅎ시고 쇼ㅈ를 일년만 닉여노ㅎ샤 ᄉ쳐(四處)로 ᄎ즈게 하쇼셔."

하공이 가슴을 어로만져 딘뎡ㅎ더니, 금평휘 밧긔 니르러 하공의 나오믈 지쵹ㅎ니, 하공이 ㅈ긔 ㅈ녀 슈(數)[738]의 험난ㅎ믈 싱각ㅎ니, 고딕 죽고 시브고 금평후도 볼 ᄆ음이 업스나, 금평휘 년ㅎ여 지쵹ㅎ므로 마디 못ㅎ여 외루의 나아가미, 금휘 하공의 손을 잡고【32】우음을 쯰여, 므러 왈,

"형이 므슴 일노 이ᄀ치 슬허ㅎᄂ뇨?"

하공이 참연 답왈,

"쇼뎨 팔지 험난ㅎ미 셰 ㅈ식을 참망ㅎ고 여러 셰월을 됴흔ᄃ시 디닉믄 원광 남미를 미드미오, 원상 등은 유이라 댱녀를 감히 바라디 아니커늘, 작셕의 녀ㅇ을 다려와 일야간의 거쳐를 아디 못ㅎ니, 이런 츠악흔 일이 어딕 이시리오. 젼혀 쇼뎨의 {쇼뎨의}

738)슈(數) : 운수(運數). 이미 정하여져 있어 인간의 힘으로는 어쩔 수 없는 천운(天運)과 기수(氣數).

니, 유유텬디(悠悠天地)의 이 셔름을 어이 견듸리오. 우리 셕년 참화지시의 죽엄 즉ㅎ거늘, 구ᄎ이 투싱ㅎ여 과한【22】부귀를 다시 누리미, 쏘 지앙이 이러나, 녀ㅇ를 실리ㅎ니, 출라리 흔 번 죽어 무한흔 참쳑을 보지 아니미 쾌ㅎ리로다."

ㅎ며, 말노 죠ᄎ 안쉬쳔항(眼水千行)이라. 부인은 쏘흔 긔운이 엄위(奄碍)ㅎ여 거의 진홀 둧ㅎ니, 이쩍 초휘 닙공반ᄉㅎ여 집 문의 니른 지 미급슈일(未及數日)의, 홀연 쳔금 ᄀ탄 누의를 《빅일지하(白日之下)∥일야지간(一夜之間)》의 일코 경참훔을 이르지 말고 부모의 과상ㅎ시믈 이러틋 ㅎ시니[믈] 보미, 망극훔을 이긔지 못ㅎ여, 모친을 붓들고 부친긔 이걸ㅎ여, 왈,

"셕년의 누의를 호표(虎豹) 무러간 쩌도 오히려 삼뎨와 쇼ㅈ의 졍ᄉ(情事)를 슬피샤 이딕도록 아나ㅎ여 계시거늘, 이졔 누의 일흠믄은【23】기시(其時)와 《것지∥ᄀ지》 아니ㅎ야 괴이흔 즘싱의 무러감을 보지 아니ㅎ얏시니, 결단ㅎ여 죽지 아○[녀]실 거시오, 쇼미는 상뫼 위틱훔이 업ᄉ오니 대인은 소려(消慮)ㅎ시고, 쇼ㅈ를 일년만 닉여노ㅎᄉ ᄉ톄(四處)로 ᄎ즈게 하쇼셔."

하공이 가슴을 어로만져 진졍{ㅎ소셔}ㅎ더니, 금평위[휘] 밧긔 이로러 하공의 나음을 지쵹ㅎ니, 하공이 ㅈ긔 ㅈ녀 슈(數)[732]의 험난ㅎ믈 싱각ㅎ니, 고딕 죽고져 십고 금평위[휘]도 볼 마음이 업스나, 금평휘 년ㅎ여 지쵹훔을 마지 못ㅎ여 외루의 나아가미, 하공의 손을 줍고 우음을 쯰여 무러 왈,

"형이 므슴 일노 이ᄀ치 슬허ㅎ나뇨?"

하공이 참연 답【24】왈,

쇼뎨 팔지 험난ㅎ미 셰 ㅈ식을 참망ㅎ고 여러 셰월을 죠흔ᄃ시 지닙은 원광 남미를 미듬이오, 원상 등○[은] 《츤∥유친(幼稚)》지라. 쟝녀를 감히 바라지 아니커늘 ○○○[녀ㅇ를] 다려와 작셕의 일야간의 거쳐를 아지 못ㅎ니, 이런 츠악흔 일이 어딕

732)슈(數) : 운수(運數). 이미 정하여져 있어 인간의 힘으로는 어쩔 수 없는 천운(天運)과 기수(氣數).

적악이 녀ᄋ의게 밋처, 져의 실산이 두{어}번 지라. 처음은 듁청이 살나늬엿거니와, ᄯᅩ 어딕 챵빅ᄀᆺ튼 의긔 현ᄉ 이셔 잔잉ᄒᆫ 목슘을 구ᄒ리오. 이를 싱각ᄒ미【33】쇼뎨 심장이 최졀(摧折)ᄒ여 경긱의 죽어 모로고져 ᄒ노라."

금평휘 잠쇼 왈,

"퇴디ᄂᆫ 당셰의 텰셕 ᄀᆺ튼 댱부로딕, 부녀텬뉴의 디극ᄒᆫ 주익를 면치 못ᄒ니, 인졍 상ᄉ라. 엇디 우술 일이 이시리오마는, 쇼뎨 젼주의 형의 ᄯᅩᆯ이 ᄒ나히믈 아랏더니, 므슨 연고로 둘히 되여, 쇼뎨 양ᄋ 영쥬ᄂᆫ 즉금 초하동 잠졍의 와 병와(病臥)ᄒ연 디 ᄉ오 일이나 되엿ᄂ니, 형이 어나 ᄯᅩᆯ을 일흔 작시뇨?"

하공이 ᄎ언을 드르미 여취여치(如醉如癡)ᄒ여 아모리 ᄒᆯ 줄 모로ᄂ디라. 이의 금평후를 지삼 보며 왈,

"형이 딘짓말이냐? 쇼뎨의게 녀식이 다만 영【34】쥬 일인 ᄲᅮᆫ이라. 작셕의 옥누항의 가 다려오니, 병이 괴이ᄒ여 긔거를 임의치 못ᄒ고, 져의 쇼원이 안뎡ᄒ 방샤를 어더 됴리키를 청ᄒ미, 죵용ᄒᆫ 쳐소를 뎡ᄒ여 주엇더니 밤니로셔 간 곳이 업거늘, 영쥬 어이 초하동 잠졍의 이시리오. 형이 아니 쇼뎨의 거동을 보고져, 영쥬를 곰초고 이리 희롱ᄒ미냐?"

금평휘 하공의 고디듯디 아니믈 보고, 우어 왈,

"퇴디ᄂᆫ 심간이 병드러 말을 닐너도 아라듯디 못ᄒ니, 즉금은 슈작디 못ᄒ게 되여시니 모로미 녕윤(슈胤) 주의를 브르라."

하공이 즉시 초후를 나오라 ᄒ니, 초휘【35】윤부인으로 ᄒ여곰 모친을 붓드러시라 ᄒ고 외헌의 나오니, 하공이 니르딕,

"뎡형이 날노뼈 실셩디인(失性之人)이 되엿다 ᄒ고, 녀ᄋ의 거쳐를 너를 디ᄒ여 니르랴 ᄒᄂᆫ가 시브니, 곡졀을 주시 뭇조라."

초휘 슈명ᄒ여 금평후긔 고왈,

잇스리오.. 젼혀 쇼뎨의 젹악이 녀ᄋ의게 미쳐 져의 실산이 두{어} 번 지라. 처음은 죽청이 살녀늬엿거니와, ᄯᅩ 어딕 챵빅 가튼 의긔 현ᄉ 잇셔 잔잉ᄒᆫ 목슘을 구ᄒ리오. 이를 싱각ᄒ미 쇼뎨 심쟝이 최졀(摧折)ᄒ여 경각에 죽어 모로고져 ᄒ노라.

금평휘 잠쇼 왈,

"퇴지ᄂᆫ 당셰의 텰셕 가튼 쟝부로딕,【25】부녀텬뉴의 지극ᄒᆫ 주익를 면치 못ᄒ니, 인졍상ᄉ라. 엇지 우술 일이 잇스리오마ᄂᆫ, 쇼뎨 젼주의 형의 ᄯᅩᆯ이 ᄒ나힘믈 아랏ᄃ니 므슨 연고로 둘히 《도여∥되여》, 쇼뎨 양ᄋ 영쥬ᄂᆫ 지금 초하동 잠졍의 와병(臥病)튼[ᄐᆫ]지 사오일이나 도[되]엿스니, 형이 어늬 ᄯᅩᆯ을 이른 작시뇨?"

하공이 ᄎ언을 드르미 여치여취(如痴如醉)ᄒ여 아모리 ᄒᆯ 쥴을 모로ᄂ지라. 이에 금평후를 지삼 보며 왈,

"형이 진짓말이냐? 쇼뎨의게 녀식이 다만 ᄒᆫ낫 영쥬 ᄲᅮᆫ이라. 작셕의 옥누항의 가 드려오니, 병이 고이ᄒ여 긔거를 임의치 못ᄒ고, 져의 쇼원이 안졍ᄒ 방ᄉ를 어더 죠리키를 청ᄒ미, 죵용ᄒᆫ 쳐소를【26】○[뎡]ᄒ여 주엇더니, 밤니로 간 곳시 업거늘, 영쥬 어이 초하동 잠졍 와 이시리오. 형이 쇼뎨의 거동을 보고져 영쥬를 감초고 이리 희롱ᄒ미냐?"

금평휘 하공의 고지 듯지 ᄋ니홈을 ○○[보고] 우어 왈,

"퇴지ᄂᆫ 심간이 병드러 말을 일너도 아라듯지 못ᄒ니, 지금은 슈작지 못ᄒ게 도[되]엿스니 모롬미 녕윤(슈胤) 주의를 브르라."

하공이 즉시 초후를 나오라 ᄒ니, 초휘 윤부인으로 ᄒ여금 모친을 붓고럿스라 ᄒ고 외헌의 나오니, 하공이 이로딕,

"뎡형이 날노써 실셩지인(失性之人)이 되엿다 ᄒ고, 녀ᄋ의 거쳐를 ○○[너를] 디ᄒ여 이르랴 ᄒᄂᆫ가 십으니, 곡졀을 다시 뭇조라."

초휘 슈명ᄒ【27】여 금평후ᄭ 고왈,

"년슉이 쇼미의 거쳐를 아르시ᄂ니잇가?"

금평휘 졈두 왈,

"녀ᄋ이 내 집 잠졍의 이션디 ᄉ오일이라 어이 모로리오."

초휘 경아(驚訝) 왈,

"쇼미를 작셕의 다려 왓더니 야릭(夜來)의 거체 업ᄉ니, 이친(二親)의 과상ᄒ심과 ᄉ졍의 참연ᄒ미 비홀 곳이 업거늘, 년슉은 쇼미를 슈삼일 젼의 잠졍의 두엇다 ᄒ【36】시니, 쇼미 분신법(分身法)이 업ᄉ더라. ᄒᆞᆫ 몸이 난호여 두 곳의 이실 니ᄂ 만무ᄒ니, 이 가온ᄃᆡ 반ᄃ시 곡졀이 허다ᄒ오리니, 년슉은 붉히 니르쇼셔. 가친의 초조 비통ᄒ시믈 프르시게 ᄒ고 쇼딜의 아득ᄒᆞᄆᆞᆯ 활연(豁然)케 ᄒ쇼셔."

금평휘 탄왈,

"셰간ᄉᆡ 난측이라. 곡졀을 니르려 ᄒᆞ미 말이 디리ᄒ거니와, 내 엇디 영쥬의 거쳐를 은닉ᄒ여 ᄌ의의 부ᄌ와 됴현슈의 통상ᄒ시믈 도으리오. 영쥬로 더브러 부녀의 의를 미존 디 오지(五載)의, 져의 셩회 츌텬(出天)ᄒ여 우리를 친부모와 달니 ᄒ미 업고, 녕엄이 날노뼈 동긔와 다르미 업ᄉ니, ᄌ【37】의 ᄯᅩᄒᆞᆫ 날 셤기믈 디친 슉당ᄀᆞᆺ치 ᄒᄂ더라. 내 ᄆᆞ음이 비록 싀호의 ᄉ오나오미 잇셔도, ᄌ의를 향ᄒᆞᆫ 졍이 범연치 아니려든, ᄌ의의 빅힝 효우를 니를던ᄃᆡ 어이 하ᄌ(瑕疵)ᄒ리오마는, 오히려 쇼년이라. 원대ᄒᆞᆫ 디식이 잇ᄂ 가온ᄃᆡ도 일편된 고집이 업디 아니리니, 고인이 운(云)ᄒᆞᄃᆡ, '쳐ᄌᄂ 의복 ᄀᆞᆺ고 동긔(同氣)ᄂ 슈족 ᄀᆞᆺ다' ᄒᆞ미 올ᄒᆞᆫ더라. ᄌ의의 영쥬를 우이ᄒᄂ ᄆᆞ음과, 윤부인 ᄃᆡ졉ᄒᄂ 졍이 츙등ᄒ여, 반ᄃ시 동긔를 듕히 넉이려니와, 그러나 조강의 간고와 윤부인의 현슉ᄒᆞᆷ믈 싱각건ᄃᆡ 구ᄒ기 어려온 슉녜라. 이제【38】윤부 변괴 망측ᄒᆞᆷ과 뉴부인의 과악이 호대ᄒᄆᆞ로뼈, 금슬의 졍을 버히고 슉녀의 신셰를 괴롭게 ᄒ여, 윤공의 은혜를 빈반ᄒ고 덕을 니즐던ᄃᆡ, 복(福)의 히로오미 이시리니, 고슈디ᄌ(瞽瞍之子) 슌(舜)이 이시믈 싱각ᄒ여, 뉴부인이 비록 어

"년슉이 쇼미에 거쳐를 아르시ᄂ니잇가?"

금평휘 졈두 왈,

"영쥐 너집 잠졍(蠶亭)의 잇ᄂ지 ᄉ오일이라. 어이 모로리오."

초휘 경ᄋ(驚訝) 왈,

"쇼미를 작셕의 다려 왓ᄃ니 야릭의 거체(夜來) 업ᄉ니, 이친(二親)의 과상ᄒ심과 ᄉ졍의 참연ᄒ미 비홀 곳시 업거늘, 년슉은 쇼미를 슈일 젼의 잠졍의 두엇다 ᄒ시니, 쇼미 분신법(分身法)이 업ᄂ지라, ᄒᆞᆫ 몸이 난호여 두 곳의 이실 리ᄂ 만무ᄒ니, 이 가온ᄃᆡ 반ᄃ시 곡졀이 허다ᄒ오리니, 년슉은 붉히 이르쇼셔. 가친의 초조 비통ᄒ심을 프르시게 ᄒ고, 소딜의 아득ᄒᆞᆷ을 활연(豁然)케 ᄒ쇼셔."

금평휘 탄왈,

"셰간ᄉᆡ 난측이라. 곡졀을 이르려 ᄒᆞᆷ【28】에 말이 지리ᄒ거니와, 내 엇지 영쥬의 거쳐를 은닉ᄒ여 ᄌ의의 부ᄌ와 됴현슈의 통상ᄒ시믈 도오리오. 영쥬로 더브러 부녀의 의를 미존 지 오지(五載)의, 져의 셩회 츌인(出人)ᄒ여 우리를 친부모와 달니 ᄒ미 업고, 녕엄이 날노뼈 동긔와 다르미 업ᄉ니, ᄌ의 ᄯᅩᄒᆞᆫ 날 셤기을 지친 슉당《거치∥ᄀᆞᆺ치》ᄒᄂ지라. 니 마음이 비록 싀호(豺虎)의 ᄉ오나오미 잇셔도, ᄌ의를 향ᄒᆞᆫ 졍이 범연치 ᄋ니려든, ᄌ의의 빅힝 효우를 이를진ᄃᆡ 어이 나무라리오마는, 오히려 쇼년이라. 원ᄃᆡᄒᆞᆫ 지식이 잇ᄂ 가온ᄃᆡ도 일편된 고집이 업지 ᄋ니리니, 고인이 운(云)ᄒᆞᄃᆡ '쳐ᄌᄂ 의복 갓고 동긔(同氣)ᄂ 슈족 갓【29】다' ᄒᆞ미 오른지라. ᄌ의의 영쥬를 우이ᄒᄂ 마음과 윤부인 ᄃᆡ졉ᄒᄂ 졍이 츙등(層等)ᄒ여, 반ᄃ시 동긔를 즁히 넉이려니와, 그러나 조강의 간고와 윤부인의 현슉ᄒᆞᆷ을 싱각건ᄃᆡ 엇기 어려온 슉녜라. 이제 윤부 변괴 망측ᄒᆞᆷ과 류부인의 과악이 호대ᄒᆞᆷ으로뼈, 금슬에 졍을 버리고 슉녀의 신셰를 괴롭게 ᄒ여, 윤공의 은혜를 빈반ᄒ고 덕을 이잘진ᄃᆡ, 복(福)이 히로옴이 잇스리니, 고슈지ᄌ(瞽瞍之子) 슌(舜)이 잇슴을 싱각ᄒ

디디 못ᄒ나 윤부인의 긔특ᄒ믈 혜아려 스
스로 박ᄒᆡᆼ 필ᄫᅵ 되디 아니면, 금일 나의 니
ᄅᆞ는 말이 효험이 잇고, ᄌᆞ의 관ᄌᆞ화홍(寬
慈和弘)739)ᄒ믈 항복ᄒ리니, 범연이 니를딘
ᄃᆡ, 내 외인으로셔 연인가(連姻家) 부인의
현블초(賢不肖)를 드노흐미 맛당치 아니나,
긴 셜화를 시작ᄒᄂᆞ니, ᄒᆞᆫ갓 뉴부인의 《블
민(不敏)‖불인(不仁)》 ᄒᆞᆷ만 아니라,【39】
굿기는 사ᄅᆞᆷ이 다 각각 져의 팔지라. 슈삼
일 젼의 텬흥이 남문 밧긔 댱졸노 더브러
습샤ᄒ고 도라오다가, 여ᄎᆞ여ᄎᆞ ᄒᆞᆫ 일을 보
고 의심이 동ᄒ여 튱학을 잡고 궤를 아샤
잠졍의 가 본즉, 영쥬의 몸이 궤듕(櫃中)의
들기를 면치 못ᄒ고, 만면 일신이 아니 샹
흔 곳이 업셔 싱되 아득ᄒ니, 텬흥이 여ᄎᆞ
여ᄎᆞ 약을 쓰고 구호ᄒᆞ믈 극딘히 ᄒᆞ여 계오
인ᄉᆞ를 아는 디경의 잇ᄂᆞᆫ디라. 실인이 영쥬
를 구호코져 가ᄉᆞ를 식부 등의게 맛디고 슈
일 젼 잠졍으로 나아가딕, ᄒᆡᆼ혀 간인의 엿
보미 이실가 두려 님하[호]로 나려가믈 핑
계【40】ᄒ고, 유흥으로 잠졍 밧긔 딕희오
고 텬흥 등이 돌녀가며 잠졍의 머므ᄂᆞ니,
엇디 이 말을 녕엄다려 니르디 아녀시리오
마ᄂᆞᆫ, 녕존이 슬하(膝下) 샹쳑(喪慽)의 샹흔
ᄆᆞ음이라. 영쥬의 참잔흔 거동을 보면 놀나
셩딜(成疾)홀가 넘녀ᄒ여 즉시 니르디 못ᄒ
고, 간인이 쟝ᄎᆞᆺ 영쥬의 딕신을 일우니, 일
이 블과 윤부 ᄎᆞ환(叉鬟) 양낭(養娘)의 무리
오, 영쥐 아니라. 셰샹의 변용(變容)ᄒᆞ는 약
이 이시므로 이런 변이 업디 아니미라. 영
쥬의 몸을 위ᄒ여 아딕 피화홀 도리를 ○○
○[싱각코], 일양 죽은ᄃᆞ시 이 곳의 ○[이]
셔, ○○○[녀ᄋᆞ를] 일타 ᄒ여, 간인의 의심
을 프는 거시 구원디계(久遠之計)라.【41】
ᄌᆞ의는 혈긔디분을 ᄎᆞᆷ고 이 말ᄉᆞᆷ을 존슈(尊
嫂)긔 고ᄒ고, 영쥬를 보려 ᄒ시거든 금일
이라도 가셔 보시려니와, 형용이 놀납기를
엇디 다 니르리오마ᄂᆞᆫ, 긔특흔 밧ᄌᆞ740)는

여, 류부인이 비록 어지지 못ᄒ나 윤부인의
긔특ᄒ믈 혜아려, 스스로 박ᄒᆡᆼ 필ᄫᅵ 되지
ᄋᆞ니ᄒ면, 금일 나의 이르는 말이 효험이
【30】 잇고, ᄌᆞ의 관ᄌᆞ화홍(寬慈和弘)733)
ᄒ믈 항복ᄒ리니, 범연이 이로면, 닉 외인
(外人)으로셔 연인가(連姻家) 부인의 현블초
(賢不肖)를 드노홈이 맛당치 ᄋᆞ니나, 긴 셜
화를 시작ᄒᄂᆞ니, ᄒᆞᆫ갓 류부인의 블인(不仁)
만 ᄋᆞ니라 굿기는 스름이 다 각각 져의 팔
지라. 슈삼일 젼의 텬흥이 남문 밧긔 쟝졸
노 더브러 습ᄉᆞ(習射)ᄒ고 도라오다가, 여ᄎᆞ
여ᄎᆞ흔 일을 보고 의심이 동ᄒ여, 츙학을
잡즙 궤를 아ᄉᆞ 잠졍의 가 본즉, 영쥬의 몸
이 궤즁(櫃中)의 들기를 면치 못ᄒ고, 만면
일신이 아니 샹흔 곳이 업셔 싱되 아득ᄒ
니, 텬흥이 여ᄎᆞ여ᄎᆞ 약을 쓰고 구호ᄒᆞ믈
극진히 ᄒᆞ여, 계오 인ᄉᆞ를【31】 아는 지경
의 잇ᄂᆞᆫ지라. 실인이 영쥬를 구호코져 가ᄉᆞ
를 식부 등의게 맛기고 슈일 젼 잠졍으로
나아가되, ᄒᆡᆼ혀 간인의 엿봄이 잇실가 두려,
님하로 나려가믈 핑계ᄒ고 유흥으로 잠졍
붓글 직희오고, 텬흥 등이 돌녀가며 잠졍의
머므ᄂᆞ니, 엇지 이 말을 녕엄다려 이르지
아녀시리오마ᄂᆞᆫ, 녕존이 슬하(膝下) 샹쳑(喪
慽)의 샹흔 마음이라. 영쥬의 참잔흔 거동
을 보면 놀나 셩질(成疾)홀가 넘녀ᄒ여 즉
시 이르지 못ᄒ고, 간인이 쟝ᄎᆞᆺ 영쥬의 딕
신을 이루니, 일이 블과 윤부 ᄎᆞ환(叉鬟) 양
낭(養娘)의 무리오, 영쥐 ᄋᆞ니라. 셰샹의 변
용(變容)ᄒᆞ는 약이 잇슴으로 이런 변이 업
지【32】 아님이라. 영쥬의 몸을 위ᄒ여 아
직 《귀화‖귀환(歸還)》 홀 도리를 ○○[말
고] 일향 죽은 다시 이 곳의셔 야릭(夜來)
의 일타ᄒ여, 간인의 의심을 프는 거시 구
원지계(久遠之計)라. ᄌᆞ의는 혈긔지분을 ᄎᆞᆷ
고 이 말을 존슈(尊嫂)긔 고ᄒ고, 영쥬를 보
려 ᄒ시거든 금일이라도 가셔 보시려니와,
형용이 놀납기를 엇지 다 니르리오마ᄂᆞᆫ, 긔
특흔 것시 복익(腹兒) 쩌러지지 아냐, 태휘

---

739)관ᄌᆞ화홍(寬慈和弘) : 너그럽고 자애로우며 온화
  하여 도량이 큼.
740)밧ᄌᆞ : 바-자[所-者]. 바[所]의 것(者). --하는

733)관ᄌᆞ화홍(寬慈和弘) : 너그럽고 자애로우며 온화
  하여 도량이 큼.

복이(腹兒) 써러지지 아냐 태휘(胎候) 안온
ᄒ니, 하날이 모ᄌ를 유의ᄒ시미 아니면 엇
디 그러ᄒ리오."

이ᄯ 뎡국공과 초휘 금평후의 말을 드르
미 ᄭᅵᆷ이 처음으로 ᄭᆡᆫ 듯ᄒ여, 도로혀 깃븐
거슬 삼고 뎡부 은덕을 감격ᄒ미 골슈의 ᄉ
못ᄎ니 엇디 언어간 형상ᄒ리오. 뎡국공은
뉴부인의 ᄉ오나오믈 듯고 조곰도 개렴치
아녀, 오딕 참상(慘傷)ᄒ던 낫【42】빗츨
곳쳐 쇼왈,

"형이 발셔 영쥬를 잠졍의 머므르며, 우
리 부ᄌ의 넘녀ᄒᄆᆯ 우ᄉ려 ᄒ여, 긔괴ᄒ
거슬 ᄯᅵᆯ이라 ᄒ여 다려 오딕 ᄒᆫ 말 ᄒᄂᆫ 일
이 업고, 금됴의 그 거슬 ᄎᆺ디 못ᄒ여, 그런
ᄉ고ᄂᆫ 모로고, 쇼뎨의 심담이 지 되게 ᄒ
니, 형의 일이 엇디 이듧디 아니리오. 다만
챵빅이 녀ᄋ를 두 번 ᄉᆯ나ᄂᆞ니 그 은혜 듕
ᄒᆞᆷ 싱휵디은(生慉之恩)의 더ᄒᆞᆫ디라. 영쥐
죵신토록 각골 감심ᄒ여 부모도곤 더 딕졉
ᄒ미 올치 아니리오. 더옥 딘쉬 존듕ᄒ신
ᄐᆡ위로 잠졍 쇼실의 님ᄒ샤, 져의 병을 구
호ᄒ시니, 우【43】리ᄂᆞᆫ 실노 영쥬를 나흘
ᄯᆫ이오, 졍은 형의 집만 ᄀᆺ디 못ᄒ니, 쇼뎨
ᄌ식의 참쳑(慘慽)으로 비상ᄒᆫ 심ᄉᆞ, 팔지
험괴ᄒ니, 스스로 영쥬 보기를 구치 아니ᄒ
ᄂᆞ니, 명이 하날의 달녓거니와, 형이 인녁으
로 ᄉᆯ나ᄂᆞ녀 깁히 ᄀᆷ초아두라."

초휘 부친 말ᄉᆞᆷ 긋치시믈 기다려 금평후
를 향ᄒ여 ᄌᆡ빈 샤왈,

"년딜(緣姪)이 비록 블인무상 ᄒ오나, 년
슉의 디셩으로 경계ᄒ샤미 여ᄎᆞᄒ시니 엇디
밧드디 아니리잇고? ᄒᄆᆯ며 누의를 듁쳥형
이 두 번 구ᄒ여 ᄉ경을 면ᄒ미, 굿ᄐᆞ여 혐
극을 그 ᄌ식의게 옴길 거시 아니【44】오,
윤츄밀의 대은은 년딜이 구원(九原)741)의
플밋기742)를 긔약ᄒ옵ᄂᆞ니, 엇디 빅반ᄒ미

바. 또는 --하는 바의 것.
741)구원(九原): 저승.
742)플 밋기: 결초보은(結草報恩)을 이르는 말. 죽은
  뒤에라도 은혜를 잊지 않고 갚음을 이르는 말. 중
  국 춘추 시대에, 진나라의 위과(魏顆)가 아버지가

(胎候) 안온ᄒ니, 하날이 모ᄌ를 유의ᄒ시미
아니면, 엇지 그러ᄒ리오."

이ᄯ 뎡국공과 초휘 금평후의 말을 드르
미, ᄭᆷ이 쳐음으로 ᄭᆡᆫ 듯ᄒ여, 도로혀 깃븐
거슬 삼고, 뎡부 은덕을 감격ᄒ미 골슈의
ᄉ못ᄎ니, 엇지 언어간 형상ᄒ리오. 뎡국공
은 뉴【33】씨의 ᄉ오나오믈 듯고 ᄀ렴치
ᄋ녀, 오직 참상(慘傷)ᄒ든 낫빗츨 곳쳐, 쇼
왈,

"형이 발셔 영쥬를 잠졍의 머무로며 우리
부ᄌ의 넘녀흠을 우ᄉ려 ᄒ여, 긔괴ᄒ 거슬
ᄯᅵᆯ이라 ᄒ여 다려 오딕, ᄒᆫ 말 ᄒᄂᆫ 일이
업고, 금됴의 그 것슬 ᄎᆺ지 못ᄒ여 그런 ᄉ
고ᄂᆫ 모로고, 쇼뎨의 심담이 지되게 ᄒ니,
형의 일이 엇지 이듧지 아니 ᄒ리오. 다만
챵빅이 녀ᄋ를 두 번 ᄉᆯ나ᄂᆞ니 그 은혜
《싱휼∥싱휵》지은(生慉之恩)의 더ᄒᆞᆫ지라.
영쥐 죵신토록 각골 감심ᄒ여 부모도곤 더
딕졉ᄒ미 올치 ᄋ니리오. 더옥 진쉬 존즁ᄒ
신 ᄐᆡ위로 잠졍 쇼실의 님ᄒ샤, 져의 병을
구호ᄒ시니, 우리ᄂᆞᆫ 실노 영【34】쥬를 ○
○○ [나앗슬] ᄯᆫ이오, 졍은 형의 집만 ᄀᆺ지
못ᄒ니 쇼뎨 ᄌ식의 츰쳑(慘慽)으로 비상ᄒᆫ
심ᄉᆞ, 팔지 험괴ᄒ니, 스스로 영쥬 보기를
구치 아니ᄒᄂᆞ니, 명이 하날에 달녓거니와,
형이 인력으로 살나ᄂᆞ녀 깁히 감초아 두
라."

초휘 부친 말ᄉᆞᆷ 긋치시믈 기ᄃᆞ려 금평후
를 《기ᄃᆞ려∥향ᄒ여》 ᄌᆡ빈 샤왈,

"년딜(緣姪)이 비록 블인무상(不仁無狀)
ᄒ오나, 년슉의 지셩으로 경계ᄒ샤미 여ᄎᆞ
ᄒ시니 엇지 붓드지 ᄋ니리잇고? ᄒᄆᆯ며 누
의를 듁쳥형이 두 번 구ᄒ여 ᄉ경을 면ᄒ
미, 굿ᄐᆞ여 혐극을 그 ᄌ식의게 옴길 거시
아니오, 윤츄밀의 ᄃᆡ은은 년딜이 구원(九
原)734)의 풀 밋기735)를 긔약ᄒ옵ᄂᆞ니, 엇지

734)구원(九原): 저승.
735)플 밋기: 결초보은(結草報恩)을 이르는 말. 죽은
  뒤에라도 은혜를 잊지 않고 갚음을 이르는 말. 중
  국 춘추 시대에, 진나라의 위과(魏顆)가 아버지가
  세상을 떠난 후에 서모를 개가시켜 순사(殉死)하

이시리잇가? 다만 누의를 깁히 굽초고 그 집 쓸을 영영 친정의 왕늬케 못ᄒᆞ며, 윤합히 도라 오디 못ᄒᆞ신 젼, 년딜도 져곳의 갈 쯧이 업도소이다."

금평휘 미쇼 왈,

"이 일은 ᄌᆞ의 임의로 홀 거시니 오딕 츄밀의 은덕을 닛디 말나."

초휘 슌슌 ᄉᆞ샤ᄒᆞ고 모친긔 츠언을 고ᄒᆞ미 챡급ᄒᆞ여 밧비 안히 드러오니, 부인이 계오 졍신을 츌혀 녀ᄋᆞ를 브르디디며 울기를 마디 아니커늘, 윤시 뫼셔 겻틔 안잣다가 초후를 보고 니러셔ᄂᆞᆫ디라. 초【45】휘 뉴시의 힝ᄉᆞ를 싱각ᄒᆞ니 칼노 뼈흘고 시븐디라. 윤시의 쳔만 이미ᄒᆞᆷ믈 아나 분을 플 길히 업셔, 모친 겻틔 안잣다가 긔운을 뭇줍고, ᄒᆞᆫ 번 냥안을 흘니 써 윤시를 보미, 밍녈ᄒᆞᆫ 안광이 쇼져 신상의 찬난ᄒᆞ고 믁믁ᄒᆞᆫ 위의예 셜풍이 은은ᄒᆞ여 면식이 참엄ᄒᆞ니, 윤시 엇디 져 긔식을 모로리오. 시로이 그딕도록 ᄒᆞᆷ믈 괴이히 넉이딕, ᄉᆞ식을 변치 아니코 냥안을 낫초아 모로ᄂᆞᆫ 듯ᄒᆞ더니, 초휘 윤부 변고와 쇼믹의 익화를 셰셰이 고ᄒᆞ고, 작일 왓던 거슨 누의 아니오, 요악ᄒᆞᆫ 양낭(養娘)으로 ᄒᆞ여곰, 변용ᄒᆞᄂᆞᆫ 약을 먹여 쇼믹의 형【46】용을 비러, ᄌᆞ긔 집 모든 이목을 업슈히 넉여 보닉민 줄 고ᄒᆞ며, 뎡병부의 은혜를 감격ᄒᆞ여 갑흘 바를 아디 못ᄒᆞᄂᆞᆫ디라.

뎌부인이 딘짓 녀ᄋᆞᄂᆞᆫ 그러톳 병 드러 누어시믈 참연 이셕ᄒᆞ나, 텬셩이 인즈ᄒᆞᆫ 고로 윤시를 초휘 과도히 통히ᄒᆞ니, ᄌᆞ긔 어룬의 도리로뻐 ᄋᆞ들의 ᄆᆞ음을 도도며 며ᄂᆞ리 회푀 블안케 ᄒᆞ미 가치 아녀, 날호여 왈,

"영쥬의 참화를 두 번 구ᄒᆞ여 죽기를 면케 ᄒᆞᄂᆞᆫ 바ᄂᆞᆫ 뎡병뷔니, 도시(都是) 져의 명 되 박ᄒᆞ미오, 우리 젹악이 쓸게 밋츠미라.

세상을 떠난 후에 서모를 개가시켜 순사(殉死)하지 않게 하였더니, 그 뒤 싸움터에서 그 서모 아버지의 혼이 적군의 앞길에 풀을 묶어 적을 넘어뜨려 위과가 공을 세울 수 있도록 하였다는 고사에서 유래한다. 늑결초(結草)

비반ᄒᆞ미 이스【35】리잇가? 다만 누의를 깁히 감초고 그 집 쓸을 영영 친정의 왕늬케 못ᄒᆞ며, 윤합히 도라 오지 못ᄒᆞ신 젼, 년딜도 져곳의 갈 쯧지 업도소이다."

금평휘 미쇼 왈,

"이 일은 ᄌᆞ의 임의로 홀 거시니, 오직 츄밀의 은덕을 잇지 말나."

휘 슌슌 ᄉᆞ사ᄒᆞ고 모친긔 츠언을 고홈이 챡급ᄒᆞ여 븟비 안히 드러오니, 부인이 계오 졍신을 추려 녀ᄋᆞ를 부르지지며 울기를 마지 ᄋᆞ니ᄒᆞ거늘, 윤시 뫼셔 겻틔 안잣다가, 초후를 보고 니러셔ᄂᆞᆫ지라. 초휘 류녀의 힝ᄉᆞ를 싱각ᄒᆞ니 칼노 뼈흘고 시븐지라. 윤씨의 쳔만 이미ᄒᆞᆷ믈 아나 분을 풀 길이 업셔, 모친 겻틔 안잣다가 긔운을【36】뭇줍고 ᄒᆞᆫ 번 냥안을 흘니 써 윤씨를 보미, 밍녈ᄒᆞᆫ 안광이 쇼져 《시샹ǁ신샹》의 찬난ᄒᆞ고, 묵묵ᄒᆞᆫ 위의 예 셜풍이 외외ᄒᆞ여 면식이 참엄ᄒᆞ니, 윤시 엇지 져 긔식을 모로이오. 그딕도록 홈을 괴히이 넉이딕 식을 변치 아니코, 냥안을 나초아 모로ᄂᆞᆫ 듯ᄒᆞ더니, 초휘 윤부 변고와 쇼믹의 익화를 셰셰히 고ᄒᆞ고, 즉일 왓든 거슨 누의 ᄋᆞ니오 요악ᄒᆞᆫ 《약낭ǁ양낭(養娘)》으로 ᄒᆞ여곰, 변용ᄒᆞ는 약을 먹여 쇼믹의 형용을 비러, ᄌᆞ긔 집 모든 눈을 업슈히 넉여 보닉인 줄 고ᄒᆞ며, 뎡병부의 은혜를 감격ᄒᆞ여 갑흘 바를 아지 못ᄒᆞᄂᆞᆫ지라.

됴부인이 진짓 녀ᄋᆞᄂᆞᆫ 그러툿 병 드러 누엇【37】심을 츰연 이셕ᄒᆞ나, 텬셩이 인즈ᄒᆞᆫ 고로 윤시를 초휘 과도히 통히ᄒᆞ니, ᄌᆞ긔 어룬의 도리로뻐 ᄋᆞ들의 마음을 도도며 며ᄂᆞ리 회푀를 블안케 홈이 가치 아니 ᄒᆞ여, 날호여 왈,

"녕쥬의 참화를 두 번 구ᄒᆞ여 죽기를 면케 ᄒᆞ는 바는 뎡병뷔○[니], 《두시ǁ도시(都是)》 졔 명되 박ᄒᆞ《고ǁ미오》, 우리

지 않게 하였더니, 그 뒤 싸움터에서 그 서모 아버지의 혼이 적군의 앞길에 풀을 묶어 적을 넘어뜨려 위과가 공을 세울 수 있도록 하였다는 고사에서 유래한다. 늑결초(結草)

슈원슈한(誰怨誰恨)이리오."

초휘 분【47】연 디왈,

"살인즈스(殺人者死)는 한고조(漢高祖)의 약법삼댱(約法三章)743)의도 면치 못흔 비라. 누의 만일 죽어실딘디 쇼지 동긔(同氣)를 위ᄒ여 슈인(讐人)을 평안이 두리잇고? 우리 남미 팔지 괴이ᄒ와 그런 악착(齷齪)흔 간녀(奸女)의 며나리와 스회 되니 엇디 통히치 아니리잇고?"

됴부인이 과도ᄒ믈 칙ᄒ고 초하동의 가녀우를 보려 ᄒ더니, 믄득 윤시 잠이(簪珥)를 쌘히고 옥패를 글너 듕계의 나려 쳥죄ᄒ니, 됴부인이 놀나, 문왈,

"현부의 현심 슉덕은 우리 붉히 아는 비라. 내 일즉 현부를 거나리미 즈모의 도를 다ᄒ고져 ᄒ미러니, 금일【48】쳥죄ᄒ는 스단은 므슴 연괴뇨?"

윤시 츄파(秋波)744)의 이루(哀淚)를 먹음고 옥면이 취홍ᄒ여 지비 쳥죄 왈,

"쇼쳡의 즈뫼 어디디 못ᄒ여 쇼고긔 참화를 일위오나 쳡이 능히 구치 못ᄒ오니, 블인흔 죄 흔가디라. 원컨디 스죄(死罪)를 쳥ᄒᄂ이다."

됴부인이 윤시의 심시 블평ᄒ여 ᄒ믈 보미 크게 잔잉ᄒ여745), 급히 붓드러 친히 당의 올니고져 ᄒ더니, 하공이 금평후와 말슴ᄒ다가 평휘 도라간 후, 드러와 부인을 보고 녀우의 스라시믈 니르고져 ᄒ더니, 윤시의 디죄ᄒ믈 보고 대경ᄒ여 연고를 므르니, 부【49】인이 오부의 쳥죄ᄒ는 연유를 니르고, 초후는 년망이 하당ᄒ여 부친을 마즈 당의 오르시믈 쳥흔디, 공이 듯디 아니ᄒ고 윤시 겻틱 나아가 그 손을 잡고 이련(哀憐)

---

743)약법삼댱(約法三章) : 중국 한(漢)나라 고조가 진(秦)나라 군사를 격파하고 함양(咸陽)에 들어가서 지방의 유력자들과 약속한 세 조항의 법. 곧 ①사람을 살해한 자는 사형에 처하고, ②사람을 상해하거나 남의 물건을 훔친 자는 처벌하며, ③그 밖의 모든 진나라의 법은 폐지한다는 내용이다.
744)츄파(秋波) : 가을 물결처럼 맑은 눈.
745)잔잉ᄒ다 : 자닝하다. 애처롭고 불쌍하여 차마 보기 어렵다.

적악이 쓸의게 미츰이라. 슈원슈한(誰怨誰恨)이리오."

초휘 분연 디왈,

"살인즈스(殺人者死)는 한고죠(漢高祖)의 약법삼장(約法三章)736)을 면치 못홀 비라. 누의 만일 죽엇슬진디 쇼지 동긔를 위ᄒ여 슈인(讐人)을 평안이 두리잇고? 우리 남미 팔지 괴이ᄒ와 그런 악착(齷齪)흔 간녀(奸女)의 며나리와 스회 되니 엇지 통히치 아니리잇고?"

됴부인이 과도ᄒ음을【38】칙ᄒ고 녀으를 초하동의 가 보려 ᄒ더니, 믄득 윤시 잠이(簪珥)를 쌘히고 옥패를 글너 즁계의 ᄂ려 쳥죄ᄒ니, 됴부〇[인]이 놀나 문왈,

"현부의 현심 슉덕은 우리 붉히 아는 비라. 니 일즉 현부를 거나리미 즈모의 도를 다코져 ᄒ음이러니, 금일 쳥죄ᄒ는 스단은 므슴 연괴뇨?"

윤시 츄파(秋波)737)의 이루(哀淚)를 먹음고 옥면이 취홍ᄒ여 지비 쳥죄 왈,

"쇼쳡의 즈뫼 어지지 못ᄒ여 쇼고긔 춤화를 일위나 쳡이 능히 구치 못ᄒ오니, 블인흔 죄 흔가지라. 원컨디 스죄(死罪)를 쳥ᄒ나이다."

됴부인이 윤시의 심시 블평ᄒ음을 봄이 크게 잔인ᄒ여738), 급히 붓드러 친이 당의 올니고져 ᄒ더니,【39】하공이 금평후와 말슴ᄒ다가 평후 간 후, 드러와 부인을 보고 녀으의 스랏시믈 이르고져 ᄒ더니, 윤시 디죄ᄒ음을 보고 디경ᄒ여 연고를 무르니, 부인이 오부의 쳥죄ᄒ는 연유를 이르고, 초후는 년망이 하당ᄒ여 부친을 마즈 당의 오르시믈 쳥흔디, 듯지 으니 ᄒ고 윤시 겻헤 ᄂ아가 그 손을 줍고 이연(愛憐)ᄒ음이 유아 가트

---

736)약법삼댱(約法三章) : 중국 한(漢)나라 고조가 진(秦)나라 군사를 격파하고 함양(咸陽)에 들어가서 지방의 유력자들과 약속한 세 조항의 법. 곧 ①사람을 살해한 자는 사형에 처하고, ②사람을 상해하거나 남의 물건을 훔친 자는 처벌하며, ③그 밖의 모든 진나라의 법은 폐지한다는 내용이다.
737)츄파(秋波) : 가을 물결처럼 맑은 눈.
738)잔인ᄒ다 : 자닝하다. 애처롭고 불쌍하여 차마 보기 어렵다.

흐미 유ᄋ ᄀᆺ투여, 쇼왈,

"○○○[네 가장] 다ᄉ(多事)ᄒ여746) 당치 아닌 쳥죄를 브즈러니 ᄒ거니와, 네 만일 당의 오로디 아니ᄒ면 내 쏘 이에 셔시리라."

윤시 모친의 허다 과악을 드르미 붓그러오미 짜흘 파고 들고 시븐다라. 겸ᄒ여 초후의 ᄌ긔 믜워홈과 엄구의 이딕도록 년이 ᄒ시미, 더옥 여러 가디로 블안ᄒ믈 니긔디 못ᄒ니, 딘퇴냥난(進退兩難)ᄒ여 아모리 홀 줄 모로【50】ᄂᆞᆫ 거동이라. 하공이 그 블인ᄒᆫ ᄌ모를 인ᄒ여 쇼져의 심회 참황ᄒ믈 크게 잔잉ᄒ여, 손을 잡아 당의 올나 쇼져를 갓가이 안치고, 어로만져 위로 왈,

"셰샹의 어나 사람이 구식디간(舅媳之間)747)의 듕ᄒᆫ 줄을 모로리오마는, 실노 우리 부ᄌ와 구식은 ᄉ정이 타인과 다른다라. 참화디후의 원광이 아니면 내 능히 보젼치 못홀 거시오, 영쥬를 일허 비록 금평후의 양녜 된 줄 아나, 그 참연코 비황ᄒᆫ 심스를 현뷔 아니면 딘뎡치 못ᄒ리니, 촉디 궁촌(窮村)의 쳔근을 너흘며748) 모믹(麰麥)을 과람(過濫)히 녁일 쎄의, 현【51】뷔 쳔금지딜(千金之質)노 호치(豪侈) 듕 싱댱ᄒ니, 셰샹 고싱을 치 모를 거시로딕, 치빈(采蘋)749)을 안연(晏然)이750) ᄒ여 고ᄌ(古者)751) 슉녀의 풍을 니으며, 밧그로 화긔를 일위여 승안양디(承顔養志)752)ᄒᄂᆞᆫ 효셩이

---

746)다ᄉ(多事)ᄒ다 : 다사(多事)스럽다. 쓸데없는 일을 잘하는 데가 있다.

747) 구식디간(舅媳之間) : 시아버지와 며느리 사이.

748)너흘다 : 씹다.

749)채빈(采蘋) : 빈(蘋)은 수초(水草)의 일종인 부평초(浮萍草)를 말함. 채빈은 '부평초를 뜯는다'는 뜻으로, 『시경(詩經)』〈소남(召南)〉 채빈(采蘋) 편의 "우이채빈 남간지빈(于以采蘋 南澗之濱; 남쪽 시냇가에서 수초를 뜯네)에서 따온 말인데, 이 시는 '수초를 뜯어다 제사 받드는 것'을 노래한 것이다.

750)안연(晏然)이 : 안연(晏然)히. 마음이 평화롭고 걱정 없이 편안하게.

751)고ᄌ(古者) : 옛적, 옛날에.

752)승안양디(承顔養志) : 부모님 또는 웃어른의 얼굴빛을 살펴 그 뜻을 받들거나 마음을 즐겁게 해 드림.

여 쇼왈,

"네 가장 다ᄉ(多事)ᄒ여739) 당치 ᄋᆞ닌 쳥죄를 부즈러니 ᄒ거니와, 네 만일 당의 오로지 ᄋᆞ니ᄒ면 닉 쏘 이에 셧스리라."

윤시 모친의 허다 과악을 드르미 붓그림이 짜흘 파고 들고 시븐지라. 겸ᄒ여 초후의 ᄌ긔 믜워홈과 념구의 이딕도록 년이ᄒ심【40】이 더옥 여러 가지로 블안홈을 이긔지 못ᄒ니, 진퇴냥ᄂᆞᆫ(進退兩難)ᄒ여 아모리 홀 줄 모로ᄂᆞᆫ 거동이라. 하공이 그 블인ᄒᆫ ᄌ모를 인ᄒ여 쇼져의 심회 참황홈을 크게 잔잉ᄒ여, 손을 줍아 당의 올나 쇼져를 갓가이 안치고, 어로만져 위로 왈,

"셰샹의 어닉 스름이 구식지간(舅媳之間)740)의 즁ᄒᆫ 줄을 모로리오마는, 실노 우리 부ᄌ와 구식은 스졍이 타인과 다른지라. 참화지후의 원광이 아니면 능히 보젼치 못홀 거시오, 영쥬를 이러741) 비록 금평후의 양녜 된 쥴 아나, 그 참연코 비황ᄒᆫ 심스를 현부 아니면 진덩치 못ᄒ리니, 촉디 궁촌(窮村)의 쳔근을 너흘며742) 모믹(麰麥)을 과람(過濫)이 녁일 쎄의, 현뷔【41】쳔금지질(千金之質)노 호치(豪侈) 즁 싱장ᄒ니, 셰샹 고싱을 치 모를 거시로딕, 치빈(采蘋)743)을 안영[연](晏然)이744) ᄒ여 녜 슉녀의 풍을 이으며, 붓그로 화(和)를 일위여 승안양지(承顔養志)745)ᄒᄂᆞᆫ 효셩이 동동촉

---

739)다ᄉ(多事)ᄒ다 : 다사(多事)스럽다. 쓸데없는 일을 잘하는 데가 있다.

740) 구식지간(舅媳之間) : 시아버지와 며느리 사이.

741)이러 : 잃어. 잃다; 가졌던 물건이 자신도 모르게 없어져 그것을 갖지 아니하게 되다.

742)너흘다 : 씹다.

743)채빈(采蘋) : 빈(蘋)은 수초(水草)의 일종인 부평초(浮萍草)를 말함. 채빈은 '부평초를 뜯는다'는 뜻으로, 『시경(詩經)』〈소남(召南)〉 채빈(采蘋) 편의 "우이채빈 남간지빈(于以采蘋 南澗之濱; 남쪽 시냇가에서 수초를 뜯네)에서 따온 말인데, 이 시는 '수초를 뜯어다 제사 받드는 것'을 노래한 것이다.

744)안연(晏然)이 : 안연(晏然)히. 마음이 평화롭고 걱정 없이 편안하게.

745)승안양디(承顔養志) : 부모님 또는 웃어른의 얼굴빛을 살펴 그 뜻을 받들거나 마음을 즐겁게 해

동동쵹쵹(洞洞屬屬)753)ᄒ니, 우리 부뷔 팔 ᄌ의 궁험ᄒ미 이상ᄒ나, ᄒᆫ 일이나 일ᄏᄅ미 이셔, ᄋ둘이 인효(仁孝)ᄒ고 며나리 특이ᄒ니 힝심ᄒᄂ 비라. 이졔 은샤를 닙ᄉ와 합문이 고토의 도라와, 원광이 현달ᄒ고 내 ᄯ 외람ᄒᆫ 작쳐 공후의 밋ᄎ니, 직앙이 이실가 공구ᄒᄂ 비러니, 넘녀와 ᄀᆺᄐ여 녀ᄋ의 화익이 우리 부부의 젹악으로 비로ᄉ미오, 사【52】룸을 탓홀 거시 업ᄂ니다. 임의 ᄉ경을 면ᄒ미 영힝ᄒ니, ᄎ셩(差成)ᄒ기를 기다려 안덩ᄒᆫ 쳐소를 어더 머므르고, 아딕 ᄉ라시믈 젼파치 말고져 ᄒᄂ니, 니○[ᄂ] 녀ᄋ의 굿기미 졔 명도의 괴이ᄒ미오, 현부의 타시 아니니, 엇디 쳥죄홀 ᄉ단이 이시리오. 원간 일이 블힝ᄒ여 윤부의셔 영쥬를 죄 업시 박살ᄒ미 이셔도, 우리 부뷔 져의 쳥츈을 앗기고 슬허 ᄒ며 ᄌ녀 슈(數)의 험난ᄒᆷ믈 통완홀디언졍, 윤부 쳐ᄉ를 원망ᄒ여 현부를 미온치 아니리니, 심회를 화려히 ᄒ여 조보야이 용녀치 말나."【53】

이의 시녀로 ᄒ여곰 쇼져의 잠이(簪珥)와 옥패를 주어 평신(平身)754)ᄒ라 ᄒ니, 윤시 엄구의 이 ᄀᆺᄐᆫ 은이를 밧ᄌ올ᄉ록 ᄌ긔 집 일을 싱각ᄒ미, 참괴ᄒ미 욕ᄉ무디 ᄒ니 능히 므슴 말을 ᄒ리오. 다만 직비 ᄉ샤홀 ᄯᆫ이오, 감히 낫츨 드디 못ᄒ니, 됴부인이 화평ᄒᆫ ᄉ식으로 이듕ᄒ며 그 ᄆᆞ음을 편토록 ᄒ나, 쇼졔 즐거온 ᄯᆺ이 업거늘, 초후의 간간이 믜워 보는 거동은 고딕 죽일 ᄃᆺ ᄒᆫ디라. 윤시 비록 쳔균 대량이나 참괴ᄒᆷ믈 엇디 참으리오. 스스로 셰렴이 ᄉ연ᄒ더라.

초휘 민뎨의 병을 보고져 부모긔 고ᄒ고, 믈너나 금평후【54】초하동 잠졍을 ᄌ셔히

쵹(洞洞屬屬)746)ᄒ니, 우리 부뷔 팔ᄌ의 궁험ᄒ미 이상ᄒ나, ᄒᆫ 일이나 일카롬이 잇셔 아들이 인효(仁孝)ᄒ고 며느리 특이ᄒ니 힝심ᄒᄂ 비라. 이졔 은샤를 입어 합문이 고토의 도라와, 원광이 현달ᄒ고 닉 ᄯ 외람ᄒᆫ 작쳐 공후의 이르니, 직앙이 잇슬가 공구ᄒᄂ 비러니, 넘녀와 가ᄐ여 녀ᄋ의 화익○[이] 우리 부부의 젹악을 비로솜이오, ᄉ룸을 탓홀 거시 업ᄂ지라. 임의 ᄉ경(死境)을 ○○○[면ᄒ미] 영힝ᄒ니, ᄎ셩(差成)ᄒ기를 기다【42】려 안졍ᄒᆫ 쳐소를 어더 머므르고, 아직 ᄉ랏심을 젼파치 말고져 ᄒᄂ니, 녀ᄋ의 굿김이 졔 명도의 괴이ᄒᆷ이오, 현부의 탓시 ᄋ니니, 엇지 쳥죄홀 ᄉ단이 이시리오. 원간 일이 블힝ᄒ여 윤부의셔 영쥬를 죄 업시 박살ᄒᆷ이 잇셔도, 우리 부뷔 져의 쳥츈을 앗기고 스러ᄒ며 ᄌ녀 슈(數)의 험난ᄒᆷ을 통완홀지언졍, 윤부 쳐ᄉ를 원망ᄒ여 현부를 미온치 ᄋ니리니, 심회를 화려히 ᄒ여 조보야이 용녀치 말나."

이의 시녀로 ᄒ여곰 쇼져의 잠(簪)과 옥패(玉佩)를 쥬어 평신(平身)747)ᄒ라 ᄒ니, 윤시 존구○[의] 이갓치 홀ᄉ록, ᄌ긔 집 일을 싱각ᄒᆷ이 참괴ᄒᆷ이 욕ᄉ무디【43】ᄒ니, 능히 므슴 말을 ᄒ리오. 다만 직비 ᄉ사홀 ᄯᆫ이오, 감히 낫츨 드지 못ᄒ니, 됴부인이 화평ᄒᆫ ᄉ식으로 이즁ᄒ며, 그 마음을 편토록 ᄒ나, 쇼졔 즐거온 ᄯᆺ시 업거늘, 초후의 간간이 믜워 ᄒᄂ 거동○[은] 고딕 죽일닷 ᄒᆫ지라. 윤시 비록 쳔균대량이나 츰괴ᄒᆷ을 엇지 츰으리오. 스스로 셰렴이 ᄉ연ᄒ더라.

초휘 민뎨의 병을 보고져 부모긔 고ᄒ고

---

753)동동쵹쵹(洞洞屬屬) : 공경하고 조심함. 부모를 섬기고 공경하는 마음이 지극함. 『예기(禮記)』 〈제의(祭義)〉편의 "洞洞乎屬屬乎如弗勝 如將失之. 其孝敬之心至也與(공경하고 조심하는 태도가 마치 이기지 못하는 것 같고 잃지 않을까 조심하는 것 같아, 그 효경하는 마음이 지극하기 그지없다.)"에서 온 말.

754)평신(平身) : 엎드려 절한 뒤에 몸을 그 전대로 폄.

드림.

746)동동쵹쵹(洞洞屬屬) : 공경하고 조심함. 부모를 섬기고 공경하는 마음이 지극함. 『예기(禮記)』 〈제의(祭義)〉편의 "洞洞乎屬屬乎如弗勝 如將失之. 其孝敬之心至也與(공경하고 조심하는 태도가 마치 이기지 못하는 것 같고 잃지 않을까 조심하는 것 같아, 그 효경하는 마음이 지극하기 그지없다.)"에서 온 말.

747)평신(平身) : 엎드려 절한 뒤에 몸을 그 전대로 폄.

므러 츠즈 가려 흐므로, 뎡부의 잠간 단녀 갈식, 이 날 금평휘 초벽 등이 쇼져를 츠즈라 분분이 헤디르믈 보미, 발셔 윤부의셔 쇼져 딕신 온 거시 도망흔 줄 짐작흐고, 하공의 과상흐믈 민망흐여 하쇼져 스라시믈 닐너시나, 하시의 형용이 금즉흐니755), 초 휘 보면 반드시 윤시로 은졍이 박홀가 넘녀 흐므로, 초후를 스리로 경계흐여 윤츄밀의 은혜를 져바리디 말나 닐너시나, 다만 초후 의 위인이 밍녈 엄쥰흐여 유약흔 셩품과 굿 디 아니흐니, 흔 번 고집을 뎡흐미 능히 요 개(搖改)756)흐기 어려올【55】가 넉이딕, 총총이 도라 왓더니, 초휘 니르러 잠졍을 뭇는디라. 금평휘 이에 글오딕,

"즈의 영쥬를 가 보려니와, 처음으로 딕 흐면 그 의형이 구장 괴이흐여 흔 조각 피 덩이라. 참잔(慘殘)흔 거동이 힝뇌(行路)라 도 눈믈을 나리오리니, 흐믈며 즈의의 동긔 디졍이리오마는, 연이나 죽기는 면흐여시니, 이제는 의티(醫治)를 착실이 흐여 소셩키를 기다릴 쯔롬이라. 영쥐 비록 구가로좃츠 참 화를 만나시나, 임의 죽디 아닌즉 거취를 져의 소텬(所天)이 결단홀 거시로딕, 스빈이 양모를 긔망흐고 안희를 권년(眷戀)흐여 구 구히 쳐소를 어더 주디 아니리【56】니, 아 딕 스셰(事勢)757)로 스빈다려 니르디 말고, 흔갈굿치 영쥬를 일야간 일흐므로 흐며, 쏘 흔 즈의 뉴부인을 감격히 넉일 니는 업스 나, 혹즈 만분디일이나 윤부인을 년좌흐여 뉴부인 녀인 줄 믜이 넉이미 이신 후는 박 힝필뷔(薄行匹夫) 되리니, 내 말을 지삼 싱 각흐라. 오슈용녈(吾雖庸劣)758)이나 즈의를 권댱흐는 도리, 그른 거스로 니르디 아니리 라."

---

755)금즉흐다 : 끔찍하다. 진저리가 날 정도로 참혹 하다.
756)요개(搖改) : 번복하여 고침.
757)스셰(事勢) : 일이 되어 가는 상황이나 형편.
758)오슈용녈(吾雖庸劣) : '내 비록 변변치 못하고 졸 렬하지만'의 뜻.

물너나 금평후긔 초하동 잠졍을 즈셔히 무 러 츠즈 가랴 흠으로 뎡부의 잠간 단녀갈 식, 이 날 금평휘 초벽 등이 쇼져를 추지라 분분이 헤지롬을 보미, 발셔 윤부의셔 쇼져 딕신 온 거시 도망흔 쥴 짐죽흐고 하공의 과【44】샹흠을 민망흐여 하쇼져 스롯슴을 일넛스나, 하시의 형용이 금즉흐니748), 초 휘 보면 반드시 ○○○[윤시로] 은졍이 박 홀가 넘녀흠으로, 초후를 스리로 경계흐여 츄밀의 은혜를 져바리지 말나 일넛스나, 다 만 초후의 위인이 밍녈 엄쥰흐여 유약흔 셩 품과 굿지 으니 흐니, 흔 번 고집을 뎡흐미 능히 요기(搖改)749)《홀가∥흐기 어려올 가》넉이딕, 총총이 도라 왓드니, 초휘 이르 러 잠졍을 뭇는지라. 금평휘 ○○○○○[이 에 글오딕],

"영쥬를 즈의 가 보랴 흐거니 처음으 로 딕흐면[면] 그 의형이 구장 고이흐여 흔 조각 피덩이라. 보기 어렵거니와, 혹즈 만분 지일이누 윤부인을 년좌흐는 일이 잇실즉시 면, 빈은망덕흐는【45】무심흔 스룸이 쏘흔 될거시니, 이제는 《의지∥의치(醫治)》를 착실이 흐여 소셩키를 기다릴 쯔롬이라. 영 쥐 비록 구가로좃츠 참화를 맛닛시나, 임의 죽지 아닌즉 거취를 져의 소쳔이 결단홀 거 시로딕, 스빈이 양모를 속이고 안희를 권년 (眷戀)흐여 구구히 쳐소를 어더 주지 아니 흐리니, 아딕 스셰(事勢)750)로 스빈다려도 이르지 말고 흔갈가치 영쥬를 일야간 일흠 으로 흐며, 쏘흔 즈의 뉴부인을 감격히 넉 일 니는 업스나, 혹즈 만분지일이나 윤부인 을 년좌흐여 뉴부인 녀인 쥴 믜이 넉임이 잇슨 후는 박힝필뷔(薄行匹夫) 되리니, 늬 말을 지삼 싱각흐라. 오슈용위(吾雖庸 愚)751)나 즈의를 권장흐는 도리 그른 거슬 【46】이로지 아니 흐리라."

---

748)금즉흐다 : 끔찍하다. 진저리가 날 정도로 참혹 하다.
749)요개(搖改) : 번복하여 고침.
750)스셰(事勢) : 일이 되어 가는 상황이나 형편.
751)오슈용우(吾雖庸愚) : '내 비록 변변치 못하고 어 리석지만'의 뜻.

초휘 흔연 비샤 왈,

"넌슉은 쇼딜 부부의 금슬을 넘녀치 마르쇼셔."

금휘 함쇼 무언이러니, 날호여 녜부를 명호여 초후와 흔가디로 잠졍의 가 하시를 보고 오라 호니, 녜뷔 승명호여 초후로 더브【57】러 잠졍의 니르니, 학스와 유홍 공지 반겨 마즈 하후의 니르믈 괴이히 넉여, 혹시 웃고 굴오딕,

"우리 져져의 환후를 구호호려 이의 머믈 거니와, 하형은 므슴 연고로 궁벽흔 잠졍을 츠즈 니르럿느뇨?"

초휘 탄왈,

"너희는 호화의 쓰이여759) 사룸의 슬프믈 모로거니와, 나는 미뎨의 신셰를 혜아리미 촌댱이 여할(如割)호믈 니긔디 못호리로다."

혹시 쇼왈,

"형은 져져의 신셰를 위호여 촌장이 여할호거니와, 우리는 그 참참흔 거동을 보미 처음은 놀납고 슬프믈 뎡치 못호더니, 임의 져졔 인스를 출히시믈 보니 셰샹 즐거오미 이【58】밧긔 나디 아니홀 둣호니, 호화타 호믈 엇디 샤양호리오."

인호여 즈긔 위·뉴 두 부인을 욕호다가 부젼의 칙교 드르믈 니르고, 쏘 우어 굴오딕,

"실노 스빈을 도라보디 아니면, 아등이 엇디 입을 봉호여 쳔고 간악 흉녀를 다스리디 아니리오. 형은 뉴부인이 악뫼라, 쇼뎨딕언을 미온이 넉이려니와, 만일 형이 쇼뎨의 셩졍 곳틀딘딕 아모리 쳐뫼(妻母)라도 일장 대욕을 쇠훤이 아니랴?"

초휘 미쇼 왈,

"녜빅의 언시 쾌활호여 딘짓 댱부의 긔샹이어늘, 존슉이 브졀업시 즐칙을 호시도다. 다만 뉴부인을 딕호여 욕호【59】기는 실노 스빈의 낫츨 보아 맛춤닉 못호거니와, 엇디 분히치 아니리오."

초휘 흔연 비샤 왈,

"넌슉은 쇼딜 부부의 금슬을 넘녀치 마르소셔."

금휘 함쇼 무언이러니, 날호여 녜부를 명호여 ○…결락 26 자…○[초후와 흔가디로 잠졍의 가 하시를 보고 오라 호니 녜뷔 승명호여] 초후로 더부러 잠졍의 이르니, 흑스와 유홍 공지 반겨 마즈 하후의 이름믈 괴이히 넉여, 흑시 웃고 굴오딕,

"우리 져졔의 환후를 구호호려 이의 머믈 거니와 하형은 므스[순] 연고로 궁벽흔 잠졍을 츠즈 이르럿느뇨?"

초휘 탄왈,

"너희는 호화의 쓰이여752) 스룸의 슬픔을 모로거니와, 나는 미뎨의 신셰를 혜아리미 촌장이 여할(如割)호믈 이긔지 못호리로다."

흑시 쇼왈,

"형은 져졔의 신셰를 위호여 촌장이 여할호거니와, 우리는 그 참참흔 거동을 보미 쳐【47】 음은 놀납고 슬픔을 졍치 못호더니, 임의 져졔 인스를 츠리심을 보니 셰샹 질겨옴이 이밧게 나지 아니홀 둣호니, 호화타 홈믈 엇지 스양호리오."

인호여 즈긔 위·뉴 두 부인을 욕호다가 부친게 칙교 드롬을 이르고, 쏘 우어 굴오딕,

"실노 스빈을 도라보지 아니면, 아둥이 엇지 입을 봉호여 쳔고 간악 흉녀를 드스리지 아니리오. 형은 류부인이 악뫼라. 쇼뎨지언을 미온이 넉이려니와, 만일 형○[이] 쇼뎨의 셩졍 갓흘진딕, 아모리 쳐뫼라도 일장 ○○○[대욕을] 쇠훤이 아니랴?"

초휘 미쇼 왈,

"녜빅의 언시 쾌활호여 진짓 장부의 긔샹이어늘, 존슉이 부졀업시 즐칙을 호시도다. 다만 류부인을 딕호여【48】 욕호기는 실노 스빈의 낫츨 보아 맛춤닉 못호거니와, 엇지 분히치 아니 호리오."

---

759)쓰이다 : 뜨이다. '뜨다'의 피동형으로 물이나 공중에 둥둥 떠 있는 상태에 있다. 마음이 들떠 있다.

752)쓰이다 : 뜨이다. '뜨다'의 피동형으로 물이나 공중에 둥둥 떠 있는 상태에 있다. 마음이 들떠 있다.

흑시 쇼왈,

"아모리 ᄒ여도 하형은 당셰의 유명ᄒᆫ 이쳐긱(愛妻客)이라 ᄒ리로다. 그런 몹쓸 뉴부인을 그려도 쳐뫼라 ᄒ여, 언어간의 별노 존경ᄒ미 타인과 다르도다."

초휘 쇼왈,

"이런 희언은 날회고 내 쇼미 볼 ᄆ음이 급ᄒ니, 후빅과 녜빅은 드러가 존슉뫼 잠간 올므시게 ᄒ라."

흑ᄉ 형뎨 즉시 드러와 모친긔 초후의 와시믈 고ᄒ여 잠간 칙시믈 고ᄒ니, 딘부인이 다른 당샤로 옴고, 녜뷔 나와 하후의 ᄉ미를 닛그려 병소의 드러와 쇼져를 볼ᄉᆡ, 초휘 미뎨【60】의 덥흔 거슬 열믹, 피 흐르던 얼골의 약을 븟쳐 가죡이 다 상ᄒ여 만면이 다 웃쳐디고, 운발노 목미엿던 ᄌ국이 쳥화(靑華)760) ᄀᆞᆺᄐ며 살히 써러져시니, 비록 냥안을 금디 아냐시나 ᄒᆫ 조각 피뎡이를 누여심 ᄀᆞᆺᄐ니, 초휘 이 거동을 보고 통완ᄒᆞᆷ믈 니긔디 못ᄒ니, 미뎨의 손을 잡고 일장을 실셩톄옵 왈,

"심의(甚矣)라! 뉴녜. 내 누의로 므슴 원쉬 잇관듸, 이 ᄀᆞᆺ치 쳔고의 업ᄉᆞᆫ 형벌을 더어 강슈의 씌이려 ᄒ던고. 이 딘짓 구쉬(仇讐)로다. 내 금번 초를 파홀 제도 셩ᄒᆫ 사롬은 쇄골(碎骨)코져 의ᄉᆞ 업던디라. 현미의 약딜이 악인의 독【61】슈를 당ᄒ여, 그 참형을 바들 제, 오히려 목슘을 ᄆᆞᆾ디 아니며 ᄽᅦ 바아디기를 면ᄒ미 도로혀 괴이ᄒᆫ 일이오, 하날이 도으시미니, 뎡형의 두 번 구ᄒᆞᆷ 곳 아니면 발셔 일신이 어복(魚腹)을 치와시리니, 이를 ᄉᆡᆼ각ᄒ미 엇디 통한ᄒᆞᆷ믈 ᄎᆞᆷ으리오. 우형이 동긔를 위ᄒᆫ 졍이 박ᄒ고 용우ᄒ여, 이 거동을 보듸 오히려 뉴녀 간인(奸人)의 ᄯᅩᆯ을 츌거치 못ᄒ고, 완연이 악인의 ᄉ회믈 감심ᄒ니, 실노 사롬을 듸홀 낫치 업도다."

인ᄒ여, 분긔 팅듕ᄒ여 윤시의 타시 아닌 줄 알오듸, 뉴녀의 ᄯᅩᆯ이라 믜이 넉여 쇼미

760)쳥화(靑華) : 푸른 물감의 하나. 청화백자(靑華白磁)에 칠하는 푸른 색 안료(顏料).

흑시 쇼왈,

"아모리 ᄒ여도 하형은 당셰의 유명ᄒᆫ 이쳐긱(愛妻客)이라 ᄒ리로다. 그런 몹쓸 류부인을 그려도 쳐뫼라 ᄒ여 언어간의 별노 존경흠이 타인과 다르도다."

초휘 쇼왈,

"이런 희언은 날회고 닉 쇼미 볼 마음이 급ᄒ니, 후빅과 녜빅은 드러 가 존슉뫼 잠간올모시○[게] ᄒ라."

흑ᄉ 형뎨 즉시 드러와 모친긔 《하후‖초후》 왓심을 고ᄒ여 잠간 칙시믈 고ᄒ니, 진부인이 다른 당으로 옴고, 녜뷔 나가 하후의 ᄉ미를 잇그러 병소의 와 쇼져를 볼ᄉᆡ, 초휘 미뎨의 덥흔 것슬 열미, 피 흐르든 얼골의 약을 부쳐 가죡이 다 상ᄒ【49】여 만면이 다 웃쳐지고, 운발노 목미엿든 ᄌ국이 쳥화(靑華)753) ᄀᆞᆺ타며 슬히 써러졋시니, 비록 냥안을 감지 아니ᄒ얏스나 ᄒᆫ 조각 피덩이 누엿심 ᄀᆞᆺ타니, 초휘 이 거동을 보고 통완ᄒ믈 이긔지 못ᄒ니, 미뎨의 손을 줍고 일장을 실셩체옵 왈,

"심의(甚矣)라! 류녜. 닉 누의로 무슴 원쉬 잇관듸 이ᄀᆞᆺ치 쳔고의 업슨 형벌을 더어 강슈의 《듸‖씌》우려 ᄒ든고. 이 진짓 구쉬(仇讐)로다. 닉 금번 초를 파홀 제도 셩ᄒᆫ ᄉ롬은 쇄골(碎骨)코져 의ᄉᆡ 업던지라. 현미의 약질이 악인의 독슈를 당ᄒ여, 그 참형을 바들 제, 오히려 목슘을 ᄆᆞᆾ지 ᄋ니며 ᄲᅦᆺ 브아지기를 면흠이 도로혀 괴이ᄒᆫ 일이오, 하늘【50】이 도으심이니, 뎡형의 두 번 구ᄒ심 곳 아니면, 발셔 일신이 어복(魚腹)에 치왓시리니, 이를 ᄉᆡᆼ각ᄒ미 엇지 통한흠을 ᄎᆞᆷ으리오. 우형이 동긔를 위ᄒᆫ 졍이 박ᄒ고, 용우ᄒ여 이 거동을 보듸, 오히려 류녀 요인(妖人)에 ᄯᅩᆯ을 츌거치 못ᄒ고, 완연이 악인의 ᄉ회를 감심ᄒ니, 실노 ᄉ롬을 듸홀 ᄂᆞᆺ치 업도다."

인ᄒ여, 분긔 팅즁ᄒ여 《유시‖윤시》의 탓 아닌 줄 아오듸, 류녀의 ᄯᅩᆯ이라 믜이 넉

753)쳥화(靑華) : 푸른 물감의 하나. 청화백자(靑華白磁)에 칠하는 푸른 색 안료(顏料).

의 상처를 윤시를【62】뵈고, 그 모친의 허
믈을 쾌히 니르고져 ᄒᆞᄆᆞ로, 연갑(硯匣)을
나와 두어 줄 쇼찰(小札)노, 모친긔 쇼미 윤
시를 잠간 보고져 ᄒᆞᄂᆞᆫ 바를 고ᄒᆞ여, 하리
를 취운산의 보ᄂᆞ니, 이 ᄯᅢ 하쇼졔 일신이
아니 알픈 곳이 업셔 ᄒᆞᄂᆞᆫ 가온ᄃᆡ, 거거를
보니 반갑고 슬프믈 니긔디 못ᄒᆞ거늘, 하후
의 노분이 하날을 쎄칠 ᄃᆞᆺᄒᆞ여 뉴녀 믜워ᄒᆞ
미 비홀 ᄃᆡ 업ᄉᆞ니, 어득ᄒᆞᆫ 심시 민박ᄒᆞ여,
함누 왈,

"쇼미 명되 긔험ᄒᆞ고 셩회(誠孝) 쳔박ᄒᆞ
여, 셰상의 희한ᄒᆞᆫ 경계를 당ᄒᆞ여 몸이 보
젼키 어렵거늘, 남후 거거의 대은을 므릅뻐
일명이 ᄉᆞ라나고, 양모 부【63】인과 졔 거
거의 구호ᄒᆞ시믈 극딘히 ᄒᆞ시니, 일노 드ᄃᆡ
여 쇼미 ᄉᆞ경을 면ᄒᆞᆫ디라. 고인이 운(云)ᄒᆞ
ᄃᆡ, '원슈ᄂᆞᆫ 커도 프러 니ᄌᆞ며, 은혜ᄂᆞᆫ 젹어
도 밋고 닛디 말나' ᄒᆞ미 디극히 올커늘, 거
게(哥哥) 식니군ᄌᆞ(識理君子)로 힝시 졍슉ᄒᆞ
신다라. 반ᄃᆞ시 언ᄉᆞ를 삼가시미 맛당ᄒᆞ니,
므슴 화증(火症)으로 존고를 이ᄀᆞᆺ치 악인이
라 ᄒᆞ시며, 더욱 윤형이 칠거디악(七去之
惡)761)이 업고, 빅ᄉᆞ(百事) 츌뉴(出類)ᄒᆞᆫ디
라. 당당ᄒᆞᆫ 슉녀어늘 ᄯᅩ 어이 츌(黜)치 못ᄒᆞ
믈 한ᄒᆞ시ᄂᆞ뇨? 거거의 거동이 존구의 은혜
와 덕을 니ᄌᆞ시고, 쇼미로 인ᄒᆞ여 박힝(薄
行) 무식(無識)기를 면치 못ᄒᆞ시니, 쇼미 블
승한심(不勝寒心)ᄒᆞ여 심회【64】놀나오믈
니긔디 못ᄒᆞᄂᆞ니, 아디 못거이다 윤형을 쇼
미 보아디라 ᄒᆞ미 업거늘, 급히 쳥ᄒᆞ시믄
어인 일이니잇고?"

초휘 위로 왈,

"현미 금번 ᄉᆞ라나면 우형이 결단코 다시
뉴녀의 곳의 보ᄂᆞ디 아니리니, 현미ᄂᆞᆫ 안심
됴병ᄒᆞ고, 뉴시 간녀를 존고라 ᄒᆞ여 존칭치
말나."

여 쇼미에 상쳐를 눈시를 뵈이고 그 모친의
허믈을 쾌히 이르고져 홈으로, 연갑(硯匣)을
열고 두어 쥴 쇼찰노, 모친게 쇼미 눈시를
잠간 보고져 ᄒᆞᄂᆞᆫ 바를 고ᄒᆞ여, 하리를 취
운산의 보ᄂᆞ니, 이 ᄯᅥ【51】하쇼졔 일신이
아니 앓흔 곳이 업셔 ᄒᆞᄂᆞᆫ 가온ᄃᆡ, 거거를
보니 반갑고 슬픔을 긔약지 못ᄒᆞ거늘, 하후
의 노분이 하날을 쎄칠 ᄃᆞᆺᄒᆞ여 류녀 믜워홈
이 비홀 ᄃᆡ 업ᄉᆞ니, 어득ᄒᆞᆫ 심시 《어득∥
민박》ᄒᆞ여 함누 왈,

"쇼미 명되 긔험ᄒᆞ고 셩회(誠孝) 쳔박ᄒᆞ
여, 셰상의 희한ᄒᆞᆫ 경계를 당ᄒᆞ여 몸이 보
젼키 어렵거늘, 평후 거거의 대은을 무릅쎠
일명이 ᄉᆞ라나고, 양모와 졔 거거의 구호ᄒᆞ
심을 극진히 ᄒᆞ심을 힘입어, 일노 ᄃᆡ듸여 쇼
미 ᄉᆞ경을 면ᄒᆞᆫ지라. 고인이 운(云)ᄒᆞᄃᆡ,
'원슈ᄂᆞᆫ 커도 푸러 이ᄌᆞ며, 은혜ᄂᆞᆫ 죽어도
밋고 잇지 말나' 홈이 지극히 올커늘, 거게
식니군ᄌᆞ(識理君子)로 힝시 졍슉ᄒᆞ신【52】
지라. 반ᄃᆞ시 언ᄉᆞ를 삼감이 맛당ᄒᆞ니, 무슴
증화(憎火)로 존고를 이ᄀᆞᆺ치 악인이라 ᄒᆞ시
며, 눈형이 칠거지악(七去之惡)754)이 업고
빅ᄉᆞ(百事) 츌뉴(出類)ᄒᆞ지라. 당당ᄒᆞᆫ 슉녀
어늘 ᄯᅩ 어이 《츄∥츌(黜)》치 못홈을 한
ᄒᆞ시ᄂᆞ뇨? 거거의 거동이 존구의 은혜와 덕
을 니ᄌᆞ시고, 쇼미로 인ᄒᆞ여 박힝무식(薄行
無識)기를 면치 못ᄒᆞ시니, 쇼미 블승한심(不
勝寒心)ᄒᆞ여 심회 놀나오믈 이긔지 못ᄒᆞᄂᆞ
니, 아지 못ᄒᆞ이다, 눈형을 쇼미 보아지라
ᄒᆞ미 업거늘, 급히 쳥ᄒᆞ심은 어인 일이니잇
가?"

초휘 위로 왈,

"현미 금번 ᄉᆞ라나면 우형이 결단코 뉴
시의 곳의 보ᄂᆞ지 ᄋᆞ니리니, 현미ᄂᆞᆫ 안심
죠병ᄒᆞ고, 뉴시 간녀를 존고라 ᄒᆞ여 존칭
【53】치 말나."

---

761)칠거지악(七去之惡) : 예전에, 아내를 내쫓을 수
    있는 이유가 되었던 일곱 가지 허물. 시부모에게
    불손함(不順舅姑), 자식이 없음(無子), 행실이 음탕
    함(淫行), 투기함(嫉妬), 몹쓸 병을 지님(惡疾), 말
    이 지나치게 많음(多言), 도둑질을 함(竊盜) 따위
    이다.

754)칠거지악(七去之惡) : 예전에, 아내를 내쫓을 수
    있는 이유가 되었던 일곱 가지 허물. 시부모에게
    불손함(不順舅姑), 자식이 없음(無子), 행실이 음탕
    함(淫行), 투기함(嫉妬), 몹쓸 병을 지님(惡疾), 말
    이 지나치게 많음(多言), 도둑질을 함(竊盜) 따위
    이다.

쇼제 탄식 왈,

"거거는 식니댱부(識理丈夫)어놀, 추마 엇
디 쇼미를 딕ᄒ여 존고를 만홀(漫忽)762)이
말슴ᄒ샤, 댱유존비를 출히디 아니시ᄂ뇨?"

초휘 탄식 무언ᄒ고, 듁믈을 가져 쇼져의
입의 써너흐며, 그 상쳐를 추마 보디 못ᄒ
여 흐르는 안쉬(眼水) 옷슬 덕시니,【65】
뎡녜부 등이 위로 왈,

"미뎨의 거동을 볼딘딕, 힝뇌(行路)라도
타루(墮淚)ᄒ리니, 형의 심ᄉ를 닐너 므엇
ᄒ리오마는, 착실히 티료ᄒ여 추도를 바라
미 올흔디라. 형은 슬허 말고 그 믹후를 보
라. 태휘 완연ᄒ미 엇디 긔특디 아니리오."

초휘 ᄯ흔 딘믹ᄒ여 만분 영ᄒᄒ더라.

하공부뷔 ᄯᆯ의 ᄉ라시믈 알고 비쳑ᄒᄆᆯ
과히 아니나, 그 참혹히 상ᄒ여시믈 넘녀ᄒ
고, 간인의 의심을 닐위디 말고져 ᄒᄆ로뻐,
이의 그 ᄯᆯ의 거쳐 업스믈 윤부의 통ᄒ고,
윤시를 위로ᄒ여 무이ᄒ며 그 심ᄉ 불평ᄒ
믈 슬피 넉이더니, 초후의 소【66】찰이 니
르러 윤시를 급히 보닉쇼셔 쳥ᄒ여시니, 공
의 부부는 녀이 윤시를 보고져 ᄒᄆ로 아라
거교를 출혀 보닉니, 윤부인이 구고의 명으
로 잠졍으로 나아가미, 초휘 시녀로 ᄒ여곰
부인을 바로 병소로 드러오라 ᄒ니, 윤부인
이 시녀의 인도ᄒᄂ 딕로 하쇼져 병소의 드
러가미, 초휘 냥안이 ᄲᅧ여딜 ᄃᆺ 믜워 보기
를 마디 아니ᄒ니, 노ᄒᄂ 머리털이 관을
가르쳐 만면 분고로, 윤시의 안기를 기다리
디 아니코, 미뎨의 낫츨 뵈여 왈,

"그딕 비록 간험 극악흔 뉴녀의 ᄯᆯ이나,
일분 사룸의 ᄆᆞ음이 잇거든 이 형용을【6
7】보라. 사룸이 추마 홀 노롯시냐?"

윤시 초후의 말노좃추 잠간 하시를 보미,
임의 모친의 과악을 싱각ᄒ니 출하리 즈긔
죽어 모로믈 원ᄒ나 능히 밋디 못ᄒ니, 휘
노분이 튱텬ᄒ여, 찬 칼흘 ᄲᅢ혀 즈리를 그
으며, 통히 왈,

"내 몸이 팔쳑댱뷔 되여 사룸의게 구구홀
거시 아니오, 일미를 위ᄒ여 ○○○○[싱각

---

762)만홀(漫忽) : 한만(閑漫)하고 소홀하다

쇼제 탄식 왈,

"거거는 식니장부(識理丈夫)어놀, 참아 엇
지 쇼미를 딕ᄒ여 존고를 만홀(漫忽)755)이
말슴ᄒ사, 장유존비를 ᄎ리지ᄋ니시ᄂ뇨?"

초휘 탄식 무언ᄒ고, 죽믈을 가져와 쇼져
의 입의 써너으며, 그 상쳐를 참아 보지 못
ᄒ여 흐르는 안쉬(眼水) 옷슬 젹시니, 뎡녜
부 등이 위로 왈,

"미뎨의 거동을 볼진딕 힝뇌(行路)라도
타루(墮淚)ᄒ리니, 형의 심ᄉ를 일너 무엇
ᄒ리오마는, 측실히 치료ᄒ여 추도를 바람
이 올흔지라. 형은 슬허 말고 그 믹후를 보
라. 틱휘 완연ᄒ이 엇지 긔특지 ᄋ니리오."

초휘 ᄯ흔 진믹ᄒ여 만분 영ᄒᄒ더라.

하공부뷔 ᄯᆯ의 ᄉ라시믈 알고 비쳑홈
【54】을 과히 ᄋ나, 그 참혹히 상ᄒ엿슴
을 넘녀ᄒ고, 간인의 의심을 일위지 말고져
홈으로뻐, 이의 그 ᄯᆯ의 거쳐 업슴을 윤부
의 통ᄒ고, 윤시를 위로ᄒ여 무이ᄒ며 그
심ᄉ 불평홈을 ᄉ리756) 넉이더니, 초후의
소찰이 이르러 윤시를 급히 보닉쇼셔 쳥ᄒ
엿스니, 공의 부부는 녀이 윤시를 보고져
홈으로 아라, 거교를 ᄎ려 보닉니, 윤시 구
고의 명으로 잠졍의 나아가미, 초휘 시녀로
ᄒ여곰 부인을 바로 병소로 드러오라 ᄒ니,
윤시 시녀의 인도ᄒᄂ 딕로 하쇼져 병소의
드러가미, 초휘 냥안○[이] ᄲᅧ여질 ᄃᆺ 믜워
보기를 마지 ᄋ니ᄒ니, 노ᄒᄂ 머리털이 관
을 가르쳐 만면 분긔【55】로, 윤시의 안기
를 기다리지 ᄋ니코, 미뎨의 ᄂᆺ츨 뵈여 왈,

"그딕 비록 간험 극악흔 뉴녀의 ᄯᆯ이나,
일분 ᄉ룸의 마음이 잇거든 이 형용을 보
라. ᄉ룸이 참아 홀 노롯시냐?"

윤시 후의 말노 조추 줌간 하시를 보미,
임의 모친의 과악을 싱각ᄒ니 추라리 즈긔
죽어 모롬을 원ᄒ나 능이 밋지 못ᄒ니, 휘
노분이 츙텬ᄒ여 찬 칼흘 ᄲᅢ혀 즈리를 그으
며 통히 왈,

"닉 몸이 팔쳑장뷔 되여 ᄉ룸의○[게] 구

---

755)만홀(漫忽) : 한만(閑漫)하고 소홀하다
756)ᄉ러ᄒ다 : 슬퍼하다. *ᄉ리; 슬피.

건디] 져의 젼졍(前程)은 뉴가 요녀의게 발
셔 맛쳐시니, 다시 평샹키를 바라디 못ᄒᆞᄂᆞᆫ
디경(地境)《의∥이라》. 부모의 싱흑ᄒᆞ신
몸《으로뻐∥을》 이 ᄀᆞᆺ치 즛두다려, 흔 조
각 ᄯᅳ 속의 뭇기도 허치 아냐, 망망강슈(茫
茫江水)의 ᄲᅴ여 시신도 못ᄎᆞᆺ게 ᄒᆞᄂᆞᆫ 용심을
싱각ᄒᆞ니, 【68】 악인의 쏠을 몬져 이 칼노
ᄲᅡ셔 내 누의 쳐로 만신을 다 샹ᄒᆡᄋᆞ, 궤
듕의 너허 악녀의 눈의 뵈고, 버거763) 악인
을 이 ᄌᆞ리ᄀᆞᆺ치 칼노 그어 노코져 ᄒᆞᄂᆞ니,
나ᄂᆞᆫ 외인(外人)이라, 악녀의 험독 패악을
몰낫거니와, 그ᄃᆡᄂᆞᆫ 뉴녀의 쏠이라. 임의 소
힝을 모를 니 만무ᄒᆞ니, 만일 흔 조각 사름
의 ᄆᆞ음이 이시면, 날노 ᄒᆞ여곰 쇼믜 신셰
위티ᄒᆞ믈 아라 드를 만치만 ᄒᆞ여셔도, 내
어이 일믜(一妹)를 농담호혈(龍潭虎穴)의 두
어 이런 화를 취케 ᄒᆞ여시리오. 그ᄃᆡ 딘실
노 악인의 심ᄉᆞ와 다ᄅᆞ미 업ᄂᆞ니, 내 집을
업치며 날을 죽이기 쉬온디라. 뉴녀 【69】
요인을 싱각ᄒᆞ믜 ᄆᆞ음이 셔늘ᄒᆞ여, 그 ᄌᆞ식
으로뻐 동쥬(同住)홀 ᄯᅳᆺ이 업ᄂᆞ니, 그ᄃᆡ 넘
치 이실딘ᄃᆡ 간악흔 어믜 곳의 도라 가디
아니코 흔 번 죽으미 올치 아니리오. 내 즉
긱의 그ᄃᆡ를 만단(萬端)의나 샹ᄒᆡᄋᆞ 윤부로
구튝(驅逐)고져 ᄒᆞ딕, 실노 악댱의 대은을
ᄎᆞ마 져바려 그 골육 녀ᄋᆞ를 ○[너] 손으로
히치 못ᄒᆞ거니와, 미지 만일 이 병의 ᄉᆞ디
못홀딘딕, 빈은망덕 ᄒᆞᄂᆞᆫ 무식 필뷔 될디언
졍, 그ᄃᆡ를 쇼믜쳐로 즛두다려 죽이고 악인
을 초왕ᄀᆞᆺ치 죽여 동긔의 원슈를 갑고, 내
스스로 악댱긔 가시를 져 박힝을 쳥죄ᄒᆞ고,
인ᄒᆞ여 ᄌᆞ문이ᄉᆞ(自刎而死) ᄒᆞ【70】여 비
은망혜(背恩亡惠) 흔 죄를 속ᄒᆞ리니, 그ᄃᆡ
용심의 나의 일믜를 이ᄀᆞᆺ치 샹ᄒᆡ(傷害)와
든764) 므어시 쾌ᄒᆞ고 즐거워 그 요악흔 어
믜를 흔 말도 간치 아니며, 그 패악을 ᄲᅳᆫᄃᆞ
시 긔(欺)여 우리 합문(閤門) 졔인이 쇼믜의
화익을 아디 못ᄒᆞ게 ᄒᆞᄂᆈ? 미데 ᄉᆞ라시믈

구홀 거시리오. 일믜를 위ᄒᆞ여○○○○[싱
각건딕], 져의 ○[젼]졍(前程)을 뉴시 요녀
의게 발셔 맛쳣스니, 다시 평샹키를 바라지
못ᄒᆞᄂᆞᆫ 지경(地境)《의∥이라》. 부모의 싱
흑ᄒᆞ신 몸《으로뻐∥을》 이갓치 즛두다려,
흔 【56】 조각 ᄯᅳ 속의 뭇기도 오히려 허
치 ᄋᆞ니ᄒᆞ여, 망망대해(茫茫大海)에 ᄲᅴ여,
시신도 못ᄎᆞᆺ게 ᄒᆞᄂᆞᆫ 용심을 싱각ᄒᆞ니 악인
의 쏠을 몬져 이 칼노 ᄲᅡ셔 너 누의쳐로 만
신을 다 샹ᄒᆡᄋᆞ 궤에 너어 악녀의 눈의 뵈
고 버거757) 악인을 이 ᄌᆞ리갓치 칼노 그어
노코져 ᄒᆞᄂᆞ니, 나ᄂᆞᆫ 외인(外人)이라, 악녀
의 험독 패악을 몰눗거니와, 그ᄃᆡᄂᆞᆫ 뉴시의
쏠이라, 임의 소힝을 모를 리 만무ᄒᆞ니, 만
일 흔 조각 스름의 마음이 잇스면, 날노 ᄒᆞ
여곰 쇼믜 신셰 위티ᄒᆞ믈 아라 드를 만치만
ᄒᆞ여셔도, 너 어이 일믜(一妹)를 룡담호혈
(龍潭虎穴)의 두어 이런 화를 취케 ᄒᆞ여시
리오. 그ᄃᆡ 실노 악인의 심ᄉᆞ와 다름 【57】
이 업ᄂᆞ니, 너 집을 업치며 날을 죽이기 쉬
운지라. 뉴녀 요인을 싱각ᄒᆞ믜 마음이 셔늘
ᄒᆞ여, 그 ᄌᆞ식으로뻐 동쥬(同住)홀 ᄯᅳᆺ이 업
ᄂᆞ니, 그ᄃᆡ 넘치 잇슬진딕 간악흔 어믜 곳
의 도라 가지 아니코 흔 번 죽음이 올치 ᄋᆞ
니리오. 너 즉각의 그ᄃᆡ를 만단(萬端)의 ᄂᆞ
샹ᄒᆡᄋᆞ 윤부로 구축(驅逐)고져 ᄒᆞ딕, 실노
악쟝의 대은을 춤아 져바려 그 골육 녀ᄋᆞ를
○[너] 손으로 히치 못ᄒᆞ거니와, 미데 만일
이 병○[의] ᄉᆞ지 못홀진딕, 빈은망덕 ᄒᆞᄂᆞᆫ
필뷔 될지언졍, 그ᄃᆡ를 쇼믜쳐로 즛두다려
쥭이고, 악인을 초왕《거치∥ᄀᆞᆺ치》 쥭여,
동긔의 원슈를 갑고, 너 스스로 악댱긔 가
시를 져 박힝을 쳥죄ᄒᆞ고, 【58】 인ᄒᆞ여 ᄌᆞ
문(自刎)《코져ᄒᆞ고∥ᄒᆞ여》, 빈은(背恩)흔
죄를 속ᄒᆞ[ᄒᆞ]리니, 그ᄃᆡ 용심의 나의 일믜
를 이갓치 샹ᄒᆡ(傷害)와든758) 무어시 쾌ᄒᆞ
고 즐거워 그 요악흔 어믜를 흔 말도 간치
ᄋᆞ니며, 그 픠악을 ᄲᅳᆫᄃᆞ시 긔(欺)여, 우리

---

763)버거 : 버금으로, 둘째로, 다음으로.
764)-아든 : -ㄴ들. '-ㄴ다고 할지라도'의 뜻을 나타
　　내는 연결 어미.

757)버거 : 버금으로, 둘째로, 다음으로.
758)-아든 : -ㄴ들. '-ㄴ다고 할지라도'의 뜻을 나타
　　내는 연결 어미.

악인이 알면 쏘 히흐리니, 그디 뉴녀의게 이 말을 통코져 ᄒ거든 공교로이 날을 긔이디 말고 쾌히 셔찰노 뉴시긔 고ᄒ고, 그러치 아닌죽, 아조 모녀의 졍을 긋쳐 악인으로 ᄒ여곰 모녀로 아디 말고 셔신을 통치 마라. 뉴녜 닉일 급살(急煞)765)을 마자 죽어도 그디 분곡(奔哭)홀 의ᄉ를 마라, 남ᄀᆺ치 ᄒ면 싱【71】이 오히려 용납ᄒ려니와, 그러치 아냐 악인의 비지 내 집의 왕닉ᄒ고, 오가 시녀비 져 집의 가ᄂᆫ 일이 이셔, 녀식디도(女息之道)766)를 ᄒ고져 ᄒ거든 내 엇디 남의 효셩을 막으리오. 금일이라도 옥누항의 도라 가 흉참디ᄉ(凶慘之事)를 비호며 투현딜능(妬賢嫉能)ᄒ며 은악양션(隱惡佯善)ᄒ여 만악을 효측ᄒ라.”

윤시 쇼고의 참혹히 샹ᄒᄆᆯ 경악(驚愕) 상심(傷心)ᄒ여 ᄎᆞ마 보디 못ᄒ고, 모친의 과악을 각골이 슬허ᄒᄂᆫ 바의, 초후의 분뇌 팅듕(撑中)ᄒ여767) 칼을 번득이며 참엄이 구ᄂᆫ 거동이 고디 사ᄅᆷ을 죽일 듯ᄒ고, 져의 동긔를 위ᄒᆫ 졍이 과도ᄒ여 말ᄉᆷ이 박ᄒᆡᆼ무【72】식(薄行無識)기의 갓가오ᄆᆯ 그윽이 함한(含恨)ᄒ여, 믄득 안식이 싁싁 엄슉ᄒ여 일언을 답디 아니ᄒ니, 초휘 지삼 지쵹ᄒ여 왈,

“내 희롱으로 니르미 아니라. 그디 엇디 답언이 업ᄂᆞ뇨?”

ᄒ더라.【73】

합문(閤門) 졔인이 누의 화익을 아지 못ᄒ게 ᄒ뇨? 미뎌 ᄉ룻심을 악인이 알면 쏘 히ᄒ리니, 그디 뉴녀의게 이 말을 통코져 ᄒ거든 공교로이 날을 긔이지 말고, 쾌히 셔찰노 뉴시긔 고ᄒ고, 그러치 ᄋ닌죽, 아조 모녀의 졍을 긋쳐, 악인으로 ᄒ여곰 모녀로 아지 말고 셔신을 통치 마라. 뉴녜 닉일 급살(急煞)759)을 마자 죽어도 그디 분곡(奔哭)홀 의ᄉ를 마라. 남ᄀᆺ치 ᄒ면 싱이 오히려 용납ᄒ려니와, 그【59】러치 아냐 악인의 비지 닉 집의 왕닉ᄒ고, 오가 시녀 져 집의 가ᄂᆫ 일이 잇셔, 녀식지도(女息之道)760)를 ᄒ고져 ᄒ거든, 내 엇지 남의 효셩을 막으리오. 금일이라도 옥누항의 도라 가 흉츰지ᄉ(凶慘之事)를 비호며 투현질능(妬賢嫉能)ᄒ며 은악양션(隱惡佯善)ᄒ여 만악을 효측ᄒ라.”

윤시 쇼고의 춤혹히 샹ᄒᄆᆯ 경악(驚愕) 상심(傷心)ᄒ여 춤아 보지 못ᄒ고, 모친의 과악을 각골이 스러ᄒᄂᆫ 바의, 후의 분뇌 팅즁(撑中)ᄒ여761) 눈을 번득이며 춤엄이 구ᄂᆫ 거동이 고디 ᄉᄅᆷ을 죽일 듯ᄒ고, 져의 동긔를 위ᄒᆫ 졍이 과도ᄒ여 말ᄉᆷ이 ○○[박ᄒᆡᆼ]무식(薄行無識)기의 ᄀᆺ가음을 그윽이 한(恨)ᄒ여, 믄득 안뫼 싁싁 엄슉ᄒ여 일언을 답【60】지 아니ᄒ니,

---

765)급살(急煞) : ①보게 되면 운수가 나빠진다는 별. ②갑자기 닥쳐오는 재액. *급살 맞다; 갑자기 죽다.
766)녀식디도(女息之道) : 딸의 도리.
767)팅듕(撑中)ᄒ다 : 화나 욕심 따위가 가슴속에 가득 차 있다.

759)급살(急煞) : ①보게 되면 운수가 나빠진다는 별. ②갑자기 닥쳐오는 재액. *급살 맞다; 갑자기 죽다.
760)녀식디도(女息之道) : 딸의 도리.
761)팅듕(撑中)ᄒ다 : 화나 욕심 따위가 가슴속에 가득 차 있다.

어시의 초휘 지쵹 왈,

"내 희롱으로 니르미 아니라. 그딕 엇디 ᄒ려 ᄒᄂ뇨? 만일 긔특ᄒ 어미를 쩌나디 말고져 ᄒ거든, 이졔라도 옥누항의 도라가 일딕 풍뉴랑을 갈히여 힝낙(行樂)을 쾌히 ᄒ라."

윤시 츠언의 다드라는 더옥 히괴ᄒ여, 잠간 셩안(星眼)을 드러 후를 ᄒ번 보믹, 우연이 눈이 마조치인디라. 초휘 츠게 웃고 왈,

"그딕 비부난뉸(背夫亂倫)코져 ᄆ음을 두어 날을 보거니와, ᄯᅩᄒ 윤시 아니라도 환거(鰥居)768) 치 아닐 거시오, 만고 찰녀(刹女)769)를 악뫼(岳母)라 ᄒ기【1】 흉(凶)ᄒ고 측ᄒ니770) 그딕 업스면 의졀홀디라. 엇디 싀훤치 아니리오. 그딕는 오히려 모로려니와 내 잠간 드르니, 그딕 부친이 뉴녀로 인ᄒ여 실셩상심디인(失性喪心之人)이 되어, ᄌ딜도 귀듕ᄒ믈 모로고 뉴녀를 고혹(蠱惑)771)ᄒ므로, 윤ᄉ원과 뎡듁쳥이 의논ᄒ고 짐짓 교디로 보닉다 ᄒ니, 댱부를 그릇 믿돌며 남ᄌ를 휼듕(譎中)772)의 농낙ᄒ여 악댱 ᄀᆺᄐᆫ 어딘 군ᄌ를 상케 ᄒ믹, 그 집을 망ᄒᄂ 거죄나, 즉금 윤츄밀이 집의 업스니, 뉴시 반드시 음졍을 니긔디 못ᄒ여 흉음디식 업디 아니리니, 그딕 ᄒ가디로【2】어미로 더브러 비부(背夫)ᄒ믈 달게 넉이고, 뉴녀의게 효녜 되고, 어미를 좃츤즉 그딕긔 유익ᄒ니, 므슴 결단이 이딕도록 어려워 말을 아니ᄒᄂ뇨? ᄇᆞᆺ비 딘졍 소회를 니르고 나의 심화를 도아 은휘(隱諱)치 말나."

윤시 초후의 욕셜이 졈졈 더으믈 보믹,

초휘 지쵹 왈,

"내 희롱으로 이름이 아니라. 그딕 엇지려 ᄒᄂ뇨? 만일 긔특ᄒ 어미를 쩌나지 말고져 ᄒ거든, 이졔라도 옥누항의 도라가 일딕 풍뉴랑을 갈히여 힝낙(行樂)을 쾌히 ᄒ라."

윤씨 츠언의 다드라는 더옥 히괴ᄒ여, 잠간 셩안(星眼)을 드러 초후를 한번 보믹, 우연니 눈이 마조친지라. 초휘 츠게 웃고,

"그딕 비부난륜(背夫亂倫)코져 날을 보거니와, ᄯᅩᄒ 윤씨 아니라도 환거(鰥居)762)치 ᄋ닐 거시오, 만고 찰녀(刹女)763)로뻐 악뫼(岳母)라 ᄒ기 흉(凶)ᄒ고 측ᄒ니764), 그딕 업스면 의졀홀지라. 엇지 싀훤치 ᄋ니리오. 그딕는 오히려 모로려니와 닉 잠간 드르니, 그딕 부친이 뉴녀로 인ᄒ여 실셩상심지인(失性喪心之人)이 도[되]여, ᄌ딜도 귀듕흠을 모로고, 뉴녀를 고혹(蠱惑)765)흠으로, 윤【61】ᄉ원과 졍쥭쳥이 의논ᄒ고, 짐짓 교지로 보닉다 ᄒ니, 쟝부를 그릇 믿돌며, 남ᄌ를 휼즁(譎中)766)의 농낙ᄒ여, 악쟝 가튼 어진 군ᄌ를 상셩케 ᄒ니, 그 집을 망홀 거죄라. 즉금 윤츄밀이 그 집의 업스니, 뉴네 반드시 음졍을 이긔지 못ᄒ여 흉음지식(凶淫之事) 업지 ᄋ니리니, 그딕 ᄒ가지로 어미로 더부러 비부(背夫)흠을 달게 넉이고, 뉴녀의게 효녜 되고, 어미를 좃츤 즉 그딕긔 유익ᄒ니, 무슴 결단이 이딕도록 어려워 말을 아니ᄒᄂ뇨? 븟비 진졍 소회를 이르고 나의 심화를 도아 은휘(隱諱)치 말ᄂ."

윤시 초후의 욕셜이 졈졈 더흠을 보믹,

---

768)환거(鰥居) : 홀아비로 살아감.
769)찰녀(刹女) : 나찰녀(羅刹女). 여자 나찰. 사람의 고기를 즐겨 먹으며, 큰 바다 가운데 산다고 한다.
770)측ᄒ다 : 언짢다. 보기 싫다.
771)고혹(蠱惑) : 아름다움이나 매력 같은 것에 홀려서 정신을 못 차림.
772)휼듕(譎中) : 간사한 꾀에 빠뜨린 가운데. 농간을 부리는 가운데. 기만(欺瞞)한 가운데.

762)환거(鰥居) : 홀아비로 살아감.
763)찰녀(刹女) : 나찰녀(羅刹女). 여자 나찰. 사람의 고기를 즐겨 먹으며, 큰 바다 가운데 산다고 한다.
764)측ᄒ다 : 언짢다. 보기 싫다.
765)고혹(蠱惑) : 아름다움이나 매력 같은 것에 홀려서 정신을 못 차림.
766)휼즁(譎中) : 간사한 꾀에 빠뜨린 가운데. 농간을 부리는 가운데. 기만(欺瞞)한 가운데.

절노 더브러 슈작ᄒᆞ미 더러워 닙을 여디 아니ᄒᆞ더니, 하시 거거의 광패흔 거동과 과격흔 언어를 듯고, 크게 슬허 알픈 거ᄉᆞᆯ 강인ᄒᆞ고 소리를 녈녈이 ᄒᆞ여, 굴오듸,

"거게(哥哥) 쇼미로 ᄒᆞ여금 인셰간(人世間)의 용납디 못흔 죄인을 삼으시니, 이 므ᄉᆞᆫ 일이잇가? 쇼미 일명이 ᄂᆞᆽ【3】디 아닌죽, 윤가 쳐치를 기다려 거취〇[를] 뎡ᄒᆞ고, 거게(哥哥) 뎡치 못홀 거시오, 비록 죽을디라도 윤시 묘하의 뭇치리니, 츌가흔 누의를 가형이 쳐단ᄒᆞ실 비 아니라. 거거의 무식ᄒᆞ시미 젼일과 다르샤, 언어 힝디 광패키를 면치 못ᄒᆞ시니, 쇼미 항복디 아니ᄒᆞᄂᆞ이다. 우리 부뫼 거거를 바라미 엇더 ᄒᆞ관듸, 거게 근신 슈힝홀 바는 니ᄌᆞ시고, 지상의 부인과 명ᄉᆞ의 존당을 듸인녀부(對人女婦)773) ᄒᆞ여 욕ᄒᆞ믈 능ᄉᆞ로 아르시니, 아디 못게라 거거는 긔운을 비양(飛揚)ᄒᆞ시나 사름이 거거의 힝ᄉᆞ를 엇더타 ᄒᆞ리잇고? 그러나 쇼미 아니【4】면 거거의 광망(狂妄) 실셩(失性)ᄒᆞ시미 업슬디라. 쇼미의 연고로 압뒤흘 싱각디 아니시니, 쇼미의 죄를 어듸 ᄲᆞᆺ흐리잇고?"

언파의 참황흔 회포를 니긔디 못ᄒᆞ여 경긱의 막힐 듯ᄒᆞ니, 초휘 그 경상을 볼ᄉᆞ록 뉴시를 통완ᄒᆞᄂᆞᆫ ᄆᆞ음이 졈졈 더ᄒᆞ나, 쇼져의 츌텬흔 셩회 ᄌᆞᆨ긔 몸이 죽기의 니르도록 뉴부인을 원ᄒᆞᄂᆞᆫ 뜻이 업셔, 오딕 명도를 탄홀 ᄯᆞᆫ이니, 엇디 초후의 광망흔 욕셜을 깃거 드를 니 이시리오. ᄒᆞᆯ믈며 윤시의 심ᄉᆞ를 혜아리미 참황슈괴(慘惶羞愧)774)ᄒᆞ여, 평싱 쳐음으로 거거를 듸ᄒᆞ여 블평디【5】언(不平之言)을 ᄒᆞ미러라.

초휘 미뎨 손을 잡고 잠간 노긔를 프러, 위로 왈,

"너는 발셔 윤가로 인연이 ᄂᆞᆽ쳐시니, 일싱을 부모 슬하의 남미 의디ᄒᆞ여 셰월을 보

---

773) 듸인녀부(對人女婦) : '그 사람의 딸과 며느리를 대하여'의 뜻.

774) 참황슈괴(慘惶羞愧) : 애처롭고 당황스럽고 부끄러워 어찌할 바를 모름.

져노 더부러 슈작흠이 더러워【62】 입을 여지 ᄋᆞ니ᄒᆞ더니, 하시 거거의 광픽흔 거동과 과격흔 언어를 듯고, 크게 스러 알픈 거ᄉᆞᆯ 강잉ᄒᆞ고 소리를 녈녈이 ᄒᆞ여, 굴오듸,

"거게(哥哥) 쇼미로 ᄒᆞ여금 인셰간(人世間) 용납지 못홀 죄인을 삼으시니, 이 무슨 일이니잇가? 쇼미 일명이 ᄂᆞᆽ지 ᄋᆞ닌죽, 윤가 쳐치를 기ᄃᆞ려 〇〇[거취] 졍ᄒᆞ고, 거게(哥哥) 졍치 못홀 거시오, 비록 죽을지라도 윤시 묘하의 무치리니, 츌가흔 누의를 가형이 쳐단ᄒᆞ실 비 아니라. 거거의 무식ᄒᆞ시미 젼일과 다르사, 언어 힝지 《과픽∥광픽》키를 면치 못ᄒᆞ시니, 쇼미 항복지 ᄋᆞ니ᄒᆞᄂᆞ이다. 우리 부뫼 거거를 ᄇᆞ람이 엇더 ᄒᆞ관듸, 거게 근신 슈힝홀 ᄇᆞᆫ는 이ᄌᆞ시고, 지상 부인과【63】 명ᄉᆞ의 존당을 듸인녀부(對人女婦)767) ᄒᆞ여 욕ᄒᆞ믈 능ᄉᆞ로 아르시니, 아지 못게라, 거거는 긔운을 비양(飛揚)ᄒᆞ시나 사름이 거거의 힝ᄉᆞ를 엇더타 ᄒᆞ리잇고? 그러나 쇼미 아니면 거거의 광망(狂妄)ᄒᆞ신 실언이 업슬지라. 쇼미의 연고로 압뒤흘 싱각지 ᄋᆞ니시니, 쇼미의 죄를 어듸 ᄲᆞᆺ흐리잇고?"

언파의 참황흔 회포를 이긔지 못ᄒᆞ여 경긱의 막힐 듯ᄒᆞ니, 초휘 그 경상을 볼ᄉᆞ록 뉴시를 통완ᄒᆞᄂᆞᆫ 마음이 졈졈 더ᄒᆞ나, 쇼져의 츌텬흔 셩회 ᄌᆞᆨ긔 몸이 죽기의 이르도록 뉴부인을 원ᄒᆞᄂᆞᆫ 뜻시 업셔, 오직 명도를 탄홀 ᄯᆞᆫ이니, 엇지 초후의 광망흔 욕셜을 깃거 드를【64】 리 잇스리오. 허믈며 윤시의 심ᄉᆞ를 혜아리미 참황슈괴(慘惶羞愧)768)ᄒᆞ여, 평싱 쳐음으로 거거를 듸ᄒᆞ여 블평지언(不平之言)을 흠이러라.

초휘 미뎨의 손을 줍고 잠간 노긔를 프러 위로 왈,

"너는 발셔 윤가로 인연이 ᄭᅳ쳐스니 일싱을 부모 슬하의 남미 의지ᄒᆞ여 셰월을 보니

---

767) 듸인녀부(對人女婦) : '그 사람의 딸과 며느리를 대하여'의 뜻.

768) 참황슈괴(慘遑羞愧) : 애처롭고 당황스럽고 부끄러워 어찌할 바를 모름.

닉기를 긔약ᄒ라."

하시 톄읍 왈,

"쇼미 이제 츠셩ᄒᄆᆯ 기다려 구가로 나아가려 ᄒᄂ니, 신셰를 슬허 ᄒᄂ는 줄775)이 아니오, 거거의 힝ᄉ를 불승경악(不勝驚愕)ᄒᄂ이다."

초휘 미뎨의 슬허ᄒᄆᆯ 민망ᄒ여 호언으로 관위ᄒ더니, 뎡녜부 형뎨 밧긔셔 초후의 나오기를 지쵹ᄒ여, 날이 느져시니 그만ᄒ여 도라 가ᄌ ᄒ니, 초휘 부모의 기다리시믈 싱각고, 마디【6】못ᄒ여 쇼져다려 니르디,

"우형이 명일 파됴 후 다시 와 너를 보리니, 현미ᄂ 조심ᄒ여 병을 됴리ᄒ라."

쇼제 디왈,

"거게 쇼미의 병을 넘녀치 마르시고 쇼미 ᄆᆞᆷ을 편케 ᄒ시며, 무죄ᄒ 져져를 즐욕디 마르쇼셔."

초휘 미뎨의 디극ᄒ 말을 듯고 노긔 졈졈 프러질 ᄲᆫ아니라, 윤시 ᄌᄀᆡ 무궁ᄒ 욕셜을 드르디, 맛ᄎᆷᄂᆡ 못드름 ᄀᆞᆺ고, ᄉᄀᆡ 단엄ᄒ여 엄듕ᄒ 위의, 엇디 일개 ᄋᆞ녀ᄌᆡ의 미약홈과 ᄀᆞᆺ트리오. 치마 ᄆᆡᆫ ᄉᄀᆞᆫ지오 빈혀 ᄉᆞᆯ즌 녈당뷔라. 부월(斧鉞)776)의 님ᄒ여도 요동홀 ᄠᅳᆺ이 업ᄉ니, 초휘 ᄌᄀᆡ 즐욕으로【7】져를 휘오디 못홀 줄 모로디 아니ᄒ디, 통히ᄒᄆᆡ 쳘골(徹骨)ᄒ여 분을 플 길히 업ᄂ 고로, 그 ᄯᆞᆯ을 디ᄒ여 쇠훤이 즐욕고져 ᄒ미라. 이에 윤시를 향ᄒ여 다시 굴오디,

"그ᄃᆡ ᄆᆞᄉᆫ 쥬의로 말을 디치 아냐, 거취를 결단치 아니ᄒᄂᆞ뇨? 옥누항의 통신치 말녀 ᄒ면 내 집의 머믈고, 뉴시와 녀식디도를 폐치 아니려 ᄒ면, 이리로셔 바로 본부로 가라."

윤시 비로소 닙을 여러 디왈,

"쳡의 텬셩이 이완(弛緩)ᄒ여 쇼견과 결단이 업ᄉ므로, 사ᄅᆷ이 듯디 못홀 욕셜을 감심ᄒ니, 거취를 임의로 홀 줄 알니오. 군이【8】'오긔(吳起)의 살쳐(殺妻)'777)를 효

775)줄 : (의존명사) 것.
776)부월(斧鉞) : 형구로 쓰던 작은 도끼와 큰 도끼.

기를 긔약ᄒ라."

하시 쳬읍 왈,

"쇼미 이제 츠셩홈을 기다려 구가로 나아가려 ᄒᄂ니, 신셰를 슬허 ᄒᄂ는 일이 아니오, 거거의 힝ᄉ를 불승경악(不勝驚愕)ᄒᄂ이다."

초휘 미뎨의 슬허홈을 민망ᄒ여 호언으로 관위ᄒ더니, 뎡녜부 형뎨 봇긔셔 초후의 나오기를 지쵹ᄒ여, 날이 느졋ᄉ니 그만ᄒ여 도라가ᄌ ᄒ니,【65】 초휘 부모의 기다리심을 싱각고, 마지 못ᄒ여 쇼져ᄃᆞ려 이르디,

"우형이 《너를 ᄌᄎᆞ후∥명일 파죠 후》 다시 와 너를 보리니, 현미ᄂ 조심ᄒ여 병을 죠리ᄒ라."

쇼제 디왈,

"거게 쇼미의 병을 넘녀치 마르시고 쇼미 마음을 편케 ᄒ시며, 무죄ᄒ 져져를 즐욕지 마르쇼셔."

초휘 미뎨의 지극ᄒ 말을 듯고 노긔 졈졈 푸러질 ᄲᆞᆫ아니라, 윤시 ᄌᄀᆡ 무궁ᄒ 욕셜을 드르디 맛ᄎᆷᄂᆡ 못드름 갓고, ᄉᄀᆡ 단엄ᄒ여 엄즁ᄒ 위의, 엇지 일긔 녀ᄌᆡ의 미약홈 갓트리오. 치마 ᄆᆡᆫ ᄉᄀᆞᆫ지오, 빈혀 쇠진 장뷔라. 부월(斧鉞)769)의 님ᄒ여도 요동홀 ᄯᆞᆺ이 업ᄉ니, 초휘 ᄌᄀᆡ 즐욕으로 져를 휘【66】오지 못홀 줄 모로지 ᄋᆞ니ᄒ디, 통히홈이 쳘골(徹骨)ᄒ여 분을 플 길이 업ᄂ 고로, 그 ᄯᆞᆯ○[을] 디ᄒ여 쇠훤이 즐욕고져 홈이라. 이에 윤시를 향ᄒ여 다시 굴오디,

"그ᄃᆡ ᄆᄉᆫ 쥬의로 말을 디치 ᄋᆞ냐, 거취를 결단치 아니ᄒᄂᆞ뇨? 옥누항의 통신치 말녀 ᄒ면 ᄂᆡ 집의 머믈고, 뉴시와 녀식도(女息道)를 폐치 아니려 ᄒ면, 이리로셔 바로 본부로 가라."

윤시 비로소 입을 여러 디왈,

"쳡의 텬셩이 이완(弛緩)ᄒ여 쇼견과 결단이 업삼으로, ᄉᄅᆷ이 ᄎᆞᆷ아 듯지 못홀 욕을 감심ᄒ니, 거취를 임의로 홀 쥴 알니오. 군이 '오긔(吳起)의 술쳐(殺妻)'770)를 효측

769)부월(斧鉞) : 형구로 쓰던 작은 도끼와 큰 도끼.
770)오기(吳起)의 살처(殺妻) : 중국 전국 시대(戰國

측호여 흔번 죽이면, 쳡이 다만 칼홀 바들 ᄯᅟᅵᆫ이오, 녕ᄆᆡ(令妹) 쇼져 ᄀᆞ치 일신의 셩흔 ᄃᆡ 업시 두다려도, 쳡의 ᄌᆞ모의 허믈노뻐 화란을 당ᄒᆞ미니 누를 원ᄒᆞ리오. 쳡을 쾌히 죽이시고, 긴 날의 참참흔 욕셜노뻐 ᄉᆞ문 부녀를 더러온 곳의 욕디 마르쇼셔."

언파(言罷)의 슈괴ᄒᆞ믈 ᄯᅴ엿고, 화월(花月) ᄀᆞᄐᆞᆫ 안뫼(顏貌) 근심ᄒᆞ미 가득ᄒᆞ딕, 셜상가상(雪上加霜) ᄀᆞᄐᆞ여 다시 말 붓치기 어려오니, 초ᄒᆔ 그 너모 닝담ᄒᆞ여 화열치 아니믈 심듕의 ᄀᆞ장 분노ᄒᆞ여, 일ᄡᅡᆼ 봉안을 놉히 ᄯᅥ 쇼져를 쳠시(瞻視)ᄒᆞ기를 오릭 ᄒᆞ【9】다, 일장(一場)을 ᄎᆞ게 웃고 굴오딕,

"내 누의룰 극진히 구병ᄒᆞ여 살녀ᄂᆡ면 모로거니와, 만일 위틱ᄒᆞᆨ 뉴시 모녀를 내 누의ᄀᆞ치 홀 ᄯᅵᆫ 아니라, 일신을 분(粉)ᄀᆞ치 바ᄋᆞ리라. 오긔(吳起)의 살쳐(殺妻)를 니르디 말나, 그도곤[778] 더ᄒᆞ리라."

언파의 긔위(氣威)를 엄녈(嚴烈)ᄒᆞ여 ᄉᆞ매를 썰쳐 외헌으로 향ᄒᆞ니, 뎡녜부 형뎨 흔 가디로 ᄎᆔ운산으로 향코져 ᄒᆞ다가, 흑ᄉᆞ는 부친의 브르디 아니시므로 잠졍 머믈고, 하ᄒᆔ 네부로 더브러 도라 가니, 하쇼졔 윤쇼져의 손을 잡고 혈읍(血泣) 샤죄(謝罪)ᄒᆞ여 굴오딕,

"쇼뎨 블초무상흔 연고로, 존고와 져져의 신【10】샹의 참욕이 더옥 도라 가니, 쳡이 므슴 사름이라 하면목으로 타일 군ᄌᆞ와 구가 졔ᄉᆞ금장(娣姒襟丈)[779]이며 존구대인(尊舅大人)긔 ᄎᆞ마 엇디 면목을 들고 언연(偃然)이[780] ᄌᆞ부항의 현알ᄒᆞ리오. 져져는 거거의 일시 분두의 말솜을 죡가(足枷)치 마

ᄒᆞ여 흔번 죽이면, 쳡이 다만 칼홀 ᄇᆞ들 ᄯᅵᆫ이오, 령ᄆᆡ(令妹) 쇼져 갓【67】치 일신의 셩흔 ᄃᆡ 업시 두ᄃᆞ려도, 쳡의 ᄌᆞ모의 허믈노뻐 화란을 당흠이니, 누를 원ᄒᆞ리오. 쳡을 쾌히 죽이시고, 긴 날의 참참흔 욕셜노뻐 ᄉᆞ문 부녀를 더러온 곳의 욕지 마르쇼셔."

언파(言罷)의 슈괴흠을 ᄯᅴ엿고, 화월(花月) 갓튼 안뫼(顏貌) 근심흠이 가득ᄒᆞ딕, 셜상가상(雪上加霜) ᄀᆞ트여 다시 말 부치기 가장 어려오니, 초ᄒᆔ 그 넘어 《닉담‖닝담》ᄒᆞ여 화열치 ᄋᆞ님을 심즁의 ᄀᆞ장 분노ᄒᆞ여, 일ᄡᅡᆼ 봉안을 놉히 ᄯᅥ 쇼져를 쳠시(瞻視)ᄒᆞ기를 오릭 ᄒᆞ다가, 일장(一場)을 ᄎᆞ게 웃고 굴오딕,

"내 누의룰 극진히 구병ᄒᆞ여 살녀ᄂᆡ면 모로거니와, 만일 위틱ᄒᆞᆨ, 뉴시 모녀를 내 누의《거치‖ᄀᆞ치》 홀 ᄯᅵᆫ아니라, 일신을 분갓[771]【68】ᄀᆞ치 마ᄋᆞ리라. 오긔(吳起)의 살쳐(殺妻)를 이르지 말나. 그도곤[772] 더ᄒᆞ리라."

언파의 긔위(氣威)를 엄녈(嚴烈)ᄒᆞ여 ᄉᆞ매를 썰쳐 외헌으로 향ᄒᆞ니, 뎡녜부 형뎨 흔 가지로 ᄎᆔ운산으로 향코져 ᄒᆞ다가, 흑ᄉᆞ는 부친의 부르지 ᄋᆞ님심으로 잠졍 머믈고, 하ᄒᆔ 네부로 더부러 도라 가니, 하쇼졔 윤쇼져의 손을 줍고 읍혈(泣血) ᄉᆞ죄(謝罪)ᄒᆞ여 이르딕,

"쇼뎨 블초무상흔 연고로, 존고와 져져의 신샹의 츰욕이 더옥 도라 가니, 쳡이 무슴 스름이라 하면목으로 타일 군ᄌᆞ와 구가 졔ᄉᆞ금장(娣姒襟丈)[773]으로, ○…결락 14자…○ [존구대인(尊舅大人)긔 ᄎᆞ마 엇디 면목을 들고] 언연(偃然)이[774] ᄌᆞ부항의 현알ᄒᆞ리오. 져져는 거거의 일시 분두의 말솜을 죡

---

777)오기(吳起)의 살쳐(殺妻) : 중국 전국 시대(戰國時代)의 병법가 오기가 자신의 충심을 입증하기 위해 아내를 베었던 고사.

778)도곤 : 보다. 비교의 대상이 되는 말에 붙어 '~에 비해서'의 뜻을 나타내는 격 조사

779)졔ᄉᆞ금장(娣姒襟丈) : 여러 동서(同壻)들. 제사(娣姒)나 금장(襟丈) 모두 동서(同壻)를 뜻하는 말임.

780)언연(偃然)이 : 거드름을 피우며 거만스럽게.

時代)의 병법가 오기가 자신의 충심을 입증하기 위해 아내를 베었던 고사.

771)분갓 : 분(粉). 가루. *갓; 것. 사물, 일, 현상 따위를 추상적으로 이르는 말

772)도곤 : 보다. 비교의 대상이 되는 말에 붙어 '~에 비해서'의 뜻을 나타내는 격 조사

773)졔ᄉᆞ금장(娣姒襟丈) : 여러 동서(同壻)들. 제사(娣姒)나 금장(襟丈) 모두 동서(同壻)를 뜻하는 말임.

774)언연(偃然)이 : 거드름을 피우며 거만스럽게.

르시고, 오딕 쇼뎨의 블초(不肖) 무힝(無行)
ᄒ믈 용셔ᄒ쇼셔."

윤부인이 쳑연이 ᄾ누를 ᄡ려 왈,

"쇼져의 형용을 범연ᄒᆫ 남이 보아도 참연
ᄒ믈 면치 못ᄒ려든, 녕형(令兄)이 동긔디졍
으로ᄡᅧ 분이 모친긔 도라가디 아니리오. 쳡
은 딘실노 친졍 가ᄉᆞ를 셰셰히 아디 못ᄒ엿
다가, 금일 여러 가디 즐욕을 드르【11】
미, 스스로 죽디 못ᄒ믈 이들나 ○○○[ᄒ
ᄂ니], 하고로 쇼져를 미온ᄒᆫ 의ᄉᆡ 이시리
오. 이ᄂᆞᆫ 쇼뎨 쳡을 무상히 넉여 참화의 구
치 아니믈 유감ᄒᆞ여 ᄒᆞ미로다."

하시 슬프믈 니긔디 못ᄒ여 윤시의 손을
어로만져 우러 왈,

"쇼뎨 엇디 져져를 유감ᄒᆞ미 이시리오.
쇼뎨로 말미암아 구가 허믈이 졀졀이 드러
나기의 다ᄃᆞ라ᄂᆞᆫ, 도로혀 ᄉ라시미 강슈의
몸을 잠가 셰샹 만ᄉᆞ를 니줌만 ᄀᆞᆺ디 못ᄒ믈
한ᄒᄂᆞ이다."

윤시 초후의 무한ᄒᆫ 욕셜을 듯고, 모친의
패악을 더옥 셜워ᄒ미[미] 고딕 죽어 모로
고져 ᄒ나, 하쇼뎨 병듕 슬허ᄒᆞ믈 민【12】
망ᄒᆞ여 화열ᄒᆫ 낫빗ᄎ로 위로ᄒ고, 딘부인
긔 현알ᄒᆞ믈 쳥ᄒ니, 딘부인이 초후의 나가
믈 알고 즉시 병소의 니르러 윤시로 녜필
(禮畢) 좌뎡(坐定)ᄒ미, 윤시 몬져 피셕 브
복ᄒ여 쇼고(小姑)781)의 화를 구ᄒ여 극딘
구호ᄒ시믈 일ᄏ라, 은덕이 뫼 ᄀᆞᆺᄐ믈 고홀
시, 언에 번잡디 아니ᄒ딕 도도(陶陶)ᄒ
여782), 그 화챵ᄒᆫ 거동이 사룸으로 ᄒ여금
긔탄 공경홀 비라.

딘부인이 이경ᄒᆞ여 혜오딕, 뉴시 ᄀᆞᆺᄐᆫ 악
인의 십삭 틱피 니를 거시 업ᄉᆞ딕, 윤시ᄀᆞᆺ
ᄐᆫ 슉녀 명염(名艶)을 싱ᄒᆞ미, 고슈디ᄌ(瞽
瞍之子) 슌(舜)이 이시믈 ᄭᄯᅥ라.

초휘 집의 도라【13】오니, 공과 부인이
녀ᄋᆞ의 병을 뭇고 윤시를 급히 다려 간 연
고를 므른딕, 초휘 부모의 우려를 돕디 아

781)쇼고(小姑) : 시누이.
782)도도(陶陶)ᄒ다 : 매우 화평하고 즐겁다.

가(足枷)치 마르시고, 오직 쇼뎨의 블초(不
肖) 무힝(無行홈을 용셔ᄒ쇼셔."

윤【69】부인이 쳑연이 ᄾ누를 ᄡ려 왈,

"쇼져의 형용을 범연ᄒᆫ 남이 보아도 춤연
ᄒ믈 면치 못ᄒ려든, 녕형(令兄)이 동긔지졍
으로ᄡᅧ 분이 모친긔 도라가지 으니리오. 쳡
은 진실노 친졍 가ᄉᆞ를 셰셰히 아지 못ᄒ엿
다가, 금일 여러 가지 즐욕을 드르미, 스스
로 죽지 못ᄒ믈 이들나 하ᄂ니, 하고로 쇼
져를 미온ᄒᆫ 의ᄉᆡ 잇스리오. 이ᄂᆞᆫ 쇼뎨 쳡
을 무상히 넉여 참화를 구치 으님을 유감홈
이로다."

하시 슬품을 이긔지 못ᄒ여 윤시 손을 어
로만져 우러 왈,

"쇼뎨 웃지 져져를 유감홈이 잇스리오.
쇼뎨로 말미암아 구가 허믈이 졀졀이 드러
나기의 다ᄃᆞ라ᄂᆞᆫ, 도로혀 ᄉ랏심이 강슈의
몸을 잠가 셰샹 만【70】ᄉᆞ를 이줌만 ᄀᆞᆺ지
못홈을 한ᄒᄂᆞ이다."

윤시 초후의 무한ᄒᆫ 욕셜을 듯고, 모친의
픽악을 더옥 셜워홈이 고딕 죽어 모로고져
ᄒ나, 하쇼뎨 병즁 스러홈을 민망ᄒ여 화열
ᄒᆫ 낫빗츠로 위로ᄒ고, 진부인긔 현알홈을
쳥ᄒ니, 진부인이 하후의 ᄂ감을 알고, 즉시
병소의 이르러 ○○○[윤시로] 례필(禮畢)
좌졍(坐定)ᄒ미, 윤시 먼져 피셕 부복ᄒ여
쇼고(小姑)775)의 화를 구ᄒ여 극진 구호홈
을 일ᄏ라, 은덕이 뫼 가틈을 고홀시, 언에
번잡지 으니ᄒ딕 도도(陶陶)ᄒ여776), 그 화
챵ᄒᆫ 거동이 ᄉ름으로 ᄒ여금 긔탄 공경홀
비라.

진부인이 이경ᄒᆞ여 혜오딕, 뉴시 ᄀᆞᆺᄐᆫ 악
인의 십삭 틱피 이를 거시 업ᄉᆞ딕, 윤시 ᄀᆞᆺ
ᄐᆫ 슉녀《명녕‖명염(名艶)》을 싱【71】홈
이 고슈지ᄌ(瞽瞍之子) 슌(舜)이 이슴을 ᄭ
닷더라.

하휘 집의 도라오미, 공과 부인이 녀ᄋᆞ의
병을 뭇고 윤시를 급히 드려 간 연고를 무
른딕, 초휘 부모의 우려를 돕지 으니려 쇼

775)쇼고(小姑) : 시누이.
776)도도(陶陶)ᄒ다 : 매우 화평하고 즐겁다.

니려 쇼미의 병이 스경을 면호여시믈 고호고, 윤시는 쇼미 잠간 보고져 호므로뼈 다려가시믈 고호여, 아덕 두어 누의 병을 구호홀 바를 고호니, 부인 왈,

"반드시 잘 구호호려니와, 녀ᄋ의 병이 다른 딜양이 아니오, 뉴시의 모딘 슈단의 빌미여든, 짐줏 기모의 ᄉ오나오믈 졀노 호여금 구병을 식여, 슈고를 당콰져 홈 ᄀᆞᆺ트니, 원간 식뷔 내 것틀 슈일만 쩌나도 듕보를 일흠 ᄀᆞᆺ트여 디향치 못호ᄂᆞ니, 임의 영쥬의 병은 딘부【14】인이 친히 구호호니, 넘녀홀 거시 업ᄂᆞᆫ디라. 모로미 슈히 다려오라."

초휘 모친의 심회 울울호시믈 민망호딕, 윤시를 누의 병소의 두어 구병호려 호엿더니, 뜻 ᄀᆞᆺ디 못호여 오딕 딕왈,

"ᄌᆞ졍이 이딕도록 못 니ᄌᆞ실딘딕, 명일 도로 다려오샤이다."

하공 왈,

"녀ᄋ이 브딕 윤현부를 잇과져 호면 다려오디 못호려니와, 그러치 아니면 금일 네 도라올 젹 다려오디 아니미 괴이토다."

초휘 딕왈,

"쇼미 우연이 보고져 쳥호여시니, 금일 즉시 다려오면 결연(缺然)이 넉일가 호여 머므르과이다."

하공 부뷔 그러히 넉여 명일 다려【15】오라 호더라.

이날 하부 노지 옥누항의 나아가 쇼져의 실니호믈 고호니, 태우와 혹시 엇게를 굴와 783)안ᄃᆞᆺ다가, 태위 대경호여 즉시 조모와 슉모긔 고호고, 혹ᄉᆞ로 더브러 취운산의 나아가 하공 부ᄌᆞ를 보고 하시 거쳐를 ᄎᆞᆽ주보려 호딕, 혹시 미우를 삥긔고 굴오딕,

"쇼뎨 흔번 치샤(致謝)는 업디 못호려니와, 금일 져의 실산호 소식을 듯고 그리 급히 가, 됴치 아닌 경상을 보아 므어시 쾌호리잇고?"

틱위 왈,

_____
783)굴오다 : 가루다. 나란히 하다.

민의 병이 스경을 면호엿심을 고호고, 윤시는 쇼미 잠간 보고져 홈을 인호여 드려감으뼈 딕호여, 아직 두어 누의 병을 구호홀 바를 고호니, 부인 왈,

"반드시 잘 구호호려니와, 녀ᄋ의 병이 다른 질양이 아니오, 뉴시의 모진 슈단의 빌미여든, 짐짓 그 어미 ᄉ오ᄂᆞ음을 져로 호여금 구병을 식여 슈고를 당코져 홈 ᄀᆞᆺ트니, 원간 식뷔 닉 것흘 슈일만 쩌나도 듕보를 이름 거[가]틔여 지향치 못호ᄂᆞ니, 임의 영쥬의 병은 진부인이 친【72】히 구호호니, 넘녀홀 거시 업ᄂᆞᆫ지라. 모로미 슈히 드려오라."

초휘 모친의 심회 울울호심을 민망호딕, 부딕 윤시를 누의 병소의 두어 구병호려 호엿더니, 뜻 ᄀᆞᆺ지 못호여 오직 딕왈,

"ᄌᆞ졍이 이딕도록 못 이ᄌᆞ실진딕 명일 도로 다려오ᄉᆞ이다."

하공 왈,

"녀ᄋ이 부딕 윤시를 잇과져 호면 다려오지 못호려니와, 그러치 ᄋᆞ니면 금일 네 도라올 젹 다려 오지 아님이 괴이토다."

초휘 딕왈,

"쇼미 우연이 보고져 쳥호엿스니, 금일 즉시 드려오면 결연(缺然)이 넉일가 호여 머므르과이다."

하공 부뷔 그러히 넉여 명일 드려오라 호더라.

이날 하부 노지 옥누항의 나아가 쇼져의 실니홈을 고호니, 【73】 틱우와 혹시 엇기를 갈와777) 안ᄌᆞᆺ다가, 틱위 딕경호여 즉시 됴모와 슉모긔 고호고, 혹ᄉᆞ로 더부러 취운산의 나아가 하공 부ᄌᆞ를 보고 하시 거쳐를 ᄎᆞᆽ주보려 호딕, 혹시 미우를 《찌긔고‖삥긔고》 굴오딕,

"쇼뎨 흔번 치ᄉᆞ(致謝)는 업지 못호려니와, 금일 져의 실산호 소식을 듯고 그리 급히 가, 죠치 ᄋᆞ닌 경상을 보아 무어시 쾌호리잇고?"

틱위 왈,

_____
777)굴오다 : 가루다. 나란히 하다.

"슈슈의 야릭 실산이 쳔만 이상ᄒ니, ᄌ셔히 뭇는 거시 올흘 ᄲᆞᆫ아니라, 나와 너의 도리 슈슈의 거쳐를 모로미 올흐냐?"【16】

학ᄉᆡ 조곰도 경동치 아냐, 다만 어셔 회답ᄒ여 보ᄂᆡᆷ믈 쳥ᄒ니, 태위 마디 못ᄒ여 경참ᄒᆞᆷ믈 일ᄏᆞᆺ고, 혹ᄉᆞ는 하공 부ᄌᆞ긔 젼어ᄒ여, '몸이 알파 비현치 못ᄒᆞᆷ믈' 일ᄏᆞᆺ고, '초후의 닙공 반샤ᄒᆞᆷ믈 치하'ᄒᆞ딕, 쇼져의 실산디ᄉᆞ는 드노치 아니니, 하부 노ᄌᆞ 도라간 후, 태위 문왈,

"네 엇디 하공 부ᄌᆞ를 보기를 괴로이 넉이ᄂᆞ뇨?"

혹ᄉᆡ 탄왈,

"아등은 실노 사룸 보기 참괴ᄒᆞᆫ 곡졀이 만흐니, 어이 평상ᄒᆞᆫ 뉴와 ᄀᆞᆺ트리오. ᄒᆞᆯ믈며 하시의 실산이 진짓 일이면, 도로혀 다힝ᄒᆞ거니와 필유곡졀(必有曲折)인가 ᄒᆞᄂᆞ이다."

태위 왈,

"이런 일【17】을 다 붓그려 ᄒᆞᆯ딘딕, 우리 엇디 ᄌᆞ포오ᄉ(紫袍烏紗)784)로 됴졍의 튱슈(充數)ᄒᆞ리오."

혹ᄉᆡ 탄식 무언이러라.

위태 뉴시다려 왈,

"현부의 디모로 하시를 잘 셔르져시니 이졔 댱시를 마ᄌ 죽이미 엇더ᄒᆞ리오."

뉴시 디왈,

"그ᄋᆞᆨ이 싱각건딕, 여러 인명을 상히오미 어딘 사룸(미오 어디다)785)의 일이 아니라. ᄒᆞᆯ믈며 가시 탕딘(蕩盡)ᄒᆞ여 일냥 은ᄌᆞ도 츌쳬(出處) 업ᄉ니, 댱시의 용식이 셰딕(世代)의 희한(稀罕)ᄒᆞᆫ디라, 하방(遐方)의 흔낫 호식ᄒᆞ는 거부(巨富)의게 ᄉᆞ오빅금을 밧고 파는 거시 올흘가 ᄒᆞᄂᆞ이다."

"슈슈의 야릭 실산이 쳔만 이상ᄒ니, ᄌ셔히 뭇는 거시 올흘 ᄲᆞᆫ아니라, 나와 너의 《도져∥도리》 슈슈의 거쳐를 모름이 올흐냐?"

학ᄉᆡ 조곰도 경동치 ᄋᆞ냐, 다만 어셔 회답ᄒ여 보ᄂᆡᆷ믈 쳥ᄒ니, 틱위 마지 못ᄒ여 경참ᄒᆞᆷ을 일ᄏᆞᆺ고, 혹ᄉᆞ는 하공 부ᄌᆞ긔 젼【74】어 왈, '몸이 알파 《비쳥∥비현》치 못ᄒᆞᆷ'을 일ᄏᆞᆺ고, '하후의 닙공 반ᄉᆞᄒᆞᆷ을 치하'ᄒᆞ딕, 쇼져의 실산은 드노치 아니ᄒᆞ니, 하부 노ᄌᆞ 도라간 후, 틱위 문왈,

"네 엇지 하공 부ᄌᆞ를 괴로이 넉이ᄂᆞ뇨?"

혹ᄉᆡ 탄왈,

"아등은 실노 ᄉ룸 보기 참괴ᄒᆞᆫ 곡졀이 마ᄂᆞ니, 어이 평상○[ᄒ] 뉴와 가트리오. 하믈며 하시의 실산이 진짓 일이면, 도로혀 다힝ᄒᆞ거니와 필유곡졀(必有曲折)인가 ᄒᆞᄂᆞ이다."

틱위 왈,

"이런 일을 다 붓그려 ᄒᆞᆯ진딕, 우리 엇지 ᄌᆞ포오ᄉ(紫袍烏紗)778)로 됴졍의 츙슈(充數)ᄒᆞ리오."

혹ᄉᆡ 탄식 무언이러라.

《태위∥위태》 뉴시다려 왈,

"현부의 지모로 하시를 즐 셔르졋시니, 이졔 댱시를 마ᄌ 죽임이 엇더ᄒᆞ리오."

뉴시 딕왈,

"쳡이【75】 댱녀를 죽이려 ᄒᆞ엿드니, 그ᄋᆞᆨ이 싱각건딕 여러 인명을 살히음이 어진 ᄉ룸의 일이 ᄋᆞ니라(미오 어지다)779), ᄒᆞ믈며 가시 탕진(蕩盡)ᄒᆞ여 일냥도 츌쳬(出處) 업ᄉ니, 댱시의 용식이 셰딕(世代)에 희한(稀罕)ᄒᆞᆫ지라. 하방(遐方)의 흔낫 호식ᄒᆞ는 거부(巨富)의게 ᄉᆞ오빅금을 붓고 파는 거시 올흘가 ᄒᆞᄂᆞ이다."

---

784)ᄌᆞ포오ᄉ(紫袍烏紗) : 자줏빛 도포와 검은 사(紗)로 만든 모자를 함께 이르는 말로, 조선 시대 벼슬아치들의 관복과 모자.

785)(미오 어디다) : 본문 서사진행과는 관련 없는 필사자의 작중인물에 대한 논평인 듯. 유씨의 포악함을 빈정댄 말.

778)ᄌᆞ포오ᄉ(紫袍烏紗) : 자줏빛 도포와 검은 사(紗)로 만든 모자를 함께 이르는 말로, 조선 시대 벼슬아치들의 관복과 모자.

779)(미오 어디다) : 본문 서사진행과는 관련 없는, 필사자의 작중인물에 대한 논평인 듯. 유씨의 포악함을 빈정댄 말.

위틱 므릅홀 쳐 '올타' ᄒ니, 뉴시 비영과
의논ᄒ연디 슈삼일이나 되엿【18】ᄂ 고로,
비영이 미인 스리를786) 광구(廣求)ᄒ여, 담
양787) 거부 셜억이 년과(年過) 사십의 상실
(喪室)ᄒ고, 미인 엇기를 구ᄒ여 은금을 싯
고 경샤의 왓다가 우연이 비영을 만나니,
원ᄂ 셜억의 쥬인이 비영의 종뎨(從弟)라.
츳ᄉ를 의논홀시, 비영은 '오빅 금을 달나'
ᄒ고, 셜억은 '스빅냥을 바드라' ᄒ여, 갑술
닷토아 반일이 되미, 비영이 댱시의 만고무
빵(萬古無雙)ᄒ믈 칭찬ᄒ여, 왈,

"댱쇼졔 죽기로 그음ᄒ여 졀을 딕히려 ᄒ
기로 파디 못ᄒ엿더니, 당츳시ᄒ여ᄂ 위력
으로 파라 쓰랴 ᄒ느니, 만금을 준들 어듸
가 디상 옥녀를 구【19】경이나 ᄒ리오.
무디(無知)ᄒ여 금은 앗가온 줄만 알고, 쳔
고의 드른 슉녀를 모른다."

ᄒ니, 못삼긴 셜억이 비영의 말을 고디드
러 개연이 오빅 금을 다 준되, 비영이 대열
ᄒ여 밧비 은을 밧고 날을 맛출시, 비영 왈,

"금일 져녁이라도 옥누항 길가의 와 셔시
면 댱쇼져를 거교의 담아다가 주마."

ᄒ듸, 셜억이 대희ᄒ여 언약을 금셕ᄀᆺ치
뎡ᄒ고, 비영이 즉시 은ᄌ를 가디고 와 뉴
시긔 드려 셜억과 언약ᄒ믈 고ᄒ니, 뉴시
대열ᄒ여 위ᄐ긔 고ᄒ고 뽈 곳을 마련ᄒ더
니, 맛춤 묘랑이 단니라 왓더니, 은ᄌ 어든
긔식을 슷치고,【20】거즛 경ᄋ를 향ᄒ여,
블길흔 쑴을 꾸어시니, 아모리 ᄒ여도 슈륙
치직(水陸致齋)788)ᄒ여 대익을 소멸ᄒ라 ᄒ
여, 짐즛 귀신이 나, 식이는 드시 헛말도 ᄒ
며 괴이흔 거동을 ᄒ니, 뉴시 대황대구(大
惶大懼)ᄒ여 셜억의게 바든 은ᄌ 스빅냥을
주어, 슈륙티직ᄒ라 ᄒ고, 계오 이빅 냥을
남겨 경아의 일습 식 의상(衣裳)을 장만ᄒ

위틱 므릅홀 쳐 '올타' ᄒ니, 뉴시 비영과
의논ᄒ연지 슈삼일이나 되엿ᄂ 고로, 비영
이 미인 스리를780) 광구(廣求)ᄒ여 담양781)
거부 셜억이 년과(年過) 사십의 상실(喪室)
ᄒ고 미인 웃기를 구ᄒ여 은금을 싯고 경ᄉ
의 갓ᄃ가, 우연이 비영을 만나니, 원ᄂ 셜
억의 쥬인이 비영의 종뎨(從弟)라. 츠ᄉ를
의논홀시 비영은 'ᄋ빅 금을 달ᄂ' ᄒ고 셜
【76】억은 '스빅금을 바드라' ᄒ여 갑술
닷토아 반일이 되미, 비영이 〇〇〇[댱시의]
만고무빵(萬古無雙)ᄒ믈 칭츤ᄒ여, 왈,

"댱쇼졔 이르되 죽기를 그음ᄒ여 졀을 직
히려 ᄒ기의 파지 못ᄒ엿더니, 당츳시ᄒ여
ᄂ 위력으로 파라 쓰려 ᄒ느니, 만금을 준
들 어듸 가 디상 옥녀를 구경이나 ᄒ리오.
무지(無知)ᄒ여 금은 앗가온 쥴만 알고 쳔
고의 듬은 슉녀를 모른다."

ᄒ니, 못상긴 셜억이 비영의 말을 고지드
러 가연이 오빅 금을 다 준되, 비영이 대열
ᄒ여 봣비 은을 밧고 날을 마출시, 〇〇〇
[비영 왈,]

"금일 져녁이라도 옥누항 길가의 와 셧스
면 댱쇼져를 거교의 담아다가 쥬마."

ᄒ듸, 셜억이 대희ᄒ여 언약을 【77】금
셕《거치∥ᄀᆺ치》 뎡ᄒ고, 비영이 급히 은
ᄌ를 가지고 와 뉴시긔 드려 셜억과 언약홈
을 고ᄒ니, 뉴시 딕열ᄒ여 위틱게 고ᄒ고
뽈 곳을 마련ᄒ더니, 마춤 묘랑이 단니라
왓더니, 은ᄌ 어든 긔식을 스치고, 거즛 경
ᄋ를 향ᄒ여 블길흔 쑴을 꾸엇스니, 아모리
ᄒ여도 슈륙치직(水陸致齋)782) ᄒ여 대익을
소멸ᄒ라 ᄒ여, 짐즛 귀신이 나, 식이는 닷
시 헛말도 ᄒ며 괴이흔 거동을 ᄒ니, 뉴시
대황대구(大惶大懼)ᄒ여 셜억의게 ᄇ든 은
ᄌ 스빅냥을 쥬어, 슈륙치직ᄒ라 ᄒ고, 겨우
이빅 냥을 남겨 경아의 식 일습 의상(衣裳)

---

786)스리 : 술+이. 살 사람.
787)담양 : 한국 지명(전남 담양군 담양읍)으로 추정
　　된다.
788)슈륙치직(水陸致齋) : 수륙재(水陸齋)를 지내고
　　몸을 삼감. *수륙재; 물과 육지의 홀로 떠도는 귀
　　신들과 아귀(餓鬼)에게 공양하는 재.

780)스리 : 술+이. 살 사람.
781)담양 : 한국 지명(전남 담양군 담양읍)으로 추정
　　된다.
782)슈륙치직(水陸致齋) : 수륙재(水陸齋)를 지내고
　　몸을 삼감. *수륙재; 물과 육지의 홀로 떠도는 귀
　　신들과 아귀(餓鬼)에게 공양하는 재.

려 ᄒᆞ더라.

이ᄯᆡ 댱시, 하시의 참혹히 맛ᄎᆞᆫ 바를 드른 후ᄂᆞᆫ 더옥 ᄆᆞ음을 노치 못ᄒᆞ여, ᄡᅣᆼ셤으로 셰월 비영 등의 ᄒᆞᄂᆞᆫ 말과 긔ᄉᆡᆨ을 탐디ᄒᆞ라 ᄒᆞ니, ᄡᅡᆼ셤은 쳥의 가온ᄃᆡ ᄒᆞᆫ낫 영물(靈物)이라. 날ᄂᆡ미 비됴 ᄀᆞᆺ고 사ᄅᆞᆷ의 긔ᄉᆡᆨ 【21】 알오미 신이ᄒᆞᆫ 고로, 뉴시의 오ᄇᆡᆨ냥 은ᄌᆞ 바든 줄을 알고 그 소유를 글노 ᄡᅧ 쇼져긔 드리치니, 댱시 ᄒᆞᆫ번 보ᄆᆡ 흉참 극악ᄒᆞ믈 니긔디 못ᄒᆞ여, 그윽이 혜오ᄃᆡ,

"내 발셔 피화ᄒᆞ여 집으로 도라가고져 ᄒᆞᄃᆡ, 나의 형셰 남 ᄀᆞᆺ디 못ᄒᆞ여 계뫼 어디디 못ᄒᆞ시고, 뉴금오 부인 아이시니, 나의 구가를 긔이고져 ᄒᆞᄂᆞᆫ 일이 이시면 낫낫치 통긔(通寄)ᄒᆞ여[789] 존고긔 고ᄒᆞᆯ 거시니, 나의 신셰 《그윽이‖극히》 어려온디라. ᄎᆞᆯ하리 목숨이 맛출디라도 이곳의셔 죽어 됴흔 귀신이 되리니, 존괴 아모리 어려오셔도 내 ᄯᅳᆺ을 앗디 못ᄒᆞ리라."

의ᄉᆡ 이의 밋ᄎᆞᄆᆡ, 도로혀 【22】 태연(泰然) 안상(安常)ᄒᆞ여, 침션을 ᄌᆞ약히 다ᄉᆞ리더니, 날이 황혼의 다ᄃᆞ라 위태와 뉴시 댱시를 블너 알패 니르ᄆᆡ, 평ᄉᆡᆼ 쳐음으로 낫출 펴고 닐오ᄃᆡ,

"네 모친이 금일 너의 귀령을 간졀이 청ᄒᆞ여시니, 우리 허락ᄒᆞ엿ᄂᆞᆫ디라. 밧비 도라가 누월 ᄉᆞ친ᄒᆞ던 회포를 펴고 십여일 후 도라오라."

쇼졔 셜억의게 보ᄂᆡ려 ᄒᆞᄂᆞᆫ 줄 ᄉᆡᆼ각ᄒᆞᄆᆡ, ᄌᆞ개 임의 궤샹육(机上肉)[790]이 되어시니, 이의 뎡ᄉᆡᆨ ᄃᆡ왈,

"쇼쳡이 브릉 누딜노 셩문의 쇽현ᄒᆞ오ᄆᆡ 무일가취(無一可取)라. 만일 존부의 머므르디 못ᄒᆞᆯ 형셰면, 당하의셔 죽어도 쳡이 작죄ᄒᆞ미 이신 즉, 원치 【23】 못ᄒᆞ며 한치 못ᄒᆞ려든, 쳡으로ᄡᅧ 쳥의 비ᄌᆞᄀᆞᆺ치 ᄒᆞ샤, 은ᄌᆞ를 밧고 파르실 거죄 어이 이시리잇고?

789)통긔(通寄)ᄒᆞ다 : 통지(通知)하다. 기별(寄別)을 보내어 알게 하다.

790)궤샹육(机上肉) : =조상육(俎上肉. 도마에 오른 고기라는 뜻으로, 어찌할 수 없게 된 운명을 이르는 말.

을 장만ᄒᆞ려 ᄒᆞ더라.

이ᄯᆡ 댱시, 하시의 ᄎᆞᆷ혹히 마찬 ᄇᆞ를 드른 후ᄂᆞᆫ 더옥 마음을【78】 ᄂᆞᆺ치 못ᄒᆞ여, 쌍셤으로 셰월 비영 등의 ᄒᆞᄂᆞᆫ 말과 긔ᄉᆡᆨ을 탐지ᄒᆞ니, 쌍셤이 ᄒᆞᆫ낫 영믈(靈物)이라. 날ᄂᆡᆷ이 비됴 갓고 사ᄅᆞᆷ의 긔ᄉᆡᆨ 알미 신이ᄒᆞᆫ 고로, 뉴시의 오ᄇᆡᆨ냥 은 바든 일을 드르ᄆᆡ, 심긔 셔늘ᄒᆞ여 가ᄆᆞ니 쇼져긔 글노 ᄡᅧ 이 소유를 드리○[치]니, 댱시 ᄒᆞᆫ번 보ᄆᆡ 흉참 극악ᄒᆞᆷ을 이긔지 못ᄒᆞ여, 그윽이 혜오ᄃᆡ,

"ᄂᆡ 발셔 피화ᄒᆞ여 집으로 도라가고져 ᄒᆞᄃᆡ, 나의 형셰 남 ᄀᆞᆺ지 못ᄒᆞ여 계모ᄂᆞᆫ 어지지 못ᄒᆞ시고, 뉴금오 부인 아이시니, 구가를 긔이고져 ᄒᆞᄂᆞᆫ 일이 잇스면, 낫낫치 뉴부(劉府)를 통(通)ᄒᆞ여 존고긔 고ᄒᆞᆯ 거시니, 나의 신셰 극히 어려온지라. ᄎᆞ라리 목숨이 맛출지라도, 이곳의셔 귀【79】신이 되리니, 존괴 아모리 어려오셔도 ᄂᆡ ᄯᅳᆺ을 《아지‖앗지》 못ᄒᆞ리라."

의ᄉᆡ 이의 밋ᄎᆞᄆᆡ 도로혀 타연(泰然) 안상(安常)ᄒᆞ여, 침션을 ᄌᆞ약히 다ᄉᆞ리더니, ᄂᆞᆯ이 황혼의 다다라, 뉴시 댱시를 블너 압히 이르ᄆᆡ, 평ᄉᆡᆼ 쳐음으로 ᄂᆞᆺ출 펴고 이로ᄃᆡ,

"네 모친이 금일 너의 귀령을 간졀이 청ᄒᆞ엿스니, 우리 허락ᄒᆞ엿ᄂᆞᆫ지라. ᄇᆞᆺ비 도라가 누월 ᄉᆞ친ᄒᆞ던 회포를 펴고 십여일 후 도라오라."

쇼졔 셜억의게 보ᄂᆡ랴 ᄒᆞᄂᆞᆫ 쥴 ᄉᆡᆼ각ᄒᆞᄆᆡ, ᄌᆞ긔 임의 궤샹육(机上肉)[783]이 도엿스니, 이의 졍ᄉᆡᆨ ᄃᆡ왈,

"쇼쳡이 브릉 누질노 셩문의 쇽현ᄒᆞ오ᄆᆡ 일무가취(一無可取)라. 만일 존부의 머므로지 못ᄒᆞᆯ 형셰면, 당하에셔 쥭어도 쳡이【80】 작죄ᄒᆞᆷ이 잇슨 즉, 원치 못ᄒᆞ며 한치 못ᄒᆞ려든, 쳡으로ᄡᅧ 쳥의 비ᄌᆞᄀᆞᆺ치 ᄒᆞ샤 은ᄌᆞ를 ᄇᆞᆺ고 파라실 거죄 어이 이지[시]리잇고? 비록 친졍으로 가라 ᄒᆞ시ᄂᆞᆫ 거죄 감은

783)궤샹육(机上肉) : =조상육(俎上肉. 도마에 오른 고기라는 뜻으로, 어찌할 수 없게 된 운명을 이르는 말.

비록 친졍으로 가라 ᄒ시ᄂᆞ 거죄 감은ᄒᆞ오나, 쳡의 ᄆᆞ음이 금일은 위티ᄒᆞ여 가디 못ᄒᆞ옵ᄂᆞ니, 명일 가엄을 쳥ᄒᆞ여 뫼시고 힝ᄒᆞ리이다."

위태와 뉴시, 댱시를 친졍의 가라 ᄒᆞ면 깃거ᄒᆞᆯ가 ᄒᆞ엿더니, 츠언을 드르미 뮙고 놀나오며 분ᄒᆞ미 칼노 디르고져 ᄒᆞ나, 뉴시ᄂᆞᆫ 일을 요란이 아니ᄒᆞ려 ᄒᆞ므로, ᄀᆞ마니 묘랑을 블너 댱시를 후려다가 셜억을 주려 ᄒᆞᄂᆞᆫ디라. 다만 츠게 우어 왈,

"쇼뷔(小婦) 아니 실셩ᄒᆞ엿ᄂᆞ냐? 이 므슴 말이【24】뇨? 모로미 날을 슉뫽블변(菽麥不辨)791)으로 아라, 허언을 쥬츌(做出)ᄒᆞ여 고모(姑母)792)를 함졍의 모라너치 말나."

댱시 피셕 비왈,

"쳡슈블혜(妾雖不慧)나 엇디 감히 존고를 함히코져 ᄒᆞ리잇고? 분명이 셜억의게 은즈 바드믈 아ᄂᆞ이다."

위태 대로ᄒᆞ여 팔흘 쏩닉며, 고셩 즐욕 왈,

"하시 요괴로온 년이 졔 집의 가셔 일야디간(一夜之間)의 도망ᄒᆞ믈 어히업시 녁엿더니, 이 흉ᄒᆞᆫ 년의 거동이 슈샹ᄒᆞ여, 아마도 하시와 동모ᄒᆞ고, 셜억이란 놈을 통간(通姦)ᄒᆞ여 긔탄업시 화락ᄒᆞ며, 션발졔인(先發制人)으로 짐줏 우리를 억탁(臆度)ᄒᆞ여 파랏다 ᄒᆞ니, 이 년들의 졍틱(情態)를【25】보건듸 반ᄃᆞ시 내 집을 망ᄒᆞ리로다."

댱시 위태의 흉히 구ᄂᆞᆫ 거동을 보니 도로혀 우이 녁여 단슌을 반개ᄒᆞ고 왈,

"하시ᄂᆞᆫ 발셔 즛두다려 궤듕의 너허 강슈의 씌오고, 셰월노 하시의 딕신을 삼아 하부의 보닉엿다가, ᄒᆞ로 밤을 ᄌᆞ디 아니ᄒᆞ여 밤으로 도망ᄒᆞ여 왓거늘, 쳡이 남강의 닉슈(溺水)ᄒᆞᆫ 하부인과 불의비법(不義非法)을 동심ᄒᆞ리가? 슉녀 명염도 존부의셔 보젼ᄒᆞ믈 엇디 못ᄒᆞ여 그런 참화를 당ᄒᆞ니, ᄒᆞᆷ믈

ᄒᆞ오나, 쳡의 마음이 금일은 위티ᄒᆞ여 가지 못ᄒᆞ옵ᄂᆞ니, 명일 가엄을 쳥ᄒᆞ여 뫼시고 힝ᄒᆞ리이다."

위티와 뉴시, 댱시ᄃᆞ려 친졍의 가라 ᄒᆞ면 깃거ᄒᆞᆯ가 ᄒᆞ엿더니, 츠언을 드르미 뮙고 놀나오며 분홈이 칼노 지르고져 ᄒᆞ나, 뉴시ᄂᆞᆫ 일을 요란이 아니ᄒᆞ려 홈으로, 가마니 묘랑을 블너 댱시를 후려다가, 셜억을 쥬려 ᄒᆞᄂᆞᆫ지라. 다만 츠게 우어 왈,

"쇼뷔(小婦) 아니 실셩ᄒᆞ엿ᄂᆞ냐? 이 무슴 말이뇨? 모로미 날을 슉【81】뫽블변(菽麥不辨)784)으로 아라, 허언을 쥬츌(做出)ᄒᆞ여 고모(姑母)785)를 함졍의 모라넛치 말나."

댱시 피셕 비왈,

"쳡슈블혜(妾雖不慧)나 엇지 감히 존고를 함히코져 ᄒᆞ리잇고? 분명이 셜억의게 은즈 바듬을 아ᄂᆞ이다."

위티 대로ᄒᆞ여 팔을 쏩닉며, 고셩 즐욕 왈,

"하시 요괴로온 년이 졔 집의 가셔 일야지간(一夜之間)의 도망홈을 어히업시 녁엿더니, 이 흉ᄒᆞᆫ 년의 거동이 슈샹ᄒᆞ여, 아마도 하시와 동모ᄒᆞ고, 셜억이란 놈을 통간(通姦)ᄒᆞ여 긔탄업시 화락ᄒᆞ며, 션발졔인(先發制人)으로 짐짓 우리를 억탁(臆度)ᄒᆞ여 파랏다 ᄒᆞ니, 이 년들의 졍틱(情態)를 보건듸 븐ᄃᆞ시 내 집을 망ᄒᆞ리로다."

댱시 위티의 거동을 보니 도로혀 우이 녁여, 단슌【82】을 반기ᄒᆞ고 왈,

"하시ᄂᆞᆫ 발셔 두다려 궤즁의 너허 강물의 씌오고, 셰월노 하시의 딕신을 삼아 하부의 보닉엿다가, ᄒᆞ로 밤을 ᄌᆞ지 ᄋᆞ니 ᄒᆞ여 밤으로 도망ᄒᆞ여 왓거늘, 쳡이 남강의 익슈(溺水)ᄒᆞᆫ 하부인과 불의비법(不義非法)을 동심ᄒᆞ리가? 슉녀 명염도 존부의셔 보젼홈을 엇지 못ᄒᆞ여 그런 춤화를 당ᄒᆞ니, 허믈

---

791)슉뫽블변(菽麥不辨) : 콩인지 보리인지를 구별하지 못한다는 뜻으로, 사리 분별을 못하고 세상 물정을 잘 모름을 이르는 말
792)고모(姑母) ; 시어머니.

784)슉뫽블변(菽麥不辨) : 콩인지 보리인지를 구별하지 못한다는 뜻으로, 사리 분별을 못하고 세상 물정을 잘 모름을 이르는 말
785)고모(姑母) ; 시어머니.

❙낙선제본 명듀보월빙 권디오십   276   명쥬보월빙 권지십구 **박순호본**❙

며 쳡 ᄀᆞ튼 브릉누딀이야 닐너 므엇ᄒᆞ리잇가? 그러나 ᄯᅩ흔 사름의 ᄆᆞ음이라, 존당과 존고를 우러러 실덕ᄒᆞ시【26】믈 불승 이ᄃᆞᆯ나 ᄒᆞ티, 감히 존하의 펴디 못ᄒᆞ옵더니, 금일 ᄎᆞᆷ디 못ᄒᆞ여 언두의 일ᄏᆞᆺ잡ᄂᆞ니, 존당 존고는 쳡의 말숨이 허언이 아닌 줄 싱각ᄒᆞ샤, 타일 뉘웃츨 일이 업게 ᄒᆞ쇼셔."

언파의 ᄉᆞ긔 단엄ᄒᆞ고 위의 묵묵ᄒᆞ여 일개 녀ᄌᆞ의 유약흔 거동이 업고, 문인녈ᄉᆞ(文人烈士)의 늠녈(凜烈)흔 거동을 가져, 젼ᄌᆞ의 ᄎᆞᆷ기를 만히 ᄒᆞ고 사름의 견디디 못홀 경계를 만히 견디여 심홰 셩ᄒᆞ고, 금일은 셜억 흉인의게 팔니여 가디 아니면 죽기를 면치 못홀디라. 심곡의 픔은 바를 다 셜파ᄒᆞ고 ᄉᆞ싱을 결ᄒᆞ랴 ᄒᆞᄂᆞ디라.

뉴녜 댱시의【27】말을 드르미 놀나는 가슴이 벌덕이는 고로, 분ᄒᆞ미 하날을 ᄶᅦ칠 ᄃᆞᆺᄒᆞ나, 위인이 극악 간샤흔디라. 댱시를 위엄으로 구쇽디 못ᄒᆞ며, 호령으로 졔어치 못홀 줄 아는 고로, 처음 묘랑과 의논ᄒᆞ고 후려다가 셜억을 주디 못ᄒᆞᄆᆞᆯ 이둛고 뉘웃ᄂᆞ디라. 아딕 댱시 ᄆᆞ음을 눅여 의심치 아니케 ᄒᆞ고, ᄀᆞ마니 묘랑으로 댱시를 셜억의게 보ᄂᆞ려 ᄒᆞᄂᆞ디라. 믄득 미쇼ᄒᆞ고 말을 시작고져 홀 적, 위태 하시 죽인 말과 셜억의게 은 바든 말을 이ᄀᆞᆺ치 니르니, 분심이 터딜 ᄃᆞᆺᄒᆞ고 흉상(凶相)793)이 압뒤흘 슬피디 못ᄒᆞ니, 오딕 영미(英邁)794)치 못ᄒᆞ고,【28】텬셩이 포악(暴惡) 싀험(猜險)흔 거ᄉᆞ로 쵹ᄉᆞ(觸事)795)의 곰초디 못ᄒᆞᄂᆞ디라. 댱시의 녈녈흔 말숨이 도로혀 효험이 업고, ᄌᆞ긔 신상의 급화를 취홀 ᄯᆞᆫ이라. 위태 뉴시의 말 시작기를 밋쳐 듯도 아니코, 브디블각(不知不覺)796)의 겻틱 노혓는 칼흘 들고 댱시긔 다라드러 흔번 디르미, 날닌 칼히 목 우히 밋츠며 발셔 붉은 피 소사나는 바의 댱시 것구러디니, 좌우 비ᄌᆞ 등이 위태를

793)흉상(凶相) : 보기 흉한 몰골. 또는 그러한 사람.
794)영미(英邁) : 성질이 영리하고 비범함.
795)쵹ᄉᆞ(觸事) : 손을 댄 일이나 관련된 일.
796)브디블각(不知不覺) : 자기도 모르는 사이.

며 쳡ᄀᆞ튼 브릉누질이야 일너 무엇ᄒᆞ리잇가? 그러ᄂᆞ ᄯᅩ흔 ᄉᆞ름의 마음이라. 존당과 존고를 우러러 실홰ᄒᆞ시믈 불승 이ᄃᆞᆯ나 ᄒᆞ딕, 감히 존하의 펴지 못ᄒᆞ더니, 금일 ᄎᆞᆷ지 못ᄒᆞ여 언두의 일ᄏᆞᆺ잡ᄂᆞ니, 존당 존고는 쳡의 말삼이 허언이 아닌 쥴 싱각ᄒᆞ샤, 타일 뉘웃츨 일이【83】 업게 ᄒᆞ쇼셔."

언파의 ᄉᆞ긔 단엄ᄒᆞ고 위의 묵묵ᄒᆞ여 일기 녀ᄌᆞ의 유약흔 거동이 업고, 문인렬ᄉᆞ(文人烈士)의 넘[엄]녈(嚴烈)흔 긔운을 가져, 젼ᄌᆞ의 ᄎᆞᆷ기를 마니ᄒᆞ고 ᄉᆞ름의 견디지 못홀 경계를 마니 견디여 심홰 셩ᄒᆞ고, 금일은 셜억 흉인의게 팔니여 가지 ᄋᆞ니면 죽기를 면치 못홀지라. 심곡의 픔은 바를 다 셜파ᄒᆞ고, ᄉᆞ싱을 결ᄒᆞ○○[랴 ᄒᆞ]ᄂᆞ지라.

뉴시 댱시의 말을 드르미 놀나는 가슴이 벌덕이는 고로, 분홈이 하날을 ᄶᅦ칠 ᄃᆞᆺᄒᆞ나, 위인이 극악 간샤흔지라. 댱시를 위엄으로 구쇽지 못ᄒᆞ며, 호령으로 졔어치 못홀 쥴 아는 고로, 처음 묘랑과 의논ᄒᆞ고 후려다가 셜억을 주지 못홈을 이둛고 뉘웃【84】는지라. 아직 댱시 마음을 눅여 의심치 ᄋᆞ니케 ᄒᆞ고, 가마니 묘랑으로 댱시를 셜억의게 보닉랴 ᄒᆞᄂᆞ지라. 믄득 미쇼ᄒᆞ고 말을 시작고져 홀 적, 위틱 하시 쥭인 말과 셜억의게 은 바든 말을 이ᄀᆞᆺ치 이르니, 분심이 터질 ᄃᆞᆺᄒᆞ고 흉상(凶相)786)이 압뒤를 ᄉᆞ[술]피지 못ᄒᆞ니, 오직[직] 영미(英邁)787)치 못ᄒᆞ고, 텬셩이 교악(狡惡) 싀험(猜險)흔 거슬 쵹ᄉᆞ(觸事)788)의 감쵸지 못ᄒᆞᄂᆞ지라. 댱시의 녈녈흔 말삼이 도로혀 효험이 업고, ᄌᆞ긔 신상의 급홀 화를 취홀 ᄯᆞᆫ이라. 위틱 뉴시의 말 시죽기를 듯도 아니코, 부지블각(不知不覺)789)의 겻회 노혓는 칼을 들고 댱시게 다라드러 흔번 지르미, 날닌 칼이 목 우히 미츠며, 발셔 붉은 피 소ᄉᆞ나는 바의, 댱시 것구러지니, 좌【85】우 비ᄌᆞ 등이 위틱를 ᄋ

786)흉상(凶相) : 보기 흉한 몰골. 또는 그러한 사람.
787)영미(英邁) : 성질이 영리하고 비범함.
788)쵹ᄉᆞ(觸事) : 손을 댄 일이나 관련된 일.
789)브디블각(不知不覺) : 자기도 모르는 사이.

아니 흉히 넉이 리 업고, 뉴시 대경호여 밧
비 댱시를 구코져 호니, 댱시의 죽으믈 앗
기는 거시 아니라, 셜억의게 오빅 냥 은을
밧고 삼빅 냥은 블공으로 업시호엿거늘,
【29】 위태의 압뒤흘 도라보디 아니미 여
러 가디라. 시녀비 보는 듸 댱시를 딜너 죽
여 악명을 취호고, 셜억의게 보닐 미인을
업시 호니, 셜억이 은을 도로 달나 호면 닉
여 줄 거시 업셔디니, 이둛고 분호미 비길
듸 업는디라.

낫출 붉히고 왈,
"댱시의 블슌무상(不順無狀)호믄 죽여도
앗갑디 아니커니와, 존괴 엇디 칼흘 드러
인명의 듕호믈 싱각디 아니시고 그리 급히
디르시니잇고? 쳡이 암미블인(暗昧不仁)797)
호나 댱시 호나흔 죡히 두리디 아니호거늘,
쳐티홀 도리를 혜아리디 못호샤 칼 쓰기를
샐니호시니, 아디 못게이다. 댱가의 므어
【30】시라호며, 셜억이 은을 달나 호면 또
엇디려 호시느니잇고?"

위태 댱시를 쾌히 딜너죽이면, 뉴시 ᄀ장
쾌 넉일가 아랏더니, 딘실노 난쳐코 민망호
디라. 아모리 홀 줄을 아디 못호고 흔 말을
못호니, 뉴시 ᄌ긔 뜻과 다르믈 분호여 위
태를 졸나 왈,
"므릇 일이란 거시 나죵을 싱각고 호는
거시니, 존괴 댱시를 죽이고, 셜억의게는 므
어시라 호시며, 댱ᄉ매 ᄎᄌ면 댱촛 엇디
호리잇고? 쳡은 실노 나죵이 난쳐호여 뵈니
말호기 슬흔디라, 존괴 아모리나 잘 쳐티호
시려니와, 맛춤늬 무스키를 바라디 못【3
1】호리로소이다."

언파의 니러 침소로 가려 호니, 위태 겁
이 나는 바의, 뉴시 흔가디로 됴흔 계교를
싱각디 아니호고, ᄌ긔만 져히고 니러 가려
호믈 보믹, 노홉기를 니긔디 못호여 왈,
"딘시도 졔 죄 이시미 두다려 딘가로 보
닉듸, 딘광 부지 흔 말을 못고, 그듸 하시
를 죽여 궤듕의 너허 남강의 씌오듸, 하던

797)암미블인(暗昧不仁) : 어리석어 생각이 어둡고
어질지 못함.

나 흉히 넉일 이 업고, 뉴시 대경호여 븟비
댱시를 구코져 호니, 댱시의 죽음을 앗기는
거시 아니라, 셜억의게 오빅 냥 은을 븟고
삼빅 냥은 블공으로 업시호엿거늘, 위티의
압뒤를 도라보지 아님을[이] 여러 가지라.
시녀비 보는 듸 댱시를 질너 죽여 악명을
취호고, 셜억의게 보닐 미인을 업시 호니,
셜억이 은을 도로 달ᄂ 호면 닉여 줄 거시
업ᄉ니, 이둛고 분홈이 비길 듸 업는지라.

낫출 붉히고 왈,
"댱시의 블슈[슌]무상(不順無狀)홈은 죽
여도 앗갑지아니커니와, 존괴 엇지 칼흘 드
러 인명의 즁홈을 싱각지 ᄋ니시고, 그리
급히 지르시니잇고? 쳡이 암미블인(暗昧不
仁)790)호나 댱시 호나흔【86】 죡히 두리
지 ᄋ니호거늘, 쳐치홀 도리를 혜아리지 못
호샤 칼 쓰기를 샐니호시니, 아지 못거이다.
당[댱]가의 무어시라호며, 셜억이 은을 달
나호면 엇지려 호시ᄂ니잇고?"

위티 댱시를 쾌히 질너 죽이면, 뉴시 가
장 쾌히 넉일가 호엿더니, 진실노 난쳐코
민망호지라. 아모리 홀 쥴을 아지 못호고
흔 말을 못호니, 뉴시 ᄌ긔 뜻과 ᄀᆺ지 못홈
을 분호여, 위태를 졸나 왈,
"무릇 일이란 거시 나죵을 싱각고 호는
거시니, 존괴 댱시를 죽이고 셜억의게는 무
엇시라 호시며, 댱ᄉ매 ᄎᄌ면 장촛 무엇시
라 호리잇고? 쳡은 실노 나죵이 난쳐호니,
말호기 실은지라, 존괴 아모리【87】나 잘
쳐치호시려니와, 마춤늬 무스키를 브라지
못호리로소이다."

언파의 이러 침소로 가려호니, 위티 겁이
나는 바의, 뉴시 흔가지로 죠은 계교를 싱
각지 ᄋ니호고, ᄌ긔만 져히고 이러 가랴홈
을 보믹, 노홉기를 이긔지 못호여 왈,
"○○○[진시도] 졔 죄의 두다려 진가로
보닉듸 진광 부지 흔 말을 못호엿고, 그듸
하시를 죽여 궤즁의 너어 남강의 픠오듸 하

790)암미블인(暗昧不仁) : 어리석어 생각이 어둡고
어질지 못함.

이 아도 못ᄒ거니와, 그ᄃᆡ 유희혼 일이 업
ᄉ니, 혼 댱시를 딜너죽이미 므어시 그ᄃᆡ도
록 어려온 일이 되리오."

덩언간의 시비 보왈,

"댱ᄉ마 노얘 니르러, 쇼져를 듕당으로
나오라 ᄒ시ᄂ이다."

뉴시 혀츠 왈,

"존괴 젼젼(前前)의 혼【32】 일을 다 들
츄시나, 하시는 죵용ᄒ미 드러날 말을 못홀
형셰 되엿거니와, 이는 그와 달나 블공디셜
(不恭之說)이 무상홀 ᄯ름이오. 댱공이 그ᄯᅩᆯ
의 원슈를 아니 갑흐랴 ᄒ리잇가? 쳡이 다
만 싱각건ᄃᆡ, 댱ᄉ매 희텬 형뎨를 과도히
츄앙ᄒ여 대쇼ᄉ(大小事)의 아니 의논ᄒ는
일이 업ᄉ니, 광텬으로ᄡᅥ 쳔고쥰걸노 아니,
존괴 쇼쇼 연고를 도라보디 마르시고 여ᄎᆞ
여ᄎᆞᄒ시면, 댱협이 희텬의 ᄂᆞᆺ출 보아도 한
을 프디 못ᄒ리이다."

태부인이 츠언을 드르미 뜸이 쳐음으로
ᄭᆡᆫ듯ᄒ여, 댱ᄉ마다려 니를 말을 낫낫치 뭇
고, 즉시 괴이혼 헌옷【33】 슬 ᄲᅥᆯ치고798)
빅화헌으로 나올ᄉᆡ, 몬져 흉혼 곡셩을 발ᄒ
니 골안이 터디는 ᄃᆞᆺ, 엇디 부인의 셩음 ᄀᆞ
ᄐᆞ리오.

이ᄶᅥ 윤태우 형뎨 외루의셔 댱ᄉ마와 셕
상셔등 칠팔인이 모다 한담ᄒ더니, 일위 부
인이 비영의게 붓들녀 어즈러이 울며 나오
니, 좌우 빈긱이 다 피ᄒ고, 태우 형뎨 창황
(惝怳) 경희(驚駭)ᄒ여 밧비 조모를 좌우로
붓드러 드러가시믈 쳥ᄒ니, 태부인이 믄득
곡셩을 긋치고 칼을 번득여 왈,

"내 댱ᄉ마 상공긔 디원극통(至冤極痛)을
고ᄒ려 ᄒᄂ니, 너희 이 말을 못ᄒ게 ᄒ면
이 칼노 딜러【34】 죽으리라."

이리 니르며 대곡(大哭)ᄒ니, 그 의상인즉
완연혼 걸인이오, 그 상뫼즉 험악이 낫타나
말을 발치 아녀셔 흉포ᄒ기 심ᄒ니, 댱ᄉ마
ᄂᆞ 딘실노 눈을 드는 일이 업ᄉ나, 기여ᄂᆞ

진이 아도 못ᄒ거니와, 그ᄃᆡ게 유희혼 일이
업ᄉ니, 혼 댱시를 질너 쥭임이 무어시 그
ᄃᆡ도록 어려온 일이 되리오."

졍언간의 시비 보왈,

"댱ᄉ마 노얘 이르러 쇼져를 즁당으로 나
오라 ᄒᄂ이다."

뉴시 혀츠 왈,

"존괴 젼젼(前前)의 존괴 ᄒ신 일을 다
들츄시【88】나, 하시는 일이 죵용ᄒ미 드
러늘 말을 못홀 형셰 도[되]엿거니와, 이는
그와 달ᄂ 블공지셜(不恭之說)이 무빵홀 ᄯ
름이오, 댱공○[이] 그ᄯᅩᆯ의 위[원]슈를 아
니 갑흐랴 ᄒ리잇가? 쳡이 다만 싱각건ᄃᆡ,
댱협이 희텬 형뎨를 과도히 츄앙ᄒ여 대ᄉ
(大事)의 아니 의논ᄒ는 일이 업ᄉ니, 광텬
으로ᄡᅥ 쳔고쥰걸노 아니, 존괴 쇼쇼 연고를
도라보지 마르시고 여ᄎᆞ여ᄎᆞᄒ시면, 댱협이
희텬의 ᄂᆞᆺ출 보아도 한을 푸지 못ᄒ리이
다."

틱부인이 츠언을 드르미 뿜이 쳐음으로
ᄲᅵᆫ듯ᄒ여, 댱ᄉ마다려 일을 말을 ᄂᆞ낫치 뭇
고, 즉시 괴이혼 헌옷슬 ᄲᅥᆯ치고791) 빅화헌
으로 나올ᄉᆡ, 《쇼져∥몬져》 흉혼 곡셩을
발ᄒ니 골안이 터지는 ᄃᆞᆺ 엇【89】지 부인
의 셩음 ᄀᆞ타리오.

잇디 뉴틱우 형뎨 외루의셔 댱ᄉ마와 셕
상셔 등 칠팔○[인]이 모다 한담ᄒ더니, 일
위 부인이 비영의게 붓들녀 어즈러이 울며
나오니, 좌우 빈긱이 다 피ᄒ고, 태우 형뎨
창황(惝怳) 경희(驚駭)ᄒ여 븟비 조모를 좌
우로 붓드러 드러가시믈 쳥ᄒ니, 틱부인이
믄득 곡셩을 긋치고 칼을 번득여 왈,

"내 댱ᄉ마 상공긔 지원극통(至冤極痛)을
고ᄒ려 ᄒᄂ니, 너희 이 말을 못ᄒ게 ᄒ면
이 칼노 질너 죽으리라."

○○[이리] 이르며 딕곡(大哭)ᄒ니, 그 의
상인즉 완연혼 걸인이오, 그 상뫼즉 험악이
나타ᄂᆞ 말을 발치 ᄋᆞ냐셔 흉포키 심ᄒ니,
댱ᄉ마ᄂᆞ 진실노 눈을 드는 일이 업ᄉ나,

---

798)ᄲᅥᆯ치다 : 걸치다. 옷이나 착용구 또는 이불 따위
　를 아무렇게나 입거나 덮다.

791)ᄲᅥᆯ치다 : 걸치다. 옷이나 착용구 또는 이불 따위
　를 아무렇게나 입거나 덮다.

다 쇼년이라. 그 망측 히괴흔 거동을 보고 져 투목(偸目)으로 보기를 면치 못ᄒ니, 위태 냥손을 믈니치고, 댱소마를 되ᄒ여 왈,

"노쳡이 상공긔 흔 말솜을 고코져 ᄒᄂ니, 능히 드르시리잇가?"

댱소매 궤복ᄒᆯ ᄯᆞᆫ이오, 말을 답ᄒᆞᆫ 업ᄉ되 난안ᄒ고 절박ᄒᆞ믈 형상치 못ᄒᆞᆯ너라. 부인이 울며 왈,

"노쳡이 상공의 만금옥녀(萬金玉女)로뼈 슬하 손【35】부항의 두미, 긔딜이 툐셰(超世)ᄒ여 인심의 ᄉᆞ랑홉기를 면치 못ᄒᆞᆯ디라. 쳡의 귀듕ᄒᄂ 졍이 일시 써나믈 결연ᄒ여 안젼(眼前) 긔화(奇花)를 삼아시되, 희텬이 셩품이 괴벽ᄒ고 위인이 미몰ᄒ여 쳐ᄌ를 되졉ᄒ미 심히 박졍흔디라. 노쳡이 희텬을 본 젹마니 경계ᄒ여 규ᄂᆡ의 쳐ᄌ를 됴히 거ᄂ리라 당부ᄒ되, 희텬이 텬셩을 곳치디 못ᄒ더니, 작일 손이 교디로셔 도라온 후 쳐음으로 녀녀의 침실의 드러가 언힐징젼(言詰爭戰)[799]키를 날이 져믈고 밤이 싀도록 긋【36】치디 아니ᄒ더니, 앗가 녕녜 쳡의 곳의 와 울며 니르되, 쳡이 ᄉ문 부녀로 계집의 졀의ᄂ 빅ᄒᆡᆼ디원(百行之元)[800]이오 투긔ᄂ 칠거디악(七去之惡)으로 알거늘, 가뷔 쳡을 실졀타 조로며, 하부인을 히ᄒ다 보치니, ᄎᆞ마 이런 말을 듯고 셰간의 견듸리잇고? 초고로 죽으려 ᄒ노라 ᄒ며 ᄌ문이ᄉ(自刎而死)ᄒ니, 쳡이 나히 늙어시나 그런 거동을 보디 못ᄒ엿다가, 평ᄉᆡᆼ 처음으로 사름의 참혹히 죽ᄂ 거동을 보미, 놀나온 심장이 쒸놀고, 녀녀의 앗가운 긔딜노 속졀업시 셰샹을 바리니, 참담 비졀ᄒ미 ᄎᆞ하리 죽어 보디 말고져 ᄒ나,【37】 밋디 못ᄒ리로소이다."

언필의 방바닥을 두니리며 통곡ᄒ니, 댱

799)언힐징젼(言詰爭戰) : 말로써 트집을 잡아 서로 따지고 싸움.
800)빅ᄒᆡᆼ지원(百行之元) : 모든 행실의 으뜸임.

기여ᄂ 다 쇼년이라. 그 망측 히괴흔 거동을【90】보고져 투목(偸目)으로 보기를 면치 못ᄒ니, 위틱 냥손을 믈니치고, 댱소마를 되ᄒ여 왈,

"노쳡이 상공긔 흔 말솜을 고코져 ᄒᄂ니, 능히 드르시리잇가?"

댱소매 궤복ᄒᆯ ᄯᆞᆫ이오, 말을 답ᄒᆞᆫ 업ᄉ되, 《나은∥난은》ᄒ고 졀박홈을 형상치 못ᄒᆞᆯ너라. 부인이 울며 왈,

"노쳡이 상공○[의] 만금옥녀(萬金玉女)로뼈 슬하 손부항의 두미, 긔질이 쵸셰(超世)ᄒ여 인심의 ᄉᆞ랑홉기를 면치 못ᄒᆞᆯ지라. 쳡의 지듕ᄒᄂ 졍이 일시 써남을 결연ᄒ여 ○…결락 26자…○ [안젼(眼前) 긔화(奇花)를 삼아시되, 희텬이 셩품이 괴벽ᄒ고 위인이 미몰ᄒ여] 쳐ᄌ를 되졉ᄒ미[미] 심히 박졍흔지라. 노쳡이 녕녀의 ᄆᆞ음이 편치 못ᄒ가 념녀ᄒ여, 희텬을 본 젹마다 경계ᄒ여 규ᄂᆡ의 쳐ᄌ를 죠히 거ᄂ리라 당부ᄒ되, 희텬이 쳔셩【91】을 곳치지 못ᄒ더니, 작일 손이 교지로셔 도라온 후, 처음으로 녕녀의 침실의 ○○○[드러가] 언힐징젼(言詰爭戰)[792]키를 ᄂᆞ이 져믈고 밤이 싀도록 그치지 ᄋ니ᄒ더니, 앗가 녕녜 쳡○[의] 곳의 와 울며 이르되, 쳡이 ᄉ문의 ○○○[부녀로] 계집의 졀의ᄂ 빅ᄒᆡᆼ지원(百行之元)[793]이오, 투긔ᄂ 칠거지악(七去之惡)으로 알거늘, 가뷔 쳡을 실졀타 조로며 하부인을 히ᄒ다 보치니, 춤아 이런 말을 듯고 셰간의 견듸리잇고? 초고로 죽으려 ᄒ노라 ᄒ며 ᄌ문이ᄉ(自刎而死) ᄒ니, 쳡이 늙엇시나 그런 거동을 보지 못ᄒ엿다가, 평ᄉᆡᆼ 처음으로 ᄉ름의 춤혹히 죽ᄂ 거동을 보미, 놀나온 심장이 쒸놀고, 녕녀의 ᄋᆞᆺ가운 긔질노뼈 속졀업시 세상을 ᄇᆞ리니, 춤담 비졀홈이 ᄎᆞ라리 죽어 보지 말【92】고져 ᄒᄂ 밋지 못ᄒ리로소이다."

언필의 방바닥을 두니리며 통곡ᄒ니, 댱

792)언힐징젼(言詰爭戰) : 말로써 트집을 잡아 서로 따지고 싸움.
793)빅ᄒᆡᆼ지원(百行之元) : 모든 행실의 으뜸임.

스매 텰셕 ᄀᆞᆺ튼 대댱부로 만시 침엄숙묵(沈嚴肅默)ᄒᆞ여 비희(悲喜)를 경츌(輕出)치 아니ᄃᆡ, 녀ᄋᆞ의 참혹히 죽으믈 드르ᄆᆡ, 심신이 산비(散飛)ᄒᆞ고 ᄎᆞ악 통졀하나, 남의 집 태부인을 ᄃᆡᄒᆞ여 통곡ᄒᆞ미 괴이ᄒᆞ여, 계오 참고 눈물을 흘녀 낫츨 드듸 못ᄒᆞ더니, 윤혹시 믄득 좌를 떠나 댱공을 향ᄒᆞ여 쳥죄 왈,

"쇼싱이 과연 조모의 니르시는 바와 ᄀᆞᆺ틔여, 화열치 못ᄒᆞᆷᄋᆞᆫ 합하의 ᄇᆞᆰ히 아르시는 빅라. 실노 규ᄂᆡ의 후(厚)ᄒᆞᆫ 일은 업ᄉᆞᄃᆡ, 녕녜 부녀의 뎡슌(貞順)ᄒᆞᆫ 덕이 업셔 쇼【38】싱의 미몰ᄒᆞᆷ믈 심한(深恨)ᄒᆞ니, 쇼싱이 년쇼(年少) 부박(浮薄)ᄒᆞ므로 녕녀의 쇼싱 한ᄒᆞᄂᆞᆫ 말을 졔어코져ᄒᆞ여, 다른 곳의 개덕(改籍)ᄒᆞ라 욕ᄒᆞ며, 조강(糟糠) 하시 무고히 실산(失散)ᄒᆞᄆᆞᆯ, 녕녜 히ᄒᆞ다 보치믄 일시 희롱이러니, 녕녀의 과격ᄒᆞ고 셩독(性毒)ᄒᆞ미 쇼싱의 희언을 죡가(足枷)ᄒᆞ여 ᄌᆞ문이ᄉᆞ(自刎而死)ᄒᆞ니, 쇼싱이 그 ᄀᆞᆺ튼 녀ᄌᆞ는 과연 ᄉᆞ싱을 블관이 넉이ᄂᆞ니, 죽은들 현마 어이 ᄒᆞ리잇고마는, 쇼싱의 덕이 능히 일녀ᄌᆞ를 감복디 못ᄒᆞ고, ᄯᅩᄒᆞᆫ 힝신이 경홀(輕忽)ᄒᆞ여 녕녀의 급히 원ᄉᆞ(冤死)키의 밋츠니, 인명이 듕대ᄒᆞᄆᆞᆯ 혜아리ᄆᆡ '빅인(伯仁)이 유아ᄉᆡ(由我而死)'801)【39】라. 싱이 비록 손으로 죽이디 아니나 싱의 말을 인ᄒᆞ여 죽으니, 쇼싱이 어이 녕녀를 죽임과 다르리잇고? 합하의 ᄌᆞ이디졍(慈愛之情)이 남다르시므로ᄡᅥ, 녕녀의 션악을 아득히 모로시고 쇼싱을 통완ᄒᆞ실 바를 싱각ᄒᆞ니, 블승참안(不勝慙顔)802)ᄒᆞ여 쇼싱의 박덕 패힝이 ᄉᆞ류의 용납디 못ᄒᆞ고, 합하긔 큰 죄를 어덧ᄂᆞᆫ디라. 원(願) 합하는 쇼싱의 블인을 계

801)빅인(伯仁)이 유아이ᄉᆡ(由我而死)라 : 백인(伯仁)은 나로 인해 죽었다'는 뜻으로, 직접적으로 사람을 죽이지는 않았지만, 죽은 사람에 대해 자신이 적극적으로 구하지 않은 책임이 있음을 안타까워하거나, 어떤 사건에 간접적으로 연관되어 있는 것을 비유적으로 나타낸 말. 《진서(晉書)》 열전(列傳), 주의(周顗) 조(條)에 나오는 말. *백인(伯仁); 중국 동진(東晉) 사람. 이름 주의(周顗).
802)블승참안(不勝慙顔) : 부끄러움을 이기지 못함.

ᄉᆞᄆᆡ 텰셕 ᄀᆞ튼 ᄃᆡ댱부로 만시 침엄슘[슉]묵(沈嚴肅默)ᄒᆞ여 비희(悲喜)를 경츌(輕出)치 ᄋᆞ니ᄃᆡ, 녀ᄋᆞ의 츰혹히 죽음을 드르ᄆᆡ, 심신이 상비(傷悲)ᄒᆞ고 ᄎᆞ악 통졀ᄒᆞ나, 남의 집 《틱분∥틱부인》을 ᄃᆡᄒᆞ여 통곡홈이 괴이ᄒᆞ여, 계오 참고 눈물을 흘녀 ᄂᆞᆺ츨 드지 못ᄒᆞ더니, 윤학시 믄득 좌를 떠나 댱공을 향ᄒᆞ여 쳥죄 왈,

"쇼싱이 과연 조모의 이르시는 바와 갓희여 화열(和悅)치 못홈은 합하의 ᄇᆞᆰ히 아르시는 빅라. 실노 규ᄂᆡ의 후(厚)ᄒᆞᆫ 일은 업ᄉᆞᄃᆡ 녕녜 부녀의 졍슌(貞順)ᄒᆞᆫ 덕이 업셔 쇼싱의 미몰홈을 심한(深恨)ᄒᆞ니, 쇼싱이 년쇼(年少) 부박(浮薄)홈으로 녕녀의 쇼싱 한ᄒᆞᄂᆞᆫ 말을 졔【93】어코져 ᄒᆞ여 다른 곳이 기적(改籍)ᄒᆞ라 욕ᄒᆞ며, 조강(糟糠) 하시 무고이 실산(失散)홈을 녕녜 히ᄒᆞ다 보침은 일시 희롱이러니, 녕녀의 과격ᄒᆞ고 셩독(性毒)홈이 쇼싱의 희언을 죡가(足枷)ᄒᆞ여 자문이ᄉᆞ(自刎而死)ᄒᆞ니, 쇼싱이 그 ᄀᆞᆫ 녀ᄌᆞ는 과연 ᄉᆞ싱을 블관이 넉이ᄂᆞ니, 쥭은들 현마 어이 ᄒᆞ리잇고마는, 쇼싱의 덕이 능히 일녀ᄌᆞ를 감복지 못ᄒᆞ고, ᄯᅩᄒᆞᆫ 힝신이 ○○○○[경홀(輕忽)ᄒᆞ여] 녕녀의 급히 원ᄉᆞ(冤死)키의 미츠니, 인명이 즁대홈을 혜아리ᄆᆡ '빅인(伯仁)이 유○[아]이ᄉᆡ(由我而死)'794)라. 싱이 비록 손으로 듀이지 ᄋᆞ나, 싱의 말을 인ᄒᆞ여 쥭으니 쇼싱이 어이 녕녀를 듀임과 다르리잇고? 합하의 ᄌᆞ이지졍(慈愛之情)이 남다르심으로ᄡᅥ 녕녀의 션악을 아득히 모로시고 쇼싱을 통완ᄒᆞ실 ᄇᆞ를 싱각ᄒᆞ니, 블승참은(不勝慙顔)795)【94】ᄒᆞ여 쇼싱의 박덕 픽힝이 ᄉᆞ류의 용납지 못ᄒᆞ고, 합하긔 큰 죄를 어덧ᄂᆞᆫ지라. 원(願) 합하는 쇼

794)빅인(伯仁)이 유아이ᄉᆡ(由我而死)라 : 백인(伯仁)은 나로 인해 죽었다'는 뜻으로, 직접적으로 사람을 죽이지는 않았지만, 죽은 사람에 대해 자신이 적극적으로 구하지 않은 책임이 있음을 안타까워하거나, 어떤 사건에 간접적으로 연관되어 있는 것을 비유적으로 나타낸 말. 《진서(晉書)》 열전(列傳), 주의(周顗) 조(條)에 나오는 말. *백인(伯仁); 중국 동진(東晉) 사람. 이름 주의(周顗).
795)블승참안(不勝慙顔) : 부끄러움을 이기지 못함.

췩(戒責)ᄒᆞ샤, 비록 녕녜 죽으나 디극ᄒᆞᆫ 졍
의를 샹ᄒᆞ오디 마르쇼셔."

태부인이 댱공의 답언ᄒᆞ기 젼 쏘 울고
왈,

"희텬이 미몰ᄒᆞᆯ디언졍 광망 무식ᄒᆞᆷ은 업
ᄂᆞ니, 샹공은【40】붉히 ᄉᆞᆯ펴샤 희텬의게
죄를 일위디 마르쇼셔. 이 다 노쳡이 어디
디 못ᄒᆞ므로 가변의 블미(不美)ᄒᆞ미 이 디
경의 니르미니, 원컨디 샹공은 죄를 희텬의
게 뭇디 마르시고 쳡을 죽이쇼셔."

댱공이 임의 죽은 ᄯᅩᆯ을 ᄉᆞᆯ올 길 업고, 인
친가 노태부인을 디ᄒᆞ여 비샤고어(悲辭苦
語)를 베플미 녜(禮)의 블가ᄒᆞᆫ디라. 윤태우
를 보고 왈,

"녀식의 흉패ᄒᆞᆫ 셩악이 스스로 죽으믈 드
르니, 부녀의 졍의 난연(赧然)ᄒᆞ므로도 앗가
오미 업고, 원간 ᄉᆞᄌᆞ(死者)ᄂᆞᆫ 블가브싱(不
可復生)803)이라. 녕존당 태부인 관인(寬仁)
셩덕(聖德)이 블초녀(不肖女)를 과도히 앗기
시나, 져의 위【41】인이 ᄉᆞ라 불관(不關)
ᄒᆞᆫ디라. 모로미 과상치 마르시믈 쳥ᄒᆞ여, 닉
헌으로 드르시게 ᄒᆞ라."

윤태위 조모의 거동과 댱공의 말을 드르
미, 참괴ᄒᆞ미 욕ᄉᆞ무디(欲死無地)ᄒᆞ여 가변
이 졈졈 이딕도록 ᄒᆞ믈 슬허ᄒᆞ며, 댱시의
참소ᄒᆞ믈 싱각ᄒᆞ니 인셰 흥황(興況)804)이
빅ᄉᆞ(百事)의 ᄉᆞ연(辭然)ᄒᆞ고805) 슌담과 뎡
셰흥이 다 ᄒᆞᆫ가디로 본 빈 되니, 태우의 튱
텬댱긔로도 딕인홀 면목이 업ᄂᆞᆫ디라. 이에
조모를 붓드러 왈,

"댱합히 슈시(嫂氏)의 참망ᄒᆞᆫ 소식을 드
르시니, 심식 참녈(慘烈)ᄒᆞ실 비로디, 왕뫼
이의 계시미 슬프믈 펴디 못ᄒᆞ시니, 쳥컨디
왕【42】모는 안흐로 드러가샤이다."

위흥이 댱공의 슉믁(肅默)ᄒᆞᆫ 위의를 보니

싱의 블인을 계칙(戒責)ᄒᆞ사 비록 녕녜 죽
으나 지극ᄒᆞᆫ 졍의를 샹ᄒᆞ오지 마로쇼셔."

틱부인이 댱공의 답언ᄒᆞ기 젼 쏘 울고
왈,

"희텬이 미몰ᄒᆞᆯ지언졍 광망 무식홈은 업
ᄂᆞ니, 샹공은 붉히 ᄉᆞᆯ펴샤 희쳔의게 죄를
미뤄지 마르쇼셔. 이 다 쇼쳡○[이] 어지지
못홈으로 가변의 블미(不美)홈이 이 지경의
이롬이니, 원컨디 ○○○[샹공은] 죄를 희
텬의게 뭇지 마르시고 {쳡을} 쳡을 듁이쇼
셔."

댱공이 임의 듁은 ᄯᅩᆯ을 ᄉᆞ롤 길 업고,
《인친간‖인친가(姻親家)》 노틱부인을 디
ᄒᆞ여 비ᄉᆞ고어(悲辭苦語)를 배풀미 녜의 블
가ᄒᆞᆫ지라. 윤틱우를 보아 왈,

"녀식의 흉픽【95】ᄒᆞᆫ 셩악이 스스로 죽
음을 드로니, 부녀의 졍의 난연(赧然)홈으
로도 앗가오미 업고, 원간 ᄉᆞᄌᆞ(死者)ᄂᆞᆫ 블가
부싱(不可復生)796)이라. 녕존당 틱부인 관
인(寬仁) 셩덕(聖德)이 블쵸녀(不肖女)를 과
도히 앗기시ᄂᆞ, 져의 위인이 ○○[ᄉᆞ라] 불
관(不關)ᄒᆞᆫ지라. 모롬이 과상치 마르심을 쳥
ᄒᆞ여 닉헌으로 드르시게 ᄒᆞ라."

윤틱위 조모의 거동과 댱공의 말을 드르
미 츔괴홈이 욕ᄉᆞ무지(欲死無地)ᄒᆞ여 가변
이 졈○[졈] 이딕도록 ᄒᆞ미[믈] 스러ᄒᆞ며,
댱시의 참소를 싱각ᄒᆞ니 인새(人事) 흥황
(興況)797)이 빅ᄉᆞ(百事)의 ᄉᆞ연(辭然)ᄒᆞ
고798) 윤담과 뎡셰흥이 다 ᄒᆞᆫ가지로 본 빈
되니, 틱우의 츙텬댱긔로도 딕인홀 면목이
업ᄂᆞᆫ지라 이에 조모를 붓드러 왈,

"댱합히 댱슈의 참망ᄒᆞᆫ 소시[식]을 드르
시니 심식 참졀(慘絶)ᄒᆞ실 비로디, 대뫼 이
의 계시미 슬품【96】을 펴지 못ᄒᆞ시니, 쳥
컨디 《대인‖대모》는 안으로 드러가샤이
다."

위흥이 댱공의 슉믁(肅默)ᄒᆞᆫ 위의를 보니

---

803)블가브싱(不可復生) : 죽은 사람이 다시 살아날
　수 없음.
804)흥황(興況) : 흥미. 또는 흥미 있는 상황.
805)ᄉᆞ연(辭然)ᄒᆞ다 : 뜻이 없다.

796)블가브싱(不可復生) : 죽은 사람이 다시 살아날
　수 없음.
797)흥황(興況) : 흥미. 또는 흥미 있는 상황.
798)ᄉᆞ연(辭然)ᄒᆞ다 : 뜻이 없다.

말ᄒ기 무류ᄒ여, 태우와 흑ᄉ의게 붓들녀 드러가니, 댱공이 졀ᄒ여 보닐 ᄯᆞᆫ이오, 일언을 개구(開口)ᄒ미 업더니, 태우 곤계 조모를 뫼셔 니루(內樓)의 드러와, 댱시의 시신이 경희던의 빗겨시믈 보니, 태우의 태산디듕(泰山之重)과 흑ᄉ의 텰옥심장(鐵玉心腸)806)이나, 츠경을 당ᄒ여ᄂᆞᆫ 참담 비졀ᄒ믈 ᄎᆞᆷ을 빅 아니오, 더옥 복듕혈육(腹中血肉)이 십삭을 치오디 못ᄒ고, 화슌ᄒᆫ 덕냥과 온화ᄒᆫ 위인으로 이칠쳥츈(二七靑春)의 참ᄉ를ᄒᄆᆞᆯ 통도각골(痛悼刻骨)ᄒ거늘, 뉴시 태우【43】와 흑ᄉ의 말을 기다리디 아니ᄒ고, 손등을 두다려 굴오ᄃᆡ,

"댱시의 위인이 샹쾌 화열ᄒᆫ가 ᄒᆞ엿더니, 금일 ᄌᆞ문이ᄉ(自刎而死)ᄒᄂᆞᆫ 거동을 보니, 모딜고 흉ᄒ미 만고의 희한ᄒᆞᆫ디라. 희텬이 안히라 ᄒ여 슈년을 화락던 일이 엇디 블명(不明)치 아니리오. 흉ᄒᆫ 죽○[엄]을 오히려 이 곳의 오릭 두디 못ᄒ리니, 댱공다려 어셔 치워 아ᄉ라 ᄒ라."

흑ᄉᄂᆞᆫ 믁믁(黙黙)ᄒ고, 태위 빈미(嚬眉) 탄왈,

"댱쉬 이 디경의 니르시믄 쳔만 싱각 밧기라. 가란(家亂)이 졈졈 희괴ᄒ니 딘실노 블가ᄉ문어타인(不可使聞於他人)이오. 금일 대뫼 댱공다려 ᄒ시ᄂᆞᆫ 말【44】ᄉᆞᆷ이 다 희텬을 그른 곳의 디목ᄒ시나, 졔 결단코 고디듯디 아닐 거ᄉᆞᆯ 그ᄃᆡ도록 괴이히 ᄒ실 줄 알니잇고?"

언미죵(言未終)의 댱공이 태우 곤계를 쳥ᄒ니, 태우 곤계 딘실노 댱공을 디홀 낫치 업ᄉ나, 마디 못ᄒ여 나오믹, 댱공이 풍화ᄒᆫ 얼골의 누쉬여우(淚水如雨)ᄒ여, 흑ᄉ의 손을 잡고 실셩뉴톄(失性流涕) 왈,

"블민ᄒᆫ 쇼녀로뻐 외람이 대군ᄌᆞ의 ᄡᅡᆼ을 일워, 군ᄌᆞ와 빅년을 화락ᄒ여 기리 영효를 바라ᄂᆞᆫ 빅러니, 셩악(性惡)807) 우패(愚悖)ᄒᆫ

---

806)텰옥심장(鐵玉心腸) : 철(鐵)과 옥(玉)처럼 굳은 마음. *심장(心腸); 마음의 속내. 오장(五臟)의 하나인 심장(心臟)과는 구분해 쓴다.

말ᄒ기 무류ᄒ여, 틱우와 흑ᄉ의게 붓들녀 드러가니, 댱공이 졀ᄒ여 보닐 ᄯᆞᆫ이오, 일언을 기구(開口)ᄒ미 업더니, 틱우 곤계 조모를 뫼셔 니루(內樓)의 드러와, 댱시의 시신이 경희젼의 빗겨심을 보니, 틱우의 태산지듕(泰山之重)과 흑ᄉ의 텰옥심장(鐵玉心腸)799)이나, 츠경을 당ᄒ여ᄂᆞᆫ 참담 비졀흠을 ᄎᆞᆷ을 빅 아니오, 더옥 복즁혈육(腹中血肉)이 십삭을 치오디 못ᄒ고, 화슌ᄒᆫ 덕냥과 온화ᄒᆫ 위인으로 이칠쳥츈(二七靑春)의 참ᄉ를ᄒᄆᆞᆯ 통도각골(痛悼刻骨)ᄒ거늘, 뉴시 틱우와 흑ᄉ의 말을 기ᄃᆞ리지 아니ᄒ고 손등을 두다리며 왈,

"댱시의 위인이 샹쾌 화열ᄒᆫ가【97】 ᄒᆞ엿ᄂᆞ니, 금일 ᄌᆞ문이ᄉ(自刎而死)ᄒᄂᆞᆫ 거동을 보니 모질고 흉흠이 만고의 희한ᄒᆞᆫ지라. 희쳔이 안히라 ᄒ여 슈년을 화락던 일이 엇지 블명(不明)치 아니리오. 흉ᄒᆫ 죽엄을 오릭 두지 못ᄒ리니, 댱공다려 어셔 치워 아ᄉ라 ᄒ라."

흑ᄉᄂᆞᆫ 묵묵(黙黙)ᄒ고, 틱위 빈미(嚬眉) 탄왈,

"댱쉬 이 지경의 니르심은 쳔만 싱각 븟기라. 가란(家亂)이 졈○[졈] 희괴ᄒ니 진실노 불가ᄉ문어타인(不可使聞於他人)이오. 금일 대뫼 댱공다려 ᄒ시ᄂᆞᆫ 말ᄉᆞᆷ이 다 희쳔을 그른 곳의 지목ᄒ시나, 졔 결단코 고지듯지 아닐 거ᄉᆞᆯ 그ᄃᆡ도록 괴이히 ᄒ실 줄 알니잇고?"

언미죵(言未終)의 댱공이 틱우 곤계를 쳥ᄒ니, 틱우 곤계 진실노 댱공을 ○○[디홀] 낫치 업ᄉ나, 마지 못ᄒ여 나오믹, 댱공이【98】풍화ᄒᆫ 얼골의 누쉬여우(淚水如雨)ᄒ여 흑ᄉ의 손을 잡고 실셩류톄(失性流涕) 왈,

"블민ᄒᆫ 쇼녀로뻐 외람이 대군ᄌᆞ의 ᄡᅡᆼ을 이뤄 군ᄌᆞ와 빅년을 길게 화락ᄒ여 기리 영효를 ᄇᆞ라ᄂᆞᆫ 빅러니, 셩악(性惡)800) 우픽(愚

---

799)텰옥심장(鐵玉心腸) : 철(鐵)과 옥(玉)처럼 굳은 마음. *심장(心腸); 마음의 속내. 오장(五臟)의 하나인 심장(心臟)과는 구분해 쓴다.

거시 유톄(遺體)808)를 가바야이 넉여 주문
(自刎)ᄒᄂ 디경의 이시니, 과악(過惡)이 만
시라도 앗가오미 업ᄉ나,【45】부녀 텬셩
의 디극ᄒ미 능히 버히기 어려온디라. 그
이칠초츈(二七初春)이 늣거오믈 싱각ᄒ니,
쳐음의 아니 삼기니만 ᄀᆺ디 못ᄒ여 비졀ᄒ
믈 니긔기 어렵도다. 슈연(雖然)이나 그런
흉ᄉ(凶死) 시신을 귀부 션영의 쟝ᄒ기 어
려온디라. 내 다려가 념습(殮襲)809)ᄒ여 공
산(空山)의 댱ᄒ려 ᄒ노라."

혹시 댱시의 참ᄉ흐믈 보ᄆᆡ, 가변(家變)이
히이(駭異)ᄒ며, 조모와 양모의 패덕(悖德)
을 붓그리고, 주긔 형뎨 딘실노 보젼키 어
려온디라. 젼후를 ᄉ럼ᄒᄆᆡ 만시 등한(等閑)
ᄒ여810) 디왈,

"쇼싱의 박ᄒᆡᆼ무신(薄行無信)ᄒ믈 실인(室
人)이 깁히 한ᄒ여 스스로 셰샹을 바리니,
그 셩악(性惡)이【46】놀납고, 합하의 슬
허ᄒ시믈 보이ᄆᆡ 블안ᄒ미 비홀 곳이 업ᄂ
디라. 그 검하(劍下)의 딜녀시믈 목도ᄒ엿ᄉ
오니, 쇼싱의 심졍이 약ᄒ온디라. 블승ᄎᆞ악
(不勝嗟愕)ᄒ옵ᄂ니, 시신을 존부로 다려 가
실딘디 엇디 막으리잇고?"

댱공이 비읍(悲泣)ᄒᄆᆡ 쇼년들이 티위(致
慰)ᄒ고, 혹ᄉ의게 놀나오믈 니르딕, 혹ᄉᄂ
믁연ᄒ더라. 댱공이 시신을 거두어 본부로
도라갈ᄉᆡ, 윤태우와 혹시 일댱을 통곡ᄒ고,
다시 댱공긔 고왈,

"슈슈의 시신을 이곳의셔 념빙(殮殯)811)
ᄒᆞᆯ 거시로딕, 노친시하(老親侍下)의 참참ᄒᆞᆫ
거동을 ᄀᆺ쵸 보옵디 못ᄒ옵고, 합히 다려가
【47】려 ᄒ시니 막디 못ᄒᆞᆸ고, 슈쉬 싱각
을 그릇ᄒ샤 주문이ᄉ(自刎而死)ᄒᄂ 허물
을 버셔나디 못ᄒᆞᆯ 거시로딕, 사뎨(舍弟)로

悖)ᄒᆞᆫ ○○[것이] 유톄(遺體)801)를 가비야
이 넉여 주문(自刎)ᄒᄂ 지경의 이시니, ○
[과]악(過惡)이 만시라도 앗가옴이 업ᄉ나,
부녀의 텬셩의 지극흠이 능히 버히기 어려
온지라. 그 이칠초츈(二七初春)이 늣거음을
싱각ᄒ니, 쳐음의 아니 삼김만 ᄀᆺ지 못ᄒ여
비졀흠을 이긔기 어렵도다. 슈연(雖然)이나
그런 흉ᄉ(凶死) 시신을 귀부 션영의 쟝ᄒ
기 어려온지라. 니 다려가 념습(殮襲)802)ᄒ
여 공산(空山)의 댱ᄒ려 ᄒ노라."

혹시 댱시의 참ᄉ흠을 보ᄆᆡ, 가변(家變)이
히이(駭異)ᄒ며, 조모와 양모의 픠덕(悖德)
을 붓그리고, 주【99】긔 형뎨 진실노 보젼
키 어려온지라. 젼두(前頭)803)를 ᄉ럼ᄒᄆᆡ
만시 등한(等閑)ᄒ여804) 디왈,

"쇼싱이 박ᄒᆡᆼ무신(薄行無信)흠을 실인(室
人)이 깁히 한ᄒ여 스스로 셰샹을 ᄇᆞ리니,
그 셩악(性惡)이 놀납고, 합하의 스러허ᄒ심
을 보오니 블안흠이 비홀 곳시 업ᄂ지라.
그 검하(劍下)의 질녀심을 목도ᄒ엿ᄉ오니,
쇼싱의 심졍이 약ᄒ온지라. 블승ᄎᆞ악(不勝
嗟愕)ᄒ옵ᄂ니, 시신을 존부로 다려가실딘
디 엇지 막으리잇고?"

댱공이 비읍(悲泣)ᄒᄆᆡ 쇼년들이 치위(致
慰)ᄒ고, 혹시의게 놀남을 이르딕, 혹ᄉᄂ
믁연ᄒ더라. 댱공이 시신을 거두어 본부로
도라갈ᄉᆡ 윤퇴우와 혹시 일쟝을 통곡ᄒ고,
다시 댱공긔 고왈,

"슈슈의 시신을 이곳의셔 념빙(殮殯)805)
ᄒᆞᆯ 거시로딕, 노친【100】지[시]하(老親侍
下)의 참참ᄒᆞᆫ 거동을 갓쵸 보옵지 못ᄒᆞᆸ
고, 합히 다려 ○○[가려] ᄒ시니 막지 못ᄒ
옵고, 슈쉬 싱각을 그릇ᄒ샤 주문이ᄉ(自刎
而死)ᄒᄂ 허물을 버려ᄂ지 못ᄒᆞᆯ 거시로딕,

---

807)셩악(性惡) : 셩미가 악함.
808)유톄(遺體) : 부모로부터 물려받은 몸
809)념습(殮襲) : 죽은 사람의 몸을 씻긴 뒤에 옷을
　　입히고 염포로 묶는 일.
810)등한(等閑)ᄒ다 : 무엇에 뜻이나 관심이 없고 소
　　홀하다.
811)념빙(殮殯) : 염빈(殮殯). 시체를 염습하여 관에
　　넣어 안치함.

800)셩악(性惡) : 셩미가 악함.
801)유톄(遺體) : 부모로부터 물려받은 몸
802)념습(殮襲) : 죽은 사람의 몸을 씻긴 뒤에 옷을
　　입히고 염포로 묶는 일.
803)젼두(前頭) : 앞 또는 앞쪽. =내두(來頭).
804)등한(等閑)ᄒ다 : 무엇에 뜻이나 관심이 없고 소
　　홀하다.
805)념빙(殮殯) : 염빈(殮殯). 시체를 염습하여 관에
　　넣어 안치함.

의졀ᄒ실 니 업스니, 초상(初喪) 셩복디시
(成服812)之時)의 ᄒ가디로 모다 디니게 ᄒ
고, 쇼싱의 집 션산의 안쟝케 ᄒ쇼셔."

댱공이 쳑연 답왈,
"ᄉ원의 관ᄌ(寬慈) 인후(仁厚)ᄒ미, 셩악
ᄒ 녀식으로 슈슉디의(嫂叔之義)를 앗기ᄂ
ᄆᆞᆷ을 보니, 내 실노 감격ᄒᄂ니, 초상 셩
복의 모다 디니믄 ᄉ원 형뎨 임의로 ᄒ리
니, 굿텨 날다려 므를 일이 아니오, 녀ᄋ
의 관을 존부 션영측의 댱ᄒᆞᆷ은 심히 가치
아니니, 아딕 공산을 어더 무뎟다가, 타일
녕존【48】슉이 도라오신 후, 혹ᄌ 귀부 묘
하의 뭇기를 허ᄒᆞᆫ즉 쳔댱(遷葬)813)ᄒ여 히
롭디 아니리니, 디ᄌ(知子)ᄂ 막여뷔(莫如
父)라 ᄒ여시ᄃᆡ, 내 블명ᄒ여 녀식의 인믈
이 그ᄃᆡ도록 패흉(悖凶)ᄒᆞᆫ 싱각디 아닌
비라. 어이 오날ᄂᆯ 져를 보라 온 비, 도로혀
그 시신을 시러 도라갈 줄 아라시리오."

언파의 방셩대곡(放聲大哭)ᄒ여 거륜의
오로니, 댱쇼져의 유랑 시비 호텬통곡(呼天
痛哭)814)ᄒ여 츼여(輀輿)815)를 좃ᄎ 댱부로
나아가니, 경식이 참블인견(慘不忍見)이라.
ᄒᄆᆞᆯ며 윤혹ᄉ의 여텬디무궁(如天地無窮)ᄒᆞᆫ
둉졍으로, 현쳐를 원억히 맛치이믈 참졀(慘
切)ᄒᄂ 심ᄉᆡ 어이 비홀 곳이【49】이시리
오. ᄌ연 낫빗치 참연 쳐챵ᄒ여 흥황이 업
스니, 쇼년명ᄉᆡ 다 패흥(敗興)ᄒ여 도라가
고, 뎡혹ᄉ 셰흥은 우연이 초하동의셔 윤태
우 곤계를 보라 왓다가, 위태의 흉희(凶駭)
ᄒᆫ 거동과 댱공의 참통(慘痛)ᄒᆫ 경상(景狀)
을 보고, 윤부 변고를 츠악ᄒ여 하시의 화
란은 도로혀 젹은 일노 아더라.
댱공이 윤혹ᄉ를 공부자 이후 ᄒ 사ᄅᆞᆷ으
로 밀위던 고로, 결단ᄒ여 녀ᄋ를 무고히
실졀타 조로며 하시를 희ᄒ다 보치디 아냐

ᄉ뎨(舍弟)로 의졀ᄒ실 리 업스니, 초상(初
喪) 셩복지시(成服806)之時)의 ᄒ가지로 모
다 지니게 ᄒ고, 쇼싱의 집 션산의 안쟝ᄒ
게 ᄒ쇼셔."

댱공이 쳑연 답왈,
"ᄉ원의 관ᄌ(寬慈) 인후(仁厚)흠이, 셩악
ᄒ 녀식으로 슈슉지의(嫂叔之義)를 잇기ᄂ
마음을 보니, 뇌 실노 감격ᄒᄂ니, 초상(初
喪) 셩복(成服)의 모다 지냄은 ᄉ원 형뎨
임의로 ᄒ리니, 구텨 날ᄃ려 무를 일이
아니오, 녀ᄋ의 관을 존부 션영측의 장흠은
심히 가치 아니니, 아직 공산을 어더 무뎟
다가, 타일 녕존슉이 도라오신 후, 혹ᄌ 귀
부【101】묘하의 뭇기를 허ᄒᆞᆫ즉, 쳔댱(遷
葬)807)ᄒ여도 히롭지 아니리니, 지ᄌ(知子)
ᄂ 막여뷔(莫如父)라 ᄒ여시ᄃᆡ, 외(吾) 불명
ᄒ여 녀식의 인물이 그ᄃᆡ도록 픠흉(悖凶)흠
은 싱각지 아닌 비라. 어이 오늘ᄂᆯ 져를 보
라온 비, 도로혀 그 시신을 시러 도라갈 쥴
아랏시리오."

언파의 방셩대곡(放聲大哭)ᄒ여 거륜의
오로니, 댱쇼져의 유랑 시비 호텬《망극∥
통곡》(呼天痛哭)808)ᄒ여 츼여(輀輿)809)를
죠ᄎ 댱부로 나아가니, 경식이 츰블인견(慘
不忍見)이라. ᄒᄆᆞᆯ며 윤혹ᄉ의 여텬지무궁
(如天地無窮)ᄒᆫ 졍으로 현쳐를 원억히 마치
임을 츰졀(慘切)ᄒᄂ 심ᄉᆞ를 이를 곳지 잇
시리오. ᄌ연 ᄂᆺ빗치 참연 쳐챵ᄒ여 흥황이
업스니, 쇼년명뮈 다 픠흥(敗興)ᄒ여 도라가
고, 뎡혹ᄉ 셰흥은 우연이 초하동【102】의
셔 윤틱우 곤계를 보라왓다가 위틱의 흉희
(凶駭)ᄒᆫ 거동과 댱공의 참통(慘痛)ᄒᆫ 거동
을 보고, 윤부 변고를 츠악ᄒ여 하시의 화
란은 도로혀 젹은 일노 아더라.
댱공이 윤혹ᄉ를 공부ᄌ 이후 ᄒ ᄉᄅᆞᆷ으
로 아랏던 고로, 결단ᄒ여 녀ᄋ를 무고히
실졀타 조로며 하시를 희ᄒ다 보치디 아냐

812)셩복(成服) : 초상이 나서 처음으로 상복을 입음.
813)쳔댱(遷葬) : 무덤을 다른 곳으로 옮김.
814)호텬통곡(呼天痛哭) : 하늘을 우러러 부르짖으며
     슬피 욺.
815)츼여(輀輿) : 치여(輀輿). 상여(喪輿).

806)셩복(成服) : 초상이 나서 처음으로 상복을 입음.
807)쳔댱(遷葬) : 무덤을 다른 곳으로 옮김.
808)호텬통곡(呼天痛哭) : 하늘을 우러러 부르짖으며
     슬피 욺.
809)츼여(輀輿) : 치여(輀輿). 상여(喪輿).

실 줄 짐작호여, 녀으의 주문(自刎)호미 업
슬 바를 명명(明明) 디기(知機)호미, 곡절을
알고져 최여를【50】압셰워 부듕의 도라
와, 셜부인이 블시의 쇼녀의 시신을 보면,
더옥 놀나고 참통호여 죽을가 넘녀호여 호
곡(號哭)을 금호고, 그윽흔 댱샤의 시신을
나리와 누이고, 슈죡을 거두며 상쳐를 슬피
니, 비록 칼흘 깁히 딜녀 피를 흘녀시나, 바
로 슘통은 디르디 아녓거늘, 댱스매 아셕
온816) 졍니의 일분이나 슬기를 바라는 고
로, 급히 약을 가져 먹이고져 호더니, 댱공
의 심복노즈 계션이 믄득 흔 봉 약을 드리
며, 왈,

"밧긔 흔 도시 약을 노야긔 드려, 쇼져를
구호라 호고 샬니 도라 가더이다."

댱공이 심신【51】이 경황호여 밧비 도
스를 보아, 의리(醫理)를 알거든 녀으의 상
쳐를 뵈고 명약(名藥)을 쳥코져 호여, 급히
외헌의 나와 도스를 츠즈 보라 호디, 져마
다 약을 계션을 주고 급히 가미 츠즐 길히
업스믈 고호니, 댱공이 그 약 ᄀ온디 녀으
를 구홀 션약(仙藥)817)이 잇는가 힝희(幸
喜)호여, 도로 드러와 약봄을 헷치고 즈셔
히 보미, 흔 낫 환약(丸藥)과 상쳐의 붓치는
약이라. 환약 우희 금즈(金字)로 삭여시디,
구싱단(救生丹)이라 호엿고, 상쳐의 붓치는
약의는 싱인환혼음(生人還魂蔭)이라 호여시
니, 댱공이 약을 보미, 혹즈 녀으를 술올가
만분경희(萬分慶喜)호여, 밧비【52】환약을
가라 닙의 드리오고, '싱인환혼음'으로써 상
쳐의 바르고, 바람이 드디 아니케 ᄡ민 후,
ᄢ셤 등 졔 시녀를 블너 쇼져의 주문이스
(自刎而死)흔 연고를 므르니, ᄢ셤이 톄읍호
여 젼후 슈말을 일일이 고호며, 태부인이
딜너시믈 알외고, 혹스는 교디로좃ᄎ 샹경
흔 후, 쇼져를 상견치 못호믄, 태부인이 미
양 스침의 가믈 허치 아니호고 협실의 두어
시므로, 언징힐난(言爭詰難)홀   묘단(苗
端)818)이 업스믈 고호니, 댱공이 녀으 죽이

816)아셕다 : 아쉽다. 미련이 남아 서운하다.
817)션약(仙藥) : 효험이 썩 좋은 약.

실 쥴 짐쟉ᄒ여, 녀으의 주문(自刎)홈이 업
슬 바를 명명지긔(明明知機)호미, 곡졀을 알
고져 최여를 압셰워 부쥼의 도라와, 셜부
인이 블시의 쇼녀의 시신을 보면, 더옥 놀
나고 춤통호여 죽을가 넘녀호여 호곡(號哭)
을 금호고, 그윽흔 댱스의 시신을 ᄂᆞ리와
누이고, 슈족을 거두며 상쳐를 슬피니, 비록
칼흘 깁히 질【103】녀 피를 흘엿시나, 바
로 슘통은 이르지 아냣거늘, 댱스미 아쉬운
졍리의 일분이나 슬기를 바라는 고로, 급히
약을 가져 먹이고져 호더니, 댱공의 심복노
즈 《셰견∥계션》이 믄득 흔 봉 약을 드리
며 왈,

"밧긔 흔 도시 약을 노야긔 드려, 쇼져를
구호라 호고 샬니 도라가더이다."

댱공이 심신이 경황호여 밧비 도스를 보
아, 의리(醫理)를 알거든 녀으의 상쳐를 뵈
고 명약(名藥)을 쳥코져 호여, 급히 외헌의
나와 도스를 츠자 보라 호디, 져마다 약을
계션을 쥬고 급히 가미, 츠질 길이 업스믈
고호니, 댱공이 그 약 ᄀ온디 녀으를 구홀
션약(仙藥)810)이 잇는가 힝희(幸喜)호여, 도
로 드러와 약봄을 헤치고 즈셔히 보미, 흔
낫 환약(丸藥)과 상쳐의 붓치는 약【104】
이라. 환약 우의 금즈(金字)로 삭엿스디 구
싱단(救生丹)이라 호엿고, 상쳐의 부치는 약
의는 '싱인환혼음(生人還魂蔭)'이라 호엿스
니, 댱공이 약을 보미, 혹즈 ᄋᆞ녀를 스롤가
만분경희(萬分慶喜)호여, 밧비 환약을 타 닙
의 드리오고, '싱인환혼음'으로써 상쳐의 바
르고 ᄇᆞ람이 드지 ᄋᆞ니케 ᄡ민 후, ᄡᆞ셤 등
졔 시녀를 블너 쇼져의 주문이스(自刎而死)
흔 연고를 무르니, ᄡᆞ셤이 쳬읍호여 젼후
슈말을 일일이 고호며, 틱부인이 질넛심을
알외고, 혹스는 교지로조ᄎ 샹경흔 후, 쇼져
를 상견치 못홈은, 틱부인이 미양 스침의
감을 허치 ᄋᆞ니호고 협실의 두엇심으로, 언
징힐난(言爭詰難)홀 묘단(苗端)811)이 업솜
을 고호니, 댱공이 녀으 죽이던 바는 놀나

810)션약(仙藥) : 효험이 썩 좋은 약.
811)묘단(苗端) : 싹. 실마리.

던 바는 놀나디 아니ᄒ고, 셜억의게 오빅금을 밧고 팔녀 ᄒ던 바의 다드라는 분완통ᄒᆡ(憤惋痛駭)ᄒ여, 셔안【53】을 치고 소ᄅᆡ를 놉혀 흉참타 니르기를 마디 아니터니, 셜부인이 스긔를 알고 녀ᄋ의 죽어 도라와시믈 참절(慘切) 통도(痛悼)ᄒ여, 급히 시신 누인 곳의 와 붓들고 방셩 통곡고져 ᄒ더니, 쇼졔 믄득 구싱단 효험과 다힝이 빗딜녀 놀나 엄홀(奄忽)ᄒ엿던 거시므로, 비로소 ᄭᆡ여 슘을 두로니, 공과 부인이 만분(萬分) 경열(哽咽)819)ᄒ여 슈족(手足)을 쥐므르며, 가슴의 온긔 잇셔 싱되 망연(茫然)치 아니니, 댱공의 ᄆᆞ음이 경황실조(景況失措)820)ᄒ여 닙 가온디 가득이 도ᄉᆞ를 일ᄏᆞ라, 보디 못ᄒᄆᆞ를 이들와 ᄒᆞ며, 녀ᄋ를 시도록 구호ᄒ니, 쇼졔 계명의야 완연이 눈을 ᄯᅥ 좌우를 보고, 부【54】뫼 겻틱 안즈시믈 아라 반기고 슬허ᄒ거늘, 공과 부인이 녀ᄋ의 낫츨 다히며 손을 어로만져, 실셩 오열 왈,

"우리 너를 쳔금보옥(千金寶玉)ᄀᆞᆺ치 길너. 그딕도록 악착흔 곳의 종을 삼아실 줄 아라시리오."

쇼졔 톄루(涕淚) 믁연(黙然)이러니, ᄀᆞ장 오란 후 계오 소ᄅᆡ를 일워 왈,

"쇼녜 비록 ᄉᆞ디를 버셔나나, 쇼녀의 ᄉᆞ라시믈 알니 이시면, 급홰 발뒤튝821)을 좃ᄎᆞ 이러나리니, 대인과 모친은 쇼녀 술오고져 ᄒ시거든, 이졔로셔 그윽흔 곳의 옴기시고, 대인이 아모 신톄나 어더다가 입념셩빙(入殮成殯)822)ᄒ여 흔갈ᄀᆞᆺ치 쇼녀의 죽으므로 ᄒ시고, 이 일을 의모(義母)의게 긔이【55】미 괴이ᄒ오나, 의뫼 뉴금오 쳐뎨시라. 굿트여 쇼녀를 히코져 뉴금오 부인다려 쇼녀의 싱존을 니를 거시 아니라, 우연이

지 ᄋ니ᄒ고,【105】 셜억의게 오빅금을 밧고 팔녀 ᄒ던 바의 이르러는 분완통ᄒᆡ(憤惋痛駭)ᄒ여, 셔안을 치고 소ᄅᆡ를 놉혀 흉참타 이르기를 마지 아니터니, 셜부인이이 스긔를 알고 녀ᄋ의 죽어 도라왓심을 참절(慘切) 통도(痛悼)ᄒ여, 급히 시신 누인 곳의 와 붓들고 방셩 통곡ᄒ드니, 쇼졔 믄듯 구싱단 효험과, 다힝이 빗질녀 놀ᄂᆞ 엄홀(奄忽)ᄒ엿던 거심으로812), 비로소 ᄭᆡ여 슘을 두로니, 공과 부인이 만분(萬分) 경열(哽咽)813)ᄒ여 슈족(手足)을 쥬무르믜, 가슴의 싱긔 잇셔 싱되 망연(茫然)치 ᄋ니니, 댱공의 마음이 경황실조(景況失措)814)ᄒ여 입 가온디 가득이 도ᄉᆞ를 일ᄏᆞ라 보지 못흠을 이들와ᄒ며, 녀ᄋ을 시도록 구호ᄒ니, 쇼졔【106】계명의야 완연이 눈을 ᄯᅥ 좌우를 보고, 부뫼 겻히 안즛심을 아라 반기고 슬어ᄒ거늘, 공과 부인이 녀ᄋ의 낫츨 다이고 손을 어로만져 실셩 오열 왈,

"우리 너를 보옥(寶玉)갓치 길너, 그딕도록 악측흔 딕 종을 삼앗실 쥴 바라ᄡᆞ리오."

소졔 쳬루(涕淚) 무언(無言)이려니, 가장 오란 후 겨우 소ᄅᆡ를 일워 왈,

"쇼녜 비록 ᄉᆞ디를 버셔나 쇼녀의 ᄉᆞ랏심을 알니 잇스면, 급홰 발뒤츅815)을 조ᄎᆞ 이러나리니, 대인과 모친은 쇼녀를 ᄉᆞ로고져 ᄒ시거든 이졔로셔 그윽흔 곳의 옴겨두시고, 대인이 아모 신쳬나 어더다가 입념셩빙(入殮成殯)816)ᄒ여 흔갈갓치 쇼녀의 죽음으로 ᄒ시고, 이 일이【107】의모(義母)의게 긔임이 괴이ᄒ오나, 의뫼 뉴금오의 쳐뎨시라. 구타여 쇼녀를 히코져 뉴금오 부인의게 쇼녀의 싱존을 이를 거시 ᄋ니라, 우연

---

818)묘단(苗端) : 싹. 실마리.
819)경열(哽咽) : 슬픔으로 목이 멤.
820)경황실조(景況失措) : 경황(景況)이 없음. 몹시 괴롭거나 바쁘거나 하여 다른 일을 생각할 겨를이나 흥미가 전혀 없음.
821)발뒤튝 : 발뒤꿈치.
822)입념셩빙(入殮成殯) : 상례(喪禮)에서 입관(入棺)과 성빈(成殯), 곧 시신을 관 속에 넣는 일과 빈소(殯所)를 차리는 일을 함께 이르는 말.

812)거심으로 : 것임으로.
813)경열(哽咽) : 슬픔으로 목이 멤.
814)경황실조(景況失措) : 경황(景況)이 없음. 몹시 괴롭거나 바쁘거나 하여 다른 일을 생각할 겨를이나 흥미가 전혀 없음.
815)발뒤튝 : 발뒤꿈치.
816)입념셩빙(入殮成殯) : 상례(喪禮)에서 입관(入棺)과 성빈(成殯), 곧 시신을 관 속에 넣는 일과 빈소(殯所)를 차리는 일을 함께 이르는 말.

무심코 언두(言頭)의 일ㅋㄹ미 괴이치 아니
코, 뉴금오 부인이 드른 후는 즉직의 옥누
항의 가리니, 계뫼(繼母) 친정의 가 계시거
든, 쇼녀의 스라시믈 견치 말고 죽어시므로
알게 호쇼셔."

당스마와 부인이 녀ᄋ의 인스를 츌혀 피
화(避禍)홀 의논이 이 ᄀᆺᄐᆞᆯ 드르미, 만심
환희ᄒᆞ여 좌우로 붓들고 블승영힝(不勝榮
幸)ᄒᆞ니, 도로혀 위태부인 원(怨)ᄒᆞᄂᆞᆫ ᄆᆞᄋᆞᆷ
이 업셔, 이의 굴ᄋᆞ되,

"네 말이 다 올ᄒᆞ니 어ᄂᆞ 곳의 댱신(藏
身)코져 ᄒᆞᄂᆞ뇨?"

쇼졔 되【56】왈,

"표슉이 쇼녀 스랑ᄒᆞ시미 긔츌 ᄀᆺ고, 아
딕 ᄌᆞ란 ᄌᆞ녜 업고 가ᄂᆡ 고요ᄒᆞ니, 그 곳의
옴고져 ᄒᆞᄂᆞ이다."

공이 윤종(允從)ᄒᆞ여 즉시 큰 덩을 가져
와 썅셤으로 쇼져를 붓드러 덩의 너코, 공
과 부인이 녀ᄋ 보ᄂᆞᄂᆞᆫ ᄯᅳᆺ으로 셔간을 셜쳐
스 부부의게 붓쳐 보ᄂᆞ니, 원간 쳐스 셜화
ᄂᆞᆫ 고문(高門) 명족(名族)으로, 평싱의 ᄯᅳᆺ이
쳥고낙낙(淸高落落)ᄒᆞ여 문달(聞達)823)을
블구(不求)ᄒᆞ고, 고요히 도혹(道學)을 닷ᄀᆞ
니 일셰(一世) 스유(士類)의 츄앙ᄒᆞᄂᆞᆫ 비라.
부인 단시 ᄯᅩ혼 고문 거족의 뇨됴슉녀라.
스덕이 겸비ᄒᆞ니 쳐○[시] 화락ᄒᆞ여 이ᄌᆞ
이녀를 두어시되 다 나히 어렷고, 셜쳐스
ᄂᆡ외 당쇼져를 각별 스랑ᄒᆞ던【57】고로,
당시 피화(避禍) 댱신(藏身)키를 위ᄒᆞ여 셜
부로 가미, 반기고 년이ᄒᆞ여 밧비 손을 잡
고 이의 온 곡졀을 뭇고져 ᄒᆞ다가, 쇼져의
긔식이 엄엄(奄奄)824)ᄒᆞᆷ믈 보고 놀나, 당공
부부의 셔간을 피열ᄒᆞ미, 쇼져의 만상 화란
이 ᄀᆺ초 버럿ᄂᆞᆫ더라. 더옥 잔잉ᄒᆞᆷ믈 니긔디
못ᄒᆞ여, 깁고 그윽ᄒᆞᆫ 곳의 쳐소를 뎡ᄒᆞ여
당시를 머므르고, 구병ᄒᆞᆷ믈 디셩으로 ᄒᆞ니,
당시 외구(外舅) 부부 바라믈 부모갓치 ᄒᆞ
고, 잠간 ᄆᆞᄋᆞᆷ을 노하 윤부의 이실 젹ᄀᆺ치

이 무심코 언두(言頭)의 일ㅋ라미 괴이치
ᄋᆞ니코, 뉴금오 부인이 드른 후ᄂᆞᆫ 즉시 옥
누항의 가리니, 계뫼(繼母) 친졍의 가 계시
거든, 쇼녀의 스룻심을 견치 말고 쥭엇심으
로 알게 호쇼셔."

당스마와 부인이 녀ᄋ의 《빈스‖인스》
를 츠려 피화(避禍)홀 의논을[이] 이 ᄀᆺ탐
을 드르미, 만심환희ᄒᆞ여 좌우로 붓들고 블
승영힝(不勝榮幸)ᄒᆞ니, 도로혀 위틴부인 원
(怨)ᄒᆞᄂᆞᆫ 마음이 업셔, 이의 왈,

"《이‖네》 말이 다 올ᄒᆞ니, 어늬 곳의
당신(藏身)코져 ᄒᆞᄂᆞ뇨?"

쇼졔 되 왈,

"표슉이 쇼녀 스랑ᄒᆞ심이 긔츌갓고 아
【108】직 ᄌᆞ란 ᄌᆞ녜 업고 가ᄂᆡ 고요ᄒᆞ니,
그 곳의 옴고져 ᄒᆞᄂᆞ이다."

공이 《유종‖윤종(允從)》ᄒᆞ여, 즉시 큰
덩을 가져와 썅셤으로 쇼져를 붓드러 덩의
넛고, 공과 부인이 녀ᄋ 보ᄂᆞᄂᆞᆫ ᄯᅳᆺ으로 ○○
○[셔간을] 셜쳐스 부부의게 보ᄂᆞ니, 원간
쳐스 셜화ᄂᆞᆫ 고문(高門)의 명족(名族)으로
평싱의 ᄯᅳᆺ지 낙낙쳐[쳥]고[落落淸高]ᄒᆞ여
문달(聞達)817)을 블구(不求)ᄒᆞ고, 고요이 도
학(道學)을 닷ᄀᆞ니 일셰(一世) 스류(士類)의
츄앙ᄒᆞᄂᆞᆫ 비라. 부인 당시 ᄯᅩ한 고문 거족
의 뇨죠슉녜라. 스덕이 겸비ᄒᆞ니, 쳐시 화락
ᄒᆞ여 이ᄌᆞ이녀를 두엇시되 다 나히 어렷고,
셜쳐스 ᄂᆡ외 당시를 각별 스랑ᄒᆞ든 고로,
당시 피화(避禍) 장신(藏身)키를 위ᄒᆞ여 셜
부로 ᄀᆞ미, 반기고 년이ᄒᆞ여 밧비 손을 잡
고, 이의 온 곡졀을 뭇고져 ᄒᆞ【109】다가,
쇼져의 긔식이 엄엄(奄奄)818)홈을 보고 놀
나, 당공 부부의 셔간을 헤치미 쇼져의 만
상 화란이 ᄀᆞ쵸 버럿ᄂᆞ지라. 더옥 잔잉홈을
이긔지 못ᄒᆞ여, 깁고 그윽ᄒᆞᆫ 곳의 쳐소를
졍ᄒᆞ여 당시를 머므르고, 구병ᄒᆞᆷ믈 지셩으
로 ᄒᆞ니, 당시 외구(外舅) 부부 바람을 부모
가치 ᄒᆞ고, 잠간 마음을 노아 윤부의 잇슬

---

823)문달(聞達) : 이름이 세상에 널리 알려짐.
824)엄엄(奄奄) : 숨이 곧 끊어지려 하거나 매우 약
　　한 상태에 있음.

817)문달(聞達) : 이름이 세상에 널리 알려짐.
818)엄엄(奄奄) : 숨이 곧 끊어지려 하거나 매우 약
　　한 상태에 있음.

긔아(饑餓) 고상(苦狀)을 격디 아니므로, 졈
졈 비영825)이 낫고, 복이(腹兒) 써러지지
아니니, 하날의 디공무ᄉ(至公無事) ᄒ시미
엇디 댱쇼져 ᄀᆞᆺᄐᆞᆫ 슉녀 명염을 헛【58】되
이 맛게 ᄒ리오. 화도ᄉᆡ 이러므로 신약(神
藥)으로 구ᄒ니, 이 곳 명쳔공 윤상셔 졍녕
이 명명디듕(冥冥之中)의 아름이 잇셔, 화도
ᄉᆡ 꿈을 인ᄒ여 명쳔공의 간졀이 쳥ᄒ여 식
부(息婦) 댱시를 구ᄒ라 ᄒ미, 윤혹ᄉ 지실
이 댱시믈 씌ᄃᆞ라, 친히 션약(仙藥)을 가져
댱부의 니르러 계셩을 주ᄃᆡ, 졔인으로 상면
ᄒ믈 괴로와 셜니 도라가니라.

초시 댱공이 녀ᄋᆞ를 셜부로 보ᄂᆡ고, 맛춤
시녀 난난이 오릭 병드러 죽거늘, 그 시신
을 가져 와 입념(入殮)ᄒᆞᄃᆡ, ᄉ긔 십분 비밀
ᄒ니 알니 업고, 영부인은 친졍으로 좃ᄎ
쇼져의 참ᄉᄒᆞ믈 듯고 도라오미, 임의 습념
ᄒ여시【59】니 난난이○[믈] 엇디 알니오.
댱공이 초ᄉ로 윤태우 형뎨를 긔일 니 업ᄉ
ᄃᆡ, 쇼졔 아딕 아모다려도 ᄌᆞ긔 싱존ᄒᆞ믈
젼치 마르쇼셔 ᄒᄂᆞᆫ 고로, 윤혹시 년일 왕
ᄂᆡᄒᆞᄃᆡ 난난을 습념홀 졔 뵈디 아니니, 입
관(入棺) 셩복(成服)826)을 훌훌이827) 맛고,
윤혹시 복졔(服制)828)를 ᄀᆞᆺ초와 슬허ᄒ미
혈심딘졍(血心眞情)의 비롯고, 댱공 부부ᄂᆞᆫ
쓸이 비록 죽디 아녀시나, 무ᄉ히 화락디
못ᄒ고, 윤가 변괴 망측ᄒ믈 슬허 누쉬(淚
水)의슈(衣袖)를 젹시니, 보ᄂᆞ니 의심치 아
니ᄒ더라.
지셜 하쇼졔 양모와 뎡병부 등의 극딘 구
호ᄒᆞ믈 인ᄒ여 상쳬 졈졈 나아가고, 윤부인
은 뎡국공과 됴부인의【60】브르믈 좃ᄎ,
초하동의 일야를 디ᄂᆡ고 취운산으로 도라오
나, ᄌᆞ모의 과악을 붓그려 스스로 셰렴(世
念)이 ᄉᆞ연(索然)ᄒ고, 침식이 블안ᄒ여, 심
장을 슬오미 무궁ᄒ니, 화용(花容)이 슈쳑ᄒ

격ᄀᆞ치 긔아(饑餓) 고상(苦狀)을 격지 ᄋᆞ님
으로, 졈졈 비영819)이 ᄂᆞ고 복이(腹兒) 써
러지지 아니니, 하늘이 지공무ᄉ(至公無事)
ᄒ심이 엇지 댱쇼져 ᄀᆞᆮᄐᆞᆫ 슉녀 명완을 헛도
이 맛게 ᄒ리오. 화도ᄉᆡ 이럼으로 신약(神
藥)으로 {구}구ᄒ니, 이 곳 명쳔공 윤상셔
졍녕이 명명지듕(冥冥之中)의 아름이 잇셔,
화도ᄉᆡ 꿈을 인ᄒ여 명쳔공의 ᄀᆞᆫ졀【110】
이 쳥ᄒ여 식부(息婦) 댱시를 구ᄒ라 ᄒ미,
윤혹ᄉ 지실이 《댱심을‖댱시믈》 씌ᄃᆞ라,
치[친]히 션약(仙藥)을 가져 댱부의 이르러,
계션을 쥬ᄃᆡ, 졔인으로 상면ᄒᆞᆷ을 괴로워 셜
니 도라가니라.

초시 댱공이 녀ᄋᆞ를 셜부로 보ᄂᆡ고, 마춤
시녀 《낭낭‖난난》이 병드러 죽거늘, 그
시신을 가져 와 입념(入殮)ᄒᆞᄃᆡ, 십분 비밀
ᄒ니 알 니 업고, 영부인은 친졍으로죠ᄎ
쇼져의 참ᄉᄒᆞᆷ을 듯고 도라오미, 임의 습념
ᄒ엿스니 난난임을 엇지 알니오. 댱공이 초
ᄉ로 윤퇴우 형뎨를 긔일 리 업ᄉᄃᆡ, 쇼졔
아직 아모다려도 ᄌᆞ긔 싱존ᄒᆞᆷ을 젼치 마르
쇼셔 ᄒᄂᆞᆫ 고로, 윤혹시 년일 왕ᄂᆡᄒᆞᄃᆡ 난
난을 습념홀 졔 뵈지 아니니, 입관(入棺) 셩
【111】복(成服)820)을 훌훌이821) 맛고 윤
혹시 복졔(服制)822)를 갓초와 셜뤄ᄒᆞᆷ이 열
[혈]심진졍(血心眞情)의 비롯고, 댱공 부부
ᄂᆞᆫ 쓸이 비록 죽지 아냣스나, 무ᄉ이 화락
지 못ᄒ고, 윤가 변괴 망측ᄒᆞᆷ을 셔뤄823) 누
쉬(淚水) 쳠의(沾衣)ᄒ니 보는 지 의심치 ᄋᆞ
니ᄒ더라.
지셜, 하쇼졔 양모와 뎡병부 등의 극진
구호ᄒᆞᆷ을 인ᄒ여 상쳬 졈졈 ᄂᆞ아가고, 윤부
인은 뎡국공과 됴부인의 브름을 좃ᄎ, 초하
동의 일야를 지ᄂᆡ고 취운산으로 도라오나,
ᄌᆞ모의 허물을 붓그려 스스로 셰렴(世念)이
ᄉᆞ연(索然)ᄒ고 침식이 블안ᄒ여, 심장을 ᄉ

---

825)비영 : 병으로 몸이 야위어 제대로 가누지 못함.
826)셩복(成服) : 초상이 나서 처음으로 상복을 입음.
827)훌훌이 : 덧없이. 어언간, 갑자기, 훌쩍.
828)복졔(服制) : 상례(喪禮)에서 정한 오복(五服)의
　　제도.

819)비영 : 병으로 몸이 야위어 제대로 가누지 못함.
820)셩복(成服) : 초상이 나서 처음으로 상복을 입음.
821)훌훌이 : 덧없이. 어언간, 갑자기, 훌쩍.
822)복졔(服制) : 상례(喪禮)에서 정한 오복(五服)의
　　제도.
823)셔뤄 ; 서러워하여.

고 옥골(玉骨)이 초췌(憔悴)ᄒ거늘, 하공 부
뷔 넘녀ᄒ여 미양 겻틔 안쳐 그 심ᄉ를 위
로ᄒ며, 년이ᄒ믈 강보유녀(襁褓幼女)ᄀ치
ᄒ니, 윤부인이 감은각골ᄒ디 초후ᄂ 뉴부
인 통ᄒᆡ호미 나날 식로와, 소영 벽난 등을
엄금ᄒ여 옥누항의 왕ᄂᆡᄒᄂ 비ᄌᄂ ᄉ죄를
녕(領)ᄒ리라 ᄒ고, 그윽이 평계를 어더 옥
누항 시비를 왕ᄂᆡ치 못ᄒ게 ᄒ려 ᄒᆯ ᄌ음
의, 셕상셔 부【61】인 경이 그 ᄋ의 부귀
를 싀애(猜礙)ᄒ여, 브듸 초후의 넘박ᄒ믈
엇과져 ᄒᄆ로, 뉴부인 모ᄅ게 시녀 열셤으
로 태부인과 뉴부인 말ᄉᆞᆷ으로 젼ᄒ여, 하시
를 므ᄉ 일노 엇다 굼초고 보ᄂᆡ디 아닌ᄂ
고, 곡절을 알게 ᄒ라 ᄒ고, 아마도 일야디
ᄂᆡ(一夜之內) 실산(失散)타 말이 허무ᄒ니,
응당 다른 곳의 개덕ᄒ여 보ᄂᆡ엿ᄂᆞ니라 ᄒ
여, 젼어의 욕되고 통완ᄒ미 사ᄅᆷ의 ᄎᆷ기
어려온 비로듸, 됴부인이 블변 안식ᄒ고 윤
시의 참황ᄒᆫ 심ᄉ를 도라보아 녜ᄉ로이 젼
어로 회답ᄒ더니, ᄋ공ᄌ 원챵이 윤부 두
부인 젼어를 듯고 블승분【62】노ᄒ여, 초
후긔 일일히 고ᄒ니, 초휘 대로ᄒ여 열셤이
모친 젼어를 듯고 나갈 졔, 하리로 ᄒ여곰
잡아 오라 ᄒ여 처음은 머리를 버히려 ᄒ더
니, 뎡병부 등이 과도ᄒᆷ믈 말니니, 초휘 윤
부 시녀 왕ᄂᆡ치 못ᄒᆯ 긔틀을 묘히 어덧ᄂᆞ디
라. 열셤과 하리를 ᄶᅥ 윤부의 보ᄂᆡ여 태우
긔 젼어ᄒ디,

　"녕뎨 ᄉ빈은 교디로셔 완디 일슌이로듸
셔로 ᄎᄌᄆᆡ 업고, 오가로 의졀ᄒᆫ ᄉ이어니
와, 태우ᄂ 날과 상힐ᄒᆫ 일이 업ᄂ디라. 내
집이 미뎨를 일허 이친(二親)이 상도(傷悼)
ᄒ심과, 동긔의 참쳑(慘慽)ᄒ미 비ᄒᆯ 곳이
업거늘,【63】귀부 쳔비직 《간혈을∥긴
혀를》놀녀, 녕존당과 슉당 말ᄉᆞᆷ으로 샤의
ᄒᆡ연ᄒ여 실노 참쳥키 어려온디라. 내 집은
ᄉ족 부녀 개뎍(改籍)ᄒᄂ 규구(規矩)ᄂ 아
디 못ᄒ엿더니, 존부인은 ᄀ장 닉게 아르샤,
사ᄅᆷ 의심ᄒ시미 이 디경의 계시니, 원간
태우ᄂ[의] 형뎨를[ᄂ] {다} 상견치 못ᄒ면

롬이 무궁ᄒ니, 화용(花容)이 초최[췌](憔
悴)ᄒ고 옥골(玉骨)이 슈쳑ᄒ거늘, 하공 부
뷔 넘녀ᄒ여 미양 겻틔 안쳐 그 심ᄉ를 위
로ᄒ며 년이【112】홈을 강보유아(襁褓幼
兒)ᄀ치 ᄒ니, 윤부인이 감은각골ᄒ디 초후
ᄂ 뉴부인 통ᄒᆡ홈이 날노 식로와, 소영 벽
난 등을 엄금ᄒ여 옥누항의 왕ᄂᆡᄒᄂ 비ᄌ
ᄂ ᄉ죄를 녕ᄒ리라 ᄒ고, 그윽이 평계를
어더 옥누항 시비를 왕ᄂᆡ치 못ᄒ게 ᄒ려 ᄒᆯ
ᄌ음의, 셕상셔 부인 경이 그 ᄋ의 부귀를
싀이(猜礙)ᄒ여, 브듸 초후의 넘박홈을 엇과
져 홈으로, 뉴부인 모ᄅ게 시녀 열셤으로
위틱부인과 뉴부인 말ᄉᆞᆷ으로 젼ᄒ여, 하시
를 므ᄉ 일노 엇다 굼초고 보ᄂᆡ지 아닌ᄂ
고 곡졀을 알게 ᄒ라 ᄒ고, 아마도 일야지
ᄂᆡ(一夜之內) 실산(失散)타 말이 허무ᄒ니,
응당 다른 곳의 긔젹ᄒ여 보ᄂᆡ엿ᄂᆞ니라 ᄒ
여, 젼어의 욕되고 통완홈이 ᄉᆞᄅᆷ【113】의
ᄎᆷ기 어려온 비로듸, 됴부인이 블변안식ᄒ
고 윤시의 춤황ᄒᆫ 심ᄉ를 도라보아 녜ᄉ로
젼어로 회답ᄒ더니, 공ᄌ 원챵이 윤부 두
부인 젼어를 듯고 블승 분노ᄒ여 초후긔 일
일히 고ᄒ니, 초휘 되로ᄒ여 열셤○[이] 모
친 젼어를 듯고 나갈 졔, 하리로 ᄒ여곰 잡
아 오라 ᄒ여, 처음은 머리를 버히려 ᄒ더
니, 뎡병부 등이 과도홈을 말니니, 초휘 윤
부 시녜 왕ᄂᆡ치 못ᄒᆯ 긔틀을 묘히 어덧ᄂᆞ지
라. 열셤과 하리를 ᄶᅥ 윤부의 보ᄂᆡ여 틱우
긔 젼어ᄒ디,

　"녕뎨 흑ᄉᄂ 교지로셔 완지 일슌이로듸,
셔로 ᄎᄌᆷ이 업고, 오가로 의졀ᄒᆫ ᄉ이어니
와, 틱우ᄂ 날과 상힐ᄒᆫ 일이 업ᄂ지라. ᄂᆡ
집이 미뎨【114】를 일어 이친(二親)의 상
도(傷悼)ᄒ심과 동긔의 참쳑(慘慽)홈이 비ᄒᆯ
곳지 업거늘, 귀부 쳔비직 《간∥긴》 혀를
놀녀 녕존당과 슉당 말ᄉᆞᆷ으로 샤의 ᄒᆡ연ᄒ
여 실노 참쳥키 어려온지라. 닉 집이[의]ᄂ
ᄉ족 부녀 긔젹(改籍)ᄒᄂ ○○○[규구(規
矩)ᄂ] 아지 못ᄒ엿드니, 존부인은 가장 익
게 아르ᄉ, ᄉᆞᄅᆷ 의심ᄒ심이 이 지경의 계
시니, 원간 틱우의 형뎨ᄂ 다 상견치 못ᄒ

결혼호려니와, 귀부 비즈는 아니 보아도 견
디리니, 쳔비의 음참디셜노 내 누의 욕호는
젼어를 안연이 호니, 그 힝실이 업는 연괴
라. 머리를 버혀 죄를 뎡히 호고져 호딕, 십
분 춤고 됴히 보닉느니, 추후는 존부 시비
를 문젼의 드리디 아니리니, 녕존당과【6
4】슉당의 고호여 브졀 업시 보닉디 말나."

젼어호니, 이쩍 태우 형뎨 셩복(成服)을
디닉고 갓 도라와, 참졀호믈 니긔디 못호여,
흑시 츄연 왈,
"쇼뎨 스스로 감(鑑)829)이 어둡디 아니믈
미더, 사름의 상뫼 길흔즉, 나죵이 영화로올
가 호더니, 이졔 당시의 다드라 복션(福善)
의 명응(冥應)830)이 도상(道喪)831)호고, 상
격(相格)이 다 거즛 거시라. 쇼뎨의 상법(相
法)과 디감(知鑑)이 그딕도록 블명호믈 알
니잇고?"
태위 역탄 희허 왈,
"나의 혜아리미 쏘 너와 곳튼여 댱슈를
쳐음 보옵던 날브터, 현뎨의 쳐궁이 복 되
믈 깃거호고, 다복(多福) 영귀(榮貴)호시며
슈한(壽限)이 댱원【65】호실 줄노 아랏더
니, 믄득 삼오(三五)도 못호여 셰샹을 바리
실 줄 아라시리오. 이 젼혀 우리 가운이
블힝호여 변괴 층츌(層出)흔 연괴라. 므어슬
한호리오."
흑시 탄식 딕왈,
"댱시의 시신을 형댱과 쇼뎨 친히 본 빅
오, 입관 셩복호믹 쇼뎨 마디 못호여 복졔
를 출혀시딕, 그 상모를 싱각호면 아마도
스라 잇는 둣호니, 심긔 허(虛)호여 그러흔
가 호ᄂ이다."
태위 답왈,
"댱 슈(嫂)로뼈 별셰치 아냐실딘딕, 이 곳
의셔 칼히 딜녀 피 흐른 시신을 댱공이 가
져 가 념빙(殮殯)832)호엿느니, 아모리 싱각

829)감(鑑) : 지감(知鑑). 지인지감(知人知鑑). 사람을
　　잘 알아보는 능력.
830)명응(冥應) : 눈에 보이지 않지만 신령과 부처가
　　감응하여 이익을 주는 일.
831)도상(道喪) : 도(道)가 사라짐.

면 결혼호려니와, 귀부 비즈는 아니 보아도
견디리니, 쳔비의 음참지셜노, 내 누의 욕호
는 젼어를 안연이 호니, 그 힝실이 업는 연
괴라. 머리를 버혀 죄를 졍이 코져 호되, 십
분 참고 죠히 보닉느니, 《존후∥츄후》는
존부 시비를 문젼의 드리지 아니리니, 녕존
당과 슉당의 고호여 부졀업시 보닉【115】
지 말ᄂ."

젼어호니, 이쩍 틱우 형뎨 댱소져 셩복
(成服)을 지닉고 갓 도라와, 참졀홈을 이긔
지 못호여, 흑시 츄연 왈,
"쇼뎨 스스로 지감(知鑑)824)이 어둡지 아
니믈 미더, 스름의 상뫼 길흔즉 나죵이 영
화로올가 호더니, 이졔 당시의 다드라 복션
(福善)의 명응(冥應)825)이 도상(道喪)826)호
고, 상격(相格)이 다 거즛 거시라. 쇼뎨의
상법(相法)과 지감(知鑑)이 그딕도록 블명홈
을 알니잇고?"
틱위 역탄 희허 왈,
"나의 혜아리미 쏘 너와 갓타여 댱슈를
쳐음 보옵든 늘부터, 현뎨의 《쳐군∥쳐궁
(妻宮)》이 복 됨을 깃거호고, 다복(多福)
영귀(榮貴)호시며 슈한(壽限)이 장원호실 줄
노 아룻더니, 믄득 삼오(三五)도 못호여 셰
샹을 브리실 쥴 아랏시리오. 이 젼혀 우리
가운이 블힝호여 변괴【116】층츌(層出)흔
연괴라. 므어슬 한호리오."
흑시 탄식 딕왈,
"댱시의 시신을 형댱과 쇼뎨 친히 본 뵈
오, 입관 셩복호믹 쇼뎨 마지 못호여 복졔
를 츠렷시딕, 그 상모를 싱각호면 아마도
스라 잇는 둣호니, 심긔 허(虛)호여 그러흔
가 호ᄂ이다."
틱위 답왈,
"댱 슈(嫂)로뼈 별셰치 ᄋ니호엿실진딕,
이 곳의셔 칼의 질녀 피 흘닌 시신을 댱공
이 가져 가 념빙(殮殯)827)호엿느니, 아모리

824)지감(知鑑) : 지인지감(知人知鑑). 사람을 잘 알
　　아보는 능력.
825)명응(冥應) : 눈에 보이지 않지만 신령과 부처가
　　감응하여 이익을 주는 일.
826)도상(道喪) : 도(道)가 사라짐.

ᄒᆞ여도 스랏단 말이 나디 아니디, 그 상모
의 복덕【66】이 완젼ᄒᆞ던 바를 싱각ᄒᆞᆫ즉,
만시 다 허시라. 너와 내 상법이 괴이ᄒᆞ다."

뎡언간의 하리 열셤을 쪄 드러와 계하의
브복ᄒᆞ여, 초후의 젼어를 고ᄒᆞ니, 태우 곤계
듯는 말마다 히참(駭慘)ᄒᆞ니, 태위 드러가,
초휘 노ᄒᆞ여 욕ᄒᆞᆷ을 고ᄒᆞ니, 위·뉘 대경ᄒᆞ
여 셤다려 젼어ᄒᆞᆫ 연고를 므르니, 셤이 울
며 셕부인 ᄒᆞ던디로 고ᄒᆞ니, 뉴시 경ᄋᆞ를
블너,

"네 여ᄎᆞ여ᄎᆞ ᄒᆞᆫ 말을 됴부인긔 ᄒᆞ다?"
경의,○○[디왈]
"하시의 거쳐 업ᄉᆞᆷ믈 통완ᄒᆞ여 됴시를 격
동ᄒᆞᆷ미니이다."

태위 뎡식 왈,
"가치 아닌 젼어로 인친가(姻親家)와 화
긔를 상히오니, 므어시 됴【67】ᄒᆞ리오. 쇼
데는 실노 회답ᄒᆞᆯ 말이 업ᄂᆞ이다."

위태 됴토록 ᄒᆞ며 초후를 보고 샤죄ᄒᆞ라
ᄒᆞ니, 태위 더욱 블열ᄒᆞ여 즉시 외헌으로
나가거늘, 뉴시 경ᄋᆞ의 망녕되믈 칙ᄒᆞ여 압
뒤흘 모른다 ᄒᆞ디, 실노 동복(同腹) 일뎨(一
弟)를 마ᄌᆞ 히코져 ᄒᆞᆫ 아디 못ᄒᆞ더라.

셜억은 오빅 냥 듕보를 드리고 미인을 취
홀가 ᄒᆞ엿더니, 댱시 헛되이 죽으믈 듯고
앗갑고 이돌오믈 니긔디 못ᄒᆞ나, 스ᄌᆞ(死者)
는 술을 도리 업스니, 졔 은즈나 ᄎᆞ자 다른
곳의 미인을 사고져 ᄒᆞᄆᆞ로, 갑슬 도로 달
나 보치기를 날마다 긋디 아니니, 뉴시 비
영으로 ᄒᆞ여곰 온 가디로 다【68】 리여, 혹
벼슬을 ᄒᆞ일 거시니 됴흔 시졀을 기다리라
ᄒᆞ며, 혹 댱시도곤 나은 옥녀를 어더 주마
ᄒᆞ여, 쳔방빅계로 핑계ᄒᆞ여 은을 닉여 주디
아니니, 억이 사름의 말을 혹히 듯디 아니
ᄒᆞ고, 다흠833){다흠} 은을 달나 보치기를
심히ᄒᆞ니, 비영이 ᄎᆞ마 견듸디 못ᄒᆞ여 뉴시
긔 묘랑을 주고 남은 이빅냥 은ᄌᆞ나 도로

싱각ᄒᆞ여도 스랏단 말이 ᄂᆞ지○[니]디,
그 상모의 복덕이 완젼ᄒᆞᆫ 바를 싱각ᄒᆞᆫ즉,
만시 다 허시라. 너와 뇌 상법이 괴이ᄒᆞ다."

뎡언간의 하리 열셤을 쪄 드러와 계ᄒᆞ의
부복ᄒᆞ여, 초후의 젼어를 고ᄒᆞ니, 틱위 곤계
듯는 말마다 히참(駭慘)ᄒᆞ니,【117】 틱위
드러가 하휘 노ᄒᆞ여 욕홈을 고ᄒᆞ니, 위·뉘
딕경ᄒᆞ여 셤다려 젼어ᄒᆞᆫ 연고를 무라니, 셤
이 울며 셕부인 ᄒᆞ든디로 고ᄒᆞ니, 뉴시 경
ᄋᆞ를 불너,

"《매ㅣ네》 여ᄎᆞ여ᄎᆞ ᄒᆞᆫ 말을 됴부인긔
ᄒᆞᆫ다?"
경의, ○○[디왈]
"하시의 거쳐 업ᄉᆞᆷ을 통완ᄒᆞ여 됴시를 경
동홈이니이다."

틱위 졍식 왈,
"가치 ᄋᆞ닌 젼어로 인친(姻親)과 화긔를
상히오니, 무어시 죠ᄒᆞ리오. 쇼데ᄂᆞᆫ 실노 회
답ᄒᆞᆯ 말○[이] 업ᄂᆞ이다."

위틱 죠토록 ᄒᆞ며 초후를 보고 샤죄ᄒᆞ라
ᄒᆞ니, 틱위 더욱 블열ᄒᆞ여 즉시 외헌으로
나가거늘, 뉴시 경아의 망녕됨을 칙ᄒᆞ여 압
뒤흘 모른다 ᄒᆞ디, 실노 동복(同腹) 일뎨(一
弟)를 마ᄌᆞ 히코져 홈은 아지 못ᄒᆞ더라.

셜억은 오빅【118】 냥 즁보를 드리고
미인을 취홀가 ᄒᆞ엿드니, 댱시 헛되이 죽음
을 듯고 앗갑고 이다로움을 이긔지 못ᄒᆞ나,
사ᄌᆞ(死者)ᄂᆞᆫ 사를 도리 업스니, 졔 은즈나
ᄎᆞ자 다른 곳의 미인을 사고져 홈으로, 갑
슬 도로 달나 보치기를 날마다 긋지 아니
니, 뉴시 비영으로 ᄒᆞ여곰 왼 가지로 달닉
여, 혹 벼슬을 ᄒᆞ일 거시니 죠흔 시졀을 기
다리라 ᄒᆞ며, 혹 댱시도곤 나흔 옥녀를 어
더 쥬마 ᄒᆞ여, 쳔방빅계로 ○○○○[핑계ᄒᆞ
여] 은을 닉여 주지 아니ᄒᆞ니, 억이 스름의
말을 혹히 듯지 아니ᄒᆞ고, 은을 달ᄂᆞ 죠로
기를 심히ᄒᆞ니, 비영이 ᄎᆞ마 견듸지 못ᄒᆞ여
뉴시긔 묘랑을 주고 남은 이빅냥 은ᄌᆞ나 쥬
자 ᄒᆞ니, 뉴시 괴로이 넉여 이빅냥 은을 닉

---

832)넘빙(殮殯) : 염빈(殮殯). 시체를 염습하여 관에
　　넣어 안치함.
833) 다흠 : 다만, 단지, 또한, 그저.

827)넘빙(殮殯) : 염빈(殮殯). 시체를 염습하여 관에
　　넣어 안치함.

주샤이다 ᄒᆞ니, 뉴시 괴로이 넉여 이빅냥
은을 너여 준딕, 셜억이 삼빅냥을 마ᄌ 달
나 보치기를 흔갈ᄀᆞ치 ᄒᆞ니, 위태부인이 ᄌᆞ
긔 그릇 댱시를 죽여 셜억의게 보치이니,
심히 블평ᄒᆞ여 ᄒᆞᆫ 댱 문셔【69】를 민드라,
금년으로브터 삼년을 한(限)ᄒᆞ여 미인을 못
어더 주거든, 고관졍장(告官呈狀)834)ᄒᆞ여
바드라 ᄒᆞ고, ᄌᆞ긔 도셔(圖署)835)를 쳐 주
니, 셜억이 문셔를 어드미 잠간 미드미 되
여 남양으로 도라가니라. 위태 뉴시 모녀를
딕ᄒᆞ여 왈,

"댱시를 노뫼 그릇 죽엿거니와 조녀로브
터 뎡·딘·하·댱 등을 다 셔르져시니836),
이제 희텬 형뎨 밧근 남으니 업ᄂᆞᆫ디라. 엇
디면 쾌히 죽이리오."

뉴시 왈,

"이졔는 광텬 등 업시 ᄒᆞ미 어렵디 아니
니, 므릇 일이란 거시 신속ᄒᆞ미 귀ᄒᆞᆫ디라.
존고ᄂᆞᆫ 묘랑이 여ᄎᆞ여ᄎᆞ ᄒᆞᄂᆞᆫ 쎠를 당ᄒᆞ여,
《쾌히∥과히》 놀나디 마르시고 대계를 일
워 닉쇼【70】셔"

태부인이 쇼왈,

"뎡시년을 히ᄒᆞ려 홀 졔 내 가슴을 상히
왓더니, 그러ᄐᆞᆺ ᄯᅩ 상히올딘딕, 광텬 등을
함졍의 모라 너흐미 되려니와, 노모의 가슴
이 남디 못ᄒᆞ리로다."

경이 낭쇼 왈,

"대모ᄂᆞᆫ 알픈 거술 ᄎᆞᆷ으시고 대ᄉᆞ를 그르
게 마쇼셔. 이ᄀᆞᆺ치 ᄒᆞᆫ 후ᄂᆞᆫ 광텬 등이 '아홉
닙'837)과 '구리 혜'838) 잇셔도 발명이 어려
오리이다."

여 쥬니,【119】 셜억이 삼빅냥을 마ᄌ 달
나 보치기를 흔갈ᄀᆞ치 ᄒᆞ니, 위틱부인이 ᄌᆞ
긔 그릇 댱시를 죽여 셜억의게 보치이니,
심히 블평ᄒᆞ여 ᄒᆞᆫ 댱 문셔를 민드러, 《그
년∥금년》으로부터 삼년을 한(限)ᄒᆞ여 미
인을 못어더 쥬거든, 고관졍장(告官呈
狀)828)ᄒᆞ여 브드라 ᄒᆞ고, ᄌᆞ긔 도셔(圖
署)829)를 쳐 쥬니, 셜억○[이] 문셔를 《오
드미∥어드미》 잠간 미듬이 《도여∥되
여》 남양으로 도라가니라. 위틱 뉴시 모녀
를 딕ᄒᆞ여 왈,

"댱시를 노뫼 그릇 죽엿거니와 조녀로브
터 졍·진·하·댱 등을 다 셔루졋시니830),
이제 희텬 형뎨 븟근 남은 이 업ᄂᆞᆫ지라. 엇
지면 쾌히 죽이리오."

뉴시 왈,

"이졔ᄂᆞᆫ 광텬 등 업시 홈이 어렵지 ᄋᆞ니
ᄒᆞ니, 무릇 일이란 거시 신속홈이 귀ᄒᆞᆫ지라.
존고ᄂᆞᆫ 묘랑이 여ᄎᆞ여ᄎᆞ ᄒᆞᄂᆞᆫ【120】 쎠를
당ᄒᆞ여, 과히 놀나지 마르시고 대계를 이뤄
닉쇼셔"

틱부인이 쇼왈,

"뎡시년을 히ᄒᆞ려 홀 졔 내 가슴을 상히
왓더니, 그러ᄐᆞᆺ ᄯᅩ 상히올진딕, 광텬 등을
함졍의 모라 너움이 되려니와, 노모의 가삼
이 남디 못ᄒᆞ리로다."

경이 낭쇼 왈,

"틱모ᄂᆞᆫ 알픈 거술 참으시고 큰일을 그르
게 마르쇼셔. 이가치 ᄒᆞᆫ 후ᄂᆞᆫ 광텬 등이 '아
홉 닙'831)과 '구리혜'832)라도 발명이 어려오
리라."

---

834)고관졍장(告官呈狀) : 관청에 소장(訴狀)을 내 고
　　소함.
835)도셔(圖署) : 책·그림·글씨 따위에 찍는, 일정
　　한 격식을 갖춘 도장.
836)셔룻다 : 거두어 치우다. 정리하다. 없애다. 죽이
　　다.
837)압홉 닙 : 구구(九口). 입이 아홉 개 라는 뜻으
　　로, 유창한 말주변으로 많은 말을 늘어놓는 것을
　　말함. 늑구구삼셜(九口三舌).
838)구리 혜 : '동셜(銅舌)'의 번역어. 조선조 궁중악
　　기의 하나인 '순(錞)'에 달았던 작은 방울 모양의
　　것으로, 이것을 흔들어 소리를 냈다. 여기서는 방
　　울소리처럼 유창한 말주변을 뜻한다

828)고관졍장(告官呈狀) : 관청에 소장(訴狀)을 내 고
　　소함.
829)도셔(圖署) : 책·그림·글씨 따위에 찍는, 일정
　　한 격식을 갖춘 도장.
830)셔룻다 : 거두어 치우다. 정리하다. 없애다. 죽이
　　다.
831)압홉 닙 : 구구(九口). 입이 아홉 개 라는 뜻으
　　로, 유창한 말주변으로 많은 말을 늘어놓는 것을
　　말함. 늑구구삼셜(九口三舌).
832)구리 혜 : '동셜(銅舌)'의 번역어. 조선조 궁중악
　　기의 하나인 '순(錞)'에 달았던 작은 방울 모양의
　　것으로, 이것을 흔들어 소리를 냈다. 여기서는 방
　　울소리처럼 유창한 말주변을 뜻한다

위흥이 졈두ᄒ고, 초일 묘랑을 쳥ᄒ여 계교를 힝홀시, 초일 맛춤 윤츄밀 지종형 참졍 윤한의 부인과 샹셔 《윤완‖윤단》이 옥누항의 니르러 밤을 디닐시, ○○[단은] 윤참졍 한의 아이라. 참졍은 연국의 교【71】유샤로 나가고, 윤단이 형슈 형부인을 뫼셔 남산 향니로 나려가, 츄동(秋冬)을 디닉고 올나오려 ᄒ므로, 옥누항의 니르러 샤묘(祠廟)의 비현ᄒ고 슉모 위태부인긔 하딕을 고ᄒ려 ᄒ미러라. 태부인이 짐줏 형시를 은근이 딕졉ᄒ여 ᄒ 방의 즈기를 일콧고, 참졍 부듕 시비 스오인을 침뎐의 슉딕게 ᄒ며, 태부인이 잠 업스믈 닐너 담쇼ᄒ니, 형부인이 비록 즈고져 ᄒ나 어룬이 씌여 말ᄉᆷ 좃ᄎ ᄒᄂ 거슬, 아니 딕답디 못ᄒ여 슈작ᄒ고, 태우 형뎨는 지죵슉 샹셔공을 뫼셔 말ᄉᆷ홀시,【72】 슌참졍이 윤샹셔를 쳥ᄒ므로, 슌뷔 디쳑이오 금평후 뎡공이 ᄯ호ᄒ 표형(表兄)의 집의 와 밤을 디닉므로, 윤샹셰 야화ᄒ다가 오고져 ᄒ여 슌부로 가미, 태우 형뎨 샹셔의 즈딜 삼죵(三從) 등으로 더브러 다 잠을 깁히 드럿더라.【73】

피뇌(婆老) 졈두ᄒ고, 초일 묘랑을 쳥ᄒ여 계교를 힝홀시, 이날 마춤 윤츄밀 지종형 참졍 윤한의 부인과 참졍 윤단이 옥누항의 이르러 밤을 지닐시, 윤단은 윤한의 아이라. 한은 연국의 교유스로 가고, 윤단이 형슈 형부인을 뫼셔 남산 향리로【121】 ᄂᆞ려가 츄동(秋冬)을 지닉고 올ᄂᆞ오려 ᄒᆞᆷ으로, 옥누항의 이르러 스묘(祠廟)의 비현ᄒ고 위틔긔 하직을 고ᄒ려 ᄒᆞᆷ이라. 틱뇌(太老) 짐짓 형시를 은근이 딕졉ᄒ여 ᄒ 샹(床)의셔 즈기를 일콧고, 참졍부 시비 스오인을 침쪄[뎐]의셔 슉직케ᄒ며, 틱뇌 잠 업슴을 일너 ○○○○[담쇼ᄒ니], 형부인이 비록 즈고져 ᄒ나, 어룬이 씌여 말ᄒ자 ᄒ난 거슬, 으니 딕답지 못ᄒ여 슈작ᄒ고, 틱우 형뎨는 죵슉(從叔) 샹(床) 겨츨 뫼셔 말ᄉᆷ홀시, 슌참졍이 윤샹셔를 쳥ᄒᆷ으로, 슌뷔(府) 지쳑(咫尺)이 ○…결락64자…○[오, 금평후 뎡공이 ᄯ호ᄒ 표형의 집의 와 밤을 디닉므로, 윤샹셰 야화ᄒ다가 오고져 ᄒ여 슌부로 가미], 윤틱우 형뎨 샹셔의 즈딜 삼죵 등으로 더브러 다 잠을 깁히 드럿]더라.

초셜 윤태우 형뎨 윤상셔 즈딜노 더브러 다 잠을 깁히 드럿더라.

뉴부인이 외당의 태우 등이 잠 드러시믈 탐디ᄒ며, 상셰 슌부로 간 줄 알고, 신묘랑으로 ᄒ여곰 일습 건복(巾服)을 닙혀 태우의 얼골이 되게 ᄒ고, 심복 노즈 태복으로 개용단을 삼켜 흑ᄉ의 얼골이 되어, 일시의 칼흘 빗겨 경희뎐의 돌입ᄒ니, 위태 짐짓 촉을 멸치 아니코 셩부인과 말ᄉᆞᆷᄒ다가 취침홀시, 셩부인은 희미히 잠을 들고, 태부인은 즈는 쳬ᄒ고 누【1】어시니, 홀연 문을 열치는 소릭의 셩부인이 ᄯᅩᄒᆞᆫ 눈을 떠 보니, 윤태우 형뎨 칼흘 빗기고 달녀 드는디라. 셩부인이 심혼이 비월홀 ᄲᅮᆫ 아니라, 본ᄃᆡ 연연유약(軟軟柔弱)ᄒ여 텰옥(鐵玉) ᄀᆞᆺ디 못ᄒᆫ 사ᄅᆞᆷ이, 흉히(凶駭)ᄒᆫ 거동을 보고 밋쳐 니러나디 못ᄒᆞ여 썰기를 면치 못ᄒᆞ거늘, 태부인이 거즛 금즉이 《놀나∥놀는》 쳬ᄒ여 문왈,

"너희 엇디 심야의 칼흘 들고 드러와 흉참ᄒᆫ 거동으로ᄡᅥ 사ᄅᆞᆷ을 뵈ᄂᆞ뇨?"

태우와 흑ᄉ이 흠긔 소릭 딜너 ᄭᅮ디져 왈,

"그ᄃᆡ와 우리 형뎨 명위조손(名爲祖孫)[839]이나 실위구뎍(實爲仇敵)[840]이라. 그ᄃᆡ를 편히 머므르면【2】우리 형뎨 스디 못홀디라. 그ᄃᆡ를 마디 못ᄒᆞ여 ᄒᆞᆫ 칼히 버히렷노라."

하고, 언파의 윤태위 칼흘 빗기고 다라드러 태부인의 멱을 디르랴 ᄒᆞ니, 태부인이 셩부인을 붓들고 좌우 시녀를 씌와 일시의 모드믹, 졔시녜 태우 형뎨의 거동을 보고 놀나 썰며 아모리 홀 줄 몰나, 태부인을 붓드러 구홀 의ᄉᆞ를 닛디 못ᄒᆞᆫ디라. 뉴부인이 묘랑과 태복을 경희뎐의 드려 보닉고, 밧비 시녀를 슌부의 보닉여, 윤상셔긔 가닉

초셜 윤태우 형뎨 윤상셔 즈딜노 더브러 다 잠을 깁히 드럿더라.

뉴부인이 외당의 틱우 등이 잠 드럿심을 《타며∥탐지ᄒ며》, 상셰 슌부로 간 줄 알고,【122】 묘랑으로 ᄒ여곰 일습 건복(巾服)을 입혀 틱우의 얼골이 되게 ᄒ고, 심복 노즈 태복으로 기용단을 삼뼈[833] 학ᄉ의 얼골이 도[되]여, 일시의 칼흘 빗겨 경희뎐의 돌입ᄒ니, 위틱 짐짓 촉을 멸치 ᄋᆞ니코 셩부인과 말ᄉᆞᆷᄒ다가 취침홀시, 셩부인은 희미히 잠을 들고, 틱부인은 즈는 쳬ᄒ고 누엇다, 홀연 문을 열치는 소릭의 셩부인이 ᄯᅩᄒᆞᆫ 눈을 떠 보니, 윤틱우 형뎨 칼흘 빗기고 달녀 드는지라. 셩부인이 심혼이 비월홀 ᄲᅮᆫ 아니라, 본ᄃᆡ 연연유약(軟軟柔弱)ᄒ여 텰옥(鐵玉) 갓지 못ᄒᆞᆫ ᄉᆞᄅᆞᆷ이, 흉히(凶駭)ᄒᆫ 거동을 보고 미쳐 이러나지 못ᄒᆞ여 썰기를 면치 못ᄒᆞ거늘, 틱부인이 거즛 금즉이 놀나는 쳬【123】ᄒ여, 왈,

"너희 엇지 심야의 칼을 들고 드러와 흉참ᄒᆫ 거동으로ᄡᅥ ᄉᆞᄅᆞᆷ을 뵈ᄂᆞ뇨?"

틱우와 흑ᄉ이 흠긔 소릭 질너 ᄭᅮ지져, 왈,

"그ᄃᆡ와 우리 형뎨 명위조손(名爲祖孫)[834]이나 실위구뎍(實爲仇敵)[835]이라. 그ᄃᆡ를 편히 머므르면 우리 형뎨 스지 못홀지라. 그ᄃᆡ를 마지 못ᄒᆞ여 일 칼[836]히 버히련노라."

언파의 ○○○[윤태위] 칼흘 빗기고 다라드러 틱부인의 멱을 지르려 ᄒᆞ니, 틱부인이 셩부인을 붓들고 좌우 시녀를 ᄭᆡ와[837] 일시의 모드믹, 졔시녜 틱우 형뎨의 거동을 보고 놀나 썰며 아모리 홀 줄 몰나, 틱부인을

---

839)명위조손(名爲祖孫) ; 명분은 조모와 손자의 사이임.
840)실위구뎍(實爲仇敵) : 실제는 원수 사이임.

833)삼뼈 : 삼켜. *삼키다; 무엇을 입에 넣어서 목구멍으로 넘기다.
834)명위조손(名爲祖孫) ; 명분은 조모와 손자의 사이임.
835)실위구뎍(實爲仇敵) : 실제는 원수 사이임.
836)일 칼 : 한 칼.
837)ᄭᆡ오다 : 깨우다.

의 대변이 나시니 급히 와 보시믈 쳥흔딕,
윤상셰 금후와 슌참졍으로 담화ᄒ다【3】
가, 이 말을 듯고 놀나 밧비 와 외헌으로
가디 아니ᄒ고 바로 닉루의 드러오니, 이리
ᄒᆯ 즈음의 신묘랑이 위태의 가슴을 디르랴
ᄒ다가, 샹셔의 소릭를 듯고, 거줏 윤태원
톄 ᄒ여 칼흘 져으며, 태복의 손을 닛글고
급히 도망ᄒ여 밧그로 나가니, 샹셰 마조
오다가 츠경을 보고, 대경(大驚) 급문(急問)
왈,

"아디 못게라 현딜 등이 이 므슴 거죄
뇨?"
태우 형뎨 드른 톄 아니코 외루로 나가
니, 샹셰 ᄯ라 가고져 ᄒ다가, 경희뎐 가온
딕셔 흉녕(凶獰)ᄒᆫ 곡셩이 텬디 딘동ᄒ여,
왈,

"고금 이릭의 이런 흉참ᄒᆫ 변이 어딕 이
시리오. 내 목슘【4】이 ᄉᆞᆺ디 아닐 ᄯᅥ라,
샹셔 현딜이 이의 와시므로 이런 흉ᄒᆫ 놈들
이 칼흘 거두어 밧그로 나가니, 나의 일명
이 보젼ᄒᆞᆷ믈 즐겨 ᄒ미 아니라. 광텬 등의
극악 흉패ᄒ믄[믈] 일가 춍듕(叢中)841)이
알과져 ᄒᆞ니, 현딜은 잠간 드러와 나의
상쳐를 보고 흉손 등을 일즉이 쳐티ᄒ여,
문호의 화(禍)를 졔방(制防)ᄒ라."

<hr>

841)춍듕(叢中) : 떼를 지은 뭇 사람들.

붓드러 구호 의ᄉᆞ를 닉지 못ᄒᆞᄂᆞᆫ지라. 뉴부
인이 묘랑과 틱복을 경희젼의 드려 보닉고,
븟비 시녀를 슌부의 보닉여, 윤【124】상셔
긔 가닉의 대변이 이시니 급히 와 보심을
쳥흔딕, 윤상셰 금후와 슌참졍으로 담화ᄒ
다가, 이 말을 듯고 놀나 븟비 와, 외헌으로
가지 ᄋᆞ니 ᄒ고 닉루의 드러오니, 이리 ᄒᆯ
즈음의 신묘랑이 위틱의 가삼을 지르랴 ᄒ
다가, 샹셔의 소릭를 듯고, 거줏 윤틱원 톄
ᄒ여 칼흘 져으며, 틱복의 손을 잇글고 급
히 도망ᄒ여 밧그로 나가니, 샹셰 마조 오
다가 츠경을 보고, 딕경(大驚) 급문(急問)
왈,

"아지 못게라 현딜 등이 이 무슴 거죄
뇨?"
틱우 형뎨 드른 톄 아니코 외루로 나가
니, 샹셰 ᄯ라 가고져 ᄒ다가 경희젼 가온
딕셔, 《흉물을‖흉녕(凶獰)ᄒ》 시비 등이
부인을 븟드러 황황이 구호ᄒ거늘, 샹셰 급
히 나아가 연고를 뭇자온딕 위·【125】
유 히참(駭慘)ᄒ 거동으로 가삼을 가로치며
통곡ᄒ며 이르딕,
"고금쳔지의 이런 대변이 업스니 ᄲᆞᆯ니 역ᄌᆞ
(逆子)를 잡아 강상대죄(綱常大罪)838)를 붉
히고, 황샹 탑하(榻下)의 알외여 셩쥬(聖主)
쳐치를 기ᄃᆞ리게 ᄒ라."
ᄒ고 ᄯ 흉ᄒᆫ 소릭로 이르딕,
"역자(逆子)를 위션(于先) 가닉의셔 죄를
붉혀 일작 쳐치ᄒ여, 문호의 화(禍)를 졔방
(制防)ᄒ라"

{ᄒ되, 윤상셰 마지 못ᄒ여 틱노를 위로
ᄒ여 가로딕,
"쇼딜이 광쳔 형뎨로 빅힝이 구비(具備)
ᄒ가 ᄒ엿드니, 오늘밤 대변은 만고의 업는
경상을 당ᄒ신지라. 아히들이 실셩치 아냣
시면, 이미망량(魑魅魍魎)이 광쳔 등의 면모

<hr>

838)강상대죄(綱常大罪) : 사람이 마땅히 지켜야 할
도리인 삼강(三綱)과 오상(五常)을 범한 큰 죄, 곧
인륜범죄(人倫犯罪)를 이른다. 여기서 오상(五常)
은 오륜(五倫)을 달리 이른 말.

로 슉모를 현혹ᄒ고, 광딜 등의 젼졍을 맛
치미니, 원컨딕 슉모는 냥딜(兩姪) 등의 인
효졍힝(仁孝正行)을 싱각ᄒ사, 이 일이 결단
ᄒ여 냥딜【126】의 상시 마음을[이] 그러
치 ᄋ님을 아으[르]쇼셔."

이 일은 싱관 극골고 ᄯ흔 쳐음으로}839)

윤상셰 태부인의 브르므로 마디 못ᄒ여
경회뎐의 드러가니, 셩부인은 계오 인스를
출혀 뉴부인과 ᄒ가디로 태부인을 뫼셔 상
쳐를 볼시, 가슴이 칼이 슷쳐 가죡이 상ᄒ
고 피 흘너 보기의 경참(驚慘)ᄒ나, 깁히 상
ᄒ【5】 일은 업ᄂᆞ디라. 뉴부인이 눈믈을 흘
니며 가슴을 줨여ᄯᅥ 흉변을 각골이 슬허
ᄒ니, 셩부인이 위로ᄒ믈 마디 아니ᄒ딕, 뉴
시 스스로 죽고져 ᄒᄂᆞ디라. 뉘 그 쳔흉만
악을 다 알니오.

상셰 드러와 태부인 상쳐를 보고, 태우
형뎨 나가던 일이 흉참 경희ᄒ여, 닙이 뼈
말이 나디 아니니, 도로혀 이 곳의 와 ᄒ로
밤 디닉믈 인ᄒ여, 쳔고의 업슨 대변을 목
도ᄒ믈 블힝ᄒ여, 태부인을 위로 왈,

"쇼딜이 광텬 형뎨로뼈 빗힝이 초츌(超
出)ᄒ가 녀겻더니, 오날 밤 경상은 만고 대
변이라. 아히들이 실셩 발광치 아냐시【6】
면, 니미망냥(魑魅魍魎)이 광텬 등의 면모를
비러 슉모를 현혹ᄒ고, 광딜 등의 젼졍을
맛쳐 ᄒ미니, 원컨딕 슉모는 냥딜(兩姪)의
인효(仁孝) 경슌(敬順)턴 바를 싱각ᄒ샤, 이
일이 결단ᄒ여 냥딜의 상시 ᄆᆞ음이 아니믈
아르쇼셔."

위태 머리를 브딕이져, 대곡(大哭) 왈,

"현딜은 오히려 《ᄯᅡ‖쓴》 집의 이시므
로 광텬 등의 블초 무상ᄒ믈 아디 못ᄒᄂᆞ디
라. 내 ᄎᆞ마 위인조모(爲人祖母)842)ᄒ여 그
ᄌᆞ손의 스오나오믈 ᄀᆞᆺ초 니를 거시 아니로
딕, 임의 긔이디 못ᄒ여 흉손(凶孫)이 발검
ᄒ고 내 침뎐의 돌입ᄒᆞᆫ 현딜과 셩딜뷔 목
도ᄒ 빅라. 광텬의 흉완【7】 패역(凶頑悖
逆)과 희텬의 간교요샤(奸巧妖邪)ᄒ믈 ᄀᆞᆺ초
베플니라."

○○○[윤상셰] 쳔고의 업슨 딕변을 목도
흠을 블힝ᄒ여, 틱부인을 위로 왈,

"쇼딜이 광텬 형뎨로뼈 빗힝이 초츌(超
出)ᄒ가 녀겻드니, 오늘 밤 경상은 만고 대
변이라. 아히들이 실셩 발광치 아냣시면, 이
미망량(魑魅魍魎)이 광텬 등의 면모로 슉모
를 현혹ᄒ고, 광딜 등의 젼졍을 마츰이니,
원컨딕 슉모는 냥딜(兩姪)의 인효(仁孝) 경
슌(敬順)ᄒ 바를 싱각ᄒ사 이 일이 결단ᄒ
여 냥딜의 상시 마음○[이] 아님을 아르쇼
셔"

위틱 머리를 부딕져 딕곡(大哭) 왈,

"현딜○[은] 오히려【127】 쓴 집의 잇
심으로 광텬 등의 블초 무상흠을 아지 못ᄒ
ᄂᆞ지라. 내 ᄎᆞ마 위인조모(爲人祖母)840)ᄒ
여 그 ᄌᆞ손의 스오ᄂᆞ옴을 ᄀᆞᆺ초 이를 거시

---

842)위인조모(爲人祖母) : 남의 할머니가 되어.

839){ }안의 내용 157자는 뒤의 내용과 중복되고 있
어 연문(衍文)으로 처리하였다. 즉 상셔 윤단의 말
"쇼딜이 – 아르쇼셔"(123자)가 중복 서사되어 있
는데, 이를 이어주는 전후 지문(地文) 34자 또한
앞 뒤 문장과 문맥이 이어지지 않아 모두 연문으
로 처리 하였다.

840)위인조모(爲人祖母) : 남의 할머니가 되어.

인호여, 태우 형뎨의 아닌 말과 업순 허
믈을 쥬작(做作)호여, 졀졀이 함졍의 모라너
코져 호는 흉심이 현져호니, 윤가 문듕(門
中)의 태우 형뎨를 취듕긔딕(推重期待)호미
비홀 딕 업던 빅어늘, 금야 망측혼 거죄 이
시나 윤상셰 디극 명달호디라. 엇디 태부인
말을 다 고디 드를 니 이시리오. 도로혀 태
우 형뎨의 신셰 위란호여, 참연(慘然)이 미
우를 삥긔고 왈,

"광텬의 걸츌혼 위인과 희텬의 명셩호미
슉모의 니르심과 크게 닉도호니, 됴항간(朝
行間)의 【8】 나면, 우흐로 텬즈와 아릭로
만됴 다 이경 칭복호미 되엿더니, 홀노 슉
모긔 효를 닐위디 못호미 실시녀외(實是慮
外)843)라. 금쟈(今者) 대변이 만고의 희한호
오니, 쇼딜이 목도호미 심신이 산비(散飛)호
믈 니긔디 못호오나, 결단호여 져히 샹시
(常時) 마음이 아니오니, 원 슉모는 냥딜의
만니 젼졍을 도라보샤 괴이혼 말슴을 마르
쇼셔."

태흥이 분분 대곡(大哭) 왈,

"현딜이 오히려 우슉의 말을 고디 듯디
아니니, 댱ᄎᆞᆺ 엇디호여 흉손 등의 죄를 다
스리리오. 마디 못호여 나의 가슴 상호믈
법부의 고호고, 그 죄상을 【9】 일일히 긔록
호여 셩상이 친찰(親察)호신 후, 만됴와 의
논호샤 죄늄을 뎡히 호시게 호리라."

윤상셰 뎡식 딕왈,

"슉모의 관인 셩덕으로 엇디 냥딜의게 다
드라 블근인졍(不近人情) 호시미 이딕도록
호시니잇고? 광ㆍ희 냥딜의 츌텬대효와 츌
인디힝(出人之行)이 셩쟈뉴풍(聖者遺風)이어
늘, 금야 거동은 블초패직(不肖悖子)라도 제
몸의 화를 스스로 취치 아니리니, 삼쳑동
(三尺童)다려 므러도 스스로 화를 취치 아

843)실시녀외(實是慮外) : 매우 뜻밖의 일임.

ᄋᆞ니로딕, 임의 긔이지 못ᄒᆞ여 흉손(凶孫)이
발검ᄒᆞ고 너 침젼의 돌입홈은 현딜과 셩딜
뷔 목도혼 빅라. 광텬의 흉완대역(凶頑大逆)
과 희텬의 간교요샤(奸巧妖邪)를 갓초 베플
니라."

인ᄒᆞ여, 틴우 형뎨의 아닌 말과 업슨 허
믈을 쥬작(做作)ᄒᆞ여, 졀졀이 함졍의 모라너
코져 ᄒᆞ는 흉심이 현져ᄒᆞ니, 윤가 문듕(門
中)의 틴우 형뎨를 취듕긔딕(推重期待)ᄒᆞ든
바여늘, 금야 망칙혼 거죄 잇시나, 윤상셰
지극 명달혼지라. 엇지 틴부인 말을 다 고
지 드를 니 잇시리오. 도로혀 틴우 형뎨의
신셰 위란【128】ᄒᆞ여, 참연(慘然)이 미우
를 삥긔고 왈,

"광텬의 걸츌혼 위인과 희텬의 명셩홈이
슉모의 이르심과 크게 닉도ᄒᆞ니, 됴당(朝堂)
의 나면 우흐로 텬즈와 아릭로 만죄 다 이
경 칭복홈이 되엿더니, 홀노 슉모긔 효를
이르지 못홈이 실시녀외(實是慮外)841)라.
금쟈(今者) 대변이 만고의 희한ᄒᆞ오니, 쇼
딜이 목도ᄒᆞ미 심신이 산비(散飛)홈을 이긔
지 못ᄒᆞ오나, 결단코 져히 샹(常)히 마음이
아니오니, 슉모는 냥딜의 만리 젼졍을 싱각
ᄒᆞ샤 괴이혼 말슴을 마르쇼셔."

틴흥이 분분이 곡(哭) 왈,

"현딜이 오히려 우슉의 말을 고지 듯지
ᄋᆞ니니, 쟝ᄎᆞᆺ 엇지ᄒᆞ여 흉손 등의 죄를 다
스리리오. 마지 못ᄒᆞ여 나의 가슴 상홈을
일일히 긔록ᄒᆞ여, 【129】 셩상이 친츌(親
察)ᄒᆞ신 후, 만죠와 의논ᄒᆞ샤 죄률(罪律)을
졍ᄒᆞ시게 ᄒᆞ리라."

윤상셰 졍식 딕왈,

"슉모의 관인 셩덕으로 엇지 냥딜의게 다
다라 블즈(不慈)ᄒᆞ심이 이딕도록 ᄒᆞ시니잇
고? 광ㆍ희 냥딜의 츌텬딕효와 츌인지힝(出
人之行)이 셩쟈유풍(聖者遺風)이어늘, 금에
거동은 블초픽직(不肖悖子)라도 졔 몸이
《활∥화》를 스스로 취치 ᄋᆞ니리니, 삼쳑
동즈(三尺童子)다려 무러도 스스로 화를 취

841)실시녀외(實是慮外) : 매우 뜻밖의 일임.

닐 거시오, 말좌(末座) 쳔비(賤婢)라도 광·희 등으로 일죄(一罪)를 아니리니, 지삼 싱각ᄒ쇼셔."

부인이 윤상셔를 【10】 괴로이 넉여 긔탄ᄒ미 이시나, 발셔 태우 형뎨를 죽이랴 ᄒ여시니, 엇디 드를 니 이시리오. 믄득 변식 답 왈,

"내 비록 어디디 못ᄒ나, 일즉 광텬 등을 거나리미 브즈(不慈)ᄒᆫ 일이 업거늘, 현딜이 엇디 이런 말을 ᄒᄂ뇨? 문운이 블힝ᄒ여 현이 됴소ᄒ고, 두 낫 손이 여ᄎ 패악ᄒ니 능히 추후 가도를 출히디 못ᄒ리니, 셰블냥닙(勢不兩立)844)이라. 노뫼 슬고 져희를 죽이랴 ᄒᄂ 거시 아니라, 그런 흉완ᄒᆫ 역손(逆孫)을 업시치 아냐ᄂ, 문호의 대화를 니르혀 화급종족(禍及宗族)845)ᄒ고 욕급조션(辱及祖先)846) ᄒ리니, 마디 못○○[ᄒ여] 【11】 젹은 ᄉ정을 버혀 큰 변을 졔방ᄒ리라."

윤공이 그 흉독ᄒᆫ 거동이 ᄌ긔 말이 효험이 업ᄉ믈 이돌나, 다시 슈작디 아니코 몸을 두로혀 외헌으로 나오니, 실듕(室中)에 쵹영(燭影)이 명멸(明滅)ᄒ고, ᄌ긔 이ᄌ와 참졍의 삼ᄌ로 더브러, 태우 형뎨 옷슬 닙은 지847) 누어 줌이 깁헛거늘, 상셰 더욱 놀나 발검(拔劍)ᄒ고 경희뎐의 드러온 지 필연 니미망냥(魑魅魍魎)이믈 씨다라, 친히 태우와 혹ᄉ 누은 ᄉ이의 누어, 각각 손을 잡고 참연 잔잉ᄒ미, 다 아득히 모로는 가온ᄃᆡ 대죄의 ᄲ져, 젼졍이 아모리 될 줄 아디 못ᄒ니, 위태부인의 흉 【12】 완극악ᄒ미 졀졀 통완ᄒ나, 일가 존항(尊行)을 엇디 쳐치ᄒ올 도리 이시리오. 속졀 업시 명쳔공의 됴셰ᄒ믈 슬허, 그 쳔금 이ᄌ(二子) 보젼키 어려오믈 탄돌ᄒ더니, 이윽고 태우와 혹ᄉ 씨여 슉부의 와시믈 보고 놀나, 일시의 삼

844)셰블냥닙(勢不兩立) : 형세나 형편이 둘이 동시에 따로 서거나 존재할 수 없음.
845)화급종족(禍及宗族) : 화가 종족에게 미침.
846)욕급조션(辱及祖先) : 욕이 조상에게 미침.
847)지 : 채. 이미 있는 상태 그대로 있다는 뜻을 나타내는 말.

치 ᄋ니ᄒ오리니, 말좌(末座) 쳔비(賤婢)라도 광·희 등으로 일죄(一罪)를 아니리니, 지삼 싱각ᄒ쇼셔."

부인이 윤상셔를 괴로이 넉여 긔탄홈이 잇시나, 발셔 《형우∥ᄐ우》 형뎨를 죽이랴 ᄒ엿시니, 엇지 드를 리 잇시리오. 믄득 변식 ᄃᆡ왈,

"닉 비록 어지지 못ᄒ나 일작 광텬 【130】 등을 거ᄂ리미 불온(不穩)ᄒ[ᄒ] 일이 업거늘, 현딜이 엇지 이런 말을 ᄒᄂ뇨? 문운이 블힝ᄒ여 현이 됴소ᄒ고, 두어 ᄂᆺ 손이 여ᄎ 픽악ᄒ니, 능히 추후 가도를 ᄎ리지 못ᄒ니 셰블냥닙(勢不兩立)842)이라. 그런 흉완(凶頑) 역손(逆孫)을 업시치 ᄋ냐ᄂ, 문호의 ᄃᆡ화를 이루여 화급종족(禍及宗族)843) ᄒ고 욕급조션(辱及祖先)844)ᄒ리니, 마지 못ᄒ여 젹은 ᄉ졍을 ᄇᆡ혀 큰 변을 졔방ᄒ리라."

윤공이 그 흉독ᄒᆫ 거동이 자긔 말이 효험이 업심을 ᄭᅵᄃ라, 다시 슈작지 ᄋ니코 몸을 두로혀 외헌으로 나오니, 실즁에 쵹영(燭影)이 명멸(明滅)ᄒ고, ᄌ긔 이ᄌ와 참졍의 삼ᄌ로 더부러, ᄐ우 형뎨 옷슬 닙은 치845) 누어 잠이 드럿거늘, 상셰 더욱 놀나, 발 【131】 검ᄒ고 경희뎐의 드러온 지 필연 니미망냥(魑魅魍魎)임을 ᄭᅵᄃ러, 친히 ᄐ우와 혹ᄉ 누은 ᄉ이의 누어, 각각 손을 잡고 참연 잔잉홈이, 다 아득히 모로는 가온ᄃᆡ 대죄의 ᄲ져, 젼○[졍(正)]이 아모리 될 줄 아지 못ᄒ니, 위틱부인의 흉완극악을 졀졀 통완ᄒ나, 일가 존항(尊行을 엇지 쳐치ᄒ올 도리 잇스리오. 속졀 업시 명쳔공의 됴셰홈을 스러, 그 쳔금 이ᄌ(二子) 《본존∥보젼》ᄒ기 어려옴을 탄돌ᄒ여 ᄒ더니, 이윽고 ᄐ우와 혹ᄉ ᄭᅵᆺ여 슉부의 왓심을 보

842)셰블냥닙(勢不兩立) : 형세나 형편이 둘이 동시에 따로 서거나 존재할 수 없음.
843)화급종족(禍及宗族) : 화가 종족에게 미침.
844)욕급조션(辱及祖先) : 욕이 조상에게 미침.
845)치 : 채. 이미 있는 상태 그대로 있다는 뜻을 나타내는 말.

종(三從)848) 등을 씌오며 의듸(衣帶)를 어로만져 니러 안즈, 고 왈,

"슉뷔 어나 쩌의 오셧관듸 쇼딜 등을 씌오디 아니시고, 침금을 베프디 아닌 곳의 헐슉ㅎ시나니잇고?"

상셰 눈을 드러 냥인을 슬피니, 쇄락한 풍도와 동탕흔 신칙, 양뉴(楊柳)의 고은 거슬 능만(凌慢)ㅎ고, 니빅(李白)의 호풍(豪風)을 묘시(藐視)ㅎ리니, 태우의 하【13】일디위(夏日之威)849)와 튱텬댱긔(衝天壯氣) 스이(四夷)850)를 딘복(鎭服)홀 덕화와 일셰를 혼일(混一)홀 위풍이어늘, 흑스의 셩덕 도힝이 외모의 낫타나, 어딘 거시 무한ㅎ여 됴코, 놉흔 거동이 도로혀 셰틱 딘쇽(塵俗)의 버셔나 슈한의 희로올가 넘녀로온 바의, 강샹대변(綱常大變)을 몸 우히 므릅뻐 스싱을 뎡치 못ㅎ니, 상셰 냥인을 앗기고 슬허ㅎ미 간졀ㅎ여, 믄득 눈물을 나리오고, 기리 탄 왈,

"너희 망극흔 죄과(罪科)의 쩐져시딕 어이 져굿치 안연ㅎ여 잠이 깁고, 신상 참화를 싱각디 못ㅎ느뇨? 츠호셕지(嗟乎惜哉)라! 명쳔 션형댱(先兄丈)이 계시면 엇디 너의 집 변난【14】이 이딕도록 ㅎ리오."

태우 형뎨 좌를 써나, 굴오딕,

"쇼딜 등이 우미(愚迷)ㅎ와 슉부의 니르시난 바 곡졀을 아디 못ㅎ오니, 슉부는 붉히 가르치쇼셔."

공이 댱탄 냥구의 앗가851) 변고와 태부인 상체 놀나오믈 니르니, 태우와 흑시 대경 츠악ㅎ여 눈믈을 먹음고 왈,

"쇼딜 등이 텬디간 둘 업슨 불효죄인이라. 감히 슉부긔 뵈올 낫치 업도소이다."

언필의 창황이 몸을 니러, 닉루의 드러가

고 놀나, 일시의 삼종(三從)846) 등을 끼오며 의딕(衣帶)를 어로만져, 니러 안즈 고왈,

"슉뷔 어나 쩌의 오셧관딕 쇼딜 등을 끼오지 아니시고 침금을 베푸지 아닌 곳의 헐슉ㅎ시느니잇【132】고?"

상셰 눈을 드러 냥인을 슬피니 쇄락한 풍도와 동탕흔 신칙 양뉴(楊柳)의 고은 거슬 능만(凌慢)ㅎ리니, 니빅(李白)의 호풍(豪風)을 묘시(藐視)ㅎ니, 틱우의 하일지위(夏日之威)847)와 츙텬댱긔(衝天壯氣) 스이(四夷)848)를 《지복∥진복(鎭服)》홀 덕화와 일셰를 혼일(混一)홀 위풍이어늘, 흑스의 셩덕 도힝이 외모의 나트나, 어짐이 무한ㅎ여 됴고[코] 놉흔 거동이 도로혀 셰틱(世態) 《지쇽∥진쇽(塵俗)》의 버셔나 슈한의 희로올가 ㅎ온 바잇, 강샹대변(綱常大變)을 몸 우,의 므릅셔 스싱을 졍치 못ㅎ니, 상셰 냥인을 앗기고 스러홈이 간졀ㅎ여, 믄둣 눈믈을 나리오고 기리 탄왈,

"너희 망측흔 죄과(罪科)의 쩐졋시딕 어이 져굿치 안연ㅎ여 잠이 깁고, 신샹 참화를 싱각지 못ㅎ나뇨? 츠호셕지(嗟乎惜哉)라! 명【133】쳔 션형(先兄)이 계시면 엇지 너의 집 변란이 이딕도록 ㅎ리오."

틱우는 곤계 좌를 써나 왈,

"쇼딜이 우미(愚迷)ㅎ와 슉부의 이르시난 바 곡졀을 아지 못ㅎ니, 슉부는 붉히 가르치쇼셔."

공이 장탄 냥구의 앗가849) 변고와 틱부인 상체 놀나옴을 이르니, 틱우와 흑시 대경 츠악ㅎ여, 눈믈을 뎡[먹]음어 왈,

"쇼딜 등이 텬지간 둘 업슨 불효죄인이라. 감히 슉부긔 뵈올 낫치 업도소이다."

언필의 창황이 몸을 이러, 닉루의 드러가

---

848)삼종(三從) : 삼종(三從) 곧 8촌 형제들.
849)하일디위(夏日之威) : '여름날의 해와 같은 위엄'이라는 뜻으로, 위엄이 높은 것을 비유적으로 이르는 말.
850)스이(四夷) : 사방의 오랑캐. 예전에, 중국인들이 사방에 있던 동이(東夷), 서융(西戎), 남만(南蠻), 북적(北狄)을 통틀어 이르던 말.
851)앗가 : 아까. 조금 전.

846)삼종(三從) : 삼종(三從) 곧 8촌 형제들.
847)하일지위(夏日之威) : '여름날의 해와 같은 위엄'이라는 뜻으로, 위엄이 높은 것을 비유적으로 이르는 말.
848)스이(四夷) : 사방의 오랑캐. 예전에, 중국인들이 사방에 있던 동이(東夷), 서융(西戎), 남만(南蠻), 북적(北狄)을 통틀어 이르던 말.
849)앗가 : 아까. 조금 전.

경희뎐 당하의 흔 닙 거젹을 닛그러 관영
(冠纓)852)을 히탈ᄒ고 죄를 청ᄒ니, 태부인
이 냥손의 대죄ᄒᄆᆯ 듯고 팔흘 쏩늬며 니
【15】를 가라 대미(大罵) 왈,

"내 엇디 져의 원슈들을 스스로이 다스리
리오. 의법(依法) 고장(告狀)ᄒ여 법늘노 죽
이리라."

이의 뉴시ᄃ려,

"소디(所志)853)를 뼛다가, 붉거든 형부의
가 졍(呈)ᄒ라."

ᄒ니, 뉴시 셩부인 보ᄂᆫ 디 거줏 어딘 쳬
ᄒ여, 즈딜을 졍당(呈狀)ᄒᆷ이 어려오믈 일ᄏ
라 비식을 디으니, 위흉이 그 뜻을 디긔ᄒ
고 스스로 일봉(一封) 샹언(上言)을 올녀,
텬문의 결ᄉ(決事)를 기다리려 ᄒᆯ식, 위흉은
샹언을 셩편(成篇)ᄒᆯ 문지 업스나, 뉴시ᄂᆫ
공교흔 지조를 가져 박고통금(博古通今) ᄒ
미 잇ᄂᆫᄃᆡ라. 위흉이 샹언ᄉ(上言事)를 므르
니 뉴시 낫낫치 〇[말]ᄒᄃᆡ, 셩부인 보ᄂᆫ
ᄃᆡᄂᆫ 위태부【16】인이 디어 쓰ᄂᆫ 쳬ᄒ니,
셩부인은 뉴녀의 만악을 치 아디 못ᄒᄂᆫᄃᆡ
라. 태흉이 쓰기를 맛ᄎᆞᄆᆡ, 죵딜 태흑ᄉ 위
헌의게 보늬여 밧쳐 달나 ᄒ니, 위 튝(畜)854)
은 쇼인의 무리라. 태우 등을 연〇
[고] 업시 믜워ᄒ더니, 위흉의 샹언을 보고
ᄀᆞ장 무던이 넉여, 일시를 디쳬치 아니ᄒ고
텬문의 올니니, 초일 황애 됴회를 파ᄒ시고
구듕(九重)855)이 죵용ᄒᄆᆯ 타 어람ᄒ시니,
샤의(辭意) 흉참흔디라. 소(訴)의 왈,

"신쳡 위시ᄂᆫ 션됴 태ᄌᆞ태부 젼쥐후 윤모
의 직실이오, 교디참졍 윤슈의 모오, 젼 니
부샹셔 홍문관 태흑ᄉ 윤현의【17】의뫼(義
母)니, 현이 빅힝이 졍슉ᄒ고 효의 츌텬ᄒ
와, 신쳡을 셤기미 친ᄌᆞ의 더으미 이시니,
신후(身後)를 다 현의게 맛습더니, 블힝ᄒ와

――――――――――
852)관영(冠纓) : 관(冠)의 끈. =관끈.
853)소디(所志) : 예전에, 청원이 있을 때에 관아에
　　내던 서면.
854)튝(畜) : 축생(畜生). 사람답지 못한 짓을 하는
　　사람을 낮잡아 이르는 말.
855)구듕(九重) : 구중궁궐(九重宮闕)의 줄임말.

경희뎐 당하의 흔 입 거젹을 닛그러 관영
(冠纓)850)을 히탈ᄒ고 죄를 청ᄒ니, 틱부인
이 냥손의 듸죄흠을 듯고, 팔을 쏩늬며 이
를 가라 대미(大罵) 왈,

"내 엇지 져의 원슈들을 스스로이 다스리
리오. 의법(依法) 고장(告狀)ᄒ여 법늘노 죽
【134】이리라."

이의 뉴시ᄃ려,

"소디(所志)851)를 뼛다가, 붉거든 형부의
가 졍(呈)ᄒ라."

뉴시 셩부인 보ᄂᆫ 디 거줏 어진 쳬ᄒ여,
즈딜을 졍장(呈狀)ᄒᆷ이 어려움을 일ᄏ라 비
식을 지으셔[니], 〇…결락13자…〇[위흉이
그 뜻을 디긔ᄒ고 스스로] 일봉(一封) 샹언
(上言)을 올녀, 텬문의 결ᄉ(決事)를 기드릴
식, 위흉은 샹언을 셩편(成篇)ᄒᆯ 문지 업스
나, 뉴시ᄂᆫ 공교흔 지조를 가져, 박고통금
(博古通今)흠이 잇ᄂᆞᆫ지라. 위흉이 샹언ᄉ(上
言事)를 무르니, 뉴시 낫낫치 말ᄒᄃᆡ, 셩부
인 보ᄂᆫ 디ᄂᆫ 위틱부인이 지어 쓰ᄂᆫ 쳬ᄒ
니, 셩부인은 뉴녀의 만악을 치 아지 못ᄒ
ᄂᆞᆫ지라. 틱흉이 쓰기를 맛치미, 죵딜 틱학ᄉ
위헌의게 보늬여 샹언을 부쳐 달나 ᄒ니,
위 튝(畜)852)은 쇼인의 무리라. 틱우 등을
연[고] 업시 믜워ᄒ더니, 위흉의 샹언을
【135】 보고 가장 무던이 넉여 지쳬치 아
니ᄒ고 텬폐(天陛)의 올니니, 초일 황애 죠
회를 파ᄒ시고 구즁(九重)853)이 죵용홈을
타 어람ᄒ시니, ᄉ의(辭意) 흉참흔지라. 소
(訴)의 왈,

"신쳡 위시ᄂᆫ 션됴 틱ᄌᆞ틱부 져쥬후 윤모
의 직실이오, 교지참졍 윤슈의 모오, 젼 니
부샹셔 홍문관 틱흑ᄉ 윤현의 의뫼(義母)니,
현이 빅힝이 졍슉ᄒ고 효의 츌텬ᄒ와, 쳡을
셤기미 친ᄌᆞ의 더음이 잇스니, 신후(身後)를
다 현의게 맛습더니, 블힝ᄒ와 금국의 가

――――――――――
850)관영(冠纓) : 관(冠)의 끈. =관끈.
851)소디(所志) : 예전에, 청원이 있을 때에 관아에
　　내던 서면.
852)튝(畜) : 축생(畜生). 사람답지 못한 짓을 하는
　　사람을 낮잡아 이르는 말.
853)구듕(九重) : 구중궁궐(九重宮闕)의 줄임말.

금국의 가 죽습고, 두 낫 골육을 깃쳐 유복
즈(遺腹子)를 나흐니 광텬 희텬이라. 작인이
용우치 아냐 현의 인효를 니을가 길녀, 십
셰 넘으미 닙신(立身) 취쳐(娶妻)ᄒ오니, 신
쳡의 바라는 졍인즉 친싱의 더흐와, 조종듕
탁(祖宗重託)과 싱젼(生前) 의디(依支)를 겸
ᄒ와, 풍한(風寒)을 다 넘녀ᄒ오듸, 광텬 형
뎨는 쇼싱 즈손이 아니믈 언언이 일ᄏ라 신
쳡을 힝노(行路)ᄀᆞᆺ치 쳔듸ᄒ니, 가변이 추악
ᄒ와 광텬의 어미 조【18】시 음분 도쥬ᄒ
오니, 광텬 등이 일분 인심이 이실듼디 스
스로 죽디 못ᄒ오나, 언연이 옥당(玉堂) 한
원(翰苑)의 거ᄒ와 즈포오ᄉ(紫袍烏紗)⁸⁵⁶⁾
로 됴항(朝行)의 츌입ᄒ오며, 어미 음분 도
쥬ᄒ듸 붓그러오며 슬프믈 아디 못ᄒ여, 벼
슬을 탐ᄒ고 국녹을 도젹ᄒ여, 어믜 거쳐
ᄎᆞ즐 줄 싱각ᄒ오미 업ᄉ오니, 신쳡이 져히
형뎨를 듸ᄒ와 딘졍으로 쳥문(淸門)의 히이
(解弛)흠과 남이 붓그러오믈 닐너, 벼슬을
바리고 어미를 ᄎᆞᄌ 보라 ᄒ온즉, 니르는
말을 홍모(鴻毛)ᄀᆞᆺ치 넉이고, 졔 어미 음분
도쥬ᄒ믈 분명이 알믈 분완ᄒ여, 신쳡을 믜
워ᄒ미 원슈로 디졈(指點)【19】ᄒ기의 밋
쳣ᄉ오나, 오히려 쉬 잇는 쩌의는 방즈히
죽일 의ᄉ를 아니ᄒ더니, 쉬 교디로 나아가
미 광텬 등이 신쳡을 온 가디로 히코져 ᄒ
듸, 신쳡이 쇠의 쎤디디 아니ᄒ오니, 졈졈
원입골슈(怨入骨髓)ᄒ여 반야(半夜)의 형뎨
칼흘 ᄭᅵ고 신쳡의 곳의 드러와 죽이랴 ᄒ더
니, 연국 교유ᄉ 윤한의 쳐 셩시 맛춤 일실
의셔 밤을 디니고, 상셔 윤단이 광텬 등의
작변을 알고 급히 드러 오오니, 광텬 등이
밋쳐 햐슈(下手)치 못ᄒ여 가슴만 상히오고
믈너나오니, 신쳡이 윤단 슈슉(嫂叔)의 구ᄒ
믈 닙ᄉ와 면화(免禍)ᄒ온디라. 인졍이 엇디
ᄎᆞ마 져를 ᄉᄃᆡ의 보늬리잇【20】고마는,
광텬·희텬의 위인이 극악 흉험ᄒ며, 외람
참월ᄒ여 맛춤늬 길샹(吉相)이 업습○[ᄂᆞᆫ]

죽고, 두 낫 골육을 ᄭᅵ쳐 유복즈(遺腹子)를
나으니 광텬 희텬이라. 작인이 용우치 아냐
{광}현의 인효를 이을가 길녀, 십셰 넘으미
닙신(立身) 취쳐(娶妻)ᄒ오니, 신쳡의 바라
는 졍인즉 친싱의 더흐와, 됴종즁탁(祖宗重
託)과 싱젼(生前)【136】 의시(依支)를 겸
ᄒ와, 풍한(風寒) 셔열(暑熱)을 다 넘녀ᄒ듸,
광텬 형뎨는 쇼싱 즈손○[이] 아님을 언언
이 일ᄏ라 신쳡을 힝노(行路) 거치 쳔듸ᄒ
니, 가변이 추악ᄒ와 광텬의 어미 음분 도
쥬ᄒ오니, 광텬의 형뎨 일분 넘녀 잇실진듸
스스로 죽지 못ᄒ오나, 언연이 옥당(玉堂)
한원(翰苑)의 거ᄒ와 즈포오ᄉ(紫袍烏
紗)⁸⁵⁴⁾로 됴항(朝行)의 츌입ᄒ며, 어미 음분
도쥬를 붓그리오며 슬품을 아지 못ᄒ여, 벼
슬을 탐ᄒ고 국녹을 도젹ᄒ여, 어믜 거쳐
ᄎᆞ질 싱각을 아니ᄒ니, 신쳡이 져히 형뎨를
듸ᄒ와 진졍으로 쳥문(淸門)의 히이(解弛)흠
과 남이 붓그러음을 일너, 벼슬을 ᄇᆞ리고
어미를 ᄎᆞᄌ ᄇᆞ라 ᄒ온즉, 일오는 말을 홍
모(鴻毛)ᄀᆞᆺ치 넉이고, 졔 어미 음분 도쥬흠
을 분명이 알【137】믈 분완ᄒ여, 신쳡을
믜워흠이 원슈로 지졈(指點)ᄒ기의 미쳣ᄉ
오나, 쉬 잇는 쩌의는 방즈히 죽일 의ᄉ를
아니ᄒ더니, 쉬 교디로 나아가미 광텬 등이
신쳡을 온 가지로 히코져 ᄒ듸, 신쳡이 쇠
의 쎤지지 아니ᄒ오니, 졈졈 원입골슈(怨入
骨髓)ᄒ여 반야(半夜)의 형뎨 칼을 ᄭᅵ고 신
의 곳의 드러와 죽이랴 ᄒ더니, 연국 교유
ᄉ 윤헌[한]의 쳐 셩시 마춤 일실의셔 밤을
지니고, 상셔 윤단이 광텬 등의 작변을 알
고 급히 드러오오니, 광텬 등이 미쳐 햐슈(下
手)치 못ᄒ여 가슴만 상히오고 물너ᄂᆞ오니,
신쳡이 윤단 슈슉(嫂叔)의 구흠을 입어 면
화(免禍)ᄒ온지라. 인졍이 엇지 ᄎᆞ마 져를
ᄉᄃᆡ의 보늬리잇고마는, 《당당이텬‖광텬
·희텬》의 위인이 극악 흉험ᄒ며, 《외양
이참‖외람 참월》【138】ᄒ여 길샹(吉相)

856)즈포오ᄉ(紫袍烏紗) : 자줏빛 도포와 검은 사(紗)
로 만든 모자를 함께 이르는 말로, 조선 시대 벼
슬아치들의 관복과 모자.

854)즈포오ᄉ(紫袍烏紗) : 자줏빛 도포와 검은 사(紗)
로 만든 모자를 함께 이르는 말로, 조선 시대 벼
슬아치들의 관복과 모자.

디라. 집의 난ᄌᆡ(亂子) 되고 국가의 ᄐᆞᆼ이 이실 줄 아디 못ᄒᆞᄋᆞᆸᄂᆞᆫ ᄇᆡ라. 광텬은 더옥 음황 패려ᄒᆞ여 ᄒᆞᆫ 일도 삼가미 업고, 노쳡(老妾)으로○○[브터] 가ᄂᆡ를 다 호령ᄒᆞ며, 찬션을 고찰ᄒᆞ여 죵일 대츄ᄒᆞ고, 미녀를 ᄡᆞᆼᄡᆞᆼ이 모화 쳥가묘무(淸歌妙舞)[857]로 날을 보ᄂᆡ고, 누대 봉ᄉᆞ를 근심치 아니며, 노비 젼답을 졔졔히 파라 미녀의 의식을 삼고, 졔 아비 죽은 날 신쳡이 통박ᄒᆞᆫ ᄉᆞ졍을 니긔디 못ᄒᆞ여 냑간 졔젼(祭奠)[858]을 슉셜(熟設)[859]ᄒᆞᆫ즉, 광텬이 밋쳐 졔(祭)도 파치 아냐셔 도덕ᄒᆞ【21】여 포복ᄒᆞ기를 요구ᄒᆞ오니, 딘실노 ᄇᆡᆨ힝이 무일가관(無一可觀)이라. 이졔 신쳡이 디극 통박ᄒᆞ온 고로, 만만 브득이 셰쇄ᄒᆞᆫ 소회를 텬문의 번득ᄒᆞ오미, ᄯᅩᄒᆞᆫ ᄉᆞ죄를 당ᄒᆞᆯ 거시로ᄃᆡ, 임의 ᄒᆞᆼ화를 근심ᄒᆞ여 문호를 보젼코져 ᄒᆞ므로, 광텬 등의 죄상을 만의 ᄒᆞ나흘 긔록ᄒᆞ여 알외ᄋᆞᆸᄂᆞ니, 본증(本證)이 상셔 윤단이오, 가ᄂᆡ 비복이 ᄯᅩᄒᆞᆫ 광텬 등의 발검 돌입ᄒᆞ와 욕살조모(慾殺祖母)[860] ᄒᆞ려 ᄒᆞ던 바를 보앗ᄉᆞ오니, 잡혀 므르시면 딘뎍ᄒᆞ믈 아르실 거시오, 버거 신의 상쳐를 상고ᄒᆞ이실딘ᄃᆡ, 광텬의 무상ᄒᆞ믈 더옥 아르실디라. 신쳡이 냥【22】손(兩孫)을 ᄒᆡᄒᆞᄂᆞᆫ 사ᄅᆞᆷ이 되여 엇디 살고져 ᄯᅳᆺ이 이시리잇고? 텬문의 결ᄉᆞ를 기다려 난손(亂孫)의 죄를 뎡히 ᄒᆞ여 후환을 업시 ᄒᆞ고, 신쳡이 스ᄉᆞ로 죽기를 긔약ᄒᆞᄂᆞ이다."

ᄒᆞ엿더라.

샹이 미급어람필(未及御覽畢)[861]의 ᄎᆞ악ᄒᆞ믈 니긔디 못ᄒᆞ샤, 형부 상셔 소규를 명초ᄒᆞ시니, 소상셰 즉시 됴현ᄒᆞ온ᄃᆡ, 샹이 위시의 샹언(上言)을 주시며, ᄀᆞᆯ오ᄃᆡ,

"경은 명달(明達)ᄒᆞ여 발간뎍복(發奸摘

857)쳥가묘무(淸歌妙舞) : 맑은 노래와 교묘하게 잘 추는 춤.
858)졔젼(제전) : 제사를 지냄. 또는 제사 음식을 차리는 일.
859)슉셜(熟設) : 잔치와 같은 큰일이 있을 때에 음식을 만들어 차림.
860)욕살조모(慾殺祖母) : 조모를 죽이려 함.
861)미급어람필(未及御覽畢) : 어람(御覽)하기를 마치지 못하여서.

이 업ᄉᆞᆫ지라. 집○[의] 난ᄌᆡ(亂子)오, 국가의 ᄎᆞᆼ이 이실 쥴 아지 못ᄒᆞᄂᆞᆫ ᄇᆡ라. 광텬은 더옥 음황 ᄑᆡ려ᄒᆞ여 ᄒᆞᆫ 일도 삼감이 업고, 노쳡(老妾)으로부터 가ᄂᆡ를 다 호령ᄒᆞ며, 찬션을 고찰ᄒᆞ여 죵일 ᄃᆡ츄ᄒᆞ고, 미녀를 모화 ᄡᆞᆼᄡᆞᆼ이 쳥가묘무(淸歌妙舞)[855]로 ᄂᆞᆯ을 보ᄂᆡ고, 누ᄃᆡ 봉ᄉᆞ를 근심치 ᄋᆞ니며, 노비 젼답을 세세이 파라 미녀의 의식을 ᄉᆞᆷ고, 졔 아비 쥭은 ᄂᆞᆯ 신쳡이 통박ᄒᆞᆫ ᄉᆞ졍을 이긔지 못ᄒᆞ여 약간 졔젼(祭奠)[856]을 슉셜(熟設)[857]ᄒᆞᆫ즉, 광텬이 미쳐 제(祭)도 파치 아냐셔 도덕ᄒᆞ여 포복ᄒᆞ기를 요구ᄒᆞ오니, ᄇᆡᆨ힝이 무일가관(無一可觀)이라. 이제 신쳡이 지극 통박ᄒᆞ온 고로, 부득이 세쇄ᄒᆞᆫ 소회를 텬폐(天陛)의 번득ᄒᆞ옴이 ᄯᅩᄒᆞᆫ【139】 ᄉᆞ죄를 당ᄒᆞᆯ 거시로ᄃᆡ, 임의 ᄒᆞᆼ화를 근심ᄒᆞ여 문호를 보젼코져 ᄒᆞᆷ으로, 광텬 등의 죄상을 만의 ᄒᆞ나흘 긔록ᄒᆞ여 알외ᄋᆞᆸᄂᆞ니, 본증(本證)이 상셔 윤담[단]이오, 가ᄂᆡ 비복이 ᄯᅩᄒᆞᆫ 광텬 등 발검 돌입ᄒᆞ와 욕ᄉᆞᆯ조모(慾殺祖母)[858] ᄒᆞ려 ᄒᆞ든 바를 보앗ᄉᆞ오니, 잡혀 므로시면 진뎍○[ᄒᆞᆷ]을 아그실 거시오, 버거 신의 상쳐를 상고ᄒᆞ실진ᄃᆡ, 광텬의 무상ᄒᆞᆷ을 더옥 아르실지라. 신쳡이 냥손(兩孫)을 ᄒᆡᄒᆞᄂᆞᆫ ᄉᆞᄅᆞᆷ이 되여 엇지 ᄉᆞᆯ고져 ᄯᅳᆺ지 잇시리오. 텬문의 결ᄉᆞ를 기ᄃᆞ려 난손(亂孫)의 죄를 졍히 ᄒᆞ여 후환을 업시 ᄒᆞ고, 신이 스ᄉᆞ로 쥭기를 긔약ᄒᆞᄂᆞ이다."

ᄒᆞ엿더라.

샹이 미급람필(未及覽畢)[859]의 ᄎᆞ악ᄒᆞᆷ을 이긔지 못ᄒᆞ샤, 형부 상셔 소규【140】를 명초ᄒᆞ시니, 소상셰 즉시 됴현ᄒᆞ온ᄃᆡ, 상이 위시의 샹언(上言)을 주시며 가ᄅᆞᄉᆞᄃᆡ,

"경은 명달(明達)ᄒᆞ여 발간젹복(發奸摘

855)쳥가묘무(淸歌妙舞) : 맑은 노래와 교묘하게 잘 추는 춤.
856)졔젼(제전) : 제사를 지냄. 또는 제사 음식을 차리는 일.
857)슉셜(熟設) : 잔치와 같은 큰일이 있을 때에 음식을 만들어 차림.
858)욕살조모(慾殺祖母) : 조모를 죽이려 함.
859)미급어람필(未及御覽畢) : 읽기를 다 마치지 못하여서.

伏)862)이 신명(神明)ᄒᆞ믈 아ᄂᆞ니, 윤가 변괴 쳔고의 드믄디라. 경이 맛당이 윤가 시비를 잡아 므러 딘가를 ᄌᆞ셔히 힉실(覈實)ᄒᆞ면, 딤이 ᄌᆞ연 결단ᄒᆞ려니와, 윤광텬 등【23】의 긔특ᄒᆞ므로뼈 여ᄎᆞ 죄루의 ᄲᅢ디믄 실노 참담ᄒᆞᆫ디라. 어이 놀납디 아니리오."

소 형뷔(刑部) 위시의 샹언을 보고 ᄯᅩᄒᆞᆫ 대경ᄒᆞ여, 윤태우 곤계를 앗가이 맛ᄎᆞ믈 ᄎᆞ셕홀 ᄲᅮᆫ아니라, 윤가 시비를 잡아 므르나 윤태우 등을 ᄯᅳᆺᄀᆞᆺ치 신빅(伸白)863)기 어려오믈 알고, 이의 쥬 왈,

"신이 형부의 가 윤가 시비를 잡아 뭇ᄌᆞ오려니와, 신의 소견이온즉 위녀와 광텬 등을 궐졍의 잡히샤 조손을 디면(對面) 딜뎡(質正)케 ᄒᆞ시면, 이 ᄀ온디 ᄌᆞ연이 현우션악(賢愚善惡)을 셩샹의 일월디명(日月之明)으로뼈 술피샤미 소연(昭然)ᄒᆞ올가 ᄒᆞᄂᆞ이다."

샹이 의윤ᄒᆞ샤, 몬져 윤부 시【24】비를 잡혀 므르라 ᄒᆞ시고, 명일 윤태우 조손을 므르랴 ᄒᆞ시더라.

소형뷔 마을의 나와 관칙(官差)864)를 발ᄒᆞ여 윤가 시비를 다 잡아 오라 ᄒᆞ니, 이 둥의 윤참졍 부듕 시녀 ᄉᆞ오인이 다 잡혀, 셰월 비영 등과 ᄒᆞᆫ가디로 형부의 나아가미, 소형뷔 태우 형뎨의 발검 돌입ᄒᆞ여 태부인 디르려 ᄒᆞᆫ 일이 뎍실ᄒᆞᆫ가 므르며, 샹시 효ᄒᆡᆼ을 므르니, 셩부인 시녀 ᄉᆞ오인과 윤부 시녜, 태우와 혹시 다 칼흘 들고 경희뎐의 드러 와 태부인을 디르려 ᄒᆞ다가, 윤샹셰 드러 오미 가슴만 샹희오고 나가며, 항샹 효ᄒᆡᆼ인즉 남다르던 바를 일【25】ᄏᆞ라, 금번 시 귀신의 회롱이믈 고ᄒᆞᄂᆞᆫ 뉴도 이시니, 소형뷔 즉시 윤샹셔 부듕 시녀ᄂᆞᆫ 노코, 윤부 비ᄌᆞ를 엄형 츄문코져 ᄒᆞᆫ디, 져마다 슬피 비러 왈,

---

伏)860)이 신명(神明)홈을 ᄋᆞᄂᆞ니, 윤가 변괴 쳔고의 드믄지라. 경이 맛당이 윤가 시비를 즙아 무러 진가를 ᄌᆞ셔이 힉실(覈實)ᄒᆞ면, 짐이 ᄌᆞ연 결단ᄒᆞ려니와, 윤광텬 등의 긔특홈으로뼈 ○○[여ᄎᆞ] 죄루의 ᄲᅢ짐은 실노 참담ᄒᆞ지라. 어이 놀납지 ᄋᆞ니리오."

소 형뷔(刑部) 위시의 샹언을 보고 ᄯᅩᄒᆞᆫ 대경ᄒᆞ여 윤틔우 곤계를 {보미}《앗기어‖앗가이》 마침을 ᄎᆞ셕홀 ᄲᅮᆫ[ᄲᅮᆫ] 아니라, 윤가 시비를 즙아 무르나, ᄯᅳᆺ가치 윤틔우 등의[을] 신빅(伸白)861)기 어려움을 알고 이의 쥬왈,

"신이 형부의 가 윤가 시비를 잡아 뭇ᄌᆞ오려니와, 신의 소【141】견이온즉 위녀와 광텬 등을 궐졍의 즙히ᄉ 조손을 디면(對面) 질문(質問)케 ᄒᆞ시면, 이 ᄀ온디 ᄌᆞ연이 현우션악(賢愚善惡)을 셩쥬의 일월지명(日月之明)으로뼈 살피심이 소연(昭然)ᄒᆞ올가 ᄒᆞᄂᆞ이다."

샹이 《외을뫼을‖의윤》ᄒᆞ샤, 먼져 윤부 시비○[를] 잡혀 무르라 ᄒᆞ시고, 명일 윤틔우 조손을 무르랴 ᄒᆞ시더라.

소형뷔 마을의 ᄂᆞ와 관칙(官差)862)를 발ᄒᆞ여 윤가 시녀를 다 즙아 오라 ᄒᆞ니, 이 즁의 윤참졍 부듕 시녀 ᄉᆞ오인이 다 잡혀, 셰월 비영 등과 ᄒᆞᆫ가지로 형부의 나ᄋᆞ가미, 소형뷔 틔우 형뎨의 발검 돌입ᄒᆞ여 틔부인 지르려 홈이 젹실ᄒᆞᆫ가 무르며, 샹시(常時) 효ᄒᆡᆼ을 므르니, 셩부인 시녀 ᄉᆞ오인과 윤부 시녜, 틔우와 혹시【142】다 칼을 들고 경희견의 드러와, 틔부인을 지르려 ᄒᆞ다가, 윤샹셰 드러 오기로 가삼만 샹희오고 나가며, 항샹 효ᄒᆡᆼ인즉 남다르던 바를 일카라, 금번 시(事) 귀신의 회롱임을 고ᄒᆞᄂᆞᆫ 뉴도 잇스니, 소형뷔 즉시 윤샹셔 부즁 시녀는 노코 윤부 비ᄌᆞ를 엄형 츄문ᄒᆞᆫ디, 져마다 스리863) 비러 왈,

---

862)발간뎍복(發奸摘伏) : 숨겨져 있는 정당하지 못한 일을 밝혀냄.
863)신빅(伸白) : 무죄를 밝히다.
864)관칙(官差) : 관아에서 파견하던 군뢰(軍牢), 사령(使令) 따위의 아전

860)발간뎍복(發奸摘伏) : 숨겨져 있는 정당하지 못한 일을 밝혀냄.
861)신빅(伸白) : 무죄를 밝히다.
862)관칙(官差) : 관아에서 파견하던 군뢰(軍牢), 사령(使令) 따위의 아전

"쳔쳡 등이 허언을 알월 일이 업고, 태우와 흑시 칼흘 빗기고 나가시던 바는 윤상셔 노애 친견ᄒ신 비니, 텬졍의 인견ᄒ샤 딘가를 힉실(覈實)ᄒ시고, 쳔비 등의 무죄ᄒᄆᆯ 슬피쇼셔."

소공이 원간 형벌노 사ᄅᆷ 져주믈 깃거 아닛는 고로, 윤부 시녀 등을 다 노화 보ᄂᆡ고 소유를 주달ᄒ여,

"윤단을 인견 하문ᄒ시고 광텬의 조손을 일쳐의 취변(取辯)865)ᄒ쇼셔."

샹이 태우 형뎨의 이미ᄒᄆᆯ 뭇【26】디 아냐 아르시나, 그 죄명인즉 흉참ᄒ 고로, 이 날 즉시 하교(下敎)ᄒ샤 윤태우 형뎨를 하옥ᄒ라 ᄒ시니, 이는 그 조손을 면딜(面質)ᄒ려 ᄒ시므로, 태우 등을 하옥디 아냐셔는 죽기를 그음ᄒ여866) 그 한미를 궐졍의 드려 보ᄂᆡ디 아니ᄒᆯ디라. 짐ᄌᆞᆺ 태우 형뎨를 가도시미러라.

윤태우 형뎨 경희던 당하의 셕고대죄(席藁待罪)ᄒ여 가변의 망측ᄒᄆᆯ 죽어 모로고져 ᄒ더니, 하옥ᄒ라 ᄒ시미, 즉시 금의부(禁義府)867)로 나아갈시, 태흥의게 하딕ᄒ딕 본 체 아니코 졀박히 죽기를 죄올 ᄲᆞᆫ이라. 태위 블의예 취리(就理)868)ᄒᆞ미, 졔명뉴(諸名流) 모로다가 날【27】이 져믄 후셔로 젼ᄒ여 알고, 금의부 밧긔 가 셔로 티위(致慰)ᄒ니, 윤태우 곤계 답언이 도아나디869) 아냐, 다만 셩히 모다 누인(陋人)을 ᄆᆞ르믈 ᄉᆞ샤ᄒ더라.

명됴의 황샹이 됴회를 님ᄒ샤, 위시의 샹언(上言)을 나리와 만됴(滿朝)로 보라 ᄒ시고, 옥음을 여러 ᄀᆞᆯ오샤딕,

---

865)취변(取辯) : 다툼의 당사자들로부터 변론(辯論)을 청취(聽取)함.
866)그음ᄒ다 : 기를 쓰고 하다. 한사코 하다.
867)금의부(禁義府) : =의금부(義禁府). 조선 시대에, 임금의 명령을 받들어 중죄인을 신문하는 일을 맡아 하던 관아. =금부(禁府). =금오부(金吾府).
868)취리(就理) : 죄를 지은 벼슬아치가 의금부에 나아가 심리를 받던 일.
869)도아나다 : 무슨 일을 할 마음이 일어나다. *동사 '돕다'에 보조동사 '나다'가 결합된 형태.

"쳔쳡 등이 허언을 알월 일이 업고, 틱우와 흑시 칼흘 빗기고 나가시든 바는 윤상셔 노애 친견ᄒ신 비니, 텬졍의 인견ᄒ샤 진가를 힉실(覈實)ᄒ시고, 쳔비들의 무죄흠을 슬피쇼셔."

소공이 원간 형벌노 ᄉᆞ룸 져줌을 깃거 으닛는 고로, 윤부 시녀 등을 다 노아 보ᄂᆡ고 소유를 주달ᄒ여,

"윤단을 인견 하【143】문ᄒ시고, 광텬의 조손을 일쳐의 취변(取辯)864)ᄒ쇼셔."

샹이 태우 형뎨의 이미ᄒᄆᆯ 뭇지 으냐 아르시나, 그 죄명인즉 흉참ᄒ 고로 이놀 즉시 하교(下敎)ᄒ샤, 윤틱○[우] 형뎨를 하옥ᄒ라 ᄒ시니, 이는 그 조손을 면딜(面質)ᄒ려 ○[ᄒ]심으로, 틱우 등을 하옥지 아냐셔는 죽기를 그음ᄒ여865) 그 한미를 궐졍의 드려 보ᄂᆡ지 아니ᄒᆯ지라. 짐ᄌᆞᆺ 틱우 형뎨를 가도심이라.

윤틱우 형뎨 경희던 당하의 셕고대죄(席藁待罪)ᄒ여 가변의 망측흠을 죽어 모로고져 ᄒ더니, 하옥ᄒ라 ᄒ시민, 즉시 금위부(禁衛府)866)로 나아갈시, 틱흥의게 하직흔 딕 본 체 아니코 졀박히 죽기를 죄올 ᄲᅮᆫ이라. 틱위 블의의 취리(就理)867)ᄒ미 졔명뤼뉴(諸名流) 모로다가 날이【144】 져믄 후 셔로 젼ᄒ여 알고, 금외부(金吾府) 밧긔 가 셔로 치위(致慰)ᄒ니, 윤싱 곤계 답언이 도라나지868) 으냐, 다만 셩히 모다 누인(陋人)을 ᄆᆞ름을 ᄉᆞ사ᄒ더라.

명조의 황샹이 됴회를 님ᄒ샤, 위시의 상언을 나리워 만됴(滿朝)로 보라 ᄒ시고, 옥

---

863)스리 : 슬피. *스러ᄒ다; 슬퍼하다.
864)취변(取辯) : 다툼의 당사자들로부터 변론(辯論)을 청취(聽取)함.
865)긔음ᄒ다 : 그음하다. 기를 쓰고 하다. 한사코 하다.
866)금위부(禁衛府) : =의금부(義禁府). 조선 시대에, 임금의 명령을 받들어 중죄인을 신문하는 일을 맡아 하던 관아. =금부(禁府). =금오부(金吾府).
867)취리(就理) : 죄를 지은 벼슬아치가 의금부에 나아가 심리를 받던 일.
868)도라나다 : 도아나다. 무슨 일을 할 마음이 일어나다. *동사 '돕다'에 보조동사 '나다'가 결합된 형태.

"사롬이 흔 일노 만亽를 다 츄이ᄒᆞᄂᆞ니, 윤광텬 형뎨 만일 그딕도록 흉완 극악ᄒᆞ미 이실딘딕, 됴항간(朝行間)의 나미 남달니 긔특ᄒᆞ리오. 이ᄂᆞᆫ 반ᄃᆞ시 광텬 등을 히ᄒᆞᄂᆞᆫ 말이라 고디 드를 거시 업거니와, 원간 반녈 등 광텬 등으로 디친(至親) 년가(連家)870)ᄒᆞ니871) 이셔 그 가亽를 아ᄂᆞᆫ 뉴ᄂᆞᆫ 은닉디 말고 올흔 딕로 고ᄒᆞ라."【28】

만되 일시의 샹언(上言)을 보고 아니 놀나 리 업고, 디식 잇ᄂᆞᆫ 즈ᄂᆞᆫ 윤쳥문 형뎨를 위ᄒᆞ여 그 젼졍을 앗기디 아니 리 업더라.

윤가 종족의 현달흔 뉘, 됴참흔 직, 위시의 샹언(上言)을 보고 블승통완 ᄒᆞ딕, 일편되이 위시만 亽오납다 알외미 도로혀 윤태우 형뎨를 구츠히 벗기고져 홈 ᄀᆞᆺ투여, 오딕 윤태우 등의 셩효 덕힝이 슉연ᄒᆞᆷ믈 고ᄒᆞ고, 대사마 초평후 하원광과 병마졀졔亽 평남후 뎡텬홍은 그 가ᄂᆞᆫ을 알오미 이시딕, 일이 되여가믈 보려 흔 말을 아니딕, 호부상셔 태흑亽 셕쥰이 분연이 츌반 브복 주왈,

"신은 교디참졍 윤슈【29】의 녀셰오, 광텬 등으로 디심 친이ᄒᆞᄂᆞᆫ 졍이 골육동긔로 감치 아니니, 어이 윤슈의 가ᄂᆞᆫ를 모로리잇고? 원간 윤슈의 자모 위시 쇠험 포악ᄒᆞ고, 윤슈의 쳐 뉴시 간교블인(奸巧不仁)ᄒᆞ여 광텬 등을 조로고 보쳐미 사롬이 견딕디 못홀 비로딕, 광텬 형뎨 효셩이 츌텬ᄒᆞ여 즈쇼(自少)로 강셔(江西)의 부미(負米)872)와 고산(高山)의 쇠목(柴木)873)을 몸소 힝ᄒᆞ딕, 조곰도 염고(厭苦)ᄒᆞ미 업고, 먹이ᄂᆞᆫ 거시 속듁모믹(粟粥麪麥)의 디나디 아니딕, 긔아를 능히 견딕여 셩효를 갈녁(竭力)ᄒᆞ나, 위시 일분 감동ᄒᆞ미 업고, 필경은 이 ᄀᆞᆺ튼 죄

870)년가(連家) : 연인가(連姻家). 인가(姻家). 혼인으로 맺어진 친척
871)ᄒᆞ니 : 'ᄒᆞ+이'의 형태. *이; 사람의 뜻을 나타내는 의존명사.
872)부미(負米) : 쌀을 등에 져 나름.
873)쇠목(柴木) : 땔나무.

음을 여러 가르亽디,

"사롬이 흔 일노 만亽를 다 츄이ᄒᆞᄂᆞ니, 윤광텬 형뎨 흉완 극악ᄒᆞᆷ이 잇실진딕, 됴항간(朝行間)의 나미 남달니 긔특ᄒᆞ리오. 이ᄂᆞᆫ 반다시 광텬 등을 히ᄒᆞᄂᆞᆫ 말이라. 고지 드를 거시 업거니와, 원간 반녈 즁 광텬 등으로 지친(至親) 《녕간‖년가(連家)869)》ᄒᆞ니870) 《엇씨‖잇셔》 그 가亽를 아ᄂᆞᆫ 뉴ᄂᆞᆫ 은닉지 말고 올흔 딕로 고ᄒᆞ라."

만되 일시의 샹언(上言)을 보고 ○○[아니] 놀놀 이 업고, 지식 잇ᄂᆞᆫ 즈ᄂᆞᆫ 윤쳥문 형뎨를 【145】위ᄒᆞ여 그 젼졍을 앗기지 ᄋᆞ니 리 업더라.

윤가 형뎨 종족의 현달흔 뉘, 됴참흔 직 위시의 샹언을 보고 블승통완 ᄒᆞ딕, 일편되이 위시만 亽오납다 알욈이 도로혀 윤틱우 형뎨를 구츠히 벗기고져 홈 가튼여, 오직 윤틱우 등의 셩효 덕힝을 고ᄒᆞ고, 대亽마 초평후 하원광과 병마져[졀]졔亽 평남후 뎡텬홍은 그 가ᄂᆞᆫ를 아음이 잇시딕, 일이 도[되]여감을 보려 흔 말을 아니딕, 호부상셔 틱흑亽 셕쥰이 분연 츌반 부복 주왈,

"신은 교지참졍 윤슈의 녀셔오, 광텬 등으로 지심 친이ᄒᆞᄂᆞᆫ 졍이 골육동긔애 감치 ᄋᆞ니니, 어이 윤슈의 가ᄂᆞᆫ를 모로리잇고? 원간 윤슈의 즈모 위시 쇠험 포【146】악ᄒᆞ고, 윤슈의 쳐 뉴시 간교블인(奸巧不仁)ᄒᆞ여 광텬 등을 조로고 보쳡이 스롬이 견디지 못홀 비로딕, 광텬 형뎨 효셩이 츌텬ᄒᆞ여 즈쇼(自少)로 강셔(江西)의 부미(負米)871)와 고산(高山)의 쇠목(柴木)872)을 몸소 힝ᄒᆞ딕, 조곰도 염고(厭苦)홈이 업고, 먹ᄂᆞᆫ 거시 속듁모믹(粟粥麪麥)의 지나지 아니딕, 긔아를 능이 견딕여 셩효를 갈녁(竭力)ᄒᆞ나, 위시 일분 감동홈이 업고, 필경은 이 ᄀᆞᆺ튼 죄목

869)년가(連家) : 연인가(連姻家). 인가(姻家). 혼인으로 맺어진 친척
870)ᄒᆞ니 : 'ᄒᆞ+이'의 형태. *이; 사람의 뜻을 나타내는 의존명사.
871)부미(負米) : 쌀을 등에 져 나름.
872)쇠목(柴木) : 땔나무.

루의 모라 너흐니 엇디 통완치 아니리잇고?
광텬의 주모 조시는 쇼신도 보온 비라. 대
【30】가슉녀(大家淑女)로 빅힝이 츌인흐거
늘, 위녜 못견듸도록 보쳐여 업시 흐고, 짐
짓 음분 도쥬타 흐오미 일마다 흉히(凶害)
토소이다."

상이 우으샤 왈,

"광텬의 죵죡 슈십여 인이 광텬 등의 어디
르믈 니르고, 경의 쥬시 또 이 ᄀᆞᆺ투니 딤의
혜아림과 ᄀᆞᆺ툰디라. 임의 위녀를 궐정의 디
후흐라 흐여시니, 반드시 궐문 밧기 이실디
라. 광텬의 형뎨를 블너 조손이 디면딜뎡
(對面質正)874)케 흐리라."

만되 다 위시의 흉심을 졀통흐여 잡아 드
리시믈 깃거흐더라.

상이 셜됴젼(設朝前)875) 태감 슈인을 윤
부의 보니샤 편흔 거교(車轎)의 위시를 담
아 오라 흐시니, 이【31】ᄂᆞᆫ 윤츄밀의 낫츨
보시미러라.

태감 등이 위시를 다려와 복명흐온디, 샹
이 즉시 뎐젼(殿前)의 브르라 흐시고, 금의
부(禁義府)의 가 윤태우 등을 블너 오라 흐
시니, 만됴 문뮈 다 그 조손 삼○[인]이 디
면딜뎡흐는 관경을 보려 일시의 눈을 뽓
고876), 위시의 흉괴흐미 엇더흐여 어던 손
ᄌᆞ를 함정의 모라 넛는고, 몬져 상모를 보
려 흐더니, 윤싱 등 입궐 젼, 위시 흔 낫 시
녀의게 붓들녀 뎐젼(殿前)의 다드르미, 그
의복이 참참(慘慘)흐여 누츄흔 옷시 발발
이877) 믜여져 살흘 ᄀᆞ리오디 못홀 둣흐고,
써러딘 초상(綃裳)878)이 계오 압흘 둘너시
니, 완연이 노샹걸식(路上乞食)흐는 뉴의 모
양【32】이라.

의 모라 너으니, 엇지 통완치 아니리잇고?
광쳔의 주모 됴시는 쇼인도 보온 비라. 대
가슉녀(大家淑女)로 빅힝이 츌인흐거늘, 위
·위 못견듸도록 보쳐며 조롬이 잇고, 짐짓
음분 도쥬타 흐오미 일마다 흉히흉완(凶害
凶頑)토소이다."

상이 우으시고 이르스디,

광쳔의 어짐은 지[짐]이 혜아리는【14
7】지라, 임의 위녀를 궐문의 디후흐라 흐
엿시니, 반드시 궐문 밧긔 잇시리니. 광텬
형뎨를 블너 조손이 디면질졍(對面質正)873)
케 흐리라."

만되 다 위시의 흉심을 졀치흐여 줍아 드
리심을 깃거흐더라.

상이 즉시 퇴감 슈슴인을 윤부의 보닉여
편흔 거교(車轎)의 위흉 딕독(大毒)을 담아
오라 흐시니, 퇴감 등이 령(令)을 드듸
여874) 윤부로 나으가니라. 이는 츄밀의 ᄂᆞᆺ
츨 보아 그리 흐심이러라.

ᄎᆞ시 퇴감 등이 위시를 다려와 《봉명∥복
명(復命)》흔디, 상이 즉시 젼닉(殿內)로 부
르라 흐시니, 졔신이 위시를 젼졍의 모랏넛
코, 먼져 상모를 보려 흐더니, 윤싱 등 입궐
젼, 위시 흔ᄂᆞᆺ 시녀의게 붓들녀 젼젼(殿前)
의 다다르미, 그 의복이 참참(慘慘)흐여 누
츄흔 옷시 발【148】발이875) 믜여져 살을
ᄀᆞ리오지 못홀 듯흐고, 뻐러지[진] 포상(布
裳)876)이 겨오 압흘 둘넛시니, 완연이 노샹
걸식(路上乞食)흐는 뉴의 모양이라.

---

874)디면딜뎡(對面質正) : 대질심문(對質審問). 소송
　　의 당사자들을 대면시켜 서로 묻거나 따져 사실을
　　밝혀 바로잡는 일.
875)셜됴젼(設朝前) : 조회(朝會)를 열기 전(前).
876)뽓다 : 씻다.
877)발발이 : 옷이나 헝겊 따위가 삭아서 여러 갈래
　　로 째진 모양.
878)초상(綃裳) : 명주(明紬) 천으로 지은 치마.

873)디면딜뎡(對面質正) : 대질심문(對質審問). 소송
　　의 당사자들을 대면시켜 서로 묻거나 따져 사실을
　　밝혀 바로잡는 일.
874)드듸다 : 디디다. 딛다. 의지하다. 따르다.
875)발발이 : 옷이나 헝겊 따위가 삭아서 여러 갈래
　　로 째진 모양.
876)포상(布裳) : 베로 지은 치마.

우흐로 황샹과 아리로 졔신이 위시의 참
측(慘-)879)흔 의상을 대경흐여, 일노 보아
는 윤태우의 셩회(誠孝) 브죡흐여 져 늙은
한미를 져러툿 벗겨 두어시믈 괴이히 넉이
더라. 샹이 윤태우 등을 일쳐의 모든 후 광
텬 등의 죄상을 드르려 흐시는 고로, 옥음
을 여디 아냐, 다만 위시의 위인을 술피실
시, 그 냥안이 횃블을 빵으로 쏘즈시며, 눈
섭이 황잡(荒雜)흔 뫼 ᄀᆞᆺ고, 너민 니마와 놉
흔 코히며, 거두든880) 툭이 디극히 향슈(享
壽)홀 샹이로듸, 흔 곳도 녀즈의 유한(幽閑)
흔미 업고, 싀험(猜險) 포려(暴戾)흐미 호랑
이 사름을 보고 믈고져 홈 ᄀᆞᆺ고, 댱사(長蛇)
셰 길이 벗쳐 독(毒)을 닉는【33】둣, 디쳑
텬안(咫尺天顔)의 만됴 문뮈 단디(段地)881)
좌우로 오스(烏紗) 즈포(紫袍)를 ᄀᆞᆺ초와 나
렬흐며, 던하 나졸이 좌우로 버러시니, 쳬쳬
흔882) 위의 엄엄슉슉(嚴嚴肅肅)ᄒᆞ여 녀즈의
ᄆᆞ음이 두려올 거시로듸, 위시는 도로혀 구
경삼아 좌우를 고면(顧眄)ᄒᆞ며 잇다감 뇽상
을 앙견(仰見)ᄒᆞ여 조곰도 두리는 거동이
업스니, 만됴 다 믜이 넉이더니, 이윽고 윤
태우 형뎨 졍하의 다ᄃᆞ르미, 다 관영(冠纓)
을 히탈ᄒᆞ여 죄인의 형상으로 먼니 브복ᄒᆞ
니, 그 슈려흔 용화와 쇄락흔 신광의 일쳔
슈한(愁恨)을 씌여시니, 와잠봉미(臥蠶鳳眉)
의 프른 닉 어리여 샹셔의 긔운이 텬디 졍
화를 아샤시니, 옥면월익(玉面月額)의 두발
이 헛틀미【34】졍히 짓883) 거스린 봉이오
나릐 《버힌‖버린884)》 학 ᄀᆞᆺ트여, 형뎨
냥인의 신댱이 층등치 아니코, 풍용(風容)이
방블(彷佛)ᄒᆞ여 옥면 션골이 셰샹 쯧글을
버셔시니, ᄒᆞ나흔 츈하됴일(春霞照日)885)
ᄀᆞᆺ고, ᄒᆞ나흔 츄공명월(秋空明月)886) ᄀᆞᆺ트

879)참측(慘-) : 비참하고 추악함.
880)거두들다 : 거두어들이다. 한 데 모으다.
881)단디(段地) : 단하(段下). 계단(階段)의 아래.
882)체체ᄒᆞ다 : 체체하다. 행동이나 몸가짐이 너절하
　지 아니하고 깨끗하며 트인 맛이 있다.
883)짓 : 깃. 새의 날개.
884)버리다 : 벌리다. 펴다.
885)츈하됴일(春霞照日) : 봄철 아지랑이 위로 빛나
　는 해.

우흐로 황샹과 아리로 졔신이 위시의 참
측(慘-)877)흔 경상을 대경흐여, 일노 보아
는 윤틱우의 셩회(誠孝) 부죡흐여 늙은 한
미를 벗겨 두엇심을 고이히 넉이더라. 샹이
윤틱우 등을 일쳐의 모든 후, 광텬 등의 죄
상을 드르려 흐시는 고로, 옥음을 여지 아
냐, 다만 위시의 위인을 술피실시 그 냥안
이 홰블을 빵으로 뽀즛시며 눈셥이 황잡(荒
雜)흔 뫼 ᄀᆞᆺ고, 너민 이마와 놉흔 코이며
거두든878) 툭이 지극히 향슈(享壽)홀 상이
로듸, 흔 곳도 녀즈의 유한(幽閑)홈이 업고,
싀험(猜險) 포려(暴戾)홈이 호랑이 스름
【149】을 보고 물고져 홈 ᄀᆞᆺ고, 댱사(長
蛇) 셰 길이나 벗쳐 독(毒)을 닉는 듯, 지쳑
텬안(咫尺天顔)의 만됴 문뮈 단지(段地)879)
좌우로 즈포((紫袍)를 가초아 나렬흐며, 젼
하의 나졸이 좌우로 버럿시니, 쳬쳬흔880)
위의 엄슉(嚴肅)ᄒᆞ여 녀즈의 마음이 두려올
거시로듸, 위시는 도로혀 구경삼아 좌우를
고면(顧眄)ᄒᆞ며, 잇다감 룡상을 앙견(仰見)
ᄒᆞ여 조곰도 두리는 거동이 업스니, 만됴
다 《무이‖믜이》 넉이더니, 이윽고 윤틱
우 형뎨 젼뎐의 다다르미, 다 관영(冠纓)을
히탈ᄒᆞ여 죄인의 형상으로 먼니 부복ᄒᆞ니,
그 슈려흔 용화와 쇄락흔 신광의 일쳔 슈한
(愁恨)을 씌엿시니, 와잠봉미(臥蠶鳳眉)의
푸른 닉 어리여 샹셔의 긔운이 텬디 졍화를
아읏시니, 옥면월익(玉面月額)의 두발이 허
틀미 졍히 짓881) 거스린【150】봉이오,
나릐 버린882) 학 가트여, 형뎨 냥인의 신장
이 층등치 아니코, 풍용(風容)이 방블(彷佛)
ᄒᆞ여 옥면 션골이 셰샹 쯧글을 버셧시니,
ᄒᆞ나흔 츈하됴일(春霞照日)883) ᄀᆞᆺ고. ᄒᆞ나
흔 츄공명월(秋空明月)884) ᄀᆞᆺ트여 만고 무

877)참측(慘-) : 비참하고 추악함.
878)거두들다 : 거두어들이다. 한 데 모으다.
879)단디(段地) : 단하(段下). 계단(階段)의 아래.
880)체체ᄒᆞ다 : 체체하다. 행동이나 몸가짐이 너절하
　지 아니하고 깨끗하며 트인 맛이 있다.
881)짓 : 깃. 새의 날개.
882)버리다 : 벌리다. 펴다.
883)츈하됴일(春霞照日) : 봄철 아지랑이 위로 빛나
　는 해.

여, 만고 무덕 영웅으로 티셰경뉸디지(治世經綸之才)와 항왕(項王)[887]의 용녁(勇力)을 아올나, 은하 만니의 벗칠 문한(文翰)은 복듕의 금초며, 관일뎡튱(貫一貞忠)과 디셩대효를 가슴의 품어시며, 대댱부 힝시 청텬빅일(靑天白日)노 징광(爭光)ᄒᆞ니, 엇디 조모를 발검(拔劍)ᄒᆞ여 딜넛다 디목ᄒᆞ며, 그 아은 녜뫼 빈빈ᄒᆞ고 덕홰 슉슉ᄒᆞ여 효힝이 과인ᄒᆞ고 셩회 츌텬ᄒᆞ니 외모【35】의 덕긔셩인(德氣成仁)ᄒᆞ고 동용(動容)의 삼엄(森嚴)ᄒᆞ미 공부지(孔夫子)[888]라 오셔도 하ᄌᆞ(瑕疵)홀 곳이 업ᄉᆞ니, 츠마 엇디 강상대죄인(綱常大罪人)으로 일위리오.

샹이 윤태우 형뎨를 보시미 시로이 그 위인과 긔딜을 앗기샤, 이의 위시의게 하지(下旨) 왈,

"광텬과 희텬이 그 한미를 디르며[미] 딘덕홀딘딕 죄상이 만살무셕(萬殺無惜)이어니와, 경이 ᄯᅩ 목강(穆姜)[889]의 인ᄌᆞᄒᆞᆫ 덕이 업셔 조손간(祖孫間) 구쉬(仇讐) 되니 능히 죄를 면ᄒᆞ랴?"

위시 믄득 눈을 브릅쓰고 소리를 놉혀 왈,

"노신(老臣)이 비록 어디디 못ᄒᆞ오나, 냥손 등이 인효ᄒᆞ올딘딕, 엇디 츠마 졍의(情誼)를 상희와 어ᄌᆞ러온 일이 텬졍의 ᄉᆞ못

886) 츄공명월(秋空明月) : 가을 하늘에 떠오른 밝은 달.
887) 항왕(項王) : 중국 초(楚)나라 패왕(霸王) 항우(項羽). 한(漢) 고조(高祖) 유방(劉邦)과 협력하여 진나라를 멸망시키고 스스로 서초(西楚)의 패왕(霸王)이 되었다. 그 후 유방과 패권을 다투다가 해하(垓下)에서 포위되어 자살하였다
888) 공부지(孔夫子) : 공자(孔子). 중국 춘추 시대의 사상가·학자(B.C.551~B.C.479). 이름은 구(丘). 자는 중니(仲尼). 노나라 사람으로 여러 나라를 두루 돌아다니면서 인(仁)을 정치와 윤리의 이상으로 하는 도덕주의를 설파하여 덕치 정치를 강조하였다. 만년에는 교육에 전념하여 3,000여 명의 제자를 길러 내고, ≪시경≫과 ≪서경≫ 등의 중국 고전을 정리하였다. 제자들이 엮은 ≪논어≫에 그의 언행과 사상이 잘 나타나 있다
889) 목강(穆姜) : 중국 진(晉)나라 정문구(程文矩)의 아내. 성은 이(李)씨, 자(字)는 목강(穆姜). 전처 소생의 네 아들을 자신이 낳은 두 아들보다 더 사랑하여 훌륭하게 키웠다.

적 영웅으로 치셰경륜지지(治世經綸之才)와 항왕(項王)[885]이[의] 룡력(勇力)을 아오라 은하 만리의 버칠 문한(文翰)은 복듕의 금초며, 단일쳥듕(端一貞忠)과 지셩대효를 가슴의 품어 대장부 힝시 쳥텬빅일(靑天白日)노 징광(爭光)ᄒᆞ니, 엇지 조모를 발검(拔劍)ᄒᆞ여 질넛다 지목ᄒᆞ며, 그 아은 례뫼 빈빈ᄒᆞ고 덕홰 슉슉ᄒᆞ여 효힝이 과인ᄒᆞ니, 외모의 덕긔셩인(德氣成仁)ᄒᆞ고 동용(動容)의 삼엄(森嚴)홈이 공부지(孔夫子)[886]시라도 하ᄌᆞ(瑕疵)홀 곳지 업ᄉᆞ니, 춤아 엇지 강상대죄인(綱常大罪人)으로 이뤄리오.

상이 윤틱우 형뎨를 보시미 시로이 그 위인과 긔딜을 앗기【151】샤 이의 위시의게 하지(下旨) 왈,

"광텬과 희텬이 그 한미를 지르며[미] 진척홀지[진]딕 죄상이 만슬무셕(萬殺無惜)이어니와, 경이 ᄯᅩ 목강(穆姜)[887]의 인ᄌᆞᄒᆞᆫ 덕이 업셔 조손간(祖孫間) 구치[쉬](仇讐)되니 능히 죄를 면치 《못ᄒᆞ랴∥못ᄒᆞ리라》."

위시 믄득 눈을 브릅쓰고 소리를 놉혀 왈,

"노신(老臣)이 비록 어지지 못ᄒᆞ나, 냥손 등이 인효ᄒᆞ올진딕 엇지 참아 졍의(情誼)를 상희와 어ᄌᆞ러온 일이 텬졍의 ᄉᆞ모ᄎᆞ리잇고

884) 츄공명월(秋空明月) : 가을 하늘에 떠오른 밝은 달.
885) 항왕(項王) : 중국 초(楚)나라 패왕(霸王) 항우(項羽). 한(漢) 고조(高祖) 유방(劉邦)과 협력하여 진나라를 멸망시키고 스스로 서초(西楚)의 패왕(霸王)이 되었다. 그 후 유방과 패권을 다투다가 해하(垓下)에서 포위되어 자살하였다
886) 공부지(孔夫子) : 공자(孔子). 중국 춘추 시대의 사상가·학자(B.C.551~B.C.479). 이름은 구(丘). 자는 중니(仲尼). 노나라 사람으로 여러 나라를 두루 돌아다니면서 인(仁)을 정치와 윤리의 이상으로 하는 도덕주의를 설파하여 덕치 정치를 강조하였다. 만년에는 교육에 전념하여 3,000여 명의 제자를 길러 내고, ≪시경≫과 ≪서경≫ 등의 중국 고전을 정리하였다. 제자들이 엮은 ≪논어≫에 그의 언행과 사상이 잘 나타나 있다
887) 목강(穆姜) : 중국 진(晉)나라 정문구(程文矩)의 아내. 성은 이(李)씨, 자(字)는 목강(穆姜). 전처 소생의 네 아들을 자신이 낳은 두 아들보다 더 사랑하여 훌륭하게 키웠다.

【36】 추리잇고마는, 냥손의 극악ᄒᆞ온 젼젼
죄상(前前罪狀)은 니르도 말고, 신쳡을 칼노
죽이랴 ᄒᆞᄂᆞᆫ 용심이 고금 텬디 간의 어듸
이시리잇고? 신쳡과 져희를 면증(面證)ᄒᆞ려
블너 계시니, 신쳡이 즉긱의 광텬 등의 무
상ᄒᆞᄆᆞᆯ 알외리이다."

쥬파의 팔흘 쏩닉여 만면 노긔로 태우 형
뎨의게 다라드러, 좌슈로 태우의 상토를 잡
고 우슈로 흑ᄉᆞ의 두발을 싀드러 잡고, 고
셩 분노 왈,

"내 몸이 지상 귀녀로 싱어교익(生於嬌
愛)ᄒᆞ고 댱어호치(長於豪侈)ᄒᆞ여 후븍(侯伯)
의 쳐실이 되민, 발ᄌᆞ쵀 계졍(階庭)의 나리
디 아니ᄒᆞ고, 흔번 움죽이미 금옥취교(金玉
彩轎)의 썅썅ᄒᆞᆫ 시녜 좃ᄎᆞ, 쇼년 【37】 으로
브터 이제 늙기가디 간고와 긔아를 모로더
니, 광텬 흉흔 놈이 ᄌᆞ라믈 인ᄒᆞ여 노비(奴
婢) 견결(田結)890)을 셰셰히 파라 업시 ᄒᆞ
고, 쉬 교디로 나간 후 됴셕 식반을 못나오
도록 ᄒᆞ며, 셩흔 옷슬 몸의 못붓치도록 ᄒᆞ
여, 미녀를 썅썅이 씌고 종일 희학ᄒᆞ다가,
안희 드러오면 나의 닙○[은] 옷슬 벗기딜
너891) 파라 쓰며, 잔잉히 긔아(飢餓)ᄒᆞ던
싯티 계오 어더 먹는 밥을 상가디 씌쳐 바
리고, 당면ᄒᆞ여 죽으라 ᄒᆞ미 그 몃 번인 동
알니오. 조션 향화를 근심치 아니ᄒᆞ여, 노뢰
간신이 어더 졔향을 긋지 아니려 슉셜(熟
設)홀 즈음의, 네 창녀를 갓다 먹이고, 네
아비 졔(祭)라 【38】 도 못ᄒᆞ게 작희홀 쌴아
니라, 네 어미 음분 도쥬ᄒᆞ여시니 ᄎᆞᄌᆞ라
하여든, 므어시 믭관듸 날을 구슈로 보더
뇨? 네 어미 희월누 ᄀᆞ온듸셔 간부를 유졍
ᄒᆞ여 미양 왕닉ᄒᆞ던 줄 너의 엇디 모로리
오. 너의 힝신을 잘 ᄒᆞ여도 어미 음힝이 붓
그럽거늘, 블초 대죄를 열 가디나 겸ᄒᆞ고,
므ᄉᆞᆷ 넘치로 됴항 간의 틍슈ᄒᆞ여 금의(錦
衣) 인신(印信)을 더러리오. 너의 발검 돌입
홀 졔 셩시와 졔 시비 다 보앗고, 종딜 단

───────────
890)견결(田結) : 논밭에 물리는 세금. 여기서는 '논
밭'의 의미로 쓰임.
891)벗기딜르다 : 벗기지르다. 벗기다. 벗겨버리다.

고마는, 냥손의 극악ᄒᆞ온 젼젼죄상(前前罪
狀)은 이르도 말고, 신쳡을 칼노 지르라[죽
이랴] ᄒᆞᄂᆞᆫ 용심이 고금 쳔디간의 어듸 잇
시리잇고? 신쳡과 져희를 면증(面證)ᄒᆞ랴
불너 계시니, 신쳡이 즉각의 광텬 등의 죄
상을 알외리이다."

쥬파의 팔흘 쏩닉여 만면 노긔로 틔우 형
뎨의게 다라드러 좌슈로 틔우의 상토를 잡
고 우슈로 흑ᄉᆞ의 【152】 두발을 쎠들어
잡고, 고셩 분노 왈,

"닉 몸이 지상 귀녀로 싱어교익(生於嬌
愛)ᄒᆞ고 쟝어호치(長於豪侈)ᄒᆞ여 후븍(侯伯)
의 쳐실이 되민, 발ᄌᆞ쵀 계졍(階庭)의 ᄂᆞ리
지 아니ᄒᆞ고 흔번 움죽이미 금옥취교(金玉
彩轎)의 썅썅흔 시녜 조츠, 쇼년으로 늙기
까지 간고와 긔아를 모로더니, 광텬 흉흔
놈이 ᄌᆞ람을 인ᄒᆞ여 노비(奴婢) 젼답(田
畓)888)을 세세○[히] 파라 업시 ᄒᆞ고, 쉬
교지로 나간 후 죠셕 식반을 못나오도록 ᄒᆞ
며, 미녀를 썅썅이 씌고 종일 희학ᄒᆞ다가,
안의 드러오면 나의 입은 옷슬 벗기질너889)
파라 쓰며, 잔잉히 긔아(飢餓)ᄒᆞ든 싯히 계
오 어더 먹는 밥을 상거지890) 씌쳐 ᄇᆞ리고
당면ᄒᆞ여 죽으라 홈이 그 몃 번인 동 알니
오. 조션 향화를 근심치 아니ᄒᆞ여, 노뢰 간
신 【153】 이 어더 졔향을 그치지 아니려
슉셜(熟設)홀 즈음의, 네 창녀를 갓다 먹이
고, 네 아비 졔(祭)라도 못ᄒᆞ게 작희홀 쌴아
니라, 네 어미 음분 도쥬ᄒᆞ여시니 ᄎᆞ지라
하여도, 무어시 믭관듸 날을 구슈로 보든
요? 네 어미 희월누 가온듸셔 간부를 유졍
ᄒᆞ여 미양 왕닉ᄒᆞ던 줄 너의 엇지 모로리
오. 너의 힝실을 잘 ᄒᆞ여도 엄의 음힝이 붓
그럽거늘, 블초 대죄를 열 가지나 겸ᄒᆞ고,
무슴 넘치로 됴항 간의 츙슈ᄒᆞ여 금의(錦
衣) 인신(印信)을 더러리오. 너의 발검 ○
○[돌입]홀 졔, 셩시와 졔 시비 다 보앗고

───────────
888)견결(田結) : 논밭에 물리는 세금. 여기서는 '논
밭'의 의미로 쓰임.
889)벗기딜르다 : 벗기지르다. 벗기다. 벗겨버리다.
890)거지 : 까지.

이 녀의 나갈 졔 보아시니, 흉흔 놈과 요악흔 놈이 아모리 발명코져 ㅎ여도 강상일죄(綱常一罪)를 면치 못ㅎ리라."

태우 형뎨 금의부로셔【39】궐졍의 드러오딕, 조손이 딕면 딜졍ㅎ믄 쳔만 의외라. 본딕 가변을 붓그리고 신누(身陋)를 추악ㅎ여 스스로 유ㅅ디심(有死之心)ㅎ니, 낫출 드러 딕인홀 의ㅅ 업셔, 뎐젼의 다드라 조뫼 블과 셔너간 동안은 격ㅎ여 셧시딕 아디 못ㅎ니, 대개 비영이 ㅅ이의 잇셔시미 쳔만 무심ㅎ여, 다만 조가 형뎨를 블너 샹이 죄샹을 뭇고져 ㅎ시민가 아랏더니, 추경을 당ㅎ니 윤태우의 튱텬디긔(衝天之氣)로도, 그 조모의 참측흔 거동과 희연흔 패셜을 겸ㅎ여 흉잡히 구는 거동이, 미양 보던 눈의도 놀납고 괴이ㅎ거든, 우흐로 텬심과 만목소시(萬目所視)892)의 그 엇더ㅎ【40】리오. 고딕 ㅄ홀 파고 들고 시븐다. 조긔 형뎨 발셔 죽엇던들 이런 변이 이시리오. 졀졀이 ㅅ랏던 줄이 이돌오니, 영웅의 긔운이 뎌상(沮喪)ㅎ고 쇽졀 업시 샹토를 조모의 슈등의 쯰들녀 불법(不法)893)의 슈죄를 드르니 낫출 깍고져 시븐다. 스스로 싱각건딕, 조긔 형뎨 젼졍(前程)은 볼 거시 업거니와, 조모의 험언(險言)을 쥬츌흔 죄를 면키 어려오니, 출하리 양광(佯狂)894) 실셩(失性)ㅎ여 조모의 말을 실(實)히오고895) 조긔 형뎨 스스로 죄뉼(罪律)의 나아가 셰샹만ㅅ를 모로고져 시븐다. 넌즈시 밀치며 눈을 브릅써 왈,

"그딕와 나는 명위조손(名爲祖孫)이나 실위구【41】뎍(實爲仇敵)이라. 나의 ㅆㅆ흔 졀식미녀를 그딕 일싱 믜워홈 곳 싱각ㅎ면, 고딕 업시 ㅎ고 것칠 것 업시 미녀와 연낙(宴樂)ㅎ리니, 나는 실노 아모도 귀흔 줄 모

종질 단이 너 나갈 졔 보앗스니, 흉ㅎ고 요악흔 놈이 아모리 발명코져 ㅎ여도【154】 강상일죄(綱常一罪)를 면치 못ㅎ리라."

틱우 형뎨 금의부로셔 ○○○[궐졍의] 드러오딕, 조손이 딕면 질졍ㅎ홈은 쳔만 의외라. 본딕 가변을 붓그리고 신누(身陋)를 추악ㅎ여 스스로 유ㅅ지심(有死之心)ㅎ니 ㅊ출 드러 딕인홀 의ㅅ 업셔 뎐졍의 다다라 조뫼 블과 셔너간 동안은 격ㅎ여 셧시딕 아지 못ㅎ니, 대기 비영이 ㅅ이의 셧시미 쳔만 무심ㅎ여, 다만 조가 형뎨를 불너 샹이 죄샹을 뭇고져 ㅎ심인가 ㅎ엿더니, 추경을 당ㅎ니 윤틱우의 츙텬지긔(衝天之氣)로도, 그 조모의 츰측흔 거동과 희연흔 패셜을 겸ㅎ여 흉잡히 구는 거동이, 미양 보던 눈의도 놀납고 괴이ㅎ거든, 우흐로 텬심과 만목소시(萬目所視)891)의 그 엇더ㅎ리오. 곳 ㅆ홀 파고 들고 시븐【156】지라. 조긔 형뎨 발셔 죽엇던들 이런 변이 잇스리오. 졀졀이 ㅅ랏던 쥴이 이다르니, 영웅의 긔운이 져상(沮喪)ㅎ고 쇽졀업시 샹토를 조모의 슈등의 쩌둘녀 블법(不法)892)의 슈죄를 드르니, ㅊ출 깍고져 시븐다. 스스로 싱각건딕, ○○[조긔] 형뎨○[의] 젼졍(前程)을 볼 거시 업거니와, 조모의 험언(險言)을 쥬츌흔 죄를 면키 어려오니, 차라리 양광(佯狂)893) 실셩(失性)ㅎ여 조모의 말을 실(實)히오고894) 조긔 형뎨 스스로 죄률(罪律)의 나오가 셰샹만ㅅ를 모로고져 십은지라. 넌즈시 밀치며 눈을 브릅써 왈,

"그딕와 나는 명위조손(名爲祖孫)이나 실위구뎍(實爲仇敵)이라. 나의 ㅆㅆ흔 졀식미녀를 일싱 믜워홈 곳 싱각ㅎ면, 《그딕∥고딕》 업시ㅎ고 거칠 것 업시 미녀와 연【156】락(宴樂)ㅎ리니, 나는 실노 아모도

---

892)만목소시(萬目所視) : 만인의 눈이 주목하는 가운데.
893)불법(不法) : 법도에 어긋남.
894)양광(佯狂) : 거짓으로 미친 체함. 또는 그런 행동.
895)실(實)히오다 : 실(實)하게 하다. 사실로 여기도록 만들다.

891)만목소시(萬目所視) : 만인의 눈이 주목하는 가운데.
892)불법(不法) : 법도에 어긋남.
893)양광(佯狂) : 거짓으로 미친 체함. 또는 그런 행동.
894)실(實)히오다 : 실(實)하게 하다. 사실로 여기도록 만들다.

로고, 다만 미녀 등의 절셰흔 튀도를 듸ᄒᆞ면 골졀이 녹는 듯 ᄉᆞ랑ᄒᆞ온ᄃᆞ라. 그듸 ᄀᆞᆺ튼 조모는 나의 말좌 비ᄌᆡ나 다르랴?"

인ᄒᆞ여 긔긔괴괴(奇奇怪怪)흔 광언망셜(狂言妄說)이 긋칠 줄을 아디 못ᄒᆞ여, 혹 참참이 슬허 쳔항(千行) 누쉬(淚水) 옷깃슬 젹실 젹도 잇고, 혹 쾌활이 즐겨 손벽 쳐 우ᄉᆞ며 팔흘 버려 춤추어 거디 히괴망측ᄒᆞ니, 혹시 그 형의 양광(佯狂)ᄒᆞ는 ᄆᆞ음을 혜아려, 이리 아냐는 조모의 무근디셜을 실(實)히올 길【42】히 업ᄉᆞᆯ 씨ᄃᆞ라나, 즈긔도 마ᄌᆞ 양광 실셩ᄒᆞ미 듕목소시(衆目所視)896)의 의심을 닐월가 ᄒᆞ여, 다만 눈을 낫초고 조모를 붓드러 톄읍힝뉴(涕泣行流)ᄒᆞ여 일언을 듸ᄒᆞ미 업순디라.

샹이 위시의 흉포흔 거동을 놀나이 넉이샤, 반ᄃᆞ시 냥손을 참혹히 히ᄒᆞ는 줄 짐작ᄒᆞ시더니, 윤태우의 실셩 양광ᄒᆞ여 긔괴 잡셜이 니미(魑魅)897)를 들님 ᄀᆞᆺ트며, 윤혹ᄉᆞ의 통도ᄒᆞ미 싸흘 파고 들고져 ᄒᆞᆯ을 보시미, 크게 잔잉히 넉이샤, 이의 학ᄉᆞ를 보샤 왈,

"경의 집 변괴 쳔고의 듯디 못흔 비오. 경형(卿兄)이 경악(經幄)898)의 근시흔 디 셰ᄌᆡ 삼년이라. 딤이 그 인믈을 모로디 아니ᄒᆞ거늘 어이 젼ᄌᆞ(前者)의【43】업던 광긔 이듸도록 심ᄒᆞ엿ᄂᆞ뇨? 경의 한미 경 등의 죄과를 샹언(上言)의 고ᄒᆞ고, ᄯᅩ 이러틋 니르니, 아디 못게라, 그 한미 어디디 못ᄒᆞ여 손ᄌᆞ를 히ᄒᆞ미냐? 경 등이 인효치 못ᄒᆞ여 위녀의게 죄를 어드미냐? 딘실노 오됴(烏鳥)899)의 ᄌᆞ웅(雌雄)을 아디 못ᄒᆞ되, 다만 딤이 경등의 효힝긔딜(孝行氣質)이 당셰의 표츌ᄒᆞ믈 혜아리건ᄃᆡ, 그 집의 드러 흉변을 딧디 아닐디라. 딘실노 쳔만 원역흔가

896)듕목소시(衆目所視) : 많은 사람들이 바라보고 있음.
897)니미(魑魅) : 이매망량(魑魅魍魎). 온갖 도깨비들.
898)경악(經幄) : 경연(經筵).
899)오됴(烏鳥) : 까마귀.

귀흔 줄 모로고, 다만 미녀 등의 졀셰흔 튀도를 듸ᄒᆞ면 골졀이 녹는 듯 《골졀이 녹는지라∥ᄉᆞ랑스러온지라》. 그듸 가튼 조모는 나의 말좌 믜[비]ᄌᆡ나 다르랴?"

인ᄒᆞ여 긔긔괴괴(奇奇怪怪)흔 광언망셜(狂言妄說)이 긋칠 줄을 아지 못ᄒᆞ여, 혹 참참이 ○○[슬허] 쳔항(千行) 누쉬(淚水) 옷깃슬 젹실 젹도 잇고, 혹 쾌활이 즐겨 손벽 쳐 우ᄉᆞ며 팔흘 버려 춤추어 거지 히괴망측ᄒᆞ니, 혹시 그 형의 양광(佯狂)ᄒᆞ는 마음을 혜아려, 이리 아니ᄒᆞ얀 조모의 무근지셜을 실(實)히올 길 업삼을 씨ᄃᆞ나ᄂᆞ, 즈긔도 여ᄎᆞ 양광 실셩ᄒᆞ미 즁목(衆目)의 의심을 일월가 ᄒᆞ여, 다만 눈을 나쵸고 조모를 붓드러 쳬읍힝뉴(涕泣行流)ᄒᆞ여 일언을 듸흠이 업순지라.

샹이【157】위시의 흉포흔 거동을 놀나이 넉이ᄉᆞ, 냥손을 참혹히 히ᄒᆞ는 쥴 짐죽ᄒᆞ시더니, 윤광텬의 실셩{발셩}발광(失性發狂)ᄒᆞ여 긔괴흔 잡셜이 귀미(魑魅)895)를 들님 것ᄒᆞ며, 희텬의 통도 비졀흠이 흉쟝이 믜여지는 듯ᄒᆞ여, 참황슈괴ᄒᆞ여 싸흘 파고 들고져 ᄒᆞ는 거동을 보시고 크게 잔잉이 넉이ᄉᆞ 이의 학ᄉᆞᄃᆞ려 이르ᄉᆞ듸,

"경의 집 변괴 쳐[쳔]고(千古)의 듯지 못ᄒᆞ든 비오, 광텬의 츌입 경악(經幄)896) 후 일긔(一期) 셰ᄌᆡ(歲在) 삼년이니, 짐이 그 인믈노[을] 알거늘, 엇지 젼(前)의 업던 광증(狂症)이 심ᄒᆞ뇨? 경의 한미 경들의 죄과를 샹셔ᄒᆞ엿고, 이갓치 이르니, ○○○○○[아디 못게라], 네 한미 어지지 못ᄒᆞ여 손ᄌᆞ를 히흠이야? 경의 형뎨【158】인효치 못ᄒᆞ여 죄 지음이 위녀의 말과 가틈이야? 오조(烏鳥)897)의 ᄌᆞ웅(雌雄)을 분변치 못ᄒᆞᆯ 비로되, 다만 경의 흑힝긔질이 당셰의 초츌(超出)ᄒᆞ믈 혜아리건ᄃᆡ, 흉ᄉᆞ를 지○○[으지] ᄋᆞ니 흘지라. 진실노 쳔만 원역흔 듯ᄒᆞ니, 마음의 의미흔 거시 잇거든 쾌히 알외

895)니미(魑魅) : 이매망량(魑魅魍魎). 온갖 도깨비들.
896)경악(經幄) : 경연(經筵).
897)오됴(烏鳥) : 까마귀.

ᄒᆞᄂᆞ니, 경은 실딘무은(實陳無隱) ᄒᆞ라."

혹시 셩교를 듯ᄌᆞᆸ고, ᄌᆞ비 쳥죄 왈,

"신 등이 강상대죄를 몸 우히 싯고, 흉완 포악ᄒᆞ미 고금 텬디 간의 잇디 아니ᄒᆞ오리니, 비로소 허믈을 씨ᄃᆞᆺ고 죄를 【44】 혜여 악힝을 뉘웃츠나 밋츠리잇가? 신의 형뎨 본ᄃᆡ 광담(狂談) 질쥬(疾走)를 ᄌᆞ로 ᄒᆞ며, 광담망셜(狂談妄說)이 ᄒᆡ연(駭然)ᄒᆞᆸ기의 밋츠ᄃᆡ, 발광ᄒᆞ기의 다ᄃᆞ라는 샹시 ᄆᆞ음이 젼혀 업ᄉᆞ오므로, 아모란 샹을 모로오ᄃᆡ, 요힝 경악의 근시ᄒᆞ기의 당ᄒᆞ와ᄂᆞᆫ 광증을 발치 아냣ᄉᆞᆸ더니, 오날늘 텬위디디(天威之地)의 신의 형이 ᄯᅩ 광긔를 주리잡디 못ᄒᆞ와, 광언 패셜을 낫타늬오니, 그 죄 더옥 크도소이다. 이졔 폐히 신의 죄과(罪科)의 허실을 므르시니, 신이 도로혀 실쇼(失笑)ᄒᆞ와 쥬(奏)홀 바를 아디 못ᄒᆞᆸᄂᆞ니, '텬하(天下)의 무블시뎌부뫼(無不是底父母)라'900). 신의 한미 셜ᄉᆞ 어디디 못 【45】 홀지라도, 신 등이 효를 갈녁(竭力)ᄒᆞ올딘딕 평샹이 구올디라901). 니히(理解)를 아는 ᄌᆞ는 스스로 신 등의 죄를 낫토려 ᄒᆞ올 거시니, 신 등의 무샹ᄒᆞᆫ 죄악이 맛춤ᄂᆡ 은닉디 못홀 거시므로, 한미 본ᄃᆡ 스리를 아옵ᄂᆞᆫ다. 젹은 ᄉᆞ졍을 버히고 신 등의 죄과를 텬쳥(天聽)의 알외여, 셩명의 쳐티를 기다리오ᄆᆡ, 인졍이 신 등의 쥬류홀 바를 참졀치 아니ᄒᆞ오며, ᄉᆞ죡 부녜 만됴 군졸 가온ᄃᆡ 낫 가리오는 녜를 업시 ᄒᆞ고, 이러툿 어즈러오믈 힝홀 비리잇고마는, 신 등을 일즉 업시 ᄒᆞ여 후환을 졔방코져 ᄒᆞ오미니, 그 졍시 궁측(窮惻)ᄒᆞ고 【46】 팔지 험난ᄒᆞ온디라. 폐히 엇디 한믜 말을 의심ᄒᆞ샤 쇼신다려 다시 하문ᄒᆞ미 계시니잇고? 신 등이 블초 패악ᄒᆞ와 한미를 죽이랴 ᄒᆞ는 역손이 되어, 폐하 졍ᄉᆞ를 시비ᄒᆞ오미 황공ᄒᆞ오나, 신이 오히려 즉금은 광심이 발치 아니ᄒᆞ오니, 엇디 심곡의 회포

고 은익(隱匿)지 말ᄂᆞ."

혹시 셩교를 듯ᄌᆞᆸ고, ᄌᆞ비 쳥죄 왈,

"신 등이 광담망셜이 ᄒᆡ연ᄒᆞᆸ기의 밋츠ᄃᆡ, 발광ᄒᆞ기의 다ᄃᆞ라는 샹시 마음이 젼혀 업ᄉᆞ옴으로, 아모란 샹을 모로오ᄃᆡ, 경악 근시ᄒᆞ기의 당ᄒᆞ와ᄂᆞᆫ 광증을 발치 아냣ᄉᆞᆸ더니, 오날늘 텬위지지(天威之地)의 신의 형이 ᄯᅩ 광긔를 쥬리잡지 못ᄒᆞ여, 광언 픽셜을 낫타늬오니 그 죄 크도소이다. 이졔 폐히 신의 죄과(罪科)를 무르시니 ○○[신이] 도로혀 실쇼(失笑)ᄒᆞ여 【159】 알욀 바를 아지 못ᄒᆞᆸᄂᆞ니, '텬하(天下)의 무블시져부뫼(無不是底父母)라.'898) 신의 한미 셜ᄉᆞ 어지지 못홀지라도, 신 등이 효를 갈력ᄒᆞ올진딕, 평샹이 구올지라899). 니히(理解)를 아는 ᄌᆞ는 스스로 신 등의 죄를 낫토려 ᄒᆞ올 거시니, 신 등의 무샹ᄒᆞᆫ 죄악이 맛춤ᄂᆡ 은익지 못홀 거심으로, 한미 본ᄃᆡ 스리를 아옵ᄂᆞᆫ지라. 젹은 ᄉᆞ졍을 버히고 신 등의 죄과를 텬졍(天廷)의 알외여 셩명(聖明)의 쳐○[치]를 기드리오ᄆᆡ, 인졍이 신 등의 쥬류홀 바를 참졀치 ᄋᆞ니ᄒᆞ오며, ᄉᆞ죡 부녜 만됴 군졸 가온ᄃᆡ 낫 가리오는 녜를 업시ᄒᆞ고, 이러툿 어자러옴을 힝홀 비리잇고마는, 신 등을 일작 업시ᄒᆞ여 후환을 졔방코져 ᄒᆞ오니, 그 【160】 졍시 궁칙(窮惻)ᄒᆞ고 팔지 험난ᄒᆞ온지라 .폐히 엇지 한믜 말을 의심ᄒᆞ샤 쇼신다려 ᄃᆞ시 ᄒᆞ문(下問)ᄒᆞ미 계시니잇고? 신 등이 블초 픽악ᄒᆞ여 한미를 죽이랴 ᄒᆞ는 난손(亂孫)이 되어, 폐하 졍ᄉᆞ를 시비ᄒᆞ옴이 황공ᄒᆞ오나, 신이 오히려 즉금은 《관심ǁ광심(狂心)》이 발치 ᄋᆞ니ᄒᆞ도니, 엇지 심곡의 회포를 알외지 ᄋᆞ니리잇고? 신의 한미 비록 미셰ᄒᆞ녀기나, 후빅(侯伯)의 가실(家室)900)이오, 경샹의 ᄌᆞ뫼라. 신의 죽은 싱부와 양부를 총우ᄒᆞ시는 은권으로ᄡᅥ, 그 어미를 이러툿

_____

900)텬하(天下) 무블시뎌부뫼(無不是底父母) : 천하에 옳지 않은 부모는 없다. 『小學』〈嘉言〉편에 나오는 말.
901)굴다 : 그러하게 행동하거나 대하다.

_____

898)텬하(天下) 무블시져부뫼(無不是底父母) : 천하에 옳지 않은 부모는 없다. 『小學』〈嘉言〉편에 나오는 말.
899)굴다 : 그러하게 행동하거나 대하다.
900)가실(家室) : 남 앞에서 '아내'를 점잖게 이르는 말.

를 알외디 아니리잇고. 신의 한미 비록 미
셰흔 녀지오나 후빅(侯伯)의 가실(家室)902)
이오, 경상의 주뫼라. 신의 죽은 싱부와 양
부를 통우ᄒᆞ시는 은권으로ᄡᅥ, 그 어미를 이
러툿 쳔누히 잡아 드리디 아님즉 ᄒᆞ시거늘,
폐히 조손을 다 잡히샤 듸면딜졍ᄒᆞ라 ᄒᆞ시
니,【47】신 등의 져준 바 대악이 한미 샹
언(上言)과 ᄀᆞᆺᄉᆞ오니, 어이 발명ᄒᆞᆯ 거시 이
시리잇고? 신의 형이 한미를 발검ᄒᆞ여 디르
미 상시 ᄆᆞ음이 아니오, 져ᄀᆞᆺ치 광증을 발
ᄒᆞ미라. 한믜 말이 그르디 아니ᄒᆞ오니 신이
아냣노라 말을 못ᄒᆞ오니, 복원 셩샹은 신의
한미를 너여 보니시고, 신 등을 쳐참 효슈
ᄒᆞ샤 텬하 블초자를 징계ᄒᆞ쇼셔."

언쥬필(言奏畢)의 스긔 뎡슉ᄒᆞ고 안뫼 싁
싁ᄒᆞ여, 법다온 거동과 녜듕(禮中) 효힝이
볼스록 긔이ᄒᆞ여, 흉듕(胸中)의 빅일(白日)
이 빗최고, 묽은 골격은 쳥빙(淸氷)을 삭이
고, 놉흔 긔상이 한녈(寒烈)ᄒᆞ여, 가을 하
【48】날의 흔 조각 구름이 업고, 댱공 만
니의 가 업시 너름 ᄀᆞᆺ투여, 악슈를 힝치 아
닐디라. 샹이 이경(愛敬)ᄒᆞ샤 만됴를 도라보
샤 왈,

"희텬의 어짐과 위녀의 포악흔 거동이 공
ᄌᆞ(孔子)와 도쳑(盜跖)903) ᄀᆞᆺ투여 츌어외모
(出於外貌)ᄒᆞ니, 딤이 만민의 부뫼 되여 악
ᄌᆞ(惡者)를 벌ᄒᆞ고 현인을 건디는 거시 인
군(人君)의 ᄒᆞᆯ 비라. 광텬의 츌뉴 비상ᄒᆞ므
로ᄡᅥ 남의셔 나은 일은 못ᄒᆞᆯ디언졍, 강상대
죄ᄂᆞᆫ 몸소 범치 아니ᄒᆞ리니, 윤슈디모(之母)
를 형츄(刑推)ᄒᆞ미 블가ᄒᆞ나, 광텬 등의 원
억ᄒᆞ믈 그리 아냐는 낫타닐 길히 업스니,
위녀를 급히【49】다ᄉᆞ리고져 ᄒᆞ노라.

샹긔 위시를 놀닉고져 ᄒᆞ시미오, 지샹의
ᄌᆞ모를 딘실노 엄형(嚴刑)코져 ᄒᆞ시미 아니
로딕, 위시 인ᄉᆞ 모로미 아모 곳의도 눈츼

902)가실(家室) : 남 앞에서 '아내'를 점잖게 이르는
말.
903)도쳑(盜跖) : 중국 춘추 시대의 큰 도적. 현인 유
하혜(柳下惠)의 아우로, 수천 명을 거느리고 천하
를 횡행하였다고 한다. 몹시 악한 사람을 비유적
으로 이르는 말로 쓰인다.

잡아 드리지 아님즉 ᄒᆞ거시늘 폐히 조손을
다 잡혀 드리샤 듸면질졍ᄒᆞ라 ᄒᆞ시니, 신
등의 져준 바 대악이 한미 샹언(上言)과 갓
ᄉᆞ오니, 어이 발명ᄒᆞᆯ 거【161】시 잇스리
잇고? 신의 형이 {ᄒᆞ미를} 한미를 발검ᄒᆞ여
지롬이 상시(常時) 마음이 아니오, 져ᄀᆞᆺ치
광증을 발흠이라. 한믜 말이 그르지 아니ᄒᆞ
오니 신이 아냣노라 말을 못ᄒᆞ오니, 복원
셩샹은 신의 한미를 너여 보너시고, 신 등
을 쳐춤 효시ᄒᆞ샤 쳔하 블초ᄌᆞ를 증계(懲
戒)ᄒᆞ쇼셔."

쥬필(奏畢)의 스긔 졍슉ᄒᆞ고 안뫼 싁싁ᄒᆞ
여 법다온 거동과 녜즁(禮中) 효힝이 볼스
록 《긔괴∥긔이》ᄒᆞ여, 흉즁(胸中)의 빅일
(白日)이 비쵀고 묽은 골격은 쳥빙(淸氷)을
삭이고, 놉흔 긔상이 한녈(寒烈)ᄒᆞ여, 가을
하늘의 흔 조각 구름이 업고, 댱공 만리의
가 업시 너름 갓투여, 악슈를 힝치 아닐지
라. 샹이 이경(愛敬)ᄒᆞ샤 만됴를 도라보ᄉᆞ
왈,

"희텬의 어짐과 위녀의 포악흔【162】거
동이 공ᄌᆞ(孔子)와 도쳑(盜跖)901) ᄀᆞᆺ투여,
츌어외모(出於外貌)ᄒᆞ니, 짐이 만민의 부뫼
도[되]여 악ᄌᆞ(惡者)를 벌ᄒᆞ고 현인을 건지
는 거시 인군(人君)의 ᄒᆞᆯ 비라. 광텬의 츌뉴
비상흠으로ᄡᅥ 남의셔 나은 일은 못ᄒᆞᆯ지언
졍, 강상듸죄는 몸소 범치 아니ᄒᆞ리니, 윤슈
지모(之母)를 형츄(刑推)ᄒᆞ미 블가ᄒᆞ나, 광
텬 등의 원억흠을 그리 아냐는 나타닐 길이
업스니, 위녀를 급히 다ᄉᆞ리고져 ᄒᆞ노라."

샹긔 위시를 놀닉고져 ᄒᆞ심이오, 지샹의
ᄌᆞ모를 진실노 엄형(嚴刑)코져 흠이 아니로
딕, 위시 인ᄉᆞ 모름이 아모 곳의도 눈츼 모
로는 말을 만히 ᄒᆞᄂᆞᆫ지라. 티우 형뎨를 죽

901)도쳑(盜跖) : 중국 춘추 시대의 큰 도적. 현인 유
하혜(柳下惠)의 아우로, 수천 명을 거느리고 천하
를 횡행하였다고 한다. 몹시 악한 사람을 비유적
으로 이르는 말로 쓰인다.

모로는 말을 만히 흐는디라, 태우 형데를 죽도록 셔도니, 태우의 광증이 즈긔를 말을 실희오고져 흐는 줄 모로고, 긔군디죄(欺君之罪)를 얽어 텬심을 딘노흐시게 흐려고 쥬왈,

"신첩은 듯즈오니 셩샹은 만민디부뫼(萬民之父母)시라. 민디부뫼(民之父母) 명텰흐시므로뻐 엇디 광텬 등의 흉독을 몰나보시느니잇고? 광텬이 원간 광증(狂症)이 업셔 조고만 미양(微恙)도 디닌 일이 업거늘, 이【50】졔 디쳑 텬안(咫尺天顔)의 양광실셩(佯狂失性)흐여 히거(駭擧)를 낫타니믄, 져를 상셩디인(喪性之人)으로 아라 대죄를 칙망이 업게 〇〇[흐려] 《흐므로∥흐미오》, 희텬의 져희 형데 광분딜쥬(狂奔疾走)를 즈로 흐노라 흄도 만만(萬萬) 무근디셜(無根之說)이라. 져런 흉측고 요악흔 놈의 간졍(奸情)을 샤획(査覈)디 아니시고, 신첩의 쥬스(奏辭)를 도로혀 의심흐샤, 희텬을 어디다 흐시니, 신첩은 스오나온 사름 되기를 면치 못흐려니와, 희텬 등이 왕망(王莽)904)의 겸공(謙恭)을 디으며 〇[이]님보(李林甫)905)의 구밀복검(口蜜腹劍)906)을 효측(效則)흐니, 신첩 밧근 그 위인을 알 니 업느이다."

샹이 그 흉참흔 심용(心用)을 졀통(切痛)흐샤, 믄득【51】옥식(玉色)을 변흐시고 왈,

"광텬의 광증이 분명이 아냐 양광(佯狂)이믈 딤이 쏘흔 아는 비라. 그 몸의 스싱을 도라보디 아니코, 흉포흔 한의 언소(言訴)를

도록 셔도니, 틱우의 광증이 즈긔를 실희흐고져 흐는 쥴 모로고, 긔군지죄(欺君之罪)를 얽어 쳔【163】심을 진노흐시게 흐랴고, 쥬왈,

"신〇[첩]은 듯즈오니 셩샹은 만민지부뫼(萬民之父母)라. 민지부모(民之父母)로 명쳘흐심이 엇지 광텬 등의 흉독을 몰느보시느니잇고? 광텬이 원간 광증(狂症)이 업셔 조고만 미양(微恙)도 지닌 일이 업거늘, 이졔 지쳑텬안(咫尺天顔)의 양광실셩(佯狂失性)흐여 히거(駭擧)를 느타님은, 져를 상셩지인(喪性之人)으로 아라 디죄를 칙망이 업게 〇〇[흐려] 《흠으로∥흐미오》, 희텬이 져희 형데 광분질쥬(狂奔疾走)를 즈로 흐노라 흄도 만만(萬萬) 무근지셜(無根之說)이라. 져런 흉측고 요악흔 놈의 간졍(奸情)을 스획(査覈)지 으니시고, 신첩의 쥬스(奏辭)를 도로혀 의심흐샤 희텬을 어지다 흐시니, 신첩〇[은] 스오나온 스름 되기를 면치 못흐려니와, 희텬 등이 왕망(王莽)902)의 겸공(謙恭)을 지으미 〇[이]림보(李林甫)903)의 〇〇[구밀]복검(口蜜腹劍)904)을 효【164】측흐니, 신첩 밧근 그 위인을 알 니 업느이다."

샹이 그 흉참흔 심용(心用)을 졀통(切痛)흐샤, 믄득 옥식을 변흐시고 왈,

"광 ▌《샤 두낫 츙효군지 누얼의 쓴지지 아니캐 흐쇼셔. 룡안이 셕샹셔 말슘의는 함쇼왈, 경이 직언을 다흐미, 쳐》▌905) 텬의

904)왕망(王莽) : B.C.45~A.D.23. 중국 전한의 정치가. 자는 거군(巨君). 자신이 옹립한 평제(平帝)를 독살하고 제위를 빼앗아 국호를 신(新)으로 명명하였다. 한(漢)나라 유수(劉秀)에게 피살되었다. 재위 기간은 8~23년이다.
905)이림보(李林甫) : 중국 당나라 현종(玄宗) 때의 정치가. 아첨을 잘하여 재상에까지 올랐고, 현종의 유흥을 부추기며, 바른말을 하는 신하는 가차 없이 제거하는 등으로 조정을 탁란(濁亂)하여 간신(奸臣)의 전형으로 꼽는다. 그가 정적을 제거할 때는 먼저 상대방을 한껏 칭찬하여 방심하게 만들고 뒤통수를 쳤기 때문에, 당시 사람들이 그를 일러 구밀복검(口蜜腹劍)한 사람이라 하였다.
906)구밀복검(口蜜腹劍) : 입에는 꿀이 있고 배 속에는 칼이 있다는 뜻으로, 말로는 친한 듯하나 속으로는 해칠 생각이 있음을 이르는 말.

902)왕망(王莽) : B.C.45~A.D.23. 중국 전한의 정치가. 자는 거군(巨君). 자신이 옹립한 평제(平帝)를 독살하고 제위를 빼앗아 국호를 신(新)으로 명명하였다. 한(漢)나라 유수(劉秀)에게 피살되었다. 재위 기간은 8~23년이다.
903)이림보(李林甫) : 중국 당나라 현종(玄宗) 때의 정치가. 아첨을 잘하여 재상에까지 올랐고, 현종의 유흥을 부추기며, 바른말을 하는 신하는 가차 없이 제거하는 등으로 조정을 탁란(濁亂)하여 간신(奸臣)의 전형으로 꼽는다. 그가 정적을 제거할 때는 먼저 상대방을 한껏 칭찬하여 방심하게 만들고 뒤통수를 쳤기 때문에, 당시 사람들이 그를 일러 구밀복검(口蜜腹劍)한 사람이라 하였다.
904)구밀복검(口蜜腹劍) : 입에는 꿀이 있고 배 속에는 칼이 있다는 뜻으로, 말로는 친한 듯하나 속으로는 해칠 생각이 있음을 이르는 말.

실ᄉ(實事)를 삼고져 ᄒ미어늘, 경이 가디록 한악블측(悍惡不測)ᄒ여 군젼(君前)을 휘(諱)치 아니니, 그 죄 더옥 가바압디 아니토다.”

셕상셰 다시 브복 쥬 왈,

“신이 앗가 쥬ᄒ온 말ᄉᆞᆷ이 윤가 형셰를 붉히 아라 고ᄒ엿습ᄂᆞ니, 광텬의 형뎨 죄명이 츠악ᄒ오나, 셩환(誠孝)즉 뎨슌(帝舜) 증삼(曾參)의 일뉘(一類)라. 블인(不人)907)이 광텬 형뎨 소싱(所生)이 아니라 믜이 넉이미니, ‘녀후(呂后)의 됴왕(趙王)을 딤살(鴆殺)홈’908)과 ‘녀희(驪姬)의 신싱(申生)【52】죽이던’909) 심용(心用)과 방블ᄒ믈 살피샤, 두 낫 튱효 군지 누얼(陋孼)의 ᄲᅥ디디 아니케 ᄒ쇼셔.”

뇽안이 셕상셔 말ᄉᆞᆷ의ᄂᆞᆫ 함쇼(含笑)ᄒ샤 왈,

“경이 딕언을 다ᄒᆞ미 쳐조모를 용납홀 터히 업게 ᄒ니, 위녀의게ᄂᆞᆫ 가히 증손셰(憎孫壻)910) 되리로다”

셕상셰 역시 미미ᄒᆞᆫ 우음을 금초디 못ᄒ여 다시 쥬ᄒᆞᄂᆞᆫ 말ᄉᆞᆷ이 업더라.”

상이 젼교를 ᄂᆞ리오샤 태우 형뎨ᄂᆞᆫ 금부 겻틱 집 잡아 잇게 ᄒ라 ᄒ시고, 위시ᄂᆞᆫ 엄형 츄문ᄒ여 간졍(奸情)을 힉실(覈實)홀 거시로딕, 교디 참졍 윤슈의 낫출 보아 샤ᄒ나 광텬 등의 신누(身累)를 벗기기 어려오니 위시 좌【53】우 비복을 잡혀 엄문ᄒ여 복초(服招)를 바드라 ᄒ시니, 윤태우 형뎨 조모와 슉모의 과악을 혜아리미 텬디 간의 다시 업ᄉᆞᆯ 둣ᄒ고, 시녀비로 닐너도 셰

907)블인(不人) : 사람답지 못한 사람.
908)녀후(呂后)의 됴왕(趙王)을 짐살(鴆殺)홈 : 중국 한(漢)나라 고조(高祖)의 비(妃)인 여후(呂后)가 고조의 애첩인 척부인(戚夫人) 소생의 왕자 조왕(趙王) 독살한 일을 말함.
909)녀희(驪姬)의 신싱(申生) 죽이던 : 중국 진(晉)나라 헌공(獻供)의 총비(寵妃) 여희(麗姬)가 자신의 아들을 태자로 삼기 위하여, 태자 신생(申生)을 참소하여 자살케 한 일을 말함.
910)증손셰(憎孫壻) : 미운 손녀사위.

광증이 분명 아냐 양광(佯狂)이믈 짐이 ᄯᅩ 흔 아는 비라. 그 몸의 ᄉᆞ싱을 도라보지 아니코, 흉포흔 한믜 언소(言訴)를 실ᄉ(實事)를 삼고져 흄이어늘, 경이 가지록 한악블측(悍惡不測)ᄒ여 군젼(君前)을 휘(諱)치 아니니, 그 죄 더옥 가비얍지 아니토다.”

셕상셰 다시 부복 쥬 왈,

“신이 앗가 쥬ᄒ온 말ᄉᆞᆷ이 윤가 형셰를 붉히 아라 쥬ᄒᆞ엿ᄂᆞ니, 광텬의 형【165】뎨 죄명이 츠악ᄒ오나, 셩환(誠孝)즉 뎨슌(帝舜) 증삼(曾參)의 일뤼(一類)라. 블인(不人)906)이 광텬 형뎨 소싱(所生)이 아니라, 《무이∥믜이》 넉임이오니, ‘녀후(呂后)의 죠왕(趙王)을 짐살(鴆殺)홈’907)과 ‘녀희(驪姬)의 신싱(申生) 죽이던’908) 심용(心用)과 방블홈을 살피∥《샤 두낫 츙효 군지 누얼(陋孼)의 ᄲᅥ지지 아니캐 ᄒ쇼셔.”

룡안이 셕상셔 말ᄉᆞᆷ의ᄂᆞᆫ 함쇼(含笑) 왈,

“경이 직언을 다ᄒᆞ미, 쳐》∥909)조모를 용납홀 터히 업게 ᄒ니, 위여의게ᄂᆞᆫ 가히 증손셰(憎孫壻)910) 되리로다”

셕상셰 역시 미미흔 우음을 금초지 못ᄒ여 다시 쥬ᄒᆞᄂᆞᆫ 말ᄉᆞᆷ이 업더라.

상이 젼교를 ᄂᆞ리오샤 틱우 형뎨ᄂᆞᆫ 금의부 겻틱 집 잡아 잇게 ᄒ라 ᄒ시고, 위시ᄂᆞᆫ 엄형 츄문ᄒ여 간졍(奸情)을 힉실(覈實)홀 거시로딕, 교지 참졍 윤슈의 낫출 보아 ᄉᆞᄒᆞ나, 광텬 등의 신누(身累)〇[를] 벗기기 어

905)《샤 두낫 - ᄒᆞ미, 쳐》∥의 41자는 동(同) 황상의 말 뒤에 이어지는 셕상셔의 말과 또 이를 받아 말하는 황상의 대화 일부가 잘못 끼어 든 필사오류임.
906)블인(不人) : 사람답지 못한 사람.
907)녀후(呂后)의 죠왕(趙王)을 짐살(鴆殺)홈 : 중국 한(漢)나라 고조(高祖)의 비(妃)인 여후(呂后)가 고조의 애첩인 척부인(戚夫人) 소생의 왕자 조왕(趙王) 독살한 일을 말함.
908)녀희(驪姬)의 신싱(申生) 죽이던 : 중국 진(晉)나라 헌공(獻供)의 총비(寵妃) 여희(麗姬)가 자신의 아들을 태자로 삼기 위하여, 태자 신생(申生)을 참소하여 자살케 한 일을 말함.
909)앞의 필사오류 《샤 두낫 - ᄒᆞ미, 쳐》∥의 41자를 제자리로 옮긴 것임.
910)증손셰(憎孫壻) : 미운 손녀사위.

월 비영 등은 악ᄉᆞ를 모로디 아닐디라. 만일 엄문ᄒᆞᆫ신족 쳔인(賤人)이 어이 춤을 길히 이시리오.

흑시 착급 황황ᄒᆞ여 고두 이걸 왈,

"쇼신 등이 무상ᄒᆞ와 한믜를 ᄉᆞ디(死地)의 모라너허, 폐히 의심ᄒᆞ샤 비ᄌᆞ를 엄형ᄒᆞ라 ᄒᆞ시니, 신 등은 강상 대죄를 몸소 디오디 안연 무ᄉᆞᄒᆞ여 셩은이 가디록 늉늉ᄒᆞ시고, 한믜ᄂᆞᆫ 흔 허믈 업시 폐히 통완ᄒᆞ샤 좌우 시녀를 츄문ᄒᆞ시ᄂᆞᆫ 디경의,【54】어이 무근디언을 아닐 니 이시리잇가? 벅벅이 한믜를 극악ᄒᆞᆫ 곳의 밀위시고 신 등을 벗기오리니, 인뉸의 용납디 못ᄒᆞᆯ 죄과를 가져 텬졍의 번득ᄒᆞ여, 폐히 만긔를 총찰ᄒᆞ시ᄂᆞᆫ 등신의 망측ᄒᆞᆫ 변괴를 다ᄉᆞ리시미, 일이 셰쇄키를 면치 못ᄒᆞ올디라. 다만 죄신 형뎨의 블효디죄를 뎡히 ᄒᆞ시고, 노망(老妄)ᄒᆞᆫ 한믜 힝ᄉᆞ를 거드디 마르샤미 맛당ᄒᆞ오니, 원 폐하ᄂᆞᆫ 무식 쳔비를 잡아 져주ᄂᆞᆫ 일이 업게 ᄒᆞ쇼셔."

언믜필의 톄읍 힝뉴(行流)ᄒᆞ여 젹상(積傷)ᄒᆞᆫ 증(症)이 발ᄒᆞ여, 피를 무슈히 토ᄒᆞ고 것구러져 인ᄉᆞ를【55】모로니, 우흐로 텬심과 아리로 만됴 문무며 좌우 하졸의 니르히 참연ᄒᆞᆷ을 니긔디 못ᄒᆞ더라.

태우ᄂᆞᆫ 아모란 상이 업ᄉᆞᆫ 사ᄅᆞᆷ ᄀᆞᆺᄐᆞ여 광언 망셜을 긋디 아니ᄒᆞ고, 거디 아조 실셩ᄒᆞᆫ 무리라.

샹이 윤단과 셕쥰으로 ᄒᆞ여곰 회텬을 금의부 겻ᄐᆡ 의막(醫幕)의 다려 닉여 가 구호ᄒᆞ라 ᄒᆞ시고, 태우의 거동을 보랴 위시를 닉여 보닉디 아니ᄒᆞ시고, 비ᄌᆞ를 엄형 츄문ᄒᆞ라 ᄒᆞ시고, 뇽안이 딘노ᄒᆞ샤 위시의 극악을 통히ᄒᆞ시니, 위시 옥누항 집 가온ᄃᆡ셔ᄂᆞᆫ 호

려우니, 위시 좌우 비ᄌᆞ를 즙혀 엄문ᄒᆞ여 복초(服招)를 바드라 ᄒᆞ시니, 윤틱우 형뎨 조모와 슉모의 과악을 혜아리미, 텬디 간의 다시 업슬 듯ᄒᆞ고, 시녀비로 일너도 셰월 비영 등은 악ᄉᆞ【166】를 모로지 아닐지라, 만일 엄문ᄒᆞᆫ신족, 쳔인(賤人)이 어이 춤을 길히 이시리오.

흑시 착급 황황ᄒᆞ여 고두 이걸 왈,

"쇼신 등이 무상ᄒᆞ와 ○…결락○자…○ [한미를 ᄉᆞ디(死地)의 모라너허] 《강상되 죄인으로∥강상 대죄를 몸소 지오니》, 셩 상폐하겨오셔 다ᄉᆞ리시미 극뉼(極律) 졍형(定刑)으로뼈 그 죄를 졍히 ᄒᆞ시미 올커시ᄂᆞᆯ, 엇지 도로혀 무죄ᄒᆞᆫ 한미의 시녀를 잡아 죄 쥬시고, 신의 죄를 물시코져 ᄒᆞ시ᄂᆞ니잇고? 셩명(聖明) 쳐ᄎᆡ 실노 불가ᄒᆞ오니, 부졀업시 쳔비를 츄문치 말게 ᄒᆞ옵쇼셔. ᄯᅩ 흔 쇼신이 흔 번 죽ᄉᆞ와 강상 대죄를 속(贖)ᄒᆞ고 븟그러온 ᄂᆞᆺ츨 드러 텬일지하(天日之下)의 셔지 ○[니]ᄒᆞ리이다."

언파의 옥좌를 우러러 지빗 쳥죄ᄒᆞ고, 더러온 ᄌᆞ최로 봉궐의 ᄃᆞ시 츌입지 못ᄒᆞᆯ 바를 고ᄒᆞ고, 밧비 ᄌᆞ긔를 버혀 후세 블초ᄌᆞ를 증계【167】ᄒᆞ심을 쳥ᄒᆞ며, 조모를 궐졍의 블너 드리ᄉᆞ 그 조모를 뒤면 딜덩케 ᄒᆞ심이 만만 블가ᄒᆞᆷ을 일카라, 그만 닉여 보닉심을 빌싯, 옥계의 머리를 두드려 두골이 ᄭᆡ여져 피흘너 텬졍(天廷)○[에] 고이고, 가변을 붓그려 조모의 참덕(慙德)을 스러, 옥면의 묽은 누쉬 옷깃슬 젹시니, 상과 만됴졔신이 막불경탄 이러라

상이 즉시 《위홍∥윤단》 ○[과] 셕쥰으로 ᄒᆞ여곰 회쳔을 금의부 겻ᄐᆡ 의막(醫幕)ᄒᆞ여 다려 닉여 가 구호ᄒᆞ라 《ᄒᆞ신∥ᄒᆞ시고》, 틱우의 거동을 보랴, 위시를 닉여 보닉지 아니ᄒᆞ시고, 비ᄌᆞ를 엄형 츄문ᄒᆞ라 ᄒᆞ시고, 룡안(龍顔)이 진녈(震裂)ᄒᆞ샤 위시의 극악을

령이 밍호 ᄀ트여 태우 등을 못견듸도록 보
쳐던 빗나, 디존엄위디【56】디(至尊嚴威之
地)911)의 드러와 졔 긔운을 다 닉여 브리도
못ᄒ고, 태우와 학ᄉ의 무상ᄒᄆᆯ 쥬ᄒ듸 샹
이 허언으로 아르시니, 초의 샹언(上言)을
드리고 져를 블너드리시믄, 반드시 광텬 등
의 죄상을 므러 죽이랴 ᄒ시민 줄 아라 흔
흔양양(欣欣揚揚)912)이 입궐ᄒ엿더니, 뜻과
닉도ᄒ여913) ᄌ긔를 셰워 두고 시녀를 츄문
ᄒ랴 ᄒ시니, 져즌 바 죄악이 무궁ᄒᄃ라.
만시 쇼원과 닉도ᄒ여 취화(取禍)키 쉬온ᄃ
라.

덩히 아모리 홀 줄 아디 못ᄒ여, 흉장이
쒸놀며 분흔 안목(眼目)이 뒤룩여 못쁠 셩
악이 블 니듯ᄒ니, 텬ᄌ(天子) 아냐 옥황(玉
皇)이라도 두리온 ᄆᆷ이 업셔, ᄉ오나온
【57】말이 혀ᄭ치 들먹들먹ᄒ니, 고듸 태
우를 쎠흐러 죽이고 셩샹 쳐시 블명ᄒᄆᆯ 셜
파ᄒ고 닉닷고져 시브나, 뜻 ᄀ디 못ᄒ여
분노를 춤으미, 몸이 썰니이고 니 갈니
여914) 태우를 무셔이 보는 눈이 고듸 죽일
듯ᄒ니, 태위 조모의 형상을 보미 ᄌ긔를
죽이고져 홀 쁜아니라, 텬졍의 원망이 밋기
쉬온ᄃ라. 흑시 겻틱 이실 젹은 오히려 미
더, ᄌ긔 광긔를 만인 쳠시의 쾌히 뵈고져
ᄒ더니, 흑시 토혈 엄홀ᄒ여 나가미 조모의
겻틱 죵용이 뫼셔 셔 리 업ᄉ니, 심회 더옥
참황ᄒ여 비뤼(悲淚) 년낙(連落)ᄒ여, ᄯ히
것구러져, 잠간 ᄌ【58】는 쳬 ᄒ다가 ᄭ여
니러나, 비로소 졍신을 가다듬아 샹시 인ᄉ
를 출히는 쳬ᄒ여, 조모의 알패 나아가 쳬
읍 오열 왈,
"블초 손의 연고로 대뫼 무궁흔 곡경과

통히ᄒ시니, 위시 옥누항 집 가온ᄃ셔는 호
령이 밍호 가트여 틱우 등을 못견듸도록 보
쳐든 빗나, 지존【168】엄위지지(至尊嚴威
之地)911)의 드러와 〇…결락16자…〇[졔
긔운을 다 닉여 브리도 못ᄒ고, 태우와] 학
ᄉ의 무상흠을 쥬ᄒ듸, 상이 허언으로 아르
시니, 초의 샹언(上言)을 드리고 져를 블너
드리심은, 반드시 광텬 등의 죄상을 무러
죽이랴 ᄒ심인 쥴노 아라, 흔흔양양(欣欣揚
揚)912)이 입궐ᄒ엿드니, 뜻과 닉도ᄒ여913)
ᄌ긔를 셰워 두고 시녀를 츄문ᄒ랴 ᄒ시니,
져즌 바 죄악이 무궁흔지라. 만시 쇼원과
닉도ᄒ여 취화(取禍)키 쉬온지라.

덩히 아모리 홀 쥴 아지 못ᄒ여, 흉장이
쒸놀며 분흔 안목(眼目)이 뒤룩여, 못쁠 셩
악이 블이듯 ᄒ니, 텬ᄌ(天子) 아냐 옥황(玉
皇)이라도 두리온 마음이 업셔, ᄉ오나온
말이 혀븟치 들먹들먹ᄒ니, 고듸 틱우를 쎠
흐러 죽이고 셩샹 쳐시 블명흠을 셜파ᄒ고
닉듯고져 십으나, 뜻 ᄀ지 못ᄒ【169】여
노를 춤으미, 몸이 썰니고 이 갈니여914) 틱
우를 몹시 보는 눈이 고듸 죽일 듯ᄒ니, 틱
위 조모의 형상을 보미 ᄌ긔를 죽이고져 홀
쑨아니라, 텬졍의 원망이 밋기 쉬온지라. 흑
시 겻희 잇실 젹은 오히려 ᄌ긔 《과긔‖광
긔》를 만인 쳠시의 뵈려 ᄒ더니, 흑시 토
혈 엄홀ᄒ여 나가미, 조모의 겻틱 죵용〇
[이] 뫼셔 셔 리 업ᄉ니, 심회 더옥 참황ᄒ
여 비뤼(悲淚) 년낙(連落)ᄒ여, 잠간 것구러
져 ᄌ는 쳬ᄒ다가 ᄭᅵ여 니러나, 비로소 졍
신을 가다듬어 상시 인ᄉ를 ᄎ리는 쳬ᄒ여,
조모의 알패 나아가 쳬읍 오열 왈,

"블초 손의 연고로 대뫼 《뭉궁‖무궁》

---

911)디존엄위디디(至尊嚴威之地) : 임금의 지엄한 위
의(威儀) 앞.
912)흔흔양양(欣欣揚揚) : 매우 기쁘고 만족스러운
모양.
913)닉도ᄒ다 : 판이(判異)하다. 크게 다르다. 엉뚱하
다.
914)갈니다 : 갈리다. '갈다'의 피동사. 윗니와 아랫니
를 악물고 문질러 소리를 내다

911)디존엄위디디(至尊嚴威之地) : 임금의 지엄한 위
의(威儀) 앞.
912)흔흔양양(欣欣揚揚) : 매우 기쁘고 만족스러운
모양.
913)닉도ᄒ다 : 판이(判異)하다. 크게 다르다. 엉뚱하
다.
914)갈니다 : 갈리다. '갈다'의 피동사. 윗니와 아랫니
를 악물고 문질러 소리를 내다

한 업순 익화를 당ᄒ시니, 블초 손이 흉완(凶頑) 일악(一惡)이나 어이 살고져 ᄆᆞᄋᆞᆷ이 이시리잇고? 흔번 죽어 강상 대죄를 속ᄒ고 붓그러온 낫츨 드러 텬일디하(天日之下)의 셔디 아니ᄒ리이다."

언파의 옥좌를 우러러 직비 청죄ᄒᆞᄃᆡ, 더러온 ᄌᆞ최 봉궐의 다시 츌입디 못ᄒᆞᆯ 바를 고ᄒ고, 밧비 ᄌᆞ긔를 버히샤 후셰 블초 난ᄌᆞ를 징계ᄒ시믈 청ᄒ며, 한미를 궐졍의 블너 드리샤 그 조【59】손을 ᄃᆡ면딜졍(對面質正)케 ᄒ시미 만만 블ᄉᆞ(不似)915)ᄒᆞ믈 일ᄏᆞ라 그만 닉여 보ᄂᆡ시믈 빌ᄉᆡ, 옥계의 머리를 두다리니 두골이 씌여져 피 흐르기의 밋ᄎᆞ며, 가변을 붓그리고 조모의 참덕을 슬허 옥면의 ᄆᆞᆰ은 누쉬 옷기슬 뎍시니, 그 풍뉴신광의 긔이코 슈려ᄒᆞᆷ은 슈한(愁恨)을 겸ᄒᆞᆯᄉᆞ록 더욱 보암즉 ᄒᆞ며, 대효(大孝)의 은은간간(誾誾侃侃)916)ᄒᆞᆷ믄 ᄌᆞ연 언어의 낫타나니, 텬심의 크게 감동ᄒ시고 만됴 츄연 변싴ᄒᆞᄂᆞᆫ디라.

샹이 위시를 닉여 보ᄂᆡ라 ᄒ시ᄃᆡ, 그 시녀는 다 잡아 져주기를 뎡ᄒ시니, 윤태위 시녀를 져주는 날은 조모와 슉모의 만악쳔흉이 드러날 바【60】를 더욱 망극ᄒ여, 톄읍 쥬 왈,

"폐히 강상 대죄인을 다ᄉᆞ리시미 극뉼 뎡형으로ᄡᅥ, 그 죄를 뎡히 ᄒ시미 올커늘, 엇디 도로혀 무죄흔 한믜 시녀를 잡아 져주시고, 신의 죄를 믈시코져 ᄒ시ᄂᆞ니잇고? 셩명 쳐티 실노 블가ᄒ오니, 브졀 업시 쳔비를 츄문ᄒᆞ미 업게 ᄒ쇼셔."

샹이 글오샤ᄃᆡ,

"경 등의 죄패 그럴시 딘실ᄒᆞᆯ딘ᄃᆡ, 딤이 엇디 쥬륙ᄒᆞ믈 앗가 넉이리오마ᄂᆞᆫ, '디신(知臣)은 막여군(莫如君)'917)이라. 딤이 비록 블명ᄒ나 경 등의 인믈을 아ᄂᆞ니, 엇디 강○[상]대죄(綱常大罪)를 디을 니 이시리오.

흔 곡경과 한 업순 익화를 당ᄒ시니, 블초 손이 흉완(凶頑) 일악(一惡)이나 어이 살 마음이 이시리오. 흔번【170】 죽어 강상대죄를 속ᄒ고, 붓그러온 ᄂᆞᆺ츨 드러 텬일지하(天日之下)의 셔지 ᄋᆞ니ᄒ리이다."

언파의 옥좌를 우러러 직비 청죄ᄒᆞᄃᆡ, 더러온 ᄌᆞ최 봉궐의 다시 츌입지 못ᄒᆞᆯ 바를 고ᄒ고, 밧비 ᄌᆞ긔를 버히ᄉᆞ 후셰 블초 난ᄌᆞ를 증계ᄒ심을 청ᄒ며, 조모를 궐졍○[의] 블너 드리샤 조손을 ᄃᆡ면질졍(對面質正)케 ᄒ심이 만만 블ᄉᆞ(不似)915)ᄒᆞᆷ을 일ᄏᆞ라, 그만 닉여 보ᄂᆡ심을 빌ᄉᆡ, 옥계의 머리를 두달이니 두골이 씌여져 피 흐르기의 밋ᄎᆞ며, 가변을 붓그리고 조모의 참덕을 스러 옥면의 ᄆᆞᆰ은 누쉬 옷깃슬 젹시니, 그 풍뉴신광의 긔이ᄒ고 슈려ᄒᆞᆷ은 슈한(愁恨)을 겸ᄒᆞᆯᄉᆞ록 더욱 보암 죽ᄒ며, 대효(大孝)의 은은간간(誾誾侃侃)916)【171】ᄒᆞᆷ은 ᄌᆞ연 언어의 나ᄐᆞᄂᆞ니, 텬심의 크게 감동ᄒ시고 만됴 츄연 변싴ᄒᆞᄂᆞᆫ지라.

샹이 위시를 닉여 보ᄂᆡ라 ᄒ시ᄃᆡ 그 시녀는 다 잡아 져쥬기를 졍ᄒ시니, 윤틱위 시녀를 져쥬는 날은 조모와 슉모의 만악쳔흉이 드러날 바를 더욱 망극ᄒ여, 톄읍 쥬왈,

"폐히 강상 딕죄인을 다ᄉᆞ리시미 극뉼 졍형으로ᄡᅥ, 그 죄를 졍히 ᄒ심일[이] 올커늘, 엇지 도로혀 무죄흔 한미 시녀를 잡아 죄쥬시고, 신의 죄롤 믈시코져 ᄒ시ᄂᆞ니잇고? 셩명 쳐치 실노 블가ᄒ오니, 부졀업시 쳔비를 츄문ᄒᆞᆷ이 업게 ᄒ쇼셔."

샹이 가로ᄉᆞᄃᆡ,

"경 등의 죄패 진【172】짓 그럴진ᄃᆡ, 짐이 엇지 쥬륙ᄒᆞᆷ을 앗기리오마ᄂᆞᆫ, '지신(知臣)은 막여군(莫如君)'917)이라. 딤이 비록 블명ᄒ나 경 등의 인믈을 아ᄂᆞ니, 엇지 강상대죄(綱常大罪)를 지을 니 잇스리오. 경의

경의 조뫼 블인ᄒ여, 허언을 쥬츌ᄒ여 온 가디【61】로 경 등을 모히ᄒ니, 그 포한(暴悍)ᄒᄆᆯ 통완ᄒ여 작악디ᄉᆯ 아라 닉여, 경 등의 신누를 벗겨 닉고져 ᄒ미니, 경 등은 브졀 업시 작악ᄒᆫ 한미를 위ᄒ여 슬허 병을 닐위디 말나."

윤태위 셩은을 감은ᄒ나 가디록 톄읍 간걸ᄒ여 시녀를 츄문치 마르시믈 쳥ᄒ니, 샹이 그 디효와 언ᄉ의 격녈ᄒ미 ᄉᆞᆼᆼ 긋치 넉이ᄂᆫ 거동과, 혹ᄉ의 토혈ᄒ고 것구러져 인ᄉ 모로던 형상을 보시고, 태위 심녀를 허비ᄒ여 딜을 닐월가 넘녀ᄒ여, 굴오샤딕,

"딤이 다시 싱각ᄒ여 일이 슌편토록 ᄒ리니, 경은 안심ᄒ여 믈너가라."

윤태위 빅비 샤【62】은ᄒ고 퇴ᄒ니, 위시ᄂᆞᆫ 윤상셔 댱ᄌ 한님 원텬의 교ᄌ의 올녀 옥누항으로 도라가ᄂᆞ라.

샹이 평남후 뎡텬흥과 대ᄉ마 초평후 하원광을 갓가이 브르샤 문 왈,

"경 등은 다 윤가 동상으로 그 집 일을 알오미 셕쥰만 못ᄒ디 아닐 빅어늘 어이 함구ᄒ여 ᄎᆞᄉ의 간예ᄒ미 업ᄂᆞ뇨?"

남휘 몬져 돈슈 왈,

"신은 윤현의 녀를 취ᄒ엿ᄉ오나, 텬셩이 소활ᄒ와 신의 집 일도 셰쇄디ᄉᆞᆯ 모로읍거든, 윤가 변고를 엇디 알 니 잇고마ᄂᆞᆫ, 셕쥰의 쥬ᄉᆞᆯ 과격ᄒᆯ디언졍, 그르든 아닌가 ᄒᄂᆞ이다. 위녜 광텬디모(之母)를 음분 도쥬ᄒ다 ᄒ오나, 일퇴디샹(一宅之上)【63】의 견딕디 못ᄒᆯ ᄉᆡ 만흐므로, 조시 피화ᄒ여 ᄉᆞ라시믈 셰샹이 알게 아니ᄒ오딕, 광텬 등이야 어이 긔모의 거쳐를 모로리잇가?"

초휘 쥬 왈,

"신은 윤슈의 녀셰 되엿ᄉ오나, 쵹디의 오리 잇ᄉ오니 윤가 변고를 알 길히 업습더니, 금츈의 샹경ᄒ와 비로소 윤가 변괴 괴이ᄒᄆᆯ 듯ᄌ왓ᄉ던 빅라. 흔갓 위녜 ᄉᆞ오나올 ᄲᅳᆫ 아니오라, 윤슈의 쳐 뉴녜 간교ᄒ여 블인ᄒᆫ 고모(姑母)를 돕ᄂᆞ 도리 무상(無狀)

조뫼 블인ᄒ여, 허언을 쥬츌ᄒ여 온 가지로 경 등을 모히ᄒ니, 그 포한(暴悍)ᄒᄆᆯ 통완ᄒ여 작악지ᄉᆞᆯ 아라 닉여, 경 등의 신누를 벗기고져 ᄒ미니, 경 등은 부졀 업시 작악ᄒᆫ 한미를 위ᄒ여 스러 병을 이뤄지 말나."

윤틱위 셩은을 감은ᄒ나 가지록 톄읍 간걸ᄒ여 시녀를 츄문치 마르심을 쳥ᄒ니, ○○[샹이] 그 지효와 언ᄉ의 격녈홈이 ᄉᆞᆼᆼ을 ○○[부운]거치 넉이ᄂᆞᆫ 거동과, 혹ᄉ의 토혈ᄒ고 것구러져 인ᄉ 모로던 형상을【173】보시고, 틱위 심녀를 허비ᄒ여 병을 일뤌가 넘녀ᄒ여, 가로사딕,

"짐이 다시 싱각ᄒ여 일이 슌편토록 ᄒ리니, 경은 안심ᄒ여 물너가라."

윤틱위 빅비 ᄉ은ᄒ고 퇴ᄒ니, 《뉴‖위》시ᄂᆞᆫ 윤상셔 댱ᄌ 《하림‖한림》 원텬의 교ᄌ의 올녀 옥누항으로 도라가ᄂᆞ라.

샹이 평남후 뎡텬흥과 대ᄉ마 초평후 하원광을 갓ᄀ이 브르샤 문 왈,

경 등은 다 윤가 동상으로 그 집 일을 알옴이 셕쥰만 못ᄒ지 아닐 빅나, 어이 홈구ᄒ여 ᄎᆞᄉ의 간예홈이 업ᄂᆞ뇨?"

남휘 몬져 돈슈 왈,

"신은 윤현의 녀를 취ᄒ엿ᄉ오나, 텬셩이 소활ᄒ와 신의 집 일도 셰쇄지ᄉᆞᆯ 모로읍거든, 엇지 윤가 변고를 알 니 잇고마ᄂᆞᆫ, 셕쥰의 쥬식 과【174】격ᄒ지언졍 그르든 아닌가 ᄒᄂᆞ이다. 뉴녜 광텬 모(母)를 음분 도쥬ᄒ다 ᄒ오나, 일퇴지상(一宅之上)의 견딕디 못ᄒᆯ 《ᄉ괴‖ᄉ괴》 만음으로, 조시 피화ᄒ여 ᄉᆞ랏심을 셰샹이 알 으니 ᄒ오딕, 광텬 등이야 엇지 엄의[918] 거쳐를 모로리잇가?"

초휘 쥬 왈,

"신은 윤슈의 녀셰 도[되]엿ᄉ오나, 쵹디의 오리 잇ᄉ오나[니] 윤가 변괴를 알 길이 업습더니, 금츈의 샹경ᄒ와 비로소 윤가 변괴 괴이홈을 듯ᄌ왓습든 빅라. 흔갓 위녜 ᄉᆞ오나올 ᄲᅳᆫ 아니오라, 윤슈의 쳬 간교ᄒ여

---

918)엄의 : 어믜. 어미. '어머니'의 낮춤말..

흔와, 윤가 변괴 더욱 흉참흔와 광텬의 여러 쳐실과 희텬의 냥쳐를 보젼치 못흐오미 이 연괴라. 희텬은 신의 미부오 광텬은 쳐죵(妻從)918)이니, 어이 그【64】위인을 모로리잇가? 대효 군즈로 만식 특이흐므로뻐 강샹(綱常) 일죄(一罪)를 므릅뻐 참연 츠셕흠을 니긔디 못흐옵는 비오니, 셩감(聖鑑)이 붉히 슬피시니 튱효읫 현식 두 명을 맛디919) 아닐가 힝심(幸甚)흐옵는 비로소이다."

샹 왈,
"위녀의 포악흔 죄를 아니 다스리디 못흘 거시오, 그 시녀를 져주디 아닌즉, 윤광텬 등의 신누를 벗기디 못흘가 흐노라."

평남휘 우쥬 왈,
"셩괴 맛당흐시나 위녀의 악스를 다스리시는 날은 두 낫 대현을 일흐시리니, 엇디 블힝치 아니흐오며, 흐믈며 광텬 등의 셩효로뻐 한미를 히흔 손지 되여 셰샹의 다시 날 길히【65】업스오리니, 원컨디 폐흐는 윤가 형셰를 슬피시고, 광텬 등의 초갈(焦渴)흔 심스를 도라보샤, 그 양광(佯狂)을 실(實)히와920), 비록 상셩(喪性) 실광(失狂)이나 발검(拔劍)흐여 욕살조모(慾殺祖母)921)흐미 흉참타 흐샤 쳔니의 덕거흐시면, 위녜 즈연 셰구년심(歲久年深)922)흐여 문졍(門庭)의 드리미러 보 리 업고, 가시 파훼(破毀)흐미, 즈연 현심을 싱각흐여 뉘웃츠미 이실 거시오. 광텬 형데 텬은을 감튝흐여 죽어 갑스올 뜻이 이시리이다."

샹이 골오샤디,
"경의 말이 맛당흐거니와, 딤이 위녀의 □음을 맛치기를 위흐여, 두 낫 튱현을 무죄히 찬츌흐미 크게 블가흐고, 인군의 쳐시

918)쳐죵(妻從) : 아내의 사촌형제.
919)맛다 : 맞다. 마치다. 끝내다. 여기서는 '죽이다'의 뜻.
920)실(實)히와 : 사실로 여겨. 사실로 간주해.
921)욕살조모(慾殺祖母) : 조모를 살해하려 함.
922)셰구년심(歲久年深) : 세월이 매우 오래됨.

블인(不仁)흔 고모(姑母)를 돕는 도리 무상(無狀)흐와 윤가 변괴 더욱 흉참흐여 광텬의 여【175】러 쳐실과 희텬의 냥쳐를 보젼치 못흐옴이 이 연괴라. 희텬은 신의 미부오, 광텬은 쳐죵(妻從)919)이니, 어이 그 위인을 모로리잇가? 대효 군즈로 만식 특이홈으로뻐, 강샹(綱常) 일죄(一罪)를 므릅뻐 참연 츠셕흠을 이긔지 못흐옵는 비오니, 셩감(聖鑑)이 붉히 슬피시니, 튱효의 두 이름을 맛지920) ᄋ닐가 힝심(幸甚)흐옵는 비로소이다."

상 왈,
"위녀의 포악흔 죄를 아니 다스리지 못흘 거시여늘, ○○○○[그 시녀를] 져주지 ᄋ닌즉 윤경 등의 신누를 벗기지 못흘가 흐노라."

평남휘 우쥬 왈,
"셩괴 맛당흐시ᄂ 위녀의 악스를 다스리시ᄂ 늘은 두 ᄒ 대현을 이르시리니, 엇지 블힝치 아니흐오며, 하믈며 광텬 등의 셩효로뻐 한미를 히흔 손지 도[되]여, 셰샹의 다시 날 길이 업스으니, 원컨디 폐하는 윤가 형셰를 살피시고, 광텬의 초갈(焦渴)흔 심스를 도라보【176】샤, 그 양광(佯狂)을 실(實)히와921), 비록 상셩(喪性) 실광(失狂)이나 발검(拔劍)흐여 욕살조모(慾殺祖母)922) 홈이 흉참타 흐샤, 쳔리의 덕거흐시며[면], 위녜 즈연 셰구년심(歲久年深)923)흐여 문졍의 드리미러 불 이 업고, 가식 파훼(破毀)흐미 즈연 현심을 싱각흐여 뉘웃츠미 잇실 거시오. 광텬 형데 쳔은을 감튝흐여 죽어 갑홀 쯧시 잇시리이다."

샹이 ᄀ라스디,
"경의 말이 맛당흐거니와, 짐이 위녀의 마음을 맛치기를 위흐여 두 낫 튱현을 무죄이 찬츌홈이 크게 블가흐고, 인군의 쳐시

919)쳐죵(妻從) : 아내의 사촌형제.
920)맛다 : 맞다. 마치다. 끝내다. 여기서는 '잃게 하다'의 뜻.
921)실(實)히와 : 사실로 여겨. 사실로 간주해.
922)욕살조모(慾殺祖母) : 조모를 살해하려 함.
923)셰구년심(歲久年深) : 세월이 매우 오래됨.

블평훈 【66】기를 면치 못흐리니, 쾌히 위녀의 죄를 칙흐여 뎍발흠과 궃디 못홀가 흐노라."

남휘 다시 쥬 왈,

"셩괴 디극 맛당흐시나, 광텬 등의 스졍을 슬피디 못흐시미니, 만일 위녀의 죄상을 덕발흐시고 광텬 등을 무죄타 흐실딘딕, 셩명 쳐티는 맛당흐시딕, 광텬 등을 일키 쉽 스오리니, 광텬 등의 디효(至孝)로뻐 그 한미 죄의 나아가고 져의 신누 버스믈, 결단흐와 즐겨 아니홀 거시오, 스스로 살 므음이 업셔 초조흐여 죽기 쉬오리니, 신의 뜻은 광텬 등 살오기를 위쥬흐와, 아딕 슈삼년을 블원디디(不遠之地)의 뎡비(定配)를 쳥흐오미오, 【67】이즉(二者)는923) 셩쥬의 냥신을 일치 아니시미오, 쏘 ○○○[위녀의] 독심(毒心)을 《거두디∥거우디924)》 아냐, 광텬 등을 찬비 죄인을 삼은즉, 샹언(上言)의 효험이라 홀 거시오, 삼즈는 광텬 등의 튼는 간장을 잠간 늣추어, 져의 죄를 당흐 믄 경스로 아올다. 광텬 형뎨 집을 써나는 거시, 됴셕의 보치여 시시의 못견딕는 ○○[경계(境界)] 잇디 아냐, 술 도리 이실가 흐느이다."

샹이 올히 넉이샤 만됴다려 므르시딕,

"텬흥의 의논이 엇더 흐뇨?"

삼공 이히(以下) 쥬 왈,

"뎡텬흥의 쥬시 윤가 형셰를 붉○[히] 아라 아딕 뎡비(定配)를 쳥흐오미니, 셩샹은 윤허흐쇼셔."

샹이 즉시 쳐결흐샤, '광텬 형뎨를 다 삼년 뎡 【68】비흐라' 흐시고, '위녀는 실셩 발광훈 손즈를 함(陷)흐는 흉심이 통히흐나, 광텬 등의 디효를 도라보아 죄를 뭇디 아니흐노라' 흐시니, 만됴 다 뎡병부의 의논을 좃츳 그리 되나, 태우 등의 찬비를 아니 츳셕흐 리 업더라.

샹이 파됴흐샤 닉뎐의 드르시니, 만됴 퇴흐여 윤태우의 졔족과 친우 붕비 일시의 의

블평흠을 면치 못흐리니, 쾌히 위녀의 죄를 칙흐여 젹발흠과 갓지 못홀가 흐노라."

남휘 다시 쥬 왈,

"셩괴 지극 맛당흐시나, 광텬 등의 스졍을 살피지 못흐심이니, 만일 위녀의 죄 【177】를 젹발흐시고 광텬 등을 무죄타 흐실진딕, 셩명 쳐치는 맛당흐시딕, 광텬 등을 이르시기924) 쉽스오리니, 광텬 등○[의] 지효로뻐 그 한미 죄의 나〇가고 져의 신누(身陋) 버슘을 결단흐와 즐겨 〇니 홀 거시오, 스스로 살 마음이 업셔 초조흐여 술 마음이 업기 쉬오리니, 신의 뜻슨 광쳔 등 살기를 위쥬흐와, 아직 슈삼년을 블원지지(不遠之地)의 졍비를 쳥흐음이오니, 이(二)는 셩쥬의 냥신(良臣)을 일치 〇니심이오, 쏘 위녀의 독심(毒心)을 거우지925) 아냐, 광텬 등을 찬비 죄인을 삼은즉, 샹언(上言)의 효험이라 홀 거시오, 삼(三)은 광텬 등의 투는 간장을 늣츄어, 져의 죄를 당흠은 경스로 알지라. 광텬 형뎨 집을 써나는 거시 조셕으로 【178】 보치여 시시로 못견딕는 경계 잇지 〇냐, 살 도리 잇실가 흐느이다."

샹이 올히 넉이샤 만됴다려 므로시딕,

"텬흥의 의논이 엇더 흐뇨?"

삼공이 딕쥬 왈,

"뎡텬흥의 쥬시 윤가 형셰를 붉히 아라 아직 졍비(定配)를 쳥흠이오니, 윤허흐쇼셔."

샹이 즉시 쳐결흐샤, '광텬 형뎨를 다 삼년식 졍비흐라' 흐시고, '위녀는 실셩 발광훈 손즈를 함(陷)흐는 흉심이 통히흐나, 광텬 등의 지효를 도라보아 죄를 뭇지 〇니 흐노라' 흐시니, 만됴 다 뎡병부의 의논을 즈차 그리 되나, 틱우 등의 찬비를 아니 츳셕홀 이 업더라.

샹이 파됴흐샤 닉젼의 드르시니, 만됴 퇴흐여 윤틱우의 졔족과 친우 붕비 일시의 의

---

923)이즉(二者)는 : 둘째는.
924)거우다 : 거스르다. 대적하다.

924)일다 : 잃다.
925)거우다 : 거스르다. 대적하다.

막(醫幕)의 나아가 찬츌을 위로ᄒ려 홀ᄉᆡ, 빈소를 뎡ᄒᄆᆡ 태우는 남쥐의 찬덕ᄒ고, 흑ᄉ는 양쥐의 뎍거ᄒᄆᆡ, 도뢰 쳔여 리오 일홈이 향니(鄕里)나 부요디디(富饒之地)라.

이ᄯᅥ 윤상셔와 셕상셰 흑ᄉ를 붓드러 니여와 약물을 드리워【69】구호ᄒ더니, 이윽고 태위 나와 흑ᄉ의 슈죡을 쥐므르며, 쳔슈만한(千愁萬恨)이 광미(廣眉)의 잠겨, 낫츨 드러 상셔 보기를 참괴히 넉이니, 셕상셰 그 손을 잡고 탄식ᄒ기를 마디 아냐, 신셰를 위틔히 넉이고 그 대효를 흠복ᄒ여, 윤부 변고를 위ᄒ여 근심ᄒᄆᆡ 등한치 아니ᄒ되, 태우는 믁믁ᄒ여 말이 업더니, 날호여 뎡식 왈,

"쇼뎨 형을 바라는 졍이 골육동긔 ᄀᆞ던 거시어늘, 엇디 내 집 변고를 당ᄒ여 강상대죄인(綱常大罪人)을 구ᄒ고, 조모를 어디디 아니키로 쵀워 그 ᄌᆞ손 되 니로 ᄎᆞ마 듯디 못홀 말ᄉᆞᆷ을 만히 ᄒᆞ시니, 쇼뎨 평일 형을 아디 못ᄒ여 깁【70】히 졍을 미ᄌᆞᆺ던 일이 심히 참괴ᄒ니, 다시 되홀 낫치 업도소이다."

상셰 호호히 웃고 왈,

"ᄉᆞ원이 날을 깁히 미온ᄒ여 졀교ᄒᆞᆷ믈 니르거니와, 셕ᄌᆞ한의 말이 디극 뎡논이오, 디졍공심(至正公心)925)이라. 만일 ᄉᆞ원 형뎨의 노ᄒᆞᆷ믈 두리디 아닐딘딕, 인심의 격분 통히ᄒᆞᆫ 일을 ᄎᆞᆷ을 것가? ᄉᆞ원은 브졀 업슨 노한(怒恨)을 먹음디 말고, 졍의(情誼)를 온젼이 ᄒᆞ여 나의 노를 도도디 말디어다."

태위 다시 말을 아냐셔, 흑ᄉᆡ 비로소 인ᄉᆞ를 츌혀 눈을 ᄯᅥ 좌우를 보고, 셕상셰 겻ᄐᆡ 이시믈 아라 뎡식고 알픈 거슬 강인ᄒ여 니러 안ᄌᆞ, 태우를 향ᄒ여【71】조뫼 집으로 나가신가 므르니, 태위 앗가 나가시믈 니르나 결말이 엇더ᄒ고 초조ᄒ더니, 뎡병부 등이 나와 태우 곤계를 보고 찬덕을 티위(致慰)ᄒ니, 태우 형뎨 ᄌᆞ긔 등의 찬덕이

───

막(醫幕)의 나아가 찬츌을 위로ᄒ【179】려 홀ᄉᆡ, 빈소를 졍홈이 ᄐᆡ우는 《남취∥남쥐》의 찬덕ᄒ고, 흑ᄉ는 《양취∥양쥐》의 젹거ᄒᄆᆡ, 도뢰 쳔여 리오, 일홈이 향리(鄕里)나 부요지지(富饒之地)라.

잇ᄯᅵ 윤상셔와 셕상셰 흑ᄉ를 붓드러 니여 약물을 드리워 구ᄒ더니, 이윽고 태위 나와 흑ᄉ의 슈죡을 쥬므르며, 쳔슈만한(千愁萬恨)이 광미(廣眉)의 ᄌᆞᆷ겨 ᄂᆞᆺ츨 드러 상셔 보기를 참괴히 넉이니, 셕상셰 그 손을 잡고 탄식ᄒ기를 마지 ᄋᆞ니ᄒ여, 신셰를 위틱히 넉이고 그 대효를 흠복ᄒ여, 윤부 변고를 위ᄒ여 근심홈이 등한치 아니ᄒ딕, ᄐᆡ우는 묵묵 무언이러니, 날호여 졍식 왈,

"쇼뎨 형을 ᄇᆞ라는 졍이 골육동긔 갓ᄒᆫ 거시어늘, 엇지 내 집 변고를 당ᄒ여 강상대죄인(綱常大罪人)을 구ᄒ고, 조모를 어지지 아니키로 쵀워, 그 ᄌᆞ손【180】된 이로 참아 듯지 못홀 말ᄉᆞᆷ을 만히 ᄒᆞ시니, 쇼뎨 평일 형을 아지 못ᄒ여 깁히 졍을 미ᄌᆞᆺ던 일이 심히 참괴ᄒ니, 다시 되홀 ᄂᆞᆺ치 업도소이다."

상셰 호호어 웃고 왈,

"ᄉᆞ원이 ○○[날을] 깁히 미온ᄒ여 졀교홈을 니르거니와, 셕ᄌᆞ한의 말이 지극 졍논이오, 지졍공심(至正公心)926)이라. 만일 ᄉᆞ원 형뎨의 노홈을 두리지 아닐딘딕, 인심의 격분 통히ᄒᆞᆫ 일을 ᄎᆞᆷ을 것가? ᄉᆞ원은 부졀 업슨 노(怒)홈을 먹지 말고, 졍의(情誼)를 온젼이 ᄒᆞ여 나의 노를 도도지 말지어다."

ᄐᆡ위 다시 말을 ᄋᆞ냐셔, 흑ᄉᆡ 비로소 인ᄉᆞ를 ᄎᆞ려 눈을 ᄯᅥ 좌우를 보고, 셕상셰 겻ᄐᆡ 잇심을 아라 졍식고 알픈 거슬 강잉ᄒ여 이러 안자, ᄐᆡ우를 향ᄒ여, 조뫼 집【181】으로 나가신가 무르니, ᄐᆡ위 앗가 ᄂᆞ가시믈 이르나 결말이 엇더ᄒ고 초죠ᄒ더니, 뎡병부 등이 나와 ᄐᆡ우 곤계를 보고 찬젹을 지위ᄒ니, ᄐᆡ우 등이 ᄌᆞ긔 등의 찬젹이 영힝

───

925)디졍공심(至正公心) : 지극히 정대하고 공평하여 사사로움이 없는 마음.

926)디졍공심(至正公心) : 지극히 정대하고 공평하여 사사로움이 없는 마음.

영흥이라, 밧비 문 왈,

"셩샹이 강샹대죄인(綱常大罪人)을 쥬륙디 아니시고 법을 늣추시민, 후셰 블초ᄌ를 징계치 못홀가 ᄒ느니, 쇼뎨 등이 당연흔 ᄉ죄인(死罪人)이니 ᄉ라나미 므어시 쾌ᄒ리오."

이라. 밧비 문 왈,

"셩샹이 강샹대죄인(綱常大罪人)을 쥬륙지 아니시고 법을 늣추시민, 후셰 블초ᄌ를 증계치 못홀가 ᄒ느니, 쇼뎨 등이 당연흔 ᄉ죄인(死罪人)이니 ᄉ라남이 무엇이 쾌ᄒ리오."

뎡병뷔 냥인을 손을 잇그려 잡고 위로 왈,

"ᄉ원 형뎨의 당흘바 변고는 실노 진닉지 못홀 경계 만ᄒ나, 도시 익운이 괴이흠이오, ᄉ름을 툿홀거시 업눈지라. 만일 비원을 이긔지 못ᄒ여 스스로 쥭기를 달게 넉일진ᄃᆡ, 이는 령(令)【182】 존당으로 ᄒ여금 ᄌ손 히ᄒᄂᆞᆫ 허물○[을] ᄭᆡᆻ쳐, 만ᄃᆡ의 민멸치 못홀 죄악이 되리니, 목슘을 보젼ᄒ는 거시 대회라. '슌(舜)이 우물을 겻굼글 두심'927)을 효측ᄒ여 쳔금즁신(千金重身)을 보호ᄒ라"

틱우 형뎨 슈루(垂淚) ᄃᆡ왈,

"쇼뎨 등이 불초 무상ᄒ여 강샹대죄를 몸소 짓고, 노년 조모로 ᄒ여금 무한흔 괴롬과 망측흔 욕을 이르여 만됴 군졸 가온ᄃᆡ 잡혀 드는 변괴 잇스니, 이 다 쇼뎨 등의 죄악이리[라]. ᄒ 면목으로 ᄃᆡ인(對人)ᄒ여 닙어셰(立於世) ᄒ리오."

뎡병뷔 냥인을 슉시냥구(熟視良久)의 미쇼왈,

"ᄉ원 형뎨를 쳔연흔 군진가 ᄒ엿드니, 닉외 다름이 니 가튼요? 텬문의 결ᄉᄒ심이 현우 선악과 간졍을【183】 획실치 ᄋ니심이, 도시(都是) ᄉ원 등을 춍이ᄒ시는 은영이니, 감은각골(感恩刻骨)ᄒ여 쳔은(天恩)을 갑ᄉ올 바를 싱각지 아니ᄒᄂᆞ뇨?"

ᄒ더라.

세(歲) 임ᄌ(壬子 : 1912) 구월 일 등셔(謄書)라.【184】

---

927)슌(舜)이 우물을 겻굼글 두심 : 슌(舜)이 이복 동생인 상과 계모가 자신을 죽이려 하여, 우물을 파게 하고 흙을 덮어 생매장하려 하자, 이를 예측하고 미리 옆으로 빠지는 구멍을 마련해 두었다가 그 곳으로 빠져나와 죽음을 모면하였다는 고사를 말함. 『맹자』〈만장장구상(萬章章句上)〉에 나온다.

뎡병뷔 낭인을 슉시냥구(熟視良久)의 미
쇼왈,

"스원 형뎨를 쳔연흔 군진가 ᄒᆞ엿더니,
너외 다르미 이 ᄀᆞᆺ트뇨? 텬문의 결ᄉᆞᄒᆞ시미
현우(賢愚) 션악(善惡)과 간졍(奸情)을 힉실
(覈實)치 아니시미, 도시(都是) 스【72】원
등을 통우ᄒᆞ시ᄂᆞᆫ 은영이니, 감은각골(感恩
刻骨)ᄒᆞ여 군은(君恩)을 갑ᄉᆞ올 바를 싱각
디 아니ᄒᆞᄂᆞ뇨?"

태우 등이 ᄌᆞ긔 등의 찬덕ᄒᆞ미 뎡병부의
고ᄒᆞ민 줄 짐작ᄒᆞ나, 가변을 한심ᄒᆞ고 조모
의 허믈을 붓그려 셰렴(世念)이 ᄉᆞ연(索
然)926)ᄒᆞ여, 조뫼 ᄌᆞ긔 등을 면딜딕증(面質
對證)ᄒᆞ여 흉패히 구던 거동을 싱각ᄒᆞ미 고
딕 죽고 시브거눌, 못견딜 경계를 무슈히
디닉딕 죽디 못ᄒᆞᄆᆞᆯ 이둘나, 졔우 친붕이
모다 찬덕을 티위ᄒᆞ니[나] 낫츨 드러 딕답
홀 말이 나디 아니, 다만 ᄉᆞ죄인(死罪人)
의 ᄉᆞ라나미 셩은이믈 일ᄏᆞ라, 즉시 옥누항
으로 도라올ᄉᆡ, 뎡병부 셕샹셔 하ᄉᆞ마 등이
다 뒤흘 좃ᄎᆞ 옥【73】누항 윤부로 나아가
니라.

어시의 뉴시, 【74】

"스원 ○[형]뎨(兄弟)를 쳔연흔 군진가
ᄒᆞ엿더니, 너외 다르미 이 ᄀᆞᆺ트뇨? 텬문의
결ᄉᆞᄒᆞ시미 현우(賢愚) 션악(善惡)과 젼후
허다 간졍(奸情)을 힉실(覈實)티 아니시미,
도시(都是) 스원 등을 총이ᄒᆞ시ᄂᆞᆫ 은영이니,
감은각골(感恩刻骨) ᄒᆞ여 텬은 갑ᄉᆞ올 바를
싱각지 아니ᄒᆞᄂᆞ뇨?"

틱우 등이 ᄌᆞ긔 등의 찬젹ᄒᆞ미 뎡병부의
고ᄒᆞ민 줄 짐작ᄒᆞ나, 가변을 한심ᄒᆞ고 조모
의 허믈을 붓그려 셰렴(世念)이 ᄉᆞ연(索
然)928)ᄒᆞ여, 조뫼 ᄌᆞ긔 등을 면질딕증(面質
對證)ᄒᆞ여 흉픽히 구든 거동을 싱각ᄒᆞ미,
즉긱의 죽고 시부거눌, 못견딜 경계[계](境
界)를 무슈히 지【1】닉딕, 죽지 못ᄒᆞᄆᆞᆯ 이
둘와, 졔우 친붕이 모다 찬젹을 치위ᄒᆞ나,
낫츨 드러 딕답홀 말이 나지 아니, 다만
ᄉᆞ죄인(死罪人)의 ᄉᆞ라나미 셩은이믈 일ᄏᆞ
라, 즉시 옥누항으로 도라올ᄉᆡ, 뎡병부 셕샹
셔 하ᄉᆞ마 등이 다 뒤흘 좃ᄎᆞ 윤부로 나아
가니라.

---

926)ᄉᆞ연(索然) : ①흥미가 없는 모양. ②다하여 없어
지는 모양

928)ᄉᆞ연(索然) : ①흥미가 없는 모양. ②다하여 없어
지는 모양

어시의 뉴시 모녜 대계를 운동ᄒᆞ여 태우 형뎨를 깅참의 함닉(陷溺)ᄒᆞ니, 이번을[은] 득계ᄒᆞ와 즐겨 ᄒᆞ며, 태부인의 샹언(上言)이 ᄒᆞᆫ번 텬문의 오로미 태우 형뎨를 다 하옥ᄒᆞ시니, 이졔ᄂᆞᆫ 죽이롸 ᄒᆞ여 심니(心裏)의 흔흔(欣欣)ᄒᆞ더니, 샹명이 태부인을 입궐ᄒᆞ라 ᄒᆞ시미, 위시 입궐ᄒᆞᆯ식, 셩부인이 이시므로 ᄒᆞᆫ 말을 못ᄒᆞ여 보ᄂᆞ니, 경이 가마니 모친ᄭᅴ 고ᄒᆞᆯ,

"왕뫼 입궐ᄒᆞ여 눈치 업순 말솜과 스믓갑디927) 못ᄒᆞᆫ 거동으로, 만목쇼시(萬目所視)의 《취졸∥추졸(醜拙)928)》을 ᄂᆡ미, 우리 악시 발각【1】ᄒᆞᆯ가 넘녀ᄒᆞᄂᆞ이다."

뉴시 쇼ᄒᆞᆯ,

"존고ᄂᆞᆫ 발셔 어디디 못ᄒᆞ미 유명ᄒᆞ시리니, 비록 깃브디 아니나 현마 엇디 ᄒᆞ리오. 우리 모녀의 허믈이나 면ᄒᆞ면 만힝이오, 회텬 등이 디효(至孝)ᄒᆞ니 존고의 과악을 가리와 위틱든 아니시리니, 이런즉 광텬 등은 쇽졀업시 젼졍을 맛ᄎᆞ 죽디 아니나, 인뉸의 용납디 못ᄒᆞ리니 엇디 묘치 아니리오."

이러틋 슈작ᄒᆞ여 날이 반오(半午)의 위시 도라와, 궐듕 슈말과 혹ᄉᆞ 형뎨 ᄒᆞ던 말이며, ᄌᆞ긔 말을 샹이 의심ᄒᆞ샤 혹ᄉᆞ 형뎨를 통우ᄒᆞ심만 일편 되믈 크게 원망ᄒᆞ고, 시녀 비를 잡아 져주기로 뎡【2】ᄒᆞ시믈 니르니, 뉴시 존고의 우패(愚悖)히 셔돈929) 말을 드르미 닙이 뼈 말이 나디 아니ᄒᆞ고, 시녀 등을 져주ᄂᆞᆫ 날이면, ᄌᆞ긔 모녀의 과악이 드러날디라. 놀나오믈 니긔디 못ᄒᆞ여 영니ᄒᆞᆫ 비복(婢僕)을 보니여 구몽슉의게 통ᄒᆞ여 궐듕 소식을 듯보니, 윤태위 톄읍간걸(涕泣懇乞)ᄒᆞ여 시녀 등 져주기를 아니시고, 태우

어시의 뉴시 모녜 대계를 힝ᄒᆞ여 틱우 형뎨를 깅참의 참익(慘溺)ᄒᆞ니, 이번은 계꾀 일으무로 즐겨 ᄒᆞ며, 틱부인의 흔번 상언의 틱우 형뎨를 하옥ᄒᆞ시니, 이졔ᄂᆞᆫ 죽일와 ᄒᆞ여 심이(心裏)○[의] 흔흔(欣欣)ᄒᆞ더니, 상명이 틱부인을 닙궐ᄒᆞ라 ᄒᆞ시미, 위시 즉시 닙궐ᄒᆞᆯ식, 셩부인이 이시므로 ᄒᆞᆫ 말도 못ᄒᆞ여 보ᄂᆞ니, 경이 ᄀᆞ만이 모친게 고ᄒᆞᆯ,

"왕뫼 닙궐ᄒᆞ여 눈치 업순 말솜과 아【2】룸답지 못ᄒᆞᆫ 거동으로, 만목쇼시(萬目所視)의 취졸(醜拙)929)을 ᄂᆡ면, 우리 악시 발각ᄒᆞᆯ가 넘녀ᄒᆞᄂᆞ이다."

유부인이 쇼ᄒᆞᆯ,

"존고ᄂᆞᆫ 발셔 어지지 못ᄒᆞ미 유명ᄒᆞ시리니, 비록 깃브지 아니나 현마 엇지 ᄒᆞ리오. 우리 모녀의 허물이나 면ᄒᆞ면 만힝이오. 회텬 ○○[등의] 셩이 지효(至孝)ᄒᆞ니, 존고의 과악은 ᄀᆞ리와 위틱든 아니시리니, 니런즉 광텬 등은 쇽졀업시 젼졍을 맛쳐 죽지 아니나, 인뉸의 용납지 못ᄒᆞ리니 엇지 묘치 아니리오."

니러틋 슈작ᄒᆞ여 날이 반오(半午)의 위시 도라와 궐즁 슈말과 혹ᄉᆞ 형뎨 ᄒᆞ던 말이며, ᄌᆞ긔 말을 상이 의심ᄒᆞᄉᆞ 혹ᄉᆞ 형뎨를 춍우《ᄒᆞᄉᆞ∥ᄒᆞ심만》 일편 되시믈 크게 원망ᄒᆞ고, 시녀비를 줍아 져주시믈 니르니, 유시 존고의 위틱(危殆)【3】히 셔두ᄂᆞᆫ930) 말을 드르며[미] 닙이 뼈 말이 ᄂᆞ지 아니ᄒᆞ고, 시녀 등을 져주ᄂᆞᆫ 날이면, ᄌᆞ긔 모녀의 과악이 드러날지라. 놀나오믈 니긔지 못ᄒᆞ여 영니ᄒᆞᆫ 비복(婢僕)을 보니여 궐즁 소식을 듯보니, 윤틱위 쳬읍 간걸(涕泣懇乞)ᄒᆞ여 시녀 등을 져주지 아니시고, 틱우 등이 남·양 이쳐(二處)의 찬쳑ᄒᆞ라 ᄒᆞ니, 유시 모

---

927)스믓갑다 : 꿰뚫어 알만하다. 환히 알만하다.
928)추졸(醜拙) : 추악(醜惡)하고 졸렬(拙劣)함.
929)셔돈 : '셔돌다'의 관형사형. 셔둘다; 서둘다. 일을 빨리 해치우려고 급하게 바삐 움직이다.

929)추졸(醜拙) : 추악(醜惡)하고 졸렬(拙劣)함.
930)셔둘다 : 서둘다. 일을 빨리 해치우려고 급하게 바삐 움직이다.

등이 남·양 양쥐(兩州)의 찬비ᄒᆞ니, 뉴시 모녜 놀나오믈 잠간 딘뎡ᄒᆞ고, 셔로이 태우 등 죽이디 못ᄒᆞ믈 한ᄒᆞ여, 셩부인을 몰나듯 게930) 태부인 귀예 다혀, 태우 형뎨를 반만 죽게 두다려 뎍소로 가다가 죽게 ᄒᆞ라 ᄒᆞ니, 위시 겸두ᄒᆞ여 벼【3】르기를 쟝히 ᄒᆞ 되, 셩부인 슉쇽이 이시믈 괴로이 넉이더니, 윤상셔 셩부인을 본부로 도라가 머므러 태 우 형뎨 뎍소로 발ᄒᆡᆼᄒᆞᆫ 후 남산으로 나려가 기를 니르니, 셩부인이 윤부 경식을 목도ᄒᆞ 미 인심의 괴롭다가, ᄀᆞ장 싀훤ᄒᆞ여 집으로 도라가고, 윤상셔ᄂᆞᆫ 왕ᄂᆡᄒᆞ여 태우 형뎨를 볼디언졍, 윤부의셔 다시 밤을 디니디 아니 랴 ᄒᆞ더라.

태우와 흑시 집의 도라오니, 뎡·하·셕 삼인이 ᄒᆞᆫ가디로 ᄯᅩ라 니르럿ᄂᆞᆫ디라. 태우 형뎨 삼인을 머므르고, ᄂᆡ당의 드러가 관영 을 ᄒᆡ탈ᄒᆞ고 태부인긔 쳥죄ᄒᆞ【4】여, 궐졍 의 가 무한ᄒᆞᆫ 곡경을 ○○○[것그믈] 일ᄏᆞ 라, ᄌᆞ긔 형뎨의 블초ᄒᆞᆫ 죄상을 고ᄒᆞ미, 눈 믈이 쥬줄ᄒᆞ여 ᄯᅳ히 괴이고, 슬픈 ᄉᆞ식과 효슌ᄒᆞᆫ 거동이 인심의 감동ᄒᆞᆯ 거시로○ [디], 져 갈호의 스오나오니[미] 뉴시의 간 악ᄒᆞᆫ 쇠의 달게드러시니931), 어이 일분이나 측은디심(惻隱之心)이 이시리오.

흑ᄉᆞ와 태우를 보미 고디 므러 먹을 듯ᄒᆞ 되, 셕·뎡·하 삼인이 외루의 이시믈 아라 아딕 인분(忍憤)ᄒᆞ고, 오딕 발을 구로고 가 슴을 두다려, 분미(憤罵) 왈,

"원슈놈들아 날을 원슈 ᄀᆞᆺ치 믜워ᄒᆞ여 필 경은 칼노 디르고져 ᄒᆞ다가 발각ᄒᆞ되, 혼군 (昏君)이 너의 형뎨【5】를 일편되이 통이 ᄒᆞ여, 죄를 다 나의게 밀위여 날노 ᄒᆞ여금 그 디경가지 디니고, 시녀를 져주어 무복 (誣服)932)을 바드랴 ᄒᆞ니, 이 엇디 인군의

네 이의 놀나물 잠간 진졍ᄒᆞ고, 셔로이 틔 우 등 죽이지 못ᄒᆞ믈 한ᄒᆞ여, 셩부인 몰나 듯게931) 틔부인 귀의 다혀 틔우 형뎨를 반 만 죽게 두다려 젹소로 가다가 죽게 ᄒᆞ라 ᄒᆞ니, 위시 겸두ᄒᆞ여 벼르기를 쟝이 ᄒᆞ되, 셩부인 슈슉이 이시믈 괴로이 넉이더니, 윤 상셰 셩부인을 본부로 도라가, 틔우 형뎨 젹소로 발ᄒᆡᆼᄒᆞᆫ 후 남산으로 나려가기를 니 르니, 셩【4】부인이 윤부 경식을 목도ᄒᆞ미 인심의 괴롭다가, 가장 싀훤ᄒᆞ여 집으로 도 라가고, 윤상셔ᄂᆞᆫ 왕ᄂᆡᄒᆞ여 틔우 형뎨를 볼 지언졍, 윤부의셔 ᄃᆞ시 밤을 지ᄂᆡ지 아니려 ᄒᆞ더라.

틔우와 흑시 집의 도라오니, 뎡·하·셕 ᄉᆞ인이 ᄯᅡ라 왓ᄂᆞᆫ지라. 틔우 형뎨 삼인을 머므르고 ᄂᆡ당의 드러가 쳥죄ᄒᆞ여, 궐졍의 셔 무한ᄒᆞᆫ 곡경을 닐ᄏᆞ라, 도시 ᄌᆞ가의 형 뎨 불효로 죄상을 고ᄒᆞ며, 눈믈이 ᄂᆞ리와 ᄯᅳ히 ᄀᆞ득이 고이고, 슬픈 ᄉᆞ식과 효슌ᄒᆞᆫ 거동이 인심의 감동ᄒᆞᆯ 비로되, 져 식호 ᄀᆞᆺ 튼 뉴시의 쇠의 달게드려시니932) 일분이나 측은지심(惻隱之心)이 이시리오.

흑ᄉᆞ와 틔우를 보미 고디 숨길 듯ᄒᆞ되, 뎡·셕·하 ᄉᆞ인이 외루의 잇시믈 아라, 《악진∥아직》 인분(忍憤)ᄒᆞ여 오직 발【5】을 구르며 가슴을 두다려, 분미(憤罵) 왈,

"이 원슈놈ᄃᆞ라 나를 구슈ᄀᆞᆺ치 넉여 필경 은 칼노 질려 ᄒᆞᄃᆞ가 발각ᄒᆞ미[되], 혼군 (昏君)이 너의 형뎨를 일편도히 춍이ᄒᆞ여, 죄를 다 나의○[게] 밀위여 날노 ᄒᆞ여금 그 런 곡경을 당케ᄒᆞ고, 시녀를 져주어 무복 (誣服)933)을 바드려 ᄒᆞ니, 이 엇지 인군의

---

930)몰나듯다 : 못 알아듣다. 남의 말을 듣고 그 뜻 을 알지 못하다.
931)달게들다 : 달려들다. 갑자기 달려와 안기거나 매달리다.
932)무복(誣服) : 강요에 의하여 하지 않은 것을 했 다고 거짓으로 자백함.

931)몰나듯다 : 못 알아듣다. 남의 말을 듣고 그 뜻 을 알지 못하다.
932)달계들다 : 달려들다. 갑자기 달려와 안기거나 매달리다.
933)무복(誣服) : 강요에 의하여 하지 않은 것을 했 다고 거짓으로 자백함.

셩명흔 쳐치리오. 너의 형뎨 나의 허믈과 브즈흐믈 스류(士類)의 푼포(分布)ᄒ미라933). 내 엇디 너의를 다시 볼 니이시리오. 셜니 나가 여러 동당(同黨)으로 나의 허믈이나 니르고 뎍소(謫所)로 가라.”

태우 형뎨 조모의 말ᄉᆞᆷ을 더옥 망극ᄒᆞ여, 다만 머리를 두다려 쳥죄ᄒᆞ여 이런 하교를 마르시믈 쳥ᄒᆞ디, 위시 더옥 고셩ᄒᆞ여 조로고 보치니, 태우 등이 톄읍 간걸ᄒᆞ여 히로(解怒)934)ᄒᆞ시기를 기다리디, 【6】 위흉이 일호 요동ᄒᆞ미 업스니, 태우 형뎨 셕고ᄃᆡ죄(席藁待罪)ᄒᆞ여 명을 기다리더라.

이ᄯᅵ 셕·뎡·하 삼인이 외루의셔 태우 등○[의] 나오기를 기다리디, 날이 져므도록 나오디 아니ᄒᆞ니, 병부와 초휘 존당의 기다리시믈 ᄉᆡᆼ각고, 셕샹셔를 향ᄒᆞ여 니르디,

“형은 모로미 이 곳의셔 ᄉᆞ원 등을 쳥ᄒᆞ여 밤을 디ᄂᆡ라. 쇼뎨 등이 명일 다시 오리라.”

ᄒᆞ고, 부듕의 도라가 존당의 뵈오니, 태부인이며 딘부인이 윤부 변고를 츠셕ᄒᆞ여, 찬뎍ᄒᆞ믈 텬졍의 간졍ᄒᆞ믈 비인졍이라 니르니, 남휘 찬뎍ᄒᆞᆷ은 시로이 가듕의셔 보치이믈 【7】 고ᄒᆞ니, 태부인이 언언(言言) 졈두(點頭)ᄒᆞ나, 윤싱 형뎨와 쇼져를 위ᄒᆞ여 넘녀ᄒᆞ미 능히 슈미(愁眉)를 펴디 못ᄒᆞ니, 남휘 호언관위(好言款慰)ᄒᆞ고 윤부의 셕샹셔 등이 이시미, 위·뉴의 간흉이나 능히 괴로이 보치디 못ᄒᆞᆯ ○[줄] 아라, 드디여 대셔헌의셔 헐슉(歇宿)ᄒᆞ고, 날이 붉기를 기다려, 명묘의 됴참 후 바야흐로 옥누항으로 가니, 아디 못게라, 거야ᄉᆞ(去夜事)의 여하(如何)오. 급급(急急) 하회(下回)를 셕남(釋覽)ᄒᆞ라.

ᄎᆞ시 윤부의셔 뎡·하 냥인이 도라가고, 셕샹셰 외로이 셔헌의셔 안ᄌᆞ락닐낙 걸호

933)푼포(分布)ᄒᆞ다 : 분포(分布)하다. 퍼뜨리다. 널리 퍼지게 하다.
934)히로(解怒) : 노여움을 품.

명셩흔 쳐치리오. 너의 형뎨 나의 허믈과 부즈ᄒᆞᆷ믈 스린(四隣)의 반포(頒布)ᄒᆞ미라. 내 엇지 너를 ᄃᆞ시 보리오. 셜니 나가 여러 동당(同黨)으로 나의 허믈이나 니르고 젹소(謫所)로 가라.”

틱우 형뎨 조모의 말ᄉᆞᆷ을 더옥 망극ᄒᆞ여 다만 머리를 두다려 쳥죄ᄒᆞ여 이런 윤교(倫敎)934)를 마ᄅᆞ시믈 쳥ᄒᆞ디, 위시 더옥 고셩ᄒᆞ여 됴ᄅᆞ고 브치니, 틱우 등이 톄읍 《간졀‖간걸》ᄒᆞ여 히로(解怒)935)ᄒᆞ시기를 기다리디, 틱부인이 일호 【6】 뇨동ᄒᆞ미 업셔 즐칙ᄒᆞ믈 마지 아니니, 틱우 형뎨 셕고ᄃᆡ죄(席藁待罪)ᄒᆞ여 명을 기다리더라.

ᄎᆞ시 셕·뎡·하 ᄉᆞᆷ인이 외헌의셔 틱우등 ᄂᆞ오기를 기다리디, 날이 져므도록 ᄂᆞ오지 아니ᄒᆞ니, 병부와 초휘 존당의 기ᄃᆞ리시믈 ᄉᆡᆼ각고, 셕샹셔를 향ᄒᆞ여 니르디,

“형은 모로미 이 곳의셔 ᄉᆞ원 등을 쳥ᄒᆞ여 밤을 지ᄂᆡ라. 쇼뎨 등이 명일 ᄃᆞ시 오리라.”

ᄒᆞ고, 부즁의 도라가 존당의 뵈오니, 틱부인이과 진부인이 윤부 변고를 츠셕ᄒᆞ여, 텬졍의 간졍ᄒᆞ미 비인졍이믈 니르니, 남휘 이셩 화긔로 조모를 위로ᄒᆞ여 윤싱이 찬젹ᄒᆞ미, 오히려 가즁의셔 무궁흔 녁경으로 조셕의 보치○[이]ᄂᆞᆫ 바도곤 나하 보젼ᄒᆞᆯ 도리믈 고 【7】 ᄒᆞ니, 틱부인이 언언(言言) 졈두(點頭)ᄒᆞ나, 윤싱 형뎨와 쇼져를 위ᄒᆞ여 젼후 길흉을 넘녀ᄒᆞ미, 능히 슈미(愁眉)를 펴지 못ᄒᆞ니, 남휘 호언으로 관위(款慰)ᄒᆞ고, 윤부의 셕샹셔 등이 이시미 《위독‖위·뉴》의 간흉이나 능히 보치지 못ᄒᆞᆯ 줄을 알미, 드디여 대셔헌의셔 헐슉(歇宿)ᄒᆞ고, 명묘의 죠참 후 바로 옥누항으로 가니, 아지 못게라, 하회(下回)를 셕남(釋覽)ᄒᆞ라.

ᄎᆞ셜 윤부의셔 뎡·하 냥인이 도라가고

934)윤교(倫敎) : =윤음(倫音). 임금이 신하나 백성에게 내리는 말. 오늘날의 법령과 같은 위력을 지닌다.
935)히로(解怒) : 노여움을 품.

(傑豪)혼 셩졍의 괴로오믈 니긔디 못호나, 즈긔마즈 썰치고 도라간죽, 위흉【8】과 뉴네 독슈(毒手)로 태우 등 스싱이 엇디 될디 몰나, 셕식(夕食)도 구궐(久闕)호고935) 홀○[노] 태우 등의 나오기를 기다리더니, 츠시 위흉과 뉴시 모녜 뎡·하 냥인이 도라가고 셕상셰 홀○[노] 이시믈 드르니, 셕싱의 강위(剛威)도 져허호고 쏘흔 빅년가긱(百年佳客)이라. 능히 만홀(漫忽)치 못호여, 셕식을 풍비히 굿초아 됴흔 말노 권유호며 위흉을 넌즈시 다리여 왈,

"뎡·하 냥인이 도라가고 셕낭이 홀노 딕희여시니, 존고는 광텬 등을 썰니 녀여 보니여 시비를 막으쇼셔."

위태 뉴시 말인죽 일종기언(一從其言)호고, 넘녜 무궁혼 고로 태우 형뎨를 나가라 지쵹호니, 태우 형뎨【9】디리히 욱이디 못호여 야심후 셔헌의 나오니, 셕상셰 웃고 왈,

"뎡챵빅과 하즈의눈 스원 등의 나오미 더디믈 굼거이 넉여 도라가고, 내 홀노 써러져 스원 등과 년침호여 즈고져 호노라."

태우 형뎨 만시 여몽(如夢)호니 셕상셔와 한화(閑話)홀 뜻도 나디 아닐 쏜아니라, 셕상셰 군젼의셔 위·뉘 두 부인의 참덕(慙德)을 일쿠르미 비록 허언이 아니나, 즈긔 등 심스를 도라보디 아니코 브졀업시 간예호믈 이돌나 묵연이 말을 아니니, 셕상셰 그윽이 우음을 먹음고 흔가디로 벼개의 나아가며, 글오디,

"녜로부터 딕언호는 무리 사름의 슬【10】히 넉이는 빅어니와, 스원 등이 엇디 날을 미온호미 이디도록 심호뇨? 아디 못게라, 평일 졍의를 버혀 영영히 졀교코져 호느냐?"

혹스 형뎨 뎡식 왈,

셕상셰 외로이 이셔 안지락 닐낙호니, 걸호(傑豪)혼 셩졍의 괴롭고 답답호여, 가고즈 호나 즈긔마즈 썰치고 니러셔셔 집으로 도라간죽, 위흉과 뉴간(奸)이 스이를 타 독슈(毒手)을 부릴진디, 틴우 등의 스싱이 엇【8】지 될지 몰나, 홀노 틴우 등의 나오기를 기드리더니, 위·뉴 뎡·하 《스인∥양인》이 도라가고, 빅화헌 셕상(席上)이 뷔여눈지라. 이의 셕상셰 홀노 이심을 드르니, 셕싱의 강위(剛威)도 《져희∥져허》호고 쏘흔 빅년가긱(百年佳客)이라. 능히 만홀(漫忽)치 못호여 셕식을 풍비히 굿초아 죠흔 말노 관위호며, 위시를 넌즈시 달이여 닐오디,

"뎡·하 냥인이 도라가고 셕낭이 홀노 두류(逗留)호여936) 셔헌을 직희여시니, 싱각건디 존고는 광텬 등을 썰니 녀여 보니여 시비를 막으쇼셔."

틴부인이 뉴시 말인죽 언쳥계용(言聽計用)호눈지라, 넘녜 무궁혼 고로 틴우 형뎨를 나{아}가라 지쵹호니, 틴우 형뎨 지리히 우기지 못호여, 야【9】심후 셔헌의 느아오니, 셕상셰 웃고 왈,

"뎡챵빅과 하즈의눈 스원 등의 더디오믈 궁거이 넉여 도라가고, 니 홀노 써러져 스원 등과 년침(連枕)호여 즈고져 호노라."

틴우 형뎨 만시 여몽(如夢)호니 셕상셔와 담화(談話)호고○[져] 뜻도 나지 아닐 쏜 아니라, 셕상셰 군젼의셔 위·유 두 부인의 참덕(慙德)을 일쿠로미 비록 허언이 아니나, 즈긔 등 심스를 도라보지 ○○[아니]호고 브졀업시 간예호믈 이돌아, 묵연이 말을 아니니, 셕상셰 그윽히 우음을 머금고 흔가지로 벼기의 느아가며, 글오디,

"녜로브터 직언호는 무리는 스룸의 슬히여 호는 빅여니와, 스원 등이 엇지 날을 뮈워호미 이디도록 심호뇨? 아지【10】못게라, 평일 졍회를 날회고 영영이 졀교코즈 호느냐?"

혹스 형뎨 졍식 왈,

---

935)구궐(久闕)호다 : 오래되도록 먹지 못하다.

936)두류(逗留)호다 : 체류하다. 머무르다.

"형이[의] 쇼뎨 등을 위훈 졍이[은] 감샤
흐나, 군주는 친히 보디 아닌 일과 친히 듯
디 아닌 말을 언두의 니르디 아닛느니, 형
이 우리 집 수수 일을 주셔히 아디 못흐며,
몬져 사룸의 조손간을 샹히오고, 괴이훈 말
을 텬졍의 쥬달흐시니, 이는 우리 형뎨를
셰샹의 용납디 못흐게 흐미라. 도로혀 괴이
히 넉이느이다."

셕샹셰 호호(浩浩)936) 박쇼왈(拍笑曰)937),
"나의 텬셩이 과격흐여 인심의 분개훈 거
슬 잘 춤【11】디 못흐노라."

태우 형뎨 탄식 무언이나, 쳔슈만한(千愁
萬恨)이 심곡(心曲)의 뼛혀 흐줌을 일우디
못흐고, 명일 조됴(早朝)의 샹셰 됴참의 가
니, 뉴시 위태를 도도아 뎡·하·셕 삼인이
며, 윤공 등이 됴참 후 이리 올 거시니, 그
수이 광텬 등을 듕티(重治)흐여 원노(遠路)
의 득달치 못흐고, 반노(半路)938)의셔 죽게
흐라 흐니, 위시 올히 넉여 벽녁 굿튼 소릭
로 태우 등을 잡아 드리라 흐니, 태우와 흑
시 젼도히 니루의 드러오믹, 태부인의 흉훈
셩과 참엄훈 얼굴이 험포(險暴) 극악(極惡)
흐여 태우 등을 바로 삼킬 듯흐디라. 태우
형뎨 듕계의 브복흐여 명을 기다리더니, 위
시 시노 등을 블【12】너 큰 믹를 들나 흐
니, 졔뇌 태우와 흑亽 위훈 졍셩이 져회 머
리를 버혀 드리나, 그 몸은 샹히오고져 아
니므로, 일시의 고두 왈,

"쥬군이 원억히 죄뎍(罪謫)흐심도 노주
등이 다 통곡고져 흐거눌, 초마 태부인 명
을 슌슈흐여 다시 쥬군의 몸을 샹히오리잇
고? 젼일은 거스리디 못흐여시나, 금일은
죽어도 명을 밧드디 못흐리로소이다."

태부인이 더옥 대로흐여 몬져 노복 등을
엄티(嚴治)코져 흐나, 졔뇌 모음이 셔로 응
흐여 태우 등 위훈 튱셩이 동촉흐니, 태흠
이 모음딕로 다亽릴 길히 업눈디라. 분분

"형이[의] 쇼뎨 등을 위훈 졍이[은] 감슈
흐거니와, 군주는 친히 보지 아닌 일과 친
히 듯지 아닌 말을 언두의 니르지 못훈다
흐느니, 형이 우리 집 수수 일을 주셔히 아
지 못흐고, 몬져 亽룸의 조손간을 샹히오고,
고이훈 말을 텬졍의 주달흐시니, 이는 우리
형뎨를 셰샹의 용납지 못흐게 흐미라. 도로
혀 고이히 넉이느이다."

셕샹셰 호호(浩浩)937) 박쇼왈(拍笑曰)938),
"나의 텬셩이 과격흐여 인심의 분연훈 거
슬 잘 춤지 못흐노라."

틱우 형뎨 탄식 무언이나, 쳔슈만한(千愁
萬恨)이 심곡(心曲)의 싸혀 흐줌【11】을
닐으지 못흐고, 명일 조조(早朝)의 샹셰 됴
참의 드러가니, 유시 위파를 도도아 뎡·하
·셕 슴인이며 눈공 등이 됴참 후 이리 올
거시니, 그 亽이 광텬 등을 즁치(重治)흐여
원노(遠路)의 득달치 못흐고, 반노(半路)939)
의셔 죽게 흐라 흐니, 위시 올히 넉여 벽녁
굿튼 소릭로 틱우 등을 원슈갓치 브○[르]니,
틱우 형뎨 즁계의 부복흐여 명을 기다리더니,
위시 시노 등을 블너 큰 믹를 들나 ○○[흐
니], 말이 훈번 나믹 모든 시뇌 틱우와 흑
亽 위훈 졍셩【12】이 져회 머리를 버혀
드리나, 그 몸은 샹히오고즈 아니므로, 일시
의 고두 왈,

"두 쥬인의 원억히 죄젹(罪謫)흐심도 노
주 등이 다 통곡할 빅어눌, 초마 틱부인 명
을 슌슈흐여 엇지 쥬군의 몸을 샹히오리잇
고? 죽亽와도 이 명을 밧드지 못흐리로소이
다."

틱부인이 대로흐여 몬져 노복 등을 엄치
(嚴治)코져 흐나, 졔뇌 마음이 샹응흐여 틱
우 등 위훈 츙셩이 동동촉촉흐니, 틱부인이
마음 딕로 다亽리지 못흐여 좌불안셕(坐不

936)호호(浩浩) : 한없이 넓고 큰 모양.
937)박쇼왈(拍笑曰) : 손뼉 치며 웃고 말하기를.
938)반노(半路) : 길가는 도중.

937)호호(浩浩) : 한없이 넓고 큰 모양.
938)박쇼왈(拍笑曰) : 손뼉 치며 웃고 말하기를.
939)반노(半路) : 길가는 도중.

대로ᄒᆞ여 좌(坐)를 안졉(安接)디 못【13】
ᄒᆞ니, 뉴시 졔노를 다 나가라 ᄒᆞ여 일인도
닉졍의 머므르디 아니코, ᄀᆞ마니 태복을 브
르니 곳 셰월의 ᄋᆞ돌이오, 뉴시의 심복 노
지라. 슈명ᄒᆞ여 드러와 위흥의게 뵌딕 위흥
이 좌우 듕문을 다 잠으라 ᄒᆞ여, 아모도 츌
입디 못ᄒᆞ게 ᄒᆞ고, 태복으로 하여곰 태우
형뎨를 형판(刑板)의 결박ᄒᆞ고, 큰 미를 들
나ᄒᆞ여 난간 가의 안ᄌᆞ, 왈,

"원슈 광·회 냥뎍(兩敵)이 혈육이 상ᄒᆞ
여 ᄲᅧ 바아디믈 보아도, 오히려 내 ᄆᆞᄋᆞᆷ이
싀훤튼 아니리니, 태복은 날을 위ᄒᆞ여 강상
대죄인(綱常大罪人)의 살이 일장의 써러디
게 ᄒᆞ라."

태복이 슈명ᄒᆞ여 져희 녕【14】한(獰悍)
ᄒᆞᆫ 힘을 다ᄒᆞ여 집장(執杖)939) ᄒᆞᆯ시, 태우를
결장(決杖)940)ᄒᆞ여 블급 삼십여 장(杖)의
셩혈(腥血)941)이 낭ᄌᆞ(狼藉)ᄒᆞ여 피육이 후
란(朽爛)ᄒᆞ니, 혹시 몸을 결박ᄒᆞ여 형의 슈
장ᄒᆞ믈 보미, ᄌᆞ긔 ᄯᅩ 당ᄒᆞᆯ 비로되, 형의 몸
을 앗기고 슬허 ᄒᆞ미, ᄌᆞ긔 마ᄌᆞ미 비홀 비
아니라. 머리를 두다려 ᄌᆞ긔를 죽이고 형을
샤ᄒᆞ여 뎍ᄒᆡᆼ(謫行)의 일명을 니어 원노의
득달케 ᄒᆞᆷ믈 쳥ᄒᆞ딕, 위태의 흉ᄒᆞᆫ 노긔 졈
졈 블 니러나 ᄃᆞᆺᄒᆞ여, 개개히 고찰ᄒᆞ며 다
흠 다흠942) ᄌᆞᆺ두다리기를 당부ᄒᆞ여 칠십여
장의 니르미, 태우의 옥면이 잠간 프르기를
면치 못ᄒᆞ고, 처음브터 일셩을 브동【15】
ᄒᆞ고 졈누(點淚)를 먹음디 아니나, 그 심신
즉 발셔 만히 상ᄒᆞ여 튱텬댱긔 만히 주러졋
ᄂᆞᆫ 바의, 평싱 노예 하쳔도 ᄌᆞ로 당치 아닛
ᄂᆞᆫ 듕장의 혈육이 셩ᄒᆞᆫ딕 업ᄉᆞ니, 댱위의
병이 깁히 드럿거늘 금일 칠십여 장의 살이
므어나고943) 피 흘너 ᄯᅡ히 괴이니, 비록 산

---

939) 집장(執杖) : 곤장(棍杖)을 잡음. 또는 곤장을 잡
고 장형(杖刑)을 집행함.
940) 결장(決杖) : 죄인에게 곤장을 치는 형벌을 집행
하던 일.
941) 셩혈(腥血) : 비린내가 나는 피. 핏줄이 터져 흘
러나오는 상태가 아직 멎지 않은 피. 또는 아직
굳지 않은 피.
942) 다흠 다흠 : 더욱 더. 다흠; 다만, 더욱.
943) 므어나다 : 무너나다. 상처, 옷 따위가 헐어서 떨

安席)ᄒᆞ니, 뉴시 즉시 졔노를 다 ᄂᆞ가라 ᄒᆞ
여 일인도 머므지 아니코, 가마니 틱복을
브르니, 곳 셰월의 ᄋᆞ돌이오, 뉴시의 심복
노지라. 슈명ᄒᆞ고 드러와 틱부인【13】의게
뵈온 딕, 틱부인이 좌우 즁문을 다 줌으라
ᄒᆞ여, 아모라도 츌입지 못ᄒᆞ게 ᄒᆞ고, 틱복으
로 하여금 틱우 형뎨를 형판(刑板)의 울닉
결박ᄒᆞ고, 큰 미를 들나ᄒᆞ여, 난간 가희 안
ᄌᆞ 왈,

"원슈 광텬·희텬의 놈이 혈육이 상ᄒᆞ여
ᄲᅧ 바아짐을 보아도, 오히려 나희 마음이
싀훤ᄒᆞ기 쉽지 아니니, 셰상 텬하의 엇지
니런 녁지(逆子) 잇시리오. 네 아모리 흉흉
극악(兇凶極惡)ᄒᆞ여 텬졍의 쥬달ᄒᆞ여도 텬
니 무심치 아냐, 필경 죄가 녁즈의게 밋쳣
도다"

ᄒᆞ고, 스긔 ᄀᆞ장 밍녈ᄒᆞ고 말이 발발ᄒᆞ여
급히 죽일 ᄃᆞ시 꾸지즈며, 싀랑 ᄀᆞᆺ튼 모진
셩음으로 노ᄌᆞ를 호령ᄒᆞ여 《힝장∥형장(刑
杖)》ᄒᆞ믈 직촉ᄒᆞ니, 바야흐【14】로 큰 거
조를 베풀고ᄌᆞ ᄒᆞᄂᆞᆫ지라. 틱우 형뎨 다만
속슈부복(束手仆伏)940)ᄒᆞ여 죽기만 기드리
더니, 뉴상셰 이 거죄이실 줄 알고 빅화헌
의 잇ᄃᆞ가, 통치 아니코 바로 닉당의 드러
오니,

---

940) 수슈부복(袖手仆伏) : 손을 묶인 채로 아무런 행
위도 하지 않고 엎드려 있음.

히(山河)를 넘쮜는 댱흔 용긔 잇던 빈나, 그 나흰즉 계오 삼오 쇼년으로, 허다 풍상 간익의 어이 오즉흐리오.

이날은 아조 인스를 바려 눈을 금고 죽엄 굿치 업디여 민를 바드니, 뉴시 경이 힝혀 죽을가 겁흐여 그만흐여 명이나 살녀 보닉라 흐니, 위흉이 비로소 【16】 샤흐고 흑스를 결장홀싀, 호령이 악악흐고 위·뉴를 위흔 노지라 힘을 다흐니, 흑싀 연약흐고 댱긔 태우를 밋디 못홀디라. 오십여 장의 인스를 츨히디 못흐딕 샤(赦)홀 쯧이 업셔 가디록 엄히 티더니, 홀연 듕문(中門) 좁은 거슬 박츠 산산이 바으고 칠팔인 명뉘 돌입흐니, 알플 당흐여 드러오닉 니는 윤부 친쳑이오, 그 뒤흘 좃츠 오는 즈는 셕·뎡·하 삼인이라.

뉴시와 경이 대참 황괴흐여 밧비 피흐고, 위흉의 흉험흐므로도 잠간 놀나, 윤상셔드려 왈,

"현딜이 와시믈 통치 아니코 문을 씌쳐 드러오믄 엇딘 일이뇨?"

윤상셰 허리 【17】를 굽혀 샤례 왈,

"쇼딜이 와시믈 고흐고 죵용이 드러오는 거시 맛당흐딕, 권도(權道)944)와 곡녜(曲禮)945)업디 아닌디라. 희텬 등의 셩명이 경긱의 위급다 흐오믈 듯즈오니, 밋쳐 녜모를 도라보디 못흐오미니, 이는 쇼딜의 죄어니와, 제족(諸族)과 셕즈한이 잠은 문이라도 씌치고 희딜 등을 구흐미 올타 흐는 고로, 쇼딜이 여러 의논을 셰오디946) 못흔 연괴오니, 슉모는 용셔흐쇼셔."

윤공의 말이 맛디 못흐여셔, 뎡병부는 윤흑스의 민거슬 글너 가비야이 붓드러 외헌으로 나가고, 셕상셔는 태우를 글너 제윤으로 더브러 붓드러 나가딕, 혼혼블셩(昏昏不

티노의 흉험키로도 즘간 놀나, 뉸공드려 왈,

"현딜이 와시믈 통치 아니코 바로 드러오믄 무슴 일고?"

뉸공이 흠신 스 왈,

"쇼딜이 와시믈 고○○[흐고] 드러오미 맛당흐오딕 《긍도∥권도(權道)941)》와 권녜(權禮)942) 업지 아니흐온지라. 낭딜 등의 셩명이 시긱의 위급다 흐믈 드르미 밋쳐 녜모를 도라보지 못흐미니, 이는 쇼딜의 죄어니와, 제족(諸族)과 셕즈한이 즘은 문이라도 씌치고 희딜 등을 구흐미 올타 흐는 고로, 쇼딜이 여러 의논 【15】을 셰우지943) 못흔 연괴니, 슉모는 용셔흐쇼셔."

언미필(言未畢)의 뎡병부는 뉸흑스를 글너 가비야히 붓드러 외헌으로 느아가고, 셕상셔는 태우를 글너 제뉸(諸尹)으로 더브러 붓드러 느가딕, 혼혼블셩(昏昏不醒)흐여 아모리 홀 줄을 모로더라.

<hr>

어저 나가다.
944) 권도(權道) : 목적 달성을 위하여 그때그때의 형편에 따라 임기응변으로 일을 처리하는 방도.
945) 곡녜(曲禮) : 예식이나 행사의 몸가짐 따위에 대한 자세한 예절.
946) 셰오다 : 세우다. '서다'의 사동사. 서게 하다. 멈추게 하다.

941) 권도(權道) : 목적 달성을 위하여 그때그때의 형편에 따라 임기응변으로 일을 처리하는 방도.
942) 권녜(權禮) : 상황에 따라 그때그때의 형편에 맞게 행하는 예절.
943) 셰우다 : 세우다. '서다'의 사동사. 서게 하다. 멈추게 하다.

醒)【18】ᄒᆞ여 아모란 줄 모로더라.

원간 뎡병부와 하ᄉᆞ미 셕상셔로 더브러 파됴 후 윤시 졔족으로 급히 옥누항의 오니, 셕상셰 임의 왓ᄂᆞᆫ디라. 태우 등의 간 곳을 므르니 시노 등이 고ᄒᆞ디,

"태부인이 상공 등을 결장ᄒᆞ노라, 쇼복 등을 다 씌어 닉치고 문을 잠가 통치 못ᄒᆞ게 ᄒᆞ니이다."

뎡병부와 졔(諸) 윤이 대경ᄒᆞ여 오릴 말이 업더니, 뎡병뷔 왈,

"일이란 거시 권되 업디 아니니, 우리 잠은 문을 씌치고 드러가미 올치 아니나, 그리 아니면 ᄉᆞ원 등을 구치 못ᄒᆞ리니, 급히 드러갈 거시라."

ᄒᆞ니, 셕상셔와 졔윤이 다 올히 녀겨 일시의 드러【19】가려 ᄒᆞ나, 문을 구디 잠가시니 씌치기 어려온디라. 병뷔 분연이 ᄒᆞᆫ번 발노 박츠니 문이 산산이 바아디ᄂᆞᆫ디라. 드러가 흑ᄉᆞ를 붓드러 외헌의 나오니, 임의 둔육(臀肉)이 웃쳐져 깁 ᄀᆞ튼 가족이 곳곳이 ᄶᅥ러졋고, 셩혈(腥血)이 옷슬 젹시니 졔윤과 셕·뎡 냥인이 참연ᄒᆞᆷ믈 니긔디 못ᄒᆞ여, 셔지의 누이고 약믈노 구호ᄒᆞ나, 장체 가장 대단ᄒᆞ여 싱되 어려오니, 셕상셔는 언언이 위·뉴 냥인을 간악ᄒᆞᆫ 흉인이라 ᄒᆞ여, 태우 등 위ᄒᆞᆫ 졍이 골육의 감치 아냐 슬허ᄒᆞᆷ믈 마디 아니코, 뎡병부는 겻틔셔 구홀 ᄯᆞᆫ이오, 위·뉘의 말을 아니ᄒᆞ더니, ᄀᆞ장【20】오릭게야 태우 형뎨 졍신을 출혀 졔족과 셕·뎡·하 등의 모다시믈 보고, 조모와 뉴시의 허믈이 드러나믈 슈괴ᄒᆞ여, 더욱 사름 되홀 안면이 업셔 ᄒᆞᄂᆞᆫ디라. 뎡병뷔 태우의 손을 잡고 위로 왈,

"ᄉᆞ원 형뎨의 당ᄒᆞᆫ 바 변고는 실노 견디디 못홀 경계 만ᄒᆞ나, 도시 익운이 괴이ᄒᆞ미오 사름을 탓홀 거시 업ᄂᆞᆫ디라. 만일 비원을 니긔디 못ᄒᆞ여 스스로 죽기를 달게 녁일딘디, 이는 녕존당으로 ᄒᆞ여금 ᄌᆞ손 히ᄒᆞᆫ 허믈을 깃쳐, 만디의 민멸치 못홀 죄악이 되리니, 목슘을 보젼ᄒᆞᄂᆞᆫ 거시 대회라. 슌(舜)이 '우믈의 겻굼글 두시믈'947) 효측

원간 뎡병부와 하ᄉᆞ미 셕상셔로 더브러 파됴 후 뉸시 졔족으로 급히 옥누항의 오니, 틔우형뎨 업ᄂᆞᆫ지라. 시노 등 드려 므른 디 고ᄒᆞ디

"태부인이 상공을 결박ᄒᆞ노라 쇼복 등을 다 니좃치고 문을 줌아가 통치 못ᄒᆞ게 ᄒᆞ니이다."

뎡병부 대경ᄒᆞ여 오릴 말이 업다가 이의 굴오디,

"우리 일이란 거시 권되 업지 아니【16】ᄒᆞ니, 우리 모다 줌은 문을 씌치고 드러가미 올치 아니나, 그리 아니면 ᄉᆞ원 등을 구치 못ᄒᆞ리니, 급히 드러갈 거시라."

셕상셔와 졔뉸이 올히 녀겨 일시의 드러가려 ᄒᆞ나, 문을 구지 줌아시니 씌치기 어려온지라. 병뷔 분연ᄒᆞ여 ᄒᆞᆫ번 발노 츠니 문이 산산이 씌여지ᄂᆞᆫ지라. 드러가 흑ᄉᆞ를 붓드러 외헌의 ᄂᆞ오니, 님의 둔육(臀肉)이 훗터져 가족이 ᄭᅩᆺᄭᅩᆺ이 ᄶᅥ러지고, 셩혈(腥血)이 옷슬 젹시니, 졔뉸과 셕·뎡 냥인이 춤연ᄒᆞᆷ믈 니긔지 못ᄒᆞ여, 셔지의 누히고 약믈노 구ᄒᆞ나, 장톄(杖處) 가장 티단ᄒᆞ여 싱되 어려오니, 셕상셔는 언언이 위·뉴랄 간악ᄒᆞᆫ 흉인이라 ᄒᆞ여, 태우 등을【17】 위ᄒᆞᆫ 졍이 골육의 감치 아냐 슬허 ᄒᆞᆷ믈 마지 아니ᄒᆞ고, 뎡병부는 겻히셔 구호홀 ᄯᆞᆫ이오, 위·유의 말을 아니ᄒᆞ더니, 오릭게야 태우 형뎨 졍신을 추려, 졔족과 셕·뎡·하 등의 모다시믈 보고, 일마다 조모와 뉴시의 허믈이 드러나믈 슈괴ᄒᆞ여, 더옥 스름을 되홀 낫치 업셔 ᄒᆞᄂᆞᆫ지라. 뎡병뷔 위로 왈,

"ᄉᆞ원 형뎨의 당ᄒᆞᆫ 바 변고는 실노 견디지 못홀 경계 만ᄒᆞ나, 도시 익운이 고이ᄒᆞ연 연괴라. 만일 비원을 니긔지 못ᄒᆞ여 스스로 죽기를 달게 녁일진디, 이는 녕존당으로 ᄒᆞ여금 ᄌᆞ손 히ᄒᆞᆫ 허믈을 씻쳐, 만디의 민멸치 못홀 죄악이 되리니, 목슘을 보젼【18】ᄒᆞᄂᆞᆫ 거시 되회라. 슌(舜)이 '우믈의 겻굼글 두시믈'944) 효측ᄒᆞ여 쳔금즁신(千金

【21】ᄒ여, 천금듕신(千金重身)을 보호ᄒ
라.”

태우 형뎨 슈루(垂淚) 디왈,

“쇼뎨 등이 블초 무상ᄒ여 강상대죄(綱常
大罪)를 몸소 딧고, 노년 조모로 ᄒ여곰 무
한ᄒ 괴로옴과 망측ᄒ 욕을 일위여, 만됴
군졸 가온ᄃᆡ 잡혀 드ᄂᆞ 변괴 이시니, 이 다
쇼뎨 등의 죄악이라. 하면목으로 ᄃᆡ인(對人)
ᄒ여 닙어셰(立於世) ᄒ리오.”

뎡병뷔 탄식고 원별을 결연ᄒ여 왈,

“황샹이 ᄉᆞ원 등을 찬뎍고져 아니시ᄂᆞ 거
슬, 내 번간(煩諫)ᄒ여 남희와 양쥐의 찬뎍
게 ᄒ니, 실노 비인졍이라. ᄯᅥ나ᄂᆞ 회푀 울
울 참연ᄒᄆᆞᆯ 어이 니르리오.”

셕상셰 웃고 ᄭᅮ디져 왈,

“형은 ᄉᆞ원 등 ᄯᅥ나믈 결연타 니르디 말
나. 만일 【22】 ᄉᆞ원 등 위ᄒ ᄆᆞ옴이 이시
면 엇디 찬츌ᄒᄆᆞᆯ 그ᄃᆡ도록 닷토리오.”

병뷔 잠쇼무언(潛笑無言)이오, 졔윤이 거줏
병부를 원망ᄒᄃᆡ, 태우 형뎨를 믜이 넉여
찬츌을 넉간ᄒ다 ᄒ니, 병뷔 굿ᄐᆞ여 발명치
아니코, 혹탄혹쇼(或嘆或笑)ᄒ여 담쇼 ᄉᆞᆺ디
아니ᄒᄃᆡ, 태우 등은 쟝쳐의 알프미 극ᄒ미,
말ᄒᆯ ᄯᅳᆺ이 업셔ᄒ더니, 금평후와 뎡국공의
니르시믈 고ᄒᄃᆡ, 병뷔 년망이 마ᄌ 드러와,
태우 형뎨 하당ᄒ여 마즐 길히 업셔 계오
움죽여 니러셔니, 냥공이 밧비 나아와 손을
잡고 츄연 역ᄉᆡᆨ(易色) 왈,

“ᄌᆞ고로 군ᄌᆞ와 호걸이 다 초년은 험ᄒ거
니와, ᄉᆞ원 등의 【23】 츌텬대효로 찬뎍ᄒᄆᆞᆫ
실시 의외라. 엇디 참연치 아니리오.”

태우 형뎨 몸을 굽혀 샤례 왈,

“쇼싱 등은 강상죄인(綱常罪人)이라. 디은
바 죄악이 쥬륙(誅戮)을 면치 못ᄒ 거시어

---

947)순의 완악한 부모가 그를 우물에 들어가게 한
후, 우물을 묻어 죽이려 하자, 순이 우물 벽에 구
멍을 파고 피하여 효(孝)를 완전케 하였던 고사.
『맹자』〈만장장구상(萬章章句上)〉에 나온다.

重身)을 보호ᄒ라.”

틔우 형뎨 슈루(垂淚) 디왈,

“쇼뎨 등이 블초 무상ᄒ여 강상디죄(綱常
大罪)를 몸소 《졋고∥짓고》, 노인 조모로
ᄒ여곰 무고ᄒ 괴로옴과 망측ᄒ 욕을 닐위
여, 만죠 군졸 가온ᄃᆡ 잡혀 드ᄂᆞ 변이 이시
니, 이ᄂᆞ 다 쇼뎨의 죄악이라. 하면목으로
ᄃᆡ인(對人)ᄒ여 닙어셰(立於世)ᄒ리오.”

뎡병뷔 탄식 왈,

“황샹이 ᄉᆞ원 등을 찬쳑고ᄌᆞ 아니시ᄂᆞ 거
슬, 내 여러 번 간ᄒ여 남희와 양쥬의 찬쳑
게 ᄒ니, 실노 비인졍(非人情)이라. ᄯᅥ나ᄂᆞ
회푀 울울 참연ᄒᄆᆞᆯ 어이 니르리오.”

셕상셰 웃고 ᄭᅮ지져 왈,

“형은 ᄉᆞ원 등 ᄯᅥ【19】나믈 결연타 니
르지 말나. 만일 ᄉᆞ원 등을 위ᄒ 마음이 이
시면 엇지 찬츌ᄒᄆᆞᆯ {엇지} 그ᄃᆡ도록 닷토
리오.”

병뷔 줌쇼무언(潛笑無言)이오, 졔뉸이 거
줏 병부를 원망ᄒᄃᆡ, 틔우 형뎨를 무이945)
넉여 찬츌〇[케]ᄒ다 ᄒ니, 병뷔 구ᄐᆞ여
발명치 아니코, 좌즁이 혹탄혹쇼(或嘆或笑)
ᄒ여, 《참쇼∥담쇼(談笑)》 ᄉᆞᆺ치지 아니ᄒ
ᄃᆡ, 틔우 등은 쟝쳬 알프미 극ᄒ미 말ᄒᆯ ᄯᅳᆺ
이 업ᄂᆞ 즁, 하리 금평후와 뎡국공의 니르
시믈 고ᄒᄃᆡ, 병뷔 년망이 뫼셔 마져 드러
올ᄉᆡ, 틔우 형뎨 하당ᄒ여 마질 긔운이 업
셔 겨우 움죽여 니러셔니, 냥공이 밧비 ᄂᆞ
아와 틔우 등의 손을 줍고 츄연 역ᄉᆡᆨ(易色)
ᄒ【20】여 왈,

“ᄌᆞ고이리로 군ᄌᆞ와 호걸이 다 초년은 험
난ᄒ거니와, ᄉᆞ원 등의 츌텬대효를 모ᄅᆞ고
찬뎍ᄒᄆᆞᆫ 가히 이셕ᄒ도다.”

틔우 형뎨 몸을 굽혀 ᄉᆞ례 왈,

“쇼싱 등은 강상죄인(綱常罪人)이라. 지은
바 죄악이 쥬륙(誅戮)을 면치 못ᄒ 거시어

---

944)순의 완악한 부모가 그를 우물에 들어가게 한
후, 우물을 묻어 죽이려 하자, 순이 우물 벽에 구
멍을 파고 피하여 효(孝)를 완전케 하였던 고사.
『맹자』〈만장장구상(萬章章句上)〉에 나온다.
945)무이 ; 믜이. 밉게.

늘, 셩쥬의 호싱디덕(好生之德)으로 일명을 보젼ᄒ여 뎡비를 당ᄒ오나, 도로혀 붓그러온 낫츨 드러 사ᄅᆷ 디ᄒ기를 원치 아니ᄒᄂ이다."

냥공이 그 위위(危危)ᄒᆫ 신ᄉᆡᆨ(神色)을 보고 넘녀ᄒ여 왈,

"신긔 블안ᄒᆯ딘딕 원노(遠路)의 ᄒᆡᆼ키 어려오니 편히 됴리ᄒ라."

하고, 인ᄒ여 눕기를 권ᄒᆫ딕, 태우 형데 강인ᄒ여 대단치 아니므로 딕답ᄒ거늘, ᄉᆡᆨ상셰 쇼왈,

"피육이 ᄡᅥ러디며, 셩혈이 옷슬 잠【24】으는 듕장을 바다, 인ᄉ를 모로ᄂᆫ 빅어늘 엇디 신긔 블평치 아니리오."

냥공이 ᄎ언을 듯고 반ᄃᆞ시 위ᄉᆡ 용심이 태우 등을 죽이디 못ᄒᆞᆯ믈 통원(痛寃)ᄒ여, 듕장을 더으믈 딤작ᄒ고 블승참잔(不勝慘殘)ᄒ나, 인친가 태부인의 ᄒᄂᆞᆫ 일을 시비ᄒᆞ미 가치 아냐 답디 아니코, 다만 눕기를 니르더니, 딘공 됴공 등이 니르러 태우 형데를 보고 비상ᄒᆞ믈 마디 아니ᄒ고, 됴공은 분개ᄒᆫ 눈믈이 소ᄉᆞ나, 왈,

"현딜 등의 참혹ᄒᆫ 누명과 남·양 이쥬(二州)의 분찬이, ᄎᆞ마 견딕디 못ᄒᆞᆯ 원통이 만ᄒ나, 너희ᄂᆞᆫ 오히려 젼졍이 만니오, 긔운이 강댱ᄒᆞ미 텰셕ᄀᆞᆺᄐᆞ니, 풍상 변고를 당ᄒ【25】여도 보젼디ᄎᆡᆨ(保全之策)이 명텰(明哲)ᄒ려니와, 미뎨(妹弟)긔 참욕이 밋쳐시믈 ᄉᆡᆼ각ᄒᆞᆯᄉᆞ록 통완분히ᄒᆞ믈 니긔디 못ᄒᄂᆞ니, 이졔ᄂᆞᆫ 명강이 나가시미 므를 곳이 업셔 잠잠ᄒ거니와, 타일 명강이 도라온즉, 우리 형데 삼인이 붓들고 미뎨의 허믈 된 곳을 므러 보리라."

언파의 노긔를 니긔디 못ᄒ여 위태를 통완ᄒᆞ미 형상치 못ᄒ니, 태우 형데 구시(舅氏)[948] 등의 거동을 보ᄆᆡ 더옥 심신이 산난ᄒ여, 봉안의 ᄆᆞᆰ은 누쉬 슴슴ᄒ여 왈,

"쇼딜 등의 블초무상ᄒᆞ미 강상대죄를 범ᄒ여, 조모긔 가업ᄉᆞᆫ 욕을 닐위고 참참ᄒᆫ

---

948) 구시(舅氏) : 외숙(外叔). 외삼촌. 어머니의 남자 형제를 이르는 말.

늘, 셩쥬의 호싱지덕(好生之德)으로 《인명‖일명》을 보젼ᄒ여 뎡비를 당ᄒ오나, 쇼싱 등이 인셰의 붓그러온 낫빗츨 드러 스람 디ᄒ기를 원치 아니ᄒᄂᆞ이다."

냥공이 그 위위(危危)ᄒᆫ 신ᄉᆡᆨ(神色)을 보고, 넘녀ᄒ여 왈,

"신긔 블평ᄒᆞ면 원노(遠路)의 ᄒᆡᆼ키 어려오리니 모로미 됴리ᄒ라."

하고, 인ᄒ여 눕기를 지슈 권ᄒᆫ딕, 틱우 형데 이의 강【21】잉ᄒ여, 장쳬 딕단치 아니므로 딕답ᄒᄂᆞᆫ지라. ᄉᆡᆨ상셰 함쇼 왈,

"피육이 ᄡᅥ러지며 셩혈이 옷슬 줌으는 듕장을 바다 인ᄉ를 몰을 거시어늘, 엇지 신긔 블평치 아니리오."

ᄒ고, 이의 눕기를 니르더니, 진공 됴공 등이 니르러 태우 형데를 보고 비상ᄒᆞ믈 마지 아니ᄒ고, 됴공은 분긔ᄒᆫ 눈믈이 소ᄉᆞ나 왈,

"현딜 등의 참혹ᄒᆫ 누명과 남·양 이쥬(二州)의 분찬ᄒᆞ믈 춤아 견딕디 못ᄒᆞᆯ 원통이 만ᄒ나, 너희ᄂᆞᆫ 오히려 젼졍이 만니오, 긔운이 강장ᄒᆞ미 쳘셕 ᄀᆞᆺᄐᆞ니, 풍상 변고를 당ᄒ여도 보신지칙이 명텰ᄒ려니와, 미져의게 츔욕이 밋쳐시믈 ᄉᆡᆼ각ᄒᆞᆯᄉᆞ록, 불승분히ᄒᄂᆞ니, 타일 명강이 도【22】라온죡, 우리 슴인이 붓들고 미져의 허믈 된 거슬 므러 보리라."

언파의 노긔 쳘골ᄒ여 위틱부인을 통완ᄒᆞ믈 형상치 못ᄒ니, 틱우 형데 표슉 등의 거동을 보ᄆᆡ 더옥 심신이 산난ᄒ여, 봉안의 ᄆᆞᆰ은 누치 슴슴ᄒ여 왈,

"쇼딜등의 블초무상ᄒ여 조모게 강상딕죄를 지어, 조모게 가업ᄉᆞᆫ 욕을 닐위고, 참참ᄒᆫ 누명이 ᄌᆞ당의 밋츠니, 쇼딜 등의 죄악으로 비로ᄉᆞ미라. ᄉᆞᄉᆞ로 죽지 못ᄒᆞᆷ믈 ᄒᆞᆫ

누명이 ᄌᆞ당의 밋ᄎᆞ니이다. 쇼딜 등의 죄
【26】악으로 비로스미라, 스스로 죽디 못
ᄒᆞ믈 이들나 ᄒᆞ옵ᄂᆞ니, 슉부는 쇼딜의 현효
(賢孝)치 못ᄒᆞ믈 엄티ᄒᆞ샤 후일을 징계ᄒᆞ시
고, 괴이ᄒᆞᆫ 말ᄉᆞᆷ을 마르쇼셔. 샤슉(舍叔)이
본ᄃᆡ ᄌᆞ당 셤기오믈 조모 버금으로 ○○[ᄒᆞ
샤] 우공(友恭)ᄒᆞ시는 졍셩이 타인의 슈슉(嫂
叔)과 다르미 만커늘, 삼위 슉뷔 샤슉(舍
叔)을 보고 ᄌᆞ당긔 누얼 씻치믈 므로시
리949)잇고?"

조공 등이 대언 왈,

"너는 니르디 말나. 명강이 언마 명쾌ᄒᆞ
면 네 집 변괴 이에 밋ᄎᆞ리오. 즉금은 교디
의 갓거니와, 집의 이실 ᄶᅵ도 여등(汝等)의
졍ᄉᆞ를 도라보디 아니코, 허다 괴란(怪亂)이
이셔도 슬피디 못ᄒᆞ니, 구텬타【27】일(九
泉他日)950)의 명쳔을 보미 가히 붓그럽디
아니랴?"

흑ᄉᆡ 표슉(表叔)951)의 말ᄉᆞᆷ을 듯고 뎡식
왈,

"삼위 슉뷔 비록 ᄉᆞ졍(私情)의 다리여, 쇼
딜 등의 무상ᄒᆞ믈 모로시나, 딕인ᄌᆞ(對人子)
ᄒᆞ여 그 부형의 허믈을 닐너 괴이ᄒᆞᆫ 말ᄉᆞᆷ을
ᄒᆞ시ᄂᆞ니잇고? ᄌᆞ당의 누얼(陋孼)도 쇼딜
등의 블초ᄒᆞᆫ 타시어늘, 슉뷔 쇼딜 등의 무
상ᄒᆞ믈 싱각디 아니시고, 교디 만니의 가신
엄친의 타슬 삼으시니, 평일 삼위 슉뷔 가
친으로 더브러 디심(知心) 친졀ᄒᆞ시던 졍의
아니로소이다."

조공이 그 디효를 감동ᄒᆞ여 어로만져 칭
찬 왈,

"현ᄌᆡ며, 효ᄌᆡ라! 이 ᄀᆞᆺᄐᆞᆫ 셩효와 빈빈ᄒᆞᆫ
덕ᄒᆡᆼ【28】으로뻐, 쳔인깅참(千仞坑塹)952)
의 ᄲᅡ디기를 면치 못ᄒᆞ니 엇디 한홉디 아니
리오. 연이나 우흐로 황애 현딜 등의 츙텬
디효와 츌인디ᄒᆡᆼ이 쒸여나믈 아르시고, 아

949)므로다 : 묻다.
950)구텬타일(九泉他日) : 죽어 넋이 저승에 돌아간
　　뒤.
951)표슉(表叔) : 외숙. 외삼촌.
952)쳔인깅참(千仞坑塹) : 천 길이나 되는 깊은 구덩
　　이.

읍ᄂᆞ니, 슉부는 쇼딜 등의 현효(賢孝)치 못
ᄒᆞ믈 엄치ᄒᆞ시미 맛당ᄒᆞ거늘, 고히ᄒᆞᆫ 말ᄉᆞᆷ
을 마르쇼셔. 슈슉(舍叔)이 본ᄃᆡ ᄌᆞ당 셤기
믈 조모 버금으로 ○○[ᄒᆞ샤] 우공(友恭)ᄒᆞ
시는 졍셩이 타인의 슈슉(嫂叔)과 다르지
안커늘, 삼위 슉뷔 ᄉᆞ슉(舍叔)을【23】 보
시고 ᄌᆞ당게 누얼 씻치믈 므르리946)잇고?"

조공 등이 굴오딕 왈,

"너는 니르지 말나. 명강이 언마 명달ᄒᆞ
면 네 집 변괴이 지졍의 밋ᄎᆞ리오. 지금은
교지의 《갓ᄀᆞ오니‖갓거니와》, 집의 이실
ᄶᅵᄂᆞᆫ 너히 졍ᄉᆞ를 도라보지 아니ᄒᆞ고, 허다
괴란(怪亂)이 이시딕 슬피지 못ᄒᆞ니, 구텬타
일(九泉他日)947)의 《명현‖명쳔》을 보미
가히 붓그럽지 아니랴?"

흑ᄉᆡ 뎡식 왈,

"삼 슉뷔 비록 《ᄉᆞ뎌‖ᄉᆞ뎡(私情)》의
다리여 쇼딜 등의 무상ᄒᆞ믈 모로시나, 딕인
ᄌᆞ(對人子)ᄒᆞ여 그 부형의 허믈을 닐너 고
이ᄒᆞᆫ 말ᄉᆞᆷ을 ᄒᆞ시ᄂᆞ니잇고? ᄌᆞ당의 누언(陋
言)도 쇼딜 등의 블초ᄒᆞᆫ 타시어늘, 슉뷔 쇼
딜 등의 무상ᄒᆞ믈 싱각지 아니시고, 만니의
가신 엄친의 탓슬 숨으시니, 젼일 삼 슉뷔
가친으로 더브러 지심(知心) 친【24】졀ᄒᆞ
신 졍의 아니로소이다."

됴공이 그 지셩지효를 감동ᄒᆞ여 어로만져
칭찬 왈,

"현ᄌᆡ며, 효ᄌᆡ라! 이ᄀᆞᆺᄐᆞᆫ 셩효와 빈빈ᄒᆞᆫ
도덕으로뻐 쳔인깅츰(千仞坑塹)948)의 ᄲᅡ지
기를 면치 못ᄒᆞ니, 엇지 한심치 아니ᄒᆞ리오.
연이나 우흐로 황애 현딜 등의 츙텬지효와
츙인지ᄒᆡᆼ이 쒸여나믈 아르시니, 부운ᄀᆞᆺᄐᆞᆫ
누명을 시러 슘년 찬젹을 슬프다 ᄒᆞ리오마

946)므르다 : 묻다.
947)구텬타일(九泉他日) : 죽어 넋이 저승에 돌아간
　　뒤.
948)쳔인깅참(千仞坑塹) : 천 길이나 되는 깊은 구덩
　　이.

리로 만됴(滿朝) 스셰(士庶) ᄒ가디로 칭찬
ᄒ미 되어시니, 부운 ᄀᆺᄐᆫ 누명을 시러 삼
년 찬뎍을 슬프다 ᄒ리오마ᄂᆞᆫ, 경식이 참담
ᄒ믈 통상(痛傷)ᄒ노라."

금휘 츄연 왈,

"형 등의 심회 그러ᄒ미 인졍의 괴이치
아닌디라. 쇼뎨ᄂᆞᆫ ᄯᅩᆯ이 듕츈(仲春)의 살인죄
슈로 댱스(長沙)953)의 찬뎍ᄒ고, 두 사회
다 츄말(秋末)의 찬츌ᄒᄂᆞᆫ 경식이 이시니,
엇디 참연ᄒ믈 ᄎᆞᆷ으리오마ᄂᆞᆫ, 오히려 【29】
밋ᄂᆞᆫ ᄇᆡ 스원 등의 탁탁디ᄒᆡᆼ(卓卓之行)954)
과 츌인ᄒᆫ 긔딜의 오복(五福)이 완젼디샹
(完全之相)이라. 나죵이 미몰치 아닐 바를
깁히 바라ᄂᆞ니, 타일 누얼을 신셜ᄒ고 즐거
이 환쇄ᄒ믈 바라노라."

하공과 낙양휘 슬픈 말과 ᄊᆡ나ᄂᆞᆫ 졍을 닐
너, 날이 맛도록 담화ᄒ다가 각각 부듕(府
中)으로 도라갈시, 금평휘 병부를 머므러
태우 형뎨로 밤을 디니라 ᄒ고, 냥셔(兩壻)
의 손을 잡고 왈,

"우명일(又明日)은 너의 발ᄒᆡᆼ일이니 숑별
ᄒ려니와, 그 스이 몸을 보호ᄒ여 딜양을
일위디 말나."

태우 형뎨 ᄇᆡᄉᆞ 슈명이어늘, 조공이 ᄀᆞ마
니 닐오ᄃᆡ,

"너【30】희 쳔니원찬(千里遠竄)을 당ᄒ
여 미뎨를 아니 와 보디 못ᄒ리니 능히 틈
을 어더오라."

태우 등이 ᄃᆡ왈,

"쇼딜 등이 엇디 ᄌᆞ위긔 하뎍을 아니리잇
고마ᄂᆞᆫ, 실노 슉부 ᄐᆡ샹(宅上)의 가믈 원치
아닛ᄂᆞ이다."

병뷔 쇼왈,

"스원 등이 엇디 조년슉(緣叔)의 일시디
언을 유감ᄒ미 심ᄒ뇨? 연이나 스원 등이
공ᄎᆞ(公差)의게 일야를 비러 옥화산의 가
밤을 디니고 가미 올ᄒ니라."

953)댱스(長沙) : 중국 호남성의 동부 곧 동정호(洞庭
湖) 남쪽 상강(湘江) 동쪽 하류에 있는 도시. 수륙
교통의 요충지이며 호남성의 성도(省都)이다.
954)탁탁디ᄒᆡᆼ(卓卓之行) : 매우 뛰어난 행실.

ᄂᆞᆫ, 경식이 ᄎᆞᆷ담ᄒ믈 통상(痛傷)ᄒ노라."

금평휘 츄연 왈,

"형 등의 심회 그러ᄒ미 인졍의 고이치
아닌지라. 쇼뎨ᄂᆞᆫ ᄯᅩᆯ이 즁츈(仲春)의 살인죄
슈로 쟝스(長沙)949)의 찬뎍ᄒ고, 두 ᄉᆞ회
츄말(秋末)의 찬츌ᄒᄂᆞᆫ 경식이 이시니, 엇지
ᄎᆞᆷ연ᄒ믈 ᄎᆞᆷ으리오마ᄂᆞᆫ, 오히려 밋ᄂᆞᆫ ᄇᆡ 스
원 등의 탁탁지ᄒᆡᆼ(卓卓之行)950)과 츌인ᄒ
긔【25】딜이 복녹이 완젼ᄒ니, 나죵이 미
몰치 아니ᄒᆞᆯ 바를 깁히 밋ᄂᆞ니, 타일 누얼
을 신셜ᄒ고 즐거이 환경ᄒ기를 바라노라."

하공과 진공이 슬픈 말과 ᄊᆡ나ᄂᆞᆫ 졍을 닐
너, 날이 맛도록 담화ᄒ다가 각각 부즁(府
中)으로 도라갈시, 금평휘 병부를 머므러
티우 형뎨로 밤을 지니라 ᄒ고, 냥셔(兩壻)
의 손을 즙고 왈,

"우명일(又明日)은 너의 발ᄒᆡᆼ일이니, 숑별
ᄒ려니와 그 스이 몸을 보호ᄒ여 질양을 닐
오지 말나."

티우 형뎨 ᄇᆡᄉᆞ 슈명이어늘, 조공이 ᄀᆞ마
니 닐오ᄃᆡ,

"○○[너희] 쳔니원찬(千里遠竄)을 당ᄒ
여 미졔를 아니 와 보지 못ᄒ리니, 능히 틈
을 어더오라."

티우 등이 ᄃᆡ왈,

"쇼딜 등이 엇지 ᄌᆞ위긔 하직을 고치 아
니ᄒ리잇고마【26】ᄂᆞᆫ, 실노 낫드러 슉부
ᄐᆡ샹(宅上)의 가믈 원치 아닛ᄂᆞ이다."

병뷔 쇼왈,

"스원 등이 엇지 조연슉(緣叔)의 일시지
언을 유감ᄒ미 심ᄒ뇨? 연이나 스원 등이
공ᄎᆞ(公差)의게 일야를 비러 옥화산의 가
밤을 지니고 《ᄋᆞ미∥가미》 올ᄒ니라."

949)쟝스(長沙) : 중국 호남성의 동부 곧 동정호(洞庭
湖) 남쪽 상강(湘江) 동쪽 하류에 있는 도시. 수륙
교통의 요충지이며 호남성의 성도(省都)이다.
950)탁탁지ᄒᆡᆼ(卓卓之行) : 매우 뛰어난 행실.

태우 등이 그 말을 올히 넉여 명야(明夜)를 옥화산의 가 머믈녀 ᄒᆞ더라.

날이 져믈고 손이 훗터디미, 태우 형뎨 병부를 셔헌의 머므르고, 계오 거름을 옴겨 【31】 당의 드러가 태부인긔 쳥죄ᄒᆞ니, 위·뉘의 간흉이나 졔윤과 셕·뎡·하 등이 ᄌᆞ긔 과악을 슌슌(巡巡)955) 아는 줄 참괴ᄒᆞ여, 다시 태우 형뎨를 줏두리면 예셔 죽을 거시므로 노를 먹음어 말을 아니니, 태우 형뎨 삼년을 니측ᄒᆞ는 하졍(下情)이 참연ᄒᆞᆷ믈 고ᄒᆞ여 톄읍ᄒᆞ고, 또 야반의 칼홀 들고 경희뎐의 돌입흔 일이 업ᄉᆞ듸, 귀신이 ᄌᆞ긔 등의 블초ᄒᆞᆷ믈 믜이 넉여 조모의 ᄆᆞᄋᆞᆷ을 경동ᄒᆞᆷ민 줄 고ᄒᆞ여, 효슌흔 말ᄉᆞᆷ이 싱텰을 녹이며, 셕목을 농쥰(濃蠢)956)홀 비로듸, 위·뉘 극악흉심은 두로혈 줄 모로고, 죽이고져 의ᄉᆞ 【32】 더은더라. 엇디 일분 넘녀ᄒᆞ는 ᄆᆞᄋᆞᆷ이 나리오마는, 병뷔 태우 등의 오리 나오디 아니믈 보고, 쳥ᄒᆞ여 흔가디로 년침(連枕)ᄒᆞ여 밤을 디닐식, 댱시를 죽이고 하시의 싱ᄉᆞ를 몰나 슬허홀 줄 아는 고로, ᄀᆞ마니 하시를 구ᄒᆞ여 초하동의 두어심과, 그 면모 일신이 흔 곳도 셩흔듸 업슴과, 맛춤 복이 써러지지 아냐시믈 니를식, 궤듕의 드러 아조 죽어 볼 거시 업던 바의 다ᄃᆞ라는, 병뷔 시로이 눈믈을 나리오니, 태우 형뎨 듯는 말마다 ᄌᆞ긔 집 변고를 붓그려 낫츨 싹고져 시브나, 하시의 싱존ᄒᆞᆷ믈 심니의 【33】 힝열ᄒᆞ여, 믁믁 냥구의 다만 문왈,

"궤를 디고 가던 지 뉘런고?"

병뷔 웃고 니르듸,

"궤를 디고 가던 놈은 발셔 죽어시니 ᄉᆞ원이 ᄎᆞᆺ 므엇ᄒᆞ려 ᄒᆞᄂᆢᆨ?"

혹시 왈,

"가늬의 간노(奸奴) 간비(姦婢) 만흐므로, 미양 아름답디 아닌 말을 디어 존당의 밀위는 일이 이시므로, 쇼뎨 궤 디고 가던 놈을

---

955)슌슌(巡巡) : 번번이, 매회(每回). 매번(每番). 매 때마다.
956)농쥰(濃蠢) : 꿈틀거림. 움직임.

티우 등이 그 말을 올히 넉여 명야를 옥화산의 가 밤을 지너려 ᄒᆞ더라.

날이 져믈고 손이 훗터지미, 티우 형뎨 병부를 셔헌의 머믈고, 닉당의 드러가 티부인게 쳥죄ᄒᆞ니, 위시 뉴시의 험악이나 졔뉸과 셕·뎡·하 등이 ᄌᆞ긔 과악을 슌슌(巡巡)951) 아는 줄 참괴ᄒᆞ여, 다시 티우 형뎨를 줏두라리면 즉긱의 죽을 거시므로, 노를 먹음어 말을 아니니, 티우 형뎨 슴년을 니측ᄒᆞ는 하졍이 춤연흔 【27】믈 고ᄒᆞ여 쳬읍ᄒᆞ고, 또 야반의 칼을 들고 경희뎐의 돌입흔 일이 업ᄉᆞ듸, 귀신이 ᄌᆞ긔 등의 블초ᄒᆞᆷ믈 믜이 넉여 조모의 마음을 경동ᄒᆞ민 줄 고ᄒᆞ여, ○○○○○○[효슌흔 말ᄉᆞᆷ] 싱쳘이 《놀을∥녹을》 비로듸, 위시와 뉴시의 극악ᄒᆞᆷ믄 두로혈 줄 모로고, 죽일 쓰시 더 은지라. 엇지 일분 넘녀ᄒᆞ는 ᄆᆞᄋᆞᆷ이 이시리오마는, 병뷔 티우 등의 ᄂᆞ오지 아니믈 보고, 쳥ᄒᆞ여 흔가지로 년침(連枕)ᄒᆞ여 밤을 지닐식, 흑ᄉᆞ 장시를 죽이고 하시로는 실니ᄒᆞ고 슬허홀 줄 알고, ᄀᆞ만니 하시를 구ᄒᆞ여 초하동의 두엇심과, 그 면모 일신이 흔 곳도 셩흔듸 업슴과, 마참 복이 무ᄉᆞᄒᆞᆷ믈 일을식, 궤즁의 드러 아조 죽엇던 바의 다ᄃᆞ라는 평휘 시로히 눈믈 【28】을 나리오니, 티우 형뎨 듯는 말마다 가변을 붓그려 낫츨 싹고 시브나, 하시의 싱존ᄒᆞᆷ믈 힝열ᄒᆞ여, 무러 왈,

○…결락17자…○["궤를 지고 가던 지 뉘런고?"

병뷔 웃고 니르듸,]

"궤를 지고 가던 놈은 발셔 죽여시니 《ᄉᆞ비∥ᄉᆞ빈》이 ᄎᆞ져 므엇ᄒᆞ려 ᄒᆞ리오.

○…결락94자…○[흑시 왈,

"가늬의 간노(奸奴) 간비(姦婢) 만흐므로, 미양 아름답디 아닌 말을 디어 존당의 밀위는 일이 이시므로 쇼뎨 궤 디고 가던 놈을 ᄎᆞᆺ 뭇고져 ᄒᆞᄂᆞ이다."

---

951)슌슌(巡巡) : 번번이, 매회(每回). 매번(每番). 매 때마다.

츠즈 뭇고져 ᄒᆞᄂᆞ이다."

병뷔 쇼왈,

"발셔 죽여시니 츠즈 브졀업거니와, 간노 간비라타957) 간듸로 무근디언을 쥬츌ᄒᆞᆯ 니 업ᄂᆞ니, ᄉᆞ빈은 굿ᄐᆞ여 다ᄉᆞ리디 말나."

태위 탄왈,

"쇼뎨 등이 집을 쩌난 후 더옥 방ᄌᆞᄒᆞ여, 무근디언(無根之言)을 디어늬 {그} 조모긔 ᄉᆞ후(伺候)를 【34】 슌히 아닐가 ᄒᆞᄂᆞ이다."

병뷔 역시 탄식ᄒᆞ고, 이러툿 담화ᄒᆞ다가 야심ᄒᆞ미 잠을 드니, 이러구러 슈일이 디나미, 공치 니르러 태우 등을 다리고 남·양 이쥬(二州)로 갈ᄉᆡ, 힝니(行李)를 뎡·셕·하 삼인이 출혀 튱근ᄒᆞᆫ 노복을 맛뎌 보닐ᄉᆡ, 태우는 션상셔(先尙書) 유뎨(乳弟) 계튱이 ᄯᆞ라 가고, 흑ᄉᆞ는 셔동 쳔쥰이 ᄯᆞ라 가디, 다 튱근ᄒᆞ여 쥬인 위ᄒᆞᆫ 졍셩이 몸을 죽여 갑흘 ᄯᅳᆺ이 잇더라.

태우 형뎨 니당의 드러가 태부인긔 하딕을 고ᄒᆞᆯᄉᆡ, 효ᄌᆞ 《효슌∥효손》의 니측ᄒᆞ는 회푀 간졀ᄒᆞ디, 위·뉘 냥인은 쾌히 죽이디 못ᄒᆞᆷ믈 졀치 통히ᄒᆞ여 【35】 뉘시 가마니 구몽슉을 쳥ᄒᆞ여, 은ᄌᆞ 이빅 냥을 양쥬로 가는 공치(公差) 김셕두를 주어 흑ᄉᆞ 죽이믈 쳥ᄒᆞ니, 원늬 김셕두는 태복과 ᄀᆞ장 친졀ᄒᆞ더라. 뉘시 태복으로 ᄒᆞ여금 김셕두의게 보ᄂᆞ여 ᄌᆞ긔 친필노 두어 줄 글을 뼈 주며, 은ᄌᆞ 비록 ᄉᆞ쇼ᄒᆞ나 회텬을 죽인 후 은혜를 갑흐리라 ᄒᆞ니, 셕뒤 은을 밧고 분명이 언약ᄒᆞ여 학ᄉᆞ를 죽여주마 ᄒᆞ고, 태우 다리고 가는 공치 노봉후는 위인이 뎡딕ᄒᆞ므로, 불의디ᄉᆞ를 쳥치 못ᄒᆞ여 이빅냥 은자를 주어 긔특ᄒᆞᆫ ᄌᆞ직을 어더 태우를 죽이라 ᄒᆞ니, 몽슉이 님셩각이 【36】란 댱ᄉᆞ를 어더 이빅냥 은을 주어 태우를 죽여달나 ᄒᆞ여, 임의 태우 형뎨 업시홀 쇠를 뎡ᄒᆞ엿는 고로, 그 가는 날 블호디ᄉᆡᆨ(不好之色)을 두미 브졀 업셔, 화ᄉᆡᆨ으로 쳔니 원노의 무ᄉᆞ히 득달ᄒᆞ라 ᄒᆞ니, 태우 형뎨 오열(嗚咽) 하

957)-라타 : -라 한들.

병뷔 쇼왈,

"발셔 죽여시니 츠즈 브졀업거니와 간노 간비라타952) 간듸로 무근디언을 쥬츌ᄒᆞᆯ 니 업ᄂᆞ니], ᄉᆞ빈은 굿ᄐᆞ여 다ᄉᆞ리랴 말나."

틱위 탄왈,

"《쇼질∥쇼뎨》 등이 집을 쩌난 후 더옥 방ᄌᆞᄒᆞ여 무근지언(無根之言)을 지어늬고 조모게 ᄉᆞ후(伺候)를 슌히 아닐가 ᄒᆞᄂᆞ이다."

병뷔 역시 탄식고, 니러툿 담화ᄒᆞ다가 야심ᄒᆞ미 줌을 드니, 이러구러 슈일이 지나미 공치 니르러 틱우 등을 드리고 남·양 이쥬(二州)로 갈ᄉᆡ, 힝니(行李)를 뎡·셕·하 숨인이 ᄎᆞ려 츙근ᄒᆞᆫ 노복을 맛뎌 보닐ᄉᆡ, 틱우는 《셕∥션》 상셔(先尙書) 유뎨(乳弟) 계튱이 ᄯᆞ라 가고, 흑ᄉᆞ는 셔동 혜쥰이 ᄯᆞ라 가디, 다 츙근ᄒᆞ 【29】여 능히 쥬인 위ᄒᆞᆫ 졍셩이 몸을 죽어 갑흘 ᄯᅳᆺ이 잇더라.

틱우 형뎨 니당의 드러가 틱부인게 하딕을 고ᄒᆞᆯᄉᆡ, 효ᄌᆞ 《효슌∥효손》의 니측ᄒᆞ는 회푀 간졀ᄒᆞ디, 위·유 냥인의 ᄆᆞ음은 쾌히 죽이지 못ᄒᆞᆷ믈 졀치 통히ᄒᆞ여, 가마니 구몽슉을 쳥ᄒᆞ여 은ᄌᆞ 이빅 냥을 양쥬로 가는 공치(公差) 김셕두를 쥬어, 흑ᄉᆞ 죽이믈 쳥ᄒᆞ니, 원늬 김셕두는 틱부인의 심복 노ᄌᆞ ○○[태복]의 친졀ᄒᆞᆫ 뉘라. 뉘네 태복으로 ᄒᆞ여금 은(銀)을 봉ᄒᆞ고 ᄌᆞ긔 친필노 글을 뼈 두엇ᄃᆞᄀᆞ 셕두의게 보ᄂᆞ며, 흑ᄉᆞ를 죽인 후 ○○[은혜]를 즁하게 갑흐리라 ᄒᆞ니, 셕 뒤 은을 밧고 분명이 언약ᄒᆞᆫ 후, 태우 다리고 가는 공치 노봉후는 위인이 졍직ᄒᆞᄆᆞ로 【30】 불의지ᄉᆞ를 쳥치 못ᄒᆞ여, 이빅냥 은ᄌᆞ를 《두어∥쥬어》 긔특ᄒᆞᆫ ᄌᆞ직을 어더 틱우를 죽이라 ᄒᆞ니, 몽슉이 님셩각이란 댱ᄉᆞ를 어더 이빅냥 은을 주어 틱우를 죽여달나 ᄒᆞ엿는고로, 그 가는 날 블호지ᄉᆡᆨ을 두미 브졀 업셔, 화ᄉᆡᆨ으로 쳔니 원노를 무ᄉᆞ 득달ᄒᆞ라 ᄒᆞ니, 틱우 형뎨 오열(嗚咽) 하직(下直) 왈,

952)-라타 : -라 한들.

딕(下直) 왈,

"이제 계뷔 삼년젼의 도라오시디 못홀 거시어늘, 쇼손 등이 마즈 슬하를 쩌나오니 일마다 블초 등의 죄 크오며, 쳔니 찬츌(竄黜)의 아득ᄒ온 심회를 어듸 비ᄒ리잇고? 다만 원ᄒ옵ᄂ니, 대모와 ᄌ졍은 셩톄를 보듕ᄒ샤 기리 안강(安康)ᄒ시믈 바라오며, 일가 문듕의 딕임 업슨 쇼년비를 돌녀가며 쳥ᄒ여 외【37】헌의 머믈게 ᄒ쇼셔."

위ㆍ뉴 이부인이 블열 왈,

"너희 찬츌ᄒ미 녹봉을 어더 쓸 길 업고, 누딕봉ᄉ디졀(累代奉祀之節)의 승미(升米)958) 츌쳬(出處) 업거늘, 브졀업시 쳥ᄒ여 셔헌(書軒)을 딕희며, 됴셕 식반을 출혀 공양ᄒ리오. 되디 못홀 말을 아이의 니르디 말나."

태우 형뎨 조모와 뉴부인 거동이 결단ᄒ여 졔족(諸族)을 외당의 두디 아니코, 흥참디식 만흘 바를 씽ᄃ라, 한심 비졀ᄒ믈 니긔디 못ᄒ나, 슌셜(脣舌)959)이 무익ᄒ여 즉시 몸을 니러 샤묘(祠廟)의 올나 하딕홀식, 냥인이 실셩통읍ᄒ여 오릭도록 졍신을 슈습디 못ᄒ다가, 날호여 슬프믈 억【38】졔ᄒ여 밧긔 나와, 믈긔 올나 집 문을 날식, 남쥐 양쥐 길히 다르나 옥화산을 단녀가랴 ᄒ미, 형뎨 ᄒ가디로 남문으로 나오니, 일가 친쳑과 졔우붕비(諸友朋輩) 별댱(別章)을 디으며, 쥬호(酒壺)를 닛그러 문외의 메여시니, 태우 형뎨 마디 못ᄒ여 믈긔 나려 먼니 와 보닉믈 ᄉ샤(謝辭)ᄒ니, 금평후와 낙양후며 하공이 각각 녀셔의 손을 잡고 니별을 참연(慘然) 의의(依依)ᄒ더니960), 쏘 댱ᄉ매 니르러 녀ᄋ의 죽음과 흑ᄉ의 찬뎍을 슬허ᄒ니, 흑시 댱공을 향ᄒ여 굴오디,

"쇼싱이 강상대죄인으로 죽으미 당연ᄒ거

"이제 계뷔 슴년 젼의 도라오지 못홀 거시어늘, 쇼손 등이 마즈 슬하를 쩌나오니 일마다 블초 등의 죄 크오며, 쳔니 원별의 아득ᄒ온 심회를 어듸 비ᄒ리잇고? 다만 원ᄒ옵ᄂ니 딕모와 ᄌ졍은 셩톄를 보즁ᄒ샤 길이 안강ᄒ시믈 바라오며, 일가문즁의 직임 업슨 쇼년비를 돌녀 가며 쳥ᄒ여, 외헌의 【31】 머믈게 ᄒ쇼셔."

위ㆍ유 블열 왈,

"너희 찬츌ᄒ미 녹봉을 어더 쓸 길 업고, 누딕봉ᄉ지졀(累代奉祀之節)의 승미(升米)953)를 츌처(出處)홀 길히 업거늘, 브졀업시 쳥ᄒ여 셔헌(書軒)을 직희며, 됴셕 식반을 츠려 공궤(供饋)ᄒ리오. 브졀업슨 말을 말나."

틱우 등아 위ㆍ뉴의 거동이 결단ᄒ여 졔족(諸族)을 외당의 두지 아니코, 흥춤지식 만흘 바를 싱각ᄒ미, 한심 비졀ᄒ믈 니끼지 못ᄒ나, 슌셜(脣舌)954)이 무익ᄒ여 즉시 몸을 니러 ᄉ묘(祠廟)의 올나 하직홀식, 실셩통읍ᄒ여 오릭도록 졍신을 슈습지 못ᄒ다가, 날호여 누슈를 거두고 밧게 나와 문을 날식, 남쥐 양쥐 길이 드ᄅ나 옥화산의 단녀가랴 ᄒ여, 형뎨 ᄒ가지로 남문으로【32】 나니, 일가 친붕이 문외의 메여시니, 틱우 형뎨 마지 못ᄒ여 믈게 나려, 먼니 와 보믈 ᄉ례ᄒ니, 금평후와 뎡국공이 각각 녀셔의 손을 줍고 니별을 참연(慘然) 의의(依依)ᄒ더니955), 쏘 댱ᄉ미 니르러 함누ᄒ고 녀ᄋ의 죽음과 흑ᄉ의 찬츌ᄒ믈 슬허ᄒ니, 흑시 댱공을 향ᄒ여 기리 탄 왈,

"쇼싱이 강상대죄인으로 죽으미 맛당ᄒ거

---

958)승미(升米) : 한 되의 쌀. 되: 부피의 단위. 곡식, 가루, 액체 따위의 부피를 잴 때 쓴다. 한 되는 한 말의 10분의 1, 한 홉의 열 배로 약 1.8리터에 해당한다.
959)슌셜(脣舌) : '말' 또는 '여러 말 하는 것'을 비유적으로 이르는 말.
960)의의(依依)ᄒ다 : 헤어지기가 서운하다.

953)승미(升米) : 한 되의 쌀. 되: 부피의 단위. 곡식, 가루, 액체 따위의 부피를 잴 때 쓴다. 한 되는 한 말의 10분의 1, 한 홉의 열 배로 약 1.8리터에 해당한다.
954)슌셜(脣舌) : '말' 또는 '여러 말 하는 것'을 비유적으로 이르는 말.
955)의의(依依)ᄒ다 : 헤어지기가 서운하다.

늘, 셩듀의 호싱디덕으로 완명(頑命)【39】이 스라 찬덕ᄒ미, 쇼싱 등의 극흔 경시로딕, 참황슈괴(慘惶羞愧)ᄒ미 출하리 죽음만 ᄀᆺ디 못ᄒ다라. 하면목으로 닙어셰(立於世)리잇고? 만시 여몽(如夢)ᄒ여 셰렴(世念)이 스연ᄒ나961), 녕녀의 관을 븟드러 댱ᄒᄆᆯ 보디 못ᄒ고, 《엄졍∥엄령(嚴令)962)》이 유한(有限)ᄒ여 오릭 머믈 길히 업셔, 일마다 져바리미 만흐니 엇디 붓그럽디 아니리오."

댱공이 츄연 왈,
"인시 이의 밋ᄎ니 현마 엇디ᄒ리오. 스빈은 이런 일의 샹회(傷懷)치 말나."

혹시 쳐연 스샤ᄒ더라.

붕비 친쳑이 면면이 별졍을 닐너 회푀 ᄌᆞ못 결치 못ᄒ니, 태우 형데 슌슌 스샤ᄒ여 일즉이 도라가기를【40】청ᄒ니, 졔인이 태우의 결호흔 긔딜과 혹스의 빈빈흔 도덕으로, 괴이흔 죄루의 ᄲᅥ져 찬츌ᄒᄆᆯ 슬허ᄒ고, 뎡병부 셕샹셔 하스마 등은 동긔를 원별흠 ᄀᆺ투여, 비샹ᄒᄆᆯ 니긔디 못ᄒ여 뎡·딘·하·댱 스공(四公)은 쳔니댱졍(千里長程)의 쳔금디구(千金之軀)를 보듕ᄒ여 가라 당부ᄒᄆᆯ 마디 아니니, 태우 등이 스공긔 긔후 안강ᄒ시믈 쳥ᄒ고, 졔친 붕우를 작별ᄒ니, ᄯᅥ나ᄂᆞ 심스와 보닉ᄂᆞ 졍이 샹하키 어렵더라.

태우 곤계 공치의게 쳥ᄒ여 외가의 가 일야를 머므러 됴리ᄒ여 명일 발ᄒᆡᆼᄒᄆᆯ 니르니, 공치 응슌ᄒ거늘 즉시 옥화산으로【41】향ᄒ니 뎡병부와 하스마ᄂᆞ 조부가디 ᄯᅡ라가 밤을 흔가디로 디닉려 ᄒᆞ더라.

이ᄶᅥ 조부인이 댱시의 참스ᄒᄆᆯ 듯고 통샹(痛傷)ᄒ다가, 이직(二子) 찬뎍(竄謫)ᄒᄆᆯ 드르미, 어히업셔 ○○○○○○○○[눈믈도

961)스연ᄒ다 : 삭연(索然)하다. 흥미가 없다.
962)엄령(嚴令) : 엄하게 명령하거나 호령함. 또는 그런 명령이나 호령.

늘, 셩쥬의 호싱지덕으로 완연이 스라 찬젹ᄒ미 극흔 경시로딕, 참황슈괴ᄒᆞᆷ믄 출하리 죽음만 ᄀᆺ지 못ᄒ지라. 만시 여몽(如夢)ᄒ여 셰렴(世念)이 스연ᄒ나956) 녕녀를 쟝(葬)ᄒᄆᆯ 보디 못ᄒ고, 《엄졍∥엄령(嚴令)957)》이 유한ᄒ여 오릭 머믈 길히 업셔 일마다 져바리미 만흐니, 엇지 붓그럽지 아【33】니리오."

댱공이 츄연 왈,
"인시 이의 밋ᄎ니 현마 엇지ᄒ리오. 스빈은 이런 일의 샹회(傷懷)치 말나."

혹시 《츠연∥처연(悽然)》 스스ᄒ더라.

친쳑이 면면이 별졍을 닐너 회푀 ᄌᆞ못 결을치 못ᄒ니, 틱우 형데 슌슌 스샤ᄒ여 일즉이 도라가기를 쳥ᄒ니, 졔인이 틱우의 결츌흔 긔샹과 혹스의 빈빈흔 도덕《을오∥으로》, 고이흔 죄루의 ᄲᅥ져 원디(遠地)의 찬츌ᄒᄆᆯ 슬허ᄒ고, 뎡병부 셕샹셔 하스마 모든 스람도 동긔 형데를 녕녕 망별(亡別)흠 ᄀᆺ투여, 심곡으로 쇼스나ᄂᆞ 졍이 훌훌ᄒᄂᆞᆫ지라. 비샹ᄒᄆᆯ 니긔디 못ᄒ며, 뎡·딘·하·댱 스공(四公)은 쳔니원졍(千里遠程)의 쳔금지구(千金之軀)를 쳔만보듕ᄒ여, 무스 득달ᄒ여 가라, 직삼 당부ᄒ니, 틱우형데 《샹공∥스공》【34】○[긔] 긔휘(氣候)958)닉니 안강ᄒ시믈 쳥ᄒ고, 졔친 붕우를 작별ᄒ니, ᄯᅥ나ᄂᆞ 심스와 보닉ᄂᆞ 졍이 샹하키 어렵더라.

틱우 곤계 공치의게 쳥ᄒ여 외가의 가 일야를 머므러 몸을 죠리ᄒ여 명일 발ᄒᆡᆼᄒᄆᆯ 니르니, 공치 응슌ᄒ커늘, 즉시 옥화산으로 향ᄒ니, 뎡병부와 하스마ᄂᆞ 조부의 가지 ᄯᅡ라가 ○○[밤을] 흔가지로 보닉려 ᄒᆞ더라.

이ᄶᅥ 조부인이 쟝시의 참스ᄒᄆᆯ 듯고, 날

956)스연ᄒ다 : 삭연(索然)하다. 흥미가 없다.
957)엄령(嚴令) : 엄하게 명령하거나 호령함. 또는 그런 명령이나 호령.
958)긔휘(氣候) : 기체(氣體). 몸과 마음의 형편이라는 뜻으로, 웃어른께 올리는 편지에서 문안할 때 쓰는 말. 늑기체후(氣體候).

나지 아니코], 가변이 추악ㅎ여 태부인이 입궐ㅎ여 즈긔를 음분(淫奔)ㅎ다 ㅎ믈 망측ㅎ여, 어린 드시 구파를 도라보고 말을 못ㅎ더라.

낙양휘 녀ᄋ를 옥화산의 보닉여 존고를 위로ㅎ라 ㅎ니, 딘쇼졔 유즈를 다리고 옥화산의 니르러 존고긔 빈알ㅎ니, 부인이 깃거ㅎ나, 당시 유퇴듕(有胎中)의 죽으미 참담ㅎ고, 태우 형뎨의 원찬ㅎ믈 슬허 ㅎ딕, 딘시의 탈신ㅎ여 【42】 능히 무ㅅㅎ믈 다힝ㅎ여 그 연고를 므른딕, 쇼졔 존고긔는 친즈모나 다르디 아니미, 윤부 가ᄉ를 긔일 거시 업눈 고로, 즈긔 죽엄이 되여 강졍의 나왓던 바를 일일히 고ㅎ고, 즉금 하시 여ᄎ여ᄎ 화를 만나 뎡병부의 구ㅎ믈 닙어 초하동의 이시믈 고ㅎ니, 조부인이 언언이 경참ㅎ여 즈긔 아득히 모로던 바의, 다힝이 ᄉ라시믈 흔열ㅎ나, 가변을 딘졍홀 시졀이 업스미 촉쳐(觸處)의 심붕담녈(心崩膽裂)963)ㅎ더니, 태우 형뎨 니르러 남·양쥐로 가믈 알외며 셩톄 안강ㅎ시믈 튝(祝)ㅎ고, 구파의 슬허ㅎ믈 민망ㅎ여 【43】 호언으로 위로홀ᄉᆡ, 비록 댱부의 텰셕심장(鐵石心腸)이나 당ᄒᆞ 빈 ᄎᆞ마 사롬의 견딕디 못홀 빈라.

그러나 모친긔 비식을 뵈디 아냐, ᄆᆞ음의 업슨 우움과 즐겁디 아닌 화긔로 모친의 비회를 딘뎡코져 ㅎ나, 조부인이 냥즈를 보미, 가변을 통도(痛悼)ㅎ여 히음 업시 붓들고 오열ㅎ여 말을 일우디 못ㅎ니, 태우 형뎨 블승졀민(不勝切憫)ㅎ여, ᄆᆞ음을 굿이 잡아 화셩유어(和聲柔語)로 위로ㅎ고, 눈을 드러 딘쇼져의 셔시믈 보니, 유ᄋ(乳兒) 겻틱셔 즈는디라.

태위 심니의 반가오믈 니긔디 못ㅎ여 팔

이 오릴ᄉᆞ록 통상(痛傷)ㅎ다가, 또 냥자(兩子)의 찬뎍(竄謫)ㅎ믈 드르미 도로혀 어히 업셔, 눈물도 나지 아냐, 가변이 추악ㅎ여 《가부인∥태부인》이 입궐ㅎ여 즈긔를 음분(淫奔)ㅎ다 ㅎ미 긔괴망측ㅎ지라. 어린 드시 말을 못ㅎ더니, 낙양휘 녀ᄋ를 옥화산의 【35】 보닉여 존고를 위로ㅎ라 ㅎ니, 진쇼졔 유즈를 다리고 옥화산의 니르러, 존고게 비현ㅎ니, 부인이 어득ㅎ 심ᄉᆞ나, 진시를 반기고 신ᄋ(新兒)의 옥슈신월(玉樹新月) ᄀᆞᆺ트믈 깃거ㅎ야, 뎡시와 유즈를 실허ㅎᆷ과, 장시 유퇴즁(有胎中) 죽으미 참담ㅎ고, 티우 형뎨의 원찬ㅎ믈 슬허ㅎ딕, 진시의 탈신ㅎ여 능히 무ᄉᆞ믈 다힝ㅎ여 그 연고를 무른딕, 쇼졔 조부인게는 친즈모나 다르지 아니미, 뉴부 가ᄉ를 긔일 거시 업눈 고로, 즈긔 죽엄이 되여 강졍의 나왓던 바를 일일히 고ㅎ고, 지금 하시 여ᄎ여ᄎ 화를 만나 뎡병부의 구ㅎ믈 닙어 초하동의 이시믈 고ㅎ니, 조부인이 언언(言言)이 경참ㅎ여 즈긔 아득히 모로던 바의, 다힝이 【36】 ᄉ라시믈 흔열ㅎ나, 가변을 진졍홀 시졀이 업스므로, 촉쳐(觸處)의 《심공∥심붕》담열(心崩膽裂)959)ㅎ더니, 티우 형뎨 니르러 남·양 이쥐로 가믈 고ㅎ며, 셩톄 안강ㅎ시믈 축(祝)ㅎ고, 구파의 슬허ㅎ믈 민망ㅎ여 호언으로 위로홀ᄉᆡ, 비록 댱부의 텰셕심장(鐵石心腸)이나, 당ᄒᆞ 빈 ᄎᆞ마 ᄉ람의 견딕지 못홀 빈라.

그러나 모부인게 비식을 뵈이지 아냐, ᄆᆞ음의 업슨 우움과 즐겁지 아닌 화긔로 모친의 비회를 진뎡코ᄌᆞ ㅎ나, 조부인이 냥즈를 보고 오열ㅎ여 말을 닐오지 못ㅎ니, 티우 등이 불승졀민(不勝切憫)ㅎ여 ᄆᆞ음을 구지 줍고, 화셩유어(和聲柔語)로 위로ㅎ고, 눈을 드러 진쇼져의 셧시믈 보니, 션연(嬋娟)ㅎ 념광(艷光)이 시 【37】 로이 긔이ㅎ고, 유ᄋ(乳兒) 겻희셔 즈눈지라.

티위 심니의 반가오믈 니긔지 못ㅎ여 팔

---

963)심붕담녈(心崩膽裂) : 마음이 무너지고 찢겨지듯 슬프고 아픔.

959)심붕담녈(心崩膽裂) : 마음이 무너지고 찢겨지듯 슬프고 아픔.

홀 드러 읍ᄒ고, 【44】 혹시 ᄯᅩᄒᆞᆫ 슈시를 향
ᄒᆞ여 공경 비례ᄒᆞ니, ᄃᆡ쇼졔 답녜ᄒᆞ고 나죽
이 찬츌ᄒᆞᄆᆞᆯ 티위(致慰)ᄒᆞ니, 봉셩낭음(鳳聲
朗吟)이 쳥아(淸雅)ᄒᆞ고 어리로와 이목이
쇄연ᄒᆞ니, 태위 ᄃᆡ시의 슈츌ᄒᆞᄆᆞᆯ 딕ᄒᆞ미 더
옥 뎡부인 싱각이 니러나고, 유ᄌᆞ의 거동을
보미 일흔 ᄋᆞᄌᆞ 싱각이 나니, 일마다 심회
ᄒᆞ더니, 믄득 유이 ᄭᅵ여 니러 안ᄌᆞ미, 션풍
옥골이 늠늠슈려ᄒᆞ여 뇽호긔샹(龍虎氣像)과
닌봉ᄌᆞ딜(麟鳳資質)이 비록 대쇠 다르나, 완
연이 ᄌᆞ긔로 더브러 다른 곳이 업ᄂᆞᆫ디라.
싱어팔구삭(生於八九朔)의 영오발췌(穎悟拔
萃)964)ᄒᆞ미 말을 거의 ᄒᆞᆯ 듯ᄒᆞ니, 태위 유
ᄌᆞ를 ᄡᅳ다 【45】 듬아 모친과 쇼져를 위로
코져, 굴오ᄃᆡ,

"쇼지 비록 남쥐로 찬츌(竄黜)ᄒᆞ오나 광
음이 신쇽ᄒᆞ니 삼년이 언마리잇고? ᄒᆞ믈며
유이 용쇽디 아니ᄒᆞ오니, 슬젼의 두샤 뎍뇨
ᄒᆞᄆᆞᆯ 위로ᄒᆞ시고, 하쉬 잉ᄐᆡ 칠삭이니 오라
디 아냐 남녀간 골육이 셰샹의 나오리니,
마ᄌᆞ 다려오샤 알패 두시고, 각각 ᄌᆞ녀로뻐
위로ᄒᆞ샤 쇼ᄌᆞ 등의 삼년 니측(離側)을 딕
ᄒᆞ쇼셔."

부인이 쳑연 탄왈,

"딘현부의 유ᄌᆞ를 보니 시로이 뎡식부의
유지 싱각히고, 하시의 화익을 드르미 그
참참(慘慘)ᄒᆞ고 놀나오미 너의 원찬의 더은
디라. 가변이 졈졈 【46】 괴이ᄒᆞ여 너의 형
뎨와 그 쳐실을 다 업시코져 ᄒᆞ미, 션군(先
君)965)과 나의 ᄡᅵ를 남기디 아니랴 ᄒᆞ미라.
아모리 혜여도 가변을 딘뎡ᄒᆞᆯ 시졀이 업ᄉᆞ
니, 너희 비록 삼년 후 도라오나 셩효를 완
젼ᄒᆞᆯ 길히 업ᄉᆞᆯ가 ᄒᆞ노라."

태위 위로 왈,

"만시 텬명이니 히ᄋᆞ 등의 익회 괴이ᄒᆞ여
이런 일이 이시나, 미양 이리 고초ᄒᆞ올 거
시 아니오니, 타일 가변을 딘뎡ᄒᆞ고 모다
즐길 긔약이 업디 아니리이다."

미러 읍ᄒᆞ고, 혹시 ᄯᅩ 슈시를 향ᄒᆞ여 공경
비례ᄒᆞ니, ᄃᆡ쇼졔 답녜ᄒᆞ고 ᄂᆞ죽이 찬츌ᄒᆞ
믈 치위(致慰)ᄒᆞ니 봉셩낭음(鳳聲朗吟)이 쳥
아(淸雅)ᄒᆞ고 어지러 이목이 쇄연ᄒᆞ니, 티위
진시의 슈츌ᄒᆞᄆᆞᆯ 딕ᄒᆞ미, 더옥 뎡부인 싱각
이 니러나고, 유ᄌᆞ의 ᄌᆞᄂᆞᆫ 거동이 긔이ᄒᆞ니,
일흔 싱ᄋᆞ를 싱각 ᄒᆞ미 일마다 심회 불ᄒᆞᄒᆞ
더니, 믄득 유지 니러 안ᄌᆞ며 슬젼의 이리
ᄒᆞ니960) 션풍 골격이 늠쥰슈려(凜俊秀麗)ᄒᆞ
여 룡호긔샹(龍虎氣像)과 닌봉ᄌᆞ딜(麟鳳資
質)이 비록 딕쇠 달나 완연이 ᄌᆞ긔로 더브
러 다른 곳이 업ᄂᆞᆫ지라. 싱어풀구삭(生於八
九朔)의 녕오발췌(穎悟拔萃)961)ᄒᆞ미 말【3
8】을 거의 ᄒᆞᆯ 듯ᄒᆞ니, 티위 유ᄌᆞ를 어로만
져 모친과 쇼져를 위로코져 굴오ᄃᆡ,

"쇼지 비록 남쥐로 찬젹(竄謫)ᄒᆞ나 광음
이 신쇽ᄒᆞ니 슴년이 언마리잇고? ᄒᆞ믈며 유
이 용쇽지 아니니 슬젼의 두ᄉᆞ 젹뇨ᄒᆞᄆᆞᆯ 위
로ᄒᆞ시고, 하쉬 잉ᄐᆡ 칠삭이오니 오라지 아
녀 남녀간 골육이 셰샹의 나오리니, 마ᄌᆞ
다려오ᄉᆞ 알픠 두시고 각각 ᄌᆞ녀로뻐 위로
ᄒᆞᄉᆞ, 쇼ᄌᆞ 등의 슴년 니측(離側)을 딕ᄒᆞ쇼
셔."

부인이 쳑연 탄왈,

"딘현부의 유ᄌᆞ를 보니 뎡텬부는 어늬 곳
의 유쳐(留處)ᄒᆞ며 유지 싱각 이러ᄒᆞ고, 하
ᄋᆞ부(兒婦)의 화익을 혀츠며, 그 참담ᄒᆞᄆᆞᆯ
싱ᄀᆞᆨᄒᆞ족, 너히 원찬의 더은지라. 가변이 졈
졈 고이ᄒᆞ여 너의 형【39】뎨와 그 쳐실을
다 업시코ᄌᆞ ᄒᆞ미, 션군과 나의 씨를 남기
지 아니려 ᄒᆞ미라. 아모리 ᄒᆞ여도 가변을
진졍ᄒᆞᆯ 시졀이 업ᄉᆞ니, 너히 비록 슴년 후
도라오나 셩효를 완젼ᄒᆞᆯ 길이 업ᄉᆞᆯ지라."

티위 위로 왈,

"만시 텬명이니 히ᄋᆞ 등의 익회 고이ᄒᆞ여
니런 일이 이시나 미양 이리 ○○○○[고초
ᄒᆞ리]잇고? 타일 가변을 진졍ᄒᆞ고 모다 즐
길 날이 잇ᄉᆞ리이다."

---

964)영오발췌(穎悟拔萃) : 남보다 뛰어나게 영리하고
  슬기로움.
965)션군(先君) : 선친(先親). 돌아가신 아버지.

960)이리ᄒᆞ다 : 이리ᄒᆞ다. 아양 떨다. 응석부리다.
961)영오발췌(穎悟拔萃) : 남보다 뛰어나게 영리하고
  슬기로움.

구패 비읍 왈,

"이졔 두 낭군이 분찬(奔竄)966)ㅎ고, 뎡·딘·하 삼쇼졔 각산(各散)ㅎ여시나, 딘·하 이쇼졔 스라시믈 옥누항의 고【47】치 못ㅎ고, 뎡쇼져는 이칠쳥츈의 스싱존망을 모로오니, 태부인과 뉴부인의 힝식 덕을 삼가디 아니시니, 어느 셰월의 가변을 딘뎡ㅎ고 즐거이 모도리오."

태위 지삼 위로ㅎ고, 뎡병뷔 악모긔 뵈오믈 쳥ㅎ고, 하스매 와시믈 고ㅎ고, 톄후를 뭇ᄌ온딕, 조부인이 하스마를 닉외ㅎ미 친셔(親壻) 딜셔(姪壻)를 현현이 간격ᄒ 둣ㅎ며, 비록 사름을 보고져 아니ㅎ나 마디 못ㅎ여 다 드러오기를 쳥ㅎ니, 뎡·하 낭인이 드러와 조부인긔 비알ㅎ고, 태우 형뎨의 분찬ㅎ믈 치위ㅎ며, 병부도 화열ᄒ 말삼으로 위【48】로ㅎ여 반ᄌ디녜(半子之禮) 극딘ㅎ니, 부인이 친셔(親壻)를 반기고 딜셔의 긔이ㅎ믈 영힝ㅎ여, 현ᄋ의 일싱이 쾌ㅎ믈 깃거ㅎ나, 여러 번 변고를 슬허ㅎ며, 하시의 굿기미 참참ㅎ여 화란이 심ㅎ믈 니르고, 병부의 구활을 칭샤ㅎ여, 쳔연ᄒ 덕셩과 유한ᄒ 긔딜이 위·뉘의 포악 흉완키의 비컨딕, 텬디 현격ㅎ여 쥬공(周公)967)과 관치(管蔡)968) ᄀᆞᆺ고, 태임(太姙)969)과 달긔(妲己)970) ᄀᆞᆺ트니, 하스매 쳐음으로 그 츌셰ᄒ

---

966)분찬(奔竄) : 죄를 입고 귀양을 떠남.
967)듀공(周公) : 중국 주나라의 정치가. 문왕의 아들로 성은 희(姬). 이름은 단(旦). 형인 무왕을 도와 은나라를 멸하였고, 주나라의 기초를 튼튼히 하였다. 예악 제도(禮樂制度)를 정비하였으며, ≪주례(周禮)≫를 지었다고 알려져 있다.
968)관치(管蔡) : 중국 주나라 문왕(文王)의 아들이자 무왕(武王)의 동생인 관숙(管叔)과 채숙(蔡淑)을 함께 이르는 말. 무왕(武王)이 죽고 형제 가운데 주공(周公)이 무왕의 어린 아들 성왕(成王)을 도와 섭정을 하자, 주공을 의심하여 반란을 일으켰다가, 관숙은 죽음을 당하고 채숙은 추방했다.
969)태임(太姙) : 중국 주(周)나라 문왕(文王)의 어머니. 부덕(婦德)이 높아 며느리 태사(太姒: 문왕의 비)와 함께 성녀(聖女)로 추앙된다.
970)달긔(妲己) : 중국 은나라 주왕의 비(妃). 왕의 총애를 믿어 음탕하고 포악하게 행동하였는데, 뒤에 주나라 무왕에게 살해되었다. 하걸(夏桀)의 비 매희(妹喜)와 함께 망국의 악녀로 불린다.

구픠 비읍 왈,

"이졔 두 낭군이 분찬(奔竄)962)ㅎ고, 뎡·딘·하 슴쇼졔 ○…결락11자…○[각산(各散)ㅎ여시나 딘·하 이쇼졔] ᄌᆞ[스]라시믈 옥누항의 고치 못ㅎ고, 뎡쇼져는 이칠쳥츈의 스싱존망을 모르니 틱부인과 뉴부인의 힝식 ᄒ 일도 덕을 삼가지 아니시니, 어닉 셰월의 가변을 진졍ㅎ리오."

틱위 위로ㅎ고, 뎡병뷔 악모【40】게 뵈오믈 쳥ㅎ고, 하스미 《드러와∥와시믈 고ㅎ고》 쳬후(體候)를 뭇ᄌ온딕, 부인이 하스마는 닉외ㅎ고 뎡병부만 쳥ㅎ여 보미 고이ㅎ여, 부득이 ○[다] 드러오라 ㅎ니, 뎡·하 낭싱이 드러와 부인게 비알ㅎ고 틱우 등 찬츌ㅎ믈 치위ㅎ며, 뎡병부도 화열이 위로ㅎ여 반ᄌ지의(半子之義) 극진ㅎ니, 부인이 친셔를 반기며, 하싱의 표치쥰일(標致俊逸)ㅎ믈 보미, 현ᄋ의 일싱이 쾌ㅎ믈 깃거ㅎ고, 인ㅎ여 하싱을 향ㅎ여 하시의 병셰를 무르니, 초휘 딕왈,

"쇼미 지금 스싱을 겨우 면ㅎ여 일신이 셩ᄒ 곳이 업스미, 능히 졍신을 출히지 못ㅎ는지라. 아모딕도 샹셔(上書)ㅎ는 곳이 업느이다."

---

962)분찬(奔竄) : 죄를 입고 귀양을 떠남.

용화긔딜(容華氣質)과 비속(非俗)훈 위의를
보미, 딘실노 태임(太姙)의 태교흐여 문왕을
나흐시고, 밍뫼(孟母)[971] 삼쳔디교(三遷之
敎)[972]흐샤 밍ᄌ(孟子)[973] 아셩(亞聖)[974]
되【49】시믈 씌ᄃ라, 윤태우 형뎨의 긔특
ᄒ미 그 모친 태교{ᄒ}믈 혜아려, ᄌ긔 미
뎨(妹弟)[975]도 져 ᄀᆞ튼 존고를 뫼셔 혹ᄉ
ᄀᆞ튼 군ᄌ로 더브러 화락흐믈 엇디 못흐고,
위·뉘의 독슈(毒手)를 만나 화란이 무궁흐
믈 깁히 탄흐더라.
　조부인이 뎡병부다려 녀ᄋ의 평부를 므
러, 비록 향니(鄕里)[976]의 가시나 일ᄌ 셔
신이 업ᄉ믈 슬허 ᄒ니, 병뷔 그 심회를 돕
디 아니랴 다만 몽농이 되답ᄒᄃᆡ.
　"실인이 아딕 향니의 이셔 몸이 무양(無
恙)ᄒ나, 본ᄃᆡ 범의게 상훈 사람이라. 스스
로 인ᄉ 졍신을 출히디 못ᄒ니, 아모ᄃᆡ도
문후ᄒᄂᆞ【50】샹셰(上書) 일졀 업더이다."
　부인이 참연(慘然) 탄식 ᄲᆞᆫ이러라.
　이윽이 말슴ᄒ다가 외당으로 믈너갈ᄉᆡ 다
시 비현흐믈 일ᄏᄅ니, 부인이 츄연(惆然)
왈,
　"박명 인ᄉᆼ이 긔괴훈 누명을 므릅뼈 구ᄎ
히 투ᄉᆼ(偸生)ᄒ미, 사람 보기를 원치 아니
ᄃᆡ, 미양 현셔(賢婿)의 ᄌ로 ᄎᄌ믈 감샤ᄒ
ᄂᆞ니, 감히 누쳐의 님키를 쳥치 못홀디언졍,
스스로 니르믈 바라디 못ᄒ노라."
　병뷔 흠신(欠身)[977] 샤왈(謝曰),

971)밍모(孟母) : 맹자의 어머니. 아들의 교육을 위하
　여 세 번이나 이사를 하고 베틀의 베를 끊어 보여
　현모(賢母)의 귀감으로 불린다.
972)삼쳔디교(三遷之敎) : 맹자의 어머니가 아들을 가
　르치기 위하여 세 번이나 이사한 일을 이르는 말.
973)밍ᄌ(孟子) : B.C.372~289.중국 전국 시대의 사
　상가. 자는 자여(子輿)·자거(子車). 공자의 인(仁)
　사상을 발전시켜 '성선설(性善說)'을 주장하였으며,
　인의의 정치를 권하였다. 유학의 정통으로 숭앙되
　며, '아성(亞聖)'이라 불린다.
974)아셩(亞聖) : 유학에서 공자 다음가는 성인(聖人)
　이라고 하여 '맹자'를 이르는 말.
975)미뎨(妹弟) : 여동생.
976)향니(鄕里) : 향촌(鄕村). 여기서는 적소(謫所)를
　말함.
977)흠신(欠身) : 공경하는 뜻을 나타내기 위하여 몸
　을 굽힘.

　부인이 춤연(慘然) 탄식 ᄲᆞᆫ이라.
　이윽히【41】 말슴ᄒ다가 외당으로 나갈
식, ᄃ시 비현흐믈 일ᄏᄅ니, 부인이 츄연
(惆然) 왈.
　"박명 인ᄉᆼ이 긔괴훈 누명을 므릅뼈 구ᄎ
히 투ᄉᆼ(偸生)ᄒ나, ᄉ람 보기를 원치 아니
ᄃᆡ, 미양 현셰(賢婿) ᄌ로 ᄎᄌ믈 감슈ᄒᄂᆞ
니, 감히 누쳐의 님ᄒᆼ길 쳥치 못홀지언졍,
스스로 니르지 못ᄒ기를 바라리오."
　병뷔 흠신(欠身)[963] ᄉ왈(謝曰),

963)흠신(欠身) : 공경하는 뜻을 나타내기 위하여 몸
　을 굽힘.

"쇼싱이 튱년의 슬하 동상이 되와 악모의 주이ᄒᆞ시ᄂᆞᆫ 후은을 닙ᄉᆞ오니, 우러웁ᄂᆞᆫ 졍셩이 범연치 아니ᄒᆞ오ᄃᆡ, 미흔 몸의 듕작을 밧ᄌᆞ와 관시 번【51】다ᄒᆞ고, 봉친시하(奉親侍下)의 빈긱이 년속ᄒᆞ므로 일시를 여가치 못ᄒᆞ와, 주로 비현치 못ᄒᆞᄆᆞᆯ 주탄ᄒᆞ옵거ᄂᆞᆯ, 셩언이 과도ᄒᆞ시니 도로혀 슈괴ᄒᆞ이다."

부인이 슌슌 칭샤ᄒᆞ더라.

초일 조부 외헌의셔 뎡·하 이인이 태우 형뎨와 졔(諸) 조로 더브러 밤을 디닉고, 명됴의 뎡·하 이인이 태우 등으로 니별ᄒᆞᆯᄉᆡ, 피ᄎᆞ 니졍(離情)이 의의(依依)ᄒᆞ여 상연(傷然) 타루(墮淚)ᄒᆞ고 ᄎᆞ마 셔나디 못ᄒᆞᄂᆞ, 뎡·하 냥인이 됴참이 느즈믈 넘녀ᄒᆞ여 급히 궐졍으로 드러가고, 태우 형뎨 모젼의 하딕을 고ᄒᆞᆯᄉᆡ, 부인이 가ᄂᆞᆫ 심ᄉᆞ를 허트르디 아니랴 쳔만 비회를 강인ᄒᆞ【52】나, 촌장이 스스로 ᄉᆞ희여978), ᄒᆡ임 업시 눈믈이 방방ᄒᆞ고 목이 몌여 말을 일우디 못ᄒᆞ더라.

태우 등이 통상ᄒᆞᆫ 회포를 억졔치 못ᄒᆞ여 좌우로 모친을 붓들고 간졀이 쳥왈,

"ᄒᆡᄋᆞ 등이 비록 남·양 이쥐의 분찬ᄒᆞ오나, 나히 졈고 긔운이 댱셩ᄒᆞ여 위험디디(危險之地)의 드러도 몸이 상ᄒᆞᆯ가 넘녀 업ᄉᆞᆸᄂᆞ니, 삼년니측(三年離側)의 블효를 싱각ᄒᆞ오ᄆᆡ 아득ᄒᆞ오나, 광음이 훌훌ᄒᆞ니 언마 디닉리잇고? 바라건ᄃᆡ 블초 등을 거리ᄭᅵ다[디] 마르시고, 셩후를 안보ᄒᆞ샤 대단ᄒᆞᆫ 딜환이나 닐위다[디] 마르시고, ᄒᆡᄋᆞ 등이 쳔니 밧긔 이실【53】디라도 영힝ᄒᆞᄆᆞᆯ 닉긔디 못ᄒᆞ오리니, 주위ᄂᆞᆫ 쇼ᄌᆞ 등의 ᄆᆞ음을 편콰져 ᄒᆞ시거든, 만ᄉᆞ를 파탁ᄒᆞ샤 아모 일이라도 심회를 요동치 마르쇼셔."

부인이 읍왈(泣曰),

"내 ᄋᆞ히 등은 이 곳의 편히 잇ᄂᆞᆫ 어미를 넘녀 말고, 너희 몸을 여린 옥ᄀᆞᆺ치 조심ᄒᆞ여 각각 덕소의 편히 디닉ᄂᆞᆫ 긔별을 드를딘ᄃᆡ, 내 ᄆᆞ음을 딘뎡ᄒᆞᆯ가 ᄒᆞᄂᆞ니, 쳔만가디 누얼과 일만 원통이 흉댱이 터딜 듯ᄒᆞᆯ디라도, 어미를 위ᄒᆞᆫ 졍셩이 잇거든, 슬프믈 믈

_____
978)ᄉᆞ희다 : 사위다. 불이 사그라져서 재가 되다.

"쇼싱이 츈년의 슬하 동상이 되여 악모의 주이ᄒᆞ시ᄂᆞᆫ 후은을 닙ᄉᆞ오니, 우러웁ᄂᆞᆫ 졍셩이 범연치 아니ᄒᆞᄃᆡ, 미흔 몸의 즁작을 밧ᄌᆞ와 국시 번다ᄒᆞ옵고, 봉친지[시]하(奉親侍下)의 빈긱이 《연슈∥연속》ᄒᆞ므로 일시 여가(餘暇)치 못ᄒᆞ옵거늘, 존언이 과도ᄒᆞ시니 도로혀 슈괴ᄒᆞ도소이다."

부인이 슌슌【42】치ᄉᆞ ᄒᆞ더라.

초일 됴부의셔 뎡·하 이인이 퇴우 형뎨와 졔(諸) 죠로 더브러 밤을 지닉고, 명됴의 뎡·하 이인이 퇴우 등을 니별ᄒᆞᆯᄉᆡ, 피ᄎᆞ 니졍(離情)이 의의(依依)ᄒᆞ여, 상연(傷然) 슈루(垂淚)ᄒᆞ고 ᄎᆞ마 셔ᄂᆞ지 못ᄒᆞ나, 하·졍 냥인이 됴참이 느즈믈 넘녀ᄒᆞ여 급히 궐즁으로 드러가고, 퇴우 형뎨 모젼의 하직을 고ᄒᆞᆯᄉᆡ, 부인이 그 가ᄂᆞᆫ ᄆᆞ음을 슈란(愁亂)964)치 말과져 ᄒᆞ여 쳔만 비회를 강잉ᄒᆞ나, 촌냥이 스스로 ᄉᆞ희여965) ᄒᆡ임 업시 눈믈이 방방ᄒᆞ여 말을 닐우지 못ᄒᆞ니, 퇴우 형뎨 위로 왈,

"쇼ᄌᆞ 등이 비록 남이 죽이려 ᄒᆞ여도, 빅계(百計)로 도모ᄒᆞ와 목숨을 보존ᄒᆞ오리니, 주졍은 ᄒᆡᄋᆞ를 넘녀치 마ᄅᆞ쇼셔."【43】

_____
964)슈란(愁亂) : 시름이 많아서 정신이 어지러움.
965)ᄉᆞ희다 : 사위다. 불이 사그라져서 재가 되다.

니쳐 됴혼두시 일월을 보너다가, 삼년후 환쇄(還刷)ᄒ여 모직 산 얼골노 반기믈 원ᄒ노라."

냥인이 슈명【54】 디왈,

"쇼ᄌ 등은 비록 남이 죽이려 ᄒ여도 쳔방빅계(千方百計)로 도모ᄒ여 목슘을 보젼ᄒ오리니 ᄌ졍은 히ᄋ 등을 넘녀 마르시고 셩톄를 안보ᄒ쇼셔."

인ᄒ여 태위 딘쇼져를 향ᄒ여 니르디,

"싱의 형뎨 남·양 이쳐로 분찬ᄒ고 경샤의 잇ᄂ 지, 하 슈(嫂)와 지(子)979)라. 옥누항의 싱존ᄒ여시믈 고치 못ᄒ여시니 대뢰ᄎᄌ실 일이 업ᄂ디라. ᄌᄂ 모로미 ᄎ운산의 도라갈 의ᄉ를 말고, 태태 좌우의 뫼셔 울울ᄒ신 심ᄉ를 위로ᄒ여 ᄌ부의 도리를 폐치 아니면, 싱의 ᄆᄋ음이 일분이나 미든 곳이 이셔, ᄒ 사름이나 ᄌ긔(自己) 시봉 디ᄒ믈 깃브리로소이다."

딘【55】쇼졔 나죽이 디왈,

"쳡슈블민(妾雖不敏)이나 존고긔 시봉ᄒᄆᄂ 군ᄌ의 당부를 기다리디 아니리니, 군ᄌᄂ 쳔니 원노의 무ᄉ히 득달ᄒ쇼셔."

태위 딘쇼져를 권년(眷戀)ᄒᄂ 졍이 여텬디무궁(如天地無窮)ᄒ나, 쳐실의게 넘녜 밋디 못ᄒ니, 다만 유ᄌ를 어로만져 모친긔 고왈,

"ᄎᄋ의 모ᄌ를 운산의 보너디 마르시고, 이 곳의 머므르샤, 방ᄌ히 친졍의가 엄연이 ᄌ졍긔 시봉ᄒ믈 니져, 쇼ᄌ의 금일 당부를 져바리디 말게 ᄒ쇼셔."

부인이 탄왈,

"딘현부ᄂ 도라가라 닐너도, 져의 졍셩이 날을 쩌나고져 아니ᄒ여, 친졍 번화를 바리고 날노 더브러 고초를 감심코져 ᄒ니, 너ᄂ【56】브졀업시 당부치 말나."

인ᄒ여, 모ᄌ 슉딜이 일장 비회를 베퍼 니별ᄒ고, 조공 등이 나가미, 구패 나와 냥인을 붓들고 ᄎ마 쩌나디 못ᄒ여 오읍(嗚

틱위 이의 진시를 향ᄒ여 왈,

"싱의 형뎨 이졔 남·양 이쳐(二處)로 분찬ᄒ고, 경ᄉ의 잇ᄂ 니ᄂ ᄌ(子)966)와 하쉬(嫂)라. ᄌᄂ 모로미 ᄎ운산으로 갈 의ᄉ를 말고, ᄌ졍을 뫼셔 심회를 위로ᄒ면, 싱의 ᄆᄋ음이 일분이나 미들 곳이 이시리로다."

진쇼졔 빈이디왈,

"쳡슈블민(妾雖不敏)이오나 존고를 위ᄒᄆᄂ 당부ᄒ실 비 아니오니, 군ᄌᄂ 쳔니 타항의 평안이 득달ᄒ쇼셔"

부인이 탄왈,

"딘현뷔 셩졍이 친가 번화를 조하 아니ᄒ고 부러 고초를 감심코ᄌ 홀지라. 다시 ᄒ 일을 당부치 말나."

인ᄒ여 《흑ᄉ‖모ᄌ》 슉딜이 일장 비회를 베풀고, 조공이 ᄯᄒ 젼별ᄒ니, 구픠ᄂ와 냥싱【44】을 붓들고 ᄎ마 쩌나지 못

---

979)직(子) : 'ᄌ(子)+ㅣ(주격조사)'의 형태. 그대. 듣는 이가 아내나 아랫사람인 경우, 그 사람을 높여 이르는 이인칭 대명사.

966)직(子) : 'ᄌ(子)+ㅣ(주격조사)'의 형태. 그대. 듣는 이가 아내나 아랫사람인 경우, 그 사람을 높여 이르는 이인칭 대명사.

泣)ᄒᆞ믈 마디 아니ᄒᆞ니, 날이 반오(半午)나 되도록 힝거를 썰쳐나디 못ᄒᆞ니, 죵직(從者) 졀민ᄒᆞᄂᆞᆫ디라. 태우 형뎨 슬픈 졍을 억졔ᄒᆞ여 모친과 구파의게 비례 하딕ᄒᆞ고, 슉모 등을 향ᄒᆞ여 결ᄒᆞ기를 맛ᄎᆞ민, 거름을 두로혀 밧그로 나가고져 ᄒᆞ다가, 다시 드러와 모친긔 안강ᄒᆞ시믈 쳥ᄒᆞ니, 부인이 계오 ᄃᆡ답ᄒᆞ여 원노 힝역의 무ᄉᆞ히 가라 ᄒᆞ거ᄂᆞᆯ, 딘시의 유직 태우의 옷ᄌᆞ락을 붓드러 밧그로 나가고져 ᄒᆞ【57】ᄂᆞᆫ디라. 유ᄋᆞ의 아비를 귀듕ᄒᆞ미 ᄌᆞ모의 더ᄒᆞ여 아모란 줄 모로ᄂᆞᆫ 가온ᄃᆡ, 텬뉸디졍이 긔특ᄒᆞ여 스스로 쏠오미 이시니, 그 아비로 ᄒᆞ여곰 황홀ᄒᆞᆫ 졍을 비홀 곳이 업ᄉᆞᆯ 빌로ᄃᆡ, 태위 니친ᄒᆞᄂᆞᆫ 회푀 ᄎᆞ아ᄒᆞ여, 이연(怡然)이980) 믈니쳐 어미게로 가라ᄒᆞ고 ᄯᅡ라오디 못ᄒᆞ게 ᄒᆞ니, 유ᄋᆞ이 크게 울거ᄂᆞᆯ, 부인이 태우ᄃᆞ려 ᄋᆞ히를 달닉라 ᄒᆞ나, 호화ᄒᆞᆫ 씩의 즐거오믈 도아 가ᄎᆞ흄과 달나, 부인의 보닉ᄂᆞᆫ ᄆᆞ음과 태우 형뎨의 가ᄂᆞᆫ 졍이 샹하(上下)치 못ᄒᆞ여, 심쟝이 녹으믈 씌ᄃᆞᆺ디 못ᄒᆞ니, ᄎᆞ시 경식이 참담ᄒᆞ여 일좌(一座)의 비풍(悲風)이 니러나고 셰위(細雨) 쓰리ᄂᆞᆫ디라. ᄋᆞ히를 달닉여 【58】 모친 겻ᄐᆡ 안치고 계오 몸을 두로혀 나오기의 당ᄒᆞ여ᄂᆞᆫ, 안쉬 여우ᄒᆞ여 옷 압흘 젹시ᄂᆞᆫ디라.

조공 등과 졔쇼년이 참연비열(慘然悲咽)ᄒᆞ여 원노의 무ᄉᆞ히 득달ᄒᆞ믈 당부ᄒᆞ고, 태우와 흑ᄉᆞ 형뎨 분슈ᄒᆞᄂᆞᆫ 졍을 ᄯᅩ 어이 비홀 곳이 이시리오.

태우ᄂᆞᆫ 흑ᄉᆞ의 무양ᄒᆞ믈 당부ᄒᆞ고, 흑ᄉᆞᄂᆞᆫ 태우의 보듕ᄒᆞ믈 일ᄏᆞ라, 손을 잡고 팔흘 어로만져 쳬읍 왈,

"아등 삼남민 셰샹의 나 엄안을 아디 못ᄒᆞ고, 삼인이 셔로 의디ᄒᆞ여 외로오신 ᄌᆞ당과 존당을 밧드러 기리 셰월을 보닐가 ᄒᆞ더니, 블힝ᄒᆞ여 가변이 튱츌ᄒᆞ여 몬져 져져의 거쳐를 아디 못ᄒᆞ여 밋친 슬프【59】미 되거ᄂᆞᆯ, 이졔 아등이 망극ᄒᆞᆫ 누셜(陋說)을 시러 남·양 이줘의 분찬(分竄)ᄒᆞ니, 비록 삼

980)이연(怡然)이 : 기쁜 낯빛으로.

ᄒᆞ여 울기를 마지 아니ᄒᆞ니, 날이 반오(半午)의 밋ᄎᆞ민, 공ᄎᆡ(公差)의 ᄎᆡ측이 셩화 ᄀᆞᆺᄐᆞᆫ지라. 태우 형뎨 무궁ᄒᆞᆫ 회포를 겨오 춤고 모친과 구파로 하직ᄒᆞ고 밧그로 나갈ᄉᆡ, ᄒᆞᆫ 거름의 두 번 도라보믈 면치 못ᄒᆞ여, 지슘 셩톄 안강ᄒᆞ시믈 고ᄒᆞ고 문을나니, 봉안의 누쉬 이음ᄎᆞ 광슈(廣袖)를 젹시ᄂᆞᆫ지라

조공 등과 졔쇼년이 참연비졀(慘然悲絕)ᄒᆞ믈 마지아녀, 원노의 부즁ᄒᆞ믈 당부ᄒᆞ고 날이 느ᄌᆞ므로 분슈(分手)홀ᄉᆡ, 태우ᄂᆞᆫ 흑ᄉᆞ의 무양ᄒᆞ믈 닐ᄏᆞᆺ고, 흑ᄉᆞᄂᆞᆫ 태우의 보즁ᄒᆞ믈 닐ᄏᆞ라, 손을 잡고 풀을 어로만져 쳬읍 왈,

"우리 형제 츌셰(出世)ᄒᆞ여 엄안을 모【45】ᄅᆞ고, 남민 슘인이 셔로 의지ᄒᆞ여 ᄌᆞ당과 존당을 밧드러 기리 즐길가 ᄒᆞ엿더니, 블힝ᄒᆞ여 가변이 튱츌ᄒᆞ여, 몬져ᄂᆞᆫ 져져의 거쳐를 모로고, 이제 아등이 누명을 시러 찬뎍(竄謫)ᄒᆞ니, 비록 슘년 긔한이 즙시 ᄀᆞᆺᄐᆞ나 ᄆᆞ음이 버히ᄂᆞᆫ ᄃᆞᆺ ᄒᆞᆫ지라. 우형은 긔력이 강작ᄒᆞ여 아모 위험지라도 넘녜 젹

년긔한이 머디 아니나 심장이 긋쳐디믈 면
ᄒᆞ랴. 그러나 우형은 신샹의 드러난 딜양이
업고 근녁이 현뎨ᄀᆞᆺ치 연약디 아니니, 아모
위험디디의 가도 병날가 근심되디 아니코,
아모 어려온 일이 이셔도 셩명이 위ᄐᆡ홀 념
녜 업ᄉᆞ리니, ᄌᆞ연ᄒᆞᆫ ᄀᆞ온ᄃᆡ 보젼디ᄎᆡᆨ(保全
之策)이 이시려니와, 현뎨의 쳥슈(淸秀)ᄒᆞᆫ
긔딜과 젹상(積傷)ᄒᆞᆫ 병이 실노 슈(壽)를 누
릴가 밋븐 ᄆᆞ음이 젹은디라. ᄒᆞᄆᆞᆯ며 장체
극듕ᄒᆞ거늘 됴리도 못ᄒᆞ고 먼길을 당ᄒᆞ여,
ᄆᆞ샹의 힝ᄒᆞᆷ이 병이 더칠981) 거시오. 뎍소
로 향ᄒᆞ나 피ᄎᆞ의 소식【60】도 통홀 길히
업ᄉᆞ니 이 ᄆᆞ음을 비홀 곳이 이시리오."

혹시 형의 낫츨 다혀 오열 왈,
"태평셩ᄃᆡ의 아등이 혼ᄌᆞ 난니(亂離)를
만나 형뎨 일시의 집을 ᄯᅥ나ᄆᆡ 봉ᄉᆞ봉친(奉
祀奉親)의 넘녀ᄒᆞ리 업ᄉᆞᆫ디라. 블초 무상ᄒᆞᆫ
죄를 혜건ᄃᆡ 쳔ᄉᆞ무셕(千死無惜)이니, 어이
살고져 의ᄉᆞ 이시리잇고마는, ᄌᆞ졍의 디극
히 보젼콰져 ᄒᆞ심과 형댱의 이ᄀᆞᆺ치 넘녀ᄒᆞ
시믈 ᄉᆡᆼ각건ᄃᆡ, 스스로 보호ᄒᆞ믈 옥ᄀᆞᆺ치 홀
거시오, ᄒᆞᄆᆞᆯ며 셩명이 위ᄐᆡᄒᆞ믈 모로디 아
닛ᄂᆞ니, 형댱은 쇼뎨를 넘녀치 마르시고 쳔
니 원노의 무ᄉᆞ히 득달ᄒᆞ쇼셔."

태위 아의 손을 ᄎᆞ마 노치 못ᄒᆞ여 믈그
오로믈 씻ᄃᆞᆺ【61】디 못ᄒᆞ니, 졔죄 ᄎᆞ마 보
디 못ᄒᆞ여 일식이 느ᄌᆞ믈 닐너 각각 믈그
올니고, 공쳐와 죵직 남·양 이쥬로 각각
길흘 난홀ᄉᆡ, 형뎨 냥인이 ᄒᆞᆫ번 믈을 치치
ᄂᆞᆫ982) 바의 두 번 도라 보믈 면치 못ᄒᆞ니,
무궁ᄒᆞᆫ 졍을 금치 못ᄒᆞ더니, 각각 일ᄂᆡ를
힝치 못ᄒᆞ여셔, 발셔 산이 ᄀᆞ리고 길히 닉
도ᄒᆞ여, 셔로 그림ᄌᆞ도 어더보디 못ᄒᆞ니, 냥
인의 참졀ᄒᆞᆫ 비회를 비홀 곳이 업더라.

ᄎᆞ시 하쇼졔 초하동의 잇셔 딘부인의 구
호홈과, 남후의 신긔ᄒᆞᆫ 의슐이 ᄉᆞ병(死病)을
슬 곳의 닐위며, 아조 병폐뎨인이 되는 뉴
을 완인이 되게 ᄒᆞᄂᆞᆫ 고로, 하시 됴병(調病)

---

981)더치다 : 덧나다. 병이나 상처 따위를 잘못 다루
　어 상태가 더 나빠지다.
982)치치다 : 채다. 채찍 따위로 휘둘러 세게 치다.

거니와, 현뎨는 쳥슈(淸秀)ᄒᆞᆫ 긔질노 젹상
(積傷)ᄒᆞᆫ 병이 잇고 장체(杖處) ᄃᆡ단ᄒᆞ거늘,
이졔 먼길을 당ᄒᆞ니 ᄆᆞ샹의 힝ᄒᆞ기 ᄀᆞ장 어
려온디라. 이졔 ᄒᆞᆫ 번 분슈ᄒᆞᄆᆡ 소식을 들
을 길이 업ᄉᆞ니, 아심이 비여쳘(非如鐵)이
라. 엇지 슬프지 아니ᄒᆞ리오.

혹시 형의 낫츨 ᄃᆡ【46】ᄒᆞ고 오열 왈,
"태평셩ᄃᆡ의 ○○○[아등이] 혼ᄌᆞ 난니를
만나 형뎨 일시의 집을 ᄯᅥ나니, 쇼뎨의 블
초 무상ᄒᆞᄆᆡ 쳔ᄉᆞ무셕이오나, 형장이 니러
ᄐᆞᆺ 넘녀ᄒᆞ시니, 스스로 몸을 보호ᄒᆞ오리니
형장은 넘녀치 마르시고 쳔금지구를(千金之
軀) 보즁ᄒᆞᄉᆞ 삼년 후의 산 얼굴노 반기게
ᄒᆞ쇼셔."

언파의 각각 분슈ᄒᆞ여, 남·양 이쥬로 향
홀ᄉᆡ, 냥인이 ᄌᆞ셤 도라보믈 면치 못ᄒᆞ더니,
님의 먼니 힝ᄒᆞᄆᆡ 그림ᄌᆞ를 보지 못ᄒᆞ니,
이인이 통졀ᄒᆞᆫ 회푀 비홀 ᄃᆡ 업더라.

ᄎᆞ시 하쇼졔 초하동의 잇셔 딘부인의 지
셩 구호홈과, 병부의 신긔ᄒᆞᆫ 의슐이 ᄉᆞ병을
싱도의 《니르러‖닐위여》, 하시【47】 됴
병(調病) 월여의 면모와 일신의 상ᄒᆞᆫ 거시
완합ᄒᆞ고 긔운이 안뎡(安靜)ᄒᆞᄆᆡ, 거울을 드
러 ○○○[얼골을] 비최니, 쳘편의 마진ᄃᆡ
험진967) 곳이 업ᄉᆞ믈 다힝ᄒᆞ나, 칼노 질닌

월여의 면모와 일신이 샹흔 곳이 거의 《완
포∥완호(完護)983)》【62】ᄒ여 긔운을 안
뎡(安靜)ᄒ고, 거울을 드러 얼골을 빗최미
텰편의 마즌 ᄌ곡○[이] 허믈딘984) 곳이 업
ᄉ믈 다힝ᄒ나, 칼의 질닌 가슴과 텰편의
여러 곳 《마즌∥마쥰 곳의》 냑간 허믈이
이시니, 하시 츄연 탄식ᄒ고 흑ᄉ의 형뎨
몸인즉 더옥 ᄎ악ᄒᆯ 바를 혜아려, 학ᄉ의
ᄉ싱을 근심ᄒ여 일시 방하(放下)985)치 못
ᄒ더니, 남후 형뎨와 딘부인이 윤태우 등의
찬덕ᄒ믈 니르디 아니믄, 그 ᄆ음을 경동치
아니랴 ᄒ더니, 하시 일부일(日復日)986) ᄎ
셩(差成)ᄒ여 소셰(梳洗)ᄒ고 니러 ᄃ니믈
평샹이 ᄒ니, 금후 부부와 남후 형뎨며 초
후 등의 환열ᄒ미 비홀 곳이 업고, 뉴시를
【63】절치통한ᄒ니, 하시 거거(哥哥)의 셩
졍이 딜악(嫉惡)을 여슈(如讐)ᄒ여 암밀브졍
디인(暗密不正之人)을 용납디 아니미 태과
ᄒ믈 민망ᄒ여 ᄒ더니, 일일은 남후와 초휘
파됴 후 ᄌ긔를 보라 올 ᄡ를 타, 굴오딘,

"쇼미 죽기를 면ᄒ여시니 미양 이곳의 이
실 거시 아니니, 구가의 ᄉ라시믈 고ᄒ고
도라가고져 ᄒᄂ이다."

휘 비로소 윤부 변고를 ᄌ시 닐너 댱시
죽고 태우 등이 발셔 남·양줘의 분찬ᄒ여
시믈 니르고 왈,

"ᄉ원 등이 옥누항의 잇디 아니ᄒ고, 흉
인이 ᄌ부를 다 히ᄒ여 악독ᄒ미 극딘ᄒ니,
이쩌의 현미의 ᄉ라시믈 알딘딕, 아조 죽일
계교를 닐 거【64】시니, 셔어(齟齬)흔 의
ᄉ를 닉디 말고, 아딕 취운산의 가 잇다가
옥화산 조부의 가 존고를 시봉ᄒ라."

가슴과 쳘편의 여러 곳을 즁히 마ᄌ 약간
흔젹이 이시니, 하시 츄연 탄식ᄒ고 흑ᄉ의
곤계 몸인즉 더옥 ᄎ악홀 바를 혜아려, 학
ᄉ의 ᄉ싱을 근심ᄒ더니, 남후 형뎨와 딘부
인이 윤틱우 ○[등]의 찬젹ᄒ믈 니르지 아
니믄, 그 ᄆ음을 경동치 아니랴 ᄒ더니, 하
시 병셰 ᄎ셩ᄒ미 니러 ᄃ니기를 평샹이 ᄒ
니, 금후 부부와 남후 형뎨며 초후 등의 화
열ᄒ미 비홀 딕 업고, 뉴시를 졀치통한ᄒ
【48】더니, 하시 거거(哥哥)의 셩졍이 암
밀부졍지인(暗密不正之人)을 용납지 아니미
틱과ᄒ지라. ᄀ장 민망ᄒ여 ᄒ더니, 일일은
남후와 초휘 파됴 후 ○○○○○[ᄌ긔를 보
라] 올 ᄡ를 타 굴오딕,

"《쇼괴∥쇼미》 죽기를 면ᄒ여시니 미양
이곳의 이실 거시 아니니, 친졍의셔 일싱을
늙지 못ᄒ리니, 구가의 ᄉ라시믈 고ᄒ고 도
라가고져 ᄒᄂ이다."

남휘와 초휘 비로소 윤부 변고를 닐너,
댱시 죽고, 틱우 형졔 남·양 이쳐로 찬출
ᄒ믈 젼ᄒ고, 닐으딕,

"ᄉ원 등이 옥누항의 잇지 아니ᄒ고, 흉
인이 ᄌ부를 다 히ᄒ며 험독이 극딘지도(極
盡之道)의 이시니, ᄎ시를 당ᄒ여 현미 ᄉ
라심을 알진딕, 그윽흔 가온딕 아조 죽일
계교【49】를 힝훌거시니, 셔어(齟齬)흔 의
ᄉ를 닉지 말고, 아직 취운산의 ᄂ아갓ᄃ가,
죵용이 옥화산 됴부의나 왕닉ᄒ여 존고를
시봉ᄒ라."

---

983)완호(完護) : 병을 잘 치료함. 또는 병이 다 나음.
984)허믈디다 : 흠지다. 흠집이 생기다. 흉터가 생기다.
985)방하(放下) : 방심(放心). 마음을 다잡지 아니하고 풀어 놓아 버림.
986)일부일(日復日) : 하루하루가 계속 반복된다는 뜻으로, '날마다'를 이르는 말.

967)험지다 : 흠지다. 흠집이 생기다. 흉터가 생기다.

하시 쳥파의 블승츄악ᄒ나, 태우 등이 비록 찬덕이라도 가듕을 쎠나미 ᄉ디를 버셔난 닷 쇠횐이 넉이디, 그 츌텬대효(出天大孝)로뻐 강상대죄인(綱常大罪人)이 되어시믈 각골통원ᄒ고, 댱시의 참ᄉᄒ믈 이샹(哀傷)ᄒ여 실셩오읍(失性嗚泣)ᄒ믈 마디 아니니, 이휘(二侯) 위로 왈,

"댱부인 참ᄉᄂ 인심의 차악ᄒ믈 니긔디 못ᄒ나, ᄉ이이의(事而已矣)987)니 슬허ᄒ미 무익ᄒ고, 현미 역시 슈경을 계오 면ᄒ여 심긔 허약ᄒ거늘, 과도히 비쳑ᄒ여 약딜이 병을 일위리오."

뎡언간【65】의 뎡흑시 드러와 쇼져의 슬허ᄒᄂ 연고를 듯고, 이에 쇼왈,

"댱부인 참ᄉᄂ 인심의 뉘 아니 놀나리오마ᄂ, 쇼뎨 댱부인 죽던 날 옥누항의 갓다가, 우두나찰(牛頭羅刹)988) ᄀᆞᆺᄐᆫ 흉ᄒᆫ 부인의 망측ᄒᆫ 거동을 보니, 그 형용을 아모리 싱각ᄒ여도 쇠험(猜險)코 가쇼롭더이다."

인ᄒ여 위태의 울고 나와 ᄒ던 말을 니르니, 초·남 이휘 긔괴ᄒ여 잠쇼ᄒ고, 쇼져ᄂ 오열 왈,

"윤부 변고ᄂ 듯디 아니나 알 거니와, 다만 댱시 나히 이칠(二七)이 넘디 못ᄒ고 참혹히 맛ᄎ니, 이 춤디 못ᄒᆯ 슬프미라. 내 졀노 더브러 동녈의 졍과 디긔의 친ᄒ미 골육의 갓치 아니ᄒ더니, 이졔 졔 몬져 죽을【66】 줄 어이 알니오."

뎡·하 이휘 지삼 위로ᄒ고 ᄎᆔ운산으로 도라가기를 뎡ᄒ여, 슈일 후 유홍 공ᄌ로 딘부인을 뫼셔 님호로셔 오ᄂ 쳬ᄒ여 부듕으로 도라 가시게 ᄒ고, 하쇼져ᄂ 뎡부 산졍 별츈졍으로 다려올ᄉᆡ, 이 곳은 뎡·딘·하 삼부 {삼부} 겻치라.

하시 비로소 츄언을 드르미 놀랍고 츄악ᄒ여, 그 츌텬디효(出天大孝)로 강상죄인(綱常罪人)이 되어시믈 극골통원ᄒ고, 댱시의 참ᄉᄒ믈 더욱 슬허 실셩쳬읍(失性嗚泣)ᄒ니, 하·뎡 이○[휘](二侯) 위로 왈,

"댱부인 참ᄉᄂ 인심의 놀나오나, ᄉᄌ(死者)ᄂ 이의(已矣)968)라. 슬허ᄒᆫ들 무익ᄒ고, 현미 쏘ᄒᆫ 슈경을 계오 면ᄒᆫ 고로 심히 슈쳑(瘦瘠) 하엿거늘, 니러ᄐᆞ시 비쳑ᄒ여 약딜이 병을 닐위리오."

뎡언간의 뎡흑시 드러와 쇼져의 슬허ᄒᄂ 연고를 듯고, 이의 쇼왈,

"댱부【50】인 참ᄉᄂ 뉘아니 놀나리오마ᄂ, 쇼뎨 댱부인 죽던 날 옥누항의 갓ᄃᄀᆞᆷ 우두나촬(牛頭羅刹)969) ᄀᆞᆺᄐᆫ 흉ᄒᆫ[흔] 부인의 망측ᄒᆫ 거동을 보니, 그 형용을 아모리 싱각ᄒ여도 쇠험(猜險)코 가쇼롭더이다."

인ᄒ여 위틔의 울고 나와 ᄒ던 말을 젼ᄒ니, 초·남 이휘 긔괴ᄒ여 줌쇼ᄒ고, 쇼져ᄂ 오열비읍(嗚咽悲泣)왈,

"윤부 변고ᄂ 듯지 아녀 알 거니와, 당시 나히 이칠(二七)이 넘지 못ᄒ고 참혹히 맛쳐시니, 이ᄂ 춤지 못ᄒᆯ 슬프미라. 내 졀로 더브러 동녈의 졍의와 지긔의 친밀ᄒ미 골육의 감치 아니ᄒ더니, 이졔 졔 몬져 그런 춤화를 당ᄒ여 쳥년의 요물(夭歾)ᄒᆯ【51】 줄 어이 알니오."

언파의 쥬뤼 만면ᄒ여 슬허ᄒ믈 마지 아니ᄒ니, 뎡·하 이휘 지삼 위로ᄒ고 ᄎᆔ운산으로 도라가기를 졍ᄒ여, 슈일 후 유홍 공ᄌ로 진부인을 뫼셔 님호로셔 오ᄂ 쳬ᄒ여, 부즁으로 도라 가시게 ᄒ고, 하쇼져ᄂ 《병부‖뎡부》 산졍 별츈졍으로 다려올ᄉᆡ, 이 곳은 뎡·진·하 숨부 겻치라.

---

987)ᄉ이이의(事而已矣) : 일이 이미 끝나 어찌할 수 없음.
988)우두나찰(牛頭羅刹) : 쇠머리 모양을 한 악한 귀신.

968)이의(已矣) : (일이) 이미 끝나 어찌할 수 없음.
969)우두나찰(牛頭羅刹) : 쇠머리 모양을 한 악한 귀신.

일좌(一座) 가샤(家舍) 잇셔 노복으로 딕
희여시되, 유벽심슈(幽僻深邃)ᄒ여 피셰(避
世)ᄒᄂᆫ 은ᄉ(隱士)의 가시오, 후빅 명공의
틱샹(宅上)이 아니러라. 금후 부친 쇼ᄉ공이
유벽흔 곳을 구ᄒ여 디어시되, 굿ᄐ여 거쳐
흔 빅 업고 다만 화류를 구경ᄒᄂᆫ 빅러니,
이공지 하시를 다려다가 머므르되, 닉졍(內
庭) 깁흔 당샤(堂舍)를 굴희여【67】아모도
모로게 ᄒ고, 초벽 등 셔너 시네 쇼져를 딕
희여 그 비황흔 심ᄉ를 위로ᄒ며, 하부로
협문을 두어 됴부인이 왕닉ᄒ게 ᄒ니, 하쇼
제 별츈졍으로 바로 와시므로 뵈옵디 못ᄒ
엿더니, 하공과 됴부인이 협문으로 좃ᄎ 니
르러 녀ᄋ를 보고, 얼골이 녜 ᄀᆺᄐ믈 만분
다힝ᄒ여, 거디(擧止) 여샹(如常)ᄒ고 태휘
(胎候) 안온ᄒ믈 더옥 긔특이 녁여, 즐기미
측냥 업ᄉ나, 윤흑ᄉ의 찬츌과 윤부 변고를
닐너, 쇼져의 신셰 잔잉ᄒ믈 크게 슬허, 부
뷔 녀ᄋ를 어로만져, 탄셩 톄옵 왈,

"우리 샹쳑(喪慽)의 샹흔 심ᄉ로뼈, 너의
익화를 드르미 그 참졀ᄒ믈 어이 참으리오
【68】마ᄂᆫ, 금후의 말노 좃ᄎ 너의 명익이
오히려 씃디 아냐시믈 드르니, 영힝ᄒ미 그
밧긔 나디 아닐디라. 뎡챵빅이 너를 두번
ᄉ디의 구ᄒ여 ᄉ론 은혜 분골쇄신ᄒ나 다
갑기 어려온디라. 오ᄋᄂᆫ 금후 부부의 텬디
ᄀᆺᄐᆫ 은덕과 병부의 대은을 닛디 말나."

쇼졔 쳑연 디왈,

"쇼녀의 익회 괴이ᄒ여 셰샹의 잇디 아닌
변고를 디닉오니, 만일 남후 거거곳 아니면
디하인(地下人)이 되엿ᄉ오리니, 그 은혜를
능히 갑흘 길히 업ᄉᆸᄂᆫ디라. 당당이 결초
(結草)989)를 긔약ᄒ리로소이다."

부부 모녜 가득이 그 은혜를 감격ᄒ여,
쎄를 마ᄋ며 살흘 혈워도 앗길【69】ᄯᅳᆺ이
업고, 됴부인은 가ᄉ를 슬피ᄂᆫ 일이 업ᄉᆞ
이 곳의셔 밤을 디닉고, 초·평 냥후ᄂᆫ 이
목이 번거치 아닌 ᄣᅥ의 별츈졍의 니르러 하
시를 보며, 원샹 공ᄌ 등과 필흥은 슉식을

일좌(一座) 가샤(家舍) 잇셔 노복으로
《즉희엿시니∥직희엿시니》 유벽심슈(幽僻
深邃)ᄒ여 피셰(避世)ᄒᄂᆫ 은ᄉ(隱士)의 가
시오, 후빅 명공의 틱샹(宅上)이 아니러라.
금후 부친 쇼ᄉ공이 유벽흔 곳을 구ᄒ여 지
어시되 굿ᄐ여 화려치 아니터라.

초벽 등 셔너 시네 쇼져를 직희여 그 비황
흔 심ᄉ를 위로【52】ᄒ며 하부로 협문을
통ᄒ고 조부인이 왕닉ᄒ게 ᄒ니라. 하쇼졔
별츈졍으로 바로 왓시므로 뵈옵지 못ᄒ엿더
니, 하공과 조부인이 협문으로 좃ᄎ 니르러
녀ᄋ를 보고, 얼골이 녜 ᄀᆺᄐ믈 만분 다힝
ᄒ나, 쇼져의 신셰 잔잉ᄒ믈 크게 슬허, 부
뷔 녀ᄋ를 어로만져 탄셩 톄옵 왈,

"우리 샹쳑(喪慽)의 샹흔 심ᄉ로뼈 너희
화익를 드르미 그 참졀ᄒ물 어이 춤으리오
마ᄂᆫ, 금후의 말노 좃ᄎ 너의 명익이 오히
려 씃지 아녀시믈 드르니, 녕힝ᄒ믈 니긔지
못ᄒ지라. 뎡병부 너를 두번 ᄉ지의 구ᄒ여
닌 은혜 분골【53】쇄신ᄒ나 《엇기∥갑
기》 어려온지라. 오ᄋᄂᆫ 금후 부부의 텬디
ᄀᆺᄐᆫ 덕과 병부의 딕은을 닛지 말나."

쇼졔 쳑연 디왈,

"쇼녀의 익회 고이ᄒ여 셰샹의 잇지 아닌
변고를 지닌니, 만일 평후 거거의 건짐 곳
아니면 디하인(地下人)이 되엿ᄉ오리니, 그
은혜를 능히 갑흘 길히 업ᄉᆸᄂᆫ지라. 당당이
결초(結草)970)를 긔약ᄒ리로소이다."

부부 모녜 가득히 그 은혜를 감격ᄒ여 쎄
를 마ᄋ며 살흘 허워여도 앗길 ᄯᅳᆺ이 업고,
조부인○[은] 가ᄉ를 슬피ᄂᆫ 일이 업ᄉᆞ미,
이 곳의셔 밤을 지닉고, 초·평 냥후ᄂᆫ 이
목이 번거치 아닌 ᄣᅥ의 별츈졍의 니르러 하
시를 보며, 원샹공ᄌ 등과 필흥은 슉식을

---

989)결초(結草) : 결초보은(結草報恩). 죽은 뒤에라도
　　은혜를 잊지 않고 갚음을 이르는 말.

970)결초(結草) : 결초보은(結草報恩). 죽은 뒤에라도
　　은혜를 잊지 않고 갚음을 이르는 말.

츈졍의셔 ᄒᆞᆫ 씩 만터라.

딘부인이 부듕의 도라와 존고긔 비알ᄒᆞ고, 합개 다 님호의 갓던 줄노 ᄒᆞ니, 문양공 쥐 견혀 의심치 아니코, 비록 윤·양의 거쳐를 모르며, 현긔 등을 실니ᄒᆞ미, 슌태부인과 금후 부부의 침좌간(寢坐間) 닛디 못ᄒᆞᆯ 근심이나, 남후 형뎨 오인(五人)과 아쥬 쇼졔 슬하의 뫼시미, 각각 화긔 츈양(春陽) ᄀᆞᆺ트여 승안열친(承顔悅親)ᄒᆞᄂᆞᆫ 힝식 금평후로브터 그 ᄌᆞ녀【70】의 어리니와 ᄌᆞ라니 업시 다 효위(孝友) 츌인(出人)ᄒᆞ니, 존당과 금후 부부의 댱니보옥(掌裏寶玉)으로 아라, 황홀 탐이ᄒᆞᄆᆞᆯ 니긔디 못ᄒᆞ더라.

태부인이 하시 츠셩ᄒᆞ여 완젼여구(完全如舊)ᄒᆞᄆᆞᆯ 듯고, 힝희ᄒᆞ여 일야ᄂᆞᆫ 별츈졍의 가 하시를 다려와 보미, 반가오미 넘쪄 상연(傷然) 슈루(垂淚) 왈,

"너와 혜쥐 다 동년이라. 너ᄂᆞᆫ 의로 미즈 조손디졍(祖孫之情)을 니으니, 너희 다 초년이 험난ᄒᆞ여 혜쥐ᄂᆞᆫ 댱샤의 찬뎍ᄒᆞ고, 너ᄂᆞ 괴이ᄒᆞᆫ 스변을 디니여 요힝 텬흉의 구ᄒᆞᄆᆞ로 스라나미 되어시나, 머리를 움쳐990) 피셰디인(避世之人)이 되고, 윤낭 형뎨ᄂᆞᆫ 남·양 이쥐의 분찬ᄒᆞ여 죄범(罪犯)【71】강상(綱常)ᄒᆞ니, 텬디간의 이 ᄀᆞᆺ튼 원통이 어딘 이시리오. 연이나 네 몸이 보젼ᄒᆞ여 텬향아딜(天香雅質)이 여구(如舊)ᄒᆞᄆᆞᆯ 보니 다힝ᄒᆞᆫ 듕, 시로이 혜쥐의 션연(鮮姸)ᄒᆞᆫ 광휘 안져(眼底)의 삼삼ᄒᆞ여 슬프믈 억졔키 어려온디라. 디란 ᄀᆞᆺ튼 약딜이 이졔가디 명믹이 니엇ᄂᆞᆫ가. 참연ᄒᆞᆫ 넘녜 어나날 니즈리오."

하쇼졔 슬프믈 강인ᄒᆞ고 태부인을 위로ᄒᆞ고, 니·양으로 더브러 딘부인 알패셔 죵용이 말씀ᄒᆞ더니, 계명을 듯고 급히 츈졍으로 도라가니, 딘부인이 그 신셰를 잔잉히 넉여 잇다감 니·양 이부로 더브러 츈졍의 단녀오더라.

금평휘 경참졍긔 식부 보닉믈 쳥【72】

---

990)움치다 : 움츠리다. 몸이나 몸의 일부를 몹시 오그리어 작아지게 하다.

츈졍의셔 ᄒᆞᄂᆞᆫ 씩 만【54】터라.

진부인이 부즁의 도라와 존고게 비알ᄒᆞ고, 합개 다 님호의 갓던 줄노 ᄒᆞ니, 문양공 쥐 견혀 의심치 아니코, 비록 뉸·양의 거쳐를 《무르며∥모로며》 현긔 등의 실니ᄒᆞ미 슌틴부인과 금후 부부의 침좌간(寢坐間) 잇지 못ᄒᆞᆯ 근심이나, 남후 형뎨 오인(五人)과 아쥬 쇼졔 슬하의 뫼시미, 각각 화긔 츈풍(春風) ᄀᆞᆺ트여 승안녕[열]친(承顔悅親)ᄒᆞᄂᆞᆫ 힝식 금평후로브터 그 ᄌᆞ녀의 어리니와 ᄌᆞ라니 업시 다 효의(孝義) 초월(超越)ᄒᆞ니, 존당과 금후 부부의 댱니보옥(掌裏寶玉)으로 아라 황홀 탐이ᄒᆞᄆᆞᆯ 니긔지 못ᄒᆞ더라.

틴부인이 하시 츠셩ᄒᆞ여 완젼여구(完全如舊)ᄒᆞᄆᆞᆯ 듯고, 힝희ᄒᆞ여 일야ᄂᆞᆫ 별졍의 가하【55】 시를 다려와 보미, 반가오미 넘쪄 상연(傷然) 수루(垂淚) 왈,

"너와 혜쥐 다 동년이라. 너ᄂᆞᆫ 의를 미져 모즈의 졍을 니으니, 노모의 스랑ᄒᆞᆷ은 혀[혜]쥬의 ᄂᆞ리지 아니터니, 너히 다 초년이 험난ᄒᆞ여 혜쥐ᄂᆞᆫ 장수의 찬젹ᄒᆞ고, 너ᄂᆞ 고이ᄒᆞᆫ 스변을 지니여 요힝 텬흉의 구ᄒᆞᄆᆞ로 스라나, 머리를 움쳐971) 피셰지인(避世之人)이 되고, 윤싱 형뎨ᄂᆞᆫ 남·양 이쥐의 분찬ᄒᆞ여 죄범(罪犯) 강상(綱常)ᄒᆞ니, 텬디간의 이 ᄀᆞᆺ튼 원통이 어딘 이시리오. 연이나 네 몸이 보젼ᄒᆞ여 텬향아질(天香雅質)이 여구(如舊)ᄒᆞᄆᆞᆯ 보니, 다힝ᄒᆞᆫ 즁 시로이 혜쥐의 션연(鮮姸)ᄒᆞᆫ 광휘 안져(眼底)의 숨숨ᄒᆞ여 슬프믈 억졔키 어려온지라. 지란 ᄀᆞᆺ【56】튼 냑딜이 명믹을 니엇ᄂᆞᆫ가. 춤연ᄒᆞᆫ 넘녜 어닉날 이즈리오."

하시 쳔만 슈회를 강잉ᄒᆞ여 호언으로 틴부인을 위로ᄒᆞ고, 진부인 앏히셔 죵용이 말솜ᄒᆞ더니, 시비 계명을 듯고 급히 츈향졍으로 도라가니, 진부인이 그 신셰를 잔잉이 넉여 잇ᄃᆞ감 니·양으로 더브러 츈졍의 ᄃᆞ녀오더라.

금평휘 경참졍게 식부 보닉믈 쳥ᄒᆞ니, 경

---

971)움치다 : 움츠리다. 몸이나 몸의 일부를 몹시 오그리어 작아지게 하다.

ᄒᆞ니, 경공이 즐겨 아냐 ᄆᆡ양 칭탁ᄒᆞ더니, 태부인이 밧비 경시를 보고져ᄒᆞ여, 금후다려 니르ᄃᆡ,

"경시를 밧비 다려오라."

ᄒᆞ니, 금휘 경공을 가 보고 식부 보ᄂᆡ믈 청ᄒᆞ니, 경공이 막ᄌᆞ를 말이 업셔 퇴일ᄒᆞ여 신부디녜(新婦之禮)를 힝홀 바를 니른ᄃᆡ, 금휘 깃거 도라왓더니, 임의 ᄉᆞ오일이 디난 후 경공이 몬져 녀ᄋᆞ 보ᄂᆡ믈 통ᄒᆞ엿ᄂᆞᆫ디라. 듕당(中堂)의 잔치를 ᄇᆡ셜ᄒᆞ고 일가 친쳑을 모호고, 공쥬를 청ᄒᆞ여 왈,

"텬흥이 젼일 운남을 뎡벌ᄒᆞ고 올 ᄶᅥᆨ 취ᄒᆞᆫ 바 경시ᄂᆞᆫ 명문 녀ᄌᆡ라. 내 집이 쥬쳐(住處) 어ᄌᆞ럽다 ᄒᆞ여 바린즉, 비상디원(飛霜之怨)[991]이 이실 ᄲᅮᆫ아니라, 황샹이 【73】 경시 취ᄒᆞ미 귀쥬(貴主) 하가젼(下嫁前)이라 ᄒᆞ샤, 굿ᄐᆞ여 죄 주미 업ᄉᆞ시니, 귀쥐 상두(上頭)의 거ᄒᆞ여 녀염녀ᄌᆞ(閭閻女子)를 아름다이 인도ᄒᆞ시고, 텬흥의 ᄂᆡᄉᆞ(內事)를 빗ᄂᆡ여, 황영(皇英)의 고ᄉᆞ(故事)를 효측ᄒᆞ시미 맛당ᄒᆞ니, 금일 경시의 ᄇᆡ현ᄒᆞᄂᆞᆫ 날이라. 귀쥐 ᄒᆞᆫ가디로 연ᄎᆞ(宴遮)의 참예ᄒᆞ시믈 청ᄒᆞᄂᆞ이다."

공쥐 청파의 비록 분에(憤恚)ᄒᆞᆫ ᄆᆞ옴이 가득ᄒᆞ나 ᄉᆞᄉᆡᆨ디 못ᄒᆞ더라. 【74】

공이 즐겨 듯지 아녀 ᄆᆡ양 칭탁ᄒᆞ더니, ᄐᆡ부인이 밧비 경시를 보고ᄌᆞᄒᆞ여, 금후다려 밧비 경시를 다려오라 ᄒᆞ니, 금휘 경공을 가 보고 식부 보ᄂᆡ믈 청ᄒᆞ니, 경공이 막ᄌᆞ를 말이 업 【57】 셔, 퇴일ᄒᆞ여 신부지녜(新婦之禮)를 힝홀 바를 닐은 ᄃᆡ, 금휘 깃거 도라왓더니, 임의 ᄉᆞ오일이 지ᄂᆡ 후 경공이 몬져 녀ᄋᆞ 보ᄂᆡ믈 통ᄒᆞ엿ᄂᆞᆫ지라. 즁당(中堂)의 잔치를 ᄇᆡ셜ᄒᆞ고 일가 친쳑을 모호고 공쥬를 청ᄒᆞ여 왈,

"텬흥이 젼일 운남을 졍벌ᄒᆞ고 올 ᄶᅥᆨ 취ᄒᆞᆫ 바 경시ᄂᆞᆫ 명문녀ᄌᆡ라. 내 집의 두미 어ᄌᆞ럽다ᄒᆞ여 바린즉, 비상지원(飛霜之怨)[972]이라. {ᄒᆞ고} 더옥 황상이 텬흥의 경시 취ᄒᆞ미 《귀쥬(貴主)와 ᄀᆞᆺ치 ᄒᆞ라 ‖ 귀쥬(貴主) 하가젼(下嫁前)이라》 ᄒᆞᄉᆞ, 굿ᄐᆞ여 죄 주미 업ᄉᆞ시니, 귀쥐 상두(上頭)의 거ᄒᆞ여 녀염녀ᄌᆞ(閭閻女子)를 아름다이 넉여 인의로 거ᄂᆞ려, 황영(皇英)의 고ᄉᆞ(故事)를 효측ᄒᆞ시미 맛당ᄒᆞ니, 금일 【58】 경시의 ᄇᆡ현ᄒᆞᄂᆞᆫ 날이라. 귀쥐 ᄒᆞᆫ가지로 년ᄎᆞ(宴遮)의 참예ᄒᆞ시믈 청ᄒᆞᄂᆞ이다."

991)비상디원(飛霜之寃) : '하늘에서 서리가 내리는 원통함'이라는 뜻으로 '일부함원오월비상(一婦含怨五月飛霜 : 한 여자가 원한을 품으면 오월에도 서리가 내린다)'는 말에서 온 말.

972)비상디원(飛霜之寃) : '하늘에서 서리가 내리는 원통함'이라는 뜻으로 '일부함원오월비상(一婦含怨五月飛霜 : 한 여자가 원한을 품으면 오월에도 서리가 내린다)'는 말에서 온 말.

명듀보월빙 권디오십삼

츠셜 공쥐 쳥파의 비록 분예(憤恚)흔 ㅁ
음이 가득ㅎ나 스식디 못ㅎ고, 피셕(避席)
브복(仆伏)ㅎ여 듯기를 다ㅎ믹, 니러 지비
샤왈(謝曰),

"쳡이 심궁의 잇셔 셰스를 모로옵고 ㅈ라
와, 흔 일도 일ㅋ롬죽디 아니ㅎ옵거놀, 군ㅈ
의 듕궤를 딕ㅎ고, 윤ㆍ양 이부인의 셩덕
광휘를 칭복ㅎ와, 기리 빅년을 안항의 즐거
오믈 어들가 ㅎ엿습더니, 조믈(造物)이 다싀
(多猜)ㅎ여, 윤ㆍ양ㆍ니 삼부인이 원억흔 죄
루를 시러 각각 친당의 도라가시나, 쳡이
기시(其時)의 병【1】이 듕ㅎ와 구치 못ㅎ
오니, 싱각홀스록 참연ㅎ믈 닉긔디 못홀 ᄯᆞᆫ
아니라, 군ㅈ의 ᄂᆞ스를 찰임(察任)ㅎ리 업셔
ㅎ옵더니, 경부인이 군ㅈ의 뎨스부실이믈
듯ㅈ오믹, 존부의 닐위여 ᄒᆞ가디로 존당 구
고를 밧드오며, 군ㅈ의 ᄂᆞ스를 도아 안항
(雁行)의 덕막디 말기를 바라오딕, 군ㅈ의
존의를 모로고 쳡이 몬져 쳥ㅎ미 당돌ㅎ와,
구고의 쳐결ㅎ시믈 기다리옵ᄂᆞ니, 금일 경
부인의 빅현ㅎ믈 듯ㅈ오니, 블승희힝(不勝
喜幸)ㅎ온디라. 엇디 경부인 우희 거홀 ᄯᅳᆺ
이 이시리잇고?"

공이 미쇼 왈,

"경시 비록 몬져 취흔 빅나, 인【2】신디녜
(人臣之禮) 엇디 귀쥬와 션후를 의논ㅎ리
오. 귀쥬는 이런 말슴을 마르시고 화우ㅎ여
규문(閨門)이 화평케 ㅎ쇼셔."

공쥐 공의 말슴을 드를 젹마다 노분(怒
憤)이 깁흐나, 다만 빗난 말숨으로 유슌(柔
順)ㅎ믈 디으니, 좌긱이 칭찬ㅎ여 셩녀슉완
(聖女淑婉)이라 ㅎ더라.

날이 느ㅈ믹 경쇼졔 신힝(新行)992)ㅎ는
위의(威儀) 부문의 니르니, 화장치녜(化粧彩

---

992)신힝(新行) : 혼행(婚行). 혼인할 때에, 신랑이 신
부 집으로 가거나 신부가 신랑 집으로 감.

공쥐 쳥파의 비록 븐예(憤恚)ㅎ나 스식지
아니코, ㅈ리의 니러 듯기를 다ㅎ믹, 니러
빅스(拜謝) 왈,

"쳡이 심궁의 싱장ㅎ와 흔 일도 아는 일
이 업습더니, 존부의 도라온 후, 윤ㆍ양 이
부인 셩덕을 의지ㅎ와 기리 빅년을 즐길가
ㅎ엿더니, 조믈(造物)이 싀긔(猜忌)ㅎ여 윤
ㆍ양ㆍ니 숨부인이 원억히 죄를 시러, 각각
친당의 도라가시나, 쳡이 기시(其時)의 병이
듕ㅎ므로 숨부인의 원억ㅎ믈 힉실(覈實)치
못ㅎ엿더니, 이제 군ㅈ의 졔스 부실 어드믈
듯스오믹, 존부의 닐위여 ᄒᆞᆼ지로 존당 구
【59】고를 밧드오며, 군ㅈ의 ᄂᆞ스를 도아
안항(雁行)의 젹막지 아니기를 바라딕, 군ㅈ
의 존의를 모르고 쳡이 몬져 쳥ㅎ미 당돌ㅎ
와, 구고의 쳐결ㅎ시믈 기다리옵더니, 금일
경부인의 비현(拜見)ㅎ믈 듯ㅈ오니 블승녕
힝(不勝榮幸)ㅎ온지라. 엇지 경부인의 우희
거홀 ᄯᅳᆺ이 이스리잇고?"

공이 미쇼 왈,

"경시 비록 몬져 취흔 빅나, 인신지녜(人
臣之禮) 엇지 귀쥬와 션후를 의논ㅎ리오.
귀쥬는 고이흔 말슴을 말고 경시를 《화유
∥화우(和友)》ㅎ여 규문(閨門)이 화평케 ㅎ
쇼셔."

공쥐 금후의 말을 드를 젹마다 노분(怒
憤)이 깁흐나, 다만 빗난 말슴으로 유슌(柔
順)ㅎ믈 지으니, 좌긱이 층찬(稱讚)ㅎ여 셩
녀【60】슉완(聖女淑婉)이라 ㅎ더라.

날이 느ㅈ믹 경쇼져 ○○○○[신힝(新
行)973)ㅎ는] 위의 부문의 니르니, 화장치녜

---

973)신힝(新行) : 혼행(婚行). 혼인할 때에, 신랑이 신
부 집으로 가거나 신부가 신랑 집으로 감.

女) 쌍쌍ᄒ여 젼츠후응(前遮後應)ᄒ여 부셩(富盛)흔 위의, 진짓993) 후빅(侯伯)의 신부 보는 녜와, 지상디녀(宰相之女)의 현구고(見舅姑)994) ᄒᄂᆞᆫ 날이믈 알니러라.

경시의 뎡995)이 니졍의 니르니 태부인이 남후로 뎡문을 열나 흔디, 남휘 복슈(伏首) 디왈,

"쇼손이 져【3】를 취ᄒ연디 오린디라. 빈현(拜見)이 처음이오나, 쇼손이 신낭이 아니라, 엇디 뎡문을 열니잇가?"

금휘 왈,

"ᄌ위 널노 뎡문을 열과져 ᄒ시니 네 샤양홀 일이 아니니, 잠간 열미 므어시 히로와 존명을 역ᄒᄂ뇨?"

남휘 황공ᄒ여 친히 뎡문을 열고 좌의 드니, 존당 부뫼 경쇼져의 신부디녜(新婦之禮)를 당ᄒ미, 더옥 윤·양을 싱각고 참연흔 심회를 니긔디 못ᄒ더라.

경·뎡 냥가 양낭(養娘)이 쇼져를 붓드러 막츠(幕次)996)의 쉬여 단장을 곳치고 폐빅을 밧드러 존당 구고(舅姑)긔 헌(獻)ᄒ고 팔빅대례(八拜大禮)997)를 힝홀시, 먼니셔 바라보미 명월(明月)이 쳥공(靑空)의 바이는 듯,【4】녹파향년(綠波香蓮)이 츄슈(秋水)의 잠겨시며, 팔치뉴미(八彩柳眉)998)는 산쳔졍긔를 거두어시며, 텬디의 화평흔 긔운을 품슈(稟受)ᄒ여, 어리로온999) 거동과 유한흔 톄디 임의 슉녀의 셩덕이 외모의 낫타나, 뉵쳑향신(六尺香身)의   일쳑나요(一尺羅

---

993)진짓 : 진실로. 진짜로.
994)현구고(見舅姑) : 신부가 예물을 가지고 처음으로 시부모를 뵙는 일.
995)뎡 : 공주나 옹주가 타던 가마.
996)막츠(幕次) : 의식이나 거둥 때에 임시로 장막을 쳐서, 왕이나 고관들이 잠깐 머무르게 하던 곳.
997)팔빅대례(八拜大禮) : 혼례(婚禮)에서 신부가 신랑의 부모께 처음 뵙는 예(禮)인 현구고례(見舅姑禮)를 행할 때 여덟 번 큰절을 올렸다.
998)팔치뉴미(八彩柳眉) : 눈의 광채와 버들개지 모양의 아름다운 눈썹. 본래 '팔채(八彩)'는 팔(八)자 모양의 화장한 눈썹 뜻하는 말인데, '눈의 광채'를 나타내는 말로도 많이 쓰인다.
999)어리롭다 : 어리롭다. 아리땁다. 귀엽다. 모음으로 시작하는 어미 앞에서는 '어리로오-'나 '어리로우-'로 나타난다

(化粧彩女) 쌍쌍이 젼츠후응(前遮後應)ᄒ여 부셩(富盛)흔 위의, 진짓974) 후빅(侯伯)의 신부 보는 녜와, 지상지녀(宰相之女)의 현구고(見舅姑)975) ᄒᄂ는 날이믈 알니러라.

경시의 거꾀(車轎)976) 니졍의 니르니 틱부인이 남후로 뎡문을 널나 ᄒ니, 남휘 복슈(伏首) 디왈,

"쇼손이 져를 취흔지 오린지라. 빈현이 쳐음이오나, 쇼손이 신낭이 아니라, 엇지 뎡문을 여도록 ᄒ오리잇가?"

금휘 왈,

"ᄌ위 널노 뎡문을 열과ᄌ ᄒ시니 네 ᄉ양홀 일이 아니니, 즘간 열미 무어시 히로와 존명을 역ᄒᄂ뇨?"

평휘 황공ᄒ여 친히 뎡문을【61】열고 좌의 드니 존당 부뫼 경쇼져의 신부지녜(新婦之禮)를 당ᄒ미 더옥 윤·양을 싱각고 춤연흔 심회을 니긔지 못ᄒ더라.

경·뎡 양가 《낭낭∥양낭(養娘)》이 쇼져를 붓드러 ○○○○○[막츠(幕次)977)의 쉬여] 단장을 《굿치고∥곳치고》 폐빅을 밧드러 존당 구고(舅姑)게 《현알∥헌(獻)》ᄒ고 팔빅대례(八拜大禮)978)를 힝홀시, 먼니 바라보미 명월(明月)이 쳥공(靑空)의 바이는 듯 녹파향년(綠波香蓮)이 츄슈(秋水)의 즘겨시며 팔치뉴미(八彩柳眉)979)는 산쳥졍긔를 거두며,○…결락25자…○[텬디의 화평흔 긔운을 품슈ᄒ여, 어리로온980) 거동과 유한흔

---

974)진짓 : 진실로. 진짜로.
975)현구고(見舅姑) : 신부가 예물을 가지고 처음으로 시부모를 뵙는 일.
976)거꾀(車轎) : 가마. 뎡. 예전에, 한 사람이 안에 타고 둘이나 넷이 들거나 메던, 조그만 집 모양의 탈것. 연(輦), 뎡, 초헌(軺軒), 남여(籃輿), 사인교(四人轎) 따위가 있다.
977)막츠(幕次) : 의식이나 거둥 때에 임시로 장막을 쳐서, 왕이나 고관들이 잠깐 머무르게 하던 곳.
978)팔빅대례(八拜大禮) : 혼례(婚禮)에서 신부가 신랑의 부모께 처음 뵙는 예(禮)인 현구고례(見舅姑禮)를 행할 때 여덟 번 큰절을 올렸다.
979)팔치뉴미(八彩柳眉) : 눈의 광채와 버들개지 모양의 아름다운 눈썹. 본래 '팔채(八彩)'는 팔(八)자 모양의 화장한 눈썹 뜻하는 말인데, '눈의 광채'를 나타내는 말로도 많이 쓰인다.
980)어리롭다 : 어리롭다. 아리땁다. 귀엽다. 모음으

腰)1000)와 비봉냥익(飛鳳兩翼)1001)의 치운
(彩雲) ᄀᆞ튼 녹발(綠髮)이며, 《셩젼∥셩젹
(成赤)1002)》 운빈(雲鬢)이 만고무비(萬古無
比)ᄒᆞ여 텬향국ᄉᆡᆨ(天香國色)이 당딕의 뎨일
이오, 단엄 뎡슉훈 거동이 님하ᄉᆞ군ᄌᆞ(林下
士君子)의 풍이 잇ᄂᆞᆫ디라. 존당 구괴 환열
과망(過望)ᄒᆞ여 태부인이 나호여1003) 운환
(雲鬢)을 어로만디며 옥슈(玉手)를 잡아, 이
련(愛戀) 왈,

"신뷔 내집 사람이 되연디 여러 셰월이로
딕, 우리 알기를 늣게야 ᄒᆞ【5】여 금일이
야 셔로 보니, 두굿거온 졍은 니르도 말고,
현부의 용화긔딜이 쇼망의 과의라. 손(孫)의
쳐궁이 유복ᄒᆞ여 취ᄒᆞᆫ 비 ᄒᆞ나도 용이치
아니니 엇디 깃브디 아니리오."

금휘 모뎐의 고왈,

"신부의 비상ᄒᆞᆷ믄 텬ᄋᆞ의 외람흔 쳐실(妻
室)이라 엇디 아름답디 아니리잇고? 윤·양
등의 실산이 참졀ᄒᆞ오나, 그 상모 위인이
맛춤늬 슈복을 누릴 거시오. 신부의 긔특ᄒᆞ
미 윤·양으로 딕두ᄒᆞᆯ 슉녜라. 텬ᄋᆞ의 쳐궁
이 박디 아니타 ᄒᆞ리로소이다."

인ᄒᆞ여, 신부를 나아오라 ᄒᆞ여, 왈,

"현부는 고문대가의 쳔금농쥐(千金弄珠)
라. 【6】 이졔 우리 슬하의 도라오니 깃브
믈 엇디 다 니르리오. 문양공쥐 좌의 계시
니, 인신디녜(人臣之禮) 황녀로 더브러 젼후
ᄎᆞ례를 의논ᄒᆞᆯ 비 아니니, 처음보는 녜를
폐치 말고, 공쥬의 셩덕이 족히 동녈(同列)
을 화우ᄒᆞ실디라. 모로미 뎍인(敵人) 두ᄌᆞ를
닛고 화우ᄒᆞᆷ믈 힘쓸디어다."

신뷔 ᄇᆡ이슈명(拜而受命)ᄒᆞ고 공쥬를 향
ᄒᆞ여 빈례흔딕, 공쥐 겸손ᄒᆞᆫ 덕을 ᄌᆞ랑코

테디] 님의 슉녀의 셩덕이 외모의 ᄂᆞᆺ타나
뉵쳑○○[[향신](六尺香身)○[의]○○[일
쳑]나요(一尺羅腰)981)와 비봉냥익(飛鳳兩
翼)982)이 만고무비(萬古無比)ᄒᆞ여, 텬향국ᄉᆡᆨ
(天香國色)이 당딕 뎨일이오, 단엄 졍슉흔
거동이 님하ᄉᆞ군ᄌᆞ(林下士君子)의 풍이 잇
ᄂᆞᆫ지라. 구괴 환열(歡悅) 과망(過望)ᄒᆞ여 틱
부인이 ᄂᆞ【62】호여983) 운환을 어로만지
며 옥슈(玉手)를 잡아 이련(愛戀)ᄒᆞ여 왈,

"신뷔 내집 ᄉᆞ람이 되연지 여러 셰월이로
딕 우리 알기를 늣게야 ᄒᆞ여 금일이야 셔로
보니 두굿거는 졍은 니르지 말고 현부의 용
화긔딜이 쇼망의 과의라 손ᄋᆞ(孫兒)의 쳐
궁이 유복ᄒᆞ여 취ᄒᆞᆫ 비 ᄒᆞ나도 용이치 아
니니, 엇디 깃브지 아니ᄒᆞ리오."

금휘 모뎐의 고왈,

"신부는 비상ᄒᆞ미 《현ᄋᆞ∥텬ᄋᆞ》의게 외
람흔 쳐실(妻室)이라. 엇지 아름답지 아니ᄒᆞ
리잇고? 윤·양 등의 실산이 참졀ᄒᆞ오나,
그 상모와 위인이 맛춤늬 슈복을 누릴 거시
오, 신부의 긔특ᄒᆞ미 윤·양으로 딕두ᄒᆞᆯ 슉
녜라. 텬ᄋᆞ의 쳐궁이 박【63】지 아니ᄒᆞ다
ᄒᆞ리소이다.

인ᄒᆞ여 신부를 나아오라 ᄒᆞ여 왈,

"현부는 고문딕가의 쳔금농쥐(千金弄珠)
라. 이졔 우리 슬하의 도라오니 깃브믈 엇
지 다 니르리오. 문양공쥐 와 계시니 인신
지녜(人臣之禮) 황녀로 더브러 젼후를 의논
ᄒᆞᆯ 비 아니니, 처음보는 녜를 폐치 말고 공
쥬의 셩덕이 족히 동녈(同列)을 화우ᄒᆞ실지
라. 모로미 젹인(敵人) 두 ᄌᆞ를 잇고 화우ᄒᆞ
믈 힘쓸지어다."

신뷔 ᄇᆡ이슈명(拜而受命)ᄒᆞ고 공쥬를 향
ᄒᆞ여 빈례흔딕, 공쥐 겸손ᄒᆞᆫ 녜를 ᄌᆞ랑코
ᄌᆞᄒᆞ여 답녜ᄒᆞ고, 신부로 더브러 갓가이 좌

1000)일쳑나요(一尺羅腰) : 아름다운 비단을 두른 한
　　자쯤 되는 가는 허리.
1001)비봉냥익(飛鳳兩翼) : 나는 봉황새의 두 날개.
　　여기서는 봉황의 날개처럼 날렵한 두 어깨를 말
　　함.
1002)셩젹(成赤) : 신부의 얼굴에 분을 바르고 연지
　　를 찍는 일. *셩젹(成赤)하다; 화장하다.
1003)나호다 ; 나오게 하다.

　　로 시작하는 어미 앞에서는 '어리로오-'나 '어리로
　　우-'로 나타난다
981)일쳑나요(一尺羅腰) : 아름다운 비단을 두른 한
　　자쯤 되는 가는 허리.
982)비봉냥익(飛鳳兩翼) : 나는 봉황새의 두 날개. 여
　　기서는 봉황의 날개처럼 날렵한 두 어깨를 말함.
983)나호다 ; 나오게 하다.

져 ᄒ여 답녜ᄒ고, 신부로 더브러 갓가이 좌를 일워 블평ᄒᆫ ᄉ식을 낫타ᄂᆡ디 아니나, 경쇼져의 옥ᄐᆡ월광(玉態月光)이 당금(當今)의 【7】 희한ᄒ니, ᄌ긔게 삼긴 덕인은 ᄒ나토 용상ᄒ니 업스믈 졀졀이 통완ᄒ여, ᄆᆡ오미 고듸 삼킬 ᄃᆞᆺ, 가슴의 진납이 쒸놀고, 냥안이 뒤룩여 웃는 ᄃᆞᆺ ᄤᅵᆼ긔는 ᄃᆞᆺ ᄆᆞᄋᆞᆷ을 잡디 못ᄒ니, 태부인이 그 긔식을 아라보고 짐즛 공쥬의 어딘 덕을 좌듕의 ᄌ랑ᄒ니, 좌긱이 신부의 특이ᄒ믈 만구칭션(萬口稱善)ᄒ여 남후의 쳐궁이 유복ᄒ믈 하례ᄒ더니, 태부인이 공쥬 칭찬ᄒ믈 좃ᄎ ᄯᅩ 공쥬의 셩심을 일ᄏ라, 금디옥엽(金枝玉葉)이 상녜(常例)1004) 녀름1005)이 아니라 ᄒ니, 공쥬 잠간 ᄆᆞᄋᆞᆷ을 펴 죵일토록 구고를 뫼【8】셧더니, 황혼의 졔긱이 각산ᄒ고, 공쥬 궁으로 도라간 후, 경쇼져 슉소를 션화졍의 뎡ᄒ여 보ᄂᆡ고, 금휘 병부를 경계 왈,

"금일 신부를 다려오미 ᄉ좌(四座)의 친ᄒ니 업셔 오딕 면목이 닉으니 너 ᄲᅮᆫ이라. 모로미 션화졍의 나아가 쳐음으로 셔어ᄒᆫ 곳의 니르러시믈 위로ᄒ고, 가졔를 이졔나 잘ᄒ여 경시로 ᄒ여금 굿기는 일이 업게 ᄒ라. ○[ᄯᅩ] 공쥬를 공경듕ᄃᆡᄒ여 셩은의 늄셩ᄒ시믈 져바리디 말나."

남휘 비샤 슈명ᄒ고, 존당 부모의 취침ᄒ시믈 보고 믈너 듁셔당의 나오니, 초휘 녜부로 더【9】브러 담화ᄒ다가 남후를 보고, 이의 우어 왈,

"엇디 화쵹향방의 신낭 쇼임을 아니ᄒ고 이리 왓ᄂᆞ뇨?"

남휘 미쇼왈,

"신낭쇼임을 면ᄒ연디 발셔 여러 일월이라. 금일이 하일(何日)이완듸 신낭이 되리오."

초휘 쇼왈,

"셩녜ᄒ연디는 여러ᄒ나, 경쉬 신부디녜를 금일이야 ᄒᆡᆼᄒ여시니, 형이 신낭 되기를

1004)상녜(常例) : 일상에서 흔히 볼 수 있는. 또는 그런 것.
1005)녀름 : 열매. 과실.

를 닐우미, 블평지식(不平之色)을 낫타ᄂᆡ지 아니나, 경쇼져의 쳔ᄐᆡ만상(千態萬象)이 당 【64】 금(當今)의 희한ᄒ니, ᄌ긔게 숨긴 젹국은 다 용상(庸常)치 아니믈 졀졀이 통완ᄒ여, ᄆᆡ오미 숨키고ᄌ 시브듸 ᄌ연 긔식을 곰추지 못ᄒ니, 태부인이 아라보고 짐즛 공쥬의 어질믈 ᄌ랑ᄒ니, 좌긱이 신부의 특이ᄒ믈 만만칭ᄉ(萬萬稱辭)ᄒ더니, 태부인의 공쥬 기리믈 보고, 일시의 그 현슉심덕이 희한ᄒ믈 일ᄏ라, 금디옥엽(金枝玉葉)이 상품(常稟)과 다르믈 니르니, 공쥬 잠간 ᄆᆞᄋᆞᆷ을 노하 죵일토록 구고를 뫼셧더니, 황혼의 졔긱이 각귀기가(各歸其家)ᄒ고, 공쥬 궁으로 도라간 후, 경쇼져 슉소를 션화졍의 졍ᄒ고, 금휘 병부를 경계 왈,

"금일 신부를 다려오니 ᄉ면(四面)의 【65】 친ᄒ니 업셔, 오딕 면목이 닉은 ᄌ는 너 ᄲᅮᆫ이라. 그러나 가졔를 잘ᄒ여 경시로 ᄒ여금 화란이 업게 ᄒ고, 공쥬를 맛ᄎᆷᄂᆡ 즁ᄃᆡᄒ여 셩은을 져ᄇᆞ리지 말나."

남휘 비ᄉᄒ고, 존당 부모의 취침ᄒ신 후 셔당의 나오니, 초휘 ᄂᆡ부로 더브러 담화ᄒ다가 평후를 보고, 이의 우어 왈,

"엇지 화쵹향방의 신낭 쇼임을 아니ᄒ고 이리 왓ᄂᆞ뇨?."

휘 미쇼왈,

"신낭쇼임을 몃번ᄒ연지 발셔 여러 일월이라. 금일이 하일(何日)이완듸 신낭이 되리오."

초휘 쇼왈,

"셩녜(成禮)ᄒ연지는 녀러 ᄒ나, 경쉬 신부지녜를 금일이야 ᄒᆡᆼᄒ여시니, 형이 신낭 되기를 엇지 【66】 면ᄒ리오. 모로미 신방을 븨오지 말나."

엇디 면ᄒ리오. 모로미 신방을 븨오디 말
나."

남휘 냥안을 드러 초후를 오ᄅ릭 보다가,
쇼왈,

"어린 신낭이 아니며 ᄌ의 나의 노형(老
兄)이 아니라, 신방의 드러가기를 형의 명
딕로 홀 빅 아니니, 엇디 지휘ᄒ기를 슈고
로이【10】 ᄒᄂ뇨."

초휘 쇼왈,

"형이 나의 디휘 곳 아니면 신방 츌입을
아디 못ᄒ리니, 일이 블가ᄒᄆ믈 알오ᄃ 마디
못ᄒ여 신방의 드러가믈 니ᄅ래라."

병뷔 완이(莞爾)1006)히 우ᄉ며, 팀금(寢
衾)의 디허 졔례와 초후로 더브러 담화ᄒ여
션화졍의 갈 의ᄉ 업ᄉ니, 녜뷔 왈,

"임의 야심ᄒ고 대인이 션화졍을 븨오디
말나 ᄒ여계시거늘, 엇디 이 곳의셔 슉침코
져 ᄒ시ᄂ니잇고?"

병뷔 홀연 탄왈,

"현뎨 우형의 ᄆᄆᆷ을 모로나냐? 내 실노
무심ᄒ미 근ᄂᆡ 녀관(女款)이 ᄭᆷ ᄀᆺᄐᆞ여, 평
일 호탕이 즐기던 빅 괴이홀 쎈아니라, 비
【11】 항의 운건(運蹇)1007)ᄒ미 쳐음 취ᄒᆞᆫ
바 삼쳐는 니이졀혼ᄒ여 윤·양의 거쳐싱존
이 유명이 격홈 ᄀᆺ고, 네 ᄌ식을 실니ᄒ여
그 ᄉ라시믈 알 길히 업ᄉ니, 봉친디하(奉
親之下)의 ᄌ녀를 위ᄒ여 구구히 우려ᄒᄂ
ᄉ식을 낫토디 못ᄒ나, 내 ᄯ 일단 인심이
라, 참연ᄒᆫ ᄯᆮ이 업ᄉ리오. 이졔 경시 도라
오믈 당ᄒ니, 쳐음의 블고이쥐 ᄒᆫ 바를 씌
둣디 못ᄒ고, 스스로 쳥ᄒ여 취ᄒ 빅라. 금
ᄎᄃᆞ시(今此之時)ᄒ여 아조 바리기는 가치
아니나, 오딕 부모의 쳐졀ᄒ시믈 좃츌 쎈이
오, ᄉᆞᄉ 의견이 업거니와, 경시는 우형의
가실(家室)이【12】니 ᄯ 언마ᄒ여 ○○○
[윤·양의] 화(禍)를 만나리오. 맛ᄎᆷᄂᆡ 굿기
믈 면치 못ᄒ리니, 의ᄉ 이의 밋츠미 더욱
나의 블찰ᄒᆫ 허믈을 이둘나 ᄒᄂ니, 대댱뷔

1006)완이(莞爾) : 빙그레 웃는 모양.
1007)운건(運蹇) : 운수가 막힘.

평휘 냥안을 드러 초후를 오ᄅ릭 보다가,
쇼왈,

"어린 신낭이 아니며 ᄌ의 나히 노형(老
兄)이 아니라, 신방의 드러가기를 형의 명
딕로 홀 빅 아니니, 엇지 지휘딕로 ᄒ리오."

초휘 왈,

"형이 나의 지휘 곳 아니면 신방 츌입을
아지 못ᄒ리니, 일이 블가ᄒᄆ믈 알오ᄃ 마지
못ᄒ여 신방의 드러가믈 닐으쾌라."

병뷔 완이(莞爾)984)히 쇼왈

"니러톳 담화ᄒ니 션화졍의 갈 의ᄉ 업
도다."

녜뷔 왈,

"님의 야심ᄒ고 디인이 션화졍을 븨오지
말나 ᄒ여 계시거늘, 엇지 이 곳의셔 슉침
코져 ᄒ시ᄂ니잇고?"

병뷔 홀연 탄왈,

"현【67】뎨 우형의 ᄆᄆᆷ을 모로나냐?
닉 실노 녀관(女款)이 근ᄂᆡ 무심ᄒ여 ᄭᆷ
ᄀᆺᄐᆞ여, 평일 홀란이 즐기던 빅 고이홀 쎈
아니라, 《빅형∥빅항》이 ○○○○[운건
(運蹇)985)ᄒ미], 목젼 취ᄒᆫ 바 슴인을 결혼
ᄒ여 윤·양의 거쳐싱존을 모ᄅ니, 봉친시
하(奉親侍下)의 쳐실과 ᄌ녀를 위ᄒ여 구구
히 우려ᄒᄂ ᄉ식을 낫토지 못ᄒ나, 내 ᄯ
ᄒᆫ 인심이라. 엇지 ᄎᆷ연치 아니ᄒ리오. 이
졔 경시 도라오믈 당ᄒ니, 쳐음의 ▌986) 《

---

984)완이(莞爾) : 빙그레 웃는 모양.
985)운건(運蹇) : 운수가 막힘.
986)필사순서에 오류가 있다. 원문은 ▌①《ᄉ름을-
아니니》- ②《블고이쥐-굿ᄐ여》의 순서로 필
사되어 있는데, 이를 서사문맥에 따라 ▌② - ①
▌의 순서로 바로잡았다. 원문 ①은 294자, ②는
287자로 각기 1쪽씩의 분량인데, 쪽의 순서가 뒤
바뀐 채 잘못 필사되어 있다. 이 같은 오류는 박
순호본의 필사원본이 잘못 편철 또는 필사되어 있
는 것을 필사자가 이를 미처 살피지 못하고 그대
로 필사하였거나, 필사자가 책장을 잘못 넘겨 필
사함으로써 발생한 것으로 보인다. 다만 이 사실
로써 분명해진 것은 위 부분 박순호본의 필사 대
본이 현전하는 낙선재본은 아니라는 사실이다. 위

일녀즈를 제어치 못호고, 가닉의 변괴를 니
르혀 쳐즈를 보전치 못호미 가히 우읍고 붓
그럽디 아니랴. 우형의 즈녀 스ᄋ(四兒)의
스셩을 근심호기의 다ᄃ라는 촌장이 다 니
우럿ᄂ니1008), 혹즈 타일 즈녀를 산 낫츠로
상봉호미 이시면 오히려 한이 플리려니와,
그러치 못호여, 나의 즈녀로 호여금 호나히
나 죽으미 이시면, 칼흘 어로만져 원슈를
갑흐려 호노라."

네뷔 형댱의【13】말ᄉ미 문양 공쥬를
통한호민 줄 알고 위로 왈,
"윤·양 이슈와 네 낫 딜ᄋ의 스셩을 모
로미 비록 통절호나, 시운이 브졔(不齊)한
연괴오, 굿트여 사름을 탓홀 빅 아니라. 냥
슈(兩嫂)와 딜ᄋ 등이 호나토 조요박복디상
(早夭薄福之相)1009)이 아니니, 결단호여 아
모 곳의나 보젼호여실디라. 형댱은 브졀업
슨 넘녀를 마르시고, 친히 듯고 보디 아닌
일노뻐 사름을 의심치 마르쇼셔."

남휘 탄왈,
"친히 보디 아니코 듯디 아니나 간인의
악ᄉ를 모로리오. 우형이 능히 발각디 못호
믄 우흐로 셩듀의 대은을 각골홀 ᄲ나냐,
간인(奸人)이 ᄌ패(自敗)호【14】는 양을
보고져 호딕, 이런 일은 쉽디 못호고, 나의
쳐즈는 남디 못호게 되어시니, 엇디 통원치
아니리오."
네뷔 직삼 위로호여 션화졍으로 가시믈 쳥
호고 초휘 심곡 회포를 펴 왈,
"뉴부인을 졀치 분완호딕 기녀를 츌거치

②블고이취(不告而娶) 호믈 뉘웃거니와 스
스로 쳥호여 어든 빈라. 당츠시호여 아조
바리기는 불가하나, 그러나 오직 부모의 쳐
결호시믈 조츨 ᄯᆞᆫ이오 ᄉ의(私意) 업거니
와, 경시는 우형의 가실이니, ○[ᄯᅩ] 언마
호여 윤·양의 화를 만나리오. 맛춤닉 흔
초례 크게 굿기미 업지 아닐지라. 의식 이
의 밋츠미 나의 불찰훈 허물을 이들나 ᄒ노
니, 대댱뷔 일녀즈를 제어치 못호여, 가닉
변고를 닐위여 쳐즈를 보젼치 못호미 붓그
럽디 아니호랴. 우형이 즈녀의 스셩을 근심
호기로 촌장이 다 니우【68】럿ᄂ니, 혹즈
타일 즈녀의 산 낫츨 보면, 오히려 한이 플
니려니와, 그러치 못호여 닉 즈녜 호나히나
죽엇시면, 결단코 원슈를 갑고야 말니라."
네뷔 쳥파의 문양을 통한호민 줄 알고,
위로 왈,
"윤·양 이슈와 녯 낫 딜ᄋ의 스셩을 모
르미 비록 통졀호나, 시운이 부졔(不齊)호
연괴오, 구트여》
①《ᄋ[ᄉ]름을 탓홀 빅 아니라. 냥슈와
딜ᄋ 등이 호나토 조요박복지상(早夭薄福之
相)987)이 아니니, 결단호여 아모 곳의나 보
젼호여실지라. 형장은 부졀업슨 넘녀를 마
르시고, 친히 듯고 보시지 아닌 일노 사람
을【69】 의심치 마르쇼셔."
남휘 탄왈,
"친히 보지 아니코 듯지 아니나 간인의
악ᄉ를 모로리오. 우형이 능히 발각지 못호
믄 우흐로 셩쥬의 딕은을 각골홀 ᄲ나냐,
간인이 ᄌ픽(自敗)호는 양을 보고져 호딕,
니런 일은 쉽지 못호고, 나의 쳐즈는 남지
못호미 되여시니, 엇지 통완(痛惋)치 아니리
오."
□□[네뷔] 직슴 위로호여 션화졍으로 가
기를 쳥호고, 초휘 심곡 회포를 펴 왈,
"《윤‖뉴》부인을 《쳘치‖졀치》 분완

1008)니울다 : 이울다. ①꽃이나 잎이 시들다. 점점
　　쇠약해지다. ②점점 쇠약하여지다.
1009)조요박복디상(早夭薄福之相) : 젊은 나이로 일
　　찍 죽을 만큼 복이 없는 관상(觀相).

부분이 나오는 현전 낙선재본 '권지오십삼'의 쪽당
글자 수는 평균194자 정도로 100자 정도의 차이
가 있다.
987)조요박복디상(早夭薄福之相) : 젊은 나이로 일찍
　　죽을 만큼 복이 없는 관상(觀相).

못ᄒ다."

ᄒ니, 남휘 왈,

"형과 데 등이 명위남(名爲-)1010)이나 실은 동긔(同氣)라. 므슴 말을 닉외ᄒ리오. 뉴부인의 블현ᄒ미 아니 밋츤 곳이 업ᄉ나, 즈의 부인은 녀듕군지(女中君子)시라. 뉴부인이 대역부되(大逆不道) 아니니, 형이 그 년좌를 윤 슈(嫂)긔 쓰미 블가ᄒ고, ᄒ믈며 윤츈밀의 신의현심(信義賢心)은 사름 【14】의 탄복ᄒ홀 빈라. 또 형의 집의 은혜 크니, 뉴부인의 극악을 아른 체 말고, 윤츈밀의 대의와 윤 슈(嫂)의 현슉ᄒ시믈 혜아려, 부부 눈의를 폐치 말미 올코, 뉴부인의 ᄉ오나오믈 혐의ᄒ여, 윤 슈를 박히ᄒᄆᆞᆫ 박ᄒᆡᆼ패덕(薄行悖德)과 빈은망의(背恩亡義)ᄒ미니, 다른 일은 니르디 말고, 만고의 업슨 악ᄒᆡᆼ이 이셔도, 형이 윤츈밀 부녀를 범연ᄒᆫ 빙악(聘岳) 쳐실(妻室)노 아디 못ᄒ리라."

초휘 병부의 긴 말을 드르미, 윤시 벽난으로 더브러 집을 ᄊᆞ나 김가의 욕을 면ᄒᆞᆯ 씨ᄃ라, 일마다 뉴시를 통완ᄒ고 윤시의 명렬ᄒ믈 【15】 탄복ᄒ나 ᄉ쉭디 아니코, 날호여 왈,

"뉴부인의 일을[은] 드를ᄉ록 사름의 홀 빈 아니오, 요ᄒᆡᆼ 윤시 긔모의 블인을 담디 아냐 일분 츈밀의 어질믈 품슈ᄒ여시나, 엇디 형의 과댱(誇張)ᄒ믈 당ᄒ리오. 연이나 거의 암밀브졍(暗密不正)키ᄂᆞᆫ 면ᄒᆞ여시ᄃᆡ, 맛ᄎᆞᆷᄂᆡ 영오치 못ᄒ여 쇼미의 참화를 구(救)치 아니니, 엇디 분ᄒᆡ(憤駭)치 아니리오."

남휘 쇼왈,

"형이 이런 말을 다 칙망ᄒᄆᆞᆫ 더욱 블가ᄒᆞᆫ디라. 춍명ᄒ미 윤ᄉ원의 오를 지 업ᄉᄃᆡ, 일퇴의셔 그 슉모의 간교대악을 알며 긔미 화를 구치 못ᄒᆞᆯ 쑨아니라, 그 가간의 참화를 면치 【16】 못ᄒ미라. 형이 어이 싱각디 못ᄒᄂᆞ뇨?"

초휘 웃고 왈,

ᄒᄃᆡ 《시녀∥긔녀(其女)》를 츌거치 못ᄒ다"

ᄒ니, 평휘 왈,

"형과 데 등이 명위타인(名爲他人)이나 실은 동긔라. 므슴 말을 닉외ᄒ리오. 유부인의 블현ᄒ미 아니 밋츤 곳이 업ᄉ나, 【70】 즈의 부인은 녀즁군지(女中君子)라. 유부인이 딕역부되(大逆不道) 아니니》∥ ᄉ형(師兄)988)이 그 연좌를 윤 슈(嫂)ᄋᆞ게 쓰미 불가ᄒ고, 허물며 윤츈밀의 현심은 스람의 탄복ᄒᆞᆯ 빈라. 또 형의 집 은혀[혜] 크니, 유부인의 극악ᄒ믈 알은체 말고, 윤츈밀의 딕은과 윤 슈(嫂)의 현슉ᄒ믈 다 혀아려 부부눈의롤 폐치말나."

초휘 병부【71】의 긴 말을 드르미, 윤시 벽난으로 더브러 집을 ᄊᆞ나 김가의 욕을 면ᄒᆞᆫ 쥴 씨ᄃ라, 일마다 유시를 통완ᄒ고, 윤시의 명쳘ᄒ믈 탄복ᄒ나 ᄉ쉭지 아니코,

---

1010)명위남(名爲-) : '이름/명분'은 비록 남이지만.

988)ᄉ형(師兄) : 나이나 학덕(學德)이 자기보다 높은 사람을 높여 이르는 말.

"이러나 져러나 형은 신방으로 가라."

야심후, 훗터져 슉소로 도라가니, 남휘 쏘흔 션화졍의 니르미, 경쇼졔 긴 단장(丹粧)을 벗고 단의홍군(單衣紅裙)으로 좌를 일웟다가, 남후를 보고 쳔연이 니러 마즈니, 남휘 좌를 뎡ᄒ고 눈을 드러보니 윤염즈약(潤艷自若)ᄒ던 긔뷔(肌膚) 잠간 슈패(瘦敗)ᄒ여 옥모빙골(玉貌氷骨)이 어롱디고[1011] 팔즈아황(八字蛾黃)[1012]의 슈식(愁色)이 은은ᄒ니, 아릿ᄯ온 틴되 더옥 졀승ᄒᄃ라. 남휘 디극ᄒ던 은이로 누월 상니ᄒ엿다가 금야의 상딕ᄒ니, 반갑고 이모ᄒᄆᆯ 니긔디 못ᄒ나, 유졍 삼삭을 괴로이 디【17】닉미, 녀관의 뜻이 ᄉ연ᄒ고 풍뉴호일턴(風流豪逸) 긔습(氣習)이 소삭ᄒ여 믁믁단좌(默默端坐)러니 날호여 왈,

"부녀의 도는 ᄉ다라도 존당 명이 나리신즉 블감역명(不敢逆命)이어늘, 대인이 즈의 이시믈 아르신 후는 여러번 비현ᄒᄆᆯ 악당긔 쳥ᄒ시디, 므슴 연고로 디금가디 쳔연ᄒ시더뇨?"

경시 믄득 츄연이 낫빗ᄎᆯ 곳치고 함누 왈,

"쳡이 유으를 실니ᄒᄆᆞ로브터 참연통셕ᄒ미, 실노 닛고져 ᄒ나 목젼의 죽엄을 봄만 ᄀᆞᆺ디 못ᄒ니, 쥬쥬야○[야](晝晝夜夜)의 심장이 녹는 듯ᄒ니, 츠고로 미신(微身)의 딜양이 ᄯ나디 아냐, 존명이 비현ᄒᄆᆯ 허ᄒ시나 즉시 응치 못ᄒ미로소이다."【18】

남휘 탄왈,

"네 낫 즈식을 일년의 다 실니ᄒ고, 두 쳐실의 ᄉ싱거쳐를 아디 못ᄒᄂᆞᆫ, 내 심수도 오히려 딘뎡ᄒ여 병을 닐위디 아니커늘, 유즈를 일ᄒ미 참연ᄒ나, 그딕도록 조비야이 상도(傷悼)ᄒ여, 셩딜ᄒ며 의형이 환탈ᄒ여 몰나보게 되도록 ᄒ리오. 츠후는 무익히 비회를 요동치 말고 닛기를 공부ᄒ라."

1011)어롱디다 : 어룽어룽한 점이나 무늬가 생기다. 얼룩지다.

1012)팔즈아황(八字蛾黃) : 눈썹을 그리고 분을 바른 얼굴. 팔자(八字)와 아황(蛾黃)은 각각 눈썹과 얼굴에 바르는 분(粉)을 말함.

인ᄒ여 훗터져 슉소로 도라가니, 평휘 쏘흔 션화졍의 니르미, 경쇼졔 신장(新裝)[989]을 벗고 쳔연이 니러 마즈니, 평휘 눈을 드러보니, 반갑고 이모ᄒᄆᆯ 니긔지 못ᄒ나 믁믁단좨러니, 날호여 왈,

"부녀의 도는 ᄉ다라도 존당 명이 ᄂᆞ리신즉 블감역명(不敢逆命)이어늘, ○…결락27자…○[대인이 즈의 이시믈 아르신 후는 여러번 비현ᄒᄆᆯ 악당긔 쳥ᄒ시디] 므슴 연고로 지금ᄭᅡ지 쳔연ᄒ더뇨?"

경시 함누(含淚) 딕왈,

"쳡이 유으를 실니ᄒᄆᆞ로브터 쥬야의 심장이 ᄭᅳᆺ는 ᄃᆺ【72】ᄒ니, 츠고로 미신(微身)의 질양이 미류ᄒ여, 존명이 여러 번 나리시딕 즉시 응슌치 못ᄒ미러니, 쏘흔 불민ᄒᄆᆯ 니긔지 못ᄒ리로소이다."

남휘 탄식 왈,

"내 안히를 일년 닉의 다 실니ᄒ고, 두 쳐실의 ᄉ싱거쳐를 모르ᄂᆞ니, 나의 심수도 오히려 존당 시하의 ᄆᆞ음을 진졍ᄒ여 병을 닐위지 아니커늘, 흔 낫 유즈를 닐코 그딕도록 상도(傷悼)ᄒ여 셩딜ᄒ기에 밋쳐, 의형이 환탈ᄒ여 몰나보게 되엿ᄂᆞ뇨? 그딕 텬셩이 너로지 못ᄒ여 ᄎᆞᆷ고 견딕기를 잘못ᄒ미니, 츠후란 무익흔 슬프믈 닛기를 공부ᄒ라."

---

989)신장(新裝) : 신부의 복장.

경시 다시 말을 아니나, 유즈 싱각의 다
드라는 참절흔 회푀 칼흘 삼킨 둣, 즈연 츄
파의 쥬뤼 요동흐믈 면치 못흐니, 남휘 그
슬허흐미 과도흐여 져ᄎᄎ치 슈약(瘦弱)흐믈
깃거 아냐 뎡싴 왈,

"유ᄋ를 일야간(一夜間) 거쳐 업【19】시
일흐미 변괴오, 부모디심의 츨하리 병 드러
죽음만 ᄌᆞᆽ디 못흐여 참담흐미 괴이튼 아니
커니와, 우리 익회 괴이흐여 발셔 즈식을
다 실니흘 시졀이라. 슬허흐여 밋츌 길히
업ᄉ니, 아조 죽으니로 칙워 니졋다가, 길운
을 만나 유즈를 ᄎᆞᆽ면 텬힝이오, 그러치
못흐여도 싱의 나히 이십이 ᄎ디 못흐엿고,
부인이 삼오 초츈이라. 타일 몃 즈녀를 나
흘 줄 모로거늘, 무익히 비쳑흐여 복업ᄉ
거조를 흐리오."

경시 병부의 심디 굿셰고, 인졍이 아닌
둣흐여 즈긔 참절흐믈 빗최디 못흐고, 밍녈
싁싁흐믈【20】 두리오미 이셔, 즈연 슈삽
(愁澁)1013)흐믈 면치 못흐니, 이 ᄯᅩᄒᆞᆫ 그 익
회 듕흐므로 녕심(靈心)1014)흐여 이러흐미
러라. 병뷔 슈패(瘦敗)흐미 심흐믈 우려흐
여, 다쇼(多少) 셜화를 아니코, 쵹을 멸흐고
쇼져로 더브러 상요의 나아가미, 그 옥부방
신(玉膚芳身)의 싀로온 향닉 댱부의 은ᄋ를
요동흐는디라.

경쇼졔 인흐여 머므러 효봉구고(孝奉舅
姑)흐고 슉미금장(叔妹襟丈)1015)을 화우흐
미, 온슌흔 셩힝과 쳔연흔 ᄉ덕이 슉녀의
명풍(名風)이 가족흐니, 존당 구괴 넌이 귀
듕흐미 친녀의 감치 아니코, 일가 족친의
예셩(譽聲)이 원근의 가득흐니, 경공 부뷔
녀ᄋ를 구가의【21】 보닉여 아름다온 일
홈을 어드미 두굿기미 극흐나, 공쥬의 안듕
(眼中) 가싀 되여 나죵이 위틔흘 바를 크게
근심흐더라.

이 씨 부마도위 연슈는 션황뎨 삼공쥬 경

1013)슈삽(愁澁) : 몸을 어찌하여야 좋을지 모를 정
　　도로 근심스럽고 답답함.
1014)녕심(靈心) : 마음이 신령(神靈)함.
1015)슉미금장(叔妹襟丈) : 시누이(叔妹)와 동서(同
　　壻).

경시 다시 말을 아니흐나, 유【73】즈를
싱각흐미, 참연흔 회포을 춤으딕, 즈연 츄파
(秋波)의 신쳔(辛泉)990)이 뇨동흐믈 면치
못흐니, 남휘 그 슬허흐미 과도흐여 져러틋
슈약(瘦弱)흐믈 블열흐여, 졍싴 왈,

"일야지닉(一夜之內)의 ᄋ히룰 일흐니 변
괴여니와, 우리 익회(厄會) 고이흐여 즈식을
실니흘 시졀이라. 슬허○○[흐여] 무익흐니
아조 죽으므로 칙윗두가 길운을 만나 유즈
를 ᄎᆞᆽ면 텬힝이오, 그러치 아녀도 싱의
나히 이십이 ᄎ지 못흐여시니, 타일 몃 즈
녀를 싱흘 줄 알니오."

경시 병부의 심ᄉ 굿셰믈 인졍이 아닌 둣
흐여 즈긔 참졀흐믈 빗최지 못흐고, 밍열
씩【74】씩흐믈 두리오미 이셔, 즈연 슈집
(愁集)흐믈 금초지 못흐니, 남휘 경시의 슈
픠(瘦敗)흐믈 근심흐여, 다쇼(多少) 셜화를
아니코, 쵹을 멸흐고 쇼져로 더브러 상요의
나아가미 그 옥보방신(玉膚芳身)의 싀로온
향닉 댱부의 은ᄋ를 동흐는디라.

경쇼졔 인흐여 머므러 효봉구고(孝奉舅
姑)흐고 슉미금장(叔妹襟丈)991)을 화우흐미
온슌흔 덕셩과 쳔연흔 ᄉ덕이 슉녀의 풍이
가족흐니, 존당 구괴 넌이 칭찬흐는 소릭
원근의 즈즈흐니, 경공 부뷔 녀ᄋ를 구가의
보닉여 아름다온 일홈을 드릭니 두굿기미
극흐나, 공쥬의 안【75】듕(眼中) 가싀 되
여 나죵이 위틔흘 바를 크게 근심흐더라.

이 씨 부마도위 연슈는 션황뎨 삼공쥬 경

990)신쳔(辛泉) : '매운 맛이 나는 샘물'라는 뜻으로
　　'쓰라린 눈물이 복받쳐 나오는 것'을 비유적으로
　　표현한 말.
991)슉미금장(叔妹襟丈) : 시누이(叔妹)와 동서(同壻).

안을 취ᄒ여 오ᄌ일녀를 싱ᄒ니, 남으는 개 개히 곤산미옥(崑山美玉)1016)과 창ᄒ유룡(蒼海有龍)1017) ᄀ트여, 외모 신치와 문당지 홰 일셰의 유명ᄒ여, 우ᄒ로 삼지 닙신취쳐(立身娶妻)ᄒ고, 녀ᄋ 쳐음으로 ᄌ라 년긔 십ᄉ의 니르니, 부모의 졍으로ᄡ 엇디 아름답디 아니리오마는, 이들온 바는 연쇼졔 네ᄉ 박싁블인(薄色不仁)이 아니라, 그 샹뫼 혐괴ᄒ여 일셰의 모양ᄒ여 ᄀ튼 거시 업셔, 【22】 니른바 우두나찰(牛頭羅刹)1018)과 흑살텬신(黑煞天神)1019) ᄀ고, 힝시 츄악 광패ᄒ미 일분도 규녀(閨女)의 고요 안졍ᄒ미 업고, 념티(廉恥) 샹딘(喪盡)ᄒ여 져의 위인이 긔괴 망측ᄒᄆᆫ 모로고, 다만 군ᄌ를 마ᄌ 금슬디락(琴瑟之樂)을 일우고져 ᄠᅳᆺ이 잇는 가온ᄃᆡ, 쇼원이 과도ᄒ여 셰속 용우디풍(庸愚之風)을 ᄀ장 우이 넉여, 텬일디표(天日之表)와 문댱필법(文章筆法)이 죵왕마쳔(鍾王馬遷)1020)을 묘시ᄒᄂᆞᆫ ᄀ온ᄃᆡ로ᄃᆡ, ᄯᅩ흔 지모를 보아 구ᄒ렷노라 ᄒ더니, 하원쉬 초디를 평뎡ᄒ고 도라오는 날 텬지 문외의 마ᄌ시니, 만셩(滿城) ᄉ셔(士庶) 집마다 구경코져 ᄒᄆᆞ로, 연부의셔도 집 잡아 부인닉 관광 【23】 코져 홀ᄉᆡ, 경안공쥬는 입궐ᄒ여 황후낭낭을 뫼시고 비빙(妃嬪)등으로 더브러 하원슈의 위의를 구경ᄒ니, 연쇼졔 제형을 ᄯ라가 하원슈의 풍모를 보고, 황홀흔 졍을 춤디 못ᄒ여, 집의 도라와 거거 슉부를 ᄃᆡᄒ여 하원슈의 긔특ᄒᄆᆯ 칭션ᄒ고, 부친긔 고왈,

"쇼녜 부모의 일녀로ᄡ 평싱 쇼원이 만식

1016)곤산미옥(崑山美玉) : 곤산에서 나는 아름다운 옥. 곤산은 곤륜산(崑崙山)으로 중국 전설상의 산. 중국 서쪽에 있으며, 옥(玉)이 난다고 한다.
1017)창ᄒ유룡(蒼海有龍) : 깊고 푸른 바다 속에 있는 용(龍).
1018)우두나찰(牛頭羅刹) : 쇠머리 모양을 한 악한 귀신.
1019)흑살텬신(黑煞天神) : 검은 살기를 띤 흉한 모습의 귀신.
1020)죵왕마쳔(鍾王馬遷) : 중국 위(魏)나라의 서예가 종요(鍾繇 : 151-230)와 진(晉)나라의 서예가 왕희지(王羲之 : 307-365), 전한(前漢)의 역사가 사마천(司馬遷 : BC.145-86) 함께 이르는 말.

안을 취ᄒ여 ᄋᆞᄌ 일녀를 싱ᄒ니, 남ᄌᄂᆞ 긔긔히 곤산미옥(崑山美玉)992)과 창ᄒ옥농(蒼海玉龍)993) ᄀ트여, 외모 신치와 문장지 홰 일셰의 유명ᄒ여, 우ᄒ로 숨지 닙신취쳐(立身娶妻)ᄒ고, 녀ᄋ 쳐음으로 ᄌ라 년긔 십ᄉ의 니르니, 부모의 졍으로 엇지 아름답디 아니리오마는, 이들온 바는 연쇼졔 네ᄉ 박싁블민(薄色不敏)ᄒ미 아니라, 그 샹뫼 험괴ᄒ여 일셰의 ᄯ ᄌᆞ흔 거시 업ᄉ니, 니른바 우두나찰(牛頭羅刹)994)과 흑살텬신(黑煞天神)995) ᄀ고, 힝시 추악 광픽ᄒ미 일분도 부녀(婦女)의 고요흔 졍이 업고, 【76】 념치샹진(廉恥喪盡)ᄒ여 져의 위인이 긔괴 망측ᄒᄆᆫ 모ᄅ고, 다만 군ᄌ를 마ᄌ 금슬(琴瑟)의 낙(樂)을 닐우고ᄌ ᄠᅳᆺ이 잇ᄂᆫ 가온ᄃᆡ, 쇼원이 과ᄒ여 셰속 우용지풍(愚庸之風)을 ᄀ장 우히 넉여, 텬일지표(天日之表)와 문장지홰(文章才華) 출뉴(出類)흔 즁, ᄯᅩ흔 그 지주를 보아 구ᄒ려노라 ᄒ더니, 하원쉬 초디를 평뎡ᄒ고 도라오는 날 텬지 문외의 마지실ᄉᆡ, 만셩(滿城)이 집잡아 구경코ᄌ ᄒᄆᆞ로, 연부의셔도 집 잡아 ○○○[부인닉] 관광코져 ᄒ니, 경안공쥬는 닙궐ᄒ여 황후를 뫼셔 하원슈의 위의를 구경홀ᄉᆡ, 연쇼졔 제형을 ᄯ라가 하원슈의 풍모를 보고 황홀흔 졍을 춤지 못ᄒ여, 집의 도라와 슉부를 ᄃᆡ 【77】 ᄒ여 하원슈의 긔특ᄒᄆᆯ 칭션ᄒ고, 부친긔 고왈,

"쇼녜 평싱의 원이 《마싀∥만싀》 가즉흔 군ᄌ를 갈희고ᄌ ᄒ더니, 금일 하원광을 보오미 ᄠᅳᆺ의 ᄎ고 원의 족ᄒ니, 친ᄉ를 닐워 빅년히로(百年偕老)코ᄌ ᄒᄂᆞ이다."

992)곤산미옥(崑山美玉) : 곤산에서 나는 아름다운 옥. 곤산은 곤륜산(崑崙山)으로 중국 전설상의 산. 중국 서쪽에 있으며, 옥(玉)이 난다고 한다.
993)창ᄒ옥룡(蒼海玉龍) : 깊고 푸른 바다 속에 있는 옥처럼 맑고 아름다운 용(龍).
994)우두나찰(牛頭羅刹) : 쇠머리 모양을 한 악한 귀신.
995)흑살텬신(黑煞天神) : 검은 살기를 띤 흉한 모습의 귀신.

(萬事) 가즉호 군즈를 갈회고져 호엿더니, 금일 하원광을 보오미, 뜻의 츠고 원의 족호니, 친스를 일워 빅년히로(百年偕老)호여 유즈싱녀(有子生女)코져 호느이다."

부마와 연상셔 등이 츠언을 드르미 어히업셔, 규녀의 도리【24】아니믈 칙호고, 연한님 등은 그 인믈을 절박히 녀겨 녜의 넘티로뻐 경계호딕, 일호 개심호는 빅 업고 날마다 하원슈 스상(思想)호미 심호여, 망측디에(罔測之語) 닙〇[의] 꼿디 아니니, 연싱 등이 한심호여 공쥬긔 고왈,

"누의를 만일 하가의 셩친치 아니면, 댱츳 셩딜(成疾)호오리니, 모친이 황샹긔 샤혼(賜婚)을 쳥호쇼셔."

공쥬 츠언을 듯고 혀츠며, 함누 왈,

"내《너의‖너희》오남미를 두미, 비록 뽈이 업스나 블관호거늘, 괴이혼 거시 삼겨 이러틋 긔괴망측호니, 엇디 절박디 아니리오. 져의 외모 위인이 아모 눈먼 남진라도 졍을【25】동(動)홀 길히 업스리니, 출하리 폐륜코져 호엿더니, 뜻밧긔 하원광을 보고 스상디심(思想之心)이 꼿디 아니니, 여등이 날노뻐 황샹긔 샤혼을《쳥코져‖쳥호라》호나, 하원광은 츌범혼 위인이라 오녀 굿튼 인믈〇[은] 그 시녀항(侍女行)의도 용납디 아닐디라. 결단코 연문 쳥덕을 써러 브리며, 너의 대인과 날을 욕먹이리니, 어이 블힝치 아니리오."

연한님 등이 위로 왈,

"누의 만시 인뉴(人類)의 하말(下末)될 거시로딕, 녀즈의 팔즈는 모로옵느니, 과려치 마르시고 샤혼은디(賜婚恩旨)를 쳥호쇼셔."

공쥬 마디 못호여 황샹긔 녀〇【26】로뻐 하원광의 부실(副室)노 샤혼호시믈 쳥호니, 샹이 우으시고 왈,

"하원광이 비록 긔특호나, 어미(御妹)의 일군쥬(一郡主)로뻐 어이 직실을 삼으리오. 샤혼이 블가호도다."

공쥬 실노뻐 쥬왈,

"신녜 용우블민호와 혼 일 가쵀디스(可取之事) 업스올 쏀아니오라, 스스로 하원광을

부마와 연상셔 등이 츠언을 드르미 어히업셔, 규녀의 도리 아니믈 칙호고, 연한님 등은 그 위인을 절박히 녀겨 녜의넘치를 경계호딕, 연시 기심(改心)호는 빅 업고, 날마다 하원슈를 스상(思想)호미 심호여, 망측호언시 닙의 꼿치지 아니코, 연싱 등이 한심호여 공쥬긔 고왈,

"누의를 만닐 하가의 셩친치 못호면 장춧 셩질(成疾)호오리니, 모친이 황상게 스혼(賜婚)을【78】쳥호쇼셔."

공쥬 혀츠고 함누 왈,

"닉 녀등(汝等) 오인을 두미 비록 뽈이 업스도 블관호거늘, 고이혼 거시 숨겨 니러틋 호니, 엇지 절박지 아니호리오. 져의 외모 위인이 아모리 눈먼 남진라도 졍을 통홀 길히 업스니, 출하리 폐륜코져 호엿더니, 뜻밧게 하원광을 보고 스상지심(思想之心)이 꼿지 아니니, 너희는 날노뻐 황상게 스혼을《쳥코즈‖쳥호라》호나, 하원광은 츌범혼 위인이라. 오녀 굿튼 인믈은 그 시녀의도 용납지 아닐지라. 결단코 연문 쳥덕을 써러 브리며, 네 부친과 날을 욕먹이리니, 어이 블힝치 아니리오."

연한님 등이 위로 왈,

"누의 만시 인뉴(人類)의 허【79】믈 될 거시로딕, 녀즈의 팔즈는 모로느니, 과려치 마르시고 스혼은지(賜婚恩旨)를 쳥호쇼셔."

공쥬 마지 못호여 황상게 녀〇로뻐 하원광의 직실(再室)노 스혼호시믈 쳥호니, 상이 우으시고 왈,

"어미(御妹)의 일군쥬로뻐 하원광의 직실을 어이 삼으리오. 원광이 긔특호나 츠혼이 블가호도다."

공쥬 실노뻐 쥬왈,

"신녜 블인농우호와 혼 일 가쵀지스(可取之事) 업스올 쏀아니오라, 스스로 원광을

셤기고져 ᄒᆞ오니, 엇디 한심치 아니리잇고
마ᄂᆞᆫ, 모녀디졍(母女之情)의 그 실셩ᄒᆞᄂᆞᆫ 거
동을 보디 못ᄒᆞ와, 감히 샤혼ᄒᆞ시믈 쳥ᄒᆞᄂᆞ
이다."

샹이 본ᄃᆡ 공쥬의 현슉ᄒᆞ믈 취듕ᄒᆞ시고,
그 녀이 공쥬를 담디 못ᄒᆞ고, 외간남ᄌᆞ를
ᄉᆞ모ᄒᆞ여 스스로 셤기고져 ᄒᆞ믈 【27】ᄒᆡ연
ᄒᆞ시나, 문양공쥬의 힝ᄉᆞ를 보아계신ᄃᆞ라.
그런 렴치(廉恥) 상딘(喪盡)ᄒᆞᆫ 인믈이 ᄯᅩ 이
시믈 괴이히 넉이시나, 경안의 쳥을 아니
듯디 못ᄒᆞ샤, 일일은 쵸휘 뎐졍의 갓가
ᄫᅵ셔실 ᄯᅢ를 타, 흔연이 옥음을 나리오샤
민간ᄉᆞ(民間事)를 므르시다가, ᄀᆞᆯ오샤ᄃᆡ,
"경이 윤슈의 녀셴 줄 알거니와, ᄌᆞ녀를
싱산ᄒᆞ여시며, 경의 형 원경 등이 ᄌᆞ녀를
씻치미 잇더냐?"

쵸휘 브복 쥬왈,
"신의 빅형은 갓 취실ᄒᆞ여 ᄒᆞ낫 ᄌᆞ녜 업
ᄉᆞ고, 형이 죽으민 형슈 님시 ᄌᆞ문이ᄉᆞ(自
刎而死)ᄒᆞ와 뒤흘 ᄯᅳᄅᆞ읍고, ᄎᆞ형 삼형은
취실치 못ᄒᆞ고 죽엇ᄉᆞ【28】오니 더옥 ᄌᆞ
녜 업ᄉᆞ고, 신도 윤슈의 녀를 취ᄒᆞ완디 ᄉᆞ
오직(四五載)의 ᄌᆞ녀를 두디 못ᄒᆞ엿ᄂᆞ이다."

언쥬파(言奏罷)의 ᄉᆞ긱이 쳑연ᄒᆞ니, 샹이
감동ᄒᆞ샤 원경 등 죽으믈 ᄉᆡ로이 뉘웃ᄎᆞ시
며, 연군쥬로ᄡᅥ 브ᄃᆡ 하가의 샤혼코져 ᄒᆞ샤
니르샤ᄃᆡ,
"경이 윤슈디녀를 취ᄒᆞ여 아딕 ᄌᆞ녜 업다
ᄒᆞ니, 딤이 어믜 경안 공쥐 일녜 이시민, ᄡᅥ
경의 부실노 샤혼ᄒᆞ여 은영을 뵈ᄂᆞ니, 경은
샤양치 말나."

쵸휘 본ᄃᆡ 번화를 구치 아닛ᄂᆞᆫᄃᆞ라. 크게
블열ᄒᆞ여, 브복 쥬왈,
"셩은이 미셰홀 곳의 더으샤, 경안공쥬
쳔금일녀(千金一女)로ᄡᅥ 샤혼ᄒᆞ시는 은명
(恩命)이【29】계시나, 신이 포의한ᄉᆞ(布衣
寒士)로 셩은을 닙ᄉᆞ와, 과도ᄒᆞᆫ 쟉치(爵
次) 후빅의 밋쳐, 슉야(夙夜)의 젼늉(戰慄)
ᄒᆞ오미 여림박빙(如臨薄氷)[1021]ᄒᆞ옵ᄂᆞ니, 일

1021)여림박빙(如臨薄氷) : 살얼음 밟듯 함.

셤기고ᄌᆞ ᄒᆞ오니, 엇지 한심치 아니리잇고
마ᄂᆞᆫ, 모녀지졍(母女之情)의 그 실셩ᄒᆞᄂᆞᆫ 거
동을 보지 못ᄒᆞ여, 감히 ᄉᆞ혼ᄒᆞ심믈 쳥ᄒᆞᄂᆞ
이다."

샹이 본ᄃᆡ 《골육을‖공쥬의》 어질믈 취
즁ᄒᆞ시ᄂᆞᆫ지라. 그 녀이 공쥬를 담지 못【8
0】ᄒᆞ고, 외간남ᄌᆞ를 ᄉᆞ모ᄒᆞ여 스스로 셤기
고ᄌᆞᄒᆞ믈 ᄒᆡ연ᄒᆞ시나, 문양공쥬의 졍ᄉᆞ를
도라보ᄉᆞ, 그 쳥을 아니듯지 못ᄒᆞ실지라.
일일은 하원쉬 편견의 갓가의 뫼신 ᄯᅢ를
타, 흔연이 《우음‖옥음》을 ᄂᆞ리와 민간
ᄉᆞ를 무ᄅᆞ시다가, ᄀᆞᆯ오ᄉᆞᄃᆡ,
"경이 윤슈의셔 녀셴 줄 알거니와, ᄌᆞ녀
를 ᄆᆡᆺ츨 싱산ᄒᆞ여시며, 경 형 원경 등이 ᄌᆞ
녀를 깃치미 잇더냐?"

쵸휘 부복 쥬왈,
"신의 빅형은 그 ᄯᅥ 갓 취실ᄒᆞ여 ᄒᆞ낫 ᄌᆞ
녜 업고, 형이 죽으민 ᄋᆞᄌᆞ미 임시 ᄌᆞ문
이ᄉᆞ(自刎而死)ᄒᆞ와 뒤흘 ᄯᅳᄅᆞ읍고, ᄎᆞ형과
ᄉᆞᆷ형은 취쳐도 못ᄒᆞ여 죽엇ᄉᆞ오니, 더옥 ᄌᆞ
녀를 두올 ᄇᆡ 업고, 신도 윤슈의 녀를
취ᄒᆞ온지 ᄉᆞᄋᆞ년의【81】 ᄌᆞ녀를 두지 못
ᄒᆞ엿ᄂᆞ이다."

언쥬파(言奏罷)의 ᄉᆞ긱이 쳑연ᄒᆞ니, 샹이
금동ᄒᆞ샤 원경 등 죽이믈 ᄉᆡ로이 뉘웃ᄎᆞ시
며, 연 군쥬로ᄡᅥ 부ᄃᆡ 하가의 ᄉᆞ혼코ᄌᆞ ᄒᆞ
ᄉᆞ, 쵸후ᄃᆞ려 닐으시ᄃᆡ,
"경이 윤슈지녀를 취ᄒᆞ여 아직 ᄌᆞ녜 업다
ᄒᆞ니, 짐이 어믜 경안 공쥬 일녜 이시민, ᄡᅥ
경의 부실노 ᄉᆞ혼ᄒᆞ여 은영을 뵈ᄂᆞ니, 경은
ᄉᆞ양치 말나."

쵸휘 본ᄃᆡ 번화를 구치 아니ᄒᆞᄂᆞᆫ지라. 크
게 블열ᄒᆞ여 부복 쥬왈,
"셩은이 미셰ᄒᆞᆫ 곳의 더으ᄉᆞ, 경안공쥬
쳔금일녀(千金一女)로ᄡᅥ ᄉᆞ혼ᄒᆞ시는 명이
계시나, 신이 포의한ᄉᆞ(布衣寒士)로 셩은을
닙ᄉᆞ와 과도ᄒᆞᆫ 죽위(爵位) 후빅의 밋ᄉᆞ으
니, 슉야(夙夜)의 젼긍(戰兢)ᄒᆞ오미 '박빙(薄
氷을 님ᄒᆞᆫ 듯'[996]ᄒᆞ【82】오미, ᄒᆞᆫ 안히

---

996)여림박빙(如臨薄氷) : 살얼음 밟듯 함.

쳐로 집을 딕희올디언정 번수를 구홀 뜻이 업스오니, 엇디 감히 경안공쥬의 일 군쥬를 지춰흐리잇고? 비록 셩은이 감골흐오시나 신의 박누(薄陋)흔 긔딜노뻐, 연군쥬의 일싱을 욕 되게 흘거시오, 신이 열운 복이 손흐오리니, 복원 셩샹은 샤혼은명을 환슈흐쇼셔."

샹이 쇼왈,

"고어의 왈, 님군 주는 거슨 견미(犬馬)라도 공경흔다 흐니, 딤이 됴흔 뜻으로 싱녀(甥女)1022)를 샤혼흐미, 경【30】 도리 미미히 거역흐미, 군신분의(君臣分義) 크게 휴손흐니 모로미 다시 샤양치 말나."

초휘 만만비쇼원(萬萬非所願)이오, 쏘 문양 공쥬의 블현흐믈 아는 고로, 궁금(宮禁)을 결년(結緣)흐믈 크게 블안흐나, 셩픠 여츠흐시고 연부매 튱후군직(忠厚君子)오, 연한님 등이 개개히 츌뉴흔 옥인가싀(玉人佳士)라. 연군쥐 만일 그 부형을 달므미 이신즉 그딕도록 블인(不仁)치 아닐 줄 혜아려, 오스(烏紗)를 숙이고, 옥딕(玉帶)를 도도아 밋쳐 말슴을 쥬(奏)치 못흐여셔, 샹이 닉시를 명흐샤 연·하 냥부의 샤혼은디(賜婚恩旨)를 젼흐라 흐시고, 닉궁의 드르시니, 초휘 즉시 퇴흐여 부듕【31】의 도라오믹, 닉시 발셔 부듕의 니르러 하공긔 연군쥬를 초후의 직실노 샤혼흐시믈 젼흐니, 공이 블힝흐믈 니긔디 못흐나, 군샹의 굿이 뎡흐신 바를 샤양흐여 밋디 못흘 줄 알고, 셩교(聖敎)를 봉힝(奉行)흐오므로뻐 회쥬(回奏)흐라 흐고, 닉당의 드러가 부인을 딕흐여 셩샹의 샤혼흐시믈 젼흐고, 미우를 뼁긔여 왈,

"내 평싱 황친국쳑(皇親國戚)의 교우(交友)흐믈 피코져 흐더니, 엇디 경안공쥬의 군쥐 내 집의 드르올 줄 알니오. 윤현부의 심싀 일분이나 블평흐미 이신즉, 우리 츠마 엇디 잔인흐여1023) 보리오."

부인이 또흔 블열 왈,

1022)싱녀(甥女) : 생질녀(甥姪女). 누이의 딸.
1023)잔인(殘忍)흐다 : 자닝하다. 애처롭고 불쌍하여 차마 보기 어렵다.

로 집을 직힐지언정, 번수를 구홀 뜻이 업스오니, 엇지 감히 경안공쥬의 군쥬로 직실흐리잇가? 비록 셩은이 감골흐오나, 신의 박누(薄陋)흔 긔딜노뻐 년군쥬의 일싱을 욕 되게 못흐올 거시오, 신이 열운 복이 손흐오리니, 복원 셩샹은 수혼은지를 거두쇼셔."

흐니, 샹이 쇼왈,

"고어의 운(云)흐딕, 님군 주는 바는 견미(犬馬)라도 공경흔다 흐느니, 딤이 됴흔 뜻으로 딜녀를 수혼흐미, 경의 도리 니러툿 미미히 거절흐미, 맛당치 아닌지라, 모로미 수양치 말지어다."

하휘 실노 만만비쇼원(萬萬非所願)이라. 쏘 문양 공쥬의 블현흐믈 아는 고로,【83】 궁금(宮禁)을 결년(結緣)흐믈 크게 블안흐나, 셩픠 여츠흐시며 년한님 등이 기기히 츌뉴흔 옥인가싀(玉人佳士)라. 연군쥐 만일 그 부형을 달무미 잇신즉 그딕도록 블인(不仁)치 아닌 줄 혜아려, 밋쳐 말슴을 쥬치 못흐여셔, 샹이 닉시(內侍)로 년·하 냥부의 수혼은지(賜婚恩旨)를 젼흐라 흐시고 닉궁의 드르시니, 하휘 즉시 퇴흐여 부듕의 도라오미, 닉시 발셔 부듕의 니르러 하공게 년군쥬를 초후의 직실노 수혼흐시믈 젼흐니, 공이 블힝흐믈 니긔지 못흐나, 군샹의 구지 졍흐신 바를 수양흐여 밋지 못흘 줄 알고, 오즉 셩은을 닐ㅋ라 눈물을 먹음고 갑흘 바를 아지【84】 못흐므로뻐 회쥬(回奏)흐라 흐고, 닉당의 드러가 부인을{을} 딕흐여 셩샹의 수혼흐시믈 젼흐고, 미우를 뼁긔여 왈,

"내 평싱 황친(皇親)○[과] 교우(交友)흐믈 피코즈 흐더니, 엇지 경안궁 군쥐 닉 집의 드르올 줄 뜻흐여시리오. 윤현부의 심싀 일분이나 블평흐미 잇신즉, 우리 춤아 엇지 잔잉흐믈997) 보리오."

부인이 쏘흔 블열 왈,

---

997)잔잉흐다 : 자닝하다. 애처롭고 불쌍하여 차마 보기 어렵다.

"윤시 용화【32】긔딜이 툐셰특이(超世特異)ᄒᆞ미 우리게 과람(過濫)ᄒᆞᆫ 며ᄂᆞ리라. 원광의 무고히 박ᄃᆡᄒᆞᆷ믈 통한ᄒᆞ되, 부부 금슬은 임의로 못ᄒᆞ나, 다ᄒᆡᆼ이 ᄋᆞ뷔 유틱ᄒᆞ여시니, 혹즈 싱남ᄒᆞᄂᆞᆫ 경ᄉᆞ 이시면, 원광이 ᄌᆞ식 ᄉᆞ랑ᄒᆞᄂᆞᆫ ᄆᆞᄋᆞᆷ으로 그 어미를 후ᄃᆡᄒᆞᆯ가 바라더니, 엇디 연군쥬를 샤혼ᄒᆞ실 줄 알니오. 원광이 신인의게 침닉(沈溺)ᄒᆞ여 윤시를 더욱 넘박ᄒᆞᆯ딘딕, 엇디 블힝치 아니리오."

공이 글오되,
"윤시 잉틱ᄒᆞᆷ믈 보니, 부부의 졍이 믹믹디 아니믈 알 거시오. 원광의 셩졍이 듕산(重山)의 무거오미 이시니, 빅미인을 모화도 침혹ᄒᆞᆯ ᄋᆞ히 아니니, 부인【33】은 브졀업슨 근심을 말나."
부인이 미쇼ᄒᆞ나, 윤시를 위ᄒᆞ여 근심ᄒᆞ믈 마디 아니ᄒᆞ되, 윤시 ᄉᆞ긔 안졍ᄒᆞ여[고]면뫼 화열ᄒᆞ여, 셰ᄉᆞ를 아ᄂᆞᆫ듯 모로 듯ᄒᆞ니, 공의 부뷔 더욱 이듕ᄒᆞ더라.
샤혼은디 경안궁의 니르미 연군쥬의 즐겨ᄒᆞ미 측냥업셔, 부마를 보치여 어셔 퇴일 셩녜케 ᄒᆞ라 ᄒᆞ니, 부마와 공쥐 히연망측ᄒᆞ여 다만 혀ᄎᆞ 글오되,
"져 못쓸 거슬 하가의 셩혼ᄒᆞ여 긴 날의 무한ᄒᆞᆫ 욕을 보리니, 엇디 블힝치 아니리오."
연시 통방울 ᄀᆞᆺᄐᆞᆫ 눈을 흘긔며, 부리를 ᄂᆡ미러 왈,
"남은 남혼녀가(男婚女嫁)ᄒᆞ여 ᄋᆞ들의 부부와 ᄯᆞᆯ의【34】 ᄂᆡ외 화락ᄒᆞᆷ믈 보면, 두굿길 쓴이오, 못쓸 거시라 말을 아니ᄒᆞ되, 우리 부모ᄂᆞᆫ 엇디 ᄌᆞ의디졍(慈愛之情)이 바히1024) 업셔 이러ᄒᆞᆫ고."
ᄒᆞ니, 부마와 공쥐 어히업셔 다만 말을 아니ᄒᆞ고, 마디 못ᄒᆞ여 길일을 퇴ᄒᆞ니, 연시의 ᄆᆞᄋᆞᆷᄀᆞᆺ치 혼긔 신속ᄒᆞ여 계오 슈슌(數旬)이 ᄀᆞ렷ᄂᆞᆫ디라. 즉시 하부의 고ᄒᆞ고 혼구를 셩비ᄒᆞ니, 긔구의 풍화(豐華)ᄒᆞᆷ믄 연궁 부귀를 기우려 단장ᄒᆞᆯᄉᆞ록 그 흉면괴상(凶

1024)바히 : 바이. 아주. 전혀.

"윤시 용화긔질이 초셰특이(超世特異)ᄒᆞ미, 나의 과람(過濫)ᄒᆞᆫ 며ᄂᆞ리라. 원광의 무고히 박ᄃᆡᄒᆞᆷ믈 통한ᄒᆞ되, 부부 금슬은 님의로 못ᄒᆞ나, 다ᄒᆡᆼ이 윤시 유신(有娠)ᄒᆞ여시니, 혹즈 싱남ᄒᆞᄂᆞᆫ 경ᄉᆞ 이시면, 원광이 ᄌᆞ식 ᄉᆞ랑ᄒᆞᄂᆞᆫ ᄆᆞᄋᆞᆷ으로ᄡᅥ 그 어미【85】를 후ᄃᆡᄒᆞᆯ가 바라더니, 엇지 년군쥬를 슈혼ᄒᆞᆯ 줄 아랏시리오. 원광이 신인의게 침혹(沈惑)ᄒᆞ여 《유시‖윤시》를 더욱 넘박ᄒᆞᆯ딘딕, 엇지 블힝치 아니ᄒᆞ리오."
공이 왈,
"윤시 잉틱ᄒᆞᆷ믈 보니, 부부의 졍이 믹믹지 아님 줄을 알 거니와, 원광의 셩졍이 즁산(重山)의 무거오미 이시니, 빅미인을 모화 주어도 침혹ᄒᆞᆯ ᄋᆞ히 아니니, 부인은 부졀업슨 근심을 마ᄅᆞ쇼셔."
부인이 미쇼ᄒᆞ나 윤시를 위ᄒᆞ여 근심을 마지 아니ᄒᆞ되, 윤시 ᄉᆞ긔 안졍ᄒᆞ여 면뫼 화열ᄒᆞ여 셰ᄉᆞ를 아ᄂᆞᆫ 듯 모로ᄂᆞᆫ 듯ᄒᆞ니, 구괴 더욱 이즁ᄒᆞ더라."
슈혼은지 경안궁의 니르미 연군쥬의 즐겨ᄒᆞ미 측냥업셔, 부모를 보치여 【86】어셔 퇴일 셩녜 ᄒᆞ라 ᄒᆞ니, 부마와 공쥐 히연망측ᄒᆞ여, 다만 혀ᄎᆞ 글오되,
"져 몹쓸 거슬 하가의 셩혼ᄒᆞ여 긴 날의 무궁ᄒᆞᆫ 뇩(辱)을 보리니, 엇지 블힝치 아니리오."
연시 통방울 ᄀᆞᆺᄐᆞᆫ 눈을 흘기며, 긴 부리를 ᄂᆡ미러 왈,
"남은 남혼녀가(男婚女嫁)ᄒᆞ여 ᄋᆞ들의 부부와 ᄯᆞᆯ의 ᄂᆡ외 화락ᄒᆞᆷ믈 보면, 두굿길 쓴이오, 몹쓸 거시란 말을 아니ᄒᆞ되, 우리 부모ᄂᆞᆫ 엇지 ᄌᆞ의지졍(慈愛之情)이 바이998) 업ᄂᆞᆫ고."
부마와 공쥐 어히업셔, 다시 말을 아니코, 길일을 퇴ᄒᆞ니, 연시의 말ᄀᆞᆺ치 혼긔 신속ᄒᆞ여, 겨우 슈슌(數旬)이 ᄀᆞ렷ᄂᆞᆫ지라.○…결락15자…○[즉시 하부의 고ᄒᆞ고 혼구를 셩비ᄒᆞ니] 긔구ᄂᆞᆫ 풍화ᄒᆞ나 신뷔 단장ᄒᆞᆯᄉᆞ록 그 흉면괴상(凶面怪狀)이 더옥 망측ᄒᆞ니, 보

998)바이 : 아주. 전혀.

面怪狀)이 더욱 망측ᄒ니, 보ᄂ니 다 놀나더라.

길일이 다드르민, 하부의셔 비록 깃브디 아니나 연셕을 개장ᄒ고, 친쳑(親戚) 닌니(隣里)를 쳥ᄒ여 신낭을 보닐시, 날이 반오(半午)【35】의 초휘 드러와 길복을 ᄎᄌ민, 윤시 길복을 다스려 존고 침뎐의 두엇더니, 됴부인이 시녀로 길복함을 넉여오라 ᄒ여 좌듕의 니르딕,

"쳡의 ᄌ뷔 본딕 겸손ᄒ는 덕이 과ᄒ여, 길복을 디오딕 어려이 넉여, 쳡의 곳의 두엇ᄂ니, 좌긱은 그 슈픔(繡品)이 엇더ᄒ고 보쇼셔"

졔부인이 윤시의 덕을 칭찬ᄒ며, 길복을 보민 침션의 긔이ᄒ미 인셰간 직죄 아니라. 져마다 칭션ᄒᆯ 마디 아니니, 하공이 두굿겁고 아름다이 넉여, 윤시를 나호여 무이 왈,

"네 임의 가부의 지췌ᄒᆯ 길의(吉衣)를 다스려시니 모로미 옷슬 닙혀 보닉라."

쇼졔 ᄇᆞ샤【36】슈명ᄒ고 길복을 들고 니러셔니, 초휘 길의를 닙을시, 윤시를 초하동의 다려다가 뉴시를 즐욕ᄒ 후는, 쇼져 믜워ᄒᆷ믄 업ᄉ나 뉴시 통희ᄒᆷ믄 쳘골ᄒ디라. 윤시를 괴롭게 ᄒ여 뉴시 증분(憎憤)ᄒ는 ᄆᆞ음을 풀고져 ᄒ므로, 부뫼 명ᄒ여 치월각의 가라 ᄒ죽, 흔연이 슈명ᄒ여 가는 쳬ᄒ고 외당의셔 밤을 디닉므로, 윤시를 갓가이 디ᄒ미 업셔, 혹 뎡당의셔 만날 셔라도 부뫼 보디 못ᄒ시는 딕는 눈이 ᄯ러러딜 ᄃᆞ시ᄒ더니, 이날 길의를 친집ᄒᆷ믈 아름다이 넉이나, 뉴시 그 미뎨를 즛두다리던【37】바를 싱각ᄒ면 분한이 플닐 길히 업ᄂ디라. 마디 못ᄒ여 윤시 닙히는 옷슬 닙으나, ᄂᆡ안의 찬 긔운이 윤시 신샹의 빗쵀니, 타인은 모로나 윤시 어이 모로리오마ᄂᆞᆫ, 다만 ᄂᆡ안을 낫초아 화긔(和氣) ᄌᆞ약(自若)1025)ᄒ 거동이 ᄀᆞᆺ초 긔이ᄒ여, 임의 골흠1026)을 미

1025)ᄌᆞ약(自若) : 큰일을 당해서도 놀라지 아니하고 보통 때처럼 침착ᄒᆞ마.
1026)골흠 : 고름. 옷고름.

【87】ᄂ니 다 놀나더라.

길일이 다드르니, 비록 하부의셔 깃브지 아니나 연셕을 기장ᄒ고, 친쳑(親戚) 닌니(隣里)를 쳥ᄒ여 신낭을 보닐시, 날이 반오(半午)의 초휘 드러와 길복을 ᄎ리민, 윤부인이 길복을 다스려 존고 침젼의 두엇더니, 차일 조부인이 신낭 길복함을 넉여오라 ᄒ여, 좌즁의 니르딕,

"쳡의 ᄌ뷔 본딕 겸손ᄒ는 덕이 잇셔, 길복을 지으민, 어려이 넉여 쳡의 곳의 두엇더니, 좌긱은 그 슈픔(繡品)이 보쇼셔."

졔부인이 윤시의 덕을 칭찬ᄒ며, 길의를 보민, 침슈(針繡)의 슈치(繡緻) 셤능(纖能)ᄒ여 인셰간 아름다은 직죄라. 져마다 칭션ᄒ니, 하공이 윤시를 나호여 이런 왈,【88】

"네 임의 길의(吉衣)를 다스려시니, 모로미 스스로 닙혀 보닉라."

쇼졔 ᄇᆞ스 슈명ᄒ고 길의을 들고 니러셔니, 초휘 길복를 닙을시, 윤시를 초하동의 ᄃᆞ려ᄃ가 뉴부인 ᄋᆞ로 욕ᄒ 후는, 쇼져를 믜워ᄒᆷ믄 업ᄉ나, 뉴부인을 통완ᄒᆷ믄 쳘골ᄒ지라. 뉴시를 짐짓 괴롭게 ᄒ여, 뉴시 증분(憎憤)ᄒ는 ᄆᆞ음을 풀고져 ᄒ므로, 부뫼 명ᄒ여 치원각의 가라 ᄒ죽, 흔연이 슈명ᄒ여 가는 쳬ᄒ고, 외당의셔 밤을 디닉는 고로, 눈시로 ᄀᆞᆺᄀᆞ이 좌ᄒ미 업고, 혹 졍당의 ○[셔] 만나도, 부뫼 보지 못ᄒ시는 ᄶᆡ는, 믜워○○[ᄒ여] 보는 눈이 ᄯ러러질 ᄃᆞᆺᄒ더니, 이날 길의를【89】친집ᄒᆷ믈 아름다이 넉이나, 뉴시 그 미뎨를 츰혹히 두다렷던 바를 싱각ᄒ면, 분한이 플니지 아니니 마지 못ᄒ여 윤시의 닙히는 오슬 닙으나, ᄂᆡ안의 찬 긔운이 윤시 신샹의 오릭니, 윤시 엇지 그 긔쉭을 모로리오. 가부의 거동이 이 ᄀᆞᆺᄐᆞᆷ믈 볼 젹마다, ᄌᆞᄀᆡ 지은 죄 업시 사ᄅᆞᆷ의 믜워ᄒᆞᆫ 바를 흔ᄒ나 화긔를 조금도 곳치지 아냐, 안셔ᄒ 거동이 조금도 다르지 아냐 ᄀᆞᆺ초 긔특ᄒ지라. 구고의 ᄉᆞ랑과 좌긱의

고 셕를 두른 후, 믈너 좌○[의] 들미 스긔
여일(如一)○○[ᄒ여] 화평ᄒ니, 구고의 스
랑과 좌간의 칭션ᄒᄆᆫ 니르도 말고, 초후의
탄복ᄒ미 깁흐디 스식디 아니코, 부모긔 하
딕고 위의를 거ᄂ려 연궁의 니르러 뎐안디
녜(奠雁之禮)1027)를 맛고, 신부의 샹교(上
轎)를 직쵹ᄒ여 부듕의 도라올식, 싱소고악
(笙簫鼓樂)1028)【38】은 딘텬(振天)ᄒ고 허
다 위의 대로를 써, 왕공후빅과 황친국쳑이
다 요긱(繞客)이 되니, 긔구의 풍셩홈과 믈
식(物色)의 댱녀(壯麗)ᄒ미 금달공쥬(禁闥公
主)1029)의 하가ᄒᄂᆫ 버금이라. 노샹 졔인이
칙칙 칭션ᄒ더라.

임의 부듕의 도라와, 듕당(中堂)의 포딘
(鋪陳)을 뎡졔ᄒ고, 허다 시녀 양낭이 신부
를 븟드러 뎡 밧고 ᄂ니니, 금스면보(錦紗面
褓)1030)를 가리와시므로 그 얼골을 보디 못
ᄒ더니, 녜셕(禮席)의 님ᄒ여 면보(面褓)를
업시 ᄒ고, 부븨 교빅(交拜)1031)를 파ᄒ미,
금쥬션(錦珠扇)1032)을 반개(半開)ᄒ니, 신부
의 치장이 이목의 현황ᄒ되, 그 상모의 험
괴망측(險怪罔測)ᄒ미 형상키 어려오니, 우
두나찰(牛頭羅刹)과 흑살텬【39】신(黑煞天
神)이 나린 듯ᄒ더라. 좌긱이 대경실식ᄒ여
어린 ᄃ시 말을 못ᄒ더니, 녜파(禮罷)의 신

1027)뎐안디녜(奠雁之禮) : 혼인례에서, 신랑이 기러
기를 가지고 신부 집에 가서 상 위에 놓고 절하는
의례(儀禮). 기러기는 한번 짝을 지으면 죽을 때까
지 짝을 바꾸지 않는다 하여 신랑이 백년해로 하
겠다는 서약의 징표로서 신부의 어머니에게 기러
기를 드린다. 산 기러기를 쓰기도 하나, 대개는 나
무로 만든 것을 쓴다.
1028)싱소고악(笙簫鼓樂) : 생황(笙篁)과 통소(簫), 북
등의 악기.
1029)금달공쥬(禁闥公主) : 임금이나 황제의 딸. 금달
(禁闥); 궐내에서 임금이 평소에 거처하는 궁전의
앞문.
1030)금스면보(錦紗面褓) : 비단으로 만든 면사포(面
紗布). 면사포(面紗布); 궁중에서, 공주의 결혼식
때 공주가 쓰던 붉은 빛깔의 깁으로 만든 장식품.
금박으로 봉황 무늬와 '壽福康寧(수복강녕)'이라는
한자를 수놓았다.
1031)교빅(交拜) : 교배례(交拜禮). 전통 혼례식에서
신랑 신부가 서로에게 절을 하고 받는 의식.
1032)금쥬션(錦珠扇) : 비단으로 폭을 만들고 구슬을
달아 꾸민 부채.

칭션은 니르도 말고, 초후의 탄복ᄒᄂᆫ ᄆᆷ
이 더옥 깁흐디 스식지 아니코, 부모긔 하
직고 위의를 거ᄂ려 년궁(宮)의 나아가 뎐
안지녜(奠雁之禮)999)【90】를 맛고, 신부의
상교(上轎)를 직쵹ᄒ여 부듕으로 도라올식,
싱소고악(笙簫鼓樂)1000)은 하늘의 ᄃ네고,
슈풀 ᄀᆺᄐᆫ 시녀와 무슈(無數) 하리(下吏) 젼
추후옹ᄒ여 부셩ᄒᆫ 위의 ᄃ로로 덥허, 믈식
(物色)의 댱녀(壯麗)ᄒ미 금달공쥬(禁闥公
主)1001)의 하가ᄒᄂᆫ 날 ᄀᆺᄒ여 하부의 니르
니, 합가(闔家) ᄂ외의 ᄃ연(大宴)을 셩비ᄒ
고, 만당(滿堂) 빈긱이 운집ᄒᆫ ᄀᆞ온ᄃᆡ, 쇼년
부인ᄂᆡ는 금장셩식(金裝盛飾)1002)으로 단장
을 화려이 ᄒ여시며, 용광식틱(容光色態) 즈
옥ᄒᆫ1003) 즁의, 년궁 시녀비 져의 군쥬와
비홀진디 텬디 현격《ᄒ미라∥홀디라》.
셔로 닐러 왈,

"우리 부인의 용식으로 져 좌간의 들면
탈식(脫色)ᄒ로다"

ᄒ더라. 군【91】쥐 웅장셩식(雄粧盛飾)
으로 좌(座)의 ᄂᆞ와 현구고지녜(見舅姑之
禮)1004)를 맛고, 스묘(祠廟)의 비알(拜謁)ᄒᆫ
후, 졔긱의게 ᄎ례로 녜홀식, 공의 부븨 각
좌(各坐)ᄒ미, 년인가(連姻家) 부녀는 협실
노 피ᄒ고, 족친(族親) 되는 부인ᄂᆡ는 좌우
(左右)로 널좌(列坐)ᄒ니, 윤부인 ᄯᅩᄒᆫ 말셕
(末席)의 시좌(侍坐)ᄒ나, 몸이 쥬인(主人)이

---

999)뎐안디녜(奠雁之禮) : 혼인례에서, 신랑이 기러기
를 가지고 신부 집에 가서 상 위에 놓고 절하는
의례(儀禮). 기러기는 한번 짝을 지으면 죽을 때까
지 짝을 바꾸지 않는다 하여 신랑이 백년해로 하
겠다는 서약의 징표로서 신부의 어머니에게 기러
기를 드린다. 산 기러기를 쓰기도 하나, 대개는 나
무로 만든 것을 쓴다.
1000)싱소고악(笙簫鼓樂) : 생황(笙篁)과 통소(簫), 북
등의 악기.
1001)금달공쥬(禁闥公主) : 임금이나 황제의 딸. 금달
(禁闥); 궐내에서 임금이 평소에 거처하는 궁전의
앞문.
1002)금장셩식(金裝盛飾) : 금붙이나 금빛으로 화려
하게 꾸밈.
1003)즈옥ᄒ다 : 자옥하다. 가득하다. 연기나 안개 따
위가 잔뜩 끼어 흐릿하다.
1004)현구고(見舅姑) : 신부가 예물을 가지고 처음으
로 시부모를 뵙는 예절.

낭이 밧그로 나가미, 신뷔 단장을 곳쳐 비샤당(拜祠堂)[1033] 현구○[고](見舅姑)[1034] 홀시, 힝뷔 난잡ᄒ여 쳥ᄉ(廳舍) 움즉이고, 슘소ᄅ 괴이ᄒ여 잠기[1035] 멘 쇠[1036]소ᄅ ᄀᆺ트며, 냥안(兩眼)의 흔 조각 영치(靈彩)업셔 검고 둥글며, 냥미(兩眉)○[ᄂ] 기운 뿍 밧 ᄀᆺ고, 니민 니마의 큰 혹이 돗고, 냥협(兩頰)이 프르러 쳥화(靑華) ᄀᆺ고, 닙이 니밀며, 두 귀 아ᄅ 빵으로 혹이 달녓고, 코히 놉하 큰 낫치 덥혀시며, 허리 퍼디기 안반[1037]만 ᄒ고, 킈ᄂ 계오 십셰 히ᄋ(孩兒)만 ᄒ니, 긔형괴상(奇形怪狀)이 ᄀᆺ초 긔졀ᄒ다라. 하공 부뷔 놀납고 추악【40】ᄒ여 오리도록 말이 업더니, 하공이 날호여 글오ᄃ,

"신부ᄂ 연궁 일군쥬니 존귀ᄒ미 금달공쥬 버금이라. 돈ᄋ의 지실노 내 집의 드러오니, 구개(舅家) 미(微)ᄒ믈 허믈치 말고, 원광의 조강(糟糠) 윤시 가장 현텰(賢哲)ᄒ니 셔로 화동(和同)ᄒ여 금일 처음 보ᄂ 녜ᄅ 폐치 못ᄒᆯ디라. 녀ᄌᄂ 식이 블관ᄒ고 덕이 웃듬이니, 신뷔 비록 용식이 ᄀᆺ디 못ᄒ나 황시(黃氏)[1038]의 대량(大量)과 밍광(孟光)[1039]의 덕이 이실딘디, 아름답디 아니리오."

군쥬 문파의 일분 신부의 슈습ᄒᄂ 도리 업셔, 둥근 눈을 크게 쓰고 긴 부리ᄅ 니밀고, 글오ᄃ,

"존귀 식니명공(識理名公)으로 고셔ᄅ【41】 박남(博覽)ᄒ시니 용식의 ᄒ를 몰나 계시ᄂ잇가? 하걸(夏桀)[1040]의 미희(妹

오, 일이 만흔지라. 졉빈(接賓) 디긱(待客)의 골몰ᄒ니, 엇지 한ᄀ히 좌의 안ᄌ시리오.

공이 신부ᄅ ᄂ호여 안치고 좌간(座間)의 말을 펴, 왈,

"우리 본시 미셰흔 인싱으로 텬은(天恩)이 망극ᄒ여 고당화루(高堂華樓)의 부귀 죡ᄒ니 엇지 과분치 아니ᄒ리오."

이의 군쥬ᄅ 디ᄒ여 왈,

1033) 비샤당(拜祠堂) : 조상의 신위를 모셔둔 사당(祠堂)에 절함.
1034) 현구고(見舅姑) : 신부가 예물을 가지고 처음으로 시부모를 뵙는 예절.
1035) 잠기 : 쟁기. 논밭을 가는 농기구.
1036) 쇠 : 소.
1037) 안반 : 떡을 칠 때에 쓰는 두껍고 넓은 나무판.
1038) 황시(黃氏) : 중국 삼국시대 촉의 정치가 제갈량의 처. 용모는 몹시 추(醜)녀였으나 재주가 뛰어났다고 한다.
1039) 밍광(孟光) : 후한 때 사람 양홍(梁鴻)의 처. 추녀였으나 남편의 뜻을 잘 섬겨 현처로 이름이 알려졌고, 고사 거안제미(擧案齊眉)로 유명하다.

喜)1041)와 은쥬(殷紂)1042)의 달긔(妲己)1043)
는 곱기로 유명ᄒᆞ디, 그 요악음일ᄒᆞ미 그
나라흘 망ᄒᆞ여시니, 일노 보건디 녀ᄌᆞ의 용
식이 엇디 두립디 아니리잇고? 첩이 비록
외뫼 블미ᄒᆞ오나 덕힝(德行)인즉 임샤(姙
似)1044) 반소(班昭)1045)를 상우(尚友)1046)ᄒᆞ
리니, 가군의 원비 대가고문 슉녜라 ᄒᆞ시나,
첩은 션황뎨 외손이오, 금황뎨 싱딜이며, 승
상의 친손녜오, 부마도위의 일군쥬로, 존귀
ᄒᆞ미 엇디 능히 첩을 밋ᄎᆞ리잇가? 첩이 결
단코 하풍을 감심치 아니리니, 아모커나
【42】 윤시 어디 잇ᄂᆞᆫ고 가ᄅᆞ치쇼셔.”

하공이 쳥파의 블승히연망측(不勝駭然罔
測)ᄒᆞ나 신혼 초일의 블호ᄒᆞᆫ 빗츨 낫토디
못ᄒᆞ여, 다만 ᄎᆞ게 우어 왈,

“신뷔 비록 덕힝이 임샤(姙似) 반소(班昭)
와 ᄀᆞᆺ틀와 ᄒᆞ나, 너모 튱박(忠朴)1047)ᄒᆞ여
겸손디녜(謙遜之禮)를 모로고, 부귀를 ᄌᆞ랑
ᄒᆞ여 원비를 셤기디 아니랴 ᄒᆞ니, 이ᄂᆞᆫ 쇼
년예긔(少年銳氣)로 싱각디 못ᄒᆞ미라. 내 집

1040)하걸(夏桀) : 중국 하나라의 마지막 왕. 성은 사
    (姒). 이름은 이계(履癸). 은나라의 탕왕에게 멸망
    하였다. 은나라의 주왕과 더불어 동양 폭군의 전
    형으로 불린다.
1041)미희(妹喜) : 중국 하(夏)의 마지막 황제 걸(桀)
    의 비(妃). 은나라 마지막 황제 주(紂)의 비(妃) 달
    기(妲己)와 함께 포악한 여성의 대표적 인물로 꼽
    힌다.
1042)은쥬(殷紂) : 중국 은나라의 마지막 임금. 이름
    은 제신(帝辛). 주(紂)는 시호(諡號). 지혜와 체력
    이 뛰어났으나, 주색을 일삼고 포학한 정치를 하
    여 인심을 잃어 주나라 무왕에게 살해되었다
1043)달긔(妲己) : 중국 은나라 주왕의 비(妃). 왕의
    총애를 믿어 음탕하고 포악하게 행동하였는데, 뒤
    에 주나라 무왕에게 살해되었다. 하걸(夏桀)의 비
    매희(妹喜)와 함께 망국의 악녀로 불린다.
1044)임샤(姙似) : 중국 주(周)나라 현모양처(賢母良
    妻)인 문왕의 어머니 태임(太姙)과 무왕(武王)의
    어머니 태사(太姒)를 함께 이르는 말.
1045)반소(班昭) : 중국 후한(後漢)의 시인. 자는 혜
    희(惠姬). 반고(班固)와 반초(班超)의 여동생으로,
    남편이 죽은 후 궁정에 초청되어 황후·귀인의 스
    승이 되었으며, 조대가(曹大家)로 불리었다. 반고
    의 유지(遺志)를 이어 《한서》를 완성하였으며,
    저서에 《조대가집》이 있다.
1046)상우(尚友) : 책을 통하여 옛사람을 벗으로 삼
    는 일.
1047)튱박(忠朴) : 진실하고 순박함.

이 포의디가(布衣之家)로디 녜의는 난잡디 못ᄒ리니, 신부는 모로미 온슌(溫順) 비약(卑弱)ᄒ여 기리 ᄒ문 사름 되기를 긔약ᄒ라.”

언파의 쇼안이 쥰졀ᄒ고 위의 ᄾ식ᄒ여 츄상녈일(秋霜烈日) ᄀᆺᄐ니, 연시 대담이나 잠간 무류ᄒ여 【43】 다시 말이 업셔, 통방울 ᄀᆺᄐ 눈을 금젹이다, 됴부인 ᄀᆞ르치믈 좃ᄎ 윤쇼져의게 힘읍시 지비ᄒ니, 윤시 ᄯ흔 좌의 나 답녜ᄒ여 동셔로 좌뎡ᄒ니, 윤시의 텬향월광(天香月光)과 연시의 츄용누딜(醜容陋質)이 셔로 딕ᄒ미, 명월이 계궁(桂宮)의 한가ᄒ디, 츄악(醜惡)ᄒ 풍싀(風色)이 비ᄒᆞᆯ디 업ᄉ니, 좌긱이 어린 ᄃ시 냥인을 바라보아, 작인(作人)의 현격ᄒ믈 탄ᄒ여 하언(賀言)을 니졋더니, 하공이 윤시 현미ᄒ믈 ᄾ로이 두긋겨, 웃고 됴부인을 도라보아 왈,

“원광이 윤현부 ᄀᆺᄐ 슉녀를 두어시니 닉 됴를 근심ᄒᆞᆯ 거시 업고, 군쥐 ᄯ흔 【44】 현슉ᄒ여 윤현부의 덕ᄒᆡᆼ을 본바드면 거의 가ᄉᆞᆺ(家事) 난(亂)치 아닐가 ᄒᄂ니, 부인은 ᄌᆞ부를 계틱(戒飭)ᄒ여 법도를 셰오고, 신부를 ᄀᆞ르쳐 쇼년 예긔를 주리잡게1048) ᄒ쇼셔.”

부인이 답왈,

“윤현부는 다시 ᄀᆞ르칠 거시 업셔 쳡 ᄀᆺᄐ ᄉᆡ어미 그 ᄉ덕을 ᄣᅩᆯ을 길히 업거니와, 신부는 경안공쥬와 연도위 ᄉ덕(四德)을 범연이 훈교치 아냐 계실디라. 비록 외뫼 염미(艶美)치 못ᄒ나, 오히려 유덕ᄒ여 뵈는 곳이 만흐니, 쳡이 환난의 상ᄒᄆ로ᄡᅥ 슈고로이 ᄀᆞ르치리잇고?”

하공이 잠쇼무언이오, 만좌(滿座) 됴부인 말ᄉᆷ으로 좃ᄎ 신부의 유덕ᄒ【45】믈 칭하ᄒ여, ᄆᆞ음의 업슨 하언을 작위ᄒ니, 공의 부뷔 좌슈우응(左酬右應)의 흔연이 ᄉᆞ샤ᄒᆞᆯ ᄯᆞᆫ이오, 신부는 윤시의 용화긔딜(容華氣質)

1048)주리잡다 : 줄여 잡다. 가다듬다. 지나치거나 넘
    치는 것을 가다듬어 바르게 하다.

내 집이 포의지개(布衣之家)로디, 예의는 《잡되지 아니리니‖난잡디 못ᄒ리니》, 신부는 【92】 모로미 온슌(溫順) 비약(卑弱)ᄒ여 예도를 ○…결락11자…○[닥가 기리 ᄒ문 사름 되기를] 긔약ᄒ라.”

언파의 쇼안이 쥰졀ᄒ여 츄상녈일(秋霜烈日) ᄀᆺᄐ니, 연시 가장 담이 크나 잠간 무류ᄒ여 다시 말을 못ᄒ여, 통방울 ᄀᆺᄐ 눈을 금젹이ᄃ가, 조부인 ᄀᆞ르치믈 인ᄒ여 윤쇼져의게 힘읍시 지비ᄒ니, 윤시 ᄯ흔 답녜ᄒ고 좌셕의 나 동셔로 좌졍ᄒ니, 윤시의 텬향월광(天香月光)과 연시의 츄용누질(醜容陋質)이 셔로 딕ᄒ미, 명월이 계궁(桂宮)의 한ᄀᆞ흔 ᄃᆺᄒ니, 좌긱이 어린 ᄃ시 냥인을 바라보아 작인(作人)의 현격ᄒ믈 탄ᄒ여 하언(賀言)을 니졋더니, 하공이 【93】 윤시 현미ᄒ믈 ᄾ로이 두긋겨워, 웃고 조부인을 도라보아 왈,

“원광이 윤시 ᄀᆺᄐ 슉녀를 두어시니 닉됴를 근심ᄒᆞᆯ 거시 업고, 군쥐 ᄯ흔 현슉ᄒ여 윤시의 덕ᄒᆡᆼ을 본바드면, 가ᄉᆞᆺ(家事) 거의 난(亂)치 아닐가 ᄒᄂ니, 부인은 ᄌᆞ부를 계칙(戒飭)ᄒ여 일이 슌편ᄒ기를 바라노라

을 보고 황홀(恍惚) 긔이(奇異)ᄒ여, 하 후
(侯)의 은정이 듕흔 줄 디긔(知機)ᄒ미, 우
패(愚悖)흔 셩졍의 이돌오미 업디 아니나,
간교치 못ᄒ니 히흘 쫏은 업더라.

종일딘환(終日盡歡)의 졔긱이 각산(各散)
ᄒ고, 신부 슉쇼를 희원각의 뎡흔 후, 됴부
인이 쵹을 니어 원상 등 삼ᄌ를 알패 두어
그 옥모영풍을 두굿기나, 금일 연셕의 녀이
참예치 못ᄒ고, 별츈졍의셔 텬일을 보디 못
ᄒ믈 탄ᄒ더니, 초휘 드러와 혼뎡ᄒᆯ식【4
6】하공 왈,

"금일 신부를 보미, 네 아비 실노 근심ᄒ
ᄂ니, 졔가(齊家)ᄂᆫ 티국평텬하디본(治國平
天下之本)1049)이라, 모로미 공졍(公正)이 ᄒ
여 요란ᄒ미 업게ᄒ라."

초휘 ᄇᆡ샤 왈,

"엄괴(嚴敎) 맛당ᄒ시나, 연시 위인을 슷
치오니, 츄용누딜(醜容陋質)이 비위(脾胃)
약흔 뉴ᄂᆫ 견듸여 보기 어렵ᄉ거니와, 간교
흔 인믈은 아니라 넘녀ᄂᆫ 업도소이다."

공이 ᄋᆞᄌ의 명달흔 의논을 드ᄅᆞ미 두굿
겨 왈,

"너의 알오미 이ᄀᆞ톨딘딘 다시 경계치 아
닛ᄂ니, 모로미 언힝을 ᄒᆞᆫᄀᆞᆯᄀᆞ치 ᄒ여 가ᄂ
를 편케ᄒ라."

초휘 슌슌슈명ᄒ고 신을 ᄭᅳ어 희원각으로
갈식, 치월각을 디나ᄂ더라. 창외의 쵹영이
【47】명낭ᄒ믈 보ᄃᆡ 드러가디 아니코, 신
방의 니르러 군쥬로 상딘ᄒ미, 험악흉괴ᄒ
미 보기 어려온디라. 초휘 오리 말을 아니
니, 연시 몬져 히아쳐1050) 두어 말을 ᄒᄂ
ᄇᆡ, 다 드럼족디 아닌디라. 초휘 그 넘치 상
딘ᄒ믈 우이 넉여 탄왈,

"내 명되 괴이ᄒ여 뎌런 흉믈을 취ᄒ니
엇디 이둛디 아니리오마ᄂᆞᆫ, 졔 옥누항 뉴시
ᄀᆞ치 언능다모(言能多謀)ᄒ고 포악간교(暴

니러구러 날이 셔산의 쩌러지니, 졔긱이
다 도라가고,

1049)티국평텬하디본(治國平天下之本) : 나라를 다스
리고 천하를 태평하게 하는 근본이라는 말. 『소
학(小學)』〈서제(書題)〉에 나오는 주자(朱子)의
말.
1050)히아치다 : 희롱하다. 희(戲)짓다. 혜살하다. 실
없는 말을 하거나 짓궂은 말로 놀리다.

惡奸巧)혼즉 결단코 박되호고, 그러치 아닌
즉 엇디 원을 씻치리오. 상두의 윤시 이셔
닛스를 찰임호니, 져런 거슨 식튱(食蟲)으로
혼 구석의 드리쳐 두어 무방타."

호여, 야심호므로 【48】쵹을 믈니고 상요
의 나아갈시, 눅눅혼 비위를 춤고 연시를
쳥왈,

"밤이 임의 깁허시니 안즈 식올 비 아니
라. 엇디 일침디하(一枕之下)의 만복근원(萬
福根源)을 아디 못호느뇨?"

연시 사양치 아니호고 쾌히 의상을 그르
고 요금(褥衾)1051의 나아가니, 실셩음녜 아
니면 이러치 못홀디라. 쇼년디심의 가쇼롭
기를 니긔디 못호여 일장을 쾌히 웃고, 마
디 못호여 이셩디친(二姓之親)을 잠간 일우
미, 연시의 음참혼 거동이 군즈의 갓가이
홀 비 아니라. 초휘 아니쇼으믈 니긔디 못
호여 즉시 연시의 몸을 미러 굴오디,

"싱이 잠들기를 당호여는 사름 【49】이
겻틔 이신즉 놀나와 즈디 못호느니, 그디는
괴이히 넉이디 말고 편히 즈라."

언파의 도라누어 식도록 측호여1052) 잠을
일우디 못호나, 맛춤닉 연시를 박디홀 뜻이
업셔 혼 구석의 두려호니, 이 또 연시 팔지
남달니 유복호여, 경안공쥬의 일녀로 하원
광 ᄀᆞ튼 대현 군즈를 마자, 죵신토록 부귀
복녹을 누리고 옥동화녀를 싱산호여 영화
듕쳡홀 명되(命途)라. 이러므로 녀ᄌᆞ의 팔지
식용(色容)의 달니디 아냐시믈 알디라.

인호여 구가의 머므나, 혼 일 가취디시
(可取之事) 업고 날노 광망우패(狂妄愚悖)호
기 아니밋츤 곳이 업스 【50】며, 윤부인을
항형(抗衡)호여 욕된 말노 비쇼호며 욕호기
를 마디 아니디, 윤시 스긔 단엄호며 안뫼
식식호여 희괴혼 거동을 시이블견(視而不
見)1053)호더니, 일야는 윤시 유틱디듕(有胎

연시 쾌히 의상을 그르고 요금(褥衾)1005)의
느아가니, 실셩음녜(失性淫女) 아니면 이러
치 못홀지라. 쇼년지심의 가쇼롭기를 니긔
지 못호여 일장을 쾌히 웃고, 마지 못호여
이셩(二姓)의 친(親)을 즘간 닐오미, 연시
【94】의 음참혼 거동이 군즈의 갓가이 홀
비 아니라. 초휘 아니쇼오믈 춤지 못호여
연시의 몸을 미러 왈,

"싱은 스롬이 겻히 이시면 줌을 즈지 못
호느니, 그디는 믈너 편히 즈라."

호고, 도라노[누]어 측호고1006) 눅눅호여
식도록 잠○[을] 즈지 못하나, 년시를 박디
홀 뜻이 업셔 혼 구석의 두려호니, 이 또
년시 팔지 유복호여 경안공쥬의 일녀로 하
원광 ᄀᆞ튼 되군즈를 마즈, 죵신토록 부귀복
녹을 누리고 옥동화녀를 싱산홀 명쉬(命數)
라. 니러므로 녀즈의 팔지(八字) 식용(色容)
의 달니지 아녀시믈 알지라.

닌호여 구가의 머므나, 혼 일도 가취지시
(可取之事) 업고 【95】 날노 광망우패(狂妄
愚悖)호며, 윤부인을 함혐(含嫌)호여 투긔를
낭즈히 호고, 날마다 치원각의 가, 못된 말
노 윤부인을 녹되이 비쇼호디 윤부인이 스
긔(辭氣) 단엄(端嚴)호며 안뫼 씩씩호여 희
연혼 거동을 시이블견(視而不見)1007)호더니,

1051)요금(褥衾) ; 요(褥)와 이불(衾).
1052)측하다 : 언짢다. 보기 싫다.
1053)이블견(視而不見) : ①보아도 보이지 아니함. 시
선은 대상을 향하고 있지만 마음이 딴 곳에 있어
그것이 눈에 들어오지 않음을 이른다. ②보고도
못 본체함.

1005)요금(褥衾) ; 요(褥)와 이불(衾).
1006)측하다 : 언짢다. 보기 싫다.
1007)이블견(視而不見) : ①보아도 보이지 아니함. 시
선은 대상을 향하고 있지만 마음이 딴 곳에 있어
그것이 눈에 들어오지 않음을 이른다. ②보고도
못 본체함.

之中)의 곤뇌호여 누엇더니, 홀연 연군쥐 니르러 고셩 왈,

"무위궁샤(無爲窮奢)1054)호고 슉흥야미(夙興夜寐)호미 올커늘, 혼뎡(昏定)을 파호여시나 뎡당(正堂)의셔 취팀치 아냐계시거늘, 므슴 일 이리 일죽이 드러 누엇느뇨? 초후의 드러오믈 아모리 기다려도 홍안박명(紅顔薄命)이란 말이 실노 올희여, 우리 샹공이 나의 거믄 낫과 퍼딘 허리를 됴히 넉이고, 그딕의 고온 용안과 빗난 틱도【51】를 염(厭)호니 그딕 얼골이 신상의 히를 닐위여, 맛춤닉 유복디 못호리니, 그딕 ○○[부모]는 쏠을 얼골 곱게 나하시딕, 유복호믄 우리 부모의 쏠만치 못나하시니, 하개 므슴 복으로 날을 며나리를 삼앗는고, 아모리 싱각호여도 긔특호도다."

윤시 어히업셔 무언침왜(無言寢臥)러니, 연시 광잡디셜(狂雜之說)이 긋디 아냐 윤시를 민달(妹妲) 굿다 호며, 녀후(呂后) 측텬(則天)1055) 굿다 호여 즐욕이 무궁호니, 윤부인이 날마다 이런 욕셜을 듯기 괴롭고 분호여, 침금을 믈니치고 발연이 니러나 뎡식 왈,

"쳡이 비록 부인의 부귀를 밋디 못호나 하군【52】의 조강(糟糠)이니, 부인의 도리 이딕도록 즐욕 능만호미 블가호디라. 쳡이 {딘}딘졍으로 부인의 덕을 돕고져 호느니, 쳡이 부인으로 더브러 동녈디의(同列之義)이시며, 빅년 안항(雁行)의 골육디졍(骨肉之情)이 잇고, 일퇴디샹의 혼 사룸을 셤겨, 스라시믹 엇게를 굴오고1056), 스후의 동혈(同穴)1057)호여, 신쥐(神主) 혼 탑(榻)1058)의 오로리니, 이를 싱각홀딘딕, 엇디 뎍인(敵

1054)무위궁샤(無爲窮奢): 지나치게 사치하지 않음.
1055)측텬(則天): 624-705. 당(唐)나라 고종의 황후 측천무후(則天武后). 이름 무조(武曌). 중국의 대표적인 여성권력자의 한 사람으로, 아들 중종(中宗)을 폐위하고 스스로 황위에 올라 국호를 '주(周)'로 고치고 성신황제(聖神皇帝)라 칭했다.
1056)굴오다: 가루다. 나란히 하다.
1057)동혈(同穴): 죽어서 한 무덤에 묻힘.
1058)탑(榻): 길고 좁게 만든 평상.

일야는 윤시 틱긔즁(胎氣中) 곤뇌(困惱)호여 누엇더니, 홀연 군쥐 니르러 긔용을 줏두다리고 고셩(高聲) 왈,

"부인이 슉흥야미(夙興夜寐)호여 슉야우구(夙夜憂懼)호미 올커늘, 혼졍(昏定)을 파호여시나 뎡당(正堂)의셔 취침치 아녀계시거늘, 므슨 일○[노] ○○[이리] 일죽이 누엇느뇨? 초후의 드러오믈 기드려도 홍안박명(紅顔薄命)이란 말이 실노 올흐며, 우리 상공이 나의 거믄 낫과 퍼진 허리【96】를 됴히 너기고, 그딕의 고온 용안과 빗난 틱도를 염(厭)호니, 그딕 맛춤닉 유복지 못호리라. 그딕 부모는 쏠을 얼골 곱다 호고 잘 낫다 호나, 유복호믄 우리 부모의 쏠만치 못나하시니, 하개 무슴 복으로 날을 며나리를 숨앗는고, 아모리 싱각호여도 긔특호도다."

뉸시 어히업셔 믁연이러니, 연시 광픽지셜(狂悖之說)이 씆지 아냐 윤시를 민달(妹妲) 굿다 호며, 녀후(呂后) 와 무측텬(武則天)1008) 굿다 호여 즐욕이 무궁호니, 부인이 날마다 이런 뇩셜을 듯기 괴롭고 분호여, 발연(勃然) 변식 왈,

"쳡이 비록 부인의 부귀를 밋지 못호나 하군의 됴강(糟糠)이오, 부인의 도리 이딕도【97】록 능만(凌慢)호미 블가호지라. 쳡이 부인으로 더브러 동녈지의(同列之義) 이시며 빅셰 《항안∥안항(雁行)》의 골육지졍(骨肉之情)이 이시니, 스라셔는 엇개를 굴오고1009), 죽으미 동혈(同穴)1010)호여, 신쥐(神主) 혼 탑(榻)1011)의 오르리니, 이를 싱각호면, 엇지 젹인(敵人) 두 즈를 닐ㄱ라 상한(常漢) 쳔뉴(賤流)의 징투(爭妬)호는 더러

1008)무측텬(武則天): 624-705. 당(唐)나라 고종의 황후 측천무후(則天武后). 이름 무조(武曌). 중국의 대표적인 여성권력자의 한 사람으로, 아들 중종(中宗)을 폐위하고 스스로 황위에 올라 국호를 '주(周)'로 고치고 성신황제(聖神皇帝)라 칭했다.
1009)굴오다: 가루다. 나란히 하다.
1010)동혈(同穴): 죽어서 한 무덤에 묻힘.
1011)탑(榻): 길고 좁게 만든 평상.

人) 두 주를 일크라 상한 천뉴의 질투ᄒᆞᄂᆞᆫ 더러온 힝실을 흐리오. 부인이 비록 부귀 극홀와 ᄒᆞ나, 셩힝인죽 부도의 어긔여 패악을 슝상ᄒᆞ니, 쳡이 ᄀᆞ장 이들나 이러툿 니ᄅᆞᄂᆞ【53】니, 모로미 유슌화열키를 위쥬ᄒᆞ여, 우흐로 구고의 명을 밧들고, 아리로 쳡의 말을 쳥납ᄒᆞ미 올흔디라, 쳡이 부인을 위ᄒᆞ여 가니 화평ᄒᆞᄆᆞᆯ 권ᄒᆞ미니, 엇디 그ᄃᆡ를 두려 잠잠ᄒᆞ미리오마ᄂᆞᆫ, 젼후의 부인이 쳡을 즐욕ᄒᆞ미 흔두 번이 아니오, 쏘 이ᄀᆞᆺ치 요란이 구니, 이 므슴 힝시오? 한심ᄒᆞᄆᆞᆯ 니긔디 못ᄒᆞᄂᆞ니, 나의 말을 노치 말고 삼가 조심ᄒᆞᆯ디어다."

언파의 손을 드러 연시의 나상(羅裳)을 다리여 안기를 쳥ᄒᆞ니, 연시 윤부인 말숨을 드르미, 다시 즐욕홀 말이 업고 머리를 숙여 묵묵ᄒᆞ니, 비록 토목심【54】장이나 윤부인의 츈풍화긔로 어디리 훈교ᄒᆞᄆᆞᆯ 드르미, 일단 자괴디심(自愧之心)이 니러나, 다시 말이 업ᄉᆞ니, 윤시 ᄌᆡ삼 어딘 덕셩으로 경계ᄒᆞ미, 연시 감격ᄒᆞ여 밤이 반이 된 후 침소로 도라오다.

ᄎᆞ시 초휘 희월각 흥상을 보랴다가, 치월각의셔 연시의 작난이 심ᄒᆞᄆᆞᆯ 보고, ᄀᆞ마니 합문 밋틔셔 냥인의 거동을 다 보미, 윤시를 탄복ᄒᆞᄂᆞᆫ 의식 더옥 깁고, 연시를 측히 넉이ᄂᆞᆫ ᄆᆞᄋᆞᆷ이 더옥 심ᄒᆞ여, 희월각으로 가려ᄒᆞ던 ᄆᆞᄋᆞᆷ이 업셔 외헌으로 나가니, 연시 ᄎᆞ후 윤부인 즐욕ᄒᆞᄆᆞᆯ 영영 긋쳣더라.【55】

명효(明曉)의 윤시 신셩ᄒᆞ라 드러가다가 듕당의셔 연시를 만나니, 윤시ᄂᆞᆫ ᄌᆡ젼(在前)ᄒᆞ고, 연시ᄂᆞᆫ ᄌᆡ후(在後)ᄒᆞ더라. 연시 윤부인이 몬져 가 야간ᄉᆞ를 존고긔 고ᄒᆞᆯ가 ᄒᆞ여 급급히 윤부인을 똘오니, 힝뵈 요란ᄒᆞ여 쳥시 움죽이ᄂᆞᆫ디라. 윤시 져 거동을 보고 놀나 년보를 머추니1059), 연시 호흡이 쳔툑(喘促)1060)ᄒᆞ여 슘을 길게 쉬고 니르ᄃᆡ,

---

온 힝실을 흐리오. 부인이 비록 부귀 극ᄒᆞ나 셩힝(性行)인죽 부도의 어긔여 픠악을 슝상ᄒᆞ니, 쳡이 ᄀᆞ장 이들와 니르툿 니르ᄂᆞ니, 모로미 유슌화열키를 위쥬ᄒᆞ여, 우흐로 구고의 명을 밧들고 아리로 쳡의 말을 쳥납ᄒᆞ여 힝홀지라, 쳡이 부인을 위ᄒᆞ여 가니 화평ᄒᆞᄆᆞᆯ 권【98】ᄒᆞ미니, 내 엇지 그ᄃᆡ를 두려 잠잠코 이시리오. 젼후의 부인이 쳡을 즐욕ᄒᆞ미 흔두 번이 아니오, 쏘 금일 이ᄀᆞᆺ치 구니 이 므슴 힝시뇨? 한심ᄒᆞᄆᆞᆯ 니긔지 못ᄒᆞᄂᆞ니, 나의 말을 노치 말고 삼가 조심 홀지어다."

언파의 손을 드러 년시의 나상(羅裳)을 다리여 안기를 쳥ᄒᆞ니, 년시 부인 말숨을 드르미 다시 즐욕홀 말이 업ᄂᆞᆫ지라. 머리를 숙여 묵묵ᄒᆞ니, 비록 토목심장이나 윤부인의 츈풍지화긔로 어지리 훈도ᄒᆞᆷ을 드르미, 일단 자괴지심(自愧之心)이 일러나 ᄃᆞ시 말이 업ᄉᆞ니, 윤시 ᄌᆡ삼 어진 셩힝으로 경계ᄒᆞ미, 감격ᄒᆞ여 밤이 반이 된 후 침소로【99】 도라올ᄉᆡ,

ᄎᆞ시 초휘 희월각 흥상을 보려ᄒᆞ다가, 치월각의셔 년시의 작난이 심ᄒᆞᄆᆞᆯ 보고, ᄀᆞ마니 합장 뒤히셔 냥인의 거동을 녀어 보미, 윤시의 ᄒᆞᄂᆞᆫ 말이 가히 탄복홀지라. 이의 년시를 참측이 넉이ᄂᆞᆫ ᄆᆞᄋᆞᆷ이 심ᄒᆞ여 희월각으로 가려ᄒᆞ든 ᄆᆞᄋᆞᆷ이 업셔 외헌으로 나가니, 년시 ᄎᆞ후 윤부인 즐욕ᄒᆞᄆᆞᆯ 영영 긋쳣더라.

명효(明曉)의 윤시 신셩ᄒᆞ려 드러ᄀᆞᄃᆞ가 즁각의셔 년시를 만나니, 윤시ᄂᆞᆫ ᄌᆡ젼(在前)ᄒᆞ고 년시ᄂᆞᆫ ᄌᆡ후(在後)흔지라. 년시 힝여 눈시 몬져 드러가 작야 쇼경ᄉᆞ(所經事)1012)를 존고긔 고홀가 두려, 급급히 ᄃᆞ룸주어1013) 윤시를 ᄯᅩ로니【100】 힝뵈 뇨란ᄒᆞ여 쳥시 움죽이ᄂᆞᆫ지라. 윤시 져 거동을 보고 놀나 연보를 멈츄며1014), 흔츰을 셧는지

1059)머추다 : 멈추다.
1060)쳔툑(喘促) ; 천촉(喘促). 슘을 몹시 헐떡거림.

1012)쇼경ᄉᆞ(所經事) : 겪은 바의 일.
1013)ᄃᆞ룸주다 : 달음질치다. 달음박질하다.
1014)머추다 : 멈추다.

"부인은 야간ᄉ를 구고와 상공긔 고치 마
르쇼셔."

윤부인이 심하의 더옥 우이 녀겨 잠쇼
왈,

"원간 대시 아니라. 첩은 본ᄃᆡ 암미ᄒᆞ여
앗가 일도 남이 일씌오ᄃᆡ 아니면 즉시 닛ᄂᆞᆫ
셩졍이라. ᄒᆞᄆᆞᆯ며 밤즌 일을 【56】 긔억ᄒᆞ
리오. 부인은 무익디녀(無益之慮)를 마르쇼
셔."

언파의 연시와 ᄒᆞᆫ가디로 뎡당의 드러가
니, 초휘 ᄯᅩ 삼데로 더브러 드러와 남좌녀
우(男左女右)로 분(分)ᄒᆞ니, 하공과 됴부인
이 졔ᄌᆞ(諸子) 냥부(兩婦)를 좌우의 버리고
보건ᄃᆡ, 초후와 윤시의 남풍녀뫼(男風女貌)
텬뎡일ᄃᆡ(天定一對)[1061]오, 빅셰냥필(百世良
匹)[1062]이어ᄂᆞᆯ, 조화옹(造化翁)이 흙셩구
겨[1063] 연시의 츄용누딜(醜容陋質)노뼈 윤
시의 동녈이 되미 그윽이 이들와 ᄒᆞ더라.

연시 좌우로 고면(顧眄)ᄒᆞ여 초후의 화풍
(華風)과 윤시의 월용션치(月容仙彩)를 우러
러, 큰 눈을 씀젹이고 두 아귀[1064]의 춤을
흘니며, 어즈러이 칭찬 왈,

"건곤이 일편된 됴홰, 우리 상공과 윤부
【57】이 오로디 폼슈ᄒᆞ여시니, 혈육디신
(血肉之身)이 져ᄌᆞ치 갓초 삼기실샤! 첩이
넷 말숨을 드르니, ᄌᆞ식의 츌뉴ᄒᆞᆷ믄 ᄌᆞ모의
십삭 ᄐᆡ교의 어디르미라 ᄒᆞ니, 우리 존고의
셩덕혜화(聖德惠化)로 군ᄌᆞ의 비상ᄒᆞ시믄
올커니와, 왕일(往日) 윤어ᄉᆞ 형뎨 강상대죄
인(綱常大罪人)으로 뎍거ᄒᆞᆯ 졔, 분운(紛紜)
ᄒᆞᆫ 말을 드르미, 위ㆍ뉴 ᄀᆞᆺ튼 악인이 업다
ᄒᆞ던드라. 이졔 윤부인이 뉴부인 ᄀᆞᆺ튼 악인
의 ᄐᆡ교로 져러톳 특이ᄒᆞ믄, 반ᄃᆞ시 고슈디

1061)텬뎡일ᄃᆡ(天定一對) : 하늘이 정한 한 쌍.
1062)빅셰냥필(百世良匹) : 길이 함께할 어진 배필.
1063)흙셩궂다 : 심술궂다. 남을 성가시게 하는 것을
　　좋아하거나 남이 잘못되는 것을 좋아하는 마음이
　　매우 많다.
1064)아귀 : 입아귀. 입꼬리. 입의 양쪽 구석.

라. 년시 다드라 호읍이 쳔츅(喘促)[1015]ᄒᆞ여
숨을 길게 쉬고 닐ᄋᆞᄃᆡ,

"부인은 작야ᄉᆞ를 구고와 상공게 고치 마
르쇼셔."

윤부인이 심하의 더옥 우이 녀겨 잠쇼
왈,

"원간 ᄃᆡ시 아니라. 첩은 본ᄃᆡ 암미ᄒᆞ여
앗ᄀᆞ 일도 남이 일씌오지 아니면 즉시 닛ᄂᆞᆫ
셩졍이라. 허믈며 밤즌 닐을 긔억ᄒᆞ며 존젼
과 가군게 고ᄒᆞ리오. 부인은 무익지어(無益
之語)를 마ᄅᆞ쇼셔."

언파의 년시로 뎡당의 드러가 남좌녀우
(男左女右)로 분ᄒᆞ니, 하공과 조부인이 졔ᄌᆞ
졔부(諸子諸婦)를 【101】 좌우로 버리고 보
건ᄃᆡ, 초후와 윤시의 남풍녀뫼(男風女貌) 텬
뎡일ᄃᆡ(天定一對)[1016]오, 빅셰냥필(百世良
匹)[1017]이어ᄂᆞᆯ, 조화옹(造化翁)이 흥[흙]셩구
겨[1018] 년시의 츄용누딜(醜容陋質)노뼈 윤
시의 동녈(同列)이 되미, 그윽이 이들와 ᄒᆞ
더라.

년시 좌우로 고면(顧眄)ᄒᆞ여 초후의 화풍
경운(和風慶雲)과 윤시의 월용션치(月容仙
彩)를 우러러, 큰 눈을 금젹이고 두 어[아]
귀[1019]의 춤을 어즈러이 흘니고 무슈히 칭
찬 왈,

"건곤이 일편된 됴홰 우리 상공과 윤부인
이 폼슈ᄒᆞ여시니, 혈육지신(血肉之身)이 갓
초 숨길ᄉᆡ! 첩이 녯 말숨을 드르니 ᄌᆞ식의
츌뉴ᄒᆞᆷ믄 ᄌᆞ모의 십삭 ᄐᆡ교의 더 쥬ᄉᆞ미라
ᄒᆞ니, 우리 존고의 셩덕 【102】 혜화(聖德惠
化)로 군ᄌᆞ의 비상ᄒᆞ시믄 올커니와, 왕일(往
日) 윤어ᄉᆞ 형뎨 강상대죄인(綱常大罪人)으
로 젹거ᄒᆞᆯ 졔, 분운(紛紜)ᄒᆞᆫ 풍문을 드르니,
위시 ᄀᆞᆺ츤 악인이 업다 ᄒᆞ던지라. 이졔 윤
부인이 뉴부인 ᄀᆞᆺ튼 악인의 ᄐᆡ교를[로] 져

1015)쳔특(喘促) ; 쳔촉(喘促). 숨을 몹시 헐떡거림.
1016)텬뎡일ᄃᆡ(天定一對) : 하늘이 정한 한 쌍.
1017)빅셰냥필(百世良匹) : 길이 함께할 어진 배필.
1018)흙셩궂다 : 심술궂다. 남을 성가시게 하는 것을
　　좋아하거나 남이 잘못되는 것을 좋아하는 마음이
　　매우 많다.
1019)아귀 : 입아귀. 입꼬리. 입의 양쪽 구석.

ᄌ(瞽瞍之子) 슌(舜)이 이심 ᄀᆞᆺ도소이다."

하공 부뷔 쳥파의 히연망측ᄒᆞ여, 됴부인은 환여싱(患餘生)[1065]이라, 빅ᄉ의 쥬견이 업슨 사름 ᄀᆞᆺᄐᆞ여 일즉 쇼쇼【58】디ᄉ(小小之事)의도 간예ᄒᆞ미 업ᄂᆞᆫ 고로, 추언을 드르나 묵연블어(默然不語)ᄒᆞ고, 하공이 뎡식 왈,

"식뷔(息婦) 비록 존ᄒᆞ미 황손이오, 귀ᄒᆞ미 연궁 일군쥐나, 임의 원광의 쳐실이 되니 가히 구가를 한미(寒微)타 ᄒᆞ여 긔셰로 엄누르디 못ᄒᆞ리니, 부녀의 ᄉ덕은 정뎡(貞靜)ᄒᆞ미 읏듬이라. 엇디 실업시 남의 가ᄉ의 말을 ᄒᆞ며, ᄒᆞ믈며 듸기인ᄌ(對其人子)ᄒᆞ여 그 친위(親位)예 허믈을 드노ᄒᆞ니, 만히 ᄉ덕(四德)의 유히ᄒᆞᆫ다라. 추후 근신겸공(謹愼謙恭)ᄒᆞ여 언필신ᄒᆡᆼ필찰(言必信行必察)[1066]ᄒᆞ라. 딘실노 이러틋 광망ᄒᆞᆫ ᄒᆡᆼᄉ를 바리디 아닐딘딘, 흔갓 연궁 긔셰를 니르디 말고, 금달공쥐(禁闥公主)라도 맛ᄎᆞᆷᄂᆡ 하문 사름【59】 되디 못ᄒᆞ리라."

셜파의 긔위(氣威) 싁싁ᄒᆞ여 견ᄌ로 하여곰 숑구케 ᄒᆞᄂᆞᆫ디라. 윤쇼졔 연시의 말을 드르듸, 옥뫼(玉貌) ᄌ약ᄒᆞ고 셩안(星眼)이 나죽ᄒᆞ여 못듯ᄂᆞᆫ 듯ᄒᆞ니, 구괴 시로이 이듕ᄒᆞ며 초후ᄂᆞᆫ 연·윤 냥인의 늬도ᄒᆞᆷ믈 탄식무언(歎息無言)이러라.

연시 엄구의 칙언을 듯ᄌ오믹 일단 무안ᄒᆞ미 업디 아냐 일언을 블개(不開)ᄒᆞ고, 텬동(天動)[1067]의 ᄡᅥ러진 잠퉁(蠶蟲)ᄀᆞᆺ치 두 눈을 금젹이며 고개를 쌘디오고 안ᄌᆞᆺ다가, 홀연 용심[1068]을 닉여 넓더나며[1069] 긴 부리를 닉밀고 듕듕거리며,

"현우귀쳔(賢愚貴賤)은 모로고 나의 무용

ᄀᆞᆺ치 슈츌ᄒᆞᆷ은 반ᄃᆞ시 고슈지ᄌ(瞽瞍之子) 슌(舜)이 이심 ᄀᆞᆺ도소이다."

하공 부뷔 쳥파의 히연망측ᄒᆞ여, 조부인은 화란여싱(禍亂餘生)[1020]이라, 빅ᄉ의 쥬견이 업슨 ᄉ람 ᄀᆞᆺᄐᆞ여 일즉 쇼쇼지ᄉ(小小之事)의도 간예ᄒᆞ미 업ᄂᆞᆫ 고로, 추언을 드르나 묵연블어(默然不語)ᄒᆞ고, 하공이 뎡식 왈,

"식뷔(息婦) 비록 존ᄒᆞ미 황손이오, 귀ᄒᆞ미 연궁 일군【103】쥐나, 임의 원광의 쳐실이 되니, 가히 구가를 한미(寒微)타 ᄒᆞ여 긔셰로 업누르지 못ᄒᆞ리니, 부녀의 ᄉ덕은 정졍(貞靜)ᄒᆞ미 읏듬이라. 엇지 실업시 남의 가ᄉ의 일으랑 ᄒᆞ며, 허믈며 듸기인ᄌ(對其人子)ᄒᆞ여 그 친당(親堂)의 허믈을 드노리오. 이 ᄉ덕(四德)의 유히ᄒᆞᆫ지라. 추후 근신겸공(謹愼謙恭)ᄒᆞ여 언필찰ᄒᆡᆼ독경(言必察行篤敬)[1021]ᄒᆞ라. 진실노 니럿틋 광망ᄒᆞᆫ ᄒᆡᆼᄉ를 바리지 아닐딘딘, 흔갓 연궁 긔셰를 니ᄅᆞ지 말고 금달공쥐(禁闥公主)라도 맛ᄎᆞᆷᄂᆡ 하문 ᄉ람이 되지 못ᄒᆞ리라."

긔위(氣威) 씩씩ᄒᆞ니 견ᄌ로 ᄒᆞ여금 숑구케 ᄒᆞᄂᆞᆫ지라. 윤시 년시의 말【104】을 드르듸 옥뫼(玉貌) ᄌ약ᄒᆞ고 셩안(星眼)이 ᄂᆞ작ᄒᆞ여 못 듯ᄂᆞᆫ 듯ᄒᆞ니, 구괴 시로이 ᄉ랑ᄒᆞ고, 초후ᄂᆞᆫ 윤·년 냥인의 늬도ᄒᆞᆷ믈 탄식무언(歎息無言)이러라.

연시 엄구의 칙언을 드ᄅᆞ믹, 일단 무안ᄒᆞ미 업지 아냐 일언을 못ᄒᆞ고, 오직 용심[1022]을 닉여 닐쎠나며[1023] 긴 부리를 닉밀고 듕듕거리고 희월각으로 도라가며, 닐오듸,

"엄귀 ᄉ람의 현우귀쳔(賢愚貴賤)을 모로고 나의 무용(無容)[1024]을 나모라고, 윤시만

1065)환여싱(患餘生) : 환란여생(患亂餘生). 온갖 환란을 겪고 살아남은 목숨.
1066)언필신ᄒᆡᆼ필찰(言必信行必察) : 말은 신용이 있어야 하고, 행동은 살펴 잘못이 없게 하여야 한다.
1067)텬동(天動) : '천동'의 원말.
1068)용심 : 남을 시기하는 심술궂은 마음.
1069)넓더나다 : 들입다 일어나다. 벌떡 일어나다. * 넓더; 들입다. 세차게 마구.

1020)화란여싱(禍亂患餘生) : 환란여생(患亂餘生). 온갖 환란을 겪고 살아남은 목숨.
1021)언필찰ᄒᆡᆼ독경(言必察行篤敬) : 말은 반드시 살펴서 하고, 행실은 성실하고 공손해야 한다.
1022)용심 : 남을 시기하는 심술궂은 마음.
1023)넓더나다 : 들입다 일어나다. 벌떡 일어나다. * 넓더; 들입다. 세차게 마구.

(無容)1070)만 나므라 윤시만치 못녁이니 엇디 통원치 아니리오. 상담(常談)1071)의 【60】 '싀집스리 고공(雇工)스리라'1072) ᄒ니 과연 올토다. 이후는 아모리 ᄒ여도 아른 체 말고 구시나1073) 보리라.

셜파의 크게 거러 도라가니, 삼공즈는 으쇼디심(兒小之心)이라 낭쇼(朗笑)ᄒ기를 마디 아니코, 됴부인이 미쇼ᄒ며 탄 왈,

"우리의 팔지 스오나와 일죽 옥슈신월(玉樹新月) ᄀᆺ튼 슉완을 어더 원이 죡ᄒ미 다시 바라미 업더니, 괴이ᄒ 녀지 드러와 심우(心憂)를 씻치니 스스의 괴이치 아니리오."

하공이 침음 블쾌ᄒ여 묵묵무언하니, 초휘 부모의 즐기디 아니시믈 민망ᄒ여, 이셩화긔(怡聲和氣)로 웃고 쥬왈,

"대인과 즈위는 남다르신 상명디탄(喪明之嘆)1074)의 셩심(聖心)이 슈약(瘦弱)ᄒ샤 이만 젹은 일의다 【61】 셩녀를 허비ᄒ시니, 엇디 히ᄋ의 우민ᄒ미 덕으리잇고? 져 연시 비록 블초 무상ᄒ오나, 맛ᄎᆷᄂᆡ 녀무미달(呂武妹妲)1075)의 악착 간교ᄒᆷ믄 업스오니, 문호의 화란을 비져ᄂᆡ디 아닐 인믈이라. 스스로 져의 힝신이 남의게 우임을 바들 ᄯᆞ름이오니 복원 대인과 즈위는 그 무힝무례

1070)무용(無容) : 무염(無艶). 아름답지 못함.
1071)상담(常談) : 상스러운 말.
1072)싀집스리 고공스리라 : 시집살이가 머슴살이나 같다는 말. 며느리가 시집의 가족 구성원으로서 집안일에 참여하지 못하고 소외되는 현실을 비꼰 말.
1073)구시나 : 굿이나. *굿 : 무속의 종교 제의. 무당이 음식을 차려 놓고 노래를 하고 춤을 추며 귀신에게 인간의 길흉화복을 조절하여 달라고 비는 의식이다. ②구경거리.
1074)상명디탄(喪明之嘆) : 아들을 잃은 탄식. 옛날 중국의 자하(子夏)가 아들을 잃고 슬피 운 끝에 눈이 멀었다는 데서 유래한다
1075)녀무미달(呂武妹妲) : 중국의 대표적인 여성권력자인 한(漢)나라 고조(高祖)의 황후 여후(呂后)와 당(唐)나라 고종의 황후 측천무후(則天武后), 그리고 중국의 대표적인 악녀(惡女)들인 하(夏)나라 걸(桀)의 비(妃)인 매희(妹喜)와 주(周)나라 주(紂)의 비(妃) 달기(妲己), 이 4인을 함께 이르는 말.

치 못녁이니 엇지 통원치 아니리오. 상담(常談)1025)의 '싀집스리가 고공스리와 ᄀᆺ다'1026) ᄒ더니, 과연 ○[올]토다. 이후는 아모리 ᄒ여도 아른 체 말고 구시나1027) 보리라.

셜파의 크게 거【105】러 도라가니, 조부인이 미쇼 탄 왈,

"우리의 팔지 스오나와 일죽 옥슈신월(玉樹新月) ᄀᆺ튼 졔즈를 참망ᄒ고, 원광을 길너 윤헌부 ᄀᆺ튼 슉녀을 짝ᄒ미, 원이 죡ᄒ여 다시 바라지 아니터니, 고이ᄒ 녀지 드러와 심(心憂)우를 깃치니, 스스의 고이치 아니리오."

하공이 역시 블쾌ᄒ여 묵묵무언하니, 초휘 부모의 블열ᄒ시믈 민망ᄒ여, 이셩화긔(怡聲和氣)로 쥬왈,

"딕인과 즈위는 이만 져근 일의다 셩녀를 허비ᄒ시니, 히ᄋ의 우민ᄒ미 엇지 젹스오리잇가? 져 년시 슈불쵸(雖不肖)나 맛ᄎᆞᆷᄂᆡ 《녀후 ‖ 녀무》미달(呂武妹妲)1028)의 뉴는 아니오니, 문호의 큰 화란 【106】은 비져ᄂᆡ지 아닐지라. 복원 딕인은 믈우ᄒ쇼셔."

1024)무용(無容) : 무염(無艶). 아름답지 못함.
1025)상담(常談) : 상스러운 말.
1026)싀집스리 고공스리 ᄀᆺ다 : 시집살이가 머슴살이나 같다는 말. 며느리가 시집의 가족 구성원으로서 집안일에 참여하지 못하고 소외되는 현실을 비꼰 말.
1027)구시나 : 굿이나. *굿; ①무속의 종교 제의. 무당이 음식을 차려 놓고 노래를 하고 춤을 추며 귀신에게 인간의 길흉화복을 조절하여 달라고 비는 의식이다. ②구경거리.
1028)녀무미달(呂武妹妲) : 중국의 대표적인 여성권력자인 한(漢)나라 고조(高祖)의 황후 여후(呂后)와 당(唐)나라 고종의 황후 측천무후(則天武后), 그리고 중국의 대표적인 악녀(惡女)들인 하(夏)나라 걸(桀)의 비(妃)인 매희(妹喜)와 주(周)나라 주(紂)의 비(妃) 달기(妲己), 이 4인을 함께 이르는 말.

흐믈 죡가치 마르쇼셔."

하공 부뷔 ᄋᄌ의 하히 ᄀᆺᄐ 녁냥을 긔특
이 녁여 굴오ᄃᆡ,

"오ᄋᆞ를[ᄂᆞᆫ] 갈ᄉᆞ록 졔가의[를] 화평○
[이]ᄒᆞ여, 블미ᄒᆞᆫ 여ᄌᆞ를 잘 거ᄂᆞ리라."

초휘 ᄇᆡ샤 슈명ᄒᆞ더라.

ᄎᆞ후 연시 감히 윤부인긔 젼ᄀᆺᄎᆞ 블슌치
못ᄒᆞ여, 그런 욕셜과 광언망셜을【62】ᄀᆞᆺ
쳐시나, 일업시 너른 당샤로 두로 돌며 아
니 아른쳬ᄒᆞᄂᆞᆫ 일이 업ᄉᆞ니, ᄎᆞ환(叉鬟)1076)
복부(僕夫)1077)와 쇼장(少臧)1078) 미확(美
獲)1079)의 노름노리1080)의 다 아른쳬ᄒᆞ여
브ᄃᆡ치니, 그 위인의 취신ᄒᆞᆯ 거시 업셔, 어
린 시녀와 쇼장 미확의 무리 셔로 쫄와 ᄃᆞᆫ
니며 졔 벗만 녁이니, 하공 부부와 초후 등
이 ᄉᆞᄉᆞ의 괴괴ᄒᆞᆷ믈 니긔디 못더라.

하공 부뷔 ᄋᄌ(兒子)의 공번되고 관홍ᄒᆞ
믈 두긋겨 다시 근심치 아니ᄃᆡ, 쇼흠ᄉᆞ(所
欠事)1081)ᄂᆞᆫ 쳔금녀셔(千金女婿)의 뎍거(謫
居)와 녀ᄋᆞ의 별츈졍 등의 망명폐륜디인(亡
命廢倫之人)1082)으로 ᄌᆞ쳐기죄(自處己
罪)1083)ᄒᆞ여 심당(深堂)의 깁히 슘어시믈
슬허ᄒᆞ더라.

ᄎᆞ셜 뎡부의셔 슌태부인이 윤·양·니
【63】삼부를 쩌나므로브터, 일야(日
夜)1084)의 우심(憂心)이 간졀ᄒᆞᆫ 가온ᄃᆡ, 손
녀 부부의 뎍디(謫地) 고초를 과도히 우려
ᄒᆞ더니, 경쇼졔 입문(入門)ᄒᆞ미, 이 믄득 잠

1076)ᄎᆞ환(叉鬟) : 주인을 가까이에서 모시는 젊은
　　계집종.
1077)복부(僕夫) : 종으로 부리는 남자.
1078)쇼장(少臧) : 젊은 사내종. 장(臧); 사내 종. 노
　　(奴)를 욕해서 이르는 말.
1079)미확(美獲) : 얼굴이 예쁜 여자종. 획(獲) : 여
　　자종. 비(婢)를 욕해서 이르는 말.
1080)노름노리 : 놀음놀이. ①여러 사람이 모여서 즐
　　겁게 노는 일. 또는 그런 활동. ②굿, 풍물, 인형극
　　따위의 우리나라 전통적인 연희를 통틀어 이르는
　　말.
1081)쇼흠ᄉᆞ(所欠事) : 아쉬운 일. 안타까운 일.
1082)망명폐륜디인(亡命廢倫之人) : 몸을 피해 부부
　　의 윤의(倫義)를 끊은 사람.
1083)ᄌᆞ쳐기죄(自處己罪) : 자신을 죄인으로 자처함.
1084)일야(日夜) : 밤낮.

하공부뷔 ᄋᄌ의 하히지량(河海之量)을
두긋겨 왈,

"오ᄋᆞᄂᆞᆫ 다만 규닉(閨內)를 공평이 ᄒᆞ여
분운(紛紜)ᄒᆞ미 업게 ᄒᆞ라."

초휘 ᄇᆡ샤 슈명ᄒᆞ더라.

ᄎᆞ셜 뎡병부 부즁의셔 윤·양·이 등을
닐흐나, 경쇼졔 납문지초의 범졀이 윤·양
의 ᄂᆞ리지 아니니, 존당이 일노뻐 위로ᄒᆞ미
되엿더라. 병뷔 비록 즁늉(重隆)ᄒᆞᆯ 호긔(豪
氣) 업스나, ᄌᆞ연 슉녀의 ᄌᆞ미(姿美) 운치
(韻致)를 닛지 못ᄒᆞ여, 션화졍의 ᄌᆞ최 빈빈
ᄒᆞ니, 문양이 예븐(恚憤) 졀치(切齒)ᄒᆞ여 경
시를 시긕의 셔릇지 못ᄒᆞᆷ믈 한ᄒᆞ나, 합문
【107】의 기리믈 요구ᄒᆞ므로, 눈을 ᄂᆞᆺ초고
닙을 쥬리나, 쳥안(靑眼)1029)의 니검(利劍)
을 장(藏)ᄒᆞ여 ᄲᅵ를 녀으니, 존당 구괴 그
괴식을 알고 그윽히 경쇼져를 위ᄒᆞ여 우려
ᄒᆞ믈 마지 아니ᄒᆞ더니, 니러구러 여러 ᄃᆞᆯ이
되여, 김귀비 경시의 닙현구고(入見舅姑)ᄒᆞ
믈 듯고, 딕로증분(大怒憎憤)ᄒᆞ여 신묘랑으
로 상의ᄒᆞ니, 묘랑이 일계를 드린ᄃᆡ, 귀비
디희ᄒᆞ여 가만니 문양의게 통ᄒᆞ니, 공쥐 희

1029)쳥안(靑眼) : 좋은 마음으로 남을 보는 눈.

영거족(簪纓巨族)의　뇨됴슉녀(窈窕淑女)로 식덕(色德)의 가죽ᄒ미 윤·양 등의 나리디 아니ᄒ니, 존당 구괴 블힝ᄒᆫ 가온디나 일노 뼈 위로ᄒ미 되고, 평남휘 ᄯᅩ한 젼일 풍뉴 호기(風流豪氣) 업스나, 됴샤(朝事) 여가의 ᄂ 즈연 슉녀의 현미ᄒᆷᄆᆯ 닛기 어려워 션화 졍의 즈쵀 빈빈ᄒ니, 문양공쥐 대로(大怒) 졀티(切齒)ᄒ여 경쇼져를 시긱의 셔룻디 못 ᄒᆞᆷᄆᆯ 한ᄒ니, 비록 존당 합문의 예셩(譽聲)을　요구ᄒ여　듕목(衆目)　소시(所視)의 톱1085)을 곰초고 엄1086)을 주리혀나, 쳥 【64】 안(靑眼)1087)의 니검(利劍)을 쟝(藏) ᄒ고, 일단 《아연 ‖ 이연(藹然)1088)》ᄒᆫ 화 긔로 겸손ᄒᄂᆫ 덕을 낫토아, 경쇼져 ᄉᆞ랑ᄒ 미 골육즈미 ᄀᆞᆺ고, 운영과 구창 ᄀᆞᆺᄐᆫ 뉴라 도 흔연 관졉(款接)ᄒ니, 합문의 예셩이 가 득ᄒ다라.

공쥐 이ᄀᆞᆺ치 은악양션(隱惡佯善)ᄒ니, 범 틱육안(凡胎肉眼)1089)은 속으려니와, 식즈 (識者)와 텰인(哲人)이 엇디 그 구밀복검(口 蜜腹劍)을 아디 못ᄒ리오. 존당 구괴 크게 근심 되이 넉이고, 평남휘 경쇼져를 위ᄒ여 그윽ᄒᆫ 념녜 방하치 못ᄒ더니, 이러틋 ᄒ여 즈연이 여러 둘이 되니, 힝혀 경시를 졀졔 (切除)치 못ᄒᆞᆯ가 초황졀민(焦惶切憫)ᄒ여, 능히 밥먹디 못ᄒ고 잠즈디 못ᄒ니, 최녀 흉인으로 더브러 궁모곡계(窮謀曲計) 아니 【65】 밋츤 곳이 업ᄂ다라.

김귀비 ᄯᅩᄒᆫ 경시 입현구문(入見舅 門)1090)ᄒᄆᆯ 듯고, 대경대로(大慶大怒)ᄒ여 신묘랑으로 샹의ᄒ니, 묘랑이 ᄒᆫ 계교를 가 ᄅ치니, 귀비 대희ᄒ여 가마니 문양궁의 긔 별ᄒ니, 공쥐 대열ᄒ여 슈일 후 뎡부의 나 아가 문안ᄒ고, 나죽이 구고긔 고왈,

"쳡이 직작(再昨)1091)의 궐듕 소식을 듯

열ᄒ여 슈일 후 뎡부의 ᄂ아가 문안ᄒ고, 나죽이 구고긔 고왈,

"쳡이 지작일(再昨日)1030) 궐듕으로 죷ᄎ ○…결락12자…○[소식을　듯ᄌ오니　모비 낭낭이] 여ᄎ여ᄎ 병휘 미류ᄒ시다 ᄒ오니, 즈식의 도리 가히 문후【108】ᄒ올지라. 감 히 즈젼(自專)치 못ᄒ와 존당의 고ᄒᄂ이 다."

1085)톱 : 손톱과 발톱을 통틀어 이르는 말.
1086)엄 : 어금니.
1087)쳥안(靑眼) : 좋은 마음으로 남을 보는 눈.
1088)이연(藹然) : 화기롭고 온화함.
1089)범틱육안(凡胎肉眼) : 평범한 사람의 맨눈.
1090)입현구문(入見舅門) : 신부가 시집에 들어와 시집 가족들에게 처음 뵙는 예(禮)를 행함.

1030)지작일(再昨日) : 엊그제.

즈오니, 모비 낭낭이 외구의 년좌로 심궁의 폐치(廢置)ᄒ샤, 과도히 비회ᄒ시므로 병휘 미류ᄒ시다 ᄒ오니, 문후코져 ᄒ오ᄃᆡ 감히 즈젼(自專)치 못ᄒ와 존당 구고긔 감품(敢稟)ᄒᄂᆞ이다."

존당 구괴 흔연 쾌허 왈,

"낭낭 병휘 여ᄎᆞᄒ시면 옥쥐 엇디 믈너 이시리잇고?"【66】

공쥐 ᄇᆡ사ᄒ고 궁ᄋᆞ(宮娥)[1092]로 외헌의 픔쳐(稟處)ᄒ니 남휘 허ᄒᄂᆞ더라. 공쥐 깃거, 즉시 치거금뉸(彩車金輪)을 ᄀᆞ초아 이 날 입궐ᄒ니, 아디못게라, 일노좃ᄎ 경쇼져의 화ᅀᆡᆨ이 어나곳의 밋츤고. 하회(下回)를 분석ᄒ라.

공쥐 입궐ᄒ니 귀비 녀ᄋᆞ를 보고 반기며 ᄉᆞ랑ᄒᆞ믈 니긔디 못ᄒ여, 평남후의 ᄇᆞᆨ ᄃᆡ를 닐너 원입골슈(怨入骨髓)ᄒ니, 경시를 졀졔ᄒ미 힝혀 시긱이 더딜가 근심ᄒ더라

공쥐 ᄃᆡ후긔 됴현(朝見)ᄒ오니, 샹과 휘 ᄯᅩ흔 반기시며 ᄉᆞ랑ᄒ샤, 황후낭낭은 ᄉᆡ로이 부덕을 경계ᄒ시고, 공쥬를 무ᄋᆡ(撫愛)ᄒ샤미 친ᄉᆡᆼ 공쥬와 다르미 업샤【67】시니, 공쥐 셩은을 ᄇᆡ샤ᄒ고 이 날 츌궁치 아니코 물너와 븍궁의셔 귀비를 뫼셔 슉침ᄒᆞᆯᄉᆡ, 초야의 신묘랑이 취운산 뎡부의 드러가 경쇼져를 착ᄂᆡ(捉來)ᄒᆞᆯᄉᆡ, 초시 경쇼졔 존당 구고긔 혼뎡디녜(昏定之禮)를 파ᄒ고, 션화졍의 도라와 단장을 그르고, 단의홍군(單衣紅裙)으로 ᄉᆞ창(紗窓)의 의디ᄒᆞ여 스ᄉᆞ로 호ᄉᆞ난녜(胡思亂慮)[1093] 빅츌ᄒ니, ᄠᅢ 뎡히 시당초하(時當初夏)[1094]라 일긔 쳐음으로 훈염(薰炎)ᄒ니, 곳다이 묽은 경믈의 혜풍(蕙風)이 한가ᄒ고, 초ᄉᆡᆼ미월(初生微月)[1095]이

구괴 쾌허 왈,

"낭낭의 병휘 여ᄎᆞᄒ시면 옥쥐 엇지 믈너 이시리오."

공쥐 ᄇᆡ스ᄒ고 궁ᄋᆞ(宮娥)[1031]로 평후게 픔(稟)ᄒ니, 부미 역시 허ᄒᄂᆞᆫ지라. 공쥐 즉시 닙궐ᄒ니, 귀비 녀ᄋᆞ를 보고 반겨ᄒ고, 부모의 은이 헐ᄒᆞ믈 닐너, 원닙골슈(怨入骨髓)ᄒ더라

공쥐 이의 ᄃᆡ후긔 됴현(朝見)ᄒ오니, ᄃᆡ휘 반기《ᄉᆡ시며》 황후는 ᄉᆡ로이 부덕을 경계ᄒ시고, 무이(撫愛)ᄒ시미 친ᄉᆡᆼ(親生)으로 간격지 아니ᄒ시니, 공쥐 셩은을 ᄇᆡ스ᄒ고, 이 날 븍궁의셔 귀비를 뫼셔 슉침ᄒᆞᆯᄉᆡ, 초야의 묘랑이 취【109】운산 뎡부의 드러가 경쇼져를 착ᄂᆡ(捉來)ᄒᆞᆯᄉᆡ, 경쇼졔 존당 구고게 혼졍지녜(昏定之禮)를 파ᄒ고, 션화졍의 도라와 단장을 그르고 단의홍군(單衣紅裙)으로 ᄉᆞ창(紗窓)을 의지ᄒ여 스ᄉᆞ로 호ᄉᆞ난예(胡思亂慮)[1032] 빅츌ᄒ니, 졍히 시당초하(時當初夏)[1033]라. 일긔 쳐음으로 훈열(薰熱)ᄒ니, 곳다이 묽은 경믈의 혜풍(蕙風)이 한가ᄒ고, 초ᄉᆡᆼ미월(初生微月)[1034]이 몽농ᄒᆞᄃᆡ, 만니은하(萬里銀河)의 일졈(一點) 편운(片雲)이 업고 텬긔 화창ᄒ니, 계젼(階

1091)ᄌᆡ작(再昨) : 엊그제.

1092)궁ᄋᆞ(宮娥) : 나인. 고려·조선 시대에, 궁궐 안에서 왕과 왕비를 가까이 모시는 내명부를 통틀어 이르던 말. 엄한 규칙이 있어 환관(宦官) 이외의 남자와 절대로 접촉하지 못하며, 평생을 수절하여야만 하였다

1093)호ᄉᆞ난녜(胡思亂慮) : =호사난상(胡事亂想). 이런저런 잡생각을 함. 허튼 생각을 하다.

1094)시당초하(時當初夏) : 때는 초여름이다.

1095)초ᄉᆡᆼ미월(初生微月) : 가늘게 빛나는 초승달.

1031)궁ᄋᆞ(宮娥) : 나인. 고려·조선 시대에, 궁궐 안에서 왕과 왕비를 가까이 모시는 내명부를 통틀어 이르던 말. 엄한 규칙이 있어 환관(宦官) 이외의 남자와 절대로 접촉하지 못하며, 평생을 수절하여야만 하였다

1032)호ᄉᆞ난예(胡思亂慮) : =호사난상(胡事亂想). 이런저런 잡생각을 함. 허튼 생각을 하다.

1033)시당초하(時當初夏) : 때는 초여름이다.

1034)초ᄉᆡᆼ미월(初生微月) : 가늘게 빛나는 초승달.

몽농흔디, 만니은하(萬里銀河)의 일졈(一點) 편운(片雲)이 업고 텬긔 화창ᄒᆞ니, 계젼(階前) 님하(林下)의 느즌 화향(花香)은 향긔를 【68】 낫토아1096) ᄌᆞ랑ᄒᆞ고, 옥분(玉盆)의 계화(桂花)는 가디마다 춤추니, 경시 홀연 유ᄌᆞ(乳子)의 교연슈발(嬌然秀拔)ᄒᆞ믈 싱각고 심회 비월(飛越)ᄒᆞ믈 씌ᄃᆞᆺ디 못ᄒᆞ여, 희허(唏嘘) 탄식 왈,

"ᄋᆞ지(兒子) 강보유치(襁褓幼稚)니, 출하리 압히셔 죽어 져의 빙ᄌᆞ옥골(氷姿玉骨)을 디듕(地中)의 댱(葬)ᄒᆞ여시면, 오년(吾年)이 쳥춘이오, ᄉᆞ이이의(事而已矣)라, 현마 엇디 ᄒᆞ리오마는, 이는 그러치 아냐, 무인모야(無人暮夜)의 무고히 실산(失散)ᄒᆞ미 ᄀᆞ장 이상흔 변괴라. 요악흔 뉘 술오려 ᄒᆞ면 어이 잡아가시리오. 강보유ᄋᆞ의 창승(蒼蠅) ᄀᆞᆺ튼 목숨이 죽으믄 뭇디 아녀 알녀니와, 텬하 ᄉᆞ셔인(士庶人)이 뉘아니 ᄌᆞ식을 죽여 녁니디탄(逆理之嘆)1097)과 단장디곡(斷腸之哭)1098)이 업스 【69】 리오마는, 뎡군의 네 낫 ᄌᆞ녀 일홈 ᄀᆞᆺ튼 변고는 업는디라. 츄연ᄌᆞᄎᆞ(惆然咨嗟)ᄒᆞ여 비회를 관억(寬抑)디 못ᄒᆞ여 옥뉘(玉淚) 상연(傷然)ᄒᆞ더라. ᄯᅩ흔 총명이 여신(如神)흔 고로, 문양공쥐 결단코 현인이 아니니 ᄌᆞ긔 맛춤ᄂᆡ 무ᄉᆞ키를 바라디 못ᄒᆞᆯ디라. 연즉 윤·양 냥부인의 참화를 당흘진디, 쳥춘홍안이 독슈의 맛춤도 슬프거니와, 부모의 쳔금일녀로 블회막대(不孝莫大)ᄒᆞᆯ 바를 싱각ᄒᆞ미, 숑구ᄒᆞ믈 니긔디 못ᄒᆞ여, 스스로 심회 악연(愕然)ᄒᆞ여 머리를 숙이고 뎡히 우민(憂悶)ᄒᆞ더라. 【70】

前) 님하(林下)의 느즌 화힝(花香)은 향긔를 《낫초아1035)‖낫토아1036)》 ᄌᆞ랑ᄒᆞ고, 옥분(玉盆)의 계화(桂花)는 가지마다 춤을 추니, 경시 홀연 ᄋᆞᄌᆞ의 교연슈발(嬌然秀拔)ᄒᆞ믈 싱각고, 심회 비열(悲咽)ᄒᆞ믈 씌ᄃᆞᆺ지 못ᄒᆞ여, 희허 탄식 왈,

"ᄋᆞ지(兒子) 강【110】보유치(襁褓幼稚)니, 출하리 앏히셔 죽어 져의 빙ᄌᆞ옥골(氷姿玉骨)을 디즁(地中)의 장(葬)ᄒᆞ엿시면, 오년(吾年)이 쳥츈이오, ᄉᆞ이이의(事而已矣)라, 현마 엇지 ᄒᆞ리오마는, 이는 그러치 아냐, 모[무]인모야(無人暮夜)의 무고히 실산(失散)ᄒᆞ미 ᄀᆞ장 이상흔 변괴라. 뇨악흔 뉘 술오려 ᄒᆞ면 어이 잡아갓시리오. 강뵈유ᄋᆞ(襁褓乳兒) 창승 ᄀᆞᆺ튼 목숨이 죽으믄 뭇지 아녀 알녀니와, 텬하 ᄉᆞ셔인(士庶人)이 뉘 아니 ᄌᆞ식을 죽여 《넘니‖녁니》지탄(逆理之嘆)1037)과 단장지곡(斷腸之哭)1038)이 업스리오마는, 뎡군의 네 낫 ᄌᆞ녀 일홈 《ᄀᆞ티‖ᄀᆞᆺ튼》 변고는 업는지라. 츄연ᄌᆞᄎᆞ(惆然咨嗟)ᄒᆞ여 비회롤 관억(寬抑)지 못ᄒᆞ여, 옥뉘(玉淚) 상연(傷然)ᄒᆞ지라. ᄯᅩ흔 총명이 여신(如神)흔 고로, 문양공쥐 결단코【111】현인이 아니니, ᄌᆞ긔 맛춤ᄂᆡ 무ᄉᆞ키롤 바라지 못ᄒᆞᆯ지라. 연즉 윤·양 냥부인의 참화롤 당흘진디, 쳥츈홍안이 독슈의 맛춤도 슬프거니와, 부모의 쳔금일녀로 블회막딕(不孝莫大)ᄒᆞᆯ 바를 싱각ᄒᆞ미, 숑구ᄒᆞ믈 니긔지 못ᄒᆞ여, 스스로 심회 악연(愕然)ᄒᆞ여 머리를 숙이고 뎡히 우민ᄒᆞ더니,

---

1096)낫토다 : 나타내다.
1097)녁니디탄(逆理之嘆) : 순리(順理)를 거스르는 일을 탄식한다는 말로, 자식을 잃은 부모의 슬픔을 말함.
1098)단장디곡(斷腸之哭) : 창자가 끊어지는 듯한 처절한 울음.

1035)낫초다 : 낮추다.
1036)낫토다 : 나타내다.
1037)녁니지탄(逆理之嘆) : 순리(順理)를 거스르는 일을 탄식한다는 말로, 자식을 잃은 부모의 슬픔을 말함.
1038)단장지곡(斷腸之哭) : 창자가 끊어지는 듯한 처절한 울음.

익셜 경쇼졔 심시 악연(愕然) 상비(傷悲)
ᄒ고 숑구ᄒ믈 니긔디 못ᄒ여, 스스로 심회
초창ᄒ여 머리를 숙이고 뎡히 우민ᄒ더니,
믄득 셔남 다히1099)로셔 괴이ᄒᆫ 긔운이 니
러나며, 비린 바룸과 음운(陰雲)이 스긔(四
起)ᄒ여 당듕으로 향ᄒ니, 쇼져와 모든 복
쳡이 놀나 급히 피고져 ᄒ더니, 음풍 스이
로셔 나는 범이 날개를 버리고 햇불 ᄀᆞᆺ튼
두 눈을 브릅ᄯᅳ고 다라드니, 쇼져 비쥬(婢
主) 혼블부톄(魂不附體)1100) ᄒ여 아모리
ᄒᆞᆯ 줄 모로더니, 그 호표(虎豹)【1】 다라
드러 쇼져를 활착(活捉)ᄒ여 공듕으로 치다
르니, 유ᄋ(幼兒) 복쳡(僕妾)1101)이 일시의
가슴을 치고 니다라 보니, 범이 ᄒᆞᆫ번 나라
공듕의 오르미 슌식의 거체 업ᄉᆞᆫ디라.

졔녜 홀일업셔 뎡당의 알외니, 금휘 대경
ᄒ여 졔ᄌ를 거나려 션화졍의 니르러 보니
경쇼져의 그림ᄌ도 업ᄂᆞᆫ디라. 이러구러 가
듕이 딘경ᄒ여 금휘 댱탄 왈,

"경시로 ᄒ여금 이 변을 보게ᄒᆞᆷ은 나의
블명ᄒᆞ미라. 경공이 처음브터 윤·양의 화
변을 알고 기녀를 아니 보니려 ᄒᆞᄂᆞᆫ 거슬,
내 다려와 이 변을 만나니, 인심의 참연ᄒᆞ
믄 니르도【2】 말고, 우리 부ᄌ 경공을 보
고 므어시라 ᄒ리오."

녜부 등이 부교(父敎)를 듯ᄌᆞᆸ고 묵묵 초
악ᄒ여 면면상고(面面相顧)ᄒ며, 남후는 어
히업셔 삼쳐와 네 ᄌ식을 금옥(金玉)도
장1102) 가온ᄃᆡ셔 공연이 일타ᄒᆞ미 블가ᄉᆞ문
어타인(不可使聞於他人)이라. 역시 묵묵무언
이러니, 부교를 듯ᄌᆞᆸ고 날호여 고왈,

"오가(吾家) 가변은 실노 괴이ᄒ이다. 호

믄득 셔남 다히1039)로셔 괴이ᄒᆫ 긔운이 니
러나며, 비린 바룸과 음운(陰雲)이 스긔(四
起)ᄒ여 당듕으로 향ᄒ니, 쇼져와 모든 복
쳡이 놀나 급히 피코ᄌ ᄒ더니, 음풍 스이
로셔 나는 범이 날개를 버리고 홰불 ᄀᆞᆺ튼
두 눈을 브릅ᄯᅳ고 다라드니, 쇼져 비쥬 혼
블【112】부톄(魂不附體)1040) ᄒ여 아모리
ᄒᆞᆯ 줄을 모로더니, 그 호픠[표](虎豹) ᄃᆞ라
드러 쇼져를 활착(活捉)ᄒ여 공즁으로 치다
르니, 유ᄋ(幼兒) 복쳡(僕妾)1041)이 일시의
ᄀᆞ슴을 치고 니다라 보니, 범이 ᄒᆞᆫ번 나라
공즁의 오르미 슌식의 거체 업ᄂᆞᆫ지라.

졔녜 홀일업셔 뎡당의 알외니, 금휘 대경
ᄒ여 졔ᄌ를 거나려 션화졍의 니르러 보니,
경쇼져의 그림ᄌ도 업ᄂᆞᆫ지라. 이러구러 가
즁이 진경ᄒ여, 금휘 장탄 왈,

"경시로 ᄒ여금 이 변을 보게ᄒᆞᆫ 나의
블명ᄒᆞ미라. 경공이 쳐음브터 윤·양의 춤
변을 알고 기녀를 아니 보니려 ᄒᆞᄂᆞᆫ 거슬,
내 다려와 이 변을 만나니 인심【113】의
참연ᄒᆞᆷ믄 니르도 말고, 우리 부ᄌ 경공을
보고 무어시라 ᄒ리오."

녜부등이 부교(父敎)를 듯ᄌᆞᆸ고 묵묵 초악
ᄒ여 면면상고(面面相顧)ᄒ며, 부마는 어히
업셔 숨쳐와 네 ᄌ식을 금옥(金玉)도장1042)
ᄀᆞ온ᄃᆡ셔 공연이 일타ᄒᆞ미 블가ᄉᆞ문어타인
(不可使聞於他人)이라. 역시 묵묵무언이러니
부교를 듯ᄌᆞᆸ고 날호여 고왈,

"오가 가변(吾家)은 실노 괴이ᄒᆞ니이다.

1099)다히 : 쪽. 편, 방향, 닿은 곳. 부근.
1100)혼블부톄(魂不附體) : 놀라 혼이 몸에 붙어 있
　지 않음. 정신을 잃음.
1101)복쳡(僕妾) : 남종(男從)과 여종(女從). 또는 남
　종의 아내 곧 여종.
1102)금옥(金玉)도장 : 금옥으로 잘 꾸민 규방(閨房).
　*도장; 규방(閨房). 부녀자가 거처하는 방.

1039)다히 : 쪽. 편, 방향, 닿은 곳. 부근.
1040)혼블부톄(魂不附體) : 놀라 혼이 몸에 붙어 있
　지 않음. 정신을 잃음.
1041)복쳡(僕妾) : 남종(男從)과 여종(女從). 또는 남
　종의 아내 곧 여종.
1042)금옥(金玉)도장 : 금옥으로 잘 꾸민 규방(閨房).
　*도장; 규방(閨房). 부녀자가 거처하는 방.

환(虎患)이 잇다ᄒᆞ온들, 경셩(京城)[1103] 허다 갑뎨(甲第)[1104]의 쇼즈의 쳐즈만 잡아가리잇고? 그 요악ᄒᆞᆫ 졍젹을 알기 쉬오니, 경시 집 아녀 쳔만니 밧긔 잇셔도, 쇼즈의 쳐실이라, 흔번 ᄉᆞ화(死禍)는 면치 못ᄒᆞᆯ 거시오, 경가의셔 드르미 ᄉᆞ졍이 참【3】졀ᄒᆞ오나 쇼지 스스로 오긔(吳起)의 박힝(薄行)으로 기녀를 죽이디 아녓ᄉᆞ오니, 대인이 엇디 져를 보시미 무안ᄒᆞ시미 이시리잇고? 혹ᄌᆞ 윤·양·졍 등이 싱존ᄒᆞ여 후일 도라올 날이 이실가 ᄒᆞ옵ᄂᆞ니, 원컨디 대인은 물우(勿憂)ᄒᆞ쇼셔."

금휘 ᄋᆞ즈의 말이 유리(有理)ᄒᆞᆷ믈 알고 묵묵ᄒᆞ나 다만 츄연(惆然) 블낙(不樂)ᄒᆞ니, 경시의 유랑 시이 브르디며 우러 왈,

"아등이 쇼져를 뫼셔 뎡문의 오미, 이런 참변을 만나니 엇디 참혹디 아니리오."

이러툿 비읍ᄒᆞ니, 남휘 그 요요(擾擾)ᄒᆞᆷ믈 금ᄒᆞ여 긋친 후, 날이 붉으미, 【4】금휘 제즈로 더브러 뎡당의 드러가니, 딘부인이 쏘니·양 냥부와 아쥬로 더브러 모닷ᄂᆞᆫ디라. 태부인이 문왈,

"경쇼뷔 엇디 금일 신셩의 블참ᄒᆞ뇨.?"

딘부인이 안싴이 쳑쳑(慽慽)ᄒᆞ여 옥누를 드리오고 슈히 딕치 못ᄒᆞ니, 금휘 이에 작야 변고를 고ᄒᆞᆯ식, 경시의 거체 업스믈 고ᄒᆞ니, 태부인이 대경ᄎᆞ악ᄒᆞ여 실셩(失性) 뉴체 왈,

"ᄎᆞ하변괴(此何變怪)오? 문운이 블힝ᄒᆞ미냐? 노모의 박복ᄒᆞ미냐? 노뫼 윤·양·니를 일흐므로 심회 울읍ᄒᆞ다가 경시 니르니, 용화 긔딜이 윤·양의 하픔(下品)이 아니미, 노모의 안젼【5】긔화(眼前奇花)를 삼앗더니, 이제 옥부방신(玉膚芳身)이 요졍의 그믈의 걸녀 ᄌᆞ최 묘연ᄒᆞ니, 쇄옥낙화(碎玉落花)ᄒᆞ믄 뭇디 아냐 알디라, 엇디 참담치 아니리오. 쏘 져집의셔 아니 보닉려 ᄒᆞᄂᆞᆫ 거슬 우리 다려와 이 변을 만나시니, 여등이 경

1103)경셩(京城) : 도읍(都邑)의 셩(城).
1104)갑뎨(甲第) : 크고 넓게 아주 잘 지은 집.

호환(虎患)이 잇다ᄒᆞ온들 경셩(京城)[1043] 허다 갑뎨(甲第)[1044]의 쇼즈의 쳐즈만 줍아가리잇고? 그 요악ᄒᆞᆫ 졍젹을 알기 쉬오니, 경시 집 아녀 쳔만니 밧게 잇셔도 쇼즈의 쳐실이라, 흔번 ᄉᆞ화(死禍)는 면치 못ᄒᆞᆯ 거시오, 경개 드르미 ᄉᆞ졍이 참졀ᄒᆞ오나, 쇼지 스스로 오【114】긔(吳起)의 박힝(薄行)으로 기녀를 죽이지 아녓ᄉᆞ오니, 대인이 엇지 져를 보시미 무안ᄒᆞ시미 잇스오리잇고? 혹ᄌᆞ 윤·양·졍 등이 싱존ᄒᆞ여 후일 도라올 날이 잇슬가 ᄒᆞ니, 원(願) 대인은 물우(勿憂)ᄒᆞ쇼셔."

금휘 ᄋᆞ즈의 말이 유리(有理)ᄒᆞᆷ믈 알고, 묵묵ᄒᆞ나 다만 츄연블낙(惆然不樂)ᄒᆞ니, 경시의 유랑 시이 불우지지며 우러 왈,

"아등이 쇼져를 뫼셔 뎡문의 오미 이런 춤변을 만나니 엇지 참혹지 아니리오."

이러툿 비읍ᄒᆞ니, 평휘그 요요(擾擾)ᄒᆞᆷ믈 금ᄒᆞ여 씃친 후, 날이 붉으미, 금휘 제즈로 더브러 뎡당의 드러가니, 진딘부인이 쏘 니·양 냥부와 ᄋᆞ쥬로 더브러 모닷ᄂᆞᆫ지라. 틴부인이 문왈,,

"경쇼뷔 【115】 엇지 금일 신셩의 블참ᄒᆞ뇨?"

진부인이 안싴이 쳑쳑(慽慽)ᄒᆞ여 옥누를 드리오고 슈히 딕치 못ᄒᆞ니, 금휘 이에 작야 변고를 고ᄒᆞᆯ시, 경시의 거체 업스믈 고ᄒᆞ니, 틴부인이 디경ᄎᆞ악ᄒᆞ여 실싴(失色) 뉴체 왈,

"ᄎᆞ하변괴(此何變怪)뇨? 문운이 블힝ᄒᆞ미냐? 노모의 박복ᄒᆞ미냐? 노뫼 윤·양. 니를 일흐므로 심회 울읍ᄒᆞ다가 경시 니르니 용화 긔딜이 윤·양의 하픔이 아니미, 노모의 안젼긔화(眼前奇花)를 삼앗더니, 이제 옥부방신(玉膚芳身)이 요졍의 《긔물‖그믈》의 걸녀 ᄌᆞ최 묘연ᄒᆞ니, 쇄옥낙화(碎玉落花)ᄒᆞ믄 뭇지 아녀 알지라. 엇지 춤담치 아니리오. 쏘 져집의셔 아니 보닉려 ᄒᆞᄂᆞᆫ 거슬 우【116】리 다려와 이 변을 만나시니, 여등

1043)경셩(京城) : 도읍(都邑)의 셩(城).
1044)갑뎨(甲第) : 크고 넓게 아주 잘 지은 집.

공을 보미 므어시라 흐리오. 츠희(嗟噫)라!
경시의 빙즈옥골(氷姿玉骨)이 어나 곳의 써
러져 스싱이 엇디된고?"

언파의 오열비상(嗚咽悲傷)흐니, 딘부인은
청뉘(淸淚) 환난(汍亂)흐여 능히 존고를 위
로흐올 말숨이 업고, 니·양 냥쇼져와 아쥬
쇼졔 탄성 읍하(泣下)흐믈 니긔디 못흐니,
병뷔 왕모와 모친의 이러틋 참상(慘傷)흐시
【6】믈 보미, 이 다 즈긔의 호신흔 허물노
부모 존당의 가업슨 블효를 깃치믈 혜아리
미, 심회 블호(不好)흐나, 스식디 아니코,
이성화긔(怡聲和氣)로 쥬왈,

"만시 텬애라. 금일 경시의 화변이 양시
와 흡스흐오나, 윤·양·경 등이 본딕 청츈
조요홀 상뫼 아니오니, 일시 변괴 놀납스오
나 혹즈 면스홀동1105) 엇디 알니잇고? 이러
틋 과회(過懷)흐샤 셩톄를 상히오디 마르쇼
셔."

태부인이 묵묵 냥구의 왈,

"남즈의 무신 박힝흐미 엇디 이러틋 흐
며, 쏘 윤·양·경 삼쇼부(三小婦)의 유한슉
뇨(幽閑淑窈)흐믄 '셩인도 하쥬(河洲)의 구
흐실 빅'1106)라. 흐믈며 사룸【7】이 집의
평안이 이셔 명의 죽어도 부모 동긔의 참비
(慘悲)흐미 인졍의 참디 못흐려든, 셩셰풍화
(盛世風化)의 희괴흔 변을 만나, 옥골 방신
이 어느 곳의 뉴락흐믈 모로니, 벅벅이 쇄
골표풍(碎骨飄風)1107) 흐엿거나, 쳑희(戚
姬)1108)의 인쳬디변(人彘之變)1109)을 만나

1105)-ㄹ동 : '-ㄹ지'의 뜻을 나타내는 어미로 무지
(無知), 미확인의 경우에 흔히 쓰인다.
1106)'셩인도 하쥬(河洲)의 구흐실 바' : 여기서 셩인
은 중국 주(周)나라 문왕(文王)을, 하쥬(河洲)는
『시경』<관저(關雎)>장의 "관관저구 재하지주 요
조숙녀 군자호구(關關雎鳩 在河之洲 窈窕淑女 君
子好逑: 꾸우꾸우 물수리 모래톱에 있네, 정숙한
아가씨 군자의 좋은 짝이네)" 구(句)의 물 가운데
에 있는 모래톱을 이르는 말로, 본문의 '하주의 구
하실 바' 숙녀는 곧 문왕의 비(妃)인 태사(太姒)를
말한다.
1107)쇄골표풍(碎骨飄風) : 뼈가 부서져 바람에 날려
사라짐.
1108)쳑희(戚姬) : 쳑부인(戚夫人). 중국 한 고조의
후궁. 고조의 사랑을 받아 아들 조왕(趙王)을 두었
으나, 고조가 죽은 뒤, 여후(呂后)에게 조왕은 독

이 경공을 보미 므어시라 흐리오. 츠희(嗟
噫)라! 경시의 빙즈옥골(氷姿玉骨)이 어나
곳의 써러져 스싱이 엇지된고?"

언파의 오열비상(嗚咽悲傷)흐니, 진부인은
청뉘(淸淚) 환난(汍亂)흐여 능히 존고를 위
로홀 말이 업고, 니·양 냥쇼져와 ㅇ쥬 쇼
졔 탄성 읍하(泣下)흐믈 니긔지 못흐니, 병
뷔 왕모와 모친의 니럿틋 참상(慘傷)흐시믈
보미, 이 다 즈긔의 호신흔 허물노 죤○○
○[당부모]의 가업슨 블효를 깃치믈 혀아리
미, 심회 블호(不好)흐나 스식지 아니코, 이
셩화긔(怡聲和氣)로 쥬왈,

"만시 텬애라. 금일 경시의 화변이 양시
와 흡스흐오나, 윤·양·경 등이 본딕 청츈
조요【117】홀 상뫼 아니오니, 일시 변괴
놀납스오나 혹즈 면스홀 동1045) 엇지 알니
잇고? 니러틋 과회(過懷)흐샤 셩톄를 상히
오지 마르쇼셔."

틱부인이 묵묵 냥구의 왈,

"남즈의 무신 박졍흐미 엇지 니러흐며,
쏘 윤·양·경 슴쇼부(三小婦)의 뉴한슉뇨
(幽閑淑窈)흐믄 셩인도 '하쥬(河洲)의 구흐
실 빅'1046)라. 흐믈며 스람이 집의 이셔 명
의 죽어도 부모 형졔의 참비(慘悲)흐미 인
졍의 참지 못흐려든, 셩셰풍화(盛世風化)의
희괴흔 변을 만나, 옥골 방신이 어느 곳의
유락흐믈 모로니, 벅벅이 쇄골표풍(碎骨飄
風)1047) 흐엿거나, 쳑희(戚姬)1048)의 인쳬디

1045)-ㄹ동 : '-ㄹ지'의 뜻을 나타내는 어미로 무지
(無知), 미확인의 경우에 흔히 쓰인다.
1046)'셩인도 하쥬(河洲)의 구흐실 바' : 여기서 셩인
은 중국 주(周)나라 문왕(文王)을, 하쥬(河洲)는
『시경』<관저(關雎)>장의 "관관저구 재하지주 요
조숙녀 군자호구(關關雎鳩 在河之洲 窈窕淑女 君
子好逑: 꾸우꾸우 물수리 모래톱에 있네, 정숙한
아가씨 군자의 좋은 짝이네)" 구(句)의 물 가운데
에 있는 모래톱을 이르는 말로, 본문의 '하주의 구
하실 바' 숙녀는 곧 문왕의 비(妃)인 태사(太姒)를
말한다.
1047)쇄골표풍(碎骨飄風) : 뼈가 부서져 바람에 날려
사라짐.
1048)쳑희(戚姬) : 쳑부인(戚夫人). 중국 한 고조의
후궁. 고조의 사랑을 받아 아들 조왕(趙王)을 두었
으나, 고조가 죽은 뒤, 여후(呂后)에게 조왕은 독
살당하고, 그녀는 팔다리를 잘리고 눈을 뽑히는

춤혹히 맛츠시리니, 이를 싱각ᄒ면 아심(我心)이 비석(非石)이며 역비텰(亦非鐵)이라. 능히 견듸며 춤을 것가?"

셜파의 누하여우(淚下如雨)ᄒ여 빅슈노면(白首老面)의 져즈니, 딘부인이 쳔금 ᄌ부의 실산ᄒ믈 각골 통상ᄒ나, 존고의 비회를 돕ᄉ읍디 못ᄒ여 누슈를 거두고, 화긔를 작위(作爲)ᄒ여 존고를 위로ᄒ며, 금휘【8】 쏘 화셩유어로 만단(萬端) 히위(解慰)ᄒ더라.

이의 사름을 경부의 보ᄂᆡ여 야간변고를 니르니, 경공 부뷔 쳔만의외(千萬意外)예 녀ᄋ의 참화를 드르미, 참통비상ᄒ미 비홀듸 업셔 일장을 통곡ᄒ니, 부인은 ᄌ로 혼도(昏倒)ᄒᄂᆞ디라. 경공이 냥구(良久) 통도(痛悼)의, 시랑을 명ᄒ여 부인을 뫼셔 보호ᄒ라 ᄒ고, 거륜을 미러 《경부∥정부》의 니르러 금후 부ᄌ를 보니, 금휘 경공을 보미 비회(悲懷) 일층이 더ᄒ여 경공의 손을 잡고, 츄연 댱탄 왈,

"쇼뎨 형을 듸ᄒ미 다못1110) 현형과 존부인의 별뉸(別倫)1111) ᄌᆡ로 상도(傷悼) 비통ᄒ시믄 뭇디 아녀 알디라. 엇【9】디 감오(感悟)치 아니며, 식부의 툐셰(超世)ᄒᆞᆫ ᄉ덕 셩ᄒᆡᆼ으로 힘힘히 독슈의 맛츠미 된죽 엇디 비졀통박(悲絶痛迫)디 아니리오. 아심이 여ᄎᆞ하니 현형디심(賢兄之心)을 다시 니르랴."

셜파의 슈운이 함집(咸集)ᄒ고 봉안의 항뉘(行淚) 삼삼ᄒ고1112) 병뷔 지좌ᄒ여 경공의게 틱위ᄒ고, 부군을 위로ᄒ미, 일단 화긔

살당하고, 그녀는 팔다리를 잘리고 눈을 뽑히는 악형을 당하고 '인간돼지(人彘)'로 학대를 받으며 변소에 갇혀 지내다 죽었다.

1109)인체지변(人彘之變) : 중국 한(漢) 고조(高祖)의 애첩 척부인이 고조의 비(妃) 여후(呂后)에게 팔다리를 잘리고 눈을 뽑히는 혹형을 당한 후, 변소에 떨어뜨려 '인간돼지'로 조롱을 받다 죽은 변.

1110)다못 : 더불어, 함께.

1111)별뉸(別倫) : 별륜(別倫). 특별함. 다른 사람과 매우 다름.

1112)삼삼하다 : 산산(潸潸)하다. 눈물 따위가 줄줄 흐르다.

변(人彘之變)1049)을 만나 춤혹히 맛쳐시리니, 이를 싱각ᄒ면 아심(我心)이 비석(非石)이며 역비철(亦非鐵)이라. 능히 견【118】듸며 춤을 것가?"

셜파의 누하여우(淚下如雨)ᄒ여 빅슈노면(白首老面)의 져즈니, 진부인이 쳔금 ᄌ부의 실산ᄒ믈 각골통상ᄒ나, 존고의 비회를 돕지 못ᄒ여 누슈를 거두고, 화긔를 작위(作爲)ᄒ여 존고를 위로ᄒ며, 금휘 쏘ᄒᆫ 화셩유어로 만단(萬端) 히위(解慰)ᄒ더라.

이의 사름을 경부의 보ᄂᆡ여 야간변고를 니르니, 경공 부뷔 쳔만의외(千萬意外)예 녀ᄋ의 참화를 드르미, 참통비상ᄒ미 비홀듸 업셔 일장을 통곡ᄒ니, 부인은 ᄌ로 혼도(昏倒)ᄒᄂᆞ지라. 경공이 냥구(良久) 통도(痛悼)의 시랑을 명ᄒ여 부인을 뫼셔 보호ᄒ라 ᄒ고, 거륜을 미러 정부의 니르러 금후 부【119】ᄌ를 보니, 금휘 경공을 보미 비회(悲懷) 일층이 더ᄒ여, 경공의 손을 잡고 츄연 장탄 왈,

"쇼뎨 형을 듸ᄒ미 다못1050) 현형과 존부인의 별뉸(別倫)1051) ᄌᆡ로 상도(傷悼) 비통ᄒ시믄 뭇지 아녀 알지라. 엇지 감오(感悟)치 아니며 식부의 툐셰(超世)ᄒᆞᆫ ᄉ덕 셩ᄒᆡᆼ을오 힘힘히 독슈의 맛츠미 된죽, 엇지 비졀통박(悲絶痛迫)지 아니리오. 아심이 여ᄎᆞ하니 현형지심(賢兄之心)을 다시 니르랴."

셜파의 슈운이 함집(咸集)ᄒ고 봉안의 항뉘(行淚) 슴슴ᄒ고1052) 병뷔 지좌ᄒ여 경공의게 치위ᄒ고, 부군을 위로ᄒ미 일단화긔를 변치 아니나, 희미ᄒᆫ 슈운(愁雲)이 광미

악형을 당하고 '인간돼지(人彘)'로 학대를 받으며 변소에 갇혀 지내다 죽었다.

1049)인체지변(人彘之變) : 중국 한(漢) 고조(高祖)의 애첩 척부인이 고조의 비(妃) 여후(呂后)에게 팔다리를 잘리고 눈을 뽑히는 혹형을 당한 후, 변소에 떨어뜨려 '인간돼지'로 조롱을 받다 죽은 변.

1050)다못 : 더불어, 함께.

1051)별뉸(別倫) : 별륜(別倫). 특별함. 다른 사람과 매우 다름.

1052)삼삼하다 : 산산(潸潸)하다. 눈물 따위가 줄줄 흐르다.

를 변치 아니나, 희미ᄒᆞᆫ 슈운(愁雲)이 광미
(廣眉)를 침노ᄒᆞᆷ더라.

경공이 금후와 병부의 손을 잡고 실셩 뉴
톄 왈,

"쇼뎨 외람이 쇼녀의 봉비하쳬(葑菲下
體)[1113]로 난봉(鸞鳳)의 ᄶᅡᆨ이 아니믈 알오
딕, 텬연이 괴이ᄒᆞ여 챵빅이 운남을 뎡벌ᄒᆞ
고 회군디시의 우연이 긔연(奇緣)【10】을
셩젼(成全)ᄒᆞ니, 쇼녀 블민ᄒᆞ나 쇼뎨의 일녜
라. ᄎᆞ마 남의 여럿 직 쳐실을 감심치 못ᄒᆞᆯ
거시로딕, 텬연을 버히디 못ᄒᆞ여 임의 비위
된 후는, 부모의 구구ᄒᆞᆫ 졍니(情理), ᄌᆞ식의
블미ᄒᆞᆷ믈 모로고, 져의 부뷔 빅슈동낙(白壽
同樂) 유ᄌᆞᄉᆡᆼ녀(有子生女)ᄒᆞ여 영홰(榮華)
졔미(齊美)홀가 바라더니, 호ᄉᆞ다마(好事多
魔)ᄒᆞ여 이런 변괴 목젼(目前)의 이실 줄
어이 알니오. 이는 다 녀ᄋᆞ의 박복이오, 나
의 운쉬(運數) 블미(不美)ᄒᆞ미라, 슈원슈한
(誰怨誰恨)이리오마는, 소졍의 통박ᄒᆞ미, 출
하리 져의 향신을 풍진(風塵)의 안장ᄒᆞ여시
믈 보아시면 이러치 아닐디라. 이 슬프미
미ᄉᆞ디젼(未死之前)의 닛【11】기 어려올가
ᄒᆞ노라."

언파의 냥항뉘(兩行淚) 광슈(廣袖)를 잠으
니, 금후 부지 다만 인명(人命)이 직텬(在
天)ᄒᆞ고 화복(禍福)이 관슈(關數)ᄒᆞ니, 경시
ᄂᆞᆫ 복이 하원(遐遠)ᄒᆞ미 반ᄃᆞ시 요인의 독
슈의 맛디 아닐 바를 닐너 위로ᄒᆞ니, 경공
이 금후 부ᄌᆞ를 딕ᄒᆞ여 녀ᄋᆡ 임의 ᄉᆞ싱을
판단ᄒᆞ여시니, 허위(虛位)[1114]를 일우고 초
혼(招魂)[1115]ᄒᆞ여 상ᄉᆞ(喪事)를 츌히자 ᄒᆞ

(廣眉)를 침노ᄒᆞᆷ더라.

참졍이 금후와 병부의 손【120】을 잡고
실셩 뉴톄 왈,

"쇼뎨 외람이 일녀를 봉비하쳬(葑菲下
體)[1053]로 난봉(鸞鳳)의 ᄶᅡᆨ이 아니믈 알오
딕, 텬연이 괴이ᄒᆞ여 챵빅이 운남을 뎡벌시
의 우연이 긔연(奇緣)을 셩젼(成全)ᄒᆞ니, 쇼
녜 블민ᄒᆞ나 뎨의 일녜라. ᄎᆞ마 남의 녀러
직 쳐실을 감심치 못ᄒᆞ되, 텬연을 버히지
못ᄒᆞ여 님의 비위된 후는, 부모의 구구ᄒᆞᆫ
졍니(情理) ᄌᆞ식의 블미ᄒᆞᆷ믈 모로고 져의
부뷔 빅슈동낙(白壽同樂)ᄒᆞ고 유ᄌᆞᄉᆡᆼ녀(有
子生女)ᄒᆞ여 영홰(榮華) 졔미(齊美)홀가 ᄒᆞ
엿더니, 호ᄉᆞ다미(好事多魔)ᄒᆞ여 니런 변괴
목젼(目前)의 이실 줄 어이 알니오. 이는 다
녀ᄋᆞ의 박복이오, 나의 운쉬(運數) 블미(不
美)ᄒᆞ미라. 슈원슈한(誰怨誰恨)이리오마는,
소졍【121】의 통박ᄒᆞ미, 출하리 져의 향신
을 풍진(風塵)의 안장ᄒᆞ여시믈 보앗시면, 니
러치 아닐지라. 이 슬프미 미ᄉᆞ지젼(未死之
前)의 닛기 어려올가 ᄒᆞ노라."

언파의 냥항뉘(兩行淚) 광슈(廣袖)를 잠으
니, 금후 부지 다만 인명(人命)이 직텬(在
天)ᄒᆞ고 화복(禍福)이 관슈(關數)ᄒᆞ니, 경시
ᄂᆞᆫ 복이 하원(遐遠)ᄒᆞ미 반ᄃᆞ시 요인의 독
슈의 맛지 아닐 바를 닐너 위로ᄒᆞ니, 경공
이 금후 부ᄌᆞ를 딕ᄒᆞ여 녀ᄋᆡ 임의 ᄉᆞ싱을
판단ᄒᆞ여시니, 허위(虛位)[1054]를 일우고 초
혼(招魂)[1055]ᄒᆞ여 상ᄉᆞ(喪事)를 츌히자 ᄒᆞ

1113)봉비하쳬(葑菲下體) : '무의 밑 둥'이란 뜻으로
못생긴 사람의 비유로 쓰인다. 『시경』〈패풍(邶
風)〉 곡풍(谷風)편의 "채봉채미 무이하체(採葑採菲
無以下體; 무를 뽑을 때 밑 둥만 보고 뽑지 말라)"
에서 온 말로, 무를 뽑을 때 무의 밑 둥이 비록
잘 생기지 못하였을지라도 맛이 좋을 수도 있고
또 잎을 요긴하게 쓸 수도 있는 만큼, 겉만 보고,
또는 부분만 보고, 전체를 평가하지 말라는 말.
'봉(葑)', '비(菲)'는 둘 다 무의 일종.
1114)허위(虛位) : 시신이 없는 빈 관(棺).
1115)초혼(招魂) : 사람이 죽었을 때에, 그 혼을 소리
쳐 부르는 일. 죽은 사람이 생시에 입던 윗옷을
갖고 지붕에 올라서거나 마당에 서서, 왼손으로는

1053)봉비하쳬(葑菲下體) : '무의 밑 둥'이란 뜻으로
못생긴 사람의 비유로 쓰인다. 『시경』〈패풍(邶
風)〉 곡풍(谷風)편의 "채봉채미 무이하체(採葑採菲
無以下體; 무를 뽑을 때 밑 둥만 보고 뽑지 말라)"
에서 온 말로, 무를 뽑을 때 무의 밑 둥이 비록
잘 생기지 못하였을지라도 맛이 좋을 수도 있고
또 잎을 요긴하게 쓸 수도 있는 만큼, 겉만 보고,
또는 부분만 보고, 전체를 평가하지 말라는 말.
'봉(葑)', '비(菲)'는 둘 다 무의 일종.
1054)허위(虛位) : 시신이 없는 빈 관(棺).
1055)초혼(招魂) : 사람이 죽었을 때에, 그 혼을 소리
쳐 부르는 일. 죽은 사람이 생시에 입던 윗옷을
갖고 지붕에 올라서거나 마당에 서서, 왼손으로는

니, 금휘 말녀 왈,

"쇼뎨 비록 디인(知人)ᄒᆞᄂᆞᆫ 안총(眼聰)이 업스나 식뷔 조요박덕디상(早夭薄德之相)1116)이 아니오, ᄯᅩ 일월이 오ᄅᆞ면 ᄉᆞᄉᆞᆼ이 ᄌᆞ연 현누(現漏)ᄒᆞ리니, 이제 그 존망을 뎍실이 모로고 몬져 상ᄉᆞ를 다ᄉᆞ리미 블가ᄒᆞ니, 형은 닉이 ᄉᆞᆼ각ᄒᆞ여, 그 ᄉᆞᄉᆞᆼ을 쾌히 안 후 결단【12】ᄒᆞ미 늣디 아니니, 두 집 노복을 훗터 ᄌᆞ최를 심방ᄒᆞ미 올흐니라."

병뷔 ᄯᅩᄒᆞᆫ 그러치 아니믈 말니니, 경공이 금후 부ᄌᆞ의 말니믈 듯고, 욱이디 못ᄒᆞ여 집으로 도라가니라.

이ᄯᅦ 묘랑이 경쇼져를 활착(活捉)ᄒᆞ여 바로 븍궁의 니르니, 귀비와 공쥐 당상의 쵹을 붉히고 뎡히 묘랑을 기다리더니, 밤이 삼경(三更)은ᄒᆞ여 묘랑이 경시를 활착ᄒᆞ여 니르러, 계하의 다ᄃᆞ라ᄂᆞᆫ 나리와 노코, 즉시 변ᄒᆞ여 쳥슈ᄒᆞᆫ 녀승이 되니, 빅나장삼(白羅長衫)과 빅의운납(白衣雲衲)1117)이 ᄀᆞ장 공교ᄒᆞ더라.

경쇼졔 어득ᄒᆞᆫ 졍신을 거두어 보니, ᄎᆞ아(嵯峨)ᄒᆞᆫ 뎐샹(殿上)의 등쵹(燈燭)이 휘황ᄒᆞᆫ【13】 듸, 허다ᄒᆞᆫ 시위 궁인이 슈플ᄀᆞᆺ치 버럿고, ᄌᆞ긔 잡아 온 호표ᄂᆞᆫ 본듸 즘승이 아니오 일개 녀승이라. 뎡히 아모 곳인 줄 모로더니 믄득 뎐샹의셔 크게 소리ᄒᆞ여 ᄭᅮ지ᄌᆞ듸,

"요음찰녀(妖淫刹女)ᄂᆞᆫ 날을 아ᄂᆞᆫ다? 네 본듸 스문 규슈어ᄂᆞᆯ, 뎡부매 운남을 파ᄒᆞ고 졀강을 디날 ᄯᅦ의, 요네 블과 십여셰 유녀로 음욕이 방ᄌᆞᄒᆞ여, 외간 남ᄌᆞ의게 얼골을 뵈며, ᄌᆞ식을 ᄌᆞ랑ᄒᆞ니, 경가 노튝(老畜)이 식니명상(識理名相)으로 녜의를 알던듸, ᄌᆞ식의 음ᄒᆡᆼ을 금치 못ᄒᆞ고, 어나 곳의 옥인

옷깃을 잡고 오른손으로는 옷의 허리 부분을 잡은 뒤 북쪽을 향하여 '아무 동네 아무개 복(復)'이라고 세 번 부른다.
1116)조요박덕디상(早夭薄德之相) : 덕이 얇고 일찍 죽을 관상.
1117)빅의운납(白衣雲衲) : 중이 머리에 쓰는 하얀 천으로 만든 모자. *운납(雲衲) : 중이 머리에 쓰는 모자.

니, 금휘 말녀 왈,

"쇼뎨 비록 지인지총(知人之聰)이 업스나 식뷔 조요박덕지상(早夭薄德之相)1056)이 아니오, ᄯᅩ 일월이 오ᄅᆞ면 ᄉᆞᄉᆞᆼ이 ᄌᆞ연 현누(現漏)ᄒᆞ리【122】니, 이제 그 존망을 모ᄅᆞ고 몬져 상ᄉᆞ를 다ᄉᆞ리미 블가ᄒᆞ니, 형은 닉이 ᄉᆞᆼ각ᄒᆞ여 그 ᄉᆞᄉᆞᆼ을 쾌히 안 후 결단ᄒᆞ미 늣지 아니니, 두 집 노복을 훗터 ᄌᆞ최를 심방ᄒᆞ미 올흐니라."

병뷔 ᄯᅩᄒᆞᆫ 그러치 아니믈 말ᄒᆞ니, 경공이 금후 부ᄌᆞ의 말니믈 듯고, 우기지 못ᄒᆞ여 집으로 도라가니라.

이ᄯᅦ 묘랑이 경쇼져를 활착(活捉)ᄒᆞ여 바로 븍궁의 니르니, 귀비와 공쥐 당상의 쵹을 붉히고 졍히 묘랑을 기다리더니, 밤이 슴경(三更)은 ᄒᆞ여 묘랑이 경시를 활착ᄒᆞ여 니르러, 계하의 다ᄃᆞ라ᄂᆞᆫ 나리와 노코 즉시 변ᄒᆞ여 쳥슈ᄒᆞᆫ 녀승이 되니, 빅나장슴(白羅長衫)과 빅의운납(白衣雲衲)1057)이 ᄀᆞ장 공교ᄒᆞ더【123】라.

경쇼졔 어득ᄒᆞᆫ 졍신을 거두어 보니, ᄎᆞ아(嵯峨)ᄒᆞᆫ 뎐상(殿上)의 등쵹(燈燭)이 휘황ᄒᆞᆫ 듸, 허다ᄒᆞᆫ 시위 궁인이 슈플ᄀᆞᆺ치 버럿고, ᄌᆞ긔 잡아 온 호표ᄂᆞᆫ 본듸 즘승이 아니오 일기 녀승이라. 졍히 아모 곳인 줄 모ᄅᆞ더니 믄득 뎐상의셔 크게 소리ᄒᆞ여 ᄭᅮ지ᄌᆞ듸,

"뇨음찰녀(妖淫刹女)ᄂᆞᆫ 날을 아ᄂᆞᆫ다? 네 본듸 스문 규슈어ᄂᆞᆯ 뎡부미 운남을 파ᄒᆞ고 졀강을 지날 ᄯᅦ의, 뇨네 블과 십여셰 뉴녀로 음욕이 방ᄌᆞᄒᆞ여, 외간 남ᄌᆞ의게 얼골을 뵈며 ᄌᆞ식을 ᄌᆞ랑ᄒᆞ니, 경가 노튝(老畜)이 지식명상(知識名相)으로 녜의를 알던듸, ᄌᆞ식의 음ᄒᆡᆼ을 금치 못ᄒᆞ고 어나 곳의 옥인가

옷깃을 잡고 오른손으로는 옷의 허리 부분을 잡은 뒤 북쪽을 향하여 '아무 동네 아무개 복(復)'이라고 세 번 부른다.
1056)조요박덕지상(早夭薄德之相) : 덕이 얇고 일찍 죽을 관상.
1057)빅의운납(白衣雲衲) : 중이 머리에 쓰는 하얀 천으로 만든 모자. *운납(雲衲) : 중이 머리에 쓰는 모자.

가시(玉人佳士)업셔, 굿투여 여러 쳐실 잇는 뎡부마를 마즈리오. 죵시 구가를 속이고 구마니 부마를【14】장악의 너허, 빅계모칙(百計謀策)으로 뎍인을 모함ᄒ고, 날을 쏘마쟈 업시혼 후 구가의 입현(入見)ᄒ려 ᄒ다가, 하날이 믜이 녁이샤 일졈 유치를 평디(平地)의 실니ᄒ고, 구가의 드러오미 교언녕식(巧言令色)으로 존당 구고의 즈이를 여으며, 부마의 은이를 낙가 감히 날을 항형(抗衡)코져 ᄒ니, 내 미셰ᄒ나 당당혼 만승텬즈의 쇼피(小嬌)라. 엇디 너 경가 쳔녀의게 관속(關束)1118)ᄒ리오. 내 함분인한(含憤忍恨)ᄒ미 오란디라. 금야의 요녀의 젼후 죄상을 다스리랴 ᄒᄂ니, 너는 디하의○[셔] 날을 원치말나."

셜파의 좌우로 햐슈(下手)1119)ᄒ기를 지촉ᄒ니, 경시 말노 조ᄎ 즈시 살펴【15】니, 이 다르니 아녀 문양공쥐라. 귀비 경시의 지용이 툐셰ᄒ믈 보미, 믜온 ᄆᆞ음이 밍동(萌動)ᄒ여 급히 햐슈ᄒ라 ᄒ니, 최상궁이 텰여의(鐵如意)1120)를 들고 니러셔며, 슈십 궁이 큰 미를 들고 일시의 집장(執杖)홀식, 공쥐 녜복(禮服)을 버셔 후리치고 나리다라, 경쇼져의 녹발을 플쳐 놉흔 기동의 미여 들고, 졔녀를 디휘ᄒ여 만신을 혜디 말고 두다릴식, 경쇼져의 옥골 셜뷔 경긱의 웃쳐져 혈광(血光)이 만신(滿身)ᄒ니, 장ᄎᆞᆺ 흔 미의 맛츠려 ᄒ미, 살긔 등등ᄒ더라. 경쇼제 싱셰 십오의 싱어부귀(生於富貴)ᄒ고 댱어교이(長於嬌愛)ᄒ여 일분 괴로오믈 모로다가, 이런【15】흉흔 형벌을 당ᄒ미 알프믈 니긔디 못ᄒ니, 엇디 살기를 바○[라]리오. 즈연 옥셩이 밍녈ᄒ여 일쌍뉴미(一雙柳眉)1121)를 거스리고, 봉안을 놉히 ᄲᅥ, 녀셩 즐왈,

"오슈블혜(吾雖不慧)1122)나 일즉 녜교를

식(玉人佳士) 업셔 구투여 여러 쳐실 잇【124】는 뎡부마를 마즈리오. 죵시 구가를 속이고 ᄀᆞ만니 부마를 장악의 너허, 빅계모칙(百計謀策)으로 뎍인을 모함ᄒ고, 날을 쏘마즈 업시혼 후 구가의 닙현(入見)ᄒ려 ᄒ다ᄀᆞ, 하날이 무이 녁이ᄉ 일졈 뉴치를 평지(平地)의 실니ᄒ고, 구가의 드러오미 교언녕식(巧言令色)으로 존당 구고의 즈이를 여으며, 부ᄆᆞ(駙馬)의 은이를 《낡아1058)‖낙아1059)》 감히 날을 항형(抗衡)코져 ᄒ니, 내 미셰ᄒ나 당당혼 만승텬즈의 쇼피(小嬌)라. 엇지 너 경가 쳔녀의게 관속(關束)1060)ᄒ리오. 내 함분인한(含憤忍恨)ᄒ미 오란지라. 금야의 뇨녀의 젼후 죄를 다스리려 ᄒᄂ니, 너는 디하의○[셔] 날을 원치말나."

셜파의 좌우로 햐슈(下手)1061)ᄒ기를 지촉ᄒ니, 경시 말노 좇ᄎ【125】즈시 살피니, 이 드른 스람이 아녀 문양이라. 귀비 경시의 지용이 초셰ᄒ믈 보미, 믜온 ᄆᆞ음이 밍동(萌動)ᄒ여 급히 햐슈ᄒ라 ᄒ니, 최상궁이 쳘여의(鐵如意)1062)를 들고 니러셔며, 십여 궁이 큰 미를 들고 일시의 집장(執杖)홀식, 공쥐 녜복(禮服)을 버셔 후리치고, ᄂᆞ리ᄃᆞ라 경쇼져의 녹발을 플쳐 놉흔 기동의 미여 들고 두ᄃᆞ릴식, 졔녀를 디휘ᄒ여 만신을 혜지 말고 미우 치라 ᄒ니, 경쇼져의 옥골 셜뷔 경긱의 웃쳐져 혈광(血光)이 만신(滿身)ᄒ니, 장ᄎᆞᆺ 흔 미의 맛츠려 ᄒ미 살긔 등등혼지라. 경쇼제 싱셰 십오의 싱어부귀(生於富貴)ᄒ고 댱어교이(長於嬌愛)ᄒ여 일분 괴로【126】오믈 모ᄅᆞ다ᄀᆞ, 니런 흉흔 형벌을 당ᄒ미, 알프믈 니ᄀᆞ지 못ᄒ니, 엇지 살기를 바라리오. 즈연 옥셩이 밍녈ᄒ여 일쌍뉴미(一雙柳眉)1063)를 거스리고 봉안을

1118)관속(關束) : 막고 묶고 하여 억누름.
1119)햐슈(下手) : 손을 대어 사람을 죽임.
1120)쳘여의(鐵如意) : 자기 마음대로 휘두를 수 있는 쇠몽둥이.
1121)일쌍뉴미(一雙柳眉) : 한 쌍의 버들강아지 같은 눈썹.

1058)낡다 : 물건 따위가 오래되어 헐고 너절하다
1059)낙다 : 낚다. ①이성(異性)을 꾀다. ②꾀나 수단을 부려 사람을 꾀거나 명예, 이익 따위를 제 것으로 하다. ③낚시로 물고기를 잡다
1060)관속(關束) : 막고 묶고 하여 억누름.
1061)햐슈(下手) : 손을 대어 사람을 죽임.
1062)쳘여의(鐵如意) : 자기 마음대로 휘두를 수 있는 쇠몽둥이.
1063)일쌍뉴미(一雙柳眉) : 한 쌍의 버들강아지 같은

섭녑ᄒ니, 음악간교ᄂᆞᆫ 듯고 보디 아닌 비라. 공쥐 구듕궁궐(九重宮闕)의 싱댱ᄒ니, 외간(外間)이 쳔나라. 나의 힝ᄉᆞ를 져ᄌᆞᆺ치 아ᄂᆞ뇨? 내 죄 이시민, 냥가 친위(親位)와 가뷔(家夫)라 죄를 다ᄉᆞ리미 올흔디라. 공쥐 무인심야(無人深夜)의 산듕 요도를 보ᄂᆞ여 무죄흔 녀ᄌᆞ를 다려와 쳐죽이려 ᄒ니, 이ᄂᆞᆫ 녀무(呂武)[1123]의 더은 투악(妬惡)이라. 태샤(太姒)[1124]ᄂᆞᆫ 엇던 녀ᄌᆞ완ᄃᆡ 삼쳔후비(三千后妃)를 형뎨ᄀᆞᆺ치 ᄒᆞ시고, 녀치(呂雉)[1125]ᄂᆞᆫ ᄯᅩ 【16】 엇던 사름이완○[디] 쳑희(戚姬)를 인체(人彘)를 ᄆᆡᆫᄃᆞ니, 공쥐 고셔를 너비 보아 임ᄉᆞ(姙似)의 어딘 덕은 닛고, 투부의 악힝을 본밧고져 ᄒ니, 후셰의 미명(罵名)을 엇디 ᄒᆞ고져 ᄒᄂᆞ뇨? 내 몸의 니(利)코져 ᄒᆞ여 무죄흔 인명을 히ᄒᆞ고져 ᄒᆞ민, 사름이 알니 업스리라 ᄒ나, 나ᄂᆞᆫ 보건ᄃᆡ, 귀비와 공쥬 좌하의 시위 궁이 잇고, 우흐로 신명(神明)이 재방(在傍)ᄒ고 명쵹(明燭)이 광휘ᄒ여시니, 텬디 귀신이 엇디 두립디 아니며, 앙화(殃禍)가 업슬가 넉이ᄂᆞ뇨? 내 임의 호구낭혈(虎口狼穴)의 님ᄒᆞ여시니, ᄉᆞ싱을 판단ᄒᆞ엿ᄂᆞᆫ디라. 일누잔쳔(一縷殘喘)[1126]은 죡히 앗갑디 아니나, 일노ᄡᅥ 공쥬의 젼졍이 유ᄒᆞᆷ이 만ᄒ리니, 【17】 ᄌᆞ신의 디은 죄로 샹텬이 벌ᄒᆞ민, 앙필급신(殃必及身)[1127]ᄒ믈 면ᄒ랴?"

놉히 써, 녀셩 즐왈,

"쳡슈블혜(妾雖不慧)[1064]나 일즉 녜교를 섭녑ᄒ니, 음악간교ᄂᆞᆫ 듯고 보지 아닌 비라. 공쥐 구즁궁궐(九重宮闕)의 싱댱ᄒ니 외간(外間)이 쳔나라. 남의 힝ᄉᆞ를 져리 다 아ᄂᆞ뇨? 슈연(雖然)이나, 내 죄히 이시민 냥가 친위(親位)와 가뷔(家夫)라 죄를 다ᄉᆞ리미 올흔지라. 공쥐 무인심야(無人深夜)의 산즁 요도(妖道)를 보ᄂᆞ여 무죄흔 녀ᄌᆞ를 다려와 쳐죽이려 ᄒ니, 이ᄂᆞᆫ 녀후(呂后)[1065]의 더은 투악이라. 틱ᄉᆞ(太姒)[1066]ᄂᆞᆫ 엇던 녀ᄌᆞ완ᄃᆡ 삼쳔후【127】비(三千后妃)를 형뎨ᄀᆞᆺ치 ᄒ시고, 녀치(呂雉)[1067]ᄂᆞᆫ ᄯᅩ 엇던 사람이완ᄃᆡ 쳑희(戚姬)를 인체(人彘)를 ᄆᆡᆫᄃᆞ니, 공쥐 고셔를 너비 보아 임ᄉᆞ(姙似)의 어진 덕은 닛고, 투부의 악힝을 본밧고져 ᄒ니, 후셰의 미명(罵名)을 엇지 ᄒᆞ고져 ᄒᄂᆞ뇨? 내 몸의 니(利)코져 ᄒᆞ여 무죄흔 인명을 히ᄒᆞ고져 ᄒᆞ민, ᄉᆞ람 알니 업스리라 ᄒ나, 나ᄂᆞᆫ 보건ᄃᆡ 귀비와 공쥬 좌하의 시위 궁녜 잇고, 우흐로 신명(神明)이 재방(在傍)ᄒ고, 명쵹(明燭)이 광휘ᄒ여시니, 텬지 귀신이 엇지 두렵지 아니며, 앙화(殃禍)가 업슬가 넉이ᄂᆞ뇨? 내 임의 호구낭혈(虎口狼穴)의 님ᄒᆞ여시니, ᄉᆞ싱을 판단ᄒᆞ엿ᄂᆞᆫ지라. 일누잔쳔(一縷殘喘)[1068]은 죡히 앗갑지 아니나, 일노ᄡᅥ 공쥬의 젼졍이 뉴ᄒᆡ(有害)ᄒ미 만ᄒ【128】리니, ᄌᆞ신의 디은 죄로 샹텬이 벌ᄒᆞ민 앙필급신(殃必及身)[1069] ᄒ믈 면ᄒ랴?"

[1122]오슈블혜(吾雖不慧) : 내 비록 총명하지 못하지만.

[1123]녀무(呂武) : 중국의 대표적인 여성권력자인 한(漢)나라 고조(高祖)의 황후 여후(呂后) 여치(呂雉?-BC108)와 당(唐)나라 고종의 황후 측천무후(則天武后) 무조(武曌 : 624-705)를 함께 이르는 말.

[1124]태샤(太姒) : 중국 주(周)나라 문왕의 비(妃) 태사(太姒). 현모양처(賢母良妻)로 이름이 높음.

[1125]녀치(呂雉) : 중국 한(漢)나라 고조(高祖)의 황후.

[1126]일누잔쳔(一縷殘喘) : 아주 끊어지지 아니하고 겨우 붙어 있는 한 가닥 숨 또는 목숨.

[1127]앙필급신(殃必及身) : 재앙이 자신의 몸에 미침.

눈썹.

[1064]쳡슈블혜(妾雖不慧) : 첩이(=내가) 비록 총명하지 못하지만.

[1065]녀후(呂后) : 중국의 대표적인 여성권력자인 한(漢)나라 고조(高祖)의 황후인 여후(呂后). 이름은 여치(呂雉?-BC108).

[1066]태샤(太姒) : 중국 주(周)나라 문왕의 비(妃) 태사(太姒). 현모양처(賢母良妻)로 이름이 높음.

[1067]녀치(呂雉) : 중국 한(漢)나라 고조(高祖)의 황후.

[1068]일누잔쳔(一縷殘喘) : 아주 끊어지지 아니하고 겨우 붙어 있는 한 가닥 숨 또는 목숨.

[1069]앙필급신(殃必及身) : 재앙이 자신의 몸에 미침.

셜파의 분뇌 ᄆᆡᆼ녈ᄒᆞ여 임의 혼도ᄒᆞ니, 맛기를 만히 ᄒᆞ여 만면(滿面)이 혈광(血光)이 되엿고, 옥골셜뷔(玉骨雪膚) ᄒᆞᆫ 곳도 셩ᄒᆞᆫ 곳이 업ᄂᆞᆫ디라. 귀비와 공쥐 그 강녈ᄒᆞᆫ 언ᄉᆞ를 더옥 분노ᄒᆞ여, 급히 셔릇고져 어ᄌᆞ러이 두다리니, 임의 ᄒᆞᆫ 시신이 기동의 달녀시니 ᄉᆡᆼ되 망연ᄒᆞ고, 아ᄌᆞ(俄者)1128)의 졀염미쇼졔러니, 경ᄀᆡᆨ의 ᄒᆞᆫ 덩이 육괴(肉塊) 되어시니, 인심 잇ᄂᆞᆫ ᄌᆞᄂᆞᆫ 그 참혹ᄒᆞᆫ 경상을 ᄎᆞ마 보디 못ᄒᆞ리니, 견ᄌᆞ로ᄒᆞ여금 눈믈 나리믈 금치 못ᄒᆞ리러라. 귀비와 공쥐 그 죽어시믈 알고 좌우로【18】 ᄡᅳ어ᄂᆡ라 ᄒᆞ니, 최녀 흉인이 경시 혹ᄌᆞ ᄉᆡᆼ되 잇ᄂᆞᆫ가 져허 태셤으로 보라 ᄒᆞ니, 이ᄯᅢ 태셤이 ᄒᆞᆫ 가의셔 공쥬 모녀와 최녀의 흉패 극악ᄒᆞ미 사름을 태연이 죽이믈 보고 흉히 넉이며, 경쇼져의 옥용화ᄐᆡ(玉容花態)와 빙ᄌᆞ아딜(氷姿雅質)이 의연이 셕년 윤・양 냥부인으로 ᄎᆞ등치 아니커ᄂᆞᆯ, 청츈녹발의 힘힘히 독슈(毒手)를 닙어 ᄭᅩᆺ치 ᄡᅥ러디고 옥이 바아디ᄂᆞᆫ 경계를 당ᄒᆞ여, 옥부방신이 쇽졀 업시 유명(幽明)을 즈음친디라1129).

참혹 잔잉ᄒᆞ믈 니긔디 못ᄒᆞ나, 구ᄒᆞᆯ 계괴 업셔 ᄀᆞ마니 눈믈을 나리와 슬허ᄒᆞ더니, 최상궁의 말을 듯고 나아가【19】 보니, 일신이 임의 피덩이 되여시ᄆᆡ 다시 바랄 거시 업ᄉᆞᄃᆡ, 가슴의 온긔 잠간 잇ᄂᆞᆫ디라. 태셤이 일분 가망(可望)이 이시믈 깃거, 가마니 일계를 ᄂᆡ여 귀비와 공쥬긔 고ᄒᆞᄃᆡ,

"경시 임의 죽엇ᄂᆞ이다."

ᄒᆞ니, 최녜 경시의 청운녹발을 칼노 버혀 나리와 ᄒᆞᆫ닙 돗1130)치 휘말고 ᄒᆞᆫ 거리 바흐로 동히기를 맛츤 후 쳐치ᄒᆞ믈 의논ᄒᆞᆯᄉᆡ, 태셤이 ᄀᆞᆯ오ᄃᆡ,

1128)아ᄌᆞ(俄者) : 이전, 지난번, 조금 전, 갑자기.
1129)즈음치다 : 격(隔)하다. 사이를 두다. 가로막히다.
1130)돗 : 돗자리. 왕골이나 골풀의 줄기를 재료로 하여 만든 자리.

셜파의 분뇌 ᄆᆡᆼ녈ᄒᆞ여 님의 혼도ᄒᆞ니, 맛기를 만히 ᄒᆞ여 만면(滿面)이 혈광(血光)이 되엿고, 옥골셜뷔(玉骨雪膚) ᄒᆞᆫ 곳도 셩ᄒᆞᆫ 곳이 업ᄂᆞᆫ지라. 귀비와 공쥐 그 강녈ᄒᆞᆫ 언ᄉᆞ를 더옥 분노ᄒᆞ여, 급히 셔릇고져 어ᄌᆞ러이 두ᄃᆞ리니, 임의 ᄒᆞᆫ 시신이 기동의 달녀시니 ᄉᆡᆼ되 망연ᄒᆞ고, 아ᄌᆞ(俄者)1070)의 졀염미쇼졔러니, 경ᄀᆡᆨ의 ᄒᆞᆫ 덩이 육괴(肉塊) 되어시니, 인심 잇ᄂᆞᆫ ᄌᆞᄂᆞᆫ 그 참혹ᄒᆞᆫ 경상을 ᄎᆞ마 보지 못ᄒᆞ리니, 견ᄌᆞ(見者)로 ᄒᆞ여금 눈믈 나믈 금치 《못ᄒᆞ더라‖못ᄒᆞ리러라》. 귀비와 공쥐 그 죽어시믈 알고 좌우로 ᄡᅳ어ᄂᆡ라 ᄒᆞ니, 최녀【129】 흉인이 경시 혹ᄌᆞ ᄉᆡᆼ되 잇ᄂᆞᆫ가 져허 ᄐᆡ셤으로 보라 ᄒᆞ니, 이ᄯᅢ 태셤이 ᄒᆞᆫ ᄀᆞ의셔 공쥬 모녀와 최녀의 흉픽 극악ᄒᆞ미, ᄉᆞ람을 태연이 죽이믈 보고, 흉히 넉이며, 경쇼져의 옥용화ᄐᆡ(玉容花態)와 빙ᄌᆞ아질(氷姿雅質)이 《이연‖의연(依然)》이 셕년 윤・양 냥부인으로 ᄎᆞ등치 아니거ᄂᆞᆯ, 청츈녹발의 힘힘히 독슈(毒手)를 닙어 옥이 ᄲᆡ아지ᄂᆞᆫ 경계를 당ᄒᆞ여, 옥보[부]방신(玉膚芳身)이 쇽졀 업시 유명(幽明)을 즈음친지라1071).

참혹잔잉ᄒᆞ믈 니긔지 못ᄒᆞ나, 구ᄒᆞᆯ 계괴 업셔 ᄀᆞ마니 눈믈을 ᄂᆞ리와 슬허ᄒᆞ더니, 최상궁의 말을 듯고 ᄂᆞ아가 보니, 일신이 님의 피덩이 되여시ᄆᆡ 다시 바랄 거시 업ᄉᆞᄃᆡ, 가슴의 즘간 온긔【130】 잇ᄂᆞᆫ지라. 태셤이 일분 가망(可望이 이시믈 깃거, ᄀᆞ마니 일계를 ᄂᆡ여 귀비와 공쥬긔 고ᄒᆞᄃᆡ,

"경시 임의 죽엇ᄂᆞ이다."

ᄒᆞ니, 최네 경시의 청운녹발을 칼노 버혀 ᄂᆞ리와 ᄒᆞᆫ닙 돗1072)치 휘말고 ᄒᆞᆫ 거리1073) 바흐로 동히기를 맛츤 후 쳐치ᄒᆞ믈 의논ᄒᆞᆯᄉᆡ, 태셤이 ᄀᆞᆯ오ᄃᆡ,

1070)아ᄌᆞ(俄者) : 이전, 지난번, 조금 전, 갑자기.
1071)즈음치다 : 격(隔)하다. 사이를 두다. 가로막히다.
1072)돗 : 돗자리. 왕골이나 골풀의 줄기를 재료로 하여 만든 자리.
1073)거리 : 실・새끼・철사 따위의 가늘고 긴 줄을 사려놓은 묶음.

"임의 밤이 깁고 만뇌구덕(萬籟俱寂)ᄒ니 요란이 궁노 비를 알게 ᄒ미 블가ᄒ더라. 쳡의 오라비 동산딕이[1131]니 원문을 열나 ᄒ고, 경시를 츄경디 물의 너허 아조 흔덕을 【20】 업시ᄒ면 사름이 알니 업스리이다."

최녜 대희ᄒ여 왈,

"태셤이 극히 건당ᄒ니 족히 슈운(輸運)ᄒ리라."

ᄒ딕, 귀비와 공쥬 깃거 즉시 경시의 신톄를 태셤을 맛디니, 태셤이 가비야이 들고 밧그로 나가니, 공쥬 모녀와 최흥이 태셤의 깁흔 ᄯᆞᆺ을 모로고, 경시를 마자 죽이믈 만심환희ᄒ여, 묘랑으로 더브러 침당의 도라와 쥬육(酒肉)을 버리고 묘랑을 권ᄒ며, 그 신긔묘슐(神技妙術)을 칭찬ᄒ고 허다 긔딘이보(奇珍異寶)를 너여 묘랑을 상샤ᄒ고, 운영과 구창(九娼)을 마ᄌ 졔어ᄒ면 만무일흠(萬無一欠)ᄒ리라 ᄒ니, 그 요악ᄒ미 이 ᄀᆞᆺ더라.

태셤이 경【21】시의 시톄를 옴겨 졔 방으로 오니, 셤의 어미 강시 일즉 일ᄌᆞ일녀를 두고 과거(寡居)ᄒ고 형셰 ᄯᅩ 간곤(艱困)ᄒ미, 셤이 ᄌᆞ원ᄒ여 궁비의 튱슈ᄒ고 기ᄌᆞ(其子) 한칙이 궐ᄂᆡ 구실[1132]ᄒ엿더니, 강시 잇다감 대ᄂᆡ의 츌입ᄒ여 셤의 방의셔 ᄌᆞ더니, 이날 입궐ᄒ여 밤을 디ᄂᆡ다가 잠결의 놀나 ᄭᅢ여 문왈,

"낭낭을 엇디 시침(侍寢)치 아니코, 반야(半夜)의 분쥬ᄒ며 져 가진 거슨 므어시뇨?"

셤이 소릭를 금ᄒ고 ᄀᆞ마니 허다 ᄉᆞ고를 니른 후,

"경쇼졔 혹ᄌᆞ 싱되 이시면 만힝이니, 모친이 명일 교듕의 ᄒᆞᆫ가디로 나가 집의 머므르고 구호ᄒ여, 가가(哥哥)로 경참졍을 쳥ᄒ여 이【22】곡졀을 닐너 도라 보ᄂᆡ고, 블힝

1131)동산딕이 : 동산지기. 동산을 지키는 사람. *딕(直)이; 지기. 그것을 지키는 사람'의 뜻을 더하는 접미사
1132)구실 : 관청의 맡은 일.

"임의 밤이 깁고 만뇌구젹(萬籟俱寂)ᄒ니 요란이 궁노비를 알게 ᄒ미 블가ᄒ지라. 쳡의 오라비 동산직이[1074]니 원문을 열나 ᄒ고, 경시를 츄경지 물의 너허 아조 흔젹을 업시ᄒ면, 스람 이 알니 업스리이다."

최녜 디희ᄒ여 왈,

"틱셤이 극히 건장ᄒ니 족히 슈운(輸運)ᄒ리라."

ᄒ딕 귀비와 공쥬 깃거 즉시 경【131】시의 시쳬를 틱셤을 맛지니, 태셤이 ᄀᆞ비야이 들고 밧그로 ᄂᆞ아가니, 공쥬 모녀와 최녜 틱셤의 깁흔 ᄯᆞᆺ을 모로고, 경시를 마ᄌ 죽이믈 만심환희ᄒ여, 묘랑으로 더부러 침당의 도라와 쥬육(酒肉)을 버리고 묘랑을 권ᄒ며, 그 신긔묘산(神技妙算)을 칭찬ᄒ고, 허다 긔닌니보(奇珍異寶)를 너여 상ᄉᆞ고, 운녕과 구창(九娼)을 마ᄌ 졔어ᄒ면, 만무일흠(萬無一欠)ᄒ리라 ᄒ니, 그 요악ᄒ미 이 ᄀᆞᆺ더라.

틱셤이 경시의 시쳬를 옴겨 졔 방으로 오니, 셤의 어미 강시 일즉 일ᄌᆞ일녀를 두고 과거(寡居)ᄒ고, 형셰 ᄯᅩ 간곤(艱困)ᄒ미 셤이 ᄌᆞ원ᄒ여 궁비의 츙슈ᄒ고, 기ᄌᆞ 한칙이 궐ᄂᆡ 구실[1075]○[을]ᄒ엿더니, 【132】 강시 잇ᄃᆞ감 대ᄂᆡ의 츌입ᄒ여 셤의 방의셔 ᄌᆞ더니, 이날 닙궐ᄒ여 밤을 지ᄂᆡ다가, 잠결의 놀나 ᄭᅢ여 문왈,

"낭낭을 엇지 시측(侍側)치 아니ᄒ고, 반야(半夜)의 분쥬ᄒ며 져 가진 거슨 무어시뇨?"

셤이 소릭를 금ᄒ고, ᄀᆞ마니 허다 ᄉᆞ고를 닐은 후,

"경쇼졔 혹ᄌᆞ 싱되 이시면 만힝이니, 모친이 명일 교즁의 ᄒᆞᆫ가지로 나가 집의 머므르고 구호ᄒ여, 가가(哥哥)로 경참졍을 쳥ᄒ여 이 곡졀을 닐으고 도라 보ᄂᆡ딕, 블힝홀

1074)동산딕이 : 동산지기. 동산을 지키는 사람. *딕(直)이; 지기. 그것을 지키는 사람'의 뜻을 더하는 접미사
1075)구실 : 관청의 맡은 일.

홀디라도 그 시테를 추자 부모를 주면 격션이 아니리잇고?"

강시 청파의 모골이 송연ᄒ여 말을 못ᄒ고, 급히 바흘 그르고 경쇼져를 붓드러 더운 디 누이니, 임의 흔 뎡이 고기라. 보미 금즉ᄒ고 쏘 의상이 편편(片片)ᄒ여1133) 남은 거시 업ᄉ니, 강시 견파(見罷)의 탄셩 뉴톄ᄒ며, 셤으로 더브러 밤이 시도록 온츠(溫茶)의 회ᄉᆼ단(回生丹)1134)을 화(和)ᄒ여 입의 흘니고 디셩 구호ᄒ니, 날이 시고져 홀 셕의 경쇼제 바야흐로 슘소ᄅᆡ 잇셔 이이(哀哀) 비읍(悲泣)ᄒ는다라. 강시 모녜 대희ᄒ여 소ᄅᆡ를 나죽이ᄒ여 왈,

"부인은 졍신을 슈습ᄒ여【23】 보미를 딘음ᄒ쇼셔. 쳡은 희로온 사롬이 아니라, 부인이 작야의 요괴의게 착닉ᄒ여 ᄒ마 독슈의 맛게 되엿는 고로, 쳡이 여ᄎᆞ여ᄎᆞ ᄒ여 뫼셔 이의 니르러시니, 안심(安心) 조호(調護)ᄒ시면 당당이 친측의 도라가시게 ᄒ리이다."

경쇼져 본디 약딜노 독형의 상ᄒ고 쏘 비분이 흉격(胸膈)의 막혀 혼도ᄒ나, 뉵믹(六脈)1135)은 완젼ᄒ니 엇디 죽기의 밋츠리오. 계오 인ᄉᆞ를 출ᄒ나 오히려 인ᄉᆞ를 모로더니, 츠언을 듯고 눈을 써 보니, 두 녀지 구호ᄒ미 위인이 다 슌후(淳厚)ᄒ다라. 쇼졔 이에 칭샤왈,

"일죽 일면디분(一面之分)이 업ᄉ나 박명【24】 인싱을 ᄉᆞ디의 구ᄒ니, 은혜 태산 ᄀᆞᆺ튼다라. 원컨디 셩명을 알고져 ᄒ노라."

태셤 왈,

"쳡은 김귀비낭낭 궁비 태셤이라. 쳡이 비록 명박ᄒ여 귀비의 궁비 되여시나, 낭낭과 공쥬의 블현ᄒ시믈 블복ᄒ더니, 의외의 부인이 익회 비상ᄒ샤 참화를 만나 ᄉᆞ싱이

지라도 그 시체를 부모를 추져주면 격션이 아니리잇고?"

강시 청파의 모골이 송연ᄒ여 말을 못ᄒ고, 급히 《발을 듯고‖바흘 쯧고》 경쇼져를 붓드러 더운 디【133】 누히니, 임의 흔 뎡이 고기라. 보미 씀즉ᄒ고 쏘 의상이 《텬텬‖편편(片片)》ᄒ여1076) 남은 거시 업ᄉ니, 강시 견파(見罷)의 탄셩 뉴체ᄒ며 셤으로 더브러 밤이 시도록 츠(茶)의 회ᄉᆼ단(回生丹)1077)을 화ᄒ여 입의 흘니고, 지셩 구호ᄒ니, 날이 시고져 홀 셕의 경쇼졔 바야흐로 슘소ᄅᆡ 이셔 이이비읍(哀哀悲泣)ᄒ는지라. 강시 모녜 대희ᄒ여 소ᄅᆡ를 나죽이ᄒ여, 왈,

"부인은 졍신을 슈습ᄒ여 보미를 진음ᄒ쇼셔. 쳡은 히홀 ᄉᆞ람이 아니라. 부인이 작야의 뇨리(妖尼)의게 츅닉(捉來)ᄒ여 ᄒ마 독슈의 맛게 되엿는 고로, 쳡이 여ᄎᆞ여ᄎᆞᄒ여 뫼셔 이의 니르러시니, 안심(安心) 조호(調護)ᄒ시면 당당이 친측의 도라가시게【134】 ᄒ리이다."

경쇼져 본디 약딜노 독형의 상ᄒ고 쏘 비분이 흉격(胸膈)의 막혀 혼도ᄒ나, 뉵믹(六脈)1078)은 완젼ᄒ니 엇지 죽기의 밋츠리오. 계오 인ᄉᆞ를 출ᄒ나, 오히려 인ᄉᆞ를 모로더니, 츠언을 듯고 눈을 써 보니, 두 녀지 구호ᄒ미 위인이 다 슌후(淳厚)ᄒ지라. 쇼졔 이에, 칭ᄉᆞ왈,

"일죽 일면지분(一面之分)이 업ᄉ나 박명 인싱을 ᄉᆞ지의 구ᄒ니 은혜 틱산 ᄀᆞᆺ튼지라. 원컨디 셩명을 알고ᄌᆞ ᄒ노라."

태셤 왈,

"쳡은 김귀비낭낭 궁비 틱셤이라. 쳡이 비록 명박ᄒ여 귀비의 궁비 되여시나, 낭낭과 공쥬의 블현ᄒ시믈 블복ᄒ더니, 의외의 쇼졔 익회 비【135】상ᄒᄉ 춤화를 만나

1133)편편(片片)ᄒ다 : 옷 따위가 조각조각 찢겨지다.
1134)회ᄉᆼ단(回生丹) : 죽은 사람을 살아나게 하는 신이한 약으로, 고소설에 흔히 등장하는 약류(藥類)의 하나.
1135)뉵믹(六脈) : 여섯 가지 맥박. 부(浮), 침(沈), 지(遲), 삭(數), 허(虛), 실(實)의 맥을 이른다.

1076)편편(片片)ᄒ다 : 옷 따위가 조각조각 찢겨지다.
1077)회ᄉᆼ단(回生丹) : 죽은 사람을 살아나게 하는 신이한 약으로, 고소설에 흔히 등장하는 약류(藥類)의 하나.
1078)뉵믹(六脈) : 여섯 가지 맥박. 부(浮), 침(沈), 지(遲), 삭(數), 허(虛), 실(實)의 맥을 이른다.

슈유의 계시니, 쥬인을 속이고 뫼셔오과이
다."

쇼졔 쳥파의 그 의긔 현심을 감은 각골ᄒ
여 슈루(愁淚) 쳥샤 왈,

"싱아ᄌ(生我者)ᄂᆞᆫ 부뫼오, 지싱ᄌ(再生
者)ᄂᆞᆫ 궁인이라. 쳡이 친측의 도라간 후, 그
ᄃᆡ의 산고희활디은(山高海闊之恩)1136)을 닛
디 아니리라."

《셤셤∥셤이》 만만 블감ᄒ믈 일ᄏᆞᆺ고,
ᄀᆞᆯ오【25】ᄃᆡ,

"이곳이 쇼졔 오릭 머므르실 곳이 아니
니, 혹ᄌ 허다 이목의 만일 누셜ᄒᆞ미 이신
즉, 부인의 귀톄 다시 위퇴ᄒᆞ시고 쳡이 ᄯᅩ
무ᄉᆞ치 못ᄒᆞ리니, 쳡의 뫼(母) 맛ᄎᆞᆷ 드러왓
ᄉᆞ오니 쳥신(淸晨)의 부인으로 ᄒᆞᆫ 교ᄌ의
타 쳡의 집의 가 안둔(安屯)ᄒᆞ시고 죵용이
션쳐ᄒᆞ여 죤부로 도라가시미 무방ᄒᆞ도소이
다."

쇼졔 샤왈,

"삼가 은인의 디휘ᄃᆡ로 ᄒᆞ리라."

ᄒᆞ더라.

날이 치 붉디 아녀셔 강시 거즛 복통을
알노라 ᄒᆞ고, 거교(車轎)를 슈습ᄒᆞ여 나갈
식, 병장(屛帳)을 두로고, 강시 졍쇼져를 안
고 교듕의 오로니 알니 업더라. 쇼졔 태셤
의게 구싱디은(求生之恩)을 못ᄂᆡ 쳥샤ᄒ
【26】고, 강시의 교듕의 드러 궐문을 무ᄉᆞ
히 나 한칙의 집의 니르니, 맛초아 칙이 나
가고 칙의 쳬 고모(姑母)를 마ᄌᆞ니, 강시 쇼
져를 붓드러 방듕의 드리고, 미ᄎᆞᆺ 칙이
드러오니, 강시 ᄌ부(子婦)1137)를 ᄃᆡ ᄒᆞ여 허
다 곡졀을 니르고 부인의 상쳬 ᄀᆞ장 대단ᄒ
고, 병셰 만분위악(萬分危惡)ᄒᆞ믈 니르고,
읍(泣) 왈,

"쇼져ᄂᆞᆫ 경참졍의 만금농쥬(萬金弄珠)로
문양공쥬긔 이러ᄐᆞᆺ 참욕을 바들 지 아니오,
ᄯᅩ 식모지예(色貌才藝) 금셰의 희한ᄒᆞᆫ 슉녀
어늘, 냥가 부모와 뎡부매 막연이 모로고

ᄉᆞ싱이 슈유의 계시니, 주인을 속이고 뫼셔
오과이다."

쇼졔 쳥파의 그 의긔현심을 감은 극골ᄒ
여 슈루(愁淚) 칭ᄉᆞ 왈,

"싱아ᄌ(生我者)ᄂᆞᆫ 부뫼오, 지싱ᄌ(再生
者)ᄂᆞᆫ 궁인이라. 쳡이 친측의 도라간 후, 그
ᄃᆡ의 산고희활지은(山高海闊之恩)1079)을 닛
지 아니리라."

셤이 만만 블감ᄒᆞᆷ믈 닐ᄏᆞᆺ고 ᄀᆞᆯ오ᄃᆡ,

"이곳이 쇼졔 오릭 머므르실 곳이 아니
니, 혹ᄌ 허다 이목의 만일 누셜ᄒᆞ미 이신
즉, 부인의 귀○[톄] 다시 위퇴ᄒᆞ고 쳡이
ᄯᅩ 무ᄉᆞ치 못ᄒᆞ리니, 쳡의 뫼(母) 맛ᄎᆞᆷ 드러
왓ᄉᆞ오니 쳥신(淸晨)의 부인으로 ᄒᆞᆫ 교ᄌ의
타 쳡의 집의 가 안둔(安屯)ᄒᆞ시고, 죵용이
션쳐ᄒᆞ여 죤부로 도라가시미 무방ᄒᆞ도소이
다."

쇼【136】졔 샤왈,

"삼가 은인의 명ᄃᆡ로 ᄒᆞ리라."

ᄒᆞ더라.

날이 치 붉디 아녀셔 강시 거즛 복통을
알노라 ᄒᆞ고, 거교(車轎)를 슈습ᄒᆞ여 나갈
식, 병장(屛帳)을 두로고 강시 쇼져를 안고
교듕의 오로니 알니 업더라. 쇼졔 틱셤의게
구싱지은(求生之恩)을 못ᄂᆡ 츙슈ᄒᆞ고, 강시
의 교듕의 드러 궐듕을 무ᄉᆞ히 나, 한칙의
집의 니르니, 맛초아 칙이 나가고 칙의 쳬
고모(姑母)를 마ᄌᆞ니, 강시 쇼져를 붓드러
방듕의 드리고 미ᄎᆞᆺ 칙이 드러오니, 강시
ᄌ여부(子與婦)1080)를 ᄃᆡ ᄒᆞ여 허다 곡졀을
니르고, 부인의 상쳬 ᄃᆡ단ᄒᆞ고 병셰 만분
위악(萬分危惡)ᄒᆞ믈 니르고, 읍(泣) 왈,

"쇼져ᄂᆞᆫ 경참졍【137】의 만금농쥬(萬金
弄珠)로, 문양 공쥬긔 니러ᄐᆞᆺ 참욕을 바들
지 아니오, ᄯᅩ 식모지예(色貌才藝) 금셰의
희한ᄒᆞᆫ 슉녀어늘, 냥가 부모와 뎡부매 젼연

1136)산고희활디은(山高海闊之恩) : 산처럼 높고 바
　다처럼 넓은 은혜.
1137)ᄌ부(子婦) : 아들과 며느리.

1079)산고희활디은(山高海闊之恩) : 산처럼 높고 바
　다처럼 넓은 은혜.
1080)ᄌ여부(子與婦) : 아들과 며느리.

흔갓 호표의 작용만 넉이리니, 엇디 참혹디 아니리오."

칙이 쳥파의 공쥬 모녀와 최녀의 궁흉대악을 【27】 크게 놀나고, 경쇼져의 화익을 잔잉히 넉여, 기모와 쳐즈로 ᄒ여금 약음과 보미를 ᄀ초아 디셩으로 구완ᄒ나, 슈삼일의 니르도록 일양(一樣)이라.

한가 모즈 부뷔 민망ᄒ믈 니긔디 못ᄒ니, 쇼졔 강시를 디ᄒ여 닐오디,

"나의 약딜노 위경을 디닉미 병셰 가비압디 아닌디라. 오릭 이곳의 뉴쳐(留處)ᄒ여 죵시 싱도를 엇디 못ᄒ즉, 부모를 산 낫츠로 반기디 못ᄒ리니, 본부의 소식을 통키를 바라노라."

강시 긔즈로 상의ᄒ니, 칙이 즉시 경부의 니르러 명함을 드리니, 경공이 녀ᄋ를 실산ᄒ고 소식을 듯디 못ᄒ니, 공이 슉식을 【28】 폐ᄒ고 미온 술노 장위를 뎍실 ᄯ름이러니, 한칙의 명함을 보고 외헌의 나와 불너보니, 착[칙]이 츄창(趨蹌)[1138] 비알ᄒ고,

"쇼인이 비밀디ᄉ(秘密之事)를 고홀 말슴이 잇ᄉ오니 원인(遠人)[1139] 벽좌우(辟左右)[1140] ᄒ쇼셔."

공이 의아ᄒ여 즉시 좌우를 믈니친디, ᄀ마니 고 왈,

"쇼인은 궁속(宮屬) 한칙이라. 거일의 여ᄎ여ᄎ ᄒ여 모(母) 강시 누의를 보라 궐닉의 드러갓습더니, 쇼부인이 여ᄎ 참화를 만나샤 ᄉ싱이 위퇴ᄒ실 ᄯ분아니라, 옥쥐 죽은 줄노 아라 누의를 맛뎌 츄경디 년못시 너흐라 ᄒ미, 누의 ᄯ 여ᄎ여ᄎᄒ여 옥쥬와 낭낭을 긔망ᄒ고, ᄀ마니 어미 교듕의 너허 【29】 쳔가(賤家)의 오신 디 삼일의, 디셩 완호(援護)[1141]ᄒ오디 병셰 위악ᄒ시니, 와 고ᄒᄋᆸᄂ니, 노야는 ᄎᄉ를 구외(口外) 블츌

────────────────
1138)츄창(趨蹌) : 예도(禮度)에 맞게 허리를 굽히고 빨리 걸어감.
1139)원인(遠人) : 사람을 멀리 물리침.
1140)벽좌우(辟左右) : 밀담을 하려고 곁에 있는 사람을 물리침.
1141)완호(援護) : 원호(援護). 돕고 보살펴 줌.

이 모로고 흔갓 호표의 작용만 넉이리니, 엇지 춤혹지 아니리오."

칙이 쳥파의 공쥬 모녀와 최녀의 궁흉디악을 크게 놀나고, 경쇼져의 화익을 잔잉히 넉여, 어미와 쳐즈로 ᄒ여금 약음과 보미를 ᄀ초아 지셩으로 구완ᄒ나, 슈삼일의 니르도록 일양(一樣)이라.

한가 모즈 부뷔 민망ᄒ믈 니긔지 못ᄒ니, 쇼졔 강시를 디ᄒ여 닐오디,

"나의 낙딜노 위경을 지닉미 병셰 ᄀ비압지 아닌지라, 오릭 이곳의 뉴쳐(留處)ᄒ여 죵시 【138】 싱도를 엇지 못ᄒ즉, 부모를 산 낫츠로 반기지 못ᄒ리니, 본부의 소식○[을] 통키를 바라노라."

강시 긔즈로 상의ᄒ니, 칙이 즉시 경부의 ᄂ아가 명함을 드리니, 경공이 녀ᄋ를 실산ᄒ고 소식을 듯지 못ᄒ니, 공이 슉식을 폐ᄒ고 《비은‖미온》 술노 장위를 젹실 ᄯ름이러니, 한칙의 명함을 보고 외헌의 ᄂ와 불너보니, 칙이 츄창(趨蹌)[1081] 비알ᄒ고, 왈,

"쇼인이 비밀지ᄉ(秘密之事)를 고홀 말슴이 잇ᄉ오니, 원인(遠人)[1082] 벽좌우(辟左右)[1083] ᄒ쇼셔."

공이 의아ᄒ여 즉시 좌우를 믈니친디, ᄀ만니 고 왈,

"쇼인은 궁속(宮屬) 한칙이라. 거일의 여ᄎ여ᄎᄒ여 모 강 【139】 시 누의를 보라 궐닉의 드러갓습더니, 쇼부인이 여ᄎ 참화를 만나ᄉ, ᄉ싱이 위퇴ᄒ실 ᄯ분아니라, 옥쥐 죽은 줄노 아라 누의를 맛뎌 츄경지 년못시 너흐라 ᄒ미, 누의 ᄯ 여ᄎ여ᄎᄒ여 옥쥬와 낭낭을 긔망ᄒ고, ᄀ만니 어미 교자 즁의 너허 쳔가(賤家)의 완지 숨일○[의] 치료ᄒ오디 병셰 위악ᄒ시니, 와 고ᄒᄋᆸᄂ니, 노야ᄂ ᄎᄉ를 구외블쥴(口外不出)ᄒ샤, 힝혀 젼셜(傳說)되오면 쇼인 모즈 남미 보젼치 못

────────────────
1081)츄창(趨蹌) : 예도(禮度)에 맞게 허리를 굽히고 빨리 걸어감.
1082)원인(遠人) : 사람을 멀리 물리침.
1083)벽좌우(辟左右) : 밀담을 하려고 곁에 있는 사람을 물리침

(不出)ᄒᆞ샤, 힝혀 젼셜(傳說)ᄒᆞ면 쇼인 모즈 남미 보젼치 못ᄒᆞ오리니, 션쳐ᄒᆞ쇼셔."

공이 쳥미의 ᄎᆞ경ᄎᆞ희(且驚且喜)ᄒᆞ여 칭샤 왈,

"녀이 ᄉᆞ싱이 누란(累卵)의 급ᄒᆞ○○[미 잇]거ᄂᆞᆯ, 여등 남미 히활디은(海闊之恩)으로 목숨을 보젼타 ᄒᆞ니, 엇디 이런 듕난흔 말을 경셜ᄒᆞ여 은인의 덕을 니즈리오."

ᄒᆞ고, 심시 착급ᄒᆞ여 녀ᄋᆞ를 보미 시긱이 밧바, 급히 심복가인 오뉵인으로 더브러 한 칙과 흔가디로 칙의 집의 니르니, 강시 고식이 피ᄒᆞ고, 칙이 【30】 참졍을 인도ᄒᆞ여 쇼져 잇ᄂᆞᆫ 방을 가ᄅᆞ치니, 경공이 드러와 쇼져 누은 방의 가 쇼져를 보미, 흔 덩이 육괴라. 타인디심(他人之心)도 잔잉ᄒᆞᆷ믈 니긔디 못ᄒᆞ려든, 경공의 별뉸(別倫) 즈이(慈愛)로 뼈 엇더ᄒᆞ리오. 일견의 실식대경ᄒᆞ여 뉴톄ᄒᆞᆷ믈 씨닷디 못ᄒᆞ니, 쇼졔 야야를 보미 이읍(哀泣)ᄒᆞᆷ믈 마디 아닛ᄂᆞᆫ디라. 공이 녀ᄋᆞ의 옥슈를 잡고 뉴톄 왈,

"ᄎᆞ하경식(此何景色)1142)고? 노뷔 힝년 오십의 이런 혹형을 보디 아녀시니, 문양공 쥐 금디옥엽(金枝玉葉)으로 ᄎᆞ마 이런 일을 힝ᄒᆞ뇨? 연이나 널노 ᄒᆞ여금 이리 ᄒᆞ믄 다 노부의 블찰이라. 슈원슈한(誰怨誰恨)이리오."

쇼졔 딕 【31】 왈,

"쇼녀의 변난은 처음브터 아랏습거니와, 원컨딕 대인은 힝혀도 존구와 뎡군다려 젼셜치 마르시고, 쇼녀를 강졍(江亭)의 옴기샤 됴병케 ᄒᆞ시고, 심당의 깁히 드러 여년을 맛게 ᄒᆞ쇼셔."

공이 녀ᄋᆞ의 위위흔 경식을 보고 심장이 버히ᄂᆞᆫ 둣ᄒᆞ나, 처음 일코 탄도(嘆悼) 비황(悲遑)ᄒᆞ던 바로 비컨딕, 비록 육괴(肉塊)라도 ᄎᆞ즈미 깃브고 다힝흔디라. 언언이 응낙ᄒᆞ고, 죵일 이의 잇셔 녀ᄋᆞ를 완호ᄒᆞ며, 심복가인으로 쇼교(小轎)를 딕령ᄒᆞ여 날이 져믈기를 기다려 강졍으로 옴기고, 도라와 허

1142)ᄎᆞ하경식(此何景色) : 이 무슨 광경인가?

ᄒᆞ오리니이다."

공이 ᄎᆞ경ᄎᆞ희(且驚且喜)ᄒᆞ여 칭ᄉᆞ 왈,

"녀이 ᄉᆞ싱이 누란(累卵)의 급ᄒᆞ거ᄂᆞᆯ, 여등 남미 히활지은(海闊之恩)으로 목슴을 보젼타 ᄒᆞ니, 엇지 니런 즁난흔 【140】 말을 젼셜ᄒᆞ여 은인의 덕을 니즈리오."

ᄒᆞ고, 심시 츅급ᄒᆞ여 녀ᄋᆞ 보미 시긱이 밧바, 급히 심복가인 오뉵인으로 더브러 한 칙을 ᄯᅡ라 흔가지로 칙의 집의 니ᄅᆞ니, 강시 고식이 피ᄒᆞ고, 칙이 참졍을 인도ᄒᆞ여 경쇼져 잇ᄂᆞᆫ 방을 가ᄅᆞ치니, 경공이 드러와 쇼져 누은 방의 가 쇼져를 보니, 흔 덩이 뉵괴라. 타인지심(他人之心)도 잔잉ᄒᆞ려든 경공의 별뉸즈이(別倫慈愛)로 엇더ᄒᆞ리오. 일견의 실식디경ᄒᆞ여 뉴쳬ᄒᆞᆷ믈 씨닷지 못ᄒᆞ니, 쇼졔 야야를 보미 이읍ᄒᆞᆷ믈 마지 아닛ᄂᆞᆫ지라. 공이 녀ᄋᆞ의 옥슈를 잡고, 뉴쳬 왈,

"ᄎᆞ하경식(此何景色)1084)고? 노뷔 힝년 오십의 니런 혹형을 보지 아녀시니, 문양공 쥐 금지옥엽(金枝玉葉)으로 ᄎᆞ마 니런 【141】 일을 힝ᄒᆞ뇨? 그러나 널노 ᄒᆞ여금 이리ᄒᆞ믄 다 노부의 블찰이라. 누를 원ᄒᆞ리오."

쇼졔 딕 왈,

"쇼녀의 《병난∥변난》은 쳐음붓터 아랏습거니와, 한궁이(宮兒)의 의긔현심으로 ᄉᆞ라 낫ᄉᆞ오니, 원(願) 딕인은 힝혀도 존구와 뎡군ᄃᆞ려 젼셜치 마르시고, 쇼녀를 강졍(江亭)의 옴기ᄉᆞ 됴병케 ᄒᆞ시고, 심당의 깁히 드러 여년을 맛게 ᄒᆞ쇼셔."

공이 녀ᄋᆞ의 위위흔 경식을 보고 심장이 버히ᄂᆞᆫ 둣ᄒᆞ나, 쳐음 일코 탄도비황(嘆悼悲遑)ᄒᆞ던 바로 비컨딕, 비록 뉵괴(肉塊)라도 ᄎᆞ즈미 깃브고 다힝흔지라. 언언이 옥[응]낙ᄒᆞ고 죵일 이의 잇【142】셔 녀ᄋᆞ를 완호ᄒᆞ며, 심복가인으로 쇼교(小轎)를 딕령ᄒᆞ여 날이 져믈기를 기ᄃᆞ려 강졍으로 옴기고,

1084)ᄎᆞ하경식(此何景色) : 이 무슨 광경인가?

다 스연을 니르고, 작셕의 녀우를 다려 강정【32】의 굼초아시믈 니르니, {경시랑 부뷔 블힝 듕 깃브믈 일큿고} 부인이 그 싱존ᄒ믈 깃거 ᄒ나, 그 상쳬 대단ᄒ며 병셰 위악ᄒ믈 슬허ᄒ니, 공이 위로 왈,

"ᄎ역명애(此亦命也)라. 현마 엇디 ᄒ리오. 처음 아조 일헛던 경식의 비컨디 엇디 다힝치 아니리오. 부인은 안심 믈우(勿憂)ᄒ《쇼셔∥고》 녀우의 병심을 어즈러이디 《말나∥마르쇼셔》."

부인이 공의 말ᄉᆷ을 올히 넉여 비회를 금억ᄒ고, 가듕의 말을 닛디, 강졍으로 피우ᄒ여 심회를 쇼셜(掃雪)ᄒ련다1143)ᄒ고, 쇼져의 《유우∥시비(侍婢)》를 다 거ᄂᆞ리고 강졍의 가 쇼져를 보미, 환형(換形)ᄒ미 ᄒ낫 육괴라. 부인과 졔녜 실식(失色) ᄎ악(嗟愕)ᄒ여【33】 말을 못ᄒ니, 부인이 냥구(良久) 읍톄 왈,

"ᄎ하경식(此何景色)이뇨? 여뫼 일즉 젹악ᄒ미 업거늘, 일녀의 신셰 험난ᄒ미 여ᄎ ᄒ니 엇디 슬프디 아니리오."

쇼졔 모친의 손을 밧드러 반기고, 슬프미 교집ᄒ여 회허(唏噓) 냥구의 위로 왈,

"이 다 쇼녀의 명되 험ᄒ미니 슈원슈한(誰怨誰恨)이리오. 쇼녜 임의 일누를 보젼ᄒ여시니 결단코 죽든 아닐디라. 원(願) 부모ᄂᆞ 셩녀를 허비치 마르샤, 히우의 블효를 더으디 마르쇼셔."

부인이 심회 ᄌᆞ못 비졀ᄒ나, 녀우의 병회를 요동치 아니려 ᄒ여 다시 비식을 낫타니디 아니코, 이의 머므러 쥬야 쇼져를 구호ᄒ미【34】 쇼져의 상쳬 월여의 비로소 ᄎ경ᄒ니, 부뫼 깃거 ᄒ며 ᄌᆞ긔 부뷔 너모 오릭 이시면 혹ᄌᆞ 번거홀가 ᄒ여, 모든 시녀로 쇼져를 보호ᄒ라 ᄒ고 부듕의 도라오니, 취운산 뎡부의셔도 모로더라.

ᄎ시 문양이 경쇼져를 즛쳐 죽인 후, 익일 모비를 하덕ᄒ고 궁의 도라와 뎡부의 니르러 존당 구고긔 현알ᄒ 후, 슈일 존후를 뭇ᄌᆞ오며 경시의 호환 만나믈 치위ᄒ미, 놀

도라와 허다 스연을 다 니르고, 작셕의 녀우를 다려 강졍의 굼초아시믈 니르니, 부인이 그 싱존ᄒ믈 깃거 ᄒ나 그 상쳬 디단ᄒ며 병셰 위악ᄒ믈 슬허ᄒ니, 공이 위로 왈,

"ᄎ역명애(此亦命也)라. 현마 엇지ᄒ리오. 쳐음 아조 닐헛던 경식의 비컨디 엇지 다힝치 아니리오. 부인은 안심 믈우(勿憂)《ᄒ쇼셔∥ᄒ고》 녀우의 병심을 어즈러이지 《말나∥마르쇼셔》."

부인이 공의 말을 올히 넉여 비회를 금억ᄒ고, 가듕의 말을 닛디, 강졍으로 피우ᄒ여 심회를 쇼셜(掃雪)ᄒ련다1085)【143】 《유우∥시비(侍婢)》를 다 거ᄂᆞ리고 강졍의 가 쇼져를 보미, 환형(換形)ᄒ미 ᄒ낫 육괴라. 부인과 졔녜 실식(失色) ᄎ악(嗟愕)ᄒ여말을 못ᄒ니, 부인이 냥구(良久) 읍쳬 왈,

"ᄎ하경식(此何景色)고? 녀뫼 일즉 젹악ᄒ미 업거늘, 일녀의 신셰 험난ᄒ미 여ᄎ ᄒ니 엇지 슬프지 아니ᄒ리오."

쇼졔 모친의 손을 밧드러 반기고, 슬프미 교집ᄒ여 회허(唏噓) 냥구의, 위로 왈,

"이 다 쇼녀의 명되 험ᄒ미니 슈원슈한(誰怨誰恨)이리잇고? 쇼녜 님의 일누를 보젼ᄒ여시니, 결단코 죽든 아닐지라. 원(願) 부모ᄂᆞ 셩녀를 허비치 마르ᄉᆞ, 히우의 블효를 더으지 마르쇼셔."

부인이 심회 ᄌᆞ못 비졀ᄒ나, 녀우의 병회를 뇨동치 아니려 ᄒ여【144】 다시 비식을 낫타닉지 아니코, 이의 머므러 쇼져를 구호ᄒ미 쇼져의 상쳬 월여의 비로소 ᄎ셩ᄒ니, 부뫼 깃거ᄒ며 ᄌᆞ긔 부뷔 너모 오릭 이시면 혹ᄌᆞ 번거홀가 ᄒ여, 모든 시녀로 쇼져를 보호ᄒ라 ᄒ고 부즁의 도라오니, 취운산 뎡부의셔도 모릭더라.

ᄎ시 문양이 경쇼져를 《즛친∥즛쳐 죽인》 후, 닉일 모비를 하직고 궁의 도라와 뎡부의 니르러 존당 구고긔 현알ᄒ 후, 슈일 존후를 뭇ᄌᆞ오며, 경시의 호환 만나믈

1143)쇼셜(掃雪)ᄒ다 : 쓸어내다. 없애다. 제거하다

1085)쇼셜(掃雪)ᄒ다 : 쓸어내다. 없애다. 제거하다

나고 슬허ᄒ미 디극ᄒ니, 존당 구괴 다만 가변의 괴이ᄒ믈 일쿳고, 부마ᄂᆞᆫ 투목(偸目)으로 그 ᄂᆡ외 현격ᄒᄆᆞᆯ 더옥 통히ᄒ더라.

공쥐 이【35】윽이 뢰셧다가 궁의 도라오니, 최녜 마ᄌ 뎡부 괴식을 뭇고, 비쥐(婢主) 블승흔희(不勝欣喜)ᄒ여 다시 획칙ᄒ여 운영과 구창(九娼)을 업시코져 ᄒᆞᆯ시, 최녜 헌계 왈,

"여ᄎᆞ여ᄎᆞ 운영을 잡아다가 업시 ᄒ려니와, 구창 잇ᄂᆞᆫ 초실은 뎡당과 사이 ᄡᅳ고 왕반이 머니, 비록 야간의 블을 노하도 알니 업슬 거시니, ᄯᅩ 여ᄎᆞ여ᄎᆞ ᄒ여 그 거쳐를 소화ᄒ면, 엇디 뎌 구창 셔룻기를 근심ᄒ리오."

공쥐 희왈,

"보모ᄂᆞᆫ 나의 ᄌᆞ방(子房)1144)이라 내 보모를 두어시니 죡히 한고○[조](漢高祖)1145)의 통일ᄉᆞ업을 근심ᄒ리오."

ᄒ더라. 이러구러 슌일(旬日)이 디낫더니, 【36】공쥐 묘랑을 쳥ᄒ여 힝계ᄒᆞᆯ시, 묘랑이 흔연이 허락ᄒ고 초일 듕야(中夜)의 ᄯᅩ 비회(飛虎) 되여, 뎡부의 돌입ᄒ여 운영의 침소의 드러가니, 운영이 밤이 깁흐미 두어 시비로 더브러 침쉬(寢睡) 바야히러니1146), 묘랑이 브디블각(不知不覺)1147)의 ᄂᆞ라드러 거두쳐 도라가니, 운영이 ᄭᅮᆷ 가온디 놀나 ᄭᆡᄃᆞᄅᆞ니, 졔 몸을 므어시 수리1148) 미1149) 추ᄃᆞᆺᄒ여 발셔 공듕의 올낫ᄂᆞᆫ디라. 심신이

1144)ᄌᆞ방(子房) : 중국 한나라의 건국공신 장량(張良)의 자(字).
1145)한고조(漢高祖) : 중국 한(漢)나라의 제1대 황제(B.C.247~B.C.195). 성은 유(劉). 이름은 방(邦). 자는 계(季). 시호는 고황제(高皇帝). 고조는 묘호. 진시황이 죽은 다음 해 항우와 합세하여 진(秦)나라를 멸망시켰다. 그 뒤 해하(垓下)의 싸움에서 항우를 대파하여 중국을 통일하고 제위에 올랐다. 재위 기간은 기원전 206~기원전 195년이다
1146)바야히다 : 무르녹다. 한창이다.
1147)브디블각(不知不覺) : 자신도 모르는 사이.
1148)수리 : 수릿과의 독수리, 참수리, 흰꼬리수리, 검독수리 따위를 통틀어 이르는 말. 몸이 크고 힘이 세며, 크고 끝이 굽은 부리와 굵고 날카로운 발톱이 있다. 들쥐, 토끼 따위를 잡아먹는다.
1149)미 : 매. 맷과의 새를 통틀어 이르는 말.

치위ᄒ미, 놀나고 슬허ᄒ미 지극ᄒ니, 존당 구괴 다만 가변의 괴이ᄒ믈 일쿳고, 부마ᄂᆞᆫ 투목(偸目)으로 그 ᄂᆡ외 현격ᄒᄆᆞᆯ 더옥 통히ᄒ더라.

공쥐 니윽이 뢰【145】셧다가 궁의 도라오니, 최녜 마ᄌ 뎡부 괴식을 뭇고, 비쥐(婢主) 블승흔희(不勝欣喜)ᄒ여 다시 획칙ᄒ여 운녕과 구창(九娼)을 업시코져 ᄒᆞᆯ시, 최녜 헌계 왈,

"여ᄎᆞ여ᄎᆞ 운녕을 줍아드가 업시 ᄒ려니와, 구창 잇ᄂᆞᆫ 초실은 뎡당과 ᄉᆞ이 ᄡᅳ고 왕반이 머니, 비록 야간의 블을 노하도 알니 업슬 거시니, ᄯᅩ 여ᄎᆞ여ᄎᆞᄒ여 그 거쳐를 소화ᄒ면, 엇지 뎌 구창 셔룻기를 근심ᄒ리오."

공쥐 희왈,

"보모ᄂᆞᆫ 나의 ᄌᆞ방(子房)1086)이라 내 보모를 두어시니 죡히 한고조(漢高祖)1087)의 통일ᄉᆞ업을 근심ᄒ리오."

ᄒ더라. 이러구러 슌일(旬日)이 지낫더니, 공쥐 묘랑을 쳥ᄒ여 힝계ᄒᆞᆯ시, 묘랑이 흔연이 허락ᄒ고, 초일 【146】 쥼야(中夜)의 ᄯᅩ 비회(飛虎) 되여, 뎡부의 드러가 운녕의 침소의 니르니, 운녕이 밤이 야심ᄒ미 두어 시비로 더브러 침쉬(寢睡) 바야히러니1088), 묘랑이 부지블각(不知不覺)1089)의 다라드러 거두쳐 도라가니, 운녕이 ᄭᅮᆷ 가온디 놀나 ᄭᆡᄃᆞᄅᆞ니, 졔 몸을 무어시 수리1090) 미1091) 추ᄃᆞᆺᄒ여 발셔 공즁의 올나ᄂᆞᆫ지라. 심신이

1086)ᄌᆞ방(子房) : 중국 한나라의 건국공신 장량(張良)의 자(字).
1087)한고조(漢高祖) : 중국 한(漢)나라의 제1대 황제(B.C.247~B.C.195). 성은 유(劉). 이름은 방(邦). 자는 계(季). 시호는 고황제(高皇帝). 고조는 묘호. 진시황이 죽은 다음 해 항우와 합세하여 진(秦)나라를 멸망시켰다. 그 뒤 해하(垓下)의 싸움에서 항우를 대파하여 중국을 통일하고 제위에 올랐다. 재위 기간은 기원전 206~기원전 195년이다
1088)바야히다 : 무르녹다. 한창이다.
1089)브디블각(不知不覺) : 자신도 모르는 사이.
1090)수리 : 수릿과의 독수리, 참수리, 흰꼬리수리, 검독수리 따위를 통틀어 이르는 말. 몸이 크고 힘이 세며, 크고 끝이 굽은 부리와 굵고 날카로운 발톱이 있다. 들쥐, 토끼 따위를 잡아먹는다.
1091)미 : 매. 맷과의 새를 통틀어 이르는 말.

경황ᄒ여 크게 소리ᄒ니, 슉덕 시비 놀나 ᄭᅵᄃ라 보니 문이 열녓고 쥬인이 간 ᄃᆡ 업ᄂᆞᆫ디, 공듕의셔 사ᄅᆞᆷ을 브르ᄂᆞᆫ 소ᄅᆡ 은은ᄒ니, 이 분명ᄒᆫ 운영의 소ᄅᆡ라. 《실시∥실식(失色)》 대경(大驚)【37】ᄒ여 ᄂᆡ다라 공듕을 우러러 보니, 발셔 나ᄂᆞᆫ 범이 므러가ᄂᆞᆫ디라. 슌식간의 ᄌᆞ최 업스니 ᄂᆞᆼ비지 대경 실식ᄒ나, 감히 뎡당의 고치 못ᄒ고 급히 남후긔 고ᄒ니, 병뷔 뎡히 외헌의셔 ᄂᆞᆼᄒ로 더브러 침쉬 깁더니, 추언을 듯고 역시 대경 ᄎᆞᆨ악ᄒ나 ᄉᆞ이이의(事而已矣)라.

윤・양・경 삼부인 ᄀᆞᆺ튼 슉완 현쳐와 옥슈신월(玉樹新月) ᄀᆞᆺ튼 ᄌᆞ녀도 실산ᄒ여 ᄉᆞ싱존망을 모ᄅᆞ거든, 일개 운영을 니르리오마ᄂᆞᆫ, 역시 인명이 관듕(款重)ᄒᆞᆷ믈 경악ᄒ나 훌 일 업셔 시비를 분부ᄒ여, 굴오ᄃᆡ,

"여쥬(汝主)의 만난 바 참변이 인심의 ᄎᆞ악ᄒᆞ디, ᄉᆞ이이의(事而已矣)라. 임의 밤【38】이 깁허시니 뎡당이 아르시면 놀나실 거시니, 아딕 고치 말고 시기를 기다려 심방(尋訪)ᄒ여 보게 ᄒ라."

ᄒ니, ᄂᆞᆼ비 쳥녕ᄒ고 믈너나다.

시시의 묘랑이 운영을 후려 문양궁의 니르니, 공쥐 쳥상의 쵹을 붉히고 운영을 잡아드릴ᄉᆡ, 운영이 본ᄃᆡ 속옷슬 닙고 ᄌᆞᄂᆞᆫ 고로 계오 단삼단의(單衫單衣) 살흘 가리와시나, 복식을 ᄀᆞᆺ초디 못ᄒ엿고, 졍신이 황홀ᄒ여 ᄌᆞ시 보니, 이 다른 ᄃᆡ 아니라 문양궁 후졍이오. 공쥐 쳥듕(廳中)의 안ᄌᆞ 독안(毒眼)을 브릅쓰고 운영의 두발을 ᄭᅳ드러 손의 감고, 츼녀로 더브러 텰편을 드러 일신을 어ᄌᆞ러이 두다리며 ᄭᅮ디ᄌᆞ【39】ᄃᆡ,

"네 쳔승공쥬로 옥면군지 어ᄃᆡ 업셔 구ᄎᆞ히 타국 남ᄌᆞ를 ᄯᆞ라 니르러, 반계곡경(盤溪曲徑)1150)으로 좃ᄎᆞ 나의 심우(心憂)를 ᄭᅵᆺ치니, 내 맛당이 너의 죄를 다ᄉᆞ리리라."

1150)반계곡경(盤溪曲徑) : 서려 있는 계곡과 구불구불한 길이라는 뜻으로, 일을 순서대로 정당하게 하지 아니하고 그릇된 수단을 써서 억지로 함을 이르는 말.

경황ᄒ여 크게 소리ᄒ니, 슉직 시비 놀나 ᄭᅵ여보니 문이 열녓고 쥬인이 간 ᄃᆡ 업ᄂᆞᆫ디, 공즁의셔 ᄉᆞᄅᆞᆷ을 브르ᄂᆞᆫ 소ᄅᆡ 은은ᄒ니, 이 분명ᄒᆫ 운영의 소ᄅᆡ라. 실식(失色)ᄒ여 공즁을 우러러 보니, 발셔 나ᄂᆞᆫ 범이 므러 가ᄂᆞᆫ지라. 슌식간의 ᄌᆞ최 업스니, ᄂᆞᆼ비지 대경실식ᄒ나 감히 뎡당의 고치【147】 못ᄒ고 급히 남후긔 고ᄒ니, 병뷔 뎡히 외헌의셔 ᄂᆞᆼᄃᆡ로 더브러 침쉬 깁더니, 추언을 듯고 역시 대경 ᄎᆞᆨ악ᄒ나 ᄉᆞ이이의(事而已矣)라."

윤・양・경 숨부인 ᄀᆞᆺ튼 슉완 현쳐와 옥슈신월(玉樹新月) ᄀᆞᆺ튼 ᄌᆞ녀{로}도 《실살∥실산》ᄒ여 ᄉᆞ싱존망을 모ᄅᆞ거든, 일기 운녕을 니르리오마ᄂᆞᆫ, 역시 인명이 관즁(款重)ᄒᆞᆷ믈 경악ᄒ나, 훌일업셔 시녀를 분부ᄒ여, 굴오ᄃᆡ,

"녀쥬(汝主)의 만난 바 참변이 인심의 ᄎᆞ악ᄒᆞ디, ᄉᆞ이이의(事而已矣)라. 이믜 밤이 깁허시니 뎡당이 아르시면 놀나실 거시니, 아직 고치 말고 시기를 기다려 심방(尋訪)ᄒ여 보게 ᄒ라."

ᄒ니, ᄂᆞᆼ비 쳥녕ᄒ고 믈너나다.

ᄎᆞ시의 묘랑이 운녕을 후려 문양궁의 니르니,【148】 공쥐 쳥상의 쵹을 붉히고 운영을 잡아드릴ᄉᆡ, 운녕이 본ᄃᆡ 속옷슬 닙고 ᄌᆞᄂᆞᆫ 고로, 계오 단삼단의(單衫單衣) 살흘 ᄀᆞ리왓시나, 복식을 ᄀᆞᆺ초지 못ᄒ엿고, 졍신이 황홀ᄒ여 ᄌᆞ시 보니, 이 다른 ᄃᆡ 아니라 문양궁 후졍이오, 공쥐 쳥즁(廳中)의 안ᄌᆞ 독안(毒眼)을 브릅쓰고 운녕의 두발을 ᄭᅳ러 손의 감고, 츼녀로 더브러 쳘편을 드러 일신을 어ᄌᆞ러이 두다리며 ᄭᅮ지ᄌᆞᄃᆡ,

"네 쳔승공쥬로 옥면군지 어ᄃᆡ 업셔, 구ᄎᆞ히 타국 남ᄌᆞ를 ᄯᆞ라 니르러, 방[반]계곡경(盤溪曲徑)1092)으로 조ᄎᆞ 나의 심우를 ᄭᅵ치니, 내 맛당이 너의 죄를 다ᄉᆞ리리라."

1092)반계곡경(盤溪曲徑) : 서려 있는 계곡과 구불구불한 길이라는 뜻으로, 일을 순서대로 정당하게 하지 아니하고 그릇된 수단을 써서 억지로 함을 이르는 말.

셜파의 독히 치기를 마디 아니니, 흔 미의 가족이 웃쳐디고 셩혈이 낭즈ᄒ니, 운영이 본딕 운남왕 일공쥬로 부귀 듕 싱댱ᄒ여시니, 이런 독형을 견딕여 보아시리오. 일신의 피 흐르고 얼골을 쥐여뜻기의 니르르는, 알프믈 니긔디 못ᄒ여 울며 이걸ᄒ여 잔명을 스라디라 ᄒ나, 공쥐 일분 측은ᄒ미 업셔 죽게 치니, 운영이 긔【40】졀ᄒ여 인ᄉ를 모로는디라. 공쥐 그졔야 치기를 긋치고 손의 감앗던 머리를 프러 노흐미, 최녜 급급히 큰 샷치[1151] 휘말고 흔 거리 바흐로 긴긴히 동혀, 군관 한튱을 블너 주딕, '먼니 바리거나 믈의 씌오거나 ᄒ라' ᄒ고, 쏘 금빅을 샹ᄒ니 한튱이 그 불의디ᄉ(不義之事) 줄 알고, 급히 가디고 졔집의 도라가 쳐즈 ᄃ려 왈,

"이 속의 사름이 이시니 딘심 구호ᄒ여 슬오게 ᄒ라."

그쳬 응낙고 샷츨 헤치고 보니, 비록 맛기를 만히 ᄒ여시나 죽든 아녀 미미흔 통셩이 잇는디라. 그 상쳬 금즉ᄒ믈 잔잉히 넉여, 눈믈을 쓰리고【41】붓드러 방듕의 누인 후, 온ᄎ의 회싱단을 화(和)ᄒ여[1152] 년ᄒ여 닙의 드리오니, 날이 시기의 밋쳐 바야흐로 졍신을 슈습ᄒ여 좌우를 살피고 누쉬(淚水) 여우(如雨)ᄒ여 말을 못ᄒ니, 양시 크게 잔잉히 넉여 위로 왈,

"낭즈는 슬허 마르쇼셔. 이곳이 죵용ᄒ여 오릭 머므르기 무방ᄒ며, 부마노야의 삼공즈와 ᄋ쇼졔 다 면ᄉ(免死)ᄒ여 이곳의 이시니, 낭직 공즈 남미를 무휼(撫恤)ᄒ시다가 도라 가쇼셔."

운영이 쳥파(聽罷)의 경동(驚動)ᄒ여 눈믈을 거두고 굴오딕,

"원닉 이 집이 어딕며 그딕는 엇던 사름고? 내 앗【42】가 문양 공쥬의 독슈의 죽게 되엿더니, 므ᄉ 연고로 이의 오며, ᄋ공

ᄒ고, 셜파의 독히 치기를 마지 아니니, 흔 미의 ᄀ족이【149】훗쳐지고 셩혈이 낭즈ᄒ니, 운녕이 본딕 운남왕 일공쥬로 부귀 즁 싱장ᄒ여시니, 니런 독형을 견딕여 보아시리오. 일신의 피 흐르고 얼골을 쥐여 듯기기의 밋쳐는, 알프믈 니긔지 못ᄒ여 울며 이걸ᄒ여 잔명을 스라지라 ᄒ나, 공쥐 일분 측은ᄒ미 업셔 죽도록 치니, 운녕이 긔졀ᄒ여 인ᄉ를 모로는지라. 공쥐 그졔야 치기를 긋치고 손의 감앗던 머리를 프러 노흐미, 최녜 급급히 큰 샷치[1093] {와} 흔 거리 바흐로 긴긴히 동혀 쓴 후 군관 한튱을 블너 주딕, '이를 가져 먼니 바리거나 믈의 씌오거나 ᄒ라' ᄒ고 쏘 금빅을 샹ᄒ니, 한튱이 그 불의지ᄉ(不義之事)【150】줄 알고, 급히 가지고 졔집의 도라가 쳐즈 ᄃ려 왈,

"이 속의 사름이 이시니 진심 구호ᄒ여 슬오게 ᄒ라."

긔쳬 응낙고 샷츨 헤치고 보니, 비록 맛기를 만히 ᄒ여시나 죽든 아녀 미미흔 통셩이 잇는지라. 그 상쳬 쏨죽ᄒ믈 잔잉히 넉여 눈믈을 흘니고, 붓드러 방즁의 누인 후 온ᄎ의 회싱단을 프러 년ᄒ여 닙의 드리오니, 날이 시기의 밋쳐 바야흐로 졍신을 수습ᄒ여 좌우를 살피고, 누쉬(淚水) 여우(如雨)ᄒ여 말을 못ᄒ니, 양시 크게 잔잉히 넉여 위로 왈,

"낭즈는 슬허 마르쇼셔. 이곳이 죵용ᄒ여 오릭 머므르기 무방ᄒ여, 부마노야의 슴공즈와 ᄋ쇼졔 다 면ᄉ(免死)ᄒ【151】여 이곳의 이시니, 낭직 공즈 남미를 무휼(撫恤)ᄒ시다가 도라 가쇼셔."

운녕이 문파(聞罷)의 경동(驚動)ᄒ여 눈믈을 거두고 굴오딕,

"원닉 이 집이 어딕며 그딕는 엇던 ᄉ름고? 내 앗가 문양 공쥬의 독슈의 죽게 되엿더니, 므ᄉ 연고로 이의 오며, ᄋ공쥬와 ᄋ쇼졔 쏘 엇지 이곳의 잇다 ᄒᄂ뇨? 즈시 닐

즈와 ᄋ쇼제 ᄯ 엇디 이곳의 잇다 ᄒᄂ뇨? 즈시 닐너 의심을 희셕(解釋)게 ᄒ라."

양시 ᄃᆡ왈,

"이 집은 문양궁 궁감(宮監) 한튱의 집이라. 가ᄇᆡ 문양궁 궁속(宮屬)이나 본ᄃᆡ 의긔 잇고 슬히 덕막ᄒ미 부체 미양 슬허ᄒ더니, 모월모일의 문양공쥐 여ᄎᆞ여ᄎᆞ ᄋ공즈와 ᄋ쇼져를 먼니 바리라 ᄒ시미, 쳡의 부체 보호ᄒ여 이곳의 잇ᄂ디라. 거야의 ᄯ 낭지 여ᄎᆞ여ᄎᆞ ᄒ시미, 쳡의 가ᄇᆡ 이곳으로 가져와 쳡【43】이 ᄯ 구ᄒ여시니, 아딕 이곳의 안거ᄒ여 계시다가, 타일 풍운의 길시를 만나 공즈와 쇼져를 다리고 빗늬 도라가쇼셔."

운영이 쳥파의 깃거 도로혀 샤례 왈,

"한 내관(內官)과 잉잉(奶奶)1153)의 은덕이 여ᄎᆞᄒ니, 엇디 감샤치 아니며, 더옥 쇼공즈와 ᄋ쇼졔 잇다 ᄒ니, 타일 뎡부의셔 아르실던ᄃᆡ 은혜 갑흐미 덕디 아니리로다."

한패 블감(不堪) ᄉ샤(謝辭)ᄒ고, 즉시 현긔, 운긔, 즈염과 경시 유즈를 다려와 운영을 뵌ᄃᆡ, 냥공즈와 즈염이 낫치 의희(依俙)ᄒ여1154) 믄득 반기고, 운영이 그 싱존ᄒ믈【44】긔특이 넉이며, 그 ᄉᆞ이 댱셩슈미ᄒ믈 더옥 깃거ᄒ고, 경시 유즈(乳子)ᄂᆞ 처음 보ᄂᆞᆫ디라. 톄형이 셕대ᄒ며 긔딜이 아름다오믈 크게 스랑ᄒ더라.

한튱 부체 운영을 그윽흔 당샤의 옴겨 디셩 구호ᄒ여 월여의 흠딜이 쾌ᄎᆞᄒ니, 영이 한튱 부쳐의 대은을 못늬 샤례ᄒ고, ᄎᆞ후 고요히 쳐ᄒ여 덕즈녀(嫡子女)를 보호ᄒ며, 스스로 신셰를 슬허ᄒ더라.

이ᄯᅥ 뎡부의셔 운영의 시비, 닛튼날1155) 태원뎐의 드러가 작야의 운영의 봉변흔 ᄉ연을 고ᄒ니, 일개 ᄎᆞ악ᄒ고 태부인이【45】참연 슈루(垂淚) 왈,

"운영이 만니의 니친ᄒ여 졍니 가긍ᄒ거

너 의심을 희셕(解釋)게 ᄒ라."

양시 ᄃᆡ왈,

"이 집은 문양궁○…결락10자…○[궁감(宮監) 한튱의 집이라. 가ᄇᆡ] 문양궁 궁속(宮屬)이나, 본ᄃᆡ 의긔 잇고, 슬히 덕막ᄒ미 부체 미양 슬허ᄒ더니, 모월모일의 문양공쥐 여ᄎᆞ여ᄎᆞ 공즈와 ᄋ쇼져를 먼니 바리라 ᄒ시미, 쳡의 부체 보호ᄒ여 이곳의 잇ᄂ지라. ᄯ 거야의 낭지 여ᄎᆞ여ᄎᆞ ᄒ시미 ○…결락11자…○[쳡의 가ᄇᆡ 이곳으로 가져와], 쳡이 ᄯ 구ᄒ여시니, 아직 이【152】곳의 안거ᄒ여 계시다가, 타일 길시를 만나 공즈와 쇼져를 다리고 빗늬 도라가쇼셔."

운녕이 쳥파의 도로혀 깃거 샤례 왈,

"한 내관(內官)과 잉잉(奶奶)1094)의 은덕이 여ᄎᆞᄒ니, 닛지 아니며 더옥 쇼공즈와 ᄋ쇼졔 잇다ᄒ니, 타일 뎡부의셔 아르실던ᄃᆡ 은혜 갑흐미 젹디 아니리로다."

한ᄑᆡ 블감ᄉ샤(不堪謝辭)ᄒ고, 즉시 현긔, 운긔, 즈염과 경시 유즈를 다려와 운녕을 뵌ᄃᆡ, 냥공즈와 즈염이 낫치 의희(依俙)ᄒ여1095) 믄득 반기고, 운녕이 그 싱존ᄒ믈 긔특이 넉이며, 그 ᄉᆞ이 댱셩 슈미ᄒ믈 깃거ᄒ고, 경시 유즈(乳子)ᄂᆞ 처음 보ᄂᆞᆫ지라. 체형이 셕대ᄒ며 긔딜이 아름다오믈 크게 스랑ᄒ더라.

한충 부체 운【153】녕을 그윽흔 당ᄉᆞ의 옴겨 지셩 구호ᄒ여, 월여의 흠질이 쾌ᄎᆞᄒ니, 영이 한충 부쳐의 ᄃᆡ은을 못늬 샤례ᄒ고, ᄎᆞ후 고요히 쳐ᄒ여 젹즈녀(嫡子女)를 보호ᄒ며, 스스로 신셰를 슬허ᄒ더라.

뎡부의셔 운녕의 시비 닛튼날1096) 틱원뎐의 드러가 작야의 운녕의 봉변ᄒ믈 고ᄒ니, 일개 ᄎᆞ악ᄒ고 틱부인이 쳠연 슈루(垂淚) 왈,

"운녕이 만니의 니친ᄒ여 졍니 가긍ᄒ거

1153)잉잉(奶奶) : 중국어 '내내(奶奶)'를 잘 못 독음(讀音)한 것으로, '할머니' '부인' '형수' 등의 호칭어 또는 지칭어로 쓰임.
1154)의희(依俙)ᄒ다 : 거의 비슷하다.
1155)닛튼날 : 이튿날. 어떤 일이 있은 그다음의 날.

1094)잉잉(奶奶) : 중국어 '내내(奶奶)'를 잘 못 독음(讀音)한 것으로, '할머니' '부인' '형수' 등의 호칭어 또는 지칭어로 쓰임.
1095)의희(依俙)ᄒ다 : 거의 비슷하다.
1096)닛튼날 : 이튿날. 어떤 일이 있은 그다음의 날.

늘, 요졍의게 홀니여 원억히 죽으니 엇디 참혹 잔잉치 아니리오."

병뷔 태모의 비이(悲哀)ᄒ시믈 보고 이연(怡然)이 웃고 쥬왈,

"이 다 쇼손의 팔지라. 궁험ᄒ미 극ᄒ옵거니와, 텬뎡디슈(天定之數)ᄂᆞᆫ 인녁으로 못ᄒ옵ᄂᆞ니, 엇디 셩녀(聖慮)를 이디도록 허비ᄒ시리잇고?"

태부인이 탄왈,

"어이 팔지 그러ᄒ리오. 가운이 블니ᄒ미로다."

금휘 디긔ᄒ미 붉으미, 다시 놀나디 아니며, 다만 호언으로 태부인을 위로ᄒ더라.

ᄎ시 문양공쥐 운【46】영을 마자 셔르져 업시ᄒ미 깃브믈 니긔디 못ᄒ여, ᄯᅩ 묘랑을 보쳐여 슈히 구창을 마ᄌ 업시ᄒ여 거리낀 근심이 업게ᄒ라 ᄒ고 보쳐니, 묘랑이 굴오디,

"구창의 머므는 곳이 닉당과 ᄉᆞ이 ᄯᅳ고 셩식(聲息)1156)이 셔로 통치 아니ᄒ니, 맛당이 ᄒᆞᆫ ᄌᆞ로 블노ᄡᅥ 초당을 소화ᄒ면, 구창을 일시의 다 셔르즈리이다."

공쥐 쇼왈,

"이 말이 최 보모의 의논과 상합ᄒ고 내 ᄯᅳᆺ과 ᄀᆞᆺᄐᆞ니, 딘짓 이신일심(異身一心)이라. 엇디 한고조(漢高祖)의 댱평(張平)1157)과 소렬(昭烈)1158)의 와룡(臥龍)1159)을 죡히 블워ᄒ리오"

ᄒ더라.

슈일 후 튱화(衝火)1160)홀 긔구를 ᄀᆞᆺ초아

늘, 뇨졍의게 홀니여 원억히 죽으니, 엇지 참혹 잔잉치 아니리오."

병뷔 조모의 비이(悲哀)ᄒ시믈 보고, 이연(怡然)이 웃고 쥬왈,

"이 다 쇼손의 팔지라 궁험ᄒ미 극ᄒ옵거니와 텬졍지슈(天定之數)ᄂᆞᆫ 인력으로 못ᄒ【154】옵ᄂᆞ니, 엇지 셩녀(聖慮)를 이디도록 허비ᄒ시리잇고?"

틱부인이 탄왈,

"어이 팔지 그러ᄒ리오. 가운이 블니ᄒ미로다."

금휘 지긔ᄒ미 밝으미, ᄃᆞ시 놀나지 아니며, 다만 호언으로 ○○○○[틱부인을] 위로ᄒ더라.

ᄎ시 문양공쥐 운녕을 업시ᄒ미 깃브믈 니긔지 못ᄒ여, ᄯᅩ 묘랑을 보쳐여 슈히 구창을 마ᄌ 업시ᄒ여 거리낀 근심이 업게ᄒ라 ᄒ고 보쳐니, 묘랑이 왈,

"구창의 머므는 곳이 닉당과 ᄉᆞ이 ᄯᅳ고, 《션식∥셩식(聲息)1097)》이 셔로 통치 아니니, 맛당이 ᄒᆞᆫ ᄌᆞ로 블노ᄡᅥ 초당을 술ᄒ면, 구창을 일시의 다 셔르즈리이다."

공쥐 쇼왈,

"이 말이 최 보모의 의논과 합ᄒ고, 내 ᄯᅳᆺ과 ᄀᆞᆺᄐᆞ니, 진짓 이신일심(異身一心)이라. 엇지【155】 한고조(漢高祖)의 댱냥(張良)1098)과 소렬(昭烈)1099)의 와룡(臥龍)1100)이 아니리오."

ᄒ더라.

슈일 후 《츙을 불너 화구를∥튱화(衝

1156) 셩식(聲息) : 소식이나 소문.
1157) 댱평(張平) : 중국 한(漢)나라 고조의 책사(策士) 장량(張良)과 진평(陳平)을 함께 이르는 말.
1158) 소렬(昭烈) : 중국 삼국시대 촉한의 제1대 황제 유비(劉備 : 161~223)의 시호. 자는 현덕(玄德). 황건적을 쳐서 공을 세우고, 후에 제갈량의 도움을 받아 오나라의 손권과 함께 조조의 대군을 적벽(赤壁)에서 격파하였다. 후한이 망하자 스스로 제위에 오르고 성도(成都)를 도읍으로 삼았다. 재위 기간은 221~223년이다.
1159) 와룡(臥龍) : 중국 삼국시대 촉한의 정치가 제갈량(諸葛亮 : 181-234)의 별호(別號).
1160) 튱화(衝火) : 일부러 불을 지름.

1097) 셩식(聲息) : 소식이나 소문.
1098) 댱냥(張良) : 중국 한(漢)나라 고조의 책사(策士).
1099) 소렬(昭烈) : 중국 삼국시대 촉한의 제1대 황제 유비(劉備 : 161~223)의 시호. 자는 현덕(玄德). 황건적을 쳐서 공을 세우고, 후에 제갈량의 도움을 받아 오나라의 손권과 함께 조조의 대군을 적벽(赤壁)에서 격파하였다. 후한이 망하자 스스로 제위에 오르고 성도(成都)를 도읍으로 삼았다. 재위 기간은 221~223년이다.
1100) 와룡(臥龍) : 중국 삼국시대 촉한의 정치가 제갈량(諸葛亮 : 181-234)의 별호(別號).

구【47】창의 거쳐ᄒ는 곳의 나아가 불을 노ᄒ니, 옥잉 등의 셩명이 엇디 된고?

이ᄯ 구창이 쇼당의 잇셔 셔로 의디ᄒ여 날을 디닉나, 윤·양·니 삼부인의 화익을 근심ᄒ미 각각 졔 몸의 당ᄒᆫ 듯 넘녀ᄒ며, ᄋ공ᄌ ᄋ쇼져가디 실산ᄒ믈 두리고 슬허ᄒ나, 다만 타일 남후의 가시(家事) 뎡(整)ᄒᆫ 후 녀군(女君)의 춋기를 기다리더니, 이날 옥잉이 맛춤 여측(如厠)ᄒ라 나오다가, 집 뒤히 인뎍(人跡)이 은은ᄒ거늘, 괴이히 녁여 가마니 쥬시ᄒ니, ᄒᆫ 슈미(秀美)ᄒᆫ 남지 므어슬 쳠하 틈틈이 ᄭ이고 불을【48】노ᄒ려 ᄒᄂ 긔식이라. 비후(背後) 일인이 니르딕,

"일을 소리(率爾)히[1161] 말나. ᄎ녀 등을 마자 업시ᄒ여야 옥쥬의 젼졍이 쾌ᄒ시리니, 힝혀 패루ᄒ여 부마노애 아르시면, 옥쥬ᄀ들 므어시 됴ᄒ며 우린들 무스ᄒ랴?"

ᄒ니 어셩(語聲)이 분명ᄒᆫ 녀ᄌ의 셩음이라. 옥잉이 쳥파의 대경실식ᄒ여 급히 드러와, 모든 동뉴로 이 ᄉ연을 니르고 셜니 피화ᄒ{리}라 ᄒ니, 졔녜 대경 실식ᄒ여 급히 드러와 피화ᄒᆯᄉ, 창졸의 다만 냑간 의상과 경보를 가디고 일시의 문을 나, 닌가(隣家)의 숨어【49】보니, 과연 삼경은 ᄒ여 불이 크게 니러나니, 화염이 창텬(漲天)[1162]ᄒ여 경긱(頃刻)의 십여간 초ᄉ(草舍) 흔낫 기동도 남디 아닌디라. 졔녜 망극ᄒ믈 니긔디 못ᄒ나 홀일업셔 셔로 의논ᄒ고, 가마니 하부의 나아가 피화ᄒᆫ 셜화를 고ᄒ니, 됴부인이 츄연이 녁이고 ᄯ 졔창의 ᄌ최 현누(現漏)ᄒ여 공쥬의 알오미 될가 넘녀ᄒ여, 깁히 쇼당의 감초아 두어 가닉인도 모로게 ᄒ고 의식을 후휼(厚恤)ᄒ니, 구창이 감은각골ᄒ여 셩덕을 튝슈ᄒ며, 하부의 깁히 곰초여 타일을 기다리니, 엇디 된고? 하회를 셕【50】남ᄒ라.

[1161]소리(率爾)ᄒ다 : 솔이(率爾)ᄒ다. 말이나 행동이 신중하지 못하고 가볍다. 늑소루(疏漏)하다
[1162]창텬(漲天) : 하늘에 퍼져 가득함.

火)[1101]홀 긔구를》 ᄀᆺ초아 구창의 거쳐ᄒᄂ 곳의 나아가 불을 노ᄒ니, 《ᄎᄋ‖옥잉》등의 셩명이 엇지 된고?

이ᄯ 구창이 쇼당의 잇셔 ○○○○[셔로 의지ᄒ여] 날을 보닉나, 윤·양·니 숨부인의 화익을 근심ᄒ미 각각 졔 몸의 당ᄒᆫ 듯 넘녀ᄒ며, ᄋ공ᄌ ᄋ쇼져 가지 실산ᄒ믈 두리고 슬허ᄒ나, 다만 타일 남후의 가시(家事) 졍(整)ᄒᆫ 후 녀군(女君)의 춋기를 기드리더니, 이날 옥잉이 맛춤 여측(如厠)ᄒ라 나오드가, 집 뒤히 스람의 ᄌ최 은은ᄒ거늘, 고이히 녁여 ᄀ마니 규시ᄒ니, ᄒᆫ 슈미(秀美)ᄒᆫ 남지 무어슬 쳠하 틈틈이 ᄭ이고 불을 노ᄒ려 ᄒᄂ 긔식이라. 비후(背後) 일【156】인이 닐ᄋ딕,

"일을 소리(率爾)히[1102] 말나. ᄎ녀 등을 마ᄌ 업시ᄒ여야 옥쥬의 젼졍이 쾌ᄒ리니, 힝혀 피루ᄒ여 도위노애 아르시면, 옥쥬ᄀ들 무어시 됴ᄒ며 우린들 무스ᄒ랴?"

ᄒ니, 어셩(語聲)이 분명ᄒᆫ 녀ᄌ의 셩음이라. 옥잉이 쳥파의 대경실식ᄒ여 급히 드러와, 모든 동뉴로 이 ᄉ연을 니르고 셜니 피화ᄒ리라 ᄒ니, 졔녜 딕경 실식ᄒ여 급히 드러와 피화ᄒᆯᄉ, 창졸의 다만 약간 의상과 경보를 ᄀ지고 일시의 문을 나 인가(隣家)의 숨어보니, 과연 숨경은 ᄒ여 불이 크게 니러나니, 화렴(火焰)이 창텬(漲天)[1103]ᄒ여 경긱(頃刻)의 십여간 초(草舍)시 흔낫 기동도 남디 아닌지라. 졔녜 망극ᄒ믈 니기지 못ᄒ나, 【157】홀일업셔 셔로 의논ᄒ고, ᄀ만니 하부의 ᄂ아가 피화ᄒᆫ 셜화를 고ᄒ니, 됴부인이 츄연ᄒ고 ᄯ 졔창의 ᄌ최 《쳔누‖현누(現漏)》ᄒ여 공쥬의 알오미 될가 ᄒ여, 깁히 쇼당의 두어 가닉인도 모르게 ᄒ고, 의식을 후히 ᄒ니, 구창이 곰연(感然)ᄒ여[1104] 셩덕을 츅슈ᄒ며, 하부의 깁히 곰초여 타일을 기다리니, 엇지 된고? 하

[1101]튱화(衝火) : 일부러 불을 지름.
[1102]소리(率爾)ᄒ다 : 솔이(率爾)하다. 말이나 행동이 신중하지 못하고 가볍다. 늑소루(疏漏)하다
[1103]창텬(漲天) : 하늘에 퍼져 가득함.
[1104]곰연(感然)ᄒ다 : 고맙게 여기다.

지셜 문양공쥬 운영과 구챵을 업시 ᄒᆞ미,
비로소 일통텬하(一統天下)ᄒᆞᆫ 듯, 깃거 ᄒᆞ미
[미] 만시 등한(等閑)ᄒᆞ더라.

초셜 옥화산 조부인이 태우와 흑ᄉᆞ를 남
·양 이쥬(二州)로 아득히 보닉고, 챵연ᄒᆞᆫ
넘녀와 훌훌ᄒᆞᆫ 심시 녹는 듯, 쵹쳐(觸處)의
고ᄉᆞ(古事)를 싱각ᄒᆞ여[미], 가변의 흉패(凶
悖)ᄒᆞ미 젼쥬(專主) 뉴부인의 작악이라. 명
쳔공이 일즉이 셰샹을 바린 탓ᄉᆞ로, 뉴시
동셔(東西)의 두릴 거시 업는 연괴라. 일마
다 명쳔공의 알오미 업스믈 각골통졀(刻骨
痛切)ᄒᆞ니, 쳔 가디 슈한과 만 가디 슬프미,
오장(五臟)이 ᄉᆞ희믈 면치 못【51】ᄒᆞ고,
구파의 슬허ᄒᆞ미 부인긔 디디 아냐, 셔로
디ᄒᆞ여 슬허 홀 ᄯᆞ롬이로ᄃᆡ, 오히려 일분
밋고 바라는 바는 태우와 흑ᄉᆞ의 무양(無
恙)히 득달ᄒᆞᆫ 소식을 드르미오, 슬하의 손
이 비상 특이ᄒᆞ미 난봉(鸞鳳) 교옥(嬌玉) ᄀᆞ
ᄐᆞ여, 긔특ᄒᆞᆫ 톄격과 농호 긔습이 진셰의
ᄲᅱ여나, 속ᄋᆞ(俗兒)와 니도ᄒᆞ고, 딘쇼졔 온
화ᄒᆞᆫ ᄉᆞ쉭과 유열ᄒᆞᆫ 말ᄉᆞᆷ으로 존고의 참졀
ᄒᆞ신 심회를 위로ᄒᆞ니, 조부인의 근심과 넘
녀를 믈니치기를 디극히 바라며, 됴셕 식음
의 온닝을 맛보아 동쵹ᄒᆞᆫ 효셩이 딘효부(陳
孝婦)1163)의 효를 우슬디라.

조부인이【52】식부의 셩효를 도라보아
감동ᄒᆞ며 손ᄋᆞ의 긔이ᄒᆞ믈 두굿겨, 스스로
심ᄉᆞ를 억졔ᄒᆞ여 슬프믈 강인(强忍)홀 젹이
만코, 조공의 우이ᄒᆞᆫ는 졍이 고인을 효측ᄒᆞ
니, 미뎨의 심녜 편치 못ᄒᆞᆷ믈 잔잉ᄒᆞ여 호
언으로 위로ᄒᆞ며, ᄯᅥᆨᄯᅥᆨ 음식을 권ᄒᆞ여 슈년
후면 태우 형뎨 환쇄홀 거시니, 삼지 츈츄
를 됴혼 ᄃᆞ시 식음을 착실이 나와 몸의 병
을 닐위디 말나 ᄒᆞ더라.

조부인이 하쇼져의게 시녀를 ᄌᆞ로 보닉여
평부를 아라 오고, 하쇼졔 날마다 초벽 등

1163)딘효부(陳孝婦) : 한(漢)나라 때 진현(陳縣)의
효부. 남편이 변방에 수자리 살러 나가 죽자, 남편
과의 약속을 지켜 일생 개가하지 않고 시어머니를
성효로 섬겼다. 『소학』〈제6 선행편〉에 나온다.

회를 보라.

공쥬 운녕과 구챵을 업시 ᄒᆞ미 깃거ᄒᆞ미
[여] 만시 등한(等閑)ᄒᆞ더라.

초셜 ○○○[옥화산] 조부인이 틱우와 흑
ᄉᆞ를 남·양 이쥬(二州)로 보닉고, 챵연ᄒᆞᆫ
넘녀와 훌훌ᄒᆞᆫ 심시 녹는 듯, 쵹쳐(觸處)의
고ᄉᆞ(古事)를 싱각ᄒᆞ미[미] 가변의 흉픠ᄒᆞ
미 젼쥬(專主) 뉴부인의 작악이라. 명쳔공이
일즉이 셰샹을 버린【158】탓ᄉᆞ로 뉴시
동셔의《둘일‖두릴》거시 업는 연괴라.
일마다 명쳔공의 아르미 업스믈 각골통쳘
[졀](刻骨痛切)ᄒᆞ니, 쳔 가지 슈한과 만 가
지 슬프미 오장(五臟)이 ᄉᆞ희믈 면치 못ᄒᆞ
고, 구파의 슬허ᄒᆞ미 조부인게 지지 아냐,
셔로 디ᄒᆞ여 슬허 홀 ᄯᆞ롬이로ᄃᆡ, 오히려
일분 밋고 바라는 바는 틱우와 흑ᄉᆞ의 무양
(無恙)히 득달ᄒᆞᆫ 소식을 드르미오, 슬하의
손이 비상 특이ᄒᆞ미 난봉(鸞鳳) 교옥(嬌玉)
ᄀᆞᄐᆞᆫ 바, 긔이ᄒᆞᆫ 쳬격과 농호 긔습이 진셰
의 ᄲᅱ여나 속ᄋᆞ(俗兒)와 니도ᄒᆞ고, 딘쇼져
온화ᄒᆞᆫ ᄉᆞ쉭과 뉴열ᄒᆞᆫ 말ᄉᆞᆷ으로 존고의 춤
졀ᄒᆞ신 심회를 위로ᄒᆞ니, 조부인의 근심과
넘녀를 믈니치기를 지극히 바라며, 죠셕
【159】식음의 온닝을 맛보아 동쵹ᄒᆞᆫ 효
셩이 진효부(陳孝婦)1105)의 효를 우슬지라.

조부인이 식부의 효를 도라보며 손ᄋᆞ의
긔이ᄒᆞ믈 두굿겨, 스스로 심ᄉᆞ를 억졔ᄒᆞ여
슬픔을 강인(强忍)홀 젹이 만코, 조공의 우
이ᄒᆞᆫ는 졍이 고인을 효측ᄒᆞ니, 미뎨의 심녜
편치 못ᄒᆞ믈 강잉ᄒᆞ여, 호언으로 위로ᄒᆞ며,
ᄯᅥᆨᄯᅥᆨ 음식을 권ᄒᆞ여 슈년 후면 틱우 근계
도라올 거시니, 삼지 츈츄를 됴흔 ᄃᆞ시 식
음을 착실이 ᄂᆞ와 몸의 병을 닐위지 말나
ᄒᆞ더라.

조부인이 하쇼져의게 시녀를 ᄌᆞ로 보닉여
평부를 아라 오고, 하쇼졔 날마다 초벽 등

1105)딘효부(陳孝婦) : 한(漢)나라 때 진현(陳縣)의
효부. 남편이 변방에 수자리 살러 나가 죽자, 남편
과의 약속을 지켜 일생 개가하지 않고 시어머니를
성효로 섬겼다. 『소학』〈제6 선행편〉에 나온다.

을 옥화산의 보닉여 존고를 뭇즈오며, 즈로 샹셔를 닷【53】가 하졍을 고흐여 주부의 도리를 폐치 아니나, 옥화산의 나아가 시측디 못ᄒ더라.

이러구러 히 딘ᄒ고 명년 신셰를 만나니, 조부인의 비졀ᄒ 심스는 셰월이 밧괼스록 더ᄒ고, 하쇼져의 잉틱ᄒ연 디 십삭이 넘으딕, 분산 긔미 업스믈 굼거이 넉이더라.

윤부인 현이 잉틱ᄒ연 디 십일 삭만의 졍월 초슌을 당ᄒ여 산졈이 이시니, 하공과 됴부인이 싱남ᄒ기를 죄오며, 친히 치월각의 니르러 약믈을 틱후ᄒ딕, 초후는 관부의 가셔 오디 아녀시므로, 부인의 산【54】졈(産漸)1164)을 아디 못ᄒ 쓴 아니라, 뉴부인을 통히ᄒ미 극ᄒ여 오뉵삭을 치월각의 발 그림즈도 아니ᄒ딕, 윤시를 딘졍으로 염박ᄒ믄 업셔 심니의 그 셩힝(性行) 스덕(四德)을 흠복ᄒ미 무궁ᄒ여, 여산듕졍(如山重情)이 이시딕 뉴부인긔 분을 프디 못ᄒ여시므로, 윤시를 그 쭐이라 ᄒ여 밧그로 미온ᄒ 스식을 디으미라. 하공이 사름을 관부의 보닉여 윤시의 산졈이 이시믈 닐너 초후를 브르니, 스매 부명을 어긔디 못ᄒ여 공스를 급급이 쳐결ᄒ고 부듕의 도라와 덩당의 드러가미, 원상 등이 부뫼 치월【55】각의 가시믈 고ᄒᄂᆫ디라. 초휘 마디 못ᄒ여 치월각의 드러가미, 모친은 방듕의 계시고 부친은 쳥샤의셔 약탕을 믄드시ᄂᆫ디라. 초휘 민망ᄒ여 겻틱 나아가 고ᄒ딕,

"약을 시녀라도 족히 달히올 거시어늘, 엇디 셩톄를 닛브시게 ᄒ리잇고? 쇼지 약을 보슬피오리니, 엇디 대인이 근노ᄒ시믈 이러툿 ᄒ샤, 져의 약탕의 블을 너흐시리잇고? 일긔 한닝ᄒ오니 뎡당으로 드르쇼셔,"

공이 뎡싀 왈,

"오부의 산월이 긔한이 넘어시딕 분산홀 긔미 업스니, 내 쥬야 넘녀ᄒᄂᆫ 비러니, 이【56】졔 산졈이 이시니 분산의 근심이 업디 아냐, 약을 맛초아 쓰고져 달히ᄂᆞ니라."

을 옥화산의 보닉여 존고의 긔후를 뭇즈오며, 【160】즈로 샹셔로 하졍을 고흐여 주부의 도리를 폐치 아니나, 옥화산의 ᄂᆞ아가 시측지 못ᄒ더라.

니러구러 히 진ᄒ고 명년 신셰를 만나니, 조부인의 비졀ᄒ 심스는 셰월노 조ᄎ 더ᄒ고, 하쇼져의 잉틱ᄒ연 지 십삭이 넘으듸 분산 긔미 업스믈 굼거이 넉이더라. 윤부인 현이 잉틱ᄒ연 지 십일삭만의 졍월 초슌을 당ᄒ여 산졈이 이시니, 하공과 조부인이 싱남ᄒ기를 죄오며, 친히 치월각의 니르러 약믈을 틱후ᄒ딕, 초후는 관부의 가셔 오디 아녀시므로, 부인의 산졈(産漸)1106)을 아디 못홀 쓴아니라, 뉴부인을 통히ᄒ미 극ᄒ여 오류【161】삭을 치월각의 발 그림즈도 아니ᄒ딕, 윤시를 진졍으로 넘박ᄒ믄 업셔, 심니의 그 셩힝(性行) 스덕(四德)을 흠복ᄒ미 무궁ᄒ여 여산즁졍(如山重情)이 이시딕, 뉴부인게 분을 프지 못ᄒ여시므로, 윤시를 그 쭐이라ᄒ여 밧그로 미온ᄒ 스식을 지으미라. 하공이 스람을 관부의 보닉여 윤시의 산졈이 이시믈 닐너 하후를 브르니, 스매 부명을 어긔지 못ᄒ여 공스를 급급히 쳐결ᄒ고 부즁의 도라와 뎡당의 드러 가미, 원상 등이 부뫼 치월각의 가시믈 고ᄒᄂᆫ지라. 초휘 마지 못ᄒ여 치월각의 드러가미, 모친은 방즁의 계시고 부친은 쳥샤(廳舍)의셔 약탕직(藥湯材)【162】을 믄드시ᄂᆫ지라. 초휘 민망ᄒ여 겻틱 ᄂᆞ아가 고ᄒ딕,

"약을 시녀라도 족히 달히올 거시어늘, 엇지 셩톄를 닛브시게 ᄒ리잇고? 쇼지 약을 보슬피오리니, 엇지 셩톄를 닛비ᄒᄉ 져의 약탕의 블을 너흐시리잇고? 일긔 한닝ᄒ니 뎡당으로 드르쇼셔,"

공이 뎡싀 왈,

"오부의 산월이 긔한이 넘어시딕 분산홀 긔미 업스니, 내 쥬야 넘녀ᄒᄂᆫ 비러니, 이졔 산졈이 이시니 분산의 근심이 업지 아녀 약을 맛초아 쓰고져 달이ᄂᆞ니라."

1164)산졈(産漸) : 산긔(産氣). 달이 찬 임신부가 아이를 낳으려는 긔미.

1106)산졈(産漸) : 산긔(産氣). 달이 찬 임신부가 아이를 낳으려는 긔미.

뎡언간의 윤시 슌산 싱남ᄒ여 ᄋ히 우름 소리 쳥고웅댱ᄒ여 집말니 울히ᄂ 둣ᄒ니, 공이 창외의셔 ᄋ히 우름소리를 듯고, 남이믈 짐작ᄒ여 희츌망외(喜出望外)ᄒ니, 인셰간 경시 이 밧긔 업ᄉ 둣ᄒ고, 됴부인이 산모를 붓드러 구호ᄒ며 눈으로 싱ᄋ를 슬피니, 그 비상ᄒ고 긔이ᄒᄆ믈 ᄌ셔히 보미, 환환희희(歡歡喜喜)ᄒ미 모양ᄒ여 견즐 곳이 업ᄉ딕, 윤시 급흔 복통이 흔갈 ᄀᄐ여 인ᄉ를 아디 못ᄒ니, 됴부인이 아모리 【57】 ᄒ 줄 몰나, 초후를 블너 윤시를 딘뎍ᄒ라 ᄒ 즈음의, 싱각디 아닌 ᄋ히 ᄯ 둣 우히 나며, 쳥고흔 소리 몬져 난 ᄋ히 소리와 ᄀ ᄐ니, 됴부인이 도로혀 황홀ᄒ여 오딕 깅반(羹飯)을 지쵹ᄒ며, 두 ᄋ히를 《가로‖자로1165》 도라보아 웃ᄂ 닙을 주리허디 못ᄒ니, 하공이 창외의셔 년ᄒ여 ᄋ히 소리를 드르미, 깃븐 졍신이 빗기1166) 흔득이믈1167) 면치 못ᄒ여, ᄋ히 보미 밧븐디라. 이의 초후를 블너,

"내 신손 ᄲ앙ᄋ를 보고져 ᄒᄂ{니} 몬져 드러가기 심히 《어려워‖어려우니》, ○…결락 11자…○[모로미 날을 인도ᄒ라."

ᄒ고, 초후를 압셔라 ᄒ고, 디게를 밧비 여러 방듕의 드러와 신싱 냥【58】손(兩孫)을 볼ᄉ, 금금(錦衾)으로 쇼져를 덥고, 침병(枕屛)1168)으로 압흘 둘너 공의 드러오믈 모로게 ᄒ고, 냥 신싱ᄋ를 나호여 어로만져 보니, 작인(作人)의 녕형(英形) 긔이(奇異)ᄒ미, 강산의 슈츌흔 졍긔와 일월의 광치를 오로디 타 나시니, 상모(相貌)의 비범 특이흠과 구각(軀殼)1169)의 셕대ᄒ미 신싱 유ᄋ ᄀᄐ리오. 완연이 대인 긔상과 존귀홀 골격이 드러나니, 하공이 일견의 대열ᄒ여 부인

1165)자로 : 자주.
1166)빗기다 : 비끼다. 얼굴에 어떤 표정이 잠깐 드러나다.
1167)흔득이다 : 흔들리다.
1168)침병(枕屛) : 머릿병풍. 머리맡에 치는 병풍. 보통 두 쪽으로 되어 있다. 늑곡병(曲屛)
1169)구각(軀殼) : 몸의 껍질이라는 뜻으로, 온몸의 형체 또는 몸뚱이의 윤곽을 정신에 상대하여 이르는 말.

정언간의 윤시 슌산 싱남ᄒ여 ᄋ히 우름 소리 쳥고웅장ᄒ여 집말니 울히ᄂ 둣ᄒ니, 공이 창외의셔 ᄋ히 소리를 듯고 남【163】이믈 즘작ᄒ여 희츌망외(喜出望外)ᄒ니, 인간 경시 이 밧게 업슨 둣ᄒ고, 조부인이 산모를 붓드러 구호ᄒ며 눈으로 싱ᄋ를 슬피니, 그 비상ᄒ고 긔이ᄒᄆ믈 ᄌ셔히 보미, 환환희희(歡歡喜喜)ᄒ미 모양ᄒ여 견즐 곳이 업ᄉ딕, 윤시 급흔 복통이 흔갈 ᄀᄐ여 인ᄉ를 아지 못ᄒ니, 조부인이 아모리ᄒ 줄 몰나 초후를 블너 윤시를 진뎍ᄒ라 홀 젹, 싱각지 아닌 ᄋ히 ᄯ 둣 우히셔 나며 쳥고흔 소리 몬져 난 ᄋ히 소리와 ᄀᄐ니, 조부인은 도로혀 황홀ᄒ여 오직 깅반(羹飯)을 지쵹ᄒ며, 두 ᄋ히를 《가로‖자로1107》 도라보아 웃ᄂ 닙을 주리지 못ᄒ니, 하공이 창외의셔 년ᄒ여 ᄋ히 소리【164】를 드르미, 깃븐 졍신이 빗기1108) 흔득이믈1109) 면치 못ᄒ여, ᄋ히 보미 밧븐지라. 이의 초후를 블너 왈,

"내 이제 신손 ᄲ앙ᄋ를 보고져 ᄒᄂ니, 모로미 날을 인도ᄒ라"

ᄒ고, 초후를 압세우고 지게를 밧비 여러 방즁의 드러와 신싱 냥손ᄋ(兩孫兒)를 볼ᄉ, 금금으로 쇼져를 덥고, 침병(枕屛)1110)으로 압흘 둘너 공의 드러오믈 모ᄅ게 ᄒ고, 냥 신ᄋ를 나호여 어로만져 보니, 작인(作人)의 녕형(英形) 긔이(奇異)ᄒ미 강산의 슈츌흔 졍긔와 일월의 광치를 오로지 타 나시니, 상모(相貌)의 비범흠과 구각(軀殼)1111)의 셕딕ᄒ미 신싱 뉴ᄋ ᄀᄌᄒ 아녀, 완연이 딕인 긔상과 존귀홀 골격이 드러나니, 하공이 대열ᄒ여 부인【165】을 도라보아 셔로 칭하

1107)자로 : 자주.
1108)빗기다 : 비끼다. 얼굴에 어떤 표정이 잠깐 드러나다.
1109)흔득이다 : 흔들리다.
1110)침병(枕屛) : 머릿병풍. 머리맡에 치는 병풍. 보통 두 쪽으로 되어 있다. 늑곡병(曲屛)
1111)구각(軀殼) : 몸의 껍질이라는 뜻으로, 온몸의 형체 또는 몸뚱이의 윤곽을 정신에 상대하여 이르는 말.

을 도라보아 셔로 칭하하며, 만심이 환희하
믈 니긔디 못하니, 초휘 부모의 이ᄀᆞ치 깃
거 하심과 냥 신ᄋᆞ의 비상하미 일마다 영행
(榮幸)하니, 【59】 ᄌᆞ연 미우의 츈풍이 온ᄌᆞ
(溫慈)하여 부공긔 고왈,

"산실이 누츄하여 대인이 머므디 못하실
비오니, 뎡당으로 드르시면 쇼직 ᄎᆞ쳐의 잇
셔 산모를 극딘히 구호하리이다."

하공이 답왈,

"범인의 산실은 뉴츄타 하것마는, 금일
현부의 산실은 긔특흔 향ᄎᆔ 옹비(邕飛)하고
찬난흔 셔광이 ᄉᆞ벽의 됴요하니, 네 ᄯᅩ 눈
과 코히 잇셔 향ᄂᆡ와 셔긔(瑞氣)를 알니니,
어이 산실이 누츄타 하ᄂᆞ뇨? 연이나 ᄋᆞ뷔
인ᄉᆞ를 출하면 나의 드러와시믈 불안하여
할 거시므로 나가ᄂᆞ니, 너는 이곳의셔 일시
를 ᄧᅥ나디 말고 구호하믈 게얼니 말나."

초휘 【60】 비샤슈명(拜謝受命)하고, 부친
을 뫼셔 뎡당의 드르신 후, 원상 등을 당부
하여 대인을 뫼셔시라 하고, 치월각의 도라
와 쳥샤의셔 약을 년속하여 보살필 ᄯᆞ름이
오, 다시 방듕의 드러가미 업더니, 됴부인이
산모의 구미(口味) 블감(不感)하여, 깅반을
착실히 나오디 못하고 ᄌᆞ로 혼혼하여 인ᄉᆞ
모로믈 근심하니, 초휘 넘녀하여 보긔(補氣)
하는 약을 쓰며, 모친 슉식이 편치 못하시
믈 크게 근심하여[디], 연시 ᄀᆞᆺ튼 뉴는 쳔
이 이셔도 산모의 깅반을 ᄀᆞᆺ초아 구호치 못
홀 ᄲᅮᆫ아니라, ᄌᆞ긔를 본 젹마다 황홀 귀듕
하미 병통이 되여시니, 괴롭고 우읍기를
【61】 니긔디 못하ᄂᆞᆫ디라.

윤시 산후 초휘 치월각의 잇셔 약믈을 보
살피더니, 연시 ᄶᅩᆯ와 니르러 치월각 쳥샤의
마조 안ᄌᆞ, 통방울 ᄀᆞᆺ튼 눈을 옴기디 아녀
초후를 바라보며, 간간이 긴 부리를 둘
너1170) 윤부인 먹디 못흔 깅반을 구하여,
죵일 달야토록 먹기를 남 권할 나의1171) 업

하며, 만심이 환희하믈 니긔지 못하니, 초휘
부모의 이ᄀᆞ치 깃거 하심과 냥 신ᄋᆞ의 비상
하미 일마다 녕ᄒᆡᆼ(榮幸)하니, ᄌᆞ연 미우의
츈풍이 온ᄌᆞ(溫慈)하여 부친게 고왈,

"산실이 누츄하여 대인이 머므지 못하실
비오니, 졍당으로 드르시면 쇼직 ᄎᆞ쳐의 잇
셔 산모를 극진히 구호하리이다."

하공이 답왈,

"범인의 산실은 뉴츄타 하건마는, 금일
현부의 산실은 긔특흔 향ᄂᆡ 옹비(邕飛)하고
찬난흔 셔광이 ᄉᆞ벽의 됴요하니, 네 ᄯᅩ 눈
과 코히 잇셔 향ᄂᆡ와 셔긔(瑞氣)를 알니니,
어이 산실이 누츄타 하ᄂᆞ뇨? 그러나 ᄋᆞ뷔
인ᄉᆞ를 출하면 나의 드러와시믈 불안하여
할 거시므로 【166】 나가ᄂᆞ니, 너는 이곳의
셔 일시를 ᄧᅥ나지 말고 구호하믈 게얼니 말
나."

초휘 비샤슈명(拜謝受命)하고 부친을 뫼
셔 뎡당의 드르신 후, 원상 등을 당부하여
대인을 뫼셔시라 하고, 치월각의 도라와 쳥
상의 셔약을 년속하여 보살필 ᄯᆞ름이오, 다
시 방듕 드러가미 업더니, 조부인이 산모의
구미(口味) 블감(不感)하여, 깅반을 축실히
나오지 못하고 ᄌᆞ로 혼혼하여 인ᄉᆞ 모로믈
근심하니, 초휘 넘녀하여 보긔(補氣)하는 약
을 쓰며, 모친 슉식이 편치 못하시믈 크게
근심하여[디], 연시 ᄀᆞᆺ튼 뉴는 잇셔도 산모
의 깅반을 ᄀᆞᆺ초아 구호치 못홀 ᄲᅮᆫ아니라,
ᄌᆞ긔를 본 젹마다 황홀 귀즁【167】하미
병통이 되여시니, 괴롭고 우읍기를 니긔지
못하ᄂᆞᆫ지라.

윤시 산후 초휘 치월각의 잇셔 약믈로 보
살피더니, 연시 ᄶᅩᆯ와 니르러 치월각 쳥상의
마조 안ᄌᆞ, 통방울 ᄀᆞᆺ튼 눈을 옴기지 아녀
초후를 바라보며, 간간이 긴 부리를 둘
너1112) 윤부인 먹지 못흔 깅반을 구하여,
죵일 달야토록 먹기를 남 권할 나의1113) 업

1170)둘너 : 둘러대어. 그럴듯한 말로 꾸며 대어.
1171)나의 : 나위. 할 수 있는 여유나 더 해야 할 필
　요.

1112)둘너 : 둘러대어. 그럴듯한 말로 꾸며 대어.
1113)나의 : 나위. 할 수 있는 여유나 더 해야 할 필
　요.

시 흔 술을 남기디 아니코 그러1172) 너흐
니, 초휘 더옥 긔괴히 넉이더니, 삼일삼야를
년ᄒ여 슈업시 퍼먹고, 졍월 십삼일의 경안
공쥬의 탄일이로ᄃᆡ, 연군쥐 초후 써나기를
어려이 넉여 모친 탄일의도 가디 아녓더니,
【62】 연궁의셔 팔진경장(八珍瓊漿)1173)을
ᄀᆞᆺ초아 하공 부부와 초후 부부긔 각상을 보
ᄂᆡ여시니, 연시와 초휘 다 치각의 잇다가
쥬찬을 바다, 초후ᄂᆞᆫ 계오 흔 잔 술과 안쥬
를 맛볼 ᄯᆞᆷ이오, 연군쥬ᄂᆞᆫ 밋친 사름의
거동 ᄀᆞᆺ트여 술을 병지1174) 거후로고, 금은
긔(金銀器)의 가득이 버린 미찬(美饌)을 ᄒᆞ
나토 남기디 아니코 치국가디 드러 마시믈
보고, 초휘 식냥(食量)을 치 알녀ᄒᆞ여 주긔
상을 연시긔 미러 마즈 먹으라 ᄒᆞ니, 편긱
의 다 그러 먹으니, 초휘 쇼년디심의 가쇼
로오믈 니긔디 못ᄒᆞ여, 미쇼 왈,

"지 년일 닙을 놀니디 아니코 깅반을 먹
【63】고, 연궁의셔 온 셩찬을 또 흔갈ᄀᆞᆺ치
이러ᄐᆞᆺ 먹으니, 반ᄃᆞ시 복듕이 포만홀가 ᄒᆞ
ᄂᆞ니, 그ᄃᆡ ᄆᆞ음의 음식이 즈츨치 아니ᄒᆞ
냐?"

연시 비 과히 브르미[ᄃᆡ] 어린 흥이 더옥
놉하 웃고, ᄃᆡ왈,

"음식이 즈즐ᄒᆞ면 사름이 어이 셰샹의 술
니잇고? 쳡이 ᄉᆡᆼ어부귀(生於富貴)ᄒᆞ고 댱어
호치(長於豪侈)ᄒᆞ여, 몸의ᄂᆞᆫ 금슈나상(錦繡
羅裳)이 무겁고 닙의ᄂᆞᆫ 팔딘화미(八珍華味)
넘흔 ᄃᆞᆺᄒᆞ더니, 존부의 오므로부터 너른 식
냥을 주리고 먹고 시븐 거술 춤기ᄂᆞᆫ, 쳡이

시 흔 술을 남기지 아니코 그러1114) 너흐
니, 초휘 더옥 긔괴히 넉이더니, 숨일숨야를
년ᄒ여 슈업시 퍼먹고, 졍월 십슘일의 경안
공쥬의 탄일이로ᄃᆡ, 년군쥐 초후 써나기를
어려이 넉여 모친 탄일의도 가지 아녓더니,
년궁【168】의셔 팔진경장(八珍瓊漿)1115)을
ᄀᆞᆺ초아 하공 부부와 초후 부부의게 각상을
보ᄂᆡ여시니, 연시와 초휘 다 치각의 잇다가
쥬찬을 바다, 초후ᄂᆞᆫ 계오 흔 잔 술과 안쥬
를 맛볼 ᄯᆞᆷ이오, 연군쥬ᄂᆞᆫ 밋친 ᄉᆞ람의
거동 ᄀᆞᆺ트여 술을 병지1116) 거후로고, 금은
긔(金銀器)의 ᄀᆞ득이 버린 미찬(美饌)을 ᄒᆞ
나토 남기지 아니코 치국가지 마시니, 초휘
이를 보고 그 식냥(食量)을 치 알냐, 주긔
상을 연시게 미러 마즈 먹으라 ᄒᆞ니, 편긱
의 다 그러 먹으니, 초휘 쇼년지심의 미쇼
왈,

"지 년일 닙을 놀니지 아니코 깅반을 먹
고, 연궁의셔 온 셩찬을 이ᄀᆞᆺ치 먹으니 반
ᄃᆞ시 복듕이 포만홀가 ᄒᆞᄂᆞ니 그ᄃᆡ【169】
ᄆᆞ음의 음식이 즈츨치 아니냐?"

군쥬 비 과히 브르미[ᄃᆡ] 어린 흥이 더옥
놉하 웃고 ᄃᆡ왈,

"음식이 즈즐ᄒᆞ면 ᄉᆞ람이 어히 술니잇고?
쳡이 ᄉᆡᆼ어부귀(生於富貴)ᄒᆞ고 댱어호치(長
於豪侈)ᄒᆞ여 몸의ᄂᆞᆫ 금슈ᄂᆞ상(錦繡羅裳)이
무겁고 닙의ᄂᆞᆫ 팔진화미(八珍華味) 넘홀 ᄃᆞᆺ
ᄒᆞ더니, 츌가ᄒᆞ여 존부의 오므로붓터 너른
냥을 주리고 먹고 시븐 거술 춤기ᄂᆞᆫ, 쳡이

1172)글다 : 끌다. 끌어 모으다. 어떤 것을 옮겨 오거
　나 옮겨 가다.
1173)팔진경장(八珍瓊漿) : 팔진지미(八珍之味)와 옥
　액경장(玉液瓊漿)을 함께 이르는 말로, 아주 잘 차
　린 음식상에나 갖춘다고 하는 여덟 가지 진귀한
　음식과, 맑고 고운 빛깔과 좋은 향을 갖추어 신선
　들이 마신다고 하는 술을 뜻한다. *팔진지미는 순
　모(淳母), 순오(淳熬), 포장(炮牂), 포돈(炮豚), 도진
　(擣珍), 오(熬), 지(漬), 간료(肝膋)를 이르기도 하
　고 용간(龍肝), 봉수(鳳髓), 토태(兎胎), 이미(鯉尾),
　악적(鴞炙), 웅장(熊掌), 성순(猩脣), 수락(酥酪)을
　이르기도 한다.
1174)-직 : -째. '그대로', 또는 '전부'의 뜻을 더하는
　접미사.

1114)글다 : 끌다. 끌어 모으다. 어떤 것을 옮겨 오거
　나 옮겨 가다.
1115)팔진경장(八珍瓊漿) : 팔진지미(八珍之味)와 옥
　액경장(玉液瓊漿)을 함께 이르는 말로, 아주 잘 차
　린 음식상에나 갖춘다고 하는 여덟 가지 진귀한
　음식과, 맑고 고운 빛깔과 좋은 향을 갖추어 신선
　들이 마신다고 하는 술을 뜻한다. *팔진지미는 순
　모(淳母), 순오(淳熬), 포장(炮牂), 포돈(炮豚), 도진
　(擣珍), 오(熬), 지(漬), 간료(肝膋)를 이르기도 하
　고 용간(龍肝), 봉수(鳳髓), 토태(兎胎), 이미(鯉尾),
　악적(鴞炙), 웅장(熊掌), 성순(猩脣), 수락(酥酪)을
　이르기도 한다.
1116)-직 : -째. '그대로', 또는 '전부'의 뜻을 더하는
　접미사.

《쥬셔‖쥬쇼(晝宵)1175)》○[로] 셜亽를 즈
로 ᄒᆞ기로, 깁히 삼가고 조심ᄒᆞ믄 군지 혹
즈 측히 넉일가 춤는 비러니, 졈졈【64】ᄒᆞ
여 쥬리기를 심히 ᄒᆞ미 죽을 둣 시버, 엇디
ᄒᆞ면 딘슈셩찬을 슬컷 먹고 비 브른 셰계를
볼고 ᄒᆞ엿더니, 의외의 윤부인이 분산ᄒᆞ미,
ᄯᅩ 셕맛초아 허로병(虛勞病)1176)이 나 죽을
둣 시븐 고로, 윤부인의 아니 먹는 밥을 쳡
이 다 최오고, 본궁이셔 온 쥬찬을 다 먹으
니, 이졔야 복듕이 든든ᄒᆞ여 긔신(氣神)1177)
이 미오 나ᄂᆞ이다."

초휘 연시의 말마다 누츄히 넉여 다시 슈
작디 아니ᄒᆞ더라.

됴부인이 산실의셔 몸을 닛비ᄒᆞ고 뎡침의
도라가디 아니 ᄒᆞ니, 초휘 모친의 슈고ᄒᆞ시
믈 졀민초조ᄒᆞ여 고왈,

"쇼지 윤시【65】를 힘뼈 잘 구호ᄒᆞ올
거시니, ᄌᆞ졍은 념녀치 마르시고 뎡침의 나
아가샤 셩톄를 날로 닛비 마르쇼셔."

여러번 고간ᄒᆞ니, 부인이 ᄋᆞᄌᆞ의 민박히
넉이믈 보고 마디 못ᄒᆞ여 뎡침으로 도라가
려 ᄒᆞᆯ시, 초후를 지삼 당부ᄒᆞ여 닐오디,

"ᄋᆞ뷔 긔운이 대허ᄒᆞ고 졍신이 ᄌᆞ로 혼미
ᄒᆞ여 막힐 둣ᄒᆞᆯ 젹이 만ᄒᆞ니, 모로미 ᄌᆞ디
말고 살펴 병이 더치게 말나."

초휘 슈명ᄒᆞ고 모친의 취침ᄒᆞ시믈 보옵고
믈너 치월각의 오니, 윤시 금금의 ᄲᅡ혀 사
룸의 츌입을 아디 못ᄒᆞ거늘, 초휘 그 손을
잡고 벼개 가의 디【66】혀 누으미, 윤시
힝혀 존괴 오신가 ᄒᆞ여 눈을 ᄯᅥ보다가, 초
후를 보고 듕심의 노홉고 분ᄒᆞ미 업디 아
녀, 셕셕이 손을 ᄲᅢ히고 향벽(向壁)ᄒᆞ여 눕
거늘, 초휘 그 ᄯᅳᆺ을 아라 굿ᄐᆞ여 다른 말
아니코 깅반을 나온디, 쇼졔 말ᄒᆞ기 슬희여
계오 니러 안자, 시녀로 ᄒᆞ여금 깅반을 가
져 오라ᄒᆞ여 먹을시, 윤시 비위 거스려 음
식을 나오디 못ᄒᆞ나, 초후의 괴로이 권ᄒᆞᆷ믈

《쥬셔‖쥬쇼(晝宵)1117)○[로] 셜亽를 즈로
ᄒᆞ기로 깁히 조심ᄒᆞ더니, 졈졈ᄒᆞ여 쥬리기
를 심히 ᄒᆞ미 죽을 둣 시퍼, 엇지면 ○○○
○○[진슈셩찬을] 슬컷 먹고 비 브른 셰계
를 볼고 ᄒᆞ엿더니, 의외의 윤부인이 분산ᄒᆞ
미, ᄯᅩ 셕맛초아 허루병(虛勞病)1118)이 나
죽을둣 시븐 고로, 윤부인의 아니 먹는 밥
【170】을 쳡이 다 최오고, 본궁의셔 온 쥬
찬을 먹으,니 이졔야 복즁이 든든ᄒᆞ여 긔신
(氣神)1119)이 날이다."

초휘 연시의 말마다 누츄ᄒᆞᆫ지라, 다시 슈
작지 아니ᄒᆞ더라.

조부인이 산실의셔 몸을 닛비ᄒᆞ고 졍침의
도라가지 아니ᄒᆞ니, 초휘 졀민ᄒᆞ여, ᄌᆞ긔
'윤시를 힘뼈 잘 구호ᄒᆞ올 거시니 ᄌᆞ졍은
념녀치 마르시고 졍침의 ᄂᆞ아가쇼셔' 여러
번 간ᄒᆞ니, 부인이 ᄋᆞᄌᆞ의 민박히 넉이믈
보고, 마지 못ᄒᆞ여 졍침으로 가려 ᄒᆞᆯ시, 초
후를 직삼 당부ᄒᆞ여 닐오디,

"ᄋᆞ뷔 긔운이 대허ᄒᆞ고 졍신이 ᄌᆞ못 혼혼
ᄒᆞ여 막힐 둣ᄒᆞᆯ 젹이 만ᄒᆞ니, 모로미 ᄌᆞ지
말고 살펴 병이 더치게 말나."

초휘 슈명【171】ᄒᆞ고 모친의 취침ᄒᆞ시
믈 보고 믈너 치월각의 오니, 윤시 금금의
ᄲᅡ혀 ᄉᆞ람의 츌입을 아지 못ᄒᆞ거늘, 휘 그
손을 줍고 벼기 ᄀᆞ히 지혀 누으미, 윤시 힝
혀 존괴 오신가ᄒᆞ여 눈을 ᄯᅥ보다가 초후를
보고 즁심의 노홉고 분ᄒᆞ미 업지 아녀, 셕
셕이 손을 ᄲᅢ히고 향벽(向壁)ᄒᆞ여 눕거늘,
초휘 그 ᄯᅳᆺ을 아라 굿ᄐᆞ여 ᄃᆞ른 말 아니코
깅반을 ᄂᆞ온디, 쇼졔 말ᄒᆞ기 슬희여 계오
니러 안자, 시녀로 ᄒᆞ여금 깅반을 가져 오
라ᄒᆞ여 먹을시, 윤시 비위 거슬녀 음식을
나오지 못ᄒᆞ나, 초후의 괴로이 권ᄒᆞᆷ믈 보고

1175)쥬쇼(晝宵) : 주소(晝宵). 주야(晝夜). 밤낮.
1176)허로병(虛勞病) : 몸이 허약해지고 피로한 증상
의 병.
1177)긔신(氣神) : 기력과 정신을 아울러 이르는 말.

1117)쥬쇼(晝宵) : 주소(晝宵). 주야(晝夜). 밤낮.
1118)허로병(虛勞病) : 몸이 허약해지고 피로한 증상
의 병.
1119)긔신(氣神) : 기력과 정신을 아울러 이르는 말.

보고 마디 못ᄒᆞ여 먹기를 다ᄒᆞ고, 그르슬 《믈니고‖믈린 후》, 근녁이 업스나 누엇기 블안ᄒᆞ여 안ᄌᆞ시ᄃᆡ, 눈을 낫초고 밍녈ᄒᆞᆫ ᄉᆡ식이 낫 우ᄒᆡ 어리여, 유심(留心) 치【67】부(置簿)ᄒᆞ미 깁흔 바는, 초휘 동긔디졍으로 하쇼져의 참익(慘厄)을 슬허ᄒᆞ며 뉴부인의 악ᄉᆞ를 분원ᄒᆞ여, ᄌᆞ긔를 박ᄃᆡᄒᆞᆫ 조곰도 한치 아니ᄒᆞᄃᆡ, 대ᄉᆞ로이1178) 초하동의 블너다가 즐욕누언(叱辱陋言)이 참참(慘慘)ᄒᆞ여, 그 모친을 민달(妹妲)1179)의게 비ᄒᆞ며, ᄌᆞ긔로ᄡᅥ 쳔고간악 음악찰녀의 견조와, 닙의 담디 아념죽ᄒᆞᆫ 말을 만히 ᄒᆞ믈 이둛고 분ᄒᆞ여 평ᄉᆡᆼ 플닐 ᄯᅳᆺ이 업스니, 초휘 엇디 그 심폐를 스뭇디 못ᄒᆞ리오. 뉴시를 통히ᄒᆞᆷ 싱견의 니즐 길히 업스나, 윤시긔 여텬디무궁(如天地無窮)ᄒᆞᆫ 듕졍은 바다히 평디 되나 변치 아닐 비라. 쳐【68】음 염고ᄒᆞ던 ᄆᆞ음을 뉘웃고 당ᄎᆞ디시(當此之時)ᄒᆞ여는 윤시의 노분 플기를 싱각ᄒᆞ여, ᄌᆞ긔 화평키로ᄡᅥ 딘복(鎭服)홀디라. 윤시의 슉뇨현텰(淑窈賢哲)ᄒᆞ믈 ᄭᆡ다른 후는 은근이 졍을 펴디 못ᄒᆞ리오마는, 딘졍 우이로ᄡᅥ 그 미뎨를 져의 모친이 즛두다려 죽이려 ᄒᆞ던 용심을 혜아리면, 져를 져버려 무식패광디인(無識悖狂之人)으로 윤츄밀의 은혜를 니즈며 덕을 비반홀디언졍, ᄎᆞ마 동긔를 죽이려 ᄒᆞ던 흉인의 ᄯᆞᆯ노 더브러 됴히 화락홀 ᄯᅳᆺ이 ᄉᆞ연(捨然)ᄒᆞ다가도, 윤시의 빅ᄒᆡᆼ긔딜이 일무소흠(一無所欠)ᄒᆞ고, 흑디간고를 만히 겻거 그 ᄆᆞ음을 셕이믈 싱각ᄒᆞ면,【69】뉴부인은 비록 빅악이 구비홀디라도 윤시를 박ᄃᆡ치 아니미 올코, 윤츄밀의 의긔현심과 깁흔 은덕을 싱셰의 다 갑디 못홀 거시니, 미뎨 임의 죽디 아녓고, 윤시를 긋츨 ᄉᆞ이 아니니, 쇼미 부뷔 즐거이 못기를 바라며 윤시의게 블평ᄒᆞ믈 오ᄅᆡ 디ᄉᆞ미 가치 아니ᄒᆞ고, ᄒᆞ믈며 ᄣᅡ틴 긔린을 싱남ᄒᆞ여 바라미

마지 못ᄒᆞ여 먹기를 《ᄒᆞ고 그르슬 《믈니고‖믈린 후》, 근녁이 업스나 누엇기 블【172】안ᄒᆞ여 ○○○○[안ᄌᆞ시ᄃᆡ], 눈을 낫초고 밍녈ᄒᆞᆫ ᄉᆡ식이 낫 우ᄒᆡ 어리여 유심(留心) 치부(置簿)ᄒᆞ미 깁흔바는, 초휘 동긔지졍으로 하쇼져의 참익(慘厄)을 슬허ᄒᆞ며 뉴부인의 악ᄉᆞ를 분원ᄒᆞ여, ᄌᆞ긔를 박ᄃᆡᄒᆞᆫ 조곰도 한치 아니ᄒᆞᄃᆡ, ᄃᆡᄉᆞ로이1120) 초하동의 블너ᄃᆞ가 즐욕누언(叱辱陋言)이 참참(慘慘)ᄒᆞ여, 그 모친을 민달(妹妲)1121)의게 비ᄒᆞ며, ᄌᆞ긔로ᄡᅥ 쳔고간악 음녜의 견조와, 닙의 담지 아니홀 말을 만히 ᄒᆞ믈 이둛고 분ᄒᆞ여 평ᄉᆡᆼ 플닐 ᄯᅳᆺ이 업스니, 초휘 엇지 그 심폐를 스뭇지 못ᄒᆞ리오. 뉴시를 통히ᄒᆞᆷ 싱견의 니즐 길히 업스나, 윤시게 여텬디무궁(如天地無窮)ᄒᆞᆫ 풍졍은 바【173】다히 평지되나 변치 아닐 비라. 쳐음 염고ᄒᆞ던 ᄆᆞ음을 뉘웃고 당ᄎᆞ지시(當此之時)ᄒᆞ여는 윤시의 노분 플기를 싱각ᄒᆞ여, ᄌᆞ긔 화평키로ᄡᅥ 진복(鎭服)홀지라. 윤시의 슉뇨현쳘(淑窈賢哲)ᄒᆞ믈 ᄭᆡ다른 후는, 은근이 졍을 펴지 못ᄒᆞ리오마는, 진졍 우이로ᄡᅥ 그 미뎨를 져의 모친이 즛두다려 죽이려 ᄒᆞ던 용심을 혜아리면, 져를 져버려 무식픠광지인(無識悖狂之人)으로 윤츄밀의 은덕을 니즈며 덕을 비반홀지언졍, ᄎᆞᆷ아 동긔를 죽이려 ᄒᆞ던 흉인의 ᄯᆞᆯ노 더브러 됴히 화락홀 ᄯᅳᆺ이 ᄉᆞ연(捨然)ᄒᆞ다가도, 윤시의 빅ᄒᆡᆼ긔질이 일무소흠(一無所欠)ᄒᆞ고 흑디【174】간고를 만히 겻거 그 ᄆᆞ음을 셕이믈 싱각ᄒᆞ면, 뉴부인은 비록 빅악이 구비홀지라도 윤시를 박ᄃᆡ치 아니미 올코, 윤츄밀의 은덕을 싱셰의 다 갑지 못ᄒᆞ리니, 미뎨 임의 죽지 아녓고, 윤시를 긋츨 ᄉᆞ이 아니니, 쇼미 부뷔 즐거이 못기를 바라며, 윤시의게 블평ᄒᆞ믈 오ᄅᆡ 지ᄋᆞ미 가치 아니ᄒᆞ고, ᄒᆞ믈며 ᄣᅡ틴 긔린을 싱남ᄒᆞ여 바라미 지나니, 스스로

1178)대ᄉᆞ롭다 : 대수롭다. 중요하게 여길 만하다.

1179)민달(妹妲) : 중국의 대표적인 악녀(惡女)인 하(夏)나라 걸(桀)의 비(妃)인 매희(妹喜)와 주(周)나라 주(紂)의 비(妃) 달기(妲己)를 함께 이르는 말.

1120)대ᄉᆞ롭다 : 대수롭다. 중요하게 여길 만하다.

1121)민달(妹妲) : 중국의 대표적인 악녀(惡女)인 하(夏)나라 걸(桀)의 비(妃)인 매희(妹喜)와 주(周)나라 주(紂)의 비(妃) 달기(妲己)를 함께 이르는 말.

디나니, 스스로 영힝ᄒ믈 니긔디 못ᄒ여, 부
인을 향ᄒᆫ 은이 십 솟 듯ᄒ되, 부인의 유딜
ᄒ믈 넘녀ᄒ여 쇼져 겻틱 누어, 그 옥비셤
슈를 어로만져 견권디졍(繾綣之情)이 산비
히박(山卑海薄)ᄒ되, 쇼져ᄂᆞᆫ 괴로오미 심ᄒ
여 손을【70】쓰리치되 초휘 그 손을 잡아
노치 아니터니, 쇼제 긔운이 ᄯ 혼혼ᄒ여
졍신을 출히디 못ᄒ니, 휘 촉을 나와 노코
약을 드리워 신식을 술피미, 위악ᄒ믈 더옥
우려ᄒ여, 부인이 유틱디즁(有胎之中)의 심
녀를 허비ᄒ미 만하 의형이 이ᄀᆞᆺ치 슈패(瘦
敗)ᄒ엿ᄂᆞᆫ가? 그윽이 슬피 넉여 ᄒᆞᄂᆞᆫ 바ᄂᆞᆫ,
윤시 ᄀᆞᆺ튼 슉녀현완(淑女賢婉)이 뉴시 ᄀᆞᆺ튼
악인의 쓸이 되여 그 회푀 남 ᄀᆞᆺ디 못ᄒ믈
더옥 이둘와홀 ᄯᆞ름이로되, 윤시를 디ᄒ여ᄂᆞᆫ
셜화를 여러 즈긔 ᄆᆞ음의 잇ᄂᆞᆫ 바를 니르디
아닛ᄂᆞᆫ디라. 윤쇼제 긔운이 잠간 나아 졍신
을 출히미 이시니, 초【71】휘 여러날 졉목
디 못ᄒ여시므로 셔안을 디혀 잠을 드럿더
라.【72】

녕힝ᄒ믈 니긔지 못ᄒ여, 부인 향ᄒᆫ 은이
십 솟 듯ᄒ되, 부인의 유질ᄒ믈 넘녀ᄒ여 쇼
져 겻히 누어, 그 옥비셤슈를 어로만져 권
이ᄒ되, 쇼져ᄂᆞᆫ 괴로오미 심ᄒ【175】여 손
을 쓰리치되, 초휘 그 손을 잡아 놋치 아니
터니, 쇼졔 ᄯᅩ 긔운이 혼혼ᄒ여 졍신을 출
히지 못ᄒ니, 휘 촉을 ᄂᆞ와 노코 약을 드리
워 신식을 술피미, 위악ᄒ믈 더옥 우려ᄒ여,
부인이 위[유]퇴지즁(有胎之中)의 ᄉᆞ심녀를
허비ᄒ미 만하 의형이 이ᄀᆞᆺ치 슈픠(瘦敗)ᄒ
엿ᄂᆞᆫ가? 그윽이 슬피 넉여 ᄒᆞᄂᆞᆫ 바ᄂᆞᆫ, 윤시
ᄀᆞᆺ튼 슉녀 뉴시ᄀᆞᆺ튼 악인의 쓸이 되어, 그
회푀 남ᄀᆞᆺ지 못ᄒ믈 더옥 이둘와홀 ᄯᆞᆷ이로
되, 윤시를 디ᄒ여ᄂᆞᆫ 셜화를 여러 즈긔 ᄆᆞ
음을 니르지 아닛ᄂᆞᆫ지라. 윤시 긔운이 줌간
나아 졍신을 ᄎᆞ리니, 초휘 여러날 졉목지
못ᄒ여시므로 셔안을 지혀 줌을 드럿더라.

　오십슴 ᄉ 오.【176】

명듀보월빙 권디오십오

　화셜, 초휘 여러 날 졉목디 못ᄒ여시므로 셔안을 디혀 잠을 드럿더니, 믄득 연시 니르러, 윤부인과 초휘 다 잠이 췌ᄒ엿고, 그 부부의 슈려ᄒᆫ 풍용이 샹하치 아니ᄒ여 남ᄎᆡ녀뫼(男彩女貌) 발월 특이ᄒ미 ᄌᆞᄂᆞᆫ 둧 더옥 아름다오믈 보니, 연시 촉하의 안ᄌᆞ 곱고 괴특ᄒ다 일ᄏᆞᆺ기를 마디 아니ᄒ다가, 초후를 향ᄒᆞᆫ 졍을 ᄎᆞᆷ디 못ᄒ여 넘치를 닛고 초후의 겻ᄐᆡ 누어 낫출 다히고 손을 견조아, 측◯[냥] 업슨 졍욕을 비【1】 홀 거시 업스니, 휘 비록 잠 가온ᄃᆡ나 쳐음 드러올 젹브터 아라, 그 망측히 구는 거동을 알오ᄃᆡ 짐ᄌᆞᆺ 모로ᄂᆞᆫ 체 ᄒ고 누엇더니, 연시 둔ᄒᆞᆫ 몸이 잇다감 ᄌᆞ긔를 즛눌너 아니쏘은 형상을 니르기 어려오니, 초휘 눅눅ᄒ여 비로소 눈을 ᄡᅥ 보고, 굴오ᄃᆡ,

　"그ᄃᆡ 편히 ᄌᆞ디 아니ᄒ고 이에 와셔 겻ᄐᆡ 누어시믄 엇디오?"

　연시 답왈,

　"쳡이 윤부인 긔운을 알녀 이의 왓더니, 시녀 등이 다 ᄌᆞ고 샹공과 부인이 췌팀ᄒ여 계시니, 혼ᄌᆞ 안ᄌᆞᆺ기 두리워 쳡이 밤이면 유모 시녀비를 겻ᄐᆡ 누이고 ᄌᆞ므로, 무셔온 ᄆᆞ음【2】을 업시코져 샹공 겻ᄐᆡ 눕과이다."

　초휘 그 ᄭᅮ며 ᄃᆡ답ᄒᆞᄆᆞᆯ 믜이 넉여 웃고, 닐오ᄃᆡ,

　"밤의 혼ᄌᆞ ᄌᆞ기를 무셔이 넉일딘ᄃᆡ, 임의 이곳의 와시니 슉소의 가디 말고 예 누어시면 단단이 눌너 주리라."

　인ᄒ여 큰 힘을 다ᄒ여 연시를 누이고 큰 몸으로 누르니, 연시 답답ᄒ여 견ᄃᆡ디 못ᄒ여, 왈,

　"이졔ᄂᆞᆫ 군ᄌᆡ 씌여시니 쳡이 무셥디 아니ᄒ다라, 도라가샤이다."

　휘 짐ᄌᆞᆺ 웃고 왈,

　"날ᄀᆞᆺᄐᆞᆫ 댱군이 이시면 두립디 아니리라."

명쥬보월빙 권지이십일

　ᄎᆞ셜 초휘 여러 날 졉목지 못ᄒ여셔 이의 셔안을 의지ᄒ여 ᄌᆞᆷ을 드럿더니, 연시 니르러 보니, 남ᄎᆡ녀뫼(男彩女貌) 발월 특이ᄒ여 무슈히 갈치ᄒᆞᆫ가, 초후를 향ᄒᆞᆫ 졍을 ᄎᆞᆷ지 못ᄒ여 넘치를 일코 초후의 겻ᄐᆡ 누어, 낫출 다히고 손을 견조아 측냥 업슨 졍욕을 비홀 ᄃᆡ 업스니, 휘 비록 ᄌᆞᆷ 가온ᄃᆡ나 쳐음 드러올 젹브터 알ᄃᆡ, 망측ᄒᆞ믈 보민 ᄂᆡ심의 아니쏘아, 짐잣 모로ᄂᆞᆫ 치ᄒ고 누엇더니, 연시 둔ᄒᆞᆫ 몸이 잇다감 ᄌᆞ긔 몸을 즛눌너, 아니쏘은 형상을 니르기 어려오니, 초휘 눅눅ᄒ여 비로소 눈을 ᄡᅥ 보고 왈, 【1】

　"그ᄃᆡ 편히 ᄌᆞ지 아니ᄒ고 이에 와셔 겻ᄒᆡ 누엇시믄 엇지미뇨?"

　연시 답왈,

　"쳡이 윤부인 긔운을 알녀 이의 왓더니, 시녀 등이 다 ᄌᆞ고 샹공과 부인이 췌침ᄒ여 계시니, 혼ᄌᆞ 안ᄌᆞᆺ기 두려워 쳡이 밤이면 유모 시녀비를 겻ᄐᆡ 누이고 줌므로, 무셔온 ᄆᆞ음을 업시코ᄌᆞ 샹공 겻ᄒᆡ 누엇ᄂᆞ이다."

　휘 그 ᄭᅮ며 ᄃᆞ답ᄒᆞ믈 뮈이 넉여, 웃고 닐오ᄃᆡ,

　"밤의 혼ᄌᆞ ᄌᆞ기를 무셔워 홀진ᄃᆡ, 님의 이곳의 왓시니 슉소의 가지 말고 예 누어시면 단단이 눌너 주리라."

　인ᄒ여 큰 힘을 다ᄒ여 연시를 누이고 큰 몸으로 누르니, 연시 답답ᄒ여 견ᄃᆡ지 못ᄒ여 왈,

　"이졔ᄂᆞᆫ 군ᄌᆡ 씌여시니 쳡이 무셥지 아니ᄒ지라,【2】 도라가ᄉᆞ이다."

　휘 짐ᄌᆞᆺ 웃고 왈,

　"날ᄀᆞᆺᄐᆞᆫ 댱군이 이시면 두렵지 아니리라."

연시 왈,

"첩이 무셔온 증이 사름이 갓가이 즈면 낫거니와, 【3】 너모 괴로오믄 귀치 아니ᄒ이다."

초휘 져를 블관이 넉이는 줄 모로고, 쥬야 ᄣᅡ 단니며 귀둥ᄒ는 졍이 측냥 업ᄉ믈 괴로이 넉이나, 쇼년디심의 이ᄀᆞ치 속이니 엇디 우읍디 아니리오. 연시 젼일은 윤시를 항형ᄒ여 욕ᄒ며 업슈히 넉이더니, 부인의 관홍디덕(寬弘之德)과 단엄ᄒᆫ 위의 완연이 ᄉ군ᄌ(士君子)의 풍이 이시니, 연시 졈졈 그 덕화를 감열(感悅)ᄒ여 ᄭᅮ딋고 욕홀 ᄆᆞ음이 업고, 윤부인 바라기를 존고 버금으로 ᄒ더라.

이러구러 윤시 분산ᄒ연 디 이칠(二七)이 되고, 별츈졍 하쇼졔 잉틱 십일삭 만의 【4】 일개 옥동을 싱ᄒ니, 싱이 긔골이 비상ᄒ고 톄격이 늠쥰(凜俊)ᄒ여 신싱 유ᄋ ᄀᆞ디 아니ᄒ고, 산실의 오치향운(五彩香雲)이 됴요(照耀)ᄒ니 댱ᄂᆡ 대귀홀 줄 짐작홀디라. 하공 부부와 금평후 부뷔 하시 잉틱디듕(孕胎之中)의 남의 업순 ᄉ변(事變)을 디ᄂᆡ니, 분산이 위틱홀가 념녀ᄒ다가, 슌산 싱남ᄒ고 산후 딜양이 업ᄉ니, 하날이 도으신 듯 영힝ᄒ믈 니긔디 못ᄒ나, 그 아비 보디 못ᄒ믈 이돌나 ᄒ고 병부 등이 하공긔 치하 왈,

"년슉이 칠팔일디ᄂᆡ의 《딘외∥친외(親外)》 삼개 긔손(奇孫)을 어드시니, 존부의 경ᄉᆡ 무궁ᄒ신 【5】디라. 윤ᄋ는 그 아비 먼니셔 보디 못ᄒ니 흠ᄉ나, 슈년디ᄂᆡ의 모드리니 언마 오리리잇고? 일긔 온화흔 ᄯᆡ의 ᄌ의의 냥남(兩男)과 ᄉ빈의 유ᄌ(乳子)를 흔 곳의 모화 흔가디로 그 긔특ᄒ믈 구경ᄒ샤이다."

하공이 탄왈,

"녀ᄋ의 일명이 보젼ᄒ여 오날늘 싱ᄌᄒ는 경ᄉᆡ 이시믄 챵빅의 두번 살나닌 은덕이오. 부녜 싱면(生面)으로 반기미 다 챵빅의 주미라. 흔갓 우리 부녀의게 산은희덕(山恩海德) ᄲᆞᆫ이리오. 윤가의 ᄯᅩ흔 큰 ○[은]혜

연시 왈,

"첩이 무셔온 증이 ᄉ람이 갓가이 즈면 낫거니와, 너러 틱시 누르믄 귀치 아니ᄒ여이다."

휘 져를 블관이 넉이나 모로고 쥬야 ᄣᅡ 단니며 귀즁ᄒ는 졍이 측냥 업ᄉ믈 괴로이 넉이나, 쇼년지심의 이ᄀᆞ치 속이니 엇지 우읍지 아니ᄒ리오. 윤시를 년시 젼일은 항형ᄒ여 뇩(辱)ᄒ며 업슈히 너기더니, 부인의 넙은 덕과 단엄흔 위의 완연이 ᄉ군ᄌ(士君子)의 풍이 이시니, 년시 졈졈 그 덕화를 감열(感悅)ᄒ여 ᄭᅮ짓고 욕홀 ᄆᆞ음이 업고, 윤시 바라기를 존고 버금으로 ᄒ더라.

이러구러 윤시 분산ᄒ연지 이칠(二七)이 되고, 별【3】춘졍 하쇼졔 잉틱 십삭만의 일긔 옥동을 싱ᄒ니, 싱이 긔골이 비상ᄒ고 쳬격이 늠쥰(凜俊)ᄒ여 신싱유ᄋ ᄀᆞ지 아니ᄒ고, 산실의 오치향운(五彩香雲)이 됴요(照耀)ᄒ니, 댱ᄂᆡ 대귀홀 줄 짐작홀지라. 하공 부부와 금평후 부뷔 하시 잉틱지듕(孕胎之中)의 남의 업순 ᄉ변(事變)을 지ᄂᆡ니, 분산이 위틱홀가 념녀ᄒ다가, 슈[슌]산(順産) 싱남ᄒ고 산후 질양이 업ᄉ니, 하늘이 도으신 듯 영힝ᄒ믈 니긔지 못ᄒ나, 그 아비 보지 못ᄒ믈 이돌나 ᄒ고 병부등이 하공게 치하 왈,

"년슉이 칠팔일지ᄂᆡ의 ○○[친외(親外)] 삼기 《긔ᄌ∥긔손(奇孫)》을 어더시니, 존부의 경ᄉᆡ 무궁ᄒ신지라. 윤ᄋ는 그 아비 먼니셔 보지 못ᄒ니 흠ᄉ나, 슈년지ᄂᆡ의 【4】 모도리니 언마 오리리잇고? 일긔 온화흔 ᄯᆡ의 ᄌ의의 냥남(兩男)과 ᄉ빈의 유ᄌ(乳子)를 흔 곳의 모화, 그 긔특ᄒ믈 구경ᄒ샤이다."

하공이 탄왈,

"녀ᄋ의 일명이 보젼ᄒ여 오날늘 싱ᄌᄒ는 경ᄉᆡ 이시믄, 챵빅의 두번 살나닌 은덕이오, 부녜 싱면(生面)으로 반기미 다 챵빅의 주미라. 흔갓 우리 부녀의게 산은희덕(山恩海德) ᄲᆞᆫ이리오. 윤가의 ᄯᅩ흔 큰 은혜

로다.”

병뷔 블감(不堪) ᄉᆞ샤(謝辭)ᄒᆞ더라.

윤시 일삭 후 니러나ᄃᆡ, 옥뫼 슈쳑ᄒᆞ미 젼과 닉도ᄒᆞ고, 하시【6】는 신상의 딜긔 업셔, 즉시 니러나니 하공 부뷔 대희ᄒᆞ더라. 하공이 신싱 ᄡᅡᆼᄋᆞ를 별츈졍의 다려와 윤ᄋᆞ와 ᄒᆞᆫ디 누이고, 금평후 부ᄌᆞ를 쳥ᄒᆞ여 보게 ᄒᆞ니, 금후 부지 윤ᄋᆞ는 여러번 보앗거니와 초후의 ᄂᆞᆼ 신ᄋᆞ는 싱디 삼칠(三七)의 오날이야 쳐음 보는디라. 그 비상 특이ᄒᆞ미 윤가 신ᄋᆞ의 나리디 아니ᄒᆞ고, 삼ᄋᆞ의 명모 광치(明眸光彩) 셔로 빗최여, 텬디졍화(天地精華)와 일월졍긔(日月精氣)를 오로디 하·윤 삼ᄋᆞ의게 품슈(稟受)ᄒᆞ며, 각각 부모의 톄형을 습(襲)ᄒᆞ여, 용인쇽ᄌᆞ(庸人俗子)와 닉도홀 쌘아니라, 대귀홀 골격이 낫【7】타나니, 금평휘 삼ᄋᆞ를 어로만져 칭션 왈,

“퇴디의 관일디튱(貫一之忠)과 강명졀딕(剛明切直)ᄒᆞᆫ 힝ᄉᆞ로ᄡᅥ, 쇼인(小人)의 믜이미 되여, 셕년의 ᄌᆞ안 등을 참혹히 맛ᄎᆞ나, 당금ᄒᆞ여 원상 등 삼이 각각 원ᄉᆞᄒᆞᆫ 넉시 환싱ᄒᆞ엿고, ᄌᆞ의의 ᄂᆞᆼ개 긔린(騏驎)이 하문을 놉히며 숑됴 보필디긔(輔弼之器)라. 비록 신싱 유이나 작인이 이딕도록 비상ᄒᆞ니 타일 영귀홀 줄 가디(可知)라. 형의 집의 이런 경ᄉᆞ 어딕 이시리오. 하날이 윤명쳔의 만니 이국의 가 조ᄉᆞ(早死)ᄒᆞᄆᆞᆯ 슬피 넉이샤, 그 ᄂᆞᆼ개 유복지 각각 ᄋᆞ들을 나흐미 ᄒᆞ나토 범상치 아녀, ᄉᆞ원의 일흔【8】ᄋᆞ들노브터 영쥬의 싱이 이ᄀᆞᆺ치 긔특ᄒᆞ니, 윤가의 흥긔ᄒᆞᄆᆞᆯ 보디 아냐 알디라. ᄉᆞ빈이 남·양 이쥐의 가셔도 병들가 념녀로오미 업고, 화란 듕 몸을 맛출가 근심은 몽니(夢裏)의도 업ᄂᆞ니, 슈년이 언마 디나리오. 퇴디는 ᄌᆞ부와 녀셔를 타일의 모화 기리 두굿기고, 츙츙ᄒᆞᆫ 손ᄋᆞ를 슬샹의 유희ᄒᆞ여 긴 셰월의 즐거오믈 누리리라.”

하공이 츄연이 냥항누를 나리와 굴오딕,

“쇼뎨 무궁ᄒᆞᆫ 젹악이 ᄌᆞ녀의게 밋쳐, 원경 등 삼ᄋᆞ를 참망(慘亡)ᄒᆞ고, 녀ᄋᆞ의 변괴 셰간의 회한ᄒᆞ니, 창빅의 두 번 술오미 아

로다.”

병뷔 블감ᄉᆞ사(不堪謝辭)ᄒᆞ더라.

윤시 일삭 후 니러나ᄃᆡ, 옥뫼 슈쳑ᄒᆞ미 젼과 닉도ᄒᆞ고, 하시는 신상의 질긔 업셔 즉시 니러나니, 하공 부뷔 대희ᄒᆞ더라. 하공이 신싱 ᄡᅡᆼᄋᆞ를 별츈졍의 드려와 윤ᄋᆞ와 ᄒᆞᆫ디 누이고, 금평【5】후 부ᄌᆞ를 쳥ᄒᆞ여 보게 ᄒᆞ니, 금후 부지 윤ᄋᆞ는 여러번 보앗거니와 초후의 ᄂᆞᆼ 신ᄋᆞ는 싱지 슘칠(生之)의 오ᄂᆞᆯ이야 쳐음 보는지라. 그 비상 특이ᄒᆞ미 윤가 신ᄋᆞ의 ᄂᆞ리지 아니ᄒᆞ고, 삼ᄋᆞ의 명모 광치(明眸光彩) 셔로 빗최여, 텬지졍화(天地精華)와 일월졍긔를 오로지 하·윤 삼ᄋᆞ의게 품슈(稟受)ᄒᆞ며, 각각 부모의 쳬형을 습(襲)ᄒᆞ여, 용인쇽ᄌᆞ(庸人俗子)와 닉도홀 쌘 아니라, 대귀홀 골격이 낫타나니, 금평휘 삼ᄋᆞ를 어로만져 칭션 왈,

“퇴지의 관일지튱(貫一之忠)과 강명졀직(剛明切直)ᄒᆞᆫ 힝ᄉᆞ로ᄡᅥ, 쇼인(小人)의 믜이미 되여, 셕년의 ᄌᆞ안 등을 춤혹히 맛ᄎᆞ나, 당금ᄒᆞ여 원상등【6】 슘이 각각 원ᄉᆞᄒᆞᆫ 넉시 환싱ᄒᆞ엿고, ᄌᆞ의의 ᄂᆞᆼ 긔린(騏驎)이 하문을 놉히며 숑긔도 보필지긔(輔弼之器)라. 비록 신싱 유이나 작인이 이딕도록 비상ᄒᆞ니 타일 영귀홀 줄 가지(可知)라. 형의 집의 이런 경ᄉᆞ 어딕 이시리오. 하ᄂᆞᆯ이 윤명쳔의 ○○○○○○[만니 이국의 가] 《초ᄉᆞǁ조ᄉᆞ(早死)》ᄒᆞᄆᆞᆯ 슬피 넉여, 그 ᄂᆞᆼ기 유복지 각각 ᄋᆞ들을 나흐미 ᄒᆞ나토 범상치 아냐, ᄉᆞ원의 일흔 ᄋᆞ들노브터 영쥬의 싱이 이ᄀᆞᆺ치 긔특ᄒᆞ니, 윤가의 흥긔ᄒᆞᄆᆞᆯ 보지 아냐 알지라. ᄉᆞ빈이 남·양 이쥐의 가셔도 병들가 념녀로오미 업고, 화란 즁 몸을 맛출가 근심은 몽니의도 업ᄂᆞ니, 슈년이 언마 지나리오. 퇴지는 ᄌᆞ부와 녀셔를 타일의 모【7】화 기리 두굿기고, 츙츙ᄒᆞᆫ 손ᄋᆞ를 슬상의 유희ᄒᆞ여 긴 셰월의 즐거오믈 누리리라.”

하공이 츄연이 냥항누를 ᄂᆞ리와 굴오딕,

“쇼뎨 무궁ᄒᆞᆫ 젹악이 ᄌᆞ녀의게 밋쳐, 원셩 등 슘ᄋᆞ를 ᄡᅡᆼ망(雙亡)ᄒᆞ고, 녀ᄋᆞ의 변괴 셰간의 회한ᄒᆞ니, 창빅의 두 번 술오미 아

니면 어이【9】 우리 부녜 스라셔 딕흐리
오. 망으 등의 누명을 신원홈과 쇼데 고토
의 도라와 군샹의 대은을 밧즈오미, 근본인
즉 《듕쳥∥듁쳥》의 은덕이라. 감은흔 므
음이 골졀의 스뭇고 셩손(姓孫)1180) 썅으눈
그 작인이 비샹흐나, 오히려 예스로오믄 식
부의 태휘 화란을 디닉디 아니흐엿거니와,
외손의 다드라눈 졔 어미 참화를 디닉딕,
윤이 긔특흐므로 즈레 써러디디 아냐 십삭
을 넘겨 나흐니, 싱각홀스록 영힝흐믈 니긔
디 못흐느니, 타일 스빈이 도라와 부뷔 화
락흐믈 볼딘딕 한이 업스려니와, 쇼뎨 즈녀
의게 하 험난흐니,【10】 이를 능히 바라디
못흐노라."

평휘 위로흐고, 평남후 등이 냥으의 비범
흐믈 일크라 놉혼 복경을 칭하흐고, 썅으의
일홈을 므른딕 하공이 밋쳐 썅손의 명을 덧
디 아녓더니, 이날 므르믈 당흐여 초후다려
니르딕,

"내 졍신이 온젼치 못흐여 으히 일홈을
딧디 못흐니 네 디으라."

초휘 피셕 딕왈,

"대인이 우히 계시니 쇼직 엇디 일홈을
디으리잇고? 대인이 명호 주시믈 쳥흐느이
다. 각각 몽쯔를 드려 디으시믈 바라느이
다."

하공이 드딕여 명(名)을 디으믹, 몬져 난
바로뻐 몽셩이라 흐고 즈를 현【11】뵈라
흐고, 츳즈눈 몽닌이라 흐고 즈를 스뵈라
흐딕, 윤으눈 그 아비 도라오기를 기다려
디으랴 흐고 딧디 아나, 이 숨으의 즈미
를 ○○[부쳐], 뎡국공과 됴부인의[이] 슈
한(愁恨)을 소화흐여 날노 두굿기니, 하공의
즐거오미 이 밧긔 업눈디라. 초휘 날노 열
친을 위쥬흐여 부부뉸의를 폐치 아녀, 치월
각의 드러간즉 괴이흔 악취 비위를 뎡치 못
흐니, 이눈 연시 식냥이 너르고 졍결치 못
흐기로, 밥이 츠디 못흐면 두로 단녀 잡거
슬 주셔 먹고, 복듕이 편치 못흐여 토스(吐

니면 어이 우리 부녜 스라셔 딕흐리오. 망
으등의 누명을 신원홈과 쇼뎨 고토의 도라
와 군샹의 대은을 밧즈오미, 근본인즉 듁쳥
의 은덕이라. 감은흔 므음이 골졀의 스뭇고
셩손(姓孫)1122) 썅으눈 그 작인이 비샹흐나,
오히려 녜스로오믄 식부의 퇴휘 화란을 디
닉지 아니흐엿거니와, 외손의 다드라눈 졔
어【8】미 참화를 지닉딕, 윤이 긔특흐므로
즈레 써러지지 아녀 십삭을 넘겨 나흐니,
싱각홀스록 녕힝흐믈 니기지 못흐느니. 타
일 스빈이 도라와 부뷔 화락흐믈 볼진딕 한
이 업스려니와, 쇼뎨 즈녀의게 하 험난흐니
이를 능히 바라지 못흐노라."

평휘 위로흐고 평남후 등이 냥으의 비범
흐믈 일크라 놉혼 복경을 칭하흐고, 썅으의
일홈을 므른딕 하공이 밋쳐 썅손의 명을 짓
지 아녓더니, 이날 므르믈 당흐여 초후드려
니르딕,

"닉 졍신이 온젼치 못흐여 으히 일홈을
짓지 못흐니 네 지으라."

초휘 피셕 딕왈,

"대인이 우히 계시니 쇼직 엇지【9】 일
홈을 지으리잇고? 대인이 명호 주시믈 쳥흐
옵느니, 각각 몽즈를 드려 지으시믈 바라느
이다."

하공이 드딕여 명을 지으믹, 몬져 난 바
로뻐 몽셩이라 흐고 즈를 현뵈라 흐고, 츳
즈눈 몽닌이라 흐고 즈를 즈뵈라 흐딕, 윤
으눈 그 아비 도라오기를 기다려 지으랴 흐
고 짓지 아나, 이 숨으의 즈미를 ○○[부
쳐], 뎡국공과 됴부인의[이] 슈한(愁恨)을
소화(消化)흐며 날노 두굿기니, 하공의 즐거
오미 이 밧긔 업슨지라. 초휘 날노 열친을
위쥬흐여 부부지뉸를 폐치 아녀, 치월각의
드러간즉 괴이흔 악취 비위를 졍치 못흐니,
이눈 년시 식냥이 너르고 졍결치 못흐기로,
밥이【10】 츠지 못흐면 두로 단녀 잡 거
슬 주셔 먹고, 복즁이 편치 못흐여 토스(吐

1180)셩손(姓孫) : 후손(後孫). 자신의 세대에서 여러
　　세대가 지난 뒤의 자녀를 통틀어 이르는 말.

1122)셩손(姓孫) : 후손(後孫). 자신의 세대에서 여러
　　세대가 지난 뒤의 자녀를 통틀어 이르는 말.

瀉)1181)ᄒᄂᆫ 병이 잇기로, 잇다감 분취농비(糞臭濃飛)1182)ᄒᆞ미라. 됴부인이 이를 알고도 【12】 셕식반을 범인의셔 삼비나 더ᄒᆞ여 슘1183)을 치오나, 셜스ᄂᆞᆫ 금치 못ᄒᆞ니, 경안공쥬ᄂᆞᆫ 기녀의 복병(腹病)을 아ᄂᆞᆫ 고로, 비록 쥬린 줄 아나 연고 업ᄉᆞᆫ 음식은 보ᄂᆞ디 아니니, ○○[초휘] 연시 미양 기모의 무졍ᄒᆞ믈 한ᄒᆞᆷ믈 보앗ᄂᆞ디라, 연부마의 튱현 뎡대ᄒᆞᆷ과 경안공쥬의 슉뇨ᄒᆞᆷ므로, 져ᄌᆞ치 ᄌᆞ초 못삼긴 쓸을 나하 외모 긔딜과 일신 힝ᄉᆞ의 ᄒᆞᆫ 일 보암즉ᄒᆞᆫ 일 업스믈 그윽이 탄ᄒᆞ여, 연한님 등과 대상브동(大相不同)1184)ᄒᆞ믈 괴이히 넉여, 일모(一母) 동복소싱(同腹所生)의 작인이 ᄂᆞ도ᄒᆞ믈 이들나 홀 ᄯᆞᆫ이오, 연군쥬를 실셩디인(失性之人)으로 쳑워 만ᄉᆞ의 박졀 【13】 ᄒᆞ미 업셔, 긔괴 망측ᄒᆞᆫ 거죄 잇셔도 아른 쳬 아니니, 하공 부뷔 ᄋᆞᄌᆞ의 덕냥을 두굿겨 ᄒᆞ고, 연부마와 공쥬ᄂᆞᆫ 초후를 감격ᄒᆞᆫ 뜻이 골졀(骨節)의 ᄉᆞ못ᄎᆞ, 본 젹마다 긔경(起敬)ᄒᆞ고 귀듕ᄒᆞ믈 과히ᄒᆞ여 미양 은혜를 일ᄏᆞᄅᆞ니, 초휘 도로혀 괴로이 넉이나 맛춤ᄂᆡ 연시를 가녀의 두어 화평이 거ᄂᆞ릴 쓷이 잇고, 연궁 시녀ᄂᆞᆫ ᄒᆞ로 열 번을 왕ᄂᆡᄒᆞ여도 막ᄂᆞᆫ 일이 업ᄉᆞ디, 뉴부인 통히ᄒᆞᆷ믄 가디록 심ᄒᆞ여 문니(門吏)를 엄금ᄒᆞ여 윤부 시녀와 셔간을 드리디 못게 ᄒᆞ니, 벽난 소영 등이 감히 왕ᄂᆡ치 못ᄒᆞ고, 잇다감 윤부인을 디ᄒᆞ여 옥누항 통신 【14】 ᄒᆞᄂᆞᆫ 일 곳 이실딘딕, 쇼미(小妹)를 죽여 업시 ᄒᆞ려 ᄒᆞᄂᆞᆫ 의ᄉᆞ라 ᄒᆞ니, 윤시 인둛고 노호미 텰골홀 ᄯᆞᆫ 아녀, 존고의 긔식을 보니 어딜고 화슌ᄒᆞ므로쎠 ᄌᆞ긔 낫츨 보아 모친을 시비ᄒᆞᄂᆞᆫ 빅 업ᄉᆞ나 옥누항 통신을 말고져 ᄒᆞ므로, 초후의 이심히 막ᄂᆞᆫ 일을 그르다 ᄒᆞᄂᆞᆫ 일이 업고, 혹 ᄌᆞ긔

<hr/>

1181)토ᄉᆞ(吐瀉) : 상토하사(上吐下瀉). 위로는 토하고 아래로는 설사함.
1182)분취농비(糞臭濃飛) : 똥냄새가 가득 서려 있음.
1183)슘 : 숨. 기운. 채소 따위의 생생하고 빳빳한 기운.
1184)대상브동(大相不同) : 조금도 비슷하지 않고 아주 다름.

瀉)1123)ᄒᆞᄂᆞᆫ 병이 잇기로, 잇다감 분취응비(糞臭凝飛)1124)ᄒᆞ미라. 됴부인이 이를 알고됴셕식반을 범인의셔 슘비나 더ᄒᆞ여 양을 치오나, 셜스ᄂᆞᆫ 금치 못ᄒᆞ니, 경안공쥬ᄂᆞᆫ 기녀의 복병(腹病)을 아ᄂᆞᆫ 고로, 비록 쥬린 줄 아나 연고 업순 음식은 보ᄂᆞ디 아니니, ○○[초휘] 년시 미양 기모의 무졍ᄒᆞᆷ믈 한ᄒᆞᆷ믈 보앗ᄂᆞ지라, 연부마의 튱현 졍대ᄒᆞᆷ과 ○○[경안]공쥬의 슉뇨ᄒᆞᆷ므로, 져ᄌᆞᆺ치 ᄌᆞ초 못슘긴 쓸을 나하 외모 긔질과 일신 힝ᄉᆞ의 ᄒᆞᆫ 일 보암즉ᄒᆞᆫ 일 업ᄉᆞ믈 그윽이 탄ᄒᆞ여, 년한님 등과 딕상부동(大相不同)1125)【11】ᄒᆞ믈 괴이히 넉여, 일모(一母) 동복소싱(同腹所生)의 작인이 ᄂᆞ도ᄒᆞ믈 이들와 홀 ᄯᆞᆫ이요, 연군쥬를 실셩지인으로 쳑워 만ᄉᆞ의 《젹막∥박졀》ᄒᆞ미 업셔, 긔괴 망측ᄒᆞᆫ 거죄 잇셔도 아른 쳬 아니니, 하공 부뷔 ᄋᆞᄌᆞ의 덕냥을 두굿겨 ᄒᆞ고, 년부마와 공쥬ᄂᆞᆫ 하후 감ᄉᆞᄒᆞᆫ 뜻이 골졀(骨節)의 ᄉᆞ못ᄎᆞ, 볼 젹마다 긔경(起敬)ᄒᆞ고 귀즁ᄒᆞ믈 과히ᄒᆞ여 미양 은혜를 닐ᄏᆞᄅᆞ니, 초휘 도로혀 괴로이 넉이나, 맛춤ᄂᆡ 년시를 가녀의 두어 화평이 거ᄂᆞ릴 뜻이 잇고, 년궁 시녀ᄂᆞᆫ ᄒᆞ로 열 번을 왕ᄂᆡᄒᆞ여도 막ᄂᆞᆫ 일이 업ᄉᆞ디, 뉴부인 통히ᄒᆞᆷ믄 가지록 심ᄒᆞ여 문니(門吏)를 엄금ᄒᆞ여 윤부 【12】 시녀와 셔간을 드리지 못ᄒᆞ게 ᄒᆞ니, 벽난 소영 등이 감히 왕ᄂᆡ치 못ᄒᆞ고, 잇다감 윤부인이 옥누항 통신ᄒᆞᄂᆞᆫ 일 곳 이실진딕, 쇼미(小妹)를 죽여 업시ᄒᆞ려 ᄒᆞᄂᆞᆫ 의식라 ᄒᆞ니, 윤시 인둛고 노호미 쳘골홀 ᄯᆞᆫ 아녀, 존고의 긔식을 보니 어질고 화슌ᄒᆞ무로쎠 ᄌᆞ긔 낫츨 보아 《뉴부인∥모친》을 시비ᄒᆞᄂᆞᆫ 빅 업ᄉᆞ나, 옥누항 통신은 말고ᄌᆞ ᄒᆞ므로, 초후의 이심히 막ᄂᆞᆫ 일을 그르다 ᄒᆞᄂᆞᆫ 일이 업고, 혹 ᄌᆞ긔를 디ᄒᆞ여 셔랑의 환쇄(還刷) 젼이며 츔밀이 도라오지 못ᄒᆞ여셔, 녀ᄋᆞ의 싱존ᄒᆞᆷ믈 견셜ᄒᆞ 리 이시

<hr/>

1123)토ᄉᆞ(吐瀉) : 상토하사(上吐下瀉). 위로는 토하고 아래로는 설사함.
1124)분취응비(糞臭凝飛) : 똥냄새가 가득 엉겨있음.
1125)대상브동(大相不同) : 조금도 비슷하지 않고 아주 다름.

를 딕흐여, 셔랑의 환쇄(還刷) 젼이며[나]츄밀이 도라오디 못흐여셔, 녀으의 싱존흔믈 젼셜흘 리 이시면, 쏠이 다시 죽으미 쉬오리라 흐니, 윤부인이 존고의 혜아리미 괴이치 아닌디라, 아조 스졍을 버혀 일죽 문후흐는 글을 긋쳐시【15】딕, 그윽흔 밤을 당흔즉 모친의 실덕패도(失德悖道)흐믈 슬허 흐고, 즈긔 즈식의 도를 폐흐여 츄호도 졍셩을 뵈디 못흐고, 효힝을 아조 긋쳐 모로는 남이 되여시믈 통졀흐여, 스스의 녀즈 되오미 구추흐믈 슬허 흐르는 눈믈이 벼개를 젹시고, 가슴의 뭉킌 이들오미 돌이 되여 플닐 젹이 업스니, 초후는 부인의 심스를 거울 빗쵀둧 알오딕, 뉴부인 거졀흐기는 시로 층가흐더라.

이쩌 문양공쥬 덕인으로 일홈 디은 거슨 다 히흐니, 윤·양·니·경 등과 운영으로브터 구창가디 다 셔르져 양양흔흔(揚揚欣欣)흐믈 마디 아니흐【16】딕, 오히려 니시 남산의 편히 이시믈 쎄려 신묘랑다려 히홀 쇠를 므르니, 묘랑이 쇼왈,

"니시굿튼 거슨 념녀흘 거시 업는 거시니, 도위 노야긔 뇨됴슉녜 굿초 이시미, 관홍흔 도량으로 니시로뻐 폐륜을 믿두디 아녀시나, 이제 그 박식츄물(薄色醜物)을 권년(眷戀)홀 거시라, 의졀흐여 향니의 갓는 거슬 마즈 업시츠 흐느뇨? 이런 일은 다 믈외(物外)의 더디고, 옥쥬는 원컨딕 이슈가익(以手加額)[1185]흐여, 도위 샹공의 은졍을 독당(獨當)흐여 유즈싱녀(有子生女)흐시고 빅슈동낙(白首同樂)흐여 만복을 누리쇼셔."

문양공쥬 신묘랑의 말을 듯고 심둥의 올히 녁여 니시【17】 히홀 쇠를 긋치고, 덕인은 다 셔르져 업시흐여 좌우의 뵈는 거시 업스니, 안둥졍(眼中釘)이 스라져 무음의 쇠휜코 깃브믈 비흘 곳이 이시리오. 냥익(兩翼)을 고상(翱翔)홀 둧흐딕, 다만 금은을 허비흐여도 엇기 어렵고 사디 못홀 거슨 부마

1185)이슈가익(以手加額) : 손을 이마에 대거나 얹고 생각한다는 뜻으로, 어떤 일을 골똘히 생각함을 이르는 말.

면, 쏠이 다시 죽으미 쉬오리라 흐니, 윤부인이 존고의 혜아리【13】미 괴이치 아닌지라. 아조 스졍을 버혀 일죽 문후흐는 글을 긏쳐시딕, 그윽흔 밤을 당흔즉 모친의 실덕픽도(失德悖道)흐믈 슬허흐고, 즈긔 즈식의 도를 폐흐여 츄호도 졍셩을 뵈지 못흐고, 효힝을 아조 긏쳐 모로는 남이 되여시믈 통쳘[졀](痛切)흐여, 스스의 녀즈 되오미 구추흐믈 슬허 흐르는 눈믈이 벼기의[를] 젹시고, 가슴의 뭉켜[킨] 이들오미 돌이 되여 플닐 젹이 업스니, 초후는 부인의 심스를 거울 빗쵀둧 알오딕, 뉴부인 거졀흐기는 시로 층가흐더라.

이쩌 문양공쥬 젹인으로 일홈 지은 거슨 다 히흐니, 윤쇼져와 운녕으로브터 구창ᄀ지 다 셔르져【14】 양양흔흔(揚揚欣欣)흐믈 마지 아니흐딕, 오히려 〇〇[니시] 남산의 편히 잇시믈 쐬려 신묘랑다려 히홀 쇠를 므르니, 묘랑이 쇼왈,

"니시 굿튼 〇〇[거슨] 념녀흘 거시 업는 거시니, 도위노야게 뇨됴슉녜 굿초 이시미, 관홍흔 도량으로 니시로뻐 폐륜을 믿두지 아녀시나 이제 그 박식츄물(薄色醜物)을 권년(眷戀)홀 거시라 의졀흐여 향니의 갓는 거슬 마즈 업시츠 흐느뇨? 니런 일은 다 믈외(物外)의 더지고 옥쥬는 원컨딕 이슈가익(以手加額)[1126]흐여, 도위 샹공의 은졍을 독당(獨當)흐여 유즈싱녀(有子生女)흐시고 빅슈동낙(白首同樂)흐여 만복을 누리쇼셔."

문양공쥬 신묘랑의 말을 듯고 심즁의 올히 녁여 니시 히홀 쇠【15】를 긏치고, 젹인은 다 셔르져 업시흐여 좌우의 뵈는 거시 업스니, 안즁졍(眼中釘) 스라져 무음의 쇠휜코 깃브믈 비홀 곳이 이시리오. 냥익(兩翼)을 고상(翱翔)홀 둧흐딕, 다만 금은을 허비흐여도 엇기 어렵고 스지 못홀 거슨 부마의

1126)이슈가익(以手加額) : 손을 이마에 대거나 얹고 생각한다는 뜻으로, 어떤 일을 골똘히 생각함을 이르는 말.

의 은졍이라. 셩녜 ᄉ지(四載)의 ᄒ로도 ᄆ
음과 ᄀᆺ치 화락디 못ᄒᆷ믈 이둛고 슬허, 독
슉공방(獨宿空房)○[의] 누여위(淚如雨)라.
묘랑을 쳥ᄒ여 온갓 요약(妖藥)의 뉴(類)를
어더 술의 화ᄒ여 변심ᄒ기를 요구ᄒᆫ 고
로, 비록 감슈ᄒᆫ 약이라도 부마의 ᄆ음이
변ᄒ여 ᄌ긔의게 은졍이 도라디리라 ᄒ면,
슈삼년 감슈ᄒᆫ 거ᄉ 관겨치 아【18】니
케 넉여, 쳔만가디로 시험ᄒ며, ᄯᅩ 명산대쳔
의 긔도ᄒ여 부부의 졍이 듕키를 튝원ᄒ고,
묘랑○[이] 요약(妖惡)히 방법(方法)ᄒ기를
긋치디 아니나, 뎡병부의 여견만니(如見萬
里)ᄒᆫ 춍명과 사ᄅᆷ의 오장(五臟)을 ᄭᅦ보
ᄂᆫ 슬긔라. 공쥬의 브졍(不正) 요ᄉ(妖邪)ᄒ
믈 신혼 초일노브터 분명이 알오미 이시니,
어이 간졍을 모로리오. 변심ᄒᆫ 약이 혹ᄌ
무망(無望)의 술 가온ᄃᆡ 들미 잇셔도, 발셔
독이 밧디 아녀 즉시 비왓고1186), 요승이
작법ᄒ나 부마의 ᄆ음을 잡귀신이 도로혀디
못ᄒ니, 갈ᄉ록 싁싁쥰엄ᄒᆯ ᄯᆞᆫ이오. 쇼년부
부의 흔연 샹【19】의(相愛)ᄒᆫ 거동은 젼
일만도 못ᄒ여, ᄃᆡᄒᆞ미 공쥬의 ᄆ음이 두렵
고 싁스러워1187) 빅ᄉ의 삼가고 조심ᄒ기를
등한이 아니ᄒ여, 남후의 보는 ᄃᆡᄂᆫ 디극히
어딜며 온슌ᄒ 쳬ᄒ니, 도로혀 약ᄒ고 보도
랍기 결단 업ᄉ 사ᄅᆷ ᄀᆺᄐᆡ, 남휘 그 뇌외
다르믈 더욱 통완ᄒ여 믜오미 졈졈 더ᄒ여
능히 춤디 못ᄒ나, 군상(君上)의 대은과 부
공의 디극ᄒ신 경계를 져바리디 못ᄒ여, 십
여일의 두어 번식 문양궁의 니르러 그 ᄆ음
을 잠간 눅이고져, 일침디하(一枕之下)의 어
슈디락(魚水之樂)1188)을 다시 일우미, 공쥬
낙틱디후의 긔뷔(肌膚) 튱실ᄒ엿고, 부뷔 다
혈긔【20】 댱셩디셰(壯盛之歲)라. ᄯᅩ 잉틱
ᄒ미 쉬온 고로, 공쥬 틱휘 이션디 삼ᄉ삭
의 몸을 샹요의 더져 빅미무미(百味無味)ᄒ
고 온갓 과실이 다 아니쏘아 못먹으니, 시

1186)비왓다 : 뱉다. 토하다.
1187)싁스럽다 : 수줍다. 부끄럽다. 어색하다.
1188)어슈디락(魚水之樂) : 수어지락(水魚之樂). 물과
　　고기의 관계처럼 어진 임금과 신하, 또는 남편과
　　아내가 서로 이해하고 돕는 즐거움.

은졍이라. 셩녜(成禮) ᄉ지(四載)의 ᄒ로도
ᄆ음과 ᄀᆺ치 화락지 못ᄒᆷ믈 이둛고 슬허,
독슉공방(獨宿空房)○[의] 누여위(淚如雨)
라. 묘랑을 쳥ᄒ여 온갓 뇨약(妖藥)의 뉴
(類)를 어더 술의 화ᄒ여 변심ᄒ기를 요구
ᄒᆫ 고로, 비록 감슈ᄒᆫ 약이라도, 부마의
ᄆ음이 변ᄒ여 ᄌ긔의게 은졍이 도라지리라
ᄒ면, 슈슴년 감슈ᄒᆫ 거ᄉ 관계치 아니케
넉여, 쳔만가지로 시험ᄒ며, ᄯᅩ 명산【16】
대쳔의 긔도ᄒ여 부부의 졍이 듕키를 츅원
ᄒ고, 묘랑이 뇨약(妖藥)으로 방법(方法)ᄒ
기를 긋치지 아니나, 뎡병부의 여견만니(如
見萬里)ᄒᆫ 춍명과 ᄉ람의 오장(五臟)을
쪄보는 슬긔라. 공쥬의 브졍(不正) 요ᄉ(妖
邪)ᄒᆷ믈 신혼 초일노브터 브명이 알오미 이
시니, 어늬 간졍을 모로리오. 변심ᄒᆫ 약이
혹ᄌ 무망(無望)의 술 가온ᄃᆡ 들미 잇셔도,
발셔 독이 맛지 아냐 즉시 비왓고1127), 요
승이 작법ᄒ나 부마의 ᄆ음을 잡귀신이 도
로혀지 못ᄒ니, 갈ᄉ록 싁싁쥰엄ᄒᆯ ᄯᆞᆫ이오,
쇼년부부의 흔연 샹이(相愛)ᄒᆫ 거동은 젼
일만도 못ᄒ여, ᄃᆡᄒᆞ미 공쥬의 ᄆ음이 두렵
【17】고 싁스러워1128) 빅ᄉ의 삼가고 조
심ᄒ기를 등한이 아니ᄒ여, 남후의 보는ᄃᆡ
ᄂᆫ 지극히 어질며 온슌ᄒ 쳬ᄒ니, 도로혀
약ᄒ고 브드럽기 결단 업ᄉ ᄉ람 ᄀᆺᄐᆞ며,
남휘 그 뇌외 다르믈 더욱 통완ᄒ여 믜오미
졈졈 더ᄒ여 능히 춤지 못ᄒ나, 군상(君上)
의 대은과 부공의 지극ᄒ신 경계를 져바리
디 못ᄒ여, 십여일의 두어번식 문양궁의 니
르러 그 ᄆ음을 잠간 눅이고ᄌ ᄒ여, 일침
지하(一枕之下)의 어슈지락(魚水之樂)1129)을
다시 일우미, 공쥬 낙틱지후(落胎之後)의 긔
뷔 튱실ᄒ엿고 부뷔 다 혈긔 장셩지셰(壯盛
之歲)라. ᄯᅩ 잉틱ᄒ미 쉬온 고로, 공쥬 틱휘
이션지 슴【18】ᄉ삭의 몸을 샹요의 더져
빅미무미(百味無味)ᄒ고, 온갓 과실이 다 아

1127)비왓다 : 뱉다. 토하다.
1128)싁스럽다 : 수줍다. 부끄럽다. 어색하다.
1129)어슈디락(魚水之樂) : 수어지락(水魚之樂). 물과
　　고기의 관계처럼 어진 임금과 신하, 또는 남편과
　　아내가 서로 이해하고 돕는 즐거움.

로이 문양궁이 슬난ᄒ여1189) 팔딘경찬(八珍瓊饌)과 《산딘희찬‖산희딘찬》 디믈(山海珍饌之物)이 ᄀᆺ디1190) 아닌 거시 업셔, ᄒ가디라도 공쥬의 딘식(進食)ᄒ기를 요구ᄒ나, 공쥐 거ᄌᆺ 병든 체ᄒ여 먹을 만흔 것도 다 모라 물니치고, 죵일 음식을 고찰(考察)ᄒ니, 남후는 그 쳔연치 아닌 거동을 보기 괴로와 더욱 틔휘(胎候) 이시믈 안 후는 문양궁 왕닉를 드므리ᄒ여, 일삭의 흔 번식을 드려오나 오릭 안ᄌᆺ는 일이 업셔, 경시를 【21】 각별 잔잉ᄒᆫ, ᄌᆞ긔 집의 오기를 이상이 슬희여 ᄒ는 거슬, 부친이 위력으로 다려와 훌훌히 거쳐를 모로니, 경참졍이 슬히 뎍막ᄒ여 양ᄌᆞ(養子) 부부와 쇼져 썬이어늘, 경ᄌᆞᄉ는 소쥐 쳔니 밧기 잇고, 쇼져는 ᄉ싱 존망을 모로게 일흐미, 사름의 ᄎᆷ디 못ᄒᆯ 슬프미라. ᄌᆞ긔는 여러 쳐실을 다 실니ᄒ여시나 심장이 남 달니 견확(堅確)ᄒ니, 경시를 상니(相離)ᄒ여도 과도히 상도(傷悼)ᄒ여 병 날 빅는 업ᄉ딕, 경공 부부의 졍시 참혹ᄒᆷ믈 위ᄒ여 비상(悲傷)ᄒ고, ᄌᆞ긔 평싱 쳐쳡을 만히 모화, 댱부의 호신이 남 달니 유별흔 ᄆᆞ음이, 실듕의 셩녀슉완(聖女淑婉) 슉【22】 녀미식(淑女美色)을 ᄲᆞᆼᄲᆞᆼ이 ᄀᆺ초고져 ᄒ던 ᄯᅳ시 일장츈몽 ᄀᆺᄐ여, 당초 디시(當此之時)ᄒ여 씨드르나, 임의 취흔 바를 바리디 못ᄒᆯ 비어늘, 윤시 ᄀᆺᄐᆫ 만고 명염의 슉녀를 화락디 못ᄒ며, 양시 ᄀᆺᄐᆫ 졀식 현완을 나는 호표의게 치여 보닙도 쥬야의 못닛는 비어늘, 경시를 마ᄌ 일흐미 되니, 의복의 한셔와 딕긱의 쥬찬을 넘녀ᄒ리 업고, 니시 비록 싁틱 블미ᄒ나, 힝신즉 ᄉ군ᄌᆞ의 풍이 이셔 은졍의 흡연ᄒ미 공쥬의게 비치 못ᄒᆯ 거스로, 님산의 보닉여 샹명이 의를 졀ᄒ시미 인신디도의 그 죄를 신빅디 못흔 젼은 다려오디 못ᄒᆯ디【23】라. 운영도 거쳐를 모로고 구챵의 드럿던 초실이 소화ᄒ여 그 간 곳이 업기의 다드라는, 긔괴 망측ᄒ여 도로혀 닙이 뼈 말이 나디 아

니쏘아 못먹으니, 싀로이 문양궁이 슬난ᄒ여1130) 팔진셩찬(八珍盛饌)과 《산진희산‖산희딘찬》 지믈(山海珍饌之物)이 ᄀᆺ지1131) 아닌 거시 업시[셔], ᄒ가지라도 공쥬의 《진심‖진식(進食)》 ᄒ기를 뇨구ᄒ딕, 공쥐 거짓 병든 체ᄒ여, 뒷글만흔 것도 나모라 물니치고, 죵일 음식을 고찰(考察)ᄒ니, 남후는 그 쳔연치 아닌 긔픔을 보기 어려워 더욱 틔휘(胎候) 이시믈 안 후는, 문양궁 왕닉를 드믈니ᄒ여, 일삭의 흔번식을 드려오나, 오릭 안ᄌᆺ는 일이 업셔, 경시를 각별 잔잉ᄒᆫ, ᄌᆞ긔 집의 오기를 이상이 슬희여 ᄒ는 거슬, 부친이 위력으【19】로 다려와 훌훌히 거쳐를 모르니, 경참졍이 슬히 젹막ᄒ여 양ᄌᆞ(養子) 부부와 쇼져 썬이어늘, 경ᄌᆞᄉ는 소쥐 쳔니 밧게 잇고, 쇼져는 ᄉ싱 존망을 모르게 니르미1132) 사름의 ᄎᆷ지 못ᄒᆯ 슬프미라. ᄌᆞ긔는 여러 쳐실을 다 실니ᄒ여시나 심장이 남 달니 견확(堅確)ᄒ니, 경시를 상니(相離)ᄒ여도 과도히 상도(傷悼)ᄒ여 병 날 바는 업ᄉ딕, 경공 부부의 졍시 참혹ᄒᆷ믈 위ᄒ여 비상(悲傷)ᄒ고, ᄌᆞ긔 평싱 쳐쳡을 만히 모화 댱부의 호신이 남 달니 유별흔 ᄆᆞ음이, 실즁의 셩녀슉완(聖女淑婉)과 슉녀미식(淑女美色)을 ᄲᆞᆼᄲᆞᆼ이 ᄀᆺ초고져 ᄒ던 ᄯᅳ시 일장츈몽 ᄀᆺᄐ여, 당ᄎᆺ【20】지시(當此之時)ᄒ여 씨드르나, 님의 취흔 바를 브리지 못ᄒᆯ 비어늘, 윤시 ᄀᆺᄐᆫ 만고 명념(名艶)의 슉녀를 화락지 못ᄒ며, 양시 ᄀᆺᄐᆫ 졀식 현완을 나는 호표의게 치여 보닙도 쥬야의 못닛는 비어늘, 경시를 마ᄌ 닐흐미 되니, 의복의 한셔와 딕긱의 쥬찬을 넘녀ᄒ리 업고, 니시 비록 싁틱 블미ᄒ나 힝신즉 ᄉ군ᄌᆞ의 풍이 이셔, 은졍의 흡연ᄒ미 공쥬의게 비치 못ᄒᆯ 거슬, 님산의 보닉여 상명이 의를 졀ᄒ시미, 인신지도의 그 죄를 신빅(伸白)지 못ᄒᆯ[흔] 젼은 다려오지 못ᄒᆯ지라. 운녕도 거쳐를 모르고 구챵의 드럿던

1189)슬난ᄒ다 : 술렁이다. 어수선하게 소란이 일다.
1190)ᄀᆺ다 : 갖추어져 있다. 구비(具備)되어 있다.

1130)슬난ᄒ다 : 술렁이다. 어수선하게 소란이 일다.
1131)ᄀᆺ다 : 갖추어져 있다. 구비(具備)되어 있다.
1132)일다 : 잃다.

니나, 그 옥슈신월(玉樹新月) ᄀ툰 네 낫 ᄌ녀의 ᄉ싱 유무를 아디 못ᄒ여 은위(隱憂) 듕ᄒ기의 밋쳐ᄂ, 댱부의 텰셕심장(鐵石心腸)이 셜셜(屑屑)이1191) ᄉ힐1192) ᄃᄉᄒ티, 맛ᄎᄆ니 외모의 ᄒᄂ 조각 우슈(憂愁)ᄒᄂ 빗츨 낫토디 아냐 승안열친(承顏悅親)을 위쥬ᄒ니, 금평후ᄂ 그 심졍을 어려이 넉이고 댱부의 긔상이 광풍졔월(光風霽月) ᄀ틈믈 두굿기며, 슌태부인은 미양 인졍 업다 ᄶ디ᄌ면, 함쇼무언(含笑無言) 이러라.

흐르ᄂ 셰월이 '빅구의 틈 디남 ᄀ트여'1193), 츈하삼츄(春夏三秋)1194)를 디니고 초동(初冬) 쇼한【24】디졀(小寒之節)1195)을 만나, 문양 공쥬의 산월이 일삭이 격ᄒ니, 만삭듕 식음을 젼폐ᄒ고 몸을 움죽이디 못ᄒ니, 대개 만월ᄒ도록 ᄒ로 쾌ᄒ 날이 업셔, 미양 태산이 디즈ᄂ ᄃᄉ1196), 스스로 복듕의 남이 드러시믈 죄오고 더욱 병을 일위ᄃᄉ, 남후ᄂ 원간 유신(有娠)ᄒ믈 블힝ᄒ여 ᄋ들을 죄오ᄂ 빅 업셔, 그 믹을 본즉 반ᄃᄉ시 녀믹이니 다힝ᄒ여 ᄯᆯ이나 냥션(良善)ᄒ기를 바라더라.

ᄎ시의 구몽슉이 벼ᄉ리 ᄎᄎ 놉하 뉵경(六卿)의 오로고, 《회복∥히북(海北)1197)》 번국(藩國)의 교유ᄉ(敎諭使)로 나갓더니, 도라온 디 슈월이 넘디 못ᄒ여셔 히븍 오랑

1191)셜셜(屑屑)ᄒ다 : 자잘하다. 잘게 부서지다. 자질구레하다. 구차하다.
1192)ᄉ힐다 : 사위다. 다 타버리다.
1193)빅구의 틈 디남 ᄀ트여 : 백구-과극(白駒過隙). 흰 망아지가 빨리 달리는 것을 문틈으로 본다는 뜻으로, 인생이나 세월이 덧없이 짧음을 이르는 말.
1194)츈하삼츄(春夏三秋) : 봄 여름과 초(初)·중(中)·계(季) 삼추(三秋)를 함께 이르는 말.
1195)쇼한디졀(小寒之節) : 이십사절기의 스물셋째. 태양의 황경이 285도에 도달했을 때로 동지와 대한 사이에 드는데, 양력 1월 6일이나 7일경이다
1196)디즈다 : 짓누르다. 내리누르다. 가위눌리다.
1197)히북(海北) : 중국에서 북해는 발해(渤海)를 달리 이르는 말로 해북은 발해 북쪽 지역을 말한다.

초실(草室)이 소화(燒火)ᄒ여 그 간 곳이 업기의 다【21】ᄃᄉ라ᄂ, 긔괴 망측ᄒ여 도로혀 닙이 ᄲᅧ 말이 아니나고, 옥슈신월(玉樹新月) ᄀ툰 네 ᄌ녀의 ᄉ싱뉴무(死生有無)를 아지 못ᄒ여 은ᄋᆡ(恩愛) 긋기1133)의 밋쳐ᄂ, 장부의 쳘셕심장(鐵石心腸)이 졀졀(節節)히1134) ᄉ힐1135)ᄃᄉᄒ티, 맛ᄎᄆ니 외모의 ᄒᄂ 조각 우슈(憂愁)ᄒᄂ 빗츨 낫토지 아냐 승안녈친(承顏悅親)을 위쥬ᄒ니, 금평후ᄂ 그 심졍을 어려이 넉이고, 장부의 긔상이 광풍졔월(光風霽月) ᄀ틈믈 두굿기며, 슌틱부인은 미양 인졍 업다 ᄶ디ᄌ면 함쇼무언(含笑無言) 이러라.

흐르ᄂ 셰월이 '빅구의 틈 지남 ᄀ트여'1136) 츈하슴츄(春夏三秋)1137)를 지니고 첫 겨울을 만나, 문양 공쥬의 산월이 일삭이 격ᄒ니, 만삭즁 식음을 젼폐ᄒ고 몸을 움죽이지 못ᄒ니,【22】 대개 만월ᄒ도록 ᄒ로 쾌ᄒ 날이 업셔, 미양 태산이 지즈ᄂᄃᄉ1138) 스스로 복즁의 남이 드러시믈 죄오고, 더욱 병을 닐워 신음ᄒ티, 평후ᄂ 원간 유신(有娠)ᄒ믈 블힝ᄒ여 ᄋ들 낫키를 죄올 빅 업셔, 그 믹을 본즉 반ᄃᄉ시 녀믹이니, 다힝ᄒ여 ᄯᆯ이나 양션(良善)ᄒ여 기르기를 바라더라.

ᄎ시의 구몽슉이 벼ᄉ리 ᄎᄎ 놉하 뉵경(六卿)의 오로고, 《히국∥히북(海北)1139)》 번국(藩國)의 교유ᄉ(敎諭使)로 나갓더니, 도라온 지 슈월이 넘지 못ᄒ여, 히국 오랑키 반ᄒ여 군ᄉ를 니르혀 대국지경을 침노ᄒ민, 졀도샤 우민이 마자 ᄡᄯ호다가 픽ᄒ고,

1133)긋다 : 끊다. 끊어지다.
1134)졀졀(節節)히 ; 마디마디 마다.
1135)ᄉ히다 : 사위다. 다 타버리다.
1136)빅구의 틈 디남 ᄀ트여 : 백구-과극(白駒過隙). 흰 망아지가 빨리 달리는 것을 문틈으로 본다는 뜻으로, 인생이나 세월이 덧없이 짧음을 이르는 말.
1137)츈하삼츄(春夏三秋) : 봄 여름과 초(初)·중(中)·계(季) 삼추(三秋)를 함께 이르는 말.
1138)지즈다 : 짓누르다. 내리누르다. 가위눌리다.
1139)히북(海北) : 중국에서 북해는 발해(渤海)를 달리 이르는 말로 해북은 발해 북쪽 지역을 말한다.

키 반호여 군【25】병댱졸(軍兵將卒)을 니르혀 대국디경을 침노호미, 졀도샤 우민이 마자 벗호다가 패군호고, 오랑키 병강호여 범연흔 댱슈는 항복 밧기 어려오니, 비뵈(飛報) 급호여 텬문의 급보호니, 샹이 놀나샤 팔치농미(八彩龍眉)의 슈운(愁雲)을 씌여, 크게 됴회를 베퍼 문무 졔신으로 더브러 븍벌홀일을 의논호시니, 녀태ᄉ 뎡유와 승샹 조진 등이 쥬왈,

"폐히 샹셔 구몽슉으로뻐 츈간의 븍국 교유샤로 보닌여 계시더니, 이졔 도라완 디 슈삭이 못호여셔 븍회 반호오니, 이는 덕홰 능히 븍이(北夷)를 감열(感悅)치 못호므로, ᄉ오월을 북디의 머므러 지물을【26】탐호고 대국 위엄을 일허, 셩교를 욕되게 흔 연괴라. 븍벌홀 대댱을 갈히여 보닌신 후, 샹셔 구몽슉을 하옥호여 두엇다가, 븍디의 가 호던 쇼힝을 ᄌ시 아라 엄히 다ᄉ리기를 바라ᄂ이다"

샹이 탄호샤 왈,
"딤이 ᄉ히를 진복(鎭服)호는 덕홰 브죡호여 북이의 반상이 니러나니, 엇디 홀노 교유샤의 죄를 삼으리오."

옥음이 맛디 못호여셔, 반부듕(班部中)의 쇼년 지상이 탑하(榻下)의 츄진호니, 기인이 신댱이 팔쳑오촌(八尺五寸)이오, 슈슈과슬(垂手過膝)1198)호고 옥면 션풍의 정홰 찬난호니, 냥미문명(兩眉文明)1199)은 강산졍긔오, 봉안광치(鳳眼光彩)는 뎐샹뎐하(殿上殿下)의 바【27】이며, 놉흔 텬졍(天庭)1200)은 일월 ᄀᆞᆺ고, 넉ᄉ(-四) 쥬슌(朱脣)의 고은 거시 니두(二杜)1201)의 호일디풍(豪逸之風)을 묘시《호니ᄂ호더라》. ᄌ포(紫袍) 오ᄉ(烏紗)의 아홀(牙笏)을 밧드러시니 대현군ᄌ

오랑키 병셰 딕진(大震)호여 범연흔 장슈로는 교젼치 못홀지라. 변뵈(變報) 눈【23】날니 닷호여, 텬문의 급보호니, 샹이 대경(大驚)호ᄉ, 팔치농미(八彩龍眉)의 슈운(愁雲)을 씌여 크게 됴회를 베프스, 문무 졔신으로 더브러 븍벌호실 일을 무로시니, 녀태ᄉ 뎡유와 우승샹·진동이 쥬왈,

"폐히 샹셔 구몽슉으로뻐 츈간의 븍국 교유샤로 졍호여 보닉셧더니, ○[이]졔 도라완 지 슈삭이 못호여셔, 북 오랑캐 반호니 교화를 어질니 못흔지라. 즉시 군ᄉ를 됴발《홀지라ᄲ호여》 븍벌홀 대장을 틱히여 보닉신 후, 샹셔 구몽슉을 하옥호엿ᄃᄀ 븍디의 가 호던 쇼위를 ᄌ시 아라, 엄히 다ᄉ리기를 바라ᄂ이다."

샹이 탄호ᄉ 왈,
"딤이 ᄉ히(四海)를 진복(鎭服)호는 덕홰 부족【24】호여, 븍이(北夷)의 반상이 니러나니, 엇지 흔ᄀᆞᆺ 교유샤의 죄를 삼으리오."

말이 맛지 못호여셔, 반부즁(班部中)의 쇼년 지상이 탑하(榻下)의 츄진호니, 기인이 신장이 팔쳑오촌(八尺五寸)이오, 슈슈과슬(垂手過膝)1140)호고 옥면션풍의 정홰 찬난호니 냥미문명(兩眉文明)1141)은 강산졍긔오 봉안광치(鳳眼光彩)는 뎐샹뎐하(殿上殿下)의 바애며, 놉흔 텬졍(天庭)1142)은 일월 ᄀᆞᆺ고, 넉ᄉ쥬슌(-四朱脣)1143)의 고온 거시 니두(二杜)1144)의 호일지풍(豪逸之風)을 묘시

1198)슈슈과슬(垂手過膝) : 뻗어 내린 손이 무릎을 넘는다. 팔이 긴 것을 표현한 말.
1199)냥미문명(兩眉文明) : 두 눈썹이 윤곽이 뚜렷하고 광채가 나, 뛰어나게 아름다움.
1200)텬졍(天庭) : 관상에서, 두 눈썹의 사이 또는 이마의 복판을 이르는 말.
1201)니두(二杜) : 중국 만당(晚唐) 대의 시인 두목지(杜牧之 : 803~852)를 달리 이르는 말. 미남자로도 유명하다.

1140)슈슈과슬(垂手過膝) : 뻗어 내린 손이 무릎을 넘는다. 팔이 긴 것을 표현한 말.
1141)냥미문명(兩眉文明) : 두 눈썹이 윤곽이 뚜렷하고 광채가 나, 뛰어나게 아름다움.
1142)텬졍(天庭) : 관상에서, 두 눈썹의 사이 또는 이마의 복판을 이르는 말.
1143)넉ᄉ쥬슌(-四朱脣) : '넉 사 ; 四'자(字) 모양으로 다문 도톰하면서도 붉은 입술.
1144)니두(二杜) : 중국 만당(晚唐) 대의 시인 두목지(杜牧之 : 803~852)를 달리 이르는 말. 미남자로도 유명하다.

의 풍이 잇고, 늠연ᄒᆞᆫ ᄀᆡ상은 영웅쥰걸을 겸ᄒᆞ여시니 됴신 가온ᄃᆡ 표표히 쒸여나 인듕뇽(人中龍)이며 마듕ᄀᆡ린(馬中騏驎)이라. 이에 브복 쥬왈,

"신의 부ᄌᆡ 박덕으로 외람이 셩은을 닙ᄉᆞ와, 위거녈후(位居列侯)ᄒᆞ고 국녹을 허비ᄒᆞ오미 무궁(無窮)ᄒᆞ오니, 슉야(夙夜) 우구(憂懼)ᄒᆞ와 갑ᄉᆞ올 바를 아디 못ᄒᆞᄋᆞᆸᄂᆞ니, 비록 ᄌᆡ죄 업ᄉᆞ오나 일녀디ᄉᆞ(一旅之士)1202)를 빌니시면 무디(無知)ᄒᆞᆫ 이젹(夷狄)을 멸ᄒᆞ와 셩녀를 덜니이다."

샹이 밧비 눈을 드러 보시니, ᄎᆞᄂᆞᆫ 병부【28】샹셔 대ᄉᆞ마 평남후 뎡텬흥이라. 텬심이 희열ᄒᆞ샤 만됴를 도라보아, ᄀᆞᆯ오샤ᄃᆡ,

"텬흥은 딤의 ᄋᆡ셔(愛壻)로, 군국병권(君國兵權)과 병부듕임(兵部重任)을 맛져, 딤의 통우ᄒᆞᄂᆞᆫ ᄆᆞ음이 태ᄌᆞ 버금이라. 져의 튱셩이 ᄉᆞᄉᆞ를 도라보디 아냐 국가를 위ᄒᆞᄆᆡ 블고기신(不顧其身)ᄒᆞ여, 젼일의 운남을 뎡벌ᄒᆞᄂᆞᆫ ᄌᆡ죄 븍이(北夷)를 근심치 아닐디라. 딤이 뎡텬흥으로 하븍 대댱을 뎡코져 ᄒᆞ나, 텬흥이 나가ᄆᆡ 딤의 슈족을 일흔 ᄃᆞᆺᄒᆞ리로다."

만됴 문뮈 일시의 칭하 왈,

"폐ᄒᆡ 북이를 근심ᄒᆞ시나 신 등이 용우ᄒᆞ와 ᄒᆞ나토 ᄌᆞ원 츌졍치 못ᄒᆞ왓ᄉᆞᆸ더니, 텬흥이 관일디튱(貫一之忠)으로【29】 국가 깁ᄒᆞᆫ 근심을 더러 스ᄉᆞ로 뎡벌을 쳥ᄒᆞ오니, 반ᄃᆞ시 개가(凱歌)를 울녀 도라올디라. 국가 대경을 칭하ᄒᆞᄂᆞ이다."

샹이 대열(大悅)ᄒᆞ샤 뎡병부의 튱의를 ᄌᆡ삼 일ᄏᆞᄅᆞ시고, 즉시 텬흥으로 평븍대원슈를 ᄒᆞ이시고, 션봉과 부원슈 이하를 다 교댱(敎場)의 가 ᄌᆡ조를 시험ᄒᆞ고, 각각 소임을 ᄌᆞ모(自募)바다1203) 삼만 졍병과 십원

ᄒᆞ니, ᄌᆞ포(紫袍) 오ᄉᆞ(烏紗)의 아홀(牙笏)을 밧드러시니, 대현 군ᄌᆞ의 풍이 잇고, 늠연ᄒᆞᆫ ᄀᆡ상은 영웅쥰걸을 겸ᄒᆞ여시니, 됴신 가온ᄃᆡ 표표히 쒸여나 인즁뇽(人中龍)이며 마즁ᄀᆡ린(馬中騏驎)이라. 이에 브복 주왈,

"신의 부ᄌᆡ 박덕으로 외【25】람이 셩은을 닙ᄉᆞ와, 위거녈후(位居列侯)ᄒᆞ고 국녹을 허비ᄒᆞ오미 무상(無狀)ᄒᆞ오니, 슉야(夙夜) 우구(憂懼)ᄒᆞ여 갑ᄉᆞ올 바를 아지 못ᄒᆞᄋᆞᆸᄂᆞ니, 비록 ᄌᆡ죄 업ᄉᆞ오나 일녀지ᄉᆞ(一旅之士)1145)를 빌니시면, 무지ᄒᆞᆫ 도젹을 멸ᄒᆞ와 셩녀를 덜니이다."

상이 밧비 눈을 드러 보시니, ᄎᆞᄂᆞᆫ 병부 대ᄉᆞ마 평남후 뎡텬흥이라. 쳔심이 희열ᄒᆞᄉᆞ 만됴를 도라보아, ᄀᆞᆯ오샤ᄃᆡ,

"텬흥은 나의 ᄋᆡ셔(愛壻)로 군국병권(君國兵權)과 병부즁임(兵部重任)을 맛타 짐의 통우ᄒᆞᄂᆞᆫ ᄆᆞ음이 태ᄌᆞ 버금이라. 져의 츙셩이 ᄉᆞᄉᆞ를 도라보지 아냐, 국가를 위ᄒᆞᄆᆡ 블고기신(不顧其身)ᄒᆞ여, 젼일의 운남을 졍벌ᄒᆞᄂᆞᆫ ᄌᆡ죄 븍이(北夷)를 근심치 아닐지라. 짐이 뎡텬흥【26】으로 하북 대장을 졍코져 ᄒᆞ나, 텬흥이 나가ᄆᆡ 짐의 슈족을 일흔 ᄃᆞᆺᄒᆞ리로다."

만됴 문뮈 일시의 칭찬 왈,

"폐ᄒᆡ 븍이를 근심ᄒᆞ시나 신등이 용우ᄒᆞ와 ᄒᆞ나토 ᄌᆞ원 츌졍치 못ᄒᆞ왓ᄉᆞᆸ더니, 텬흥이 관일지즁(貫一之忠)으로써, 국가 깁ᄒᆞᆫ 근심을 더러 스ᄉᆞ로 졍벌을 쳥ᄒᆞ오니, 반ᄃᆞ시 ᄀᆡ가(凱歌)를 울녀 도라올지라. 국가 대경을 치하ᄒᆞᄂᆞ이다."

상이 ᄃᆡ열ᄒᆞᄉᆞ 뎡병부의 츙의를 ᄌᆡ삼 일ᄏᆞᄅᆞ시고, 즉시 텬흥으로써 ○○○[평븍 대]원슈를 ᄒᆞ이시고, 션봉과 부원슈 이하를 다 교장의 가 ᄌᆡ조를 시험ᄒᆞ고, 각각 소임을 ᄌᆞ모(自募)바다1146) 숨만 졍병과 십원 명장

1202)일녀디ᄉᆞ(一旅之士) : 한 부대(部隊)의 군사. *여(旅); 고려·조선 시대에 둔, 군(軍) 편제(編制)의 하나. 1여는 대략 125인이었다.

1203)ᄌᆞ모(自募)받다 : 자원자(自願者)를 모집하다. 초모(招募)하다. 의병이나 군대에 가기를 지원하는 사람을 모집하다. *자모군(自募軍); 모병(募兵)에

1145)일녀디ᄉᆞ(一旅之士) : 한 부대(部隊)의 군사. *여(旅); 고려·조선 시대에 둔, 군(軍) 편제(編制)의 하나. 1여는 대략 125인이었다.

1146)ᄌᆞ모(自募)받다 : 자원자(自願者)를 모집하다. 초모(招募)하다. 의병이나 군대에 가기를 지원하는 사람을 모집하다. *자모군(自募軍); 모병(募兵)에

명댱을 쎤 삼일 치힝(治行)호여 츌뎡호라
호시더니, 또 희븍 졀도스의 쥬문(奏文)이
뇽뎐의 오로니, 대강(大綱) 이적(夷狄)의 작
난호는 군병이 졈졈 대국디계(大國地界)의
드러와, 관익(關阨)1204)을 함몰(陷沒)호며
군민을 노략호여 싱녕(生靈)이 탕화(湯火)의
쎤져【30】 시믈 쥬호여, 밧비 대당을 보닉
샤 싱민을 구호시믈 쳥호여시니, 뎡원쉬 쥬
호딕,

"븍방 싱녕이 무죄히 탕화의 쩌러졋스오
니, 신의 힝호오미 더듸온죽 싱민의 근심이
더으리니, 신이 임의 원융(元戎) 쇼임을 밧
즈와 븍히 싱녕을 구호오미, 일시를 디류
(遲留)치 못호오리니, 쳥컨딕 명일 힝군호여
디이다."

샹이 더옥 깃그샤 니르샤딕,

"경언이 뎡합딤(正合朕)이어니와, 다만 경
으로써 희븍 무상(無狀)혼 슈토(水土)의 보
닉는 ᄆᆞ음이 결을치 못호느니, 경은 몸을
조심호여 만이(蠻夷)를 삭평호고 개가를 울
녀 슈히 도라오라."

병뷔【31】 비샤호고 부댱 등을 즈모바들
시, 븍평대원슈 금인(金印)을 허리 아릭 빗
기고, 교댱(敎場)의 나와 션봉 이하를 직조
를 시험호고, 삼만 졍병을 쎤 명일 츌뎡홀
바를 녕(令)호여, '금일은 각각 집의 도라가
부모 쳐즈를 니별호라' 호고, 날이 느즈미
만뢰 믈너나니, 원쉬 퇴홀시 뎐폐의 주 왈,

"신이 명일 됴신(早晨)의 힝군호올디라.
금일 일즉 믈너가와 늙은 어버이를 니별호
고 힝군시의 하딕을 쥬호리이다."

샹 왈,

"딤이 경을 교외의 나가 보닐 거시로딕,
일긔 한닝호고 경이 블시의 힝군호미 츌뎡
호는 위의와 난【32】여(鑾輿)를 호위호는
규례(規例)를 츌히려 혼죽, 군급(窘急)호미
이실디라. 딤은 움즉이디 못호느니 경은 일

─────────

자원한 병사들로 조직된 군대.
1204)관익(關阨) : ①국경이나 요지의 통로에 두어
드나드는 사람이나 화물을 조사하던 곳. ②군사적
으로 중요한 곳에 세운 요새.

을 쎤 숨일 치힝(三日治行)호여 츌졍호라
호시더니, 또 희븍【27】 졀도스의 쥬문(奏
文)이 뇽뎐의 오로니, 대강 이적(夷狄)의 작
난호는 군병이 졈졈 대국지계(大國地界)의
드러와, 관익(關阨)1147)을 함몰(陷沒)호며,
군졸이 노략호여 싱녕(生靈)이 탕화(湯火)의
쎤져시믈 쥬호여, 밧비 대당을 보닉샤 싱민
을 구호시믈 쳥호여시니, 뎡원쉬 쥬호딕,

"븍방 싱녕이 죄업시 탕화의 쩌러졋스오
니, 신의 힝호오미 더듸온죽 싱민의 근심이
더으리니, 신이 님의 원융(元戎) 쇼임을 밧
즈와 븍히 싱녕을 구호오미, 일시를 지류
(遲留)치 못호오리니, 쳥컨딕 명일 힝군호스
이다"

샹이 더옥 깃그샤 니르샤딕,

"경언이 졍합딤의(正合朕意)어니와, 다만
경으로써 히〇[븍] 무상(無狀)혼 슈토(水土)
의 보닉는 ᄆᆞ음이 결을치 못호느니, 경은
【28】 몸을 조심호여 만이(蠻夷)를 삭평
(削平)호고, 개가를 울녀 슈히 도라오라."

《병휘∥병뷔》 비샤호고 부장 등을 즈모
바들시, 븍평대원슈 금닌(金印)을 허리 아릭
빗기고, 교장(敎場)의 나와 션봉 이하를 직
조를 시험호고, 숨만 졍병을 쎤 명일 츌졍
홀 바를 녕호여, '금일은 각각 집의 도라가
부모 쳐즈를 니별호라' 호고, 날이 느즈미
만뢰 믈너나니, 원쉬 퇴홀시, 뎐폐의 주 왈,

"신이 명일 됴신(早晨)의 힝군호올지라.
금일 일즉 믈너가와 늙은 어버이를 니별호
고 힝군지시의 하직을 쥬호리이다."

샹 왈,

"딤이 경을 교외의 ᄂᆞ가 보닐 거시로딕,
일긔 한닝호고 경이 블의의 힝군호미, 츌졍
호는 위의와【29】 난예(鑾輿)를 호위호는
규례(規例)를 츌히려 혼죽, 군급(窘急)호미
이실지라. 딤은 움즉이직 못호느니 경은 닐

─────────

자원한 병사들로 조직된 군대.
1147)관익(關阨) : ①국경이나 요지의 통로에 두어
드나드는 사람이나 화물을 조사하던 곳. ②군사적
으로 중요한 곳에 세운 요새.

죽이 도라가 부모를 니별ᄒᄂ 회포를 펴고 명일 힝군케 ᄒ라."

원쉬 ᄉ비이퇴(四拜而退)ᄒ여 취운산의 도라오니, 부친이 태원뎐의 드러가 계신디라. 바로 존당의 드러가 밋쳐 당의 오로디 못ᄒ여셔, 태부인이 그 융복을 ᄀ초아 대댱의 위의를 빗겨시니, 놀나 ᄆ로디,

"손이 어디를 츌뎡ᄒᄂ냐?"

남휘 나죽이 히븍으로 츌뎡ᄒᄂ 스연을 고ᄒ고 왈,

"대뫼 쇼손 향ᄒ신 졍이 ᄒ로도 집을 써 나디 말과져 ᄒ시거늘, 쇼손 【33】이 블초ᄒ와 슬하 써나믈 됴흔 일ᄀ치ᄒ여 북벌을 ᄌ원ᄒ엿ᄂᄂ이다. 블과 팔구삭 늬의 도라오올 거시오나, 왕모의 과도히 결연ᄒ실 바를 혜아리건디, 쇼손의 블회 경치 아니토소이다."

태부인이 밧비 겻티 나아오라 ᄒ여 손을 잡고 눈믈을 나리와, 굴오디,

"윤·양·경 삼부를 다 실니ᄒ며 현긔 등을 일허, 쥬야의 참졀흔 심시 니긔디 못ᄒ고, 혜쥬의 스싱을 ᄯ 알 길히 업ᄉ니, 일마다 노모의 회푀 어ᄌ러오디, 다만 너의 화열흔 스식과 흐르ᄂ 담쇼를 드르면, 내 ᄆ음이 쳔만가디 슈한(愁恨)이 잇다가도 【34】 스스로 닛ᄂ 비 되여, 두굿겁고 아롬다오믈 니긔디 못ᄒᄂ니라. 실노 흔 씨 써나믈 결연이 넉이더니, 이졔 북벌을 ᄌ원ᄒ여 급히 힝코져 ᄒ나, 나힌즉 이십 쇼년이라, ᄆ슨 디략으로 만이(蠻夷)를 평뎡ᄒ리오."

금평휘 낫빗ᄎᆯ 화히 ᄒ여 모친을 위로ᄒ고, 원슈를 경계 왈,

"신지 몸을 나라히 허ᄒ미, 스스를 도라보디 아니코 위란을 피치 아녀 딕분을 다ᄒ미 맛당ᄒ거니와, ᄌ졍이 너를 과히 ᄉ랑ᄒ시ᄂ 졍으로써, 만니 븍히의 흉봉을 당ᄒ여 보닉시ᄂ 회푀 이러틋 비상ᄒ시니, 녜로브터 튱신 【35】 효지 되기 어려온 바ᄂ 뎡히 이런 곳을 니르미라. 모로미 삼가고 조심ᄒ여 ᄉ졸을 거나리미 위엄과 덕을 일치 말며, 뎍병을 만나나 경이히 혈긔디분을 발

죽이 도라가 부모를 니별ᄒᄂ 회포를 펴고 명일 힝군케 ᄒ라."

원쉬 ᄉ비이퇴(四拜而退)ᄒ여 취운산의 도라오니, 부친이 조모 침뎐의 드러가 계신지라. 바로 존당의 드러가 밋쳐 당의 오르지 못ᄒ여셔, 퇴부인이 그 융복을 ᄀ초아 대댱의 위의를 빗겨시니, 놀나 무ᄅ디,

"손이 어디를 츌졍ᄒᄂ냐?"

남휘 ᄂ죽이 히븍으로 츌졍ᄒᄂ ᄉ단을 고ᄒ고 왈,

"대뫼 쇼손 향ᄒ신 졍이 하로도 집을 써 나지 말과ᄌ ᄒ시거늘, 쇼손이 블초ᄒ와 슬하 써나믈 됴흔 일ᄀ티 ᄒ여, 븍벌을 ᄌ원ᄒ 【30】 엿ᄂ지라. 블과 팔구삭 늬의 도라오올 거시오나, 대모의 과도히 결연ᄒ실 바를 혜아리건디, 쇼손의 블회 경치 아니토소이다."

퇴부인이 밧비 겻티 ᄂ아오라 ᄒ여, 손을 잡고 눈믈을 ᄂ리와 굴오디,

"윤·양·경을 다 실니ᄒ며, 현긔 등을 닐허 쥬야의 참졀흔 심시 니긔지 못ᄒ고, 혜쥬의 ᄉ싱을 ᄯ 알 길히 업ᄉ니, 일마다 노모의 회푀 어ᄌ러오디, 다만 너의 화열흔 ᄉ식과 흐르ᄂ 담쇼를 드르면, 내 ᄆ음이 쳔만가지 슈한(愁恨)이 잇ᄃ가도, 스스로 닛ᄂ 비 되여 두굿겁고 아롬다오믈 니긔지 못ᄒᄂ지라. 실노 흔 씨 써나믈 결연이 너기더니, 이졔 북벌을 ᄌ원ᄒ여 급히 힝코ᄌ ᄒᄂ, 【31】 나힌즉 이십 쇼년이라, ᄆ슨 지략으로 만니(蠻夷)를 평졍ᄒ리오."

금평휘 낫빗ᄎᆯ 화히ᄒ여 모친을 위로ᄒ고, 원슈를 경계 왈,

"신지 몸을 나라히 허ᄒ미, 스스를 도라보지 아니코, 위란을 피치 아녀, 직분을 다ᄒ미 맛당ᄒ거니와, ᄌ졍이 너를 과도히 ᄉ랑ᄒ시ᄂ 졍으로써, 만니 북히의 흉젹을 당ᄒ여 보닉시ᄂ 회푀 이러틋 비상ᄒ시니, 녜로브터 튱신이 효ᄌ 되기 어려온 바ᄂ 졍히 이런 곳을 니르미라. 모로미 숨가고 됴심ᄒ여 ᄉ졸을 거나리미 위엄과 덕을 일치 말며, 젹병을 만나나 경이히 혈긔지분을 발

ᄒ여 일을 그릇ᄒ지 말디니, 젼일 운남을 파ᄒ던 직조를 싱각건디, 북이(北夷)를 넘녀ᄒ여 힝혀 승젼치 못홀가 근심은 업거니와, 그러나 길히 험쥰ᄒ고 이뎍(夷狄)의 ᄉ오나오미 남월(南越)1205의셔 더은디라. 오으ᄂᆞᆫ 범ᄉ의 슬피기를 등한(等閑)이 말며, 계교 ᄊᆞ기를 소리(率爾)히 말나."

원쉬 슈명 비샤 왈,

"으히 직박용우(才薄庸愚)ᄒ오나, 셩듀의 홍복을 힘닙ᄉ와【36】북이ᄂᆞᆫ 거의 탕멸키를 근심치 아니ᄒ오리니, 원컨디 존당 부모ᄂᆞᆫ 히으로ᄡᅥ 셩녀의 거리끼디 마르시고, 기리 안강ᄒ시믈 바라ᄂᆞ이다."

태부인이 홀연(欻然) 비상(悲傷)ᄒ믈 니긔디 못ᄒ니, 남후와 녜부 등이 됴흔 말ᄉᆞᆷ으로 위로○○○○[ᄒ고 남휘] 왈,

"쇼손이 칠팔삭을 그음ᄒ여 북이를 삭평ᄒ고 도라와 휜당(萱堂)1206의 봉비《ᄒ믈 일ᄏᆞ라∥ᄒ리니 물우(勿憂)ᄒ쇼셔》."

ᄒ여, 화긔(和氣) 츈양(春陽)이 ᄆᆞ로녹고 《경훈∥경운(卿雲)1207》이 남훈(南薰)1208의 시로 옴 ᄀᆞᆺᄐᆞ니, 태부인이 어린

1205)남월(南越) : 중국 한(漢)나라 때에, 지금의 광둥 성(廣東省)·광시 성(廣西省)과 베트남 북부 지역에 걸쳐 있던 나라. 기원전 203년 한나라의 관료였던 조타(趙佗)가 독립하여 세운 나라로, 뒤에 한고조(漢高祖)에 의하여 왕으로 봉해진 후 93년간 계속되다가 기원전 111년에 한 무제(武帝)에게 멸망했다.

1206)휜당(萱堂) : '휜초북당(萱草北堂; 원추리꽃이 피어있는 북당)'의 줄임말로 '어머니'를 이르는 말. =자당(慈堂). *휜초(萱草); 원추리. 백합과의 여러해살이풀. 『시경』<위풍(衛風)> '백혜(伯兮)'편의 "어디에서 휜초를 얻어 북당에 심을꼬.(焉得萱草 言樹之背 *背는 이 시에서 北堂을 뜻함)"라 한 시구에서 유래하여, 주부가 자신의 거처인 북당에 심고자 했던 풀이라는 데서, '어머니'를 뜻하는 말로 쓰였다.

1207)경운(卿雲) : 상서로운 구름. 중국 순임금이 군신(群臣)들과 태평의 기상을 즐거워하며 노래한 경운가(卿雲歌)에 "상서로운 구름의 찬란함이여 서로 얽히어 광원하도다(卿雲爛兮 糾縵縵兮)에서 온 말. 『尚書大傳』에 나온다.

1208)남훈(南薰) : 남풍(南風). 중국 순임금이 지었다는 남훈시(南薰詩; 남풍시라고도 함)의 "따사로운 남풍이여 우리 백성 불만을 풀어줄 만하여라(南風

여 일을 그릇ᄒ지 말지니,젼일 운【32】남을 파ᄒ던 직조를 싱각건디, 북이(北夷)를 넘녀ᄒ여 힝혀 승젼치 못홀ᄀᆞ 근심은 업거니와, 그러나 길이 험쥰ᄒ고 니뎍(夷狄)의 ᄉ오나오미 남월(南越)1148의셔 더은지라. 오으ᄂᆞᆫ 범ᄉ의 슬피기를 등한(等閑)이 말며, 계교 ᄊᆞ기를 소리(率爾)히 말나."

원쉬 슈명 비샤 왈,

"으히 직박용우(才薄庸愚)ᄒ오나, 셩쥬의 홍복을 힘닙ᄉ와 븍이를 탕멸키를 근심치 아니ᄒ오리니, 원컨디 존당 부모ᄂᆞᆫ 히으로ᄡᅥ 셩녀의 거리끼지 마르시고, 기리 안강ᄒ시믈 바라ᄂᆞ이다."

티부인이 홀연(欻然) 비상(悲傷)ᄒ믈 니긔지 못ᄒ니, 남후와 녜부 등이 죠흔 말ᄉᆞᆷ으로 위로○○○○[ᄒ고 남휘] 왈

"쇼손이 칠팔삭을 그음ᄒ여 븍이를 삭평ᄒ고 도라와 휜당(萱堂)1149의 봉비【33】《ᄒ믈 일ᄏᆞ라∥ᄒ리니 물우(勿憂)ᄒ쇼셔》."

○○[ᄒ여], 화긔(和氣) 츈양(春陽)이 무로녹고 경운(卿雲)1150이 남풍(南風)1151의

1148)남월(南越) : 중국 한(漢)나라 때에, 지금의 광둥 성(廣東省)·광시 성(廣西省)과 베트남 북부 지역에 걸쳐 있던 나라. 기원전 203년 한나라의 관료였던 조타(趙佗)가 독립하여 세운 나라로, 뒤에 한고조(漢高祖)에 의하여 왕으로 봉해진 후 93년간 계속되다가 기원전 111년에 한 무제(武帝)에게 멸망했다.

1149)휜당(萱堂) : '휜초북당(萱草北堂; 원추리꽃이 피어있는 북당)'의 줄임말로 '어머니'를 이르는 말. =자당(慈堂). *휜초(萱草); 원추리. 백합과의 여러해살이풀. 『시경』<위풍(衛風)> '백혜(伯兮)'편의 "어디에서 휜초를 얻어 북당에 심을꼬.(焉得萱草 言樹之背 *背는 이 시에서 北堂을 뜻함)"라 한 시구에서 유래하여, 주부가 자신의 거처인 북당에 심고자 했던 풀이라는 데서, '어머니'를 뜻하는 말로 쓰였다.

1150)경운(卿雲) : 상서로운 구름. 중국 순임금이 군신(群臣)들과 태평의 기상을 즐거워하며 노래한 경운가(卿雲歌)에 "상서로운 구름의 찬란함이여 서로 얽히어 광원하도다(卿雲爛兮 糾縵縵兮)에서 온 말. 『尚書大傳』에 나온다.

1151)남풍(南風) : 남훈(南薰). 중국 순임금이 지었다는 남풍시(南豊詩; 南薰詩라고도 함)의 "따사로운 남풍이여 우리 백성 불만을 풀어줄 만하여라(南風之薰兮 可以解吾民慍兮)"구(句)에서 온 말로 백성

ᄃ시 원슈의 손을 잡고 귀듕ᄒᄂ 졍을 측냥 치 못ᄒᄆ, 쎠날 바를 참연ᄒ더라.

날이 져믈ᄆ 혼뎡디녜(昏定之禮)를 파ᄒ 고, 태부인이 취침【37】ᄒ신 후, 금평휘 원슈와 녜부 등을 거ᄂ려 듁헌의 나와 부ᄌ 형뎨 만니 위험디디의 원별ᄒᄂ 졍을 펼식, 금평후의 단듕침엄(端重沈嚴)ᄒ므로도 이 ᄋᄃ을 먼니 보닉기의 당ᄒᄂᄂ, 홀홀1209) 결연(缺然)1210)ᄒ믈 춤디 못ᄒ여, ᄌ긔 누은 상(床) ᄀ틱 누으라ᄒ여, 손으로 그 팔흘 어 로만져 왈,

"남이 샤환(仕宦)ᄒᄆ 동셔의 브리여 집 의 드디 못ᄒ기ᄂ 녜식니, 네 쏘ᄒ 신ᄌ의 도리를 다ᄒ여 시외(塞外)의 뎡벌코져 ᄒᄆ 당연이 《올코∥올흐디》, 내 ᄆᄋᆷ이 결울 (結鬱)ᄒ여 보닌 후 넘녀를 비홀디 업스리 로다."

원쉬 ᄌ긔 직덕을 혜아려 북이(北夷)를 탕멸【38】ᄒᄆ 몽니의도 근심치 아니딕, 존당 부모긔 우려 깃치믈 졀민ᄒ여, 유열 (愉悅)이 딕왈,

"ᄋ히 직조와 디혜 쳔누(淺陋)ᄒ오나, 일 즉 십셰 젼부터 병셔를 보아 능묘(能妙)ᄒ 곳을 아ᄋᆸᄂ니, 아모 강덕을 당ᄒ와도 패군 홀가 근심은 업ᄉ오니, 복원 대인은 히ᄋ의 말ᄉᆷ을 미드샤 넘녀치 마르쇼셔."

금휘 왈,

"내 너의 직덕을 모로디 아니딕, 금번 니 별이 심식 ᄎ악ᄒ여 능히 ᄆᄋᆷ을 뎡치 못ᄒ 리로다."

원쉬 부공의 이러툿 ᄒ시믈 민울ᄒ고, 아 득히 니별ᄒᄂ 심식 버히ᄂ 듯ᄒ여, 역시 부친의 손을 밧드러 잠을 일우디 못ᄒ여,

시로 옴 ᄀᆺ트니, 틱부인이 어린 ᄃ시 원슈 의 손을 잡고 귀즁ᄒᄂ 졍을 측냥치 못ᄒ ᄆ, 쎠날 바를 참연ᄒ더라.

날이 져믈ᄆ 혼졍지녜(昏定之禮)를 파ᄒ 고, 틱부인이 취침ᄒ신 후, 금평휘 원슈와 녜부 등을 거ᄂ려 쥭헌의 나와, 부ᄌ형뎨 만니 위험지지의 원별ᄒᄂ 졍을 펼식, 금평 후의 단즁침엄(端重沈嚴)ᄒ므로도 이 ᄋᄃ 을 먼니 보닉기의 당ᄒᄂᄂ, 홀홀1152) 결연 (缺然)1153)ᄒ믈 춤지 못ᄒ여, ᄌ긔 누은 상 겻히 누으라ᄒ여, 손으로 그 팔흘 어로만져 왈,

"남의 ᄉ환(仕宦)ᄒᄆ 동셔의 《브틱여∥ 브리여》 집의 드지 못ᄒ기ᄂ 녜식니, 네 쏘ᄒ 신ᄌ의 도리를 다ᄒ여 시외(塞外)【3 4】의 졍벌코져 ᄒ니[ᄆ] 당연이 《올코∥ 올흐디》, 내 ᄆᄋᆷ이 결울(結鬱)ᄒ여 보닌 후 넘녀를 비홀디 업스리로다."

원쉬 ᄌ긔 직덕을 혜아려 북이(北夷)를 탕멸ᄒᄆ 몽니의도 근심치 아니딕, 존당 부 모게 우려 ᄭ치믈 졀민ᄒ여, 유녈(愉悅)이 딕왈,

"ᄋ히 직조와 지혜 쳔누(淺陋)ᄒ오나, 일 즉 십셰 젼부터 병셔를 보아 능묘(能妙)ᄒ 곳을 아ᄋᆸᄂ니, 아모 강덕을 당ᄒ와도 퇴군 홀가 근심은 업ᄉ오니, 복원 대인은 히ᄋ의 말ᄉᆷ을 미드ᄉ 넘녀치 마ᄅ쇼셔."

금휘 왈,

"내 너의 직덕을 모ᄅ지 아니ᄒ딕, 금번 니별이 심식 ᄎ악ᄒ여 능히 ᄆᄋᆷ을 진졍치 못ᄒ리로다."

원쉬 부친의 이러툿 ᄒ시믈 민울ᄒ고, 아 득히 니별ᄒᄂ 심식 버【35】히ᄂ 듯ᄒ여, 녁시 부친의 손을 밧드러 줌을 닐우지 못ᄒ 여, 부ᄌ의 근근쳬쳬(懃懃棣棣)1154)ᄒ믈 상

之薰兮 可以解吾民慍兮)"구(句)에서 온 말로 백성 들의 근심을 풀어줄 '따사로운 바람', 또는 '성군의 정치로 태평성대를 누리는 것'을 뜻한다. 『공자가 어(孔子家語)』에 나옴.
1209)홀홀 : 마음속이 무엇인가 잃은 것이 있는 것 같아 허전함.
1210)결연(缺然) : 무엇인가 모자라거나 빠진 것이 있는 것 같아 서운하거나 불만족 스러움.

들의 근심을 풀어줄 '따사로운 바람', 또는 '성군의 정치로 태평성대를 누리는 것'을 뜻한다.
1152)홀홀 : 마음속이 무엇인가 잃은 것이 있는 것 같아 허전함.
1153)결연(缺然) : 무엇인가 모자라거나 빠진 것이 있는 것 같아 서운하거나 불만족 스러움.
1154)근근쳬쳬(懃懃棣棣) : 마음에 잊지 못하여 연연

【39】 부즈의 근근체체(勲勲棣棣)1211)호믈 샹하(上下)키1212) 어렵더라.

효계(曉鷄) 창명(唱鳴)호미 원쉬 부친을 뫼시며 졔뎨로 더브러 태원뎐의 나아 신셩호고, 인호여 부모 존당의 하덕을 고홀시, 태부인이 크게 슬허 눈믈을 금치 못호여, 능히 말을 일우디 못호고, 딘부인이 쳑연이 눈믈을 나리와, 굴오디,

"텬흥이 비록 젼딘(戰陣)의 나아가나, 그 즈식이 호나히나 우리 슬하의 이시면 내 ᄆᆞ음이 이디도록 버히는 둧호리오마는, 팔즈의 궁호미 네 안희와 열쳡의 호나토 무스호 사름이 업셔, 윤・양・경은 싱스 거쳐를 모로며, 니시는 향니의 아득히 잇고, 네 즈식을 **【40】** 실니호여 존망을 아디 못호니, 운영・구챵의 유무는 불관하나, 쳐쳡간 공쥬 밧 남으니 업스니 셰샹의 텬흥곳치 긔구호 명되 업순디라. 우시로브터 의긔현심이 남다르며, 사름의 급위디시(急危之時)를 구활호믈 못밋출 둧호디, 팔지 이러툿 긔험호니, 엇디 이둛디 아니리오."

원쉬 모친의 슬허호시는 언스를 둧즈오미 화혼 얼골의 우음을 먹음어 위로, 왈,

"쇼지 박덕 브지로 외람이 이칠(二七) 퉁년의 농누(龍樓) 봉각(鳳閣)의 어향(御香)을 쏘여, 과도호온 셩은이 외람이 몸의 넘뼈와, 작녹 위권이 년쇼 인신의 **【41】** 바란 밧기라. 쥬야 긍긍업업(兢兢業業)호오미 일시 편치 아니호오나, 쇼즈의 몸의는 화익을 만나디 아니호오디, 윤・양・경이 박복 괴이호여 화란을 만나, 스싱 거쳐를 친졍 구개 다 모로오니, 져 사름 등이 명박호미오, 쇼즈의 팔지 아니오니, 즈졍은 무익혼 심스를 상히오디 마르시고, 현긔 등을 아조 죽은가 과상치 마르셤죽 호니, 이 다 쇼지 불명 암미호오나 오히려 사름 아는 냥안이 병드디 아녓습ᄂᆞ니, 쇼즈의 네 즈식을 간인이 아모리

효계(曉鷄) 창명(唱鳴)호미 원쉬 부친을 뫼시며 졔뎨로 더부러 태원뎐의 가 신셩호고, 인호여 부모 존당의 하직을 고홀시, 틴부인이 크게 슬허 눈믈을 금치 못호며, 능히 말을 닐우지 못호고, 진부인이 쳑연이 눈믈을 ᄂᆞ리와, 굴오디,

"텬흥이 비록 젼진(戰陣)의 나아가나, 그 즈식이 흐히나 우리 슬하의 이시면, 내 ᄆᆞ음이 이디도록 버히는 둧호리오마는, 팔즈의 궁호미 네 안희와 열쳡의 호나토 무스혼 스람이 업셔 윤・양・경은 싱스 거쳐를 모르며, 니시는 향니의 아득히 잇고, **【36】** 네 즈식을 실니호여 존망을 아지 못호니, 운녕・구챵의 유무는 불관하나, 쳐쳡간 공쥬 밧 나무니 업스니, 셰샹의 텬흥곳치 긔구혼 명되 업순지라. 우시로부터 의긔현심이 남다르며, 스람의 위급지시(危急之時)를 구활호믈 못밋출 둧호디, 팔지 이러툿 긔험호니, 어이 이둛지 아니 호리오."

원쉬 모친의 슬허호시는 언스를 드르미 화혼 얼골의 우음을 먹음어 위로 왈,

"쇼지 박덕 부지로 외람이 이칠(二七) 츙년의 농누(龍樓) 봉각(鳳閣)의 어향(御香)을 쏘혀, 과도호온 셩은이 외람이 몸의 넘뼈와 작녹 위권이 년쇼신(年少臣)의 바란 밧기라. 쥬야 긍긍업업(兢兢業業)호오미 일시 편치 아니호오나, 쇼즈의 몸의는 **【37】** 화익을 만나지 아니호오디, 윤・양・경이 박복 괴이호여 화란을 만나, 스싱 거쳐를 친졍 구개 다 모르오니, 져 스람 등의 명박호미오, 쇼즈의 팔지 아니오니, 즈졍은 무익혼 심스를 상히오지 마르시고, 현긔 등을 아조 죽은가 넘녀치 마르쇼셔. 쇼지 불명 암미호오나, 오히려 스람 아는 냥안이 병드지 아녓습ᄂᆞ니, 쇼즈의 네 즈식을 간인이 아모리 다 죽이고져 호디, 텬신이 모르는 즁 보호

1211)근근체체(勲勲棣棣) : 마음에 잊지 못하여 연연해 함. 매우 정성스럽고 은근함.

1212)상하(上下)하다 : 오르내리다. 오르고 내리고 하다. 비교하다.

해 함. 매우 정성스럽고 은근함.

1155)상하(上下)하다 : 오르내리다. 오르고 내리고 하다. 비교하다.

죽이고져 ᄒᆞ디, 텬신이 모로ᄂᆞᆫ 듯 보호ᄒᆞ여 스라날 ᄃᆞᆺᄒᆞ온다라.【42】 운영과 《십창∥구창》가디 업시ᄒᆞ와 악시 불니러나ᄃᆞᆺ 긋칠 줄 모로오나, 극셩즉패(極盛卽敗)라. 언마ᄒᆞ여 곳비1213) 드듸ᄂᆞᆫ1214) 환(患)이 이시리잇고? 쇼ᄌᆞᄂᆞᆫ 이런 일을 혜아려 실인 둥과 ᄌᆞ녀를 위ᄒᆞ여 상념치 아니ᄒᆞᄂᆞ이다.”

좌듕의 문양공줴 잇더니, 남후의 말을 드르미 비록 ᄌᆞ가를 의심ᄒᆞ여 현현(顯現)이 디목디 아니ᄒᆞ나, 본셩인즉 영오ᄒᆞ니 엇디 존당 구고의 긔식과 남후의 은은ᄒᆞᆫ 말ᄎᆡ1215)를 몰나1216) 드르리오. 감히 현어ᄉᆞ식(顯於辭色)ᄒᆞ여 사름의 의심을 닐월가 져허ᄒᆞ나, 스스로 공구ᄒᆞ여 아미를 숙이고 긔운【43】이 져상ᄒᆞ니, 모로ᄂᆞᆫ ᄌᆞᄂᆞᆫ 가부의 북힝을 넘녀ᄒᆞᄂᆞᆫ가 ᄒᆞ더라.

남휘 화셩유어(和聲柔語)로 조모와 이친을 위로 ᄇᆡᄉᆞ(拜辭)ᄒᆞ고, 졔뎨(諸弟) 슈미(嫂妹)로 분슈ᄒᆞ고 흔연이 공쥬를 작별ᄒᆞᆷ, 개연이 문의 나와 샹마(上馬)ᄒᆞ여 교댱의 나아와 삼군이 믈미듯 나아갈ᄉᆡ, 이날 텬지 뎡원슈의 힝군ᄒᆞᄆᆞᆯ 보려 ᄒᆞ샤 고루(高樓)의 오로샤 뎡원슈의 힝군ᄒᆞᄂᆞᆫ 위의를 보실ᄉᆡ, 댱ᄉᆞ(將士)ᄂᆞᆫ 밍호 ᄀᆞᆺ고 말은 비룡 ᄀᆞᆺᄐᆞ여, 개갑(介甲)이 션명ᄒᆞ고 대외 뎡슉ᄒᆞ여, 힝군 긔률의 유법 싁싁ᄒᆞ미 넷 명댱의 디나ᄂᆞᆫ디라.

뎡원쉬 몸의ᄂᆞᆫ 홍금슈젼포(紅錦繡戰袍)1217)의【44】 황금쇄ᄌᆞ갑(黃錦鎖子甲)1218)을 ᄡᅥ닙고, 머리의 슌금(純金) 봉시(鳳翅)투고(鳳翅)투고1219)를 ᄡᅳ며, 허리의 냥디빅

ᄒᆞ여 스라날 ᄃᆞᆺᄒᆞ온지라. 운녕과 십창가지 업시ᄒᆞ와 악시 불니러나ᄃᆞᆺ 긋칠 줄 모로오나 극셩즉픽(極盛卽敗)라. 언마ᄒᆞ여 곳비1156) 드듸ᄂᆞᆫ1157) 환이 이시리잇고? 쇼ᄌᆞᄂᆞᆫ 이런 일을 혜아려 실인 둥과 ᄌᆞ녀를【38】 위ᄒᆞ여 상념치 아니ᄒᆞᄂᆞ이다.”

좌즁의 문양공줴 잇더니, 평후의 말을 드르미 비록 ᄌᆞ가를 의심ᄒᆞ여 현현(顯現)이 지목지ᄂᆞᆫ 아니ᄒᆞ나, 본셩인즉 영오ᄒᆞ니 엇지 존당 구고의 긔식과 평후의 은은ᄒᆞᆫ 눈ᄎᆡ1158)를 몰나1159) 드르리오. 감히 현어ᄉᆞ식(顯於辭色)ᄒᆞ여 ᄉᆞ람의 의심을 깃칠가 져허ᄒᆞ나, 스스로 공구ᄒᆞ여 아미를 숙이고 긔운이 져상ᄒᆞ니, 모로ᄂᆞᆫ ᄌᆞᄂᆞᆫ 가부의 북힝을 넘녀ᄒᆞ여 흔갓 비감ᄒᆞ민 줄 알더라.

평휘 화셩유어(和聲柔語)로 조모와 이친을 위로 ᄇᆡᄉᆞ(拜辭)ᄒᆞ고, 졔뎨(諸弟) 슈미(嫂妹)로 분슈ᄒᆞ고, 흔연이 공쥬를 작별ᄒᆞ미, 가연이 문외의 나아 샹마(上馬)ᄒᆞ여, 교장의 ᄂᆞ아와 슴군이 믈미듯 나아갈ᄉᆡ, 이날 텬지 뎡원슈의 힝군ᄒᆞᄆᆞᆯ 보려【39】ᄒᆞᄉᆞ 고루(高樓)의 올ᄋᆞᄉᆞ 뎡원슈의 힝군ᄒᆞᄂᆞᆫ 위의를 보실ᄉᆡ, 댱ᄉᆞᄂᆞᆫ 밍호ᄀᆞᆺ고 말은 비룡ᄀᆞᆺ튼여, 개갑이 션명ᄒᆞ고 대외 뎡슉ᄒᆞ여, 힝군 긔률의 유법 싁싁ᄒᆞ미 넷 명장의 지나ᄂᆞᆫ지라.

뎡원쉬 몸의ᄂᆞᆫ 홍금슈젼포(紅錦繡戰袍)1160)의 황금쇄ᄌᆞ갑(黃錦鎖子甲)1161)을 ᄡᅥ닙고, 머리의 슌금(純金) 봉시(鳳翅)투고1162)를 ᄡᅳ며, 허리의 냥지빅옥ᄃᆡ(兩枝白

1213)곳비 : 고삐. 말이나 소를 몰거나 부리려고 재갈이나 코뚜레, 굴레에 잡아매는 줄.
1214)드듸다. : 디디다. 딛다. 밟히다.
1215)말ᄎᆡ : 말뜻. 말이 가지는 뜻이나 속내.
1216)몰나 : 못 알아.
1217)홍금수젼포(紅錦繡戰袍) : 붉은 비단에 화려하게 수를 놓아 지은 전포(戰袍). 전포는 장수가 입던 긴 웃옷.
1218)황금쇄ᄌᆞ갑(黃錦鎖子甲) : 갑옷의 일종. 황색 명주옷에 사방 두 치 정도 되는 돼지가죽으로 된 미늘들을 작은 고리로 꿰어 붙여서 만들었다.
1219)봉시(鳳翅)투고 : 봉시(鳳翅)투구. 봉(鳳)의 깃으로 꾸민 투구. 봉시(鳳翅)는 봉의 깃. 투구는 예전

1156)곳비 : 고삐. 말이나 소를 몰거나 부리려고 재갈이나 코뚜레, 굴레에 잡아매는 줄.
1157)드듸다. : 디디다. 딛다. 밟히다.
1158)눈ᄎᆡ : 눈치. 속으로 생각하는 바가 겉으로 드러나는 어떤 태도.
1159)몰나 : 못 알아.
1160)홍금수젼포(紅錦繡戰袍) : 붉은 비단에 화려하게 수를 놓아 지은 전포(戰袍). 전포는 장수가 입던 긴 웃옷.
1161)황금쇄ᄌᆞ갑(黃錦鎖子甲) : 갑옷의 일종. 황색 명주옷에 사방 두 치 정도 되는 돼지가죽으로 된 미늘들을 작은 고리로 꿰어 붙여서 만들었다.
1162)봉시(鳳翅)투고 : 봉시(鳳翅)투구. 봉(鳳)의 깃으

옥ᄃᆡ(兩枝白玉帶)1220)를 두로고, 손의 상방보검(尙方寶劍)1221)을 잡아 빅셜쳥툥만ᄂᆡ운(白雪靑驄萬里雲)1222)을 타, 문긔하(門旗下)의 셔시니, 텬일 ᄀᆞᆺ튼 의표와 뇽봉 ᄀᆞᆺᄐᆞᆫ ᄌᆞ질이 동탕쇄락(動蕩灑落)ᄒᆞ여 안광은 삼군을 빗최고, 냥미(兩眉)ᄂᆞᆫ 산쳔뎡긔(山川精氣)를 거두어 문명(文明)이 녕녕(英英)ᄒᆞ니, 흔갓 용뫼 미여관옥(美如冠玉)1223)이오, 풍치 편여양뉴(翩如楊柳)1224) 아니라, 엄듕ᄒᆞᆫ 위의ᄂᆞᆫ 하일(夏日)의 두리오미 잇고, 늠늠ᄒᆞᆫ 긔골은 댱부의 풍뉴(風流) ᄲᅢ혀나, 니른바 쳔고영쥰(千古英俊)이오 셰ᄃᆡ무뎍(世代無敵)이라. 힝ᄒᆞᄂᆞᆫ 바의 위풍이 슉연ᄒᆞ【45】니, 딘짓 티셰경뉸디ᄌᆡ(治世經綸之材)1225)오 개셰영웅(蓋世英雄)이라.

샹이 먼니 가도록 바라보시고, 텬안이 희열ᄒᆞ샤 아름다오믈 니긔디 못ᄒᆞ시고, 다시 북뎍을 근심치 아니시더라. 만됴(萬朝) 교외의 나와 원슈를 젼별ᄒᆞᆯ시, 원쉬 일싴이 ᄂᆞ즈믈 일ᄏᆞ라 만됴 문무와 친쳑 졔우를 작별ᄒᆞ고, 냥뎨의 손을 잡아 왈,

"우형의 도라오미 ᄌᆞ연 팔구삭이 되리니, 존당 부모를 뫼셔 그 ᄉᆞ이 무양(無恙)ᄒᆞ고 좌와를 ᄲᅥ나디 말며, 동동쵹쵹(洞洞屬屬)1226)히 졍셩을 다ᄒᆞᆯ디어다."

玉帶)1163)를 두로고, 손의 상방보검(尙方寶劍)1164)을 잡아 빅셜쳥툥만ᄂᆡ운(白雪靑驄萬里雲)1165)을 타, 문긔하(門旗下)의 셔시니, 텬일ᄀᆞᆺ튼 의표와 뇽봉ᄀᆞᆺᄐᆞᆫ ᄌᆞ질이 동탕쇄락(動蕩灑落)ᄒᆞ여, 안광은 슴군을 빗최고 냥미(兩眉)ᄂᆞᆫ 산쳔녕긔(山川靈氣)를 거두어 문명(文明)이 녕녕(英英)ᄒᆞ니, 흔갓 용뫼 미려【40】관옥(美如冠玉)1166)이오 풍치 편여양뉴(翩如楊柳)1167) 아니라, 엄듕ᄒᆞᆫ 위의ᄂᆞᆫ 하일(夏日)의 두리오미 잇고, 늠늠ᄒᆞᆫ 긔골은 댱부의 풍뉴(風流) ᄲᅢ혀나, 니른바 쳔고영쥰(千古英俊)이오 셰ᄃᆡ무젹(世代無敵)이라. 힝ᄒᆞᄂᆞᆫ 바의 위풍이 슉연ᄒᆞ니, 진짓 치셰경뉸지ᄌᆡ(治世經綸之材)1168)오 개셰녕웅(蓋世英雄)이라.

상이 먼니 가도록 바라보시고, 텬안이 희열ᄒᆞ샤 아름다오믈 니긔지 못ᄒᆞ시고, 다시 북젹을 근심치 아니시더라. 만됴(萬朝) 교외의 ᄂᆞ와 원슈를 젼별ᄒᆞᆯ시, 원쉬 일싴이 ᄂᆞ즈믈 일ᄏᆞ라 만됴 문무와 친쳑 졔붕를 작별ᄒᆞ고, 냥뎨의 손을 잡아 왈,

"우형의 도라오미 ᄌᆞ연 팔구삭이 되리니, 존당 부모를 뫼셔 그 ᄉᆞ이 무양ᄒᆞ고 좌와를 ᄲᅥ나지【41】 말며, 졍셩을 동동(洞洞)1169)이 ᄒᆞᆯ지어다."

에, 군인이 전투할 때에 적의 화살이나 칼날로부터 머리를 보호하기 위하여 쓰던 쇠로 만든 모자.
1220)냥ᄃᆡ빅옥ᄃᆡ(兩枝白玉帶) : 명주에 백옥(白玉)을 붙여 만든 허리띠.
1221)상방보검(尙方寶劍) : 상방검(尙方劍). 임금이 출정 장수에게 하사하던 칼. 임금의 권위를 상징하는 역할을 하여 부하나 군졸 등이 명을 거역할 때 임금에게 보고하지 않고도 그들의 생사를 마음대로 할 수 있는 권위를 지니는 칼이다.
1222)빅셜쳥툥만ᄂᆡ운(白雪靑驄萬里雲) : 말 이름. 갈기와 꼬리가 파르스름한 백마(白馬)인 청총마(靑驄馬)의 일종.
1223)미여관옥(美如冠玉) : 아름답기가 관옥(冠玉; 관을 꾸미는 옥)과 같음.
1224)편여양뉴(翩如楊柳) : 나부끼는 모습이 버드나무가지가 나부끼는 것 같음.
1225)티셰경뉸디ᄌᆡ(治世經綸之材) : 천하를 다스리고 계획할 만한 포부를 가진 인물.
1226)동동쵹쵹(洞洞屬屬) : 공경하고 조심함. 부모를 섬기고 공경하는 마음이 지극함.

로 꾸민 투구. 봉시(鳳翅)는 봉의 깃. 투구는 예전에, 군인이 전투할 때에 적의 화살이나 칼날로부터 머리를 보호하기 위하여 쓰던 쇠로 만든 모자.
1163)냥ᄃᆡ빅옥ᄃᆡ(兩枝白玉帶) : 명주에 백옥(白玉)을 붙여 만든 허리띠.
1164)상방보검(尙方寶劍) : 상방검(尙方劍). 임금이 출정 장수에게 하사하던 칼. 임금의 권위를 상징하는 역할을 하여 부하나 군졸 등이 명을 거역할 때 임금에게 보고하지 않고도 그들의 생사를 마음대로 할 수 있는 권위를 지니는 칼이다.
1165)빅셜쳥툥만ᄂᆡ운(白雪靑驄萬里雲) : 말 이름. 갈기와 꼬리가 파르스름한 백마(白馬)인 청총마(靑驄馬)의 일종.
1166)미여관옥(美如冠玉) : 아름답기가 관옥(冠玉; 관을 꾸미는 옥)과 같음.
1167)편여양뉴(翩如楊柳) : 나부끼는 모습이 버드나무가지가 나부끼는 것 같음.
1168)티셰경뉸지ᄌᆡ(治世經綸之材) : 천하를 다스리고 계획할 만한 포부를 가진 인물.
1169)동동(洞洞) : 동동쵹쵹(洞洞屬屬). 공경하고 조심함. 부모를 섬기고 공경하는 마음이 지극함.

형데 삼인이 분슈ㅎ는 심시 아으라ㅎ여 비졀ㅎ믈 춤지【46】못ㅎ고, 초평휘 원슈 니별ㅎ는 ᄆ음이 녜부 등과 일반이라. 원쉬 무양ㅎ믈 일ᄏ라 피ᄎ 의의(依依)ㅎ믈 형상치 못ㅎ더라.

원쉬 댱ᄉ 군졸을 거나려 북으로 향ㅎ미, 졍긔폐일(旌旗蔽日)ㅎ고 ᄒᆡᆼ군긔뉼(行軍紀律)이 크게 비범ㅎ믈 친붕졔위 칭찬불이(稱讚不已)ㅎ여 국가(國家) 고굉디신(股肱之臣)이믈 져마다 칭복ㅎ나, 닉심의 칼흘 결워 믜워ㅎ는 즈는 샹셔 구몽슉이라.

텬셩이 요악ㅎ미 투현딜능(妬賢嫉能)ㅎ는 품되 이상ㅎ여, 뎡·딘 냥문의 산히 ᄀᆞᆺ튼 은혜를 닛고, 뎡원슈의 츌뉴흔 위인으로 져 ᄀᆞᆺ튼 쇼인의 바랄 비 아닌【47】고로, 만됴의 긔듸(期待) 츄앙(推仰)흠과 텬통(天寵)의 늉셩ㅎ시미 졀노 더브러 비기디 못ᄒᆞᆯ 비오, ㅎ믈며 뎡원쉬 쳔금녀셔(千金女婿)로 초방귀쥬(椒房貴主)1227)와 ᄡᅡᆼ디으미, 비록 외됴로 쳐신ㅎ나 즈연흔 부귀는 더옥 호호(浩浩)흔디라. 만시 뎡원슈를 비홀 길히 업고, 낙양후 딘공의 삼형데 셩만(盛滿)을 두려 벼슬을 바려시나, 그 즈딜의 등과흔 지 십뉵인이라. 딘태우 등의 쳥현아망(淸賢雅望)과 긔졀언논(氣節言論)이 우흐로 황야(皇爺)의 통우(寵佑)ㅎ시미 되고, 아리로 스셔인(士庶人)의 칭복ㅎ미 져의 요사흔 졍틱로 비홀 비 아닌디【48】라. 미양 딘태우 등과 뎡원쉬 져의 단쳐를 간간이 닐너, 뎡도의 나아가믈 권ㅎ미 혈심소직(血心所在)1228)라. 구몽슉의 간교ㅎ미 뎡·딘 냥인의 어딘 말을 드르딕 고마온 ᄯᅳᆺ이 업셔, 져의 허믈 니르믈 깃거 아녀, 졈졈 극악흔 심시 무궁ㅎ여 셔로 스괴는 거시 쇼인과 간당이라. 그

형데 숨인이 분슈ㅎ는 심시 아으라ㅎ여 비졀ㅎ믈 춤지 못ㅎ고, 초평휘 원슈 니별ㅎ는 ᄆ음이 녜부 등과 일반이라. 원쉬 무양ㅎ믈 일ᄏ라 피ᄎ 의의ㅎ믈 형상치 못ㅎ더라.

원쉬 쟝ᄉ 군졸을 거나려 북으로 향ㅎ미, 졍긔폐일(旌旗蔽日)ㅎ고 ᄒᆡᆼ군긔뉼(行軍紀律)이 크게 비범ㅎ믈 친붕졔위 칭찬불이(稱讚不已)ㅎ여, 나라히 《괴공∥고굉》 지신(股肱之臣)이믈 져마다 칭챤ㅎ나, 닉심의 칼흘 결워 믜워ㅎ는 즈는 샹셔 구몽슉이라.

텬셩의 뇨악ㅎ미 투현질능(妬賢嫉能)ㅎ는 흠되이셔, 뎡·딘 냥문의 산히 ᄀᆞᆺ튼 은혜를 닛고, 뎡원슈의 츌뉴흔 위인【42】으로 져 ᄀᆞᆺ튼 쇼인의 바랄 비 아닌 고로, 만됴의 긔듸(期待) 츄앙(推仰)흠과 텬통(天寵)의 늉셩ㅎ시미 졀노 더브러 비기지 못ᄒᆞᆯ 비오, ㅎ믈며 뎡원쉬 쳔금녀셔(千金女婿)로 초방귀쥬(椒房貴主)1170)와 ᄡᅡᆼ지으미, 비록 외됴로 쳐신ㅎ나 즈연흔 부귀는 더옥 호호(浩浩)흔지라. 만시 뎡원슈를 비홀 길히 업고, 낙양후 진공의 숨형데 셩만(盛滿)을 두려 벼슬을 바려시나, 그 즈딜의 등과 지 십뉵인이라. 틴우 등의 쳥현아망(淸賢雅望)과 긔졀언논(氣節言論)이 우흐로 황야의 춍우ㅎ시미 되고, 아릭로 스셔인(士庶人의 칭복ㅎ미 져의 뇨사흔 졍틱로 비홀 비 아닌지라. 미양 진틴우 등과 뎡원쉬 져히 단쳐를 간간이 닐너, 뎡도의 나아가믈 권【43】ㅎ미 혈심소직(血心所在)1171)라. 구몽슉의 간교ㅎ미 뎡·진 냥인의 어진 말을 드르딕 고마온 ᄯᅳᆺ이 업셔, 져의 허믈 니르믈 깃거 아냐, 졈졈 극악흔 심시 무궁ㅎ여 셔로 스괴는 거시 쇼인과 간당이라. 그윽○[이] 뎡·진 냥문을 아

1227)초방귀쥬(椒房貴主) : 왕실의 고귀한 공주. 초방(椒房)은 산초나무 열매의 가루를 바른 방이라는 뜻으로, 왕비가 거처하는 방이나 궁전, 또는 왕실 등을 이르는 말. 후추나무는 온기가 있고 열매가 많은 식물로서, 자손이 많이 퍼지라는 뜻에서 왕비의 방 벽에 발랐다.

1228)혈심소직(血心所在) : 진심에서 우러나오는 바임.

1170)초방귀쥬(椒房貴主) : 왕실의 고귀한 공주. 초방(椒房)은 산초나무 열매의 가루를 바른 방이라는 뜻으로, 왕비가 거처하는 방이나 궁전, 또는 왕실 등을 이르는 말. 후추나무는 온기가 있고 열매가 많은 식물로서, 자손이 많이 퍼지라는 뜻에서 왕비의 방 벽에 발랐다.

1171)혈심소직(血心所在) : 진심에서 우러나오는 바임.

옥이 뎡·딘 냥문을 아조 믓질너 현인군즈
를 깅참(坑塹)의 함닉(陷溺)ᄒ고, 졔 스스로
학문과 지긔(才氣)를 일셰의 밀위미 되고져
ᄒᄂᆫ디라. ○○[이의] 뎡원슈로브터 딘태우
를 ○[다] 죽이려 ᄒᄂᆫ 비라, 암밀요악(暗
密妖惡)ᄒ여 범스를 신묘【49】랑과 의논ᄒ
며, 황슉(皇叔) 형왕을 스괴여 친밀ᄒ니, 형
왕이라 ᄒᄂᆫ니ᄂᆫ 황샹 죵슉이오, 초왕으로
친슉딜간이로ᄃᆡ, 샹이 초왕의 대역을 년좌
(緣坐)치 아니샤, 댱샤왕이 초왕의 아이1229)
로ᄃᆡ 쳔승디위를 보젼케 ᄒ시고, 형왕도 연
곡지하(輦轂之下)의셔 흔갈곳치 부귀를 누
리게 ᄒ시고, 뎡병부와 딘태우 등이 대역의
년좌를 쓰지 아니시미 가치 아니시믈 여러
번 간ᄒ되, 샹이 심히 츄연ᄒ샤 니르샤되,

"딤이 박덕ᄒ여 디친(至親)이 반ᄒ니 딤
의 허믈이라. 임의 초왕을 죽여시니 그 나
므니를【50】년좌ᄒ미 딤의 ᄎ마 못홀 비
라."

ᄒ시고 맛춤ᄂᆡ 듯디 아니시니, 형왕이 뎡
병부와 딘태우 등을 졀치분원(切齒忿怨)ᄒ
여 초왕의 년좌 쓰시믈 여러 번 텬문의 쥬
ᄒ믈 크게 믜이 넉이ᄂᆫ디라. 몽슉이 형왕의
ᄯᅳᆺ을 알고 깁히 스괴여, 미양 뎡·딘 등의
지조를 칭찬ᄒᄂᆫ 가온디, 그 위인이 맛춤ᄂᆡ
은악양션(隱惡佯善)ᄒᄂᆫ 무리믈 니르니, 형
왕이 팔흘 씁ᄂᆡ여 왈,

"현계(賢契)ᄂᆫ 뎡텬홍 딘형슈 등의 어디
지 못ᄒ믈 붉히 아ᄂᆫ도다. 과인이 텬홍을
분완ᄒ미 깁흐되 셜티(雪恥)홀 길히 업스믈
이돌나 ᄒ【51】ᄂᆞ니, 군이 날노 더브러 뎡
·딘 냥문을 히ᄒ여 아조 업시ᄒ미 엇더ᄒ
뇨?"

몽슉이 웃고 디왈,

"쇼싱이 뎐하의 뎡·딘을 통완(痛惋)ᄒ시
ᄂᆫ ᄯᅳᆺ을 거의 알거니와, 그러나 초왕의 년
좌를 쳥ᄒ미 굿ᄐᆞ여 대왕만 믜워ᄒ미 아니
라. 대왕이 뎡·딘을 업시코져 ᄒ미 므슴
연괴니잇고?"

형왕 왈,

―――――――――
1229)아이 : 아우.

조 믓질너, 현인군즈를 깅참(坑塹)의 함닉
(陷溺)ᄒ고, 졔 스스로 흑문과 직긔(才氣)를
일셰의 밀위미 되고즈 ᄒᄂᆫ지라. ○○[이
의] 뎡원슈로부터 진틔우를 ○[다] 죽이려
ᄒᄂᆫ 비라. 암밀뇨악(暗密妖惡)ᄒ여 범스를
신묘랑과 의논ᄒ여, 황슉(皇叔) 형왕을 스괴
여 모계(謀計)홀 ᄉᆡ, 형왕은 황샹의 죵슉(從
叔)이오, 초왕으로 친슉질간(親叔姪間)이로
되, 샹이 초왕의 대역을 년좌(緣坐)치 아니
ᄉ 댱ᄉ왕이 초왕의 아이1172)로【44】ᄃᆡ
쳔승지위를 보젼케 ᄒ시고, 형왕도 연곡지
하(輦轂之下)의셔 흔갈곳치 부귀를 누리게
ᄒ시고, 뎡병부와 진틔우 등이 년좌를 쓰지
아니시미 가치 아니시믈 녀러번 간ᄒ되, 샹
이 심히 츄연ᄒ샤 닐오스디,

"딤이 박덕ᄒ여 지친(至親)이 반ᄒ니 딤
의 허믈이라. 님이 초왕을 죽여시니 그 나
믄니를 년좌ᄒ미 딤의 ᄎᆞ마 못홀 비라."

ᄒ시고 맛춤ᄂᆡ 듯지 아니시니, 형왕이 뎡
병부와 진틔우등을 졀치분원(切齒忿怨)ᄒ여,
초왕의 년좌 쓰시믈 녀러번 텬문의 쥬달ᄒ
믈 크게 믜이 넉이ᄂᆫ지라. 몽슉이 형왕의
ᄯᅳᆺ을 알고 깁히 스괴여, 미양 뎡·진 등
【45】의 지조를 칭찬ᄒᄂᆫ 가온디, 그 위인
이 맛춤ᄂᆡ 은악양션(隱惡佯善)ᄒᄂᆫ 무리믈
니르니, 형왕이 팔흘 씁ᄂᆡ여 왈,

"현계(賢契)ᄂᆫ 텬홍 딘형[녕]슈 등의 어
지지 못ᄒ믈 붉히 아ᄂᆫ도다. 과인이 텬홍을
분완ᄒ미 깁흐되 셜치(雪恥)홀 길히 업스믈
이돌나 ᄒᄂᆞ니, 군이 날노 더브러 뎡·진
냥문을 히ᄒ여 아조 업시ᄒ미 엇더ᄒ뇨?"

몽슉이 웃고 디왈,

"쇼싱이 뎐하의 뎡·딘을 통완(痛惋)ᄒ시
ᄂᆫ ᄯᅳᆺ을 거의 알거니와, 그러나 초왕의 년
좌를 쳥ᄒ미 굿ᄐᆞ여 대왕만 믜워ᄒ미 아니
라. 대왕이 뎡·진을 업시코져 ᄒ미 므슴
연괴니잇고?"

형왕 왈,

―――――――――
1172)아이 : 아우.

"텬흥·영슈 등이 초왕의 년좌 쓰믈 누누히 쥬ᄒᆞᆷ믈 믜올 쓴아니라, 일즉 황슉을 깃거 아냐, 허믈을 슬펴 텬문의 논힉(論劾)ᄒᆞ기를 녀염 미쳔ᄒᆞᆫ 사름ᄀᆞᆺ치 업슈히 넉이니, 통히ᄒᆞ여 브ᄃᆡ 함정의 모라너코져 ᄒᆞ나, 텬흥이【52】금뎐(禁殿)1230) 이셔 애셔(愛壻)로 황샹의 통우ᄒᆞ시미 태즈 버금이라. ᄒᆞ믈며 ᄌᆡ덕명망(才德名望)이 셰ᄃᆡ의 독보(獨步)ᄒᆞ고, 딘영슈 등이 각각 ᄌᆡ죄 유여ᄒᆞ고 쳥덕이 졔 부형의 품(品)이니 경이히 히흘 조각이 업셔 민울ᄒᆞ노라."

몽슉이 홀연 비쳑(悲慽)ᄒᆞ여 왈,

"쇼싱의 팔지 험난ᄒᆞ여 어려셔 냥친을 여희고, 혈혈일신(孑孑一身)이 ᄒᆞᆫ낫 동긔 업고 강근디친(强近之親)이 업셔, 능히 의뢰홀 비 업거ᄂᆞᆯ, 낙양휘 션인(先人)의 동긔(同氣) ᄀᆞ튼 친위신 고로, 쇼싱의 고혈(孤孑)ᄒᆞᆷ믈 슬피 넉여 거두어 기르미, 금평휘 역시 텬흥 등과 ᄒᆞᆫ가디로 의식을 난호【53】게 ᄒᆞ여 교흑(敎學)ᄒᆞ고 ᄒᆡᆼ신을 경계ᄒᆞ여 낙양후와 일반이나, 낙양후 곳 아니면 디금 슬 길히 업ᄉᆞ니 은혜 듕ᄒᆞᆷ믄 태산의 비홀 거시로ᄃᆡ, 다만 딘영슈 등과 뎡텬흥의 스오나오믄 그 부형을 그릇 믠들고 집을 업칠 위인이라. 그윽이 싱각건ᄃᆡ, 그 당뉴의 드러 뎡·딘과 ᄒᆞᆫ가디로 흔즉, 쇼싱이 결단ᄒᆞ여 셩명을 보젼치 못ᄒᆞ여 화망(禍網)의 걸니미 쉬온 고로, 이졔는 거취를 달니ᄒᆞ여 도로혀 뎡·딘 등의 믜이 넉이미 유혐디간(有嫌之間)1231) ᄀᆞᆺ투여, 텬흥은 쇼싱을 삼킬 ᄃᆞᆺ 통완(痛惋)ᄒᆞ미 잇ᄂᆞᆫ디라. 고인(古人)이 운(云)ᄒᆞ되 '녕위계구(寧爲鷄口)【54】언졍 무위우후(無爲牛後)'1232)라 ᄒᆞ여시니, 쇼싱이 손을 믿고 뎡·딘 등의 히ᄒᆞᆷ믈 바드미 실노 원통ᄒᆞ니, 츨하리 몬져 계교를 발ᄒᆞ여 뎡·딘 등을 업

"텬흥·녕슈등이 초왕의 년좌 쓰믈 누누히 쥬ᄒᆞᆷ믈 믜올 쓴아니라, 일【46】즉 황슉을 깃거 아녀, 허믈을 슬펴 텬문의 논힉(論劾)ᄒᆞ기를 녀염 미쳔ᄒᆞᆫ 스람ᄀᆞᆺ치 업슈히 넉이니, 통히ᄒᆞ여 브ᄃᆡ 함정의 모라너코져 ᄒᆞ나, 텬흥이 금뎐(禁殿)1173) 녀셔(女壻)로 황샹○[의] 춍우ᄒᆞ시미 틱ᄌᆞ 버금이라. ᄒᆞ믈며 ᄌᆡ덕명망(才德名望)이 셰ᄃᆡ의 독보(獨步)ᄒᆞ고, 진명[녕]슈 등이 각각 ᄌᆡ죄 유여ᄒᆞ고 쳥덕이 졔 부형의 품(品)이니, 경이히 히흘 조각이 업셔 민울ᄒᆞ노라."

몽슉이 홀연 비쳑(悲慽)ᄒᆞ여 왈,

"쇼싱의 팔지 험난ᄒᆞ여 어려셔 냥친을 여희고, 혈혈일신(孑孑一身)이 ᄒᆞᆫ낫 동긔 업고 강근지친(强近之親)이 업셔, 능히 의뢰홀 비 업거ᄂᆞᆯ, 낙양휘 션인(先人)의 동긔(同氣) ᄀᆞ튼 친위신 고로, 쇼싱의 고혈(孤孑)ᄒᆞᆷ믈 슬【47】피 넉여 거두어 기르미, 금평휘 녁시 텬흥 등과 ᄒᆞᆫ가지로 의식을 난호게 ᄒᆞ여, 교흑(敎學)ᄒᆞ고 ᄒᆡᆼ신을 경계ᄒᆞ여 낙양후와 일반이나, 낙양후 곳 아니면 지금 슬 길이 업ᄉᆞ니, 은혜 즁ᄒᆞᆷ믄 틱산의 비흘 거시나, 다만 진녕슈 등과 뎡텬흥의 스오나오믄 그 부형을 그릇 믠들고 집을 업칠 위인이라. 그윽이 싱각건ᄃᆡ, 그 당뉴의 드러 뎡·진과 ᄒᆞᆫ가지로 흔즉, 쇼싱이 결단ᄒᆞ여 셩명을 보젼치 못ᄒᆞ여 화망(禍網)의 걸니미 쉬온 고로, 이졔는 거취를 달니ᄒᆞ여 도로혀 뎡·진 등의 믜이 넉이미 유혐지간(有嫌之間)1174) ᄀᆞᆺ투여, 텬흥은 쇼싱을 숨킬 ᄃᆞᆺ 통완ᄒᆞ미 잇ᄂᆞᆫ【48】지라. 고인(古人)이 운(云)ᄒᆞ되, '녕위계구(寧爲鷄口)언졍 무위우후(無爲牛後)'1175)라 ᄒᆞ여시니, 쇼싱이 손을 믿고 뎡·진 등의 히ᄒᆞᆷ믈 바드미 실노 원통ᄒᆞ니, 츨하리 몬져 계교를 발ᄒᆞ여 뎡·진 등을 업

1230)금뎐(禁殿) : 금궐(禁闕). 대전(大殿).
1231)유혐디간(有嫌之間) : 서로 혐극(嫌隙)이 있는 사이.
1232)녕위계구(寧爲鷄口) 무위우후(無爲牛後) ; 닭의 머리가 될지언정 소의 꼬리는 되지 말라는 뜻으로, 작은 조직에서 남의 우두머리가 될지언정 남의 밑에서 부림을 받는 사람이 되지 말라.

1173)금뎐(禁殿) : 금궐(禁闕). 대전(大殿).
1174)유혐디간(有嫌之間) : 서로 혐극(嫌隙)이 있는 사이.
1175)녕위계구(寧爲鷄口) 무위우후(無爲牛後) ; 닭의 머리가 될지언정 소의 꼬리는 되지 말라는 뜻으로, 작은 조직에서 남의 우두머리가 될지언정 남의 밑에서 부림을 받는 사람이 되지 말라.

시코져 ᄒᆞ딕, 낙양후와 금평후의 은혜 져바
리믈 탄ᄒᆞᄂᆞ이다."

형왕이 몽슉의 간ᄉᆞᄒᆞᆷ믈 오히려 다 모로
고 쇼왈,

"사름이 대ᄉᆞ를 도모ᄒᆞᆫ즉 젹은 은혜를 니
즈미 괴이치 아니니, 현계의 복녹이 댱원ᄒᆞ
므로 녕션공(令先公) ᄂᆡ외를 조실(早失)ᄒᆞ
나, 하날이 ᄌᆞ연 살오랴 ᄒᆞᄆᆡ, 딘광과 뎡연
이 아니라도 목슘을 긋출 니는 업스니, 현
계는 초년의 의디ᄒᆞ엿던 쇼쇼 은덕을 싱각
디 말고, 【55】 과인으로 더브러 뎡·딘 냥
문을 업시ᄒᆞᆯ 계교를 싱각ᄒᆞ라."

몽슉이 샤왈,

"대왕이 쇼싱을 ᄉᆞ랑ᄒᆞ샤 심곡의 회포를
베프시고 올흔 일을 가ᄅᆞ치시니, 쇼싱이 젹
은 은혜를 싱각ᄒᆞ여 대ᄉᆞ를 도모치 아니코,
스스로 뎡텬흥 딘영슈 등의 히ᄒᆞᆷ믈 바다 힘
힘이 죽기를 ᄃᆡ후(待候)ᄒᆞ리잇고? 일노좃ᄎᆞ
대왕과 쇼싱이 ᄯᅳᆺ츨 결ᄒᆞ여, 뎡·딘을 히ᄒᆞ
여 ᄯᅳᆺ츨 녀믈고1233) 말니니, 쇼싱이 ᄒᆞᆫ낫
이승(異僧)을 ᄉᆞ괴여 그 도슐을 보미, 몸이
경긱의 변ᄒᆞ여 쳔나라도 삽시의 왕ᄂᆡᄒᆞᄂᆞᆫ
지죄 잇ᄂᆞ니, ᄎᆞ승(此僧)을 쳥ᄒᆞ여 대왕이
보시고 뎡·딘 등 업시ᄒᆞᆯ 계교를 므르시미
맛당ᄒᆞ니 【56】 이다."

형왕이 더옥 깃거 몽슉으로 ᄒᆞ여금 묘랑
을 브르라 ᄒᆞ니, 몽슉이 즉시 묘랑을 쳥ᄒᆞ
여 형왕을 뵈고, 몬져 그 지조를 시험ᄒᆞ여
몸이 온가디로 변ᄒᆞ여, 사름의 디휘 ᄃᆡ로
ᄒᆞᄂᆞᆫ 거동을 뵈니, 형왕이 분명ᄒᆞᆫ 신션으로
아라 므릅흘 치고, 칭찬ᄒᆞ여 왈,

"과인이 싱셰 늇십이나 이런 긔특ᄒᆞᆫ 지조
ᄂᆞᆫ 처음으로 보는 빅라. 옥쳥(玉淸)1234) 션
녀 아니면 관음보살이 지셰(再世)ᄒᆞ미라. 구
현계 이런 신인을 만나시니 뎡·딘 등을 셔
ᄅᆞ즈미 어렵디 아니리로다."

몽슉이 쇼이딕왈,

1233) 녀믈다 ; 여물다. 일이나 말 따위를 매듭지어
    끝마치다.
1234) 옥쳥(玉淸) : : 옥청궁(玉淸宮). 도교 삼청궁(三
    淸宮)의 하나로, 원시천존(元始天尊)이 사는 곳이
    라 함.

시코져 ᄒᆞ딕, 낙양후와 금평후의 은혜 져바
리믈 탄ᄒᆞᄂᆞ이다."

형왕이 몽슉의 간ᄉᆞᄒᆞᆷ믈 오히려 다 모로
고 쇼왈,

"ᄉᆞ람이 대ᄉᆞ를 도모ᄒᆞᆯ 젹 젹은 은혜를
니즈미 괴이치 아니니, 현계의 복녹이 댱원
ᄒᆞ므로 녕션공(令先公) ᄂᆡ외를 조실(早失)ᄒᆞ
나, 하늘이 ᄌᆞ연 살오려 ᄒᆞᄆᆡ, 진광과 뎡연
이 아니라도 목슘을 ᄭᅳᆺ츨 니는 업스니, 현
계는 초년의 의지ᄒᆞ엿던 쇼쇼은덕을 싱각지
말고, 《타인‖과인》으로 더부【49】러 뎡
·진 냥문을 업시ᄒᆞᆯ 계교를 싱각ᄒᆞ라."

몽슉이 샤왈,

"대왕이 쇼싱을 ᄉᆞ랑ᄒᆞᄉ 심곡의 회포를
베프시고 올흔 일을 가ᄅᆞ치시니, 쇼싱이 젹
은 은혜를 싱각ᄒᆞ여 대ᄉᆞ를 도모치 아니코,
스스로 뎡텬흥 진녕슈 등의 히ᄒᆞᆷ믈 바다 힘
힘이 죽기를 ᄃᆡ후(待候)ᄒᆞ리잇고? 일노조ᄎᆞ
대왕과 쇼싱이 ᄯᅳᆺ츨 결ᄒᆞ여, 뎡·진을 히ᄒᆞ
여 ᄯᅳᆺ츨 녀믈고1176) 말니니, 쇼싱이 ᄒᆞᆫ낫
이승(異僧)을 ᄉᆞ괴여 그 도슐을 보미, 몸이
경긱의 변ᄒᆞ여 쳔나라도 일일의 왕ᄂᆡᄒᆞᄂᆞᆫ
지죄 잇ᄂᆞ니, ᄎᆞ승(此僧)을 쳥ᄒᆞ여 대왕이
보시고 뎡·진 등 업시ᄒᆞᆯ 계교를 무르시미
맛당【50】ᄒᆞ니이다.“

형왕이 더옥 깃거 몽슉으로 ᄒᆞ여금 묘랑
을 브르라 ᄒᆞ니, 몽슉이 즉시 묘랑을 쳥ᄒᆞ
여 형왕을 뵈고, 몬져 그 지조를 시험ᄒᆞ여
몸이 온가지로 변ᄒᆞ여 ᄉᆞ람의 지휘딕로 ᄒᆞ
ᄂᆞᆫ 거동을 뵈니, 형왕이 분명ᄒᆞᆫ 신션으로
아라 무릅흘 치고 칭찬ᄒᆞ여 왈,

"과인이 싱셰 늇십이나 이런 긔특ᄒᆞᆫ 지조
를 처음으로 본 빅라. 옥쳥(玉淸)1177) 션녜
아니면 관음보살이 지셰(再世)ᄒᆞ미라. 구현
계 니런 신인을 만나시니, 뎡·진 등을 셔
ᄅᆞ즈미 어렵지 아니리로다."

몽슉이 쇼이 딕왈,

1176) 녀믈다 ; 여물다. 일이나 말 따위를 매듭지어
    끝마치다.
1177) 옥쳥(玉淸) : : 옥청궁(玉淸宮). 도교 삼청궁(三
    淸宮)의 하나로, 원시천존(元始天尊)이 사는 곳이
    라 함.

"대왕이 뎡·딘 등 히힝기를 의논치 아니시면, 쇼싱이 뜻을 【57】 품고 아모졔도 발치 못ᄒ리로소이다. 신승(神僧)을 만난디 셰월이 오릳디 큰 일을 경이히 도모치 못ᄒ여 뎡히 민민ᄒ더니이다."

왕이 웃고 몽슉과 묘랑을 다리고 깁흔 당 듕의 드러가 밀밀흔 의논이 씆디 아냐, 뎡·딘 냥문을 다 뭇딜너 분을 풀고, 일셰의 것칠 것 업시 즐기기를 긔약ᄒ싀, 몽슉 왈,

"황친뉴(皇親類)의 대왕을 통우ᄒ시ᄂ 은권이 웃듬이시나, 셩샹이 텬흥 듸졉ᄒ시므로 비컨디 텬디현격(天地懸隔)ᄒ니, 범연흔 계교로ᄂ 죽이디 못홀디라. 비록 인신디도(人臣之道)의 가치 아니나, 변심ᄒᄂ 약을 어더 황샹 슈라의 셕거 딘어(進御)【58】하시게 홀딘디, 텬심이 졈졈 변ᄒ샤 텬흥을 통우ᄒ시ᄂ 뜻이 업ᄉ리니 이런 쌔를 당ᄒ여 긔특흔 계교를 베퍼, 뎡·딘 이문을 뭇디르미 묘치 아니리잇가?"

왕이 몽슉의 말을 올히 넉여 추후ᄂ 문외 운화산 졍ᄌ의 가 흉계를 의논ᄒ더라.

추셜 윤·양 이부인이 혜원 니고(尼姑)의 구활흔 은혜를 닙어, 운화산 활인ᄉ의 이션 지 슈년이 되여 머믈싀, 거년 하ᄉ월의 양시 일개 옥동을 싱ᄒ여, 골격이 쌘혀나고 상뫼 비범ᄒ여, 부풍(父風)을 《젼쥬∥젼습(全襲)》ᄒ고, 하오월의 윤시 쏘 싱남ᄒ니 ᄋ히 긔골이 영형슈려(英形秀麗)ᄒ고 구【59】각(軀殼)이 셕대(碩大)ᄒ여 쇽ᄌ(俗子)와 닉도ᄒ니, 혜원이 쳔만 힝심ᄒ여 두 부인을 향ᄒ여 치하ᄒ믈 마디 아니ᄒ고, 가디록 밧드ᄂ 졍셩이 동쵹(洞屬)ᄒ여 미양 부인 등이 슈고로이 싀ᄉ(色絲)를 모화 나룽(羅綾)의 슈(繡)를 노ᄒ미, 흔 쎡도 노치 아니믈 민망ᄒ여, 왈,

"쇼암(小庵)이 비록 피폐ᄒ나, 오히려 의식은 넘녜 업ᄉ니, 두 부인이 빈도의 밧드ᄂ 디로 계시미 힝심(幸甚)이어늘, 밤낫 쉬디 아니샤 슈치(繡致)의 골몰ᄒ여 시샹(市上)의 화미(和賣)ᄒ니, 슈치 긔특ᄒᄆᆯ 보고 져마다 갑술 앗기디 아냐, 쇼암의 은뵈(銀

"대왕이 뎡·진 등 히힝기를 의논치 아니시면, 쇼싱이 【51】 뜻을 품고 아모졔도 발치 못ᄒ리로다. 신승(神僧)을 만난지 셰월이 오릳디, 큰 일을 경이히 도모치 못ᄒ여 졍히 민민ᄒ더니이다."

왕이 웃고 몽슉과 묘랑을 드리고 깁흔 당 즁의 드러가 밀밀흔 의논이 씆지 아냐, 뎡·진 냥문을 다 뭇질너 분을 풀고, 일셰의 것칠 것 업시 즐기기를 긔약ᄒ싀, 몽슉 왈,

"황친뉴(皇親類)의 대왕을 츙우ᄒ시ᄂ 은권이 웃듬이시나, 셩샹이 텬흥 듸졉ᄒ시믈오 비컨디 텬디현격(天地懸隔)ᄒ니, 범연흔 계교로ᄂ 죽이지 못홀지라. 비록 인신지도의 가치 아니나, 변심ᄒᄂ 약을 어더 황샹 슈라의 셕거 진어(進御)케 홀【52】진디, 텬심이 졈졈 변ᄒᄉ 텬흥을 츙우ᄒ시ᄂ 뜻이 업ᄉ시리니, 니런 쌔를 당ᄒ여 긔특흔 계교를 베퍼, 뎡·진 냥문을 뭇지르미 묘치 아니리잇가?"

왕이 몽슉의 말을 올히 넉여 추후ᄂ 문외 운화산 졍ᄌ의 가 흉계를 의논ᄒ더라.

추셜 윤·양 이부인이 혜원 니고(尼姑)의 구활흔 은혜를 닙어 운화산 활인ᄉ의 이션 지 슈년이 되여 머믈식, 거년 하ᄉ월의 양시 일기 옥동을 싱ᄒ여, 골격이 쌘혀나고 상뫼 비범ᄒ여 부풍(父風)을 《젼쥬∥젼습(全襲)》ᄒ고, 하오월의 윤시 쏘 싱남ᄒ니 ᄋ히 긔골이 녕형슈려(英形秀麗)ᄒ고【53】 구각(軀殼)이 셕대(碩大)ᄒ여 쇽ᄌ와 닉도ᄒ니, 혜원이 쳔만 힝심ᄒ여 두 부인을 향ᄒ여 치하ᄒᆞᆯ 마지 아니ᄒ고, 가지록 밧드ᄂ 졍셩이 동쵹(洞屬)ᄒ여, 미양 부인 등이 슈고로이 싀ᄉ(色絲)를 모화 나룽(羅綾)의 슈(繡)를 노ᄒ미, 흔 쎡도 노지 아니니, 혜원 왈,

"쇼암(小庵)이 비록 《지폐∥피폐》ᄒ나 오히려 의식이 넘녜 업ᄉ니, 두 부인이 빈도의 밧드ᄂ 디로 계시미 힝심(幸甚)이어늘, 밤낫 쉬지 아니ᄉ 슈치(繡致)의 골몰ᄒ여 시샹(市上)의 화미(和賣)ᄒ니, 슈치 긔특흔 믈 보고 져마다 갑술 앗기지 아냐, 쇼암의

寶) 만히 벗히게 ᄒ시니, 이 ᄯ호 됴흔 일이 【60】나와, 빈도는 실노 은금의 욕심을 통치 아닛ᄂ니, 원컨디 부인은 슈노키를 드므리 ᄒ샤 몸의 슈고로오믈 도라보시고, 공 즈 등이 졈졈 특이슈발(特異秀拔)ᄒ믈 두굿 기샤 풍운의 길시만 기다리쇼셔."

윤·양 이부인이 탄왈,

"아등이 스부의 하날 ᄀᆺ튼 대은으로 스디의 몸을 버셔나시니, 몸의 대단흔 딜양이 업고 나히 쳥츈이라. 산스의 고요히 이셔 쳔슈만녀(千愁萬慮)를 닛고져 ᄒ미오, ᄀᆺ트여 의식의 갑슬 ᄒ고져 ᄒ미 아니로디, 년 ᄒ여 나룽과 식스를 스 노흐미니 스부는 조 곰도 블안ᄒ여 말디어다." 【61】

혜원이 이부인의 부즈런흔 바를 말디디 못ᄒ나, 힝혀 잠심ᄒ여 병이날가 넘녀ᄒ고, 냥 공즈 보호ᄒ는 졍셩이 셜난 등이나 다르 디 아니디[니], 이부인이 블승감은ᄒ여 타 일 보은키를 싱각ᄒ더라.

냥이 졈졈 즈라 발셔 긔년이 디나니, 바 야흐로 거름이 닉고 말을 옴기며, 영오슈발 (穎悟秀拔)ᄒ미 날노 긔이ᄒ여 부풍모습(父 風母襲) ᄒ미, 외뫼 더욱 보암즉 흔다라. 두 부인이 참연흔 심스 가온디도 오히려 유치 (幼稚)를 위ᄒ여 각각 몸을 보호ᄒ고, ᄋᆞ즈 를 무양(撫養)ᄒ여, 타일 누명을 버셔 옥동 을 쪄, 구가의 나아 【62】가 존당 구고긔 반기시는 얼골을 다시 뵈옵고져 ᄒ나, 공쥬 의 극악을 싱각ᄒ면 ᄆᆞ음이 츠고 쎄 슬힌디 라. 즈긔 등을 원슈ᄀᆺ치 ᄒ는 바로뼈 각각 즈녀를 무스히 두디 아녀, 반ᄃ시 히홀 줄 혜아리미, 더욱 심장이 믜는 둧ᄒ거늘, 윤부 인은 남 다른 근심이 태우 형데를 넘녀ᄒ 고, 가변이 장춧 아모 곳의 밋쳐시믈 아디 못ᄒ여, 초젼(焦煎)ᄒ는 심스를 비홀 곳이 업셔, 쎠쎠 혜원을 디ᄒ여 도셩(都城)의 드 러가 옥누항 윤부 소 【63】식을 아라달나 흔즉, 혜원이 비록 윤부인이 니르디 아니나 윤부 변고를 거의 짐작ᄒ고, 즈로 윤부 소 식을 듯본즉 윤태우 등이 남·양 이쥐의 강 상대죄(綱常大罪)로 찬츌홈과 어뎐의셔 ᄒ

은뵈(銀寶) 만히 쓰히게 ᄒ시니, 이 ᄯ호 됴 흔 일이어니와, 빈도는 실노 은금 【54】의 욕심을 통치 아닛ᄂ니, 원컨디 부인은 슈 노키를 드믈니 ᄒᆞ스 몸의 슈고로오믈 도라 보시고, 공즈 등이 졈졈 특이 슈발ᄒ시믈 두굿기샤 풍운의 길시만 기ᄃ리쇼셔."

윤·양 이부인이 탄왈,

"아등이 스부의 하늘 ᄀᆺ튼 대은으로 스지 의 몸을 버셔나시니, 몸의 디단흔 질양이 업고 나히 쳥츈이라. 산스의 고요이 이셔 쳔슈만녀(千愁萬慮)를 닛고져 ᄒ미오, ᄀᆺ트 여 갑슬 밧고져 ᄒ미 아니로디, 년ᄒ여 나 룽과 식스를 스노흐미니, 스부는 조곰도 블 안ᄒ여 말지어다."

혜원이 이부인의 부즈런흔 바를 말지 못ᄒ나 【55】 힝혀 줌심ᄒ여 병이날가 넘 녀ᄒ고, 냥공즈 보호ᄒ는 졍셩이 셜난 등이 나 다르지 아니ᄒ디, 이부인이 블승감은ᄒ 여 타일 보은키를 싱각ᄒ더라.

냥이 졈졈 즈라 발셔 긔년이 지나니, 바 야흐로 거름이 닉고 말을 옴기며, 영오슈발 (穎悟秀拔)ᄒ미 날노 긔이ᄒ여 부풍모습(父 風母襲) ᄒ미, 외뫼 더욱 보암즉 흔지라. 두 부인이 참연흔 ○○[심스] 가온디도 오히려 유치(幼稚)를 위ᄒ여 각각 몸을 보호ᄒ고, ᄋᆞ즈를 무양(撫養)ᄒ여 타일 누명을 버셔, 옥동을 쪄, 구가의 나아가 존당 구고긔 반 기시는 얼골을 다시 뵈옵고즈 ᄒ나, 공쥬의 극악을 싱각ᄒ면 【56】 ᄆᆞ음이 츠고 쎠 ᄲᆞᆯ 닌지라. 즈긔 등을 원슈ᄀᆺ치 ᄒ는 바로뼈 각각 즈녀를 무스히 두지 아녀, 반ᄃ시 히 홀 줄 혜아리미, 더욱 심장이 믜는 둧ᄒ거 늘, 윤부인은 티우 형데를 넘녀ᄒ고, 가변이 장춫 아모 곳의 밋쳐시믈 아지 못ᄒ여, 초 젼(焦煎)ᄒ는 심스를 비홀 곳이 업셔, 시시 로 혜원을 디ᄒ여 도셩(都城)의 드러가 옥 누항 윤부 소식을 아라달나 흔즉, 혜원이 비록 윤부인이 니르지 아니나, 윤부{인} 변 고를 거의 아ᄂ지라. 즈로 윤부 소식을 듯 본즉 윤티우 등이 남·양 이쥐의 찬츌홈 【57】과, 궐즁의셔 ᄒ던 바를 다 아라시나

던 바를 아라시딕, 윤부인다려 니르디 아니
믄 용녀(用慮)홀가 ᄒᆞ미라.

윤부인이 조모와 숙모의 과악(過惡)을 혜
아리믹, 결단ᄒᆞ여 태우 형데를 가마니 두지
아닐 줄 짐작ᄒᆞ딕, 혜원은 잇다감 도성의
단녀와 윤뷔 무스ᄒᆞᆷ믈 니르나, 윤시 의심ᄒᆞ
고 넘녀ᄒᆞ여 셜난 등을 되ᄒᆞ여 왈,

"우리 노쥬 만ᄉᆞ여싱(萬死餘生)으로 이리
되어시딕, 친정과 구가 소식을 알 길히 업
ᄂᆞᆫ디라. 여등(汝等)이 도성의 드러가 냥가
평부를 아라오미 엇더ᄒᆞ뇨?"

셜난 등이 슈명ᄒᆞ거늘, 법시 닐오딕,【6
4】

"부인이 빈도의 말을 밋디 아니샤 다른
사ᄅᆞᆷ을 보뉘여 냥가 소식을 알나 ᄒᆞ시거
와, 이제는 부인닉 익회 거의 딘(盡)ᄒᆞ게 되
여시니, 언마ᄒᆞ여 히 밧괴이리잇고? 명년은
길운을 만날 거시니 브졀업시 냥쳐 소식을
알녀 마르쇼셔. 뎡도위 노야는 븍디를 뎡벌
ᄒᆞ여 군ᄉᆞ를 거나려 희븍으로 향ᄒᆞ연디 달
이 남고, 부인의 존당 구고와 조태부인은
일양(一樣) 안강ᄒᆞ시며, 부인의 ᄋᆞ즈와 양부
인의 녀이 운산을 써나 보호ᄒᆞ시나니, 부인
이 ᄯᅩ 이 밧긔 므어시 알고 시브니잇고?"

윤·양【65】 이부인이 혜원의 신명ᄒᆞ믈
만히 밋ᄂᆞᆫ 고로, 명년이면 길운을 만나리라
ᄒᆞ믈 깃거ᄒᆞ딕, 미릭지ᄉᆞ를 눈으로 보디 못
ᄒᆞ고, 오릭 산ᄉᆞ의 이셔 셰샹 소식을 알 길
히 업스니, 친정과 구개 다 무스ᄒᆞᆷ믈 긔필
치 못ᄒᆞ여, 셜난의 모녀를 보뉘여 소식을
듯보아 오라 ᄒᆞ여늘, 셜난 등이 슈명ᄒᆞ여
나오니, 혜원이 웃고 굴오딕,

"그딕 혼ᄌᆞ 도성으로 가미 심심홀 거시니
날과 혼가디로 가미 엇더ᄒᆞ뇨?"

영이 딕왈,

"블감청(不敢請)이언졍 고쇼원(固所願)이
라1235) 엇디 깃브디 아니리오."

1235)블감청(不敢請)이언졍 고쇼원(固所願)이라 : 마

윤부인다려 ᄇᆞ로 니르디 아니니, 이는 부인
의 심시 가장 상도(傷悼)홀가 넘녜ᄒᆞ미러라.

윤부인이 스스로 헤아리믹, 조모와 숙모
의 과악(過惡)이 결단코 틱우 형뎨를 ᄀᆞ마
니 두지 아닐 듯 ᄒᆞ거늘, 혜원이○⋯결락○
자⋯○[잇다감 도성의 단녀와 윤뷔 무스ᄒᆞ
믈 니르니], '혜원이 날을 속이미로다' ᄒᆞ
고. 의심ᄒᆞ고 넘녀ᄒᆞ여, 이의 셜난 등을 되
ᄒᆞ여 왈,

"우리 노쥬 만ᄉᆞ여싱(萬死餘生)으로 이리
되어시딕, 친정과 구가 소식을 알 길히 업
ᄂᆞᆫ지라. 녀등(汝等)이 도성의 드러가 냥가
평부(平否)를 아라오라"

ᄒᆞ니, 셜난 등이 슈명ᄒᆞ거늘, 혜원이 닐오
딕,

" ○○○[부인이] 빈도의 말을 밋지 아니
ᄉᆞ 니러 ᄒᆞ시도【58】다. 그러나 ○⋯결락
108자⋯○[이제는 부인닉 익회 거의 딘(盡)ᄒᆞ
게 되여시니, 언마ᄒᆞ여 히 밧괴이리잇고? 명
년은 길운을 만날 거시니 브졀업시 냥쳐 소식
을 알녀 마르쇼셔. 뎡도위 노야는 븍디를 뎡
벌ᄒᆞ여 군ᄉᆞ를 거나려 희븍으로 향ᄒᆞ연디 달
이 남고, 부인의 존당 구고와 조태부인은 일
양 안강ᄒᆞ시며, 부인의] 《냥ᄋᆞ‖ᄋᆞ즈》와
양부인의 녀이 운산을 써나 보호ᄒᆞ시나니,
부인이 ᄯᅩ 이밧게 무어시 더 알고 시브니
잇고?"

윤·양 이인이 혜원의 신명ᄒᆞ믈 만히 밋
ᄂᆞᆫ 고로, 명년이면 길운을 만나리라 ᄒᆞ믈
깃거ᄒᆞ딕, 미릭ᄉᆞ를 눈으로 보지 못ᄒᆞ고 오
릭 산ᄉᆞ의 이셔 셰샹 소식을 알 길히 업스
니, 친정과 구개 다 무ᄉᆞᄒᆞ믈 긔필치 못ᄒᆞ
여, 셜난의 모녀를 보뉘여 소식을 듯보아
오라 ᄒᆞ여늘, 셜난 등이 슈명ᄒᆞ여 나오니,
혜원이 웃고 굴오딕,

"그딕 혼ᄌᆞ 도성으로 가미 심심ᄒᆞ리니,
날과 혼가지로 가미 엇더ᄒᆞ뇨?"

녕이 딕왈,

"블감청(不敢請)【59】이언졍 고쇼원(固
所願)이라1178) 엇지 깃브지 아니리오."

1178)블감청(不敢請)이언졍 고쇼원(固所願)이라 : 마

혜원이 두 부인긔 슈치 쁜【66】거슬 달나 ᄒ여 영을 들니고, 운화산 하(下)로 나려오며 윤태우 등의 죄뎍(罪謫)ᄒ 연유를 낫낫치 니르며, 왈,

"부인긔 엇디 고코져 아니리오마는 부인이 심녀를 허비ᄒ실 쁜이오, 아라 무익ᄒ 고로 셰밀ᄒ 스고를 긔(欺)엿는디라. 이졔 그딕 도셩의 드러가 듯보아도, 날ᄀᆺ치 ᄌ셔튼 못홀 거시니, 츨하리 날노 더브러 이 안 형왕의 졍ᄌ의 가 슈(繡)나 팔고 가미 엇더ᄒ뇨?"

영이 이 말을 드르믹 닙이 뼈 말이 나디 아니니, 다만 혜원을 좃ᄎ 형왕 졍ᄌ의 가 슈를 팔ᄉᆡ, 슈 ᄉ는 ᄌ는 형왕의 ᄉᆡ로 어든 미인【67】박시라. ᄌ식이 졀셰ᄒ고 힝ᄉᆡ 충민ᄒ니 형왕의 통이ᄒ미 비길 딕 업스딕, 뎡비 셩시는 남과 다른 투악(妬惡)인 고로, 박미인이 뎡비의 투긔로 드러가디 못ᄒ고, 문외 졍ᄌ의 뎡비 모로게 두어 ᄌ로 왕닉ᄒ여 졍을 펴는 빈니, 형왕이 년긔 뉵십의 녀ᄉᆡ을 ᄉ모ᄒ미 가치 아니ᄒ딕, 본딕 탕음무식지인(蕩淫無識之人)이오, 녀ᄉᆡ의 쥬린 귓거신 고로, 박미인을 어더 대혹ᄒ미 되어시니, 박미인이 더옥 얼골을 슈렴ᄒ고 의복을 치레ᄒ여1236), 왕의 은통을 낙고려 ᄒ는 고로, 긔특ᄒ 슈노ᄒᆫ 나룽【68】을 모화 ᄉ는디라. 혜원은 안ᄌ셔 쳔니 밧글 손금 보돗 아는 고로, 형왕과 구몽슉이 뎡원슈 히코져 ᄒ는 바를 발셔 짐작ᄒ고, 거즛 슈 팔기를 위쥬ᄒ는 쳬ᄒ고, 그 졍ᄌ의 나아가 힝각의 잇는 시노로 ᄒ여금 슈를 안히 드려 보닉여스라ᄒ니, 박미인이 슈치의 졀묘ᄒᆷᆯ 아라 보고 갑술 앗기지 아냐, 이빅금을 주고 년ᄒ여 가져오라 ᄒ니, 혜원이 영을 지휘ᄒ여 드러가 박미인을 보고 셔로 ᄉ괴라 ᄒ되, 영이 혜원법ᄉ의 말딕로ᄒ여 왕궁 시녀 등으로 더브러 안히 드러가, 박미인긔 뵈고【69】졔 슈를 노핫노라 ᄒ니, 박미인이 그

음속으로는 간절하지만 감히 청하지는 못하나, 본디 진실로 바라는 바이다.
1236)치레ᄒ다. 잘 손질하여 모양을 내다.

혜원이 두 부인긔 슈보(繡褓) 쓴 거슬 달나 ᄒ여 영을 들니고, 운화산 하(下)로 ᄂᆞ려오며, 윤틱우 등의 죄뎍(罪謫)ᄒ 연유를 낫낫치 니르며 왈,

"부인게 엇지 고코져 아니리오마는 부인이 심녀를 허비ᄒ실 쁜이오, ○○[아라] 무익ᄒ 고로, 셰밀ᄒ 스고를 긔(欺)엿는지라. 이졔 그딕 도셩의 드러가 듯보아도, 날 ᄀᆺ치 ᄌ셔튼 못홀 거시니, 츨하리 날노 더브러 이 안 형왕의 졍ᄌ의 가 슈(繡)나 ᄑᆞᆯ고 가미 엇더ᄒ뇨?"

녕이 이 말을 드르믹 닙이 뼈 말이 나오지 아니니, 다만 혜원을 좃ᄎ 형왕 졍ᄌ의 가【60】슈를 팔ᄉᆡ, 슈 ᄉ는 ᄌ는 형왕의 ᄉᆡ로 어든 미인 박시라. ᄌ식이 졀셰ᄒ고 힝ᄉᆡ 충민ᄒ니, 형왕의 춍이ᄒ미 비길 딕 업스딕, 뎡비 셩시는 남과 다른 포악인 고로, 박미인이 뎡비의 투긔로 드러가지 못ᄒ고, 문외 졍ᄌ의 뎡비 모로게 두어 ᄌ로 왕닉ᄒ여 졍을 펴니, 형왕이 년긔 뉵십의 녀ᄉᆡ을 ᄉ모ᄒ미 가치 아니ᄒ딕, 본딕 탕음무식지인(蕩淫無識之人)이오, 녀ᄉᆡ의 쥬린 귓거신 고로, 박미인을 어더 대혹ᄒ여시니, 박미인이 더옥 얼골을 슈려(秀麗)히 ᄒ고, 의복을 치례ᄒ여1179) 왕의 은춍을 낙고려 ᄒ는 고로, 긔특ᄒ 슈를 모화 ᄉ는지라【61】혜원은 안ᄌ셔 쳔니 밧글 아는 고로, 형왕과 구몽슉이 뎡·진을 히코져 ᄒ는 바를 발셔 짐죽ᄒ고, 거즛 슈 팔기를 위쥬ᄒ는 쳬ᄒ고, 그 졍ᄌ의 나아가 힝각의 잇는 시노로 ᄒ여금 슈를 안히 드려 보닉니, 박미인이 슈치의 졀묘ᄒᆷᆯ 아라○○[보고] 갑술 앗기지 아니코 이빅금을 주고, 년ᄒ여 가져오라 ᄒ니, 혜원이 녕을 지휘ᄒ여 드러가 박미인을 ᄉ괴라 ᄒ니, 녕이 시녀 등으로 더브러 안히 드러가 박미인게 뵈고, 슈를 졔가 노핫노라 ᄒ니, ○○○○[박미인이] 그 직조를 긔특이 넉여 각별이 딕졉ᄒ고, 능나

음속으로는 간절하지만 감히 청하지는 못하나, 본디 진실로 바라는 바이다.
1179)치레ᄒ다 : 치레하다. 잘 손질하여 모양을 내다.

지조를 신긔히 넉여 각별이 디졉ᄒ고, 능나
(綾羅)와 싀ᄉ(色絲)를 주어 슈를 노화 오면
크게 상 주마 ᄒ니, 영이 디왈,

"쳔쳡이 빈한ᄒ여 슈를 노하 파라 노부모
의 긔아를 면케ᄒ거니와, 부인이 쳔쳡으로
ᄡ 쳐음 보시고 이ᄀᆺ치 후디ᄒ시니, 쳔심
(賤心)의 감격ᄒ믈 니긔디 못ᄒᆞᆸᄂᆞ니, 어이
슈노흔 갑슬 싱각ᄒ리잇고? 다만 부인의 셩
ᄌ광휘(聖姿光輝)를 구경ᄒ오미, 일시 좌하
의 뫼셔 어진 말ᄉᆷ을 듯ᄌᆞ오미 영홰(榮華)
로소이다"

박미인이 본디 져를 기리는 사름을 【7
0】 더옥 깃거ᄒᄂᆞ다라. 쥬영의 깁흔 뜻을
아디 못ᄒ고 흔연이 ᄌᄅᆯ 왕ᄂᆡᄒ믈 당부ᄒ
며, 잇는 곳과 셩명을 므르니, 쥬영이 운화
산 근쳐의 이시믈 디답ᄒ고 죵용이 말ᄒ더
니, 이윽고 형왕이 구상셔로 더브러 외헌의
왓다 ᄒᄂᆞ다라. 쥬영이 박미인다려 므러 글
오디,

"구상셔라 ᄒᄂᆞ니는 형왕 뎐하긔 뉘가 되
시ᄂᆞ니잇가?"

박미인 왈,

"구상셔는 혹ᄉ 몽슉이니, 왕과 친쳑이
아니로디 피ᄎᆞ 졍의 교분이 각별ᄒ여, 구상
셔 왕의게 ᄌ딜 ᄀᆞᆺ튼 고로 셔로 긔이는 일
이 업ᄂᆞ니라."

ᄒ니, 쥬영이 쇼왈,

"쳔【71】쳡이 일즉 쳔승(千乘)의 위의를
구경치 못ᄒ여 셰샹ᄉᄅᆯ 아는 일이 젹고,
문견이 고루ᄒ다라. 요힝 부인긔 현알ᄒ믈
어더시니 뎐하의 쟝흔 위의를 ᄒᆞᆫ번 구경코
져 ᄒᄂᆞ니, 부인의 허ᄒ시믈 어드리잇가?"

박미인이 본디 향촌의 우미(愚迷)ᄒ 녀ᄌ
라. 쥬영의 쇠를 아디 못ᄒ고 형왕의 복식
위의를 뵈고져 ᄒ여, 웃고 답왈,

"그디 왕의 위의를 구경코져 홀진디 어렵
지 아니니, 이제 외졍의 가보게 ᄒ리라."

쥬영이 ᄉ샤 왈,

"부인의 넙으신 덕으로 금일 뎐하의 쳬쳬
(棣棣)1237)ᄒ신 위의를 구경케 ᄒ시니, 감샤

(綾羅)와 싀ᄉ(色絲)를 주어 슈를 노화 오면
크게 상 주마 ᄒ니, 【62】 녕이 디왈,

"쳔쳡이 빈한ᄒ여 슈를 노하 파라 노부모
의 긔아를 면케ᄒ거니와, 부인이 쳔쳡으로
ᄡ 《슈∥이》 ᄀᆺ치 후디ᄒ시니, 쳔심(賤心)
의 감격ᄒ오믈 니긔지 못ᄒᆞᆸᄂᆞ니, 어이 슈
노흔 갑슬 ᄒ리잇고? 다만 부인의 셩ᄌ광휘
(聖姿光輝)를 구경ᄒ니, 이 ᄯᅩ흔 녕홰(榮華)
로소이다"

박미인이 져를 기리는 ᄉᆞ람을 더옥 깃거
ᄒᄂᆞ지라. 쥬영의 깁흔 뜻을 모르고 흔연이
ᄌᄅᆯ 왕ᄂᆡᄒ믈 당부ᄒ며, 잇는 곳과 셩명을
므르니, 쥬녕이 운화산 근쳐의 이시믈 디답
ᄒ고, 죵용이 말ᄒ더니, 이윽고 《평∥형》
왕이 구상셔로 더브러 외헌의 왓다 ᄒᄂᆞ지
라. 녕이 박미인다려 【63】 므르디,

"구상셔라 ᄒᄂᆞ니는 《평∥형》왕 뎐하게
엇더케 되ᄂᆞ니잇가?"

박미인 왈,

"구상셔는 혹ᄉ 몽슉이니, 왕과 친쳑이
아니나, 피ᄎᆞ 각별ᄒ여 구상셔 왕의게 ᄌ딜
ᄀᆞᆺ튼 고로 셔로 긔일 일이 업ᄂᆞ니라."

녕이 쇼왈,

"쳡이 일즉 쳔승(千乘)의 위의를 구경치
못ᄒ여 셰샹ᄉᄅᆯ 아는 일이 져근지라. 뇨힝
부인긔 현알ᄒ믈 어더시니, 뎐하의 쟝흔 위
의를 ᄒᆞᆫ번 구경코ᄌ ᄒᄂᆞ니, 부인의 허ᄒ시
믈 어드리잇가?"

박미인이 본디 향촌녀지라. 우미(愚迷)ᄒ
고로, 녕의 쇠를 모르고 형왕의 복식 위의
를 뵈고ᄌ ᄒ여, 웃고 답왈,

"그디 왕의 위의를 구경코ᄌ 홀진디 어렵
지 아니니, 【64】 이제 외졍의 가보게 ᄒ리
라."

녕이 ᄉ왈(謝曰),

"부인 덕으로 금일 뎐하의 쳬쳬(棣
棣)1180)ᄒ신 위의를 구경케 ᄒ시니 감ᄉ하

하【72】믈 니긔디 못ᄒ리로소이다.”

박시 웃고 시녀로 하여곰 쥬영을 다리고 외던 합쟝(閤牆)1238) 뒤히 가 여어보라 ᄒ니, 이 ᄢ 형왕이 구몽슉으로 더브러 외당 그윽ᄒᆫ 곳의셔 뎡·딘 냥문 히홀 쇠를 ᄒᆫ디라. 간흉극악ᄒᆫ 의시 밀밀(密密)ᄒ니, 뎡궁 시녀도 그 ᄒᄂᆞᆫ 말을 유의치 아니듸, 쥬영은 유심ᄒ여 ᄌᆞ시 알녀 ᄒ미, 가만ᄒᆫ 말이라도 못 아라 드르미 업ᄂᆞᆫ디라. 위션 뎡원슈를 대역 괴수로 모라 너코, 딘태우 등을 ᄒᆫ가지로 역뉴(逆類)의 함닉(陷溺)ᄒ여 냥문의 참화를 깃치고져 홀ᄉᆡ, 몽슉이 ᄀᆞᆯ오디,

“뎡텬흥이 북으로 뎡벌ᄒ여【73】시니 혹ᄌᆞ 패군ᄒᆞ미 이시면, 그 죄를 더옥 일우기 쉽고, 그러치 아냐 승젼ᄒᆫ 쳡음(捷音)이 니를지라도, 텬흥이 북이와 동심ᄒ여 텬위를 찬탈코져 ᄒᄆᆞ로, 거즛 승젼ᄒᄂᆞᆫ 소식을 보ᄒ여 우흐로 텬심과 아리로 ○○○[만됴의] 북이 근심ᄒᆞ믈 눅이고, 쳔병만마(千兵萬馬)를 거나려 승젼곡으로 회군ᄒᄂᆞᆫ 체ᄒ여, 북이(北夷)로 더브러 쇼과(所過) 쥬현(州縣) ᄌᆞᄉᆞ(刺史)를 항복 밧고, 호호탕탕(浩浩蕩蕩)이 황셩을 즛쳐 드러오고, 딘영슈 등이 닉응ᄒ여 용ᄉᆞ(勇士)를 모호며 간당을 쳐결ᄒ여, 뎐텽흥이 녕군(領軍)ᄒ여 황셩의 니르ᄂᆞᆫ 날, 동심합녁ᄒ여 대변을 디려 ᄒᆫ다 ᄒ【74】고, 여ᄎᆞ여ᄎᆞ 반셔(返書)를 지어 북방 쥬현 ᄌᆞᄉᆞ를 놀ᄂᆡ여, 고변(告變)ᄒᄂᆞᆫ 뉘 닷토게 ᄒ면, 대왕과 쇼싱이 슌셜(脣舌)을 허비치 아녀셔 뎡·딘 이문을 어육(魚肉)ᄒ여 뭇디르미 어렵디 아니리이다.”

ᄒ더라.【75】

믈 니긔지 못ᄒ리로소이다.”

박시 웃고 시녀로 하여곰 외던 합쟝(閤牆)1181) 뒤히 가 녀어보라 ᄒ니, ᄎᆞ시 형왕이 구몽슉으로 더브러 외당 그윽ᄒᆫ 곳의셔 뎡·진 냥문 히홀 쇠를 ᄒᄂᆞᆫ지라. 간흉극악ᄒᆫ 의시 밀밀(密密)ᄒ니, 졍궁 시녀도 그 ᄒᄂᆞᆫ 말을 유의치 아니듸, 쥬영은 유심ᄒ여 ᄌᆞ시 알녀 ᄒ미, ᄀᆞ만ᄒᆫ 말이라도 못아라 드르미 업ᄂᆞᆫ지라. 위션 뎡원슈를 대역 괴수로 모라 너코, 진틱우 등을 ᄒᆫ가지로 녁뉴(逆類)의 함닉(陷溺)ᄒ여, 냥문의 춤화를 깃치고져 홀【65】시, 몽슉 왈,

“뎡텬흥이 븍으로 뎡벌ᄒ여시니, 혹ᄌᆞ 피군ᄒᆞ미 이시면 그 죄를 더옥 닐오기 쉽고, 그러치 아녀 승쳡ᄒᆫ 표문(表文)이 니를지라도, 텬흥이 북이와 동심ᄒ여 텬위를 찬탈코ᄌᆞ ᄒᄆᆞ로, 거즛 승젼ᄒᄂᆞᆫ 소식을 보ᄒ여 우흐로 텬심과 아리로 만됴의 북이 근심ᄒᆞ믈 눅이고, 쳔병만ᄆᆞ(千兵萬馬)를 거나려 승젼곡으로 회군ᄒᄂᆞᆫ 《최॥체》ᄒ여, 북이(北夷)로 더브러 쇼과(所過) 쥬현(州縣) ᄌᆞᄉᆞ(刺史)를 항복 밧고, 호호탕탕(浩浩蕩蕩)이 황셩을 즛쳐 드러 《온다॥오고》,○…결락20자…○[딘영슈 등이 닉응ᄒ여 용ᄉᆞ(勇士)를 모호며 간당을 쳐결]ᄒ여, 텬흥이 빅만딕군을 휘동ᄒ여 ○○○○○○[황셩의 니르ᄂᆞᆫ 날], 합녁ᄒ여 대변을 지으련다 ᄒ고, 여ᄎᆞ여ᄎᆞ 반셔(返書)를 지어 ᄡᅥ 텬심을 놀ᄂᆡ시【66】게 ᄒ면, 대왕과 쇼싱이 슌셜(脣舌)을 허비치 아녀셔, 뎡·진 이문을 뭇지르미 어렵지 아니니,

---

1237)쳬쳬(棣棣) : 행동이나 몸가짐이 너절하지 아니하고 깨끗하며 트인 맛이 있다.
1238)합쟝(閤牆) : 건물 출입문과 연결되어 있는 담장.

1180)쳬쳬(棣棣) : 행동이나 몸가짐이 너절하지 아니하고 깨끗하며 트인 맛이 있다.
1181)합쟝(閤牆) : 건물 출입문과 연결되어 있는 담장.

명듀보월빙 권디오십뉵

어시의 구몽슉이 형왕다려 왈,

"대왕과 쇼싱이 슌셜을 허비치 아냐셔 뎡·딘 이문을 뭇디르미 어렵디 아니리니, 텬홍과 영슈를 업시ᄒᆞᄂᆞᆫ 날은 당뉴(黨類)를 일졔히 죽일 거시니, 남히 뎡빅 죄인 윤광텬은 평싱 사름을 업슈히 녁여 긔승(氣勝)코 호걸(豪傑)인 쳬 ᄒᆞ며, 양쥐 뎡빅 죄인 윤희텬은 스ᄉᆞ로 군진 쳬ᄒᆞ여 녜듕(禮重)ᄒᆞᆫ 거동을○○[ᄒᆞ니], 쇼싱이 통완이 녁이ᄂᆞᆫ 빅라. 텬홍 영슈 등을 죽이고 윤광텬 형뎨를 남겨【1】두면, 반ᄃᆞ시 쇼싱과 대왕의 도모ᄒᆞᄂᆞᆫ 일을 들쳐ᄂᆡ리니 윤광텬 형뎨를 마자 역뉼의 모라 너흐미 올흐니이다."

왕이 더옥 올흐믈 일ᄏᆞ라, 묘랑으로 샹좌(上座)의 두고 왕과 몽슉이 언언이 ᄉᆞ뷔라 칭ᄒᆞ여, 범ᄉᆞ를 형왕과 ᄒᆞᆫ가디로 의논ᄒᆞ니, 쥬영이 몽슉의 얼골을 알오ᄃᆡ, 형왕과 요승 묘랑의 얼골은 쳐음 보ᄂᆞᆫ디라. 그 의논ᄒᆞᄂᆞᆫ 말을 ᄌᆞ시 드르미, 심골이 경한ᄒᆞ여 몸이 썰니기를 면치 못ᄒᆞᄃᆡ, 계오 딘뎡ᄒᆞ여 왕과 몽슉의 의논이 맛도록 합장 뒤히셔 여어보다가, 날호여 안히【2】드러가 박미인을 보고 샤례ᄒᆞ여, 왈,

"쳔쳡이 싱ᄂᆡ 쳐음으로 쳔승의 위의 구경ᄒᆞ미 황홀ᄒᆞ믈 니긔디 못ᄒᆞᄋᆞᆸᄂᆞ니, 부인의 은덕이 쳔인의 원을 좃ᄎᆞ 뎐하의 복식과 긔상을 보ᄋᆞᆸ게 ᄒᆞ시니, 감샤ᄒᆞ여이다."

박미인이 쥬영의 딘졍이 이런가 녁여, 그 너모 향암(鄕闇)1239)되믈 우ᄉᆞ며, 속틱(俗態)의 비상ᄒᆞ믈 흠션ᄒᆞ여 ᄎᆞ후 ᄌᆞ로 왕ᄂᆡᄒᆞ믈 여러번 쳥ᄒᆞ니, 쥬영이 슌슌 응낙ᄒᆞ고 슈(繡)노흘 능나와 싀ᄉᆞ를 가디고 하딕고 밧그로 나와, 혜원을 보고 형왕과 구몽슉의 의논ᄒᆞ던 말을 일일이 젼ᄒᆞ【3】며 눈물을 흘녀 왈,

1239)향암(鄕闇) : 시골에서 지내 온갖 사리에 어둡고 어리석음. 또는 그런 사람.

텬홍과 영슈를 업시ᄒᆞᄂᆞᆫ 날은 당뉴(黨類)를 일졔히 죽일 거시니, 남히 뎡빅죄인 윤광텬은 평싱 ᄉᆞ람을 업슈히 녁여 긔승(氣勝)코 호걸(豪傑)인 쳬ᄒᆞ며, 양쥐 뎡빅죄인 윤희텬은 스ᄉᆞ로 군진 쳬ᄒᆞ여 녜즁(禮重)ᄒᆞᆫ 거동을 ᄒᆞ니, 쇼싱이 통완이 녁이ᄂᆞᆫ 빅라. 텬홍 등을 죽이고 윤광텬 형뎨를 남겨두면, 반ᄃᆞ시 쇼싱과 대왕의 도모ᄒᆞᄂᆞᆫ 일을 들쳐ᄂᆡ리니, 윤광텬 형뎨를 마ᄌᆞ 녁뉴(逆類)의 모라 너흐미 올흐니이다."

왕이 더옥 올흐믈 일ᄏᆞ라 묘랑【67】을 상좌(上座)의 두고, 왕과 몽슉이 언언이 ᄉᆞ뷔라 칭ᄒᆞ여 범ᄉᆞ를 형왕과 ᄒᆞᆫ가지로 의논ᄒᆞ니, 쥬영이 몽숙의 얼골을 알오ᄃᆡ 형왕과 요승 묘랑의 얼골은 쳐음 보ᄂᆞᆫ지라. 그 의논ᄒᆞᄂᆞᆫ 말을 ᄌᆞ셰 드르미, 심골이 경한ᄒᆞ여 몸이 썰니기를 면치 못ᄒᆞᄃᆡ, 계오 진뎡ᄒᆞ여 왕과 몽슉의 의논이 맛도록 합장 뒤히셔 녀허보다ᄀᆞ, 날호여 안히 드러가 박미인을 보고 ᄉᆞ례ᄒᆞ여 왈,

"쳔쳡이 싱ᄂᆡ 쳐음으로 쳔승의 위의를 구경ᄒᆞ니 황홀ᄒᆞ믈 니긔지 못ᄒᆞᄋᆞᆸᄂᆞ니, 부인의 은덕이 쳔인의 원을 조ᄎᆞ 뎐하 복식과 긔상을 보ᄋᆞᆸ게 ᄒᆞ시니, 감ᄉᆞᄒᆞ여【68】이다."

박미인이 녕의 진정이 이러ᄒᆞᆫ가 녁여 그 너모 향암(鄕闇)1182) 되믈 우ᄉᆞ며, 속틱(俗態)의 비상ᄒᆞ믈 흠션ᄒᆞ여, ᄎᆞ후 ᄌᆞ로 왕ᄂᆡᄒᆞ믈 쳥ᄒᆞ니, 쥬영이 슌슌 응낙고 슈노흘 능나와 싀ᄉᆞ를 ᄀᆞ지고 하직고 밧그로 ᄂᆞ와, 혜원을 보고 형왕과 구몽슉의 의논이 여ᄎᆞ여ᄎᆞᄒᆞ던 말을 일일이 젼ᄒᆞ며, 눈물을 흘녀 왈,

1182)향암(鄕闇) : 시골에서 지내 온갖 사리에 어둡고 어리석음. 또는 그런 사람.

"흉인이 윤·뎡·딘 삼문호(三門戶)를 아조 멸ᄒ려 ᄒ니, 우리 노야와 딘노얘 흉인의 모희를 닙어 혹ᄌ 참화를 바들딘딕, 내 디원극통이 하날을 원(怨)ᄒᆞᆯ딘니, 엇디 ᄡᅥ 흉인을 업시ᄒᆞ여 삼문의 화를 닐위디 아닐고? 아디 못게라, 어딕셔 난 요승은 형왕의 졍ᄌᆞ의 이셔 악ᄉᆞ를 동모(同謀)ᄒ니, 요괴롭더이다."

혜원이 쇼왈,

"그딕ᄂᆞᆫ 슬허 말나. 형왕과 구몽슉이 삼문을 히ᄒ려 도모ᄒ미, 도로혀 윤·양 두 부인과 윤태우 형뎨의 누명을 신셜ᄒ고, 각각 부뷔 즐거이 회합ᄒᆞᆯ 시졀이니,【4】놀나디 말고 추후 왕ᄂᆡᄒᆞ여 형왕과 구흑ᄉ 의논ᄒᆞᄂᆞᆫ 말을 일일히 드러다가, 부인긔 통ᄒᆞᄂᆞᆫ 거시 올ᄒ니, 그딕 오날부터 형왕과 구흑ᄉᆞ의 ᄒ던 바를 셰셰히 긔록ᄒ여 두라."

쥬영이 혜원의 말을 듯고 대희ᄒ여, 눈물을 거두고 왈,

"ᄉᆞ부의 말ᄉᆞᆷ ᄀᆞᄐᆞᆯ딘딕 즐겁고 깃브미 이 밧긔 나디 아니려니와, 흉인의 의논ᄒᆞᄂᆞᆫ 셜 ᄒᆞ왼죽 ᄆᆞ음이 ᄎᆞᆨ고 ᄲᅨ 슬히기를 니긔디 못ᄒᆞᄂᆞ니, 이번은 다ᄒᆡᆼ이 엿드럿거니와, 미양 흉언을 여어듯기 어렵고, 혹ᄌ 엿보ᄂᆞᆫ 형뎍이 낫타나면 죽기 쉬오니 엇디ᄒ리오."

혜원【5】이 쇼왈,

"내 그딕를 디휘ᄒᆞ미 위틱로온 곳의ᄂᆞᆫ 보ᄂᆡ디 아니리니, 그딕ᄂᆞᆫ 넘녀 말고 형왕과 구몽슉 못ᄂᆞᆫ 쩍도 내 스스로 아라 니를 거시니, 동산 담 터딘 뒤흐로 드러가, 미양 뒤히 가 드르면, 아모도 그딕의 형뎍을 알 니 업ᄉᆞ리니, 그딕ᄂᆞᆫ 온갓 말을 다 드러 셰셰히 긔록ᄒ여 두면, 위급ᄒᆞᆫ 디경의 부인이 그딕 드른 말노ᄡᅥ 격고(擊鼓)[1240]ᄒ시면, 위태부인과 뉴부인 모녀○[로]브터 문양공쥬의 악ᄉᆡ 개개히 들쳐나, 간인이 죄를 밧고

1240) 격고(擊鼓) : 격고등문(擊鼓登聞). 등문고(登聞鼓)를 울려 임금께 직접 억울한 사정을 아룀. 등문고; 조선 시대에, 임금이 백성의 억울한 사정을 듣기 위하여 대궐의 문루(門樓)에매달아 놓았던 북. 태종 원년(1401)에 처음으로 두었다가 이후 '신문고'로 이름을 고쳤다.

"흉인이 윤·뎡·딘 삼문호(三門戶)를 아조 멸망코즈 ᄒᆞ니, 우리 노야와 진노얘 흉인의 모희를 닙어 혹ᄌ 참화를 바들딘딕, 내 지원극통이 하늘을 원(怨)ᄒᆞᆯ지니, 엇지 ᄡᅥ 흉인을 업시ᄒᆞ여 숨문의 화를 닐위지 아닐고? 아지 못게라, 어딕셔 난 요승은 형왕의 졍ᄌᆞ의 이셔【69】악ᄉᆞ를 도모ᄒ니, 요괴롭더이다."

혜원이 쇼왈,

"그딕ᄂᆞᆫ 슬허 말나. 형왕과 구싱이 숨문을 히ᄒ려 도모ᄒ미, 도로혀 윤·양 두 부인과 윤틱우 형뎨의 누명을 신셜ᄒ고, 각각 부뷔 즐거이 회합ᄒᆞᆯ 시졀이니, 놀나지 말고 ᄎᆞ후 왕ᄂᆡᄒᆞ여 형왕과 구흑ᄉ의 논ᄒᆞᄂᆞᆫ 말을 일일히 드러다가, 부인게 통ᄒᆞᄂᆞᆫ 거시 올ᄒ니, 그딕 오늘브터 형왕과 구흑ᄉᆞ의 ᄒ던 바를 셰셰히 긔록ᄒ여 두라."

쥬영이 혜원의 말을 듯고 딕희ᄒ여, 눈물을 거두고 왈,

"ᄉᆞ부의 말ᄉᆞᆷ ᄀᆞᄐᆞᆯ진딕 즐겁고 깃브미 이 밧긔 나지 아니려니와, 흉인의 의논ᄒᆞᄂᆞᆫ 셜ᄒᆞ왼죽, ᄆᆞ음이 ᄎᆞᆨ고【70】ᄲᅨ 슬히기를 니긔지 못ᄒᆞᄂᆞ니, 이번은 다ᄒᆡᆼ이 엿드럿거니와, 미양 흉언을 녀어 듯기 어렵고, 혹ᄌ 녓보ᄂᆞᆫ 형젹이[을] 낫타닉면 죽기 쉬오니 엇지ᄒ리오."

혜원이 쇼왈,

"내 그딕를 지휘ᄒᆞ미 위틱로온 곳의ᄂᆞᆫ 보ᄂᆡ지 아니리니, 그딕ᄂᆞᆫ 넘녀 말고 형왕○[과] 구몽슉 못ᄂᆞᆫ 쩍도, 내 스스로 아라 니를 거시니, 동산 담 터진 뒤흐로 드러가, 미양 뒤히 가 드르면, 아모도 그딕의 형젹을 모ᄅᆞ리니, 그딕ᄂᆞᆫ 온갓 말을 다 드러 셰셰히 긔록ᄒ여 두면, 위급ᄒᆞᆫ 디경의 부인이 그딕 드른 말노ᄡᅥ 격고(擊鼓)[1183]ᄒ시면, 위틱부인과 뉴부인 모녀로브터 문양공쥬의 악

1183) 격고(擊鼓) : 격고등문(擊鼓登聞). 등문고(登聞鼓)를 울려 임금께 직접 억울한 사정을 아룀. 등문고; 조선 시대에, 임금이 백성의 억울한 사정을 듣기 위하여 대궐의 문루(門樓)에매달아 놓았던 북. 태종 원년(1401)에 처음으로 두었다가 이후 '신문고'로 이름을 고쳤다.

현인의 아룸다온 힝스는 만셩(滿城)의 훤동(喧動)ᄒ리라."

쥬영이 혜원의 신명ᄒᆷᄋᆯ 크게 밋ᄂᆫ 고로 가【6】쟝 다힝ᄒ여, 죵용이 산하의셔 말ᄒ다가, 산스로 도라갈ᄉᆡ, 혜원이 쥬영을 당부 왈,

"두 부인 이런 말 곳 드르시면, 심스를 더옥 요동ᄒ고 슬프믈 더으실 ᄰᅢᆫ이오, 유익ᄒ미 업스리니, 그ᄃᆡᄂᆞᆫ 아딕 이런 일을 함구블언(緘口不言)ᄒ고, 다만 도라가 도셩의셔 윤·뎡 이부 소식을 듯본 쳬 ᄒ라."

쥬영이 ᄯᅩᄒᆫ 놀나온 말을 부인ᄭᅴ 미리 고치 아니려, 산스의 도라와 두 부인ᄭᅴ 뵈고, 다만 윤·뎡 냥뷔 일양 무스ᄒᆷᄆᆞ로ᄡᅥ 고ᄒ고, 산하의 박미인이라 ᄒ리 능나와 식스를 주며 슈를 쳥ᄒ던 바를 고ᄒ니, 부인이 쥬영【7】ᄃᆞ려 다시 문 왈,

"네 두로 쇼문을 듯보아 친졍과 구개 무스ᄒᆷᄋᆞᆯ 알고 왓노라 ᄒ거니와, 내 ᄆᆞ음이 친졍을 위ᄒ여 넘녜 무궁ᄒᆞ더라. 냥뎨의 몸이 편ᄒᆷᄋᆞᆯ 긔필치 못ᄒ니, 너ᄂᆞᆫ 바른ᄃᆡ로 고ᄒ라."

쥬영이 ᄃᆡ왈,

"쇼비 놀나온 소식이 이시면 부인을 엇디 긔망ᄒ리잇고? 태부인과 뉴부인의 블현ᄒᆫ 쇼문은 업디 아니터이다."

윤부인이 다시 말을 아니나, 심히 우구ᄒ여 즐기디 아니미 날노 더ᄒ더라.

쥬영이 냥부인ᄭᅴ 박미인의 슈(繡) ○[구]ᄒᆷᄋᆞᆯ 고ᄒ니, 냥부인이 일슌디닉(一旬之內)의 슈를 다 노화 주미, 쥬영이 가【8】지고 박미인을 가 뵈니, 미인이 슈를 보고 대회ᄒ여 빗금을 상샤ᄒ며, 츠후 쥬영과 친졀이 스괴믈 디극히 쳥ᄒ니, 쥬영이 후의를 스샤ᄒ고 혜원의 가ᄅᆞ친ᄃᆡ로, 형왕과 몽슉이 모혀 흉계를 의논ᄒᆞᄂᆞᆫ ᄯᅦᆫ 합장 뒤히 가 낫낫치 다 드러 긔록ᄒ니, 일노좃ᄎ 윤·뎡·뎐 삼뷔 참화를 버셔난가? 츠하(此下)를 분히ᄒ라.

어시의 문양공쥬 잉ᄐᆡᄒᆞ연지 십삭이 ᄎᆞ미

시 기기히 들춰나, 간인이【71】죄를 밧고 현인의 아룸다온 힝스는 만셩(滿城)의 훤동(喧動)ᄒ리라."

쥬영이 혜원의 신명ᄒᆷᄋᆞᆯ 크게 밋ᄂᆫ 고로 ᄀᆞ장 다힝ᄒ여, 죵용이 산하의셔 말ᄒ다가 산스로 도라갈ᄉᆡ, 혜원이 쥬영을 당부 왈,

"두 부인 이런 말 곳 드르시면 심스를 더옥 요동ᄒ고 슬프믈 더으실 ᄰᅢᆫ이오, 유익ᄒ미 업스리니, 그ᄃᆡᄂᆞᆫ 아직 이런 일을 함구블언(緘口不言)ᄒ고, 다만 드러가 도셩의셔 윤·뎡 이부 소식을 듯본 쳬ᄒ라."

쥬영이 ᄯᅩᄒᆫ 놀나온 말을 부인게 미리 고치 아니려, 산스의 도라와 두 부인게 뵈옵고, 다만 윤·뎡 냥뷔 일양 무스ᄒᆷᄆᆞ로ᄡᅥ 고ᄒ고, 산하의 박미인이라 ᄒ리 능나와 식스를 주며 슈【72】를 쳥ᄒ던 바를 고ᄒ니, 부인이 쥬영 ᄃᆞ려 다시 문왈,

"네 두로 쇼문을 듯보아 친졍(親庭) 구개(舅家) 무스ᄒᆷᄋᆞᆯ 알고 왓노라 ᄒ거니와, ᄂᆡ ᄆᆞ음이 친졍을 위ᄒ여 넘녜 무궁ᄒ지라. 냥뎨의 몸이 편ᄒᆷᄋᆞᆯ 긔필치 못ᄒ니, 너ᄂᆞᆫ 바른ᄃᆡ로 고ᄒ라."

쥬영이 ᄃᆡ왈,

"쇼비 놀나온 소식이 이시면 부인을 엇지 긔망ᄒ리잇고? 틔부인과 뉴부인의 블현ᄒᆫ 쇼문은 업지 아니터이다."

윤부인이 ᄃᆞ시 말을 아니나, 심히 우구ᄒ여 즐겨 아니미 날노 더ᄒ더라.

쥬영이 냥부인게 박미인의 슈(繡) 구ᄒᆷᄋᆞᆯ 고ᄒ니, 냥부인이 일슌지닉(一旬之內)의 슈를 다 노화 주미, 쥬영이 가지고 박미인을【73】가 뵈니, 미인이 슈를 보고 ᄃᆡ희ᄒ여, 이의 즁가(重價)를 주어 칭찬ᄒᆷᄋᆞᆯ 마지 아니ᄒ고, 츠후로 쥬영을 후ᄃᆡᄒ여 빈빈 왕ᄂᆡᄒᆷᄋᆞᆯ 당부ᄒ니, 쥬영이 일일 왕ᄂᆡᄒ여 형왕 등의 흉무[모]지ᄉᆞ(凶謀之事)를 일일이 긔록ᄒ여 깁히 간스ᄒ니, 아지 못게라, 윤·뎡·뎐 숨뷔 참화를 버셔난가? 츠하(此下)를 분셕ᄒ라.

어시의 문양공쥬 잉ᄐᆡᄒᆞ연지 십삭이 ᄎᆞ

일개 녀ᄋ를 싱ᄒ니, ᄋ히 용모의 긔이홈과
골격의 비상ᄒ미 간악흔 공쥬의 요괴로온
ᄌ식을 담디 아녀, 완연이 평남후의 츈양
【9】화긔(春陽和氣)와 일월정광(日月精光)
을 거두어, 찬난흔 신치와 슈려흔 봉안을
품슈(稟受)ᄒ여 공쥬의 복듕으로 좃ᄎ 돗
우히 나니, 공쥐 산졈이 업다가 반야의 분
산ᄒ니 밋쳐 상부의도 고치 못ᄒ고, 최상궁
이 공쥬를 븟드러 분산(分産)을 식이고 싱
ᄋ를 보니, 상격의 긔이ᄒ믄 만고의 희한ᄒ
디 이들은 바는 블관(不關)흔 녀지라.
　공쥐 싱남ᄒ기를 쥬야 절박히 죄오다가,
녀ᄋ를 보미 셔운ᄒ미 심ᄒ여 최상궁의 손
을 잡고 눈물을 쓰려 왈,
　"나의 팔지 졀졀이 괴이ᄒ여, 셩혼 ᄉ년
의 흔낫 영ᄌ(英子)를 엇디 못ᄒ여 심간이
말낫거늘, 이졔【10】쓸디 업슨 녀ᄋ를 나
하 일신의 무광(無光)ᄒ미 졈졈 더ᄒ여, 뎡
군이 도라온 후라도 녀식(女息)을 블관이
넉이○[미] 심홀디라 엇디 이둛디 아니리
오."
　최상궁이 공쥬의 귀예 다혀 일계(一計)를
일일히 고ᄒ니, 이는 타시 아니라 졔 오라
비 최형이 거년의 시로 쳡을 어더 작일의
싱남ᄒ니, ᄋ히 골격이 ᄀ장 아름답다 ᄒ니,
공쥬의 유녀(乳女)로뻐 형의 집의 보니고,
최형의 ᄋᄌ를 다려와 공쥬의 나흔 ᄋ들이
라 ᄒ여, 상부와 궐듕의 싱남(生男)ᄒ므로뻐
고ᄒ고, ᄋ히를 잘 길너 공쥐 맛ᄎᆷ니 ᄋ들
을 낫치 못ᄒ면, 다른 곳의 양【11】ᄌᄒ믈
곤1241) 나으리니, 츌하리 공쥬 나흔 ᄋ들이
라 칭ᄒ여 뎡시 종통을 닛고, 타일의 공쥐
싱남ᄒᄂ 경시 잇거든, 히ᄋ(該兒)를 아조
죽여 업시 흠도 희롭디 아니ᄒ고, 대소를
도모ᄒᄂ 지 젹은 ᄉ졍을 싱각디 못ᄒᆷ믄 상
시라. 신싱 ᄋ녀를 죽으니로 아라, 최가 유
ᄌ(乳子)로 밧고아 오ᄌ 흔디, 공쥬의 극악
○[간]흉(極惡奸凶)이 쳐음으로 유치를 어

1241)-도곤 : -보다. 체언 뒤에 붙어, 서로 차이가
있는 것을 비교하는 경우, 비교의 대상이 되는 말
에 붙어 '~에 비해서'의 뜻을 나타내는 격 조사.

미, 일개 녀ᄋ를 싱ᄒ니, ᄋ히 용모의 긔이
홈과 골격의 비상ᄒ미, 간악흔 공쥬의 요괴
로온 ᄌ식을 담지 아녀, 완연이 평남후의
츈양화긔(春陽和氣)와 일월졍광(日月精光)을
거두어, 찬난흔 신치와 슈려흔 봉안을 품슈
(稟受)【74】ᄒ여 공쥬의 복중으로 좃ᄎ 돗
우히 나니, 공쥐 산졈이 업드가 반야의 분
산ᄒ니, 밋쳐 상부의도 고치 못ᄒ고, 최상궁
이 공쥬를 븟드러 분산(分産)을 식이고 싱
ᄋ를 보니, 상격의 긔이ᄒ믄 만고의 희한ᄒ
디 이들은 바는 블관(不關)흔 녀지라.
　공쥐 싱남ᄒ기를 쥬야 절박히 죄오다ᄀ
녀ᄋ를 싱ᄒ미 셔운ᄒ미 심ᄒ여, 최상궁의
손을 줍고 눈물을 쓰려 왈,
　"나의 팔지 졀졀이 고이ᄒ여, 셩혼 ᄉ지
의 흔낫 영ᄌ를 엇지 못ᄒ여 심간이 말낫거
늘, 이졔 쓸디 업슨 녀ᄋ를 나하 일신의 무
광(無光)ᄒ미 졈졈 더ᄒ여, 뎡군이 도라온
후라도 녀식을 블관이【75】 넉이미 심홀
지라. 엇지 이들지 아니리오."

　최상궁이 공쥬의 귀히 다혀 일계(一計)를
일일히 고ᄒ니, 이는 타시 아니라. 졔 오라
비 최형이 거년의 시로 쳡을 어더 작일의
싱남ᄒ니, ᄋ히 골격이 ᄀ장 아름답다 ᄒ니,
공쥬의 옥녀(玉女)로뻐 형의 집의 보니고,
최형의 ᄋᄌ를 다려와 공쥬의 나흔 ᄋ들이
라 ᄒ여, 상부와 궐졍의 싱남ᄒ므로뻐 고ᄒ
고, 히ᄋ를 잘 길너 공쥐 맛ᄎᆷ니 ᄋ들을 낫
치 못ᄒ면, 다른 곳의 양ᄌᄒ믈도곤1184) 나으
리라. 츌하리 공쥬 나흔 ᄋ들이라 칭ᄒ여,
뎡시 《듕통∥종통》을 닛고, 타일의 공쥐
싱남ᄒᄂ 경시 잇거든 히ᄋ(該兒)를 아조
죽여 업시홈도【76】 희롭지 아니코, 대소
를 도모ᄒᄂ 지 젹은 ᄉ졍을 싱각지 못ᄒᆷ믄
상시라. 신싱 ᄋ녀를 죽으니로 아라, 최가
유ᄌ로 밧고아 길으라 ᄒ니, 공쥬의 극악간
흉(極惡奸凶)이 쳐음으로 유치를 어더 아름

1184)-도곤 : -보다. 체언 뒤에 붙어, 서로 차이가
있는 것을 비교하는 경우, 비교의 대상이 되는 말
에 붙어 '~에 비해서'의 뜻을 나타내는 격 조사.

더 아름다오미 만고 희한흔 품격이어늘, 최형 ᄀᆞ튼 더럽고 측흔 놈의 ᄋᆞ들과 밧고와 눈긔를 어즈러이미, ᄎᆞ마 사름의 홀 노릇시 아니로ᄃᆡ, 공쥬ᄂᆞᆫ 크게 깃거 유ᄋᆞ를 나호여 촉하의셔 얼골을 ᄌᆞ시 살【12】피며, ᄉᆞ디(四肢) 일신(一身)을 ᄌᆞ시 볼시, 좌비샹(左臂上)의 낭셩(狼星)1242) 이ᄌᆞ(二字)잇고, 우비상(右臂上)의 '월녀(月女)' 두 ᄌᆞ 잇ᄂᆞᆫ디라. 공쥬 ᄌᆞ식을 밧고게 되니 잠간 참연ᄒᆞ여 잉혈노 싱년월일시를 쓰고, '뎡ᄋᆞ(鄭兒)' 두 ᄌᆞ를 쓰니, 최샹궁 왈,

"옥쥬 ᄎᆞᄋᆞ를 아조 바려 최가를 주려 ᄒᆞ시며 엇디 '뎡이(鄭兒)'라 ᄒᆞ시ᄂᆞ니잇고?"
공쥬 왈,
"우연이 싱년월일을 쓰미 셩을 쓰미라. 최개 일홈을 뎡이라 ᄒᆞ면 관겨ᄒᆞ랴?"
최녜 시벽의 히ᄋᆞ를 품고 급급히 교ᄌᆞ의 올나 최형의 집의 니르러 최형을 볼시, 최녀ᄂᆞᆫ 별악간흉이라. 미리 의논ᄒᆞ미 잇던고로 공쥬【13】의 신ᄋᆞ를 품고 니르럿ᄂᆞᆫ디라. 최가 부뷔 급급히 져의 ᄌᆞ식을 깃시 빗아조1243) 너여 주니, 최녜 급급히 ᄋᆞ희를 품고 도라오니 아모도 알니 업더라.

최녜 최형의 첩ᄌᆞ를 깃시 빗 공쥬의 겻틱 누일 즈음의 샹부의셔 평부를 므르니, 원닉 공쥬의 십삭이 ᄎᆞᆫ 후는 존당 신혼(晨昏)도 참예치 말나 ᄒᆞ고 날마다 안부를 뭇ᄂᆞᆫ디라, 최샹궁이 년망(連忙)이 싱남(生男)ᄒᆞ믈 고ᄒᆞ고 밧비 궐졍의 공쥬 싱남ᄒᆞ믈 알외니, 슌태부인과 금평후 부뷔 남후를 북으로 보닉고 심시 블열홀 ᄯᅡᆫ아니라, ᄌᆞ녜 ᄒᆞ나토 좌

1242)낭셩(狼星) : 시리우스성. 늑대별. 천랑성(天狼星). 큰개자리에서 가장 밝은 청백색의 별. 하늘에서 볼 수 있는 가장 밝은 별로, 밝기는 −1.46등급이고, 지구에서 거리는 8.7광년이다. 백색 왜성과 쌍성을 이루고 있다.
1243)아조 : 아주. 어떤 행동이나 작용 또는 상태가 이미 완전히 이루어져 달리 변경하거나 더 이상 어찌할 수 없는 상태에 있음을 나타내는 말.

다오미 만고 희한흔 품격이어늘, 최형 ᄀᆞ튼 더럽고 측흔 놈의 ᄋᆞ들과 밧고와 오기를 됴흔 묘계로 아라, ᄀᆞ만이 《티답ᄒᆞ디∥허락ᄒᆞ니》, ᄌᆞ식을 밧고와 눈긔를 어즈러오미 ᄎᆞ마 스람의 홀 노릇시 아니로ᄃᆡ, 공쥬 ᄀᆞ튼 심장은 뉴다른지라, 크게 깃거 유ᄋᆞ를 ᄂᆞ호여 촉하의셔 얼골을 ᄌᆞ시 살피며, ᄉᆞ지 일신을 ᄌᆞ시 볼시, 좌비샹(左臂上)의 '낭셩(狼星)'1185) 이ᄌᆞ 잇고, 우비상(右臂上)의 '월녀(月女)' 두 ᄌᆞ 잇ᄂᆞᆫ【77】지라. 공쥬 ᄌᆞ식을 밧고게 되니, 줍간 춤연ᄒᆞ여, 잉혈(鸚血)노 싱년월일시를 쓰고, '뎡ᄋᆞ(鄭兒)' 두 ᄌᆞ를 쓰니, 샹궁 왈,

"옥쥬 ᄎᆞᄋᆞ를 아조 바려 최가를 주려 ᄒᆞ시며 엇지 '뎡이(鄭兒)'라 ᄒᆞ시ᄂᆞ니잇고?"
공쥬 왈,
"우연이 싱년월일을 쓰미 셩을 쓰미라. 최개 일홈을 '뎡이'라 ᄒᆞ면 관겨ᄒᆞ랴?"
최녜 시벽의 히ᄋᆞ를 품고 급급히 교ᄌᆞ의 올나 최형의 집의 니르러 최형을 뵐시, 최녀ᄂᆞᆫ 별악간흉(別惡奸凶)이라. 미리 의논ᄒᆞ미 잇던 고로, 공쥬의 신ᄋᆞ를 품고 니르럿ᄂᆞᆫ지라. 최가 부뷔 급급히 져의 ᄌᆞ식을 깃시 빗, 마조1186) ○○[밧고] 너여 주니, 최녜 급급히 ᄋᆞ희를 【78】품고 도라오니, 아모도 알니 업더라.

최녜 최형의 첩ᄌᆞ를 깃시 빗 공쥬의 겻틱 누일 즈음의 샹부의셔 평부를 무르니, 원닉 공쥬의 십삭이 ᄎᆞᆫ 후는 존당 신혼(晨昏)도 참예치 말나 ᄒᆞ고 날마다 안부를 뭇ᄂᆞᆫ지라. 최샹궁이 년망(連忙)이 싱남ᄒᆞ믈 고ᄒᆞ고, 밧비 궐졍의 공쥬 싱ᄌᆞᄒᆞ믈 알외니, 슌틱부인과 금평후 부뷔 남후를 북으로 보닉고 심시 블열홀 ᄯᅡᆫ아니라, ᄌᆞ녜 ᄒᆞ나토 좌우의 업스니 더옥 춤연ᄒᆞ여, 틱부인과 진부인은 시시의 눈물을 금치 못ᄒᆞ더니, 공쥬 싱남○○

1185)낭셩(狼星) : 시리우스성. 늑대별. 천랑성(天狼星). 큰개자리에서 가장 밝은 청백색의 별. 하늘에서 볼 수 있는 가장 밝은 별로, 밝기는 −1.46등급이고, 지구에서 거리는 8.7광년이다. 백색 왜성과 쌍성을 이루고 있다.
1186)마조 : 마주. 마주 대하여, 서로 똑바로 향하여.

우의 업스니 더옥【14】 참연ᄒ여, 태부인
과 딘부인은 시시의 눈물을 금치 못ᄒ더니,
공쥐 싱남ᄒ다 ᄒ니, '쏠을 나하 최형의 쳔
츌을 밧고와 공쥬의 나흔 빈라 ᄒ며 뎡시의
긔휼이라 칭ᄒᄂ 바'ᄂ, 몽니의도 싱각디 못
ᄒ고, 군즈 슉녀의 디공무스(至公無私)ᄒᆫ ᄆ
음의, 공쥐 비록 블현ᄒ나 뎡시 골육이라
다만 기모의 악악ᄒᆷ믈 담디 말고 뎡시 명풍
을 습(襲)ᄒ여 화열키를 바라ᄂ 고로, 금평
휘 친히 졔ᄌ를 거ᄂ려 문양궁의 니르러 최
상궁을 불너, 공쥐 산졈이 이시되 즉시 고
치 아니믈 대칙ᄒ고, 산후 긔운을 므르며
신싱ᄋ【15】의 작인을 므르니, 최상궁이
문양궁의 깁히 잇셔 남휘 왕ᄂᄒᄂ 찌ᄂ 감
히 나 움죽이디 못ᄒ더니, 남휘 북으로 간
후ᄂ ᄆ음 노화 공쥬 겻틱 잇던 빈라, 승명
ᄒ여, 다만 산졈(産漸)이 업시 블시의 슌산
ᄒ시기의 고치 못ᄒ고, 신ᄋ의 긔골이 비범
ᄒᆷ믈 고ᄒ니, 금휘 친히 보디 못ᄒᆫ 젼은 궁
인의 말을 밋디 못ᄒ여, 다만 상궁을 당부
ᄒ여 산모를 잘 구호ᄒ고, 힝혀 바룸 드리
디 말나 ᄒ더니, 궐닉의셔 공쥬의 싱남ᄒᆷ믈
드르시고, 황상이 뎡·오 이왕(二王)【16】
을 보닉여 산모의 긔운을 슬펴 약뉴를 착실
이 ᄒ라 ᄒ시고, 듕샤로 ᄒ여금 금평후긔
남ᄋ 어드믈 칭하ᄒ시니, 금휘 공쥬의 복이
듕ᄒ여 슌산 싱ᄌᄒᆷ믈 일ᄏ라 회쥬홀 ᄯᆞᆫ이
오, 각별 환희ᄒᆷ미 업스니, 이왕이 괴이히
넉이더라.

금평휘 녜부 등으로 ᄒ여금 이왕을 뫼셔
문양궁 외헌의 이시라 ᄒ고, 즉시 샹부의
도라가민, 태부인이 문양의 싱ᄌᄒᆷ믈 깃거
ᄒ나 시로이 현긔 등을 싱각ᄒ고 참연 비상
ᄒ믈 니긔디 못ᄒ니, 금평휘 화열이 위로
왈,

"일흔 손ᄋ 등이 ᄒ나토 용【17】이치
아닐 ᄯᆞᆫ아니라 귀격달상(貴格達相)이니, 슈
화듕(水火中)의 드러도 위틱홀 빈 업스니,
쇼ᄌᄂ 져의 싱존ᄒᆫ 소식을 오릭디 아냐 드
를가 바라ᄂ 빈라. 공쥬의 싱남이 깃브나
오가의○[ᄂ] 현긔 큰 ᄋ희라, 쇼ᄌᄂ 아모

[ᄒ다] ᄒ니, 쏠흘 나하 최형의 쳔츌을 상
환(相換)ᄒ여 공쥬【79】의 나흔 빈라 ᄒ
며, 뎡시의 긔휼이라 칭ᄒᄂ 바ᄂ 몽니의도
싱각지 못ᄒ고, 군즈 슉녀의 지공무스(至公
無私)ᄒᆫ ᄆ음의, 공쥐 비록 블현ᄒ나 뎡시
골육이라. 다만 기모의 악악ᄒᆷ믈 담지 말고,
뎡시 명풍을 습(襲)ᄒ여 화열키를 바라ᄂ
고로, 금평휘 친히 졔ᄌ를 거ᄂ려 문양궁의
니르러, 최상궁을 불너 공쥬 산졈이 이시되
즉시 고치 아니믈 대칙ᄒ고, 산후 긔운을
무르며 신싱ᄋ의 작인을 무르니, 최상궁이
문양궁의 깁히 잇셔, 평휘 왕닉ᄒᄂ 찌ᄂ
감히 나 움죽이지 못ᄒ더니, 평휘 북으로
간 후ᄂ ᄆ음을 노화 공쥬 겻틱 잇던 비
【80】라. 승명ᄒ여 외뎐의 ᄂ아가 칙ᄒᆷ믈
드르믹 황공ᄒ여, 다만 산졈(産漸)이 업시
블시의 슌산ᄒ시기의 고치 못ᄒ고, 신ᄋ의
긔골이 비범ᄒᆷ믈 고ᄒ니, 금휘 친히 보지
못ᄒᆫ 젼은 궁인의 말을 밋지 못ᄒ여, 다만
상궁을 당부ᄒ여 산모를 잘 구호ᄒ고 힝혀
바람 드리지 말나 ᄒ더니, 궐닉의셔 공쥬의
싱남ᄒᆷ믈 드르시고, 황상이 뎡·오 냥왕을
보닉여, 산모의 긔운을 슬펴 약뉴를 착실이
ᄒ라 ᄒ시고, 즁샤로 ᄒ여금 평후게 남ᄋ
어드믈 칭하ᄒ시니, 금휘 공쥬의 복이 즁ᄒ
여 슌산 싱ᄌᄒᆷ믈 일ᄏ라 회쥬홀 ᄯᆞᆫ이오,
각별 환희ᄒᆷ미 업스니,【81】 냥왕이 괴이
히 넉이더라.

금평휘 녜부 등으로 ᄒ여금 냥왕을 뫼셔
문양궁 외헌의 이시라 ᄒ고, 즉시 샹부의
도라가민, 틱부인이 문양의 싱ᄌᄒᆷ믈 깃거
ᄒ나, 시로이 현긔 등을 싱각ᄒ고 참연 비
상ᄒ믈 니긔지 못ᄒ니, 금평휘 화열이 위로
왈,

"닐흔 손ᄋ 등이 ᄒ나토 용이치 아닐 ᄯᆞᆫ
아니라 귀격달상(貴格達相)이니, 슈화즁(水
火中)의 드러도 위틱홀 빈 업스니, 쇼ᄌᄂ
져의 싱존ᄒᆫ 소식을 오릭지 아냐 드를가 바
라ᄂ 빈라. 공쥬의 싱남이 깃브나, 닉집의○
[ᄂ] 현긔 큰 ᄋ희라. 쇼ᄌᄂ 아모 손이라

손이라도 현긔만 못ᄒ게 너이ᄂ이다."

태부인 왈,

"현긔 이시면 네 여러 손ᄋ의 우흐로 둠
히 너이미 올커니와, 현긔 등의 ᄉ싱존망을
아디 못ᄒ고, 맛ᄎ닉 ᄎ읏디 못ᄒ면 공쥬의
신싱이 조션봉ᄉ(祖先奉祀)를 녕(領)ᄒ미 될
가 ᄒ노라."

금평휘 쇼이ᄃ이왈,

"현긔를 ᄎ읏디 못홀 니ᄂ 만무ᄒ읍거니와,
윤·양이【18】다 죽은 비 업ᄉ니, 현긔
등을 ᄎ읏디 못ᄒ{ᄒ}여도 윤·양 냥식뷔(兩
息婦) 다 태휘 잇ᄉ읍던 거시니, 반ᄃ시 ᄒ나
히1244) 싱남ᄒ여실디라. 엇디 공쥬의 싱아
(生兒)로 봉ᄉ를 녕(領)ᄒ리잇고? 조정은 이
런 둠둠ᄃ이ᄒ온 일을 공쥬긔 들니디 마르쇼
셔."

태부인이 쇼왈,

"낸들 어이 이런 말을 공쥬 귀예 들니리
오마ᄂ, 혹ᄌ 윤·양과 현긔 등을 ᄎ읏디 못
홀가 니르미라. 너의 말ᄀᆞᆺ치 현긔 모ᄌ를
다 ᄎ읏ᄌ면 므ᄉᆞᆷ 슬프미 이시리오."

금휘 윤·양·경의 긔특ᄒᆫ 상모를 일ᄏ
라, 타일 영화로이 모다《보경∥복경(福
慶)》이 환희(歡喜)ᄒᆞᆷ믈 고ᄒᆞ더라.

공쥬 분산ᄒᆞ연디 삼칠【19】일이 된 후
ᄂ, 금후 부지 문양궁 닉헌의 드러가 신ᄋ
를 보니, 작인(作人)이 단묘(端妙)ᄒ여 누츄
(陋醜)키를 면ᄒ여시ᄃ이, 비쳔이 삼겨 일분도
발월쥰미(發越俊邁)ᄒᆫ 곳이 업고, 일신 용모
를 온가ᄃ이로 살펴도 일ᄏᆞᆯ를 거시 업ᄉ니,
남후의 텬일 ᄀᆞᆺ튼 의표와 농봉(龍鳳) ᄀᆞᆺ튼
ᄌᆞ딜노 비컨ᄃ이 대상브동(大相不同)1245)ᄒ다
라.

금평휘 일견의 블힝코 괴이ᄒᆞᆷ믈 마디 아
니ᄃ이, 강인(强忍)ᄒ여 공쥬를 ᄃ이ᄒ여 싱남ᄒ
믈 일ᄏ고, 녜부 등이 쏘ᄒᆫ 신ᄋ를 보고 면

1244)ᄒ나히 : 하나는. -히; -는. 어떤 대상이 다른
　　것과 대조됨을 나타내는 보조사. 즉 여기서는 '둘
　　다는 아니더라도 적어도 하나는'의 뜻.
1245)대상브동(大相不同) : 조금도 비슷하지 않고 아
　　주 다름.

도 현긔만 못ᄒ게 너이ᄂ이다."

틱부인 왈,

"현긔 이시면 네 여러 손ᄋ의 우【82】
흐로 줌히 너이미 고이티 아니커니와, 현긔
등의 ᄉ싱존망을 아지 못ᄒ고, 맛ᄎ닉 ᄎ읏지
못ᄒ면 공쥬의 신싱이 됴션봉ᄉ(祖先奉祀)
를 녕(領)ᄒ미 될가 ᄒ노라."

금평휘 쇼이ᄃ이왈,

"현긔를 ᄎ읏지 못홀 니ᄂ 만무ᄒ읍거니와,
윤·양이 다 죽은 비 업ᄉ니, 현긔 등을 못
ᄎ읏져도 윤·양 냥식뷔(兩息婦) 다 틱휘(胎
候) 잇ᄂ던 거시니, 반ᄃ시 ᄒ나히1187) 싱
남ᄒ여실지라. 엇지 공쥬의 싱아(生兒)로 봉
ᄉ를 녕(領)ᄒ리잇고? 조정은 이런 줌되ᄒ
온 일을 공쥬게 들니리 마르쇼셔."

틱부인이 쇼왈,

"낸들 어이 이런 말을 공쥬 귀의 들니리
오마ᄂ, 혹ᄌ 윤·양과 현긔 등을 ᄎ읏지 못
홀가【83】근심ᄒᄆᆞᆯ 니르미라. 너희 말ᄀᆞᆺ
티 현긔 모ᄌ를 다 ᄎ읏ᄌ면 무ᄉᆷ 슬프미 이
시리오."

금휘 윤·양·경의 긔특ᄒᆫ 상모를 일ᄏ라
타일 영화로이 모다《보경∥복경(福慶)》
○[이] 환희ᄒᄆᆞᆯ 고ᄒᆞ더라.

공쥬 분산ᄒᆞ연지 숨칠일이 된 후ᄂ, 금후
부지 문양궁 닉헌의 드러가 신ᄋ를 보니,
작인(作人)이 단묘(端妙)ᄒ여 누츄(陋醜)키
를 면ᄒ여시ᄃ이, 미쳔이 삼겨 일분도 발월쥰
미(發越俊邁)ᄒᆫ 곳이 업고, 일신 용모를 온
가지로 살펴도 일ᄏᆞᆯ를 거시 업ᄉ니,《금후
∥남후》의 텬일(天日) ᄀᆞᆺ튼 의표(儀表)와
농봉(龍鳳) ᄀᆞᆺ튼 ᄌᆞ질노 비컨ᄃ이 대상부동
(大相不同)1188)ᄒ지라.

금평휘 일견의 블힝코 고이ᄒᄆᆞᆯ 마지 아
니ᄃ이, 강인(强忍)ᄒ여 공쥬【84】를 ᄃ이ᄒ여
싱남ᄒᄆᆞᆯ 일ᄏ고, 녜부 등이 쏘ᄒᆫ 신ᄋ를

1187)ᄒ나히 : 하나는. -히; -는. 어떤 대상이 다른
　　것과 대조됨을 나타내는 보조사. 즉 여기서는 '둘
　　다는 아니더라도 적어도 하나는'의 뜻.
1188)대상브동(大相不同) : 조금도 비슷하지 않고 아
　　주 다름.

강(勉强)ᄒ여 치하ᄒ고 부친을 뫼셔 나가고,
슌태부인이 딘부인으로 더브러 문양궁의 니
르러 공쥬의 싱남ᄒ믈 칭하【201】고, 신
싱ᄋ를 나ᄒ여 볼ᄉᆡ, 비록 용우키를 면ᄒ여
시나 남후의 옥면션치(玉面仙彩)를 ᄒᆞᆫ 곳도
달믄 곳이 업ᄂᆞᆫ디라. 슌태부인과 딘부인이
공쥬의 ᄆᆞ음을 위로ᄒ고, 딘부인을 도라보
아 왈,

"현긔 등을 일코 쥬야 슬허ᄒ더니, 츠ᄋ
의 작인이 긔특ᄒ여 어엿브기 극딘ᄒ니, 졔
아븨 이를 보면 황홀귀듕ᄒ리로다."
딘부인이 날호여 ᄃᆡ왈,
"ᄌᆞ식이 부모의 혈믹을 타나니 외모ᄂᆞᆫ
[의] 방블ᄒᆞᆫ 곳이 《이시ᄃᆡ‖이실 거시로
ᄃᆡ》 츠ᄋᆞᄂᆞᆫ 텬흥과 공쥬를 담디 아니ᄒ고,
인흥도 ᄀᆞᆺ디 아냐 일가의 달므니 업ᄉ니,
가히 쮜여나게 다르도소이다."
태부【21】인이 강인ᄒ여 화열ᄒᆞᆫ ᄉᆞ식으
로 니르ᄃᆡ,
"ᄋᆞ히 졔 부모와 덩문 일가를 달므니 업
ᄉ나, 삼긴 거시 누(陋)치 아냐 공교코 묘ᄒ
니, 노모의 장니보옥(掌裏寶玉)이 되리로
다."
공쥬를 향ᄒ여 잘 됴리ᄒ믈 니르고, 졔부
인을 거나려 상부로 도라가니, 최상궁이 공
쥬로 더브러 져 부부 긔식이 화열치 못ᄒ믈
한ᄒ나, ᄋᆞ히 보호ᄒ믈 대닉(大內)1246)의셔
태ᄌᆞ 밧드ᄂᆞᆫ 법을 다 납닉ᄂᆞᆫ디라. 최형의
쳔ᄒᆞᆫ ᄌᆞ식이 손복(損福)홀 징됴 만터라. 슌
태부인이 공쥬의 싱ᄋᆞ를 보고 도라와, 금후
다려 므르ᄃᆡ,
"너ᄂᆞᆫ 손이 엇더ᄒ더뇨?"
금휘 공쥬의 유ᄌᆞ(乳子)를 측히 넉여 도
로【22】혀 그 작인이 가쇼로온디라. 좌우
의 다른 사ᄅᆞᆷ이 업고 다만 딘부인과 녜븨
시좌ᄒ여시니, 쇼이ᄃᆡ왈,
"공쥬의 싱ᄋᆡ라 ᄒᆞᄂᆞᆫ 바ᄂᆞᆫ 우리 집 셔패
(庶派)의도 그ᄃᆡ도록 낫게 삼긴 거시 업ᄂᆞᆫ

1246)대닉(大內) : 대젼(大殿)의 안.

보고 면강(勉强)ᄒ여 치하ᄒ고 부친을 뫼셔
나가고, 슌듸부인이 진부인으로 더브러 문
양궁의 니르러 공쥬의 싱남ᄒ믈 칭찬ᄒ고,
신싱ᄋ를 ᄂᆞ호여 볼ᄉᆡ, 비록 용우키를 면ᄒ
여시나 평후 옥면션치(玉面仙彩)를 ᄒᆞᆫ 곳도
달믄 곳이 업ᄂᆞᆫ지라. 슌듸부인과 진부인이
아연 실망ᄒ여, 공쥬의 공교로오미 아니 밋
출 곳이 업ᄉ니, 필유묘믹(必有妙脈)이믈 짐
작ᄒ나, 듸부인이 공쥬의 ᄆᆞ음을 위로ᄒ고,
진부인을 도라보아 왈,

"현긔등을 일코 쥬야 슬허【85】ᄒ더니,
츠ᄋ의 작인이 긔특ᄒ여 어엿브미 극진ᄒ
니, 졔 아븨 이를 보면 황홀귀즁ᄒ리로다."
진부인이 날호여 ᄃᆡ왈,
"ᄌᆞ식이 부모의 혈믹을 타낫시니 외모ᄂᆞᆫ
방블ᄒᆞᆫ 곳이 이시ᄃᆡ, 츠ᄋᆞᄂᆞᆫ 텬흥과 공쥬를
담지 아니ᄒ고, 인흥도 ᄀᆞᆺ지 아녀 일가의
둘무니 업ᄉ니, 가히 쮜여나게 다르도소이
다."
듸부인이 강잉ᄒ여 화열ᄒᆞᆫ ᄉᆞ식으로 니르
ᄃᆡ,
"ᄋᆞ히 졔 부모와 덩문 일가를 달므니 업
ᄉ나, 삼긴 거시 츄(醜)치 아녀 공교코 묘ᄒ
니, 노모의 장니보옥(掌裏寶玉)이 되리로
다."
공쥬를 향ᄒ여 잘 됴리ᄒ믈 니르고, 제
○[부]인을 거ᄂᆞ려【86】 상부로 도라가니,
최상궁이 공쥬로 더브러 금일 졔부인의 긔
식이 화열치 못ᄒ믈 한ᄒ나, ᄋᆞ히 보호ᄒ믈
대닉(大內)1189)의셔 듸ᄌᆞ 밧드ᄂᆞᆫ 법을 다
납닉를 ᄂᆞᆫ지라. 최형의 쳔ᄒᆞᆫ ᄌᆞ식이 손복
(損福)홀 징됴 만터라. 슌듸부인이 공쥬의
싱ᄋᆞ를 보고 도라와 금후ᄃᆞ려 무ᄅᆞᄃᆡ,
"너ᄂᆞᆫ 손이 엇더ᄒ더뇨?"
금휘 공쥬의 유ᄌᆞ(乳子)를 츄히 넉여 도
로혀 그 작인이 가쇼로온지라. 좌우의 다른
ᄉᆞ람이 업고 다만 진부인과 녜븨 시좌ᄒ여
시니, 웃고 굴오ᄃᆡ,
"공쥬의 싱ᄋᆡ라 ᄒᆞᄂᆞᆫ 바ᄂᆞᆫ 우리 집 셔ᄌᆞ
(庶子)의도 그ᄃᆡ도록 낫게 숨긴 거시 업ᄂᆞᆫ

1189)대닉(大內) : 대젼(大殿)의 안.

디라. 다힝혼 바는 십셰 넘디 못ᄒ여 죽을 거시니, 문호를 쳠욕(添辱)홀 일은 업슬가 ᄒᄂ이다."

딘부인이 탄식고 고왈,

"텬흥의 팔지 괴이ᄒ여 현쳐(賢妻) 긔ᄌ(奇子)는 다 실니ᄒ고, 공쥐 쳐음으로 ᄋ들을 나ᄒ미 혼 곳 쥰슈ᄒ미 업고, 남그로 삭인 것 ᄀᆺᄐ여, 젹은 귀와 동근 닙이며 져른 눈섭 터히 의디(依支)를 못ᄒ고, 나리 붓튼 눈이 암상1247)혼 거슬 겸ᄒ여시니, 아모리 보아【23】도 망측(罔測) 쳔상(賤相)이니, 쳡은 실노 어엿븐 졍이 몽니(夢裏)의도 업ᄂ이다."

태부인이 졈두(點頭) 왈,

"현부의 말이 올흐나, ᄎ마 긔모(其母)를 디ᄒ여 염박(厭薄)혼 빗츨 뵈디 못ᄒ미라. 공쥐 비록 셩덕의 버셔나나, 안모(顔貌)의 영귀혼 복녹이 어리엿고, 총아낭셩(聰雅朗聲)ᄒ여 놉흔 긔품이 만커늘, ᄌ식은 그 디도록 못나하시니 실노 텬의를 아디 못ᄒ리로다."

금휘 쇼왈,

"부인이 평싱애 사름을 시비치 아니미 ᄀ장 댱쳬(長處) ᄀᆺ더니, 당ᄎ시ᄒ여 비록 우리 손이나, 공쥬의 귀흔 ᄋ들을 찰찰(察察)이1248) 나모라 쳔상으로 밀위니, 어이 현덕(賢德)이라 ᄒ리오. 부인【24】이 함쇼무언(含笑無言)이나, 심니(心裏)의 의례(疑慮) 만하, 원간 공쥐 태휘(胎候) 아닌 거슬 짐즛 말을 퍼디오고, 어딕 가 괴이혼 ᄌ식을 어더온가, 더옥 통히ᄒ더라."

이젹의 옥누항 윤부의셔 위태부인과 뉴부인이 남노녀복(男奴女僕)을 다 일코, 다만 셰월 비영이 압히 이셔 ᄉ환(使喚)ᄒ나, 태복과 군셕의 작난이 비상ᄒ여, 졔 당뉴 오십여인을 다리고 빅화헌 문을 크게 여러, 날마다 음쥬달난(飲酒團欒)ᄒ여 동산의 쳔여쥬 과목(果木)을 다 버혀 파라 먹고, 태부

지라. 다힝혼 바는 십【87】셰 넘지 못ᄒ여 죽을 거시니, 문호를 쳠욕홀 일은 업슬가 ᄒᄂ이다."

진부인이 탄식고 고왈,

"텬흥의 팔지 괴이ᄒ여 현쳐(賢妻) 긔ᄌ(奇子)는 다 실니ᄒ고, 공쥐 쳐음으로 ᄋ들을 나ᄒ미 혼 곳 쥰슈ᄒ미 업고, 남그로 숨긴 것 ᄀᆺᄐ여, 져근 귀와 동근 닙이며 져른 눈섭 터히 의지(依支)를 못ᄒ고, 나리 붓튼 눈이 암상1190)혼 거슬 겸ᄒ여시니, 아므리 보아도 망측(罔測) 쳔상(賤相)이니, 쳡은 실노 어엿븐 졍이 몽니(夢裏)의도 업ᄂ이다."

틴부인이 졈두(點頭) 왈,

"현부의 말이 올흐나, 춤아 긔모(其母)를 디ᄒ여 염박(厭薄)혼 빗츨 뵈지 못ᄒ미라. 공쥐 비록 셩덕의 버셔나나, 안모(顔貌)의 녕귀(榮貴)혼 복녹이 어【88】리엿고, 총아낭셩(聰雅朗聲)ᄒ여 놉흔 긔품이 만커늘, ᄌ식은 엇지 그디도록 못나하시니, 실노 텬의를 아지 못ᄒ리로다."

금휘 쇼왈,

"부인이 평싱 ᄉ람을 시비치 아니ᄒ더니 당ᄎ시ᄒ여 공쥬의 귀ᄌ를 찰찰(察察)히1191) 나모라 쳔상으로 미로니 엇지 덕이라 ᄒ리오. 진부인은 즘쇼무언(潛笑無言)ᄒ고, 심니(心裏)의 의혹ᄒ딕, 혹ᄌ 공쥐 슈틴도 아니코 헷말을 닉여 노코, 어딕 가 괴이혼 ᄌ식을 어더온가, 더옥 통히ᄒ더라."

이젹의 옥누항 윤부의셔 위틴부인과 윤부인이 남노녀복(男奴女僕)을 다 일코, 다만 셰월 비영이 압히 잇셔 ᄉ환(使喚)ᄒ나, 틴복과 군셕이 작난ᄒ여,【89】 졔당뉴 오십명을 드리고 빅화원 문을 크게 여러 날마다 ○○[음쥬]달난(飲酒團欒)ᄒ여 동산의 쳔여쥬 과목(果木)을 다 버혀 파라 먹고, 틴부인

인과 뉴시 용되(用度) 절박ᄒ믈 닐너 츌채(出債)1249)ᄒ여 달나ᄒ즉, 태복과 군셕이 갑흘 형셰 업스믈 보고【25】 일냥 은젼을 츌채ᄒ미 업셔, 빅여간 힝각(行閣)1250)을 다 허러, 직목과 기와를 다 파라 갑술 십분의 일은 드리고 제 가지기를 슈업시 ᄒ나, 태부인은 오히려 아디 못ᄒ듸, 뉴부인 모녀ᄂ 냥노(兩奴)의 무상ᄒ믈 아라 통히ᄒ믈 마디 아니ᄒ듸, 셰월 비영의 낫츨 보아 말을 아니ᄒ더니, 태복과 군셕이 뜻이 졈졈 게얼너, 향촌의 두로 단니며 부가(富家)를 굴희여 직믈을 노략(擄掠)ᄒ던 ᄆ음도 프러지고, 살드리1251) 상젼의 집을 부싀여 식졍(食鼎)1252)가디 남기디 아니려 ᄒᄂ 용심(用心)인 고로, 힝각을 다 허러 판 후, 빅화헌을[은] 져의 거쳐【26】를 위ᄒ여 헐 의ᄉ를 아니듸, 운학당 셔운당과 듕셔헌을 다 허러 바리니, 뉴부인이 분을 참디 못ᄒ여 냥노를 브른죽, 듸답도 아니ᄒ고 닐오듸,

"사ᄅᆷ은 적으듸 집은 크기의 빈 방이 하만ᄒ니, 졉귀(接鬼)1253)ᄒ기도 쉬올 ᄹᆫ 아니라, 아모리 졔향을 파ᄒ여신들 산 사ᄅᆷ도 다 굴머 죽게 되어시니, 교디의셔 노야도 환경(還京)치 못ᄒ신 젼, 익구즌 우리 모지 남앗다가 긔ᄉ(餓死)ᄒ 숑쟝 최오기 슬흐니, 집 아녀 살이라도 버혀 먹여 살나닉고져 ᄒᄂ듸, 헴모로ᄂ 부인은 호강져이1254) 큰 집을 진여 살가ᄒ여 날다려 허디 말나 ᄒ니, 이 집 아니【27】 파라먹고 흙을 파먹으려 ᄒᄂ가? 과연 ᄉ리(事理)도 하 모로니, 답답ᄒ여 못살니로다."

이리 니르며 즁(僧)을 ᄂᆨ여 집을 다 허러 파라, 구빅냥 은즈를 바다 계오 이빅 냥을 뉴부인긔 드리니, 뉴부인과 경이 분을 씌여

이 뉴시ᄃ려 은젼을 ᄂᆨ여 츌채(出債)1192)ᄒ여 달나ᄒ니, 태복과 군셕이 갑흘 형셰 업스믈 보고, 빅여간 힝각(行閣)1193)을 다 허러 파라 갑ᄉ 슴분○○[의 일]을 드리고 졔가 ᄎᄌ히기를 슈업시 ᄒ나, 틱부인은 오히려 아지 못ᄒ듸, 뉴부인 모녀ᄂ 냥노(兩奴)의 무상ᄒ믈 아라 통히ᄒ믈 마지 아니ᄒ듸, 셰월 비영의 낫츨 보아 말을 아니ᄒ더니, 틱복과 군셕이 뜻이 졈졈 게얼너, 향촌의 두로 단니며 부가(富家)를 굴희여 지【90】믈을 노략(擄掠)ᄒ던 ᄆ음도 프러지고, 살드리1194) 상젼의 집을 부싀여, 식졍(食鼎)1195)가지 남기지 아니려 ᄒᄂ 용심인 고로, 힝각을 다 허러 판 후, 빅화헌을 져의 거쳐를 위ᄒ여 헐 의ᄉ를 아니ᄒ나, 운학당과 셔운당과 듕셔헌을 다 허러 바리니, 뉴부인이 분을 참지 못ᄒ여 냥노를 브른죽, 듸답도 아니ᄒ고, 닐오듸,

"ᄉ람은 져그듸 집은 크기의, 빈 방이 하만ᄒ니, 졉귀(接鬼)1196)ᄒ기도 쉬올 ᄹᆫ 아니라, 아모리 졔향을 파(罷)ᄒ여신들, 산 ᄉ람도 굴머 죽게 되어시니, 교지의셔 노야도 환경(還京)치 못ᄒ신 젼, 익구즌 우리 모지 남앗다가 긔ᄉ(餓死)【91】ᄒ 숑쟝 최기 슬희니, 집 아녀 살이라도 버혀 먹여 살나닉고져 ᄒᄂ듸, 헴 모르ᄂ 부인은 호강져이1197) 큰 집을 《지어∥진여》 살가ᄒ여, 날ᄃ려 ᄒ지 말나 ᄒ니, 이 집 아니 파라먹고 흙을 파 먹으랴 ᄒᄂ가? 과연 술이(事理)도 하 모르니, 답답ᄒ여 못살니로다."

이리 니르며 즁(僧)을 ᄂᆨ여 집을 다 허러 파라, 구빅냥 은즈를 바다 계오 니빅 냥을 뉴부인게 드리니, 뉴부인과 경이 분을 씌여

1249)츌채(出債) : 출채(出債). 빚을 냄.
1250)힝각(行閣) : 궁궐, 절 따위의 정당(正堂) 앞이나 좌우에 죽 벌여 지은 행랑(行廊).
1251)살드리 : 살뜰히. 자상하고 빈틈없이.
1252)식졍(食鼎) : 밥솥.
1253)졉귀(接鬼) : 귀신이 들어와 삶.
1254)호강져이 : 호강스럽게. *호강; 호화롭고 편안한 생활 *-져이; 부사를 만드는 접미사.

1192)츌채(出債) : 출채(出債). 빚을 냄.
1193)힝각(行閣) : 궁궐, 절 따위의 정당(正堂) 앞이나 좌우에 죽 벌여 지은 행랑(行廊).
1194)살드리 : 살뜰히. 자상하고 빈틈없이.
1195)식졍(食鼎) : 밥솥.
1196)졉귀(接鬼) : 귀신이 들어와 삶.
1197)호강져이 : 호강스럽게. *호강; 호화롭고 편안한 생활 *-져이; 부사를 만드는 접미사.

냥노(兩奴) 쳐티홀 도리를 싱각ᄒ디, 셰월
비영이 ᄌ긔 복심으로 젼후의 악ᄉ를 혼가
디로 ᄒ여시니, 태복 등을 다ᄉ린죽 원망이
니러나, ᄌ긔 한업슨 과악이 들쳐날가 두리
미, 혼 소리를 못ᄒ고 춤고 이시려 ᄒ미, 비
종(背腫)[1255]이 발홀 듯 견듸디 못ᄒᄂ 듕,
태우와 혹시 뎍소의 가 각각 몸이 무양ᄒ믈
더옥 통완ᄒ여, 죽이디 【28】 못ᄒ믈 니를
갈고 이돌나, 구몽슉을 보면 미양 ᄌ딜(子
姪) 두 사롬이 뎍소도 안둔(安頓)[1256]치 못
ᄒ게 죽여 달나 ᄒ니, 몽슉이 형왕과 도모
ᄒ여 윤태우 등을 역뉴(逆類)의 모라 너흐
렷노라 말은 아니디, 다만 슈히 죽을 곳의
너흐렷노라 ᄒ니, 뉴부인이 몽슉을 깁히 밋
더라.

신묘랑이 뉴부인을 ᄉ괴연디 셰월이 오리
고, 윤부 젼토(田土)와 셰젼디믈(世傳之
物)[1257]을 다 파라 업시케 ᄒ여, 그 집을
탕패(蕩敗)케 ᄒ미 져의 탓시오, 젼혀 경ᄋ
를 위ᄒ미로디, 경ᄋ의 젼졍을 능히 즐겁게
못ᄒ여 셕상셔의 ᄆ음을 도로혀디 못ᄒ니,
뉴부인이 비록 묘랑을 디ᄒ여 블평디식(不
平之色)을 【29】 아니나, 묘랑이 졔 ᄆ음의
가장 무류(無聊)ᄒ여, 그 지믈 허비혼 덕을
다 갑흐려 ᄒᄂ 고로, 셕상셰 번국의 텬샤
로 나갓다가 도라온 후로, 셕상셔의 지실
오시를 반야삼경(半夜三更)의 잠이 깁헛ᄂ
디 묘랑이 나는 범이 되여, 그 방의 드러가
오시를 후려다가, 문외 산샹의 가 험쥰혼
바회의 나리구을녀[1258] 쇄분(碎粉)ᄒ여 죽
게 ᄒ디, 다힝이 혜원 니고를 만나 죽을 목
숨을 구ᄒ여 활인ᄉ로 도라가니, 일노 드디
여 일명이 보젼ᄒ나, 친졍과 구가의 싱존혼
소식을 고치 못ᄒ여 슬허ᄒ거늘, 혜원이 아
딕 그 익회 듕ᄒ믈 알미 ,산ᄉ의 머므러 칠

냥노(兩奴) 쳐티홀 도리를 싱각ᄒ디, 셰월
비영이 ᄌ긔 복심으로 젼후의 악ᄉ를 혼가
지로 ᄒ미니, 티복 등을 다ᄉ린죽 원망이
니러나, ᄌ긔 【92】 한업슨 과악이 들쳐날
가 두려, 혼 소리도 못ᄒ고 춤고 이시니, 비
종(背腫)[1198]이 발을 듯 견듸지 못ᄒᄂ 즁,
티우와 혹시 뎍소의 가 각각 몸이 무양ᄒ믈
더옥 통완ᄒ여, 죽이지 못ᄒ믈 니를 갈고
이돌나, 구몽슉을 보면 미양 ᄌ딜(子姪) 두
사람이 뎍소의도 안둔(安頓)[1199]치 못ᄒ게
죽여 달나 ᄒ니, 몽슉이 형왕과 도모ᄒ여
윤티우등을 역뉴의 모라 엿노라 말은 아니
디, 다만 슈히 죽을 곳의 너흐렷노라 ᄒ니,
뉴부인이 몽슉을 깁히 밋더라.

신묘랑이 뉴부인을 ᄉ괴연지 셰월이 오리
고, 윤부 젼토와 셰젼지물(世傳之物)[1200]을
【93】 다 파라 업시케 ᄒ여, 그 집을 탕픽
(蕩敗케 ᄒ미 져의 탓시오, 젼혀 경ᄋ를 위
ᄒ미로디, 경ᄋ의 젼졍이[을] 능히 즐겁게
ᄒ여 셕상셔의 ᄆ음을 도로혀지 못ᄒ니, 뉴
부인이 비록 묘랑을 디ᄒ여 블평지식(不平
之色)을 아니나, 묘랑이 졔 ᄆ음의 ᄀ장 무
류(無聊)ᄒ여, 그 지믈 허비혼 덕을 다 갑흐
려 ᄒᄂ 고로, 셕상셰 번국의 텬샤로 나갓
ᄃ가 도라온 후로, 셕상셔의 지실 오시를
반야슴경(半夜三更)의 줌이 깁헛ᄂ디, 묘랑
이 나는 범이 되여 그 방의 드러가 오시를
후려ᄃ가, 문외 산샹의 가 험쥰혼 바회의
ᄂ리구을녀[1201] 쇄분(碎粉)ᄒ여 죽게 ᄒ디,
【94】 다힝이 혜원 니고를 만나 죽을 목
숨을 구ᄒ여 활인ᄉ로 도라가니, 일노 드디
여 일명이 보젼ᄒ나, 친졍과 구가의 싱존혼
소식을 고치 못ᄒ여 슬허ᄒ거늘, 혜원이 아
직 그 익회 듕ᄒ믈 알미, 산ᄉ의 머므러 칠

1255)비종(背腫) : 등창. 등에 나는 종기(腫氣).
1256)안둔(安頓) : 안돈(安頓). 사물이나 주변 따위가
　　 잘 정돈됨. 또는 마음이 정리되어 안정됨.
1257)셰젼디믈(世傳之物) : 대대로 전하여 내려오는
　　 물건.
1258)나리구을다 : 내리굴리다. 높은 곳에서 낮은
　　 곳으로 굴리다.

1198)비종(背腫) : 등창. 등에 나는 종기(腫氣).
1199)안둔(安頓) : 안돈(安頓). 사물이나 주변 따위가
　　 잘 정돈됨. 또는 마음이 정리되어 안정됨.
1200)셰젼지물(世傳之物) : 대대로 전하여 내려오는
　　 물건.
1201)나리구을다 : 내리굴리다. 높은 곳에서 낮은
　　 곳으로 굴리다.

팔삭을 이시【30】라 ᄒ고, 윤·양 이부인으로 셔로 보게 ᄒ여, 삼부인 밧들기를 디셩으로 ᄒ니[나], 오시 화를 다시 만날디라도 가고져 ᄒ엿더니, 윤·양 두 부인이 가로막고, ○[쏘] 명염(名艶)의 슉녀로 그 명되 괴이ᄒ여 산문의 잇기를 념(厭)치 아닛ᄂ 거동을 보고, 시러곰 활인ᄉ의 머믈미 되니, 오시 용뫼 슈려ᄒ고 인ᄌ온슌ᄒ여 당셰의 현완(賢婉)이라. 윤·양 이부인이 교되 각별ᄒ여 친이ᄒᄂ 졍이 피ᄎ 샹하치 못ᄒ더라.

셕부의셔 오시를 일코 ᄌ녀 셰 ᄋ히 어미 브르디디ᄂ 소리 참졀홀 ᄲᆫ 아니라, 셕상셰 금슬디졍이 빅년의 늣거온 ᄆ음이 잇다가, 일야지【31】니(一夜之內)의 참혹히 일흐니, 비록 부모의 슬허ᄒ시믈 돕디 못ᄒ여 ᄉ식을 강인(强忍)ᄒ나, 딘실노 회푀 비상ᄒ여 여취여광(如醉如狂)ᄒᆫ 듯, 삼개 ᄌ녀를 본즉 더욱 잔잉ᄒ여 눈물 금치 못ᄒ니, 장ᄎ 병이 날 ᄃᆺᄒᆫ 바의 묘랑이 셕부 ᄎ환 ᄒᄂ흘 죽여 업시ᄒ고, 셕부의셔 디신 ᄎ환으로 ᄉ환(使喚)ᄒ여, 셕상셔의 ᄎ와 술을 챳ᄂ ᄶᅵ의 변심ᄒᄂ 약을 타 상셔를 먹이니, 상셰 비록 긔특ᄒ나, 뎡병부와 윤태우의 무궁히 신명홈과 남달리 특달ᄒ미 쳔만인 가온ᄃ 소ᄉ나믈 밋디 못ᄒ니, 요약의 엇디 심졍이 샹치 아니리오. ᄉ오일 대【32】통(大痛)ᄒ고 니러나미, 오시를 일코 참졀 비상턴 ᄆ음은 간ᄃᆡ 업고, 홀연 윤시를 보고져 ᄆ음이 동ᄒ니, 부모긔 고ᄒᄃᆡ,

"쇼지 오시를 일코 윤시 밧근 다른 쳐실이 업셔, ᄃᆡ긱지졀(對客之節)과 의복디ᄉ(衣服之事)를 가음알 니 업ᄉ니, 윤시를 다려오고져 ᄒᄂ이다."

부뫼 깃거 닐오ᄃᆡ,

"네 윤시의 허믈도 보디 못ᄒ고 연고 업시 박ᄃᆡᄒ미 무상터니, 다려와 화락고져 ᄒ니 깃브거니와, 션비도 일쳐일쳡(一妻一妾)이니, 네 벼술이 경상이라, 두 안ᄒᆡ를 거나려도 그르미 업ᄉ디니, 십년을 그음ᄒ여도 오시를 ᄎᄌ 슉덕을 져바리디 말고, 윤시를

팔삭을 넛시라 ᄒ고, 윤·양 이부인으로 셔로 보게 ᄒ여, 숨부인 《밧을믈∥밧들믈》 지셩으로 ᄒ니[나], 오시 화를 ᄃ시 만날지라도 가고ᄌ ᄒ더니, 윤·양 두 부인이 구지 말뉴ᄒ여 쳥뉴(請留)ᄒ니라. 오시 용뫼 슈려ᄒ고 인ᄌ온슌ᄒ여 당셰의 현녜라. 윤·양 이부인이 교되 각별ᄒ여 친이ᄒᄂ 졍이 피 【95】ᄎ 샹하치 못ᄒ더라.

셕부의셔 오시를 닐코 ᄌ녀 셰 ᄋ히 어미 브르지지ᄂ 소리 참졀홀 ᄲᆫ 아니라, 셕상셰 금슬지졍이 빅년의 늣거온 ᄆ음이 잇다가, 일야지니(一夜之內)의 참혹히 《니르니∥일흐니》, 비록 부모의 슬허ᄒ시믈 돕지 못ᄒ여 ᄉ식을 강인(强忍)ᄒ나, 진실노 회푀 비상ᄒ여 여취여광(如醉如狂)홀 듯, 숨기 ᄌ녀를 보면 더욱 잔잉ᄒ여 눈물 금치 못ᄒ니, 장ᄎ 병이 날 ᄃᆺᄒᆫ 바의, 묘랑이 셕부 ᄎ환 ᄒᄂ흘 죽여 업시ᄒ고, 셕부의셔 디신 ᄎ환으로 ᄉ환(使喚)ᄒ여, 셕상셔의 ᄎ와 술을 챳ᄂ ᄶᅵ의 변심ᄒᄂ 약을 【96】타 상셔를 먹이니, 상셰 비록 긔특ᄒ나, 뎡병부와 윤티우의 무궁히 신명홈과 남달리 특달ᄒ미 쳔만인 ᄀ온ᄃ 소ᄉ나믈 밋지 못ᄒ니, 뇨약의 엇지 심졍이 샹치 아니리오. ᄉ오일 대통(大痛)ᄒ고 니러나미, 오시를 닐코 참졀비상튼 ᄆ음은 간ᄃᆡ 업고, 홀연 윤시를 보고ᄌ ᄆ음이 동ᄒ니, 부모긔 고ᄒᄃᆡ,

"쇼지 오시를 닐코 윤시 밧근 다른 쳐실이 업셔, ᄃᆡ긱지졀(對客之節)과 의복지ᄉ(衣服之事)를 가음알 니 업ᄉ니, 윤시를 ᄃ려오고ᄌ ᄒᄂ이다."

부뫼 깃거 닐오ᄃᆡ,

"네 윤시의 허믈도 보지 못ᄒ고 연고 업시 박ᄃᆡᄒ미 무상터니, 다려와 화락고져 ᄒ【97】니 깃브거니와, 션비도 일쳐일쳡(一妻一妾)이니, 네 벼술이 경상이라. 두 안ᄒᆡ를 거나려도 그르미 업ᄂ니, 십년을 그음ᄒ여도 오시를 ᄎ져 슉덕을 져바리지 말고,

후딕ᄒᆞ여 가ᄂᆡ【33】온젼ᄒᆞ게 ᄒᆞ라."

상셰 빗샤ᄒᆞ고, 셕공 부뷔 윤시를 브르니, 윤시 묘랑의 덕으로 오시를 업시ᄒᆞ고, 셕상셰 져를 싱각ᄒᆞ믈 듯고 만심대열(滿心大悅)ᄒᆞ여, 조모와 모친을 하딕ᄒᆞ고 셕부의 니르니, 묘랑은 변심ᄒᆞᄂᆞᆫ 약을 가득히 주고 셕부 추환의 미골1259)을 버셔 션경ᄉᆞ로 도라가니, 셕부의셔는 추환이 도쥬ᄒᆞᆫ가 ᄒᆞ더라.

셕샹셰 경ᄋᆞ의게 침혹ᄒᆞ여 ᄉᆞ군ᄉᆞ친(事君事親) 여가의ᄂᆞᆫ 윤시 침소 밧글 나디 아니ᄒᆞ더니, 하날이 경ᄋᆞ의 원을 좃디 아녀 셕상셰 광동 참졍을 ᄒᆞ여 집을 ᄯᅥ나니, 냥친시하의 슈히 도라오기를 긔약ᄒᆞᄂᆞᆫ 고로 윤시를 다려가디【34】아니, 경이 셩녜 구지의 비로소 셕싱의 관관(款款)ᄒᆞᆫ 화락이 계오 슈삼삭의 광동(廣東)1260)으로 나가니, 홀연ᄒᆞ고 이들오믈 니기디 못ᄒᆞ니, 도로혀 나라 졍ᄉᆞ를 원ᄒᆞ여 왈,

"셕군이 번국의 텬샤(天使)로 단녀완디 오릿지 아니ᄒᆞ거늘, ᄯᅩ 광동 참졍으로 나가니, 셕군이 아니면 벼술ᄒᆞ리 업던가? 니부상셔는 엇던 밋친 놈이완디, 오시 요녀와 화락ᄒᆞᆯ 졔ᄂᆞᆫ 닉덕으로 박아두엇던고. 내 셕부의 왓는 줄 엇디 알고 그딕도록 못살게 희딧는고! 셕군이 나간 ᄉᆞ이의 오시의 셰낫 ᄌᆞ녀를 다 업시ᄒᆞ고, 내 ᄯᅳᆺ의[을] 뎡ᄒᆞ여 안젼(眼前)의 ᄒᆞᆫ낫 뎍인을 용납디 아【35】니ᄒᆞ리라."

ᄒᆞ여, 셕상셰 나간디 일삭이 못ᄒᆞ여셔, 경이 오시의 셰 ᄌᆞ녀를 다 죽이려 ᄒᆞ고, 약을 음식의 셧거 먹이랴홀 즈음의, 셕츄밀의 죵부(宗婦) 남시 ᄉᆞ긔를 알고 급히 존고긔 고ᄒᆞ니, 셕츄밀 부인이 듯고 놀나 윤시의 방의 와 삼ᄋᆞ의 잡은 바 음식을 아ᄉᆞ다가, 츄밀공과 졔ᄌᆞ를 다 쳥ᄒᆞ여 보ᄂᆞᆫ딕, 개를 먹이니 치 먹디 못ᄒᆞ여셔 즉시 죽거늘, 남은 거슬 ᄯᅳ히 업치니 프른 불이 니러나거늘,

---

1259)미골 : 즁이 나셔 못쓰게 된 사람의 모습. 사람의 머리를 속되게 이르는 말.

1260)광동(廣東) : =광주(廣州). 중국 광동성(廣東省)에 있는 도시. 화남 지방의 정치, 경제, 문화의 중심지로서 성도(省都)이다

윤시를 후딕ᄒᆞ여 가ᄂᆡ 온젼ᄒᆞ게 ᄒᆞ라."

상셰 빗샤ᄒᆞ고, 셕공 부뷔 윤시를 부르니, 윤시 묘랑의 덕으로 오시를 업시ᄒᆞ고, 셕상셰 져를 싱각ᄒᆞ믈 듯고 만심대열(滿心大悅)ᄒᆞ여, 조모와 모친을 하직ᄒᆞ고 셕부의 니르니, 묘랑은 변심ᄒᆞᄂᆞᆫ 냑을 가득히 주고 셕부 추환의 미골1202)을 버셔 션경ᄉᆞ로 도라가니, 셕부의셔는 추환이 도쥬ᄒᆞ다 ᄒᆞ더라.

셕샹셰 경ᄋᆞ의게 침【98】혹ᄒᆞ여, ᄉᆞ군ᄉᆞ친(事君事親) 여가의ᄂᆞᆫ 윤시 침소 밧글 나지 아니ᄒᆞ더니, 하날이 경ᄋᆞ의 원을 좃지 아녀 셕상셰 광동 츔졍을 ᄒᆞ여 집을 ᄯᅥ나니, 냥친시하의 슈히 도라오기를 긔약ᄒᆞᄂᆞᆫ 고로 윤시를 다려가지 아니, 경이 셩녜 구지의, 비로소 셕싱의 관관(款款)ᄒᆞᆫ 화락이 겨오 슈삼삭의 광동(廣東)1203)으로 나가니, 홀연ᄒᆞ고 이들오믈 니기지 못ᄒᆞ니, 도로혀 나라 졍ᄉᆞ를 원ᄒᆞ여 왈,

"셕군이 번국의 텬샤(天使)로 단녀완지 오릿지 아니ᄒᆞ거늘, ᄯᅩ 광동츔졍으로 나가니 셕군이 아니면 벼슬ᄒᆞ리 업던가? 니부상셔는 엇던 밋친 놈이완디, 【99】오시 요녀와 화락ᄒᆞᆯ 졔ᄂᆞᆫ 닉직으로 박아두엇던고? 내 셕부의 왓는 줄 엇지 알고 그딕도록 못살게 희짓는고! 셕군이 나간 ᄉᆞ이의 오시의 숨ᄌᆞ녀를 다 업시ᄒᆞ고, 닉 ᄯᅳᆺ을 졍ᄒᆞ여 안젼(眼前)의 ᄒᆞᆫ낫 젹인을[도] 《업시∥업게》ᄒᆞ리라."

ᄒᆞ여, 셕상셰 나간지 일삭이 못ᄒᆞ여셔, 경이 오시의 셰 ᄌᆞ녀를 다 업시ᄒᆞ려 ᄒᆞ고, 약을 음식의 셧겨 먹이랴홀 즈음의, 셕 츄밀의 죵부(宗婦) 남시 ᄉᆞ긔를 알고 급히 존고게 고ᄒᆞ니, 셕츄밀 부인이 듯고 놀나, 경아의 방의 와 숨ᄋᆞ의 줍은 바 음식을 아셔다가, 츄밀공과 졔ᄌᆞ를 다 쳥ᄒᆞ여 보ᄂᆞᆫ딕 긔【100】를 먹이니, 치 먹지 못ᄒᆞ여셔 즉시 죽거늘, 남은 거슬 ᄯᅳ히 업치니 프른 불이

1202)미골 : 즁이 나셔 못쓰게 된 사람의 모습. 사람의 머리를 속되게 이르는 말.

1203)광동(廣東) : =광주(廣州). 중국 광동성(廣東省)에 있는 도시. 화남 지방의 정치, 경제, 문화의 중심지로서 성도(省都)이다

츄밀이 그를 보고 대로ᄒ여 윤시의 시녀를 잡아 져주니, 츄호를 은닉디 아니ᄒ고 셕상셔를 변심ᄒᄂ 약을 먹여 은졍을【36】낙가 셕부로 오고, 약을 어더 삼으를 죽이려 ᄒ던 바를 다 고ᄒ니, 셕츄밀이 분노ᄒᄆ을 니긔디 못ᄒ여, 샹셰 도라온 후 쳐티ᄒ려 ᄒᄂ 고로 윤시를 아딕 미러 후당 누옥의 가도고, 됴셕 음식을 년명ᄒ올만치 주니, 경이 엿튼 심졍과 악악ᄒᆫ 셩졍으로 뻐 져의 과악(過惡)이 다 드러나 후당 누쳐(陋處)의 죄인이 되니, 금쟝(襟丈) 쇼고(小姑) 등이 ᄒ나토 불샹이 넉이리 업고, 평싱의 은악양션(隱惡佯善)ᄒ여 온슌ᄒ 빗출 딧던 일이 다 헛곳의 도라가고, 젼젼(前前) 간악이 다 낫타나니, 원독(怨毒)이 무궁ᄒ여 일즉 눈물이 마를 젹이 업고, 간담이 다 스회여 거의 지 되【37】고져 ᄒ딕, 슬픈 졍스를 모친긔도 통치 못ᄒᄆ, 츄밀 부뷔 윤부 위태부인과 뉴부인의 악악ᄒᄆ을 흠히 넉여, 윤시를 옥의 가돈 후ᄂ 영영히 본부의 왕ᄂ치 못ᄒ게 ᄒ니, 뉴시와 위태 경ᄋ를 셕부의 보ᄂ여, 셕상셔의 이듕ᄒᆫ 졍이 슈유블니(須臾不離)ᄒ기의 밋ᄎᆷ를 드르니, 인간 경식 이 밧긔 업ᄉᆺ 두굿겁고 깃브미 측냥치 못ᄒ니, 위태의 어린 긔운과 뉴시의 양양ᄒᆫ 교긔 하날의 툭[1261]을 거럿ᄂ 닷ᄒ니, 뉘 도로혀 평디의 풍패 니러나 샹셰 광동으로 나간지 일삭이 못ᄒ여 간뫼 발각《ᄒ미‖되여》경이 셕부 누옥 듕의 죄인 되기를 면치 못ᄒᆯ【38】줄 ᄯᄃᄒ여시리오. 뉴시 쥬야 가슴을 두다려 하날을 원망ᄒ며, 셕츄밀 부부의 스오나오믈 벌치 아닛ᄂ다 ᄒ여, 녀ᄋ를 브르디져 슬허ᄒᄆ을[미] 비홀 곳이 업ᄉ딕, 묘랑이 경ᄋ를 구홀 ᄯ이 업셔, 뉴시의 슬허ᄒᄆ을 와볼 젹이면, 다만 닐오딕,

"셕샹셰 도라오시면 쇼져의 익회 관견치 아닐 거시니, 부인은 넘녀치 마르시고, 샹셰 도라오시믈 기다리쇼셔."

니러나거늘, 츄밀이 이를 보고 대로ᄒ여, 윤시의 시녀를 잡아 져주니, 츄호를 은닉지 아니코, 셕샹셔를 변심ᄒᄂ 냑(藥)을 어더 먹여 은졍을 낙고아 셕부로 오고, 약을 가져 숨으를 죽이려 ᄒ던 바를 낫낫치 다 고ᄒ니, 셕츄밀이 블승분노ᄒ여 샹셰 도라온 후 쳐치ᄒ려 ᄒᄂ 고로, 윤시를 아직 미러 후당 누옥(陋屋)의 가도고, 됴셕 음식을 년명ᄒ올만치 주니, 경이 녓튼 심졍과 악악ᄒᆫ 셩졍으로 뻐, 져의 과악(過惡)이 ᄃ 드러나 후당 누쳐(陋處)의 죄인이 되니, 금쟝(襟丈) 쇼고(小姑) 등이【101】ᄒ나토 불샹이 넉이리 업고, 평싱의 은악냥션(隱惡佯善)ᄒ여 온슌ᄒ 빗출 짓던 일이 다 헛곳의 도라가고, 젼젼(前前) 간악이 다 낫타나니, 원독(怨毒)이 무궁ᄒ여 일즉 눈물이 마를 젹이 업고, 간담이 다 스회여 거의 지 되고ᄌ ᄒ딕, 슬픈 졍스를 모친게도 통치 못ᄒᄆ, 츄밀 부뷔 윤부 위틱부인과 뉴부인의 악악ᄒᄆ을 흠히 넉여, 윤시를 옥의 가돈 후ᄂ 녕녕이 본부의 ᄃ니지 못ᄒ게 ᄒ니, 뉴시와 위태부인이 경ᄋ를 셕부의 보ᄂ여, 셕상셔의 이즁ᄒᆫ 졍이 슈유블니(須臾不離) ᄒ기의 밋ᄎᆷ를 드르니, 인간 경식 이 밧긔 업ᄉ 닷, 두굿겁고 깃브미 측냥치【102】못ᄒ니, 위태의 어린 긔운과 뉴시의 양양ᄒᆫ 교긔 하늘의 툭[1204]을 거럿ᄂ 닷ᄒ니, 뉘 도로혀 평디의 풍픠 니러나, 샹셰 광동으로 나ᄋ간지 일삭이 못ᄒ여 간뫼 발각《ᄒ미‖되여》, 경이 셕부 누옥 즁의 죄인 되기를 면치 못ᄒᆯ 줄 ᄯᄃᄒ여시리오. 뉴시 쥬야 가슴을 두드려 하늘을 원망ᄒ며, 셕츄밀 부부의 스오나오믈 벌치 아닛ᄂ다 ᄒ여, 녀ᄋ를 브르지져 슬허ᄒ미 비홀 곳이 업ᄉ딕, 묘랑이 경ᄋ를 구홀 ᄯ이 업셔, 뉴시의 슬허ᄒᄆ을 와볼 젹이면, 다만 닐오딕,

"셕샹셰 도라오시면 쇼져의 익회 관견○[치] 아닐 거시니, 부인은 넘녀치 마ᄅ시고 샹셰 도라【103】오시믈 기ᄃ리쇼셔."

1261)툭 : 턱. 사람의 입 아래에 있는 뾰족하게 나온 부분.

1204)툭 : 턱. 사람의 입 아래에 있는 뾰족하게 나온 부분.

뉴시 묘랑의 말이 올흔 줄노 아라, 상셰
언제 도라올고 므르니, 묘랑이 아딕 뉴시
ᄆᆞ음을 위로코져 거즛 셕샹셰 오라디 아냐
오리라 ᄒᆞ여, 경ᄋᆞ를 위ᄒᆞ여 크게 슈류티지
(水陸致齋)를 ᄯᅩ ᄒᆞ라 권【39】ᄒᆞ니, 뉴시
살이라도 버혀 팔고져 ᄒᆞ딕, 은냥(銀兩)을
변통ᄒᆞᆯ 길히 업셔, 의시 궁극ᄒᆞ여 옥누항
집을 아조 파라 슈륙(水陸)고져 ᄒᆞ미, 두로
집 스리를 구ᄒᆞ딕, 아모도 님즈 업눈 집을
못산다 ᄒᆞ눈디라. 뉴시 홀 일 업셔 빅화헌
과 희월누며 치봉각 치련당을 다 허러 팔녀
ᄒᆞ니, 군셕과 태복이 제 당뉴를 모화 빅화
헌의 둔취(屯聚)ᄒᆞ여시므로, 다른 당샤는 다
허러도 빅화헌은 허디 아니려 ᄒᆞ눈디라. 태
부인긔 고ᄒᆞ고, 왈,
  "빅화헌은 집모양이 되디 못ᄒᆞ니, 경회뎐
지목이 장ᄒᆞ고 기와도 됴ᄒᆞ니, 허러 팔면
갑시 만흘가 ᄒᆞᄂᆞ이다."
  태부인이【40】경ᄋᆞ를 위ᄒᆞ미 앗기는 거
시 업셔, ᄌᆞ긔 뉴시 침소의 흔가디로 올마
들고, 경회뎐을 허러 닉고, 뎡·하 냥쇼져의
견일 팀소와 희월누를 허러 지목을 파라 은
ᄌᆞ를 바드니, 신묘랑이 그뻐1262) 가디고 션
경스로 가며 슈륙을 정성으로 ᄒᆞ마 ᄒᆞ니,
뉴시 묘랑을 미드미 태산 ᄀᆞᆮᄐᆞ여 그 허언을
곳이 드르며, 튝원ᄒᆞᄂᆞᆫ 글을 디어 주어 경
ᄋᆞ의 슈복을 빌고, 태우 형뎨는 풍도디옥
(酆都地獄)1263)으로 잡아가라 튝원ᄒᆞ니, 그
심용(心用)이 갈스록 이ᄀᆞᆺ더라.

  화셜 북평대원슈 뎡텬흥이 삼만 정병(精
兵)과 십원(十員) 명댱(名將)을 거나려 흔
번 북으로 나아가미, 【41】지덕이 본딕 히
닉(海內)1264)의 드레는 비라. 소과(所過) 쥬
현(州縣) ᄌᆞ시(刺史)1265) 망풍귀슌(望風歸

1262)-뻐 : -쩨. '그대로', 또는 '전부'의 뜻을 더하는
  접미사.
1263)풍도디옥(酆都地獄) : 도교에서 말하는 지옥. 사
  람이 죽으면 이곳에 끌려와 인간세상에서 지은 죄
  에 대한 심판을 받는다고 한다.
1264)히닉(海內) : 바다로 둘러싸인 육지라는 뜻으로,
  나라 안을 이르는 말.

뉴시 묘랑의 말이 올흔 줄노 아라, 상셰
언제 도라오믈 므르니, 묘랑이 아직 뉴시
ᄆᆞ음을 위로코즈, 거즛 셕샹셰 오라지 아냐
오리라 ᄒᆞ여, 경ᄋᆞ를 위ᄒᆞ여 크게 슈류티지
(水陸致齋)를 ᄯᅩ ᄒᆞ라 권ᄒᆞ니, 뉴시 살이라
도 버혀 팔고져 ᄒᆞ딕, 은냥(銀兩)을 변통홀
길히 업셔, 의시 궁극ᄒᆞ여 옥누항 집을 아
조 파라 슈륙(水陸)고져 ᄒᆞ미, 집 스리를 스
쳐로 구ᄒᆞ딕, 아모도 님즈 업순 집을 못순
다 ᄒᆞ눈지라. 뉴시 홀 일 업셔 빅화헌과 히
월누며 치봉각 치련당을 다 허러 팔녀ᄒᆞ니,
군셕과 틔복이【104】제 당뉴를 모화 빅
화헌의 둔취(屯聚)ᄒᆞ여시므로, ○○[다른]
당수는 다 허러도 빅화헌은 허지 아니려 ᄒᆞ
눈지라. 틔부인게 고ᄒᆞ고 왈,
  "빅화헌은 집모양이 되지 못ᄒᆞ니, 경회뎐
지목이 장ᄒᆞ고 기와도 됴ᄒᆞ니, 허러 폴면
갑시 만흘가 ᄒᆞᄂᆞ이다."
  태부인이 경ᄋᆞ를 위ᄒᆞ미 앗기는 거시 업
셔, ᄌᆞ긔는 뉴시 침소로 흔가지로 올마 들
고, 경회뎐을 허러 닉고, 뎡·하 냥쇼져의
견일 침소와 희월누를 허러, 지목을 파라
은ᄌᆞ를 바드니, 신묘랑이 그뻐1205) 가지고
션경스로 가며, 슈륙을 정성으로 ᄒᆞ마 ᄒᆞ고
도라가니, 뉴시 묘랑을 미드미 태【105】산
ᄀᆞᆮᄐᆞ여, 그 허언을 고지 드르며 축원ᄒᆞᄂᆞᆫ
글을 지어 주어, 경ᄋᆞ의 슈복을 빌고 태우
형뎨는 풍도디옥(酆都地獄)1206)으로 즙아가
라 축원ᄒᆞ니, 그 용심(用心)이 갈스록 이ᄀᆞᆺ
더라.

  화셜 북평대원슈 뎡텬흥이 숨만 정병(精
兵)과 십원(十員) 명장(名將)을 거느려 흔번
북으로 나아가미, 지덕(才德)이 본딕 히닉
(海內)1207)의 들네는 비라. 소과(所過) 쥬현
(州縣) ᄌᆞ시(刺史)1208) 망풍귀슌(望風歸順)

1205)-뻐 : -쩨. '그대로', 또는 '전부'의 뜻을 더하는
  접미사.
1206)풍도디옥(酆都地獄) : 도교에서 말하는 지옥. 사
  람이 죽으면 이곳에 끌려와 인간세상에서 지은 죄
  에 대한 심판을 받는다고 한다.
1207)히닉(海內) : 바다로 둘러싸인 육지라는 뜻으로,
  나라 안을 이르는 말.

順)ᄒ며 단ᄉ호장(簞食壺漿)1266)으로 왕ᄉ
(王土)1267)를 마ᄌ며, 그 진덕과 긔절을 아
니 흠앙ᄒ리 업ᄂᆞᆫ디라. 덩원쉬 츄호(秋毫)를
블범(不犯)ᄒ니 덕홰 거룩ᄒ고, 부원쉬로 더
브러 말좌 군졸의 니르히1268), 원슈 우럴미
젹지(赤子) ᄌᆞ모(慈母) 바람 ᄀᆞᆺ고, 두리며
조심ᄒ미 비록 모진 형벌을 더으디 아니나,
호령이 힝ᄒ여 위풍이 늠늠ᄒ니, 군졸의 니
르히 감히 원슈의 낫ᄎᆞᆯ 앙쳠(仰瞻)치 못ᄒ
고, 몸을 도라보디 아냐 갑흘 ᄯᅳᆺ이 잇ᄂᆞᆫ디
라. 원쉬 동(冬) 십일월의 황셩을 ᄯᅥ나, 셰
말(歲末)의 북군(北郡)의 다ᄃᆞᄅᆞ니, 졀도ᄉᆡ
마ᄌ【42】 북이(北夷)의 셰강(勢强)ᄒᆞᆷᄅᆞᆯ
젼ᄒ니, 원쉬 미쇼 왈,

"뎍셰(敵勢) 비록 강ᄒ나 역텬ᄒᄂᆞᆫ 무리
를 두릴 거시 아니라, 졀도ᄉᆞᄂᆞᆫ 너모 구겁
(懼怯)지 말나."

이의 격셔를 날녀 번왕의게 보ᄂᆞ니, 북왕
이 글을 보미, '고금녁디(古今歷代) 난신뎍
ᄌᆞ(亂臣賊子)를 ᄀᆞᆺ초 일ᄏᆞ라, 역텬무도(逆天
無道)ᄒᆞᆫ 도덕의 머리를 흔 ᄡᅡ홈의 버혀 업
시ᄒᆞᆯ 거시로딕, 보텬디히막비왕퇴(普天之下
莫非王土)오 솔토지빈(率土之濱)이 막비왕
신(莫非王臣)이라1269). 텬하강산이 황샹의
ᄯᅡ히 아니며 ᄉᆞ히만민(四海萬民)1270)이 쥬
샹의 빅셩이 아니리오. 이러므로 쥬륙(誅戮)

ᄒ며, 단ᄉ호장(簞食壺漿)1209)으로 왕ᄉ(王
土)1210)를 마ᄌ며, 그 덕과 긔절을 아니 흠
앙ᄒ리 업ᄂᆞ지라. 덩원쉬 츄호(秋毫)를 블범
ᄒ니 덕홰 거룩ᄒ고, 부원쉬로 더브러 말좌
군졸의 니르히1211) 원슈 바라미 젹지(赤子)
ᄌᆞ모(慈母) 바람 ᄀᆞᆺ고, 두리며 됴【106】심
ᄒ미 비록 형벌을 더으지 아니나, 호령이
힝ᄒᆞ여 위풍이 늠늠ᄒ니, 군졸의 니르히 감
히 원슈의 낫ᄎᆞᆯ 앙견(仰見)치 못ᄒ고, 몸을
도라보지 아녀 갑흘 ᄯᅳᆺ이 잇ᄂᆞ지라. 원쉬
동(冬) 십일월의 황셩을 ᄯᅥ나, 셰말(歲末)의
북군(北郡)의 다ᄃᆞᄅᆞ니, 졀도시 마ᄌ 북이
(北夷)의 셰강(勢强)ᄒᆞᆷᄅᆞᆯ 고ᄒ니, 원쉬 미쇼
왈,

"젹셰(敵勢) 비록 강ᄒ나 녁텬ᄒᄂᆞᆫ 무리
를 두릴 거시 아니라, 졀도ᄉᆞᄂᆞᆫ 너모 구겁
(懼怯)지 말나."

이의 격셔를 날녀 번왕의게 보ᄂᆞ니, 북왕
이 글을 보미, '고금녁디(古今歷代) 반신뎍
ᄌᆞ(叛臣賊子)를 ᄀᆞᆺ초 일ᄏᆞ라 녁텬무도(逆天
無道)ᄒᆞᆫ 도덕의 머리를 흔 ᄡᅡ홈의 버【10
7】혀 업시ᄒᆞᆯ 거시로딕, 보텬지히막비왕퇴
(普天之下莫非王土)오, 솔토지민(率土之民)
이 막비왕신(莫非王臣)이라1212). 텬하강산이
황샹의 ᄯᅡ히 아니며 ᄉᆞ히만민(四海萬
民)1213)이 쥬샹의 빅셩이 아니리오. 시고(是

1265)ᄌᆞ시(刺史) : ①발해에서, 각 주(州)의 으뜸 벼
슬. ②고려 셩종 14년(995)에 둔 외관(外官). ③중
국 한나라 때에, 군(郡)·국(國)을 감독하기 위하여
각 주에 둔 감찰관. 당나라·송나라를 거쳐 명나라
때 없앴다.

1266)단ᄉ호장(簞食壺漿) : ①대나무로 만든 밥그릇
에 담은 밥과 병에 넣은 마실 것이라는 뜻으로,
넉넉지 못한 사람의 거친 음식을 이르는 말. ②
백성이 군대를 환영하기 위하여 갖춘 음식.

1267)왕ᄉ(王土) : 임금의 군대..

1268)니르히 : 이르도록. 이르기까지.

1269)보텬디히막비왕퇴(普天之下莫非王土)오, 솔토지
빈(率土之濱)이 막비왕신(莫非王臣)이라 : 온 하늘
밑이 왕의 땅 아닌 데가 없고, 온 영토 안에 사는
사람들이 다 왕의 신하 아닌 사람이 없음. 『맹
자』<만장장구 상(萬章章句 上)>에 있는 글.

1270)ᄉᆞ히만민(四海萬民) : 온 세상에 사는 모든 사
람. 사해(四海)는 동서남북의 바다 안. 곧 온 세상
을 뜻하는 말.

1208)ᄌᆞ시(刺史) : ①발해에서, 각 주(州)의 으뜸 벼
슬. ②고려 셩종 14년(995)에 둔 외관(外官). ③중
국 한나라 때에, 군(郡)·국(國)을 감독하기 위하여
각 주에 둔 감찰관. 당나라·송나라를 거쳐 명나라
때 없앴다.

1209)단ᄉ호장(簞食壺漿) : ①대나무로 만든 밥그릇
에 담은 밥과 병에 넣은 마실 것이라는 뜻으로,
넉넉지 못한 사람의 거친 음식을 이르는 말. ②
백성이 군대를 환영하기 위하여 갖춘 음식.

1210)왕ᄉ(王土) : 임금의 군대..

1211)니르히 : 이르도록. 이르기까지.

1212)보텬지히막비왕퇴(普天之下莫非王土)오, 솔토지
빈(率土之濱)이 막비왕신(莫非王臣)이라 : 온 하늘
밑이 왕의 땅 아닌 데가 없고, 온 영토 안에 사는
사람들이 다 왕의 신하 아닌 사람이 없음. 『맹
자』<만장장구 상(萬章章句 上)>에 있는 글.

1213)ᄉᆞ히만민(四海萬民) : 온 세상에 사는 모든 사
람. 사해(四海)는 동서남북의 바다 안. 곧 온 세상
을 뜻하는 말.

을 앗겨 몬져 격셔를 보니여 왕의 블의를
닐너, 만일 회심치 아니【43】ᄒ면 대군을
모라 즛쳐 뭇디르리라.' ᄒ여시니, 번왕이
격셔를 보고 스스로 황겁ᄒᄆᆯ 니긔디 못ᄒ
여 군신을 모화 의논ᄒ여,○[왈],

"만일 항치 아니면 북국을 보젼치 못ᄒ리
로다."

ᄒ니, 대댱군 갈샹유와 션봉 븍동이 분연
이 소리를 놉혀 왈,

"뎐히 신 등을 두시고 어이 텬하 엇기를
근심ᄒ여, 뎡텬흥의 ᄒᆫ 쟝 글을 보시고 댱
졸의 예긔를 썩거 항홀 의논을 니시ᄂᆞ니잇
고? 신 등이 슈브직(雖不才)나 텬흥의 머리
를 버혀 오지 못ᄒ면 스스로 죄를 쳥ᄒ리이
다."

번왕이 암약(闇弱)ᄒᄃᆞ라. 갈·븍 냥댱(兩
將)의 말을 듯고, 대군을 거나려 뎡원슈와
졉【44】젼ᄒ려 ᄒ니, 냥댱이 명을 바다 오
만군을 거나려 갑쥬와 검극을 빗닉여 진밧
긔 닉다르니, 뎡원쉬 첫 ᄡᅩ홈의 갈샹유를
버히고 븍동을 싱금ᄒ여 본딘의 도라왓더
니, 번왕이 다시 손오(孫吳)[1271] ᄀᆞᄐᆞᆫ 댱슈
를 초모ᄒ여 대댱을 삼고 뎡원슈와 ᄡᅡ화,
뎡원쉬 또 냥댱을 다 버히니, 슈삭지닉(數
朔之內)의 오십여 관익(關阨)을 엇고 번왕
의 두 ᄋ들을 싱금ᄒ니, 북왕이 셰궁녁딘
(細窮力盡)ᄒ여 숑딘(宋陣)의 항(降)ᄒ니, 뎡
원쉬 북왕의 항복을 밧고 샤ᄌᆞ(使者)를 명
ᄒ여 쳡보를 황셩의 보ᄒ고, 왕의 폐빅(幣
帛)을 바다 ᄉ졸을 상【45】샤ᄒ고, 북왕을
개유(開諭)ᄒ여 니르고, 셰ᄌᆞ 형뎨를 방숑
(放送)[1272]ᄒ며 ᄉ문(四門)의 '안민(安民)'
두 ᄌᆞ를 붓쳐 빅셩을 안무ᄒ니라.

원쉬 븍히의 머므런지 삼ᄉ삭의 교홰 대
힝ᄒ여, 도덕이 화(化)ᄒ여 냥민이 되고, 효
뎨튱신과 녜의념치를 가다듬아 젼일 풍속과
닉도ᄒ니, 니른바 '군ᄌᆞ의 덕이 만이(蠻夷)

故)로 쥬륙(誅戮)을 앗겨 몬져 격셔를 보니
여 왕의 블의를 닐너, 만닐 회심치 아니ᄒ
면 디군을 모라 즛쳐 뭇지르리라.' ᄒ여시
니, 번왕이 격셔를 보고 스스로 황겁ᄒᄆᆯ
니긔지 못ᄒ여 군신을 모화 의논ᄒ여, 왈

"만일 항치 아니면 북국을 보젼치 못ᄒ리
라."

ᄒ니, 대쟝군 갈샹뉴와 션봉 븍동이 분연
이 소리를 놉혀 왈,

"뎐히 신등을 두시고 어이 텬하 엇기를
근심ᄒ시며, 뎡【108】텬흥의 ᄒᆫ 쟝 글을
보시고 쟝졸의 예긔를 썩거 항홀 의논을 니
시ᄂᆞ니잇고? 신등이 텬흥의 머리를 버혀 오
지 못ᄒ면, 스스로 죄를 쳥ᄒ리이다."

번왕이 본이 암약(闇弱)ᄒ지라. 갈·북 냥
댱(兩將)의 말을 듯고 대군을 거ᄂᆞ려 뎡원
슈와 졉젼ᄒ려 ᄒ니, 냥댱이 명을 바다 오
만군○[을] 거ᄂᆞ려 갑쥬와 검극을 빗닉여
진밧긔 닉다르니, 뎡원쉬 첫 ᄡᅩ홈의 갈샹유
를 버히고 《북군‖북동》을 싱금ᄒ여 본진
의 도라왓더니, 번왕이 ᄃᆞ시 손오(孫吳)[1214]
ᄀᆞᄐᆞᆫ 댱슈를 초모(招募)ᄒ여 대쟝을 삼고
뎡원슈와 ᄡᅡ화, 뎡원쉬 또 냥댱을 다 버히
니, 슈삭【109】지닉(數朔之內)의 오십여
관익(關阨)을 엇고, 번왕의 두 ᄋ들을 싱금
ᄒ니, 북왕이 셰궁녁진(細窮力盡)ᄒ여 숑진
(宋陣)의 항(降)ᄒ니, 뎡원쉬 북왕의 항복을
밧고 샤ᄌᆞ(使者)를 녕(令)ᄒ여 쳡셔를 황셩
의 보ᄒ고, 왕의 폐빅(幣帛)을 바다 ᄉ졸을
상ᄉ하고, 북왕을 기유(開諭)ᄒ고 셰ᄌᆞ 형뎨
를 방숑(放送)[1215]ᄒ며 ᄉ문(四門)의 '안민
(安民)' 두 ᄌᆞ를 붓쳐 빅셩을 안무ᄒ니라.

원쉬 븍히의 머므런지 슴ᄉ삭의 교홰 대
힝ᄒ여, 도젹이 화(化)ᄒ여 양민이 되고, 남
녜 다 녜의를 ᄀᆞᄃᆞ듬아 젼일 풍속의 닉도ᄒ
니, 니른바 '군ᄌᆞ의 덕이 만니(蠻夷)의도 힝

1271)손오(孫吳) : 중국 전국시대의 대표적 병법가인
　　제(齊)의 손무(孫武)와 오(吳)의 오기(吳起), 손무
　　는 『손자(孫子)』, 오기는 『오자(吳子)』 라는 병
　　서(兵書)를 각각 남겼다.
1272)방숑(放送) : 죄인을 감옥에서 나가도록 풀어줌.

1214)손오(孫吳) : 중국 전국시대의 대표적 병법가인
　　제(齊)의 손무(孫武)와 오(吳)의 오기(吳起), 손무
　　는 『손자(孫子)』, 오기는 『오자(吳子)』 라는 병
　　서(兵書)를 각각 남겼다.
1215)방숑(放送) : 죄인을 감옥에서 나가도록 풀어줌.

의도 힝흔다' ᄒ니, 뎡히 원슈 ᄀᆞᆺ트니를 니르미라.

원쉬 삼ᄉᆞᆨ을 북히의 머므러 인심이 뎡흔 후, 대군을 휘동ᄒ여 반샤(班師)ᄒᆞᆯᄉᆡ, 번왕이 빅니의 나와 원슈를 뎐송ᄒᆞ며, 그 지덕과 어질믈 못닉 칭【46】찬ᄒ고 ᄶᅥ나믈 앗기더라.

원쉬 번왕을 작별ᄒᆞ고, 댱졸을 거ᄂᆞ려 개가를 울녀 호호탕탕이 힝ᄒᆞ여 황셩을 바라고 향ᄒᆞ니라.

이젹의 댱샤왕이 긔형 초왕의 참ᄉᆞᄒᆞᄆᆞᆯ 드르미, 원국(怨國)ᄒᆞᄂᆞᆫ 의ᄉᆡ 졈졈 더ᄒᆞ딕, 텬지 년좌를 ᄡᅳ디 아니시니 시러금 감격흔 ᄯᅳᆺ이 이시나, 교이 쳔가디로 쇠와, '병ᄆᆞ를 됴련ᄒᆞ여 황셩을 침노ᄒᆞ미, 초왕의 원슈 갑흐믈 일홈 삼아 만니강산을 엇ᄂᆞᆫ 마디라.' ᄒᆞ여, 용댱(勇將) 모ᄉᆞ(謀士)를 초모(招募)ᄒᆞ연 디 삼년이라.

댱샤왕이 본딕 대국을 반ᄒᆞ고 텬위(天位)를 찬탈코져 ᄒᆞᆫ【47】 역디심(凶逆之心)을 두언디 오리나, 경이(輕易)히 움죽이디 못ᄒᆞ엿더니, 교이의 권ᄒᆞᄆᆞᆯ 좃ᄎᆞ ᄯᅳᆺ을 결ᄒᆞ여, 병을 니르혀 황셩을 바라며 나아올ᄉᆡ, 쇼과(所過) 쥬현(州縣)을 항복 바드니, 그 셰 딕 ᄶᆞ림[1273] ᄀᆞᆺ트여[미], 관읍(關邑) 쥬현이 져당치 《못ᄒᆞᄂᆞᆫ디라∥못ᄒᆞ여》 황셩으로 도망ᄒᆞ여 올나오니라.

ᄎᆞ셜, 왕후 교이 신묘랑의게 요슐을 비화, 몸을 공듕의 날니며 쳔병만ᄆᆞ를 거ᄂᆞ려 진셰를 일우ᄂᆞᆫ 법을 힝ᄒᆞᄂᆞᆫ디라. 스스로 대군을 거ᄂᆞ려 황셩으로 오니라.

화셜 형왕과 구몽슉이 뎡·딘 이문을 믓디르고져 도모ᄒᆞ미 발【48】분망식(發憤忘食)기의 니르러시미, 민양(每樣) 운화산 졍ᄌᆞ의 가 밀밀이 흉계를 의논ᄒᆞ더니, 임의 뎡원쉬 북덕을 파ᄒᆞ고 쳡음(捷音)이 ᄌᆞ로 텬문의 오로니, 샹이 대열ᄒᆞ샤 금평후긔 각별흔 은영이 날노 시로와, 샹방어션(尙方御膳)[1274]을 보닉시며 민양 어쥬를 샤급ᄒᆞ샤

흔다' ᄒ니, 졍히 원슈 ᄀᆞᆺ트니를 니르【110】미라.

원쉬 ᄉᆞᆷᄉᆞᆨ을 북히의 머므러 인심이 진졍흔 후, 딕군을 휘동ᄒᆞ여 반ᄉᆞ(班師)ᄒᆞᆯᄉᆡ 번왕이 빅니희 나와 원슈를 젼송ᄒᆞ며, 그 지덕을 못닉 츙찬ᄒᆞ고 ᄶᅥ나믈 앗기더라.

원쉬 번왕을 죽별ᄒᆞ고 댱졸을 거ᄂᆞ려 기가(凱歌)를 울녀 호호탕탕이 힝ᄒᆞ여 황셩을 바라고 힝ᄒᆞ니라.

이젹의 댱ᄉᆞ왕이 긔형(其兄) 초왕의 춤ᄉᆞ흐믈 드르미, 보슈(報讐)ᄒᆞᆯ 의ᄉᆡ 졈졈 더ᄒᆞ딕, 텬지 년좌를 ᄡᅳ지 아니시니 시러금 감격흔 ᄯᅳᆺ이 이시나, 교이 쳔가지로 쇠와, '병ᄆᆞ를 됴련ᄒᆞ여 황셩을 침노ᄒᆞ미, 초왕의 원슈 갑흐믈 일홈【111】 숨아 만니강산을 엇ᄂᆞᆫ 마디라' ᄒᆞ여, 용댱모ᄉᆞ(勇將謀士)를 초모(招募)ᄒᆞ연 지 ᄉᆞᆷ년이라.

댱ᄉᆞ왕이 본딕 대국을 반ᄒᆞ고 텬위(天位)를 탈취코ᄌᆞ 흉녁지심(凶逆之心)을 두언지 오리나, 경이(輕易)히 움죽이지 못ᄒᆞ엿더니, 교이의 권ᄒᆞᄆᆞᆯ 조ᄎᆞ, ᄯᅳᆺ을 결ᄒᆞ여 병을 니르혀 황셩을 바라며 나아올ᄉᆡ 쇼과(所過) 쥬현(州縣)을 항복 바드니, 그 셰 《ᄮᅥ다람∥딕ᄮᆞ림[1216]》 ᄀᆞᆺ틱미, 관읍(關邑) 쥬현이 져당치 못ᄒᆞ여 황셩으로 도망ᄒᆞ여 올나오니라.

ᄎᆞ셜 왕후 교이 신묘랑의게 요슐을 비화, 몸을 공즁의 날니며 쳔병만ᄆᆞ를 거ᄂᆞ려 진셰를 일우ᄂᆞᆫ 법을 힝ᄒᆞᄂᆞᆫ지라. 스스로 대군【112】을 거ᄂᆞ려 황셩으로 향ᄒᆞ니라.

화셜 형왕과 구몽슉이 뎡·진 이문을 믓지ᄅᆞ고져 도모ᄒᆞ미 발분망식(發憤忘食)기의 니ᄅᆞ미, 민양(每樣) 운화산 졍즈의 가 밀밀이 흉계를 의논ᄒᆞ더니, 임의 뎡원쉬 북덕을 파ᄒᆞ고 쳡음(捷音)이 ᄌᆞ로 텬문의 오로니, 샹이 대열ᄒᆞᄉᆞ 금평후게 각별흔 은녕이 날노 시로와, 샹방어션(尙方御膳)[1217]을 보닉

1273)ᄮᅳ리다 : 쪼개다. 부수다, 때리다.
1274)샹방어션(尙方御膳) : 샹방(尙方)에서 만들어 임

1216)ᄮᅳ리다 : 쪼개다. 부수다, 때리다.
1217)샹방어션(尙方御膳) : 샹방(尙方)에서 만들어 임
　금에게 올리는 음식. 상방은 조선 시대에, 임금의

■ 낙선제본　명듀보월빙 권디오십뉵　　　　459　　　　명쥬보월빙 권지이십일　박순호본 ■

싱디긔ᄌ(生之奇子)ᄒᄆᆯ 칭찬ᄒᆞ시니, 구몽슉이 경악의 근시ᄒᆞ여 모로ᄂᆞᆫ 일이 업ᄂᆞᆫ 고로, 뎡문의 은툥이 이 ᄀᆞᆺᄐᆞ시믈 크게 쇠이(猜礙)ᄒᆞ여, 뎡원슈 히홀 ᄯᅳᆺ이 더옥 급ᄒᆞ여 궐닉 쇼쇽(所屬)을 형왕으로ᄡᅥ 《쳐결∥체결(締結)》 ○[케] 《ᄒᆞ미 된디라∥ᄒᆞᆫ디라》.

변심ᄒᆞᄂᆞᆫ 약을 황샹 슈라(水剌)[1275]의 【49】 딘어ᄒᆞ시게 홀ᄉᆡ, 궁인 홍시의게 쳥ᄒᆞ여시니, 홍상궁이 어찬(御饌)을 가음아ᄂᆞᆫ 고로, 형왕의게 금을 밧고 요약을 어션의 셧글ᄉᆡ, 튝원ᄒᆞ여 황샹이 뎡·딘 이문을 다 믜워ᄒᆞ시고 형왕과 구몽슉을 툥우ᄒᆞ시믈 비럿더니, 황샹이 년ᄒᆞ여 요약 셧근 어션을 나오신 후, 홀연 옥휘 블평ᄒᆞ샤 스오 일을 뇽상(龍床)의 혼혼ᄒᆞ시니, 태지 우황ᄒᆞ시고 궐듕이 황황 딘경ᄒᆞ더니, 오뉵일 후 옥휘(玉候) 평복(平復)ᄒᆞ시나 뇽안(容顔)의 뎡명 졍긔(精明精氣) 만히 감ᄒᆞ시니, 츈궁(春宮)[1276]이 우황ᄒᆞ시더라.

구몽슉이 뎡원슈의 필톄를 모ᄶᅥ[1277] 반셔(叛書)【50】를 디어, 신묘랑으로 ᄒᆞ여금 븍히(北海) 졔읍(諸邑)의 돌니라 ᄒᆞ고, 몽슉이 ᄯᅩ 지조를 발ᄒᆞ여, 변ᄒᆞ여 나ᄂᆞᆫ 즘싱이 되여 바로 궐졍의 드러가, 밤을 당ᄒᆞ여 뇽포와 옥시를 도적ᄒᆞ여 평후 곤계 거쳐ᄒᆞᄂᆞᆫ 치쥭헌 협실의 궤를 열고 너ᄒᆞ니, 그 공교로온 변홰 무궁ᄒᆞ디, 닉부와 뎡공ᄌᆞ 등이 모로ᄂᆞᆫ 디라. 몽슉이 임의 옥시(玉璽)와 뇽포를 궤듕의 금초고, 제 집의 도라와 ᄌᆞ고 져 ᄒᆞ미 비로소 ᄃᆞᆰ이 우ᄂᆞᆫ다라. 져의 나ᄂᆞᆫ 지죄 셰샹의 무빵ᄒᆞ믈 스스로 칭찬ᄒᆞ여 혼ᄌᆞ말노 니르디,

"공듕으로 나라 단니미, 쉽고 편ᄒᆞ여 마

시며, 믜양 어쥬를 ᄉᆞ급ᄒᆞ샤 싱지긔ᄌ(生之奇子) ᄒᆞᄆᆯ 칭찬ᄒᆞ시니, 구몽슉이 경악의 근시ᄒᆞ여 모로ᄂᆞᆫ 일이 업ᄂᆞᆫ 고로, 쵸·뎡문의 은툥이 이 ᄀᆞᆺᄐᆞ시믈 크게 쇠이(猜礙)ᄒᆞ여, 뎡원슈 히홀 ᄯᅳᆺ이 급ᄒᆞ여, 궐닉 쇼쇽(所屬)을 형왕으로 【113】 ᄡᅥ 《쳐결∥체결(締結)》 ○[케] 《ᄒᆞ미 된디라∥ᄒᆞᆫ디라》.

변심ᄒᆞᄂᆞᆫ 약을 황샹 슈라(水剌)[1218]의 진 어ᄒᆞ시게 홀ᄉᆡ, 궁인 홍시의게 쳥ᄒᆞ여시니, 홍샹궁이 어찬(御饌)을 ᄀᆞ음아ᄂᆞᆫ 고로, 형왕 의게 금을 밧고 요약을 어션(御膳)의 셧글 ᄉᆡ, 츅원ᄒᆞ여 '황샹이 뎡·진 이문을 다 믜 워ᄒᆞ시고, 형왕과 구몽슉을 툥우(寵遇)ᄒᆞ시 믈' 비럿더니, 황샹이 년ᄒᆞ여 요약을 셧근 어션을 나오신 후, 홀연 옥휘 블평ᄒᆞᄉᆞ, 스 오 일을 뇽상(龍床)의 혼혼ᄒᆞ시니, 태지 우 황ᄒᆞ시고 궐즁이 황황 진경ᄒᆞ더니, 오류일 후 옥휘(玉候) 《불평∥평복(平復)》ᄒᆞ시나, 뇽안의 녕명ᄒᆞᆫ 졍긔 만히 감ᄒᆞ시니, 틱ᄌᆞ 우황ᄒᆞ시더라.

구몽슉 【114】 이 뎡원슈의 필쳬를 모 ᄶᅥ[1219] 반셔(叛書)를 지어, 신묘랑으로 ᄒᆞ여 금 븍히(北海) 졔읍(諸邑)의 드리라 ᄒᆞ고, 몽슉이 ᄯᅩ 지조를 발ᄒᆞ여 변ᄒᆞ여 나ᄂᆞᆫ 즘싱 이 되여, 바로 궐졍의 드러가, 밤을 당ᄒᆞ여 뇽포와 옥시를 도적ᄒᆞ여 평후 곤계 거쳐ᄒᆞ ᄂᆞᆫ 치루 협실의 궤를 열고 너ᄒᆞ니, 그 공교 로온 변홰 무궁ᄒᆞ디, 닉부와 뎡공ᄌᆞ 등이 모로ᄂᆞᆫ지라. 몽슉이 님의 옥시(玉璽)와 뇽포 를 궤즁의 금초고, 제 집의 도라와 ᄌᆞ고져 ᄒᆞ미 비로소 ᄃᆞᆰ리 우ᄂᆞᆫ지라. 져의 나ᄂᆞᆫ 지 죄 셰샹의 무쌍ᄒᆞ믈 스스로 층찬ᄒᆞ여, 혼ᄌᆞ 말노 니르디,

"공즁으로 나라 단니미 쉽고 편 【115】 ᄒᆞ여, 마샹의 힝ᄋᆞᄂᆞᆫ 뉘 아니라. 심야의 궐 졍의 드러가 뇽포와 옥시를 가져 취운산의

【51】샹의 힝ᄒᄂ는 뉘 아니라. 심야의 궐졍의 드러가 뇽포와 옥시를 가져 취운산의 두고 이리 오ᄃᆡ, 아딕 날이 시지 아냐 계명(鷄鳴)이 처음으로 시작ᄒᆞ니, 나의 이런 지죄 고금의 희한ᄒᆞᆫ지라. 흔갓 뎡텬홍 딘영슈 등 업시키ᄂᆞᆫ 니르도 말고, 곳 텬하라도 도모ᄒᆞ기 어렵디 아니ᄒᆞ도다."

몽슉의 쳐 양시 희미ᄒᆞᆫ 잠 가온ᄃᆡ 몽슉의 말을 듯고 놀나 ᄭᆡ여, 뇽포와 옥시 곡졀을 므르니, 몽슉이 양시의 어질믈 크게 괴로이 넉이ᄂᆞᆫ디라. 믄득 뎡식 왈,

"나ᄂᆞᆫ 뇽포와 옥시를 드노치 아녀시니, 그ᄃᆡ 꿈가온ᄃᆡ 일노ᄡᅥ 엇디 날다려 뭇【52】ᄂᆞᆫ뇨?"

양시 츄연탄식 왈,

"쳡슈암미(妾雖暗昧)[1278]나 군의 거동을 짐작ᄒᆞᄂᆞ니, 모로미 블의를 먼니ᄒᆞ고 인(仁)을 슝상ᄒᆞ여 고독ᄒᆞᆫ 몸의 화를 브르디 마르쇼셔."

몽슉이 대로ᄒᆞ여 고셩(高聲) 즐왈(叱曰),

"블길코 간악ᄒᆞᆫ 흉언을 이디도록 복 《업ᄉᆞ니∥업시 ᄒᆞ니》, 반ᄃᆞ시 날을 죽이고 긋치려 ᄒᆞᄂᆞᆫ다?"

양시 기리 함누 탄식ᄒᆞ고 다시 말을 아니ᄒᆞ더라.

몽슉이 뇽포와 옥시를 치듁헌의 굼초고, 다시 딘영슈 등과 뎡병부 형뎨의 글시를 입니ᄂᆡᆨ여[1279] ᄌᆞ톄와 ᄀᆞ치 ᄒᆞ고 글을 디으ᄆᆡ, ᄯᅳᆺ이 텬위를 찬탈코져 ᄒᆞ여 뎡원슈로ᄡᅥ 만승(萬乗)을 님(臨)케ᄒᆞᄂᆞᆫ 의논이러【53】라. 형왕이 글을 보고 더욱 깃거 몽슉의 지조를 칭찬ᄒᆞ니, 몽슉이 흔흔이 즐거오믈 ᄭᅴ여, ᄯᅩ 날개 잇ᄂᆞᆫ 즘싱이 되여 글 디은 거슬 품 ᄉᆞ이의 굼초아, 뎡·딘 냥부로 단니며 그윽ᄒᆞᆫ 농과 궤 속의 다 굼초니, 일이 공교ᄒᆞ여 알니 업더라.

1278)쳡슈암미(妾雖暗昧) : 쳡이 비록 어리셕어 생각이 어둡다 할지라도.
1279)입닉닉다 : 흉내내다. 남이 하는 말이나 행동을 그대로 옮겨내다.

두고 이리 오ᄃᆡ, 아직 날이 시지 아냐 계명(鷄鳴)이 쳐음으로 시작ᄒᆞ니, 나의 이런 지죄 고금의 희한ᄒᆞᆫ지라. 흔갓 뎡텬홍, 진영슈 등 업시키ᄂᆞᆫ 니르도 말고, 곳 텬하라도 도모ᄒᆞ기 어렵지 아니ᄒᆞ도다."

몽슉의 쳐 《댱시∥양시》 희미ᄒᆞᆫ 잠 가온ᄃᆡ 몽슉의 말을 듯고 놀나 ᄭᆡ여, 뇽포와 옥시 곡졀을 므르니, 몽슉이 《댱시∥양시》의 어질믈 크게 괴로이 넉이ᄂᆞᆫ지라, 믄득 뎡식 왈,

"나ᄂᆞᆫ 뇽포와 옥시를 드노치 아녀시니, 그ᄃᆡ 꿈가온ᄃᆡ 일노ᄡᅥ 엇지 날다려 뭇【116】ᄂᆞ뇨?"

《댱시∥양시》 츄연탄식 왈,

"쳡슈암미(妾雖暗昧)[1220]나 군의 거동을 짐작ᄒᆞᄂᆞ니, 모로미 블의를 먼니ᄒᆞ고 어진 일을 슝상ᄒᆞ여 고독ᄒᆞᆫ 몸의 화를 브르지 마르쇼셔."

몽슉이 대로ᄒᆞ여 고셩(高聲) 즐왈(叱曰),

"블길코 간악ᄒᆞᆫ 흉언을 이디도록 복 업시ᄒᆞ니, 반ᄃᆞ시 날을 죽이고 긋치려 ᄒᆞᄂᆞᆫ다."

《댱시∥양시》 기리 함누 탄식ᄒᆞ고 다시 말을 아니ᄒᆞ더라.

몽슉이 뇽포와 옥시를 치듁헌의 굼초고 다시 진영슈 등과 뎡병부 형뎨의 글시를 《못써∥모써[1221]》 ᄌᆞ톄와 ᄀᆞ치 ᄒᆞ고, 글을 지으ᄆᆡ ᄯᅳᆺ이 텬위를 찬탈코져 ᄒᆞ여 뎡원슈로ᄡᅥ 만승(萬乗)을 님(臨)케ᄒᆞᄂᆞᆫ 의논이러라. 형왕이 글을 보고 더욱 깃【117】거 몽슉의 지조를 칭찬ᄒᆞ니, 몽슉이 흔흔이 즐거오믈 ᄭᅴ여, ᄯᅩ 날개 잇ᄂᆞᆫ 즘싱이 되여 글 지은 거슬 품 ᄉᆞ이의 굼초아, 뎡·진 낭부로 단니며 그윽ᄒᆞᆫ 농과 궤 속의 굼초니, 일이 공교ᄒᆞ여 알니 업더라.

1220)쳡슈암미(妾雖暗昧) : 쳡이 비록 어리셕어 생각이 어둡다 할지라도.
1221)모쓰다 : 모뜨다. 본뜨다. 남이 하는 짓을 그대로 흉내 내어 본뜨다.

몽슉이 또 괴이흔 동요(童謠)를 디어, 형
왕의 군관으로 흐여금 도셩 쇼ᄋ들을 가ᄅ
치니, 그 쯧이 이상흐여, '숑이 망흐고 오리
디 아니흐여 만니 강산과 ᄉ히 번국을 통졔
홀 님군이 나리라' 흐여, '일홈을 뎡긔딘됴
곡(鄭起陳助曲)'이라 흐니, 일노 좃ᄎ 뎡개
(鄭家) 니러나고 딘개(陳家) 도으믈 알디라.
도셩 쇼ᄋ【54】등이 '뎡긔딘됴곡'을 비화
닷토아 브르기를 긋칠 ᄉ이 업ᄂ더라.

황ᄌ 뎡왕이 일일은 대로로 힝흐다가, 거
륜을 머추어 유의흐여 드르니, 가장 깃거
아니흐디, ᄋ동의 상업시 브르는 노릭를 아
른 쳬흐미 가장 괴이흐여, 궁으로 도라와
고요히 동요를 다시 헤아려 그 쯧을 짐작흐
고[믜], ᄆ음의 블힝흐미 아니 드르니만 ᄀᆺ
디 못흐더라.

이ᄯ 댱샤왕이 남읍(南邑)을 작난(作亂)흐
여, 대병을 모라 황셩을 향흐는 비뵈(飛報)
텬문(天門)의 오로고, 남토 쥬현 ᄌᄉ 반 남
아 항복흐고, 그러치 아니면 셩명을 보젼치
못흐믈 쥬흐며, 혹 관(關)을【55】 바리고
가마니 도망흐여 황셩의 드러와 텬졍의 죄
를 쳥흐는 뉴도 만흐니, 상이 요약(妖藥)의
셩졍이 현난(眩亂)흐신 듕, 히외 번국의 엿
보는 환(患)과 병혁을 니르혀 대국디계(大
國地界)를 침노흐는 변이 ᄶᆺ디 아니믈 크게
근심흐실 ᄲᆫ아니라, 댱샤왕은 초왕디뎨(楚
王之弟)로 그 년좌를 쓰디 아니심도, 셩은
의 관유(寬宥)흐시믈 인흐여 디친(至親)을
ᄉ랑흐시는 연괴러니, 댱샤왕이 텬은을 아
디 못흐고 도로혀 황셩을 엿보아 텬위를 항
형(抗衡)코져 흐믈 대로흐샤, 문화뎐의 됴회
를 크게 여르샤 문무 졔신을 모화 댱샤왕
벌죄(伐罪)홀 일을 의논흐실【56】시, 대도
독 졀도ᄉ 손확은 힘이 구졍(九鼎)을 가비
야이 넉이고, 용녁이 과인흐여 범 ᄀᆺᄐᆫ 댱
쉬(將帥)로디, 다만 셩되 싀험(猜險)흐여 인
심이 쳥현흐미 업ᄉ니, 됴애 그 무뷔(武夫)
므로 칙망치 아니흐는 고로, 손확이 간간이
인졍 밧긔 거죄 만흐디, 낫타난 죄를 엇디
아냐 대도독 좌댱군으로 부귀 극딘흐더라.

몽슉이 또 괴이흔 동요(童謠)를 지어, 형
왕의 군관으로 흐여금 도셩 쇼ᄋ들을 ᄀᄅ
치니, 그 쯧이 이상흐여, '숑이 망흐고 오리
지 아니흐여 만니 강산과 ᄉ히 번국을 통졔
홀 님군이 나리라' 흐여, 일홈을 '졍긔진조
곡(鄭起陳助曲)'이라 흐니, 일노 좃ᄎ 졍개
(鄭家) 니러나고 딘개(陳家) 도으믈 알지라.
도셩 쇼ᄋ 등이 '졍긔진조곡'을 비화 닷토아
브르기를 ᄶᆺ출 ᄉ이 업는【118】지라.

황ᄌ 뎡왕이 일일은 대로로 힝흐다가 거
륜을 멈추어 유의흐여 드르니, ᄀ장 불길이
넉이디, ᄋ동의 상업시 브르는 노릭를 아른
쳬흐미 ᄀ장 괴이흐여, 궁으로 도라와 고요
히 동요를 다시 혜아려 그 쯧을 짐작흐고,
ᄆ음의 블힝흐미 아니 드룸만 ᄀᆺ지 못흐더
라.

ᄎ시 당ᄉ샤왕이 각읍(各邑)을 작난흐여
대병을 모라 황셩을 향흐는 비뵈(飛報) 텬문
의 오로고, 남토 쥬현 ᄌᄉ 반남아 항복흐
고, 그러치 아니면 셩명을 보젼치 못흐믈
쥬흐며, 혹 관현(關縣)을 바리고 ᄀ만니 도
망흐여 황셩의 드러와, 텬졍의 죄를 쳥흐는
뉴도 만흐니, 상이 요약(妖藥)의 셩졍이 현
【119】난(眩亂)흐신 즁, 히외 번국의 엿보
는 환과 병혁을 니르혀 대국지계(大國地界)
를 침노흐는 변이 ᄶᆺ지 아니믈 크게 근심흐
실 ᄲᆫ아니라, 당ᄉ왕은 초왕지뎨(楚王之弟)
로 그 년좌를 쓰지 아니심도, 셩은의 관유
(寬宥)흐시믈 인흐여 지친(至親)을 ᄉ랑흐시
는 연괴러니, 당ᄉ왕이 텬은을 아지 못흐고
도로혀 황셩을 엿보아 텬위를 항형(抗衡)코
져 흐믈 대로흐ᄉ, 문화뎐의 됴회를 크게
녀르ᄉ, 문무 졔신을 모화 당ᄉ왕 벌죄(伐
罪)홀 일을 의논흐실시, 대도독 졀도ᄉ 손
확은 힘이 구졍(九鼎)을 ᄀ바야이 넉이고,
용녁이 과인흐여 범 ᄀᆺᄐᆫ 장쉬(將帥)로디, 다
만 셩되 싀험(猜險)흐여 인심의 쳥【120】
현흐미 업ᄉ니, 됴애 그 무뷔(武夫)므로 칙
망치 아니흐는 고로, 손확이 간간이 인졍
밧긔 거죄 만흐디, 낫타난 죄를 엇지 아냐
대도독 좌장군으로 부귀 극진흐지라. 뎡병

뎡병뷔 젼후의 운남과 북히 뎡벌을 ᄌ원ᄒ
여 대공을 일우니, 졔 ᄆ음의 미양 번국의
반ᄒᄂ 변이 ᄯ 잇거든 브듸 ᄌ원 츌뎡ᄒ려
별넛던 비라. 믄득 츌반(出班) 부복(俯伏)ᄒ
【57】여 댱샤국 치기를 쳥ᄒ여 대원슈를 봉ᄒ
시믈 빈듸, 샹이 원임대신(原任大臣)
등을 도라보샤 굴오샤듸,

"이졔 손확이 뎡벌을 쳥ᄒ미 이 ᄀᆺᄐ니
경 등의 ᄯᅳᆺ은 엇더ᄒᄂ뇨?"

태ᄉ 뎡유와 승샹 뉴진이 쥬왈,

"손확의 용밍인죽 항왕(項王)[1280]의 일뉴
라. 오히려 신 등의 쇼견은 문뮈겸비(文武
兼備)ᄒ 대댱을 갈히실[심]만 ᄀᆺ디 못ᄒ오
니, 손확이 힝혀 용(勇)만 밋고 일을 그릇ᄒᆯ
가 ᄒᄂ이다."

텬안이 유예미결(猶豫未決)이어시늘, 샹셔
구몽슉이 쥬왈,

"손확은 강용(强勇)이 만고의 희한ᄒ 댱
쉬라. ᄒᆫ번 대군을 거ᄂ려 댱샤로 나아가면
반드시 역텬무도(逆天無道)ᄒ 도덕을 버히
려니와, 그러나 디혜 유여(有餘)ᄒ 모ᄉ(謀
士) 잇셔야 군졍ᄉ(軍政事)를 【58】의논ᄒ
오리니, 신의 쇼견은 태우 윤광텬이 녀력
(膂力)이 과인ᄒ고 디모와 담낙이 남다른디
라. 원닉 남쥐 찬뎍ᄒ 긔한이 금년 쎤이니,
비록 금년이 딘키를 치오디 못ᄒ오나, 국가
위란디시(危亂之時)를 당ᄒ여, ᄉ고(私故)로,
그만 죄과를 의논ᄒ올 비 아니오니, 복원
셩샹은 윤광텬으로 ᄡ 참모를 삼으시미 올
ᄒ니이다."

샹이 요약의 일월지춍(日月之聰)이 감ᄒ
샤, 형왕과 구몽슉을 툥우ᄒ샤미 만됴의 웃
듬이러니, 형왕은 댱샤왕의 반(叛)ᄒ므로브
터 넘티(廉恥)의 유관(有關)ᄒ여 감히 됴회
의 참예치 못ᄒ고, 구몽슉이 윤태우로ᄡ 참

뷔 젼후의 운남과 북히 졍벌을 ᄌ원ᄒ여 대
공을 닐우니, 졔 ᄆ음의 미양 번국의 반ᄒ
ᄂ 변이 ᄯ 잇거든, 브듸 ᄌ원츌졍(自願出
征)ᄒ려 별넛던 비라. 믄득 츌반(出班) 부복
(俯伏)ᄒ여 당슈국 치기를 쳥ᄒ여 대원슈를
봉ᄒ시믈 빈듸, 샹이 원임대신(原任大臣) 등
을 도라보샤 왈,

"손확의 졍벌을 쳥ᄒ미 이ᄀᆺᄐ니 경 등
의 ᄯᅳᆺ은 엇더ᄒᄂ뇨?"

틱ᄉ 뎡유와 승샹 뉴진이 주왈,

"손확의 【121】 용밍인죽 항왕(項王)[1222]
의 일뉴나, 오히려 신 등의 쇼견은 문뮈겸
비(文武兼備)ᄒ 대장을 갈히실만 ᄀᆺ지 못ᄒ
오니, 손확이 힝혀 용만 밋고 일을 그릇ᄒᆯ
ᄀ ᄒᄂ이다."

텬안이 유유(儒儒)ᄒ샤 미결(未決)ᄒ시거
늘, 샹셔 구몽슉이 주왈,

"손확은 강력(强力)이 만고의 희한ᄒ 장
ᄉ라. ᄒᆫ번 대군을 거ᄂ려 당슈로 나아가면,
반드시 녁텬무도(逆天無道)○[ᄒ] 젹을 버
히려니와, 그러나 지혜 유여(有餘)ᄒ 모ᄉ
(謀士) 잇셔야 군졍ᄉ(軍政事)를 의논ᄒ오리
니, 신의 소견은 틱우 윤광텬은 녀력(膂力)
이 과인ᄒ고 지모와 담낙이 남다른지라. 원
닉 남쥐 찬젹ᄒ 긔한이 금년이니, 비록 금
【122】년이 진키를 치오지 못ᄒ오나, 국가
위란지시(危亂之時)를 당ᄒ여 ᄉ고(私故)로
그만 죄과를 의논ᄒ올 비 아니오니, 복원
셩상은 윤광텬으로 ᄡ 참모를 슴으미 죠ᄒᆫ
니이다."

샹이 요약의 일월지춍(日月之聰)이 감ᄒ
ᄉ, 형왕과 구몽슉을 춍우ᄒ시미 만됴의 웃
듬이러니, 형왕은 당슈왕의 반(叛)ᄒ므로브
터 넘치(廉恥)의 유관(有關)ᄒ여, 감히 됴회
의 참예치 못ᄒ고, 구몽슉이 윤틱우로ᄡ 춤

1280)항왕(項王) : 항우(項羽). B.C.232~B.C.202. 중
　국 진(秦)나라 말기의 무장. 이름은 적(籍). 우는
　자(字)이다. 숙부 항량(項梁)과 함께 군사를 일으
　켜 유방(劉邦)과 협력하여 진나라를 멸망시키고
　스스로 서초(西楚)의 패왕(霸王)이 되었다. 그 후
　유방과 패권을 다투다가 해하(垓下)에서 포위되어
　자살하였다

1222)항왕(項王) : 항우(項羽). B.C.232~B.C.202. 중
　국 진(秦)나라 말기의 무장. 이름은 적(籍). 우는
　자(字)이다. 숙부 항량(項梁)과 함께 군사를 일으
　켜 유방(劉邦)과 협력하여 진나라를 멸망시키고
　스스로 서초(西楚)의 패왕(霸王)이 되었다. 그 후
　유방과 패권을 다투다가 해하(垓下)에서 포위되어
　자살하였다

모스를 쳔거ᄒᆞ여 그 ᄌᆡ조【59】와 녀력을
칭찬ᄒᆞ미, 딘짓 공논(公論)인 ᄃᆞ시 ᄒᆞ나, 실
은 윤태우를 아조 죽여 업시ᄒᆞ려 ᄒᆞᄂᆞᆫ 쇠로
ᄃᆡ, 샹이 그 간계(奸計)를 아디 못ᄒᆞ시고,
몽슉의 쥬ᄉᆞ(奏辭) 가장 올흐므로 아르샤
텬안(天顔)이 희열ᄒᆞ샤 왈,

"구 경(卿)의 쥬ᄉᆡ 맛당ᄒᆞ니 금일의 손확
을 비ᄒᆞ여 대원슈를 삼고, 남쥐 덕거죄인
윤광텬으로 참모ᄉᆞ를 삼아 댱샤를 뎡벌케
ᄒᆞ리라."

조승상 경태우 등이 크게 블가히 넉이ᄃᆡ,
텬의 구지 뎡ᄒᆞ시고, 손확이 남뎡대원슈인
(南征大元帥印)을 쳥ᄒᆞ니, 대ᄉᆞ(大事)의 여
러 의논이 분난(紛亂)ᄒᆞ미 가치 아녀, 각각
오ᄉᆞ(烏紗)를 숙여 다시 말을 아니ᄒᆞ더라.

샹이 손확으로ᄡᅥ 대원슈를 봉ᄒᆞ샤 부
【60】원슈 이하를 ᄌᆞ모(自募)바드라 ᄒᆞ시
고, 윤광텬의게 샤명(赦命)을 급히 젼ᄒᆞ여
그 뎡비를 풀고, 참모ᄉᆞ를 ᄒᆞ이여 남쥐로셔
바로 죵ᄉᆞ(從事)케 ᄒᆞ시니, 손확이 슈명ᄒᆞ고
교댱의 나와 부원슈와 션봉 등을 ᄌᆞ모(自
募)밧고, 크게 습샤(習射)ᄒᆞᆫ 후, 우명일(又明
日) 힝군ᄒᆞ믈 명ᄒᆞ고 집의 도라오미, 구몽
슉이 좃ᄎᆞ 니르러 확을 보고 원융댱임(元戎
將任)을 ᄌᆞ원ᄒᆞ여 대권(大權)이 늉듕(隆重)
ᄒᆞ믈 치하ᄒᆞ고, 겻ᄐᆡ 안ᄌᆞ 가마니 ᄀᆞᆯ오ᄃᆡ,

"쇼싱이 젼일 드르니, 윤광텬이 원슈를
훼방ᄒᆞ여 영죵디상(令終之相)이 아니라 ᄒᆞ
고, 또 원슈의 어ᄃᆡ디 못ᄒᆞᆷᄂᆞᆯ ᄭᅮ딧더라 ᄒᆞ
니, 아디못게라, 원쉬 윤광텬으로 더브【6
1】러 므슨 은원(恩怨)이 잇ᄂᆞ니잇가?"

손확이 쳥파의 ᄉᆡ험ᄒᆞᆫ 노긔를 요동ᄒᆞ여
ᄀᆞᆯ오ᄃᆡ,

"내 일즉 윤광텬과 무원무은(無怨無恩)ᄒᆞ
여 피ᄎᆞ의 혐극(嫌隙)이 이실 일이 업고, 문
무의 길이 달나 죵용이 샹견ᄒᆞᆫ 일이 업ᄉᆞ
니, 나의 현블현(賢不賢)을 윤광텬이 ᄌᆞ시
아디 못ᄒᆞᆯ 거시어ᄂᆞᆯ, 엇디 험담을 디어 날
을 그ᄃᆡ도록 믜워ᄒᆞ던고? 가히 아디 못ᄒᆞᆯ
일이로다."

모스를 《쳠거∥쳔거》ᄒᆞ여 그 ᄌᆡ조와 녀력
을 칭찬ᄒᆞ미, 진짓 공논(公論)인 ᄃᆞ시 ᄒᆞ나,
실은 윤틱우를 아조 죽여 업시ᄒᆞ려 ᄒᆞᄂᆞᆫ 쇠
로ᄃᆡ, 샹이 그 간계(奸計)를 아지 못ᄒᆞ시고,
【123】몽슉의 쥬ᄉᆞ(奏辭) 가장 올흔 줄노
아ᄅᆞᆺ, 텬안(天顔)이 희열ᄒᆞ여 ᄀᆞᆯ오ᄉᆞᄃᆡ,

"구 경(卿)의 쥬ᄉᆡ 맛당ᄒᆞ니, 금일의 손확
을 비ᄒᆞ여 ᄃᆡ원슈를 삼고, 남쥐 죄인 윤광
텬으로 춤모ᄉᆞ를 숨아, 댱ᄉᆞ국을 졍벌ᄒᆞ리
라."

됴승상 경틱우 등이 크게 블가히 넉이ᄃᆡ,
텬의 구지 졍ᄒᆞ시고, 손확이 남뎡대원슈인
(南征大元帥印)을 쳥ᄒᆞ니, ᄃᆡᄉᆞ(大事)의 여
러 의논이 분난(紛亂)ᄒᆞ여[미] 가치 아녀,
각각 오ᄉᆞ(烏紗)를 숙여 다시 말을 아니 ᄒᆞ
더라.

샹이 손확으로ᄡᅥ 대원슈를 봉ᄒᆞᄉᆞ 부원슈
이하를 ᄌᆞ모(自募)바드라 ᄒᆞ시고, 윤광텬의
게 ᄉᆞ명(赦命)을 급히 젼ᄒᆞ여 그 졍비를 풀
고, 춤【124】모ᄉᆞ를 ᄒᆞ이여 남쥐로셔 ᄇᆞ로
죵ᄉᆞ(從事)케 ᄒᆞ시니, 손확이 슈명ᄒᆞ고 교장
의 ᄂᆞ와 부원슈와 션봉 등을 ᄌᆞ모(自募)밧
고, 크게 습ᄉᆞ(習射)ᄒᆞᆫ 후, 우명일(又明日)
힝군ᄒᆞ믈 명ᄒᆞ고 집의 도라오미, 구몽슉이
조츳 니르러 확을 보고 원융장임(元戎將任)
을 ᄌᆞ원ᄒᆞ여 ᄃᆡ권(大權)이 늉즁(隆重)ᄒᆞ믈
치하ᄒᆞ고, 겻틱 안ᄌᆞ ᄀᆞ만니 ᄀᆞᆯ오ᄃᆡ,

"쇼싱이 젼일 드르니 윤광텬이 원슈를 훼
방ᄒᆞ여 녕죵지상(令終之相)이 아니라 ᄒᆞ니,
아지 못게라, 원쉬 윤광텬으로 더브러 므슨
은원이 잇ᄂᆞ니잇가?"

손확이 쳥파의 ᄉᆡ험ᄒᆞᆫ 노긔를 요동ᄒᆞ여
ᄀᆞᆯ오ᄃᆡ,

"닉 일즉 윤광텬과 무은무원(無恩無怨)ᄒᆞ
여 피ᄎᆞ의 혐극(嫌隙)【125】이 이실 일이
업고, 문무의 길이 달나 죵용이 샹견ᄒᆞᆫ 일
이 업ᄉᆞ니, 나의 현블현(賢不賢)을 윤광텬이
ᄌᆞ시 아지 못ᄒᆞᆯ 거시어ᄂᆞᆯ, 엇지 험담을 지
어 날을 그ᄃᆡ도록 믜워ᄒᆞ던고? 가히 아디
못ᄒᆞᆯ 일이로다."

몽슉이 쇼왈,

"댱군이 윤광텬의 위인을 아디 못ᄒᆞ시므로 이 말ᄉᆞᆷ을 괴이히 넉이시거니와, 원닉 윤광텬이 용심이 궁흉ᄒᆞ고 의식 극악ᄒᆞ여 사ᄅᆞᆷ의 권셰 쎄리미 무궁ᄒᆞᆫ디라. 원쉬 무반 듕 용밍【62】이 읏듬이오, 부귀 극ᄒᆞ시니, 윤광텬이 그윽이 믜이 넉여 험담을 디어 닉미라. 쇼싱이 원슈로 더브러 면분(面分)이 잇고, 셔로 심ᄉᆞ를 은닉디 아니므로, 윤광텬의 무상(無狀)ᄒᆞᆷ믈 고ᄒᆞ느니, 본디 블쵸패즈(不肖悖者)로 광음호탕(狂飮豪宕)ᄒᆞ여 어린 긔운을 스스로 ᄌᆞ랑ᄒᆞ고, 셩통의 늉늉ᄒᆞ시믈 미더 일셰를 압두(壓頭)홀 ᄯᅳᆺ이 잇던 비라. 원슈를 블학무뷔(不學武夫)라 ᄒᆞ여 여러 번 ᄭᅮ디즈믈 쇼싱이 드럿ᄂᆞ니, 이러므로 쇼싱이 윤광텬을 쳔거ᄒᆞ여 참모ᄉᆞ를 삼아시니, 원슈의 츌힝ᄒᆞ시는 날, 셩샹이 상방보검(尙方寶劍)을 주샤, 댱졸의 위령즈(違令者)를 션참후계(先斬後啓)【63】ᄒᆞ라 ᄒᆞ실 거시니, 원쉬 댱샤의 나아가 윤광텬의 죄를 얽어 ᄒᆞᆫ번 버히시면, 평일의 원슈를 훼방ᄒᆞ던 분을 쾌히 프르시리이다."

확이 몽슉의 말을 올히 넉여, 믄득 칭샤ᄒᆞ여 ᄀᆞᆯ오디,

"명공이날을 위ᄒᆞ여 흉흔 놈을 셜치(雪恥)콰져 ᄒᆞ여, 나의 아득히 모로는 바를 일씨와 이ᄀᆞᆺ치 디휘ᄒᆞ니, 어이 밧드디 아니ᄒᆞ리오."

몽슉이 웃고 손확의 ᄆᆞᄋᆞᆷ을 온가디로 도도아, 윤태우의 업슨 허믈과 아닌 말을 무슈히 쥬츌(做出)흔 후, ᄯᅩ 당부ᄒᆞ디.

"댱군과 쇼싱이 범연흔 ᄉᆞ이 아닌고로 말을 고ᄒᆞ엿거니와, 댱군은 쇼싱의게 드른 말을 아【64】모다려도 니르디 말고, 비록 광텬을 믜오미 심홀디라도 ᄉᆞ혐(私嫌)을 품은 드시 구디 마르시다가, 그 죄를 어더 군듕의 효시(梟示)ᄒᆞ쇼셔."

확이 칭찬 왈,

몽슉이 쇼왈,

"댱군이 윤광텬을 아지 못ᄒᆞ시므로 이 말ᄉᆞᆷ을 고이져이1223) 아라시거니와, 원닉 윤광텬이 용심이 궁흉ᄒᆞ고 의식 극악ᄒᆞ여, ᄉᆞ람의 권셰 쎄리미 무궁흔지라. 원쉬 무관 듕 용밍이 읏듬이오, 부귀 극ᄒᆞ시니, 윤광텬이 그윽이 믜이 넉여 험담을 지어 너미라. 쇼싱이 원슈로 더브러 《명분∥면분(面分)》이 잇고 셔로 심ᄉᆞ를 은닉지 아니【126】므로, 광텬의 무상ᄒᆞᆷ믈 고ᄒᆞ느니, 본디 블쵸픠즈(不肖悖者)로 광음호탕(狂飮豪宕)ᄒᆞ여 어린 긔운을 스스로 ᄌᆞ랑ᄒᆞ고, 셩총의 늉늉ᄒᆞ시믈 미더 일셰를 압두홀 ᄯᅳᆺ이 잇던 비라. 원슈를 블학무지(不學無知)타 ᄒᆞ여 여러번 ᄭᅮ지즈믈 쇼싱이 드럿ᄂᆞ니, 이러므로 쇼싱이 윤광텬을 쳔거ᄒᆞ여 츰모ᄉᆞ를 삼아시니, 원슈의 츌힝ᄒᆞ시는 날 셩샹이 상방보검(尙方寶劍)을 주ᄉᆞ ᄉᆞ졸의 위령즈(違令者)를 션참후계(先斬後啓)ᄒᆞ라 ᄒᆞ실 거시니, 원쉬 댱ᄉᆞ의 나아ᄀᆞ 윤광텬의 죄를 얽어 ᄒᆞᆫ번 버히시면, 평일의 원슈를 훼방ᄒᆞ던 분(憤)을 쾌히 프르시리이다."

확이 몽슉의 말【127】을 올히 넉여 믄득 칭샤ᄒᆞ여, 왈,

"명공이 날을 위ᄒᆞ여 흉흔 놈을 셜치(雪恥)콰ᄌᆞ ᄒᆞ여, 나의 아득히 모로는 바를 일씨와 이ᄀᆞᆺ티 지휘ᄒᆞ니, 어이 밧드지 아니ᄒᆞ리오."

몽슉이 웃고 손확의 ᄆᆞᄋᆞᆷ을 온가지로 도도아 윤틱우의 업슨 허믈과 아닌 말을 무슈히 쥬츌(做出)흔 후, ᄯᅩ 당부ᄒᆞ디.

"댱군과 쇼싱이 범연흔 ᄉᆞ이 아닌 고로 말을 고ᄒᆞ엿거니와, 댱군은 쇼싱의게 드른 말을 아모다려○[도] 니ᄅᆞ지 말고, 비록 광텬을 믜오미 심홀지라도 ᄉᆞ혐(私嫌)을 품은 드시 구지 마르시ᄃᆞ가, 그 죄를 어더 군즁의 효시(梟示)ᄒᆞ쇼셔."

확이 칭찬 왈,

1223)고이젹다 : 괴이젹다. 괴이쩍다. 괴이한 느낌이 있다. *고이져이; '고이젹+이'에서 'ㄱ'이 탈락된 형태. 괴이쩍게. *고이ᄒᆞ다; 괴이하다.

"명공의 가르치미 금석디논(金石之論)이니, 내 엇디 봉힝치 아니리오. 일노 좃츠 명공을 스싱ᄀᆞᆺ치 셤기리라."

몽슉이 불감ᄒᆞ믈 일큿고, 날이 맛도록 윤참모 죽일 말을 당부ᄒᆞ니, 손확이 져의 말을 슌슌이 올타ᄒᆞ믈 보고, 결단ᄒᆞ여 윤태우를 죽일디라, 다른 일노 얽어 경샤로 잡아와 역늏노 너흐려 ᄒᆞ던 바는 프러 바리고, 윤흑ᄉᆞ는 뎡병부〇[와] ᄒᆞᆫ 당의 너흐려 ᄒᆞ더라.

몽슉이 형왕을 보고 손원슈의【65】게 윤태우 죽일 쇠를 베플믈 젼ᄒᆞ니, 형왕이 댱샤왕의 반(叛)하믈 우황민박(憂惶憫迫)ᄒᆞ여 금번 년좌를 면치 못홀가 슬허ᄒᆞ되, 셩심이 요약의 샹ᄒᆞ여 형왕을 일편도이 통우ᄒᆞ샤미 졈졈 더ᄒᆞ신 고로, 댱샤왕이 반ᄒᆞ나 쳔니 밧 타국의 아으라히 이셔, 그 반ᄒᆞ며 아니믈 모로미 괴이치 아니타 ᄒᆞ시고, 딘슈어션(珍羞御膳)을 보ᄂᆡ샤 노인이 심녀를 허비치 말고 식음을 쎠의 나오라 ᄒᆞ시되, 형왕이 황친뉴(皇親類)의 나기를 참괴ᄒᆞ여, 운화산 졍즈의 이셔 칭병블츌(稱病不出)이러니, 몽슉이 윤태우 죽일 계교를 힝ᄒᆞ니, 손확이 의심업시 죽이려 ᄒᆞ믈 젼ᄒᆞ니,【66】형왕이 듯고 탄왈,

"과인의 믜워ᄒᆞ는 밧ᄌᆞ는 뎡·딘 등이오, 윤광텬은 굿ᄐᆞ여 골돌이 죽이고져 뜻이 업ᄉᆞ되, 플홀 버히미 블희1281)를 업시코져 흠ᄀᆞᆺᄐᆞ여, 그 당뉴를 다 죽이려 ᄒᆞ던 비라. ᄒᆞᆫ 놈을 쾌히 죽을 곳의 모라 너헛거니와, 다만 금션 법시 반셔(返書)를 가져 북디(北地)의 가시되 디금 소식이 업스니 괴이ᄒᆞ도다."

몽슉 왈,

"이는 쥬(州)·현(縣) 등이 아딕 나오디 못ᄒᆞ미어니와, 언마ᄒᆞ여 뎡·딘 이문(二門)을 뭇지르리잇가?"

왕이 댱샤왕의 일노뻐 심히 즐기디 아니ᄒᆞ더라.

손확이 명일 힝군ᄒᆞ여 삼만 졍병과 십원

1281)블희 : 뿌리.

"명【128】공의 ᄀᆞ르치미 금셕지논(金石之論)이니, 내 엇지 봉힝치 아니리오. 일노 조츠 명공을 스싱ᄀᆞᆺ치 셤기리라."

몽슉이 불감ᄒᆞ믈 일큿고, 날이 맛도록 윤츔모 죽일 말을 당부ᄒᆞ니, 손확이 져의 말을 슌슌이 올타ᄒᆞ믈 보고, 결단ᄒᆞ여 윤틔우를 죽일지라, 다른 일노 얽어 경소로 줍아와 녁뉼노 너흐려 ᄒᆞ던 바는 프러 바리고, 윤흑ᄉᆞ는 뎡병부와 ᄒᆞᆫ 당의 너흐려 ᄒᆞ더라.

몽슉이 형왕을 보고 손원슈의게 윤틔우 죽일 쇠를 베플믈 젼ᄒᆞ니, 형왕이 당ᄉᆞ왕의 반(叛)하믈 우황민박(憂惶憫迫)ᄒᆞ여, 금번 년좌를 면치 못홀가 슬허ᄒᆞ되, 셩심이【129】요약의 샹ᄒᆞᆫᄉᆞ 형왕을 일편도이 총우ᄒᆞ시미 졈졈 더ᄒᆞ신 고로, 당ᄉᆞ왕이 반ᄒᆞ나 쳔니 밧 타국의 이셔, 그 반ᄒᆞ며 아니믈 모로미 괴이치 아니타 ᄒᆞ시고, 진슈어션(珍羞御膳)을 보ᄂᆡ샤 노인이 심녀를 허비치 말고, 식음을 쎠의 나오라 ᄒᆞ시되, 형왕이 황친뉴(皇親類)의 나기를 참괴ᄒᆞ여 운화산 졍즈의 이셔 칭병블츌(稱病不出)이러니, 몽슉이 윤틔우 죽일 계교를 힝ᄒᆞ니, 손확이 의심업시 죽이려 ᄒᆞ믈 젼ᄒᆞ니, 형왕이 듯고 탄왈,

"과인의 믜워ᄒᆞ는 밧ᄌᆞ는 뎡·진 등이오, 윤광텬은 굿ᄐᆞ여 골돌이 죽이고져 뜻이 업ᄉᆞ되, 플홀 버히미 쒠【130】리를 업시코져 흠ᄀᆞᆺᄐᆞ여, 그 당뉴를 다 죽이려 ᄒᆞ던 비라. ᄒᆞᆫ 놈을 쾌히 죽을 곳의 모라 너헛거니와, 다만 금션 법시 반셔(返書)를 가져 북디(北地)의 가시되 지금 소식이 업스니 괴이ᄒᆞ도다."

몽슉 왈,

"이는 쥬(州)·현(縣) 등이 아직 나오디 못ᄒᆞ미어니와 언마ᄒᆞ여 뎡·진 이문(二門)을 뭇지르리잇가?"

왕이 당ᄉᆞ왕의 일노뻐 심히 즐기지 아니ᄒᆞ더라.

손확이 명일 힝군ᄒᆞ여 숨만졍병과 십원명장을 거ᄂᆞ려 궐하의 하직ᄒᆞ고 당ᄉᆞ로 향

명댱을 거나려 궐하의 하딕【67】ㅎ고, 댱
샤로 향흘시, 긔치졀월(旗幟節鉞)1282)과 도
창검극(刀槍劍戟)1283)이 셔리 ᄀᆞᆺ고, 무슈 군
병이 대외(隊伍) 분분(紛紛)ᄒᆞ여 대로를 덥
허 ᄯᅳᆺ글이 희를 가리오고, 원슈의 녕군ᄒᆞᄂᆞ
거동이 젼혀 위엄을 셰올 ᄲᅮ이오, 비샹ᄒᆞᆫ
지조는 업스ᄃᆡ, 다만 부원슈 댱운의 긔상이
당당ᄒᆞ고, 거나린 바 군졸의 대외(隊伍) 졍
졔(整齊)ᄒᆞ고 법되 이시니, 보ᄂᆞ니 칭찬ᄒᆞ더
라.

원ᄂᆡ 댱운은 ᄉᆞ마 댱협의 ᄌᆡ(子)니, 일즉
등과ᄒᆞ여 벼슬이 동평댱ᄉᆞ러니, ᄌᆞ원(自願)
ᄒᆞ여 부원슈 된다라. 댱운의 쳐 영시ᄂᆞᆫ 댱
ᄉᆞ마 ᄎᆞ비 영부인의 딜녜(姪女)로ᄃᆡ, 위인이
슉뇨현텰(淑窈賢哲)ᄒᆞ여 그 슉모의 어디디
못ᄒᆞᆷ과 ᄀᆞᆺ디 아니ᄒᆞ더니,【68】윤부 뉴부인
이 경ᄋᆞ의 화란을 통샹(痛傷)ᄒᆞ고, 간고(艱
苦) 긔아(飢餓)의 골몰ᄒᆞᆫ 둥이나, 윤태우 형
뎨 죽이고져 ᄒᆞᄂᆞᆫ ᄆᆞ음이 조곰도 감치 아녓
ᄂᆞᆫ다라, 가마니 뉴금오 부인긔 셔간을 븟쳐,
댱ᄉᆞ마의게 쳥ᄒᆞ여 부원슈 윤참모의 죄를
얽어 죽이도록 ᄒᆞ면 은혜를 셰셰싱싱(世世
生生)1284)의 닛디 아니리라 ᄒᆞ여시니, 이
셔간을 뉴금오부인이 딜녀의게 보ᄂᆡ여시ᄆᆡ,
부원슈와 댱ᄉᆞ매 알고 그 용심을 블측히 녁
이ᄃᆡ 함구(緘口) 블언(不言)ᄒᆞ더라.

구몽슉이 권문셰가의 두로 단니며 뎡긔딘
조곡(鄭起陳助曲)이란 동요의 《긔이∥괴
이》ᄒᆞᆷ과, 븍히승쳡(北海勝捷O이 슈샹ᄒᆞ여
뎍뵈(的報) 아니믈【69】일ᄏᆞᄅᆞ니, 뎡원슈
의 인믈과 힝ᄉᆞ를 아는 ᄌᆞᄂᆞᆫ, 몽슉이 어ᄃᆡ
가 괴이ᄒᆞᆫ 허언을 드른 녁이더니, 신묘랑
이 군졸의 복식으로 희븍 졔읍 관문마다 반
셔를 젼ᄒᆞ니, 휘황ᄒᆞᆫ 필획과 찬난ᄒᆞᆫ ᄌᆞ쳬

홀시, 긔치졀월(旗幟節鉞)1224)과 도창검극
(刀槍劍戟)1225)이 셔리 ᄀᆞᆺ고, 무슈 군병이
대외(隊伍) 분분(紛紛)ᄒᆞ여 대로를 덥【13
1】허 ᄯᅱᆺ글이 희를 가리오고, 원슈의 녕군
ᄒᆞᄂᆞ 거동이 젼혀 위엄을 셰올 ᄲᅮ이오, 비
샹ᄒᆞᆫ 지조는 업스ᄃᆡ, 다만 부원슈 댱운의
긔샹이 당당ᄒᆞ고, 거나린 바 군졸의 대외
(隊伍) 졍졔(整齊)ᄒᆞ고 법되 이시니, 보ᄂᆞ니
칭찬ᄒᆞ더라.

원ᄂᆡ 댱운은 ᄉᆞ마 댱협의 ᄌᆡ(子)니, 일즉
등과ᄒᆞ여 벼슬이 동평댱ᄉᆞ러니, ᄌᆞ원(自願)
ᄒᆞ여 부원슈 된지라. 댱운의 쳐 영시ᄂᆞᆫ 당
ᄉᆞ마 ᄎᆞ비 영부인의 딜녜(姪女)로ᄃᆡ, 위인이
슉뇨현텰(淑窈賢哲)ᄒᆞ여 그 슉모의 어지지
못ᄒᆞᆷ과 ᄀᆞᆺ지 아니ᄒᆞ더니, 뉴부 뉴부인이 경
ᄋᆞ의 화란을 통샹(痛傷)ᄒᆞ고, 간고(艱苦) 긔
아(飢餓)의 골몰ᄒᆞᆫ 즁이나, 윤티우 형뎨 죽
【132】이고ᄌᆞ ᄒᆞᄂᆞᆫ ᄆᆞ음이 조곰도 금치
아녓ᄂᆞᆫ지라. ᄀᆞ만니 뉴금오 부인게 셔간을
븟쳐 댱ᄉᆞ마의게 쳥ᄒᆞ여, 부원슈 윤츰모의
죄를 얽어 죽이도록 ᄒᆞ면 은혜를 셰셰싱싱
(世世生生)1226)의 닛지 아니리라 ᄒᆞ여시니,
이 셔간을 뉴금오부인이 딜녀의게 보ᄂᆡ여시
ᄆᆡ, 부원슈와 댱ᄉᆞ매 알고 그 용심을 블측
히 녁이ᄃᆡ, 함구(緘口) 블언(不言)ᄒᆞ더라.

구몽슉이 권문셰가의 두로 단니며 '뎡긔
딘조곡(鄭起陳助曲)'이란 동요의 괴이홈과,
븍히승쳡이 슈샹ᄒᆞ여 젹뵈(的報) 아니믈 닐
ᄏᆞᄅᆞ니, 뎡원슈의 인믈과 힝ᄉᆞ를 아는 ᄌᆞᄂᆞᆫ,
몽슉이 어ᄃᆡ 가 괴이ᄒᆞᆫ 허언【133】을 드
른가 녁엿더니, 신묘랑이 군졸의 복식으로
희븍 졔읍 관문마다 반셔를 젼ᄒᆞ니, 휘황ᄒᆞᆫ
필획과 찬난ᄒᆞᆫ ᄌᆞ쳬(字體) 얼프시 뎡원슈의

1282)긔치졀월(旗幟節鉞) : 각종 깃발과 임금이 대원
　　수에게 내린 생살권(生殺權)을 상징하는 수기(手
　　旗) 모양의 절(節)과 도끼 모양의 부월(斧鉞).
1283)도창검극(刀槍劍戟) : 칼과 창 따위의 각종 병
　　기.
1284)셰셰싱싱(世世生生) : 몇 번이든지 다시 환생하
　　는 일. 또는 그런 때. 중생이 나서 죽고 죽어서 다
　　시 태어나는 윤회 때마다, 영원토록.

1224)긔치졀월(旗幟節鉞) : 각종 깃발과 임금이 대원
　　수에게 내린 생살권(生殺權)을 상징하는 수기(手
　　旗) 모양의 절(節)과 도끼 모양의 부월(斧鉞).
1225)도창검극(刀槍劍戟) : 칼과 창 따위의 각종 병
　　기.
1226)셰셰싱싱(世世生生) : 몇 번이든지 다시 환생하
　　는 일. 또는 그런 때. 중생이 나서 죽고 죽어서 다
　　시 태어나는 윤회 때마다, 영원토록.

(字體) 얼프시 뎡원슈의 슈필(手筆)을 입니
니엿는디라.

히븍 군현 즈시 그 반셔스어(叛書辭語)를
보미, 스스로 몸이 썰니고 심시 경황ᄒ믈
니긔디 못ᄒ여, 그 가온디 춍명특이(聰明特
異)ᄒ며 원녜(遠慮) 만흔 뉴는 오히려 곳이
듯디 아녀, 힝혀 니미망냥(魑魅魍魎)이 뎡원
슈의 튱절을 희디어 이굿치 ᄒ는가 넉이디,
원녜 업고 셩되 조급흔 즈는 반셔를 보고
대경ᄒ여, 닌읍 군현【70】 등과 의논 왈,

"우리 흔가디로 흉역(凶逆)되기를 면치
못ᄒ고, 몸이 참화를 바다 문회(門戶) 멸망
ᄒ리니, 엇디 반국뎍즈(叛國賊者)를 도와 군
샹(君上)을 져바리리오. 아등(我等)의 도리
뎡텬흥의 반셔를 텬문의 드리고 역신을 일
죽이 쳐티ᄒ시게 ᄒ리라."

졔읍 쥬현이 뎡원슈를 흉역으로 모라너키
를 앗길 지 만ᄒ되, 인신디도(人臣之道)의
반셔를 보고 잠잠ᄒ기는 가치 아닐 쁜 아니
라, 큰 화를 취ᄒ기 쉬온 고로, 모든 관읍이
다 반셔를 모화 븍쥐(北州) 즈스 녀둥이 경
샤의 올나와 고변(告變)ᄒ려 급급히 황셩으
로 향ᄒ니라.

신묘랑이 반셔를 젼ᄒ고 경샤의 도라와
구몽【71】슉을 보니, 몽슉 왈,

"스뷔 금번 힝도(行途)의 슈고를 만히ᄒ
고, 반셔를 도로미[1285] 쯧굿치 ᄒ엿거니와,
원간 스뷔 군졸의 모양으로 졔읍의 단니니,
반셔 가던 즈를 ᄎᄌ 곡절을 뭇디 아니터
냐?"

묘랑이 쇼왈,

"빈되 공듕의셔 왕닉ᄒ되, 관문의 다드라
군스의 모양으로 반셔를 젼ᄒ고, 힝혀 ᄎ질
가 급히 공듕으로 치다르니, 아모라도 조화
를 몰나시리라."

몽슉이 더옥 깃거, 요괴로이 계교를 ᄭ며
닉니, 텬하쇼인(天下小人)이러라.

이의 뎡녜부 등과 딘영슈 등이 셔간을 뎡

슈필(手筆)을 입닉닉엿는지라.

히븍 군현 즈시 그 반셔스의(叛書辭意)를
보미, 스스로 몸이 썰니고 심시 경황ᄒ믈
니긔지 못ᄒ여, 그 가온디 춍명특이(聰明特
異)ᄒ며 원녜(遠慮) 만흔 뉴는 오히려 고지
듯지 아녀, 힝혀 니미망냥(魑魅魍魎)이 뎡원
슈의 튱절을 희지어 이굿티 ᄒ는가 넉이디,
원녜 업고 셩되 조급흔 즈는 반셔를 보고
되경ᄒ여, 닌읍 군현 등과 의논 왈,

"우리 흔가지로 흉역(凶逆)되기를 면
【134】치 못ᄒ고, 몸이 참화를 바다 문회
(門戶) 멸망ᄒ리니, 엇지 반국뎍즈(叛國賊
者)를 도와 군샹(君上)을 져바리리오. 아등
(我等)의 도리 뎡텬흥의 반셔를 텬문의 드
리고, 녁신을 일죽이 쳐치ᄒ시게 ᄒ리라."

졔읍 쥬현이 뎡원슈를 흉역(凶逆)으로 모
라너키를 앗길 지 만ᄒ되, 인신지도(人臣之
道)의 그 반셔를 보고 줌줌ᄒ기는 불가ᄒ
쁜 아니라, 큰 화를 취ᄒ기 쉬온 고로, 모든
관읍이 다 반셔를 모화, 븍쥐(北州)즈스 녀
듕이 경스의 올나와 고변(告變)ᄒ려, 급급히
황셩으로 향ᄒ니라.

신묘랑이 반셔를 《쓰고∥젼ᄒ고》 경스
의 도라와 구몽을 보니, 몽슉 왈,

"스뷔 금번 힝【135】도(行途)의 슈고를
만히ᄒ고, 반셔를 도로미[1227] 쯧굿치 ᄒ엿
거니와, 원간 스뷔 군졸의 모양으로 졔읍의
단니니, 반셔 가던 즈를 ᄎ져 곡절을 뭇지
아니더냐."

묘랑이 쇼왈,

"빈되 공즁의셔 왕닉ᄒ되, 관문의 다드라
군스의 모양으로 반셔를 젼ᄒ고, 힝혀 ᄎ질
가 급히 공즁으로 치다르니, 아모라도 조화
를 몰나시리이다."

몽슉이 더옥 깃거, 《의외로∥요괴로이》
계교를 ᄭ며 닉니 텬하쇼인(天下小人)이러
라.

이의 뎡녜부 등과 딘녕슈 등이 셔간을 뎡

원슈긔 븟쳐, 어셔 대군을 거나려 올나와 대위(大位)를 아스라 ᄒᄂᆞᆫ 스어(辭語)를 디어, 신묘랑을 【72】 주어 여ᄎᆞ여ᄎᆞ ᄒᆞ라 ᄒᆞ니, 묘랑이 몽슉의 가르친 ᄃᆡ로 여러 쟝 셔간을 품 스이의 감초고, 인가 창두(蒼頭)의 복식으로 십ᄌᆞ가(十字街) 거리로 가니라. 【73】

원슈게 븟쳐, 어셔 ᄃᆡ군을 거ᄂᆞ려 올ᄂᆞ와 대위(大位)를 아스라 ᄒᄂᆞᆫ 스어(辭意)를 지어, 신묘랑 【136】 을 주어 여ᄎᆞ여ᄎᆞᄒᆞ라 ᄒᆞ니, 묘랑이 여러 쟝 셔간을 품 스이의 곰초고, 인가(人家) 창두(蒼頭)의 복식으로 십ᄌᆞ가 거리의 《꼿더니∥셧더니》,

어시의 신묘랑이 여러 댱 셔간을 품 스이
의 감초고 인가 창두의 복식으로 십즈가 거
리의 셧더니, 황즈 오왕의 거륜이 먼니 뵈
거늘, 짐즛 급히 가는 쳬ᄒᆞ다가 길흘 건너
스스로 하리 츄종의 잡으믈 당ᄒᆞ니, 묘랑이
만신을 쩌는 쳬ᄒᆞ여 소리ᄒᆞ여 비러 굴오ᄃᆡ,
"오왕뎐하의 거륜 압히 길흘 건너미 큰
죄어니와 쳔만 무심듕이라. 원컨딕 녈위ᄂᆞᆫ
뎐하긔 알외고 일명을 샤ᄒᆞ라."
모든 하리 묘랑을 쯔어 쌤을 치며 굴
【1】오ᄃᆡ,
"이 눈업슨 즘싱 놈아. 엇던 위의라고 몰
나보고 길흘 건너고 감히 샤죄키를 쳥ᄒᆞᄂᆞ
뇨?"
묘랑이 몸을 뒤틀며 요괴로이 굴 즈음의
품 가온ᄃᆡ로셔 두어 봉 셔간이 쌘디니, 하
리 등은 무심ᄒᆞᄃᆡ, 묘랑이 가슴을 두다리며
우러 왈,
"이졔는 대시 그릇 되겟다."
ᄒᆞ니, 하리 등이 셔간을 가져 오왕긔 드
리고, 묘랑을 잡아 오왕궁으로 딕후ᄒᆞ니, 왕
이 도라와 그 셔간을 쩌혀보니, 뎡녜부 등
이 그 형의게 븟친 셔간이오. 딘 태우 등이
ᄒᆞᆫ가디로 평남후긔 글을 븟쳐시ᄃᆡ, 샤에 흉
참ᄒᆞ여 대역을 도모ᄒᆞ여시【2】니, 왕이 견
파의 대경실식ᄒᆞ여 만심이 셔늘ᄒᆞ니, 오릭
도록 말을 못ᄒᆞ다가, 날호여 하리로 길 넘
던 놈을 잡아드려 계하의 다드르니, 왕이
신식이 찬 지 ᄀᆞᆺᄐᆞ여, 고셩 문왈,
"네 블과 인가 노복의 모양이라. 셔간을
가디고 어딕로 가며 원간 뉘집 노진다?"
묘랑이 머리를 숙이고 이윽이 머뭇거려
딕답디 아니니, 왕이 대로ᄒᆞ여 그 요패(腰
牌)1286)를 쩌히고 오형(五刑)1287)을 ᄀᆞᆺ초아

1286)요패(腰牌) : 조선 시대에, 군졸·사령·별배 등
이 신분을 나타내기 위하여 허리에 차던 패. 나무
로 만들어 패의 위쪽에 '엄금(嚴禁)'이라고 새겼다.
1287)오형(五刑) : 조선 시대에, 중국 대명률에 의거
하여 죄인을 처벌하던 다섯 가지 형벌. 태형(笞

황즈 오왕의 거륜이 먼니 뵈거늘, 짐즛 급
히 가는 쳬ᄒᆞ다가, 길흘 건너 스스로 하리
츄종의 줍히믈 당ᄒᆞ니, 묘랑이 만신을 쩌는
쳬ᄒᆞ여 소리ᄒᆞ여, 비러 굴오ᄃᆡ,
"오왕뎐하의 거륜 압히 길흘 넘흐미 큰
죄어니와, 쳔만 무심 즁이라. 원컨딕, 녈위
ᄂᆞᆫ 뎐하게 알외고 일명을 샤ᄒᆞ라."
모든 하리 묘랑을 쯔어 쌤을 쳐 굴오ᄃᆡ

"이 눈업슨 즘싱 놈아, 엇더ᄒᆞ신 위의라
고 몰너나지 못ᄒᆞ고, 길흘 건【137】너며
감히 ᄉᆞ죄키를 쳥ᄒᆞᄂᆞ뇨?"
묘랑이 몸을 뒤틀며 요괴로이 굴 즈음의,
품 가온ᄃᆡ로셔 두어 봉 셔간이 쌘지니, 하
리 등은 무심ᄒᆞᄃᆡ, 묘랑이 ᄀᆞ슴을 두다리며
우러 왈,
"이졔는 대시 그릇 되겟다."
ᄒᆞ니 하리 등이 셔간을 가져 오왕긔 드리
고, 묘랑을 잡아 오왕궁으로 딕후ᄒᆞ니, 왕이
도라와 그 셔간을 쩌혀보니, 뎡녜부 등이
그 형의게 븟친 셔간이오. 진태우 등이 ᄒᆞᆫ
가지로 평후긔 글을 븟친시ᄃᆡ, ᄉᆞ에 흉참ᄒᆞ
여 대역을 도모ᄒᆞ여시니, 왕이 견파의 대경
실식ᄒᆞ여 만심이 셔늘ᄒᆞ니, 오릭도록 말을
못ᄒᆞ【138】다ᄀᆞ, 날호여 하리를 분부ᄒᆞ여
길 넘던 놈을 잡아드려 계하의 다드르니,
왕이 신식(神色)이 찬 지 ᄀᆞᆺᄐᆞ여 고셩 문왈,
"네 블과 인가 노복의 모양이라. 셔간을
가지고 어딕로 가며, 원간 뉘집 노진다?"
묘랑이 머리를 숙이고 니윽히 머뭇거려
딕답지 아니니, 왕이 대로ᄒᆞ여 그 요픽(腰
牌)1228)를 쩌히고, 오형(五刑)1229)을 ᄀᆞᆺ초아

1228)요패(腰牌) : 조선 시대에, 군졸·사령·별배 등
이 신분을 나타내기 위하여 허리에 차던 패. 나무
로 만들어 패의 위쪽에 '엄금(嚴禁)'이라고 새겼다.
1229)오형(五刑) : 조선 시대에, 중국 대명률에 의거
하여 죄인을 처벌하던 다섯 가지 형벌. 태형(笞

간졍을 므르려 ㅎ니, 묘랑이 발셔 요패를
ㅎ여 츳던디라. 하리(下吏) 그 요패를 써혀
왕긔 드리니 왕이 보니 금평후 뎡공의 노직
라 ㅎ엿더라. 【3】

왕이 더옥 의심ㅎ고 분노ㅎ여 형벌을 베
퍼 묘랑을 다스리려 ㅎ니, 묘랑이 썰며 눈
믈을 먹음어 굴오듸,

"쇼인은 취운산 금평후 퇵샹(宅上) 노직
러니, 쥬인의 명으로 븍ᄒᆡ(北海)를 향ㅎᄋᆞᆸᄂᆞᆫ
비러니 그릇 길흘 넘어 귀궁의 잡혓ᄂᆞ이
다."

왕이 더옥 ᄎᆞᆨ악분히ㅎ여, 하리로 ㅎ여금
묘랑을 결박ㅎ여 움즉이디 못ㅎ게 엄슈(嚴
守)ㅎ라 ㅎ고 도로 입궐ㅎ니, 이쩌 궐졍의
셔 농포와 옥ᄉᆡ를 츳고져 ㅎ실식, 궐ᄂᆡ 소
요ㅎ여 환관의 무리와 궁녀 등이 각각 참형
을 기다릴디언졍, 쳔만 원억(冤抑)ᄒᆞᆫ 일을
무복(誣服)디 아【4】니려 ㅎᄂᆞᆫ디라. 뉴황
휘 샹긔 고ㅎ시듸,

"ᄂᆡ시와 궁녀의 무리 농포와 옥ᄉᆡ를 도덕
ㅎ여 쓸 곳이 업고, 각각 그 방샤(房舍)를
뒤여보나 업ᄂᆞᆫ디라. 결단ㅎ여 외됴(外朝)의
작변이오 궁ᄂᆡ식 아니오니, 원컨듸 폐하는
임의ᄒᆞᆫ 궁녀와 환관을 국문치 마르쇼셔."

샹이 굴오샤듸,

"환관과 궁녜 그런 흉ᄉᆞᄂᆞᆫ 싱각디 못ᄒᆞᆯ듯
ㅎ듸, 외됴의 작변일스록 환시(宦侍)[1288]를
쳐결(締結)[1289]ㅎ미 업디 아닐 거시니, 넘녜
노히디 아니ㅎᄂᆞᆫ디라. 갓가이 샤후ㅎ던 ᄂᆡ
관과 궁녀는 아니 뭇디 못ㅎ리라."

ㅎ시고 듕형을 더으려 ㅎ시니, 태직【5】
쏘 간ㅎ여 아딕 치기를 날회고 다 가도시
니, 궁ᄂᆡ 황황ᄒᆞᆯ 즈음의, 오왕이 입궐ㅎ여
뎡·딘 등의 셔간을 샹긔 드려 어람(御覽)
ㅎ시믈 쳥ㅎ고, 신식이 ᄎᆞᆨ악ㅎ믈 오히려 뎡
치 못ㅎ여 쥬왈,

간졍을 므르려 ㅎ니, 묘랑이 발셔 뇨픠를
ㅎ여 츳던지라. 하리(下吏) 그 요픠를 써혀
당의 드리니, 왕이 본즉 금평후 뎡공의 노
지라 ㅎ엿더라.

왕이 더옥 의심ㅎ고 분노ㅎ여, 형벌을 베
퍼 묘랑을 다스리려 ㅎ니, 묘랑이 썰며 눈
【139】믈을 먹음어 굴오듸,

"쇼인은 취운산 금평후 퇵(宅)노지러니,
쥬인의 명으로 븍ᄒᆡ(北海)를 향ㅎᄋᆞᆸᄂᆞᆫ 비러
니, 그릇 길흘 넘어 귀궁의 즙혓ᄂᆞ이다."

왕이 ᄎᆞᆨ악 분히ㅎ여, 하리로 ㅎ여금 묘랑
을 결박ㅎ여 움죽이지 못ㅎ게 엄슈(嚴守)ㅎ
라 ㅎ고 도로 입궐ㅎ니, 이쩌 궐졍의셔 농
포와 옥ᄉᆡ를 츳고져 ㅎ실식, 궐ᄂᆡ 소요ㅎ여
환관의 무리와 궁녀 등이 각각 참형을 당ᄒᆞᆯ
지언졍, 쳔만 원억(冤抑)ᄒᆞᆫ 일을 무복(誣服)
지 아니려 ㅎᄂᆞᆫ지라. 뉴황휘 샹게 고ㅎ시듸,

"ᄂᆡ시와 궁녀의 무리 농포와 옥ᄉᆡ를 도적
ㅎ여 쓸 곳이【140】업고, 각각 그 방ᄉᆞ
(房舍)를 뒤여보나 업ᄂᆞᆫ지라. 결단코 외됴
(外朝)의 작난이오, 궁ᄂᆡ 작변이 아니오니,
원(願) 폐하는 임의ᄒᆞᆫ 궁녀와 환관을 국문
치 마르쇼셔."

샹이 굴오ᄉᆞ듸,

"환관과 궁녜 그런 흉ᄉᆞᄂᆞᆫ 싱각지 못ᄒᆞᆯ
듯ㅎ듸, 외됴의 작변일스록 환시(宦侍)[1230]
를 쳐결(締結)[1231]ㅎ미 업지 아닐 거시니,
넘녜 노히지 아니ㅎᄂᆞᆫ지라. 갓ᄀᆞ이 ᄉᆞ후ㅎ
던 ᄂᆡ관과 궁녀는 아니 뭇지 못ㅎ리라."

ㅎ시고 듕형을 더으려 ㅎ시니, 태직 쏘
간ㅎ여 아직 치기를 날회고 다 가도시니,
궁ᄂᆡ 황황ᄒᆞᆯ 즈음의 오왕이 입궐ㅎ여, 뎡·
진 등의 셔간을 샹게 드려 어람(御覽)ㅎ시
믈 쳥ㅎ고, 신【141】식이 ᄎᆞᆨ악ㅎ믈 오히려
졍치 못ㅎ여 쥬왈,

"신 등이 뎡텬흥으로 쥬셕지신(柱石之臣)으로 알며, 딘영슈 등을 튱현디인(忠賢之人)으로 밀위옵더니, 이 셔간을 보아는 만고의 업슨 흉역이라. 신이 임의 노ㅈ(奴子)를 잡아시니, 황애 뎡딘흥 딘영슈 등을 나리ㅎ샤 일쳐(一處)의 딕면질졍(對面質正)케 ㅎ시면 거의 흉시 발각ㅎ리이다."

오왕의 쥬시 맛디 못ㅎ여셔, 우승상 화경이 궐하의 쳥딕ㅎ니, 샹이 즉시 인견(引見)ㅎ시【6】미, 화승상이 머리를 옥계(玉階)의 브딕이져 눈물을 흘녀 쥬왈,

"국개 블힝ㅎ여 밧그로 번국의 엿보는 환이 잇고, 안흐로 공후지렬(公侯宰列)이 대역을 쇠ㅎ여, 뇽포와 옥식를 도뎍ㅎ여 제집의 감초고, 희븍 이뎍(夷狄)으로 동심ㅎ여 거즛 승쳡흔 쥬문(奏文)을 텬문의 올녀, 셩의(聖意)를 늣추며 만됴의 의심을 요동치 아니코, 대군을 거느려 호호탕탕이 황셩으로 올나와 만고흉역(萬古凶逆)1290)을 힝코져 ㅎ는 밧지1291), 뎡텬흥의게 디나디 아니ㅎ온디라. 샹이 젼일 텬흥을 알오시미 한디(漢代) 제갈(諸葛)1292) ㄱㅊ ㅎ시고 딘영슈 등으로뻐 튱냥디신(忠良之臣)으로【7】 아르시더니, 엇디 혜아린 바와 닉도ㅎ와, 셩은의 늉흡(隆洽)ㅎ시믈 닛고, 참남흔 의식 궁흉 극악ㅎ오미 이 ㄱㅌ 줄 아라시리잇고? 복원 셩샹은 역신 등을 엄히 다스리샤 그 죄를 뎡히 ㅎ쇼셔."

샹이 요약의 셩춍(性聰)이 흐리신 바의 오왕의 드리는 셔간을 어람ㅎ시미, 텬심이 경히 츠악ㅎ샤 능히 측냥치 못ㅎ시거늘, 화승상의 쥬ㅅ(奏辭)를 드르시미 비록 일월디명(日月之明)이 계시나, 셩왕(成王)1293) ㄱㅌ 현군으로도 쥬공(周公)1294) ㄱㅌ신 셩인

"신 등이 뎡텬흥을 쥬셕지신(柱石之臣)으로 알며, 진영슈 등을 츙현지인(忠賢之人)으로 밀위더니, 이 셔간을 보아는 만고의 업슨 흉역이라. 신이 임의 노ㅈ(奴子)를 즙아시니, 폐히 뎡딘흥 진녕슈 등을 나리ㅎ샤 일쳐(一處)의 딕면질졍(對面質正) ㅎ시면 거의 발각ㅎ리이다."

오왕의 쥬시 맛지 못ㅎ여셔, 승상 화공이 또한 뎡·진 역모지ㅅ(逆謀之事)를 일일히 주달ㅎ는지라.

1290)만고흉역(萬古凶逆) ; 세상에 비길 데가 없는 흉측한 반역.
1291)밧지 : -하는 바(所)의 것. -하는 바. -하는 것.
  *밧지; '바(所)-ㅈ(者)'
1292)제갈(諸葛) : 제갈공명(諸葛孔明).
1293)셩왕(成王) : 중국 주나라의 제2대 왕. 이름은 송(誦). 어려서 즉위하였기 때문에 처음에는 숙부 주공단(周公旦)이 섭정하였으나, 후에 소공(召公) 등의 보좌를 받아 주나라의 기초를 쌓았다.

(聖人)의 슉부를 의심ᄒ시니, 간참(姦讒)의 셩ᄒ미 이 디경의 밋ᄎ미, 어이 뎡원슈의 관일뎡튱(貫一貞忠)과 졔【8】딘의 츌인(出人)흔 튱졀을 싱각ᄒ시리오.

텬안이 경희ᄒ샤 오ᄅᆡ 옥음(玉音)을 여디 아니ᄒ시더니, 날호여 화공ᄃ려 니르샤ᄃᆡ,

"경이 원간 텬흥·딘영슈 등의 역모를 엇디 아ᄅᆡ시며, 뇽포와 옥ᄉᆡ를 ᄯ 분명이 도뎍ᄒ여 가시믈, ○[뉘] 경ᄃ려 니르더뇨?"

화공이 브복 ᄃᆡ왈,

"폐하ᄂᆞᆫ 민간 소식을 모로시나, 신은 녀염(閭閻)의 이시니 ᄌᆞ연 뎡·딘 등의 반상이 들니올 ᄰᆞᆫ 아니오라, 근간 괴이흔 동외(童謠) 쳐쳐의 가득ᄒ여 명(名) 왈(曰), '뎡긔딘됴곡(鄭起陳助曲)'이라 ᄒ오ᄃᆡ, 말이 흉참ᄒ오나 신이 딘짓 동요만 녁여 실노1295) 아랏ᄉᆞᆸ더니, 슈일젼 ᄃᆞᆺᄌᆞᄋᆞᄆᆡ 딘영【9】슈의 하리와 뎡셰흥의 하리 그 노ᄅᆡ를 디어 녀염간(閭閻間) ᄋᆞ동을 가ᄅᆞ치다 ᄒ오니, 일마다 흉히(凶駭)ᄒ온디라. 뇽포와 옥ᄉᆡᄂᆞᆫ 뎡가(鄭家) 도뎍ᄒ여 가시믈 상셔 구몽슉이 본ᄃᆞ시 아라, 발셔 슈상흔 ᄉᆞ긔를 슛치고, 신다려 닐너 쳥ᄃᆡ(請對)ᄒᆞᆷ믈 권ᄒ더이다."

샹이 비로소 오왕의 잡은 셔간을 화승상을 주어 보라 ᄒ시고, 급히 구몽슉을 명초ᄒ시니, 원간 화승상이 뎡·딘 이문으로 가장 친졀흔 ᄉᆞ이오, 위인이 강엄뎡대(剛嚴正大)ᄒ며 셩되 쳥고ᄒ디, 다만 긔량(器量)이 화홍(和弘)치 못ᄒ며, 급거(急遽)1296)ᄒ기를 면치 못ᄒ더니, 구몽슉이 화공의 뎨【10】삼ᄌᆞ 화우와 년긔 샹뎍(相敵)ᄒ고 피ᄎ ᄉᆞ괴여, 화우ᄂᆞᆫ 몽슉의 간악ᄒᆞᆷ믈 아디 못ᄒ고

1294) 쥬공(周公) : 중국 주나라의 정치가. 문왕의 아들로 성은 희(姬). 이름은 단(旦). 형인 무왕을 도와 은나라를 멸하였고 어린 조카 성왕(成王)을 섭정하여 주나라의 기초를 튼튼히 하였다. 예악 제도(禮樂制度)를 정비하였으며, ≪주례(周禮)≫를 지었다고 알려져 있다

1295) 실노 : 벌로. 건성으로,. *실(失)로; 허실(虛失)로. 실(實)없는 일로.

1296) 급거(急遽) : 몹시 서둘러 급작스러운 모양. 늑 급거히.

텬안이 경희ᄒᆞ스 오ᄅᆡ 옥음(玉音)을 녀지 아니시더니, 날호여 화공ᄃᆞ려 닐오스ᄃᆡ

"경이 원【142】간 뎡텬흥 진녕슈 등의 녁모를 엇지 아랏ᄉᆞ며, 뇽포와 옥ᄉᆡ를 ᄯᅩ ᄇᆞᆫ명이 도젹ᄒᆞ여 갓시믈 ○[뉘] 경ᄃᆞ려 닐ᄋᆞ더뇨?

화공이 부복 주왈,

"폐하ᄂᆞᆫ 궁궐의 깁히 계시ᄉ 민간 소식을 ᄌᆞ시 몰ᄋᆞ시나 신은 녀염(閭閻)의 이시니, ᄌᆞ연 뎡·진 등의 반상을 《들닐∥들을》 ᄰᆞᆫ 아니오라, 근간 괴이흔 동외(童謠) 쳐쳐의 가득ᄒᆞ여, 명왈(名曰) '뎡긔진죠(鄭起陳助曲)'이라 ᄒᆞ오ᄃᆡ, 말이 흉참ᄒᆞ오나, 신이 진짓 동요만 녁여 실노1232) 아랏ᄉᆞᆸ더니, 슈일젼 ᄃᆞᆺᄉᆞ오ᄆᆡ 진녕슈의 하리와 뎡셰흥의 하리 그 노ᄅᆡ를 지어【143】 녀염간(閭閻間) ᄋᆞ동을 ᄀᆞᄅᆞ치다 ᄒᆞ오니, 일마다 흉히(凶駭)ᄒᆞ온지라. 뇽포와 옥ᄉᆡᄂᆞᆫ 뎡개(鄭家) 도뎍ᄒᆞ여 가시믈 상셔 구몽슉이 본ᄃᆞ시 아라, 발셔 슈상흔 ᄉᆞ긔를 슛치고 신ᄃᆞ려 닐너 쳥ᄃᆡ(請對)ᄒᆞᆷ믈 권ᄒᆞ더이다."

상이 비로소 오왕의 줍은 셔간을 화승상을 주어 보라 ᄒᆞ시고, 급히 구몽슉을 명초ᄒᆞ시니, 원ᄂᆡ 화승상이 뎡·딘 이문으로 ᄀᆞ장 친졀흔 ᄉᆞ이오, 위인이 강엄졍대(剛嚴正大)ᄒᆞ며 셩되 쳥고ᄒᆞ디, 다만 지략(智略)이 화홍치 못ᄒᆞ며, 급거(急遽)1233)ᄒᆞ기를 면치 못ᄒᆞ더니, 구몽슉이 화가의 뎨ᄉᆞᆷᄌᆞ 화우와 년긔 샹젹ᄒᆞ고【144】 피ᄎ ᄉᆞ괴여, 화우ᄂᆞᆫ 몽슉의 간악ᄒᆞᆷ믈 아지 못ᄒᆞ고, 그 외모 풍신(風神)과 지문(才文)을 크게 ᄉᆞ랑ᄒᆞᄂᆞᆫ지라. 몽슉이 화가의 당당○[흔] 권셰를 더욱 붓조ᄎ1234) 밧그로 어진 빗출 작위ᄒᆞ고, 짐

1232) 실노 : 벌로. 건성으로,. *실(失)로; 허실(虛失)로. 실(實)없는 일로.

1233) 급거(急遽) : 몹시 서둘러 급작스러운 모양. 늑 급거히.

1234) 붓좃다 : 붙좇다. 붙따르다. 존경하거나 섬겨 따

그 외모 풍신(風神)과 지문(才文)을 크게 스
랑ᄒᄂᆞ니라. 몽숙이 화가의 당당ᄒᆞᆫ 셰권을
더욱 붓좃츠1297), 밧그로 어딘 빗츨 작위ᄒᆞ
고, 짐즛 사람의 의심되고 놀나게 말을 ᄒᆞ
여, 화우를 본 적마다 뎡·딘 이문의 반역
을 아라 드를만치 ᄒᆞ고, 져는 낙양후게 길
니인 은혜 뫼 ᄀᆞ트디, 부형ᄀᆞ치 셤기디 못
ᄒᆞᄆᆞᆯ 슬허ᄒᆞ여, {글오디} 낙양후와 금평휘
각각 ᄋᆞ들노뼈 ᄆᆞ음이 그릇 되고 블의를 슝
상ᄒᆞ여, 그 ᄋᆞ들의 흉역을 금단(禁斷)치 못
ᄒᆞ니, 필경 션죵(善終)이 쉽디 못【11】홀
바를 딘졍으로 이둘나 ᄒᆞᄂᆞᆫ 쳬ᄒᆞ니, 화위
이 말을 부친긔 고ᄒᆞ니, 화공이 크게 놀나
몽숙을 딕ᄒᆞ여 곡졀을 ᄌᆞ시 므르니, 몽숙이
뎡·딘 냥문의 대역부도를 이언(利言)1298)
이 젼ᄒᆞ고, 눙포와 옥시ᄂᆞᆫ 뎡셰흥이 그 형
을 위ᄒᆞ여 미리 도덕ᄒᆞ여 두다 ᄒᆞ니, 화공
이 너르디 못ᄒᆞᄆᆞ로 두로혀 싱각디 못ᄒᆞ고,
ᄒᆞᆫ갓 강박녈딕(強薄烈直)ᄒᆞᆫ 긔운을 굽히디
못ᄒᆞ여, 몽숙의 말을 드르며 즉시 쳥듸ᄒᆞᆫ족,
발셔 오왕이 흉셔를 어더 샹긔 드려시니,
화공은 더욱 뎡·딘 냥문 흉역이 반닷ᄒᆞᄆᆞᆯ
아라 분히ᄒᆞᄆᆞᆯ 니긔디 못ᄒᆞ더라.

　구몽숙이 패명(牌命)을 인ᄒᆞ여【12】 밧
비 입궐ᄒᆞ니, 샹이 므르샤 왈,
　"경이 뎡·딘 두 집으로 가장 친졀ᄒᆞ다
ᄒᆞ고, 그 ᄒᆞᄂᆞᆫ 바 일을 다 ○○[안다] ᄒᆞ니,
과연 뎡텬흥이 슈도(首導)1299)ᄒᆞ여 흉역을
쐬ᄒᆞ미 올흐냐?"
　몽숙이 믄득 눈물을 쓰려 쥬 왈,
　"신이 님군을 위ᄒᆞ여 뎍심단튱(赤心丹忠)
을 셰오고져 ᄒᆞ므로, ᄉᆞᄉᆞ 은혜와 덕을 비
반ᄒᆞ여 니즈미 심ᄒᆞ온다라. 신의 명되 긔험
(崎險)ᄒᆞ와 나히 어려셔 부모를 여희옵고,
강근디친(強近之親)1300)이 업스며 ᄒᆞᆫ낫 동

1297)붓좃다 : 붙좇다. 붙따르다. 존경하거나 섬겨 따
　르다
1298)이언(利言) : 상황에 따라 자기에게 유리하게 지
　어내거나 실속 없이 번드르르하게 하는 말.
1299)슈도(首導) : 앞장서서 이끌고 나감.
1300)강근디친(強近之親) : 도움을 줄 만한 아주 가
　까운 친척.

┃낙선제본 명듀보월빙 권디오십칠

줏 스람이 의심되고 놀납게 말을 ᄒᆞ여, 화
우를 본 젹마다 뎡·진 이문의 반녁을 아라
드를만치 ᄒᆞ고, 져ᄂᆞᆫ 낙양후게 길니인 은혜
뫼 ᄀᆞ트디, 부형ᄀᆞ치 셤기지 못ᄒᆞᄆᆞᆯ 슬허ᄒᆞ
여, {실노 긔특ᄒᆞᆫ} 낙양후와 금평휘 각각
ᄋᆞ들노뼈 ᄆᆞ음이 그릇 되고 블의를 슝샹ᄒᆞ
여, 그 ᄋᆞ들의 흉역을 금단치 못ᄒᆞ니, 필경
션죵이 쉽지 못【145】홀 바를 진졍으로
이둘나 ᄒᆞᄂᆞᆫ 쳬ᄒᆞ니, 화위 이 말을 부친긔
고ᄒᆞ니, 화공이 크게 놀나 몽숙을 딕ᄒᆞ여
곡졀을 ᄌᆞ시 므르니, 몽숙이 뎡·진 낭문의
대역부도를 이언(利言)1235)이 젼ᄒᆞ고, 눙포
와 옥시ᄂᆞᆫ 뎡셰흥이 그 형을 위ᄒᆞ여 미리
도젹ᄒᆞ여 두다 ᄒᆞ니, 화공이 쯧이 너르지
못ᄒᆞ무로 두루혀 싱각지 못ᄒᆞ고, ᄒᆞᆫ갓 강박
녈직(強薄烈直)ᄒᆞᆫ 긔운을 굽히지 못ᄒᆞ여, 몽
숙의 말을 드르며 즉시 쳥듸ᄒᆞᆫ족, 발셔 오
왕이 흉셔를 어더 샹긔 드려시니, 화공은
더욱 뎡·진 낭문 흉역이 반닷ᄒᆞᄆᆞᆯ 아라,
분히ᄒᆞᄆᆞᆯ 니긔지【146】못ᄒᆞ더라.

　구몽숙이 픽명(牌命)을 인ᄒᆞ여 밧비 입궐
ᄒᆞ니, 샹이 문왈,
　"경이 뎡·진 두 집으로 가장 친졀ᄒᆞ다
ᄒᆞ고, 그 ᄒᆞᄂᆞᆫ 일을 다 안다 ᄒᆞ니, 과연 뎡
텬흥이 슈도(首導)1236)ᄒᆞ여 흉녁을 쐬ᄒᆞ미
올흐냐?"
　몽숙이 믄득 눈물을 쓰려 주왈,
　"신이 님군을 위ᄒᆞ여 젹심단츙(赤心丹忠)
을 셰오고져 ᄒᆞ여, ᄉᆞᄉᆞ 은혜와 덕을 비반
ᄒᆞ여 니즈미 심ᄒᆞᆫ지라. 신의 명되 긔험(崎
險)ᄒᆞ와 나히 어려셔 부모를 녀희옵고, 강
근지친(強近之親)1237)이 업스며 ᄒᆞᆫ낫 동긔
잇지 아냐, 고혈무의(孤子無依)ᄒᆞᆫ 인싱이 죽

　르다
1235)이언(利言) : 상황에 따라 자기에게 유리하게 지
　어내거나 실속 없이 번드르르하게 하는 말.
1236)슈도(首導) : 앞장서서 이끌고 나감.
1237)강근지친(強近之親) : 도움을 줄 만한 아주 가
　까운 친척.

명쥬보월빙 권지이십일 박순호본┃

긔 잇디 아냐, 고혈무의(孤子無依)흔 인싱이 죽으미 반둣흐고 살미 어렵거늘, 낙양후 딘광이 아비 골육 ᄀᆞᆺᄌᆞᆫ 친우로, 신의 혈혈(孑子)흐믈 잔잉히 넉여, 거두어 기르미 【13】디극흔 졍이 피ᄎᆞ의 져바릴 ᄯᅳᆺ이 업고, 금평후 뎡연이 ᄯᅩ흔 딘광ᄀᆞᆺ치 신을 ᄉᆞ랑ᄒᆞ더니, 등과(登科) 후로브터 딘녕슈 뎡텬흥과 디취(志趣) 달나, 졍이 난호이고 ᄆᆞ음이 다르믄 다른 일이 아니라, 뎡텬흥은 ᄋᆞ시로브터 그윽이 외람흔 의ᄉᆞ 이셔, 스스로 졔 얼골을 칭찬ᄒᆞ며 니르디, '늉쥰일각(隆準日角)의 의여(疑如) 뎨왕(帝王)의 상(相)이오, 인신(人臣)의 골격이 아니라.' 흐믄, 신도 여러번 듯ᄌᆞ왓더니, 또 상ᄌᆡ(相者) 텬흥을 보고 기려 왈, '뇽의 눈셥과 봉의 눈이며, 뉴션쥬(劉先主)의 귀오, 한고조(漢高祖)의 니미니, 상모의 비범ᄒᆞ미 스히 만방을 《통녈∥통령(統領)》 홀 거시오, 만됴 문무의 산호비【14】무(山呼拜舞)를 바들 거시니, 구구(區區)히 허리를 굽혀 ᄉᆞ군(事君)홀 상이 아니라' ᄒᆞ오니, 텬흥이 일노브터 더옥 방ᄌᆞᄒᆞ여 당(唐) 태종(太宗)의 집을 화(化)ᄒᆞ여 나라흘 민

으미 반둣ᄒᆞ고 살미 어렵거늘, 낙양후 진광이 아비 【147】 골육 ᄀᆞᆺ튼 친우로 신의 혈혈(孑子)ᄒᆞ믈 잔잉이 너겨, 거두어 기르미 지극흔 졍이 피ᄎᆞ의 져바릴 ᄯᅳᆺ이 업고, 금평후 뎡연이 ᄯᅩ흔 진광ᄀᆞᆺ치 신을 ᄉᆞ랑ᄒᆞ더니, 등과(登科) 후로브터 딘녕슈 뎡텬흥과 지취(志趣) 달나, 졍이 난호이고 ᄆᆞ음이 다르믄 다른 일이 아니라, 뎡텬○[흥]은 ᄋᆞ시로브터 그윽이 외람흔 의ᄉᆞ 이셔, 스스로 졔 얼골을 층찬ᄒᆞ며 닐오디, '늉쥰일각(隆準日角)○[이] 의여(疑如) 왕ᄌᆞ긔상(王者氣像)이오, 인신(人臣)의 골격이 아니라' ᄒᆞᆫ 신도 녀러 번 듯ᄌᆞ왓더니, 또 상ᄌᆡ(相者) 텬흥을 보고 기려 왈, '뇨[뇽]의 눈셥과 봉의 눈이며, 뉴션쥬(劉先主)의 귀오, 한고조(漢高祖)의 니【148】미니, 상모의 비범ᄒᆞ미 스히 만방을 《통녈∥통녕(統領)》 홀 거시오, 만됴 문무의 산호비무(山呼拜舞)를 바들 거시니, 구구(區區)히 허리를 굽혀 ᄉᆞ군(事君)홀 상이 아니라' ᄒᆞ오니, 텬흥이 일노브터 더옥 방ᄌᆞᄒᆞ여 당(唐) 태종(太宗)의 집을 화(化)ᄒᆞ여 나

1301)늉쥰일각(隆準日角) : 코가 우뚝하여 높고 이마의 중앙의 뼈가 태양처럼 둥글고 두두룩함. 관상(觀相)에서 귀인의 상(相)을 이르는 말. *일각(日角); 관상에서, 이마 한가운데 뼈가 불거져 있는 일. 귀인이 될 관상(觀相)이라 함.

1302)의여(疑如) : 생각건대. 모름지기. 사리를 따져 보건대 마땅히. 또는 반드시.

1303)뉴션쥬(劉先主) : 중국 삼국시대 촉한의 제1대 황제 유비(劉備 : 161~223)를 이르는 말. 자는 현덕(玄德). 제갈량의 도움을 받아 제위에 올랐다. 팔이 길어 그대로 뻗어 무릎까지 닿고, 귀도 남달리 커서 거울을 사용하지 않고도 자신의 귀를 볼 수 있었다고 한다.

1304)한고조(漢高祖) : 중국 한(漢)나라의 제1대 황제(B.C.247~195). 성은 유(劉). 이름은 방(邦). 자는 계(季). 시호는 고황제(高皇帝). 고조는 묘호. 항우와 합세하여 진(秦)나라를 멸망시킨 후, 해하(垓下)의 싸움에서 항우를 대파하여 중국을 통일하고 제위에 올랐다.

1305)산호빅무(山呼拜舞) : 나라의 중요 의식에서 신하들이 임금의 만수무강을 축원하여 두 손을 치켜들고 만세를 부르고 절하던 일.

1306)당(唐) 태종(太宗) : 중국 당나라의 제2대 황제(598~649). 성은 이(李). 이름은 세민(世民). 삼성

1238)늉쥰일각(隆準日角) : 코가 우뚝하여 높고 이마의 중앙의 뼈가 태양처럼 둥글고 두두룩함. 관상(觀相)에서 귀인의 상(相)을 이르는 말. *일각(日角); 관상에서, 이마 한가운데 뼈가 불거져 있는 일. 귀인이 될 관상(觀相)이라 함.

1239)의여(疑如) : 생각건대. 모름지기. 사리를 따져 보건대 마땅히. 또는 반드시.

1240)뉴션쥬(劉先主) : 중국 삼국시대 촉한의 제1대 황제 유비(劉備 : 161~223)를 이르는 말. 자는 현덕(玄德). 제갈량의 도움을 받아 제위에 올랐다. 팔이 길어 그대로 뻗어 무릎까지 닿고, 귀도 남달리 커서 거울을 사용하지 않고도 자신의 귀를 볼 수 있었다고 한다.

1241)한고조(漢高祖) : 중국 한(漢)나라의 제1대 황제(B.C.247~195). 성은 유(劉). 이름은 방(邦). 자는 계(季). 시호는 고황제(高皇帝). 고조는 묘호. 항우와 합세하여 진(秦)나라를 멸망시킨 후, 해하(垓下)의 싸움에서 항우를 대파하여 중국을 통일하고 제위에 올랐다.

1242)산호빅무(山呼拜舞) : 나라의 중요 의식에서 신하들이 임금의 만수무강을 축원하여 두 손을 치켜들고 만세를 부르고 절하던 일.

1243)당(唐) 태종(太宗) : 중국 당나라의 제2대 황제(598~649). 성은 이(李). 이름은 세민(世民). 삼성 육부와 조용조 따위의 제도를 정비하였고, 외정(外

둘믈 효측ᄒ려 ᄒᄂᆞ다라. 딘영슈 등이 텬흥 츄앙ᄒ미 태산 ᄀᆞᆺᄐᆞ여 흔가디로 흉역을 쐬ᄒᄃᆡ, 뎡연과 딘광이 처음은 각각 기ᄌᆞ(其子)의 블의를 금단ᄒ더니, 텬흥이 인심을 취합ᄒ고, 텬명이 당당이 졔게 도라가다 ᄒ여, 져의 쥬셩(主星)이 각별 빗나믈 니르니, 뎡연과 딘광이 그러히 넉여 방ᄌᆞ외람이 ᄒᄂᆞᆫ 힝디를 아른 체ᄒ미 업ᄂᆞ다라. 딘영슈와 뎡셰흥이 더욱 텬흥의 대역디ᄉᆞ(大逆之事)【15】를 도아, 텬흥이 븍히로 나간 후, 쥬야 밀밀히 모계(謀計)ᄒ미라. 텬흥이 대군을 모라 황셩으로 올나오ᄂᆞᆫ 날, 흔가디로 금궐을 범ᄒ려 ᄒᄂᆞᆫ 고로, 농포와 옥셕를 몬져 도덕ᄒ여 깁히 감초믄, 신이 ᄉᆞ쇡(辭色)을 거의 슷쳐 분명이 짐작ᄒ미 잇ᄉᆞᆸᄂᆞ니, 폐하ᄂᆞᆫ 이졔 급급히 뎡연의 집을 뒤샤 역뫼○[를] 발각게 ᄒ쇼셔."

샹이 화승샹의 쥬ᄉᆞ와 구몽슉의 말을 드르시미 크게 의심ᄒ실 ᄲᆞᆫ아니라, 오왕의 잡은 셔간의 분명이 뎡·딘의 모역ᄒᄂᆞᆫ 일이 뎍실ᄒ니, 평일의 뎡원슈를 툥우ᄒ시믄 니르도 말고, 금평후와 낙양후를 미드【16】시며 듕히 넉이시미 범연치 아니ᄒ샤, 휴쳑(休戚)을 국가와 흔가디로 ᄒᆞᆯ 줄노 아르시다가, 이 ᄀᆞᆺ치 흉역을 쐬ᄒᄆᆞᆯ 분완 통히ᄒ샤 텬뇌(天怒) 딘쳡(震疊)ᄒ시니, 농안의 묵묵흔 노긔를 ᄯᅴ이샤 구몽슉다려 문왈,

"경이 뎡텬흥의 얼골 기리던 샹ᄌᆞ(相者)를 능히 알소냐?"

몽슉이 발셔 요괴로온 쐬를 온가디로 싱각ᄒ엿ᄂᆞᆫ디라, 이의 ᄃᆡ쥬(對奏) 왈,

"신이 뎡텬흥의 샹모(相貌)를 칭찬ᄒ던 ᄌᆞ를 슈일 ᄂᆡ 잡아 드리려니와, 다만 그 상ᄌᆡ 남 다른 술업(術業)이 잇셔 몸의 경긱의 변화ᄒ여 인간만물(人間萬物)의 되고져 ᄒᄂᆞᆫ 거슨 다 되여, 공듕의 왕ᄂᆡᄒ여 쳔만 니(里)라도 슈고로이【17】 ᄃᆞᆫ니ᄂᆞᆫ 일이 업셔, 구름을 몡에1307)ᄒ여 힝흔다 ᄒ오니, 그런

육부와 조용조 따위의 제도를 정비하였고, 외정(外征)을 행하여 나라의 기초를 쌓았다.

라흘 민들믈 효측고져 ᄒᄂᆞᆫ지라. 진녕슈 등이 텬흥 츄앙ᄒ미 틱산 ᄀᆞᆺᄐᆞ여 흔가지로 흉역을 쐬ᄒᄃᆡ, 뎡연과 진광이 처음은 각각 기ᄌᆞ(其子)의 블의를 금단ᄒ더니, 텬흥이 인심을 취합ᄒ고, 텬명이 당당이 졔게 도라가다 ᄒ여, 져의 쥬셩(主星)이 각별 빗나믈 니르니, 뎡연과 딘광이 그러히 넉여 방ᄌᆞ 외름【149】흔 힝지를 아른 체ᄒ미 업순지라. 진녕슈와 뎡셰흥이 더욱 텬흥의 대역지ᄉᆞ(大逆之事)를 도와, 텬흥이 븍히로 나간 후, 쥬야 밀밀히 모계(謀計)ᄒ미라. 텬흥이 대군을 모라 황셩으로 올나오ᄂᆞᆫ 날, 흔가지로 금궐을 범ᄒ려 ᄒᄂᆞᆫ 고로, 농포와 옥셕를 몬져 도덕ᄒ여 깁히 금초믄, 신이 ᄉᆞ쇡(辭色)을 거의 싯쳐1244) 분명이 짐작ᄒ미 잇ᄉᆞᆸᄂᆞ니, 폐하ᄂᆞᆫ 이졔 급급히 뎡연의 집을 뒤ᄉᆞ 역뫼를 발각게 ᄒ쇼셔."

샹이 화승샹의 쥬ᄉᆞ며 구몽슉의 말을 드르시미 크게 의심ᄒ실 ᄲᆞᆫ아니라, 오왕{왕}의 줍은 셔간의 분명이 뎡·진 등의 모역과【150】 일이 젹실ᄒ니, 평일의 뎡원슈를 총우ᄒ시믄 니르도 말고, 금평후와 낙양후를 미드시며 즁히 넉이시미 범연치 아니ᄒᆞᄉᆞ, 휴쳑(休戚)을 국가의[와] 흔가지로 ᄒᆞᆯ 줄노 아르시다가, 이ᄀᆞᆺ치 흉역을 쐬ᄒᄆᆞᆯ 분완 통히ᄒᆞᄉᆞ 텬뇌(天怒) 진쳡(震疊)ᄒ시니, 농안의 묵묵흔 노긔를 ᄯᅴ여, 구몽슉다려 문왈,

"경이 뎡텬흥의 얼골 일ᄏᆞ던 샹ᄌᆞ(相者)를 능히 알소냐?"

몽슉이 발셔 요괴로온 쐬를 온가지로 싱각ᄒ엿ᄂᆞᆫ지라. 이의 ᄃᆡ주(對奏) 왈,

"신이 뎡텬흥의 샹모(相貌)를 칭찬ᄒ던 ᄌᆞ를 슈일 ᄂᆡ 줍아 드리려니와, 다만 그 상ᄌᆡ 남 다른 술업(術業)【151】이 이셔, 몸이 경긱의 변화ᄒ여 인간만물(人間萬物)의 되고ᄌᆞ ᄒᄂᆞᆫ 거슨 다 되여, 공즁의 왕ᄂᆡᄒ여 쳔만 니(里)라도 슈고로이 ᄃᆞᆫ니ᄂᆞᆫ 일이

征)을 행하여 나라의 기초를 쌓았다.
1244)싯쳐 : 슷쳐. 스쳐. *스치다; 생각하다. 상상하다.

비샹흔 사름을 잡아 오다가 화를 만날가 근심 되오나, 이 쏘 흉역을 돕는 일이 무궁흐여 농포와 옥식를 그 상지 도덕흐여 뎡셰흥을 주다 흐오여, 하날이 엇디 요괴로이 변화흐여 블의를 쐬흐는 역뎍을 도으려 흐시리잇가?"

샹이 오왕을 명흐샤 몬져 그 셔간 가져가던 놈을 잡아 올니라 흐시니, 오왕이 즉시 궁의 나와 신묘랑을 압셰워 궐졍으로 향홀식, 묘랑이 엇디 도망홀 줄 모로리오마는, 궐졍의 드러가 셩샹이 친문흐시는 씨의 뎡부 노진 줄 명빅히 흐려 흐므로, 【18】 잡히여 궐졍의 드러가니, 샹이 형위를 베프샤 바야흐로 엄문코져 흐실 즈음의, 북줘즈스 녀슝이 뎡원슈의 반셔를 가져 고변흐니, 궐듕이 소요흐고 만뇌 황황흐여 아모리홀 줄 모로더라.

샹이 녀슝을 갓가이 브르샤 뎡텬흥의 반상을 므르시니, 녀슝이 쥬왈,

"뎡텬흥이 졀월을 북으로 두로혀미, 인인(人人)이 그 쳥망지덕(淸望才德)을 공경흐여 망풍귀슌(望風歸順)흐나, 실노 대역디심은 아디 못홀 쌴아니라, 뎡텬흥의 공근 겸퇴흐오미 삼만 졍병과 십원 명댱을 슈하의 거느려시디, 디나는 바의 츄호를 블범흐고 힝군긔눌이 엄슉 뎡졔흐여 위엄 【19】이 듕흐니, 삼군댱식(三軍將士) 감은흐는 빈나, 텬흥을 두리미 엄부도곤 더으니, 텬흥의 긔특흐믈 보느니 항복디 아니리 업더니, 임의 히슈를 건너 번국의 드러가 이뎍(夷狄)과 졉견(接戰)흐미, 강용(强勇)이 만고의 흐나히며 모략(謀略)을 당흐리 업셔, 북이(北夷)의 셰강흐기로도 갑쥬를 버셔 항복흐믈 듯즈오니, 국가의 졔갈무후(諸葛武侯)[1308] 굿튼 틍냥이 잇시믈 흔열흐엿습더니, 쯧밧긔 모일의 반셔를 보온즉 스에(辭語) 흉참흐웁거

업셔, 구름을 멍에[1245]흐여 힝혼다 흐오니, 그런 비상흔 스람을 줍아 오다가 화를 만날가 근심 되오나, 이 쏘 흉역을 돕는 일이 무궁흐여, 농포와 옥식를 그 상지(相者) 도젹흐여 뎡셰흥을 주다 흐오니, 하늘이 엇지 요괴로이 변화흐여 블의를 쐬흐는 녁젹을 《더흐려∥도으려》 흐오리잇가?"

상이 오왕을 명흐스 몬져 그 셔간 가져가던 놈을 줍아 올니라 흐시니, 오왕이 즉시 궁의 나와 신묘랑을 압셰워 궐졍으로 향홀 【152】식, 묘랑이 엇지 도망홀 줄 모로리오마는, 궐졍의 드러가 셩샹이 친국흐시는 씨의 뎡부 노진 체 명빅히 흐려 흐므로, 줍히여 궐졍의 드러가니 상이 《텬위∥형위(刑威)》를 베프스 바야흐로 엄문코즈 홀 즈음의, 북줘 즈스 녀슝이 뎡원수의 반셔를 가져 고변흐니, 궐즁이 소요흐고 만뇌 황황흐여, 아모리홀 줄 모로더라.

상이 녀슝을 갓가이 브르샤 뎡텬흥의 반상을 므르시니, 녀슝이 쥬왈,

"뎡텬흥이 졀월을 북으로 두루혀미 인인(人人)이 그 쳥망지덕(淸望才德)을 공경흐여 망풍귀슌(望風歸順)흐나, 실노 딕 【153】 역지심은 아지 못홀 쌴아니라, 뎡텬흥의 공근 겸퇴흐오미 슴만 졍병과 십원 명댱을 슈하의 거느려시디, 지나는 바의 츄호를 블범흐고 힝군긔눌이 엄슉 졍졔흐여 위엄이 즁흐니, 삼군장식(三軍將士) 감은흐는 빈나, 텬흥을 두리미 엄부도곤 더으니, 텬흥의 긔특흐믈 보느니 아니 항복흐리 업더니, 님의 히슈를 건너 번국의 드러가 이뎍(夷狄)과 졉견(接戰)흐미, 강용(强勇)이 만고의 흐느히며, 모략(謀略)이 당흐리 업셔, 북이(北夷) 셰 강흐므로도 갑쥬를 버셔 항복흐믈 듯즈오니, 한쇼렬(漢昭烈)[1246]의 졔갈무후(諸葛

1307)멍에 : 수레나 쟁기를 끌기 위하여 마소의 목에
 얹는 구부러진 막대.
1308)졔갈무후(諸葛武侯) : 촉한(蜀漢)의 제갈공명(諸
 葛孔明). 이름은 량(亮).

1245)멍에 : 수레나 쟁기를 끌기 위하여 마소의 목에
 얹는 구부러진 막대.
1246)한쇼렬(漢昭烈) : 중국 삼국시대 촉한의 제1대
 황제 유비(劉備 : 161~223)의 시호. 자는 현덕(玄
 德). 황건적을 쳐서 공을 세우고, 후에 제갈량의
 도움을 받아 오나라의 손권과 함께 조조의 대군을
 적벽(赤壁)에서 격파하였다. 후한이 망하자 스스로

ᄂᆞᆯ, 닌읍 쥬현 등과 의논ᄒᆞ여 황셩의 쥬ᄒᆞ려 졔읍 쥬현의 말ᄉᆞᆷ을 듯ᄌᆞ오니, ᄀᆞᆺ마다 반셔를 보ᄂᆡ여 대역을 도모ᄒᆞ믈 닐넛ᄉᆞᆸ거ᄂᆞᆯ, 신등이【20】통ᄒᆡᄒᆞ믈 니긔디 못ᄒᆞ여, 여러 관읍의 보ᄂᆡᆫ 반셔를 다 거두어 황셩의 올나와 고변ᄒᆞ옵고, 다른 일은 아디 못ᄒᆞᄂᆞ이다."

샹이 그 반셔를 어람ᄒᆞ시니, 샤(辭)의 왈,

"텬하 영웅 뎡듁쳥은 심곡의 소회를 ᄡᅧ ᄒᆡ븍 졔읍 쥬현의게 븟치ᄂᆞ니, 희라 텬하ᄂᆞᆫ 일인의 텬ᄒᆡ 아니오, 덕 잇고 민망(民望)이 도라가ᄂᆞᆫ ᄀᆞᆺ의 만니강산(萬里江山) 님ᄌᆡ 나ᄂᆞ니, 원간 숑(宋)이 '고ᄋᆞ(孤兒)와 과부(寡婦)'[1309]를 쇽여 어든 나라히니 블인디국(不仁之國)이라. ᄌᆞ고로 현금ᄐᆡᆨ목(賢禽擇木)[1310]과 냥신ᄐᆡᆨ군(良臣擇君)[1311]이라 ᄒᆞᄂᆞ니, 졔읍 쥬현이 숑쥬의 신ᄒᆡ되여시나, 당금의 숑텬ᄌᆡ 블명(不明) 혼암(昏暗)ᄒᆞ여 신민의 션악을 아디 못【21】ᄒᆞ고, 졍ᄉᆡ 망국디쥬(亡國之主)를 ᄯᆞᆯ오며, 오히려 ᄆᆡ달(妹妲)[1312]ᄀᆞᆺᄐᆞᆫ 계집이 궁듕의 잇디 아니ᄒᆞ고, 밧긔 왕망(王莽)[1313] 동탁(董卓)[1314] ᄀᆞᆺᄐᆞᆫ

武侯)[1247] ᄀᆞᆺᄐᆞᆫ 츙냥이 잇시믈 흔열ᄒᆞ【154】엿ᄉᆞᆸ더니, ᄯᅳᆺ밧게 모일의 반셔를 보온즉, ᄉᆞ의(辭意) 흉참ᄒᆞ옵거ᄂᆞᆯ, 닌읍 쥬현 등과 의논ᄒᆞ여 황셩의 쥬ᄒᆞ려, 졔읍 쥬현의 말ᄉᆞᆷ을 듯ᄌᆞ오니, ᄀᆞᆺ마다 반셔를 보ᄂᆡ여 대역을 도모ᄒᆞ믈 닐넛ᄉᆞᆸ거ᄂᆞᆯ, 신 등이 통ᄒᆡᄒᆞ믈 니긔지 못ᄒᆞ여, 여러 관읍의 보ᄂᆡᆫ 반셔를 다 거두어 황셩의 올나와 고변ᄒᆞ옵고, 다른 일은 아지 못ᄒᆞᄂᆞ이다."

상이 그 반셔를 어람ᄒᆞ시니 ᄉᆞ(辭)의 왈,

"텬하 녕웅 뎡듁쳥은 심곡 소회로ᄡᅧ ᄒᆡ븍 졔읍 쥬현의게 븟치ᄂᆞ니, 희라! 텬하ᄂᆞᆫ 일인의 텬ᄒᆡ 아니오, 덕이 잇고 민망(民望)이 도라가ᄂᆞᆫ ᄀᆞᆺ의 만니강산(萬里江山) 님ᄌᆡ【155】 나ᄂᆞ니, 원간 숑(宋)이 '고ᄋᆞ(孤兒)와 과부(寡婦)'[1248]를 쇽여 어든 나라히니, 블인지국(不仁之國)이라. ᄌᆞ고로 현금ᄐᆡᆨ목(賢禽擇木)[1249]과 냥신ᄐᆡᆨ쥬(良臣擇主)[1250]라 ᄒᆞᄂᆞ니, 졔읍 쥬현이 숑쥬(宋主)의 신ᄒᆡ되여시나, 당금의 숑텬ᄌᆡ 블명혼암(不明昏暗)ᄒᆞ여 신민의 션악을 아디 못ᄒᆞ고, 졍ᄉᆡ 망국지쥬(亡國之主)를 ᄯᆞ로며, 오히려 ᄆᆡ달(妹妲)[1251] ᄀᆞᆺᄐᆞᆫ 계집이 궁즁의 잇지 아니ᄒᆞ고 밧긔 왕망(王莽)[1252] 동탁(董卓)[1253]ᄀᆞᆺᄐᆞᆫ

1309)고ᄋᆞ(孤兒)와 과부(寡婦) : 송(宋) 태조 조광윤(趙匡胤)이 후주(後周)의 군(軍) 총수(總帥)로서 세종(世宗) 사후 7살의 어린 나이로 제위에 오른 공제(恭帝)를 압박해 양위(讓位)를 받고 제위에 오른 사실을 빗댄 말이다. 여기서 고아는 후주의 마지막 황제인 공제를, 과부는 세종의 비(妃) 두(杜)황후를 말한다.

1310)현금ᄐᆡᆨ목(賢禽擇木) : 영리한 새는 나무를 가려 깃든다는 말,

1311)냥신ᄐᆡᆨ군(良臣擇君) : 어진 신하는 임금을 가려서 섬긴다.

1312)ᄆᆡ달(妹妲) : 중국의 대표적인 악녀(惡女)인 하(夏)나라 걸(桀)의 비(妃)인 매희(妹喜)와 주(周)나라 주(紂)의 비(妃) 달기(妲己)를 함께 이르는 말.

1313)왕망(王莽) : B.C.45~A.D.23. 중국 전한의 정치가. 자는 거군(巨君). 자신이 옹립한 평제(平帝)를 독살하고 제위를 빼앗아 국호를 신(新)으로 명명하였다. 한(漢)나라 유수(劉秀)에게 피살되었다. 재위 기간은 8~23년이다.

1314)동탁(董卓) : ?~192. 중국 후한(後漢) 때의 정치가. 소제(少帝) 유변(劉辯)을 시해하고 헌제(獻帝)를 옹립한 후, 권력을 잡고 폭정을 일삼다가,

제위에 오르고 성도(成都)를 도읍으로 삼았다. 재위 기간은 221~223년이다.

1247)졔갈무후(諸葛武侯) : 촉한(蜀漢)의 제갈공명(諸葛孔明). 이름은 량(亮).

1248)고ᄋᆞ(孤兒)와 과부(寡婦) : 송(宋) 태조 조광윤(趙匡胤)이 후주(後周)의 군(軍) 총수(總帥)로서 세종(世宗) 사후 7살의 어린 나이로 제위에 오른 공제(恭帝)를 압박해 양위(讓位)를 받고 제위에 오른 사실을 빗댄 말이다. 여기서 고아는 후주의 마지막 황제인 공제를, 과부는 세종의 비(妃) 두(杜)황후를 말한다.

1249)현금ᄐᆡᆨ목(賢禽擇木) : 영리한 새는 나무를 가려 깃든다는 말,

1250)냥신ᄐᆡᆨ주(良臣擇主) : 어진 신하는 임금을 가려서 섬긴다.

1251)ᄆᆡ달(妹妲) : 중국의 대표적인 악녀(惡女)인 하(夏)나라 걸(桀)의 비(妃)인 매희(妹喜)와 주(周)나라 주(紂)의 비(妃) 달기(妲己)를 함께 이르는 말.

1252)왕망(王莽) : B.C.45~A.D.23. 중국 전한의 정치가. 자는 거군(巨君). 자신이 옹립한 평제(平帝)를 독살하고 제위를 빼앗아 국호를 신(新)으로 명명하였다. 한(漢)나라 유수(劉秀)에게 피살되었다.

적신(賊臣)이 업스므로 계오 샤딕을 보젼ᄒ나, 히외 번국이 텬ᄌ의 교화 머니 흐르디 못ᄒ여시므로, 인ᄒ여 쩌썩 병혁(兵革)을 니르혀 황셩을 침범코져 ᄒ고, 텬운과 긔쉬(氣數) 발셔 딘ᄒ여시니 대송이 오리디 못ᄒ리라. 뎡뫼 쩌를 응ᄒ여 히닉(海內)를 삭평ᄒ고 만민을 안낙게 ᄒ려ᄒᄂ니, 임의 븍이를 항복 밧고 텬하 병권이 내 손의 이시므로, 인ᄒ여 블인의 텬ᄌ를 업시코 민망(民望)을 기리 좃ᄎ려 ᄒᄂ니, 히븍 졔읍이 ᄆᆞᄋᆞᆷ을 ᄒᆞᆫ가디로 ᄒ【22】며, 뜻을 좃ᄎ 황셩으로 도라가기를 님ᄒ여, 군ᄉ를 거ᄂ려 후응당이 되면, 뜻을 일운 후 각각 큰 ᄯᆞ히 봉ᄒ여 개국공신을 삼으려니와, 일분이나 숑쥬(宋主)를 위ᄒ여 적은 신졀(臣節)을 싱각ᄒᆞᆯ딘듸, 머리를 보젼치 못ᄒᆞᆯ 쁜 아니라, 그 니히(利害) 엇더ᄒ뇨? 권ᄒᄂ니, 졔읍 쥬현은 닉이 싱각ᄒ고 뉘웃디 말나."

ᄒ엿더라.

샹이 남필(覽畢)의 더옥 대로ᄒᄉᆞ, 만됴문무를 다 모드라 ᄒ시고, 셔간을 가져가던 놈을 머므르샤 므르샤듸,

"네 뉘 집 노복으로셔 그 셔간을 가져 어딕로 향ᄒ더뇨?"

묘랑이 듸쥬 왈,

"쳔신(賤臣)은 금평후 뎡연의 노지니, 쥬인의 명으【23】로 셔간을 가져 히븍으로 향코져 ᄒᆞᆸ다가, 밋쳐 경샤를 써나디 못ᄒ여셔, 십ᄌ가(十字街)의 볼 사름이 이셔 기다리다가, 오왕뎐하의 거름을 몰나보고 길흘 건너 잡힌 빅 되여, 셔간을 오왕뎐히 보신 빅라. 쳔신이 무디ᄒ여 셔간 ᄉ어는 아디 못ᄒ오나, 다만 딘태우 등과 쇼쥬인(小主人) 혹시 쳔번이나 당부ᄒ듸, 이 셔간의 극ᄒ 대ᄉ를 의논ᄒ여시니, 도듕의 일홈 곳 이시면 흔갓 쳔신의 죄를 면치 못ᄒᆞᆯ 쁜아니라, 일이 크게 어즈러오리라 ᄒ여시니, 쳔신이 그 셔간을 품 ᄉ이의 단단이 감촌 빅러니, 하졸이 옷술 믜고 요란이 징힐ᄒᆞᆯ 즈음

여포(呂布)를 비롯한 자신의 측근들에 의해 암살
당했다.

적신이 업스므로 계오 사직을 보젼ᄒ나, 히외 번국이 텬ᄌ의 교화 머니 흐르지 못ᄒ여시므로, 인ᄒ여 쩌썩 병혁을 니르혀 황셩을 침범코져 ᄒ고, 텬운과 긔수(氣數) 발셔 딘ᄒ송(大宋)이 오리지 못ᄒᆞᆯ 빅라. 뎡뫼【156】쩌를 응ᄒ여 히닉(海內)를 삭평ᄒ고 만민을 안락게 ᄒ려 ᄒᄂ니, 님의 븍이를 항복 밧고, 텬하 병권이 닉 손의 이시므로, 인ᄒ여 블인의 텬ᄌ를 업시코 민망(民望)을 기리 조ᄎ려 ᄒᄂ니, 히븍 졔읍이 ᄆᆞᄋᆞᆷ을 ᄒᆞᆫ가지로 ᄒ며, 뜻을 좃ᄎ 황셩으로 도라가기를 님ᄒ여, 군ᄉ를 거ᄂ려 후응장이 되면, 뜻을 닐운 후 각각 큰 ᄯᆞ히 봉ᄒ여 개국공신을 숨으려니와, 일분이나 숑쥬(宋主)를 위ᄒ여 적은 신졀(臣節)을 싱각ᄒᆞᆯ진듸, 머리를 보젼치 못ᄒᆞᆯ쁜아니라, 그 니히(利害) 엇더ᄒ뇨? 권ᄒᄂ니, 졔읍 쥬현은 닉이 싱각ᄒ고 뉘【157】웃지 말나."

ᄒ엿더라.

상이 남필(覽畢)의 더옥 대로ᄒᄉᆞ, 만됴문무를 다 모드라 ᄒ시고, 셔간을 가져가던 놈을 머므르ᄉᆞ 므ᄅᆞᄉᆞ듸,

"네 뉘 집 노복으로셔 그 셔간을 가져 어딕로 향ᄒ더뇨?"

묘랑이 듸주왈,

"쳔신(賤臣)은 금평후 뎡연의 노지니, 쥬인의 명으로 셔간을 가져 히븍으로 향코즈ᄒ다가, 밋쳐 경샤를 써나지 못ᄒ여셔 십ᄌ가(十字街)의 볼 ᄉᆞ람이 이셔 기다리드가, 오왕뎐하의 거름을 몰나보고 길흘 건너 잡힌 빅 되여, 셔간을 오왕뎐히 보신 비나, 쳔신이 무지ᄒ여 셔간 ᄉ어는 아지 못ᄒ오나, 다만 진틱우 등과 쇼쥬인(小主人) 혹시【158】쳔번이나 당부ᄒ듸, 이 셔간의 극ᄒ 대ᄉ를 의논ᄒ여시니, 도즁의 일홈 곳 이시면 흔갓 쳔신의게 죄를 면치 못ᄒᆞᆯ 쁜

재위 기간은 8~23년이다.
1253)동탁(董卓) : ?~192. 중국 후한(後漢) 때의 정치가. 소제(少帝) 유변(劉辯)을 시해하고 헌제(獻帝)를 옹립한 후, 권력을 잡고 폭정을 일삼다가, 여포(呂布)를 비롯한 자신의 측근들에 의해 암살당했다.

의,【24】 픔 가온디 셔찰이 쎈져 이러톳 것
츠럿노이다."

구몽슉이 쥬왈,

"뎡가 노즈를 져주디 아냐셔 져의 아논
바논 다 딕고ᄒᆞ○○[엿ᄉ]오니, 다시 므를
거시 업숩논디라. 신의 소견인죽 뎡닌흥 딘
영슈 등을 나릭(拿來)ᄒᆞ샤, 셜국(設鞠) 엄문
(嚴問)ᄒᆞ시미 가홀가 ᄒᆞᄂᆞ이다."

샹이 몽슉의 말인죽, 아니 맛당이 넉이시
논 일이 업논디라. 즉시 뎡셰흥 형뎨와 딘
영슈 등을 나릭(拿來)ᄒᆞ라 ᄒᆞ시니, 화승샹이
쥬왈,

"신의 소견인죽 뎡·딘 냥가를 에워쌋고
즈셔히 뒤여 농포와 옥식를 어더닌 후, 딘
영슈와 뎡셰흥을 나릭ᄒᆞ시미 늣디 아니ᄒᆞ니
이다."

샹이 그러히 넉이【25】샤, 뎡왕과 오왕
을 명ᄒᆞ샤 태감 슈인과 허다 군졸을 거ᄂᆞ려
뎡·딘 이부를 에워쌋고, 닉외 방샤를 다
뒤여 농포와 옥식를 어드라 ᄒᆞ시니, 뎡·오
이왕이 슈명ᄒᆞ여 취운산으로 나아오니, 발
셔 날이 어둡논디라.

이쩍 금평휘 쳥듀헌의셔 낙양후 부즈 형
뎨와 뎡국공 부즈로 더브러 죵용이 담화홀
시, 녜부와 혹시 좌하의 뫼셔 부슉의 담쇼
ᄒᆞ시믈 드르며, 방등이 어둡고져 ᄒᆞ므로 블
을 붉히더니, 셔동 녕학이 밧긔나갓다가, 경
히(驚駭)ᄒᆞ여 급고 왈,

"뎡·오 이왕이 허다 군졸을 거ᄂᆞ려 부문
의 님ᄒᆞ샤 에워쌋고 드러오시ᄂᆞ이다."【2
6】

금평휘 비록 단엄견고ᄒᆞ나 어이 놀나오미
업ᄉᆞ리오. 계오 ᄉᆞ식을 강인ᄒᆞ여 화긔를 일
치 아니ᄒᆞ고, 낙양후 삼곤계와 뎡국공을 도
라보아 왈,

"됴뎡이 가쟝 예ᄉᆞ롭디 아니ᄒᆞ니 근심이

아니라 일이 크게 어즈러오리라 ᄒᆞ여시니,
쳔신이 그 셔간을 픔 ᄉᆞ이의 단단이 굽촌
빌러니, 하졸이 옷슬 믜고 뇨란이 징힐홀
즈음의, 픔 ᄀᆞ온디 셔찰이 쎈져 니러톳 것
츠럿노이다."

구몽슉이 주왈,

"뎡가 노즈를 져주니 아냐셔, 져의 아논
바논 다 직고ᄒᆞ○○[엿ᄉ]오니, 다시 므를
거시 업숩논지라. 신의 소견인죽 뎡닌흥 진
녕슈 등을 나릭(拿來)ᄒᆞᄉᆞ, 셜국(設鞠) 엄문
(嚴問)ᄒᆞ시미 가홀가 ᄒᆞᄂᆞ이다."

상이 몽슉의 말인죽, 아니 맛당히 넉
【159】이시논 일이 업논지라. 즉시 뎡셰흥
형뎨와 딘녕슈 등을 나릭(拿來)ᄒᆞ라 ᄒᆞ시니,
화승상이 이의 주왈,

"신의 소견인죽, 뎡·진 냥가를 에워쌋고
즈셔히 뒤여, 농포와 옥식를 어더닌 후, 진
형[녕]슈와 뎡셰흥을 나릭ᄒᆞ시미 늣지 아닐
가ᄒᆞ니이다."

상이 쳥포의 그 말ᄉᆞᆷ을 좃ᄎᆞᄉᆞ 뎡왕과 오
왕을 명ᄒᆞᄉᆞ 틱감 슈인과 허다 군졸을 거ᄂᆞ
려, 뎡·진 이부를 에워쌋고, 닉외 방ᄉᆞ를
다 두루 뒤여 농포와 옥식를 어드드리라 ᄒᆞ
시니, 녕을 흔 번 ᄂᆞ리미, 뎡·오 이왕이 슈
명ᄒᆞ여 틱감과 허다 군졸을 거ᄂᆞ리고, 즉시
취운산으【160】로 나아오니, 발셔 날이 어
둡논지라.

이쩍 금평휘 쳥듀헌의○[셔] ○○○[낙양
후] 부즈 형뎨와 뎡국공 부즈로 더부러 죵
용이 담화홀시, 녜부와 혹시 좌하의 뫼셔
부슉의 담쇼ᄒᆞ시믈 드르미[며], 방즁이 어
둡고져 ᄒᆞ므로 촉을 붉히더니, 셔동 츙학이
밧겨[긔] ᄂᆞ갓드가 경히(驚駭) 급고 왈

"뎡·오 냥뎐히 허다 군졸을 거ᄂᆞ려 부문
을 에워쌋고 드러오시ᄂᆞ이다."

금평휘 비록 단엄견고ᄒᆞ나, 어이 놀나오
미 업ᄉᆞ리오. 겨유 ᄉᆞ식을 강잉ᄒᆞ여 화긔를
닐치 아니ᄒᆞ고, 낙양후 슴곤계와 뎡국공을
도라보아 왈,

"됴뎡이 가쟝 녜ᄉᆞ롭지 아【161】니ᄒᆞ니

비상ᄒ거니와, 만시 텬명(天命)이라. 인녁으로 홀 비 아니니, 쇼졔 요동치 못홀 비로ᄃᆡ, 다만 텬흥이 년쇼 브지로 작녹과 위권이 늉듕ᄒ니, 가득ᄒ면 ᄢᅴ는1315) 환(患)이 업디 아닐가 ᄒ노라."

덩국공이 위로 왈,

"챵빅은 하날이 각별 유의ᄒ여 ᄂᆡ신 바 복녹디인(福祿之人)이오. 형은 곽영공(郭令公)1316)의 유복ᄒ믈 효측홀 거시니, 아모 변괴 잇셔도 위틱로온 일이 업스리라."

말【27】이 맛디 못ᄒ여셔, 뎡·오 이왕이 태감 등을 다리고 드러와 듕계의 밋ᄎ니, 뎡·딘·하 삼공이 각각 ᄋᆞ들을 거나려 마즐ᄉᆡ, 뎡·오 이왕이 다만 니르ᄃᆡ,

"과인 등이 샹명을 밧ᄌᆞ와 뎡·딘 냥부를 뒤여 어들 거시 잇ᄂᆞ니, 명공 등은 괴이히 넉이디 말나."

낙양후 등이 ᄃᆡ왈,

"대왕이 누쳐의 친님ᄒ샤 각각 방샤를 뒤여 엇고져 ᄒᆞ는 거시 이시면, 쇼싱 등이 ᄂᆡ외 가사(家舍)와 일용즙믈(日用什物)을 다 보시게 ᄒ리이다."

냥왕이 그 흉역디의(凶逆之意)를 무상히 넉이나, 당면ᄒ여 그 츄텬(秋天) ᄀᆞ튼 긔상(氣像)과 송빅디졀(松柏之節)을 보미는, 졀노뼈 대역브도(大逆不道)로 밀위디 못ᄒ여, ᄌᆞ연 긔탄(忌憚)ᄒ미【28】니러나는디라. 경셜(輕說)치 못ᄒ여, 오왕은 태감 일인을 다리고 낙양후로 더브러 협문으로 좃ᄎ 딘부의 나아가 즙믈을 다 뒤려 ᄒ고, 뎡왕은 뎡부의셔 청듁헌으로브터 외당을 다 뒬ᄉᆡ, 블과 셔칙 밧긔 잇는 거시 업고. 뎡혹ᄉ 등이 화법을 시험ᄒ노라 ᄉ이ᄉ이 보암즉ᄒ 그림은 만히 이시ᄃᆡ, 그 침금으로브터 상셕이 다 검박기 심ᄒ여 청빈ᄒᆞᄉ(淸貧寒士)의 집 ᄀᆞ투니, 일분 의심된 거시 업더니, 쳐듁

1315)ᄢᅴ다 : 찢다. 찢어지다.
1316)곽영공(郭令公) : 곽자의(郭子儀). 697~781. 중국 당(唐)나라 중기의 무장(武將). 안녹산 사사명의 반란을 평정하고 토번을 쳐 큰 공을 세워 분양왕에 올랐다.

근심이 비상ᄒ거니와, 만시 텬명이라, 인력으로 홀 비 아니니, 쇼졔 요동치 못홀 비로ᄃᆡ, 다만 텬흥이 년쇼 부지로 작녹과 위권이 늉즁ᄒ니, ᄀ득ᄒ면 ᄢᅴ는1254) 환(患)이 업지 아닐가 ᄒ노라."

뎡국공이 위로 왈,

"챵빅은 하늘이 각별 유의ᄒ여 ᄂᆡ신 바 복녹녕귀지인(福祿榮貴之人)이오, 형은 곽영공(郭令公)1255)의 유복ᄒ믈 효측홀 거시니, 아모 변괴 잇셔도 위틱로온 일이 업스리라."

말이 맛지 못ᄒ여셔, 뎡·오 이왕이 틱감 등을 드리고 드러와 듕계의 밋ᄎ니, 뎡·진·하 슴공이 각각 ᄋᆞ들을 거나려 마즐ᄉᆡ, 뎡·오 이왕이 다만 니르ᄃᆡ,

"과인 등이【162】상명을 밧ᄌᆞ와 뎡·진 냥문 부닉를 뒤여 어들 거시 잇시니, 명공 등은 고이히 넉이지 말나."

낙양후 등이 ᄃᆡ왈,

"대왕이 누쳐의 친님ᄒᆞᄉ 각각 방ᄉᆞ를 뒤여 엇고즈 ᄒᆞ시는 빅 이시면, 쇼싱 등이 ᄂᆡ외 가ᄉ와 일용즙믈(日用什物)을 다 보시게 ᄒ리이다."

낭왕이 당면ᄒ여 그 츄텬긔상(秋天氣像)과 송빅지졀(松柏之節)을 보미는, 졀노뼈 대역브도(大逆不道)로 밀위지 못ᄒ여, ᄌᆞ연 긔탄(忌憚)ᄒ미 니러나는지라. 경셜(輕說)치 못ᄒ여, 오왕은 틱감 일인을 드리고 낙양후로 더브러 협문으로 좃ᄎ 진부의 나아가 즙믈을 다 뒤려ᄒ고, 뎡왕은 뎡부의셔 청【163】죽헌으로《셔‖브터》 외당을 다 뒬ᄉᆡ, 블과 셔칙밧긔 잇는 거시 업고, 뎡학ᄉ 등이 화법을 시험ᄒ노라 ᄉ이ᄉ이 보암즉ᄒ 그림은 만히 잇ᄉᆞ되, 그 침금으로브터 상셕이 다 검박기 심ᄒ여, 《쳥빙‖쳥빈(淸貧)》ᄒ 한ᄉ(寒士)의 집 ᄀᆞ투니, 일븐 의심된 거시 업더니, 쳐듁헌을 뒤믜 협실 궤즁

1254)ᄢᅴ다 : 찢다. 찢어지다.
1255)곽영공(郭令公) : 곽자의(郭子儀). 697~781. 중국 당(唐)나라 중기의 무장(武將). 안녹산 사사명의 반란을 평정하고 토번을 쳐 큰 공을 세워 분양왕에 올랐다.

헌을 뒤미 협실 궤듕(櫃中)의 뇽포(龍袍)와
옥시(玉璽) 드럿고, 뎡병부 형뎨와 딘태우
등의 글 챵화ᄒᆞᆫ 거시 만흐디, 쯧이 다 궁흉
ᄒᆞ여 반역이 낫타나【29】니, 뎡왕이 뇽포
와 옥시를 보미 ᄌᆞ연 면식이 달나디믈 씨ᄃᆞᆺ
디 못ᄒᆞ여, 태감으로 ᄒᆞ여금 됴흔 함을 가
져오라 ᄒᆞ여 뇽포 옥시를 담고, 시스(詩詞)
챵화ᄒᆞᆫ 거슬 다 거두어 궐정으로 갈시, 뎡
부를 겹겹이 에워쁜 후, 다만 슈상흔 사ᄅᆞᆷ
이 잇거든 잡으라 니ᄅᆞ고, 거륜을 두로혀
오더니, 오왕이 또 딘부 외헌을 다 뒤여 딘
영슈 등의 반역디의(叛逆之意)로 디은 글과
낙양후의 계ᄌᆞ손(戒子孫)흔 칙을 어더, 태감
을 주어 궐정으로 ᄡᆞ라 오라ᄒᆞ고, 동문을
거의 닷게 되여시므로 급급히 뎡왕을 ᄡᆞ라
나오니, 뎡왕이 문왈,

"현뎨는 딘가의 가 므어슬 뒤여 어드뇨?"
오왕이 디【30】왈,

"딘영슈 등의 텬흉으로 더브러 챵화흔 글
이 이셔 스의 흉참ᄒᆞ거늘, 일일히 모화 궐
니로 가져 가고, 딘광이 계ᄌᆞ손흔 칙이 이
시디, 튱졀을 웃듬으로 권댱ᄒᆞ고 빅힝을 온
견이 ᄒᆞ라 ᄒᆞᆫ 셜홰, 실노 보암족 ᄒᆞ니, 반
역ᄒᆞᆫ 시스와 니도ᄒᆞᆷ믈 의아ᄒᆞ여이다. 셩
샹이 하람(下覽)ᄒᆞ샤 결단ᄒᆞ시게 가져 가ᄂᆞ
이다."

뎡왕이 탄왈,

"속담의 쳔댱슈셰(千丈水勢)1317)는 아라
도 사ᄅᆞᆷ의 깁희는 알기 어렵다 ᄒᆞ미, 뎡·
딘 등의 부ᄌᆞ ᄀᆞᆺᄐᆞ니를 니르미라. 그 《쳐
스 ‖ 쳐쇼》와 의복 침금을 보미는 쳥검(淸
儉)이 남다ᄅᆞ고, 인물을 디ᄒᆞ미는 그 가슴
가온디 빅일(白日)이 빗쵠 듯, 그 집 부ᄌᆞ
다 튱녈이 츌뉴(出類)【31】ᄒᆞ며, 셩힝이
특이흠 ᄀᆞᆺᄐᆞ디, 뇽포와 옥시를 도뎍ᄒᆞ여 궤
가온디 너코, 흉역디심(凶逆之心)으로 글을
디어 텬위를 찬탈홀 쯧이 무궁ᄒᆞ니, 엇디
흉히(凶害)ᄒᆞ미 여ᄎᆞᄒᆞ뇨?"

이리 니르며 쌀니 힝ᄒᆞ여 금궐의 다ᄃᆞ르

1317)쳔댱슈셰(千丈水勢) : 천 길이나 되는 깊은 강
　물의 형세

(櫃中)의 뇽포(龍袍)와 옥시(玉璽) 드럿고,
뎡병부 형뎨와 진틔우 등의 글 챵화흔 거시
만흐디, 쯧이 다 궁흉ᄒᆞ여 반역이 낫타나니,
뎡왕이 뇽포와 옥시를 보미 ᄌᆞ연 면식이 달
나지믈 씨ᄃᆞᆺ지 못ᄒᆞ여, 틔감으로 ᄒᆞ여금 죠
흔 함을 가져오라 ᄒᆞ여, 뇽【164】포 옥시
를 담고, 시스(詩詞) 챵화(唱和)흔 거슬 다
거두어 궐즁으로 드러갈시, 뎡부를 겹겹이
에워쓴 후, 다만 슈상흔 스람이 잇거든 즙
으라 니ᄅᆞ고, 거륜을 두로혀 오더니, 오왕이
또 진부 외헌을 다 뒤여 진영슈 등의 반역
지의(叛逆之意)로 지은 글과, 낙양후의 계ᄌᆞ
손(戒子孫)흔 칙을 어더, 틔감을 주어 궐정
으로 ᄡᆞ라 오라ᄒᆞ고, 동문을 거의 닷게 되
여시므로 급급히 뎡왕을 ᄡᆞ라 나오니, 뎡왕
이 문왈,

"현뎨는 진가의 가 므어슬 뒤여 어드뇨?"
오왕이 디 왈,

"진영슈 등의 텬흉으로 더브러 챵화흔 글
이 이셔 스의 흉참ᄒᆞ거늘, 일일히 모【16
5】화 궐니로 가져 가고, 진광이 계ᄌᆞ손흔
칙이 이시디, 츙졀을 웃듬으로 권쟝ᄒᆞ고 빅
힝을 온젼이 ᄒᆞ라 ᄒᆞᆫ 셜홰, 실노 보암족
ᄒᆞ니, 반역ᄒᆞᆫ 시스와 니도ᄒᆞᆷ믈 의아ᄒᆞ여
이다. 셩샹이 하람(下覽)ᄒᆞ샤 결단ᄒᆞ시게 가
져 가ᄂᆞ이다."

뎡왕이 탄왈,

"속담의 쳔댱슈셰(千丈水勢)1256)는 아라
도 스람의 깁희는 알기 어렵다 ᄒᆞ미, 뎡·
진 등의 부ᄌᆞ ᄀᆞᆺᄐᆞ니를 니르미라. 그 쳐소
와 의복 침금을 보미는 쳥검(淸儉)이 남다
ᄅᆞ고, 인물을 디ᄒᆞ미는 그 ᄀᆞ슴 ᄀᆞ온디 빅
일(白日)이 빗쵀는 듯, 그 집 부ᄌᆞ 다 츙녈
이 츌뉴(出類)ᄒᆞ며, 셩힝이 특이흠 ᄀᆞᆺᄐᆞ디,
뇽포와 옥시를 도젹ᄒᆞ여 궤【166】ᄀᆞ온디
너코, 흉역지심(凶逆之心)으로 글을 지어 텬
위를 찬탈홀 쯧이 무궁ᄒᆞ니, 엇지 흉히ᄒᆞ미
여ᄎᆞᄒᆞ뇨?"

니리 닐으며 쌀니 힝ᄒᆞ여 금궐의 다ᄃᆞ르

1256)쳔댱슈셰(千丈水勢) : 천 길이나 되는 깊은 강
　물의 형세

니, 임의 밤이 이경이 디나시딕, 황샹이 뇽침(龍寢)의 취침치 아니시고 냥왕을 기다리시더니, 만뢰 감히 믈너나디 못ᄒ고, 져마다 뎡·딘 이문을 위ᄒ여 원억히 녁일 지 가득ᄒ나, 그 죄명이 등한(龍寢)치 아니ᄒ므로 감히 닙을 여러 니르디 못ᄒ더니, 뎡·오 이왕이 뇽포 옥시를 드리고, 뎡·딘 이부를 뒤여 시스 챵화ᄒᆫ 것과 낙양후의 계ᄌ【32】손ᄒᆫ 칙을 가져오믈 쥬ᄒ고, 뎡연 딘광의 쳐소 의복이 《반한‖빈한》ᄒᆫ 션비 ᄀᆞ튼믈 일일히 고ᄒ니, 샹이 뇽포와 옥시를 보시믹 통히ᄒ믹 극ᄒ샤, 옥음을 놉혀 니르샤딕,

"뎡텬홍의 역뢰 이 디경의 밋츳딕, 딤은 골경디신(骨骾之臣)으로 아라 만됴의 우히 두던 줄 혜아리니, 블명ᄒ미 심ᄒ디라. 만일 오왕의 흉셔를 잡아시며, 화·구 냥경의 쥬시 아니런들, 딤이 아득히 아디 못ᄒ여실디라. 뇽포와 옥시를 일흐딕 의심이 텬홍의게 밋디 아니ᄒ더니, 이러툿 블의 간샤ᄒ미 잇ᄂᆞᆫ 줄 알니오. 죄악이 관영(貫盈)ᄒ니 삼죡(三族)1318)을 멸ᄒ여도 앗갑디 아니리【33】로다."

뎡왕이 쥬왈,

"뇽포와 옥시ᄂᆞᆫ 뎡연의 집의셔 엇고, 반시(叛詩) 챵화ᄒᆫ 거슨 딘광 뎡연의 집의셔 다 엇ᄉᆞ오니, 그 죄상인즉 삼죡을 버히미 가ᄒ거니와, 뎡연 부ᄌᆞ와 딘영슈 등의 튱근 관후ᄒ미 타인과 다른디라. ᄒᆞ믈며 뎡텬홍이 지죄 비상ᄒ고 디뫼 유여ᄒ여, 혹ᄌᆞ 흉역을 쐬ᄒ미 잇셔도 일을 쥬밀(周密)이 ᄒ여 스스로 멸문디화를 취치 아닐 ᄃᆞᆺᄒᆞᆸ거늘, 흉역디셔(凶逆之書)를 번거히 두며, 뇽포 옥시를 도뎍ᄒ여 감초리잇? 귀신의 희롱 ᄀᆞ튼여 실(實)ᄒ믈 아디 못ᄒᆞᆸ거늘, 역신 흉덕은 딕(代)마다 잇고, 쇼인이 군ᄌᆞ를 히ᄒ믄 고금의 흔한 일이라. 신의 ᄆᆞ음은 뎡·딘【34】의 셰권을 싀이(猜礙)ᄒᄂᆞᆫ 지 요악지ᄉᆞ(妖惡之事)를 힝ᄒ여, 튱냥(忠良)을

1318)삼죡(三族) : 부계(父系), 모계(母系), 처계(妻系)를 통틀어 이르는 말.

니, 임의 밤이 이경이 지나시덕, 황샹이 뇽침(龍寢)의 취침치 아니시고 냥왕을 기다리시더니, 만뢰 감히 믈너나지 못ᄒ고 져마다 뎡·진 이문을 위ᄒ여 원억히 녁일 지 가득ᄒ딕, 그 죄명이 등한(龍寢)치 아니므로 감히 닙을 여러 니르지 못ᄒ더니, 뎡·오 이왕이 뇽포 옥시를 드리고, 뎡·진 이부를 뒤여 시스 챵화ᄒᆫ 것과 낙양후의 계ᄌ손(戒子孫)ᄒᆫ 칙을 가져오믈 쥬ᄒ고, 뎡연·진광의 쳐소 의복이 빈한ᄒᆫ 션비 ᄀᆞ튼믈【167】 일일히 고ᄒ니, 샹이 뇽포와 옥시를 보시믹 통히ᄒ믹 극ᄒ샤, 옥음을 놉혀 니르샤딕,

"뎡텬홍의 녁뢰 이 지경의 니르ᄉᆞ딕, 딤은 골경지신(骨骾之臣)으로 아라 만됴의 우히 주던 줄을 싱각ᄒ니, 블명ᄒ미 심ᄒᆫ지라. 만일 오왕의 흉셔를 잡아시며, 화·구 냥경의 쥬시 아니런들, 딤이 아득히 아지 못ᄒ엿실지라. 뇽포와 옥시를 일흐딕 의심이 텬홍의게 밋지 아니ᄒ더니, 이러툿 블의 간ᄉᆞᄒ미 잇ᄂᆞᆫ 줄 알니오. 죄악이 관영(貫盈)ᄒ니 숨죡(三族)1257)을 멸ᄒ여도 앗ᄀᆞᆸ지 아니리로다."

뎡왕이 쥬왈,

"뇽포와 옥시ᄂᆞᆫ 뎡연의 집의셔 엇고 반시(叛詩 챵화ᄒᆫ 거【168】슨 진광 뎡연의 집의셔 다 엇ᄉᆞ오니, 그 죄상인즉 삼죡을 버히미 가ᄒ거니와, 뎡연 부ᄌᆞ와 진녕슈 등의 츙근 관후ᄒ미 타인과 다른지라. ᄒᆞ믈며 뎡텬홍이 지죄 비상ᄒ고 지뫼 유여ᄒ여, 혹ᄌᆞ 흉역을 쐬ᄒ미 잇셔도 일을 쥬밀(周密)이 ᄒ여, 스스로 멸문지화를 취치 아닐 ᄃᆞᆺᄒᆞᆸ거늘, 흉역지셔(凶逆之書)를 번거히 두며, 뇽포 옥시를 도젹ᄒ여 굼초리잇? 귀신의 희롱 ᄀᆞ튼여 실(實)ᄒ믈 아지 못ᄒᆞᆸ거늘, 녁신 흉젹은 딕마다 잇고, 쇼인이 군ᄌᆞ를 히ᄒ믄 고금의 흔한 일이라. 신의 ᄆᆞ음은 뎡·진의 셰권을 싀이(猜礙)ᄒᄂᆞᆫ 지, 요악지ᄉᆞ(妖惡之事)【169】를 힝ᄒ여 츙냥(忠良)

1257)삼죡(三族) : 부계(父系), 모계(母系), 처계(妻系)를 통틀어 이르는 말.

함졍의 함닉(陷溺)ᄒᄂᆫ가 ᄒᆞᆸᄂᆞ니, 복원 황야는 명찰ᄒᆞ샤, 원억ᄒᆞᆫ 죽엄이 업게 ᄒᆞ쇼셔."

뎡왕이 본ᄃᆡ 총명이 과인ᄒᆞ고, 도량이 굉원ᄒᆞ여 황ᄌᆞ 듕 읏듬이니, 샹이 통이ᄒᆞ시ᄂᆞᆫ 비라. 샹이 ᄯᅩᄒᆞᆫ 요악의 텬심이 변치 아냐 계시면 엇디 뎡왕의 혜아림 ᄀᆞᆺ디 못ᄒᆞ시리오마ᄂᆞᆫ, 셩졍이 밧괴이신 바의 어이 뎡·딘 등의 튱졀을 싱각ᄒᆞ시리오. 텬안이 엄녈ᄒᆞ여 굴오샤ᄃᆡ,

"뎡텬흥 딘영슈 등의 죄상이 쳔ᄉᆞ무셕(千死無惜)이라. 엇던 간인이 그런 공교ᄒᆞᆫ 쇠를 힝ᄒᆞ리오. 뎡가 노직 흉셔를 【35】 가져 히브의 가려 ᄒᆞ니, 셰흥 등을 잡아 일쳐(一處)의 면딜(面質)ᄒᆞᆫ죽 졍젹이 드러나리라."

ᄒᆞ시고 뎡·딘 등을 나리혀라 ᄒᆞ시니, 옥ᄉᆞ(獄事) 대단ᄒᆞ여 뎡·딘 등의 참화를 뭇디 아녀 알 거시로ᄃᆡ, 만됴 문무의 뎡·딘 등을 위ᄒᆞ여 원억히 넉이ᄂᆞᆫ 목슘을 바려 구코져 ᄒᆞᄂᆞᆫ디라.

승샹 조딘과 동평댱ᄉᆞ 양필광 등이 고두(叩頭) 쥬왈,

"신등이 블튱블인(不忠不仁)ᄒᆞ오나, 국가를 위ᄒᆞᆫ ᄆᆞ음이 대역의 머리를 버히고 넘통을 ᄲᅢ히고져 ᄒᆞᆸᄂᆞ니, 엇디 흉역(凶逆)을 구{히}ᄒᆞ리잇가마ᄂᆞᆫ, 금평후 뎡연과 낙양후 딘광은 튱녈디신(忠烈之臣)으로, 각각 【36】 ᄌᆞ식을 교훈ᄒᆞ미 튱졀을 읏듬ᄒᆞ옵ᄂᆞᆫ디라. 뎡텬흥 딘영슈 등이 오히려 그 아비의셔 디모지략(智謀才略)과 튱심이 더ᄒᆞ오며, ᄒᆞ믈며 뎡텬흥은 남졍북벌(南征北伐)의 간뇌도디(肝腦塗地)[1319]ᄒᆞ나 나라흘 갑ᄉᆞ올 ᄠᅳᆺ이 잇ᄂᆞᆫ디라. 다만 셩졍이 결호ᄒᆞ고 위인이 구ᄎᆞ치 아니므로 사룸의게 아요쳠녕(阿撓諂佞)[1320]치 못ᄒᆞ며, 츄셰니욕(趨勢利

[1319]간뇌도디(肝腦塗地) : 참혹한 죽임을 당하여 간장(肝臟)과 뇌수(腦髓)가 땅에 널려 있다는 뜻으로, 나라를 위하여 목숨을 돌보지 않고 애를 씀을 이르는 말.

[1320]아요쳠녕(阿撓諂佞) : 지나치게 아첨하거나 굴종함.

을 함졍의 넛ᄂᆞᆫ가 ᄒᆞ옵ᄂᆞ니, 복원 황야는 명찰ᄒᆞᆺ 원억ᄒᆞᆫ 죽엄이 업게 ᄒᆞ쇼셔."

뎡왕이 본ᄃᆡ 총명이 과인ᄒᆞ고 도량이 굉원ᄒᆞ여 황ᄌᆞ 즁 읏듬이니, 샹이 춍이ᄒᆞ시ᄂᆞᆫ 비라. 샹이 ᄯᅩᄒᆞᆫ 요악의 텬심이 변치 아니ᄒᆞ야시면, 엇지 뎡왕의 혜아림 ᄀᆞᆺ지 아니ᄒᆞ시리오마ᄂᆞᆫ, 셩졍이 밧괴이신 바의 어이 뎡·진 등의 츙졀을 용납ᄒᆞ시리오. 형왕의 간악ᄒᆞᆫ 참소를 신쳥ᄒᆞ시ᄂᆞᆫ 고로, 텬안이 엄녈ᄒᆞ여 굴오샤ᄃᆡ,

"뎡텬흥 딘영슈 등○[의] 죄상이 쳔ᄉᆞ무셕(千死無惜)이라. 엇던 간인이 니런 공교ᄒᆞᆫ 쇠【170】를 힝ᄒᆞ리오. 뎡가 노직 흉셔를 가져 히브의 가려ᄒᆞ니, 셰흥 등을 잡아 일쳐의 면질(面質)ᄒᆞᆫ죽 졍젹이 드러나리라."

ᄒᆞ시니, 승샹 조진과 동평댱ᄉᆞ 양필광이 고두(叩頭) 쥬왈,

"신등이 블민(不敏)ᄒᆞ오나, 국가를 위ᄒᆞᆫ ᄆᆞ음이 ᄃᆡ역의 머리를 버히고 넘통을 ᄲᅢ히고져 ᄒᆞᄋᆞᆸᄂᆞ니, 엇지 흉녁(凶逆)을 구ᄒᆞ리잇고마ᄂᆞᆫ, 금평후 뎡연과 낙양후 진광은 츙녈지신(忠烈之臣)이라. 각각 ᄌᆞ식을 교훈ᄒᆞ미 츙졀을 읏듬ᄒᆞ올 고로, 뎡텬흥 진녕슈 등이 그 아비의셔 지모직략(智謀才略)이며 츙심이 긔특ᄒᆞ고, 뎡텬흥은 남졍북벌벌(南征北伐)의 간뇌도지(肝腦塗地)[1258]【171】ᄒᆞ나 나라흘 갑ᄉᆞ올 ᄠᅳᆺ이 잇ᄂᆞᆫ지라. 다만 셩졍이 결호ᄒᆞ고 위인이 구ᄎᆞ치 아니므로, ᄉᆞ람의게 아요쳠녕(阿撓諂佞)[1259]치 못ᄒᆞ며, 츄셰니욕(趨勢利慾)의 탐연(耽戀)ᄒᆞᄂᆞᆫ 뉴를 보

[1258]간뇌도디(肝腦塗地) : 참혹한 죽임을 당하여 간장(肝臟)과 뇌수(腦髓)가 땅에 널려 있다는 뜻으로, 나라를 위하여 목숨을 돌보지 않고 애를 씀을 이르는 말.

[1259]아요쳠녕(阿撓諂佞) : 지나치게 아첨하거나 굴종함.

慾)의 탐년(耽戀)ㅎ는 뉴를 보면, 비위를 뎡치 못ㅎ오므로, 쇼인의 무리 텬흥을 깃거 아닛는 지 만흔디라. 이러므로 가만흔 가온 디 공교로이 히ㅎ는 간인(奸人)이 잇ㅎ는가 ㅎ옵ㅎ니, 딘녕슈 뎡셰흥 등 나릐(拿來)ㅎ시기는 【37】 잠간 늣추시고, 밧비 위스(衛士)를 보닉샤 뎡텬흥을 나릐ㅎ시면, 텬흥이 만일 반역디심이 이신즉 위식 나명(拿命)을 젼ㅎ여도 슌히 잡혀 오디 아닐 거시오, 흉역디의(凶逆之意) 업스오면 즉시 나명을 응ㅎ올 거시니, 복원 셩샹은 신등의 쥬스를 윤허ㅎ시고 《살피샤∥살피쇼셔》. 신 양필광은 뎡연으로 더브러 친옹이오, 텬흥과 구일(舊日) 옹셔디의(翁壻之意) 이시며, 셰흥이 쏘 신의 녀셰(女壻)니, 말슴이 공언(公言)이 아닌 듯ㅎ오나, 신의 ᄆᆞ음은 빅일이 빗최옵고, 신 등이 대역을 듯둡고 셩은을 져바리오면, 하 면목으로 텬일디하의 셔리잇고? 복원 셩샹은 간당의 【38】 흉모를 살피실가 ㅎ느이다."

샹이 조·양 냥인을 툥우(寵遇)ㅎ시미 범연치 아니시딕, 그 쥬스이 이 ᄀᆞᆺ기의 다드라는 옥식이 블예(不豫)ㅎ시고 텬안이 엄널ㅎ샤, 이윽도록 묵연ㅎ시더니, 날호여 굴오샤딕,

"뎡텬흥 딘영슈 등의 반역이 드러낫거늘, 경 등의 구언(救言)이 인스의 불가ㅎ믈 싱각디 못ㅎ느뇨?"

조공이 스식을 블변ㅎ고 다시 쥬왈,

"신이 외람이 셩듀의 대은을 닙스와 위거삼공(位居三公)ㅎ오니, 어린 튱셩이 몸이 죽어 나라흘 갑스올 ᄯᅳ시 잇스오며, 텬흥의 역뫼(逆謀) 시스(詩詞) 챵화(唱和)ㅎ과 반셔(叛書)와 ᄀᆞᆺ툴딘딕, 삼족을 이멸(夷滅)[1321]ㅎ여도 족히 앗갑디 아니【39】ㅎ오딕, 텬흥은 개셰군ᄌᆞ(蓋世君子)[1322]로 튱녈이 고인을 압두ㅎ고, 딘영슈 등이 쏘한 튱의 딕신(直臣)이오니, 헛된 누언(陋言)을 고디 드

1321)이멸(夷滅) : 멸하여 없앰.
1322)개셰군ᄌᆞ(蓋世君子) : 기상이나 위력, 재능 따위가 세상을 뒤덮을 만한 인품을 갖춘 인물.

면, 비위를 졍치 못ㅎ오므로 쇼인의 무리 텬흥을 깃거아닛는 지 만흔지라. 니러므로 가만흔 ᄀᆞ온딕 공교로이 히ㅎ는 간인(奸人)이 잇습는가 ㅎ옵ㅎ니, 진녕슈 뎡셰흥 등 나릐(拿來)ㅎ시기는 즘간 멈츄시고, 밧비 위스를 보닉스 뎡텬흥을 나릐ㅎ시면, 텬흥이 만닐 반역지심이 이신즉, 위식(衛士) 나명(拿命)을 젼ㅎ여도 슌히 잡혀 오지 아닐 거시오, 흉역지의(凶逆之意) 업스오면 즉시 【172】 나명을 응ㅎ올 거시오니, 복원 셩샹은 신 등의 쥬스를 윤허ㅎ시고 살피쇼셔. 신 양필광은 뎡년으로 더브러 친옹이오, 텬흥과 구일(舊日) 옹셔지의(翁壻之意) 이시며, 셰흥이 쏘 신의 녀셰(女壻)니, 말슴이 공언(公言)이 아닌듯ㅎ오나, 신의 ᄆᆞ음은 빅일이 빗최옵고 신 등이 디역을 듯둡고 셩은을 져바리오면, 하 면목으로 텬일지하의 셔리잇고? 복원 셩샹은 간당의 흉모를 살피실가 ㅎ느이다."

상이 조·양 냥인을 춍우(寵遇)ㅎ시미 범연치 아니시딕, 그 쥬스이 이 ᄀᆞᆺ기의 다드라는 옥식이 블예(不豫)ㅎ시ᄉ 이윽도록 묵연ㅎ시더니 날호여 【173】 굴오샤딕,

"뎡텬흥 딘녕슈 등의 반녁이 드러ᄂᆞᆺ거늘 경 등의 구(救)ㅎ미 인스의 불가ㅎ믈 싱각지 아니ㅎ느뇨?"

조공이 스식을 블변ㅎ고 다시 쥬왈,

"신이 외람이 셩쥬의 대은을 닙스와 위거숨공(位居三公)ㅎ니, 어린 츙셩이 몸이 죽어 나라흘 갑스올 ᄯᅳ시 잇스오며, 텬흥의 녁뫼(逆謀) 시스(詩詞) 챵화(唱和)ㅎ과 반셔(叛書)와 ᄀᆞᆺ툴진딕, 숨족을 멸ㅎ여도 족히 앗갑지 아니ㅎ딕, 텬흥은 개셰군ᄌᆞ(蓋世君子)[1260]오, 즁녈이 고인을 압두ㅎ고, 진녕슈 등이 쏘한 츙의직신(忠義直臣)이오니, 헛된 누언(陋言)을 고지 드ᄅᆞᆺ 츙냥지신(忠良之臣)을 《일언∥이런》 이런 일노 밀월 거시

1260)개셰군ᄌᆞ(蓋世君子) : 기상이나 위력, 재능 따위가 세상을 뒤덮을 만한 인물.

르샤 튱냥디신(忠良之臣)을 이런 일노 밀월
거시 아니오니, 복원 셩샹은 셰번 싱각ᄒ샤
현인을 죽이디 마르시고, 요악(妖惡)○[흔]
쇼인을 츠ᄌ 셩통(聖聰)을 가리온 죄를 다
ᄉ리쇼셔."

조승샹의 쥬ᄉ로 인ᄒ여, 만뎨 뎡·딘을
위ᄒ여 원억히 넉이ᄂᄂ니 ᄀ득ᄒ여, 닷토아
그 이미ᄒ믈 쥬ᄒ여 일시의 칭원(稱寃)ᄒ니,
샹이 가장 블안ᄒ샤 조승샹으로브터 뎡·딘
을 구ᄒᄂ 말ᄉᆷ을 듯디 아니시고, 밧비 위
샤(衛士)를 북희의 보ᄂ여 뎡텬흥을 나리ᄒ
라 ᄒ시고, 딘영슈 뎡【40】닌흥 형뎨를 다
나리ᄒ라 ᄒ시니, 텬뇌(天怒) 딘쳡(震疊)ᄒ
샤 시도록 침슈(寢睡)를 폐ᄒ시디, 뇽침(龍
寢)의 나아가디 아니시니, 뎡·오 이왕이
졀민ᄒ여 취침ᄒ시믈 쥬ᄒ오디, 샹왈,

"딘영슈 등과 뎡닌흥 형뎨를 엄형국문ᄒ
여 그 참역(僭逆)의 초ᄉ(招辭)를 바든 후,
딤이 침금의 나아가리라."

ᄒ시니, 졔신이 옥톄 손상ᄒ시믈 쥬ᄒ여
년(連)ᄒ여 알외니, 샹이 마디 못ᄒ여 만됴
(滿朝)를 믈너가라 ᄒ시고, 너뎐으로 드르시
미, 뎡연의 노ᄌ를 가도라 ᄒ시니, 나졸이
묘랑을 대리시의 가도니, 묘랑이 젼혀 두리
디 아니코 양연이 옥듕의 드러가ᄂ더라.
【41】옥니(獄吏) 잠간 조으ᄂ 둧ᄒ니, 묘
랑이 몸을 흔드러 변ᄒ여, 젹은 시 되여 옥
문 틈으로 너다라 공듕의 올나 구몽슉의 집
의 니르니, 몽슉이 셔직(書齋)의 혼ᄌ 안줏
거늘, 묘랑이 본형을 너여 몽슉의 겻틱 안
ᄌ며, 우어 왈,

"샹공이 빈도를 기다려 계시리이다."

몽슉이 희식을 ᄯᅴ여 칭샤 왈,
"ᄉ부의 법슐노 대ᄉ 거의 일게 되여시니
엇디 깃브디 아니리오. 내 샹긔 뎡텬흥의
샹 보아 기리던 샹ᄌ(相者)를 어더 드리마
ᄒ여시니, ᄉ뷔 슈고로오나 여ᄎ여ᄎᄒ여
텬의(天意)를 경동(驚動)ᄒ고 뎡가를 아조
대역으로 아르시게 ᄒ미 엇더ᄒ뇨?"

묘랑 왈,

아니오니, 복원 셩【174】 샹은 셰번 싱각
ᄒᄉ 현인을 죽이지 마르시고, 요악(妖惡)○
[흔] 쇼인을 츠져 셩총(聖聰)○[을] 가리온
죄를 다스리쇼셔."

조승샹의 쥬ᄉ로 인ᄒ여 만뎨 뎡·진을
위ᄒ야 원억히 넉이ᄂ 니 ᄀ득ᄒ여, 닷토아
그 이미ᄒ믈 쥬ᄒ여, 일시의 칭원(稱寃)ᄒ
니, 샹이 ᄀ장 블안ᄒ사 조승샹으로브터 뎡
·진을 구ᄒᄂ 말ᄉᆷ을 듯지 아니시고, 밧비
위ᄉ(衛士)를 희북의 보ᄂ여 뎡텬흥을 나리
ᄒ라 ᄒ시고, 진녕슈 뎡닌흥 형뎨를 나리ᄒ
라 ᄒ시니, 텬뇌(天怒) 진쳡(震疊)ᄒ사, 시도
록 침슈(寢睡)를 폐ᄒ시디. 뇽침(龍寢)의 나
아가지 아니시니, 뎡·오 이왕이 졀민ᄒ여
취침ᄒ시믈 쥬ᄒ온디, 샹 왈, 【175】

"진녕슈 등과 뎡닌흥 형뎨를 엄형국문ᄒ
여 그 초ᄉ(招辭)를 바든 후, 딤이 침금의
ᄂ아ᄀ리라."

졔신이 옥톄 손상ᄒ시믈 쥬ᄒ여 년(連)ᄒ
여 알외니, 샹이 마지 못ᄒ사 만됴(滿朝)를
믈너가라 ᄒ시고, 너뎐으로 드르시며, 뎡연
의 노ᄌ를 ᄀ도라 ᄒ시니, 나졸이 묘랑을
대리시의 가도니, 묘랑이 일호(一毫) 두리지
아니코 양연이 옥즁의 드러가ᄂ지라. 옥니
(獄吏) 즘간 조으ᄂ 둧ᄒ니, 묘랑이 몸을 흔
드러 변ᄒ여, 젹은 시 되여 옥문 틈으로 너
다라, 공즁의 올나 구몽슉의 집의 니르니,
몽슉이 셔직(書齋의 혼ᄌ 잇거늘, 묘랑이
본형을 너여 몽슉의 겻희 안지며 우어 왈,

"샹공이 빈【176】도를 기다려 계시리이
다."

몽슉이 희식을 ᄯᅴ여 칭ᄉ 왈,
"ᄉ부의 법슐노 대ᄉ 거의 일게 되여시
니, 엇지 깃브지 아니리오. 내 샹게 뎡텬흥
의 샹 보아 기리던 샹ᄌ(相者)를 어더 드리
마 ᄒ여시니, ᄉ뷔 슈고로오나 여ᄎ여ᄎᄒ
여 텬의(天意)를 경동(驚動)ᄒ고, 뎡가를 아
조 딕역으로 아ᄅ시게 ᄒ미 엇더ᄒ뇨?"

묘랑 왈,

"이곳【42】 쉬온 일이라. 명일 상공이 빈도를 잡아 가디고 입궐ᄒ쇼셔."

몽슉이 더옥 깃거, 만ᄉ(萬事)를 형왕과 의논ᄒ며, 묘랑의 신긔ᄒᆫ 법슐(法術)을 젼ᄒ노라, 날마다 운화산 졍즈의 왕닉ᄒ더라.

ᄎ시 뎡·딘 냥부의셔 뎡·오 이왕이 외당을 다 뒤여 뇽포와 옥시를 어더닉니, 금평후의 단엄(端嚴)홈과 낙양후의 침위(沈威)ᄒᄆᆞ로도 놀납고 ᄎ악ᄒ미 만신이 셔늘ᄒ니, 디은 죄 업시 원억ᄒᆫ 죄를 므릅뼈 문회(門戶) 망멸(亡滅)ᄒᄆᆞᆯ 바들디라. ᄎ변(此變)을 당ᄒ여 댱부의 텰셕간장(鐵石肝腸)1323)이나 ᄉ회(死灰)1324)기를 면치 못ᄒ되, 금평후는 ᄉ싱디졔(死生之際)의 요동치 아니랴 뎡ᄒ엿ᄂᆫ【43】디라. 신식을 블변ᄒ고 졔ᄌᆞ를 당부ᄒ여 이런 말을 태부인긔 고치 말나 ᄒ고, 오딕 일이 되여가믈 볼 ᄯᅥᆫ이로되, 가듕이 ᄌᆞ연 물ᄭᅳᆯ 툿ᄒ여 시녀 양낭(養娘)의 무리 경황ᄒᆫ 심신을 뎡치 못ᄒ여, 딘부로 왕닉ᄒ며 셔로 놀나오믈 일ᄏᆞᆯ니, 경식이 가장 괴이ᄒ디라. 태부인이 문왈,

"가듕의 므슴 일이 잇ᄂᆞ냐? 시녀 등이 분황(紛遑)1325)ᄒ며 모든 긔식이 괴이ᄒ뇨?"

딘부인이 경악ᄒᆫ ᄆᆞ음을 측냥치 못ᄒ나 강인ᄒ여 ᄉ식을 화○[히] ᄒ고 되왈,

"므슴 일이 이시리잇가. 츈경이 보암죽ᄒ니 셰흥 등이 후원의셔 야화(夜話)ᄒ오니 시녀 등이 쥬찬을 가져 분분【44】이 단니ᄂᆞ이다."

태부인이 그 가닉의셔 뇽포와 옥시를 어더 가믄 쳔만의외 ᄲᅥᆫ 아니라, 뎡·오 이왕이 친히 와 뒤믄 몽미의도 아디 못ᄒᄂᆞᆫ 고로 편히 취침ᄒ니, 딘부인이 ᄯᅩᄒᆫ 침소의 물너와 경참(驚慘)ᄒᆫ ᄆᆞ음이 측냥업셔, 상요(床褥)의 나아가디 아녓더니, 금평휘 드러와 부인을 되ᄒ여, 왈,

"이곳 쉬온 일이라. 명일 상공이 빈도를 잡아 가지고 닙궐ᄒ쇼셔."

몽슉이 더옥 깃거, 만ᄉ(萬事)를 형왕과 의논ᄒ며, 묘랑의 신긔ᄒᆫ 법슐(法術)을 젼ᄒ노라, 날마다 운화산 졍즈의 왕닉ᄒ더라."

ᄎ시 뎡·진 냥부의셔 뎡·오 이왕이 외당【177】을 다 뒤여 뇽포와 옥시를 어더닉니, 금평후의 단엄(端嚴)홈과 낙양후의 침위(沈威)ᄒᄆᆞ로도 놀납고 ᄎ악ᄒ미 만신이 셔늘ᄒ니, 지은 죄 업시 원억ᄒᆫ 죄를 므릅뼈 문회(門戶) 망멸(亡滅)ᄒᄆᆞᆯ 바들지라. ᄎ변(此變)을 당ᄒ여 장부의 텰셕간장(鐵石肝腸)1261)이나 ᄉ회(死灰)1262)기를 면치 못ᄒ되, 금평후는 ᄉ싱지졔(死生之際)의 요동치 아니랴 뎡ᄒ엿ᄂᆫ지라. 신식을 블변ᄒ고 졔ᄌᆞ를 당부ᄒ여 이런 말을 틱부인게 고치 말나 ᄒ고, 오직 일이 되여가믈 볼 ᄯᅥᆫ이로되, 가즁이 ᄌᆞ연 물ᄭᅳᆯ 툿ᄒ여 시녀 냥낭(養娘)의 무리 경황ᄒᆫ 심신을 졍치 못ᄒ여, 진부로 왕【178】닉ᄒ며 셔로 놀나오믈 닐ᄏᆞᆯ니, 경식이 가장 괴이ᄒ지라. 틱부인이 문왈,

"가즁의 무슴 일이 잇ᄂᆞ냐? 시녀 등이 분황(紛遑)1263)ᄒ며 모든 긔식이 괴이ᄒ뇨?"

진부인이 경악ᄒᆫ ᄆᆞ음을 측낭치 못ᄒ나, 강잉ᄒ여 ᄉ식을 화히ᄒ고 되왈,

"무슴 일이 이스오리잇고? 츈경이 보암죽ᄒ니, 셰흥 등이 후원의셔 야화(夜話)ᄒ오니, 시녀 등이 쥬찬을 가져 분분이 ᄃᆞ니ᄂᆞ이다."

틱부인이 그 가닉의셔 뇽포와 옥시○[를] 어더 가믄 쳔만의외 ᄲᅥᆫ 아니라, 뎡·오 이왕이 친히 와 뒤믄 몽미의도 아지 못ᄒᄂᆞᆫ 고로, 편히 취침ᄒ니, 진부인이 ᄯᅩᄒᆫ 침소의 물너와 경【179】참(驚慘)ᄒᆫ ᄆᆞ음이 측낭업셔, 상뇨(床褥)의 ᄂᆞ아가지 아녓더니, 금평휘 드러와 부인을 되ᄒ여, 왈,

---

1323)텰셕간장(鐵石肝腸) : 굳센 의지나 지조가 있는 마음.
1324)ᄉ회(死灰) : 불기운이 사그라진 다 식은 재.
1325)분황(紛遑) : 몹시 허둥거리고 어수선함.

1261)텰셕간장(鐵石肝腸) : 굳센 의지나 지조가 있는 마음.
1262)ᄉ회(死灰) : 불기운이 사그라진 다 식은 재.
1263)분황(紛遑) : 몹시 허둥거리고 어수선함.

"뇽포와 옥시를 치듁헌의셔 어더늬고, 흉역디심(凶逆之心)을 두어 시ᄉ(詩詞) 창화(唱和)ᄒᆞᆫ 거슬 딘부와 우리 셔지의셔 어더늬니, 이ᄂᆞᆫ 반ᄃᆞ시 뎡·딘 이문의 셩만ᄒᆞᄆᆞᆯ 싀애(猜礙)ᄒᆞ여 멸망디화를 나리오미라. 만시 텬명(天命)이니, 부인은 ᄆᆞ음을 구디 잡아 무익히【45】슬허 말고, ᄒᆞᆫ갈ᄀᆞ치 ᄌᆞ위를 위로ᄒᆞ며 일이 되어가믈 볼디니, 싱이 혜아리건ᄃᆡ 날이 붉디 아냐셔 나명(拿命)이 급홀가 ᄒᆞᄂᆞ니, 우리 부지 집의 잇디 못홀디라. 부인은 복(僕)과 졔이(諸兒) 참형을 당홀디라도, ᄌᆞ레 과도히 구지 말고 ᄌᆞ위 아르시게 마르쇼셔."

부인이 비록 금옥의 견고ᄒᆞ미 이시나, ᄎᆞ변을 당ᄒᆞ여 금후의 말ᄉᆞᆷ을 드르미 심장이 믜ᄂᆞᆫ[1326] ᄃᆞᆺᄒᆞ니, ᄌᆞ연 오열비읍(嗚咽悲泣)ᄒᆞᄆᆞᆯ 면치 못ᄒᆞᄂᆞᆫ디라. 금휘 뎡식 왈,

"싱이 부인을 알오미 이러치 아닐가 ᄒᆞ엿더니, 엇디 밋쳐 참화를 당치 아냐셔 슬허ᄒᆞᄂᆞ뇨? 블힝ᄒᆞ여 우리 부지 다 죽으미 이실디라도, 부인【46】이 죵시를 보디 아니코 무익히 비쳑(悲慽)ᄒᆞᆷ은 가장 조바야온디라[1327]. 모로미 ᄌᆞ위를 위로ᄒᆞ여 필경을 치보고 ᄉᆞ싱을 결ᄒᆞ쇼셔."

부인이 강인 ᄃᆡ왈,

"뇽포 옥시를 치듁헌의셔 어더늬ᄂᆞᆫ 거시 발셔 참화를 보디 아녀 짐작ᄒᆞ려니와, 다만 져 하ᄂᆞᆯ이 튱녈디문(忠烈之門)의 멸망ᄒᆞᄂᆞᆫ 흉벌을 나리오디 아닐 ᄃᆞᆺᄒᆞ디라. 쳡은 신명의 도으믈 바라는 빈니, 군후ᄂᆞᆫ 괴이ᄒᆞᆫ 말ᄉᆞᆷ을 마르시고, 존고를 위로ᄒᆞᆷ을 여러번 당부치 마르쇼셔. 쳡슈블쵸(妾雖不肖)나 ᄌᆞ레 변고를 아르시게 아니리니, 군후ᄂᆞᆫ 다시 니르디 마르쇼셔."

금휘 츄연 탄식기를 마디 아니ᄒᆞ【47】고, 녜부와 학ᄉᆞ 부모의 취침ᄒᆞ시믈 쳥ᄒᆞ고 ᄉᆞ식을 화히 ᄒᆞ여, 놀나는 빗츨 낫토디 아니나, 심ᄉᆞ(心思)ᄌᆞᆨ 형상ᄒᆞ여 니를 거시 업

"뇽포와 옥시를 치듁헌의셔 어더늬고, 흉녁지심(凶逆之心)을 두어 시ᄉ(詩詞) 창화를 ᄒᆞᆫ 거슬 진부와 우리 셔지의셔 어더늬니, 이ᄂᆞᆫ 반ᄃᆞ시 뎡·진 이문의 셩만ᄒᆞᄆᆞᆯ 싀이(猜礙)ᄒᆞ여, 멸망지화를 ᄂᆞ리오미라. 만시 텬명(天命)이니, 부인은 ᄆᆞ음을 구지 줍아 무익히 슬허 말고, ᄒᆞᆫ갈ᄀᆞ치 ᄌᆞ위를 위로ᄒᆞ며 일이 되어가믈 볼지니, 싱이 혀아리건ᄃᆡ 날이 붉지 아냐셔 나명(拿命)이 급홀가 ᄒᆞᄂᆞ니, 우리 부지 집의 닛지 못홀지라. 부인은 복과 졔이(諸兒) 참형을 당홀지【180】라도, ᄌᆞ레 과도히 구지 말고 ᄌᆞ위 아르시게 마르쇼셔."

부인이 비록 금옥의 견고ᄒᆞ미 이시나, ᄎᆞ변을 당ᄒᆞ여 금후의 말ᄉᆞᆷ을 드르미 심장이 믜여지ᄂᆞᆫ[1264] ᄃᆞᆺᄒᆞ니, ᄌᆞ연 오열비읍(嗚咽悲泣)ᄒᆞᄆᆞᆯ 면치 못ᄒᆞᄂᆞᆫ지라. 금휘 졍식 왈,

"싱이 부인을 알오미 니러치 아닐가 ᄒᆞ엿더니, 엇지 밋쳐 춤화를 당치 아냐셔 슬허ᄒᆞᄂᆞ뇨? 블힝ᄒᆞ여 우리 부지 다 죽으미 이실지라도, 부인이 죵시를 보지 아니코 무익히 비쳑(悲慽)ᄒᆞᆷ은, 가장 조바야온지라[1265]. 모로미 ᄌᆞ위를 위로ᄒᆞ여 필경을 치보고, ᄉᆞ싱을 결ᄒᆞ쇼셔."

부인이 강잉 ᄃᆡ왈,

"뇽포 옥시를 치듁헌의셔 어더늬ᄂᆞᆫ【181】거시, 발셔 춤화를 보지 아니셔 짐작ᄒᆞ려니와, 다만 져 하ᄂᆞᆯ이 춤녈지문(忠烈之門)의 멸망ᄒᆞᄂᆞᆫ 흉벌을 ᄂᆞ리오지 아닐 ᄃᆞᆺ지라. 쳡은 신명의 도으믈 바라는 빈니, 군후ᄂᆞᆫ 괴이ᄒᆞᆫ 말ᄉᆞᆷ을 말으시고, 존고를 위로ᄒᆞᆷ을 여러번 당부치 마르쇼셔. 쳡슈블쵸(妾雖不肖)나 ᄌᆞ레 변고를 아르시게 아니리니, 군후ᄂᆞᆫ 다시 니르지 마르쇼셔."

금휘 츄연 탄식기를 마지 아니ᄒᆞ고, 녜부와 학ᄉᆞ 부모의 취침ᄒᆞ시믈 쳥ᄒᆞ고, ᄉᆞ식을 화히ᄒᆞ여 놀나는 빗츨 낫토지 아니나, 심신(心思)ᄌᆞᆨ 형상ᄒᆞ여 닐을 거시 업ᄂᆞᆫ지라

1326)믜다 : 찢다. 찢어지다.
1327)조바야오다 : 너그럽지 못하고 옹졸하다. ⇒죠비얍다.

1264)믜다 : 찢다. 찢어지다.
1265)조바야오다 : 너그럽지 못하고 옹졸하다. ⇒죠비얍다.

는더라.

금휘 비록 슬프믈 낫토디 아니나, 침금의 잘 ᄆᆞ음이 업셔 믁믁히 안잣거늘, 녜부 등이 믈너나디 못ᄒᆞ여, 모부인을 위로ᄒᆞ며 야야의 취침ᄒᆞ시믈 지삼 쳥ᄒᆞ더니, 츈애(春夜) 덧업시 져른더라, 믄득 계셩(鷄聲)이 악악ᄒᆞ여 시비를 보ᄒᆞ니, 금휘 즉시 관소ᄒᆞ고 졔ᄌᆞ를 거ᄂᆞ려 태원뎐의 신셩(晨省)ᄒᆞ고 나명이 급ᄒᆞᆯ 줄 디긔ᄒᆞ여, 모친긔 고왈,

"쇼ᄌᆞ와 닌·셰 냥이 일시의 슬하를 써나미 결연ᄒᆞ오나, 셩디(聖旨) 계샤 지딕ᄌᆞ(在職者)ᄂᆞᆫ 다 궐졍의 모드라【48】ᄒᆞ여 계시니, 반ᄃᆞ시 국가의 므슴 일이 잇ᄂᆞᆫ가 ᄒᆞᆸᄂᆞ니, 이제 궐졍의 드러가면 슈히 나오디 못ᄒᆞ올디라. 유·필 냥이 미거ᄒᆞ오나 밧글 딕희고 그 ᄉᆞ이 셩톄 안강ᄒᆞ쇼셔."

태부인이 쳥필의 홀연 비쳑ᄒᆞ믈 니긔디 못ᄒᆞ여, 좌슈로 금후의 손을 잡고, 타루(墮淚) 왈,

"텬이 북뎡ᄒᆞᆫ 후 노모의 심ᄉᆞ(心思) ᄌᆞ못 비상ᄒᆞ더니, 븍뎍을 항복바든 쳡음이 텬문의 오로고 회군ᄒᆞᄂᆞᆫ 소식이 이시니, 노뫼 굴디계일(屈指計日)ᄒᆞ여 텬ᄋᆞ의 도라오믈 기다리더니, 나라히 므슴 일이 잇관ᄃᆡ 슈히 나오디 못ᄒᆞᆷ믈 니르ᄂᆞ뇨? 유·필 냥이 이시나 결혼ᄒᆞᆫ 회포를 엇디 참으리오."

금후의【49】 츌텬셩효(出天誠孝)로 북당(北堂)을 아득히 긔이고 참화를 당ᄒᆞ[홀]ᄆᆞ음이 것거디고 믜여지나, 쳔만 강인ᄒᆞ여 이셩화긔로 왈,

"국ᄉᆞ 비밀ᄒᆞ와 지딕ᄌᆞ를 다 궐졍으로 브르시니 곡졀을 모로오나, 위퇴ᄒᆞᆷ믄 졔렴(除念)1328)ᄒᆞ시고, 텬ᄋᆞ의 무ᄉᆞ히 도라옴과 쇼ᄌᆞ의 나오기를 기다리쇼셔."

녜부와 혹시 힝혀 위〇[시](衛士) 니르러 잡아 나가는 디경(地境)을, 조뫼 〇〇〇[보시고] 놀나실가 두려, 부젼의 고왈,

"샹명이 효신(曉晨)으로 모히라 ᄒᆞ여 계시니 밧비 가미 올흘가 ᄒᆞᄂᆞ이다."

1328)졔렴(除念) : 염려를 털어버림.

금휘 비록 슬프믈 낫토지 아니나, 침금의 잘 ᄆᆞ음이 업셔 믁믁히 안잣거늘, 녜부 등이 믈너【182】나지 못ᄒᆞ여 모부인을 위로ᄒᆞ며, 야야를 취침ᄒᆞ시믈 지삼 쳥ᄒᆞ더니, 츈애(春夜) 덧업시 ᄶᆞ른지라, 믄득 계셩(鷄聲)이 악악ᄒᆞ여 시비를 고ᄒᆞ니, 금휘 즉시 관소ᄒᆞ고 졔ᄌᆞ를 거ᄂᆞ려 태원뎐의 신셩(晨省)ᄒᆞ고, 나명이 급ᄒᆞᆯ 줄 지긔ᄒᆞ여, 모친게 고왈,

"쇼ᄌᆞ와 닌·셰 냥이 일시의 슬하를 써나미 결연ᄒᆞ오나, 셩지(聖旨) 계ᄉᆞ 지직ᄌᆞ(在職者)ᄂᆞᆫ 다 궐졍의 모드라ᄒᆞ여 계시니, 반ᄃᆞ시 국가의 무슴 일이 잇ᄂᆞᆫ가 ᄒᆞ오니, 이제 궐졍의 드러가면 슈히 나오지 못ᄒᆞ올지라. 유·필 냥이 미거ᄒᆞ오나 밧글 직희고 그 ᄉᆞ이 셩톄 안강ᄒᆞ옵쇼셔."

퇴부인이 쳥필의 홀연 비쳑【183】ᄒᆞ믈 니긔지 못ᄒᆞ여, 좌슈로 금후의 손을 즙고 타루(墮淚) 왈,

"텬이 북뎡ᄒᆞᆫ 후 노모의 심ᄉᆞ ᄌᆞ못 비상ᄒᆞ더니, 븍젹을 항복바든 쳡음이 텬문의 오로고, 회군ᄒᆞᄂᆞᆫ 소식이 이시니, 노뫼 굴지계일(屈指計日)ᄒᆞ여 텬ᄋᆞ의 도라오믈 기ᄃᆞ리더니, 나라히 무슴 일이 잇관ᄃᆡ 슈히 나오지 못ᄒᆞᆷ믈 니르ᄂᆞ뇨? 유·필 냥이 이시나 결혼ᄒᆞᆫ 회포를 엇지 춤으리오."

금후의 츌텬셩효(出天誠孝)로 북당(北堂)을 아득히 긔이고 참화를 당ᄒᆞᆯ ᄆᆞ음이 것거지고 믜여지나, 쳔만 강잉ᄒᆞ여 이셩 화긔로 왈,

"국ᄉᆞ 비밀ᄒᆞ와 지직ᄌᆞ를 다 궐졍으로 브르시니 곡졀을 모로오나, 위퇴ᄒᆞ【184】ᄆᆞᆫ 졔렴(除念)1266)ᄒᆞ시고, 텬ᄋᆞ의 무ᄉᆞ히 도라옴과 쇼ᄌᆞ의 나오기를 기ᄃᆞ리쇼셔."

녜부와 혹시 힝혀 위ᄉᆞ(衛士) 니르러 즙아 나가는 지경(地境)을, 조뫼 〇〇〇[보시고] 놀나실가 두려, 부젼의 고왈,

"샹명이 효신(曉晨)으로 모히라 ᄒᆞ여 계시니 밧비 가미 올흘가 ᄒᆞᄂᆞ이다."

1266)졔렴(除念) : 염려를 털어버림.

공이 씨드라 모견의 졀후여 하딕후니, 부
인이 직삼 슈히 나오믈 당부후니, 공이 되
왈,

"쇼즈의 부즈 쓴아니라 후빅지렬(侯伯宰
列)노브터 미말(微末) 【50】 낭관(郞官)[1329]
이 다 모드라 후여 계시니 각각 믈너가라
후시면 도라오리이다."

언파의 이즈(二子)를 다리고 듕당(中堂)의
나와, 부인을 당부후여 아딕 경동치 말고
일이 되여가믈 보아 스싱을 결후라 후더니,
셔동의 무리 황황이 드러와 위시 시방 딘부
와 본부 문의 달녀들믈 고후니, 금휘 밧비
나올시 딘부인과 니·양의 심스를 형언홀
비 업셔 즈연 뉴쳬(流涕)후믈 면치 못후니,
금휘 손을 져어 부인과 즈부 등의 슬허후믈
말니고, 외헌의 나오미 위시 나명을 견후고,
네부와 흑스의 스미를 써혀 그 낫츨 번며
밧비 가믈 직쵹후니, 냥인이 부안(父顔)을
향 【51】 후여 졀후고 믈긔 올나 가미, 허다
나졸이 뒤흘 모라 집문을 나니, 딘부의 드
러갓던 위시 또흔 딘태우 등의 형뎨 군죵을
등과즈(登科者)는 다 잡아가는 거동이 측냥
치 못후니, 그 부모디심(父母之心)이야 더옥
니르리오.

딘공 등의 부인은 가슴을 허위여 실셩통읍
(失性慟泣)후믈 마디 아니후딘, 낙양후 곤계
와 금평후는 므음을 요동치 아니려 후여시
니, 금후의 졍니는 타인과 달나 노년편친
(老年偏親)을 아득히 속이고, 흉홰(凶禍) 장
츳 아모 디경의 밋츨 줄 아디 못후니, 참통
(慘痛)혼 심스를 디향(指向)치 못후니, 이즈
를 잡혀 보닉고 유·필 냥공즈를 경계 왈,

"여등이 비록 어리나 훤당(萱堂) 【52】
의 승안양디(承顔養志)홀 바는 알니니, 문호
의 화란이 아모리 될 줄 아디 못후거니와,
나와 여형 삼인이 다 죽든 아닐 거시니, 일
이 되여가믈 보고, 괴이히 셔도라 즈졍이
아르시게 말디어다. 허다 군졸이 오가(吾家)

1329)낭관(郞官) : 조선 시대에, 정오품 통덕랑 이하
　의 당하관을 통틀어 이르던 말.

공이 씨드라 모견의 졀후여 하직후니, 부
인이 직삼 슈히 나오믈 당부후니, 휘 되왈,

"쇼즈의 부즈 쓴아니라 후빅지렬(侯伯宰
列)노브터 미말(微末) 낭관(郞官)[1267]이 다
모드라 후여 계시니, 각각 믈너가라 후시면
도라오리이다."

언파의 이즈(二子)를 드리고 즁당의 나와,
부인을 당부후여 아직 경동치 말고 일이 되
여가믈 보아 스싱을 결후라 후더니, 셔동의
무리 【185】 황황이 드러와 위시 시방 진
부와 본부 문의 달녀들믈 고후니, 금휘 밧
비 나올시, 진부인과 니·양의 심스를 형언
홀 비 업셔, 즈연 유쳬(流涕)후믈 면치 못후
니, 금휘 손을 져허 부인과 즈부 등의 슬허
후믈 말니고, 외헌의 ᄂ오미, 위시 나명을
견후고, 네부와 흑스의 스미를 써혀 그 낫
츨 쓰며, 밧비 가믈 직쵹후니, 냥인이 부안
(父顔)을 향하여 졀후고 믈게 올나가미, 허
다 ᄂ졸이 뒤흘 모라 집문을 나니, 진부의
드러갓던 위시 또흔 진티우 등의 형뎨 군죵
을 등과즈(登科者)는 다 잡아가는 거동이
측냥치 못후니, 그 부모지심(父母之心)이야
니르리오.

진공 등의 부인은 가슴 【186】을 허위여
실셩통읍(失性慟泣)후믈 마지 아니후딘, 낙
양후 곤계와 금평후는 므음을 요동치 아니
려 후여시니, 금후의 졍니는 타인과 달나
노년편친(老年偏親)을 아드키 속이고, 흉홰
(凶禍) 장츳 아모 디경의 밋츨 줄 아지 못
후니, 춤통(慘痛)혼 심스를 지향(指向)치 못
후니, 이즈를 즙혀 보닉고, 뉴·필 냥공즈를
경계 왈,

"녀등이 비록 어리나 훤당(萱堂)의 승안
양지(承顔養志)홀 바를 알니니, 문호의 화란
이 아모리 될 줄 아지 못후거니와, 나와 여
형 삼인이 죽든 아닐 거시니, 일이 되여가
믈 보고 고이이셔도라 즈졍이 아르시게 말
지어다. 허다 군졸이 오가(吾家)와 딘부를

1267)낭관(郞官) : 조선 시대에, 정오품 통덕랑 이하
　의 당하관을 통틀어 이르던 말.

와 딘부를 에워쌋 왕닉ᄒ는 거슬 막을 거시니, 내 금일 궐하의 간 후는 ᄯ 슈히 나오기를 밋디 못ᄒ리니, 여등이 밧글 딕희고 굿ᄐ여 변고를 알냐 말며, 아딕 《너의∥녀희》 인ᄉ를 칙망ᄒ리 업ᄉ리니, 네 아비 대리시(大理寺)의 드ᄂ 일이 이셔도, 브졀업시 궐하의 딋죄치 말고, 오딕 ᄌ졍을 위로ᄒ며 가듕을 요란치 아니케 ᄒ미 디극ᄒ【53】회라."

이ᄯ 유홍은 십삼셰오, 필홍은 십일셰라. 신댱(身長) 거디(擧止) 나ᄒ로 좇ᄎ 닉도히 슉셩ᄒ여 댱부 위풍을 일워시딕, 평남휘 히북으로셔 도라오디 못ᄒ 젼이오, 가듕의 ᄉ괴 만ᄒ 관녜(冠禮)[1330]도 아녀시나, 츌뉴(出類)ᄒ 긔딜이 특이ᄒ여 부형여풍(父兄餘風)이라. ᄎ변을 당ᄒ여 어이 놀납고 슬프디 아니리오마ᄂ, 야야의 참황ᄒ신 심ᄉ를 요동치 아니려, 진비 고왈,

"하날이 놉흐시나 슬피시믄 소소(昭昭)ᄒ시니, 대인과 삼위 형댱의 뎡튱대졀(貞忠大節)은 신명이 감동ᄒᆯ디라. 일시 화란이 경참(驚慘)ᄒ오나 황샹이 명셩(明聖)ᄒ시니, 맛춤닉 옥ᄉ를 쳐결ᄒ시미 원【54】억게 ᄒᆯ 일이 업ᄉᆯ디라. 복원 대인은 물우(勿憂)ᄒ시고 왕모(王母)를 밧드오믄 쇼ᄌ 등이 잇ᄉ오니, 비록 효셩이 흡흡디 못ᄒ오나, 일시도 대모 슬하를 쎠나디 아니ᄒ와 엄교(嚴敎)를 봉승(奉承)ᄒ리이다."

공이 냥ᄌ의 손을 잡고 츄연 탄왈,

"여등의 말을 드르미 내 ᄆ음이 일분 넘녀를 더ᄂ니, 여등이 말을 이갓치 ᄒ고 아비를 속이디 아니리니, ᄌ졍이 슬하의 여러 ᄌ녀를 두디 못ᄒ시고, 여뷔 외로온 몸으로 슈죡(手足)[1331]의 졍(情)을 아디 못ᄒ여, 여등 칠남믹를 두믹, 내 집의 ᄌ녀 귀듕도 타

에워쌋 왕닉【187】ᄒ는 거슬 막을 거시니, 내 금일 궐하의 간 후는 ᄯ 슈히 나오기를 밋지 못ᄒ리니, 녀등이 밧글 직희고 굿ᄐ여 변고를 알녀 말며, 아직 너히 인ᄉ를 칙망ᄒ리 업ᄉ리니, 네 아비 대리시(大理寺)의 드ᄂ 일이 이셔도, 브졀업시 궐하의 딋죄치 말고, 오직 ᄌ졍을 위로ᄒ며 가듕을 요란치 아니케 ᄒ미 극ᄒ 회라."

이ᄯ 유홍은 십슴셰오, 필홍은 십일셰라. 신댱(身長) 거지(擧止) 나ᄒ로 조ᄎ 닉도히 슉셩ᄒ여 댱부 위풍을 닐워시딕, 평남휘 히북으로셔 도라오지 못ᄒ 젼이오. 가듕의 ᄉ괴 만ᄒ 관녜(冠禮)[1268]도 아녀시나, 츌뉴(出類)ᄒ 긔질이 특이ᄒ여 부형【188】여풍(父兄餘風)이라. ᄎ변을 당ᄒ여 어이 놀납고 슬프지 아니리오마ᄂ, 야야의 참황ᄒ신 심ᄉ를 요동치 아니랴 진비 고왈,

"하늘이 놉흐나 슬피미 소소(昭昭)ᄒ니, 대인과 삼위 형댱의 정튱딕졀(貞忠大節)은 신명이 감동ᄒᆯ지라. 일시 화란이 경춤(驚慘)ᄒ오나 황샹이 명셩(明聖)ᄒ시니, 맛춤닉 옥ᄉ를 쳐결ᄒ시미 원억게 ᄒᆯ 일이 업ᄉᆯ지라. 복원 딕인은 물우(勿憂)ᄒ시고, 대모를 밧드오믄 쇼ᄌ 등이 잇ᄉ오니, 비록 효셩이 흡흡지 못ᄒ오나, 일시도 대모 슬하를 쎠ᄂ지 아니ᄒ와, 엄교(嚴敎)를 봉승(奉承)ᄒ리이다."

휘 냥ᄌ의 손을 줍고 츄연 탄왈,

"녀등의 말을 드르미 내 ᄆ음이【189】일분 넘녀를 더ᄂ니, 여등이 말을 니곳치 ᄒ고, 아비를 속이지 아니리니, ᄌ졍이 슬하의 여러 ᄌ녀를 두지 못ᄒ시고, 녀뷔 외로온 몸으로 슈죡(手足)[1269]의 졍을 아지 못ᄒ여, 녀등 칠남믹를 두믹, 닉 집의 ᄌ녀 귀

1330)관녜(冠禮) : 예전에, 남자가 셩년에 이르면 어른이 된다는 의미로 상투를 틀고 갓을 쓰게 하던 의례(儀禮). 유교에서는 원래 스무 살에 관례를 하고 그 후에 혼례를 하였으나 조혼이 셩행하자 관례와 혼례를 겸하여 하였다.

1331)슈족(手足) : ①손발. ②형제나 자식을 비유적으로 이르는 말.

1268)관녜(冠禮) : 예전에, 남자가 셩년에 이르면 어른이 된다는 의미로 상투를 틀고 갓을 쓰게 하던 의례(儀禮). 유교에서는 원래 스무 살에 관례를 하고 그 후에 혼례를 하였으나 조혼이 셩행하자 관례와 혼례를 겸하여 하였다.

1269)슈족(手足) : ①손발. ②형제나 자식을 비유적으로 이르는 말.

인디가(他人之家)와 만히 《다르거늘∥다르거니와》, 조정의 텬흥 기다리시미 굴디계일(屈指計日)ᄒ시【55】거늘, 몽니(夢裏)의도 싱각디 아닌 참홰(慘禍)○○○○[를 당ᄒᄆ]l 필경○[이] 아모란 줄 아디 못ᄒ니, 텬흥이 다시 훤당의 봉빅(奉拜)ᄒ믈 긔필(期必)치 못ᄒ거니와, 여뷔 평싱의 뎍블션(積不善)이 업고, 텬흥의 의기현심(義氣賢心)은 오히려 여부(汝父)의게 디단 곳이 만흐니, 복션(福善)의 명응(冥應)이 이실디라. 여부와 여형(汝兄) 등이 원억히 누셜듕(縲絏中)의 맛디 아니리니, 나는 실노 텬니를 깁히 밋고 상모(相貌)를 만히 바라ᄂ니, 혹ᄌ 일이 무슨ᄒ여 부ᄌ형뎨 못ᄂ 날은, 이ㅼ여 화변을 일장 넷 일노 니르리니, 오ᄋ 등은 아뷔 당부와 밋ᄂ 바를 져바리지 말고, ᄌ위를 뫼셔 일시를 써나디 말나.”

언필의 몸을 니러 궐하로 나아【56】갈시, 이공지 문외의 나 비별ᄒᄆ 눈물이 ᄉ미를 뎍시더라.

낙양후 삼곤계ᄂ 각각 ᄋ들을 잡혀 보ᄂ고 쳬면의 안연이 집의 잇디 못ᄒ여, 금평후로 더브러 궐하의 나아가 딕죄ᄒᄃᆡ, 샹이 물딕명(勿待命)1332)ᄒ믈 니르디 아니ᄒ시더라.

위시 딘영슈 등과 뎡닌흥 형뎨를 나리ᄒᄃᆡ, 샹이 시도록 취침치 못ᄒ여 계시다가, 붉은 후 뇽침(龍寢)의 나아가샤 옥휘(玉候) 블평ᄒ신 고로, 뎡·딘 등을 올녀 뭇디 못ᄒ시고, 다 대리시의 가도라 ᄒ시니, 딘영슈 군종 형뎨와 뎡녜부 형뎨 싱어부귀(生於富貴)ᄒ고 댱어호치(長於豪侈)ᄒ여, 셰샹 넘녀를 아디 못ᄒ고, 스스로 검박(儉朴)을 취ᄒ【57】여, 몸의 금슈의복(錦繡衣服)을 닙디 아니며 쳐소를 빗ᄂ디 아니ᄒ나, 엇디 대리시 ᄀᆞᆺ튼 누옥(陋獄)의, 흔 거젹1333) 우희 의

―――――――――――――

1332)물딕명(勿待命) : 관원(官員)이 자신의 죄에 대한, 상부의 처분(處分) 명령을 기다리는 것에 대해, 무죄 등을 이유로 이를 하지 말도록 지시함.
1333)거젹 : 거적. 짚을 두툼하게 엮거나, 새끼로 날을 하여 짚으로 쳐서 자리처럼 만든 물건. 허드레

중홈도 타인지가(他人之家)와 만히 《ᄃᆞ르거늘∥ᄃᆞ르거니와》, ᄌ정의 텬흥 기다리시미 굴지계일(屈指計日)ᄒ실 거시어늘, 몽니(夢裏)의도 싱각지 아닌 참홰(慘禍)○○○○[를 당ᄒᄆ]l 필경○[이] 아모란 줄 아지 못ᄒ니, 텬흥이 ᄃ시 훤당의 봉빅(奉拜)ᄒ믈 긔필(期必)치 못ᄒ거니와, 여뷔 평싱의 젹블션(積不善)이 업고, 텬흥의 의긔현심(義氣賢心)은 오히려 ○[여]부(汝夫)의게 지난 곳이 만흐니, 복션(福善)의 명응(冥應)이 이슬지라. 녀부와 여형(汝兄) 등이 원【190】억히 누셜중(縲絏中)의 맛지 아닐지라. 나는 실노 텬니를 깁히 밋고, 상모(相貌)를 만히 바라ᄂ니, 혹ᄌ 일이 무슨ᄒ여 부ᄌ형뎨 못ᄂ 날은, 이ㅼ여 화변을 일장춘몽(一場春夢)으로 니ᄅ리니, 오ᄋ 등은 아비 당부와 밋ᄂ 바를 져바리지 말고, ᄌ위를 뫼셔 일시를 써나지 말나.”

언필의 몸을 니러 궐하로 나아갈시, 이공지 문외의 나 비별ᄒᄆ 눈물이 ᄉ미를 젹시더라.

낙양후 슴곤계ᄂ 각각 ᄋ들을 즙혀 보ᄂ고, 쳬면의 안연이 집의 잇지 못ᄒ여, 금평후로 더브러 궐하의 ᄂ아가 딕죄ᄒᄃᆡ, 상이 믈딕명(勿待命)1270)ᄒ믈 니르지 아니ᄒ시더라.

위시 딘녕슈 등과 뎡닌흥 형뎨를【191】나리ᄒᄃᆡ, 상이 시도록 취침치 아니시다가, 붉은 후 뇽침(龍寢)의 ᄂ아가ᄉ 옥휘(玉候) 블평ᄒ신 고로 뎡·딘 등을 올녀 뭇지 못ᄒ시고, 다 대리시의 가도라 ᄒ시니, 진녕슈 종형뎨(從兄弟)와 뎡녜부 형뎨 싱어부귀(生於富貴)ᄒ고 댱어호치(長於豪侈)ᄒ여 셰상 넘녀를 아지 못ᄒ고, 스스로 《금박∥검박(儉朴)》을 취ᄒ여, 몸의 금슈의복(錦繡衣服)을 닙지 아니며, 쳐소를 빗ᄂ지 아니ᄒ나, 엇지 대리시 ᄀᆞᆺ튼 누옥(陋獄)의, 흔 닙기즉1271) 우희 의지ᄒᄂ 경계를 잘 견딕리

―――――――――――――

1270)물딕명(勿待命) : 관원(官員)이 자신의 죄에 대한, 상부의 처분(處分) 명령을 기다리는 것에 대해, 무죄 등을 이유로 이를 하지 말도록 지시함.

디ᄒᄂᆞᆫ 경계를 잘 견디리오마ᄂᆞᆫ, 뜻잡기를 굿게 ᄒᆞ여 조곰도 우슈쳑쳑(憂愁慽慽)ᄒᆞᆫ 일이 업ᄉᆞ디, 능히 보젼치 못홀 닷ᄒᆞ니, 형은 아의 몸을 넘녀ᄒᆞ고, 아은 형의 몸을 근심ᄒᆞ여 참연ᄒᆞᆫ 회포를 ○○[니를] 거시 업더라.

신묘랑을 뎡부 노ᄌᆞ(奴子)로 아라 딕희엿던 옥니 잠간 조으다가 ᄭᆡ미, 죄인이 칼흘 버셔 바리고 간ᄃᆡ 업ᄉᆞ니, 창황(惝怳) 경혹(驚惑)ᄒᆞᄆᆞᆯ 니긔디 못ᄒᆞ여, 즉시 뎡가 노지월옥 도쥬ᄒᆞᄃᆡ, 옥문도 잠은 《지‖치》 간 곳이 업ᄉᆞᄆᆞᆯ 고ᄒᆞ니, 금위관(禁衛官)이 텬졍(天廷)의 쥬ᄒᆞ미, 샹이 더옥【58】 분히ᄒᆞ샤 옥니를 져주어 그 간 곳을 ᄎᆞᄌᆞ라 ᄒᆞ시니, 금위관이 옥니의 이미ᄒᆞᄆᆞᆯ 짐작ᄒᆞ여 ᄎᆞ마 져주지 못ᄒᆞ여 가도아 두고, 년일 좌긔(坐起)1334를 아니ᄒᆞ더라.

구몽숙이 신묘랑을 동혀 쥬필(朱筆)노 '졔요(制妖)' 두 ᄌᆞ를 ᄡᅥ 등의 붓쳐, 모든 하리로 뒤흘 밀며 알플 다릐여 임의 궐하의 다ᄃᆞ라, 요괴로온 샹ᄌᆞ(相者) 잡아 와시믈 쥬ᄒᆞᄃᆡ, 샹이 블너 드리샤 보시니 안뫼(顏貌) 곱고 혈긔 방강(方强)ᄒᆞ여 쇼년이나 다르디 아니니, 샹이 요졍(妖精)인 줄 아디 못ᄒᆞ시고 ᄀᆞ장 긔특이 넉이시ᄃᆡ, 그 언ᄉᆞ 경경(梗梗)ᄒᆞᄆᆞᆯ 노ᄒᆞ샤, 옥음을 놉혀 칙ᄒᆞ샤 왈,

"도인이란 거시 심산의 거ᄒᆞ여 치약(採藥)ᄒᆞ며 셰샹을 샤졀ᄒᆞ여시나,【59】군신대의(君臣大義)ᄂᆞᆫ 명명(明明)ᄒᆞ고, 도인의 슐법이 긔특홀디라도 이곳 딤의 신ᄌᆡ라. 엇디 녜모를 아디 못ᄒᆞᄂᆞ뇨? 네 상격(相格)을 일ᄏᆞᆯ라 아노라 ᄒᆞ니, 뎡텬흥을 만니(萬里) 강산의 님지 되리라ᄒᆞ여 요망디셜(妖妄之說)을 ᄒᆞ뇨?"

묘랑이 짐즛 비상ᄒᆞᆫ 도신 쳬ᄒᆞ여 웃기를 마디 아니ᄒᆞ다가, 날호여 ᄃᆡ왈,

오마ᄂᆞᆫ, 뜻줍기를 굿게 ᄒᆞ여 조곰도 우슈쳑쳑(憂愁慽慽)ᄒᆞᆫ 일이 업ᄉᆞ디, 능히 보젼치 못홀 닷ᄒᆞ니, 형은 ᄋᆞ이 몸을 넘녀ᄒᆞ고, 아은 형의 몸을 근심ᄒᆞ여, 춤연ᄒᆞᆫ 회포를 닐을거시【192】업더라.

신묘랑을 뎡부 노ᄌᆞ(奴子)로 아○[라] 딕희엿더니, 옥니 줌간 조흐ᄃᆞ가 ᄭᆡ미, 죄인이 칼을 버셔 ᄇᆞ리고 간ᄃᆡ 업ᄉᆞ니, 창황(惝怳) 경혹(驚惑)ᄒᆞᄆᆞᆯ 니긔지 못ᄒᆞ여, 즉시 뎡가 노지 월옥 도쥬ᄒᆞᄃᆡ 옥문도 줌은 지 간 곳이 업ᄉᆞᄆᆞᆯ 고ᄒᆞ니, 금위관(禁衛官)이 텬졍의 쥬ᄒᆞᄃᆡ, 샹이 더옥 분히ᄒᆞ사, 옥니를 져주어 그 간 곳을 ᄎᆞ지라 ᄒᆞ시니, 금위관이 옥니의 이미ᄒᆞᄆᆞᆯ 짐죽ᄒᆞ여 ᄎᆞ마 져주지 못ᄒᆞ여 가도아 두고, 년일 좌긔(坐起)1272를 아니ᄒᆞ더라.

구몽숙이 신묘랑을 동혀 쥬필(朱筆)노 '졔요(制妖)' 두 ᄌᆞ를 ᄡᅥ 등의 붓텨, 모든 하리로 등을 밀어 알플 다릐여 님의 궐하의 ᄃᆞ다라, 요괴로은【193】샹ᄌᆞ(相者)를 즙아 와시믈 쥬ᄒᆞᄃᆡ, 샹이 블너 드리스 보시니, 안뫼(顏貌) 곱고 혈긔 방강(方强)ᄒᆞ여 쇼년이나 다르지 아니니, 샹이 뇨졍(妖精)인 줄 아지 못ᄒᆞ시고, 가장 긔특이 넉이시ᄃᆡ, 그 언ᄉᆞ 경경(梗梗)ᄒᆞᄆᆞᆯ 노ᄒᆞ샤, 옥음을 놉혀 칙ᄒᆞ스 왈,

"도인이란 거시 심산의 거ᄒᆞ여 치약(採藥)ᄒᆞ며 셰샹을 ᄉᆞ졀ᄒᆞ엿시나, 군신대의(君臣大義)ᄂᆞᆫ 명명(明明)ᄒᆞ고 도인의 슐법이 긔특홀지라도 이곳 딤의 신ᄌᆡ(臣子)라 엇지 녜모를 아지 못ᄒᆞᄂᆞ뇨? 네 상격(相格)을 닐크라 아노라 ᄒᆞ니, 뎡텬흥을 만니(萬里) 강산의 님지 되리라 ᄒᆞ여 요망지셜(妖妄之說)을 ᄒᆞ뇨?"

묘랑이 짐짓 비상ᄒᆞᆫ 도신 쳬ᄒᆞ여, 웃기를【194】마지 아니ᄒᆞᄃᆞᄀ, 날호여 ᄃᆡ왈,

로 자리처럼 쓰기도 하며, 한데에 쌓은 물건을 덮기도 한다.
1334)좌긔(坐起) : 관아의 으뜸 벼슬에 있던 이가 출근하여 일을 시작함.

1271)기즉 : 기직. 왕골껍질이나 부들 잎으로 짚을 싸서 엮은 돗자리. 허드레로 자리처럼 쓰기도 하며, 한데에 쌓은 물건을 덮기도 한다.
1272)좌긔(坐起) : 관아의 으뜸 벼슬에 있던 이가 출근하여 일을 시작함.

"텬운과 긔슈(氣數)를 모로고 오딕 만승 디위(萬乘之位)의 존귀를 싱각ᄒ여 여텬디무궁(如天地無窮)히 누리고져 ᄒ시ᄂ뇨? 이 도인이 비록 구몽슉 요인(妖人)의 쇠의 ᄣ겨 폐하 당하의 셔시나, 즈최 그딘도록 가바압디 아니ᄒ니, 폐하ᄂ 너모 업슈히 넉이지 마르시고, 다만 일이 되여감만 볼디라. 엇디 긴 셜화【60】를 ᄒ리오마ᄂ, 빈도ᄂ 한당(漢唐)1335) 젼 셰샹의 난 비어늘, 폐히 숑국(宋國)의 신지라 ᄒ시니 우이넉이ᄂ 비오. 당당이 뎨왕의 상격과 텬명이 도라간 곳은 나죵을 보디 아냐도 거의 짐작ᄒᄂ 비라.

뎡텬흥이 늉쥰(隆準) 농안(龍顏)이 진짓 텬즈 긔상이오, 직조를 니를진딕 문무냥군(文武兩君)1336)의 나리디 아니ᄒ니, 아딕 ᄣ를 만나디 못ᄒ여 폐하의 신지 되여시나, 그 나히 삼십이 ᄎ 후 스히 만방을 통녕(統領)ᄒ 사ᄅᆷ이 될디라. 도인의 얼골을 셰샹이 알니 업ᄉ딕, 다만 도관의셔 텬긔를 ᄒ번 ᄉ펴 길흉을 아라 보더니, 황셩 동문 밧긔 텬즈의 샹셰(祥瑞) 어리엿고, 숑국(宋國) 긔(氣)ᄂ 오리디 아닐가 시브거늘,【61】도인이 그 샹셔의 긔운을 ᄎ즈 뎡가의 니른즉, 과연 뎡텬흥이 텬즈의 상이라. 긔이ᄒᄆ를 ᄎᆷ디 못ᄒ여 그 상모를 칭찬ᄒ고 깁히 ᄉ괴여, 피ᄎ 분분 왕ᄂ히ᄒ여 정의 범연치 아냐, 텬흥이 날다려 므르딕, '어나 ᄣ의 병을 니르혀면 가히 텬하를 어드리오.' ᄒ거늘, 내 니르딕, '이십칠셰의 긔병ᄒ즉 가히 텬하를 어더 삼십의 텬즈위를 누리리라.' ᄒ니, 텬흥이 내 손을 잡고 언약을 두어, 긔병ᄒᄂ 시졀의 날을 마즈 문왕(文王)1337)의 태공(太公)1338) 딕졉ᄒ 듯 ᄒ렷노라 ᄒ딕, 내 나

1335)한당(漢唐) : 중국의 한나라와 당나라.
1336)문무냥군(文武兩君) : 중국 주나라 문왕(文王)과 그 아들 무왕(武王), 이 두 임금을 말함. 주나라의 건국기반을 다진 성군(聖君)들로, 고대 중국의 이상적인 성인 군주의 전형으로 꼽힌다.
1337)문왕(文王) : 중국 주나라의 왕. 이름은 창(昌). 주나라 건국의 기초를 닦았고 고대 이상적인 성인군주(聖人君主)의 전형으로 꼽힌다.
1338)태공(太公) : 중국 주(周)나라 초기의 정치가 태

"텬운과 긔슈(氣數)를 모로고, 오직 만승 지위(萬乘之位)의 존귀를 싱각ᄒ여 여텬지무궁(如天地無窮)히 누리고즈 ᄒ시ᄂ뇨? 이 도인이 비록 구몽슉 요인(妖人)의 쇠의 ᄣ겨 폐하 당하의 셔시나, 즈최 그딘도록 ᄀ비압지 아니ᄒ니, 폐하ᄂ 너모 업슈히 넉이지 마르시고, 다만 일이 되여가믈 볼지라. 엇지 긴 셜화를 ᄒ리오마ᄂ, 빈도ᄂ 한당(漢唐)1273) 젼 셰샹의 난 비어늘, 폐히 숑국(宋國)의 ○[신]지(臣子)라 ᄒ니 우이넉이ᄂ 비오, 당당이 뎨왕의 상격과 텬명이 도라간 곳은 나죵을 보디 아냐도 거의 짐작ᄒᄂ 비라.

뎡텬흥이 늉쥰(隆準) 농안(龍顏)이 진짓 텬즈의 상(相)이오, 직조롤【195】 닐을진딕 문무냥군(文武兩君)1274)의 ᄂ리지 아니ᄒ니, 아직 ᄣ를 만나지 못ᄒ여 폐하의 신지 되여시나, 그 나히 슴십이 ᄎ 후 스히 만방을 통녕(統領)ᄒ 스람이 될지라. 도인의 얼골을 셰샹이 알니 업ᄉ딕, 다만 도관의셔 텬긔를 ᄒ번 ᄉ펴 길흉을 아라 보더니, 황셩 동문 밧게 텬즈의 샹셰(祥瑞) 어렷고 숑국(宋國) 슈(數)ᄂ 오리디 아닐거시니, 도인이 그 샹셔의 긔운을 ᄎ즈 뎡가의 니른즉 과연 뎡텬흥이 텬즈의 상이라. 긔이ᄒᄆ를 ᄎ[ᆷ]지 못ᄒ여 그 상모를 칭찬ᄒ고 깁히 ᄉ괴여, 피ᄎ 분분 왕ᄂ히ᄒ여 정의 범연치 아냐, 텬흥이 날드려 무르딕, '어나【196】ᄣ의 병을 니르혀면 가히 텬하를 어드리오' ᄒ거늘, 내 닐오딕, '이십칠셰의 긔병ᄒ즉 가히 텬하를 어더 슴십의 텬즈위를 누리리라' ᄒ니, 텬흥이 닉 손을 줍고 언약을 두어, 긔병ᄒᄂ 시졀의 날을 마즈 문왕(文王)1275)의 틱공(太公)1276) 딕졉ᄒ듯 ᄒ랏노

1273)한당(漢唐) : 중국의 한나라와 당나라.
1274)문무냥군(文武兩君) : 중국 주나라 문왕(文王)과 그 아들 무왕(武王), 이 두 임금을 말함. 주나라의 건국기반을 다진 성군(聖君)들로, 고대 중국의 이상적인 성인 군주의 전형으로 꼽힌다.
1275)문왕(文王) : 중국 주나라의 왕. 이름은 창(昌). 주나라 건국의 기초를 닦았고 고대 이상적인 성인군주(聖人君主)의 전형으로 꼽힌다.
1276)태공(太公) : 중국 주(周)나라 초기의 정치가 태

히 발셔 누쳔셰(累千歲)오, 진셰물욕(塵世物慾)이 업스니, 날을 춫디 말나 흐죽, 텬흥이 간졀이 비러 그 나히 이십칠셰 되거든【62】날을 몬져 다리라 오마 흐거늘, 도인이 그 디셩을 막즈르디 못흐엿더니, 텬슈의 뎡흐믈 기다리디 아니코 즈레 긔병흐미, 직앙이 니러나 잠간 굿기미 이시려니와, 폐히 텬흥을 가븨야이 업시치 못흐리이다."

샹이 도스의 말을 드르시미 더옥 뎡원슈를 통히(痛駭) 분완(憤惋)흐샤, 이의 도인을 《엄흥‖엄형》츄문(嚴刑推問)흐여 흉역 쇠흐던 바를 알냐 흐실식, 금위관을 모호시고 묘랑을 져쥬라 흐시니, 금위관이 셩교를 밧드러 도인을 츄문흐랴 흐미, 구몽슉은 잡아드릴 쩌의 묘랑의 두 손을 미엿더니, 나졸이 그 손을 프러 형틀의 밀 즈음의, 묘랑이 몸을 흔드러 누른【63】 나뷔 되여 공듕의 치다르며 소리를 놉혀, 왈,

"숑 진종의 위엄이 아모리 쟝흐여도 태운도인은 간듸로 국문치 못흐리니, 엇디 텬운을 그듸도록 모로느뇨? 내 맛당이 뎡텬흥을 도아 공을 셰오는 날이면, 숑쥬와 구몽슉을 만단의 닉리라."

흐며 아아히 나라 공듕의 올나 경긱의 간 바를 아디 못흐니, 우흐로 텬심과 아리로 만됴 빅관이 놀나고 추악흐여, 오릭 말을 못흐고 셔로 볼 쭈름이어늘, 구몽슉이 급히 닉다라 잡으려 흐는 쳬흐다가 못잡고, 샹긔 쥬왈,

"신이 그 요졍을 계오 잡아 등의 '졔요(制妖)' 두 즈를 붓쳐 감히 움죽이디 못흐다가, 팔흘 노흐미 등의 부【64】쟉을 스스로 쩌히고 다라나니, 이졔는 슈히 잡기 어려온디라. 어이 익둛디 아니리잇고?"

샹이 크게 분노흐샤 왈,

라 흐되, 내 나히 발셔 누쳔셰(累千歲)오, 진셰물욕(塵世物慾)이 업스니, 날을 춫지 말나 흐죽, 텬흥이 간졀이 비러 그 나히 이십칠셰 되거든 날을 믄져 다리라 오마 흐거늘, 도인이 그 지셩을 막즈르지 못흐엿더니, 텬슈의 뎡흐믈 기다리지 아니코 즈레 긔병흐미, 직앙이 니러나 즘간 굿【197】기미1277) 이시려니와, 폐히 텬흥을 가븨야이 업시치 못흐리이다."

상이 도스의 말을 드르시미 더옥 뎡원슈를 통히(痛駭) 분완(憤惋)흐샤, 이의 도인을 엄형츄문(嚴刑推問)흐여 흉녁 쇠흐던 바를 알냐 흐실식, 금위관을 모호시고 묘랑을 져쥬라 흐시니, 금위관이 셩교를 밧드러 도인을 츄문흐려 흐미, 구몽슉은 즙으드릴 쩌의 묘랑의 두 손을 미엿더니, 나졸이 그 손을 프러 형틀의 밀 즈음의, 묘랑이 몸을 흔드러 누른 나븨 되여, 공즁의 치드르며 소리를 놉혀 왈,

"숑 《진즁‖진종(眞宗)》의 위엄이 아모리 쟝흐여도 틱운도인은 간듸로 국【198】문치 못흐리니, 엇지 텬운을 그듸도록 모로느뇨? 내 맛당히 뎡텬흥을 도아 공을 셰오는 날이면, 숑쥬와 구몽슉을 만단의 닉리라."

흐며 아아히 느라 경긱의 간 바를 아지 못흐니, 우흐로 텬심과 아리로 만됴 빅관이 놀나고 추악흐여 오릭 말을 못흐고, 셔로 볼 쭈름이어늘, 구몽슉이 급히 닉다라 즙으려 흐는 쳬흐다가 못즙고, 상게 주왈,

"신이 그 뇨졍을 계오 즙아 등의 '졔요(制妖)' 두 즈를 붓쳐 감히 움죽이지 못흐다가, 팔을 노흐미 등의 부쥭(符作)을 스스로 쩌히고 드라나니, 이졔는 슈히 즙기 어려온지라. 어이 익둛지 아【199】 니리잇고?"

상이 크게 분노흐스 왈,

공망(太公望). 강태공(姜太公). 여상(呂尙) 등의 다른 이름으로도 불린다.
1277)긋기다 : 굿기다. 일에 헤살이 들거나 장애가 생기어 잘되지 않다.

낙선제본 명듀보월빙 권디오십칠　　495　　명쥬보월빙 권지이십일 박순호본

"텬흥이 궁○[흉]극악(窮凶極惡)ᄒ미 괴○[이](怪異)흔 요졍을 쳐결(締結)ᄒ여 나라흘 도모ᄒ니 국가의 이런 블힝이 업ᄂ니라. 딘영슈 뎡닌흥 등을 일시도 살나두디 못홀 거시로되, 딤이 년일 블평ᄒ여 다ᄉ리지 못ᄒ엿더니, 요악흔 도ᄉ 놈이 또 흉언패셜을 무슈히 ᄒ고, 요슐을 힝ᄒ여 도망ᄒ니, 엇디 분히치 아니리오."

몽슉이 이들오믈 니긔디 못ᄒᄂ 쳬ᄒ며, 말마다 뎡·딘을 함히ᄒ니, 승상 조공이 샹긔 쥬왈,

"구몽슉이 뎡·딘 냥가의 길니인 바로, 【65】뎡텬흥의 모역이 딘짓 ᄀᆺ톨딘디, 쳐음 알며 즉시 고ᄒ여 흉ᄉ ㅣ 니르디 아냐셔 다ᄉ리시게 ᄒ미 올커ᄂ늘, 묵묵함인(黙黙含忍)[1339]ᄒ여 잇다가, 뎡·딘 등의 역뢰 발각게 된 후 비로소 알외ᄂ 거시 그 ᄆ음을 측냥치 못홀디라. 신의 뜻인죽 뎡·딘 등을 져주시기 젼, 구몽슉을 엄형 츄문ᄒ샤 뎡·딘 등의 유죄무죄를 ᄌ셔히 알외라 ᄒ시미 맛당홀가 ᄒᄂ이다."

샹이 조공을 툥우(寵遇)ᄒ샤미 범연치 아니신 고로, 그 쥬ᄉ 셩의(聖意)예 블합ᄒ시디 과도히 칙디 못ᄒ샤, 다만 뇽안의 블예흔 빗츨 씌이샤 왈,

"경은 쥬【66】셕디신이라. 님군을 셤기ᄂ 도리 쇼인과 흉역을 다ᄉ리고, 튱냥을 갓가이 쁘게 ᄒ미 올커ᄂ늘, 뎡·딘 등을 갈구(渴救)ᄒ고 구몽슉을 이디도록 믜워ᄒᆫ 엇디뇨?"

조공이 뎡ᄉᆨ 쥬왈,

"폐히 신으로뻐 블튱 무상ᄒ므로 아ᄅ샤, 흔낫 쇼인 구몽슉만 못ᄒ게 넉이시나, 신의 ᄆ음은 빅일이 빗최여시니, 비록 졍확(鼎鑊)의 삼기고 부월(斧鉞)의 쥬(誅)ᄒ믈 당ᄒ올디언졍, 붓그러온 일이 업ᄂ니라. 신의 아비 태조(太祖)[1340] 고황뎨(高皇帝)[1341]를

1339)묵묵함인(黙黙含忍) : 말없이 마음속에만 넣어
    둔 채 참고 있음.
1340)태조(太祖) : 중국 송(宋)나라를 건국한 조광윤
    (趙匡胤; 927-976). 본디 후주(後周)의 절도사(節
    度使)로, 송나라를 건설하여 문치주의에 의한 군주

"텬흥이 궁흉극악(窮凶極惡)ᄒ미 괴이흔 요졍을 쳐결(締結)ᄒ여 나라흘 도모ᄒ니 국가의 이런 블힝이 업ᄂ지라. 딘영슈 뎡닌흥 등을 일시도 살나두지 못홀 거시로되, 딤이 년일 블평ᄒ여 다ᄉ리지 못ᄒ엿더니, 뇨악흔 도ᄉ놈이 또 흉언픽셜을 무슈히 ᄒ고, 뇨슐을 힝ᄒ여 도망ᄒ니, 엇지 분히치 아니리오."

몽슉이 이들오믈 니긔지 못ᄒᄂ 쳬ᄒ며 말마다 뎡·딘을 함히ᄒ니 승상 조공이 샹게 쥬왈,

"구몽슉이 뎡·딘 냥가의 길니인 바로, 뎡텬흥의 모역이 진짓 일 ᄀᆺ톨【200】딘디, 쳐음 알며 즉시 고ᄒ여 흉ᄉ ㅣ 니르지 아냐셔 다ᄉ리시게 ᄒ미 올ᄉ커ᄂ늘, 묵묵함인(黙黙含忍)[1278]ᄒ여 잇다가, 뎡·딘 등의 넉뢰 발각게 된 후 비로소 알외ᄂ 거시 그 ᄆ음을 측냥치 못홀지라. 신의 뜻인죽 뎡·딘 등을 져쥬기 젼, 구몽슉을 엄형 츄문ᄒ샤, 뎡·딘 등의 유죄무죄를 ᄌ셔히 알외라 ᄒ시미 맛당홀가 ᄒᄂ이다."

샹이 조공을 츙우(寵遇)ᄒ시미 범연치 아니신 고로, 그 쥬ᄉ 셩의(聖意)의 블합ᄒ시디 과도히 칙지 못ᄒᄉ, 다만 뇽안의 블예ᄒ신 빗츨 씌이ᄉ 왈,

"경은 쥬셕지신이라. 님군을 셤기ᄂ 도리 쇼인과 흉역【201】을 ᄃᄉ리고 츔냥을 ᄀᆺ가이 쁘게 ᄒ미 올커ᄂ늘, 뎡·진 등을 갈구(渴救)ᄒ고 구몽슉을 이디도록 믜워ᄒᆫ 엇지뇨?"

조공이 뎡ᄉᆨ 쥬왈,

"폐히 신으로뻐 블튱 무상ᄒ므로 아ᄅᄉ흔낫 쇼인 구몽슉만 못ᄒ게 넉이시나, 신의 ᄆ음은 빅일이 빗최여시니, 비록 졍확(鼎鑊)의 ᄉ키[기]고 부월(斧鉞)의 쥬(誅)ᄒ믈 당ᄒ올지언졍, 붓그러온 일이 업ᄉ온지라. 신의 아비 틱조(太祖)[1279] 고황뎨(高皇

1278)묵묵함인(黙黙含忍) : 말없이 마음속에만 넣어
    둔 채 참고 있음.
1279)태조(太祖) : 중국 송(宋)나라를 건국한 조광윤
    (趙匡胤; 927-976). 본디 후주(後周)의 절도사(節
    度使)로, 송나라를 건설하여 문치주의에 의한 군주

돕스와, 고황뎨 아비를 통우ᄒᆞ샤미 만됴의 읏듬이오, 튝단(築壇) 비댱(配葬)1342)ᄒᆞ샤 인신(人臣)의 엇기 어려온 은영(恩榮)이라. 신의【67】형뎨 아뷔 튱심을 밋디 못ᄒᆞᆯ디언졍, 나라흘 져ᄇᆞ려 대역을 두호ᄒᆞ올 ᄯᅳᆺ은 업ᄉᆞᆸᄂᆞ니, 폐히 신즈의 현우션악(賢愚善惡)을 술피실딘듸, 신으로ᄡᅥ 구몽슉과 ᄀᆞᆺ치 아니실 거시어늘, 어이 몽슉ᄀᆞᆺ치 간악 쇼인의 요괴로온 졍틱(情態)를 ᄭᅢ둧디 못ᄒᆞ시고, 튱냥을 의심ᄒᆞ시ᄂᆞ니잇고? 뎡텬흥을 잡으라 가시니, 텬흥이 만일 반역디심이 이시면 슌히 잡혀 오디 아닐 거시니, 혹즈 작변ᄒᆞᄂᆞᆫ 일이 잇거든, 폐히 신을 쳐참ᄒᆞ샤 삼족을 멸ᄒᆞ시고, 만일 공슌히 잡혀 오거든 그 이미ᄒᆞᆷ믈 살피샤, 신의 쥬시 그르디 아니믈 아르쇼셔."

샹이 분【68】긔를 니긔디 못ᄒᆞ샤 다 믈너가라 ᄒᆞ시고, 닉뎐으로 드러 겨시더니, 초야의 몽슉이 ᄯᅩ 신묘랑을 ᄀᆞᄅᆞ쳐 여ᄎᆞ여ᄎᆞᄒᆞ라 ᄒᆞ니, 묘랑이 도스의 모양으로 비슈를 품고 공듕으로 ᄒᆡᆼᄒᆞ여 금궐의 다ᄃᆞ라ᄂᆞᆫ, 샹이 몽농ᄒᆞ신 침슈(寢睡) 가온듸 얼프시 보시니, 나지 도망ᄒᆞ던 도시 칼흘 져으며 바로 뇽상하로 나아오ᄂᆞᆫ디라. 샹이 경악ᄒᆞᆷ믈 니긔디 못ᄒᆞ샤, 즉시 좌우를 블너 요졍을 잡으라 ᄒᆞ시딕, 도시 두리디 아니코 칼흘 들고 뇽상하(龍床下)로 달녀드니, 샹이 대경ᄒᆞ샤 손을 놀니디 못ᄒᆞ시고, 환시 등이 젼후 좌우로 샹을 븟드러 도스의 칼흘 막즈를 즈음【69】의, 어림군병(御臨軍兵)1343)이 도스를 잡으려 드러오니, 샹이 옥음을 눕혀 굴오샤딕,

"아모나 ○[져] 요졍을 잡아 드리ᄂᆞᆫ 즈ᄂᆞᆫ 쳔금상(千金賞)의 만호후(萬戶侯)1344)를 봉

독재화를 꾀하였다. 재위 기간은 960~976년이다.
1341)고황뎨(高皇帝) : 나라를 세운 황제를 높여 이르는 말.
1342)비댱(配葬) : 임금, 조상, 남편 등의 묘역에 공신, 자손, 부인 등을 안장(安葬) 하는 일.
1343)어림군병(御臨軍兵) : 왕과 그 가족들을 호위하는 군사.

帝)1280)를 돕스와, 고황뎨 아비를 총우ᄒᆞ시미 만됴의 읏듬이오, 츅단(築壇) 비댱(配葬)1281)ᄒᆞᄉᆞ 《일신∥인신(人臣)》의 엇기 어려온 은영(恩榮)이라. 신의 형뎨 아비 츙심을 밋지 못ᄒᆞᆯ지언졍, 나라흘 져ᄇᆞ려【202】대역을 두호(斗護)흘 ᄯᅳᆺ은 업ᄉᆞᆸᄂᆞ니, 폐히 신즈의 젼후(前後) 션악(善惡)을 술피실딘듸, 신으로ᄡᅥ 구몽슉과 ᄀᆞᆺ치 아니실 거시어늘, 어이 몽슉 ᄀᆞᆺ치 간악 쇼인의 요괴로온 졍틱(情態)를 ᄭᅢ둧지 못ᄒᆞ시고, 츙냥을 의심ᄒᆞ시ᄂᆞ니잇고? 뎐텬흥을 줍으라 가시니 텬흥이 만일 반역지심이 이시면 슌히 잡혀 오지 아닐 거시니, 혹즈 작변ᄒᆞᄂᆞᆫ 일이 잇거든, 폐히 신을 쳐참ᄒᆞ샤 숨족을 멸ᄒᆞ시고, 만일 공슌히 줍혀 오거든, 그 이미ᄒᆞᆷ믈 살피ᄉᆞ 신의 쥬시 그릇지 아니믈 아ᄅᆞ쇼셔."

상이 분긔를 니긔지 못ᄒᆞᄉᆞ, 다 믈너가라 ᄒᆞ시고, 닉뎐으로 드러 계【203】시더니, 초야의 몽슉이 ᄯᅩ 신묘랑을 ᄀᆞᄅᆞ쳐 여ᄎᆞ여ᄎᆞᄒᆞ라 ᄒᆞ니, 묘랑이 도스의 모양으로 비슈를 품고 공즁으로 ᄒᆡᆼᄒᆞ여 금궐의 다ᄃᆞ라ᄂᆞᆫ, 상이 몽농ᄒᆞ신 침슈(寢睡) 가온듸 얼프시 보시니, 나지 도망ᄒᆞ던 도시 칼흘 져으며 바로 뇽상 하로 나아오ᄂᆞᆫ지라. 상이 경악ᄒᆞᆷ믈 니긔지 못ᄒᆞᄉᆞ, 즉시 좌우를 블너 뇨졍을 줍으라 ᄒᆞ신딕, 도시 두리지 아니코 칼흘 들고 뇽상 하로 달녀드니, 상이 대경ᄒᆞ샤 손을 놀니지 못ᄒᆞ시고, 환시 등이 젼후 좌우로 상을 븟드러 도스의 칼흘 막즈를 즈음의, 어림군병(御臨軍兵)1282)이 도스를 줍으려 드러오니, 상이 옥음을【204】 눕혀 굴오샤딕,

"아모나 ○[져] 요졍을 줍ᄂᆞᆫ 즈ᄂᆞᆫ 쳔금상(千金賞)의 만호후(萬戶侯)1283)를 봉ᄒᆞ리

독재화를 꾀하였다. 재위 기간은 960~976년이다.
1280)고황뎨(高皇帝) : 나라를 세운 황제를 높여 이르는 말.
1281)비댱(配葬) : 임금, 조상, 남편 등의 묘역에 공신, 자손, 부인 등을 안장(安葬) 하는 일.
1282)어림군병(御臨軍兵) : 왕과 그 가족들을 호위하는 군사.

ᄒ리라."

ᄒ시니, 묘랑이 몸을 쒸여 공듕의 오르며 칼노 농슈(龍手) ᄉ매를 버히고, 즉시 나는 즘싱이 되여 경긱의 간 곳이 업ᄉ니, 모든 어림군병이 요괴 거쳐를 아디 못ᄒ고, 궐문 알패 금낭(錦囊) ᄯ러진 거○[시] 잇ᄂᆞᆫ 고로 가져와 샹긔 드리니, 샹이 그 금낭을 친히 보시미, 두어 쟝 셔간이 이셔 ᄒᆞᆫ 쟝은 금평후와 낙양휘 녈셩명(列姓名)ᄒ여 글을 붓쳐시니, 굴와시ᄃᆡ,

"텬흥이 션싱의 가【70】ᄅ치믈 밧드러 거ᄉᆞ치 아니코, 즈레 긔병(起兵)ᄒ여 문호의 대화(大禍)를 취ᄒ고, 졔 몸이 보젼치 못ᄒ리니, 이런 망극디변(罔極之變)이 어ᄃᆡ 이시리오. 션싱의 명을 밧ᄃᆞ디 아닌 죄 듕ᄒ나, 션싱은 측은디심(惻隱之心)을 발ᄒ여, 신긔ᄒᆞᆫ 지조를 시험ᄒ여 모야(暮夜)의 칼흘 빗겨 뎨좌(帝座)를 ᄒᆞᆫ번 범ᄒ면, 태ᄌᆞ ᄀᆞᆺ튼 뉴는 근심홀 거시 아니라, 대시 거의 일니니, 션싱○[은] 은혜를 드리워 뎡·딘 이문을 구ᄒ라."

ᄒ엿고, ᄒᆞᆫ 쟝은 뎡원슈의 셔간이로ᄃᆡ, ᄉ에(辭語) 흉참ᄒ여 긔록기 어렵더라.

샹이 두 쟝 셔간을 보시고 더옥 대로ᄒᆞ샤, 뎡·딘【71】형뎨를 다 잡아 가도라 ᄒ시며, 명을 나리와 굴오샤ᄃᆡ,

"뎡·딘 이문(二門)을 다시 구언을 니는 지 이시면 호역디죄(護逆之罪)[1345]를 역뉼과 ᄀᆞᆺ치 엄히 다ᄉ리리라."

ᄒ시니, 됴애 황황ᄒ고 뎡·딘 등의 친쳑(親戚) 고귀(故舊) 다 슬허ᄒᆞᆷ믈 마디 아니ᄒ더라.

어시의 금후와【72】

라."

묘랑이 몸을 쒸여 공듕의 오르며 칼노 농슈(龍手) ᄉ매를 버히고, 즉시 나는 즘싱이 되여 경긱의 간 곳이 업ᄉ니, 모든 군병이 요괴의 거쳐를 아지 못ᄒ고, 궐문 알패 금낭(錦囊) ᄯ러진 거시 잇거ᄂᆞᆯ, 가져와 샹게 드리니, 샹이 그 금낭을 친히 보시미, 두어 쟝 셔간이 이셔, ᄒᆞᆫ 쟝은 금평후와 낙양휘 녈셩명(列姓名)ᄒ여 글을 붓쳐시니 굴와시ᄃᆡ,

"텬흥이 션싱의 ᄀᆞᆯ치믈 밧지 아니코, 즈레 긔병(起兵)ᄒ여 문호의 대화(大禍)를 취ᄒ고, 졔 몸이【205】보젼치 못ᄒ리니, 니런 망극지변(罔極之變)이 어ᄃᆡ 잇시리오. 션싱의 명을 밧드지 못ᄒᆞᆫ 죄 즁ᄒ나 션싱은 측은지심(惻隱之心)을 발ᄒ여 신긔ᄒᆞᆫ 지조를 시험ᄒ여, 모야(暮夜)의 칼을 빗겨 뎨좌(帝座)를 ᄒᆞᆫ번 범ᄒ면 태ᄌᆞ ᄀᆞᆺ튼 뉴는 근심 홀 거시 아니라, 대시 거의 닐니니, 션싱은 큰 은혜를 드리워 뎡·딘 이문을 구ᄒ라."

ᄒ엿고, ᄯᅩ ᄒᆞᆫ 쟝은 뎡원슈의 셔간이로ᄃᆡ, ᄉ의(辭意) 흉참ᄒ여 긔록기 어렵더라.

샹이 두 쟝 셔간을 보시고 더욱 대로ᄒ샤 뎡·딘 형뎨를 다 즙아 가도라 ᄒ시며, 명을 늘이와[1284] 굴오스ᄃᆡ,

"뎡·딘 이문을 다시 구홀 지 이【206】시면, 호역지죄(護逆之罪)[1285]를 다ᄉ리라."

ᄒ시니 됴애 황황ᄒ고 뎡, 딘 등의 친쳑(親戚) 고귀(故舊) 다 슬허ᄒᆞᆷ믈 마지 아니ᄒ더라.

ᄎ하(次下)를 셕남ᄒ라

오십뉵 칠 팔.【207】

1344)만호후(萬戶侯) : 일만 호의 백성이 사는 영지(領地)를 가진 제후라는 뜻으로, 세력이 큰 제후를 이르는 말.

1345)호역디죄(護逆之罪) : 역적을 두둔하여 감싸준 죄.

1283)만호후(萬戶侯) : 일만 호의 백성이 사는 영지(領地)를 가진 제후라는 뜻으로, 세력이 큰 제후를 이르는 말.

1284)늘이다 : 내리다.

1285)호역지죄(護逆之罪) : 역적을 두둔하여 감싸준 죄.

명듀보월빙 권디오십팔

 츠셜 금평후와 낙양휘 삼곤계 궐하의 디
죄흐여 오히려 믈너가디 아녓고, 뎡국공 하
공이 뎡부 변고를 당흐여 황황 우려흐여,
궐문 밧긔 의막(依幕)1346)흐고 뎡·딘 등
졔공을 즈로 위○[로]켜져 흐민, 초휘 또흔
부친을 뫼○[셔] 의막의 잇더니, 야반의 샹
명이 나려 뎡·딘 등 스공(四公)을 하옥흐
라 흐시민, 하공 부지 금후를 붓들고 딘후
등의 손을 잡고 눈물을 흘녀 왈,
 "뎡·딘 이문의 이런 참홰 이실 줄 싱각
디 못흔 비라, 죄명이 참참(慘慘)흐【1】고,
텬뇌(天怒) 딘쳡(震疊)흐시나, 필경 원억을
신셜(伸雪)흐고 옥식(獄事) 물결 허여디둣
흐리니, 너모 조급히 심녀를 허비치 말나."

 금휘 탄왈,
 "댱뷔 스싱간 ᄆᆞ음을 요동홀 비 아니로
디, 다만 춤디 못흐믄 노년 편친(偏親)이 그
런 참화를 모로시고, 우리 부즈의 슈히 도
라오기를 기다리실 거시니, 몸의 대역명(大
逆名)을 싯고 남의 업슨 블효를 씻쳐, 조졍
을 속이미 인즈의 참디 못홀 불회니, 형 등
은 쇼뎨를 위로치 말고 집의 도라가, 유·
필 냥 ᄋᆞ를 블너 일시 써나디 말믈 경계흐
라."
 낙양후 삼곤계 개연이 웃고 왈,
 "죄명이【2】망극흐여 아등의 멸망디화는
대스롭디 아니커니와, 셩듀의 실덕흐시믈
이둘나 흐ᄂᆞ니, 우리 구몽슉이 그릇되믈 블
상이 넉일디언졍, 믜온 ᄆᆞ음은 츄호도 업스
디, 듀샹의 일월디명(日月之明)이 부운(浮
雲)의 옹폐(壅蔽)키를 면치 못흐시미 ○○
○○○[이둘을 쓴이]라. 일시 화란을 가히
슬허흐리오."
 초휘 또흔 눈물이 써러디믈 씨둣디 못흐

1346)의막(依幕) : 막사로 쓰는 천막이나 장막이라는
 뜻으로, 임시로 거처하게 된 곳을 이르는 말.

명쥬보월빙 권지이십이

 츠셜 금후와 낙양휘 슴곤계 궐하의 디죄
흐여 오히려 믈너가지 아녓고, 뎡국공 하공
이 뎡부 변고를 당흐여 황황우려흐여, 궐문
밧긔 의막(依幕)1286)흐고, 뎡·딘 등 졔공을
즈로 위로코즈 흐민, 초휘 또흔 부친을 뫼
셔 의막의 잇더니, 야반의 샹명이 나려 뎡
·딘 등 스공을 하옥흐라 흐시민, 하공 부
지 금후를 붓들고 진후의 손을 즙고 눈물이
연낙(連落)흐여 왈,
 "금일 형의 참홰 잇실 줄 쳔만 싱각지
《못흐‖못흔》 ○[비]나, 당츠지시(當此之
時)흐여 누명이 춤춤흐고, 텬뇌(天怒) 진쳡
(震疊)흐시나, 필경 《원언‖원억(冤抑)》을
신셜(伸雪)흐고【1】 옥식(獄事) 물결 허여
지둣 흐려니와 너모 조급히 심녀를 허비치
말나."
 금휘 탄왈,
 "댱뷔 스싱간 ᄆᆞ음을 요동홀 비 아니로
디, 다만 춤지 못흐믄 노년 편친(偏親)이 그
런 춤화를 모로시고, 우리 부즈의 슈히 도
라오기를 기다리실 거시니, 몸의 대역지명
(大逆之名)을 싯고 남의 업슨 블효를 씨쳐
조졍을 속이미, 인즈의 춤지 못홀 불회니,
형등은 쇼뎨를 위로치 말고 집의 도라가 유
·필 냥 ᄋᆞ를 블너, 일시 써나지 말믈 경계
흐라."
 낙양후 슴곤계 개연이 웃고 왈,
 "죄명이 망극흐니 엇지 안한이 이시리
오."
 흐더라,

 {▌금휘 냥즈의 손을 즙고 추연 탄왈,
 "여등의 말의 니 ᄆᆞ음이 일븐 넘네【2】
를 더ᄂᆞ니 녀등이 말을 이곳치 흐고 아비를
속이지 아니흐리니, 조졍이 슬하의 녀러 즈
녀를 두지 못흐시고, 녀뷔 외로온 몸으로
슈죡의 졍을 아지 못흐여 녀등 칠남미를 두
미 니집의 즈녀 귀즁흠도 타인지가와 만히

1286)의막(依幕) : 막사로 쓰는 천막이나 장막이라는
 뜻으로, 임시로 거처하게 된 곳을 이르는 말.

니, 낙양후 등과 금평휘 하공 부즈의 손을 잡고 다시 말호고져 ᄒ다가, 위시 직쵹ᄒ니 나명(拿命)을 디류(遲留)치 못ᄒ여, 즉시 잡혀 대리시의 드러가니, 하공이 스스로 니르딕,

"우리 부【3】ᄌ 젹 녁징고간(力爭固諫)ᄒ여 뎡형의 부즈를 구치 못ᄒ면, 뎡가의 대은을 져바리미라."

초휘 딕왈,

"아딕 함구블언(緘口不言)ᄒ여 듁쳥이 오기를 기다려 그 이미ᄒ믈 변빅(辨白)ᄒ미 올흘가 ᄒᄂ이다."

하공이 왈,

"여언(汝言)이 올타."

ᄒ더라.

츠설 뎡원쉬 승젼 회군ᄒ여 황셩을 향ᄒ미, 삼군의 댱ᄉ의 즐기는 긔운이 하날의 오를 듯ᄒ여, 개가를 블너 도라오더니, 홀연 위시 나명(拿命)을 젼ᄒ니, 군댱ᄉ졸(軍將士卒)의 경황ᄒᄆᆫ 니르도 말고, 오딕 원쉬 익회를 혜아려 블변안식(不變顔色)ᄒ고 대원슈인(大元帥印)을 글너 부원슈긔 젼ᄒ고, 즉시 위샤를 ᄯᆞ라 관문(關門)【4】의 나오니, 츄텬 ᄀᆞ튼 긔상이 만고(萬古)의 무덕(無敵)ᄒ 군즈영풍(君子英風)이라. 위시(衛士) 그 긔딜(氣質)을 보미, 몰긔 나려 나명을 젼ᄒ니, 원쉬 흠신(欠身)ᄒ여 듯고 다른 말이 업더니, 위시 마디 못ᄒ여 계셜쇽박(繫絏束縛)1347)ᄒ여 함거(檻車)의 너허 힝거를 두로혈시, 부원슈로브터 샤졸의 니르히, 원슈를 우러는 ᄆ음이 뎍직(赤子) 즈모(慈母) 바람 ᄀᆞ더니, 쳔만 긔약디 아닌 위시 니르러 함거의 죄인을 삼아 경ᄉ로 향ᄒ니, 망극 초조ᄒ믈 니긔디 못ᄒ여, 일시의 실셩 통읍 왈,

다르니, ᄌ졍의 텬흥 기드리시미 굴지계일ᄒ시거늘, 몽니의도 싱각지 아닌 참화를 당ᄒ미 될경이 아모란 줄 아지 못ᄒ니, 텬흥이 드시 존당의 봉비ᄒᄆᆯ 긔필치 못ᄒ거니와, 녀뷔 평싱의 젹불션이 업고, 텬흥의 의긔현심이 오히려 녀부의게 지난 곳이 만흐니, 복션 화음이 이실진딕, 녀부와 녀형이 원억히 누셜즁의 믓지 아니리라.【3】 나는 실노 텬니를 깁히 밋고, 상모를 만히 보니, 혹즈 일이 무스ᄒ여 부즈형뎨 ᄒ 당의 모도히는 날은, 니ᄀᆞ튼 화변이 일장츈몽이 되리라"

ᄒ더라. ▌1287)}

츠시 위시(衛士) 쥬야비도(晝夜倍道)ᄒ여 뎡원슈 진즁의 니르러, 원문의 드다라 몰게 ᄂ려 나명(拿命)을 젼ᄒ니, 원쉬 위ᄉ를 마즈 흠신(欠身)ᄒ여 나명을 듯줍고, 다른 말이 업더니, 위시 보미, 츄텬(秋天) ᄀᆞ튼 긔상이 만고무젹(萬古無敵)이라. 암탄(暗歎)1288)ᄒ고, 부득이 ○○○○○○[계셜쇽박(繫絏束縛)1289)ᄒ여] 함긔(檻車)의 ○○[너허] 힝홀시, 부원슈 이하로 원슈를 우러는 ᄆ음이 젹직(赤子) 즈모(慈母) 바람 ᄀᆞ더니, 쳔만 몽미 밧 위시 니르러 함거○[의] 죄인을 삼아 경소로 향ᄒ니, 망극 통한ᄒ믈 니긔지 못ᄒ여, 일시의 실셩 비【4】읍 왈,

---

1347)계셜쇽박(繫絏束縛) : 죄인을 마음대로 움직일 수 없도록 몸을 형구(刑具)에 묶거나 얽어맴.

1287)'▌▌' 안의 "금휘 – 하더라" 까지의 내용 294자는 앞의 권지이십일 188쪽10행 '휘 냥즈의'로부터 191쪽3행 '일장츈몽으로 니ᄅ리니'까지의 내용을 착오로 중복 전사한 필사오류다.

1288)암탄(暗歎) : 남몰래 가만히 탄식함.

1289)계셜쇽박(繫絏束縛) : 죄인을 마음대로 움직일 수 없도록 몸을 형구(刑具)에 묶거나 얽어맴.

"우리 원쉬 남정북벌(南征北伐)의 튱졀을 빗닉고, 영명(英名)이 히닉(海內)의 딘동ᄒ거【5】늘, 황샹이 므슴 연고로 튱냥의 대공을 아디 못ᄒ시고 도로혀 잡아가시ᄂ뇨? 아등이 원슈의 참화를 므릅뻐 ᄒ가디로 죽을디언졍, 우리 원슈를 ᄎ마 져바리디 못ᄒ리로다."

ᄒ고, 부원슈 이히 다 함거를 좃ᄎ 힝ᄒ며 톄읍ᄒ기를 긋치디 아니니, 원쉬 함거 듕의셔 말ᄒ기 불가ᄒ여 금치 못ᄒ더라.

ᄎ시 구몽슉과 신묘랑이 날마다 운화산의 왕닉ᄒ여 형왕을 보고, 뎡·딘 등을 아조 함졍의 너허시믈 닐너 깃브믈 니긔디 못ᄒ니, 형왕이 '몽슉의 디혜는 냥평(良平)1348)의 일뉴(一類)'라 ᄒ여 칭찬ᄒ고,【6】신묘랑은 텬궁보살(天宮菩薩)이라 ᄒ여 공경ᄒ고 디졉ᄒ믈 스싱{각}ᄀᆞ치 ᄒ니, 묘랑이 스스로 신긔로온 톄ᄒ여, 형상이 비위 아닛쏘아 바로보디 못ᄒᆞᆯ 거시로딕, 형왕과 몽슉이 존경ᄒ기를 마디 아니니, 묘랑이 ᄯᅩ한 졍셩을 다ᄒ여 형왕과 구몽슉의 악ᄉ를 도으딕, 오히려 김탁의 부ᄌ를 후려다가 션경ᄉ의 두언디 삼년이로딕, 구몽슉다려도 니르디 아니니, 이ᄂᆞᆫ 다름이 아니라, 김탁이 흉역을 쐬ᄒ여 댱ᄉ와 군긔를 모화, 가만ᄒ 가온딕 극악디ᄉ를 ᄒ려 홀시, 미양 묘랑의 은혜를 감샤ᄒ【7】여 스스로 니르딕,

"대ᄉ(大事)를 쇼원과 ᄀᆞ치 일우는 날이면, 텬하강산의 님ᄌᄂᆞᆫ 내 ᄋᆞᄃᆞᆯ 밧긔 나디 아니ᄒ리니, 나는 태상황으로 이셔 묘랑을 올녀 대비를 삼으럇노라."

ᄒ니, 묘랑이 졈졈 ᄯᅳᆺ이 외람ᄒ고 욕심이 긋칠 줄 아디 못ᄒ여, 김탁의 흉역을 도으며 두로 댱ᄉ를 구ᄒ여 김탁의게 쳔거ᄒ고, 션경ᄉ의 ᄲᅡ흔 지보를 훗터 군긔(軍器)와 갑쥬(甲胄)를 장만ᄒ니, 김탁의 흉역(凶逆)을 도모ᄒᆞᄆᆡ 장ᄎ 대단ᄒ여, 군병 모흔 거시 그 슈를 혜기 어렵고, 김듕광이 향니로

1348)냥평(良平) ; 중국 한(漢)나라 때의 책사(策士) 장량(張良)과 진평(陳平)을 함께 이르는 말.

"우리 원쉬 남정북벌(南征北伐)의 공과 츙을 빗닉고, 녕명(英名)이 히닉(海內)의 진동커늘, 황샹이 무슴 연고로 츙냥(忠良)의 대공을 아지 못ᄒ시고 도로혀 즙아가시ᄂ뇨? 아등이 원슈의 춤화를 므릅뻐 혼가지로 죽을지언졍, 우리 원슈를 ᄎ마 져바리지 못ᄒ리로다."

ᄒ고, 부원슈 이히 다 함거의[를] 좃ᄎ히[힝]ᄒ며 쳬읍기를 긋치지 아니니, 원쉬 함거 즁의셔 말ᄒ기 불가ᄒ여 금치 못ᄒ더라.

ᄎ시 구몽슉과 신묘랑이 날마다 운화산의 왕닉ᄒ여 형왕을 보고, 뎡·딘 등을 아조 함졍의 너허시믈 니르며 깃브믈 니기지 못ᄒ니, 형왕이 '몽슉의 지혜는 냥평(良平)1290)의 일뉴(一類)'라 ᄒ여 칭찬ᄒ고, 신【5】묘랑은 텬궁보살(天宮菩薩)이라 ᄒ여 공경ᄒ고 디졉ᄒ믈 스승ᄀᆞ티 ᄒ니, 묘랑이 스스로 신긔로온 톄ᄒ여, 형상이 비위 아니쏘아 바로보지 못ᄒᆞᆯ 거시로딕, ○…결락27자…○[형왕과 몽슉이 존경ᄒ기를 마지 아니니 묘랑이 ᄯᅩ한 졍셩을 다ᄒ여] 형왕과 구몽슉의 악ᄉ를 도으려[딕], 오히려 김탁의 부ᄌ를 후려다가 션경ᄉ의 두언지 슘년이 되여시믄, 구몽슉ᄃᆞ려도 니르지 아니니, 이ᄂᆞᆫ 타ᄉᆞ(他事) 아니라, 김탁이 흉녁(凶逆)을 쐬ᄒ여 댱ᄉ와 군긔를 모화 가만ᄒ 가온딕 극악지ᄉ를 힝ᄒ려 홀시, 미양 묘랑의 은혜를 감ᄉ하여, 스스로 니르딕,

"대ᄉ(大事)를 쇼원과 ᄀᆞ치 일우는 날이면, 텬하강산의 님ᄌᄂᆞᆫ 닉 ᄋᆞᄃᆞᆯ 밧긔 나지 아니ᄒ리니, 나는 틱상황으로 이셔 묘랑을 올녀 디비를 삼【6】으럇노라."

ᄒ니, 묘랑이 졈졈 ᄯᅳᆺ이 외람ᄒ고 욕심이 긋칠 줄 아지 못ᄒ여, 김탁의 흉역을 도으며 두로 댱ᄉ를 구ᄒ여 김탁의게 쳔거ᄒ고, 션경ᄉ의 ᄡᅡ흔 지보를 훗터 군복과 갑쥬(甲胄)를 장만ᄒ니, 김탁의 《융녁∥흉녁(凶逆)》 도모ᄒᆞᄆᆡ 댱ᄎᆺ 대단ᄒ여, 군병 모흔

1290)냥평(良平) ; 중국 한(漢)나라 때의 책사(策士) 장량(張良)과 진평(陳平)을 함께 이르는 말.

헤디르며 괴이혼 무리라도 용녁이 강댱(强壯)혼 뉴【8】는 다 쳥호여 은혜로이 디졉호고, 의식을 후히 니어 감은(感恩)케 호고 대스를 일우려호니, 군긔를 셩히 호디, 일홈이 나디 아닌 도뎍이오, 김탁의 부지 분명이 비호의게 후려가 죽어시믈 거셰(擧世) 다 아는 고로, 션경수의셔 흉역을 쇠호믄 '샤광(師曠)의 총(聰)'1349)이나 씨둣디 못호는디라. 김탁 흉뎍이 황상을 원(怨)호고, 뎡병부를 믜워호미 골돌호여, 흔갈ᄀᆺ치 승니의 모양으로 이시나, 사름의 싱각디 못홀 흉계 빅츌(百出)호여, 군긔와 갑병을 무슈히 모홧다가 샹이 교외의 나가시는 일이 잇거든, 난여(鸞輿)를【9】범(犯)호려 호더라.

이쩌 만셰 황애 요약의 옥톄 불안호샤, 뇽침(龍寢)을 써나디 못호시고 신음호시는 고로, 능묘의 비알호실 날을 갈희여 만됴 문무를 거ᄂᆞ려 션황뎨 능침의 나아가실ᄉᆡ, 승샹 조공과 초후 등이 여러번 간호여 금츈은 능침 뎐알(展謁)1350)○[을] 마르시믈 간호디, 샹이 블윤호시니, 만됴 홀일업셔 브득이 셩가(聖駕)를 뫼셔 션능(先陵)의 비알호시고 도라오시기를 당호여, 좌우 산곡으로 좃ᄎ 듕쳡흔 군병이 크게 납함(吶喊)호고 니다라, 셩가를 에워ᄡᅩ고 시셕(矢石)이 비오둧호여, 만됴 문무를 다 뭇디르려 호니, 츠시【10】흉변을 당호여 담냑(膽略)이 과인(過人)호고 용밍이 졀뉸(絶倫)흔 디라도 밋쳐 손을 놀니디 못홀 비라. 호위댱군(護衛將軍)과 뇽호댱군(龍虎將軍)1351)이 압흘 당호여 셩가를 가리오고 도뎍을 막ᄌᆞ르다가, 흐르는 살을 마ᄌ 이댱(二將)이 다 팔이 샹

1349)샤광(師曠)의 총(聰) : 사광(師曠)의 총명함. 중국 춘추(春秋) 때 사광이란 사람이 소리를 잘 분변하여 길흉을 점쳤다는 고사에서 유래한 말.
1350)뎐알(展謁) ; 전배(展拜). 궁궐, 종묘, 문묘, 능침 따위에 참배함.
1351)뇽호댱군(龍虎將軍) : 용호군(龍虎軍)의 장군. 용호군; 고려 시대에, 임금을 호위하던 군대. 충선왕 때 잠시 호분군으로 고쳤다.

거시 슈를 혜기 어렵고, 김즁광이 향니로 혀지르며 괴이흔 무리《를‖라도》 용녁이 강장(强壯)흔 뉴는 다 쳥호여 은혜로이 디졉호고, 의식을 후히 니어 감은(感恩)케 호고, 디스를 닐우려 호니, 군긔를 셩히 호디 일홈○[이] 나지 아닌 도젹이오, 김탁의 부지 비호의게 반드시 물녀 죽엇시므로 거셰(擧世) 다 아는 고로, 션경수의셔 흉녁을 쇠호믄, 'ᄉᆞ광(師曠)【7】의 총(聰)'1291)이나 씨둣지 못호는지라. 김탁 흉인이 황상을 원(怨)호고 뎡병부를 믜워호미 골돌호여, 흔갈ᄀᆞ티 승니의 모양으로 이시나, ᄉᆞ람의 싱각지 못홀 흉계 빅츌(百出)호여, 군긔와 갑병을 무슈히 모홧다ᄀᆞ, 상이 교외의 나아가시는 일이 잇거든, 난예(鸞輿)를 범ᄒᆞ려 ᄒᆞ더라.

이쩌 만셰황애 뇨약의 옥톄 불안ᄒᆞ샤 뇽팀(龍寢을 써나지 아니ᄒᆞ시는 고로, 능묘의 비알ᄒᆞ실 날을 갈희여 만됴문무를 거ᄂᆞ려 션황뎨 능침의 나아가실ᄉᆡ, 승상 조공과 초후 등이 여러번 간ᄒᆞ여 금츈은 능침 비알(拜謁)○[을] 마르시믈 간ᄒᆞ디, 상이 블뉸(不允)ᄒᆞ시니, 만됴 홀일업셔 브득이 셩가(聖駕)를 뫼셔 션능(先陵)의 비알ᄒᆞ【8】시고 도라오시기를 당ᄒᆞ여, 좌우 산곡으로 좃ᄎ 즁쳡흔 군병이 크게 고함ᄒᆞ고, 젼후좌우를 니다라 셩가를 에워ᄡᅮ며, 시셕(矢石)이 비오둧 ᄒᆞ여, 만됴문무를 다 뭇지르려 ᄒᆞ니, 츠시 흉변을 당ᄒᆞ여 담냑(膽略)이 과인(過人)ᄒᆞ고, 용밍이 졀뉸(絶倫)흔 지라도 밋쳐 손을 놀니지 못홀 비라. 호위장군(護衛將軍)과 뇽문[호]댱군(龍虎將軍)1292)이 알플 당ᄒᆞ여 셩가를 ᄀᆞ리오고 도젹을 막ᄌᆞ를ᄉᆡ, 흐르는 살을 당ᄒᆞ여 이장(二將)이 다 젹장의 살의 풀을 상ᄒᆞ여 마하의 써러지니, 조츠는 지 겨우 구ᄒᆞ여 난여 뒤흐로 피ᄒᆞ나, 젹병

1291)샤광(師曠)의 총(聰) : 사광(師曠)의 총명함. 중국 춘추(春秋) 때 사광이란 사람이 소리를 잘 분변하여 길흉을 점쳤다는 고사에서 유래한 말.
1292)뇽호댱군(龍虎將軍) : 용호군(龍虎軍)의 장군. 용호군; 고려 시대에, 임금을 호위하던 군대. 충선왕 때 잠시 호분군으로 고쳤다.

ᄒ여 마하(馬下)의 써러디니, 좃ᄎᆫ 지 계오 구ᄒ여 난여 뒤히 피ᄒ나, 뎍병(賊兵)이 좌우 전후로 듕듕쳡쳡(重重疊疊)ᄒ여 어가를 에우며, 뎍댱 일인이 갑쥬를 빗니고 낫치 털광디1352)를 뼈 흉녕ᄒ미 귀신 ᄀᆞᆺᄐᆞ디라. ᄡᅡᆼ쳔검(雙天劍)을 손의 쥐고 바로 난여 압히 달녀들며 고셩ᄒ여 왈,

"혼군이 블명무도(不明無道)ᄒ여 튱냥을 아라 ᄡᅳ디 못ᄒ고, 쇼인【11】을 위ᄒ여 현신(賢臣) 군ᄌᆞ(君子)를 죽이고져 홀 ᄲᅮᆫ아니라, 만긔를 다스리미 덕이 너비 흐르디 못ᄒ여, 밧그로 번국(蕃國)의 엿보는 환이 잇고, 안흐로 공후진렬(公侯宰列)이 다 반ᄒ여 대역디심을 품으니, 숑나라 샤딕 안위 됴셕의 잇ᄂᆞᆫ디라. 내 특별이 대병을 니르혀 혼군을 업시ᄒ고, 텬하 구쥐(九州)의 창싱을 구ᄒ여 탕화(湯火)의 건디려 ᄒᄂᆞ니, 항우(項羽)의 용녁으로도 시절을 만나디 못ᄒ고, 텬명을 엇디 못ᄒ미 힘힘히 오강(烏江)1353)의 ᄌᆞ문(自刎)ᄒ믈 면치 못ᄒᄂᆞ니, 숑(宋)이 오리디 못홀 거시오, 혼군이 죵신토록 만승디위(萬乘之位)를 누리디 못홀디니, 만일 일명을 보젼코져 ᄒ거든,【12】밧비 나려 항복ᄒ여 날노뼈 그 난여(鸞輿)의 올니고, 만일 ᄡᅡ호고져 ᄒ여 ᄌᆞ웅(雌雄)을 결홀 대댱이 잇거든 밧비 불너 졉젼ᄒ라."

이러ᄐᆞᆺ 니르며 승승댱구(乘勝長驅)ᄒ여 바로 칼날이 셩궁(聖躬)을 범코져 ᄒᄂᆞᆫ디라. 대ᄉᆞ마 초평후 하원광이 셩가(聖駕)를 뫼셔 나갈 ᄯᆡᄂᆞᆫ 알플 당ᄒ엿더니, 어개(御駕) 환궁ᄒ실 ᄯᆡᄂᆞᆫ 션후를 밧고와 후딘을 녕(領)ᄒ엿더니, 뎍셰 급ᄒ여 어가를 범코져 ᄒ니, 비록 몸의 갑쥬 업스나 셩개 위틱ᄒ시기의 밋ᄎᆞ니, 창황망극(蒼黃罔極)ᄒ여 쳥농언월도(靑龍偃月刀)를 빗기고 믈을 쮜여 난여 압

<hr>

1352) 털광디 : 털로 만든 가면.
1353) 오강(烏江) : 중국 양자강(揚子江)의 지류(支流). 귀주고원(貴州高原)에서 시작하여 중경(重慶) 동쪽을 거쳐 양자강으로 흘러든다. 초왕 항우(項羽)가 해하(垓下) 쌈움에서 한왕 유방(劉邦)의 군에 패한 후 이 강에서 자결하였다.

<hr>

(賊兵)이 좌우 전후로 즁즁쳡쳡(重重疊疊)ᄒ여 어가를 두루며, 젹댱 일인이 갑쥬를 빗니고, 낫치 쳘광디1293)를 뼈, 흉녕ᄒ미 귀신 ᄀᆞᆺ【9】튼디라. ᄡᅡᆼ쳔검[검](雙天劍)을 손의 쥐고 바로 난여를 향ᄒ여 달녀들며, 고셩ᄒ여 왈,

"혼군이 블명무도(不明無道)ᄒ여 튱냥을 아라 ᄡᅳ지 못ᄒ고, 쇼인을 위ᄒ여 현신(賢臣)을 죽이고ᄌᆞ 홀 ᄲᅮᆫ아니라, 만긔를 다스리미 덕이 널니 흘으지 못ᄒ여, 번국(蕃國)의 엿보는 환이 잇고, 안흐로 공후지렬(公侯宰列)이 다 반ᄒ여 대역지심을 품으니, 숑나라 사직이 위란ᄒ미 됴셕의 잇ᄂᆞᆫ지라. 내 특별이 딕병을 니르혀 혼군을 업시ᄒ고, 텬하 구쥬(九州)의 창싱을 탕화(湯火)의 구ᄒ려 ᄒᄂᆞ니, 항우(項羽)의 농녁으로도 시절을 만나지 못ᄒ고 텬명을 엇지 못ᄒ미, 힘힘히 오강(烏江)1294)의 ᄌᆞ문이ᄉᆞ(自刎而死)ᄒ믈 면치 못ᄒ엿ᄂᆞ니, 숑나라 능히【10】오리지 못홀 거시오, 혼군이 죵신토록 만승의 부귀를 누리지 못홀 거시니, 만일 일명을 보젼ᄒ고 탕화 즁의 든 억만 창싱을 건지고져 ᄒ거든, 밧비 나려 항복ᄒ여 날노뼈 그 난예(鸞輿)의 올니고, 그러치 아냐 지금 ᄌᆞ웅(雌雄)을 결ᄒ려 홀진딕, 밧비 교젼ᄒ라."

ᄒ고 승승장구(乘勝長驅)ᄒ여 바로 칼날이 어가를 범코ᄌ ᄒᄂᆞᆫ지라. 대ᄉᆞ마 초평후 《하광원∥하원광》이 셩가를 뫼셔, 나갈 ᄯᆡᄂᆞᆫ 알흘 당ᄒ엿더니, 어개 환궁(御駕)ᄒ실 ᄯᆡᄂᆞᆫ 후진의 ᄌᆞᆺᄎᆞ더니, 젹셰 창궐ᄒ여 흐르는 살이 하ᄉᆞ마의 좌비를 맛츠니, 피흐른 거슬 이연이 ᄲᅡ혀 더지고, ᄯᅩ 드러오는 살을 속속히 칼노 쓰리쳐 브리니, 먼니셔【11】 샹이 보시고 더옥 경츰(驚慘)이 넉이시

<hr>

1293) 털광디 : 털로 만든 가면.
1294) 오강(烏江) : 중국 양자강(揚子江)의 지류(支流). 귀주고원(貴州高原)에서 시작하여 중경(重慶) 동쪽을 거쳐 양자강으로 흘러든다. 초왕 항우(項羽)가 해하(垓下) 쌈움에서 한왕 유방(劉邦)의 군에 패한 후 이 강에서 자결하였다.

히 다드르니, 샹이 바야흐로 뎍댱(賊將)의 흉언을 드르시고, 그 【13】 칼날이 어의(御衣)예 당ᄒᆞ니, 뎡히 아모리 홀 ○[줄] 모로샤 텬안이 실식대경(失色大驚)ᄒᆞ실 ᄲᅢᆫ이오, 옥음을 여디 못ᄒᆞ시거늘, 하ᄉᆞ매 뎍댱으로 졉젼 ᄉᆞ오합(四五合)의 댱쉬 년ᄒᆞ여 ᄡᅩ는 살이 분분ᄒᆞᆫ 고로, 하ᄉᆞ마의 좌비(左臂) 살흘 마ᄌ 피 흐르ᄃᆡ, 이연(怡然)이 ᄲᅢᆺ혀 더디고, 흐르는 살흘 속속히 칼노 ᄡᅳ리쳐 바리니, 먼니셔 샹이 보시고 더옥 경참(驚慘)히 녁이시ᄃᆡ, ᄉᆞ매 블변안식ᄒᆞ여 무슈ᄒᆞᆫ 뎍댱을 좌로 치고 우로 즛쳐, 압흐로 ᄡᅩ호며 뒤흐로 막줄나, 쳔병만마(千兵萬馬) ᄀᆞ온ᄃᆡ 하ᄉᆞ매 필무단검으로 졉젼ᄒᆞᄂᆞᆫ 거동이 신긔ᄒᆞ며, 용밍과 녀력(膂力)이 당셰 【14】 무빵이라. 뎍댱 오십여인을 경긱의 버히고, 다만 털광듸 ᄡᅳᆫ 도덕으로 ᄡᅡ호기를 긋치디 아니ᄒᆞ더니, 하ᄉᆞ매 몸을 쒸오쳐 뎍댱의 물 우히 쒸여 올나, 그 칼흘 아ᄉᆞ ᄯᅥ히 더디고 급히 털광듸를 벗기디르니, 이 믄득 초왕으로 더브러 ᄌᆞ긔 삼형을 참해(慘害)ᄒᆞ여 문호의 참화를 씻친 김탁 흉인이라.

당ᄎᆞ시 ᄒᆞ여는 ᄌᆞ긔 ᄉᆞ원(私怨)은 니르디 말고, 그 죄악이 텬디의 관영(貫盈)ᄒᆞ여 흉역(凶逆)이 이ᄀᆞᆺ치 낫타나니, 일시를 살와두미 분완(憤惋)ᄒᆞᆫ디라. 그 멱1354)을 트러잡고 큰 힘을 다ᄒᆞ여 마샹의셔 휘두루기를 이윽이 ᄒᆞ다가, 난여 【15】를 향ᄒᆞ여 샹긔 쥬왈,

"ᄎᆞ뎍의 죄상이 텬디의 ᄡᅩ흘 곳이 업ᄉᆞ온디라. 오히려 젼일 도쥬ᄒᆞ오믄 젹은 일이니, ᄎᆞ뎍(此賊)을 일시도 살와 두디 못ᄒᆞ올 비라. 죄상을 므르려 ᄒᆞ시거든 김후와 듕광이 이실 거시니, 탁을 몬져 일만 조각의 뼈흐러 죽이고, 김후 부ᄌᆞ를 잡아 젼젼(前前) 죄상(罪狀)을 튜문ᄒᆞ시미 올흘가 ᄒᆞᄂᆞ이다."

샹이 크게 놀나 계시므로, 오히려 옥식(玉色)을 뎡치 못ᄒᆞ샤, 다만 '김탁을 촌참(寸斬)ᄒᆞ라' ᄒᆞ실 ᄲᅢᆫ이니, 하ᄉᆞ매 난여 아리셔 김탁의 머리와 슈족(手足)을 버히고, 그

1354)멱 : 목의 앞쪽.

디, ᄉᆞ매(司馬) 불변안식ᄒᆞ여 무슈ᄒᆞᆫ 젹장을 좌로 치고 우로 즛쳐, 압흐로 ᄡᅩ호며 뒤흐로 막줄나 쳔병만ᄆᆞ(千兵萬馬) ᄀᆞ온ᄃᆡ, 하ᄉᆞ매 필무단검으로 졉젼ᄒᆞᄂᆞᆫ 거동이 신긔ᄒᆞ며, 용밍과 녀력(膂力)이 당셰의 무빵이라. 젹댱 오십여인을 경긱의 버히고 다만 털광듸 ᄡᅳᆫ 도적으로 ᄡᅡ호기를 긋치지 아니ᄐᆞᄀᆞ, 하ᄉᆞ매 몸을 쒸웃쳐 젹장의 뒤흘 즛ᄒᆞᄂᆞ가, 그 칼을 아ᄉᆞ ᄯᅥ히 바리고 급히 그 털광듸를 벗기고 지르니, 이 믄득 초왕으로 더브러 ᄌᆞ긔 삼형을 참해(慘害)ᄒᆞ여, 간계로 ᄒᆞ여 흉ᄉᆞ(凶死)를 씻친 김탁 흉인이라.

당ᄎᆞ시 ᄒᆞ여는 ᄌᆞ긔 ᄉᆞ원(私怨)은 니르지 【12】말고, 그 죄악이 텬디의 관녕(貫盈)ᄒᆞ여 흉녁(凶逆)이 이ᄀᆞᆺ티 ᄂᆞ타나니, 일시를 술와두미 분완(憤惋)ᄒᆞᆫ지라. 그 멱1295)을 트러줍고 큰 힘을 다ᄒᆞ여 마샹의셔 ○[휘]두루기를 니윽이 ᄒᆞ다가, 난여를 향ᄒᆞ여 샹긔 주 왈,

"ᄎᆞ젹의 죄상이 텬디의 ᄡᅩ흘 곳이 업ᄉᆞᆫ지라. 오히려 젼일 월옥 도쥬ᄒᆞ믄 젹은 일이오니, ᄎᆞ뎍(此賊)을 일시도 살와 두지 못ᄒᆞ올지라. 죄상을 무르려 ᄒᆞ시거든 김후와 즁광이 이실 거시니, 탁을 몬져 일만 조각의 뼈흐러 죽이고, 김후 부ᄌᆞ를 줍아 젼젼 죄상을 튜문ᄒᆞ시미 올흘ᄀᆞ ᄒᆞᄂᆞ이다."

샹이 크게 놀나 계시므로, 오히려 옥식(玉色)을 졍치 못ᄒᆞᄉᆞ 다만 김탁을 촌참(寸斬)ᄒᆞ라 ᄒᆞ시니, 하ᄉᆞ 【13】 매 난여 아리셔 김탁의 머리를 버히고 그 비를 갈나 창ᄌᆞ를

1295)멱 : 목의 앞쪽.

비를 갈나 창주를 칼 곳티 쎄여 먼니 더디며, 【16】 넘통을 두다려 업시호고, 믈긔 올나 졔덕(諸賊)을 버히고 항호는 주는 굿티여 죽이디 아니호여, 만흔 덕당을 스스로 홋터디게 홀시, 김후와 둥광을 초주미 역시 털광디를 쓰고 졔 아비 죽으믈 보미, 졔 목숨 슬기를 위호여 믈을 치쳐 다라나거늘, 하수매 쏘라 싱금(生擒)호여 김후를 마샹의 눌너 틱고 둥광을 녑히 쎠, 난여를 호위호며 흥덕 여당(餘黨)을 줏치라 호고, 비로소 반녈(班列)을 출혀 셩개 환궁호시니, 샹이 본듸 요약(妖藥)의 셩회 샹호여 계시므로, 금일 김탁의 반형(叛形)의 크게 놀나샤 옥휘 도로 불평호샤, 난여 【17】 의 나려 농뎐의 드르시며, 둥광 부주를 엄히 가도고 김귀비를 익정(掖庭)[1355] 의 하옥호라 호시며, 태주의 손을 잡아 니르샤듸,

"딤이 하원광 곳 아니런들 딘실노 무수히 환궁호믈 엇디 못호여시리니, 금일 후는 원광을 여나 신뇨와 곳치 듸졉디 못호리라."

틱지 황야를 붓드러 농침의 안휴(安休)호시미, 초후를 인견호샤, '흥덕의 블의디변을 만나 황애 위틱호시거늘 경의 덕으로 셩개 무수히 환궁호시믈' 못니 일코르시니, 초휘 블감고샤(不敢固辭)호니, 샹이 초후를 겻틱 쎠나디 말나 호시고, 어슈(御手)로 초후의 손을 잡아 스마를 【18】 주로 집슈호샤, 니르샤듸,

"딤이 블명호여 셕년의 경(卿) 형 삼인을 참형디하(慘刑之下)의 맛츠니, 츠는 쳔듸(千代)의 민멸치 못홀 실덕이라. 도금(到今)호여 츄회(追悔) 막급이어늘, 경의 덕심단튱(赤心丹忠)과 남다른 용밍으로 덕뉴(賊類)를 믈니치고, 딤이 무수히 환궁호니, 이 다 경의 튱심이라. 이 공은 범연혼 곳의 비치 못

1355)익정(掖庭): 액정국(掖庭局). 고려 시대에, 왕명의 전달 및 궁궐 관리를 맡아보던 관아. 성종 14년(995)에 액정원을 고친 것으로, 충선왕 복위년(1308)에 내알사로 고쳤다가 1년 뒤 복구하였으며, 충선왕 2년(1310)에 항정국으로 고쳤다가 고려 말에 다시 환원하였다.

넘여 칼 곳히 쎄어 먼니 더지며, 넘통을 줏두드려 업시호고, 믈게 올느 졔젹(諸賊)을 버히고, 항호는 주는 구투여 죽이지 아니호고, 수업는 젹당을 스스로 홋터지게 홀시, 이의 쏘 즁광을 초주미 역시 털광디를 쓰고, 졔 아비 죽으믈 보미 졔 목숨 슬기를 위호여 믈을 치쳐 드라나거늘, 하수매 쏘라 싱금(生擒)호여 김후를 무상의 눌너 틱고, 즁광을 녑히 씨고 난여를 호위호며, 흥젹 여당(餘黨)을 줏치라 호고, 비로소 반녈(班列)을 출혀 셩개 환궁호시니, 샹이 본듸 요약(妖藥)의 셩회 샹호○○[여 계]시므로, 금일 김탁의 반형(叛形)의 크게 놀나스, 옥휘 【14】 도로 불평호스 난여의 나려 농뎐의 드르시며, 즁광 부주를 엄슈(嚴囚)호시고, 김귀비를 익정(掖庭)[1296] 의 하옥호라 호시며, 틱주의 손을 잡아 니르샤듸,

"딤이 하원광 곳 아니면 진실노 무수히 환궁호믈 엇지 못호여시리니, 금일 후는 원광을 너녀 신뇨와 곳치 듸졉지 못호리라."

틱지 황야를 붓드러 농침의 안휘(安休)호시미, 초후를 인견호스,

"흥젹의 블의지변을 만나 면화(免禍)호미 경의 덕을 힘닙으미라."

○○○[호시고], 셩개(聖駕) 무수히 환궁호시믈 닐너 치하호시니, 초휘 블감스스(不敢謝辭)호니, 샹이 초후를 겻히 쎠나지 말나 호시며 어쉬(御手) 하수마를 집슈호스 닐으스듸,

"딤이 블명호여 【15】 셕년의 경(卿) 형 숨인을 참형지하(慘刑之下)의 맛츠니, 츠는 쳔듸(千代)의 민멸치 못홀 실덕이라. 도금(到今)호여 츄회(追悔) 막급이어늘, 경의 젹심단츙(赤心丹忠)과 남다른 용밍으로 젹뉴를 믈니치고, 딤이 무수히 환궁호니, 이 다 경의 츙심이라. 이 공훈은 범연혼 곳의 비

1296)익정(掖庭): 액정국(掖庭局). 고려 시대에, 왕명의 전달 및 궁궐 관리를 맡아보던 관아. 성종 14년(995)에 액정원을 고친 것으로, 충선왕 복위년(1308)에 내알사로 고쳤다가 1년 뒤 복구하였으며, 충선왕 2년(1310)에 항정국으로 고쳤다가 고려 말에 다시 환원하였다.

ᄒ리로다."

초휘 돈슈비복(頓首拜伏) 왈,

"신등이 무상ᄒ와 흉덕의 변을 미리 방비치 못ᄒ와 폐히 크게 놀나시니, 스스로 죄를 쳥코져 ᄒᄋᆸ거늘, 도로혀 이러틋 ᄒ오신 셩은을 밧ᄌ오니, 황공불감ᄒ와 알외올 바를 아디 못ᄒ리로소이다."【19】

샹이 더옥 아름다이 넉이샤 믈너가디 말나 ᄒ시며, 그 팔히 샹ᄒᄆᆯ 넘녀ᄒ샤 약을 ᄲᆞ라 ᄒ시니, 스매 대단이 샹치 아니믈 쥬ᄒ여, 샹후(上候)를 구호ᄒ미, 늠연ᄒᆫ 튱셩이 동동쵹쵹(洞洞屬屬)ᄒ여 태ᄌ긔 만히 나리디 아니ᄒ니, 샹이 ᄯ흔 ᄉᆞ랑ᄒ시며 통우ᄒᆞ샤미 만됴의 우히라. ᄌ로 텬안이 츄연ᄒᆞ샤 왈,

"딤이 뎡텬흥 튱이ᄒ미 태ᄌ의 버금이러니, 텬흥이 딘심(眞心)을 아디 못ᄒ여 ○⋯**결락9자**⋯○[[흉역을 니르혀미, 초의] 그릇 초방(椒房)1356)의 가셔(佳壻)를 삼아 문양의 일신이 텬흥의게 미여시니, 텬흥이 흉ᄉ흔 즉, 공쥐 역뎍의 쳐실노 쳥츈 《방명∥박명(薄命)》이 금고의 희한ᄒ여, 왕희의 존(尊)과 만【20】승의 부귀 헛도이 되니, 엇디 참연치 아니리오."

초휘 비슈(拜手)1357) 왈,

"금(今)의 뎡닌흥 딘영슈 등의 죄명이 히연(駭然)ᄒ여 흉역(凶逆)을 면치 못홀 ᄲᆞᆫ 아니라, 폐히 뎡·딘 등을 구ᄒ리 이시면 죄뉼을 ᄀ치ᄒ리라 ᄒ시니, 듕신이 감히 닙을 여디 못ᄒᆞᆸᄂᆞᆫ디, 신이 홀노 알외오미 텬의예 블합ᄒ실 바를 모로디 아니ᄒ오디, 신의 부지 ᄯ을 뎡ᄒ여, 뎡텬흥이 원억히 맛치여 천고튱현이 참화를 바들딘디, 신의 부지 뎐폐의 머리를 바아 스스로 몸을 형벌ᄒ여, 우흐로 폐하의 실덕을 간치 못ᄒ고, 아리로 뎡가의 은혜를 져바리믈【21】 샤죄ᄒ오리니, 텬흥이 비록 신의 집의 대은을 깃쳣ᄉ

1356)초방(椒房) : 산초나무 열매의 가루를 바른 방이라는 뜻으로, 왕비가 거처하는 방이나 궁전, 또는 왕실 등을 이르는 말.

1357)비슈(拜手) : 두 손을 맞잡고 공손히 절함.

치 못ᄒ리로다."

초휘 돈슈비복(頓首拜伏) 왈,

"신등이 무상ᄒ와 흉적의 변을 미리 방비치 못ᄒ와, 폐히 크게 놀나시니 스스로 죄를 쳥코져 ᄒᄋᆸ거늘, 도로혀 니러틋 과도ᄒᆫ 셩은을 바[밧]ᄌ오니, 황공불감ᄒ와 알외올 바를 아지 못ᄒ리로소이다."

샹이 더옥 아름다이 넉이ᄉ 믈너가지 말나 ᄒ시며, 그 폴이 샹ᄒᄆᆯ 넘녀ᄒᆞᄉ 약을 쓰[ᄊ]미라 ᄒ시니, 스매 듸단치【16】 아니믈 쥬ᄒ여, 상후(上候)를 구호ᄒ미, 늠연ᄒᆫ 츙셩이 동동쵹쵹(洞洞屬屬)ᄒ여 틱ᄌ게 만히 나리지 아니ᄒ니, 상이 ᄯ흔 ᄉᆞ랑ᄒ시며 츙우ᄒᆞ샤미 만됴 우히라. ᄌ로 텬안이 츄연ᄒᆞ샤 왈,

"딤이 뎡텬흥 츙이ᄒ미 틱ᄌ의 버금이러니, 텬흥이 짐심(朕心)을 아지 못ᄒ여 ○⋯**결락9자**⋯○[[흉역을 니르혀미, 초의] 그릇 초방(椒房)1297)의 가셔를 숨아 문양의 일싱이 텬흥의게 미여시니, 텬흥이 흉ᄉ흔즉, 공쥐 녁적의 쳐실노 쳥츈박명(靑春薄命)이 고금의 희한ᄒ여, 왕희의 존(尊)과 만승의 부귀 헛되이 되니, 엇지 춤연치 아니ᄒ리오."

초휘 비수(拜手)1298) 왈,

"금(今)의 뎡닌흥 진영슈 등의 죄명이 히연(駭然)ᄒ여 흉역(凶逆)을 《면홀∥면치 못홀》 ᄲᆞᆫ 아니라, 폐히 뎡·딘 등을【17】 구ᄒ리 이시면 죄뉼을 ᄀ치 ᄒ리라 ᄒ시니, 즁신이 감히 닙을 녀지 못ᄒᄋᆸᄂᆞᆫ디, 신이 홀노 알외오미 텬의 네 블합(不合)ᄒ실 바를 모르지 아니ᄒ오디, 신의 부지 ᄯ을 뎡ᄒ여, 뎡텬흥이 원억히 맛치여 쳔고츔현이 참화를 바들진디, 신의 부지 뎐폐의 머리를 바아 스스로 몸을 형벌ᄒ여, 우흐로 폐하의 실덕을 간치 못ᄒ고, 아리로 뎡가의 은혜를 니즈믈 ᄉᆞ죄ᄒ오리니, 텬흥이 비록 신의 집

1297)초방(椒房) : 산초나무 열매의 가루를 바른 방이라는 뜻으로, 왕비가 거처하는 방이나 궁전, 또는 왕실 등을 이르는 말.

1298)비수(拜手) : 두 손을 맞잡고 공손히 절함.

오나, 그 역뫼 덕실ᄒ올딘딕, 신슈블튱(臣雖不忠)이오나, 져를 위ᄒ여 죽고져 《ᄒ올 거시 아니오딕∥ᄒ지ᄂᆞᆫ 아니ᄒ올지라》. ○○○[연이나] 텬흥의 튱녈은 빅일(白日)의 빗최여시니, 안과 밧기 다 ᄒᆞᆫ가디로 츄슈(秋水)를 ᄒᆡᆺ친ᄃᆞᆺᄒ여, ᄒᆞᆫ 곳 애쳬(礙滯)ᄒᆞ미 업ᄉᆞ니, 당금(當今) 셕년 신의 집 화란을 구애ᄒ미 아니라, 텬심이 셩명(聖明)ᄒᆞ샤므로 뎡·딘의 위인을 모ᄅᆞ디 아니실디라. 텬흥이 딘실노 반역디심이 이실딘딕, 위샤를 죽여 나명(拿命)을 블슈(不受)ᄒ고, 대병을 모라 황셩을 돌입ᄒᆞᆯ거시오, 반역이 업ᄉᆞᆫ즉 슌히 나릭ᄒ올디니, 일노 보실딘딕【22】 현인과 쇼인을 살피시고 죄명을 ᄒᆡᆨ실ᄒ실디라. ᄎᆞ고로 신은 분분이 뎡가를 칭원(稱寃)치 아니ᄒᆞᆸ거니와, 텬황디로(天荒地老)[1358]ᄒ여도 뎡연 부ᄌ의 위국뎡튱(爲國貞忠)은 변치 아니리이다."

샹이 초후를 튱우ᄒ시므로 뎡가를 구ᄒᆞ딕 굿투여 노치 아니샤, 다만 굴오샤딕,

"이러나 져러나 텬흥이 나릭ᄒ믈 기ᄃᆞ려 죄명○[을] ᄒᆡᆨ실《이∥ᄒᆞ미》 이시리로다."

초휘 비샤ᄒ더라.

이ᄯᅥ 구몽슉이 윤흑ᄉᆞ를 마ᄌᆞ 역모의 녀ᄒᆞᆯᄉᆡ, 운화산의 가 형왕과 의논ᄒᆞ고, 조희[1359]를 펼치고 붓슬 드러 흉참디셜(凶慘之說)을 ᄀᆞᆺ초 ᄡᅳ니, ᄉᆞ에(辭語) 흉험ᄒ여 대역을 도모ᄒᆞ미 극단ᄒ니, 형【23】왕이 드리미러 보고 우어 왈,

"윤희텬이 양쥐 덕긱(謫客)으로 이런 일은 젼연 브디(不知)로, 익회 듕ᄒ여 공연이 대역의 걸니게 되니, 엇디 우읍디 아니리오."

몽슉이 역쇼(亦笑)ᄒ고 ᄡᅳ기를 다ᄒ여 묘랑을 준딕, 묘랑이 품 ᄉᆞ이의 너코 희텬을 어ᄌᆞ럽게 ᄒᆞᆯ믈 맛초고 허여디려 ᄒ더라.

이ᄯᅥ 혜원이 쥬영으로 더브러 운화산 합댱(閤牆) 뒤히셔 여어보더니, 묘랑의 악ᄉᆞ

의 디은을 씻쳐ᄉᆞ오나, 그 역뫼 젹실ᄒ올진딕, 신슈블튱(臣雖不忠)이오나 져를 위ᄒ여 죽고져 ᄒᆞᆯ 거시 아니오딕, 텬흥의 츙녈은 빅일(白日)의 빗최여시니, 안과 밧기 다 ᄒᆞᆫ가지로 금옥의 《견아친∥결아(潔雅)ᄒᆞᆫ》 ᄃᆞᆺᄒ여 ᄒᆞᆫ【18】 곳 이쳬(礙滯)ᄒᆞ미 업ᄉᆞ오니, 당금(當今) 셕년 신의 집 변난은 텬슈(天數)라. 텬심이 명셩(明聖)ᄒᆞᄉᆞ므로 간인을 모ᄅᆞ지 아니실지라. 텬흥이 진실노 반역지심이 이실진딕, 위ᄉᆞ를 죽여 나명(拿命)을 블슈(不受)ᄒ고, 대병을 모라 《함셩∥황셩(皇城)》을 돌입ᄒᆞᆯ 거시오, 반역이 업ᄉᆞᆫ즉 슌히 나릭ᄒ올지니, 일노 보실진딕 현인과 쇼인을 살피시고 죄명을 ᄒᆡᆨ실(覈實)ᄒ실지라. ᄎᆞ고(此故)로 신은 뎡가를 분분이 칭원(稱寃)치 아니ᄒ거니와, 텬황디로(天荒地老)[1299]ᄒ여도 뎡연 부ᄌ의 위국뎡츙(爲國貞忠)은 변치 아니리이다."

상이 초후를 츙우ᄒ시므로 뎡가를 구ᄒᆞ딕 굿투여 노치 아니ᄉᆞ, 다만 굴오ᄉᆞ딕,

"니러나 져러나 텬흥이 나릭ᄒ믈 기ᄃᆞ려 죄명 ᄒᆡᆨ실이 이시리로다."

초휘 비ᄉᆞ【19】ᄒ더라.

이ᄯᅥ 구몽슉이 윤흑ᄉᆞ를 마ᄌᆞ 녁모의 녀ᄒᆞᆯᄉᆡ, 운화산의 가 형왕과 의논ᄒᆞ고 됴희[1300]를 펼치고 붓슬 드러 흉참지셜(凶慘之說)을 ᄀᆞᆺ초 ᄡᅳ니, ᄉᆞ에(辭語) 흉험ᄒ여 대역을 도모ᄒᆞ미 극진ᄒ니, 형왕이 드리미러 보고 우어 왈,

"윤희텬이 양쥐 젹긱(謫客)으로 니런 일은 젼연 부지(不知)로, 익회 즁ᄒ여 공연이 대역의 걸니게 되니 엇지 우읍지 아니리오."

몽슉이 역쇼(亦笑)ᄒ고 ᄡᅳ기를 다ᄒ여 묘랑을 준딕, 묘랑이 품 ᄉᆞ이의 너코 장ᄎᆞᆺ ᄒᆡᆼ계(行計)ᄒ려 ᄒ더라.

이ᄯᅥ 혜원이 쥬영으로 더브러 운화산 합장 뒤히셔 여어보더니, 묘랑의 악ᄉᆞ 졈졈

1358)텬황디로(天荒地老) : '하늘은 황폐하고 땅은 늙었다'는 뜻으로, '오랜 시간이 흐름'을 나타낸 말.
1359)조희 : 종이.

1299)텬황디로(天荒地老) : '하늘은 황폐하고 땅은 늙었다'는 뜻으로, '오랜 시간이 흐름'을 나타낸 말.
1300)됴희 : 종이.

점점 셩ᄒ여 뎡·딘·윤 삼문을 다 멸망코
져 ᄒ믈 통히홀 ᄯᆞᆫ 아니라, 쥬영이 더옥 가
슴을 허위여1360) 굴오ᄃᆡ,

"져 요괴의 변홰 블측ᄒ여 우리 쥬인을
다 히ᄒ여 싱각지 못홀 간계 무궁【24】ᄒ
니, 만일 요괴를 잡지 못ᄒ면, 윤 뎡·딘 삼
문의 디원극통을 신빅기 어려올가 ᄒᄂ니,
법ᄉᄂ 져 요괴를 잡게 ᄒ쇼셔."

혜원이 쇼 왈,

"그ᄃᆡ 니르디 아니나 금일은 마디 못ᄒ여
잡을 거시니, 슈일디ᄂᆡ의 뎡원쉬 샹경홀지
라. 져 요졍을 잡고 부인이 격고(擊鼓)1361)
ᄒ시면, 뎡·딘 이문의 죄명을 버셔 홰 도
로혀질 거시오, 윤흑ᄉᄂ 급히 잡혀 오ᄂ
변을 보디 아니시리라."

쥬영이 환희ᄒ여 어셔 요졍을 잡으라 ᄒ
니, 혜원이 구몽숙과 형왕이 잇ᄂ 곳의 변
화ᄒ여 드러가 묘랑을 잡으미 괴로워, 몽숙
이 몬져 도라가고 묘랑은 뒤히 쳐져가려 ᄒ
거【25】늘, 혜원이 쥬영으로 더브러 싸라
가다가, 날이 거의 어둡고져 ᄒ고 길히 회
곡(回曲)ᄒᄃᆡ 다ᄃᆞ라, 혜원이 딘언(眞言)을
넘ᄒ며 작법ᄒ니, 운뮈(雲霧) ᄉ식(四塞)ᄒ
며 광풍이 대작ᄒ여, 사ᄅᆞᆷ의 졍신이 어즐키
를 면치 못ᄒᄂ 가온ᄃᆡ, 요졍을 졔어(制御)
ᄒᄂ 슐법이 이시므로, 묘랑이 홀연 졍신이
어득하여 힝보를 잘 일우지 못ᄒ여 홋거러
가거ᄂᆞᆯ, 혜원이 졔요가(制妖歌)를 브르며 하
날긔 요졍○[을] 잡게 ᄒ시믈 튝(祝)ᄒ고,
몸을 쒸오쳐 공듕의 소ᄉ니, 오운(五雲)이
애애(靄靄)ᄒ여 혜원을 두로고, 금광(金光)
이 니러나ᄂᆞ 바의 혜원이 쳘삭(鐵索)을 가
져 묘랑을 옭으려 ᄒ니, 묘랑이 딘짓 부쳐
의 됴화를 당ᄒ여 발셔 요【26】괴로온 졍

성ᄒ여 뎡·딘·윤 숨문을 다 멸망코ᄌ ᄒ
믈 통히홀 ᄯᆞᆫ【20】아니라, 쥬영이 더옥 ᄀᆞ
슴을 허위여1301) 굴오ᄃᆡ,

"져 뇨괴의 변홰 블측ᄒ여 우리 쥬인을
다 히ᄒ여 싱각지 못홀 간계 무궁ᄒ니, 만
닐 뇨괴를 즙지 못ᄒ면, 뎡·진·윤 숨문의
지원극통을 신빅기 어려올가 ᄒᄂ니, 법ᄉ
ᄂ 져 뇨괴를 잡게 ᄒ쇼셔."

혜원이 쇼 왈,

"그ᄃᆡ 니ᄅᆞ지 아니나 금일은 마지 못ᄒ여
즙을 거시니, 슈일지ᄂᆡ의 뎡원쉬 샹경홀지
라. 져 요졍을 즙고 부인이 격고(擊鼓)1302)
ᄒ시면, 뎡·딘 이문의 죄명을 버셔, 홰 도
로혀질{길} 거시오, 윤흑ᄉᄂ 급히 잡혀 오
ᄂ 변을 보지 아니ᄒ시리라."

쥬영이 환희ᄒ여 어셔 요졍을 즙으라 ᄒ
니, 혜원이 구몽숙과 형왕이 이시미, 이의
변화ᄒ여 드러가 묘【21】랑을 즙으리라
ᄒ여, 쟝ᄎᆞᆺ 하회(下回)1303)를 녀어볼ᄉᆡ, ᄎᆞ
시 몽숙이 몬져 도라ᄀᆞ고, 묘랑은 뒤져 오
라 ᄒ거늘, 혜원이 쥬영으로 더브러 힝ᄒ여
슈리(數里)ᄂ 가ᄃᆞ가 믄득 날이 어둡고져
ᄒ거늘, ᄯ 힝ᄒ여 묘랑과 ᄀᆞᆺ치 다ᄃᆞᆯᄂᆞ지
라. 혜원이 진언(眞言)을 넘ᄒ며 작법ᄒ니,
운뮈(雲霧) ᄉ식(四塞)ᄒ며 광풍이 ᄃᆡ작ᄒ여
ᄉ람의 졍신이 어질키를 면치 못ᄒᄂ 가온
ᄃᆡ, 뇨졍을 졔어(制御)ᄒᄂ 슐법이 이시므
로, 묘랑이 홀연 졍신이 어득하여 힝보를
잘 닐오지 못ᄒ여 홋거러가거늘, 혜원이 졔
요가(制妖歌)를 브르며 하날게 뇨졍 즙게
ᄒ시믈 츅(祝)ᄒ고, 몸을 쒸웃쳐 공즁의 소
ᄉ니, 오운(五雲)이 이이(靄靄)ᄒ여 혜원을
두【22】르고, 금광이 니러나ᄂᆞ 바의 혜원

1360) 허위다 : 허비다. 손톱이나 날카로운 물건 따위
로 긁어 파다.
1361) 격고(擊鼓) : 격고등문(擊鼓登聞). 등문고(登聞
鼓)를 울려 임금께 직접 억울한 사정을 아룀. 등문
고; 조선 시대에, 임금이 백성의 억울한 사정을 듣
기 위하여 매달아 놓았던 북. 태종 원년(1401)에
처음으로 두었다가 이후 '신문고'로 이름을 고쳤
다.

1301) 허위다 : 허비다. 손톱이나 날카로운 물건 따위
로 긁어 파다.
1302) 격고(擊鼓) : 격고등문(擊鼓登聞). 등문고(登聞
鼓)를 울려 임금께 직접 억울한 사정을 아룀. 등문
고; 조선 시대에, 임금이 백성의 억울한 사정을 듣
기 위하여 매달아 놓았던 북. 태종 원년(1401)에
처음으로 두었다가 이후 '신문고'로 이름을 고쳤
다.
1303) 하회(下回) : ①어떤 일이 있은 다음에 벌어지
는 일의 형태나 결과. ②다음 차례.

신이 쌘디는 듯ᄒ니, 슈죡을 놀닐 길히 업
ᄉ디 잠간 피ᄒ여 면코져 ᄒ므로, 몸을 흔
드러 변ᄒ여 거믄 쇠 되여 흑무(黑霧)를 모
라셔 남다히로 향ᄒ거늘, 혜원은 빅운을 타
거믄 안개를 헷치고 흑조(黑鳥)를 잡으랴
ᄒ니, 묘랑이 창황ᄒ여 도로 사름이 되여
근두운(筋斗雲)1362)을 타 동(東)다히로 닷거
늘, 혜원이 딘력히 ᄯ라가 철삭으로 신묘랑
을 옭으니, 묘랑이 평싱 요슐을 미더 두리
며 것칠 거시 업셔 참아 못홀 노르시라도
안연이 ᄒ더니, 금일 혜원의 ᄯ라 잡기를
당ᄒ여는 버셔날 길히 업셔, 다시 변화도
못ᄒ고 속졀업시 손을 뭇【27】거 잡히미
되니, 혜원이 {이} 직조와 힘을 다 발ᄒ여
묘랑을 잡아 철삭으로 옭미며 ᄭ디져 왈,

"요졍이 딘실노 본형(本形)을 드러ᄂ디
아니랴 ᄒ는다? 너를 경긱의 촌참홀 거시로
디 오히려 므를 말이 만흐니 모로미 날을
조ᄎ오라."

묘랑이 부쳐의 졍긔를 당ᄒ니, 요괴로온
졍신이 어득ᄒ여 히음업시 본형을 드러ᄂ
미, 쳔년이나 디난 늙은 여이, 머리는 ᄒ나
히나 ᄭ오리는 닐곱이라. 혜원이 통완 분히ᄒ
믈 니긔디 못ᄒ여, 급급히 텰삭을 {삭을}
다리여1363) 묘랑을 홀그며1364) 쥬영의 겻
흐로 나려셔니, 쥬영이 묘랑의 변화홈과 혜
원의 신힝(新行) 도슐(道術)을【28】어린
ᄃ시 바라보아 도로혀 졍신이 황홀ᄒ더니,
임의 묘랑을 잡아 ᄯ히 나려 바로 산소로
향ᄒ니, 쥬영이 ᄯ라 암ᄌ의 오니, 혜원이
묘랑을 옭아 윤부인 침소의 나아와 소릭를
놉혀 왈,

"윤·양·오 삼부인아! 빈되 금일 쳔고무

이 쳘삭(鐵索)을 가져 묘랑을 올그려 ᄒ니,
묘랑이 진짓 부쳐의 됴화를 당ᄒ리오. 발셔
요괴로온 졍신이 쌘진듯 ᄒ니, 슈죡을 놀닐
길히 업ᄉ, 즘간 피ᄒ여 면코ᄌ ᄒ므로, 몸
을 흔드러 변ᄒ여 거믄 쇠 되여 흑무(黑霧)
를 모라셔 남으로 향ᄒ거늘, 혜원은 빅운
을 타 거믄 안긔를 헷치고 흑조(黑鳥)를 줍
으려 ᄒ니, 묘랑이 창황ᄒ여 도로 스람이
되여 근두운(筋斗雲)1304)을 타 동(東)다히로
가거늘, 혜원이 진력히 ᄯ라가 철삭을 가져
묘랑을 얽으니, 묘랑이 평싱 요슐을 미더
두리며 것칠 거시 업셔, 《요도‖요술(妖
術)》을 ᄆ음디로 ᄒ더니, 금일【23】혜원
의 ᄯ라 잡기를 당ᄒ여는, 버셔날 길히 업
셔, 다시 변화도 못ᄒ고 속졀업시 손을 뭇
거 줍히미 되니, 혜원이 직조와 힘을 다ᄒ
여 묘랑을 줍아 철삭으로 옭미며 ᄭ지져
왈,

"요졍이 진실노 본형(本形)을 드러ᄂ지
아니랴 ᄒ는다? 너를 경긱의 《쳔참‖쳐참
(處斬)》홀 거시로디 오히려 므를 말이 만
흐니, 모로미 날을 조ᄎ오라."

묘랑이 부쳐의 졍긔를 당ᄒ니, 요괴로온
졍신이 어득ᄒ여 히음업시 본형을 드러ᄂ
미, 쳔년이나 지난 늙은 여이, 머리는 ᄒ나
히나 ᄭ오리는 닐곱이라. 혜원이 통완 분히ᄒ
믈 니긔지 못ᄒ여, 급급히 쳘셕을 다리
여1305) 묘랑을 홀【24】그며1306) 쥬영의
겻흐로 ᄂ아가니, 쥬영이 묘랑의 변화홈과
혜원의 신힝(新行) 도슐(道術)을 어린ᄃ시
ᄇ라보아, 도로혀 졍신이 황홀ᄒ더니, 님의
묘랑을 줍아 ᄯ히 나려 바로 산소로 향ᄒ
니, 쥬영이 ᄯ라 암ᄌ의 오니, 혜원이 묘랑
을 옭아 윤부인 침소 누(樓) 아릭 나와 소
릭를 놉혀 왈,

"윤·양·오 숨부인아! 빈되 금일 쳔고무

1362)근두운(筋斗雲) : 거꾸로 내려오는 구름. 근두
　(筋斗)치다; 곤두치다. 높은 곳에서 머리를 아래로
　하여 거꾸로 떨어지다.
1363)다리다 : 당기다. 잡아당기다.
1364)홀그다 : 끌어당기다. 당겨 끌다. 홀쓰으다; 홀
　다+쓰으다. '훑다'와 '끌다'가 합쳐진 말.

1304)근두운(筋斗雲) : 거꾸로 내려오는 구름. 근두
　(筋斗)치다; 곤두치다. 높은 곳에서 머리를 아래로
　하여 거꾸로 떨어지다.
1305)다리다 : 당기다. 잡아당기다.
1306)홀그다 : 끌어당기다. 당겨 끌다. 홀쓰으다; 홀
　다+쓰으다. '훑다'와 '끌다'가 합쳐진 말.

쌍(千古無雙)흔 요정을 잡아 와시니, 부인닉를 이심히 히흐던 원을 갑흘 쌘 아냐, 뎡원슈의 급화를 구흐고 간인의 악시 요정의 닙으로 본드시 드러날 거시니, 윤·양 이부인도 즈연 옥굿치 버슬 거시오, 오부인도 즐거이 도라가시리이다."

윤·양 이부인이 오부인으로 더브러 고금을 답논흐더니, 혜원의 말노 조초 문을 여러 보민, 쇠【29】리 닐곱 가진 황금 굿튼 여흘 잡아 쳘삭의 읆아 왓거늘, 삼부인이 놀나 문기고(問其故)흐딕, 혜원이 비로소 윤뎡·딘 삼부 소식을 즈셔히 긔록흐여 두엇던 고로, 이에 가져와 윤·양 냥부인을 보게 흐며, 여이 신묘랑 요승이믈 고흐니, 윤·양 이부인이 혜원의 말을 듯고, 형왕과 몽슉이 묘랑으로 더브러 뎡원슈 등 졔인을 함히흐므로, 평휘 대역의 걸녀시믈 비로소 드르민, 놀납고 츠악흐미 일신이 썰니는 듯흐고, 묘랑의 젼후 요악흔 간모를 혜아리민, 통완흐미 형상치 못흘디라. 윤부인이 본딕 졔요(制妖)흐는 지죄 이시며, 남 다른 졍과라. 묘랑을 힝혀 일흘가 념녀흐므로,【30】친히 쥬필부작(朱筆符籍)을 뼈 그 등의 붓치고, 꾸디져 승니(僧尼)의 모양이 되라 흐니, 묘랑이 즉시 변흐여 얼골이 빅셜 굿고 냥안(兩眼)이 별 굿튼 승(僧)이 되어, 빅나장삼(白羅長衫)을 썰치며 소초(莎草)곳갈1365)을 숙엿는디라. 은은흔 살긔(殺氣)와 묽은 긔운과 독흔 긔운이 바로 보기 아닛쏘으니, 윤·양 이부인이 즐왈,

"요정이 임의 혜원의게 잡히미 되어신죽, 일명이 쥬류흘 바를 모로디 아니리니, 썰니 젼젼 죄악을 낫낫치 고흐고 은닉지 말나."

묘랑이 앙텬 탄왈,

"내 평싱 즈부흐여 지죄 흔갓 운듕즈(雲中子)1366)와 귀곡(鬼谷)1367)의 나리미 업슬

쌍(千古無雙)흔 요정을 잡아 와시니, 부인닉를 니심히 히흔 원을 갑흘 쌘 아냐, 뎡원슈의 급화를 구흐고, 간인의 악시 요정의 닙으로 본드시 드러날 거시니, 윤·양 이부인도 즈연 옥굿치 버슬 거시오, 오부인도 즐거이 도라가시리이다."

윤·양 이부인이 오부인【25】으로 더브러 고금을 답논흐더니, 혜원이[의] 말노 조추 문을 여러 보민, 쇼리 닐곱 가진 황금 굿튼 여이를 즙아 쳘삭의 읆아 왓거늘, 숨부인이 놀나 문기고(問其故)흐딕, 혜원이 비로소 윤·뎡·진 숨부 소식을 즈셔히 긔록흐여 두엇던 거술, 이의 가져와 윤·양 냥부인을 보게 흐며, 여이 신묘랑 녀승이믈 고흐니, 윤·양 이부인이 혜원의 말을 듯고, 형왕과 몽슉이 묘랑으로 더브러 뎡원슈 등 졔인을 함히(陷害)흐므로, 평휘 대역의 걸녀시믈 비로소 드르민, 놀납고 츠악흐미 일신이 썰니는 듯흐고, 묘랑의 젼후 뇨악(妖惡)을 혜아리민, 통완흐미 형상티 못흘지라. 윤부인이 본딕 졔요(制妖)흐는 지죄 잇【26】시민, 드른죽 놀나와, 묘랑을 힝혀 일흘가 흐여 필연(筆硯)을 뇌와 친히 쥬필부작(朱筆符籍)을 뼈, 그 등의 붓치고 꾸디져 승니의 모양이 되라 흐니, 묘랑이 즉시 변흐여 얼골이 빅셜굿고 냥안(兩眼)이 싀별 굿튼 승(僧)이 되어, 빅나장숨(白羅長衫)을 썰치며 소초(莎草)곳갈1307)을 숙엿는지라. 은은흔 살긔와 묽은 긔운과 독흔 긔운이 바로 보기 아니쏘으니, 윤·양 이부인이 즐왈,

"요정이 임의 혜원의게 잡힌 빅 된죽 일명이 쥬류흘 바를 모르지 아니리니, 썰니 젼젼 죄악을 낫낫치 고흐고, 은닉지 말나."

묘랑이 앙텬 탄왈,

"내 평싱 즈부흐여 지죄 운듕즈(雲中子)1308)와 귀곡(鬼谷)1309)의 느리미 업슬가

1365)소초(莎草)곳갈 ; 사초(莎草) 곧 왕골과 같은 사초류(莎草類) 풀로 만든 고깔.
1366)운듕즈(雲中子) : 중국 종남산(終南山)에 산다는 상상적인 신선이름. 중국소설 <봉신연의(封神演義)>에 나온다.
1367)귀곡(鬼谷) : 중국 전국 시대 초나라의 종횡가.

1307)소초(莎草)곳갈 ; 사초(莎草) 곧 왕골과 같은 사초류(莎草類) 풀로 만든 고깔.
1308)운듕즈(雲中子) : 중국 종남산(終南山)에 산다는 상상적인 신선이름. 중국소설 <봉신연의(封神演義)>에 나온다.
1309)귀곡(鬼谷) : 중국 전국 시대 초나라의 종횡가.

가흐여, 텬상(天上) 인간(人間)을 다 통흐여
도 날을 잡으며 졔어【31】홀 지 업술가
흐더니, 엇디 도로혀 활인암 니고의게 잡힐
줄 싱각흐여시리오."

혜원이 분미(憤罵)흐여 다라드러 윤흑스
의 위됴셔간(僞造書簡)을 쎄쳐 윤부인긔 드
리고, 꾸지져 왈,

"젼젼 과악을 고흐라."

흐니, 묘랑 왈,

"내 지죄 용녈흐여 그듸의게 잡혀시니 다
시 므슴 말을 흐리오. 다만 내 닙을 여는
날이면, 윤부인의 조모와 슉모의 허다 악시
드러나리니 니르디 못흐리로다."

혜원이 대로흐여 쇠치를 드러 묘랑의 대
골노브터 일신을 피나게 두다려, 왈,

"내 본디 일싱 도를 슈련흐고 사름으로
더브러 반화본 일이 업더니, 너는 텬하의
희한흔 요믈이오, 죄악이 텬디의 뺫흘 곳이
【32】업스미, 시러곰 흔번 두다리믈 면치
못흐느니, 뎡·딘 냥문을 히흐랴 도모흐던
바는 네 니르디 아니나, 내 임의 아는 빅어
니와, 윤부인의 조모와 슉모를 쇠와 므슴
못흘 노르슬 흐엿관디 이러툿 공교히 꾸미
느뇨?"

묘랑이 알프믈 니긔디 못흐여, 이에 뉴부
인 고부를 도와 허다 간교○[흔] 힝악과 문
양공쥬를 쇠와 평남후의 쳐쳡즈녀(妻妾子
女)를 다 업시흐믈 니르고 비러 왈,

"뎨지 일심(一心)을 그릇 먹어 직물을 탐
흐므로, 죄를 신명긔 엇고 몸이 츠경(此境)
의 밋츠니 홰장하급(禍將何及)이리오. 연이
나 회과블인(悔過不仁)1368)은 셩교(聖敎)의
허흐신 빅라. 수부는 대즈대비(大慈大悲)흐
샤 죄를 샤【33】흐실딘디, 뎡도의 나아가
다시 스오나온 무움을 먹디 아니리니, 일명
을 샤흐쇼셔."

이쩍 혜원이 묘랑의 말을 드를스록 통히흐

흐여, 텬상(天上) 인간(人間)【27】을 다 통
흐여도 날을 줍으며 졔어흘 지 업술가 흐더
니, 엇지 도로혀 활인암 니고의게 잡힐 줄
싱각흐여시리오."

혜원이 분미(憤罵)흐여 드라드러 윤학스
의 위됴셔간(僞造書簡)을 쎄쳐, 윤부인게 드
리고 꾸지져 왈,

"젼젼 과악(過惡)을 고흐라."

흐니, 묘랑 왈,

"내 지죄 뇽녈흐여 그듸의게 잡혀시니 다
시 무슴 말을 흐리오. 다만 내 닙을 여는
날이면 윤부인의 조모와 슉모의 허다 악시
드러나리니, 니르지 못흐리로다."

혜원이 대로흐여 쇠치를 드러 묘랑의 듸
골노브터 일신을 피나게 두드려, 왈,

"내 본디 일싱을 슈도흐여 일죽 스람으로
더브러 싸화본 일이 업더니, 너는 텬하【2
8】의 희한흔 뇨믈이오, 죄악이 텬디의 뺫
흘 곳이 업스미, 시러곰 흔번 두드리믈 면
치 못흐느니, 뎡·진 냥문을 히흐랴 도모흐
던 바는, 네 닐으지 아니나 내 임의 아는
빅어니와, 윤부인의 조모와 슉모를 쇠와 무
슴 못흘 노른슬 흐엿관디, 이러툿 공교히
꾸미느뇨?"

묘랑이 알프믈 니긔지 못흐여, 이의 뉴부
인 고부를 도와 허다 간교 힝악과 문양공쥬
를 쇠와 평후의 쳐쳡즈녀(妻妾子女)를 다 업
시흐믈 니르고, 비러 왈,

"뎨지 일심(一心)을 그릇 먹어 직물을 탐
흐므로, 죄를 신명게 엇고 몸이 츠경(此境)
의 밋츠니 회한하급(悔恨何及)이리오. 연이
나 회과블인(悔過不仁)1310)은 셩교(聖敎)의
허흐신 빅라. 수부는 대즈대비(大慈大悲)흐
스 죄를 샤흐실진【29】디, 뎡됴의 느아가
드시 스오나온 무음을 먹지 아니리니, 일명
을 샤흐라."

이쩍 혜원이 묘랑의 말을 드를스록 통히

은신하던 지방인 귀곡(鬼谷)를 따서 호로 삼았으
며, 《귀곡자(鬼谷子)》 3권을 지었다고 한다.
1368)회과블인(悔過不仁) : 허물과 어질지 못한 행동
을 뉘우치는 것.

은신하던 지방인 귀곡(鬼谷)를 따서 호로 삼았으
며, 《귀곡자(鬼谷子)》 3권을 지었다고 한다.
1310)회과블인(悔過不仁) : 허물과 어질지 못한 행동
을 뉘우치는 것.

고, 윤부인은 조모와 슉모의 악스를 양·오 이부인이 낫낫치 드르미 참괴ᄒ거늘, 남후의 급화를 구ᄒ려 요졍을 잡아 나라히 드리게 되어시니, 위·뉴 이부인의 만상(萬狀)[1369] 강포디악(强暴之惡)이 만셩의 드레는[1370] 바를 스스로 낫치 달호이고 몸이 버히는 듯ᄒ되, 뜻을 뎡ᄒ여 평남후의 대화를 구ᄒ고, 즈긔 스스로 요인을 국가의 밧쳐 조모와 슉모의 과실을 드러나게 ᄒ 허믈과 붓그러오믈, 흔번 죽어 모로고져 ᄒᄆ로, 도로【34】혀 스긔 타연(泰然)ᄒ여 요졍 잡음만 다힝ᄒ니, 엇디 쳔ᄉ만녀(千思萬慮)의 남다른 비회를 낫토리오[1371].

이에 묘랑을 슈족을 잠가 능히 버셔날 길○[이] 《업고ǁ업게 ᄒ니》, 양부인은 뎡·딘 이문 화를 구ᄒ고 각각 신누(身陋)를 버슬 바를 힝열(幸悅)ᄒ나, 윤부인 심회는 ○○[니를] 거시 업더라.

익셜, 션시의 위시 뎡원슈를 함거의 시러 올나오니, 황애 옥휘 평복ᄒ시므로 뎡원슈 잡아오믈 드르시고 바로 친국엄문(親鞫嚴問)ᄒ랴 ᄒ실시, 태학ᄉ 위현은 구몽슉의 간계는 다 아디 못ᄒ되 원간[1372] 쇼인이라. 투현질능(妬賢嫉能)ᄒ미 져의셔 승(勝)ᄒᆫ 즈를 쎠려 믜워ᄒ【35】는 픔(稟)이 잇고, 구몽슉과 가장 호간(好間)[1373]이라. 몽슉의 다리는[1374] 말을 듯고 뎡·딘 이문을 대역디가(大逆之家)로 칙오는디라.

져의 당뉴 오뉵 인과 몽슉으로 더브러 녈명샹소(列名上疏)[1375]ᄒ여, 뎡텬흥을 브졀업시 국문치 마르시고, 바로 쳐참효시(處斬梟示)ᄒ여 그 죄를 뎡히 ᄒ시믈 쳥ᄒ니, 샹이 그 소를 보시고 비답의 튱셩되믈 칭○[찬]

<hr>

1369)만상(萬狀) : 온갖 모양. 온갖.
1370)드레다 : 널리 알려지다.
1371)낫토다 : 나타내다.
1372)원간 : 워낙. ①두드러지게 아주. ②본디부터.
1373)호간(好間) : 서로 좋은 관계를 갖고 지내는 사이.
1374)다리다 : 달래다. 꾀다.
1375)녈명샹소(列名上疏) : 여러 사람이 연명(連名)으로 올리는 상소. 열명(列名); 여러 사람의 이름을 나란히 벌여서 적음.

ᄒ고, 윤부인은 조모와 슉모의 악스를 양·오 이부인이 낫낫치 드르미 참괴커늘, 남후의 급화를 구ᄒ려 뇨졍을 줍아 나라히 드리게 되어시니, 위·뉴 이부인의 만상(萬狀)[1311] 강포지악(强暴之惡)이 만셩의 들레는[1312] 바를, 스스로 낫티 달호이고 몸이 버히는 듯ᄒ되, 뜻을 졍ᄒ여 평남후의 대화를 구ᄒ고, 즈긔 스스로 뇨인을 국가의 밧쳐, 조모와 슉모의 과실을 드러나게 ᄒ 허믈과 붓그러오믈 흔번 죽어 모로고져 ᄒᄆ로, 도로혀 스긔 타연(泰然)ᄒ여 요졍 줍음만 다힝ᄒ니, 엇지 쳔ᄉ만녀(千思萬慮)의 남다른 비회를 낫토리【30】오[1313].

이에 묘랑을 슈족을 즘가 능히 버셔날 길 업고, 양부인은 뎡·딘 이문 화를 구ᄒ고 각각 신누(身陋)를 버슬 바를 대희ᄒ나, 윤부인 심회는 니를 거시 업더라.

닉셜, 션시의 위시 뎡원슈를 함거의 시러 올나오니, 황애 옥휘 평복ᄒ시므로 뎡원슈 줍아 오믈 드르시고 바로 친국엄문(親鞫嚴問)ᄒ시려 ᄒ실시, 틱학ᄉ 위현은 구몽슉의 간계는 다 아지 못ᄒ되, 원간[1314] 쇼인이라. 투현질능(妬賢嫉能)ᄒ미 져의셔 《셩ǁ승(勝)》ᄒᆫ 즈를 쎠려 믜워ᄒ는 픔(稟)이 잇고, 구몽슉과 가장 호관(好關)[1315]이라. 몽슉의 다리는 말을 듯고 뎡·딘 이문을 대역지가(大逆之家)로 칙오는지라.

져의 당뉴 오뉵 인과 몽슉으로 더브【31】러 년명샹소(列名上疏)[1316]ᄒ여 뎡텬흥을 브졀업시 국문치 마르시고, 바로 쳐참효시(處斬梟示)ᄒ여 그 죄를 졍히 ᄒ시믈 쳥ᄒ니, 샹이 그 소를 보시고 비답의 츙셩되믈 칭○[찬]ᄒ시되, 텬흥을 바로 참ᄒᆫ 듯

<hr>

1311)만상(萬狀) : 온갖 모양. 온갖.
1312)드레다 : 널리 알려지다.
1313)낫토다 : 나타내다.
1314)원간 : 워낙. ①두드러지게 아주. ②본디부터.
1315)호관(好關) : 서로 좋은 관계를 갖고 지내는 사이.
1316)년명샹소(列名上疏) : 여러 사람이 연명(連名)으로 올리는 상소. 열명(列名); 여러 사람의 이름을 나란히 벌여서 적음.

흐시디, 텬흥을 바로 참흐믄 듯디 아니시니, 구몽슉이 뎡원슈 죽이고져 흐미 착급 초조흐기의 밋쳐, 다시 쳥디(請對)흐여 왈,

"신이 텬흥으로 더브러 졍의 골육동긔 궃트여, ᄋ시의 흔 그르시 음시[식]○[을] 먹고, 일【36】침(一枕)의 밤을 디니고, 뎡가와 딘광의 은혜 듕흐미, 신 궃튼 혈혈무의(孑孑無依)흔 인싱을 거두어 기른 덕을 바드니[미], 니른 바 하날이 낫고 ᄯ히 좁은 덕음(德音)이라. 맛당이 뎡·딘 등 졔인이 아모리 졍의 듕흐여도, 위인신ᄌ(爲人臣者)흐여 ᄎ마 대역을 안연(晏然)이 교도(交道)의 심다(甚多)흐믈 쓰려 군은(君恩)을 져바리오미 대역(大逆)의 일뉘(一類)라. 고로 우튱(愚忠)이 격발(激發)흐는 바의 쇼쇼(小小) ᄉ은(私恩)을 도라보디 못흐오미니, 복원 셩샹은 쌜니 쳐참효시흐샤, 블의지변(不意之變)을 방비흐쇼셔."

샹이 미급답의 초평후 하원광이 쥬왈,

"신슈블튱(臣雖不忠)이나 군샹을 돕ᄉ오미 관인뎡되(寬仁正道)【37】아닌즉 닙을 열미 업습고, 친현신원쇼인(親賢臣遠小人)흐시믈 딘졍으로 바라오디, 구몽슉 궃튼 쇼인이 잇습는 연고로, 셩듀의 일월디튱(日月之聰)을 가리오고, 튱현을 함히흐미 용납홀 ᄯ히 업게 흐는디라. 뎡텬흥의 관일뎡튱(貫一貞忠)으로뼈 남의셔 쮜여난 일은 못들, 결단흐여 모역은 흐지 아닐 거시오, 져의 슈하의 삼만졍병과 십원명댱(十員名將)을 거나럿고, 텬하병마ᄉ(天下兵馬使)로 구쥐대병(九州大兵)을 가음아니, 비록 위시 나명을 젼홀디라도, 드르며 즉시 함거의 죄인으로 잡혀 올 니 업ᄉ오니, 복원 셩샹은 명찰흐쇼셔."

샹이 미급답(未及答)의【38】몽슉이 변식 왈,

"뎡텬흥의 역모는 임의 드러낫거늘, 그디 군샹긔 내 홀노 뎍발흔 양으로 고흐니, 신ᄌ의 도리 아니로다."

초휘 봉안을 흘니 써 몽슉을 보고, ᄎ게

지 아니시니, 구몽슉이 뎡원슈 죽이고ᄌ 흐미 촉급초조흐기의 밋쳐, 다시 쳥디(請對)흐여 왈,

"신이 텬흥으로 더브러 졍의 동긔골육 궃트여 ᄋ시의 흔 그르시 음식○[을] 먹고, 일침(一枕)의 밤을 지니고, 뎡가와 진광의 은혜 즁흐미, 신궃튼 혈혈무의(孑孑無依)흔 인싱을 거두어 기른 덕을 바드니[미], 니른 바 하늘이 낫고 ᄯ히 좁은 덕음(德音)이라. 맛당이【32】뎡·딘 등 졔인이 아모리 졍이 즁흐여도, 위인신(爲人臣)흐여 ᄎ마 디역을 안연(晏然)이 교도의 심미흐믈 쓰려 군(君)을 져바리오미, 대역(大逆)으로 일뉘(一類)라. 고로 우튱(愚忠)이 격발(激發)흐는 바의 소소(小小) 스은(私恩)을 도라보지 못흐미니, 복원 셩상은 쌜니 쳐참흐ᄉ 블의지변(不意之變)을 방비흐쇼셔."

상이 미급답의 초평후 하원강[광]이 쥬왈,

"신슈블튱(臣雖不忠)이나 군샹을 돕ᄉ오미 관인졍되(寬仁正道)아닌즉 닙을 널미 업고, 친현신원쇼인(親賢臣遠小人)흐시믈 진졍으로 바라오디, 구몽슉 궃튼 쇼인이 잇습는 연고로, 셩쥬의 일월지튱(日月之聰)을 ᄀ리고 튱현을 참히흐미 용납홀 ᄯ히 업게 흐는지라. 뎡【33】텬흥의 관일뎡튱(貫一貞忠)으로써 남의셔 쮜여난 일은 못흔들, 결단흐여 모역은 흐지 아닐 거시오, 져의 슈하의 슴만졍병과 십원명장(十員名將)을 거느럿고, 텬하병마ᄉ(天下兵馬使)로 구쥐대병(九州大兵)을 ᄀ음아니, 비록 위시 나명을 젼홀지라도, 드르며 즉시 함거의 죄인으로 즙혀 올 니 만무흐오니, 복원 셩상은 명찰지(明察之)흐쇼셔."

상이 미급답의 몽슉이 변식 왈,

"뎡텬흥의 역모는 님의 드러낫거늘, 그디 군상게 내 홀노 젹발흔 양으로 고흐니, 신ᄌ의 도리 아니로다."

초휘 봉안을 흘녀 몽슉을 보고 ᄎ게 우어

우어 왈,

"그딕 므스 일○[로] 튱냥을 함히코져 ᄒ
ᄂ뇨?"

몽슉이 대로ᄒ여 낫출 븕히고 크게 결우
고져 ᄒ거늘, 샹이 엄정이 니르샤딕,

"하경이 비록 역뎍(逆賊)을 구ᄒ나, 그 쇼
견이 구경과 닉도ᄒ여, 뎡가를 진짓 이미ᄒ
가 넉이미오. 구경의 쥰급ᄒ믈 빗쳑ᄒ미니,
구경이 과히 노홀 일이 업스니, 딤일 뎡텬
흥을 금일 국문코져 ᄒ엿더니, 냥경(兩卿)이
심히 닷토고 날【39】이 져므러시니, 명일
죄인을 올녀 므르랴 ᄒᄂ니, 믈너갓다가 명
일 모드라."

몽슉이 분ᄒ고 이돌오나 홀일업셔 믈너나
고, 초후도 퇴ᄒ여 집으로 도라가미, 뎡국공
이 평남후의 잡혀 와시믈 므러 알고, 즉시
됴의를 닙고 금궐의 드러와 쳥딕(請對)ᄒ여,
뎡텬흥의 디원극통을 쥬ᄒ미, 말슘이 스리
의 당연ᄒ고 긔운이 녈녈(烈烈)ᄒ여 셔
리1376)를 업슈히 넉일디라. 샹이 탄ᄒ여 굴
오샤딕,

"경이 이딕도록 니르디 아니ᄒ나, 텬흥은
딤의 스회라. 왕법이 스시 업셔 브득이 다
스리려 ᄒ거니와, 딤이 공쥬를 위ᄒ여 참연
ᄒ 뜻이 업스랴."【40】

하공이 뎡원슈의 튱졀을 누누히 쥬ᄒ여
죄명이 허무(虛無)ᄒ믈 일ᄏ더니, 궐문 밧긔
븍히를 뎡벌ᄒ고 도라온 부원슈 이히(以下)
셕고딕죄(席藁待罪)ᄒ믈 환시(宦侍) 고ᄒ니,
샹이 놀나 굴오샤딕,

"텬흥은 역뎍인 고로 나슈(拿囚)ᄒ엿거니
와, 부원슈 이하는 만니 시븍(塞北)의 흉봉
(凶鋒)을 소탕ᄒ 공이 잇고 죄 업거늘, 므슴
연고로 죄를 쳥ᄒᄂ고 므르라."

ᄒ시니, 부원슈로브터 말좌(末座) 댱졸(將
卒)의 니르히 《일츌여구‖여출일구(如出一
口)》히 ○○○○[아뢰기룰],

"대원슈 뎡텬흥의 덕홰 삼군 댱스의 덥
혀, 바라미 덕ᄌ(赤子)의 어미 바람 ᄀ튼

1376)셔리 : 서리. 대기 중의 수증기가 지상의 물체
　　　표면에 얼어붙은 것.

왈,

"그딕 무스 일○[로] 츔냥을 함히코ᄌ ᄒ
ᄂ뇨?"

몽슉이 대로【34】ᄒ여 낫출 븕히고 크
게 결우고ᄌ ᄒ거늘, 상이 엄졀이 닐으스딕,

"하경이 비록 녁뎍(逆賊)을 구ᄒ나, 그 쇼
견이 구경과 닉도ᄒ여 뎡가를 진짓 이미ᄒ
가 넉이미오. 구경의 쥰급ᄒ믈 빗쳑ᄒ미니
구경이 과히 노홀 일이 업스니, 딤이 뎡텬
흥을 금일 국문코ᄌ ᄒ엿더니, 냥경(兩卿)이
심히 닷토고 날이 져므니, 명일 죄인을 올
녀 믈으려 ᄒᄂ니, 믈너갓ᄃᄀ 명일 모드
라."

몽슉이 부답ᄒ고 이돌오나 홀일업셔 믈너
ᄂ고, 초후도 퇴ᄒ여 집으로 도라가미, 뎡국
공이 평남후의 즙혀 와시믈 므러 알고, 즉
시 됴의를 닙고 금궐의 드러와 쳥딕(請對)
ᄒ여, 뎡원슈의【35】지원극통을 쥬ᄒ미,
말슘이 스리의 당연ᄒ고, 긔운이 녈녈(烈烈)
ᄒ여 셔리1317)를 업슈히 넉일지라. 상이 탄
ᄒ여 굴오스딕,

"경이 이딕도록 니르지 아니ᄒ나, 텬흥은
딤의 스회라. 왕법이 스시 업셔 브득이 다
스리려 ᄒ거니와, 딤이 공쥬를 위ᄒ여 참연
ᄒ 뜻이 업스랴."

하공이 뎡원슈의 츔졀을 누누히 쥬ᄒ여
죄명이 허무(虛無)ᄒ믈 닐ᄏ더니, 궐문 밧게
븍히를 졍벌ᄒ고 도라온 부원슈 이히 셕고
딕죄(席藁待罪)ᄒ믈 환시(宦侍) 고ᄒ니, 상
이 놀나 굴오스딕,

"텬흥은 녁뎍인고로 나슈(拿囚)ᄒ엿거니
와, 부원슈 이하는 만니 시븍(塞北)의 흉봉
(凶鋒)을 소탕ᄒ 공이 잇고 죄 업거늘, 무슨
연고로 죄를 쳥ᄒᄂ고 무르라."【36】

ᄒ시니, 부원슈로브터 말좌(末座) 당졸(將
卒)의 니르히 《일츌여구‖여출일구(如出一
口)》히 ○○○○[아뢰기룰],

"대원슈 뎡텬흥의 덕홰 숨군 댱스의 《덥
혀‖덥혀》, 바라미 덕ᄌ(赤子)의 어미 미듬

1317)셔리 : 서리. 대기 중의 수증기가 지상의 물체
　　　표면에 얼어붙은 것.

니르도 말고, 국가의 쥬셕고굉디신(柱石股肱之臣)이라. 임【41】의 위엄이 셔고 덕이 힝흐여, 긔치(旗幟)와 졀월(節鉞)이 향흐는 바의 귀슌치 아닐 지 업고, 북이(北夷)의 셰(勢) 강댱흐므로도 쇽졀 업시 긔를 누이고 갑을 버셔 항복흐니, 신등이 녯 명댱의 용병흐믄 보디 못흐엿거니와, 당시의는 텬흥을 당홀 지 업슬디라. 인심이 흡연이 물이 동으로 흐름 ᄀᆞᆺ투여시듸, 텬흥이 공근흐고 겸손흐미 날노 더흐여 검박(儉朴)기를 위쥬흐니, 빅힝(百行)의 흔 허믈도 업슬 ᄲᅮᆫ 아냐, 울연(蔚然)흔 뎡튱이 몸을 죽여 나라흘 갑고져 흐며, 군샹 우러오미 그 부모의셔 더흐여, 만니 젼딘(戰陣)의 누월 됴회를 참예치 못흐믈 혈심【42】딘졍으로 울결(鬱結)흐여, ᄉᆞ친디회(思親之懷)와 다르미 업스믄 ᄉᆞ졸이 다 흔가디로 아는 빅어늘, 간악 쇼인이 튱현을 싀애(猜礙)흐여 참혹흔 누얼(陋孼)을 싯게 흐니, 닙공승젼(立功勝戰)흐여 개가(凱歌)로 회군흐던 즐거오미 업슨디라. 신등이 죵시를 치[1377] 보아 뎡텬흥이 누얼을 벗디 못흐고 디원극통을 품어 죄ᄉᆞ(罪死)홀딘듸, 신등이 ᄯᆞ라 죽어 그 어진 덕을 갑고져 흐오며, 사름이 미(微)흐고 튱셩되디 못흐여, 셩듀의 실덕을 간치 못흐여 튱현을 화의 건디디 못흐는 허믈을 면코져 흐옵ᄂᆞ니, 바라건듸 텬디 부모는 일월지명으로ᄡᅥ 뎡텬흥의 누명【43】이 이미흐믈 싱각흐샤, 대공이 잇는 신ᄌᆞ로흐여금 참화의 ᄡᅥ러디게 마르쇼셔."

샹이 쳥파의 그 텬흥을 위흐미 이 ᄀᆞᆺ트믈 더옥 의심흐샤, 뎡원슈를 크게 바라미 이셔 텬하를 도모흐민가 넉이시니, 뎡국공이 텬의를 슷치고 지삼 뎡가의 원억흐믈 쥬흐니, 샹이 침음 냥구의 니르샤듸,

"경의 부지 뎡가를 칭원(稱寃)흐미 이러ᄐᆞᆺ흐나, 텬흥의 역모는 여러가디로 흉참흐니, 다만 겨를 올녀 므를 썩의 ᄌᆞ시 알니니,

<hr/>

1377)치 : 채. 아직. 어떤 상태나 동작이 다 되거나 이루어졌다고 할 만한 정도에 아직 이르지 못한 상태를 이르는 말

ᄀᆞᆺᄐᆞᆫ 니ᄅᆞ도 말고, 국가의 쥬셕고공[굉]지신(柱石股肱之臣)이라. 님의 위엄이 셔고 덕이 힝흐여 긔치(旗幟)와 졀월(節鉞)이 향흐는 바의 귀슌치 아닐 지 업고, 북이(北夷)의 셰(勢) 강댱흐므로도 쇽졀업시 긔를 누이고 갑을 버셔 항복흐니, 신등이 녯 명댱의 용병흐믄 보지 못흐엿거니와, 당시의는 텬흥을 당홀 지 업슬지라. 인심이 흡연이 물이 흐름 ᄀᆞᆺ투여시듸, 텬흥이 공근흐고 겸손흐미 날노 더흐여, 검박(儉朴)기를 위쥬흐니 빅힝(百行)의 흔 허믈도 업슬 ᄲᅮᆫ아니라,【37】울연(蔚然)흔 뎡튱이 몸을 죽여 나라흘 갑고져 흐며, 군샹 우러오미 그 부모의셔 더흐여, 만니 젼진(戰陣)의 누월 됴회를 춤예치 못흐믈 혈심 진졍으로 울결(鬱結)흐여, ᄉᆞ친지회(思親之懷)와 다르미 업스믄, ᄉᆞ졸이 다 흔가지로 아는 빅어늘, 간악 쇼인이 튱현을 싀이(猜礙)흐여 참혹흔 누얼(陋孼)을 싯게 흐니, 닙공승젼(立功勝戰)흐여 긔가(凱歌)로 회군흐던 즐거오미 업슨지라. 신등이 죵시를 치[1318]보아 뎡텬흥이 누얼을 벗지 못흐고 지원극통을 품어 죄ᄉᆞ(罪死)홀진듸, 신등이 ᄯᆞ라 죽어 그 어진 덕을 갑고ᄌᆞ 흐오며, ᄉᆞ람이 미흐고 튱셩되지 못흐여 셩쥬의 실덕을 간치 못흐여 튱현을 화의 건지지 못흐는 허믈을 면코ᄌᆞ 흐옵【38】ᄂᆞ니, 바라건듸 텬디 부모는 일월지명으로ᄡᅥ 뎡텬흥의 누명이 이미흐믈 싱각흐소, 대공이 잇는 신ᄌᆞ로흐여금 참화의 ᄡᅥ러지지 말게흐쇼셔."

상이 쳥파의 그 텬흥을 위흐미 이 ᄀᆞᆺ트믈 더옥 의심흐소, 뎡원슈를 크게 ᄇᆞ라미 이셔 텬하를 도모흐민가 넉이시니, 뎡국공이 텬의를 슷치고 지삼 뎡가의 원억흐믈 주흐니, 상이 침음 냥구의 니ᄅᆞ스듸,

"경의 부지 뎡가를 칭원(稱寃)흐미 니러ᄐᆞᆺ흐니[나], 텬흥의 녁모는 여러가지로 흉참흐니, 다만 겨를 올녀 믈을 썩의 ᄌᆞ시 알

<hr/>

1318)치 : 채. 아직. 어떤 상태나 동작이 다 되거나 이루어졌다고 할 만한 정도에 아직 이르지 못한 상태를 이르는 말

믈너가라."

하공이 텬셩이 항항녈일(忼忼烈日)[1378]흔 거술 춤디 못ᄒᆞ여, 다시 황샹의 실덕ᄒᆞ시믈 쥬ᄒᆞ고, 날이 어두온 후 믈【44】너나 궐문 밧긔 의막(依幕) 잡아 잇더라.

샹이 ᄂᆡ뎐의 드르샤 뎡·딘 등 텨티홀 바를 그윽이 싱각ᄒᆞ샤, 그 역뫼 뎍실흔 줄노 아르시고 뎡병부의 위인이 만고의 회한ᄒᆞᄆᆞᆯ 깁히 넘녀ᄒᆞ샤, 비록 공슌히 잡혀 와시나 그윽흔 가온ᄃᆡ ᄆᆞᆫ 변을 디을가 넉이시ᄃᆡ, 태지 뎡·딘 등의 원억ᄒᆞᄆᆞᆯ 힘뼈 간ᄒᆞ여 하원광 부ᄌᆞ의 뜻과 ᄀᆞᆺᄐᆞ시니, 샹이 탄식고 니르샤ᄃᆡ,

"딤이 평일의 뎡텬흥 통우ᄒᆞ미 만됴의 소ᄉᆞ나더니, 그 흉역이 극악기의 밋쳐는 마디 못ᄒᆞ여 다스리고져 ᄒᆞ미라. 뎡텬흥 부ᄌᆞ 형뎨와 딘영슈 등을 올녀 뭇고, 【45】녀슉의 고변ᄒᆞᄆᆞᆯ 닐너 간졍을 ᄌᆞ셔히 므르리라."

태지 텬흥의 원굴ᄒᆞᄆᆞᆯ 지삼 알외시더라.

구몽슉은 신묘랑으로 ᄒᆞ여금 윤흑ᄉᆞ 히홀 셔간을 맛져두고, 슈일이 디나ᄃᆡ 긔쳑이 업ᄉᆞ니, 신묘랑의 그림ᄌᆞ도 보디 못ᄒᆞ니, 몽슉이 괴이ᄒᆞ믈 니겨디 못ᄒᆞ여, 친히 션경ᄉᆞ의 와 ᄎᆞᄌᆞᄃᆡ 역시 ᄌᆞ최 묘망(渺茫)타 ᄒᆞᄂᆞᆫ디라. 본ᄃᆡ 져의 죄악이 만흐므로 묘랑이 아모ᄃᆡ 가 투탁(投託)ᄒᆞ여 져의 과악을 챵셜홀가 ᄌᆞ겁(自怯)ᄒᆞ더라.

혜원니고ᄂᆞᆫ 묘랑을 잡아 가도고 뎡원슈의 잡혀【46】 오기를 기다리더니, 임의 함거의 실녀 올나와 바로 대리시(大理寺)로 들믈 알고, 소문을 널니 듯보아 원슈 잡혀오ᄂᆞᆫ 날 황샹이 셜국친문(設鞫親問)ᄒᆞ려 ᄒᆞ시다가, 일셰(日勢) 늦고 하·구 냥인이 닷토므로, 명일 형위를 베퍼 뎡·딘 등 졔인을 다 국문ᄒᆞ려 ᄒᆞ시믈 ᄌᆞ셔히 아라, 윤·양 이부인긔 고ᄒᆞ니, 윤부인이 묘랑을 잡아 뎡·딘 이문의 신원(伸冤)이 쾌홀 바를 깃거

니니 믈너가라."

하공이 텬셩이 강강녈녈(剛剛烈烈)[1319]흔 거술 춤지 못ᄒᆞ연[여], ᄃᆞ시 황샹의 실덕ᄒᆞ시믈 주ᄒᆞ고, 날이 어두온 후 믈너나 궐【39】문 밧게 의막(依幕) 잡아 잇더라.

샹이 ᄂᆡ뎐의 드르ᄉᆞ 뎡·진 등 처치홀 바롤 그윽이 싱각ᄒᆞᄉᆞ, 그 녁뫼 젹실흔 줄노 아르시고 ,뎡병부의 위인이 만고의 회한ᄒᆞᄆᆞᆯ 깁히 넘녜ᄒᆞᄉᆞ, 비록 공슌이 즙혀 왓시나 그윽흔 가온ᄃᆡ 무슴 변을 지을ᄀᆞ 넉이시ᄃᆡ, 틴지 뎡·진 등의 원억ᄒᆞᄆᆞᆯ 힘뼈 간ᄒᆞ여 하원광 부ᄌᆞ의 뜻과 ᄀᆞᆺᄐᆞ시니, 샹이 탄식고 닐으ᄉᆞᄃᆡ,

"딤이 평일의 뎡텬흥 총우ᄒᆞ{시}미 만됴의 소ᄉᆞ나더니, 그 흉녁이 극악기의 밋쳐는 마지 못ᄒᆞ여 다스리고져 ᄒᆞ미라. 뎡텬흥 부ᄌᆞ 형뎨와 딘녕슈 등을 올녀 뭇고, 녀·됴의 고변ᄒᆞᄆᆞᆯ 닐너 간졍을 ᄌᆞ셔히 므르리라."

틴지 텬흥의【40】 원굴ᄒᆞᄆᆞᆯ 지삼 알외시더라.

구몽슉은 신묘랑으로 ᄒᆞ여금 윤흑ᄉᆞ 히홀 셔간을 마[맛]져두고, 슈일이 지나ᄃᆡ 긔쳑이 업ᄉᆞ니, 신묘랑의 그림ᄌᆞ도 보지 못ᄒᆞ니, 몽슉이 고이ᄒᆞᄆᆞᆯ 니겨지 못ᄒᆞ여 친히 션경ᄉᆞ의 와 ᄎᆞᄌᆞᄃᆡ, 역시 ᄌᆞ최 묘망(渺茫)타 ᄒᆞᄂᆞᆫ지라. 역시 경아ᄒᆞ여 두루 심방ᄒᆞᄃᆡ ᄌᆞ최 업ᄂᆞᆫ지라. 본ᄃᆡ 졔 죄악이 만흐므로 묘랑이 아모ᄃᆡ로나 가 심방ᄒᆞ여 져의 과악을 챵셜홀가 ᄌᆞ겁ᄒᆞ더라.

혜원 니고ᄂᆞᆫ 묘랑을 즙아 ᄀᆞ도고 뎡원슈의 즙혀오기를 기ᄃᆞ리더니, 님의 함거의 실녀 올나와 바로 디리시(大理寺로 들믈 알고, 소문을 널니 듯보아 원슈 즙혀오ᄂᆞᆫ 날 황샹이 셜국친【41】문(設鞫親問)ᄒᆞ려 ᄒᆞ시ᄃᆞ가, 일셰(日勢) 늦고 하·구 냥인이 둣토므로 명일 형위를 베퍼, 뎡·진 졔인을 다 국문○○[ᄒᆞ려] ᄒᆞ시믈 ᄌᆞ셔히 아라, 윤·양 의게 고ᄒᆞ니, 윤부인이 묘랑을 즙아 뎡·진 이문의 신원(伸冤)이 쾌홀 바롤 깃거

[1378]항항녈일(忼忼烈日) : 기개가 매우 굳고 세참.

[1319]강강열열(剛剛烈烈) : 성격이 굳세고 세참.

호나, 조모와 슉모의 과악이 조긔로 인호여
드러날 바를 그윽이 슬허, 출하리 목슘을
쯧쳐 조모와 슉모의 죄명을 듯디 말녀호는
니라. 뎡원슈의 잡혀옴과 명됴(明朝)의 친
【47】 국호랴 호시믈 듯고, 즉시 손가락을
삑여 피를 니여 혈소(血疏)를 디올식, 디원
극통을 베프며 구몽슉과 형왕의 궁흉극악을
곳초 쓸식, 필하의 쥬옥이 분분호여 난봉
(鸞鳳)이 춤추며 쳘소(鐵絲)를 드리온듯 조
획이 찬난호고, 소에(辭語) 명쾌(明快) 조셔
(仔細)호여 흔 곳 몽농호미 업스니, 양시 탄
디칭션(歎之稱善)호며 오시 쏘흔 흠앙경복
(欽仰敬服)호나, 윤부인이 슈디(手指) 듕상
(重傷)호여시니, 냥인이 다 넘녀호여 약을
쓰미라 호디, 윤시 듯디 아니코 유조를 어
로만져 이윽이 비상호다가, 날호여 양시를
향호여 왈,

"쳡이 부인으로 더브러 명위뎍국(名爲敵
國)이나, 피츠 졍【48】 의를 니를딘디 골육
동긔의 감치 아닌디라. 외람이 황영(皇英)의
고소(故事)[1379]를 효측호여 빅년의 즐기믈
기리 바라더니, 쳡의 명되 긔구호여 사름의
당치 못홀 경계를 만히 디니고, 시금의 쏘
당흔 비 살고져 의시 업스니, 셜소 쳡이 댱
슈치 못호여 혹조 일즉 죽으미 이셔도, 부
인이 이시니 유ᄋᆞ(幼兒)의게 쳡이 이심과
어이 다르리오. 일싱일소(一生一死)는 텬니
의 덛덛호고, 쳡이 본디 셰렴(世念)이 젹으
니, 비록 명일 죽는다 호여도 슬픈[플] 일
이 업스디, 구고존당(舅姑尊堂)의 양츈혜퇵
(陽春惠澤)을 갑숩디 못호고, 혈혈(孑孑)○
[흔] 조모(慈母)의 디극흔 졍을 쯧츠미【4
9】 통할(痛割)호도다."

양시 윤부인 말숨이 괴(怪)호믈 가장 놀
나고 깃거 아냐, 믄득 쳑연 왈,

"쳡이 부인으로 더브러 동녈(同列)이 된
디 팔년의, 디극흔 졍이 딘실노 골육동긔의
디나고, 화란 듕 셔로 의디호여 피츠의 슬

호나, 조모와 슉모의 과악이 조긔로 인호여
드러날 바를 그윽이 슬허, 츌하리 목슘을
쯧쳐 조모와 슉모의 죄명을 듯지 말녀호는
지라. 뎡원슈의 잡혀옴과 명됴(明朝)의 친국
호려호믈 듯고, 즉시 손ᄉᆞ락을 ᄲᅵ져 피를
니여 혈소(血疏)를 지을식, 지원극통을 베플
며 구몽슉과 형왕의 궁흉극악을 ᄀᆞ초 쓰니,
필하의 주옥이 난락(亂落)호여 난봉(鸞鳳)이
춤 추며 쳘소(鐵絲)를 드리【42】온 둣, 조
획이 찬난호고 소의(辭意) 명쾌(明快) 조셔
(仔細)호여, 흔 곳 몽농호미 업스니, 양시
탄지칭션(歎之稱善)호며, 오시 쏘흔 흠앙경
복(欽仰敬服)호나, 윤시 슈지(手指) 즁상(重
傷)호여시니, 냥인이 다 넘녀호여 약을 ᄡᅳ
미라 호디, 윤시 《쯧지∥듯지》 아니코 유
조를 어로만져 이윽히 비상호다ᄀᆞ, 날호여
양시를 향호여 왈,

"쳡이 부인으로 더브러 명위젹국(名爲敵
國)이나 피츠 졍의를 닐을진디 골육동긔의
감치 아닌지라. 외람이 황영(皇英)의 고소
(故事)[1320]를 효측호여, 빅년의 즐기믈 기리
바라더니, 쳡의 명되 긔구호여 스람의 당티
못홀 경계를 만히 디니고, 시금의 쏘 당흔
비 살고져 의시 업스니, 셜소 쳡이 댱슈치
못호여【43】 일즉 죽으미 이셔도, 부인이
이시니 유ᄋᆞ(幼兒)의게 쳡이 이심과 어이
다르리오. 일싱일소(一生一死)는 텬니의 ᄶᅳ
ᄶᅳ호고 쳡이 본디 셰렴이 젹으니, 비록 명
일 죽는다 호여도 슬픈[플] 일이 업스디,
구고존당(舅姑尊堂)의 양츈혜퇵(陽春惠澤)을
갑숩지 못호고, 혈혈(孑孑)○[흔] 조모(慈
母)의 지극흔 졍을 쯧츠미 통할(痛割)호도
다."

양시 윤부인 말이 괴이호믈 가장 놀나고
깃거 아냐, 믄득 쳑연 왈,

"쳡이 부인으로 더브러 동녈(同列)이 된
지 팔년의, 지극흔 졍이 진실노 골육동긔의
지나고, 화란 즁 셔로 의지호여 피츠의 슬

1379)황영(皇英)의 고소(故事) : 중국 요(堯)임금의
두 딸인 아황(娥皇)과 여영(女英)이 함께 순(舜)에
게 시집 가, 서로 화목하며 순임금을 섬겼던 일.

1320)황영(皇英)의 고소(故事) : 중국 요(堯)임금의
두 딸인 아황(娥皇)과 여영(女英)이 함께 순(舜)에
게 시집 가, 서로 화목하며 순임금을 섬겼던 일.

픈 회포를 위로ᄒᆞ미 되고, 혜원 슈부의 구활ᄒᆞᆫ 은덕으로 ᄉᆞ문(寺門)의 여러 일월을 보ᄂᆡ여 유치(幼稚)의 ᄌᆞ라믈 두굿기고, 풍운의 길시를 바라거늘, 부인이 엇디 블길ᄒᆞᆫ 말ᄉᆞᆷ을 ᄒᆞ시ᄂᆞ뇨? 첩이 ᄉᆡᆼ각건ᄃᆡ, 묘랑을 잡으ᄆᆡ 그 닙으로 좃ᄎᆞ 나ᄂᆞᆫ 말이 무상(無狀)ᄒᆞ여 녕존당(令尊堂)을 히ᄒᆞ미 만흐리니, 부인이 대의를 굿게 ᄒᆞ【50】여, 묘랑을 잡아 밧치고, 격고등문(擊鼓登聞)코져 ᄒᆞ시나, 녕존당의 히로오믈 슬허ᄒᆞ여 스스로 살고져 ᄆᆞ음을 두디 아니시니, ᄎᆞᆯ하리 부인이 산ᄉᆞ의 계시면 첩이 격고(擊鼓)ᄒᆞ여 묘랑을 밧치고, 텬문(天門)의 결ᄉᆞ(決事)ᄒᆞ시믈 보고져 ᄒᆞᄂᆞ이다.”

윤시 탄왈,

“첩이 묘랑 잡은 줄을 아디 못ᄒᆞ여셔, 부인이 구가의 급화를 구코져 ᄒᆞ여 격고ᄒᆞ시면 훌일업거니와, 첩이 아ᄂᆞᆫ 바를 조모와 슉모긔 유히(有害)타 ᄒᆞ여, 부인으로 ᄒᆞ여금 식이고 첩이 믈너 이실딘ᄃᆡ, 간ᄉᆞ키를 면치 못ᄒᆞ미니, 부인은 이런 말을 마르쇼셔.”

양시 그 언ᄉᆞ를 슈상이 넉여【51】넘녀ᄒᆞ미 업디 아니ᄃᆡ, 임의 격고ᄒᆞ기를 뇌뎡(牢定)ᄒᆞ여시니 능히 말니디 못ᄒᆞ여, 시도록 손을 잡고 참연ᄒᆞᆫ 심회를 금억디 못ᄒᆞ며, 윤시ᄂᆞᆫ 죽으믈 결(決)ᄒᆞ여 쳔슈만녀(千愁萬慮)를 머므르디 아니나, 다만 모친을 ᄉᆡᆼ각ᄒᆞ미 눈물을 금치 못ᄒᆞ더라.

임의 효계(曉鷄) 챵명(唱鳴)ᄒᆞ미, 윤시 혜원으로 ᄒᆞ여금 묘랑을 잡아 뒤흘 좃ᄎᆞ라 ᄒᆞ고, ᄌᆞ긔ᄂᆞᆫ 쥬영 모녀로 더브러 몬져 셩ᄂᆡ(城內)로 드러갈ᄉᆡ, 양시와 오시 암ᄌᆞ 문가디 나와 보ᄂᆡ미, 홀연ᄒᆞᆫ ᄆᆞ음을 니긔디 못ᄒᆞ여, 양시의 이러ᄒᆞ믄 괴이치 아니ᄒᆞ거니와, 오시의 울결(鬱結)ᄒᆞ믄 견혀 윤부【52】인 셩ᄒᆡᆼᄉᆞ덕(性行四德)과 슉ᄌᆞ인풍(淑姿仁風)을 깁히 흠앙ᄒᆞ여 놉흔 스싱ᄀᆞᆺ치 ᄒᆞ던디라, 금일 ᄴᅥ나미 다시 못기 어려오믈 척연(慽然) 의의(依依)ᄒᆞ더라.

픈 회포를 위로ᄒᆞ미 되고, 혜원의 구활ᄒᆞᆫ 은덕으로 ᄉᆞ문(寺門)의 녀러 일월을 보ᄂᆡ여 유치(幼稚)의 ᄌᆞ라믈 두굿기고,【44】 풍운의 길시를 ᄇᆞ라거늘, 부인이 엇지 블길ᄒᆞᆫ 말ᄉᆞᆷ을 ᄒᆞ시ᄂᆞ뇨? 첩이 ᄉᆡᆼ각건ᄃᆡ 묘랑을 잡으ᄆᆡ 그 닙으로 좃ᄎᆞ 나ᄂᆞᆫ 말이 무상(無狀)ᄒᆞ여, 녕존당(令尊堂)을 회[히]ᄒᆞ미 만흐리니, 부인이 대의를 굿게 ᄒᆞ여, 묘랑을 잡아 밧치고 격고등문(擊鼓登聞)코○[져] ᄒᆞ시나, 녕존당의 히로오믈 슬허ᄒᆞ여 스스로 살고져 ᄆᆞ음을 두지 아니시니, ᄎᆞᆯ하리 부인이 산ᄉᆞ의 계시면 첩이 격고(擊鼓)ᄒᆞ여 묘랑을 밧치고, 텬문(天門)의 결ᄉᆞ(決事)ᄒᆞ시믈 보고져 ᄒᆞᄂᆞ이다.”

윤시 탄왈,

“첩이 묘랑 잡은 줄을 아지 못ᄒᆞ여셔, 부인이 구가의 급ᄒᆞ믈 위ᄒᆞ여 격고ᄒᆞ시면 훌일 업거니와, 첩이 아ᄂᆞᆫ 바를 조모와 슉모긔 유히(有害)타 ᄒᆞ【45】여 부인으로 ᄒᆞ여금 식이고, 첩이 믈너 이실딘ᄃᆡ, 간ᄉᆞ키를 면치 못ᄒᆞ미니, 부인은 니런 말을 마르쇼셔.”

양시 윤시의 말을 슈상이 넉이ᄃᆡ, 님의 격고 ᄒᆞ기를 졍ᄒᆞ여시니, 능히 말니지 못ᄒᆞ여 시도록 손을 잡고, 밤이 진토록 참연ᄒᆞᆫ 심회를 금억지 못ᄒᆞ며, 양시 {ᄉᆞ혼} ᄆᆞ음의 일시도 편치 못ᄒᆞ고, 윤시를[ᄂᆞᆫ] 죽기를 결단ᄒᆞ여 쳔슈만녀(千愁萬慮)를 머므지 아니나, 다만 모친을 ᄉᆡᆼ각ᄒᆞ미 눈물을 금치 못ᄒᆞ더라

님의 효계챵명계(曉鷄唱鳴)ᄒᆞ미, 윤시 혜원으로 ᄒᆞ여금 묘랑을 잡아 뒤흘 좃ᄎᆞ라 ᄒᆞ고, ᄌᆞ긔ᄂᆞᆫ 쥬영 모녀로 더브러 몬져 셩ᄂᆡ로 드러갈ᄉᆡ, 양시와 오시 암ᄌᆞ 문가지 나와 보ᄂᆡ미, 홀연ᄒᆞᆫ ᄆᆞ음을 니긔【46】지 못ᄒᆞ여, 양시의 이러ᄒᆞ믄 괴이치 아니ᄒᆞ거니와, 오시의 울결(鬱結)ᄒᆞ믄 견혀 윤부인 셩ᄒᆡᆼᄉᆞ덕(性行四德)과 슉ᄌᆞ혜풍(淑姿惠風)을 깁히 흠앙ᄒᆞ여 놉흔 스싱ᄀᆞᆺ치 ᄒᆞ던지라, 금일 ᄴᅥ나미 ᄃᆞ시 못기 어려오믈 척연(慽然) 의의(依依)ᄒᆞ더라.

윤부인이 궐하의 다드라, 잠간 친국ᄒᆞᄂᆞᆫ 소식을 알냐 의막 잡아 쉬고, 묘랑을 결박ᄒᆞ여 ᄭᅳᆯ을고 셩니의 드러와, 그 요슐을 졔어(制御)ᄒᆞ여 아모 ᄃᆡ도 움죽이디 못○○[ᄒᆞ게] ᄒᆞᆯ ᄲᅮᆫ 아니라, 윤부인의 졔요개(制妖歌) 그 등의 븟쳐 ᄡᅥ러디디 아니케 ᄒᆞ니, 묘랑의 요괴로온 신ᄒᆡᆼ(神行)이 발뵈디 못ᄒᆞ더라.

황샹이 이날 금위관(禁衛官)을 모호시고 크게 텬위를 베퍼 위의를 엄슉히 ᄒᆞ신 후, 뎡·딘 등 졔죄인(諸罪人)을 다 올나라 ᄒᆞ【53】시니, 허다 나졸이 샹명을 응ᄒᆞ여 딘공의 삼곤계와 딘태우 등 군죵 형뎨며, 금평후 ᄉᆞ부ᄌᆞ를 궐졍의 올닐ᄉᆡ, 다 칼 아릭 죄슈로 몸의 대역디명(大逆之名)을 싯고, 군샹의 통히 분완ᄒᆞ시미 쟝찻 쥬륙(誅戮)고져 ᄒᆞᄂᆞᆫ 디경이로ᄃᆡ, 낙양후 부ᄌᆞ의 늠연ᄒᆞᆫ 신광(身光)과 츌뉴ᄒᆞᆫ 긔샹은 개개히 관옥승상(冠玉丞相)[1380]이오, 헌아샤인(軒雅舍人)[1381]으로, 태평셩딕의 쳥현명공(淸賢名公)이 될 비어늘, 금평후의 단엄침듕(端嚴沈重)ᄒᆞᆫ 거동과 슉연녜듕(肅然禮重)ᄒᆞᆫ 위의ᄂᆞᆫ, 비록 참참(慘慘)ᄒᆞᆫ 누얼(陋孽) 가온ᄃᆡ라도 감ᄒᆞ미 업셔, 동용(動容)이 안셔(安舒)ᄒᆞ고 ᄉᆞ긔(辭氣) 타연(泰然)ᄒᆞ여 망극ᄒᆞᆫ 화변을【54】모름 ᄀᆞᆺ거늘, 녜부의 온듕뎡대(穩重正大)ᄒᆞᆷ과 흑ᄉᆞ의 쾌활샹낭(快活爽朗)ᄒᆞ미, 각각 ᄉᆞ싱디졔(死生之際)의 요동(搖動)ᄒᆞᄂᆞᆫ ᄆᆞᄋᆞᆷ을 두디 아니ᄒᆞ니, ᄒᆞ믈며 원슈의 듕산지듕(重山之重)과 하ᄒᆡ디심(河海之心)으로, 어이 익슈(厄數)를 아디 못ᄒᆞ여 일시 화란을 셜셜(屑屑)[1382]이 슬허ᄒᆞ리오마ᄂᆞᆫ, 구별디여(久別之餘)의 부ᄌᆞ형뎨 셔로 ᄃᆡᄒᆞ미, 이 ᄀᆞᆺ치 참참ᄒᆞᆫ 경식(景色)이라. 원슈의 츌텬디효로 금일 그 부친의 대리시 누옥(陋獄)으

1380)관옥승상(冠玉丞相) : 관옥(冠玉: 관을 꾸미는 옥)처럼 아름다운 풍채를 지닌 승상(丞相; 우리나라의 정승에 해당하는 중국의 벼슬).

1381)헌아샤인(軒雅舍人) : 풍채가 뛰어나게 아름다운 사인 벼슬아치. *사인(舍人); 조선 시대에, 의정부에 속한 정사품 벼슬.

1382)셜셜(屑屑)ᄒᆞ다 : 자잘하다.

윤부인이 궐하의 다드라, 잠간 친국ᄒᆞᄂᆞᆫ 소식을 알녀ᄒᆞ여 의막 줍아 쉬고, 묘랑을 결박ᄒᆞ여 ᄭᅳᆯ을고 셩니의 드러와 그 요슐을 졔어(制御)ᄒᆞ여 아모 ᄃᆡ도 움죽이지 못○○[ᄒᆞ게] ᄒᆞᆯ ᄲᅮᆫ아니라, 윤부인의 졔요개(制妖歌) 그 등의 븟쳐 ᄡᅥ러지지 아니케 ᄒᆞ니, 묘랑의 요괴로온 신ᄒᆡᆼ(神行)이 발뵈지 못ᄒᆞ더라.

황샹이 이날 금위관(禁衛官)을 모호시고 크게 텬위를 베퍼 위의를 엄슉히 ᄒᆞ신【47】후, 뎡·진 등 졔죄인(諸罪人)을 다 올나라 ᄒᆞ시니, 허다 나졸이 상명을 응ᄒᆞ여 진공의 슴곤계와 진ᄐᆡ우 등 군죵 형뎨며, 금평후 ᄉᆞ부ᄌᆞ를 궐졍의 올닐ᄉᆡ, 다 칼 아릭 죄슈로, 몸의 대역지명(大逆之名)을 싯고, 군상의 통히 분완ᄒᆞ시미 쟝찻 쥬륙(誅戮)고져 ᄒᆞᄂᆞᆫ 지경의 니르ᄃᆡ, 낙양후 부ᄌᆞ의 늠연ᄒᆞᆫ 신광(身光)과 츌뉴ᄒᆞᆫ 긔샹은 기기이 관옥승상(冠玉丞相)[1321]이오 헌아사인(軒雅舍人)[1322]으로, 태평셩딕의 쳥현명공(淸賢名公)이 될 바어늘, ○○○○[금평후의] 단엄침듕(端嚴沈重)ᄒᆞᆫ 거동과 슉연녜듕(肅然禮重)ᄒᆞᆫ 위의ᄂᆞᆫ, 비록 츰츰(慘慘)ᄒᆞᆫ 누얼(陋孽) 가온ᄃᆡ라도 감ᄒᆞ미 업셔, 동용(動容)이 안셔(安舒)ᄒᆞ고 ᄉᆞ긔(辭氣) 타연(泰然)ᄒᆞ여 망극ᄒᆞᆫ 화변을 모름 ᄀᆞᆺ거늘, 녜부의 온듕졍【48】대(穩重正大)ᄒᆞᆷ과, 흑ᄉᆞ의 쾌활상낭(快活爽朗)ᄒᆞ미 각각 ᄉᆞ싱지졔(死生之際)의 요동(搖動)ᄒᆞᄂᆞᆫ ᄆᆞᄋᆞᆷ을 두지 아니ᄒᆞ니, ᄒᆞ믈며 원슈의 듕산지즁(重山之重)과 하ᄒᆡ지심(河海之心으로, 어이 익슈(厄數)를 아지 못ᄒᆞ여 일시 화란을 셜셜(屑屑)[1323]이 슬허ᄒᆞ리오마ᄂᆞᆫ, 구별지여(久別之餘)의 부ᄌᆞ형뎨 셔로 ᄃᆡᄒᆞ미, 이 ᄀᆞᆺ치 츰츰ᄒᆞᆫ 경식(景色)이라. 원슈의 츌텬지효의[로] 금일 그

1321)관옥승상(冠玉丞相) : 관옥(冠玉: 관을 꾸미는 옥)처럼 아름다운 풍채를 지닌 승상(丞相; 우리나라의 정승에 해당하는 중국의 벼슬).

1322)헌아샤인(軒雅舍人) : 풍채가 뛰어나게 아름다운 사인 벼슬아치. *사인(舍人); 조선 시대에, 의정부에 속한 정사품 벼슬.

1323)셜셜(屑屑)ᄒᆞ다 : 자잘하다.

로 좃추 칼흘 메고 허다 나졸의게 쓰을녀 정하의 쑬믈 당호여, 효즈의 촌장이 구뷔구비 스라져 망극통졀(罔極痛切)호미 실셩비읍(失性悲泣)호믈 면치 못홀 거시로딕, 므음을 굿게【55】 잡아 머리를 슉이고 눈을 낫초아, 비쳑흔 스식을 낫토디 아니호니, 텬일(天日)의 의의(猗猗)흔 긔상과 태산이 암암(巖巖)흔 거동이, 구셕1383)과 가1384)을 엿보디 못호고, 봉봉즈딜(龍鳳資質)이 죄슈의 모양일스록 더옥 긔이호여, 만고(萬古)를 기우려 둘히 업슨 풍신용홰(風神容華)라. 흉듕(胸中)의 경텬위디(經天緯地)호며 졔셰안민(濟世安民)홀 덕화를 금초고, 복듕(腹中)의 만권(萬卷) 시셔(詩書)를 장(藏)호여 빅힝녜의(百行禮儀) 외모의 낫타나니, 궁흉모역(窮凶謀逆)은 비겨 니르도 말고, 반졈 블의비법(不義非法)의 거죄 업스믄 뭇디 아냐 알디라.

샹이 다른 죄인은 오히려 뭇기를 어려이 넉이지 아니호시딕, 뎡병부긔 다다【56】라는 젼일 통우(寵佑)호샤미, 문왕(文王)1385)의 녀상(呂尙)1386)과 고종(高宗)1387)의 부열(傳說1388) 갓고, 겸호여 금뎐녀셔(禁殿女壻)로 스정(私情)의 각별호시믈 쏘 어이 니

1383)구셕 : 모퉁이의 안쪽. 마음 속.
1384)가 : 경계에 가까운 바깥쪽 부분.
1385)문왕(文王) : 중국 주나라 무왕(武王)의 아버지. 이름은 창(昌). 기원전 12세기경에 활동한 사람으로 은나라 말기에 태공망 등 어진 선비들을 모아 국정을 바로잡고 융적(戎狄)을 토벌하여 아들 무왕이 주나라를 세울 수 있도록 기반을 닦아 주었다. 고대의 이상적인 성인 군주의 전형으로 꼽힌다.
1386)녀상(呂尙) : '태공망(太公望)'의 다른 이름. 여(呂)는 그에게 봉해진 영지(領地)이며, 상(尙)은 그의 이름이고 성은 강(姜)이다. 중국 주나라 초기의 정치가로 무왕을 도와 은나라를 멸하고 천하를 평정하였다. 저서에 ≪육도(六韜)≫가 있다.
1387)고종(高宗) : 중국 은(殷)나라 제22대 임금. 이름은 무정(武丁). 꿈에 나타난 현신(賢臣)의 초상화를 그려 부열(傳說)이라는 훌륭한 신하를 등용하고 정사를 바로잡아 은나라를 부흥시켰다.
1388)부열(傳說 : 중국 은(殷)나라 고종(高宗) 때의 재상(宰相), 토목(土木) 공사(工事)의 일꾼이었는데, 당시(當時)의 재상(宰相)으로 등용(登用)되어 중흥(中興)의 대업을 이루었음

부친의 대리시 누옥(陋獄)으로 조추 칼흘 메고 허다 나졸의게 쓰을녀, 뎡하의 쑬니믈 당호니, 효즈의 촌장이 구뷔구비 스라져 망극통졀(罔極痛切)호미 실습[셩]비읍(失性悲泣)호믈 면치 못홀 거시로딕, 므음을 굿게 잡아 머리를 슉이고 눈을 낫초아, 비쳑흔 스식을 낫토지 아니호니, 텬일(天日)의 의의(猗猗)흔 긔상과【49】 태산이 암암(巖巖)흔 거동이 표표(表表)호고, 봉봉즈딜(龍鳳資質)이 죄수의 모양일스록 더옥 긔이호여, 만고(萬古)를 기우려도 둘이 업슨 풍신용홰(風神容華)라. 흉즁(胸中)의 경텬위지(經天緯地)호며 졔셰안민(濟世安民)홀 덕화를 금초고, 복즁(腹中)의 만권(萬卷) 시셔(詩書)를 장호여 빅힝녜의(百行禮儀) 외모의 낫타나니, 궁흉모역(窮凶謀逆)은 비겨 니르도 말고, 반졈 블의비법(不義非法)의 거죄 업스믄 뭇디 아냐 알지라.

상이 다른 죄인〇[은] 오히려 뭇기를 어려이 넉이지 아니호시딕, 뎡병부게 드다르는 젼일 총우(寵佑)호샤미, 문왕(文王)1324)의 녀상(呂尙)1325)과 고종(高宗)1326)의 부열(傳說1327)갓고, 겸호여 〇〇[금뎐]녀셔(禁殿女壻)로 스정(私情)의 각별호시믈 쏘 어이 니믈 비리오. 당추시(當此時)호여 그 흉녁이 분명호므로 아르시미 되여, 딕역【5

1324)문왕(文王) : 중국 주나라 무왕(武王)의 아버지. 이름은 창(昌). 기원전 12세기경에 활동한 사람으로 은나라 말기에 태공망 등 어진 선비들을 모아 국정을 바로잡고 융적(戎狄)을 토벌하여 아들 무왕이 주나라를 세울 수 있도록 기반을 닦아 주었다. 고대의 이상적인 성인 군주의 전형으로 꼽힌다.
1325)녀상(呂尙) : '태공망(太公望)'의 다른 이름. 여(呂)는 그에게 봉해진 영지(領地)이며, 상(尙)은 그의 이름이고 성은 강(姜)이다. 중국 주나라 초기의 정치가로 무왕을 도와 은나라를 멸하고 천하를 평정하였다. 저서에 ≪육도(六韜)≫가 있다.
1326)고종(高宗) : 중국 은(殷)나라 제22대 임금. 이름은 무정(武丁). 꿈에 나타난 현신(賢臣)의 초상화를 그려 부열(傳說)이라는 훌륭한 신하를 등용하고 정사를 바로잡아 은나라를 부흥시켰다.
1327)부열(傳說 : 중국 은(殷)나라 고종(高宗) 때의 재상(宰相), 토목(土木) 공사(工事)의 일꾼이었는데, 당시(當時)의 재상(宰相)으로 등용(登用)되어 중흥(中興)의 대업을 이루었음

를 비리오. 당ᄎ시(當此時)ᄒ여 그 흉역이 분명ᄒ므로 아르시미 되어, 대역을 다스리고져 ᄒ시미, 아조 ᄉ졍을 버히샤 공쥬의 일싱도 녀렴(廬念)치 못ᄒ시ᄂ다라. 이의 금평후와 낙양후 등 삼인을 칙ᄒ여 굴오ᄉ디,

"딤이 경등을 져바린 일이 업고 툥우ᄒ미 늉셩(隆盛)ᄒ거늘, 므어시 브죡ᄒ여 녕슈 등과 텬흉을 가르쳐 그윽이 흉역을 쐬ᄒ고, 상ᄌ(相者)의게 여ᄎ여ᄎ 셔간을 붗쳐 국가를 반ᄒ미 그 디경의 밋쳣시니, 딤이 마디【57】못ᄒ여 다스리미니, 경등은 형벌의 괴로오믈 당치 말고 젼젼(前前) 악슈를 다 고ᄒ라."

뎡·단 ᄉ공(四公)이 샹교(上敎)를 듯줍고 돈슈(頓首) 쳥죄 왈,

"신등이 무상(無狀)ᄒ와 ᄌ딜이 년긔(年紀) 유튱ᄒ 쎠의 과갑을 허ᄒ여, 각각 농누(龍樓)의 비등(飛騰)ᄒ오미 조믈(造物)이 믜이 녀겨 망극ᄒ 화앙(禍殃)을 나리오미라. 당ᄎ디시(當此之時)ᄒ여 신등의 욕심이 긋출 줄을 아디 못ᄒ던 바를 쳔번 뉘웃ᄎ나 능히 밋출 길히 업고, 디어(至於) 모역디ᄉ(謀逆之事)ᄂ 흔갓 형벌의 괴로오믄 의논치 말고, 부월(斧鉞)의 쥬(誅)ᄒ고 졍확(鼎鑊)의 삼길디언졍, ᄎ마 아닛 노르슬 ᄒ엿노라 무복든 못ᄒ오리니, 다만 신등의 작녹(爵祿) 탐(貪)ᄒ던 바를【58】엄히 다스리시고, 흉역디ᄉ(凶逆之事)로 신 등의 됴혼 ᄆ음을 더러이지 마르쇼셔."

ᄉ공이 쥬파(奏罷)의 안뫼 싁싁ᄒ고 ᄉ긔 슉엄ᄒ여, 만승의 위엄이라도 다시 죄를 뭇기 어려온디라. 샹이 도라 평남후를 칙ᄒ샤 왈,

"여뷔(汝父) 비록 이미ᄒ믈 일ᄏ르나, 너의 흉역이 도도히 드러나, 딤의 농포(龍袍)와 옥시(玉璽)를 셰홍이 미리 도뎍ᄒ여 네 거쳐ᄒ던 셔당의 굼초고, 오왕이 네 집 노ᄌ(奴子)의 길 너므믈 인ᄒ여 여ᄎ(如此)ᄒ 셔간이 잡히미 되고, 북쥐 ᄌᄉ(刺史)의 고변이 급ᄒ미, 의심이 듕ᄒ여 네 집을 뒤미 반역디의(叛逆之意)로 시ᄉ(詩詞)를 창화(唱

0】을 다스리고즈 ᄒ시미, 아조 ᄉ졍을 버히ᄉ 공쥬의 일싱도 념녀(念慮)치 못ᄒ시ᄂ지라. 이의 금평후와 낙양후 슴인을 칙ᄒ여 굴오ᄉ디,

"딤이 경등을 져바리지 아니코 츙우ᄒ미 늉셩(隆盛)ᄒ거늘, 무어시 브죡ᄒ여 녕슈 등과 텬흉을 ᄀᄅ쳐 흉역을 쐬ᄒ고, 상ᄌ(相者)의게 여ᄎ여ᄎ 셔간을 붗쳐, 국가를 반ᄒ미 그 지경의 미쳣시니, 딤이 마지 못ᄒ여 다스리미니 경등은 형벌의 괴로오믈 당치 말고 젼젼(前前) 악슈를 다 주(奏)ᄒ라."

뎡·진 ᄉ공(四公)이 상교(上敎)를 듯줍고 돈슈(頓首) 쳥죄 왈,

"신등이 무상(無狀)ᄒ와 ᄌ딜이 년긔(年紀) 유츙ᄒ 쎠의 과갑을 허ᄒ여, 각각 농누(龍樓)의 비등(飛騰)ᄒ오미, 조믈(造物)이 믜이【51】망극ᄒ 화앙(禍殃)을 ᄂ리오미라. 당ᄎ시(當此時)ᄒ여 신등의 욕심이 긎출 줄을 아지 못ᄒ던 바를 쳔번 뉘웃치나 능히 밋출 길히 업고, 《비록∥지어(至於)》 모역지ᄉ(謀逆之事)를[ᄂ] 흔갓 형벌의 괴로오믄 의논치 말고, 부월(斧鉞)의 주(誅)ᄒ고 졍확(鼎鑊)의 즘[ᄉ]길지언졍, ᄎ마 아닌 노르슬 ᄒ엿노라 무복(誣服)든 못ᄒ오리니, 다만 신등의 작녹(爵祿)탐ᄒ던 바를 엄히 ᄃ스리시고, 흉역지ᄉ(凶逆之事)로 신 등의 됴혼 ᄆ음을 더러이지 마르쇼셔."

ᄉ공이 주파(奏罷)의 안뫼 씍○[씍]ᄒ고 ᄉ긔쥰엄ᄒ여, 만승의 위엄이라도 다시 죄를 뭇기 어려온지라. 상이 도라 평남후를 칙ᄒᄉ 왈,

"여뷔(汝父) 비록 이미ᄒ믈 일ᄏᄅ나, 너의 흉역이 도도【521】이 드러나, 딤의 농포(龍袍)와 옥시(玉璽)를 셰홍이 미리 도젹ᄒ여 네 거쳐ᄒ던 셔당의 굼초고, 오왕이 네 집 노ᄌ의 길 너므믈 인ᄒ여 품었던 셔간이 잡히미 되고, 북쥐 ᄌᄉ(刺史)의 고변이 급ᄒ미, 의심이 즁ᄒ여 네 집을 뒤미, 반녁지의(叛逆之意)로 시ᄉ(詩詞)를 창화(唱

和)혼 것과 뇽포 옥식를 다 어더 닉고, 구
몽슉○[이] 샹ᄌ(相者)를【59】 잡아 드리거
늘, 엄히 츄문ᄒ려 ᄒ엿더니 그 요괴로온
도싀 여ᄎ여ᄎ 니르고 도망ᄒ니, 변시(變事)
블측(不測)ᄒ여 잡을 길히 업고, 모야(暮夜)
의 침궁의 드러와 흉변을 디(려 ᄒ다가,
제 도로ᄒ혀 다라나고 금낭(錦囊)이 써러져
두 장 셔식 다 모역을 낭ᄌ(狼藉)히 의논ᄒ
여시니, 네 온 가디로 곰초려 ᄒ여도 딤이
셰셰히 다 아라시니, 능히 발명치 못ᄒᆯ디라.
너다려 뭇디 아니코 바로 쳐참 효시ᄒ여 후
셰 난신뎍ᄌ(亂臣賊子)를 징계ᄒ미 맛당ᄒ
ᄃ, 딤이 오히려 젼후 흉역지ᄉ를 ᄌ셔히
뭇고 죽이랴 ᄒ미라. 모로미 혼 일도 은닉
지 말나."

뎡병뷔 브복(俯伏) 디쥬 왈,

"폐히 신【60】을 바로 참효(斬梟)[1389]치
아니시면, 역뎍을 다스리는 도리 원졍(原情)
을 바ᄃ신 후 므르시는 거시 올코, 비록 원
졍을 밧디 아니셔도 엄히 국문ᄒ샤, 골육이
미란(靡爛)키의 ᄒ시미 맛당ᄒ오니, 엇디 형
벌 젼의, 다만 신의 ᄆ음이 빅일(白日)이 빗
최여시ᄃ, 폐하는 대역난신(大逆亂臣)으로
아르샤 삼죡을 쥬멸(誅滅)ᄒᆯ디라도, 신은 압
히 굽디 아니코 디은 죄 업스믈 인ᄒ여, 죽
어 녕빅이 쳔뒤(泉臺) 아리 도라가도, 뇽봉
(龍逢)[1390] 비간(比干)[1391]의 뒤흘 쑬오나
븟그럽디 아니ᄒ오ᄃ, 다만 개연(慨然)혼 밧
ᄌ는 다른 일이 아니라, 신이 년긔 이칠의
뇽누의 어향(御香)을 쏘이고, 더러온 ᄌ최
경악(經幄)【61】의 근시(近侍)ᄒ와 셩통(聖
寵)의 늉늉(融融)ᄒ시믈 당ᄒ오ᄃ, 신이 혼
일도 군샹을 돕습디 못ᄒ고, 신이 힝신이

1389)참효(斬梟) : 죄인의 목을 베어 높은 곳에 매달
　아 놓음. 또는 그런 형벌
1390)뇽봉(龍逢) : 중국 하(夏)나라 마지막 왕인 걸왕
　(桀王) 때의 충신. 이름은 관용봉(冠龍逢). 걸왕의
　폭정을 직간하다가 주살(誅殺) 당했다.
1391)비간(比干) : 중국 은(殷)나라 마지막 왕 주왕
　(紂王)의 숙부(叔父). 현인(賢人). 주왕의 폭정을
　직간하던 중, 대로한 주왕이 '옛부터 성인은 심장
　에 구멍이 7개가 있다는데 정말 그러한가 보자'며
　그의 심장을 도려내어 죽였다 함.

和)혼 것과, 뇽포 옥식를 다 어더닉고, 구몽
숙이 샹ᄌ(相者)를 잡아 드려, 엄히 추문ᄒ
려 ᄒ엿더니, 그 요괴로온 도싀 여ᄎ여ᄎ
니르고 도망ᄒ니, 변시(變事) 블측(不測)ᄒ
여 즙을 길히 업고, 모야(暮夜)의 침궁의 드
러와 흉변을 지으려 ᄒ다가, 제 도로ᄒ혀 다
라나고 금낭(錦囊)이 써러져 두 장 셔식 다
모역을 낭ᄌ(狼藉)히 의논ᄒ여시니, 네 온
가지로 곰초려 ᄒ여도【53】 딤이 셰셰히
다 아라시니, 능히 발명치 못ᄒᆯ지라. 너다려
뭇지 아니ᄒ고 바로 쳐참 효시ᄒ여 후셰 난
신적ᄌ(亂臣賊子)를 징계ᄒ미 맛당ᄒᄃ, 딤
이 오히려 젼후 흉역지ᄉ를 ᄌ셔히 뭇고 죽
이랴 ᄒ미라. 모로미 혼 일도 은닉지 말나."

뎡병뷔 복부(伏俯) 디주 왈,

"폐히 신을 바로 참효(斬梟)[1328]치 아니
시면, 녁뎍을 다스리는 도리 원졍(原情)을
바ᄃ신 후 무르시는 거시 올코, 비록 원졍
을 밧지 아녓셔도 엄히 국문ᄒᆞᆺ 골육이 미
란(靡爛)키의 ○○○[ᄒ시미] 맛당ᄒ오니,
엇지 형벌 젼의, 다만 신의 ᄆ음이 빅일(白
日)의 빗최여, 폐하는 대역난신(大逆亂臣)으
로 아르샤 슴죡을 주멸(誅滅)ᄒᆯ지라도, 신은
압히 굽지 아니코 지은 죄 업ᄉ오믈 인ᄒ
여,【54】 죽어 녕빅이 쳔뒤(泉臺) 아리 도
라가도, 뇽봉(龍逢)[1329] 비간(比干)[1330]의
뒤흘 ᄯ로나 븟그러은 바는 업ᄉᄃ, 다만
가연(慨然)혼 밧ᄌ는 다른 일이 아니라, 신
이 년긔 이칠의 뇽누의 어향(御香)을 쏘히
고, 더러온 ᄌ최 경악(經幄)의 근시(近侍)ᄒ
와 셩춍(聖寵)의 늉늉(融融)ᄒ시믈 당ᄒ오
ᄃ, 신이 혼일도 군샹을 돕습지 못ᄒ고, 신

1328)참효(斬梟) : 죄인의 목을 베어 높은 곳에 매달
　아 놓음. 또는 그런 형벌
1329)뇽봉(龍逢) : 중국 하(夏)나라 마지막 왕인 걸왕
　(桀王) 때의 충신. 이름은 관용봉(冠龍逢). 걸왕의
　폭정을 직간하다가 주살(誅殺) 당했다.
1330)비간(比干) : 중국 은(殷)나라 마지막 왕 주왕
　(紂王)의 숙부(叔父). 현인(賢人). 주왕의 폭정을
　직간하던 중, 대로한 주왕이 '옛부터 성인은 심장
　에 구멍이 7개가 있다는데 정말 그러한가 보자'며
　그의 심장을 도려내어 죽였다 함.

밋브디 아니ᄒᆞ오므로 폐히 신을 망측ᄒᆞᆫ 죄
루의 의심ᄒᆞ시고, 긔괴(奇怪)코 가쇼로온 일
을 신이 ᄒᆞᆫ 바로 아르시니, 신이 누루(累累)
히 발명ᄒᆞ오미 구ᄎᆞᄒᆞ온디라. 그러나 성샹
실덕이 여ᄎᆞᄒᆞ시니 엇디 간치 아니리잇고?
신이 셜ᄉᆞ 극악ᄒᆞ여 모역(謀逆)ᄒᆞ미 이실디
라도, 일을 반ᄃᆞ시 쥬밀(周密)이 ᄒᆞ여 힝혀
소문날가 두릴 거시오. 경샤의 잇는 ᄯᅥ의
병권을 총녕(總領)ᄒᆞ니, 그윽ᄒᆞᆫ 가온딕 변을
디으리니, 엇디 만니 히븍(海北)의셔 이덕
(夷狄)과 동심ᄒᆞ여 흉모를 힝ᄒᆞ며, 비록 븍
이(北夷)와【62】 동심ᄒᆞ미 이셔도, 대군을
모라 승젼(勝戰) 반샤(班師)ᄒᆞ기를 일홈ᄒᆞ여
도라오면 의심ᄒᆞᆯ 비 업거늘, 히븍 졔븍(諸
北)의 반셔(叛書)를 돌나[1392] 엇디 고변ᄒᆞ
미 이실 바를 싱각디 못ᄒᆞ오며, 신뎨(臣弟)
등이 농포와 옥시를 도뎍ᄒᆞ미 신을 위ᄒᆞ미
라 ᄒᆞ시니[나], 비록 궁흉○[흔] 의시 이셔
텬위를 찬탈코져 ᄒᆞᄂᆞᆫ 디경이라도, 신이 그
런 ᄯᅳᆺ을 일우는 날이면 농포와 옥시는 ᄌᆞ연
도라올 거시어늘, 미리 도뎍ᄒᆞ여 어더닉기
쉽게 셔지의 두어시며, 흉역지의 이신들 낭
ᄌᆞ히 시ᄉᆞ의 드노화 스스로 멸망디화를 취
코져 ᄒᆞᆯ ᄆᆞ음이 업슬 거시오, 신의 샹쇠 폐
하의 니르신 바【63】 ᄀᆞᆺ틀디라도, 블측ᄒᆞᆫ
덕심(賊心)이 이시면 닉렴(內念)의 그러히
《넉이나∥녁일지언졍》 인신(人臣)이 되여
남다려 졔 샹모를 그디도록 기려 외람ᄒᆞᆫ 곳
의 견조아 비길 인시 업슬 ᄃᆞᆺᄒᆞ옵고, 그 샹
지 딘실노 신의 샹모를 그갓치 칭찬ᄒᆞ미 딘
실ᄒᆞᆯ디라도, 그 간슐(奸術)이 능히 어젼의
셔 변화ᄒᆞ여 다라날 신슐(神術)이 이시면
구몽슉이 능히 잡을 비 아니오, 딘실노 잡
아실딘딕 그 잡는 직조로ᄡᅥ 단단이 딕힐 비
오니, {요도와 몽슉이} 폐하의 일월지명이
부운의 옹폐키를 면치 못ᄒᆞ와 이런 간샤ᄒᆞᆫ
마듸를 ᄉᆞ못디[1393] 못ᄒᆞ시미니, 이는 젼혀
쇼인과 녕신을 갓가이 두신 연괴라. 그 요

1392)돌나다 : 돌리다. 어떤 물건을 나누어 주거나
　　배달하다. *돌나; 돌려.
1393)ᄉᆞ못다 : 깨닫다.

이 힝신이 밋브지 아니ᄒᆞ오므로, 폐히 신을
망측ᄒᆞᆫ 죄루의 의심ᄒᆞ시고, 긔괴(奇怪)코 가
쇼로온 일을 신이 ᄒᆞᆫ 바로 아ᄅᆞ시니, 신이
누루(累累)히 발명ᄒᆞ오미 구ᄎᆞᄒᆞ온지라. 그
러나 성샹 실덕이 여ᄎᆞᄒᆞ시니, 엇지 간치
아니리ᄒᆞ리오. 신이 셜ᄉᆞ 극악ᄒᆞ여 모역(謀
逆)ᄒᆞ미 잇슬지라도, 일을 반ᄃᆞ시 주밀(周
密)이ᄒᆞ여 힝혀 소문날가 두릴 거시오, 경
ᄉᆞ의 잇는 ᄯᅥ【55】의 병권을 총녕(總領)ᄒᆞ
니, 그윽ᄒᆞᆫ 가온딕 변을 지으리니, 엇지 만
니 히븍(海北)의셔 이젹(夷狄)과 동심ᄒᆞ여
○…결락18자…○[흉모를 힝ᄒᆞ며, 비록 븍
이(北夷)와 동심ᄒᆞ미 이셔도], 딕군을 모라
승젼(勝戰) 반샤(班師)ᄒᆞ기를 일홈ᄒᆞ여 도라
오면 의심ᄒᆞᆯ 비 업거늘, 히븍 졔븍(諸北)의
반셔(叛書)를 돌나[1331] 엇지 고변ᄒᆞ미 이실
바를 싱각지 못ᄒᆞ오며, 신뎨(臣弟) 등이 농
포와 옥시를 도젹ᄒᆞ미 신을 위ᄒᆞ미라 ᄒᆞ시
니[나], 비록 궁흉○[흔] 의시 잇셔 텬위를
찬탈코ᄌᆞ ᄒᆞᄂᆞᆫ 지경이라도, 신이 그런 ᄯᅳᆺ을
일우는 날이면 농포와 옥시를 도젹 아니ᄒᆞ
여도, ᄌᆞ연 도라올 거시어늘, 미리 도젹ᄒᆞ여
어더닉기 쉽게 셔지의 두어시며, 흉역지의
잇신들 낭ᄌᆞ히 시ᄉᆞ의 드노화 스스로 멸망
지화를 취ᄒᆞ리오. 신의 샹쇠 폐하의 니르신
바【56】 ᄀᆞᆺ틀지라도, 블측ᄒᆞᆫ 젹심(賊心)이
이시면 닉렴(內念)의 그러히 《넉이나∥녁
일지언졍》, 인신(人臣)이 되여 남ᄃᆞ려 져의
샹모를 스스로 그디도록 기려, 외람ᄒᆞᆫ 곳의
견조아 비길 인시 업슬 ᄃᆞᆺᄒᆞ옵고, 그 샹지
진실노 신의 샹모를 그갓치 칭찬ᄒᆞ미 진실
ᄒᆞᆯ지라도, 그 간슐(奸術)이 능히 어젼의 셔
변화ᄒᆞ여 다라날 신슐(神術)이 이시면, 구몽
슉이 능히 줍을 비 아니오, 진실노 잡아실
딘딕, 그 줍는 직조로ᄡᅥ 단단이 딕힐 비오
니, {요도와 몽슉이} 폐하의 일월지명이 부
운의 옹폐키를 면치 못ᄒᆞ와 니런 간샤ᄒᆞᆫ 마
듸를 써닷지 못ᄒᆞ시미니, 이는 젼혀 쇼인과
녕신을 ᄀᆞᆺᄀᆞ이 두신 연괴라. 그 요괴로온

1331)돌나다 : 돌리다. 어떤 물건을 나누어 주거나
　　배달하다. *돌나; 돌려.

【64】 괴로온 샹지(相者) 심야의 칼흘 빗겨 대변을 짓고져 ᄒᆞ다가 도망홀딘딕, 그런 비상훈 직조로 쏘 므슴 잡힐이 이시며, 쏘 의괴흔 밧즈ᄂᆞᆫ, 하고(何故)로 금낭이 쩌러져 두 장 흉셔를 공교히 폐하의 안탑(案榻)의 어람케 ᄒᆞ오며, 신의 졔뎨(諸弟) 등이 모역ᄒᆞᄂᆞᆫ 셔간을 신의게 븟치노라 노즈를 보닉여도, 그런 듕난흔 셔간을 난만이 허슈케1394)ᄒᆞ여 보닐 일도 업고, 쏘ᄂᆞᆫ 길흘 에워1395) 보닉거나 그러치 아니면 출하리 바른 길노 취운산으로셔 바로 북으로 가미 올커ᄂᆞᆯ, 브졀업시 십즈가의셔 오왕 뎐하의 힝ᄒᆞ시ᄂᆞᆫ 길흘 건널 일 업고, 비록 길흘 건너도 그 셔간을 짐【65】 즛 쌘디오지 아니ᄒᆞ오리니, 엇디 일이 것츨기를 취ᄒᆞ여 셔간을 쌘디오고, 신의 집 노직믈 일일히 고ᄒᆞ여, 다시 뭇디 못ᄒᆞ여셔 므슴 지간으로 옥니를 속이고 월옥도쥬(越獄逃走) ᄒᆞ여시리잇고? 일마다 딘실노 삼쳑(三尺)1396)도 고디 드를 말숨이 아니라. 신이 누명을 이둘와 ᄒᆞᄂᆞᆫ 거시 아니라, 일신의 참형을 바드며 삼족의 굿길 바를 슬허홈도 아니오, 폐하의 실덕ᄒᆞ시믈 이둘와 혈심딘졍(血心眞正)으로 셜워ᄒᆞ옵ᄂᆞ니, 신의 ᄉᆞ싱유무ᄂᆞᆫ 불관ᄒᆞ거니와, 셩쥬ᄂᆞᆫ 신민의 션악현우(善惡賢愚)를 즈시 살피시고, 죄의 경듕을 혜아리셤즉 ᄒᆞ오니, 신은 다만【66】 쟉녹을 탐ᄒᆞ와 져믄 나히 위권(威權)이 과도ᄒᆞ오딕, 물너나믈 엇디 못ᄒᆞ오미 죄로소이다.”

언쥬(言奏)ᄒᆞ기를 맛츠미, 그[구]츄상텬(九秋霜天)ᄀᆞᆺ튼 위의(威儀)와 산두명월(山頭明月) ᄀᆞᆺ튼 얼골이 볼스록 긔이ᄒᆞ여, 눈을 옴기기 앗가오니, 쳑탕(滌蕩)흔 풍뉴와 슈앙(秀昻)흔 골격이, 니빅(李白)이 다시 살고 반악(潘岳)1397)이 도라오나 감히 치 잡아

상지(相者) 심야의 칼흘 빗겨 대변을【57】 짓고즈 ᄒᆞ다가 도망홀진딕, 그런 비상흔 직조로 쏘 무슴 잡힐 이 이시며, 쏘 의괴흔 밧즈ᄂᆞᆫ, 하고(何故)로 금낭이 쩌러져 두 장 흉셔를 공교히 폐하의 안탑(案榻)의 어람케 ᄒᆞ오며, 신의 졔뎨(諸弟) 등이 모녁ᄒᆞᄂᆞᆫ 셔간을 신의게 븟치노라 노즈를 보닉여도, 그런 즁난흔 셔간을 난만이 허슈케1332)ᄒᆞ여 보닐 일도 업고, 쏘ᄂᆞᆫ 길흘 에워1333) 보닉거나 그러치 아니면 출하리 바른 길노 취운산으로셔 바로 북으로 가미 올커ᄂᆞᆯ, 브졀업시 십즈가의셔 오왕 뎐하의 힝ᄒᆞ시ᄂᆞᆫ 길을 건닐 닐 업고, 비록 길흘 건너도 그 셔간을 짐즛 쌘지오지 아니리니, 엇지 일을 것츨기를 취ᄒᆞ여 셔간을 쌘지오고, 【58】 신의 집 노직믈 일일히 고ᄒᆞ고, 다시 뭇지 못ᄒᆞ여셔 므슨 지간으로 옥니를 속이고 월옥도쥬(越獄逃走) ᄒᆞ여시리잇가? 일마다 진실노 삼쳑동(三尺童)1334)도 고지 들을 말숨이 아니라. 일신의 참형을 바드며 숨죡의 굿길 바를 슬허홈도 아니오, 폐하의 실덕ᄒᆞ시믈 이둘와 혈심진졍(血心眞正)으로 셜워ᄒᆞ옵ᄂᆞ니, 신의 ᄉᆞ싱 유무ᄂᆞᆫ 불관ᄒᆞ거니와, 셩쥬ᄂᆞᆫ 신민의 션악현우(善惡賢愚)를 즈시 살피시고, 죄의 경즁을 혜아리셤즉 ᄒᆞ오니, 신은 다만 쟉녹(爵祿)을 탐ᄒᆞ와 져믄 나히 위권(威權)이 과도ᄒᆞ오딕, 물너나믈 엇지 못ᄒᆞ오니[미] 죄로소이다.”

언쥬파(言奏罷)의 구츄상텬(九秋霜天)ᄀᆞᆺ튼 위의(威儀)와 산두명월(山頭明月) ᄀᆞᆺ튼 얼골이【59】 볼스록 긔이ᄒᆞ여, 눈을 옴기기 앗가오니, 쳑탕(滌蕩흔 풍뉴와 슈앙(秀昻)흔 골격이 니빅(李白)이 ᄃᆞ시 살고 반악(潘岳)1335)이 도라오나, 감히 치 줍아 병구(竝

1394)허슈ᄒᆞ다 : 허수하다. 짜임새나 단정함이 없이 느슨하다.
1395)에우다 : 에워싸다. 둘레를 빙 둘러싸다.
1396)삼쳑(三尺) : 삼척동자(三尺童子)의 줄임말.
1397)반악(潘岳) : 247~300. 중국 서진(西晉) 때의 문인. 자는 안인(安仁). 미남이었고 망처(亡妻)를 애도한 <도망시(悼亡詩)>가 유명하다.

1332)허슈ᄒᆞ다 : 허수하다. 짜임새나 단정함이 없이 느슨하다.
1333)에우다 : 에워싸다. 둘레를 빙 둘러싸다.
1334)삼쳑(三尺) : 삼척동자(三尺童子)의 줄임말.
1335)반악(潘岳) : 247~300. 중국 서진(西晉) 때의 문인. 자는 안인(安仁). 미남이었고 망처(亡妻)를 애도한 <도망시(悼亡詩)>가 유명하다.

병구(竝驅)치 못홀디라. 샹이 그 조건조 건1398) 발명이 쑤미며 은닉홀 거시 업고 원억흔 바를 드르시고, 텬안이 유예미결(猶豫未決)1399)ㅎ샤 아모리 쳐티홀 바를 아디 못ㅎ시거늘, 조샹국과 모든 직렬명ᄉ(宰列名士) 아오라 ᄉ십여【67】인이 뎡텬흥의 디원극통을 쥬ㅎ여[고], 뎡국공 부지 녁쟁(力爭) 고간(苦諫)ㅎ여 뎡·딘 등을 칭원(稱寃)ㅎ미, 위ㅎ여 죽을 쑷이 이시니, 샹이 텬흥의 인심 어드미 이ᄀᆞᆺ트믈 도로혀 깃거 아니샤 의려를 프디 못ㅎ시거늘, 구몽슉 위흔 당뉴 일반 쇼인 이십여 인이 샹긔 역쥬(亦奏)ㅎ여, '녁뎍을 엄히 다ᄉ리쇼셔' 쳥ㅎ믈 마디 아니ㅎ고, 구몽슉은 더옥 뎡텬흥의 언시 능휼(能譎)ㅎ믈 여러 번 간ㅎ여, 흔 말도 아니 쑤미ᄂᆞᆫ 일이 업스믈 쥬ㅎ니, 원슈ᄂᆞᆫ 그 거동을 어히 업시 넉여 믁연ㅎ되, 태우 딘영슈와 흑ᄉ 뎡셰흥이【68】텬셩의 과격ㅎ믈 능히 춤디 못ㅎ여, 몽슉의 낫츨 향ㅎ여 길게 춤 밧고, 고셩 즐왈,

"간악 쇼인이 셩듀의 일월디명(日月之明)을 가리오고, 연고 업시 튱현을 모히ㅎ여 우리 두 집이 멸문ㅎ믈 보고져 ㅎ거니와, 텬일이 지방(在傍)ㅎ고 신명이 묵우ㅎ니 네 져리코 능히 복을 바드며 슈를 향(享)ㅎ랴? 모로미 삼가고 조심ㅎ여 화앙(禍殃)을 당치 말고, 궁흉간교히 사름을 깅참(坑塹)의 함닉디 말디니, 네 비록 것ᄎ로 말을 쑤미며 셩춍을 흐리오나, 스스로 네 ᄆᆞ음이 붓그럽디 아니냐?"

몽슉이 대로ㅎ여 눈을 흘긔【69】여 냥인을 삼킬ᄃᆞ시 믜워 보다가, 샹긔 쥬왈,

"신이 어려셔 딘광의 거두어 양휵흔 은혜를 바드믄 임의 폐하의게 알외온 비라. 이제 딘영슈 등과 뎡텬흥의 흉역이 만고의 드믄 바ᄂᆞᆫ 아디 못ㅎ고, 져 역당으로 더브러 졍의 동긔 ᄀᆞᆺ습던 일이 한심ㅎ온디라, 만일

驅)치 못홀지라. 상이 그 조건조건1336) 발명이 쑤미며 은닉홀 거시 업고, 원억흔 바를 드르시고 텬안이 뉴예미결(猶豫未決)1337)ㅎ사, 아모리 쳐치홀 바를 아지 못ㅎ시거늘, 조상국과 모든 직렬명ᄉ(宰列名士) 아오라 ᄉ십여인이, 텬흥의 지원극통을 주ㅎ여[고], 뎡국공 부지 녁쟁(力爭) 고간(苦諫)ㅎ여 뎡·딘 등을 칭원(稱寃)ㅎ미, 위ㅎ여 죽을 쑷이 이시니, 상이 텬흥의 인심 어드미 이 ᄀᆞᆺ트믈 도로혀 깃거 아니ᄉ 의려를 프지 못ㅎ시거늘, 구몽슉 위흔 동뉴【60】《십연이∥십여인》○[이] 상게 역주(亦奏)ㅎ여 '녁뎍을 엄히 다ᄉ리쇼셔' 쳥ㅎ믈 마지 아니ㅎ고, 구몽슉은 더옥 뎡텬흥의 언시 능휼(能譎)ㅎ믈 녀러 번 간ㅎ여 흔 말도 아니 쑤미ᄂᆞᆫ 일이 업스믈 쥬ㅎ니, 원슈ᄂᆞᆫ 그 거동을 어히 업시 넉여 믁연ㅎ되, 티우 딘녕슈와 흑ᄉ 셰흥이 텬셩의 과격ㅎ믈 능히 춤지 못ㅎ여, 몽슉의 낫출 향ㅎ여 길게 춤 밧고 고셩 《주왈∥즐왈(叱曰)》,

"간악 쇼인이 셩쥬의 일월지명(日月之明)을 가리오고, 연고 업시 츙현을 모히ㅎ여, 우리 두 집이 멸문ㅎ믈 보고져 ㅎ거니와, 텬일(天日)이 지방(在傍)ㅎ고, 신명이 묵우ㅎ니 네 져리코 능히 복을 바드며 슈를 향(享)ㅎ랴?【61】모로미 슴가고 조심ㅎ여 화앙(禍殃)을 당치 말고, 궁흉간교히 ᄉ람을 깅참의 함닉지 말지니, 네 비록 것ᄎ로 말을 쑤미며 셩춍을 흐리오나, 스스로 네 ᄆᆞ음이 붓그럽지 아니ㅎ냐?"

몽슉이 대로ㅎ여 눈을 흘긔여 냥인을 삼킬ᄃᆞ시 믜워 보다가 상게 주왈,

"신이 어려셔 진광의 거두어 양휵흔 은혜를 바드믄 임의 폐하의게 알외온비라. 이졔 진녕슈 등과 뎡텬흥의 흉녁이 만고의 드믄 바ᄂᆞᆫ 아지 못ㅎ고, 져 녁당으로 더브러 졍의 동긔 ᄀᆞᆺ습던 일이 한심ㅎ온지라. 만일

1398)조건조건 : 조근조근. 차근차근. 말이나 행동 따위를 아주 찬찬하게 순서에 따라 조리 있게 하는 모양.

1399)유예미결(猶豫未決) : 망설여 일을 결정하지 못함.

1336)조건조건 : 조근조근. 차근차근. 말이나 행동 따위를 아주 찬찬하게 순서에 따라 조리 있게 하는 모양.

1337)유예미결(猶豫未決) : 망설여 일을 결정하지 못함.

국가를 위치 아니ᄒ오면, 신이 딘광과 뎡연의 은덕을 져바려 딘영슈 뎡텬흥 등의 대역지죄를 엇디 ᄎ마 뎍발(摘發)ᄒ리잇고마ᄂᆞᆫ, 님군의 은혜를 져바려 흉역을 쇠ᄒ오미 극악ᄒᆞᆯ ᄲᅵᆫ 아니라, 텬하 만민이 폐하 신ᄌᆞ(臣子)ᄂᆞᆫ 뎡【70】딘 등으로 더브러 군부를 히코져 ᄒᆞᄂᆞᆫ 원쉬니, 곳 블공딕텬디쉬(不共戴天之讎)1400)라. 신이 출하리 쇼쇼 사은(私恩)을 져바려 블의디인(不義之人)이 되여 비은망혜(背恩亡惠) ᄒᆞᄂᆞᆫ 사름이라 ᄭᅮ지즈믄 감슈ᄒᆞᆯ디언졍, 엇디 흉덕을 위ᄒᆞ여 국가의 위틱ᄒ오믈 젼연 괄시ᄒ리잇고? 복원(伏願) 셩샹은 신의 뎍심단튱(赤心丹忠)을 살피샤 간ᄒᆞᄂᆞᆫ 바를 윤허ᄒᆞ시고, 역덕을 구ᄒᆞᄂᆞᆫ 쇼인을 물니치시고, 뎡튱딕신(貞忠直臣)의 군ᄌᆞ를 갓가이 신임ᄒᆞ샤, 태평안낙(太平安樂)을 누리오샤 국가 샤딕(社稷)이 반셕(盤石)ᄀᆞᆺ치 평안케 ᄒᆞ시믈 원ᄒᆞᄂᆞ이다.”

샹이 밋쳐 옥음을 여러 답디 못ᄒ【71】여셔, 뎡원쉬 봉안을 기우려 냥구히 보다가 완이(莞爾)히 웃고 글오딕,

“나ᄂᆞᆫ 너의 모히ᄒ믈 닙어 검하죄슈(劍下罪囚)로 흉역지명(凶逆之名)이[을] 신상의 시르미, 홰(禍) 삼족의 밋츨 거시로딕, 오히려 구구쳑비(區區慽悲)ᄒ미 업스믄, 나의 뎍심단튱을 져 명명샹텬(明明上天)이 됴감ᄒᆞ시미라. 비록 명되(命途) 긔구(崎嶇)ᄒᆞ여 죽기를 남ᄀᆞ치 못ᄒᆞ나, 일싱일ᄉᆞᆫ 텬니의 덧덧ᄒ고, ‘ᄉᆞᄂᆞᆫ 거시 븟친 나그닉 ᄀᆞ고, 죽ᄂᆞᆫ 거시 도라감 ᄀᆞᆮ틸니’1401), 댱뷔 ᄉᆞ싱디졔(死生之際)의 ᄆᆞ음을 요동ᄒᆞ여 구구셜셜(區區屑屑)1402)ᄒᆞᆯ 거시 아니므로, 내 몸이 ᄎᆞ셰(此世)의ᄂᆞᆫ 여비(汝輩) ᄀᆞᆮᄐᆞᆫ 무리의 히ᄒᆞ므로뼈, 난신흉【72】역디명(亂臣凶逆之名)을

1400)블공딕텬디쉬(不共戴天之讎) : 이 세상에서 같이 살 수 없는 원수.
1401)ᄉᆞᄂᆞᆫ 거시 븟친 나그닉 ᄀᆞ고, 죽ᄂᆞᆫ 거시 도라감 ᄀᆞᆮᄐᆞ니 : 생기사귀(生寄死歸)의 사생관(死生觀)을 말함. 즉 사람이 이 세상에 사는 것은 나그네로 잠시 머무는 것일 뿐이며 죽는 것은 원래 자기가 있던 본집으로 돌아가는 것임을 이르는 말
1402)구구셜셜(區區屑屑) : 구차하고 자질구레함.

국가를 위치 아니ᄒ면 신이 진광과 뎡연의 은덕을 져바려 딘영슈 뎡텬흥의 죄를 젹발(摘發)ᄒ리잇고마ᄂᆞᆫ, 【62】 님군의 은혜를 져바려 흉녁을 쇠ᄒ오미 극악ᄒᆞᆯ ᄲᅵᆫ아니라, 텬하 만민의 폐하 신ᄌᆞ(臣子)ᄂᆞᆫ 뎡·딘 등으로 더브러 《윤부∥군부》를 히코즈 ᄒᆞᄂᆞᆫ 원쉬니, 곳 블공딕텬지쉬(不共戴天之讎)1338)라. 신이 엇지 흉젹을 위ᄒᆞ여 국가의 위틱ᄒ믈 안져 보리잇고? 복원(伏願) 셩쥬(聖主)ᄂᆞᆫ 신의 젹심단튱(赤心丹忠)을 살피ᄉᆞ, 간ᄒᆞᄂᆞᆫ 바를 윤허ᄒᆞ시고, 녁젹을 구ᄒᆞᄂᆞᆫ 쇼인을 물니치시고[며], 군ᄌᆞ를 ᄀᆞᆺ구이 쓰ᄉᆞ 틱평안낙(太平安樂)ᄒ쇼셔.”

상이 밋쳐 옥음을 닉지 못ᄒᆞᄉᆞ, 뎡원쉬 봉안을 기우려 냥구히 보드가 완왈(莞爾)히 소왈(笑曰),

“나ᄂᆞᆫ 너희 모히ᄒ믈 닙어 검하죄슈(劍下罪囚)로 흉녁지명(凶逆之名)이[을] 신상의 시르미, 홰(禍) 숨족의 닐을 거시로딕, 오히려 구구【63】쳑비(區區慽悲)ᄒ미 업스믄, 나의 튱심을 져 하늘이 알미라. 비록 명되(命途) 긔구(崎嶇)ᄒᆞ여 죽기를 남ᄀᆞ티 못ᄒᆞ나, 일싱일식(一生一死)○[ᄂᆞᆫ] 텬니의 썻썻ᄒ고, ‘살미 손 ᄀᆞ고 죽으미 도라감 ᄀᆞᆮ티니’1339) 댱뷔 ᄉᆞ싱지졔(死生之際)의 ᄆᆞ음을 요동ᄒᆞ여 셜셜(屑屑)1340) ᄒᆞᆯ 거시 아니므로, 니 《ᄆᆞ음∥몸》이 ᄎᆞ셰(此世)의ᄂᆞᆫ 녀비(汝輩) ᄀᆞᆮᄐᆞᆫ 무리 히ᄒᆞ므로뼈 난신흉녁지명(亂臣凶逆之名)을 벗지 못ᄒᆞ나, 디하의ᄂᆞᆫ 튱신

1338)블공딕텬디쉬(不共戴天之讎) : 이 세상에서 같이 살 수 없는 원수.
1339)살미 손 ᄀᆞ고 죽으미 도라감 ᄀᆞᆮ티니 : 생기사귀(生寄死歸)의 사생관(死生觀)을 말함. 즉 사람이 이 세상에 사는 것은 ‘길손[나그네]’로 잠시 머무는 것일 뿐이며 죽는 것은 원래 자기가 있던 본집으로 돌아가는 것임을 이르는 말
1340)셜셜(屑屑) : =구구셜셜(區區屑屑). 구차하고 자질구레함.

벗디 못ᄒ나, 디하의는 튱신녈ᄉ의 뒤흘 좃
ᄎ도 참괴ᄒ미 업술 거시므로 붓그러오미
업ᄉ려니와, 실노뼈 경상ᄌ렬(卿相宰列)의
너 ᄀ튼 무거(無據)ᄒ 군ᄌ는 몽미의도 불
워 아니ᄒ노라."

　ᄒ더라【73】

녈ᄉ의 뒤흘 조ᄎ도 참괴ᄒ미 업술 거시므
로, 실노뼈 셩[경]상ᄌ렬(卿相宰列)의 너 ᄀ
튼 무거(無據)ᄒ 군ᄌ는, 몽미의도 불워 아
니ᄒᄂ니"

명듀보월빙 권디오십구

어시의 뎡원쉬 굴오디,

"내 실노 경상지렬의 너ᄀ튼 무거흔 군ᄌ 는 몽미의도 불워 아니ᄒ나니, 모로미 힝실 을 삼가 언ᄉ를 너모 나ᄂ 디로 말며, 튱현 을 희코져 ᄒ기의 졀박히 초조ᄒ여 단명ᄒᆯ 징됴를 짓디 말미 올흐니, 너는 날을 못죽 여 근심ᄒ거니와, 나는 과연 너를 위ᄒ여 넘녀ᄒ미 범연치 아닌다라. 상모(相貌)를 니 르기는 젹은 슐ᄉ의 말이어니와, 대개 너의 거동○[이] 괴이ᄒ여 변화(變禍)를 만나 긋 칠 듯ᄒ니, 심긔(心氣) 그디도록【1】 협쳔 (狹淺) 괴악(怪惡)ᄒ여 남을 공교히 희코져 ᄒ미, 도로혀 너의 만니젼졍(萬里前程)을 맛 ᄂ 마디를 아디 못ᄒᄂ뇨? 군젼의 경근디녜 (敬謹之禮)를 일코 널노 더브러 누누(累累) 징난(爭亂)ᄒᆯ 거슨 아니어니와, 내 평싱 상 ᄌ란 거슬 본 일이 업ᄉ니, 네 어디 가 요 얼(妖孽)을 어더 와 텬의를 현혹ᄒ고 즉시 도망케 ᄒ뇨?"

언파의 미미히 웃기를 긋치디 아니ᄒ여 일분도 노ᄒᄂ 거동이 업ᄉ니, 기량(器量)이 여히(如海)ᄒᆷ을 알디라.

뎐샹뎐하(殿上殿下) 가득흔 눈이 다 병부 의 신샹을 ᄲᅩ앗거늘, 딘태우와 뎡흑ᄉ는 몽 슉의 말을 드르미 통완 분히ᄒᆷ을 억졔치 못 【2】ᄒ여, 잠미(蠶眉)를 거ᄉ리고 봉안(鳳 眼)을 놉히 ᄯᅥ, 녀셩(厲聲) 즐왈,

"나라흘 병탄(病綻)ᄒ며 님군을 패도(悖 道) 악ᄉ(惡事)로 돕ᄂ 요악쇼인(妖惡小人) 이 긴 혀를 놀녀, 튱현의 긴 명을 즈레 ᄭᅥᆺ 고져 ᄒ며, 은혜와 덕을 비반ᄒ고 의와 신 을 니져 금슈이뎍(禽獸夷狄)만도 못흔 쇼인 이, 어나 면목으로 감히 군젼의 근시ᄒ며 금의인신(錦衣人臣)으로 됴항간(朝行間) 셧 ᄂ뇨? 우리 네 아비를 ᄲ져 죽인 일이 업ᄉ 니, 하고(何故)로 블공딘텬디쉬(不共戴天之 讎)리오. 아등이 대역의 일홈을 벗디 못ᄒ 고 부월의 쥬(誅)ᄒᆯ디라도, 황샹이 너를 니

"모ᄅ미 힝실을 삼가고 간악○[흔] 흉모를 나ᄂ디로 말며, 튱현을 희코ᄌ ᄒ여 ᄆᆞ음을 초조히 ᄒ여 단명ᄒᆯ 증조【64】를 짓지 말 나. 너는 날을 못죽여 근심ᄒ거니와 나ᄂ 과연 너를 위ᄒ여 넘녀ᄒ미 범연치 아닌지 라. 상모(相貌)를 니르기는 젹은 슐ᄉ의 말 이어니와, 대개 너의 거동 괴이ᄒ여 변고를 만나야 긋칠 듯ᄒ니, 심의(心意) 이디도록 협쳔(狹淺) 괴악(怪惡)ᄒ여 남을 공교히 희 코져 ᄒ미, 도로혀 너의 만니 젼졍을 맛ᄂ 마디를 아지 못ᄒᄂ뇨? 군젼의 경근지녜(敬 謹之禮)를 일코 널노 더브러 누누(累累) 징 난(爭亂)은 ᄒᆯ 거시 아니나, 내 평싱 상ᄌ (相者)란 거슬 본 일이 업ᄉ니, 네 어디셔 요얼(妖孽)을 어더 와, 텬의를 현혹ᄒ고 즉 시 도망케 ᄒ뇨?"

언파의 미미히 웃기를 ᄭᅳ치지 아니ᄒ여, 일븐【65】 노호ᄒᄂ 거동이 업ᄉ니, 기량 (器量)이 여히(如海)ᄒᆷ을 알지라.

뎐샹뎐하(殿上殿下) 가득흔 눈이 다 병부 의 신샹을 ᄲᅳ앗거늘, 딘틱우와 뎡흑ᄉ는 몽 슉의 말을 드르미 통완 분히ᄒᆷ을 억졔치 못 ᄒ여, 줌미(蠶眉)를 거ᄉ리고 봉안(鳳眼)을 놉히 ᄯᅥ 녀셩(厲聲) 즐왈,

"나라흘 병탄(病綻)ᄒ며 님군을 픠도(悖 道) 악ᄉ(惡事)로 돕ᄂ 요악쇼인(妖惡小人) 이 긴 혀를 놀녀 튱현의 긴 명을 즈레 ᄭᅥᆺ고 ᄌ ᄒ며, 은혜와 덕을 비반ᄒ고 의와 신을 니져, 금슈이젹(禽獸夷狄)만도 못흔 쇼인이 어니 면목으로 감히 군젼의 근시ᄒ여, 금의 인신(錦衣人臣)으로 됴항간(朝行間) 셧ᄂ뇨? 우리 네 아비를 ᄲ져 죽인 일이 업ᄉ니 하 고(何故)로【66】 블공딘텬지쉬(不共戴天之 讎)리오. 아등이 대역의 일홈을 벗지 못ᄒ 고 부월의 쥬(誅)ᄒᆯ지라도, 황샹이 너를 니

여 우리를 주시면, 일만 조각의나 뼈흐러
네 고기를 맛보고 【3】 아등이 亽화(死禍)
를 바드면, 우흐로 셩춍을 가리오는 쇼인을
업시ᄒ고 아릭로 ᄆᆞ음의 분ᄒᆞᆫ 거슬 프러 바
리미 실노 깃블 듯 시븐디라. 너는 모로미
조심ᄒᆞ라."

몽슉이 원슈의 말의는 낫치 달호이고 가
슴이 벌덕여 놀나오믈 니긔디 못ᄒᆞ더니, 딘
태우 뎡학ᄉ의 언ᄉ의 다ᄃᆞ라는 노긔 형상
치 못ᄒᆞᄃᆡ, 대개 디은 죄 이시므로 ᄉᆞ식이
괴이ᄒᆞᆫ디라. 만됴(滿朝) 그윽이 눈 주어 믜
이 넉이믈 마디 아니코, 샹이 뎡ㆍ딘의 몽
슉 면ᄎᆡᆨ(面責)ᄒᆞᄆᆞᆯ 노ᄒᆞ샤, 짐즛 셰홍 등을
즐왈,

"여등이 쳔고의 희ᄒᆞᆫ 역신(逆臣)으로,
머리 엇게 우희 보젼치 못ᄒᆞ고 여화(餘禍)
구족(九族)의 밋【4】츨 비어늘, 하면목(何
面目)으로 구 경(卿) ᄀᆞ튼 현냥(賢良)을 모
욕ᄒᆞᄂᆞ뇨?"

뎡ㆍ딘 이인(二人)이 년셩(連聲) 딕쥬왈,

"사ᄅᆞᆷ이 셰샹의 나미 각각 졔 몸을 알고,
ᄯᅩᄒᆞᆫ 부귀 현달코져 ᄒᆞ기는 괴이치 아니ᄒᆞ
오ᄃᆡ, 만ᄉᆞ 텬명이니 인녁의 밋츨 비 아니
어늘, 몽슉 요인은 텬명을 아디 못ᄒᆞ고 범
ᄉᆞ를 인녁(人力)으로 ᄒᆞ여, 신등의 ᄉᆞ싱이
졔의 쟝니(掌裏)의 이시므로 알며, 졔의 계
교 가온ᄃᆡ 사ᄅᆞᆷ이 만히 죽는 줄노 혜아려,
무근디언(無根之言)을 쥬츌(做出)ᄒᆞ며, 폐하
의 셩춍을 가리와 텬의를 온 가지로 현혹ᄒᆞ
여 신등을 의심ᄒᆞ시도록 ᄒᆞ오니, 초ᄉᆞ를 비
져 닉노라 여러 일월을【5】 초조ᄒᆞ며 근노
ᄒᆞ기는, 대리시(大理寺) ᄉᆞ옥(舍獄)의 드럿
는 신등의 ᄆᆞ음만치 ○○[편치] 못ᄒᆞ올디
라. 이 ᄯᅩ 그 용심이 괴악(怪惡)ᄒᆞ고 의ᄉᆞ
잔인ᄒᆞ여 투현딜능(妬賢嫉能)ᄒᆞ는 연괴라.
즈고로 친현신원쇼인(親賢臣遠小人)은 셩군
(聖君)의 국티디흥(國治之興)이오, 원현신친
쇼인(遠賢臣親小人)은 혼군의 국디멸망디되
(國之滅亡之兆)니, 폐히 튱냥을 의심ᄒᆞ시고
녕신(佞臣) 간젹(奸賊)을 툥우ᄒᆞ샤, 언언이
미드시며 일마다 아ᄅᆞᆷ다이 넉이시니, 신등

여 우리를 주시면, 일만 조각의나 뼈흐러
네 고기를 맛보고 아등이 亽화(死禍)를 바
드면, 우흐로 셩춍을 가리오는 쇼인을 업시
ᄒᆞ고, 아릭로 ᄆᆞ음의 분ᄒᆞᆫ 거슬 프러 브리
미 실노 깃블듯 십픈지라. 너는 모로미 조
심ᄒᆞ라."

몽슉이 원슈의 말의는 낫치 둘호이고 가
슴이 벌덕여 놀나오믈 니긔지 못ᄒᆞ더니, 딘
틱우 뎡학ᄉ의 언ᄉ의 다ᄃᆞ라는 노긔 형상
티 못ᄒᆞᄃᆡ, 대개 지은 죄 이시므로 ᄉᆞ식이
괴이ᄒᆞᆫ지라. 만됴(滿朝) 그윽이 눈 주어 믜
이 넉이믈 마지 아니【67】코, 샹이 뎡ㆍ딘
의 몽슉 면ᄎᆡᆨ(面責)ᄒᆞᄆᆞᆯ 노ᄒᆞ샤, 짐즛 셰홍
등을 즐왈,

"여등이 쳔고의 희ᄒᆞᆫ 녁신(逆臣)으로
머리 엇게 우희 보젼치 못ᄒᆞ고, 여화(餘禍)
구족(九族)의 밋츨 비어늘, 하면목(何面目)
으로 구 경(卿) ᄀᆞ튼 현냥(賢良)을 모욕ᄒᆞᄂᆞ뇨?"

뎡ㆍ딘 이인(二人)이 년셩(連聲) 딕주 왈,

"ᄉᆞᄅᆞᆷ이 셰샹의 나미 각각 졔 몸을 알고,
ᄯᅩᄒᆞᆫ 부귀 현달코즈 ᄒᆞ기는 괴이치 아니ᄒᆞ
오ᄃᆡ, 만ᄉᆞ 텬명이니 인녁의 밋츨 비 아니
어늘, 몽슉 요인은 텬명을 아지 못ᄒᆞ고, 범
ᄉᆞ를 인력으로ᄒᆞ여 신등의 ᄉᆞ싱이 져의 쟝
니(掌裏)의 이시므로 알며, 져의 계교 가온
ᄃᆡ ᄉᆞᄅᆞᆷ이 만히 죽는 줄노 혜아려, 무근지
언(無根之言)을 주츌(做出)ᄒᆞ며, 폐【68】하
의 셩춍을 가리와 텬의를 온 가지로 현혹ᄒᆞ
여, 신등을 의심ᄒᆞ시도록 ᄒᆞ오니, 초ᄉᆞ를 비
져 닉노라 여러 일월을 초조ᄒᆞ며 근노ᄒᆞ기
는, 대리시(大理寺) ᄉᆞ옥(舍獄)의 드럿는 신
등의 ᄆᆞ음만치 편치 못ᄒᆞ올지라. 이 ᄯᅩ 그
용심이 괴악(怪惡)ᄒᆞ고 의ᄉᆞ 잔인ᄒᆞ여 투현
질능(妬賢嫉能)ᄒᆞ는 연괴라 즈고로 친현신
원쇼인(親賢臣遠小人)은 셩군(聖君)의 ᄒᆞ는
비오, 원현신친쇼인(遠賢臣親小人)은 혼군
(昏君)의 국지멸망지죄(國之滅亡之兆)라. 폐
히 츙냥을 의심ᄒᆞ시고 녕신(佞臣) 간젹(奸
賊)을 툥우ᄒᆞᄉ, 언언이 미드시며 일마다
아ᄅᆞᆷ다이 넉이시니, 신등이 폐하의 이딕도

이 폐하의 이딕도록 슬피디 못ᄒ시믈 보오니, 샤딕(社稷)을 위ᄒ여 통곡고져 의ᄉ 나ᄋᆞᆸᄂ니, 어나 결을의 신등의 화란(禍亂)을 슬허ᄒ리잇고? 폐히 구몽슉을 너여 주시면 신등이 【6】 만단의나 ᄡ져 죽이고, 미조ᄎ1403) 부월(斧鉞)의 쥬(誅)홀디라도 국가의 녕신간덕(佞臣奸賊)을 업시ᄒ미 영ᄒᆡᆼᄒ오니, 즐거온 우음을 먹음어 칼 아릭 업딕리로소이다."

샹이 쳥파의 대로대분(大怒大憤)ᄒ샤 농상을 쳐 ᄀᆞᆯ오샤딕,

"역신 영슈와 셰흥이 딤을 당면(當面)ᄒ여 '혼군(昏君)'이라 ᄒ고, '망멸(亡滅)'ᄒ리라 ᄒ니, 텬디간 이런 대역이 어딕 이시리오. 딘실노 화경의 쳥딕홈과 몽슉의 쥬ᄉ(奏辭) 아니런들, 츠뎍 등의 극악 흉패ᄒ믈 아디 못홀낫다."

흑ᄉ와 태위 셩츙이 져러툿 어두오시믈 크게 이돌나, 본딕 뎍심튱녈(赤心忠烈)이 남다른디라. 국가를 위ᄒ여 몸을 죽여 【7】 뼈 나라흘 갑흘 ᄠᅳᆺ이 이시므로, 샹의 실덕을 디ᄉ위한(至死爲限) ᄒ고 간ᄒ미라. 도로혀 웃고 고두 쥬왈,

"신등이 엇디 감히 혼군이라 ᄒ리잇고? 원현신친쇼인(遠賢臣親小人)ᄒ시믈 이돌나 혈심간징(血心諫爭)ᄒ오미니, 원 폐하는 신등의 원을 조ᄎ 몽슉을 너여 주시면, 이는 원쇼인친현신(遠小人親賢臣)ᄒ시미라. 엇디 국가의 경ᄉ 아니리잇고? 폐히 몽슉 ᄀᆞᆺ튼 요인을 갓가이 두시고, 튱신녈ᄉ는 무고히 쇼인의 함히(陷害)ᄒ믈 드르샤 죄의 모라 너허 쥬류ᄒ시면, 딘실노 우리 태조 무덕(武德)1404) 황뎨 슈고ᄒ샤 어드신 텬히 위틱홀가 ᄒᆞᄂ이다. 녕신과 간덕을 너여 버히

록 슬피디 못ᄒ시믈 보오니, ᄉ직을 【69】 위ᄒ여 통곡고져 의ᄉ 나ᄋᆞᆸᄂ니, 어느 결을의 신등의 화란(禍亂)을 슬허ᄒ리잇고? 폐히 구몽슉을 너여 주시면 신등이 만단의나 ᄡ져 죽이고, 미조ᄎ1341) 부월(斧鉞)의 주홀지라도, 국가의 녕신간젹(佞臣奸賊)을 업시ᄒ미 녕ᄒᆡᆼᄒ여 즐거온 우음을 먹음어 칼 아릭 업디리로소이다."

상이 쳥파의 대로대분(大怒大憤)ᄒ샤 농상을 쳐 ᄀᆞᆯ오ᄉ딕,

"역신 녕슈와 셰흥이 딤을 당면(當面)ᄒ여 '혼군(昏君)'이라 ᄒ고, '망멸(亡滅)'ᄒ리라 ᄒ니, 텬디간 니런 딕역이 어딕 이시리오. 진실노 화경의 쳥딕홈과 몽슉의 주ᄉ(奏辭) 아니런들, 츠뉴(此類)의 극악 흉픠ᄒ믈 아지 못홀낫다."

흑ᄉ와 틱위 셩 【70】 츙이 져러툿 어두오시믈 크게 이돌나, 본딕 젹심츙녈(赤心忠烈)이 남다른지라, 국가를 위ᄒ여 몸을 죽여뼈 나라흘 갑흘 ᄠᅳᆺ이 이시므로, 상의 실덕을 지ᄉ위한(至死爲限)ᄒ고 간ᄒ미라. 도로혀 웃고 고두 주왈,

"신등이 엇지 감히 혼군이라 ᄒ리잇고? 원현신친쇼인(遠賢臣親小人)ᄒ시믈 이돌나, 혈심간징(血心諫爭)《이오니∥ᄒ오미니》, 원 폐하는 신등의 원을 좃ᄎ 몽슉을 너여 주시면, 이는 원쇼인친현신(遠小人親賢臣)ᄒ시미라. 엇디 국가의 경ᄉ 아니리잇고? 폐히 몽슉ᄀᆞᆺ튼 요인을 갓가이 두시고, 츙신녈ᄉ는 무고히 쇼인의 함히(陷害)ᄒ물 드르ᄉ, 죄의 모라 너허 쥬륙ᄒ시면, 진실노 우리 【71】 태조 무덕(武德)1342) 황뎨 슈고ᄒ여 어드신 텬해 위틱홀가 ᄒᆞᄂ이다. 녕신과 간

1403)미조ᄎ : 미좇아. 뒤이어. *미좇다; 뒤미처 좇다.

1404)무덕(武德) : 무도(武道)의 덕(德). *'무덕(武德)'이라는 연호는 당(唐) 고조(高祖)가 사용하였다. 송(宋) 태조는 건륭(乾隆)·건덕(乾德)·개보(開寶) 등의 연호를 사용하였고, 시호는 효황제(孝皇帝)다. 여기서 '무덕 황제'는 '무덕이 높으신 황제'라는 뜻으로 쓴 말이 아닌가 생각된다.

1341)미조ᄎ : 미좇아. 뒤이어. *미좇다; 뒤미처 좇다.

1342)무덕(武德) : 무도(武道)의 덕(德). *'무덕(武德)'이라는 연호는 당(唐) 고조(高祖)가 사용하였다. 송(宋) 태조는 건륭(乾隆)·건덕(乾德)·개보(開寶) 등의 연호를 사용하였고, 시호는 효황제(孝皇帝)다. 여기서 '무덕 황제'는 '무덕이 높으신 황제'라는 뜻으로 쓴 말이 아닌가 생각된다.

시고【8】 그 모든 간신의 당뉴를 다 엄티(嚴治)ᄒ샤, 죄의 경듕을 아라 일시도 용납디 마르시고 넉칠 자를 먼니 넉치시면 됴애 셩명(聖明)의 쳐티를 열복(悅服)ᄒ려니와, 신등을 이미히 죽이시고 구몽슉 ᄀᆺᄐ 뉴를 툥우ᄒ시면, 일셰시비(一世是非) 분운(紛紜)키를 면치 못ᄒ시고, 인군(人君)의 만ᄃᆡ참덕(萬代慙德)이 되리이다."

샹이 더옥 대로ᄒ샤 고셩 즐왈,

"딤이 역뎍을 죽여든 므어시 참덕이 되며, ᄯᅩ 엇디ᄒ여 텬히 위틱ᄒ리라 ᄒᄂᆞ뇨?"

냥인이 ᄃᆡ쥬왈,

"폐히 딘짓 역뎍을 죽이시면 어이 깃브디 아니리잇고마는, 튱현을 살히코져 ᄒ【9】시니, 만일 실덕ᄒ시미 ᄒᆞᆫ갈ᄀᆺᄐ실딘ᄃᆡ 텬히 위틱롭디 아니리잇가?"

샹이 ᄃᆡᄐᆡ우 등의 쥬ᄉᆞ를 드르실ᄉᆞ록 분노를 더으시거늘, 뎡·ᄃᆡᆫ 등은 ᄉᆞ싱을 초개(草芥)1405)ᄀᆺ치 넉여, 황샹이 ᄒᆞᆫ 말ᄉᆞᆷ 칙ᄒᆞ시미 계시면, 냥인은 열 말ᄉᆞᆷ으로 ᄃᆡᄒᆞ여 황샹의 실덕(失德) 블명(不明)ᄒ시믈 간ᄒ미, ᄒᆞᆫ 일도 텬노를 아니 돕는 일이 업고 ᄒᆞᆫ 말 구겁ᄒᆞᄂᆞᆫ 비 업셔, 구몽슉을 가디록 참효(斬梟)ᄒ쇼셔 쳥ᄒ며, 황샹의 쳐싀 괴이ᄒ시믈 일ᄏᆞ라, 튱텬ᄒᆞᆫ 긔운이 강ᄒᆡ(江河)라도 넘ᄯᅱᆯ ᄃᆞᆺ, 스ᄉᆞ로 발양ᄒᆞᆫ 호긔를 댱튝(藏縮)디 못ᄒ니, 샹이 분완 통히ᄒᆞ샤 텬뇌 ᄃᆡᆫ쳡ᄒ시니, 엇디 과도【10】ᄒ믈 싱각ᄒ시리오. 만됴를 도라보샤 왈,

"영슈 셰흥의 대역부도(大逆不道)는 언어간의 낫타나, 딤을 욕ᄒ미 아니 밋츤 곳이 업ᄉᆞ니, 바로 쳐참 효시ᄒᆞ라."

문무등신이 년셩ᄃᆡ쥬(連聲對奏)ᄒᆞ여 뎡·ᄃᆡᆫ을 구ᄒᆞᄃᆡ, 샹이 분긔를 억졔치 못ᄒ시고, ᄐᆡ우와 혹시 황샹의 블명ᄒ시믈 개연(慨然)ᄒᆞ여 소리를 놉혀, 쇼인의 녕참(佞讒)1406)을 신쳥(信聽)ᄒ시고 튱현(忠賢)의 녈일디심(烈

1405)초개(草芥) : '지푸라기'처럼 쓸모없고 하찮은 것을 비유적으로 이르는 말
1406)녕참(佞讒) : 간사한 말로 남을 헐뜯어서 죄가 있는 것처럼 꾸며 윗사람에게 고하여 바침.

적을 넉여 버히시고, 그 모든 간신의 당뉴를 다 엄치(嚴治)ᄒᆞᆺ, 죄의 경즁을 아라 일시도 용납지 마르시고, 넉칠 자를 먼니 넉치시면, 됴애 셩명의 쳐지를 열복(悅服)ᄒ려니와, 신등을 이미히 죽이시고, 구몽슉 ᄀᆺᄐ 뉴를 춍우ᄒ시면, 일셰시비(一世是非) 분운(紛紜)키를 면치 못ᄒ시고, 인군(人君)의 만ᄃᆡ춤덕(萬代慙德)이 되리이다."

상이 익익 대로ᄒᆞᆺ, 고셩 즐왈,

"딤이 녁뎍을 죽여든 무어시 참덕이 되며, ᄯᅩ 엇지ᄒ여 텬히 위틱ᄒ리라 ᄒᄂᆞ뇨?"

냥인이 ᄃᆡ쥬왈,

"폐히 진짓 녁뎍을 죽이시면 어이【72】깃브지 아니리잇고마는, 츙현을 살히코져 ᄒ시니, 만일 실덕ᄒ시미 ᄒᆞᆫ갈ᄀᆺᄐ실진ᄃᆡ 텬히 위틱롭디 아니리잇가?"

상이 진틱우 ○[등]의 쥬ᄉᆞ를 드르실ᄉᆞ록 분노를 더으시거늘, 뎡·진 등은 ᄉᆞ싱을 초ᄀ(草芥)1343)ᄀᆺ치 넉여 황샹이 ᄒᆞᆫ 말ᄉᆞᆷ 칙ᄒᆞ시미 계시면, 냥인은 녈 말ᄉᆞᆷ으로 ᄃᆡᄒᆞ여 황샹의 실덕 블명ᄒ시믈 간ᄒ미, ᄒᆞᆫ 일도 텬노(天怒)를 아니 돕는 일이 업고, ᄒᆞᆫ말 구겁(懼怯)ᄒᄂᆞᆫ 비 업셔, 구몽슉을 가지록 참효(斬梟)ᄒ쇼셔 쳥ᄒ며, 황샹의 쳐싀 괴이ᄒ시믈 일ᄏᆞ라, 츙텬ᄒᆞᆫ 긔운이 강히라도 건너며 틱산이라도 넘ᄯᅱᆯᄃᆞᆺ, 스ᄉᆞ【73】로 발양ᄒᆞᆫ 호긔를 장츅(藏縮)지 못ᄒ니, 상이 분완 통히ᄒᆞ샤 텬뇌 진쳡ᄒ시니, 엇지 과도ᄒ믈 싱각ᄒ시리오. 만됴를 도라보샤 왈,

"녕슈 셰흥의 대역부도(大逆不道)는 언어간의 낫타나, 딤을 욕ᄒ미 아니 밋츤 곳이 업ᄉᆞ니, 바로 쳐참 효시ᄒᆞ라."

문무즁신이 년셩ᄃᆡ주(連聲對奏)ᄒᆞ여 뎡·진을 구ᄒᆞᄃᆡ, 상이 분긔를 억졔치 못ᄒ시고, 틱우와 혹시 황샹의 블명ᄒ시믈 가연(慨然)ᄒᆞ여, 소리를 놉혀 쇼인의 녕참(佞讒)1344)을 신쳥(信聽)ᄒ시고, 츙현(忠賢)의 녈일지심

1343)초개(草芥) : '지푸라기'처럼 쓸모없고 하찮은 것을 비유적으로 이르는 말
1344)녕참(佞讒) : 간사한 말로 남을 헐뜯어서 죄가 있는 것처럼 꾸며 윗사람에게 고하여 바침.

日之心)을 아디 못ᄒ샤 죽이믈 지쵹ᄒ시믈 쥬(奏)ᄒ여, 졍확(鼎鑊)과 부월(斧鉞)이 당젼ᄒ나 두리며 슬허ᄒ미 업ᄉ니라. 샹이 대로 대분ᄒ샤 셔안을 박츠고 니ᄅ샤ᄃᆡ,

"ᄎ뉴의 죄상이 쳔ᄉ무셕(千死無惜)이오, 【11】 만ᄉ유경(萬死猶輕)이라. 다시 국문(鞫問)ᄒ올 거시 업스니, 딘영슈 뎡셰홍을 위션 밧비 너여가 버히라."

ᄒ시니, 허다 나졸이 냥인을 몬져 너여갈ᄉᆡ, 부ᄌ 형뎨의 ᄆᆞ음이 ᄎ시를 당ᄒ여 그 엇더ᄒ리오마ᄂᆞᆫ, 낙양휘 ᄉᄀᆡ타연ᄒ고 금평휘 거디 ᄌᆞ약ᄒ여, 다만 니르ᄃᆡ,

"일홈이 대역이나 디은 죄 업고, 군샹의 실덕을 간ᄒ여 신졀(臣節)을 다ᄒ니 므어슬 죡히 슬허ᄒ리오. 여등이 ᄯᅩ 몬져 죽고 우리 미좃ᄎ 죄ᄉ참화(罪死慘禍)ᄒ리니, 그 시 몃날이 될동 알니오. 구쳔야ᄃᆡ(九泉夜臺)[1407]의 부ᄌ 형뎨 녕빅(靈魄)[1408]이라도 일쳐의 모도리니, ᄉᆞ싱이 텬얘(天也)오, 화복이 관슈(關數)ᄒ니, 현마 엇디【12】ᄒ리오."

딘태우와 뎡흑시 각각 부친을 향ᄒ여 하딕 왈,

"쇼ᄌ 등이 평싱의 튱의를 셥녑(涉獵)ᄒ더니 명되(命途) 괴이ᄒ와 대역 죄슈로 화의 ᄰᅥ러디고, 위인ᄌ(爲人子)ᄒ여 이런 블효를 깃치옵고, 부형의 위틱ᄒ시믈 구치 못ᄒ오니, 즉금 원굴(寃屈)ᄒᆫ 넉시 쳔만년 비원을 픔올디라. 더옥 한ᄒᄂᆞᆫ 밧ᄌᄂᆞᆫ 구몽슉의 고기를 너흐지[1409] 못ᄒ고, 쇼ᄌ 등이 밧비 죽어 져 쇼인을 뉘라셔 쳐티ᄒᆞᆯ고? 국가를 위ᄒᆫ 근심이 간졀ᄒ도소이다."

언미의 나졸(邏卒)이 샹명이 여러번 지쵹ᄒ시믈 감히 위월(違越)치 못ᄒ여 뎡·딘을 너여가니, 뎡국공 부ᄌ 죽기로【13】ᄡᅥ 간ᄒ고, 만뫼 앗기믈 마디아냐, 구몽슉 당뉴 밧근 뉘 아니 츄연ᄒ리오. 하공 부ᄌ 극간

(烈日之心)을 아지 못ᄒᄉ 죽이믈 지쵹ᄒ시니, 졍확(鼎鑊)과 부월(斧鉞)이 당젼ᄒ나, 두리며 슬허ᄒ미 업슨지【74】라. 상이 ᄃᆡ로 ᄃᆡ분ᄒ샤 셔안을 박츠고, 닐으ᄉᄃᆡ,

"ᄎ뉴의 죄상이 쳔ᄉ무셕(千死無惜)이오 만ᄉ유경(萬死猶輕)이라. 다시 국문(鞫問)ᄒ올 거시 업스니 진영슈, 뎡셰홍을 위션 밧비 너여가 버히라."

ᄒ시니 허다 나졸이 낭인을 몬져 너여갈ᄉᆡ 부ᄌ 형뎨의 ᄆᆞ음이 ○○○○○[ᄎ시를 당ᄒ여] 그 엇더ᄒ리오마ᄂᆞᆫ, 낙양휘 ᄉᄀᆡ 타연ᄒ고 금평휘 ᄃᆞ만 니르ᄃᆡ,

"일홈이 녁젹이나 지은 죄 업고, 군상의 실덕을 간ᄒ여 신졀(臣節)을 다ᄒ니, 므어슬 죡히 슬허ᄒ리오."

여등이 취ᄉ(就死)ᄒ고 우리 미조ᄎ 피춤화(被慘禍)ᄒ올지니 슬 날이 몃치리 될 동 알니오. 구쳔야ᄃᆡ(九泉夜臺)[1345]의 부ᄌ 형뎨 【75】 녕빅(靈魄)[1346]이라도 일쳐의 모되리니, ᄉᆞ싱이 텬얘(天也)오, 화복이 관슈(關數)ᄒ니 현마 엇지 ᄒ리오.

딘틔우와 뎡흑시 각각 부친을 향ᄒ여 하직 왈,

"쇼ᄌ 등이 평싱의 츙의를 셥녑(涉獵)ᄒ더니 명되(命途) 괴이ᄒ와 ᄃᆡ역 죄슈로 화의 ᄰᅥ러지고, 위인ᄌ(爲人子)ᄒ여 니런 블효를 씻치고, 부형의 위틱ᄒ시믈 구치 못ᄒ오니, 즉금 원울(寃鬱)ᄒᆫ 넉시 쳔만년 비원을 픔을지라. 더옥 한ᄒᄂᆞᆫ 바ᄂᆞᆫ 구몽슉의 고기를 너흐지[1347] 못ᄒ고, 쇼ᄌ 등이 밧비 죽어 져 쇼인을 뉘라셔 쳐치ᄒᆞᆯ고? 국가를 위ᄒᆫ 근심이 간졀ᄒ도소이다."

언미의 나【76】졸(邏卒)이 상명이 녀러번 지쵹ᄒ시믈 감히 위월(違越)치 못ᄒ여, 뎡·진을 너여가니, 뎡국공 부ᄌ 죽기로ᄡᅥ 간ᄒ고, 만뫼 앗기믈 마지아냐, 구몽슉 당뉴 밧근 뉘아니 츄연ᄒ리오. 하공 부ᄌ 극간ᄒ

1407)구쳔야ᄃᆡ(九泉夜臺) : '땅 속 무덤'이라는 말로 죽은 뒤 넋 돌아가는 곳을 이르는 말.
1408)녕빅(靈魄) : 넋.
1409)너흐다 : 씹다. ⇒너흘다

1345)구쳔야ᄃᆡ(九泉夜臺) : '땅 속 무덤'이라는 말로 죽은 뒤 넋 돌아가는 곳을 이르는 말.
1346)녕빅(靈魄) : 넋.
1347)너흐다 : 씹다. ⇒너흘다

호여 극뉼을 느츄시믈 쳥호딕, 텬뇌 딘쳡(震疊)[1410]호샤 하공 부즈를 칙호샤 믈너가라 호시고, 뎡·딘 등을 다시 구호리 이시면 역뉼을 굿치 호리라 호시니, 만되 숑연(悚然) 함구(緘口)호딕, 하공 부즈는 죽기를 그음호여 《디취‖거취(去就)》를 금후 부즈와 굿치호랴 호는 고로, 비록 믈너가라 호시나 뎐폐의 머리를 두다려 튱현을 참혹히 죽이디 마르시믈 이걸호니, 샹이 크게 괴로이 넉이샤 환시로 호여금 하공 부즈를 미러 금의부(禁義府)의 가도앗다가 결옥(決獄) 후 닉여 노흐라 호【14】시니, 하공 부지 인신분의(人臣分義)[1411]예 하옥호라 호신 후 뎐폐의 잇디 못호여, 스모(紗帽)를 벗고 옥딕(玉帶)를 글너 단디하(段地下)[1412]의 노코, 직빅고두(再拜叩頭)호여 다시 뎡·딘 등의 뎡튱대절(貞忠大節)을 누누히 베퍼 고간(苦諫)호믹, 가디록 스에(辭語) 뎡대슉연(正大肅然)호여 소리 명빅호딕, 샹이 환시를 직쵹호여 하옥호라 호시니, 하공부지 홀일업셔 금의부로 향호고, 샹이 몬져 텬흥을 국문호랴 호실식, 허다 나졸이 평남후를 닛그러 형위(刑威)예 님호믹, 븕은 곤장과 긴 민를 단단이[1413] 헤치고[1414] 흉녕(凶獰)흔 스예(司隷)는 좌우로 에워빗 위관의 명을 기다리니, 평남후의 텬일 굿튼【15】의표와 농봉 굿튼 품격으로뼈, 쇽졀 업시 형벌의 나아간 죄쉬(罪囚) 되여, 옥각(玉脚)을 놉히 것고 듕형을 딕후(待候)홀식, 평후는 화열즈약(和悅自若)호여 망극흔 경계를 모로는 사름 굿트나, 금휘 가슴이 비여셕(非如石)[1415]이오 비여텰(非如鐵)이라. 문호의 흉홰(凶禍) 이 디경의 니르러 쳔금소듕(千金所重)[1416]의 댱지 듕형의 니르고, 뎨삼지 바

1410)딘쳡(震疊) : 존귀한 사람이 몹시 성을 내어 그치지 아니함.

1411)인신분의(人臣分義) : 신하의 마땅한 도리.

1412)단디하(段地下) : 계단의 아래.

1413)단단이 : 단마다. *단; 짚, 나무, 채소 따위의 묶음.

1414)헤치다 : 헤치다. 묶어 놓은 것을 풀어 벌려놓다.

1415)비여셕(非如石) : 돌이 아님.

여 극뉼○[을] 늦츄시믈 쳥호딕, 텬뇌 진쳡(震疊)[1348]호샤 하공 부즈를 칙호샤 믈너가라 호시고, 뎡·딘을 다시 구호리 잇시면 녁뉼노 시힝호리라 호시니, 만되 숑연(悚然) 함구(緘口)호딕, 하공 부즈는 죽기를 그음호여 거취(去就)를 금후 부즈와 굿치 호랴 호는 고로, 비록 믈너가라 호시나, 뎐폐의 머리를 두드려 츙현을 춤혹히 죽이지 마르시믈 이걸【77】호니, 샹이 크게 괴로이 넉이샤 환시로 호여금 하공 부즈를 미러 금의부(禁義府)의 가도앗다가, 결옥(決獄) 후 닉여 노흐라 호시니, 하공 부지 인신분의(人臣分義)[1349]예 취리(就理)[1350]를 당호니, 뎐폐의 잇지 못호여 스모(紗帽)를 벗고 옥딕(玉帶)를 글너 단디하(段地下)[1351]의 노코, 직비고두(再拜叩頭)호여 다시 졍·진 등의 졍츙딕졀(貞忠大節)을 누누히 베풀고 고간(苦諫)호매, 가지록 스에(辭語) 졍딕슉연(正大肅然)호여 소리 명빅호되, 샹이 환시를 직쵹호여 하옥호라 호시니, 하공 부지 홀일업셔 금의부로 향호고, 샹이 몬져 텬흥을 국문호려 호실식, 허다 나졸이 평후를 닛그러 형위(刑威)예 님호믹, 븕은 곤장과 긴 민를 든든이[1352] 헷쳐[1353]【78】노코, 흉녕(凶獰)흔 스예(司隷)드리 좌우로 에워빗, 위관의 명을 기드리니, 평남후의 텬일 굿튼 의표와 농봉 굿튼 품격이 쇽졀업시 형벌의 나간 죄쉬(罪囚) 되여, 옥각(玉脚)을 놉히 것고 즁형을 딕후(待候)홀식, 평후는 화열즈약(和悅自若)호여 망극흔 경계를 모로는 스람 굿트나, 금휘 가슴이 비여셕(非如石)[1354]이오 비여쳘(非如鐵)이라. 문호의 흉홰(凶禍) 이 디경

1348)딘쳡(震疊) : 존귀한 사람이 몹시 성을 내어 그치지 아니함.

1349)인신분의(人臣分義) : 신하의 마땅한 도리.

1350)취리(就理) : 죄를 지은 벼슬아치가 의금부에 나아가 심리를 받던 일. 또는 감옥에 구금됨.

1351)단디하(段地下) : 계단의 아래.

1352)든든이 : 단마다. *단; 짚, 나무, 채소 따위의 묶음.

1353)헷쳐 : 헤치다. 묶어 놓은 것을 풀어 벌려놓다.

1354)비여셕(非如石) : 돌이 아님.

로 참효(斬梟)[1417]흐라 나가믈 보미, 심장이 쓸는 물과 튼는 나모 ᄀ투여, 경긱의 죽어 보디 말고져 홀 ᄯᅢ아니라, 훤당(萱堂)의 노년 편친을 아득히 긔(欺)이고, 대리시의 드러 다시 슬젼(膝前)의 봉비(奉拜)흐믈 엇디 못흐고, 부즈 ᄉ인(四人)이 디원극통【16】을 품어 참화의 ᄡ러져, 형톄를 완전치 못흐여 머리를 엇게 우희 보전치 못홀 바를 혜아리니, 오장(五臟)이 ᄉ희고 골절이 스러질ᄃᆺ, 낫츨 두로혀 남후의 거동을 보디 아니랴 흐더니, 임의 ᄉ예 미를 들며 위관이 샹명을 둣ᄌ와 엄히 다ᄉ리기를 니르더니, 홀연 등문고(登聞鼓)[1418] 소릐 급흐니, 샹이 병부 츄문흐시기를 날회시고 그 볜고 므르라 흐시니, 이윽흐여 흔 녀지 청운 ᄀ튼 녹발을 프러 낫츨 가리오고 삼촌(三寸) 금년(金蓮)[1419]을 신속히 옴겨 나아오미, 난향(蘭香)이 보욱흐며[1420], 그 신댱 톄뫼 남달니 긔특흐여, 두 엇게[1421]는 봉됴(鳳鳥) 나ᄂᆫ ᄃᆺ흐고, 가는【17】허리ᄂᆫ 촉나(蜀羅)[1422]를 뭇근 ᄃᆺ, 긔려(奇麗)흔 형샹이 학우등션(鶴羽登仙)[1423] 홀 ᄃᆺ흐나, 신듕흔 위의(威儀) 님하(林下) ᄉ군ᄌ(士君子)의 풍이 잇ᄂᆫᄃᆡ라. 만됴군졸(滿朝軍卒)을 헷쳐 바로 단디(段地) 아릐 다ᄃᆞ라, 손의 일봉셔(一封書)를 가져 쇄옥낭셩(碎玉朗聲)[1424]을 놉혀

의 니르러 쳔금소즁(千金所重)[1355]의 댱지 즁형의 니르고, 뎨삼지 ᄇ로 참효(斬梟)[1356]흐라 나가믈 보미, 심장이 쓸는 물과 튼는 나모 ᄀ투여, 경긱의 죽어 보지 말고즈 홀 ᄯᅢ아니라, 훤당(萱堂)의 노년 편친을 아득히 긔이고, 디리시의 드【79】러 ᄃᆞ시 슬젼(膝前)의 봉비(奉拜)흐믈 엇지 못흐고, 부즈 ᄉ인(四人)이 지원극통을 품어 츔화의 ᄡ러져, 형톄를 완전치 못흐여 머리를 엇게 우희 보젼치 못홀 바를 혜아리니, 오장(五臟)이 ᄉ희고 골졀이 스러질ᄃᆺ, 낫츨 두루혀 남후의 거동을 보지 아니랴 흐더니, 님의 ᄉ예 미를 들며 위관이 샹명을 둣ᄌ와 엄히 ᄃ스리기를 니르더니, 홀연 등문고(登聞鼓)[1357] 소릐 급흐니, 상이 병부 츄문흐시기를 날회시고 그 볜고 무르라 흐시니, 이윽고 흔 녀지 쳥운 ᄀ튼 녹발을 프러 낫츨 ᄀ리오고, 슴촌(三寸) 금연(金蓮)[1358]을 신쇽히 옴겨 나아오미, 난향(蘭香)이 보욱흐며[1359] 그 신댱 톄뫼 남【80】달니 긔특흐여, 두 엇게[1360]ᄂᆫ 봉됴(鳳鳥) 나ᄂᆫ ᄃᆺ흐고, 가는 허리ᄂᆫ 촉나(蜀羅)[1361]를 뭇근 ᄃᆺ, 긔려(奇麗)흔 형샹이 학우등션(鶴羽登仙)[1362] 홀 ᄃᆺ흐나, 신즁흔 위의(威儀) 님하(林下) ᄉ군ᄌ(士君子)의 풍이 잇ᄂᆫ지라. 만됴군졸(滿朝軍卒)을 헷쳐 바로 단디하(段地下)의 ᄃ드라, 손의 일봉셔(一封書)를 ᄀ져, 쇄옥낭셩(碎玉朗聲)[1363]을

1416)쳔금소듕(千金所重) : 천금처럼 귀중함.
1417)참효(斬梟) : 처참효수(處斬梟首)의 줄임말. 예전에 죄인을 목을 베는 극형에 처하여 그 목을 높은 곳에 매달아 놓던 일.
1418)등문고(登聞鼓) : 조선 시대, 대궐의 문루에 달아 두어 백성들이 억울한 일을 임금에게 직접 호소하고자 할 때 치도록 한 북. =신문고(申聞鼓).
1419)금년(金蓮) : 금으로 만든 연꽃이라는 뜻으로, 미인의 예쁜 걸음걸이를 비유적으로 이르는 말. 중국 남조(南朝) 때 동혼후(東昏侯)가 금으로 만든 연꽃을 땅에 깔아 놓고 반비(潘妃)에게 그 위를 걷게 하였다는 고사에서 유래한다.
1420)보욱ᄒ다 : 속되지 않고 은은하고 그윽하다.
1421)엇게 : 어깨.
1422)촉나(蜀羅) : 촉(蜀)나라에서 생산된 비단.
1423)학우등션(鶴羽登仙) : ①학의 날개를 타고 하늘로 올라가 신선이 됨. ②존귀한 사람의 죽음을 이르는 말.
1424)쇄옥낭셩(碎玉朗聲) ; 옥이 깨어지는 듯한 맑고 아름다운 목소리.

1355)쳔금소듕(千金所重) : 천금처럼 귀중함.
1356)참효(斬梟) : 처참효수(處斬梟首)의 줄임말. 예전에 죄인을 목을 베는 극형에 처하여 그 목을 높은 곳에 매달아 놓던 일.
1357)등문고(登聞鼓) : 조선 시대, 대궐의 문루에 달아 두어 백성들이 억울한 일을 임금에게 직접 호소하고자 할 때 치도록 한 북. =신문고(申聞鼓).
1358)금년(金蓮) : 금으로 만든 연꽃이라는 뜻으로, 미인의 예쁜 걸음걸이를 비유적으로 이르는 말. 중국 남조(南朝) 때 동혼후(東昏侯)가 금으로 만든 연꽃을 땅에 깔아 놓고 반비(潘妃)에게 그 위를 걷게 하였다는 고사에서 유래한다.
1359)보욱ᄒ다 : 속되지 않고 은은하고 그윽하다.
1360)엇게 : 어깨.
1361)촉나(蜀羅) : 촉(蜀)나라에서 생산된 비단.
1362)학우등션(鶴羽登仙) : ①학의 날개를 타고 하늘로 올라가 신선이 됨. ②존귀한 사람의 죽음을 이르는 말.

왈,

"텬디간의 디원극통을 우리 셩쥬긔 알외려 ㅎ느니, 언어로 다 쥬홀 비 아니라, 비록 미셰ㅎ나 소표(疏表)를 뼈왓느니, 잠간 농뎐(龍殿)의 올녀 주쇼셔."

샹이 한님흑ᄉ 윤은텬으로 ᄒ여금 소표를 바다 닑으라 ᄒ시니, 윤흑시 소리를 놉혀 표를 닑으니,

"신쳡 윤시는 셩황셩공(誠惶誠恐)[1425]ᄒ고 돈슈빅비(頓首百拜)ᄒ여 우리 【18】 듀샹긔 디원극통을 알욉느니, 텬디 부모의 일월디명과 호싱디덕으로뼈, 신즈의 현우션악(賢愚善惡)을 슬피샤 셩디디티(聖代之治)의 원굴(寃屈)ᄒ미 업게 ᄒ실 비라. 신쳡은 고 니부샹셔 홍문관 태흑ᄉ 금즈광녹태우 윤현의 녀지라. 금평후 뎡연의 식뷔오, 평남후 텬흥의 폐쳬(廢妻)[1426]라. 신쳡이 미셰ᄒ ᄉ졍과 쇼쇼ᄒ 곡졀을 다 디존 엄하의 알외오미 번극ᄒ 죄를 면치 못홀 비오나, 일이 션후슈미(先後首尾) ᄌ셔ᄒ 후의 죄디경듕(罪之輕重)을 분변ᄒ올디라. 신쳡이 녓긔 ᄉ셰를 넘디 못ᄒ여 아비를 여희오니, 혈혈ᄒ ᄌ모로 더브러 남미 삼【19】인이 보젼ᄒ믈 어더, 신쳡이 이뉵(二六)을 디나며 뎡가의 구약을 일우미, 가부(家夫)의 인연의 모히믈 좃ᄎ 양시와 니시를 년ᄒ여 취ᄒ니, 다 현문 녀지라. 신쳡이 블민ᄒ오나 대단이 불평ᄒ ᄉ단을 니르혀디 아녓습더니, 문양옥쥬 뎡문의 하가ᄒ시미 산계비딜(山鷄卑質)이 난봉(鸞鳳)과 동녈(同列)치 못ᄒᆫ 덧덧ᄒ 녜ᄉᆞ(禮事)라. 인신의 더러온 ᄌ식이 만승(萬乘) 귀쥬(貴主)와 동녈치 못홀 거시므로, 구뷔(舅父) 신쳡 등을 심당 별쳐 두어, 감히 공쥬긔 현알치 못게 ᄒ더니, 문양공쥬 셩심슉덕(聖心淑德)으로 신쳡 등을 닐위여 흔가디로 화우(和友)코져 ᄒ시고, 조뫼 년노ᄒ므로 신【20】쳡 등을 닛디 못ᄒ미 심ᄒ여, 브득이 공쥬긔 현알ᄒ고 젼일쳐소의 도라오미, 공쥬의 화우ᄒ시는 셩덕

[1425]셩황셩공(誠惶誠恐) : 몹시 삼가고 두려워 함.
[1426]폐쳬(廢妻) : 파혼을 당하고 내쫓긴 아내.

놉혀 왈,

"텬디간의 지원극통을 우리 셩쥬게 알외려 ᄒ느니, 언어로 다 쥬홀 비 아니라. 비록 미셰ᄒ나 소표(疏表)로 뼈왓느니, 잠간 농뎐(龍殿)의 올녀 주쇼셔."

상이 한님(翰林) 윤은텬으로 ᄒ여금 소표를 바다 닑으라 ᄒ시니, 윤흑시 소리를 놉혀 표를 닑으니 ᄒᆡ엿시디 【81】

"신쳡 윤시는 셩황셩공(誠惶誠恐)[1364]ᄒ고 돈슈빅비(頓首百拜)ᄒ여 우리 쥬샹게 지원극통을 알욉느니, 텬디 부모의 일월지명과 호싱지덕으로뼈, 신즈의 현우션악(賢愚善惡)을 슬피ᄉ 셩디지치의 원굴(寃屈)ᄒ미 업술 비라. 신쳡은 젼님 니부샹셔 홍문관 틱흑ᄉ ○…결락12자…○[금즈광녹태우 윤현의 녀지라]. 금평후 뎡연의 식뷔오, ○○○[평남후] 텬흥의 폐쳬(廢妻)[1365]라. 신이 미셰ᄒ ᄉ졍과 쇼쇼ᄒ 곡졀을 다 지존 엄하의 알외오미, 번극ᄒ 죄를 면치 못ᄒ오나, 일이 젼후슈미(先後首尾) ᄌ셰ᄒ 후의 죄의경즁(罪之輕重)을 분변ᄒ올지라. 신쳡이 년긔 ᄉ셰를 넘지 못ᄒ여 【82】 아비를 녀희오니, 혈혈ᄒ ᄌ모로 더브러 남미 슴인이 보젼ᄒ믈 어더, 신쳡이 이륙(二六)을 지나며 뎡가의 구약을 닐오미, 가부의 인연의 모히믈 조ᄎ 양시와 니시를 년ᄒ여 취ᄒ니, 다 현문 녀지라. 신쳡이 블민ᄒ나 대단이 불평ᄒ ᄉ단을 닐위지 아녓더니, 《문득‖문양》옥쥬 뎡문의 하가ᄒ시미 《상셰‖산계》비질(山鷄卑質)이 난봉(鸞鳳)과 동녈(同列)치 못ᄒᆫ 쩟쩟ᄒ 녜ᄉ라. 인신의 더러온 ᄌ식이 만승(萬乘) 귀쥬(貴主)와 동녈치 못홀 거시므로, 구뷔(舅父) 신쳡 등을 심당 별쳐의 두어 감히 공쥬게 현알치 못게 ᄒ더니, 문양공쥬 셩심슉덕(聖心淑德)으로 신쳡 등을 닐위여 흔가지로 【83】 화우(和友) 《케‖코져》 ᄒ시고, 조뫼 년노ᄒ므로 신

[1363]쇄옥낭셩(碎玉朗聲) ; 옥이 깨어지는 듯한 맑고 아름다운 목소리.
[1364]셩황셩공(誠惶誠恐) : 몹시 삼가고 두려워 함.
[1365]폐쳬(廢妻) : 파혼을 당하고 내쫓긴 아내.

이 쥬비(周妃)1427)의 남은 풍(風)이 계시니, 신쳡 등의 일신이 편ᄒ여 공쥬의 덕화를 목욕감아 우러러 셤길가 ᄒ엿ᄉᆞ오니, 블ᄒᆡᆼᄒᆞ여 공쥐 낙틱(落胎)ᄒᆞ시믈 인ᄒᆞ여, 몽니(夢裏)의도 싱각디 아닌 누얼이 신쳡 등의게 도라디고1428), 간비의 요악ᄒᆞ미 각각 쥬인을 ᄉᆞ디의 모라 너ᄒᆞ미, 셩듀의 호싱디덕(好生之德)이 미셰ᄒᆞᆫ 곳의 다다라도 늠셩ᄒᆞ샤, 초로잔쳔(草露殘喘)1429)을 빌니시고, '니이졀의(離異絶義)ᄒᆞ여 친졍으로 보ᄂᆡ라' 셩디 계시미, 신쳡은 아ᄌᆞ비니【21】르러 ᄃᆞ려 가더니, 길ᄒᆡ셔 구몽슉 요인이 아ᄌᆞ비를 쳥ᄒᆞ여 제집의 드리고, 신쳡의 거교ᄂᆞᆫ ᄉᆞ오나온 노복이 메여 바로 븍궁으로 오니, 그 가온ᄃᆡ ᄉᆞ괴 만ᄉᆞ오며, 신묘랑이란 요졍(妖精)이 귀비낭낭과 신쳡의 한미며 아ᄌᆞ미를 다 그릇 믿ᄃᆞ라, 악ᄒᆡᆼ 패도(悖道)를 온가디로 가ᄅᆞ치미 되니, 신쳡과 양시를 셕혈(石穴)과 닝옥(冷獄)의 깁히 가도앗다가 츄경디 믈 가온ᄃᆡ 핍박ᄒᆞ여 넛ᄂᆞᆫ 화를 만나ᄉᆞ오니, 죽으미 반둣ᄒᆞ고 살미 어려올 거시어늘, 운화산 활인ᄉᆞ 슈승(首僧) 혜원 니고의 구활ᄒᆞᄂᆞᆫ 은혜를 닙어 산문의 의디ᄒᆞ여, 복ᄋᆞ를 분산ᄒᆞ고 여【22】러 일월을 보ᄂᆡ여 얼프시 이의 삼지츈츄(三載春秋)되나 감히 ᄉᆞ라시믈 구고와 가부의게 통치 못ᄒᆞ고, 유ᄋᆡ 아비를 춫ᄂᆞᆫ 디경의 니ᄅᆞ디, 능히 그 부즈의 상면ᄒᆞ믈 구치 아냐 옥쥬와 동녈(同列)이 네 ᄀᆞᆺ기를 바라디 못ᄒᆞ고, 인뉸의 온젼ᄒᆞᆫ 녀지 되기를 원치 못ᄒᆞ여, 산문의 승니를 벗ᄒᆞ여 여러 졀셰(節歲) 밧괴이니, 기졍(其情)이 쳐의(悽矣)라. 그러나 각각 신셰를 슬허홀 ᄯᆞᆫ이오 다른 근심이 업거늘, 뉘 도로혀 비은망덕ᄒᆞᄂᆞᆫ 쇼인이 투현딜능ᄒᆞᄂᆞᆫ ᄉᆞ오나오믈 곰초디 못ᄒᆞ기ᄂᆞᆫ[로], 뎡즈의 덕

첩 등을 닛지 못ᄒᆞ미 심ᄒᆞ여, 부득이 공쥬게 현알ᄒᆞ고 젼일 쳐소의 도라오미, 공쥬의 화우ᄒᆞ시ᄂᆞᆫ 셩덕이 쥬비(周妃)1366)의 남은 풍이 계시니, 신쳡 등의 일신이 편ᄒᆞ여 공쥬의 덕화를 목욕금아 우러러 셤길가 ᄒᆞ엿ᄉᆞ오니, 블ᄒᆡᆼᄒᆞ여 공쥐 낙틱(落胎)ᄒᆞ시믈 인ᄒᆞ여. 몽니(夢裏)의도 싱각지 아닌 누얼이 신쳡 등의게 도라지고1367), 간비의 요악ᄒᆞ미 각각 쥬인을 ᄉᆞ디의 모라 너ᄒᆞ디, 셩듀의 호싱지덕(好生之德)이 미셰ᄒᆞᆫ 곳의 다다라도 늠셩ᄒᆞᄉᆞ, 초로잔쳔(草露殘喘)1368)을 빌니시고 니이졀의(離異絶義)ᄒᆞ여 친졍으로 보ᄂᆡ라 셩지 계시미,【84】 신쳡은 아ᄌᆞ비 니르러 ᄃᆞ려 가더니, 길ᄒᆡ셔 구몽슉 뇨인(妖人)이 아ᄌᆞ비를 쳥ᄒᆞ여 제집의 드리고, 신○[쳡]의 거교ᄂᆞᆫ ᄉᆞ오나온 노복이 메여 바로 븍궁으로 오니, 그 ᄀᆞ온ᄃᆡ ᄉᆞ괴 만흐며, 신묘랑 요졍(妖精)이 귀비낭낭과 신쳡의 한미며 아ᄌᆞ미를 ○[다] 그릇 믿ᄃᆞ라, {악ᄒᆡᆼ픠도를 그릇 믿ᄃᆞ라} 악ᄒᆡᆼ 픠도(悖道)를 온 ᄀᆞ지로 ᄀᆞᄅᆞ치미 되니, 신쳡과 양시 셕혈(石穴)과 닝옥(冷獄)의 깁히 ᄀᆞᆺ치엇ᄃᆞ가, 츄경디 믓 ᄀᆞ온ᄃᆡ 핍박ᄒᆞ여 넛코, 화를 만나ᄉᆞ오니, 죽으미 반둣ᄒᆞ고 살미 어려올 거시어늘, 운화산 활인ᄉᆞ 슈승(首僧) 혜원의 구활ᄒᆞ믈 힘닙어 산문의 의지ᄒᆞ여, 복ᄋᆞ를 분산ᄒᆞ고 녀러 일월【85】을 보ᄂᆡ여 얼프시 이의 숨지츈취(三載春秋) 되나, 감히 ᄉᆞ라시믈 구고게와 가부의게 통치 못ᄒᆞ고, 유ᄋᆡ 아ᄌᆞ비를 춫ᄂᆞᆫ 디경의 니르디, 능히 그 부즈의 상면ᄒᆞ믈 구치 아녀 옥쥬와 동녈(同列)이 네 ᄀᆞᆺ기를 바라지 못ᄒᆞ고, 인뉸의 온젼ᄒᆞᆫ 녀지 되지 못ᄒᆞ여, 산문의 승니를 벗ᄒᆞ여 여러 졀셰(節歲) 밧괴이니, 기졍(其情)이 쳐의(悽矣)라. 그러나 각각 신셰를 슬허

1427)쥬비(周妃) : 주(周)나라 문왕(文王)의 비(妃) 태사(太姒). 부덕(婦德)이 높아 후궁들을 덕(德O으로 잘 거느렸다.

1428)도라디다 : 돌아가다. 차례나 몫, 승리, 비난 따위가 개인이나 단체 따위의 차지가 되다.

1429)초로잔쳔(草露殘喘) : 풀잎에 맺힌 이슬처럼 언제 사라질지 모르는 연약한 목숨.

1366)쥬비(周妃) : 주(周)나라 문왕(文王)의 비(妃) 태사(太姒). 부덕(婦德)이 높아 후궁들을 덕(德O으로 잘 거느렸다.

1367)도라디다 : 돌아가다. 차례나 몫, 승리, 비난 따위가 개인이나 단체 따위의 차지가 되다.

1368)초로잔쳔(草露殘喘) : 풀잎에 맺힌 이슬처럼 언제 사라질지 모르는 연약한 목숨.

망과 셰권을 싀애ᄒᆞ여, 가만ᄒᆞᆫ 가온ᄃᆡ 공교로온 쇠【23】를 운동ᄒᆞᄆᆡ, '물(物)이 물(物)을 좃고 뉴(類) 뉴(類)를 쏠와'1430), 쇼인으로 더브러 동심모의(同心謀議)ᄒᆞᄂᆞᆫ 흉인과 요졍이 굿초 삼긴다라. 샹셔 구몽슉은 본ᄃᆡ 조샹부모(早喪父母) ᄒᆞ고 죵션형뎨(終鮮兄弟)ᄒᆞ여 강근디친(强近之親)이 젹ᄋᆞ니, 구표슉(舅表叔)1431) 딘광이 젼시랑 구쥰[쥰](寇準)1432)과 디극ᄒᆞᆫ 친우런 고로, 망우의 일 골육(骨肉)이 혈혈무의(孑孑無依)ᄒᆞᄆᆞᆯ 참연ᄒᆞ여, 거두어 기르미 범ᄉᆞ의 년이ᄒᆞ며 긔렴ᄒᆞᄂᆞᆫ 졍이 부ᄌᆞ의 감치 아니ᄒᆞ고, 신의 구뷔 딘광과 굿치 구몽슉을 ᄉᆞ랑ᄒᆞ여 닙신(立身) 취쳐(娶妻) 젼은 뎡·딘 이부의 머믈미 된다라. 몽슉이 일분이나 사ᄅᆞᆷ의 ᄆᆞᄋᆞᆷ이 이시면 뎡·딘 냥문 은혜를 감격ᄒᆞ여 ᄒᆞᆫ갈굿치 ᄌᆞ질과【24】다르디 아니미 올커늘, 간흉악인이 힝실이 브졍요악ᄒᆞ여 그 몸이 쳥운의 올나 경악(經幄)의 근시(近侍) 되ᄆᆡ, 미양 낫빗츨 아당ᄒᆞ여 텬의를 영합기를 위ᄒᆞ고, ᄒᆞᆫ 일도 군덕을 돕ᄉᆞ오미 업셔, 공교로온 ᄠᅳᆺ이 텬심을 엿ᄇᆞ며, 샹툥(上寵)이 늉늉ᄒᆞᄂᆞᆫ 곳의ᄂᆞᆫ 싀이(猜礙)ᄒᆞ기를 비홀 곳이 업셔, 브듸 히ᄒᆞ여 죽이고 굿치려 ᄒᆞᄂᆞᆫ다라. 신쳡의 가부와 딘영슈 등이 셩졍의 녈딕(烈直)ᄒᆞᄆᆞᆯ ᄀᆞᆷ초디 못ᄒᆞ고, 사ᄅᆞᆷ의 그릇되믈 깃거 아냐, 붕우ᄎᆡᆨ션(朋友責善)이 녜ᄉᆞ(例事) 고로, 미양 몽슉의 단쳐를 닐너 회심개과ᄒᆞ기를 니ᄅᆞᄆᆡ, 몽슉이 져의 허물【25】을 아는 바를 더옥 증통(憎痛)ᄒᆞ여 졈졈 히홀 긔틀을 여으니, ᄌᆞ연 간당이 모혀, 형○[왕]은 뎡·딘 등의 당당 뎡논으로 '초왕의 년좌를 져의게 쓰쇼셔' ᄒᆞᄆᆞ로, 형왕의 각골원분(刻骨怨憤)이 되어, 구몽슉과 쥬쥬야야

홀 ᄯᆞᆫ이오, 다른 근심이 업거늘, 뉘 도로혀 비은망덕ᄒᆞᄂᆞᆫ 쇼인이 투현질능ᄒᆞᄂᆞᆫ ᄉᆞ오나오믈 ᄀᆞᆷ초지 못ᄒᆞ기로, 군ᄌᆞ의 덕망과 셰권을 싀이ᄒᆞ여, ᄀᆞ만ᄒᆞᆫ ᄀᆞ온ᄃᆡ 공교로온 쇠를 운동ᄒᆞᄆᆡ, '물(物)이 물(物)을 좃고 뉴(類) 뉴(類)를 【86】쏠와'1369), 쇼인으로 더브러 동심모의(同心謀議)ᄒᆞᄂᆞᆫ 흉인과 요졍이 굿초 ᄉᆞᆷ긴지라. 샹셔 구몽슉은 본ᄃᆡ 조샹부모(早喪父母) ᄒᆞ고 죵션형뎨(終鮮兄弟)1370)ᄒᆞ여 강근지친(强近之親)이 젹ᄋᆞ니, 구표슉(舅表叔)1371) 딘광이 젼시랑 구쥰(寇準)1372)과 지극ᄒᆞᆫ 친우런 고로, 망우의 일 골육(骨肉)이 혈혈무의(孑孑無依)ᄒᆞᄆᆞᆯ 참연ᄒᆞ여 거두어 기르미, 범ᄉᆞ의 년이ᄒᆞᄂᆞᆫ 졍이 부ᄌᆞ의 감치 아니ᄒᆞ고, 신의 구뷔 진광과 굿치 구몽슉을 ᄉᆞ랑ᄒᆞ여, 닙신(立身) 취쳐(娶妻) 젼은 뎡·진 이부의 머믈미 된지라. 몽슉이 일분이나 ᄉᆞ람의 ᄆᆞᄋᆞᆷ이 이시면, 뎡·진 냥문 은혜를 ᄀᆞᆷ격ᄒᆞ여 ᄒᆞᆫ갈굿치 ᄌᆞ질과 다르지 아니미 올커늘, 간흉【87】악인이 힝실이 부졍 요악ᄒᆞ여, 그 몸이 쳥운의 올나 경악(經幄)의 근시(近侍) 되ᄆᆡ, 미양 낫빗츨 아당ᄒᆞ여, 텬의를 영합기를 위ᄒᆞ고, ᄒᆞᆫ 일도 군덕을 돕ᄉᆞ오미 업셔, 공교로온 ᄠᅳᆺ이 텬심을 넛ᄇᆞ며, 샹츙(上寵)이 늉늉ᄒᆞᄂᆞᆫ 곳의ᄂᆞᆫ 싀이(猜礙)ᄒᆞ기를 비홀 곳이 업셔, 브듸 히ᄒᆞ여 죽이고 긋치려 ᄒᆞᄂᆞᆫ지라. 신쳡의 가부와 진영슈등이 셩졍의 《녈ᄒᆞ직긔∥녈직ᄒᆞ기》를 ᄀᆞᆷ초지 못ᄒᆞ고, 사ᄅᆞᆷ의 그릇되믈 깃거 아녀, 붕우ᄎᆡᆨ션(朋友責善)이 녜ᄉᆞᆫ(例事)

1430)물(物)이 물(物)을 좃고 뉴(類) 뉴(類)를 쏠와 : 물물상의(物物相依) 유유상종(類類相從)을 말함. 곧 세상의 모든 사물들은 서로 의존관계에 있고, 같은 무리끼리 서로 사귀는 경향이 있음을 이르는 말.

1431)구표슉(舅表叔) : 구가(舅家;시집)의 외숙.

1432)구쥰(寇準) : 961-1023. 중국 송(宋)나라 초(初)의 정치가. 거란(契丹)의 침입을 물리쳐 공을 세웠고 재상에 올랐다. 내국공(萊國公)에 봉작되었다.

1369)물(物)이 물(物)을 좃고 뉴(類) 뉴(類)를 쏠와 : 물물상의(物物相依) 유유상종(類類相從)을 말함. 곧 세상의 모든 사물들은 서로 의존관계에 있고, 같은 무리끼리 서로 사귀는 경향이 있음을 이르는 말.

1370)죵션형뎨(終鮮兄弟) : 형제가 적다는 말. 『시경』 <정풍(鄭風)> '양지수(揚之水)'시의 '終鮮兄弟 維予與女(형제도 적어 나와 너뿐이다)과 이밀(李密)의 <진정표(陳情表)>'旣無叔伯 終鮮兄弟(숙부나 백부도 없고 형제도 없다)'에 나오는 말.

1371)구표슉(舅表叔) : 구가(舅家; 시집)의 외숙.

1372)구쥰(寇準) : 961-1023. 중국 송(宋)나라 초(初)의 정치가. 거란(契丹)의 침입을 물리쳐 공을 세웠고 재상에 올랐다. 내국공(萊國公)에 봉작되었다.

의 흉계를 의논ᄒ며, 뎡·딘 이문을 아조 뭇디르려 ᄒᄂᆞ니라. 신쳡이 어이 흉모를 주시 아라시리잇고마는, 산문의셔 싱활이 아득ᄒ여 슈치(繡致)를 파라 니우던[1433]디라. 비즈 쥬영이 운화산 형왕 졍즈의 왕ᄂᆡᄒ여 슈치를 팔나 단니다가, 우연이 구몽슉과 형왕의 ᄒᄂᆞᆫ 말을 드른 비라. 기후(其後) 날마[26]다 단니며 형왕이 요졍과 몽슉으로 더브러 ᄒᄂᆞᆫ 말을 조건조건 긔록ᄒᆞ엿ᄉᆞᆸᄂᆞ니, 구몽슉이 신묘랑이란 요졍을 쵹디의셔 스괴여, ○○○[요졍이] 경샤가디 올나오미 다 구몽슉의 쳥ᄒᆞᆫ 비라. ○○○[몽슉이] 뎡·딘 냥가 히코져 ᄒᆞ미 궁극ᄒ여, 모월모일의 디아뷔[1434] 필톄를 모셔 반셔(叛書)를 뼈, 신묘랑 요졍으로 히북(海北) 졔읍(諸邑)의 도로고[1435], 져는 경샤의 이셔 '뎡긔딘조곡(鄭起陳助曲)이란 동요를 디어 만셩(滿城) ᄋᆞ동(兒童)을 가ᄅᆞ치니, 원닉 몽슉이 몸을 나라 공듕의 오르며, 변ᄒ여 되고져 ᄒᄂᆞᆫ 비 되ᄂᆞᆫ디라. 궐졍(闕廷)의 드러와 모야(暮夜)의 농포와 옥시를 도뎍ᄒ여 뎡가 셔실의 금[27]초고, 흉역디심(凶逆之心)의 시샤(詩詞)를 챵화(唱和)ᄒ여 뎡·딘 냥가 협ᄉᆞ(篋笥)의 너허두고, 신묘랑 요졍이 반셔를 도로고 회환ᄒ미, 급급히 뎡셰흥 딘영슈의 모역ᄒᄂᆞᆫ 셔간을 믿ᄃᆞ라, 묘랑으로 ᄒ여금 변화ᄒ여 뎡부 가졍(家丁)이 되여 짐줏 오왕뎐하의 거류 알플 건너 잡히미, 의심된 셔간을 낫타닉여 셩샹이 딘영슈 형뎨와 뎡닌흥 등을 나릭(拿來)ᄒ시되, 구부(舅父)와 딘광을 나옥(拿獄)디 아니시니, 몽슉이 여ᄎᆞ여ᄎᆞ 묘랑을 상즈(相者)의 복식으[28]로 ○○○[데려다], 뎡텬흥의 얼골 기리던 상즈라 ᄒᆞ여 텬심을 현혹ᄒ고, 즉시 도망케 ᄒ며, 또 반야(半夜)의 칼흘 껴 어침(御寢)의 돌입ᄒ여, 금낭(錦囊)으로 텬심을 공동(恐動)ᄒᆞ니, 희(噫)라! 즈고(自古)의, 쇼인

고로, 미양 몽슉의 단쳐를 닐너 회심긔과ᄒ기를 니르미, 몽슉이 져의 허물을 아는 바를 더욱 증통(憎痛)ᄒᆞ여, 졈[88]졈 히홀 긔틀을 녀으니, 즈연 간당이 모혀, 형왕은 뎡·딘 등의 당당(堂堂) 졍논(正論)으로, '초왕의 년좌를 져의게 쓰쇼셔' ᄒᆞ므로, 형왕의 극골원분(刻骨怨憤)이 되어, 구몽슉과 쥬쥬야야(晝晝夜夜)의 흉계를 의논ᄒ며, 뎡·딘 이문을 아조 뭇지르려 ᄒᄂᆞᆫ지라. 신쳡이 어이 흉모를 주시 아랏시리잇고마는, 산문의셔 싱활이 아득ᄒ여 슈치(繡致)를 파라 니우던[1373]지라. 비즈 쥬영이 운화산 형왕 졍즈의 왕ᄂᆡᄒ여 슈치를 팔나 단니드가, 우연이 구몽슉과 형왕의 ᄒᄂᆞᆫ 말을 드른 비라. 기후(其後) 날마다 단니며 형왕이 요졍과 몽슉으로 더브러 ᄒᄂᆞᆫ 말을 조건조건 긔록[89]ᄒᆞ엿ᄂᆞ니, 구몽슉이 신묘랑이란 요졍을 쵹디의셔 스괴여, ○○○[요졍이] 경ᄉᆞᄀᆞ지 《올나온지라∥올나오미 다》 구몽슉의 쳥ᄒᆞᆫ 비라. ○○○[몽슉이] 뎡·진 냥가 히코즈 ᄒᆞ미 궁극ᄒ여, 모월모일의 지아븨[1374] 필톄를 모셔 반셔를 뼈, 신묘랑 요졍으로 히븍졔읍(海北諸邑)을[의] 《도라드니게∥도로게[1375]》 ᄒᆞ고, 져는 경ᄉᆞ의 이셔 졍긔조곡(鄭起陳助曲)이란 동요를 ○○[지어] 만셩(滿城) ᄋᆞ동(兒童)을 ᄀᆞ르치니, 원닉 몽슉이 몸을 ᄂᆞ라 공즁의 오르며, 변ᄒ여 되고즈 ᄒᆞᄂᆞᆫ 비 되ᄂᆞᆫ지라. 궐졍(闕廷)의 반야(半夜)의 드러와 모야(暮夜)의 농포와 옥시를 도젹ᄒ여 뎡가 셔실의 굼초고, 흉녁지심(凶逆之心)의 시ᄉᆞ(詩詞) 챵화(唱和)를 ᄒ여 뎡·진 냥가 협ᄉᆞ의 너허두[90]고, 신묘랑 뇨졍이 반셔를 도로고 회환ᄒ미, 급급히 뎡셰흥 진녕슈의 모역ᄒᄂᆞᆫ 셔간을 믿ᄃᆞ라, 묘랑으로 ᄒ여금 변화ᄒ여, 뎡부 가졍(家丁)이 되여 짐줏 오왕뎐하의 거류 압흘 건너 줍히미, 의심된 셔간이 써러

1433)니우다 : 잇다. 끊어지지 않게 계속하다
1434)디아뷔 : 지아비. 웃어른 앞에서 자기 남편을 낮추어 이르는 말.
1435)도로다 : 돌리다. 어떤 물건을 나누어 주거나 배달하다.

1373)니우다 : 잇다. 끊어지지 않게 계속하다
1374)디아븨 : 지아비. 웃어른 앞에서 자기 남편을 낮추어 이르는 말.
1375)도로다 : 돌리다. 어떤 물건을 나누어 주거나 배달하다.

역뎍이 하딕무디(何代無之)리잇고마는, 실노 구뎍(賊)1436)의 흉심은 듯디 못ᄒᆞ던 빈라. 신쳡의 오라비 광텬 희텬이 져와 무원무과(無怨無過) ᄒᆞ디, 쇼인이 군ᄌᆞ를 쎄리믄 상ᄉᆡ라. 짐즛 광텬의 직조를 찬양ᄒᆞ여 남뎡참모(南征參謀)를 삼으시게 ᄒᆞ고, 대원슈 손확을 여ᄎᆞ여ᄎᆞ 격동ᄒᆞ여 광텬을 죽이라 ᄒᆞ고, 희텬을 모역죄슈(謀逆罪囚)의 모라너코져 ᄒᆞ여,【29】ᄯᅩ 여ᄎᆞ여ᄎᆞ 셔간을 ᄡᅥ 묘랑을 맛져 양줘로 좃츠오는 체ᄒᆞ여, 황친 듕 셩권(聖眷)1437)잇는 ᄌᆞ를 갈희여, 짐즛 잡히고져 ᄒᆞ오므로, 혜원니고 그 흉뫼 긋칠 줄 모로믈 통완ᄒᆞ여, 형왕 등이 허여던 후, 묘랑을 ᄡᆞᆯ와 잡으니, 제 비록 요슐변홰(妖術變化) 블측(不測)ᄒᆞ나, 능히 혜원의 신명ᄒᆞᆫ 직조를 밋디 못ᄒᆞ여 잡힌 빈 되니, 신쳡이 디은 죄과를 뭇ᄌᆞ온족, 비록 셰셰히 니르디 아니ᄒᆞ나, 다만 직간(才幹)이 쳔고(千古)의 무비(無比)ᄒᆞ여, 셰샹의 두로 단니며 상부후문(相府侯門)의 허박(虛薄)ᄒᆞᆫ 부녀를 쇽여, 사름의 동녈(同列) ᄉᆞ이를 블화케 ᄒᆞ여, 직물을 취【30】ᄒᆞ여, 대개 현인이라도 그릇 인도키를 슈업시 ᄒᆞ여, 텬흥의 ᄌᆞ녀와 경시 운영가디 다 업시ᄒᆞ여, 공쥬의 참덕(慙德)을 깃치미 요리(妖尼)의 죄상이라. 신쳡이 몸이 ᄉᆞ족(士族)의 나고, 규리(閨裏)의 ᄌᆞ최 만됴를 혜쳐, 낫 가리오는 녜를 업시ᄒᆞ여 당돌이 어젼의 소회를 베프미, ᄯᅩᄒᆞᆫ 죄 듕ᄒᆞ고, 지아뷔 급화를 위ᄒᆞ여 신묘랑 요졍을 잡아 밧치니, 그 닙으로 좃ᄎᆞ 여러 곳을 히홀 말이 다 신쳡의 한미와 아즈미 아니면 공쥬와 귀비긔 간섭ᄒᆞ니, 신쳡이 여러 사름을 히코져 ᄒᆞᆷ 아니로딕, 일이 어즈럽게 ᄒᆞᆷ 신의【31】타시 되오리니, 텬문의 결ᄉᆞ(決事)를 위ᄒᆞ고, 기다려 ᄉᆞ죄를 쳥ᄒᆞᆸᄂᆞ니, 복유(伏惟)1438) 셩명(聖明)은 구몽슉과 형왕으로 더브러 요리의 간졍(奸情)을 일일히 츄문ᄒᆞ시고, 형왕이 궁인을 동심(同心)ᄒᆞ여 괴이ᄒᆞᆫ

지게 ᄒᆞ여, 셩상이 보시게 ᄒᆞ고, 몽슉이 승상 화경을 격동ᄒᆞ여 뎡·딘 이가(二家)를 아조 대역으로 쳐오고, 셩상이 딘영슈 형뎨와 뎡닌흥 등을 나리(拿來)ᄒᆞ시딕, 구부(舅父)와 진광을 나옥(拿獄)지 아니시니, 몽슉이 여ᄎᆞ여ᄎᆞ 묘랑을 상ᄌᆞ의 복식으로 ○○○[데려다], 뎡텬흥의 얼골 기리시던 상ᄌᆞ라 ᄒᆞ여 텬심을 현혹ᄒᆞ고 즉시 도망케 ᄒᆞ며, ᄯᅩ 반야(半夜)의 칼을【91】ᄡᅥ 어침(御寢)의 돌입ᄒᆞ여, 금낭(錦囊)으로 텬심을 공동(恐動)ᄒᆞ오니, 희(噫)라! ᄌᆞ고(自古)의 쇼인 녁뎍이 ○[어]이 업스리잇고 마는, 실노 구젹(賊)1376)의 흉심은 듯지 못ᄒᆞ던 빈라. 신쳡의 오라비 광텬·희텬이 져와 무원무과(無怨無過) ᄒᆞ디, 쇼인이 군ᄌᆞ를 쎄리믄 상ᄉᆡ라. 짐즛 광텬의 직조를 찬양ᄒᆞ여 남졍참모(南征參謀)를 숨으시게 ᄒᆞ고, 대원슈 손확을 여ᄎᆞ여ᄎᆞ 격동ᄒᆞ여 광텬을 죽이라 ᄒᆞ고, 희텬으로 모역죄슈(謀逆罪囚)의 모라너코ᄌᆞ ᄒᆞ여, ᄯᅩ 여ᄎᆞ여ᄎᆞ 셔간을 ᄡᅥ 묘랑을 맛져 양줘로 좃츠오는 체ᄒᆞ여, 황친 즁 셩권(聖眷)1377) 잇는 ᄌᆞ를 굴히여 짐즛 즙히고ᄌᆞ ᄒᆞ는 고로, 혜원이 그 흉계 슷칠 줄 모로믈 통완ᄒᆞ여, 형왕 등이【92】허여진 후, 묘랑을 ᄡᅡ라 즙으니, 제 비록 뇨○○[슐변]홰(妖術變化) 블측(不測)ᄒᆞ나, 능히 혜원의 신명ᄒᆞᆫ 직조를 밋지 못ᄒᆞ여 즙힌 빈 되니, 신쳡이 지은 죄과를 뭇ᄌᆞ온족, 비록 셰셰히 니르지 아니ᄒᆞ나, 다만 직간(才幹)이 쳔고(千古)의 무비(無比)ᄒᆞ여, 셰샹의 두로 ᄃᆞ니며 상부후문(相府侯門)의 허박(虛薄)ᄒᆞᆫ 부녀를 쇽여, ᄉᆞ람의 동녈(同列) ᄉᆞ이를 블화케 ᄒᆞ여, 직물을 취ᄒᆞ여, 대개 현인이라도 그릇 인도키를 슈업시 ᄒᆞ여, 공쥬의 참덕(慙德)을 깃치미 요리(妖尼)의 죄상이라. 신쳡이 몸이 ᄉᆞ족(士族)의 나고 규리(閨裏)의 ᄌᆞ최로 만됴를 혜쳐, 놋 ᄀᆞ리오는 녜를 업시ᄒᆞ여 당돌이 어젼의 소회를 베프미, ᄯᅩᄒᆞᆫ 죄 즁ᄒᆞ고, 지【93】아비 급화를 위ᄒᆞ여 신묘랑 요

1436)구뎍(賊) : 도젹(盜賊) 구몽슉.
1437)셩권(聖眷) : 은권(恩眷). 임금의 총애.
1438)복유(伏惟) : 삼가 엎드려 생각하옵건대.

1376)구덕(賊) : 도젹(盜賊) 구몽슉.
1377)셩권(聖眷) : 은권(恩眷). 임금의 총애.

약을 어더 상궁을 주어, 어션(御膳)의 셧거
텬심이 변ᄒ시며, 셩춍이 흐리시기를 요구
ᄒ니, 쳔고의 희한ᄒ 흉인이 아니리잇고?
신쳡이 쥬영 쇼비의게 드른 바를 셰셰히 긔
록ᄒ여, ᄒ일도 희미ᄒ 일이 업고, 구몽슉이
신데 희텬의 모역ᄒᄂ 셔간을 민ᄃ라 요리
를 맛딘 거슬, 신쳡이 ᄯ 잡아시니, 이에 다
ᄃ라ᄂ 흉당(凶黨)이 하날과 귀신은 【32】
속여도, 다시 발명ᄒᆯ 길히 업ᄉ리니, 폐하ᄂ
살피시ᄆᆯ 등한이 마르쇼셔."

ᄒ엿더라.

　혈셔 쓴 거시 필획이 녕농쇄락(玲瓏灑落)
ᄒ여, 디샹(紙上)의 쥬옥이 셔리고 난봉(鸞
鳳)이 춤츄ᄂ 닷ᄒ니, 윤흑스의 보ᄂ 눈이
샹쾌ᄒ고 만됴(滿朝) 칭찬치 아니 리 업더
라.
　샹이 윤시의 허다 소표(疏表)를 드르시고,
비로소 뎡 · 딘 등의 원억ᄒᄆᆯ 씨드르샤, 경
긱의 텬심이 뉘웃쳐 ᄒ시ᄆᆯ 니긔디 못ᄒ시
ᄂ디라. 윤흑시 소표 넓기를 맛디 못ᄒ여셔,
샹이 밧비 젼교ᄒ샤 딘영슈와 뎡셰흥을 죽
이디 말나 ᄒ샤, 도로 불너드 【33】리라 ᄒ
시니, 원ᄂᆨ 윤부인이 격고(擊鼓)ᄒ려 올 셔
의 냥인을 위ᄉ(衛士) 녕거(領去)1439)ᄒ여
힝형(行刑)ᄒ려 ᄒ거늘, 윤부인이 옥셩을 놉
혀 위ᄉ 듯게 니르되,
　"죄ᄂ 디은 곳으로 도라가ᄂ니, 내 임의
디원극통을 픔어, 간당○[이] 현인을 ᄒᆡᄒ
려 도모ᄒ던 바를 다 아라, 텬문의 격고ᄒ

1439)녕거(領去) : 영거(領去). 함께 데리고 가거나
　가지고 감.

정을 좁아 밧치니, 그 닙으로 좃ᄎ 여러 곳
을 ᄒᆡ홀 말이 다 신쳡의 한미와 아즈미 아
니면 공쥬와 귀비게 간셥ᄒ니, 신쳡이 여러
스람을 ᄒᆡ코즈 ᄒᆞᆫ 아니오나, 일이 어즈럽
게 ᄒᆞᆫ 신쳡의 타시 되오리니, 텬문의 결
ᄉ(決事)를 위ᄒ고, 기다려 ᄉ죄를 쳥ᄒᆞᆸᄂ
니, 복원(伏願) 셩상은 구몽슉과 형왕으로
더브러, 요리의 간졍(奸情)을 일일히 츄문ᄒ
시고, 형왕이 궁인을 동심(同心)ᄒ여 괴이ᄒ
약을 어더 상궁을 주어, 어션(御膳)의 셧거
텬심이 변ᄒ시게 ᄒ며, 셩픔이 흐리시기를
요구ᄒ니, 쳔고의 희한ᄒ 흉인이 아니리잇
고? 신○[쳡]이 【94】 쥬영 쇼비의게 드런
바를 셰셰히 긔록ᄒ여 ᄒ일도 희미ᄒ 일이
업고, 구몽슉이 신데 희텬의 모역ᄒᄂ 셔간
을 민ᄃ러 요리를 《만긴∥맛긴》 거슬, 신
쳡이 ᄯ 좁아시니, 이의 다ᄃ라ᄂ 흉당(凶
黨)이 하늘과 귀신은 속여도 다시 발명ᄒᆯ
길히 업ᄉ리니, 폐하ᄂ 살피시ᄆᆯ 등한이 마
르쇼셔."

ᄒ엿더라.

　혈셔 쓴 거시 필획이 녕농쇄락(玲瓏灑落
ᄒ여, 디샹(紙上)의 쥬옥이 난락(亂落)ᄒ고
난봉(鸞鳳)이 춤추ᄂ 닷ᄒ니, 윤흑스의 보ᄂ
눈이 샹쾌ᄒ고, 만됴 칭찬치 아니 리 업더
라.
　상이 윤시의 허다 소표(疏表)를 드르시고,
비로소 뎡 · 진 등의 【95】 원역ᄒᄆᆯ 씨드
ᄅᆞᆺ, 딘녕슈와 뎡셰흥을 죽이지 말나 ᄒ고
도로 불너드리라 ᄒ시니, 원ᄂᆨ 윤부인이 격
고(擊鼓)ᄒ려 드러올 셔의 냥인을 위ᄉ(衛
士) 녕거(領去)1378)ᄒ여 힝형(行刑)ᄒ려 ᄒ
ᄂ지라. 윤부인이 옥셩을 놉혀 닐으되,

　"죄ᄂ 지은 곳으로 도라가ᄂ니, 쳡이 님
의 지원극통을 픔어 간당이 현인을 ᄒᆡᄒ려
ᄒᄂ 바를 다 아라, 이제 텬문의 격고ᄒ려

1378)녕거(領去) : 영거(領去). 함께 데리고 가거나
　가지고 감.

려 ᄒᆞᄂᆞ니, 일이 즉직의 신셜홀 마듸 이시니, 위샤는 나졸(邏卒)을 명ᄒᆞ여 잠간 시킥을 늣추어, 두 상공의 ᄉᆞ화를 면케 ᄒᆞ라."

ᄒᆞ니, 위시 역시 인심이라. 뎡·딘 등의 원억히 죄ᄉᆞ(罪死)홀 바를 슬피 넉이다가, 부인의 말을 듯고 힝법(行法)을 잠간 늣추엇더니, 과연 【34】오리디 아냐, 샹괴(上敎) 냥인을 궐졍의 드리라 ᄒᆞ시니, 위샤로브터 나졸의 니르히 깃거 회열ᄒᆞ미 잇더라.

샹이 윤시다려 므르샤듸,

"경이 신묘랑이란 요졍을 잡앗노라 ᄒᆞ니, 어듸 잇ᄂᆞ뇨?"

윤시 듸쥬왈,

"활인ᄉ 슈승(首僧) 혜원니괴 묘랑을 잡아 가지고 궐문 밧긔 듸후 ᄒᆞ엿ᄉᆞ니, 위샤로 요졍을 잡히쇼셔."

샹이 만됴를 도라보아 굴오샤듸,

"아딕 형왕과 구몽슉을 일쳐(一處)의 듸딜치 아녓거니와, 만일 뎡·딘 등이 이미ᄒᆞ고, 구몽슉의 작악(作惡)이 이 디경의 밋쳐실딘듸 어이 통희치 아니리오."

이리 니르시며, ᄯᅩ 【35】뎡·딘 등 졔공의 칼흘 벗기고, 믄 거슬 글너 평신ᄒᆞ라 ᄒᆞ시니, 뎐샹뎐하의 가득ᄒᆞᆫ 사ᄅᆞᆷ이 뎡·딘 등 졔공의 죄의 쓴디믈 위ᄒᆞ여 슬허 츄연이 앗기더니, 윤부인 격고등문ᄒᆞᆷ믈 인ᄒᆞ여 허다 소표 가온듸, 구몽슉의 죄상이 현져ᄒᆞ고, 뎡·딘 등의 누명이 빅옥 ᄀᆞᆺ틀 바를 뉘 아니 깃거ᄒᆞ리오. 져마다 큰 경ᄉᆞ를 당ᄒᆞᆫ듯 도로혀 즐거오믈 니긔디 못ᄒᆞ니, 일시의 쥬왈, '뎡연의 부ᄌᆞ와 딘광의 부ᄌᆞ의 무죄ᄒᆞ미 빅일 ᄀᆞᆺ트믈' 쥬ᄒᆞ고, '몽슉의 간활ᄒᆞᆷ믈' 고ᄒᆞ여, 모든 명뉴 톄읍간징(涕泣諫爭)ᄒᆞ니, 몽슉이 비록 대간대악(大奸大惡) 【36】이나 므어시라 발명ᄒᆞ리오. 스스로 머리를 드디 못ᄒᆞ니, 만됴 긔쇼(欺笑)1440)ᄒᆞ여 믜이 넉이고, 샹이 몽슉의게 텬뇌 딘쳡(震疊)ᄒᆞ샤 위샤로 ᄒᆞ여금 형왕을 나국(拿鞫)ᄒᆞ라 ᄒᆞ시고, 몽슉다려 므르샤듸,

"윤시 소댱(訴狀)이 분명ᄒᆞ니, 너의 작죄

ᄒᆞᄂᆞ니, 위수는 하회를 보아 줌간 시킥을 늣추어, 두 상공의 ᄉᆞ화를 면케 ᄒᆞ라."

ᄒᆞ니, 위시 녁시 인심이라. 뎡·딘 등의 원억히 죄ᄉᆞ(罪死)ᄒᆞᆷ믈 슬피 넉이다가, 부인의 말을 듯고 힝법(行法)을 줌간 늣추엇 【96】더니, 과연 오리지 아녀 상괴(上敎) 냥인을 궐졍의 드리라 ᄒᆞ시니, 위ᄉᆞ로브터 ᄂᆞ졸의 니르히 깃거 회열ᄒᆞ더라.

상이 윤시ᄃᆞ려 무르ᄉᆞ듸,

"경이 신묘랑이란 뇨졍을 줍앗노라 ᄒᆞ니 어듸 잇ᄂᆞ뇨?"

윤시 듸주왈,

"활인ᄉ 슈승(首僧)이 묘랑을 줍아 가지고 궐문 밧긔 듸후 ᄒᆞ엿ᄂᆞ이다. 위ᄉᆞ로 요졍을 줍히쇼셔."

상이 만됴를 도라보시고 굴오ᄉᆞ듸,

"아직 형왕과 구몽슉을 일쳐의 듸딜치 아녓거니와, 만일 뎡·진 등이 이미ᄒᆞ고 구몽슉의 작악(作惡)이 이 지경의 밋쳣실진듸 어이 통희티 아니리오."

니리 니르시며, ᄯᅩ 뎡·진 등 졔공의 칼흘 벗기고, 믄 거슬 글너 평신ᄒᆞ라 ᄒᆞ시니, 뎐상 【97】 뎐하의 ᄀᆞ득ᄒᆞᆫ 사ᄅᆞᆷ이 뎡·진 등 졔공의 죄의 쓴지믈 위ᄒᆞ여 슬허 츄연이 앗기더니, 윤부인 격고등문ᄒᆞᆷ믈 인ᄒᆞ여 소표 ᄀᆞ온듸 구몽슉의 죄상이 현져ᄒᆞ고, 뎡·진 등의 누명이 빅옥 ᄀᆞᆺ틀 바를, 뉘 아니 깃거ᄒᆞ리오. 져마다 큰 경ᄉᆞ를 당ᄒᆞᆫ 듯, 도로혀 즐거오믈 니긔지 못ᄒᆞ니, 일시의 주왈, '뎡연의 부ᄌᆞ와 진광의 부ᄌᆞ의 무죄ᄒᆞ미 빅일 ᄀᆞᆺ트믈' 쥬ᄒᆞ고, '몽슉의 간활ᄒᆞᆷ믈' 고ᄒᆞ여, 모든 명뉴 톄읍간징(涕泣諫爭)ᄒᆞ니, 몽슉이 비록 듸간듸악(大奸大惡)이나, 므어시라 발명ᄒᆞ리오. 스스로 머리를 드지 못ᄒᆞ니, 만됴 긔쇼(欺笑)1379)ᄒᆞ여 믜이 넉이고, 상이 몽슉의게 텬뇌 진쳡(震疊)ᄒᆞ샤, 위ᄉᆞ로 ᄒᆞ여금 형왕 【98】을 나국(拿鞫)ᄒᆞ라 ᄒᆞ시고, 몽슉다려 므르샤듸,

"윤시 소장(訴狀)이 분명ᄒᆞ니, 너의 작죄

1440)긔쇼(欺笑) : 기소(欺笑). 남을 업신여겨 비웃음.

1379)긔쇼(欺笑) : 기소(欺笑). 남을 업신여겨 비웃음.

흐믈 결단흐여 알녀니와, 하고(何故)로 뎡·
딘 등을 그듸도록 믜워 함히흐미 사름의 싱
각디 못홀 디경의 밋첫느뇨?"

몽슉이 오스(烏紗)를 벗고 옥듸(玉帶)를
글너 눈물을 쓰리고, 듸쥬흐여 굴오듸,

"신의 원억흐믄 빅옥(白玉)의 무하(無瑕)
흐여 뎡·딘 등을 히홀 의스는 몽니(夢裏)
의도 업습느니, 윤시의 소장이 비록 그러나,
실은 디은 죄 업【37】스오니, 놀나온 일
이 업느이다."

샹이 딘후 곤계 즈질과 금평후의 부즈를
갓가이 나아오라 흐시니, 제공이 샤양흐여
굴오듸,

"신 등이 죄명을 쾌히 신빅(伸白)디 못흐
고, 일녀즈의 소댱으로뻐 대옥(大獄)을 프러
바릴 거시 아니라, 신 등이 비록 념치상딘
(廉恥喪盡)[1441]흐오나, 신졀이 명빅디 아닌
젼 녀샤 사름과 굿치 뎐폐(殿陛)의 근시흐
리잇고?"

샹이 뎡·딘 등의 고집을 아르시는 고로,
다만 형왕과 요졍을 셜니 잡아 드리라 흐시
고, 윤시의 비즈 쥬영을 불너드리라 흐시니,
위시 명을 바다 운화산의 가 형왕을 브르
고, 묘랑을 몬져 궐졍의 잡아 드리고, 쥬영
이 쏘 입궐【38】흐니, 샹이 젼어(傳語)로
므르샤 왈,

"형왕과 구몽슉이 요졍으로 더브러 모계
흐던 바를, 네 즈셔히 드러 일일히 긔록흐
엿다 흐니, 원간 어나 쩌브터 의논흐더뇨?"

쥬영이 품 스이로셔 구몽슉과 형왕이며
신묘랑의 모계 긔록흔 거슬 뎐샹의 올니고,
눈물을 흘니고, 쥬흐여 굴오듸,

"쳔신쳡(賤臣妾)의 쥬인 윤시의 만단 익
경과 참참흔 누얼은 싱각홀스록 비홀 곳이
업습는《다∥지라》. 임의 흔 곶치 들쳐나
미 쥬인과 니·양 두 부인의 익미흐미 흔가
디로 신빅(伸白)홀 터히 되엿습는디라. 쳔신
이 엇디 지난 바를 고치 아니리잇고? 초의
듀모(主母)의 나히【39】삼스셰의 쥬군 뎡

<hr>

흐믈 결단흐여 알녀니와, 하고(何故)로 뎡·
진 등을 그듸도록 믜워 함히흐미 스람의 싱
각지 못홀 지경의 밋첫느뇨?."

몽숙이 오스(烏紗)를 벗고 옥듸(玉帶)를
글너 눈물을 쓰리오고 듸쥬 왈,

"신의 원억흐믄 빅옥(白玉)이 무하(無瑕)
흐여, 뎡·진 등을 히홀 의스는 몽니(夢裏)
의도 업습느니, 놀나온 일이 업스외다."

상이 진후 곤계 즈딜과 평후의 부즈를 갓
가이 느아오라 흐시니, 제공이 스양흐여 굴
오듸,

"신 등이 죄명을 쾌히 신빅(伸白)지 못흐
고, 일녀즈의 소댱으로뻐 대옥(大獄)을 프러
바릴 거시 아니라, 신 등이 비록 념치상진
(廉恥喪盡)[1380]《흐노라∥흐오나》, 신셜(伸
雪)이 명빅지 아닌 젼 녀샤 스람과 굿치 뎐
폐(殿陛)【99】의 근시흐리잇고?"

상이 뎡·진 등의 고집을 아르시는 고로,
다만 형왕과 요졍을 셜니 잡아 드리라 흐시
고, 윤시의 비즈 쥬영을 불너드리라 흐시니,
위시 명을 바다 운화산의 가 형왕을 브르
고, 묘랑을 몬져 궐졍의 ○○[잡아] 드리고,
쥬영이 쏘 입궐흐니, 상이 젼어(傳語) 문
왈,

"현[형]왕과 구몽숙이 요졍으로 더브러
모계흐던 바를, 네 즈셔히 드러 일일히 긔
록흐엿다 흐니, 원간 어나 쩌브터 의논흐더
뇨?"

쥬영이 품 스이로셔 구몽숙과 형왕이며
신묘랑의 모계 긔록흔 거슬 뎐상의 올니고,
눈물을 흘니고 쥬흐여 굴오듸,

"쳔신(賤臣)이 쥬인 윤시의 만단 익경과
참참흔 누얼은 싱각홀스록 비홀 곳이 업습
는지라.【100】 쳔신이 엇지 지난 바를 고
치 아니리잇고? 초의 쥬모(主母)의 나히 숨
스셰의 쥬군 병부 노아와 졍혼흐엿더니, 대
노애 금국의 ᄀ 별셰흐시고, 윤부 가시 온
젼치 못흐오듸, 금평휘 밍약을 져바리지 아

<hr>

1441)념치상딘(廉恥喪盡) : 염치가 없음.

1380)념치상딘(廉恥喪盡) : 염치가 없음.

병부와 뎡혼ᄒ엿ᅀᆞᆸ더니, 대노애 금국의 가 별셰ᄒ고, 윤부 가시 온젼치 못ᄒ오ᄃᆡ, 금평 휘 밍약을 져바리디 아니랴ᄒ여, 오쥬(吾主) 의 년긔 ᄎᆞ기를 기다려 혼긔를 일우려ᄒ미, 마장이 만하 뎡일(定日)의 디ᄂᆡ디 못ᄒ고, 노쥐(奴主) 뎍환을 만나 쳔비로ᄡᅥ 위방의게 딕신을 보ᄂᆡ고, 쥬모는 변복ᄒ고 ᄎᆔ월암의 곰초이미, 그 ᄮᅥ브터 혜원을 사괸 비라. 혜 원은 득도이승(得道異僧)으로 오쥬의 특이 ᄒᆞᆷ믈 경복ᄒ고, 과거 미릭ᄉᆞ를 목젼(目前)ᄀᆞᆺ 치 아라, 쥬모의 익회(厄會)1442) 머러시믈 니르더니, 임의 쥬뫼 산문의 머믄 바를 뎡 부의셔 아라, 윤츄밀【40】과 의논ᄒ고 셩 녜ᄒ미, 뎡부의셔 오쥬(吾主) ᄉᆞ랑ᄒ미 친녀 ᄀᆞᆺ고, 부마노애 양·니 두 부인을 취ᄒ여, 삼개 슉녀의 화우ᄒᄂᆞᆫ 덕이 '황영(皇英)의 고ᄉᆞ(故事)'1443)를 효측ᄒ여, 규문이 ᄆᆞᆰ기 츄슈(秋水) ᄀᆞᆺ고, 화(和)ᄒ미 ᄉᆞ시(四時) ᄀᆞᆺ 더니, 문양옥쥐 하가ᄒ시미 삼부인이 션후 ᄎᆞ례를 감히 의논치 못ᄒ여, 옥쥬 공경ᄒ미 노쥬간(奴主間) ᄀᆞᆺᄐᆞᄃᆡ, 옥쥐 그 어진 줄 아 지 못ᄒ시고, 보모 최시 옥쥬를 돕ᄂᆞᆫ 빙 간 교ᄒ여, 셩녀(聖女) ᄉᆞ덕(四德)을 바리고 궁 흉악ᄉᆞ를 고ᄒᄂᆞᆫ디라. 오쥬의 익회 듕ᄒᆞᆷ므 로 옥쥐 낙틱ᄒ시니, 믄득 죄명이 아쥬의게 도라져 샹명이 니이(離異)ᄒ시므로, 아쥐 본 부로 도라가【41】다가, 츄밀 노야ᄂᆞᆫ 듕노 의셔 구몽슉이 쳥ᄒ여 가고, 쇼져 거교ᄂᆞᆫ 북궁으로 메여 가니, 셕혈(石穴) 누옥(陋獄) 의 가도아○○[두고], ᄯᅩ 신묘랑 요리(妖尼) 범이 되여 야반의 양시를 후리다가 셕혈의 드리쳣더니, 옥쥐 입궐ᄒ샤 두 부인을 츄경 디 믈 속의 구박ᄒ여 밀치고, 쳔신쳡 삼모 네 쥬인을 구치 못ᄒ미 살 의ᄉᆞ 업셔 ᄯᅡ라 닉슈ᄒ니, 죽으미 반ᄃᆞᆺ홀 거시로ᄃᆡ, 신명이 도ᄋᆞ샤 혜원의 구활ᄒᆞᆷ믈 닙어, 노쥬 오인이 계오 ᄉᆞ라나, 싱활이 어려오므로 슈션(繡線)

니랴 오쥬(吾主)의 년긔 ᄎᆞ기를 기ᄃᆞ려, 혼 긔를 닐우려 ᄒ미, 마장이 만하 졍일(定日) 의 지ᄂᆡ지 못ᄒ고, 노쥐(奴主) 뎍환을 만나 쳔비로ᄡᅥ 위방의게 딕신 보ᄂᆡ고, 주모는 변 복ᄒ고 ᄎᆔ월암의 곰초이미, 그 ᄮᅥ브터 혜원 을 사괸 비라. 혜원은 득도이승(得道異僧)으 로 오쥬의 특이ᄒᆞᆷ믈 경복ᄒ고, 과거 미릭ᄉᆞ 를 브ᄂᆞᆺ시 아라, 오주의 익회(厄會)1381) 머러시믈 니르더니, 임의 오쥐 산문의 머므 ᄂᆞᆫ 바를 뎡부의【101】셔 아라, 윤츄밀과 의논ᄒ고 셩녜ᄒ미, 뎡부의셔 오쥬(吾主) ᄉᆞ 랑ᄒ미 친녀 ᄀᆞᆺ고, 부마노애 양·니 두 부 인을 취ᄒᆞᄉᆞ, 숨기 슉녀의 화우ᄒᄂᆞᆫ 덕이 '황녕(皇英)의 고ᄉᆞ(故事)'1382)를 효측ᄒ여, 규문이 ᄆᆞᆰ기 츄슈(秋水) ᄀᆞᆺ고, 화ᄒ미 ᄉᆞ시 (四時) ᄀᆞᆺ더니, 문양옥쥐 하가ᄒ시미 숨부인 이 션후 ᄎᆞ례를 감히 의논치 못ᄒ여, 옥쥬 공경ᄒ미 노쥬간(奴主間) ᄀᆞᆺᄐᆞᄃᆡ, 옥쥐 그 어진 줄 모르고 보모 최시 옥쥬를 돕ᄂᆞᆫ 빙 간교ᄒ여, 셩녀(聖女) ᄉᆞ덕(四德)을 바리고 궁흉악ᄉᆞ를 고ᄒᄂᆞᆫ지라. 오쥬의 익회 즁ᄒ 므로 옥쥐 낙틱ᄒ시니, 믄득 죄명이 오쥬의 게 도라져 상명이 니이(離異)ᄒ시므로, 아쥐 본부로 도라가ᄃᆞᆨ가, 츄밀 노야ᄂᆞᆫ 즁노의셔 몽슉이【102】 쳥ᄒ여 가고, 쇼져 거교ᄂᆞᆫ 북궁으로 메여 가니, 셕혈(石穴) 누옥(陋獄) 의 가도아 ○○[두고], ᄯᅩ ○○○[신묘랑] 요도(妖道) 범이 되여 야반의 양부인을 후 려ᄃᆞ가 셕혈(石穴)의 드리쳣더니, 옥쥐 닙궐 ᄒ샤 두 부인을 츄경지 못 속의 구박ᄒ여 밀치고, 쳡 숨모네 아쥬(我主)을 구치 못ᄒ 미 살 의ᄉᆞ 업셔, ᄯᆞ라 닉슈ᄒ니, 죽으미 반 ᄃᆞᆺ홀 거시로ᄃᆡ, 신명이 도ᄋᆞ샤 혜원의 구활 ᄒᆞᆷ믈 닙어 노쥬 오인이 계오 ᄉᆞ라나, 싱활 이 어려오므로 슈션(繡線)으로 의식을 니우 더니, 모월일의 슈를 가져 졍ᄌᆞ의 닐으니, 형왕의 시 미인이 슈치(繡致)를 보고 금은

1442)익회(厄會) : 재앙이 닥치는 불행한 고비.

1443)황영(皇英)의 고ᄉᆞ(故事) : 중국 요(堯)임금의 두 딸인 아황(娥皇)과 여영(女英)이 함께 순(舜)에 게 시집 가, 서로 화목하며 순임금을 섬겼던 일.

1381)익회(厄會) : 재앙이 닥치는 불행한 고비.

1382)황영(皇英)의 고ᄉᆞ(故事) : 중국 요(堯)임금의 두 딸인 아황(娥皇)과 여영(女英)이 함께 순(舜)에 게 시집 가, 서로 화목하며 순임금을 섬겼던 일.

으로뻐 의식을 니우더니, 모월일의 슈를 가져 형왕 경즈의 니르니, 형왕의 식 미인이 슈치(繡致)를 보고 금은【42】을 앗기디 아냐 스기로 즈로 왕닉ᄒ더니, 혜원이 신명ᄒ여 모계ᄒ는 바를 짐작ᄒ고, 쳔비로뻐 그 경즈 합장(閤牆) 뒤히셔 모의ᄒ는 말을 여어 드르라 ᄒ거늘, 즈시 듯즈오미 이 믄득 뎡·딘 냥문을 뭇디르려 ᄒ는 스에(私語)오, 형왕뎐하의 뎡병부 노야와 딘태우 형뎨 초왕의 년좌 쓰시믈 쳥ᄒ믈 분원ᄒ여, 원슈를 갑흐려 모의ᄒ던 바를 셰셰히 긔록ᄒ엿ᄂ니, 신묘랑 요리를 져쥬시면 간졍이[을] 뎍발(摘發)ᄒ리이다."

샹이 쥬영의 허다 쥬스를 드르시고, 구몽슉의 간흉ᄒᄆᆯ 통히ᄒ시는 가온딕, 귀비와 공쥬의 질투ᄒᄆᆯ 크게 분히【43】ᄒ샤, 그런 인물이 만승디녀(萬乘之女)로 삼긴 줄 블힝ᄒ여 ᄒ시더라.

샹이 묘랑을 몬져 져쥬려 ᄒ실식, 뎐샹뎐하의 가득ᄒᆫ 눈이 요죵(妖種)을 찰시(察視)ᄒᄆᆯ, 얼골이 빅셜 ᄀᆺ고 눈의 독긔 어릭엿ᄂᆫ디라. 샹이 통히ᄒ샤 위관다려 니르샤딕,

"츠승(此僧)이 젼일 운남왕의 녀식으로뻐 경션공쥬를 속여 양녀를 삼고, 턴흥의 션츄(扇鎚)[1444]와 금션(金扇)을 도젹ᄒ여 운영을 주어, 일이 어즈럽게ᄒ여 브득이 운영으로 턴흥의 쳡잉(妾勝)을 삼은 비라. 그 씨 도망ᄒ여 잡디 못ᄒ엿더니, ᄯᅩ 대변을 디어 됴졍 공후(公侯)를 함히(陷害)ᄒ니, 죄당쥬륙(罪當誅戮)이라 각별 엄형츄문(嚴刑推問)ᄒ라."

위관이【44】슝명ᄒ여, 분부 왈,

"요리의 죄샹이 범연이 다스릴 비 아니니, ᄒᆫ 조각 인졍을 두디 말나."

나졸이 년셩(連聲) 응디ᄒ고 요리를 형위(刑威)의 올녀 므르며,

"죄샹이 일명(一命)을 샤(赦)치 못ᄒᆯ디라. 모로미 형벌의 괴로오믈 밧디 말고, 젼젼

1444)션츄(扇鎚) : =션초(扇貂). 부채고리에 매어 다는 장식품.

을 앗기지 아냐 스기로 즈로 왕닉ᄒ더니, 혜원이 신명【103】ᄒ여 모계ᄒ는 바를 짐작ᄒ고, 쳔비로뻐 그 경즈 합장(閤牆) 뒤히셔 모의ᄒ는 말을 녀어 드르라 ᄒ거늘, 즈시 듯즈오미 이 믄득 뎡·딘 냥문을 뭇지르려 ᄒ는 스의(私語)오, 형왕뎐하 뎡병부 노야와 진틱우 형뎨 초왕의 년좌 쓰시믈 쳥ᄒ믈 분원ᄒ여, 원슈를 갑흐려 모의ᄒ던 바를 셰셰히 긔록ᄒ엿습더니, 신묘랑을 져쥬시면 간졍이 젹발(摘發)ᄒ리이다."

상이 주영의 허다 주스를 드르시고, 구몽슉의 간흉ᄒᄆᆯ 통히ᄒ시는 ᄀ온딕, 귀비와 공쥬의 질투ᄒᄆᆯ 크게 분히ᄒᄉ, 그런 인물이 만승지녀(萬乘之女)로 솜긴 줄 블힝ᄒ여 ᄒ시더라.

상이 묘랑을 져쥬려【104】ᄒ실식, 뎐샹뎐하의 가득ᄒᆫ 눈이 뇨죵(妖種)을 찰시(察視)ᄒᄆᆯ, 얼골이 빅셜 ᄀᆺ고 눈의 독긔 어릭엿ᄂᆫ지라. 상이 통히ᄒᄉ 위관ᄃ려 니ᄅᄉ디,

"츠승(此僧)이 젼일 운남왕의 녀식으로뻐 경션공쥬를 속여 양녀를 솜고, 턴흥의 션초(扇貂)[1383]와 금션(金扇)을 도젹ᄒ여 운녕을 주어, 일이 어즈럽게ᄒ여 브득이 운녕으로 턴흥의 쳡잉(妾勝)을 솜은 비라. 그씨 도망ᄒ여 줍지 못ᄒ엿더니, ᄯᅩ 딕변을 지어 지상(宰相) 공후(公侯)를 춤히ᄒ니, 죄당주륙(罪當誅戮)이라. 각별 엄형츄문(嚴刑推問)ᄒ라."

위관이 슈명ᄒ여, 분부 왈,

"뇨리의 죄상이 범연이 다스릴 비 아니니, ᄒᆫ 조각{을} 인졍○[을] 두지 말나."

나졸【105】이 년셩(連聲) 응디ᄒ고, 뇨리를 형위(刑威)의 올녀 무ᄅ며 죄상이 일명(一命을 스(赦)치 못ᄒᆯ지라. 모로미 형벌의 괴로오믈 밧지 말고, 젼젼 죄상을 직초

1383)션초(扇貂) : 부채고리에 매어 다는 장식품. 늑 션추(扇鎚).

죄상을 딕초호여 죽기나 슈히 호라."

묘랑이 제요셔(制妖書)를 등의 븟쳐시므로, 능히 요술을 발호여 도망홀 길히 업고, 이미흐믈 발명코져 호나, 윤시 노쥐 발셔 져의 악스를 쥬달호여시니, 구구삼셜(九口三舌)1445)이나 발명치 못홀디라. 출하리 전후 간정을 복초(服招)코져 호나 죽기를 셜워 ○○○[못호고], 듕형을 바드나 찌를 타 도쥬홀 쯧【45】을 두고, 입을 물고 눈을 금아 말을 아니호니, 샹이 분노호시고, 승샹 조공이 쥬왈,

"요리의 살졈을 싹그며 블노 지져, 독형으로 복초를 바드미 올흘가 호느이다."

샹이 올히 넉이샤 허호시나, 묘랑이 거즛 죽어가는 체호나, 정신은 뇨연(瞭然)호여 온갖 말을 다 듯고, 제 살흘 싹그며 몸을 지져 독형을 더으라 호믈 듯고, 죽기를 면치 못홀 줄 알미, 하날을 우러러 도슐(道術)을 이런 찌 쁘디 못호믈 크게 탄호고, 출하리 못견딜 형벌을 밧디 말고 죽고져 호여, 일장을 슬피 울고 굴오디,

"빈되 사름을 널니 스괸 연고로 몸이 참화의 써러디니 누를 한호리잇고? 디필을【46】 주시면 초스를 뼈 올니리이다."

위관이 나졸노 호여금 우는 닙을 디르라 호고, 디필을 주어 '셰셰히 알외라' 호니, 이윽고 초스를 뼈 올니니, 샹이 《계신∥근시》{으}로 호여금 낡히시니, 대개 호여시디,

"빈도는 셔쵹 쳥셩산 하의 복거흔 승니(僧尼)로, 사름의 젼졍 만니와 길흉을 졈복호미, 못 맛칠 일이 업스니, 쵹듕(蜀中)의 유명호여, 모월일의 구샹셔를 만나 길흉을 뭇거늘, 빈되 소견디로 고호니, 구싱이 과거스를 맛친다호여 깁히 스괴믈 니르고, 믄득 심곡을 베퍼 평싱의 졀식 흠모호는 쯧을 니르고, 하노애 쵹디의 뎡비흔신 고로, 그 녀

호여 죽기나 슈히호라.

뇨니(妖尼) 제요가(制妖歌)를 등의 븟쳐시므로, 능히 술을 발호여 도망홀 길 업고, 이미흐믈 발명코즈 호나 윤시 노쥐 발셔 져의 악스를 주달호여시니 구구숨셜(九口三舌)1384)이나 발명치 못홀지라. 출하리 젼후 간졍을 복초(服招)코즈 호나 죽기를 셜워 ○○○[못호고], 즁형을 바드나 찌를 타 도쥬홀 쯧을 두고, 닙을 물고 눈을 금아 말을 아니호니, 샹이 분노호시고, 승샹 조공이 주왈,

"뇨리의 술졈을 싁그며 블노 지져, 독형【106】으로 복초를 바드미 올흘가 호느이다."

샹이 올히 넉이스 허호시나, 묘랑이 거즛 죽어가는 체호나, 정신은 뇨연(瞭然)호여 온갖 말을 다 듯고, 제 술흘 싁그며 몸을 지져 독형을 더으라 호믈 듯고, 죽기를 면치 못홀 줄 알미, 하늘을 우러러 도슐(道術)을 니런 찌 쁘지 못흠믈 크게 탄호고, 출하리 못견딜 형벌을 밧지 말고 죽고즈 호여, 일장을 슬피 울고 굴오디,

"빈되 스람을 널니 스괸 연고로 몸이 츰화의 써러지니, 눌을 한호리잇고? 지필을 주시면 초스를 뼈 올니리이다."

위관이 나졸노 호여금 우는 닙을 지지라 호고, 지필을 주어 왈,
"가히 ○○○[셰셰히] 알외라"
호니, 이윽고 초스를 【107】 뼈 올니니, 샹이 근시로 호여금 낡히시니 대개 호여시디,

"빈도는 셔쵹 쳥셩산 하의 복거흔 승니(僧尼)로, 스람의 젼졍 만니와 길흉을 졈복호미 못맛출 일이 업스니, 쵹즁(蜀中)의 유명호여, 모월일의 구샹셔를 만나 길흉을 뭇거늘 빈되 소견디로 고호니, 구싱이 과거스를 맛친다호여 깁히 스괴믈 닐으고, 믄득 심곡을 베퍼 평싱의 졀식 흠모호는 쯧을 니르고, 하노애 쵹지의 졍비흔신 고로, 그 녀

1445)구구삼셜(九口三舌) : '아홉 입과 세 혀'라는 뜻으로 많은 말을 늘어놓는 것을 말함.

1384)구구삼셜(九口三舌) : '아홉 입과 세 혀'라는 뜻으로 많은 말을 늘어놓는 것을 말함.

식을【47】 후려다가 달나흐고, 금은을 주
거늘 물니치디 못흐여, 모야(暮夜)의 범이
되여 하시 노쥬를 업고 금ᄉ강 졍즈로 오
니, 구싱이 대열흐여 길녜(吉禮)를 일우기를
쳥흐니, 하시의 츄상ᄀᆺᄐᆫ 졀개 몽슉의 말을
치듯디 아니코 물의 샌디미, 다시 바랄 거
시 업셔 무류히 샹경흐여 쳔승(賤僧)을 오
라 당부흐거늘, 빈되 경샤 번화를 구경코져
흐여 미좃ᄎ 니르니, 구싱이 그 표슉모(表
叔母) 뉴시긔 뵈라 흐거늘, 가ᄅ친 되로 윤
츄밀 부인을 ᄉ긔여 친졀키의 밋츤 후, 그
회포를 드르미 다르미 아니라, 윤태우 조모
위시 그 가군과 원비 기셰흐여시되, 션부인
쇼싱 ᄌ손을 다【48】 업시흐랴 뎡흐고, 뉴
시ᄂᆫ 금장(襟丈)1446) 조부인을 원슈ᄀᆺ치 믜
워흐여, 고식(姑媳)이 윤태우 형뎨를 삼키고
져 믜워흐되, 윤츄밀이 망형의 두 낫 유복
(遺腹)이믈 더옥 슬리1447) 녀겨, 겸흐여 흑
ᄉ를 계후흐여 슉딜의 졍으로뻐 부ᄌ의 의
를 믿ᄌ, 년익(憐愛)ᄒᆞ미 양ᄌ(養子) 딜ᄌ
(姪子)를 간격디 아냐, 오히려 종댱(宗長)의
듕흐믄 윤태우긔 잇다흐여, 더옥 귀듕흐던
비라. 위·뉘 그를 더옥 믜워 윤태우 형뎨
와 조부인을 다 죽이고, 일가의 다른 명녕
(螟蛉)1448)을 어들디라도 황부인 ᄌ손을 뻐
를 업시코져 흐고, 윤명쳔이 셰샹의 낫던
ᄌ최를 업시흐고, 윤츄밀이 형망【49】데급
(兄亡弟及)1449)으로, 누되(累代) 종통(宗統)
을 밧드러 십만 지산을 난홀 곳 업시 다 가
디랴 흐나, 윤츄밀이 ᄉ시 문안을 모친긔
흔 밧근, ᄌ딜을 다리고 외당의 쳐흐여 뇌
졍ᄉ(內庭事)를 아득히 모를 쁜 아니라, 원
간 뉴시로 더브러 졍의(情誼) 화합(和合)디
못흐여 흔연 슈작흐미 업ᄉ니, 뉴시 뇌외를
달니흐여 츄밀 보ᄂᆞ되ᄂᆞ, ᄌ딜을 극단히 ᄉ

<hr>

1446) 금장(襟丈) : 동서(同壻).
1447) 슬리 : 슬피.
1448) 명녕(螟蛉) : 나나니가 명령(螟蛉)을 업어 기른
　　다는 뜻으로, 타성(他姓)에서 맞아들인 양자(養子)
　　를 이르는 말.
1449) 형망뎨급(兄亡弟及) : 형이 아들 없이 죽었을
　　때에, 동생이 형 대신 그 가통을 이음.

식을 후려ᄃᆞ가 달나흐고, 금은을 주거늘 물
니치지 못흐여, 모야(暮夜)의 범이 되여 하
시 노쥬를 업고 금ᄉ강 졍즈로 오니, 구샹
이 되열흐여 길녜(吉禮)를 일우기를 쳥흐니,
하【108】시의 츄상 ᄀᆺᄐᆫ 졀기 몽슉의 말
을 치듯지 아니코 물의 샌지미, 다시 바랄
거시 업셔 무류히 샹경흐여 쳔승(賤僧)을
오라 당부흐거늘, 빈되 경ᄉ 번화를 구경코
ᄌ흐여 미조ᄎ 니르니, 구싱이 그 표슉모
(表叔母) 뉴시게 뵈라 흐거늘, ᄀᆞᄅ친 되로
윤츄밀 부인을 ᄉ긔여 친졀키의 밋츤 후,
그 회포를 드르미 다르미 아니라, 윤태우
조모 위시 그 가군과 원비 《겨셰‖기셰》
흐여시되, 션부인 쇼싱 ᄌ손을 다 업시흐랴
흐고, 뉴시ᄂᆞ 금장(襟丈)1385) 조부인을 원슈
ᄀᆺ티 믜워○○[흐여], 고식(姑媳)이 윤퇴우
형뎨를 슴키고ᄌ 믜워흐되, 윤츄밀이 망형
의 두 낫 유복(遺腹)이믈 더옥 슬피 넉여,
겸흐여 희텬을 계후흐여 슉딜【109】의 졍
으로뻐 부ᄌ의 의를 믿ᄌ, 년익(憐愛)흐미
양ᄌ(養子) 딜ᄌ(姪子)를 간격지 아녀, 오히
려 종댱(宗長)의 즁흐믄 윤퇴우게 잇다흐여
더옥 이즁흐던 비라. 위·뉘 그를 더옥 믜
워 윤퇴우 곤계와 조부인을 다 죽이고, 일
가의 ᄃᆞ른 명녕(螟蛉)1386)을 어들지라도, 황
부인 ᄌ손을 뻐를 업시코ᄌ 흐고, 윤명텬이
셰샹의 낫던 ᄌ최를 업시흐고, 윤츄밀이 형
망데급(兄亡弟及)1387)으로 누되(累代) 종통
(宗統)을 밧드러 십만 지산을 난홀 곳 업시
다 가지랴 흐나, 윤츄밀이 모친의 ᄉ시 문
안 밧근 ᄌ딜을 ᄃ리고 외당의 쳐흐여, 뇌
졍ᄉ(內庭事)를 아득히 모를 쁜아니라, 원간
뉴시로 더브러 졍의(情誼) 화합(和合)지 못
흐여, 흔연 수작【110】흐미 업ᄉ니, 뉴시
뇌외를 달니흐여 츄밀 보ᄂᆞ되ᄂᆞ ᄌ딜을 극
진히 ᄉ랑흐며, 조부인을 공경흐미 위태부

<hr>

1385) 금장(襟丈) : 동서(同壻).
1386) 명녕(螟蛉) : 나나니가 명령(螟蛉)을 업어 기른
　　다는 뜻으로, 타성(他姓)에서 맞아들인 양자(養子)
　　를 이르는 말.
1387) 형망데급(兄亡弟及) : 형이 아들 없이 죽었을
　　때에, 동생이 형 대신 그 가통을 이음.

랑ㅎ며, 조부인을 공경ㅎ미 위태부인과 ㄷ치ㅎ는 체ㅎ다가도, 츄밀이 도라셔면 능경(凌輕)ㅎ며, ㄷ딜을 조로미 아니 미츤 곳이 업고, 태부인이 조부인 삼모ㄷ를 본적마다 므러 먹을듯, 아니혼 말과 업슨 허물을 쥬출ㅎ여,【50】조로고 보치기를 긴 날의 더ㅎ니, 태우형뎨 ㅇ시로브터 혈육이 상ㅎ는 듕장(重杖)과 긔괴혼 쳔역(賤役)이, 윤츄밀 나간 쩌는 인가 노복도곤 더ㅎ더라. 의복디졀도 윤츄밀이 니르기 젼은 살흘 가리오디 못ㅎ고, 음식은 믹듁(麥粥) 지강1450)도 두 쩌를 주지 아냐, 긔아의 심ㅎ미 사람의 견딜 빈 아니로디, 태우 형뎨 효성이 츌텬ㅎ여 위·뉴의 극악싀포(極惡猜暴)ㅎ믈 한치 아니ㅎ고, 조부인이 셜우믈 셔리담아, 위시의 악악히 보치믈 원망치 아니코, 갈스록 효슌키를 쥬ㅎ디, 위·뉴 감동ㅎ미 업셔, 빈도로 ㅎ여금 조부인 삼모ㄷ를 죽여 달나【51】은ㄷ를 뫼ㅈㅈ치 주디, 빈되 조부인 삼모ㄷ를 겸복ㅎ민, 태우는 쳔승국군(千乘國君)이 될 비오. 흑ㅅ는 삼태(三台)1451)의 거ㅎ여, ㄷ녀 션션(誅詵)ㅎ고 슈한(壽限)이 댱원(長遠)ㅎ여 부귀 극ㅎ니, 경이히 히흘 도리 업셔, 뉴시긔 금은을 더 징식ㅎ여, 부쳐를 공양ㅎ여 암ㄷ를 일워야 만시 원을 좃츠리라 ㅎ고, 삼년을 그음ㅎ여 셔화문 밧 쳥벽산 하의 보옥암을 딧고, 비록 져쥬ㅅ(詛呪事)로뼈 조부인 삼모ㄷ를 죽이디 못홀 줄 아나, 뉴시의 뜻을 맛치고져 온갓 요예디물(妖穢之物)을 모화, 조부인 침소와 태우 형뎨 침쳐(寢處)의 무덧더니, 조금도 효험이 업거늘, 무든 곳을 파 보【52】니 흔뎍도 업시 파닌 거동이라, 기후(其後)는 히ㅎ기 어렵고, 덧업슨 광음(光陰)이 '빅구(白駒)의 틈 디남'1452) ㄷ투여, 윤태위 년긔 ㅊ민, 뎡

인과 ㄷ티 ㅎ는 체ㅎ다가도, 추밀이 도라셔면 능경(凌輕)ㅎ며 ㄷ딜을 조로미 아니 밋츨 곳이 업고, 틱부인이 조부인 숨모ㄷ를 본젹마다 무러 먹을듯 ㅎ니, 아니혼 말과 업슨 허물을 주츌ㅎ여, 조로고 보치기를 긴 날의 싯치미 업스니, 틱우곤계 ㅇ시로브터 혈육이 상ㅎ는 즁장(重杖)과 긔괴혼 쳔녁(賤役)이, 윤츄밀 나간 쩌는 인가 노복도곤 더혼지라. 의복지졀도 윤츄밀이 니르기 젼은 술을 가리오지 못ㅎ고, 음식은 믹듁(麥粥) 지강1388)도 두 쩌를【111】주지 아녀, 긔아의 심ㅎ미 스람의 견딜 빈 아니로디, 틱우 형위(孝友) 츌텬ㅎ여 위·뉴의 극악싀포(極惡猜暴)ㅎ믈 한티 아니ㅎ고, 조부인이 셜우믈 셔리ㄷ마 위시의 악악히 보치믈 원망치 아니코, 굴스록 효슌키를 주ㅎ디, 위·뉴 감동ㅎ미 업셔 빈도로 ㅎ여금 조부인 숨모ㄷ를 죽여 달나 ㅎ고, 은ㄷ를 뫼ㄷ티 주디, 빈되 조부인 숨모ㄷ를 겸복ㅎ여 팔ㄷ를 보민, 틱우는 쳔승국군(千乘國君)이 될 거시오, 흑ㅅ는 숨틱(三台)1389)의 거ㅎ여 ㄷ녀 션션(誅詵)ㅎ고, 슈한(壽限)이 댱원(長遠)ㅎ여 부귀 극ㅎ니, 경이히 히흘 도리 업셔, 뉴시게 금은을 더 증식ㅎ여, 부쳐를 공양ㅎ여 암ㄷ를 일워【112】야, 만시 쇼원을 조츠리라 ㅎ고, 숨년을 그음ㅎ여 셔화문 밧 쳥벽산 하의 보옥암을 짓고, 비록 져쥬ㅅ(詛呪事)로뼈 조부인 숨모ㄷ를 죽이지 못홀 줄 아느, 뉴시의 뜻을 맛치고져 온갓 요예지물(妖穢之物)을 모화, 조부인 침소와 틱우 형뎨 침쳐(寢處)의 무덧더니, 조금도 효험이 업셔, 무든 곳을 파 보니 흔젹도 업시 파닌 거동이라. 기후(其後)는 히ㅎ기 어렵고, 덧업슨 광음(光陰)이 '빅구(白駒)의 틈 지남'1390) ㄷ투여, 윤틱위 년긔 ㅊ민 뎡

1450)지강 : 재강. 술을 거르고 남은 찌끼.

1451)삼태(三台) : 삼공(三公). 고려 시대에, 태위(太尉)·사도(司徒)·사공(司空)의 세 벼슬을 통틀어 이르던 말. 삼사(三師)와 함께 임금의 고문 구실을 하는 국가 최고의 명예직으로 초기에 두었다가 공민왕 때에 없앴다.

1452)'빅구(白駒)의 틈 디남' : =빅구과극(白駒過隙).

1388)지강 : 재강. 술을 거르고 남은 찌끼.

1389)삼태(三台) : 삼공(三公). 고려 시대에, 태위(太尉)·사도(司徒)·사공(司空)의 세 벼슬을 통틀어 이르던 말. 삼사(三師)와 함께 임금의 고문 구실을 하는 국가 최고의 명예직으로 초기에 두었다가 공민왕 때에 없앴다.

1390)'빅구(白駒)의 틈 디남' : =빅구과극(白駒過隙).

쇼져와 혼긔를 일우려 퇴일 힝빙(行聘)호니, 뉴시 뎡쇼져의 특이호믈 싀긔호여 황후 낭낭긔 뎡시의 츌범호믈 고호고, 빙폐 바든 녀지라도 태조 후비 샏시는 딕 참예케 호믈 밀쥬(密奏)혼 고로 뎡쇼졔 입궐호니, 뉴시 혼싯 그릇 되믈 깃거호더니, 의외 태위 등과호고, 뎡쇼졔 졍졀을 씌여 금즈어필(金字御筆)노 슉녈문(淑烈門)을 놉혀 도라오니, 위·뉴 분혼 심장이 터질듯호나, 윤츄밀이 과도히 스랑호고, 조부인이 뎡시 보호호믈 여【53】린 옥ㄱ치 호고, 틈틈이 그 긔아를 구호므로, 뉴시 즉시 히(害)치 못호고, 윤혹시 쏘 하시를 취호니, 이곳 구싱의 욕을 면호여 금ᄉᄀ강의 닉슈혼 하시라. 긔특이 뎡병부를 만나, 삼년을 뎡공 부뷔 은양(恩養)호여 혼녜를 일워 윤가의 보ᄂᆞ니, 뉴시 하시는 죽은 줄노 아랏다가 그 아름다오미 슉녈노 딕두호니, 통악(痛愕)호미 보던 날브터 믜오믈 춤디 못호ᄂᆞ니라. 뎡·하 이쇼져 보치미 윤태우 형뎨와 혼가디니, 태우 형뎨는 ᄋᆞ시(兒時)브터 흐로도 화열(和悅)혼 거동을 보디 못호여, 위·뉴의 보치믈 녜ᄉᆞ로이 알거니와, 냥쇼져는 쳔단고경(千端苦境)1453)을 쳐음으로 당호니, 엇디 니를【54】 비 이시리잇가마는, 그 작인이 비상호며 능히 못견딜 험난을 됴흔ᄃᆞ시 디ᄂᆞ고, 윤혹시 등과호여 댱시를 지취호며, 윤태위 딘시를 지실노 마ᄌᆞ오니, 냥쇼져의 뇨됴(窈窕)호믈 위·뉴 더옥 믜워○○[호여], ᄉᆞ쇼져(四小姐)를 보치려 일시도 면젼을 써나디 못호게 호며, 부부 화락을 막ᄌᆞ르디, 홀노 츄밀이 ᄌᆞ딜부(子姪婦) ᄉᆞ랑이 병되니, 뉴시 그 가군과 구파를 괴로이 넉여, 빈도다려 사름이 어림장이 되는 약과, 변심호여 소(疏)혼 곳의 후(厚)호고 ᄉᆞ랑던 즈를 믜워ᄒᆞᄂᆞ 약을 구호거ᄂᆞᆯ, 빈되 낫낫치 어더 주고, 태우 형뎨 먹일 독약을 어더 주엇더니, 츄밀과 구【5

흰 망아지가 빨리 달리는 것을 문틈으로 본다는 뜻으로, 인생이나 세월이 덧없이 빨리 지나감을 이르는 말.
1453)천단고경(千端苦境) : 온갖 어렵고 괴로운 처지나 형편.

쇼져와 혼긔를 닐우려 퇴일 힝빙(行聘)호니, 뉴시 뎡쇼져의 특이호믈 싀긔호여 황후 낭낭게 뎡시의 츌범호믈 고호고, 빙폐 바든 녀지라도 틱【113】ᄌ 후비 샏시ᄂᆞ딕 참예케 호믈 밀주(密奏)혼 고로 뎡쇼졔 닙궐호니, 뉴시 혼싯 그릇 되믈 깃거호더니, 의외 틱위 등과호고 뎡쇼졔 졍졀을 씌여 금즈어필(金字御筆)노 슉녈문(淑烈門)을 놉혀 도라오니, 위·뉴 분혼 심장이 터질 듯호나, 윤츄밀이 과도히 ᄉᆞ랑호고 조시 뎡시 보호호믈 여린 옥ᄀᆞ치 호고, 틈틈이 그 긔아를 구호므로, 뉴시 즉시 히(害)치 못호고 윤혹시 쏘 하시를 취호니, 이곳 구싱의 녹(辱)을 면호여 금ᄉᆞ당[강]의 닉슈혼 《지라∥하시라》. 긔특이 뎡병부를 만나 삼년을 뎡공 부뷔 은양(恩養)호여 혼녜를 닐워 윤가의 보ᄂᆞ니, 뉴시 하시ᄂᆞ 죽은 줄노 아랏드가 그 아름다오미 슉녈노 딕두호니,【114】 통악(痛愕)호미 보던 날브터 믜오믈 춤지 못호ᄂᆞ지라. 뎡·하 이쇼져를 보치미 윤틱우 형뎨와 혼가지니, 태우 형뎨는 ᄋᆞ시(兒時)브터 흐로도 화렬(和悅)혼 거동을 보지 못호여, 위·뉴의 보치믈 녜ᄉᆞ로이 알거니와, 냥쇼져ᄂᆞ 쳔만곡경(千萬曲境)1391)을 쳐음으로 당호니 엇지 견딜 비리오마ᄂᆞ, 그 작인이 비상호고 능히 못견딜 험난을 됴흔 ᄃᆞ시 지ᄂᆞ고, 윤혹시 등과호여 댱시를 취호며, 윤틱위 진시를 지실노 마ᄌᆞ오니, 냥쇼져의 뇨됴(窈窕)호믈 위 뉴 더옥 믜워○○[호여], ᄉᆞ쇼져(四小姐)를 보치려 일시도 면젼을 써ᄂᆞ지 못호게 호며, 부부 화락을 막ᄌᆞ르딕, 홀노 츄밀이 ᄌᆞ【115】딜부(子姪婦) ᄉᆞ랑이 병되니, 뉴시 그 가군과 구파를 괴로이 넉여, 빈도ᄃᆞ려 사람이 어림장이 되는 냑(藥)과 변심호여 소(疏)혼 곳의 후(厚)호고 ᄉᆞ랑ᄒᆞ던 즈를 믜워ᄒᆞᄂᆞ 약을 구호거ᄂᆞᆯ, 빈되 낫낫치 어더 주고, 틱우 형뎨 먹일 독약을

흰 망아지가 빨리 달리는 것을 문틈으로 본다는 뜻으로, 인생이나 세월이 덧없이 빨리 지나감을 이르는 말.
1391)천만곡경(千萬曲境) : 온갖 어렵고 힘든 처지나 형편.

5】패 인ᄉ불셩이 될 약을 먹으므로브터 본심을 일코, 츄밀은 뉴시긔 황황침닉(遑遑沈溺)ᄒᆞ여, ᄌᆞ딜부의 유무를 아디 못ᄒᆞ고, 뉴시 슉소의 머리를 박아 움즉이디 못ᄒᆞᆯ ᄲᆞᆫ 아니라, 약이 독ᄒᆞ므로 신상 딜양(疾恙)이 ᄶᅥ나디 아냐, 죵일 먹는 거시 술이오, 식반도 셕를 츌혀 나오미 업스니, 의형이 환탈ᄒᆞ고 긔븨(肌膚) 슈패(瘦敗)ᄒᆞ여, 형각(形殼)1454)만 걸녀시되, 뉴○[시] 악죵이 넘녀ᄒᆞᆷᄆᆞᆫ 업고 즈긔게 고혹(蠱惑)홈만 힝열(幸悅)ᄒᆞ여, 동셔(東西)의 긔탄홀 거시 업시 조시 모즈 고식을 죽이려 ᄒᆞᄂᆞᆫ디라. 가만ᄒᆞᆫ 가온디 독약 먹이미 그 몃 번인동1455) 알니잇고마는, 하날이 도아 딜양도【56】닐위디 아니니, 위·뉴 더옥 통완ᄒᆞᆷ을 니긔디 못ᄒᆞ여 급급히 모즈(母子) 고식(姑息)을 죽이려 홀시, 위시 조부인다려, '뎡병부 부인이 별원의 잇다 ᄒᆞ니 가 보라' ᄒᆞ니, 조부인이 즐겨 갈 ᄯᅳᆺ이 업스되, 위시 싀포히 호령ᄒᆞ여 취운산으로 보니며, 빈도다려 듕노의셔 조시를 후려다가 죽이라 ᄒᆞ거늘, 빈되 뉴시의 금은을 슈 업시 ᄡᅳ고 ᄒᆞᆫ 일도 그 쇼원을 일워주디 못ᄒᆞ미 무안ᄒᆞ여, 평싱 지조를 다ᄒᆞ여 조부인 거듕(車中)의 드리다라 조시를 업고 공듕의 올나{나}, 문외(門外) 강슈의 드리치고 옥누항의 가 뉴시를【57】보고, 조시를 암ᄌᆞ의 다려 가 ᄲᅡ셔 죽엿노라 ᄒᆞ니, 뉴시 은혜를 일ᄏᆞ르며 ᄌᆞ딜 부부를 마즈 죽여달나 ᄒᆞ니, 쥬ᄉ야탁(晝思夜度)ᄒᆞ여 모의ᄒᆞᄂᆞᆫ 가온디, 문양공쥐 ᄯᅩ 모든 뎍국을 소졔코져ᄒᆞ여, 스스로 복ᄋ(腹兒)를 지니디 못ᄒᆞ여 낙티ᄒᆞ니, 믄득 일노뼈 최상궁과 셜계ᄒᆞ여, 영교 녹셤을 ᄉᆞ괴여 져쥬를 베퍼, 뎡도위 친히 와 파니고 뎡·오 냥왕의 친견ᄒᆞ미 되나, 부매 죵시 의심이 윤·양의게 업스니, 다시 셜계ᄒᆞ여 녹셤을 다리여 단약을 먹여, 궁녜 되어 공쥬를 티독(置毒)게 ᄒᆞ고, 죄를 얽어 삼부인을 다【58】졀의케 ᄒᆞ

어더 주엇더니, 츄밀과 구픠 인ᄉ불셩이 될 냑(藥)을 먹으므로브터 본심을 일코, 츄밀은 뉴시긔 황황침닉(遑遑沈溺)ᄒᆞ여 ᄌᆞ딜부(子姪婦)의 유무를 아지 못ᄒᆞ고, 뉴시 슉소의 머리를 박아 움즉이지 못ᄒᆞᆯ ᄲᆞᆫ 아니라, 약이 독ᄒᆞ므로 신상의 질양이 ᄶᅥ나지 아냐, 죵일 먹는 거시 술이오, 식반○[도] 셕를 츌여 나아오미 업스니, 의형이 환탈ᄒᆞ고 긔뷔(肌膚) 슈폐(瘦敗)ᄒᆞ여,【116】형각(形殼)1392)만 걸녀시되, 뉴시 악죵이 넘녀ᄒᆞᆷᄆᆞᆫ 업고 즈긔게 고혹(蠱惑)홈만 힝녈(幸悅)ᄒᆞ여, 동셔(東西)의 긔탄홀 거시 업시 조시 모즈 고식을 죽이려 ᄒᆞᄂᆞᆫ지라. ᄀᆞ만ᄒᆞᆫ ᄀᆞ온디 독약 먹이미 그 몃 번인 동1393) 알니오마는, 하날이 도아 질양도 닐위지 아니니, 위·뉴 더옥 통완ᄒᆞᆷ을 니긔지 못ᄒᆞ여 급급히 모즈(母子) 고식(姑息)을 죽이려 홀시, 위시 조부인ᄃᆞ려 뎡병부 부인이 별원의 잇시니 가 보라 ᄒᆞ니, 조시 즐겨 갈 ᄯᅳᆺ이 업스되, 위시 싀포히 호령ᄒᆞ여 취운산으로 보니며, 빈도로 ᄒᆞ여곰 즁노의셔 조시를 후려다가 죽이라 ᄒᆞ거늘, 빈되 뉴시의 금은을 슈 업시 ᄡᅳ고, ᄒᆞᆫ 일도【117】그 원을 일워주지 못ᄒᆞ미 무안ᄒᆞ여, 평싱 지조를 다ᄒᆞ여 조부인 거즁(車中)의 드리ᄃᆞ라 조시를 업고 공즁의 올나 문외(門外) 강슈의 드리치고 옥누항의 ᄀᆞ 뉴시를 보고, 조시를 암ᄌᆞ의 ᄃᆞ려가 밤의 죽엿노라 ᄒᆞ니, 뉴시 은혜를 일ᄏᆞ르며 ᄌᆞ딜 부부를 마즈 죽여달나 ᄒᆞ니, 쥬ᄉ야탁(晝思夜度)ᄒᆞ여 모의ᄒᆞᄂᆞᆫ ᄀᆞ온디, ○○[문양]공쥐 ᄯᅩ 모든 젹국을 소졔코ᄌᆞᄒᆞ여, 스스로 복ᄋ(腹兒)를 지니지 못ᄒᆞ여 낙티ᄒᆞ니, 믄득 일노뼈 최상궁과 셜계ᄒᆞ여, 영교 《뉴셤∥녹셤》을 ᄉᆞ괴여 져쥬를 베퍼, 뎡도위 친히 와 파니고, 뎡·오 냥왕의 친견ᄒᆞ미 되나, 부매 죵시 의심이 윤·양의게 업스니 다시 셜계ᄒᆞ여 녹셤을 다【118】리여 단약을 먹여 궁녜 되여 공쥬를 치

1454)형각(形殼) : 겉으로 드러나 보이는 형상.
1455)ㄴ동 : -ㄴ지. 무지, 미확인의 경우에 흔히 쓰임.

1392)형각(形殼) : 겉으로 드러나 보이는 형상.
1393)ㄴ동 : -ㄴ지. 무지, 미확인의 경우에 흔히 쓰임.

고, 윤시를 그 계부 츄밀이 비힝(陪行)ᄒᆞ미, 뉴시 구상셔로 여ᄎᆞ여ᄎᆞ 츄밀을 쳥ᄒᆞ여 병듕(病中) 야힝(夜行)이 불가타 ᄒᆞ고 머므를 ᄉᆞ이의, 븍부(僕夫)와 동심ᄒᆞ여 윤시를 김귀비긔 밧쳐 후ᄒᆞᆫ 상을 밧고, 귀비 윤시를 셕혈의 가도고, 빈되 ᄯᅩ 비회(飛虎) 되여 양시를 후려다가 윤시와 ᄒᆞᆫ가지로 셕혈의 가도고, 긔ᄉᆞ(饑死)ᄒᆞ믈 죄와 음식을 주디 아니딘, 슈슌(數旬)이 거의나 죽디 아니니, 츄경 디 믈의 드리치고, 뎡부매 오히려 공쥬 박딘 녜와 ᄀᆞᆺ고, 미양 벗을 ᄯᅡ 주고 집의 든 ᄶᅵ 젹으믈 의심ᄒᆞ여, 경시를 부매 남뎡시(南征時)의 부모 모【59】로게 취ᄒᆞ여 두고 왕닉 빈빈ᄒᆞ며 디어(至於) 옥ᄀᆞᆺᄐᆞᆫ ᄋᆞ들을 두어시딘, 그 부모 존당은 망연브디(茫然不知)ᄒᆞ고, 연무(煙霧) 듕의 잇ᄂᆞᆫ디라. 빈되 몬져 아라닉여, 그 아히 난 디 오뉵삭이 된 거슬 마ᄌᆞ 후려다가 공쥬긔 드려 녀환을 주어 업시케 ᄒᆞ고, 윤부의셔 위ᄂᆡ 뎡ᄃᆞᆫ과 태우의 유ᄌᆞ가지 업시 ᄒᆞ미, 하ᄂᆞ당과 태우 형뎨를 죽이려 ᄒᆞᄂᆞᆫ 고로, 하시를 줏두다려 남강의 ᄶᅵ윗노라 ᄒᆞ기로, 하시ᄂᆞᆫ 빈되 범치 아니코, 댱시ᄂᆞᆫ 셜억의게 삼빅금을 밧고 팔녀 ᄒᆞ다가, 댱시 ᄉᆞ긔를 슷치고 언시 십분 격녈ᄒᆞ니 위시 분노ᄒᆞ여 친히 칼흘 드러 【60】 질너 죽이고, 말을 닉디, 혹ᄉᆞ와 언젼징힐(言戰爭詰)ᄒᆞ다가, 급ᄒᆞᆫ 셩을 니긔디 못ᄒᆞ여 스스로 질너죽다ᄒᆞ여, 댱부의셔 졍댱(呈狀)[1456]ᄒᆞᄂᆞᆫ 일이 업게 ᄒᆞ고, 필경은 태우 형뎨를 ᄉᆞ디(死地)의 모라 너흐려, 밤을 당ᄒᆞ여 빈도는 윤태위 되고 틱복은 윤혹시 되여, 칼흘 들고 위시 침쳐의 가 가슴을 디르미, 위시 샹언(上言)ᄒᆞ여 냥손의 죄를 낫토니[1457], 샹이 그 조손을 다 브르샤 그 거동을 보시고, 위시의 말을 고디듯디 아니샤, 태우 형뎨를 남ᄂᆞ양 이쥬(二州)의 찬뎍ᄒᆞ시미, 뉴시 그 죽디 아니믈 익들와 구혹ᄉᆞ와 의논ᄒᆞ고, 남쥬 댱ᄉᆞ(壯士) 님셩각을 보닉 【61】 여 태우를 죽이라 ᄒᆞ엿더니, 디

독(置毒)게 ᄒᆞ고, 죄를 얽어 슘부인을 다 결의케 ᄒᆞ고, 윤시를 그 계부 츄밀이 비힝(陪行)ᄒᆞ미, 뉴시 구상셔로 여ᄎᆞ여ᄎᆞ 츄밀을 쳥ᄒᆞ여 병즁(病中) 야힝(夜行)이 불가ᄒᆞ다 ᄒᆞ고 머므를 ᄉᆞ이의, 븍부(僕夫)와 동심ᄒᆞ여 윤시를 김귀비긔 밧쳐 후ᄒᆞᆫ 상을 밧고, 귀비 윤시를 셕혈의 가도고, 빈되 ᄯᅩ 비회(飛虎) 되여 양시를 후려다가 윤시와 ᄒᆞᆫ가지로 셕혈의 가도고, 긔ᄉᆞ(饑死)ᄒᆞ믈 죄와 음식을 주지 아니딘, 슈슌(數旬)이 거의나 죽지 아니니, 츄경지 못믈의 드리치고, 뎡부미 오히려 공쥬 박딘 녜와 ᄀᆞᆺ고, 미양 벗을 쓸와 주고 【119】 집의 든 ᄶᅵ 젹으믈 의심ᄒᆞ여, 경시를 부매 남졍시(南征時)의 부모 모ᄅᆞ게 취ᄒᆞ여 두고 왕닉 빈빈ᄒᆞ며, 지어 옥 ᄀᆞᆺᄐᆞᆫ ᄋᆞ들을 두어시딘, 그 부모 존당은 망연부지(茫然不知)ᄒᆞ고 연무(煙霧) 즁의 잇ᄂᆞᆫ지라. 빈되 몬져 아라닉여 그 아히 난 지 오뉵삭이 된 거슬, 마ᄌᆞ 후려드가 공쥬긔 드려 《닉환‖녀환》을 주어 업시케 ᄒᆞ고, 윤부의셔 위ᄂᆡ 뎡ᄃᆞᆫ과 틱우의 유ᄌᆞ가지 업시 ᄒᆞ미, 하ᄂᆞ장과 틱우 형뎨를 죽이려 ᄒᆞᄂᆞᆫ 고로, 하시를 줏두다려 남강의 ᄶᅵ윗노라 ᄒᆞ기○[로], 하시ᄂᆞᆫ 빈되 범치 아니코, 댱시ᄂᆞᆫ 셜억의게 슴빅금을 밧고 팔녀 ᄒᆞ다가, 댱시 ᄉᆞ긔를 슷치고 언시 십분 격녈ᄒᆞ니, 위시 분【120】노ᄒᆞ여 친히 칼을 드러 질너 죽이고, 말을 닉디 혹ᄉᆞ와 언젼징(言戰爭詰)힐ᄒᆞᄃᆞ가, 급ᄒᆞᆫ 셩을 니긔지 못ᄒᆞ여 스스로 질너죽다ᄒᆞ여, 댱부의셔 《젼장‖졍장(呈狀)[1394]》(呈狀)[1395]ᄒᆞᄂᆞᆫ 일이 업게 ᄒᆞ고, 필경은 틱우 형뎨를 ᄉᆞ지(死地)의 모라 너흐려, 밤을 당ᄒᆞ여 빈도는 윤틱위 되고 틱복은 윤혹식 되여, 칼을 들고 위시 침쳐의 드러가 ᄀᆞ슴을 지르미, 위시 상언(上言)ᄒᆞ여 냥손의 죄를 낫토니[1396], 상이 그 됴손을 다 브르ᄉᆞ 그 거동을 보시고, 위시의 말을 고지듯지 아니ᄉᆞ, 틱우 형뎨를 남

1456)졍댱(呈狀) : 소장(訴狀)을 관청에 냄.
1457)낫토다 : 나타내다.

1394)졍댱(呈狀) : 소장(訴狀)을 관청에 냄.
1395)졍댱(呈狀) : 소장(訴狀)을 관청에 냄.
1396)낫토다 : 나타내다.

금 귀쳑이 업고, 양쥐는 공쳐를 다리여 흑
스를 죽여달나 은을 주니, 공쳐 쳐음은 은
을 밧고 허락ᄒ더니 회환ᄒ여 은을 도로 보
닉고, 흑스의 긔특ᄒ믈 일ᄏ라 ᄎ마 히치
못ᄒ믈 니르니, 위·뉘 이들와○○[ᄒ고],
○[쏘] 쥬스야탁 ᄒ고 슬허ᄒᄂ 바ᄂ 뉘시
의 댱녀 상셔 셕쥰의 조강(糟糠)이로ᄃ, 셕
싱이 초혼시로브터 박ᄃᄒ미 힝노(行路) 보
닷ᄒ니, 일노뻐 우환을 삼아, 셰젼(世傳)ᄒ
ᄂ 즙믈(什物)을 다 기우려 댱녀 부부의 화
동(和同)ᄒ믈 튝원ᄒᄃ, 효험이 업스믈 착급
ᄒ여 ᄒ거ᄂᆯ, 빈되 셕싱의 직실 오시를 다
려【62】다가 ᄎ암절벽(層巖絶壁)의 굴○
[녀] 죽게 ᄒ고, 그 ᄃ신(代身)의 얼골이 되
여 변심ᄒᄂ 약을 먹이니, 셕상셰 오시 일
흐믈 슬허 아냐 윤시를 박ᄃᄒ던 바를 뉘웃
쳐, 홀연이 윤시와 화락이 디극ᄒ더니, 의외
의 셕상셰 광동 참졍을ᄒ여 집을 ᄡ나미,
윤시 외로이 구가의 이셔 포장악심(包藏惡
心)[1458]을 견ᄃ디 못ᄒ여, 오시의 ᄌ녀를
다 독약을 먹여 죽이려 ᄒ다가 일이 발각ᄒ
미, 셕츄밀이 윤시를 가도고 참졍의 오기를
기다려 쳐티ᄒ려 ᄒ니, 뉘시 심간을 살오다
가, 가시 탕딘ᄒ여 젹쵀(積債) 여산(如山)ᄒ
고, 노복 등이 니산(離散)ᄒ【63】며, 의식
이 간 ᄃ 업시 되어시니, 기간은 빈되 몽슉
과 결납(結納)[1459]ᄒ기로 뉘시의 일은 본
일이 업습고, 빈되 ᄯ 옥쥬의 쳥으로 대닉
(大內)의 경시를 드려와, 옥쥐 그 두발(頭
髮)을 버히고 만신을 즛두다려 반싱반ᄉ(半
生半死) ᄒ거ᄂᆯ, 옥쥐 궁녀 태셤을 맛져 밧
비 닉여다가 츄셩ᄃ 연못믈의 너코, 운영을
여츄여츄 히ᄒ여[미] 다 빈도의 작용이오,
부마의 구챵(九娼) 잇ᄂ 곳의 블을 노화 타
죽게 ᄒᄆᆫ 최상궁의 흔 비라. 공쥐 셔뎍(庶
嫡)[1460] 아오로 십ᄉ인을 히ᄒᄃ, 오히려
니시 향니의 편히 이시믈 ᄭ리거ᄂᆯ, 빈되

·양의 찬덕ᄒ시미, 뉘시 그 죽지 아니믈
이들와 구흑스와 의논ᄒ고, 남쥐 댱ᄉ(壯士)
님셩각을 보닉여 티우를 죽이라 ᄒ엿더니
지금 긔쳑이 업고, 양쥐【121】ᄂ 공쳐를
다리여 흑스를 죽여달나 ᄒ고 은을 주니,
공쳐 쳐음은 은을 밧고 허락ᄒ더니, 회환ᄒ
여 은을 도로 드리고 흑스의 긔특ᄒ믈 닐ᄏ
라 ᄎ마 히치 못ᄒ믈 닐으니, 위·뉘 이들
와○○[ᄒ고], ○[쏘] 쥬스야탁 ᄒ고 슬허
ᄒᄂ 바ᄂ, 뉘시의 댱녀 셕쥰의 조강(糟糠)
이로ᄃ, 셕싱이 초혼시로브터 박ᄃᄒ미 힝
노(行路) 보닷 ᄒ니, 일노뻐 우환을 숨아 셰
젼(世傳)ᄒᄂ 즙믈(什物)을 다 기우려 댱녀
부부의 화동(和同)ᄒ믈 튝원ᄒᄃ, 효험이 업
스믈 착급ᄒ여 ᄒ거ᄂᆯ, 빈되 셕싱의 직실
오시를 다려ᄃ가 ᄎ암절벽(層巖絶壁)의 굴
녀 죽게ᄒ고, 그 ᄃ신(代身)의 얼골이 되여
변심ᄒᄂ 냑(藥)을 먹이니, 셕싱이 오시 일
흐믈 슬허 아니코, 윤【122】시를 박ᄃᄒ던
바를 뉘웃쳐, 홀연 윤시와 화락이 지극ᄒ더
니, 의외○[의] 셕상셰 광동 참졍을 ᄒ여
집을 ᄡ나미, 윤네 외로이 구가의 이셔 포
장악심(包藏惡心)[1397]을 견ᄃ지 못ᄒ여, 오
시의 ᄌ녀를 다 독약을 먹여 죽이려 ᄒ다ᄀ
일이 발각ᄒ미, 셕츄밀이 윤시를 ᄀ도고 참
졍의 오기를 기ᄃ려 쳐치ᄒ려 ᄒ니, 뉘시
심간을 술오다가, 가시 탕진ᄒ여 젹쵀(積債)
여산(如山)ᄒ고, 노복 등이 이산(離散)ᄒ며
의식이 간 ᄃ 업시 되어시니, 기간(其間)은
빈되 몽슉과 결랍(結納)[1398]ᄒ기로 뉘시의
일은 본 일이 업습고, 빈되 ᄯ 옥쥬의 쳥으
로 ᄃ닉(大內의 경시를 드려와, 옥쥐 그 두
발(頭髮)을 버히고 만신을 즛두다려 반싱반
ᄉ(半生半死) ᄒ거ᄂᆯ, 옥쥐【123】 궁녀 티
셤을 맛뎌 밧비 닉여ᄃ가 츄셩지 년못 믈의
너코, 운영을 히ᄒ미 여츄여츄ᄒ여 다 빈도
의 작용이오, 부마의 구챵(九娼) 잇ᄂ 곳의

1458) 포장악심(包藏惡心) : 마음속에 품고 있는 악한
　　마음.
1459) 결납(結納) : 일정한 목적으로 서로 마음이 통
　　하여 도움.
1460) 셔뎍(庶嫡) : 첩(妾)과 정실부인.

1397) 포장악심(包藏惡心) : 마음속에 품고 있는 악
　　한 마음.
1398) 결납(結納) : 일정한 목적으로 서로 마음이 통
　　하여 도움.

니시의 블미ᄒᄆᆯ 일ᄏ라 유뮈 관긴(關緊)치 아니타 ᄒᆞ여,【64】공쥬긔 왕닉치 아니미 달포 되엿ᄂᆞᆫ디라. 그 ᄉᆞ이 구상셔를 도와 역모 쇠ᄒᆞᆷ은 쳐음 ᄉᆞ괸 졍을 ᄒᆞᆫ갈ᄀᆞ치 ᄒᆞ려 ᄒᆞ미라. 빈되 반셔를 희뷕의 도로고, 모역ᄒᆞ는 셔찰을 가져 오왕 뎐하긔 짐즛 잡혓고, ᄯᅩ 도신 톄ᄒᆞ여 뎡병부의 얼골을 기리고 도쥬ᄒᆞ엿다가, 칼흘 가져 뇽좌(龍座)를 범ᄒᆞ여 텬의를 격동ᄒᆞ고, 금낭을 ᄊᆞ르쳐 의심이 깁게 ᄒᆞ고, 다시 형왕 졍즈의 가 의논ᄒᆞ여 윤흑ᄉᆞ를 마즈 모역으로 칙오[1461]고져, 셔간을 믿ᄃᆞ라 가디고 셩뇌로 드러가려 ᄒᆞ다가, 혜원의게 잡힌 빅 되여 금일 참화를 만나니, 간악ᄒᆞᆫ 쇼인【65】을 ᄉᆞ괸 타시라. 운영으로뻐 뎡병부의 옥션초(玉扇貂)와 금션(錦扇)을 도뎍ᄒᆞ여 주어 인연을 일우려 ᄒᆞ다가, 국가의셔 빈도를 구싴ᄒᆞ시므로, ᄌᆞ최를 금초아 ᄃᆞᆫ니며, 보옥암을 헌 후 션경ᄉᆞ 일우믄 공쥬의 지믈을 슈 업시 어든 연괴오, 션경ᄉᆞ 가온딕 김국구 부즈를 두어 흉역을 쇠ᄒᆞ연 지 오릯딕, 이런 소유는 몽슉다려도 니르미 업ᄉᆞ니, 국구 부즈를 갈회(葛虎) 무러가는 체 흠도 빈도의 작용이오, 김듕광의 간쳥ᄒᆞᆷ을 ᄶᅥ치지 못ᄒᆞ미라. 빈도의 죄악이 텬디의 ᄌᆞ옥ᄒᆞ니 엇디 살기를 바라릿고마ᄂᆞᆫ, 개과쳔션은 셩인도 허ᄒᆞ신 비라.【66】빈되 비로○[소] 악ᄉᆞ를 뉘웃ᄂᆞ니 일월디덕(日月之德)으로 잔쳔(殘喘)을 빌니쇼셔.”

ᄒᆞ엿더라. ‘뉴교ᄋᆞ의 말이 샌지믄 하괴(何故)오?’[1462]

샹이 쳥파(聽罷)의 텬뇌 딘쳡ᄒᆞ샤 만됴를 도라보샤 ᄀᆞᆯ오샤딕,

“요리(妖尼)의 죄상이 관영(貫盈)ᄒᆞ여 만

1461)칙오다 : 치우다. 청소하거나 정리하다. 쓸어 없애다.

1462) 작은 글씨로 두 줄로 필사되어 있는데, 필사자가 유교아와 관련된 사건들이 빠진 것을 지적하여 써넣은 첨기로 보인다.

블을 노화 타 죽게 ᄒᆞᆷ은 최상궁의 흔 비라. 공쥬 셔뎍(庶嫡)[1399) 아오로 십ᄉᆞ인을 히ᄒᆞ딕, 오히려 니시 향니의 편히 이시믈 ᄊᆞ리거늘, 빈되 니시의 블미ᄒᆞᆷ을 닐ᄏ라 유뮈 관긴(關緊)치 아니타 ᄒᆞ여 공쥬긔 왕닉치 아니미 둘포 되엿ᄂᆞᆫ지라. 그 ᄉᆞ이 구상셔를 도와 넉모 쇠ᄒᆞᆷ은 쳐음 ᄉᆞ괸 졍을 ᄒᆞᆫ갈ᄀᆞᆺ게 ᄒᆞ미라. 빈되 반셔를 희뷕의 도로고, 모역ᄒᆞ는 셔간을 가져 오왕 뎐하게 짐즛 줍헛고, ᄯᅩ 도신 톄ᄒᆞ여 병부의 얼골을 기리고 도쥬ᄒᆞ엿다가 칼흘 《가즈‖가져》【124】뇽좌(龍座)를 범ᄒᆞ여 텬의를 격동ᄒᆞ고, 금낭을 ᄊᆞ르쳐 의심이 깁게 ᄒᆞ고, 다시 형왕 졍즈의 가 의논ᄒᆞ여, 윤흑ᄉᆞ를 마즈 모역으로 칙오고즈[1400) ᄒᆞ여, 셔간을 믿ᄃᆞ라 가지고 셩뇌로 드러ᄀᆞ려 ᄒᆞ다가, 혜원의게 줍힌 빅 되여 금일 참화를 만나니, 간악○[ᄒᆞᆫ] 쇼인을 ᄉᆞ괸 타시라. 운영으로뻐 뎡병부 션초(扇貂)와 금션(錦扇)을 도젹ᄒᆞ여 주어 인연을 닐우려 ᄒᆞᄃᆞᄀᆞ, 국가의셔 빈도를 구싴ᄒᆞ시므로 ᄌᆞ최를 금초아 ᄃᆞᆫ니며, 보옥암을 헌 후 션경ᄉᆞ 닐우믄 공쥬의 지믈을 슈 업시 어든 연괴오, 션경ᄉᆞ 가온딕 김국구 부즈를 두어 흉역을 쇠ᄒᆞ연 지 오릯딕, 니런 소유는 몽슉다려도 니르미 업ᄉᆞ니, 국【125】구 부즈를 갈회(褐虎) 무러 ᄀᆞ는 체 흠도 빈도의 작용이오, 김즁광의 근쳥ᄒᆞᆷ을 ᄶᅥ치지 못ᄒᆞ미라. 빈도의 죄악이 텬디의 ᄌᆞ옥ᄒᆞ니 엇지 살기를 바라릿고마ᄂᆞᆫ, 기과블인(改過不仁)은 셩인도 허ᄒᆞ신 비라. 빈되 비로소 악ᄉᆞ를 뉘웃ᄂᆞ니 일월지덕(日月之德)으로 잔쳔(殘喘)을 빌니쇼셔.”

샹이 《남필(覽畢)‖쳥파(聽罷)》의 텬뇌딘쳡ᄒᆞ샤 만됴를 도라보ᄉᆞ 왈,

“뇨리(妖尼)의 죄상이 관영(貫盈)ᄒᆞ여 만단(萬端)의 뼈흐러도 속(贖)지 못홀 씬아니

1399)셔뎍(庶嫡) : 첩(妾)과 정실부인.

1400)칙오다 : 치우다. 청소하거나 정리하다. 쓸어 없애다.

단(萬端)의 뼈흐러도 쇽(贖)디 못홀 쌘 아니라, 위·뉴 낭녀의 극악호믄 만고를 기우려도 희한홀 비오. 공쥬의 투악이 또 당셰의 무빵흐니라. 엇디 흉참치 아니리오. 몽슉의 죄악이 요리와 다르미 업눈디라 몽슉을 마즈 츄문(推問)흐여 초스를 밧고 금오랑(金吾郎)을 발흐여 위·뉴 낭녀의 비즈를 잡히라."

흐시니, 위관이 명을 밧고, 제신이 쥬왈,

"요리의 젼후 악스와 몽슉의 극악【67】흐미 니를 거시 업눈디라. 몽슉의 초스를 바든 후, 요리와 흔가디로 쳐참흐여 후셰 악인을 징계흐쇼셔."

샹이 몽슉을 친국(親鞫)흐실시, 노긔엄녈(怒氣嚴烈)흐샤 간졍을 딕고흐라 흐시니, 몽슉이 즈포오스(紫袍烏紗)로 뎐폐의 근시(近侍)흐여, 뎡·딘 등의 역모를 낫토며, 제라셔1463) 엄형츄문흐시믈 쳥흐여 진짓 뎡인군진 쳬흐여 의긔양양흐더니, 텬되 살피시미 쇼쇼(昭昭)흐샤, 윤부인이 져의 악스를 낫낫치 고흐여 흔일도 은닉홀 거시 업눈디라.

텬뇌(天怒) 익익(益益) 딘쳡(震疊)흐샤 엄형 국문 흐시니, 즈포오스(紫袍烏紗)1464)도 간곳 업고 옥디아【68】홀(玉帶牙笏)1465)도 쓸디 업셔, 나졸의 닛쓰으는 디로 형위예 나아가니, 녕한(獰悍)흔 스예(士隸) 힘을 다흐여 일장의 쎄 바아디는디라. 몽슉이 비록

라, 위·뉴 낭녀의 극악은 만고를 기우려도 희한홀 비오. 공쥬의 투악이 또 무빵흔지라. 엇지 흉참치 아니리오. 몽슉의 죄악이 요리와 다르미 업순지라. 몽슉을 마즈 츄문(推問)흐여 초스를 밧고, 금오랑(金吾郎)을 발흐여 위【126】·뉴 낭녀를[의] 비즈를 줍히라."

흐시니, 위관이 명을 밧고, 제신이 주왈,

"뇨리의 젼후 악스와 몽슉의 극악흐미 닐을 거시 업눈지라. 몽슉의 초스를 바든 후, 뇨리와 흔가지로 쳐참흐여 후셰 악인을 증계흐쇼셔."

샹이 몽슉을 친국(親鞫)흐실시 노긔엄녈(怒氣嚴烈)흐샤 간졍을 직고흐라 흐시니, 몽슉이 즈포오스(紫袍烏紗)로 젼폐의 근시흐여, 뎡·딘 등○[의] 녁모를 《닷토며∥낫토며》 졔라셔1401) 엄형○○[츄문] 흐시믈 쳥흐여 진짓 졍인군진 쳬흐여 의긔양양흐더니, 텬되 살피시미 쇼쇼(昭昭)흐사 윤부인이 져히 악스를 셰셰히 아라 격고등문흐고, 묘랑이 젼젼(前前) 죄악을 낫낫치 고흐여, 흔일도 은닉흐미 업눈지라.

《텬되(天道)∥쳔뇌(天怒)》 닉닉(益益) 진쳡(震疊)흐사 엄【127】형 국문흐시니, 즈포오스(紫袍烏紗)1402)도 간곳 업고 옥디아홀(玉帶牙笏)1403)도 쇽졀업셔, 나졸이 쓰으는 디로 형위의 ᄂ아가니, 녕한(獰悍)흔 스예 힘을 다흐여 일장의 쎄 바아지는지라.

1463)라셔 : 「조사」 라셔. <받침 없는 체언 뒤에 붙어> 특별히 가리켜 강조하며 주어임을 나타내는 격 조사. '감히', '능히'의 뜻이 포함된다.

1464)즈포오스(紫袍烏紗) : 자포(紫袍)를 입고 오사모(烏紗帽)를 쓴 높은 벼슬아치의 차림. '자포'는 조선시대 관원들이 관복을 입을 때 입던 자색(紫色) 도포를 말하고, '오사모'는 관복을 입을 때 머리에 쓰던 검은 사(紗)로 만든 모자를 말한다.

1465)옥디아홀(玉帶牙笏) : 허리에 옥으로 장식한 띠를 두르고 손에 상아로 만든 홀(笏)을 들고 있는 고위 관료의 차림. *옥대(玉帶); 임금이나 관리의 공복(公服)에 두르던 옥으로 장식한 띠. *아홀(牙笏); 조선 시대에, 일 품에서 사 품까지의 벼슬아치가 몸에 지니던 홀. 무소뿔이나 상아로 만들었다

1401)라셔 : 「조사」 라셔. <받침 없는 체언 뒤에 붙어> 특별히 가리켜 강조하며 주어임을 나타내는 격 조사. '감히', '능히'의 뜻이 포함된다.

1402)즈포오스(紫袍烏紗) : 자포(紫袍)를 입고 오사모(烏紗帽)를 쓴 높은 벼슬아치의 차림. '자포'는 조선시대 관원들이 관복을 입을 때 입던 자색(紫色) 도포를 말하고, '오사모'는 관복을 입을 때 머리에 쓰던 검은 사(紗)로 만든 모자를 말한다.

1403)옥디아홀(玉帶牙笏) : 허리에 옥으로 장식한 띠를 두르고 손에 상아로 만든 홀(笏)을 들고 있는 고위 관료의 차림. *옥대(玉帶); 임금이나 관리의 공복(公服)에 두르던 옥으로 장식한 띠. *아홀(牙笏); 조선 시대에, 일 품에서 사 품까지의 벼슬아치가 몸에 지니던 홀. 무소뿔이나 상아로 만들었다

대간대악이나 싱셰디후(生世之後)의 회미흔
퇴장도 디닉지 아냐, 낙양후의 디극흔 주의
를 바다시니 엇디 이런 형벌을 잘 견딕리
오. 경긱의 넉술 일허시나 오히려 혀를 무
러 일언을 아니ᄒ니, 샹이 딘노(震怒)ᄒ샤
몽슉의 일신을 편쇠[1466]로 디디라 ᄒ시니,
몽슉이 죽을디언졍 복초를 아니ᄒ려 ᄒ더
니, 편쇠로 디디믈 당ᄒ여는 일신의 불이
닐고 장위 다 틋는 듯ᄒ니, 슈츄 듕형의 혼
빅이 비월(飛越)【69】ᄒ여, 복초 후는 머
리 업슨 귀신이 될 줄 모로디 아니ᄒ딕, 잠
간 쉬기를 위ᄒ여 이의 쥬왈,

"젼젼 죄과를 다 알외리니 치기를 날회쇼
셔."

ᄒ니, 샹이 그 초스를 바드라 ᄒ시니, 나
졸이 좌우로 갈나셔고 디필을 구ᄒ거늘, 뎐
샹의셔 디필을 나리니, 좌우 나졸이 디필을
바다 몽슉을 주며 초스를 밧비 쓰라홀 젹
의, 벌 ᄀᆺ튼 나졸이 형장쥬장(刑場朱杖)[1467]
으로 좌우를 디르며 지쵹홀 즈음의, 믄득
형왕이 입현쳥딕(入見請對)ᄒ니, 샹이 이의
슈돈(繡墩)을 갓가이 주시고, 뇽안이 엄식
(嚴色)ᄒ샤 굴오샤딕,

"딤이 덕이 박ᄒ여 디친간(至親間) 초왕
이 대역을 몸소 힝ᄒ고, 또 댱스왕이 딤의
졍【70】을 모로고 타연이 모반ᄒ니, 슈족
(手足)[1468] 디친(至親) 간의 졔왕 등이 이러
틋 주로 반ᄒ며, 찬역디심(簒逆之心)을 두
니, 츠는 딤이 박덕흔 연괴니, 도시 딤의 블
명ᄒ미어니와, 초왕 등의 죄상이 엇디 통흔
치 아니리오. 딤이 황슉(皇叔) 알오믈 튬후
(忠厚)흔 줄노 밀위여, 국쳑뉴(國戚類)의 딕
졉ᄒ미 박디 아니ᄒ거늘, 딤의 쯧을 아디
못하고 몽슉과 동심모의(同心謀議)ᄒ여 튱
현을 히ᄒ미 아니 밋춘 곳이 업고, 요괴로
온 궁인을 다리여 딤의게 변심ᄒ는 약을 나

1466)편쇠 : 번철(燔鐵). 무쇠.
1467)형장쥬장(刑場朱杖) : 형장에 있는 붉은 칠을
    한 곤장(棍杖).
1468)슈족(手足) : 형제를 비유적으로 이르는 말.

○○○[몽슉이] 비록 딕간딕악이나 싱셰지
후(生世之後)의 희미흔 퇴장도 지닉지 아냐,
낙양후의 지극흔 주의를 바다시니 엇지 니
런 형벌을 줄 견딕리오. 경긱의 넉술 닐허
시나 호[오]히려 혀를 므러 일언을 아니ᄒ니,
샹이 딘노(震怒)ᄒ스 몽슉의 일신을 편
쇠[1404]로 지지라 ᄒ시니, 몽슉이 죽을지언
졍 복초를 아니ᄒ려 ᄒ더니, 편쇠로 지지믈
당ᄒ여는 일신의 불이 닐고, 장위 다 틋는
듯ᄒ니, 슈츄 즁형의 혼빅이 비월(飛越)ᄒ
여, 복초 후는 머리 업슨 귀신이 될 줄
【128】 모를 거시 아니나, 즘간 쉬기를 위
ᄒ여 이의 주왈,

"젼젼 죄악을 다 알외오리니 치기를 날회
쇼셔."

ᄒ니, 샹이 그 초스를 바드라 ᄒ시니, ᄂ
졸이 좌우로 갈나셔니 지필을 빌거늘, 뎐샹
의셔 지필을 ᄂ리니, 좌우 나졸이 지필을
바다 몽슉을 주며 초스를 밧비 쓰라홀 젹
의, 벌 ᄀᆺ튼 나졸이 형장쥬장(刑場朱杖)[1405]
으로 좌우를 지르며 지쵹홀 즈음의, 믄득
형왕이 입현쳥딕(入見請對)ᄒ니, 샹이 이의
슈돈(繡墩)을 ᄀᆺᄀᆞ이 주시고, 뇽안이 엄식
(嚴色)ᄒ사 굴오스딕,

"딤이 박덕ᄒ여 지친간(至親間) 초왕이
대역을 몸소 힝ᄒ고, 또 댱스왕이 딤의 졍
을 모르고 타연이 모반ᄒ니, 슈족(手足)[1406]
지친(至親) 간의 졔왕 등이 【129】 니러툿
주로 반ᄒ며, 춘역(簒逆)ᄒ미 ᄌᆞᄌᆞ니, 츠는
딤이 박덕흔 연괴라. 그러나 초왕 등의 죄
상이 엇지 통흔치 아니리오. 딤이 황슉(皇
叔) 알오믈 츔후(忠厚)흔 줄노 밀위여, 국쳑
즁의 별노이[1407] 딕졉거늘, 딤의(朕意)를 아
지 못하고, 몽슉과 동심모의(同心謀議)ᄒ여
츔현을 히ᄒ미 아니 밋츤 곳이 업고, 뇨괴
로온 궁인을 달이여 딤의게 변심ᄒ는 약을
ᄂ오니, 죄당만식(罪當萬死)라. 왕법은 ᄉᆞ식

1404)편쇠 : 번철(燔鐵). 무쇠.
1405)형장쥬장(刑場朱杖) : 형장에 있는 붉은 칠을
    한 곤장(棍杖).
1406)슈족(手足) : 형제를 비유적으로 이르는 말.
1407)별노이 : 특별히.

오니, 죄당만시(罪當萬死)라. 왕법(王法)은
스시 업스니, 슉딜 졍의를 도라보디 아니코
다스리믈 엇디 모로리오마는, 추마 황슉으
로 ᄒ여【71】금 몸의 참형을 더으디 못ᄒ
ᄂ니, 윤시의 소펴(疏表) 여ᄎ고, 요리의
초시 분명ᄒ니, 모로미 발명(發明)치 말고
간상을 실딘무은(實陳無隱) ᄒ라.”

형왕이 샹교를 듯ᄌ오미 놀납고 황황ᄒ여
오릭 말을 못ᄒ다가, 심신을 계오 뎡ᄒ여
면관(免冠) 청죄(請罪) 왈,

“딘영슈 뎡텬홍 등이 신을 히코져 ᄒ여
초왕의 년좌(連坐) 쓰기를 폐하긔 청ᄒ오니,
폐히 비록 블윤(不允)ᄒ시나, 신의 ᄯᅳᆺ이 뎡
·딘 등을 한홀 즈음의, 몽슉이 뎡·딘 등
을 뭇디르려 ᄒ오미, 과연 ᄒᆞᆫ가지로 모계
(謀計)ᄒ여시니, 구구삼셜이나 이의 당ᄒ여
감히 발명홀 조각이 업ᄂ이다.”

샹이 탄ᄒ샤 왈,

“황슉이 몽슉의 쇠오믈【72】드러 일을
그릇 싱각ᄒᆞᆫ 비나, 스스로 흉계를 몬져 비
즈미 아니니, 안심 평신ᄒ라.”

왕이 샤은ᄒ고 감히 낫츨 드디 못ᄒ더라.
아디못게라, 몽슉의 초시 하여오? 추관하편
(且觀下篇)ᄒ라.【73】

업스니, 슉딜 졍의를 도라보지 아니코 다스
리믈 엇지 모르리오마는, 춤마 황슉으로 ᄒ
여금 몸의 참형을 더으지 못ᄒᄂ니, 윤시의
소펴(疏表) 여ᄎᄒ고, 뇨리의 초시 분명ᄒ
니, 모르미 발명(發明)치 말고 【130】간상
을 실진무은(實陳無隱) ᄒ라.”

형왕이 샹교를 듯ᄌ오미 놀납고 황황ᄒ여
오릭 말을 못ᄒ두가, 심신을 계오 졍ᄒ여
면관(免冠) 청죄(請罪) 왈,

“진녕슈 등이 신을 히코ᄌ ᄒ여 초왕의
년좌(連坐) 쓰기를 폐하게 청ᄒ니, 폐히 비
록 블윤(不允)ᄒ시나, 신의 ᄯᅳᆺ이 뎡·딘 등
을 한홀 즈음의, 몽슉이 뎡·딘 등을 뭇지
르려 ᄒ미, 과연 ᄒᆞᆫ가지로 모계(謀計)ᄒ여,
발명홀 조각이 업ᄂ이다.”

상이 탄 왈,

“황슉이 몽슉의 쇠오믈 드러 일을 그릇
싱각ᄒᆞᆫ 비나, 스스로 흉계를 몬져 비즈미
아니니, 안심ᄒ라.”

왕이 스은ᄒ고, 감히 낫츨 드지 못ᄒ더라.

츠셜 몽슉의 초소의 왈,

"신 몽슉은 팔지 긔박ㅎ와 조상부모(早喪父母)ㅎ고 죵션형뎨(終鮮兄弟)ㅎ여 무타죵족(無他宗族)ㅎ니, 외로온 인싱이 혈혈무의(孑孑無依)ㅎ와 보젼ㅎ믈 엇디 못홀 바여늘, 낙양후 딘광이 양휵(養慉)ㅎ는 은혜를 닙고, 스랑ㅎ미 디극ㅎ니 츠마 엇디 져바릴 뜻이 이시리잇가마는, 당금의 권셰 듕혼 주를 니를던딘 뎡텬홍 딘녕쉬라. 신의 풍신지화(風神才華)를 보느니 다 칭찬ㅎ다가도, 뎡ㆍ딘의 셧기면 봉황(鳳凰)과 오작(烏鵲)이라. ㅎ믈며 텬충의 늉셩ㅎ시믄 의논【1】홀 비 아니라. 신이 텬홍으로 졍의(情誼) 셧기미¹⁴⁶⁹ 다르미 아니라, 신의 아즈미는 윤슈의 쳬라. 심시 괴이ㅎ여 젼샹셔 윤현의 주녀를 업시코져 발분망식(發憤忘食)¹⁴⁷⁰ㅎ여, 윤시를 텬홍과 셩녜케 되니, 아즈미 신을 쳥ㅎ여 여츠여츠ㅎ여, 텬홍이 윤시를 취치 아니ㅎ거든 신의게 도라 보니마 ㅎ거늘, 신이 기언을 조츠 윤시의 간부(姦夫) 밍한인 쳬ㅎ고, 미혼시(未婚時)의 칼홀 들고 텬홍의 주는 곳의 가 어른겨¹⁴⁷¹ 욕ㅎ니, 텬홍이 잡고져 ㅎ거늘 피ㅎ여 도라갓다가, 신혼 초일의 쏘 여츠여츠ㅎ딘 텬홍이 윤시를 의심치 아냐 은졍이 깁흐니, 그 위【2】인이 총명ㅎ미 신(臣) ㄱ튼 사름이 쳐잡디¹⁴⁷² 못홀디라. '유(莠)를 닉고 냥(良)을 닌 탄'¹⁴⁷³이

1469)셧기다 ; 성기다. 성글다. 관계가 깊지 않고 서먹하다. 사이가 뜨다
1470)발분망식(發憤忘食) : 끼니까지도 잊을 정도로 어떤 일에 열중하여 노력함.
1471)어른기다 : 어른거리다. 무엇이 보이다 말다 하다
1472)쳐잡다 : 채를 잡다. 주도적인 역할을 하거나 주도권을 잡고 조종하다. *채; 가마, 들것, 목도 따위의 앞뒤로 양옆에 대서 메거나 들게 되어 있는 긴 나무 막대기.
1473)'유(莠)를 닉고 냥(良)을 닌 탄(嘆)' : 양유(良莠)의 탄(嘆), 곧 좋은 풀[良]이 있는가 하면 또 나쁜 풀[莠]이 있는 것에 탄식. 세상엔 착한 사람만 있는 것이 아니라 악한 사람도 있음을 비유적으로

어시의 몽슉의 초시의 굴와시딘,

"신 몽슉은 팔지 긔박ㅎ와 됴【131】상부모(早喪父母)ㅎ고 죵션형뎨(終鮮兄弟)ㅎ여, 외로온 인싱이 혈혈무의(孑孑無依)ㅎ와 보젼ㅎ믈 엇지 못홀 빅여늘, 낙양후 《진관∥진광》이[의] 양휵(養慉)ㅎ는 은혜를 닙고 스랑ㅎ미 지극ㅎ니, 츠마 엇지 져바릴 뜻이 이시리잇ㄱ마는, 당금의 권셰 즁혼 주를 니를진딘 뎡텬홍 딘녕쉬라. 신의 풍신위[지]화(風神才華)를 《보스∥보는》 이 다 칭찬ㅎ드가도, 뎡ㆍ딘의 셧기면 봉황(鳳凰) 즁 오작(烏鵲)이라 ㅎ올 거시오, 텬홍의 츙셩은 의논홀 비 아니라. 신이 텬홍으로 졍의(情誼) 셧기미¹⁴⁰⁸ 다르미 아니라, 신의 아즈미는 윤슈의 쳬라. 심시 괴이ㅎ여 젼샹셔 윤현의 주녀를 업시코져 발분망식(發憤忘食)¹⁴⁰⁹ㅎ여, 윤시를 텬홍과 셩녜케 되니, 아즈미 신을 쳥ㅎ여 여츠여츠ㅎ여,【132】텬홍이 윤시를 취치 아니커든 신의게로 도라 보니마 ㅎ거늘, 신이 ○○○○○[기언을 조츠] 윤시의 간부(姦夫) 밍한인 쳬ㅎ고, 미혼시(未婚時)의 칼홀 들고 텬홍의 주는 곳의 가 어른게¹⁴¹⁰ 뇩(辱)ㅎ니, 텬홍이 줍고 주 ㅎ거늘 피ㅎ여 도라갓드가, 신혼 초일의 쏘 여츠여츠ㅎ딘, 텬홍이 윤시를 의심치 아냐 은졍이 깁흐니, 그 위인이 총명ㅎ미 신(臣) ㄱ튼 위인이 쳐줍지¹⁴¹¹ 못홀지라. '유(莠)를 닉고 냥(良)을 닌 탄'¹⁴¹²이 딘마다

1408)셧기다 ; 성기다. 성글다. 관계가 깊지 않고 서먹하다. 사이가 뜨다
1409)발분망식(發憤忘食) : 끼니까지도 잊을 정도로 어떤 일에 열중하여 노력함.
1410)어른기다 : 어른거리다. 무엇이 보이다 말다 하다
1411)쳐잡다 : 채를 잡다. 주도적인 역할을 하거나 주도권을 잡고 조종하다. *채; 가마, 들것, 목도 따위의 앞뒤로 양옆에 대서 메거나 들게 되어 있는 긴 나무 막대기.
1412)'유(莠)를 닉고 냥(良)을 닌 탄(嘆)' : 양유(良莠)의 탄(嘆), 곧 좋은 풀[良]이 있는가 하면 또 나쁜 풀[莠]이 있는 것에 탄식. 세상엔 착한 사람만 있

딕(代)마다 이시믈 골돌1474) 한탄ᄒ던 비라. 모년월일의 아즈미를 보라 윤부의 나아가민, 초종미(次從妹) 하원광의 쳐 쇼윤시 원광과 혼ᄉᆞ를 일우고져 ᄒ여, 윤쉬 ᄯᅩᆯ을 다리고 촉디로 나아가려 ᄒᄂᆞᆫ디라. 신이 종미를 보오니, 화월(花月)이 슈틱(羞態)ᄒᆞᆯ 식광지예(色光才藝), 명쥬보벽(明珠寶璧)의 온윤(溫潤)ᄒᆞᆫ 광치와 폐월슈화디틱(閉月羞花之態)를 겸ᄒ여시니, 셩인도 뇨됴슉녀를 오미 ᄉᆞ복(寤寐思服)ᄒ여 계시니, 신이 시셰(時世) 경박즈(輕薄子)를 엇디 면ᄒ오며, 황홀치 아니리잇고? 신이 【3】 짐즛 션셰 묘소의 비알키를 일홈ᄒ고, 츄밀과 동힝ᄒ여 가딕, 종미 위인이 단엄ᄒ여 다시 신을 보디 아니코, 희미ᄒᆞᆫ 소리도 드를 길 업ᄉᆞ니, 신이 혜건딕 시쇽이 듕표혼인(中表婚姻)1475)도 이시니, 하개 종미를 바리면 신이 취ᄒᆞᆯ 가망이 이실가 ᄒ여, 하원광 부즈 즈ᄂᆞᆫ 곳의 드러가, 윤시의 간부 딘고람이로라 ᄒ고, 하진 부즈를 디르려 ᄒ니, 원광이 용녁이 비상ᄒ여 신을 ᄯᅡ라 죽이고져 ᄒ니, 신이 급히 도망ᄒ나 원광의게 손이 상ᄒ다라. 하가 부즈를 그럿틋 놀ᄂᆞ니 반ᄃᆞ시 퇴혼(退婚)ᄒᆞᆯ 줄노 아랏더니, 하개 조금도 구이치 【4】 아니코 혼ᄉᆞ를 디ᄂᆡ거ᄂᆞᆯ, 신이 그 금슬을 희딧고 종미를 하가의 보젼치 못ᄒ도록 ᄒ여, 간부셔(姦夫書)를 종미의게 젼ᄒᄂᆞᆫ 쳬ᄒ여 원광을 뵈딕, 불평ᄒᆞᆫ ᄉᆞ단이 업거ᄂᆞᆯ, 다시 비됴(飛鳥) 되여 하가의 드러가 본즉, 하진의 ᄯᅩᆯ이 졀승긔려(絶勝奇麗)ᄒᆞ미 승어윤시(勝於尹氏)니, 흠모ᄒ여 과연 묘랑을 촉ᄒ여 하시 노쥬를 다 후려 왓거ᄂᆞᆯ, 신이 가인(佳人)1476)을 삼고져 ᄒ엿더니, 하시 졀개 츄상ᄀᆞᆺ투여 신의 비례패도(非禮悖道)를 칙ᄒ고 노쥐 닉슈ᄒ니, 분명 죽은 줄노 아랏더

1474) 골돌 : 골똘. 한 가지 일에 온 정신을 쏟아 딴 생각이 없음.
1475) 듕표혼인(中表婚姻) : 내종사촌과 외종사촌 간의 혼인.
1476) 가인(佳人) : 이성으로서 애정을 느끼게 하는 사람.

이시믈 골돌1413) 한탄ᄒ던 비라. 모년월일의 아즈미를 보라 윤부의 ᄂᆞ아가미, 종미(從妹) 하원광의 쳐 쇼윤시 원광과 혼ᄉᆞ를 닐우고ᄌᆞ ᄒ여, 윤쉬 ᄯᅩᆯ을 드리고 촉지로 ᄂᆞ아가려 ᄒᄂᆞᆫ지라. 신이 종미를 보오니, 【133】 화월(花月)이 슈틱(羞態)ᄒᆞᆯ 식광지예(色光才藝), 명쥬보벽(明珠寶璧)의 온윤(溫潤)ᄒᆞᆫ 광치와 폐월슈화지틱(閉月羞花之態)를 겸ᄒ엿시니, 셩인도 뇨됴슉녀를 오미 ᄉᆞ복(寤寐思服)ᄒ여 계시니, 신이 시셰(時世) 경박즈(輕薄子)를 엇지 면ᄒ오며, 황홀치 아니ᄒ리잇고? 신이 짐즛 션셰 묘소의 비알키를 일홈ᄒ고, 츄밀과 동힝ᄒ여 가딕, 종미 위인이 단엄ᄒ여 ᄃᆞ시 신을 보지 아니코, 희미ᄒᆞᆫ 소리도 드를 길 업ᄉᆞ니, 신이 혜건딕 시쇽이 즁표혼인(中表婚姻)1414)도 이시니 하개 종미를 바리면, 신이 취ᄒᆞᆯ 가망이 이실가 ᄒ여, 하원광 부지 즈ᄂᆞᆫ 곳의 드러가 윤시의 간부 진고암이로라 ᄒ고, 하진 부즈를 지르려 ᄒ니, 원광이 용녁이 비상ᄒ여 신을 【134】 ᄯᅡ라 죽이고ᄌᆞ ᄒ니, 이의 신이 급히 도망ᄒ나 원광의게 손이 상ᄒ지라. 하가 부즈를 그럿틋 놀ᄂᆞ니 반ᄃᆞ시 퇴혼(退婚)ᄒᆞᆯ 줄노 아랏더니, 하개 조금도 아른 쳬 아니코 혼ᄉᆞ를 지ᄂᆡ거ᄂᆞᆯ, 신이 그 금슬을 희짓고 종미를 하가의 보젼치 못ᄒ도록 ᄒ여, 간부셔(姦夫書)를 종미의게 보ᄂᆞᆫ 쳬ᄒ여 원광을 뵈딕, 불평ᄒᆞᆫ ᄉᆞ단이 업거ᄂᆞᆯ, 다시 비됴(飛鳥) 되여 하가의 드러가 본즉, 하진의 ᄯᅩᆯ이 졀승긔려(絶勝奇麗)ᄒᆞ미 승어윤시(勝於尹氏)니, 흠모ᄒ여 과연 묘랑을 촉ᄒ여 하시 노쥬를 다 후려 왓거ᄂᆞᆯ, 신이 가인(佳人)1415)을 슴고져 ᄒ엿더니, 하시 졀개 츄상 ᄀᆞᆺ투여 신의 비례픠도(非禮悖道)를 칙ᄒ

는 것이 아니라 악한 사람도 있음을 비유적으로 이르는 말

1413) 골돌 : 골똘. 한 가지 일에 온 정신을 쏟아 딴 생각이 없음.
1414) 듕표혼인(中表婚姻) : 내종사촌과 외종사촌 간의 혼인.
1415) 가인(佳人) : 이성으로서 애정을 느끼게 하는 사람.

낙선제본 명듀보월빙 권디뉵십   557   명쥬보월빙 권지이십이 **박순호본**

니, 공교히 텬흥이 구ᄒᆞ여 다려가 여러 일 월을 두엇다가, 희텬과 구약(舊約)【5】을 셩젼(成全)ᄒᆞ고, 신이 본ᄃᆡ 은악양션(隱惡佯善)을 즐겨, 신의 허물을 남이 알고져 아니커늘, 텬흥 영슈 등이 신의 ᄉ오나오믈 짐작ᄒᆞ여, 미○[양] ○[싴]욕(色慾)을 존졀(撙節)ᄒᆞ고 공검졀ᄎᆞ(恭儉切磋)키를 당부ᄒᆞ니, 신이 괴로오믈 니긔디 못ᄒᆞ여 졈졈 졍이 소(疎)ᄒᆞ고 희홀 의식 니러나, 뎡·딘 이문을 믓디르고 쳥망지예(淸望才藝) 신의 일신의 온젼ᄒᆞ믈 구ᄒᆞ더니, 신이 희북의 교유ᄉ(教諭使)로 단녀온디 여러 ᄃᆞᆯ이 되디 아녀셔, 북이(北夷)의 반상(叛狀)이 이셔 폐히 근심ᄒᆞ시거늘, 텬흥이 ᄌ원츌뎡(自願出征)ᄒᆞ고, ᄯᅩ 뎡 등이 신의 교유(教諭) 잘못ᄒᆞᆫ 죄를 삼으니, 분한이 텬흥의게 도라갓거늘, 믄득【6】텬흥이 북이를 파ᄒᆞᆫ 쳡음(捷音)이 ᄌ로 텬졍의 오로고, 셩춍이 싀로오시믈 보미 싀애디심(猜礙之心)을 춤디 못ᄒᆞ여, 형왕과 동심모의ᄒᆞ여 반셔를 디어 희북 졔읍의 도로고, 모역셔간을 믿ᄃᆞ라 오왕의게 잡히게 ᄒᆞ고, 농포와 옥식를 신이 도덕ᄒᆞ여 뎡부 협실 궤듕의 금초고, 뎡·딘의 글시 톄를 모습(模襲)ᄒᆞ여 시샤(詩詞)○[를] 창화ᄒᆞ여 두 집 셔쳡의 ᄭᅵ오고, 동요를 디어 듯ᄂᆞᆫ ᄌ로 ᄒᆞ여곰 의심케 ᄒᆞ고, 화승상의 셩되 급거ᄒᆞ므로 짐줏 뎡·딘 등의 모역이 뎍실ᄒᆞ믈 닐너 쳥ᄃᆡ(請對)케 ᄒᆞ며, 윤광텬 형뎨를 히코져 ᄒᆞᆫ 다【7】ᄅᆞᆫ 일이 아니라, 아ᄌ미 신의 지조를 아ᄂᆞᆫ 고로 죽여달나 쳥ᄒᆞ거늘, 신이 야반의 칼홀 집고 드러 갓다가 광텬 등의게 잡혀 하마 죽을 번ᄒᆞ고, 노ᄒᆞ며 신을 당부ᄒᆞ여 아ᄌ미 패덕을 드러ᄂᆡ디 말고져 ᄒᆞ니, 그 듕심의 신을 믜워ᄒᆞ미 등한치 아닐 거시므로 죽여 업시코져 ᄒᆞ여, 광텬을 참모ᄉ로 보닌 후, 손확을 보아 광텬을 죽이라 당부ᄒᆞ고, 희텬은 역모의 너허 죽이랴 ᄒᆞ엿더니, 묘랑이 잡혀 악식 발각ᄒᆞ니, 원닉 텬흥이 슐ᄉ(術士)를 허망이 넉여 상(相) 뵈ᄂᆞᆫ 일이 업셔, 묘랑으로 도인을 믿ᄃᆞ라 의심【8】 말ᄉᆞᆷ을 셩샹이 드르신 후 즉

ᄒᆞ고 노쥐 닉슈ᄒᆞ니, 분명 죽은 줄노 아랏더【135】니, 공교히 텬흥이 구ᄒᆞ여 ᄃᆞ려가, 녀러 일월을 두엇ᄃᆞ가 희텬과 구약(舊約)을 셩젼(成全)ᄒᆞ고, 신이 본ᄃᆡ 은악냥션(隱惡佯善)을 즐겨, 신의 허물을 남이 알고 ○[져] 아니커늘, 텬흥 녕슈 등이 신의 ᄉ오나오믈 짐작ᄒᆞ여, 미양 싀뇩(色慾)을 존졀(撙節)ᄒᆞ고 공검졀ᄎᆞ(恭儉切磋)키를 당부ᄒᆞ니, 신이 괴로오믈 니긔지 못ᄒᆞ여 졈졈 졍이 소ᄒᆞ고, 희홀 의식 니러나 뎡·딘 이문을 믓지르고ᄌ ᄒᆞ더니, 신(臣)이 희북의 교유ᄉ(教諭使)로 ᄃᆞ녀온지 여러 ᄃᆞᆯ이 되지 아녀셔, 북이(北夷)의 반상(叛狀)이 이셔 폐히 근심ᄒᆞ시거늘, 텬흥이 ᄌ원츌졍(自願出征)ᄒᆞ고, ᄯᅩ 뎡·진 등이 신의 교유(教諭) 잘못ᄒᆞᆫ 죄를 숨으니 분한이 텬흥의게 도라갓거늘, 믄득 텬흥이 북이를 파ᄒᆞᆫ 쳡음(捷音)【136】이 ᄌ로 텬졍의 오로고, 셩춍이 싀로오시믈 보미 싀이지심(猜礙之心)을 춤지 못ᄒᆞ여, 형왕과 동심모의ᄒᆞ여 반셔를 지어 희븍 졔읍의 도로고, 모역셔간을 믿ᄃᆞ라 오왕의게 ᄌ히게 ᄒᆞ고, 농포○[와] 옥식를 신이 도젹ᄒᆞ여 뎡부 협실 궤즁의 금초고, 뎡·딘의 글시 톄를 모습(模襲)ᄒᆞ여 시ᄉ(詩詞)○[를] 창화ᄒᆞ여, 두 집 셔쳡의 ᄭᅵ오고, 동요를 지어 듯ᄂᆞᆫ ᄌ로 ᄒᆞ여금 의심케 ᄒᆞ고, 화승상의 셩되 급거ᄒᆞ므로 짐줏 뎡·딘 등의 모역이 젹실ᄒᆞᄆᆞᆯ 닐너 쳥ᄃᆡ(請對)케 ᄒᆞ며, 윤광텬 형뎨를 히코ᄌ ᄒᆞᆫ 다른 일이 아니라, 아ᄌ미 신의 지조를 아ᄂᆞᆫ 고로 죽여달나 쳥ᄒᆞ거늘,【137】 신이 야반의 칼을 집고 드럿ᄃᆞᄀ 광텬 등의게 잡혀 하마 죽을 번ᄒᆞ고 노ᄒᆞ며, 신을 당부ᄒᆞ여 아ᄌ미 픽덕을 드러ᄂᆞ지 말고져 ᄒᆞ니, 그 즁심의 싱을 믜워ᄒᆞ미 등한치 아니므로 죽여 업시코ᄌ ᄒᆞ여, 광텬을 참모ᄉ로 보닌 후, 손확을 보아 광텬을 죽이라 당부ᄒᆞ고, 희텬은 녁모의 너허 죽이랴 ᄒᆞ엿더니, 묘랑이 ᄌᆸ혀 악식 발각ᄒᆞ니, 원닉 텬흥이 슐ᄉ(術士)를 허망이 넉여 상(相)뵈ᄂᆞᆫ 일이 업셔, 묘랑으로 도인을 믿ᄃᆞ라 의심된 말ᄉᆞᆷ을 셩상이 드

시 도망케ᄒ고, 뇽좌(龍座)를 범ᄒ여 금낭
(錦囊)을 ᄶ르쳐 어람(御覽)케 ᄒ고, 광텬의
덕소의 님셩각을 보ᄂᆡ여 죽이라 ᄒᄆᆞᆫ 신의
ᄯᅳᆺ이 아니오, 아ᄌᆞ미 간쳥ᄒᄆᆡ러니, 각이 디
금 긔쳑이 업스니 그 ᄉᆞ단을 아디 못ᄒ고,
윤시 친졍으로 도라가ᄂᆞᆫ 바의 윤쉬 호힝ᄒᄂᆞᆫ
거ᄉᆞᆯ, 신이 쳥ᄒ여 밤을 머므르믄, 아ᄌᆞ
미 당부를 좃ᄎᆞ미오, 윤시를 북궁의 드려간
줄은 모로《미오∥ᄂᆞᆫ 일이나》, 죄 만ᄒ며
힝실이 그릇되믄 아ᄌᆞ미 디휘의 만히 닛글
닌 비라. 금일을 당ᄒ여 몸의 참형이 밋고,
평싱의 벗디 못ᄒᆞᆯ 미명(罵名)을 드르니, 비
【9】로ᄋᆞ[소] 남을 히ᄒ미 졔 몸의 ᄉᆞ화를
닐원 줄 ᄭᆡᄃᆞ라 뉘웃고 슬허ᄒ나 밋ᄎᆞ리잇
가."

ᄒ엿더라.

샹이 ᄯᅩ 므르샤ᄃᆡ, 변심ᄒᄂᆞᆫ 약을 딤의게
나오믄 모로미냐?

몽슉이 쥬왈,

"이ᄂᆞᆫ 형왕뎐히 ᄒ신 비니 신은 아디 못
ᄒᄂᆞ이다."

샹이 형왕ᄃᆞ려 므르시니, 왕이 긔망치 못
ᄒ여 올ᄒᆫ ᄃᆡ로 쥬ᄒᄂᆞ니, 샹이 홍상궁을 잡
아ᄂᆡ여 면질(面質)ᄒ시고 더옥 통히ᄒ샤 뎡
·딘 등의 이미히 참화의 ᄶᅥ러질 번ᄒᆞᆷ믈 크
게 앗기시고, 텬춍이 흐려 계시던 바를 더
옥 뉘웃ᄎᆞ샤, 딘실노 뎡·딘 등을 위유(慰
諭)ᄒ실 말ᄉᆞᆷ이 빗치 업셔, 만승의 위엄이
【10】나 가비야이 넉이디 못ᄒᆞᆯ다라. 이의
낙양후 삼곤계와 뎡공 부ᄌᆞ를 갓가이 나아
오라 ᄒ시니, 뎡·딘 등 ᄉᆞ공이 인신디도의
누명을 버슨 후조ᄎᆞ 샹교(上敎)를 역졍(逆
情)ᄒ여, 갓가이 나아오라 ᄒ시믈 응치 아
니미 불가ᄒ여, 탑젼(榻前)의 브복ᄒ니, 샹
이 기리 탄ᄒ샤 왈,

"딤이 박덕블명(薄德不明)ᄒ여 쇼인의 간
참(姦讒)을 혹(惑)ᄒ여, 튱현을 의심ᄒ미 아
니 밋ᄎᆞᆫ 곳이 업셔, 경 등의 부ᄌᆞ로 ᄒ여금
참화의 밋게 ᄒᆞᆯ 번ᄒ니, 경 등이 엇디 원심
(怨心)이 업스리오. 윤시의 격고(擊鼓)ᄒᄆᆞ
로조ᄎᆞ 간졍이 발각ᄒ여, 경 등의 신원이

르신 후, 즉시 도망케ᄒ고, 뇽좌(龍座)를 범
ᄒ여 금낭(錦囊)을 ᄶ르쳐 어람(御覽)케 ᄒ
고,【138】 광텬의 덕소의 님셩각을 보ᄂᆡ여
죽이라 ᄒᄆᆞᆫ 신의 ᄯᅳᆺ이 아니오, 아ᄌᆞ미 근
쳥ᄒᄆᆡ러니, 각이 이졔 긔쳑이 업시니, 그
ᄉᆞ단을 아지 못ᄒ고, 윤시 친졍으로 도라가
ᄂᆞᆫ 바의 윤쉬 호힝ᄒᄂᆞᆫ 거ᄉᆞᆯ, 《심∥신》이
쳥ᄒ여 밤을 머므르믄 아ᄌᆞ미 당부를 조ᄎᆞ
미오, 윤시를 북궁의 드려간 줄은 모로ᄂᆞᆫ
일이나, 죄를 만히 지어 힝실이 그릇되믄
아ᄌᆞ미 지휘의 만히 닛글닌 비오, 금일을
당ᄒ여 몸의 참형이 밋고 평싱의 벗지 못ᄒᆞᆯ
미명(罵名)을 드르니, 비로소 남을 히ᄒ미
졔 몸의 ᄉᆞ화(死禍)를 닐원 줄 ᄭᆡᄃᆞ라 뉘웃
고 슬허ᄒ나 밋ᄎᆞ리잇가?"

ᄒ엿더라.

샹이 ᄯᅩ 므르ᄉᆞᄃᆡ, 변심ᄒᄂᆞᆫ 약을 딤
【139】의게 나오믄 아지 못ᄒᄂᆞ냐?

몽슉이 주왈,

"이ᄂᆞᆫ 형왕뎐히 ᄒ신 비니, 신은 아지 못
ᄒᄂᆞ이다."

샹이 형왕ᄃᆞ려 므르시니, 왕이 긔망치 못
ᄒ여 올ᄒᆫ ᄃᆡ로 쥬ᄒᄂᆞ니, 샹이 홍상궁을 즙
아ᄂᆡ여 면질(面質)ᄒ시고, 더옥 통히ᄒᄉᆞ 뎡
·딘 등의 이미히 참화의 ᄶᅥ러질 번ᄒᆞᆷ믈 크
게 앗기시고, 텬춍이 흐려 계시던 바를 더
옥 뉘웃치ᄉᆞ, 진실노 뎡·딘 등을 위유(慰
諭)ᄒ실 말ᄉᆞᆷ이 빗치 업셔, 만승의 위엄이
나 ᄀᆞ비야이 넉이지 못ᄒᆞᆯ지라. 이의 낙양후
삼곤계와 뎡공 부ᄌᆞ를 갓가이 나아오라 ᄒ
시니, 뎡·딘 ᄉᆞ공이 인신지도의 누명을 버
슨 후조ᄎᆞ, 샹교(上敎)를 불응ᄒ미 불가ᄒ지
라. 탑젼(榻前)의 부【140】복ᄒ니, 샹이 기
리 탄ᄒᄉᆞ 왈,

"딤이 박덕블명(薄德不明)ᄒ여 쇼인의 간
춤(姦讒)을 혹(惑)ᄒ여, 츙현을 의심ᄒ미 아
니 밋ᄎᆞᆫ 곳이 업셔, 경등의 부ᄌᆞ로 ᄒ여금
츰화의 밋게 ᄒᆞᆯ 번 ᄒ니, 경등이 엇지 원심
(怨心)인들 업스리오. 윤시의 격고(擊鼓)ᄒ
ᄆᆞ로 좃ᄎᆞ 간졍이 발각ᄒ여, 경 등의 신원

어【11】름의 틔 업슴 ᄀᆞᆺᄐᆞ니, 텬되 무심치
아니믈 볼디라. 딤이 요약의 심졍이 흐린
고로, 간참을 신텽(信聽)ᄒᆞᆫ 허물이 호대(浩
大)ᄒᆞ여, 녕슈와 셰흥의 니른 바 혼군(昏君)
되기를 면치 못ᄒᆞ니, 경 등은 튱녈디신이라
딤의 실덕을 싱각디 말고, 금번 굿기믈 한
치 마라. 츠후나 군신이 휴쳑(休戚)¹⁴⁷⁷을
ᄒᆞᆫ가디로 ᄒᆞ여 불평디시 업기를 바라노라.”

ᄒᆞ시니, 뎡 · 딘 ᄉᆞ공이 ᄉᆞ비 쥬왈,
“신 등이 무상(無狀)ᄒᆞ와 망극ᄒᆞᆫ 죄명을
므릅쓰나, 다만 붓그럽디 아닌 바는 디은
죄 업ᄉᆞ미라. 신 등이 힝신이 독경(篤
敬)¹⁴⁷⁸치 못ᄒᆞ오므로, 셩샹의 의심ᄒᆞ【1
2】샤미 그 곳의 밋ᄎᆞ시니, 셩왕 ᄀᆞᆺᄐᆞᆫ 현군
도 쥬공을 의심ᄒᆞ시니, ᄒᆞ믈며 신 등의 무
리니잇가? 간참이 공교ᄒᆞ미 폐하의 일월디
명(日月之明)이 부운(浮雲)의 옹폐(壅蔽)ᄒᆞ
시미러니, 이졔 복분(覆盆)¹⁴⁷⁹의 원(冤)을
신셜(伸雪)ᄒᆞ여 셩괴(聖敎) 이의 밋ᄎᆞ시니,
신 등이 황황ᄒᆞ여 알욀 바를 아디 못ᄒᆞ옵ᄂᆞ
니, 군뷔 죽으라 명ᄒᆞᆫ신들, 위인신(爲人臣)
ᄒᆞ여 원(怨)ᄒᆞᄂᆞᆫ 의ᄉᆞ 이시리잇고? 녕슈와
셰흥이 무식ᄒᆞ오나 거의 불튱 두 ᄌᆞ를 면ᄒᆞ
오리니, 원컨디 이런 하교를 나리오샤 신
등의 젼뉼(戰慄)ᄒᆞᆷ믈 더으디 마르쇼셔.”
샹이 실덕을 지삼 탄ᄒᆞ시고, 윤시의 졀효
녈힝을【13】칭찬ᄒᆞ시며, 조시 요졍의게 참
ᄉᆞᄒᆞ믈 슬피 넉이시니, 윤부인이 임의 구가
신원이 두렷ᄒᆞ고, 태우 곤계의 셩효ᄂᆞᆫ 빗나
나, 조모의 참덕(慙德)은 니를 거시 업셔,
그 시녀를 잡히라 ᄒᆞ시니, 그 죄상이 더옥
료료(曜曜)홀 거시오. 셩샹이 그 죄를 물시
치 아니실디라. ᄌᆞ긔로 인ᄒᆞ여 조모와 슉모
의 극악패덕이 드러나믈 슬허, 죽을 ᄯᅳᆺ을
품엇ᄂᆞᆫ디라. 이의 뎐폐의 톄읍 쥬왈,
“묘랑의 초ᄉᆞ 가온디 신의 한미와 아즈미

이 어름의 틔 업슴 ᄀᆞᆺᄐᆞ니, 텬되 무심치 아
니믈 볼지라. 딤이 요약의 심졍이 흐린 고
로 간참을 신텽(信聽)ᄒᆞᆫ 허물이 호대(浩大)
ᄒᆞ여, 녕슈와 셰흥의 닐은 바 혼군(昏君) 되
기를 면ᄒᆞ지 못ᄒᆞ니, 경 등은 츙녈지신이라.
딤의 실덕을 싱각지 말고, 금번 굿기믈 한
치 마라. 츠후나 군신이 휴【141】쳑(休
戚)¹⁴¹⁶을 ᄒᆞᆫ가지로 ᄒᆞ여, 불평지시 업기를
바라노라.”

ᄒᆞ시니, 뎡 · 딘 ᄉᆞ공이 ᄉᆞ비 주왈,
“○○○[신 등이] 무상(無狀)ᄒᆞ와 망극ᄒᆞᆫ
죄명을 므릅쓰나, 다만 붓그럽지 아닌 바는
지은 죄 업ᄉᆞ미라. 신 등이 힝신이 독경(篤
敬)¹⁴¹⁷치 못ᄒᆞ오므로 셩샹의 의심이 그 곳
의 밋ᄎᆞ시니, 셩왕 ᄀᆞᆺᄐᆞᆫ 현군도 쥬공을 의
심ᄒᆞ시니, ᄒᆞ믈며 신 등의 무리리잇ᄀᆞ? 간
참이 공교ᄒᆞ매 폐하의 일월지명(日月之明)
이 부운(浮雲)의 옹폐(壅蔽)ᄒᆞ시미러니, 이
졔 복분(覆盆)¹⁴¹⁸의 원(冤)을 신셜(伸雪)ᄒᆞ
여, 셩괴 이의 밋ᄎᆞ시니, 신등이 황황ᄒᆞ여
알외올 바를 모ᄅᆞ옵ᄂᆞ니, 군뷔 죽으라 명ᄒᆞ
신들 위인신(爲人臣)ᄒᆞ여 원(怨)ᄒᆞᄂᆞᆫ 의ᄉᆞ
이시리잇고? 녕슈와 셰흥이 무【142】식ᄒᆞ
오나 거의 불튱 두 ᄌᆞ를 면ᄒᆞ오리니, 원컨
디 이런 하교를 ᄂᆞ리오소 신등의 젼뉼(戰
慄)ᄒᆞᆷ믈 더으지 마ᄅᆞ소셔.”
샹이 실덕을 지삼 니르시고, 윤시의 졀효
녈힝을 칭찬ᄒᆞ시며, 조시 뇨졍(妖精)의게 츔
ᄉᆞᄒᆞ믈 슬피 넉이시니, 윤부인이 임의 구가
신원이 두렷ᄒᆞ고, 틱우 곤계의 셩효ᄂᆞᆫ 빗나
나, 조모의 춤덕(慙德)은 니를 거시 업셔,
그 시녀를 줍히라 ᄒᆞ시니, ○[그] 죄상이
쳠가 홀 거시오, 셩샹이 그 죄를 물시(勿視)
치 아니실지라. ᄌᆞ긔로 인ᄒᆞ여 조모와 슉모
의 극악픽덕【143】이 드러나믈 슬허, 죽을
ᄯᅳᆺ을 품엇ᄂᆞᆫ지라. 이의 뎐폐의 톄읍 주왈,
“묘랑의 초ᄉᆞ ᄀᆞ온디 신의 한미와 아즈미

1477)휴쳑(休戚) : 편안함과 근심.
1478)독경(篤敬) : 말과 행실이 착실하며 공손하다.
1479)복분(覆盆) : 죄를 뒤집어쓰고 밝히지 못하고
     있음.

1416)휴쳑(休戚) : 편안함과 근심.
1417)독경(篤敬) : 말과 행실이 착실하며 공손하다.
1418)복분(覆盆) : 죄를 뒤집어쓰고 밝히지 못하고
     있음.

패덕이 낫타나오니, 고어(古語)의 무블시져부뫼(無不是底父母)[1480]라 흐니, 한미 비록 목강(穆姜)[1481]의 인주흔 덕이 업슬디라도, 주손이 시비(是非)홀 빅 아니라.【14】집이 블힝(不幸) 망극(罔極)흐와, 아비 일쯕 기셰흔 연고로 가시 요란흐온다라. 이 쏘 아주비 소활(疎豁)흐고, 경도(輕倒)흔 비즈들이 말을 흔이 흐여, 대스롭디 아닌 일도 소요(騷擾)히 비져닉미니, 이 불과 신즈의 미셰흐온 가시(家事)라. 국가의 간셥흐미 아니오, 아주미 실덕은 그 가당이 쳐티흐오리니, 아주비 교디의셔 도라오믈 기다리고, 그 쳐스를 볼 쓰룸이오. 한미는 노망흐여 칙망홀 빅 아니오니, 셩샹은 브졀업시 그 시녀를 잡히샤 무복(誣服)을 밧디 마르시고, 광텬 등의 죄명이 이미타 흐실딘딕 그 뎡비를 프르시고, 아주비 금년의 도라올【15】긔한이라, 부즈슉딜이 모다 즈연 가닉를 딘뎡(鎭靜)흐올디라. 조모와 슉모의 죄를 물시흐시고, 요졍이 비록 즈모를 죽엿노라 흐오나, 요리 무러다가 바린 거슨 목인(木人)이오, 신모는 표슉의 집의 슘엇습느니, 승상 조신다려 므르시면 즈시 알외리이다. 신이 무상흐여 낫 가리오는 녜를 폐흐고, 흔갓 구부(舅父)와 가부(家夫)의 급화를 구코져, 요졍을 잡아 텬문의 밧치고, 만됴군졸 가온딕 당돌이 군견을 스뭇초 미셰흔 스졍을 번득흐미, 죄 듕흐고 녀힝(女行)의 휴손(虧損)흐미 빅희(伯姬)[1482]의 죄인이라. 다시 조모와 슉모의게 무궁흔 누얼을 씻치오니, 셩효의 쳔【16】박흐미 죄당만식(罪當萬死)라. 스

피덕이 낫타나오니, 고어(古語)의 무블시져부뫼(無不是底父母)[1419]라 흐니, 한미 비록 목강(穆姜)[1420]의 인주흔 덕이 업슬지라도, 주손이 시비(是非)홀 빅 아니라. 집이 블힝 망극(罔極)흐와 아비 일쯕 기셰흐온 연고로, 가시 뇨란흐오미 이 쏘 아주비 소활(疎豁)흐고, 경도(輕倒)흔 비즈 등이 말을 흔이흐여, 딕스롭지 아닌 일을 ○○○[소요(騷擾)히] 비져닉미니, 이 불과 신하의 ○○○[미셰흐온] 가시(家事)라. 국가의 간셥흐미 아니오, 아주미 실덕은 그 가장이 쳐치흐오리니, 아주비 교디의셔 도라【144】오믈 기다릴 쓰룸이오, 한미는 노망흐여 칙망홀 빅 아니오니, 셩상은 브졀업시 그 시녀를 즙히샤 무복(誣服)을 밧지 마르시고, 광텬 등의 죄명이 이미타 흐실진딕, 그 졍비를 프르시고, 아주비 금년의 도라올 긔한이라. 부즈슉딜이 모다 즈연 가닉를 진졍(鎭靜)흐올지라. 조모와 슉모의 죄를 물시흐시고, 뇨졍(妖精)이 비록 즈모를 죽엿노라 흐오나, 뇨리(妖尼) 무러다가 바린 거슨 목인(木人)이오, 신모는 표슉의 집의 슘엇습느니 승상 조진다려 므르시면 즈시 알외리이다, 신이 무상흐여 낫 フ리오는 녜를 폐흐고, 흔갓 구부(舅父)와 가부(家夫)의 급화를 구코져 흐와, 뇨졍을 즙아 텬문의 밧치고 만됴 군졸 フ온딕 당돌이 군견을 스뭇초, 미셰흔 스졍을 번득흐미 죄 즁흐고, 녀힝(女行)의 휴손(虧損)흐미 빅희(伯姬)[1421]의 죄인이라. 드시 조모와 슉모의게 무궁흔 누얼을 씻치오니, 셩효의 쳔박흐미 죄당만식

1480) 무블시져부뫼(無不是底父母) : 옳지 않은 부모는 없다. 『小學』 <嘉言>편에 나오는 말.
1481) 목강(穆姜) : 중국 진(晉)나라 정문구(程文矩)의 아내. 성은 이(李)씨, 자(字)는 목강(穆姜). 전처 소생의 네 아들을 자신이 낳은 두 아들보다 더 사랑하여 훌륭하게 키웠다.
1482) 빅희(伯姬) : 중국 춘추시대 魯(노)나라 宣公(선공)의 딸. 송나라 恭公(공공)에게 시집갔다가 10년만에 홀로 됐다. 궁궐에 불이 났을 때 관리가 피하라고 했으나 부인은 한밤에 보모 없이 집을 나설 수 없다고 고집해서 결국 불속에서 타 죽었다. 『열녀전(烈女傳)』 <정순전(貞順傳)> '송공백희(宋恭伯姬)' 조(條)에 기사가 보인다.

1419) 무블시져부뫼(無不是底父母) : 옳지 않은 부모는 없다. 『小學』 <嘉言>편에 나오는 말.
1420) 목강(穆姜) : 중국 진(晉)나라 정문구(程文矩)의 아내. 성은 이(李)씨, 자(字)는 목강(穆姜). 전처 소생의 네 아들을 자신이 낳은 두 아들보다 더 사랑하여 훌륭하게 키웠다.
1421) 빅희(伯姬) : 중국 춘추시대 魯(노)나라 宣公(선공)의 딸. 송나라 恭公(공공)에게 시집갔다가 10년만에 홀로 됐다. 궁궐에 불이 났을 때 관리가 피하라고 했으나 부인은 한밤에 보모 없이 집을 나설 수 없다고 고집해서 결국 불속에서 타 죽었다. 『열녀전(烈女傳)』 <정순전(貞順傳)> '송공백희(宋恭伯姬)' 조(條)에 기사가 보인다.

스로 죽어 죄를 속ᄒ고, 디하의 아비를 보아 한미 히흔 죄를 쳥ᄒ오리니, 복원 텬디 부모ᄂᆫ 신쳡의 망극흔 졍니를 슬피시고, 광텬 등을 됴졍의 용납고져 ᄒ실ᄃᆞᆫ디, 한미와 아ᄌᆞ미 죄를 믈시(勿視)ᄒ시미 가ᄒ온디라. 옥쥬의 셩덕혜화(聖德惠化)ᄂᆫ 츌인(出人)ᄒ시ᄃᆡ, 최녀 흉인이 돕기를 무상이 ᄒ오미니, 셩샹은 명찰디(明察之) ᄒ쇼셔."

쥬파(奏罷)의 의슈(衣袖) ᄉᆞ이로셔 단검을 ᄂᆡ여 엄연(奄然)1483) ᄌᆞ결ᄒ니, 셜인(雪刃)이 졍광(精光)을 토ᄒᄂᆫ 바의, 믄득 홍혈이 돌디ᄒ니, 좌위(左右) 경악ᄒ믈 니긔디 못ᄒ고, 샹이 대경ᄒ샤 뎡공【17】으로 ᄒ여곰 ᄲᆞᆯ니 보라 ᄒ시니, 공이 졍신이 몸의 붓디 아냐 참졀비도(慘切悲悼)ᄒ미 태우와 흑ᄉᆞ를 참ᄒ라 너여 갈 젹이나 다르디 아냐, 창황히 쇼져의 시신을 붓드러 조승샹을 향ᄒ여 왈,

"시신을 일시도 뎐폐의 두디 못ᄒ리니, 합히 최여(輀輿)를 어더 ᄂᆞ여 가게 ᄒ쇼셔."

언파의 묽은 누쉬 비ᄌᆞᆺ치 ᄲᅥ러져 미염을 뎍시니, 조공이 역비경참(亦悲驚慘)ᄒ여 밧비 하리로 ᄒ여곰 거교를 디령ᄒ라 ᄒ고, 시신을 ᄌᆞ시 보ᄆᆡ, 칼흘 급히 디르ᄆᆡ 명뫽을 ᄯᆞ디 못ᄒ여 빗디녓ᄂᆞᆫ디라. 혹ᄌᆞ 살올가 죄오ᄂᆞᆫ ᄯᅳᆺ이 초갈(焦渴)ᄒ니, ᄒ믈며 뎡공의 ᄆᆞ음이리오. 샹이 므르샤 왈,

"윤시【18】급히 디ᄂᆞ시니, 혹ᄌᆞ 살 도리 이실가 ○○[ᄒ니], 그 디르기를 엇디ᄒ엿더뇨?"

공이 빗디ᄂᆞ시믈 쥬ᄒ니, 샹이 의슐이 고명흔 태의와 의녀 삼십인을 명ᄒ샤, 윤시를 살와ᄂᆡᆯᄃᆞᆫ디 크게 상ᄒ리라 ᄒ시고, 칭찬ᄒ여 ᄀᆞᆯ오샤ᄃᆡ,

"산고옥츌(山高玉出)이오 ᄒᆡ심츌쥐(海深出珠)1484)라. 윤현의 싱흔 바 ᄌᆞ녀 삼인이

─────────────
1483)엄연(奄然) : 매우 급작스러운 모양.
1484)산고옥츌(山高玉出) ᄒᆡ심츌쥐(海深出珠) : 높은 산에서 옥이나고, 깊은 바다에서 진주가 난다는 뜻으로 훌륭한 인물은 덕이 높고 전통이 깊은 명문가에서 난다는 말을 비유적으로 표현한 말.

(罪當萬死)라. 스스로 죽어 죄【145】를 속ᄒ고, 디하의 아비를 보아 한미 히흔 죄를 쳥ᄒ오리니, 복원 텬지 부모ᄂᆫ 신쳡의 망극흔 졍니를 슬피시고, 광텬 등을 됴졍의 용납케 ᄒ고ᄌᆞ ᄒ실진디, 한미와 아ᄌᆞ미 죄를 믈시(勿視)ᄒ시미 ᄀᆞᄒ온지라. 옥쥬의 셩덕혜화(聖德惠化)ᄂᆫ 츌인(出人)ᄒ시ᄃᆡ, 최녀 흉인이 돕기를 무상이 ᄒ오미니, 셩상은 명찰지(明察之) ᄒ쇼셔."

쥬파(奏罷)의 옷 ᄉᆞ이로셔 칼흘 ᄂᆞ여 엄연(奄然)1422) ᄌᆞ결ᄒ니, 셜잉(雪刃)이 졍광(精光)을 토ᄒᄂᆫ 《파‖바》의, 믄득 홍혈이 돌지ᄒ니, 좌위(左右) 경악ᄒ믈 니긔지 못ᄒ고, 상이 대경ᄒᄉᆞ 뎡공으로 ᄒ여곰 ᄲᆞᆯ니 보라 ᄒ시니, 공이 졍신이 몸의 붓지 아녀, 참졀비도(慘切悲悼)ᄒ미 ᄐᆡ우와 《하ᄉᆞ‖흑ᄉᆞ》를 참ᄒ라 너여 갈 젹이나 다ᄅᆞ지 아녀, 창【146】황히 쇼져의 시신을 붓드러, 조승상을 향ᄒ여 왈,

"시신을 일시도 젼폐의 두지 못ᄒ리니 형이 최여(輀輿)를 어더 ᄂᆞ여 가게 ᄒ라."

언파의 묽은 누쉬 비ᄀᆞ티 ᄲᅥ러져 미염을 젹시니, 조공이 역비경츰(亦悲驚慘)ᄒ여 밧비 하리로 ᄒ여곰 거교를 디령ᄒ라 ᄒ고, 시신을 ᄌᆞ시 보ᄆᆡ 칼흘 급히 지ᄅᆞᄆᆡ 명뫽을 ᄯᆞ지 못ᄒ여 빗질녓ᄂᆞᆫ지라. 혹ᄌᆞ 술올가 죄오ᄂᆞᆫ ᄯᅳᆺ이 초갈(焦渴)ᄒ니, ᄒ믈며 뎡공의 ᄆᆞ음이리오. 상이 문왈,

"윤시 급히 질너시니 혹ᄌᆞ 술 도리 이실 ᄀᆞ ○○[ᄒ니], 그 지르기를 엇지ᄒ엿더뇨?"

공이 빗질녀시믈 주ᄒ니, 상이 의슐이 고명흔 ᄐᆡ의와 의녀 슴십인을 명ᄒᄉᆞ, 윤시를 술와ᄂᆡᆯ진디 크게 상ᄒ리라 ᄒ시고, 이【147】의 층찬ᄒ여 ᄀᆞᆯ오ᄉᆞᄃᆡ,

"산고옥츌(山高玉出)이오 ᄒᆡ심츌쥐(海深出珠)1423)라. 윤현의 싱흔 바 ᄌᆞ녀 슴인이

─────────────
1422)엄연(奄然) : 매우 급작스러운 모양.
1423)산고옥츌(山高玉出) ᄒᆡ심츌쥐(海深出珠) : 높은 산에서 옥이나고, 깊은 바다에서 진주가 난다는 뜻으로 훌륭한 인물은 덕이 높고 전통이 깊은 명문가에서 난다는 말을 비유적으로 표현한 말.

개개히 특이호여, 광텬 등의 비상홈과 윤시의 녈졀셩회(烈節誠孝)이 굿트니 엇디 아름답디 아니리오. 뎡경은 식부를 다려 밧긔 나가 빅약을 시험호여, 명일 간사(奸邪)를 다스릴 바의 참예케 호라."

뎡공이 슈명호니, 샹이 태의원(太醫院)1485)의 명호샤 가즌 약【19】뉴를 듸후호여 춧기를 기다리라 호시니, 늉늉호신 셩춍이 녀즈의 엇기 어려온 영홰러라.

뎡공이 딘공 삼곤계로 더브러 윤시 신톄를 다려 궐문 밧긔 의막 잡아, 녀의(女醫)와 태의(太醫)1486) 등이 의논호여 약을 상쳐의 바르고, 뎡공이 빅방으로 구호호여 심장이 초갈호믈 면치 못호더라 샹이 뎡·딘 냥부를 에운 군졸을 물나 호시고, 뎡병부와 딘태우 등의 의관을 주어 탑젼(榻前)의 나아오라 호시니, 병부 삼형뎨와 졔딘이 감히 텬의를 역디 못호여 던폐의 근시호미, 샹이 블명실덕(不明失德)을 지삼 일ᄏ르시고, 윤시의 소댱(疏狀)이 아니런들【20】누얼을 신빅(伸白)기 어려오믈 니르시고, 남후를 집슈 츄연호샤 왈,

"경의 뎡튱대졀은 빅일노 징광(爭光)커늘, 딤이 블명호여 튱현을 져바리미 만하, 경이 북이를 평뎡호고 개가로 회군호거늘, 딤이 위샤를 보니여 함거즁(檻車中) 죄슈로 대역을 므릅뻐오니, 윤시의 격고등문 호므로 신원이 거울 굿트나, 그 쩌 놀나오미 엇더호리오? 이 쏘 경의 익회 듕호여 간인이 작악호미, 딤의 총명이 흐려 일장 화란을 디니니, 싱각호미 츠악호믈 니긔디 못호고, 딤의 붉디 못호미 참괴호더라. 경은 화복(禍福)이 관슈(關數)호믈 알니니, 딤의 실【21】덕을 원치 말고, 츠후 부즈굿치 휴쳑을 호가디로 호믈 바라ᄂᆞ니, 불인호 공쥬를 경의게 보니여 가스를 어즈러이고, 윤·양 등과 졔회를

1485)태의원(太醫院) : 내의원(內醫院). 궁중의 의약(醫藥)을 맡아보던 관아.
1486)태의(太醫) : 어의(御醫). 궁궐 내에서, 임금이나 왕족의 병을 치료하던 의원.

기기히 특이호여, 광텬 등의 비상홈과 윤시의 졀녈셩회(節烈誠孝)이 굿트니, 엇지 아름답지 아니리오. 뎡경은 식부를 다려 밧긔 나가 빅약을 시험호여, 명일 간사(奸邪)를 다스릴 바의 춤녜케 호라."

뎡공이 슈명호고, 상이 틱의원(太醫院)1424)의 명호샤 가즌 냑뉴(藥類)를 듸후호여 치료호라 호시고, 근시로 호여금 그 회싱지긔를 하슌(下詢)1425)호시니 늉늉호신 셩춍이 녀즈의 엇기 어려온 영홰러라.

뎡공이 딘공 슘곤계로 더브러 윤시 신톄를 드려 궐문 밧긔 의막 잡아, 녀의(女醫)와 틱의(太醫)1426) 등이 셔로 의논호여 약을 상쳐의【148】 브르고, 뎡공이 빅방으로 구호호여 심장이 초갈호믈 면치 못호더라.

상이 뎡·딘 냥부를 에운 군졸을 물나 호시고, 뎡병부와 딘틱우 등의 의관을 주어 탑젼(榻前)의 나아오라 호시니, 병부 슘형뎨와 졔딘이 감히 텬의를 녁지 못호여 던폐의 근시호미, 상이 블명실덕(不明失德)을 지삼 닐ᄏ르시고, 윤시의 소장(疏狀)이 아니런들 누얼을 신셜키 어려오믈 니르시고, 남후를 집슈 츄연호사 왈,

"경의 졍츙대졀은 빅일노 징광(爭光)커늘, 딤이 블명호여 츙현을 져바리미 만하, 경이 북이(北夷)를 평졍호고 개가(凱歌)로 회군호거늘, 딤이 위스를 보니여 함거즁(檻車中) 죄슈로 대역을 므릅○[뻐]으니, ○○○[윤시의] 격【149】고등문으로 신원이 거울 굿트나, 그 쩌 놀나오미 엇더호리오. 이 쏘 경의 익회 즁호여, 간인이 작악호미 딤의 총명이 흐려 일장 화란을 지나니, 싱각호미 츠악호믈 니긔지 못호고, 딤의 붉지 못호미 참괴호지라. 경은 화복(禍福)이 관슈(關數)호믈 알니니, 딤의 실덕을 원치 말고 츠후 부즈굿치 휴쳑을 혼가지로 호믈 바라ᄂᆞ니,

---

1424)태의원(太醫院) : 내의원(內醫院). 궁중의 의약(醫藥)을 맡아보던 관아.
1425)하슌(下詢) : 임금이 신하나 백성에게 물음. ≒순문(詢問)
1426)태의(太醫) : 어의(御醫). 궁궐 내에서, 임금이나 왕족의 병을 치료하던 의원.

다 히ᄒ며, 경의 ᄌ녀를 참혹히 죽게 ᄒ니,
엇디 통한치 아니리오. 딤이 여러가디로 경
을 히ᄒ 작시니, 문양 ᄀᆺ튼 위인이 만승의
나믈 비분ᄒ고, 윤시의 긔특ᄒ믈 보미, 윤현
이 싱녀 잘ᄒ믈 불워ᄒᆫ니, 윤시의 싱도를
기리 바라노라.

"

남휘 브복 디왈,
"신의 긔량(器量)이 화홍(和弘)치 못ᄒ온
연고로 인심을 감화치 못ᄒ여, 몽슉의 신을
히ᄒ미 그 디경의 밋ᄎ니, 도시 신의 어디
디 못ᄒ 타시라. 엇디 폐하의 실【22】덕을
원ᄒ리잇고? 북이를 뎡벌ᄒᆷ믄 신ᄌ의 딕분
을 다ᄒ미오, 공쥬를 하가ᄒ여 신의 쳐ᄌ를
히ᄒ믈 니르시나, 신은 공쥬 ᄒ가 초일의
그 작인이 이상ᄒ믈 짐작ᄒ엿습ᄂ니, 싀로
이 놀날 비 업ᄂ이다."
딘태우 형뎨와 뎡네부 등이 말슴을 니어
셩은을 슉샤(肅謝)ᄒ딕, 스긔(辭氣) 녈슉(烈
肅)ᄒ여, 쇼인의 요악ᄒ 졍틱로 소양블모(宵
壤不侔)1487)ᄒ니, 샹이 싀로이 춍우ᄒ시ᄂ
은권이 비홀 곳이 업ᄉ며, 만됴문무의 흡연
이 즐기미 츈풍을 ᄌ아시니1488), 몽슉의 당
뉘 낙담상혼(落膽喪魂)ᄒ믈 마디 아니코, 승
상 화경의[이] 몽슉의 요언을 미더 튱현을
대역으로 밀위【23】여 쳥딕ᄒ믈 크게 뉘
웃쳐, 믄득 쳥죄ᄒ여 디식의 쳔단흠과 언ᄉ
의 경도(輕倒)ᄒ믈 일ᄏᄅ니, 샹이 위유ᄒ샤
왈,
"경이 뎡·딘 등을 히코져 ᄒ미 아니라,
몽슉의 요언을 미드미니 엇디 죄를 삼으며,
딤도 고디 드른 빈니 홀노 경을 칙ᄒ리오."
승상이 지빈 ᄉ샤ᄒ나 ᄀ장 불안ᄒ더라.
금오랑이 문양궁 최상궁과 옥누항 셰월
비영 등을 잡아 니르니, 샹이 승상 조딘과
니부상셔 윤환다려 므르샤딕,

1487)소양블모(宵壤不侔) : 하늘과 땅처럼 큰 차이가
있음.
1488)ᄌ아너다 : 자아내다. 어떤 감정이나 생각, 웃
음, 눈물 따위가 저절로 생기거나 나오도록 일으
켜 내다.

불인ᄒ 공쥬를 경의게 보닉여, 가ᄉ를 어ᄌ
러이고 윤·양 등과 졔희를 다 히(害)ᄒ며
ᄯ 경의 ᄌ녀를 춤혹히 죽게 ᄒ니, 엇지 통
한치 아니ᄒ리오. 딤이 여러가지로 경을 히
ᄒ 작시니, 문양 ᄀᆺ튼 위인이 만승(萬乘)의
나믈 비분ᄒ고, 윤시의 긔특ᄒ【150】믈 보
미, 윤현이 싱녀 줄ᄒ믈 불워ᄒᆫ니, 윤시의
싱도를 기리 바라노라."
남휘 브복 디왈,
"신의 긔량(器量)이 화홍(和弘)치 못ᄒ 연
고로 인심을 감화치 못ᄒ여, 몽슉의 신을
히ᄒ미 그 지경의 밋ᄎ니, 도시 신의 어지
지 못ᄒ 탓시라. 엇지 폐하의 실덕을 원ᄒ
오리잇고? 북이를 졍벌ᄒᆷ믄 신ᄌ의 직분을
다ᄒ미오, 공쥬를 하가ᄒ여 신의 쳐ᄌ 히ᄒ
믈 니ᄅ시나, 신은 공쥬 하가 초일의 그 작
인이 이상ᄒ믈 짐작ᄒ엿습ᄂ니, 싀로이 놀
날 비 업ᄂ이다."
딘태우 형뎨와 뎡네부 등이 말슴을 니어
셩은을 슉샤(肅謝)ᄒ딕, 스긔(辭氣) 녈슉(烈
肅)ᄒ여 쇼인의 요악ᄒ 졍틱로 소양블모(宵
壤不侔)1427)ᄒ니, 샹이 싀로【151】이 춍우
ᄒ시ᄂ 은권이 비홀 곳이 업ᄉ며, 만됴문무
의 흡연이 즐기미 츈풍을 ᄌ아시니1428), 몽
슉의 당뉘 낙담상혼(落膽喪魂)ᄒ믈 마지 아
니코, 승상 화경이 몽슉의 《요인‖요언》
을 미더 츙현을 딕역으로 밀위여 쳥딕ᄒ믈
크게 뉘웃쳐, 믄득 쳥죄ᄒ여 지식의 쳔단흠
과 언ᄉ의 경도(輕倒)ᄒ믈 닐ᄏᄅ니, 샹이
위유 왈,
"경이 뎡·딘 등을 히코ᄌ ᄒ미 아니라,
몽슉의 요언을 미드미니 엇지 죄를 슴으며,
딤도 고지 드른 빈니 홀노 경을 칙ᄒ리오."
승상이 지빈 ᄉ샤ᄒ나, ᄀ장 불안ᄒ더라.
금오랑이 문양궁 최상궁과 옥누항 셰월
비영 등을 잡아【152】 니르니, 샹이 승상
조진과 니부상셔 윤환ᄃ려 무ᄅᆨᄉ딕,

1427)소양블모(宵壤不侔) : 하늘과 땅처럼 큰 차이가
있음.
1428)ᄌ아너다 : 자아내다. 어떤 감정이나 생각, 웃
음, 눈물 따위가 저절로 생기거나 나오도록 일으
켜 내다.

"위·뉴의 죄샹이 쳔스무셕(千死無惜)이니, 비록 신즈의 가시오, 녀즈의 작악이나, 광텬 등의 젼졍을 도라볼딘디, 딤이 만민의 부뫼되여 이런 일을 믈시ᄒᆞ여 슬【24】피디 아니면, 광텬 등을 바리ᄂᆞᆫ 작시니, 마디 못ᄒᆞ여 냥녀의 시비ᄅᆞᆯ 져주어 명뎡기죄(明正其罪) ᄒᆞ리로다."

조공이 쥬왈,

"신은 윤현의 쳐남이니, 인친가 부녀의 현블초(賢不肖)ᄅᆞᆯ 드노ᄒᆞ미 불가ᄒᆞ옵고, 그 시녀ᄅᆞᆯ 져주시믄 셩의디로 ᄒᆞ쇼셔. 초의 신민ᄅᆞᆯ 간인이 히ᄒᆞ려 쓸 가보라 권ᄒᆞ니, 신민 의심ᄒᆞ고 광텬의 쳐 뎡시ᄂᆞᆫ 신명ᄒᆞᆫ 녀지라, 광텬형뎨 입번ᄒᆞ고 더브러 의논ᄒᆞ리 업ᄉᆞ디, ᄀᆞ마니 초인을 민ᄃᆞ라 의샹을 닙혀 교둥의 너허 보니고, 신민ᄂᆞᆫ 후졍의 숨엇더니, 계교와 ᄀᆞᆺ치 윤가 노지 초인을 메고 취운산으로 가다가, 길히셔 요졍이 후려 간디【25】라. 위·뉴와 윤가 족친의 셔의ᄒᆞᆫ[1489] 뉴ᄂᆞᆫ 광텬 등이 기모의 거쳐를 모로므로 알거니와, 져희 형뎨 츌번 후 즉시 즈모를 다려다가 옥화산의 두고, ᄀᆞ마니 틈을 타 왕ᄂᆡᄒᆞ며, 윤슈의 셔모 구시 요약의 인ᄉᆞ불셩(人事不省)이 된 바를 광텬 형뎨 근심ᄒᆞ여 역시 신의 집의 다려다가 두고 각별 의약을 ᄒᆞ민, 구시 졈졈 나아 신민로 더브러 ᄒᆞᆫ 곳의 잇ᄂᆞ이다."

샹이 뎡시의 춍명특달ᄒᆞᄆᆞᆯ 긔특이 넉이샤, 다시 므르샤 왈,

"요리(妖尼)의 초ᄉᆞ 가온디, 위방의 노지 뎡시ᄅᆞᆯ 메여간 줄 아랏더니 슈삼일 후 도라오다 ᄒᆞ니, 그 곡졀을 경이 아ᄂᆞ냐."

조공이 미뎨【26】의 니르므로 좃ᄎᆞ 드럿ᄂᆞᆫ디라, 디왈,

"뎡시 위방의 흉계를 아라 군관 니곽을 교둥의 너허 보니여, 위방을 여ᄎᆞ여ᄎᆞ 난타ᄒᆞ여 속이고, 뎡시ᄂᆞᆫ 몸을 ᄲᅥ혀 신민를 보고 슈삼일 후 도라가니이다."

윤상셰 쥬왈,

"위·유의 죄샹이 쳔스무셕(千死無惜)이니, 비록 인신의 가시오, 녀즈의 작악이나 광텬 등의 젼졍을 도라볼진디, 딤이 만민의 부뫼되여 이런 일을 믈시ᄒᆞ여 슬피지 아니면, 광텬 등을 ᄇᆞ리ᄂᆞᆫ 작시니 마지 못ᄒᆞ여 양녀의 시비ᄅᆞᆯ 져주어 명졍기죄(明正其罪) ᄒᆞ리로다."

조공이 주왈,

"신은 윤현의 쳐남이니 인친가(姻親家) 녀즈의 현블초(賢不肖)ᄅᆞᆯ 드노ᄒᆞ미 불가ᄒᆞ고, 그 시녀ᄅᆞᆯ 져주시믄 셩의디로 ᄒᆞ쇼셔. 초의 신민를 간인이 히ᄒᆞ려 쓸 가보라 ᄒᆞ니, 신민 의심ᄒᆞ고 광텬의 쳐 뎡시ᄂᆞᆫ 신명ᄒᆞᆫ 녀지라. 광텬형뎨 입【153】번ᄒᆞ고 더브러 의논ᄒᆞ리 업ᄉᆞ디, ᄀᆞ만이 초인을 민ᄃᆞ라 의샹을 닙혀 교즁의 너허 보니고, 신민ᄂᆞᆫ 후졍의 숨엇더니, 계교와 ᄀᆞᆺ티 윤가 노지 초인을 메고 취운산으로 가다가 길히셔 요졍이 후려 간지라, 위·뉴와 윤가 원족의 셔의ᄒᆞᆫ[1429] 뉴ᄂᆞᆫ 광텬 등이 신민의 거쳐를 모르므로 알거니와, 져희 형뎨 츌번 후 즉시 즈모를 ᄃᆞ려ᄃᆞ 옥화산의 두고, ᄀᆞ만니 틈을 ᄐᆞ 왕ᄂᆡᄒᆞ며, 윤슈의 셔모 구시 요약의 인ᄉᆞ불셩(人事不省)이 된 바를 광텬 형뎨 근심ᄒᆞ여, 역시 신의 집의 ᄃᆞ려ᄃᆞ 두고, 각별 의약을 ᄒᆞ미 구시 졈졈 나아 신민로 더브러 ᄒᆞᆫ 곳의 잇ᄂᆞ이다."

상【154】이 뎡시의 춍명특달ᄒᆞᄆᆞᆯ 긔특이 넉이샤, 다시 문 왈,

"요리(妖尼)의 초ᄉᆞ ᄀᆞ온디 위방의 노지 뎡시ᄅᆞᆯ 메여간 줄 아랏더니, 슈슴일 후 도라오다 ᄒᆞ니 그 곡졀을 경이 아ᄂᆞ냐?"

조공이 미뎨의 니르므로 좃ᄎᆞ 드럿ᄂᆞᆫ지라 디왈,

"뎡시 위방의 흉계를 아라 군관 니곽을 교즁의 너허 보니여, 위방을 여ᄎᆞ여ᄎᆞ 난타ᄒᆞ고, 뎡시ᄂᆞᆫ 몸을 ᄲᅵ여 신민를 보고 슈슴일 후 도라가니이다."

윤상셰 주왈,

1489)셔의ᄒᆞ다 : 서어하다. 친하지 아니하여 조금 서먹하다.

1429)셔의ᄒᆞ다 : 서어하다. 친하지 아니하여 조금 서먹하다.

"신은 광텬 등으로 삼종슉딜간(三從叔姪間)이라, 그 가간(家間)의 변고와 사롬의 션악을 아옵ᄂᆞ니, 광텬 등의 셩효ᄂᆞ 대슌(大舜) 후 쳐음이오, 위·뉴ᄂᆞ 상모(象母)1490)의 디나온디라. 조시의 셩ᄒᆡᆼ슉덕이 넌니 종족의 칭복ᄒᆞ미 되어시ᄃᆡ, 홀노 고모(姑母)1491)를 감화치 못ᄒᆞ여 한업슨 고경(苦境)을 당ᄒᆞ니, 그 위란(危亂)ᄒᆞᆫ 형셰 엇디 참연치 아니리잇고?【27】 뎌 냥비를 엄형ᄒᆞ샤 견젼 악ᄉᆞ를 발각게 ᄒᆞ시고, 광텬 등의 원억ᄒᆞᆫ 죄루를 신빅게 ᄒᆞ쇼셔."

샹 왈,

"조경은 위·뉴를 인친가 부녜라 ᄒᆞ여 시비(是非)치 아니나, 윤경은 일가디○[의](一家之義)로 조시와 광텬 등의 참담ᄒᆞᆫ 졍ᄉᆞ를 슬피 넉여, 간인의 악ᄉᆞ를 발각고져 ᄒᆞ미 올흔디라. 냥비를 다ᄉᆞ려 초ᄉᆞ를 바드리라."

ᄒᆞ시니, 조·윤 냥공 비샤ᄒᆞ더라.

샹이 최상궁과 셰월 비영 등을 일쳐 츄문(推問)ᄒᆞ샤, 극악대죄를 딕초(直招)ᄒᆞ라 ᄒᆞ시니, 냥인이 본○[디] 위·뉴의 듕히 넉이ᄂᆞᆫ 비ᄌᆞ로, 쳔만 긔약디 아닌 금오랑(金吾郞)이 블의예 잡아오니,【28】 디은 죄 듕ᄒᆞᆫ 고로 황겁ᄒᆞ미 측냥 업거늘, 골육이 미란ᄒᆞᄂᆞᆫ 형벌이 일신을 분쇄ᄒᆞᄂᆞᆫ 둣ᄒᆞ니, 원니 퇴장의 괴로오믈 겻그미 업셔, 위·뉴를 뫼셔 고량(膏粱)1492)을 복듕(腹中)의 메오고 쵹나(蜀羅)로 몸을 가리와, 태복과 군셕이 졔어미 밧들믈 태부인이나 다르디 아냐 외람ᄒᆞᆫ 거죄 무궁턴 바로, 불시의 듕형을 님ᄒᆞ여 엇디 복초를 아니리오. 블급슈ᄎᆞ(不及數次)의 크게 울고 초ᄉᆞ를 뼈 올니니, 초사의 허다ᄒᆞᆫ 비 묘랑의 복초도곤 더ᄒᆞ디, 비로소 아르시ᄂᆞᆫ 빅, 위·뉘 명쳔공 지시(在時)브터 무러먹을 둧ᄒᆞ다가, 공이 금국으로 나아가미,【29】 그 쩍 조부인이 잉틱ᄒᆞ여 태

1490)상모(象母) : 옛날 중국 순(舜)임금의 이복동생인 상(象)의 어머니. 전처 소생인 순을 죽이기 위해 갖은 악행을 저지른 포악한 계모의 전형이다.
1491)고모(姑母) : ①시어머니. ②아버지의 누이.
1492)고량(膏粱) : 고량진미(膏粱珍味). 기름진 고기와 좋은 곡식으로 만든 맛있는 음식.

"신은 광텬 등으로 ᄉᆞᆷ종슉딜간(三從叔姪間)이라, 그 가간(家間)의 변고와 ᄉᆞ람의 션악을 아옵ᄂᆞ니, 광텬 등의 효ᄂᆞ 듸슌 후 쳐음이오, 위·뉴ᄂᆞ 상모(象母)1430)의 지나온지라. 조시의 셩ᄒᆡᆼ슉덕이 넌니 종족의 칭【155】복ᄒᆞ미 되어시ᄃᆡ, 홀노 고모(姑母)1431)를 금화치 못ᄒᆞ여 한업슨 고경(苦境)을 당ᄒᆞ니 그 위란(危亂)ᄒᆞᆫ 형셰 엇지 츰연치 아니리잇고? 뎌 냥비를 엄형ᄒᆞᆻ 젼젼 악ᄉᆞ를 발각게 ᄒᆞ시고, 광텬 등의 원억ᄒᆞᆫ 죄루를 신빅게 ᄒᆞ쇼셔."

상 왈,

"조경은 위·뉴를 인친가 부녜라 ᄒᆞ여 시비(是非)치 아니나, 윤경은 일가지의(一家之義)로 조시와 광텬 등의 참담ᄒᆞᆫ 졍ᄉᆞ를 슬피 넉여, 간인의 악ᄉᆞ를 발각고져 ᄒᆞ미 올흔지라. 냥비를 다ᄉᆞ려 초ᄉᆞ를 바드리라."

ᄒᆞ시니, 조·윤 냥인이 직비ᄒᆞ더라.

상이 최상궁과 셰월 미영 등을 일쳐 츄문(推問)ᄒᆞᆻ, 극악대죄를 직초(直招)ᄒᆞ라 ᄒᆞ시니, 냥인이 본디 위·뉴의 쥼히 너【156】기ᄂᆞᆫ 비ᄌᆞ로, 쳔만 긔약지 아닌 금오랑(金吾郞)이 블의예 잡아오니, 지은 죄 쥼ᄒᆞᆫ 고로 황겁ᄒᆞ미 측냥 업거늘, 골육이 미란ᄒᆞᄂᆞᆫ 형벌이 일신이[을] 분쇄ᄒᆞᆷ ᄀᆞᆺ트니, 냥네 퇴장의 괴로오믈 겻그미 업셔, 위·뉴를 뫼셔, 고량(膏粱)1432)으로 복쥼(腹中)을 메오고 쵹나(蜀羅)로 몸을 ᄀᆞ리와, 틱복과 군셕이 졔어미 밧들믈 틱부인이나 다르지 아냐, 외람ᄒᆞᆫ 거죄 무궁턴 바로, 불시의 쥼형을 님ᄒᆞ니 엇지 복초를 아니리오. 블급슈ᄎᆞ(不及數次)의 크게 울고 초ᄉᆞ를 뼈 올니니, 초사의 허다ᄒᆞᆫ 비 묘랑의 복초도곤 더ᄒᆞ디, 비로소 아ᄅᆞ시ᄂᆞᆫ 빅, 위·뉘 명쳔공 지시(在時)브터 무러먹을 둧ᄒᆞ다ᄀᆞ, 공이 금국으로 ᄂᆞ아가미, 그 쩍 조부인이 잉【15

1430)상모(象母) : 옛날 중국 순(舜)임금의 이복동생인 상(象)의 어머니. 전처 소생인 순을 죽이기 위해 갖은 악행을 저지른 포악한 계모의 전형이다.
1431)고모(姑母) : ①시어머니. ②아버지의 누이.
1432)고량(膏粱) : 고량진미(膏粱珍味). 기름진 고기와 좋은 곡식으로 만든 맛있는 음식.

우 형뎨 복듕의 잇고, 뎡병부 부인이 계오 ᄉᆞ셰 된 거ᄉᆞᆯ, 위 뉘 의논ᄒᆞ고 조부인 모녀를 죽이랴 독약을 음식의 셧거 먹이ᄃᆡ 각별 죽디 아니코, 샹셰 금국의셔 별셰ᄒᆞ고, 조부인이 태우 형뎨를 나ᄒᆞ믹, 츄밀은 영ᄒᆡᆼ(榮幸) 비졀(悲絶)ᄒᆞ믹 교집ᄒᆞᄃᆡ, 위·뉘ᄂᆞᆫ 그 ᄲᅡᆼ틱옥동(雙胎玉童)이 닌봉 ᄀᆞᆺᄐᆞᄆᆞᆯ 통완ᄒᆞ여, 조부인을 못견ᄃᆡ게 보치던 바와, 병부 부인 혼ᄉᆞ를 쟉회ᄒᆞ여, 위방의게 은을 밧고 무디모야(無知暮夜)의 겁탈ᄒᆞ라 ᄒᆞ니, 윤시 그 ᄯᅳᆺ을 짐쟉고 쥬영을 ᄃᆡ신의 보닌 바며, 뉴시 ○○○[하가ᄅᆞᆯ] 화가여ᄉᆡᆼ(禍家餘生)이라 ᄒᆞ여 ᄯᅡᆯ을 김가의 완졍(完定)ᄒᆞᄃᆡ, 츄
【30】밀이 은줘 나가시므로 말니리 업ᄉᆞᄆᆞᆯ 인ᄒᆞ여, 뉴시 방ᄌᆞ무긔(放恣無忌)1493)ᄒᆞ여 샤혼(賜婚)을 도모ᄒᆞ고, ᄯᅡᆯ을 듕광의게 맛디랴 ᄒᆞ엿더니, ᄯᅳᆺ 아닌 윤시 졀ᄒᆡᆼ이 널널ᄒᆞ여 모친의 욕화(慾火)를 이들나, ᄉᆞ리로 간ᄒᆞ다가 뉴시 듯디 아니믹, 슈월을 집을 써낫다가 츄밀이 도라온 후 드러온 셜화를 고ᄒᆞ고, 태우 형뎨를 츄밀이 은줘 가실 젹 싀초(柴草)를 싯기며, 미곡을 나로고, 우양마필(牛羊馬四)을 맛져 먹이게 ᄒᆞ며, 삿출 쏘이고 믹듁(麥粥) 지강도 두 ᄡᅵ를 출혀 주디 아니코, 듕쟝을 더어 혈육이 샹케 ᄒᆞ다가, 츄밀이 도라오믹,【31】뎡·셕 냥인이 언간(言間)의 공ᄌᆞ 등의 고상을 아라드를만치 빗쳐니, 혹시 양모의 과악을 곰초랴 양광실셩(佯狂失性)ᄒᆞ엿던 비며, 츄밀이 변심ᄒᆞᆫ 후, 뉴시 위시를 도도아 뎡·딘·하·댱을 참혹히 보치여, 념텬(炎天)의 태우를 남긔 미여 ᄃᆞᆯ고 죽이랴 ᄒᆞ다가, 뎡·셕 냥인이 구ᄒᆞᆫ 바의 다ᄃᆞ라ᄂᆞᆫ, 듯ᄂᆞᆫ 지 ᄲᅦ 션디라. ᄒᆞᄆᆞᆯ며 윤부인이 ᄒᆞᆫ번 근친(覲親)의, ᄉᆞ화를 만나 독약을 닙의 퍼붓고 다리를 딜너 농듕의 담아 형봉을 맛졋더니, 윤시 도로 ᄉᆞ라나고, 형봉의 머리ᄂᆞᆫ 반야의 여ᄎᆞ여ᄎᆞ 경회 뎐의 드리치던 바와, 개용단으로ᄡᅥ【32】비영 녀 츈월을 먹여 윤시 얼골이 되여 뎡부의 보닌 후, 디금 소식을 모롬과, 하시를

1493)방ᄌᆞ무긔(放恣無忌) : 건방지고 거리낌이 없음.

7】틱ᄒᆞ여 태우 형뎨 복듕의 잇고, 뎡병부 부인이 계오 ᄉᆞ셰 된 거ᄉᆞᆯ, 위·뉘 의논ᄒᆞ고 조부인 모녀를 죽이려 독약을 엄식1433)의 셧거 먹이ᄃᆡ 각별 죽지 아니코, 샹셰 금국의셔 별셰ᄒᆞ고, 조부인이 틱우 형뎨를 나ᄒᆞ믹, 츄밀은 녕ᄒᆡᆼ(榮幸) 비졀(悲絶)ᄒᆞ믹 교집ᄒᆞᄃᆡ, 위·뉴ᄂᆞᆫ 그 ᄲᅡᆼ틱옥동(雙胎玉童)이 닌봉 ᄀᆞᆺᄐᆞᄆᆞᆯ 통완ᄒᆞ여, 조부인을 못견ᄃᆡ게 보치던 바와, 병부 부인 혼ᄉᆞ를 쟉회ᄒᆞ여 위방의게 은을 밧고 무지모야(無知暮夜)의 겁탈ᄒᆞ라 ᄒᆞ니, 윤시 그 ᄯᅳᆺ을 짐쟉고 쥬영을 ᄃᆡ신ᄒᆞ여 보닌 비며, 뉴시 하가ᄅᆞᆯ 화가여ᄉᆡᆼ(禍家餘生)이라 ᄒᆞ여 ᄯᅡᆯ을 김가의 완졍(完定)ᄒᆞᄃᆡ, 츄밀이 은줘 ᄂᆞ가시므로 말니리 업ᄉᆞᄆᆞᆯ 인ᄒᆞ여, 뉴【158】시 방ᄌᆞ무인(放恣無人)1434)ᄒᆞ여 ᄉᆞ혼(賜婚)을 도모ᄒᆞ고, ᄯᅡᆯ을 듕관의게 맛지려 ᄒᆞ엿더니, ᄯᅳᆺ 아닌 윤시 졀ᄒᆡᆼ이 널널ᄒᆞ여 모친의 녹화(慾火)를 ○○○[이들나], ᄉᆞ리로 간ᄒᆞ다가 뉴시 듯지 아니믹, 슈월을 집을 써낫다가 츄밀이 도라온 후 드러온 셜화를 고ᄒᆞ고, 틱우 형뎨를 츄밀이 은줘 갓실 젹 싀초(柴草)를 싯기며, 미곡을 나로고, 우양마필(牛羊馬四)을 맛져 먹이게 ᄒᆞ며, 삿출 쏘이고, 믹듁(麥粥) 지강도 두 ᄡᅵ를 출혀 주지 아니ᄒᆞ고, 듕쟝을 더어 혈육이 샹케 ᄒᆞ다가, 츄밀이 도라오믹 뎡·셕 냥인이 언간(言間)의 공ᄌᆞ 등의 고상을 ○○[알아]들을만치 빗쳐니, 혹시 양모의 과악을 곰초려 양광실셩(佯狂失性)ᄒᆞ엿던 비며, 츄밀이 변【159】심ᄒᆞᆫ 후, 뉴시 위시를 도도아 뎡·진·하·댱을 츰혹히 보치여, 념텬(炎天)의 틱우를 남긔 미여 ᄃᆞᆯ고 죽이려 ᄒᆞ다가, 뎡·셕 냥인이 구ᄒᆞᆫ 바의 다다라ᄂᆞᆫ, 듯ᄂᆞᆫ 지 ᄲᅦ 션지라. ᄒᆞᄆᆞᆯ며 윤부인이 ᄒᆞᆫ번 《ᄌᆞ친∥근친(覲親)》의 ᄉᆞ화를 만나 독약을 ○○[닙의] 퍼붓고 다리를 질너 농즁의 《즘아∥듐아》 형봉을 맛졋더니, 윤시 도로 ᄉᆞ라나고 형봉의 머리ᄂᆞᆫ 반야의

1433)엄식 : 음식.
1434)방ᄌᆞ무인(放恣無人) : 사람이 없는 것처럼 건방지고 거리낌이 없음.

줏두다려 궤의 너허 통학을 주어 남강의 씌오고, 셰월이 개용단을 먹고 하시 되여 하가의 갓다가 일야디닉(一夜之內)의 도망훈 바와, 태우 형뎨를 뉴리힝걸(流離行乞)케 ᄒ랴, 노복과 젼토를 다 파라 업시ᄒ고, 당초ᄒ여는 집을 다 허러 파는 디경이 되어, 군셕이 블슌ᄒ딕 위·뉘 태복과 군셕을 덧닉여, 냥노(兩奴)의 원망이 무궁ᄒ여, 가만히 가온딕 공교로이 져쥬를 힝ᄒ니, 위·뉘 참혹훈 병신이 되여 힝보(行步)를 못ᄒ고, 만신창질(滿身瘡疾)이 【33】 보기의 아니쑵고 더러올 쑨아니라, 위시는 사름을 아라보디 못ᄒ고 냥목(兩目)이 폐밍(廢盲)케 되고, 뉴시는 귀먹어 사름이 겻틱셔 아모리 소릭를 딜너도 아라듯디 못ᄒ믈 고ᄒ고, 태우 형뎨 경샤의 이실 적 삭망다례(朔望茶禮)1494)와 조션긔ᄉ(祖先忌祀)를 폐치 말고져 졔슈를 출혀드려 디닉기를 청훈족, 위·뉘 낫낫치 업시ᄒ고 졔향을 영영 쯧츠려 {결}결단ᄒ여, 태우 형뎨를 찬츌훈 후는 더옥 ᄉ당문(祠堂門)을 여러보는 일 업스믈 셰셰히 쥬ᄒ니, 샹이 만됴문무를 도라보아 굴오샤딕,

"위·뉘 냥녀의 ᄉ오나오믄 '남산듁(南山竹)을 버혀도 당치 못ᄒᆯ디라'1495). 악착훈 【34】 용심인족 몽슉과 요리(妖尼)의 더훈디라. 태복과 통학을 쏘 잡으라."

ᄒ시고, 최샹궁을 듕○[형](重刑) 삼ᄎ(三次)를 다ᄒ딕, 간졍을 딕고치 아니코 가디록 익미ᄒ믈 발명ᄒ니, 샹이 더옥 통히ᄒ샤 쇠를 달화 최녀의 일신을 디디라 ᄒ샤, 바로 알외라 ᄒ시니, 최녜 이에 다다라는 능히 견딕디 못ᄒ여, 비로소 초ᄉ를 뼈 올니

여ᄎ여ᄎ 경희뎐의 드리치던 바와, 기용단으로뼈 비영 녀 《추월‖춘월》을 먹여 윤시 얼골이 되여 뎡부의 보닌 후, 지금 소식을 모롬과 하시를 줏두다려 궤히 너허 풍학을 주며[어] 남강의 씌오고, 셰월이 기용단을 먹고 하시 되여 하가의 갓드가 일야디닉(一夜之內)의 도망훈 【160】 바와, 틱우 형뎨를 뉴리힝걸(流離行乞)케 ᄒ려 노복과 젼토를 다 파라 업시ᄒ고, 당초ᄒ여는 집을 다 허러 파는 지경의 니르미, 군셕이 블슌ᄒ미[딕], 위·뉘 틱복과 군셕을 덧닉여 냥노(兩奴)의 원망이 무궁ᄒ여, ᄀ만훈 ᄀ온딕 공교로이 져쥬를 힝ᄒ니, 위·뉘 춤혹훈 병신이 되여 힝보(行步)를 못ᄒ고, 만신창질(滿身瘡疾)이 보기의 아니쑵고 더러올 쑨아니라, 위시는 ᄉ람을 아라보지 못ᄒ고 냥목(兩目)이 폐밍(廢盲)케 되고, 뉴시는 귀먹어 ᄉ람이 겻히셔 아모리 소릭를 질너도 아라듯지 못ᄒ믈 고ᄒ고, 틱우 형뎨 경ᄉ의 잇실 적 삭망다례(朔望茶禮)1435)와 조션긔ᄉ(祖先忌祀)를 폐치 말고져 졔슈를 출혀드려 지닉기를 청【161】훈족, 위·뉘 낫낫치 업시ᄒ고 졔향을 녕녕 쯧츠려 결단ᄒ여, 틱우 형뎨를 찬츌훈 후는 더옥 ᄉ당문(祠堂門)을 녀러보는 일 업스믈 셰셰히 주ᄒ니, 샹이 만됴문무를 도라보아 ᄀ로ᄉ딕,

"위·뉴 냥인의 ᄉ오나오믄 '남산듁(南山竹)을 버혀도 당치 못ᄒᆯ지라'1436). 악츅훈 용심인족 몽슉과 뇨리(妖尼)의 더훈지라. 틱복과 츙학을 쏘 줍으라."

ᄒ시고, 최샹궁을 즁형(重刑) 숨ᄎ(三次)를 다ᄒ딕, 간졍을 직고치 아니코 가지록 익미ᄒ믈 발명ᄒ니, 샹이 더옥 통히ᄒ샤 쇠를 달화 최녀의 일신을 지지라 ᄒ샤, 바로 알외라 ᄒ시니, 최녜 이의 다ᄃ라는 능히 견딕지 못ᄒ여, 비로소 초ᄉ를 【162】 뼈

1494)삭망다례(朔望茶禮) : 음력 매달 초하룻날과 보름날 낮에 지내는 제사.
1495)'남산듁(南山竹)을 버혀도 당치 못ᄒᆯ디라' : 죄가 하도 많아서 남산(南山)에 있는 대나무를 다 베어서 죽간(竹簡)을 만들어 적어도 다 적을 수 없다는 말.

1435)삭망다례(朔望茶禮) : 음력 매달 초하룻날과 보름날 낮에 지내는 제사.
1436)'남산듁(南山竹)을 버혀도 당치 못ᄒᆯ디라' : 죄가 하도 많아서 남산(南山)에 있는 대나무를 다 베어서 죽간(竹簡)을 만들어 적어도 다 적을 수 없다는 말.

니, 그 무상(無狀){흔} 간흉(姦凶)흔 정적이 역시 윤츄밀 부인으로 다르디 아냐. 초(初)의 윤·양·니 등이 별원의 잇는 쩌의, 댱후걸이란 즈긱을 최형이 어더 주므로, '윤·양 등을 죽이라' ○○[시겨] 별원의 보닉엿더니, 디금【35】의 ᄉᆞ싱거쳬(死生去處) 업ᄉᆞ믈 고ᄒᆞ고, 윤시의 만고무비(萬古無比)흔 긔질이며, 츌셰비상(出世非常)흔 셩ᄒᆡᆼ(性行)ᄉᆞ덕(四德)이, 공쥬 만(萬)의 ᄒᆞ나흘 ᄶᆞ로디 못홀 거시오, 양시의 텬향아ᄐᆡ(天香雅態)와 난즈혜심(鸞姿蕙心)을 ᄯᅩ 문양의 밋츨 길히 업슬 ᄲᅵᆫ아니라, 각각 즈녀를 두어 구고의 ᄉᆞ랑과 가부의 듕딕 태악 ᄀᆞᆺᄐᆞ믈, 공쥬 싀투(猜妬)ᄒᆞ여 밥 먹디 못ᄒᆞ고 잠즈디 못ᄒᆞ므로, 제 역시 윤·양 등을 구슈(仇讐)ᄀᆞ치 믜워ᄒᆞ고, 영교 녹셤이 무복(誣服)ᄒᆞ며[미] 은금으로 그 ᄯᅳᆺ을 다리미오1496), 독약을 가져 공쥬를 죽이려 ᄒᆞ던 일이 다 져의 힝계흔 빈오. 경시로브터 운영과 구창(九娼)가디 히ᄒᆞᆫ믄, 묘랑의 초ᄉᆞ와 다르디【36】아니ᄒᆞ고, 현긔 등 ᄉᆞ남믹는 다 녀환을 맛겨 남강의 씌온 바를 고ᄒᆞ고, 공쥬 ᄯᅡᆯ을 나흐미, 용모와 식광(色光)이 만고의 희한ᄒᆞ여, 부풍(父風)을 젼쥬(專注)ᄒᆞ여1497)시딕, ᄲᆞᆯ딕업손 녀지믈 통한ᄒᆞ여, 졔 오라비 최형의 쳡즈(妾子)와 밧고와시믈 일일히 알외니, 샹이 ᄯᅩ 녀환을 잡히샤 져쥬려 ᄒᆞ실식, 평후다려 굴오샤딕,

"공쥬의 즈긱이 별원(別園)의 갓더라 ᄒᆞ니, 경이 즈긱의 거쳐를 아라시며, 위·뉴이네 윤시를 즛두다려, 농의 너허 시노(侍奴)를 맛겨 업시ᄒᆞ고, 경의 집의 시녀로써 보닉다 ᄒᆞ니, 경이 엇디ᄒᆞ여 윤시를 ᄉᆞᆯ와닉며, 그 간졍(奸情)을 아라【37】닉뇨?"

평휘 브복 딕쥬(對奏) 왈(曰),

"윤시를 그 한미와 아즈미 즛두다려 농듕의 너허시니, 그날 신이 경츈긔의 집 발인(發靷)1498)을 보고져 셩닉(城內)의 드러왓습

올니니, 그 무상간흉(無狀姦凶)흔{무슝}흔 졍적이 녁시 윤츄밀 부인으로 다르지 아냐, 초의 윤·양·니 등이 별원의 잇는 쩌의, 댱후걸이란 즈긱을 최형이 어더 주므로, '윤·양 등을 죽이라' ○○[시겨] 별원의 보닉엿더니, 지금의 ᄉᆞ싱거쳬(死生去處) 업ᄉᆞ믈 고ᄒᆞ고, 윤시의 만고무비(萬古無比)흔 긔질이며, 츌셰비상(出世非常)흔 셩ᄒᆡᆼᄉᆞ덕(性行四德)이, 공쥬 그 만(萬)의 ᄒᆞ나를 ᄶᆞ로지 못홀 거시오, 양시의 텬향아ᄐᆡ(天香雅態)와 난즈혜심(鸞姿蕙心)을 ᄯᅩ 문양이 밋츨 길이 업슬 ᄲᅵᆫ 아니라, 각각 즈녀를 두어 구고의 ᄉᆞ랑과 가부의 즁딕 ᄐᆡ악 ᄀᆞᆺᄐᆞ믈, 공쥬 싀투(猜妬)ᄒᆞ여, 밥 먹지 못ᄒᆞ고 즘즈지 못ᄒᆞ므로, 제 역시 윤·양 등을 구슈(仇讐)ᄀᆞ치 믜워○○[ᄒᆞ고], 녕교 녹【163】셤이 무복(誣服)ᄒᆞ며[미] 은금으로 그 ᄯᅳᆺ을 다리미오1437), 독약을 가져 공쥬를 죽이려 ᄒᆞ던 일이 다 져의 힝계흔 빈오, 경시로브터 운녕 구창(九娼)가지 히ᄒᆞᆫ믄, 묘랑의 초ᄉᆞ와 다르지 아니ᄒᆞ고, 현긔 등 ᄉᆞ남믹는 다 녀환을 맛겨 남강의 씌온 말을 고ᄒᆞ고, 공쥬 ᄯᅡᆯ을 나흐미 용모 식광(色光)이 만고의 희한ᄒᆞ여, 부풍(父風)을 젼쥬(專注)1438)ᄒᆞ여시딕, ᄲᆞᆯ딕업손 녀지믈 통한ᄒᆞ여 졔 오라비 최형의 쳡즈(妾子)와 밧고앗시믈 일일히 알외니, 샹이 ᄯᅩ 녀환을 즙히ᄉ 져쥬려 ᄒᆞ실시, 평후ᄃᆞ려 굴오ᄉᆞ딕,

"공쥬의 즈긱이 별원(別園)의 ᄀᆞᆺ더라 ᄒᆞ니, 경이 즈긱의 거쳐를 아ᄅᆞᆺ시며, 위·뉘이의 윤시를 즛두ᄃᆞ려 농의 너허 시노(侍奴)를 맛【164】져 업시ᄒᆞ고, 경의 집의 시녀로써 보닉다 ᄒᆞ니, 경이 엇지ᄒᆞ여 윤시를 ᄉᆞᆯ와닉며 그 간졍(奸情)을 아라닉뇨?"

평휘 부복 딕주왈,

"윤시를 그 한미와 아즈미 즛두ᄃᆞ려 농즁의 너허시니, 그날 신이 경츈긔의 집 발인(發靷)1439)을 보고ᄌ 셩닉(城內)의 드러ᄀᆞᆺᄃᆞ

1496)다리다 : 달래다. 꾀다. 유혹하다.
1497)젼쥬(專注)ᄒᆞ다 : 빼닮다. 생김새나 성품 따위를 그대로 닮다.

1437)다리다 : 달래다. 꾀다. 유혹하다.
1438)젼쥬(專注)ᄒᆞ다 : 빼닮다. 생김새나 성품 따위를 그대로 닮다.

다가, 윤시의 시녀의 급보로 윤시를 구ᄒᆞᆸ고, 년쇼디심(年少之心)의 분완ᄒᆞᆷ을 니긔디 못ᄒᆞ여, 농 디고 식비 기다리던 노ᄌᆞ를 버혀, 위·뇌를 잠간 놀닉과이다. 공쥬의 ᄌᆞ긱이 별원의 갓던 바는 신이 모로ᄂᆞ이다."

뎡녜비 니어 쥬왈,

"공쥬의 보니신 바 ᄌᆞ긱은 신이 여ᄎᆞ여ᄎᆞ ᄒᆞ여, 아ᄌᆞ미 등이 몬져 방비ᄒᆞ여 잡으미 잇ᄉᆞᆸ거늘, 신이 즉시 샤ᄉᆞ(賜死)ᄒᆞᆸ고, 형의게 젼치 못ᄒᆞ과이다."

샹이 일마다 공쥬의 간악을 통히ᄒᆞ시【38】고, 윤시의 신명ᄒᆞᆷ믈 아름다이 넉이샤, 어진 녀ᄌᆡ 공쥬로 인ᄒᆞ여 참혹히 긋긴 바를 더옥 측은ᄒᆞ시ᄂᆞ디라. 임의 태복과 튱학과 문양궁 녀환을 잡아 오고, ᄯᅩ 최형을 잡히샤 샹이 다 엄형(嚴刑) 츄문(推問)코져 ᄒᆞ시니, 튱학과 녀환이 쥬왈,

"쳔신 등은 공이 잇고 죄 업ᄉᆞ니, 젼후ᄉᆞ(前後事)를 다 알외리이다."

ᄒᆞ고, 녀환이 몬져 쥬왈,

"옥쥐 윤·양·니 등의 ᄌᆞ녀를 다 농듕의 너허, 문외 강듕(江中)의 ᄯᅴ오라 ᄒᆞ샤늘, 신이 농을 디고 나오며 가마니 싱각ᄒᆞ여도, 쥬군의 ᄌᆞ녀를 무고히 히ᄒᆞ미 두리온 고로, 군관 한튱다려 여ᄎᆞ여ᄎᆞ 니르고, 이공ᄌᆞ와 ᄋᆞ쇼져를【39】한튱의 집의셔 은양(恩養)ᄒᆞ오미 되옵고, 기후 경부인 유ᄌᆞ를 마ᄌᆞ 죽여 업시ᄒᆞ라 ᄒᆞ샤늘, ᄯᅩᄒᆞᆫ 한튱을 주어 기르디, 옥쥬는 분명이 죽은 줄노 아르시ᄂᆞ이다."

튱학이 이의 위·뇌의 명으로 궤를 디고 가다가, 뎡병부의 습샤ᄒᆞ고 도라오는 길흘 건너 잡히미, 뎡병비 궤를 아샤 보고, 져를 당부ᄒᆞ여 뉴부인긔 궤 아인 말을 말나ᄒᆞ던 바를 쥬ᄒᆞ니, 샹이 평후다려 하시를 구ᄒᆞ여 살오미 잇ᄂᆞᆫ가 므르시니, 평휘 디쥬 왈,

"신이 과연 여ᄎᆞ여ᄎᆞ 하시를 구ᄒᆞ여, 디금 취운산의 잇ᄉᆞᆸᄂᆞ니, 튱학은 뉴시의 간악

___
1498)발인(發靷) : 장례를 지내러 가기 위하여 상여 따위가 집에서 떠남. 또는 그런 절차.

가, 윤시의 시녀의 급보로 윤시를 구ᄒᆞᆸ고, 년쇼지심(年少之心)의 분완ᄒᆞᆷ믈 니긔지 못ᄒᆞ여, 농 지고 식비 기드리던 노ᄌᆞ를 버혀, 위·뉴를 줌간 놀닉과이다. 공쥬의 ᄌᆞ긱이 별원의 갓던 바는 신이 모로ᄂᆞ이다."

뎡녜비 니어 쥬왈,

"공쥬의 보니신 바 ᄌᆞ긱은 신이 여ᄎᆞ여ᄎᆞ ᄒᆞ여, 슈시(嫂氏) 등이 몬져 방비ᄒᆞ여 줍으미 잇거늘, 신이 즉시 ᄉᆞᄉᆞ(賜死)ᄒᆞᆸ고 형의게 젼【165】치 못ᄒᆞ과이다."

샹이 일마다 공쥬의 간악을 통히ᄒᆞ시고, 윤시의 신명ᄒᆞᆷ믈 아름다이 넉이ᄉᆞ, 어진 녀ᄌᆡ 공쥬로 인ᄒᆞ여 춤혹히 긋긴 바를 더옥 측은ᄒᆞ시ᄂᆞ지라. 임의 티복과 츙학과 문양궁 녀한[환]을 줍아 오고, ᄯᅩ 최형을 줍히니, 샹이 다 이의 극형(極刑) 츄문(推問)코져 ᄒᆞ시니, 풍[츙]학과 녀환이 주왈,

"쳔신 등은 공이 잇고 죄 업ᄉᆞ니, 젼후ᄉᆞ(前後事)를 다 알외리이다."

샹이 바른디로 알외라 ᄒᆞ시니, 녀환이 몬져 주왈,

"옥쥐 윤·양·니 등의 ᄌᆞ녀를 다 농즁의 너허 문외 강즁의 ᄯᅴ오라 ᄒᆞᄉᆞ○[늘], 신이 농을 지고 나오며 아모리 싱각ᄒᆞ여도 주군의 ᄌᆞ녀를 무고히 히ᄒᆞ미 두리온 고로, 군관 한츙ᄃᆞ【166】려 여ᄎᆞ여ᄎᆞ 니르고, 이공ᄌᆞ와 ᄋᆞ쇼져를 한츙의 집의셔 은양(恩養)ᄒᆞ오미 되옵고, 기후 경부인 유ᄌᆞ를 마ᄌᆞ 죽여 업시ᄒᆞ라 ᄒᆞ시거늘, ᄯᅩᄒᆞᆫ 한츙을 주어 기른디, 옥쥬는 분명이 죽은 줄노 아르시ᄂᆞ이다."

풍[츙]학이 이의 위·뉴의 명으로 궤를 지고 가ᄃᆞᄀᆞ, 뎡병부의 습ᄉᆞᄒᆞ고 도라오는 길흘 건너 줍힌 빅 되미, 뎡병비 궤를 아ᄉᆞ 보고 져를 당부ᄒᆞ여 뉴부인게 궤 아인 말을 말나ᄒᆞ던 바를 주ᄒᆞ니, 샹이 평후ᄃᆞ려 하시를 구ᄒᆞ여 술오미 잇ᄂᆞᆫ가 무르시니, 평휘 디주왈,

"신이 과연 여ᄎᆞ여ᄎᆞ 하시를 구ᄒᆞ여 지

___
1439)발인(發靷) : 장례를 지내러 가기 위하여 상여 따위가 집에서 떠남. 또는 그런 절차.

을 아디 못ᄒ와 그 명을 슌ᄒ미니,【40】다
스리디 아니셤즉 ᄒ니이다.”

태복이 발셔 흔 ᄀᆞᆺ치 들쳐나미 발명홀 조
각이 업스므로, 과연 뉴시 명으로 개용단을
먹고 위시 침뎐의 드러갓던 바와, 윤부 가
시(家事) 탕딘(蕩盡)ᄒ와 의식을 니우디 못
ᄒᄂᆞ 고로, 져와 군셕을 괴로이 보치여 미
양 츌ᄎᆡ(出債)1499)ᄒ여 달나 ᄒᄂᆞ 고로, 괴
이흔 져쥬ᄉᆞ를 힝ᄒ여 즉금 위・뉘 다 긔괴
흔 병인이 되여시믈 고ᄒ니, 샹이 윤태우
형뎨의 신빅이 쾌ᄒᆞ믈 깃거ᄒ샤, 졔신다려
니르샤디,
“위・뉘 이녀의 극악ᄒ믈 쳐티홀 거시로
디, 그러나 위녀는 윤슈 ᄀᆞᆺ튼 ᄋᆞ둘을 두어
시니 ᄎᆞ마 바리디 못ᄒ려니와, 뉴녀【41】
ᄂᆞᆫ ᄋᆞ둘이 업고 희뎐이 양지니, 파기양모
(破棄養母)1500)흔 즉, 뉴네 □[아]모리 그릇
죽어도, 희뎐의 젼졍(前程)은 유희치 아니ᄒ
리로다.”
뎡병뷔 디쥬 왈,
“셩샹이 만일 윤희뎐을 됴졍의 용납ᄒ시
며, 그 목슘을 살과져 ᄒ실딘디, 뉴녀의게
경흔 《번‖벌》을 쓰시고, 죽일 의논을 닉
디 마르쇼셔.”
샹이 글오샤디,
“경언도 가(可)커니와, 대역의 김후 부ᄌ
를 죽이디 못ᄒ여 그 죄를 다스리디 못ᄒ엿
고, 몽슉을 버힌 후, 위・뉘 이녀와 공쥬의
죄ᄂᆞ 인신의 가시라, 즈연 쳐티ᄒ리로다.”

ᄊᆞ 젼임 대ᄉᆞ마 댱협을 블너, 글오샤디,
“경녀를 위녜 딜너 죽이다 ᄒ냐[니], 뎍
실ᄒ냐?”
댱공이 디쥬왈,
“신녀를【42】위녜 비록 딜너시나, 요힝
일명을 ᄶᆞᆺ디 아냐 스라시디, 범의게 샹흔
사름이라, 흉당의 희를 두려 아조 영영 죽

1499)츌ᄎᆡ(出債) : 출채(出債). 빚을 냄.
1500)파기양모(破棄養母) : 의(義)로써 맺은 양모(養
　　母)의 지위를 취소함.

금 취운산의 잇ᄉᆞᄂᆞ니, 츔학은 뉴시의 간악
을 아지 못ᄒ와, 그 명【167】을 슌ᄒ미니
다스리지 아님즉 ᄒ니이다.”

틱복의 말이 흔 ᄀᆞᆺ치[치] 들추어 나미 과
연 발명홀 조각이 업스무로, 과연 뉴시 명
으로 변용단을 먹고, 위시 팀뎐의 드러갓던
바와, 윤부 가시(家事) 탕진(蕩盡)ᄒ여 의식
을 니우지 못ᄒᄂᆞ 고로, 져와 군셕이 괴로
이 보치여, 미양 츌ᄎᆡ(出債)1440)ᄒ여 달나
ᄒᄂᆞ 일을 면코ᄌᆞ ᄒ여, 괴이흔 져쥬ᄉᆞ를
힝ᄒ여 즉금 위・뉘 다 긔괴흔 병인믈 고ᄒ
니, 샹이 윤틱우 형뎨의 신빅이 쾌ᄒᆞ믈 깃
거, 졔신ᄃᆞ려 니르ᄉᆞ디,
“위, 뉴 이녀의 극악ᄒ믈 쳐치홀 거시로
디, 그러나 위녀는 윤슈 ᄀᆞᆺ튼 ᄋᆞ둘을 두어
시니 바리지 못ᄒ려니와, 뉴녀는 ᄋᆞ둘이 업
고 희뎐이 양【168】지니, 파기양모(破棄養
母)1441)흔 즉, 뉴네 아모리 그릇 죽어도 희
뎐의 젼졍은 유희치 아니ᄒ리로다.”

뎡병뷔 디 주왈,
“셩샹이 만일 윤희뎐을 됴졍의 용납ᄒ시
며, 그 목숨을 살과져 ᄒ실진디, 뉴녀의게
경흔 《번‖벌》을 쓰시고, 죽일 의논을 마
ᄅᆞ쇼셔.”
샹이 글오ᄉᆞ디,
“경언도 가(可)○[ᄒ]거니와, 디역의 김후
부ᄌ를 죽이지 못ᄒ여 그 죄를 다스리지 못
ᄒ고, 몽슉을 버힌 후 위・뉴 이녀와 공쥬
의 죄ᄂᆞ 인신의 가시라, 즈연 쳐치ᄒ리로
다.”
이의 젼임 디ᄉᆞ마 댱협을 블너 ᄀᆞᄅᆞᄉᆞ디,
“경녀를 위녜 질너 죽이다 ᄒ니, 젹실ᄒ
냐?”
댱공이 디주왈,
“신녀를 위녜 비록 질너시나【169】뇨
힝 일명을 ᄶᆞᆺ지 아냐 스라 이시나, 범의게
샹흔 ᄉᆞ름이라 흉당의 희를 두려, 아조 영

1440)츌ᄎᆡ(出債) : 출채(出債). 빚을 냄.
1441)파기양모(破棄養母) : 의(義)로써 맺은 양모(養
　　母)의 지위를 취소함.

으므로 칭호여, 시녀의 죽은 거술 신의 쏠의 신톄라 호여, 공산(空山)을 어더 뭇고, 녀식은 제 표슉의 집의 곰초앗더니, 즉금 윤희텬이 뎍소의셔 유병호믈 듯고, 강보유ᄌᆞ(襁褓乳子)를 더디고 양쥐 나려간디 삼ᄉᆞ일이나 되엿ᄂᆞ이다."

샹이 굴오샤ᄃᆡ,

"위·뉴 이네 극악호여 광텬 희텬의 부부로호여금 죽을 곳의 모라 너흐디, 호나토 독슈의 쏫디 아니미 긔특호더라. 다만 딘시의 ᄉᆞ싱은 딤이 아디 못ᄒᆞᄂᆞ니, 녕슈 등이 누의 죽으미 뎍실호【43】거든, 이런 셔를 당호여 원슈를 갑게 호라."

딘태우 등이 ᄃᆡ쥬 왈,

"신 등은 누의 ᄉᆞ경을 금일이야 듯ᄌᆞᆸᄂᆞ니, 그 셔 경참(驚慘)호 거동을 어이 보아시리잇가? 광텬이 쇼미를 죽엇다 일홈호고 제집 강졍의 ᄃᆞ려가 두엇거늘, 신 등이 취운산으로 ᄃᆞ려왓ᄉᆞᄂᆞ니, 광텬이 찬츌(竄黜)호므로브터 제 고모(姑母)1501)의 심시 슬프다 호여 옥화산의 나아갓ᄂᆞ이다."

샹이 다 죽디 아냐시믈 긔특이 넉이시더라.

날이 임의 어두오미, 만됴 샹긔 쥬호여, 죵일 친국의 옥휘 넛브시믈 일ᄏᆞ라, 명일 다시 다스리시믈 쳥호여, 밤의 친국이 브졀업ᄉ【44】믈 쥬호ᄃᆡ, 샹이 듯디 아니ᄒᆞ시고, 최형을 져쥬샤 뎌의 쳔호 ᄌᆞ식으로ᄡᅥ 공쥬의 귀녀를 밧고며, 최녀의 악ᄉᆞ를 도아 공쥬의 한업슨 참덕 깃치믈 통히ᄒᆞ시니, 최형이 감히 발명홀 터히 업셔 젼후ᄉᆞ를 딕초(直招)코져 ᄒᆞᄃᆡ, 더옥 망극호 밧ᄌᆞᄂᆞᆫ 공쥬의 쏠을 져의 쳡ᄌᆞ와 밧고왓더니, 최형의 집이 술을 파는 고로, 일일은 향니의 댱ᄉᆞ딜ᄒᆞᄂᆞ 상한(常漢)이 술 스먹으라 왓다가, 공쥬의 쏠을 보고, 본ᄃᆡ 상격을 ᄌᆞ셔히 아라 사람의 젼졍 운슈를 아노라 호고, 유이타일 크게 귀호리라호여, 일빅냥 은ᄌᆞ를 개【45】연이 너여주고 유ᄋᆞ를 ᄉᆞ다라1502)

영 죽으므로 칭호여, 시녀의 죽은 거술 신의 쏠의 신톄라 호여, 공산(公山)의 뭇고, 녀식은 제 표슉의 집의 곰초앗더니, 즉금 윤희텬이 젹소의셔 유병호믈 듯고, 강보유ᄌᆞ(襁褓乳子)를 더지고 양쥐 ᄂᆞ려간지 슴ᄉᆞ일이나 되엿ᄂᆞ이다."

샹이 굴오ᄉᆞᄃᆡ,

"위·뉴 극악호여 광텬 희텬의 부부로 ᄒᆞ여금 죽을 곳의 모라 너흐디, 호나토 독슈의 쏫지 아니미 긔특흔지라. 다만 딘시의 ᄉᆞ싱은 딤이 아지 못ᄒᆞᄂᆞ니, 녕슈 등이 누의 죽으미 젹실호거든, 이런 셔를 당호여 원슈를 갑게 호라."【170】

진튀우 등이 ᄃᆡ주 왈,

"신등은 누의 ᄉᆞ경을 금일이야 듯ᄌᆞᆸᄂᆞ니, 그 셔 경참(驚慘)호 거동을 어이 보아시리잇가? 광텬이 쇼미를 죽엇다 닐홈호고 제집 강졍의 ᄃᆞ려ᄃᆞ가 두엇거늘, 신등이 취운산으로 ᄃᆞ려왓ᄉᆞᄂᆞ니, 광텬이 찬츌(竄黜)호므로브터 제 고모(姑母)1442)의 심시 슬프다 호여 《옥환∥옥화산》의 나아ᄀᆞᆺᄂᆞ이다."

샹이 쳥파의 다 죽지 아녀시믈 다힝히 넉이시더라.

날이 님의 어두오미, 만됴 샹게 주호여, 죵일 친국의 넛브시믈 닐ᄏᆞ라 명일 다시 ᄃᆞ스리시믈 쳥호여, 밤의 친국이 브졀업ᄉᆞ믈 주호ᄃᆡ, 샹이 듯지 아니ᄒᆞ시고, 최형을 져쥬ᄉᆞ 뎌의 쳔호 ᄌᆞ식으로ᄡᅥ 공쥬의 귀녀를 밧고【171】며, 최녀의 악ᄉᆞ를 도아 공쥬의 한업슨 참덕 씻치믈 크게 통히ᄒᆞ시니, 최형이 감히 발명홀 터히 업셔 젼후ᄉᆞ를 즉초(直招)코져 ᄒᆞᄃᆡ, 더옥 망극호 밧ᄌᆞᄂᆞᆫ 공쥬의 쏠을 져히 쳡ᄌᆞ와 밧고앗더니, 최형의 집이 술을 파는 고로, 일일은 항니의 쟝ᄉᆞ질ᄒᆞᄂᆞ 상한(常漢)이 술 스먹으라 왓다가, 공쥬의 쏠을 보고 본ᄃᆡ 상격을 ᄌᆞ셔히 아라, ᄉᆞ람의 젼졍 운슈와 슈요쟝단(壽夭長短)1443)을 아ᄂᆞᆫ지라. 이의 굴오ᄃᆡ, 'ᄎᆞ의 타

1501)고모(姑母) : 아버지의 누이를 이르거나 부르는 말. 여기서는 '시어머니'를 달리 이르는 말로 쓰임.

1442)고모(姑母) : 아버지의 누이를 이르거나 부르는 말. 여기서는 '시어머니'를 달리 이르는 말로 쓰임.
1443)슈요쟝단(壽夭長短) : 수요(壽夭) 곧 오래 삶과

ᄒ니, 최형이 공쥬의 ᄯᆞᆯ을 다려다가 비록 죽이디 못ᄒ나, ᄉᆞ랑ᄒ미 업순 고로 일빅냥 은ᄌᆞ를 취ᄒ여 파라 바렷ᄂ디라. 이 ᄢᆡ를 당ᄒ여 져의 흉참턴 바를 이돏고 뉘웃쳐 ᄒ나, 면홀 길히 업ᄉᆞ디라. 아모리 홀 줄 몰나 도로혀 입을 다다 말을 아니ᄒ니, 샹이 딘노ᄒ샤 형벌을 고찰ᄒ시니, 최형이 출하리 쟝하(杖下)의 맛고져 ᄒ여 죵시 복초치 아니니, 평휘 쥬ᄒ여 굴오ᄃᆡ,

"최형의 극악ᄒ미 죽기를 그음ᄒ여 초ᄉᆞ를 아니려 ᄒᄂᆞᆫ 거동이니, 신의 쇼견은 그 쳐쳡을 다 잡혀 므【46】르샤, 공쥬의 녀를 졔 ᄋᆞ들과 밧고아 오미 잇ᄂᆞᆫ가, ᄌᆞ셔히 므르시미 올홀가 ᄒᄂᆞ이다."

샹이 맛당이 넉이샤 급히 최형의 쳐쳡을 잡아 간졍을 므르시니, 녀염쳔녀(閭閻賤女) 등이 텬위 엄슉ᄒ시믈 당ᄒ여, 좌우젼후의 나렬ᄒᆫ 군졸과 무셔온 위의를 ᄒ번 구경ᄒ미, 몸이 썰니기를 면치 못ᄒ니, 아닌 일이라도 죡히 ᄒ엿노라 무복(誣服)ᄒ려든, 분명이 아는 바를 은닉ᄒ리오. 과연 최형의 쳡ᄌᆞ와 공쥬의 유녀를 밧고앗더니, 술 ᄉᆞ먹으라 엇던 샹한(常漢)이 와셔, 공쥬의 ᄯᆞᆯ을 보고 긔특이 녀겨, 일빅냥 은ᄌᆞ를 주고 사가믈 쥬ᄒ고, 윤부인 시【47】녀 녹셤이 최형의 ᄋᆞ들의 쳡이 되여 숨어 살믈 다 쥬ᄒ니, 샹이 ᄯᅩ 녹셤을 잡히샤 간졍(奸情)을 국문ᄒ시니, 녹셤이 쥬인을 ᄉᆞ디의 모라 너코, 최형의 집의 금초여 간핍(艱乏)ᄒᆫ 일이 업ᄉᆞ니, 일싱을 즐길가 ᄒ엿더니, '평디(平地)의 풍패(風波)'[1503] 니러나, 졔 몸이 형벌의 알프믈 당ᄒ니, 비로○[소] 극악간흉(極惡姦凶)이 유희ᄒ믈 ᄭᆡᄃᆞ라 슬프믈 니긔디 못ᄒ나, 어이 밋츨 길히 이시리오. 이의 개개 승복ᄒ여, 최샹궁의 디휘ᄃᆡ로 쥬인을 히ᄒ

<hr>

1502)-디라 : -고 싶다. 소망을 나타내는 어미.
1503)평디(平地)의 풍패(風波) : 평온한 자리에서 일어나는 풍파라는 뜻으로, 뜻밖에 분쟁이 일어남을 비유적으로 이르는 말. 당나라의 시인 유우석(劉禹錫)의 <죽지사(竹枝詞)>에 나온다.

일 크게 귀ᄒ리라' ᄒ고 일빅냥 은ᄌᆞ를 ᄀ연이 니여주○[고], 유ᄋᆞ를 ᄉᆞ지라[1444] ᄒ니, 최형이 공쥬의 ᄯᆞᆯ을 드려다가 비록 죽이지 못ᄒ나, ᄉᆞ랑ᄒ미 업순 고로 일빅 냥 은ᄌᆞ【172】를 취ᄒ여 파라 ᄇᆞ렷ᄂᆞᆫ지라. 이 ᄢᆡ를 당ᄒ여 져의 흉참던 바를 이돏고 뉘웃쳐 ᄒ나, 면홀 길히 업순지라. 아모리 홀 줄을 몰을지라. 도로혀 닙을 다다 말을 아니ᄒ니, 샹이 진노ᄒᆞᆺ 형벌을 고찰ᄒ시니, 최형이 출하리 쟝하(杖下)의 맛고져ᄒ여 죵시 복초치 아니니 평휘 주왈,

"최형의 극악ᄒ미 죽기를 그음ᄒ여 초ᄉᆞ를 아니려 ᄒᄂᆞᆫ 거동이○[니], 신의 쇼견의ᄂᆞᆫ 그 쳐쳡을 다 잡아 무ᄅᆞᆺ, 공쥬의 녀를 졔 ᄋᆞ들과 밧고아 오미 잇ᄂᆞᆫᄀ, ᄌᆞ셔히 무르시미 올홀가 ᄒᄂᆞ이다."

샹이 맛당이 넉이ᄉᆞ 급히 최형의 쳐쳡을 잡아 므르시니, 녀염쳔녀(閭閻賤女) 등이 텬위 엄슉ᄒ시믈 당ᄒ여, 좌우【173】젼후의 나렬ᄒᆫ 군졸과 무셔온 위의를 ᄒ번 구경ᄒ미, 몸이 썰니이믈 면치 못ᄒ니, 아닌 일이라도 죡히 ᄒ엿노라 무복(誣服)ᄒ려든, 분명이 아는 바를 은닉ᄒ리오. 과연 최형의 쳡ᄌᆞ와 공쥬의 유녀를 밧고앗더니, 술 ᄉᆞ먹으라 엇던 샹한(常漢)이 와셔, 공쥬의 ᄯᆞᆯ을 보고 긔특이 녀겨, 일빅냥 은ᄌᆞ를 주고 사가믈 주ᄒ고, 윤부인 시녀 녹셤이 최형의 ᄋᆞ들의 쳡이 되여 숨어 술믈 다 주ᄒ니, 샹이 ᄯᅩ 녹셤을 ᄌᆞᆸ히ᄉᆞ 간졍(奸情)을 국문ᄒ시니, 녹셤이 주인을 ᄉᆞ디의 모라 너코, 최형의 집의 금초여 간핍(艱乏)ᄒᆫ 일이 업ᄉᆞ니, 일싱을 즐길가 ᄒ엿더니, '평디(平地)【174】의 풍픠(風波)'[1445] 니러나, 졔 몸이 형벌의 알프믈 당ᄒ니, 비로소 극악간흉(極惡姦凶)이 유희ᄒ 줄 ᄭᆡᄃᆞ라 슬프믈 니긔지 못ᄒ나, 어이 밋츨 길히 이시리오. 이의 기기 승

<hr>

일찍 죽음을 강조하여 이르는 말
1444)-지라 : -고 싶다. 소망을 나타내는 어미.
1445)평디(平地)의 풍패(風波) : 평온한 자리에서 일어나는 풍파라는 뜻으로, 뜻밖에 분쟁이 일어남을 비유적으로 이르는 말. 당나라의 시인 유우석(劉禹錫)의 <죽지사(竹枝詞)>에 나온다.

미 금은을 취흔 연괴(緣故)를 고흐고, 녕교
도 져와 흔가디로 쥬인을 히흐여 공쥬긔 공
을 일워시딕, 최녜 후일 말을 두려 영【4
8】교는 죽여 업시흐고, 져는 최형의 집으
로 보닌 바를 쥬니, 샹이 졀졀 통완흔믈
마디 《아니샤‖아니시고》, 경시를 죽이믄
궁인 태셤의 흔 비믈 최상궁이 고흐므로,
태셤을 잡아닉여 경시 죽인 곡졀을 므르시
니, 태셤이 승시흐여 경부인을 졔 맛타 닉
여, 거줏 죽인 체흐여 긔모 강시를 주어 살
와닌 말을 고흐며, 윤·양 등을 너허실 썩
음식을 궁극히 날나 그 스이 년명케 흐다
가, 공쥬 핍박흐여 윤·양등을 물의 너키의
당흐여는 능히 구치 못흐믈 쥬니, 샹이
태셤의 의긔현심을 긔특이 넉이샤 죄인 등
을 다스린 후 상샤【49】홀 바를 니르샤,
닉궁으로 드려보닉시고, 밤이 깁흐믈 인흐
여, 졔신이 다시 쳥흐여 뇽침(龍寢)의 나아
가시믈 쥬흐니, 샹이 몽슉으로브터 졔 죄인
을 다 대리시의 가도라 흐시고, 만됴를 다
믈너가라 흐샤, 명일 죄인 등의 과악(過惡)
을 등졔(登第)1504)흐여 죄벌을 논뎡(論定)흐
려 흐시더라.

　남휘 만됴로 더브러 퇴흐여 궐문 밧긔
나, 부친 의막(依幕)을 츠자 니르니, 금평휘
취운산으로 나아가 즈젼의 봉비(奉拜)코져
쯧이 급흐딕, 윤시의 스싱을 뎡치 못흐여
죵일 구호흐딕 아모란 줄을 아디 못흐고,
칼히 비록 빗딜녀시나 깁히 드러가 둥히 상
흐여시니 살기를 바라디 못홀디라.【50】이
러므로 금평휘 즈당의 안강(安康)흐시믈 몬
져 드럿는 고로, 취운산의 나아가디 못흐고,
윤시를 구호흐여 그 위틱흐믈 참연(慘然)
잔잉흐여, 그 흉흔 조모와 슉모의 누덕(陋
德)이 드러나는 연고로, 윤시 죽기를 감심
(甘心)흐여 위·뉴 냥인의 과악을 다시 듯
고져 아니민 줄 디긔(知機)흐여, 졀졀이 위

<hr>

1504)등졔(登第) : 조선 시대에, 벼슬아치들의 근무
성적을 조사하여 등급을 매기던 일. 여기서는 '등
급을 매기다'의 뜻으로 쓰임.

복흐여 최상궁의 지휘딕로 주인을 히흐미
금은을 취흔 연괴(緣故)를 고흐고, 녕교도
져와 흔가지로 주인을 히흐여 공쥬게 공을
닐워시딕, 최녜 후일 말을 두려 녕교는 죽
여 업시흐고, 져는 최형의 집으로 보닌 바
를 주니, 상이 졀졀 통완《흐스‖흐시
고》, 경시를 죽이믄 궁인 틱셤의 흔 《바
를‖비믈》 최상궁이 고흐므로, 틱셤을 줍
아닉여 경시 죽인 곡졀을 무르시니, 틱셤이
승시흐여 경부인을 졔 맛타닉여, 거줏 죽인
체흔【175】여, 긔모 강시를 주어 술와닌
말을 고흐며, 윤·양 등을 셕혈의 너허실
썩, 음식을 궁극히 날나 그 스이 년명케 흐
다가, 공쥬 핍박흐여 윤·양 등을 물의 너
키의 당흐여는 능히 구치 못흐믈 주니,
상이 틱셤의 의긔현심을 긔특이 너기스 죄
인 등을 다스린 후 크게 상스홀 바를 니르
스 닉궁으로 듸려보닉시고, 야심흐믈 인흐
여 졔신이 다시 쳥흐여 뇽침(龍寢)의 나아
가시믈 주니, 상이 몽슉으로브터 졔 죄인
을 다 대리시의 가도라 흐시고, 만됴를 다
믈너가라 흐스, 명일 죄인 등의 과악(過惡)
을 등졔(登第)1446)흐여, 죄벌을 논졍흐려 흐
시더라.

　평휘 만됴로 더브러 퇴【176】흐여 궐문
밧게 나, 부친 의막(依幕)을 츠져 니르니,
금평휘 취운산으로 나아가 즈젼의 봉비(奉
拜)코즈 쯧이 급흐딕, 윤시의 스싱을 졍치
못흐여 죵일 구호흐딕, 아모란 줄을 아지
못흐고, 칼히 비록 빗질녀나 깁히 드러가
즁히 상흐여시니, 살기를 바라지 못홀지라.
니러므로 금평휘 즈당의 안강(安康)흐시믈
몬져 드럿는 고로, 취운산의 느아가지 못흐
고, 윤시를 구호흐여 그 위틱흐믈 참연(慘
然 잔잉흐여, 그 흉흔 조모와 슉모의 누덕
(累德)1447)이 드러나는 연고로, 윤시 죽기를
둘게 넉여, 위·뉴 냥인의 과악을 다시 듯

<hr>

1446)등졔(登第) : 조선 시대에, 벼슬아치들의 근무
성적을 조사하여 등급을 매기던 일. 여기서는 '등
급을 매기다'의 뜻으로 쓰임.
1447)누덕(累德) : 덕을 욕되게 함.

·뉴의 ᄉᆞ오나오믈 분완ᄒᆞ며, 위·뉴는 온 가디로 히ᄒᆞ엿거늘, 져를 위ᄒᆞ여 죽어 모로랴 ᄒᆞ믈 도로혀 이들ᄃᆞ, 혹ᄌᆞ 윤시 ᄉᆞ디 못ᄒᆞᆯ가 초조ᄒᆞ미 심장이 마를 듯ᄒᆞ더니, 밤든 후 남후 삼곤계 졔딘으로 더브러 의막의 니르러 각각 부젼의 봉비ᄒᆞᆯ시, 효ᄌᆞ의 반기ᄂᆞᆫ 형상【51】을 어이 비ᄒᆞᆯ 곳이 이시리오.

년망(連忙)이 슬하의 ᄶᅮ러 존후를 뭇ᄌᆞ오니, 원ᄂᆞᆨ 딘공 삼곤계 다 금평후와 ᄒᆞᆫ가지로 의막의 잇고, 몸이 갓브므로 운산의 도라가디 못ᄒᆞ엿ᄂᆞᆫ디라. 각각 ᄋᆞ들의 손을 잡고 깃브며 즐거오믈 어이 다 니르리오. 도로혀 ᄭᅮᆷ인 듯 상신(常時) 듯 ᄆᆞ음을 측냥치 못ᄒᆞ여, 금평후의 단엄홈과 낙양후의 텰셕간장으로도 ᄌᆞ연이 비회를 요동ᄒᆞ니, 슬프믄 비록 디난 일이나 화란을 당ᄒᆞ엿던 비오, 깃브믄 화익을 딘뎡ᄒᆞ고 부ᄌᆞ형뎨 즐거이 모드미라.

낙양휘 믄득 탄ᄒᆞ여 굴오ᄃᆡ,

"뎡·딘 이문의 참화를 니르혀 부ᄌᆞ형뎨 쥬류을【52】당ᄒᆞᆯ 번 ᄒᆞ기ᄂᆞᆫ, 실노 나의 타시라. 구몽슉을 브졀업시 거두어 길너 거의 멸망디화를 취ᄒᆞᆯ 번 ᄒᆞ니, 싱각ᄒᆞ미 놀납고 ᄎᆞ악디 아니ᄒᆞ리오."

금휘 탄왈,

"만시 명애라. 구ᄐᆞ여 몽슉의 타ᄉᆞᆯ 삼으리오. 그러나 몽슉의 비은망덕과 간교요악(奸巧妖惡)ᄒᆞ미, 남을 무궁히 히코져 ᄒᆞᄂᆞᆫ 비 도로혀 져의 만니젼졍(萬里前程)을 맛ᄎᆞ니, 엇디 한홉디 아니리오."

남휘 부친의 셩회 상ᄒᆞ실 바를 우려ᄒᆞ여 취침ᄒᆞ시믈 쳥ᄒᆞ니, 금휘 츄연 왈,

"문회 멸망키를 긔약ᄒᆞᄂᆞᆫ ᄶᆞ의, 도로혀 어히업셔, 이딕도록 ᄒᆞᆯ 줄 아디 못ᄒᆞ엿거늘, 오날늘 식부의 격고등문ᄒᆞ기【53】로ᄡᅥ 흉화를 면ᄒᆞ여 무ᄉᆞᄒᆞᆷ믈 어덧거니와, 윤시의 위틱ᄒᆞᆫ 거동이 아모리ᄒᆞ여도 살기를 밋디 못ᄒᆞ니, 그 명도의 괴이ᄒᆞ미 ᄒᆞ로도 화열(和悅)ᄒᆞᆷ믈 엇디 못ᄒᆞ여, ᄋᆞ시로브터 심시

고ᄌᆞ 아니민 줄 지긔(知機)ᄒᆞ여, 졀졀이 위·뉴의 ᄉᆞ오나오믈 분완【177】ᄒᆞ며, 위·뉴는 온 가지로 히ᄒᆞ엿거늘, 져를 위ᄒᆞ여 죽어 모로려 ᄒᆞ믈 도로혀 이들나, 혹ᄌᆞ 윤시 ᄉᆞ지 못ᄒᆞᆯ가 초조ᄒᆞ미 심장이 마를듯ᄒᆞ더니, 밤든 후 평후 슴곤계 졔딘으로 더브러 의막의 니르러 각각 부젼의 봉비ᄒᆞᆯ시, 효ᄌᆞ의 반기ᄂᆞᆫ 형상을 어이 비ᄒᆞᆯ 곳이 이시리오.

년망(連忙)이 슬하의 ᄭᅮᆯ어 존후를 뭇ᄌᆞ오니, 원ᄂᆞᆨ 삼 진공이 다 금평후와 ᄒᆞᆫ가지로 의막의 잇고, 몸이 갓브므로 운산의 도라가지 못ᄒᆞ엿ᄂᆞᆫ지라. 각각 ᄋᆞ들의 손을 즙고 깃브며 즐거오믈 어이 다 니르리오. 도로혀 ᄭᅮᆷ인 듯, 상신(常時) 듯, ᄆᆞ음을 측냥치 못ᄒᆞ여, 금평후의 단엄홈과 낙양후의 쳘셕간장으로도 ᄌᆞ연【178】이 비회를 요동ᄒᆞ니, 슬프믄 비록 지난 일이나 화란을 당ᄒᆞ엿던 비오, 깃브믄 화익을 진졍ᄒᆞ고 부ᄌᆞ형뎨 즐거이 모드미라.

낙양휘 믄득 탄ᄒᆞ여 굴오ᄃᆡ,

"뎡·진 이문의 참화를 닐으혀 부ᄌᆞ형뎨 쥬류을 당ᄒᆞᆯ 번 ᄒᆞ기ᄂᆞᆫ 실노 나의 탓시라. 구몽슉을 브졀업시 거두어 길너, 거의 멸망지화를 취ᄒᆞᆯ 번 ᄒᆞ니, 싱각ᄒᆞ미 놀납고 ᄎᆞ악지 아니ᄒᆞ리오."

금휘 탄왈,

"만시 명애라. 구ᄐᆞ여 몽슉의 탓슬 슴으리오. 그러나 몽슉의 비은망덕과 간교요악(奸巧妖惡)ᄒᆞ미, 남을 무궁히 히코ᄌᆞ ᄒᆞᄂᆞᆫ 비, 도로혀 져의 만니젼졍(萬里前程)을 맛ᄎᆞ니, 엇지 한홉지 아니리오."

남휘 부친의 셩회【179】 상ᄒᆞ실 바를 우려ᄒᆞ여 취침ᄒᆞ시믈 쳥ᄒᆞ니, 금휘 츄연 왈,

"문회 멸망ᄒᆞᄂᆞᆫ ᄶᆞ의 도로혀 어히업셔 이딕도록 ○○[ᄒᆞᆯ 줄] 아지 못ᄒᆞ엿거늘, 오늘날 식부의 격고등문ᄒᆞ기로ᄡᅥ 흉화롤 면ᄒᆞ여 무ᄉᆞᄒᆞᆷ믈 어덧거니와, 윤시의 위틱ᄒᆞᆫ 거동이 아모리 ᄒᆞ여도 슬기를 밋지 못ᄒᆞ니, 그 명도의 괴이ᄒᆞ미 ᄒᆞ로도 화열(和悅)ᄒᆞᆷ믈 엇지 못ᄒᆞ야, ᄋᆞ시로브터 심시 불평ᄒᆞᄃᆞᆨ, 이

불평ᄒ다가, 이제 턴일을 볼 쩌의 죽을딘디 그 참잔(慘殘)ᄒ미 가히 엇더ᄒ리오. 너는 드러가 그 상처를 ᄌ셔히 슬퍼 의약을 다스리고, 나의 ᄌ기를 니르디 말나."

남휘 화를 도로혀 복을 삼기는 윤부인 격고(擊鼓)ᄒᆫ 덕인 줄 모로디 아니디, 그 졍경이 남 달나 브디 죽으랴 ᄒ민 줄 짐작ᄒ나, 부친의 우려ᄒ시믈 졀박ᄒ고, 윤시 그 흉ᄒᆫ 조모와 간악ᄒᆫ 슉모의 과실을 붓그려 ᄒ미, 맛【54】츰닌 위·뉘 두 부인 위ᄒᆫ 졍셩이 티다(太多)ᄒ미라. 심니의 ᄀ쟝 이둘니 넉여 부군(父君)을 위로 왈,

"윤시 인ᄉ(人事)의 마지 못ᄒ여 격고등문ᄒ여 흉화를 늣추고져 ᄒ나, 위·뉘 냥인을 위ᄒᆫ 졍으로 그 몸을 죽여, 조모와 슉모의 악착ᄒᆫ 과실을 듯디 말고져 ᄒ므로, 그 ᄌ모의 슬픈 졍ᄉ와 우리 존당부모의 디극ᄒᆫ신 ᄌ의를 니져, 스스로 쳥츈조ᄉ(靑春早死)ᄒ믈 달게 넉이니, 인믈이 그러ᄒᆫ 후ᄂᆫ ᄉ싱이 블관ᄒᆫ디라. ᄒ믈며 슈요댱단(壽夭長短)¹⁵⁰⁵)이 하날이 뎡ᄒᆫ 비니, 인녁의 밋ᄎᆯ 비 아니라. 합문이 멸망디화를 당ᄒᆫ 바를 혜아려 심골이 셔늘홀 젹도 잇고, 금일 셰뎨(弟)와【55】표형을 힝형ᄒ라 나갈 쩌도, 오히려 참고 견듸미 잇ᄉᆞ니, 블힝ᄒ여 윤시 ᄉ디 못ᄒᆫᆫ들 현마 엇디리잇고?"

금휘 쳥파의 믄득 변식 왈,

"윤시는 셰상의 무빵ᄒᆫ 졍녀쳘부(貞女哲婦)로 뎡·딘 냥문의 참화를 구ᄒ미, 곳 네 아비와 동긔를 다 슬온 작시라. 네게는 흔갓 부부의 졍을 니를 거시 아니라, 하날 ᄀᄐᆫ 대은이니, 엇디 그 ᄉ싱을 블관(不關)타 ᄒᆞ여, 빈은망덕ᄒ미 구몽슉이나 다르디 아니리오. 내 실노 널노뻐 이런 인물인 줄 아디 못ᄒ패라."

남휘 년망 궤고(跪告) 왈,

"쇼ᄌ 무상ᄒ오나 사람의 은혜ᄂᆞ 거의 아옵ᄂᆞ니, 윤시 격고등문ᄒᄂᆞ 거죄 이시나, 이 블과 녀ᄌ【56】의 ᄉ졍으로 구가와 디아

───────────────
1505)슈요쟝단(壽夭長短) : 수요(壽夭) 곧 오래 삶과 일찍 죽음을 강조하여 이르는 말

제 턴일을 볼 쩌의 죽을진디, 그 참잔(慘殘)ᄒ미 가히 엇더ᄒ리오. 너는 드러가 그 상쳐를 ᄌ셔히 슬퍼 의약을 다스리고, 나의 ᄌ기를 니르지 말나."

남휘 화를 도로혀 복을 숨기는 윤부인 격고(擊鼓)ᄒᆫ 덕인 줄 모로지 아니디, 그 졍경【180】이 남 달나 브디 죽으려 ᄒ민 줄 짐쥭ᄒ나, 부친의 우려ᄒ시믈 졀박ᄒ고, 윤시 그 흉ᄒᆫ 조모와 간악ᄒᆫ 슉모의 과실을 붓그려 ᄒ미, 맛춤닌 위·뉴 두 부인 위ᄒᆫ 졍셩이 티과(太過)ᄒ미라. 심니의 ᄀ쟝 이둘니 넉여 부군(父君)을 위로 왈,

"윤시 인ᄉ(人事)를 아지 못ᄒ여 격고등문ᄒ여 흉화를 늣추고ᄌ ᄒ나, 위·뉴 냥인을 위ᄒᆫ 졍으로 그 몸을 죽여, 조모와 슉모의 악착ᄒᆫ 과실을 듯지 말고ᄌ ᄒ므로, 그 ᄌ모의 슬픈 졍ᄉ와 우리 존당부모의 지극ᄒᆫ신 ᄌ의를 니져, 스스로 쳥츈조ᄉ(靑春早死)ᄒ믈 달게 넉이니, 인믈이 그러ᄒᆫ 후ᄂᆫ ᄉ싱이 블관ᄒ지라. ᄒ믈며 슈요장단(壽夭長短)이 하늘이 졍ᄒᆫ 비니, 인【181】녁의 밋ᄎᆯ 비 아니라. 합문이 멸망지화를 당ᄒᆫ 바를 혜아려 심골이 셔늘홀 젹도 잇고, 금일 졔뎨와 표형을 힝형ᄒ려 나갈 쩌도 오히려 참고 견듸미 잇ᄉᆞ니, 블힝ᄒ여 윤시 ᄉ지 못ᄒᆫᆫ들 현마 엇지리잇고?"

금휘 쳥파의 믄득 변식 왈,

"윤시는 셰상의 무빵ᄒᆫ 셩녀쳘부(聖女哲婦)로 뎡·딘 냥문의 참화를 구ᄒ미, 곳 네 아비와 동긔를 다 슬온 작시라. 네게는 흔갓 부부지졍을 닐을 거시 아니라. 하늘 ᄀᄐᆫ 대은이니 엇지 그 ᄉ싱을 블관(不關)타 ᄒᆞ여, 빈은망덕ᄒ미 구몽슉이나 다르지 아니리오. 내 실노 널노뻐 니런 인물인 줄 아지 못ᄒ패라."

남휘 년망이 궤고(跪告) 왈,

"쇼ᄌ 무【182】상ᄒ오나 ᄉ람의 은혜ᄂᆞ 거이 아옵ᄂᆞ니, 윤시 격고등문ᄒᄂᆞ 거죄 이시나, 이 블과 녀ᄌ의 ᄉ졍으로 구가와 지아비 구홀 조각이 이셔 소장을 올니미니, 은혜라 일ᄏ를 거시 업고, 간당의 모계ᄒᄂᆞ

비 구홀 조각이 이셔 소당을 올니미니, 은
혜라 일쿠를 거시 업고, 간당의 모계ᄒᆞᄂᆞᆫ
바를 ᄌᆞ셔히 아라 참참ᄒᆞᆫ 누얼을 신셜ᄒᆞᄆᆞᆫ
실노 혜원을 은인이라 ᄒᆞ미 올코, 져ᄂᆞᆫ 흉
ᄒᆞᆫ 조모와 악착ᄒᆞᆫ 슉모를 위ᄒᆞ여 죽어 갑ᄒᆞ
미니, ᄆᆞ어시 앗길 거시 잇ᄂᆞ니잇고? 또 ᄌᆞ
의디졍이 이신즉, 강보유ᄋᆞ를 더디고 셰샹
을 즈레 바리려 아닐 거시니, ᄌᆞ개 ᄌᆞ식을
블이(不愛)ᄒᆞ므로뼈 냥가 친당의 ᄌᆞ의를 아
디 못ᄒᆞᄂᆞᆫ다라. 희ᄋᆞᄂᆞᆫ 그 인ᄉᆞ를 통완ᄒᆞ미
업디 아니토소이다."

금휘 뎡식 칙왈,

"네 흉화를 지니고 심장이 만히 병드러
인ᄉᆞ를 아디 못ᄒᆞ니, 현쳐【57】의 긔특ᄒᆞᆫ
덕을 다 싱각ᄒᆞ리오. 모로미 드러가 그 믹
후를 슬피고 상쳐의 약을 발나 ᄉᆞ도록 구호
ᄒᆞ라."

남휘 여러번 우기지 못ᄒᆞ여 윤시 누은 곳
의 드러가니, 녀의 삼십여인이 쥬영으로 더
브러 윤부인을 구호ᄒᆞ며, 니부 등이 창외의
셔 부인의 싱긔 이시믈 알고 이의 젼ᄒᆞᄂᆞᆫ디
라. 남휘 윤시로 ᄋᆞ시 졍밍(定盟)이 구드미
디복밍약(指腹盟約)[1506]의 다르미 업ᄂᆞᆫ디라.
ᄒᆞ믈며 조강결발(糟糠結髮)[1507]의 졍의ᄂᆞᆫ
니르디 말고, 특이ᄒᆞᆫ 셩힝이 금고의 독보ᄒᆞ
거늘, 명되 긔구ᄒᆞ여 ᄋᆞ시로브터 위 · 뉴 고
식(姑息)의 작악(作惡)으로 곡경을 ᄀᆞ초 디
니고, 공쥬 ᄀᆞᄐᆞᆫ 뎍인(敵人)을 만나 남의 업
ᄉᆞᆫ 화란이 비경ᄒᆞ여, 그 뜻이 임의【58】죽
기를 결ᄒᆞ미, 군젼의셔 칼노 질너 것구러지
ᄂᆞᆫ 거동이 참혹ᄒᆞᄆᆞᆯ 보미, 댱부의 쳘셕 심
장이나 참연ᄒᆞ미 견즐 곳이 업ᄉᆞ딕, 사름
되오미 훤츨ᄒᆞᆫ[1508] 녁냥을 가져, 식견의 원
대ᄒᆞ미 만니를 ᄉᆞ못ᄂᆞᆫ 신명ᄒᆞ미 잇고, 텬뎡
ᄒᆞᆫ 슈를 빗최미 거울 ᄀᆞᄐᆞ니, 엇디 윤부인
복녹이 완젼ᄒᆞ고, 다남ᄌᆞ(多男子)홀 긔상을

바를 ᄌᆞ셔히 아라 참참ᄒᆞᆫ 누얼을 신셜ᄒᆞᄆᆞᆫ,
실노 혜원을 은인이라 ᄒᆞ미 올코, 져ᄂᆞᆫ 흉
ᄒᆞᆫ 조모와 악착ᄒᆞᆫ 슉모를 위ᄒᆞ여 죽어 갑ᄒᆞ
미니, ᄆᆞ어시 앗길 거시 잇ᄂᆞ니잇고? 또 ᄌᆞ
의지졍이 이신즉 강보유ᄋᆞ을 더지고 셰상을
즈레 바리려 아닐 거시니, ᄌᆞ개 ᄌᆞ식을 블
이(不愛)ᄒᆞ므로뼈 《냥강∥냥가》 친당의
ᄌᆞ의를 아지 못ᄒᆞᄂᆞᆫ지라. 희ᄋᆞᄂᆞᆫ 그 인ᄉᆞ를
통완ᄒᆞ미 업지 아니【183】토소이다."

금휘 졍식 칙왈,

"네 흉화를 지니고 심장이 만니 병드러
인ᄉᆞ를 아지 못ᄒᆞ니, 현쳐의 긔특ᄒᆞᆫ 덕을
엇지 싱각{지못}ᄒᆞ리오. 모로미 드러가 그
믹후를 슬피고 상쳐의 약을 발나 ᄉᆞ도록 구
호ᄒᆞ라."

남휘 여러번 거스지[1448] 못ᄒᆞ여 윤시 누
은 곳의 드러가니, 녀의 슴십여인이 쥬영으
로 더브러 윤부인을 구호ᄒᆞ며, 녜부 등이
창외의셔 부인의 싱긔 이시믈 알고, 이의
젼ᄒᆞᄂᆞᆫ지라. 남휘 윤시로 ᄋᆞ시 졍밍(定盟)이
구드미 지복밍약(指腹盟約)[1449]의 다르미
업ᄉᆞᆫ지라. ᄒᆞ믈며 조강결발(糟糠結髮)[1450]에
졍의ᄂᆞᆫ 니르지 말고, 특이ᄒᆞᆫ 셩힝이 고금의
독보ᄒᆞ거늘, 명되 긔【184】구ᄒᆞ여 ᄋᆞ시로
브터 위 · 뉴 고식(姑息)의 작악(作惡)으로
곡경을 ᄀᆞ초 지니고, 공쥬 ᄀᆞᄐᆞᆫ 젹인(敵人)
을 만나 남의 업ᄉᆞᆫ 화란이 비경ᄒᆞ여, 그 뜻
이 님의 죽기를 결ᄒᆞ미, 군젼의셔 칼노 질
너 것구러지ᄂᆞᆫ 거동을 보미, 장부의 쳘셕
심장이나 참연ᄒᆞ미 견즐 곳이 업ᄉᆞ딕, ᄉᆞ람
되오미 훤츨ᄒᆞᆫ[1451] 녁냥을 가져, 식견의 원
대ᄒᆞ미 만니를 ᄉᆞ못ᄂᆞᆫ 신명이 잇고, 텬뎡ᄒᆞᆫ
슈를 빗최미 거울 ᄀᆞᄐᆞ니, 엇지 윤부인 복

1506)디복밍약(指腹盟約) : 뱃속에 있는 아이를 가리
    켜 굳게 맹세한 약속.
1507)조강결발(糟糠結髮) : 정실부인으로 맞아 혼인
    함.
1508)훤츨하다 : 훤칠하다. 막힘없이 깨끗하고 시원
    스럽다.

1448)거슬다 : 거스르다.
1449)디복밍약(指腹盟約) : 뱃속에 있는 아이를 가리
    켜 굳게 맹세한 약속.
1450)조강결발(糟糠結髮) : 정실부인으로 맞아 혼인
    함.
1451)훤츨하다 : 훤칠하다. 막힘없이 깨끗하고 시원
    스럽다.

아디 못ᄒ리오마는, 목젼의 위위(危危)ᄒ믈 보고 심시 황난(遑亂)ᄒ여 갓가이 나아가 금금(錦衾)을 열고 부인의 얼골을 보미, 싱되 망연(茫然)ᄒ더니, 좌우슈를 딘뫼ᄒ니 오히려 아조 죽든 아녓ᄂ디라. ᄌ작명약(自作名藥)ᄒ여 두어 복1509)을 디어 달혀 부인 입의 드【59】리오며, 계셩(鷄聲)이 맛도록 졉목디 못ᄒ고 구호ᄒ미 디극ᄒ니, 하날이 윤시 셩덕 직화를 미몰(埋沒)케 아니려 ᄒ시ᄂ디라. 비록 칼노 딜너시나 명ᄆᆨ(命脈)이 슷디 아냐 이윽고 눈을 써 좌우를 보ᄂ지라. 남휘 블승환열(不勝歡悅)ᄒ나, 흔갈○[ᄀ티 화평흔 ᄉ식 ᄲᆫ이라. 윤시 형셰 마디못흔 일이나 군젼의셔 경솔이 목슘을 ᄇ려 검하경혼(劍下驚魂)이 되고져 ᄒ던 바를 ᄎ셕ᄒ며, 윤시 본ᄃᆡ 셰렴(世念)이 브죡ᄒ니, 비록 금일 죽지 아녀도 흉흔 조모와 슉모를 위ᄒ여 과도히 넘녀ᄒ여, 약딜의 병을 일월가 근심ᄒᄂ 고로, 져의 인ᄉ 출ᄒᄂ 쎠를 당ᄒᄃᆡ ᄆᆨ연이 말이 업더니,【60】금휘 윤시의 눈 쎠보믈 듯고 만분 다힝ᄒ여, 즉시 드러와 윤시를 볼ᄉᆡ, 윤시 엄구의 드러오시믈 듯고, 비로소 누어시미 황공ᄒ여 니러나고져 ᄒ나, 긔운이 밋디 못ᄒ여 황황툑쳑(遑遑踧踖)ᄒ미 아모리 ᄒᆯ 줄 모로ᄂ지라. 금휘 갓가이 나아와 편히 눕기를 닐너 왈,

"우리 구식디간(舅媳之間)1510)은 타인과 다른디라. 내 너다려 구구히 니르디 아니나 현ᄇᆡ 엇지 싱각디 못ᄒ리오마는, 오히려 년쇼디심의 쇼쇼흔 붓그러오므로ᄡᅥ, 가비야이 목슘을 결코져 군젼의셔 ᄌ문이ᄉ(自刎而死)ᄒ니, 비록 디난 일【61】이나 엇디 놀납디 아니리오. 내 너를 빅화헌 가온ᄃᆡ셔 삼ᄉ 셰 치ᄋᆞ(稚兒)로 보아시나, 발셔 쳔고 슉완 셩녀 될 바를 아라, 녕엄(令嚴)긔 쳥ᄒ여 혼인을 뇌약(牢約)ᄒ고, 네 팔 우히 내 친필노 '뎡문튱ᄇᆡ(鄭門家婦)'라 쓴 후ᄂ, 네

1509)복 : 약의 분량을 나타내는 단위. 한 번 먹을 분량을 이른다.
1510)구식디간(舅媳之間) : 시아버지와 며느리 사이.

녹이 완젼ᄒ고, 다남ᄌ(多男子)ᄒᆯ 긔상을 아지 못ᄒ리오마는, 목젼의 위위(危危)ᄒ믈 보고 심시 황난ᄒ여, ᄀᆺᄀ이 ᄂ아가 금금(錦衾)을 녈고 부인의 얼골을 보미, 싱되 망연(茫然)ᄒ【185】더니, 좌우슈를 진뫼ᄒ니 오히려 아조 죽든 아녓ᄂ지라. ᄌ작명약(自作名藥)ᄒ여 두어 쳡(貼)1452)을 달혀 부인 목의 드리오며, 계셩이 맛도록 졉목지 못ᄒ고 구호ᄒ미 지극ᄒ니, 하늘이 윤시 셩덕 직화를 미몰(埋沒)케 아니시ᄂ지라. 비록 칼노 질너시나 명ᄆᆨ(命脈)지[이] 슷지 아녀, 이윽고 눈을 써 좌우를 보ᄂ지라. 남휘 블승환희(不勝歡喜)ᄒ나, 흔갈ᄀᆺ치 화평ᄒᆯ ᄲᆫ이라. 윤시 형셰 마지못흔 일이나, 군젼의셔 경솔이 목슘을 ᄇ려 검하경혼(劍下驚魂)이 되고ᄌ ᄒ던 바를 ᄎ마ᄒ며, 윤시 본ᄃᆡ 셰렴(世念)이 부죡ᄒ니 비록 금일 죽지 아녀도 흉흔 조모와 슉모를 위ᄒ여 과도히 넘녀ᄒ【186】여 약질의 병을 닐위ᄂ가 근심ᄒᄂ 고로, 져희 인ᄉ를 출ᄒᄂ 쎠를 당ᄒ여 말ᄒ여 ᄒ여 줌줌ᄒ더니, 금휘 윤시의 눈 써 보믈 듯고 만분 다힝ᄒ여 즉시 드러와 윤시를 볼ᄉᆡ, 윤시 엄구의 드러오믈 듯고, 누어시미 황공ᄒ여 닐고ᄌ ᄒ나, 긔운이 밋지 못ᄒ여 황황츅쳑(遑遑踧踖)ᄒ미, 아모리 ᄒᆯ 줄 모로ᄂ지라. 금휘 ᄀᆺᄀ이 ᄂ아와 편히 눕기를 닐너 왈,

"우리 구식지간(舅媳之間)1453)은 타인과 다른지라. 내 너ᄃ려 구구히 니르지 아니나, 현ᄇᆡ 엇지 싱각지 못ᄒ리오마는, 오히려 년쇼지심의 쇼쇼흔 붓그러오므로ᄡᅥ, ᄀ비야이 목슘을 결ᄒ려 군젼의셔 ᄌ문이ᄉ(自刎而死)ᄒ니, 비록 지닌 일【187】이나 엇지 놀납지 아니ᄒ리오. 내 너를 빅화헌 ᄀᆺ온ᄃᆡ셔 슴ᄉ 셰 치ᄋᆞ(稚兒)로 보아시나, 발셔 쳔고 슉완 셩녜 될 바를 아라, 녕엄(令嚴)게 쳥ᄒ여 혼ᄉ를 뇌약(牢約)ᄒ고, 네 풀 우히 내 친필노 '뎡문츙ᄇᆡ(鄭門家婦)'라 쓴 후ᄂ, 녜를 닐우지 아녀시믈 싱각지 못ᄒ여, 년익ᄒ

1452)쳡(貼) : 약봉지에 싼 약의 뭉치를 세는 단위.
1453)구식지간(舅媳之間) : 시아버지와 며느리 사이.

를 일우디 아녀시믈 싱각디 못ᄒ여, 년이ᄒ
ᄂ 모음과 각별ᄒᆫ 졍이 친싱의 감치 아니ᄒ
다가, 블ᄒᆡᆼᄒ여 명쳔 형이 조셰(早世)ᄒ미,
너의 삼남미를 위ᄒ여 잔잉ᄒ 회푀 흉억의
밋치믈 씨둣디 못ᄒ여, 흐르ᄂ 셰월이 일일
여삼취(一日如三秋)라. 너의 삼남미로뻐 슬
하를 삼아 구약(舊約)을 셩젼코져 ᄒ다【6
2】가, 미혼젼 너의 실산(失散)ᄒ믈 드르미
내 모음이 비졀ᄒ미 어딕 비ᄒ리오. 텬연이
긔특ᄒ여 텬흥이 너의 거쳐를 아라 도라오
미, 내 실노 구식(舅媳)의 듕홈과 부녀의 친
ᄒ믈 겸ᄒ여, ᄌ인디졍(慈愛之情)이 ᄋ들의
나리디 아니타가, 녹셤 등의 간악ᄒ믈 인ᄒ
여 졀혼니이(絶婚離異)ᄒ여 도라보닌 거시,
또 변괴 니러나 너의 ᄉ싱거쳐를 모를 줄
몽미의나 넘(念)ᄒ여시리오. 텬신의 도으믈
닙어 혜원의 구활ᄒᄆ로 복ᄋ(腹兒)를 싱ᄒ
여, 발셔 거름을 닉이니 만ᄒᆡᆼ(萬幸)ᄒ미 견
즐 곳이 업ᄂ더라. 간인의 작악이 또 이 디
【63】경의 밋츠미, 만일 현부의 격고등문
ᄒᄂ 거죄 아니런들, 딘형의 부ᄌ 형뎨와
우리 부ᄌ 머리를 보젼치 못ᄒᆯ다. 그러나
위·뉴 두 부인의 과악은 너의 격고ᄒ기로
발각ᄒ미 아니라, 만셩(滿城)이 모로 리 업
고, 황샹이 흉히 넉이시ᄃᆡ 슈원 형뎨 모음
을 편히 ᄒ고져 뎡비ᄒ신 비라. 현뷔 시로
이 붓그려 ᄌ문필ᄉ(自刎必死)코져 ᄒᆫ 실
노 잘못 싱각ᄒ미라. 우리 ᄌ당이 너를 디
극히 ᄌ인(慈愛)ᄒ심과 우리 부부의 이듕ᄒ
믄 니르도 말고, 조태부인이 궁텬디통을 품
으샤 남다른 경계를 ᄌ초 디【64】닉시ᄃᆡ,
너의 삼남미를 위ᄒ샤 스스로 심회를 관억
ᄒ시니, 니른 바 강하(江河) ᄀᆺ튼 대량(大
量)1511)이라. 현뷔 ᄌ당의 졍니를 혜아릴딘
딕, 남이 죽으라 권ᄒ여도 살고져 ᄒ미 올
커늘, 위·뉴 두 부인의 과악을 붓그려 긴
명을 맛츠미 도로혀 우읍기를 면치 못ᄒ고,
윤츈밀노부터 슈원 형뎨의 니르히 너ᄀᆺ치
죽으려 ᄒᆯ딘딕, 어이 윤가 종ᄉᆞ 멸졀치 아
니리오. 현부ᄂ 모로미 ᄉ싱을 경이히 넉이

ᄂ 모음과 각별ᄒᆫ 졍이 친싱의 금치 아니ᄒ
ᄃᆞ가, 블ᄒᆡᆼᄒ여 명쳔 형이 조셰(早世)ᄒ미,
너희 ᄉᆞ남미를 위ᄒ여 잔잉ᄒ 회푀 흉억의
밋치믈 씨둣지 못ᄒ여, 흐르ᄂ 셰월이 일일
여ᄉᆞ취(一日如三秋)라. 너희 ᄉᆞ남미로뻐 슬
하를 삼아 구약(舊約)을 셩젼코ᄌ ᄒ드ᄀᆞ,
미혼젼 너희 실산(失散)ᄒ믈 드르미 내 모
음이 비졀ᄒ미 어딕 비ᄒ리오. 텬【188】연
이 긔특ᄒ여 텬흥이 너희 거쳐를 아라 도라
오미, 내 실노 구식(舅媳)의 즁홈과 부녀의
친ᄒ믈 겸ᄒ여 ○○○○○[ᄌ인디졍(慈愛之
情)이] ᄋ들의 ᄂ리지 아니ᄐᆞᄀᆞ, 녹셤 등의
간악ᄒ믈 인ᄒ여 졀혼이이(絶婚離異)ᄒ여
도라보닌 거시, 또 변괴 니러나 너희 ᄉᆞ싱
거쳐를 모를 줄 몽미의나 넘ᄒ여시리오. 텬
신의 도으믈 닙어 혜원의 구활ᄒᄆ로 복ᄋ
(腹兒)를 싱ᄒ여, 발셔 거름을 닉이니 만ᄒᆡᆼ
(萬幸)ᄒ미 견즐 곳이 업ᄂ지라. 간인의 작
악이 또 이 지경의 밋츠미, 만닐 현부의 격
고등문ᄒᄂ 거죄 아니런들, 딘형의 부ᄌ 형
뎨와 우리 부ᄌᆞ 머리를 보젼치 못ᄒᆯ지라.
그러나 위·뉴 두 부인의 과악은 너희 격고
ᄒ기로 발【189】각ᄒ미 아니라, 만셩(滿
城)이 모로 리 업고, 황샹이 흉히 넉이시ᄃᆡ,
슈원 형뎨 모음을 편히 ᄒ고져 졍비ᄒ신 비
라. 현뷔 시로이 붓그려 ᄌ문필ᄉ(自刎必死)
코져 ᄒᆫ 실노 줄못 싱각ᄒ미라. 우리 ᄌ
당이 너를 지극히 ᄌ인(慈愛)ᄒ심과 우리
부부의 이즁ᄒᆫ 니르도 말고, 조틱부인이
궁텬지통을 품어 남ᄃᆞ른 경계를 ᄀᆺ초 지닌
시ᄃᆡ, 너의 ᄉᆞ남미를 위ᄒ샤 스스로 심회를
관억ᄒ시니, 니른 바 강하(江河) ᄀᆺ튼 대량
(大量)1454)이라. 현뷔 ᄌ당의 졍니를 혜아릴
진딕, 남이 죽으라 권ᄒ여도 술고져 ᄒ미
올커늘, 위·뉴 두 부인의 과악을 붓그려
긴 명을 맛츠미 도로혀 우읍기를 면치 못ᄒ
고, 윤츈밀노붓【190】터 슈원 형뎨 니르히
너ᄀᆺ치 죽으려 ᄒᆯ진딕, 어이 윤가 종ᄉᆞ 멸
졀치 아니리오. 현부ᄂ 모로미 ᄉᆞ싱을 경이
히 넉이지 말고, 몸을 여린 옥ᄀᆺ치 보호ᄒ

1511)대량(大量) : 도량이 큼. 또는 큰 도량.

1454)대량(大量) : 도량이 큼. 또는 큰 도량.

디 말고, 몸을 여린 옥갓치 보호ᄒ여 나의 말을 져바리디 말고[라]. 므스 일 이디도록 블안ᄒ여 ᄎ마 누엇디 못ᄒᄂ뇨?【65】너의 상쳬 쾌ᄎᄒ여 긔게(起居) 녜 갓트믈 볼딘디 나의 즐거오미 엇더ᄒ리오. ᄋ부는 대회(大孝)라. 싀아뷔 졀박히 넘녀ᄒ는 거슬 싱각ᄒ여, 다시 이런 의ᄉ를 두디 말나."

언파의 그 손을 잡고 운환(雲鬟)을 쓰다돔아 이련ᄒ는 졍이 강보유ᄋ 갓트니, 윤부인의 대효로ᄡ 존구의 디극ᄒ 즈이와 이 갓튼 말숨을 듯즈오니, 구원(九原)1512) 션야야(先爺爺)를 뵈온듯 싀로온 비회 오쟝을 깟ᄂ듯 ᄒ더라. ᄒ갓 흉격이 막힐 ᄯ름이오. 감히 회포를 베퍼 하졍을 고치 못ᄒ고, 다만 쳥죄 왈,

"블초 쇼첩이 무상ᄒ와, 활인ᄉ의 오릭 머므【66】오디, 감히 싱존ᄒ믈 고치 못ᄒ읍고, 존당구고의 양츈혜틱(陽春惠澤)을 져바리와 슬하의 시봉ᄒ믈 싱각디 아니ᄒ읍고, 가비야이 목슘을 결코져 ᄒ오미 셩회 쳔박ᄒ오미라. ᄒ번 그릇ᄒ옴도 죄 듕ᄒ읍거늘 다시 죽을 ᄆ음을 두리잇가?"

금평휘 크게 깃거 왈,

"네 날을 디ᄒ여 말을 이갓치 ᄒ고 속이디 아니리니, 이후 약을 힘쓰면 상쳬 나으리니 ᄋ부는 편히 조셥ᄒ라."

윤시 슈명(受命) ᄉ샤(謝辭) 홀 ᄲᆫ이오, 다시 말을 못ᄒ니, 금평휘 좌우로 보고홀 미듁을 가져오라 ᄒ여, 쇼져를 먹이고 니러【67】나오며, 남후다려 왈,

"너는 나의 명 업시 나오디 말고 현부의 곳의셔 병을 보살피라."

남휘 슈명ᄒ고 부친을 뫼셔 외각의 나와 좌와(坐臥)를 살피고, 드러와 부인을 볼식, 윤시 엄구의 디극ᄒ 말숨을 듯즈오미 감히 죽기도 임의로 못ᄒ고, 위인즈녀ᄒ여 조모의 과악을 즈긔로 인ᄒ여 들쳐나믈 싱각ᄒ면, 일싱 효의(孝義)를 삼가던 뜻이 그린 쩍이 되고, 구쳔(九泉) 타일(他日)의 션야야를

1512)구원(九原) : 구천(九泉). 저승. 사람이 죽은 뒤에 그 혼이 가서 산다고 하는 세상.

여 나히 말을 져바리지 말고[라]. 무ᄉ 일 이디도록 《분난‖불안》ᄒ여 ᄎ마 누엇지 못ᄒᄂ뇨? 너히 상쳬 쾌ᄎᄒ여 긔게(起居)예 갓트믈 볼진디, 나의 즐거오미 엇더ᄒ리오. 오부(吾婦)는 뒤회(大孝)라. 싀아비 졀박히 넘녀ᄒ는 거슬 싱각ᄒ여 다시 니런 의ᄉ를 두지 말나."

언파의 그 손을 줍고 운환(雲鬟)을 쓰ᄃ 돔아 이려[련](愛憐)ᄒ는 졍이 강보유ᄋ 갓트니, 윤부인의 뒤효로ᄡ 존구의 이갓튼 즈이와 지극ᄒ 말숨을 드ᄅ니, 구텬(九泉)1455) 션야○[야](先爺爺)를 뵈온 듯, 싀로온【191】비회 오쟝을 깟ᄂ지라. ᄒ갓 흉격이 막힐 ᄯ름이오, 감히 회포를 베퍼 하졍을 고티 못ᄒ고, 다만 쳥죄 왈,

"블초 쇼첩이 무상ᄒ와, 활인ᄉ의 오릭 머므오디 감히 싱존을 고치 못ᄒ옵고, 존당구고의 양츈혜틱(陽春惠澤)을 져바리와 슬하의 시봉ᄒ믈 싱각디 아니ᄒ옵고, ᄀ바야히 목슘을 결단코져 ᄒ오미, 셩회 쳔박ᄒ오미라. ᄒ번 그릇ᄒ옴도 죄 즁ᄒ옵거늘, 다시 죽을 ᄆ음을 두리잇ᄀ?"

금평휘 크게 깃거 왈,

"날을 뒤ᄒ여 말을 이갓치 ᄒ고, 속이지 아니리니, 이후 약을 힘쓰면 상쳬 나으리니 ᄋ부는 편히 조셥ᄒ라."

윤시 슈명(受命) ᄉ사(謝辭) 홀 ᄲᆫ이오, 다시 말을 못【192】니, 금평휘 좌우로 보긔홀 미듁을 가져오라 ᄒ여, 쇼져를 먹이고 니러ᄂ오며, 남후ᄃ려 왈,

"너는 나의 명 업시 나오지 말고 현부의 곳의셔 병을 보ᄉ피라."

남휘 슈명ᄒ고 부친을 뫼셔 외각의 ᄂ와 좌와(坐臥)를 ᄉ피고, 드러와 부인을 볼식, 윤시 엄구의 지극ᄒ 말숨을 드ᄅ미 감히 죽기도 님의로 못ᄒ고, 위인즈녀(爲人子女)ᄒ여 조모의 과악을 즈긔로 인ᄒ여 들쳐나믈 싱각ᄒ면, 일싱 효의(孝義)를 ᄉ가던 뜻이 그린 쩍이 되고, 구쳔(九泉) 타일(他日)의

1455)구텬(九泉) : 구원(九原). 저승. 사람이 죽은 뒤에 그 혼이 가서 산다고 하는 세상.

뵈올 면목이 업손디라. 슬프며 이돌오미 교
집ᄒ여 존구와 남휘 나간 후, 실성이읍(失
性哀泣)ᄒ믈 니긔디 못ᄒ여 ᄒ더니, 남휘
드러【68】와 이 거동을 보고 불열ᄒ여, 미
우를 ᄲᅥᆼ긔고 냥안을 흘니셔 부인을 보며 오
릭도록 말이 업더니, 날호여 굴오디,

"부인이 요리(妖尼)를 잡고 구몽슉의 흉
모를 아라, 뎡・딘 냥문의 급화를 구코져
격고등문ᄒ믄 우리 형뎨 일이 무스키를 바
라미어늘, 므슴 일 져딕도록 슬허ᄒ여 도로
혀 나의 스라시믈 블힝이 넉임 ᄀᆺ트뇨?"

윤시 남후의 슉엄(肅嚴)ᄒ믈 본디 가비야
이 넉이디 못ᄒ거늘, 삼년 스이 그 언건(偃
蹇)ᄒ고 어른다운 위풍이 녜뫼 가즈시니,
즈가의 비회를 베프디 못ᄒ고, 계오 눈물을
거두어 말이 업스【69】니, 남휘 뎡식 왈,

"싱이 아딕 존당과 즈졍긔도 비알치 못ᄒ
여시니, 부인으로 더브러 별회를 니를 비
아니로디, 부인이 모월 모일의 옥누항으로
가다가 도듕의셔 거체 업스믈 드르미, 그
참졀ᄒ 심식 엇더 ᄒ리오마는, 대댱뷔 부인
녀즈를 위ᄒ여 봉친시하(奉親侍下)의 구구
쳑비(區區慽悲)치 못ᄒ여, 니합(離合)과 화
복(禍福)이 ᄯᅵ 이시믈 혜아려, 싱의 회포를
스스로 위로ᄒᄂ 비러니, 뜻밧긔 참참(慘慘)
ᄒ 화란(禍亂)이 문호를 업치게 되여, 내 몸
이 죽으믄 니르디 말고, 대인이 흉화를 버
스실 도리 업스니, 인즈의 망극ᄒ 졍니 비
길 곳이 업다가, 부인의 격【70】고등문ᄒ
믈 인ᄒ여 화를 도로혀 복을 삼앗다 ᄒ려니
와, 녕존당 과악은 지 들쳐닉디 아녀도 만
셩이 거의다 아는 비어늘, 부인이 싀로이
슬허ᄒ여 죽고져 ᄒ니, 위태부인과 뉴부인
을 위ᄒ 졍인즉 아름답거니와, 부인이 마즈
죽으려 ᄒ니 그 블회 쳔고(千古)의 무썅(無
雙)이라. 므릇 스싱이 엇더ᄒᆫ관디, 그디도록
가비야이 넉이ᄂ뇨? 아디 못게라, 됴졍 의
논이 위・뉘 두 부인을 죽여 올타ᄒ여도,
황샹이 태부인은 츄밀공의 낫츨 보아 일명
을 빌니고져 ᄒ시디, 뉴부인은 죄상이 머리
를 보젼치 못홀 거시므로 명일 죽이려 ᄒ

션야야를 뵈올 면목이 업손지라. 슬프며 이
돌오미 교집ᄒ여 존귀 나간 후 실셩이읍(失
性哀泣)ᄒ믈 니긔지 못ᄒ여 ᄒ더니, ○[남]
휘 드러와 이 거동【193】을 보고, 불열ᄒ
여 미우를 ᄲᅥᆼ긔고 냥안을 흘니셔 부인을 보
며 오릭도록 말이 업더니, 날호여 굴오디,

"부인이 뇨리(妖尼)를 즙고 구몽슉의 흉
모를 아라, 뎡・딘 냥문의 급화를 구코즈
격고등문ᄒ믄, 우리 형뎨 일이 무스키를 ᄇ
라미어늘, 므슴 일 져딕도록 슬허ᄒ여 도로
혀 나의 스라시믈 블힝이 넉임 ᄀᆺ트뇨?"

윤시 남후의 슉엄(肅嚴)ᄒ믈 본디 가비야
이 넉이지 못ᄒ거늘, 슴년 스이 그 언건(偃
蹇)ᄒ고 어른다운 위풍이 녜뫼 ᄀ즛시니,
즈가의 비회를 베프지 못ᄒ고, 계오 눈물을
거두어 말이 업스니, 남휘 졍식 왈,

"싱이 아직 디모와 즈졍긔도 비알치 못ᄒ
여시니, 부인으로 더브러【194】별회를 니
를 비 아니로디, 부인이 모월 모일의 옥누
항으로 가드ᄀ 도즁의셔 거체 업스믈 드르
미, 그 참졀ᄒ 심식 엇더 ᄒ리오마는, 대장
뷔 부인 녀즈를 위ᄒ여 봉친시하(奉親侍下)
의 구구쳑비(區區慽悲)치 못ᄒ니, 니합(離
合)과 화복(禍福)이 ᄯᅵ 이시믈 혜아려, 싱의
회포를 스스로 위로ᄒᄂ 비러니, 뜻밧게 춤
춤(慘慘)ᄒ 화란(禍亂)이 문호를 업치게 되
여, 내 몸이 죽으믄 니르지 말고 디인이 흉
화를 버스실 도리 업스니, 인즈의 망극ᄒ
졍니 비길 곳 업다가, 부인의 격고등문ᄒ믈
인ᄒ여 화를 도로혀 복을 삼앗드 ᄒ려니와,
녕존당 과악은 그 지 들쳐닉지 아녀도 만셩
이 거의 다 아는 비어늘, 부인이 싀로【19
5】이 슬허ᄒ여 죽고즈 ᄒ니 위틱부인과 뉴
시를 위ᄒ 졍이 ᄀ장 아름답거니와, 부인이
마즈 죽으려 ᄒ니 그 블회 쳔고의 무썅(無
雙)이라. 므릇 스싱이 엇더ᄒ관디 그디도록
가비야이 넉이ᄂ뇨? 아지 못게라, 됴졍 의
논이 위・뉴 두 부인을 죽이여 올타ᄒ여도,
황샹이 틱부인은 츄밀공의 낫츨 보아 일명
을 빌니고즈 ᄒ시디, 뉴부인은 죄상이 머리
를 보젼치 못홀 거시므로, 죽이려 ᄒ시니,

【71】 시니, 부인이 뉴부인을 ᄯᅡ라 아니 죽
으랴?"

윤부인이 남후의 말을 드르미 더옥 심신
이 추악ᄒᆞᆷ믈 니긔디 못ᄒᆞ더라. 【72】

부인이 뉴부인을 ᄯᅡ라 아니 죽으랴?

윤부인이 청파의 더옥 심신이 추악ᄒᆞᆷ믈 니
긔지 못ᄒᆞ여 ᄒᆞ되, 십분 강잉ᄒᆞ여 ᄃᆡ왈
"첩의 블민ᄒᆞᆷ믄 군지 비록 칙지 아녀도
알니로쇼이다."
ᄒᆞ더라. 차청하회ᄒᆞ라

오십구 뉵십 뉵십일 【196】

최 길 용

문학박사
전북대학교 겸임교수
전북대학교 인문학연구소 전임연구원

● 논 문

〈연작형고소설연구〉외 50여편

● 저 서

『조선조연작소설연구』 등 12종

김 영 숙

문학박사
중국남경효장사범대학 전임강사
전북대학교 강사

● 논 문

〈제주도 일반 신본풀이의 신격화연구〉외 다수

校勘本 明珠寶月聘 ❸

초판 인쇄   2014년 2월 03일
초판 발행   2014년 2월 10일

교   주 | 최길용·김영숙
펴 낸 이 | 하운근
펴 낸 곳 | 學古房

주   소 | 서울시 은평구 대조동 213-5 우편번호 122-843
전   화 | (02)353-9907 편집부(02)353-9908
팩   스 | (02)386-8308
홈페이지 | http://hakgobang.co.kr/
전자우편 | hakgobang@naver.com, hakgobang@chol.com
등록번호 | 제311-1994-000001호

ISBN   978-89-6071-363-5 94810
         978-89-6071-360-4 (세트)

값 : 350,000원

이 도서의 국립중앙도서관 출판시도서목록(CIP)은 서지정보유통지원시스템 홈페이지(http://seoji.nl.go.kr)
와 국가자료공동목록시스템(http://www.nl.go.kr/kolisnet)에서 이용하실 수 있습니다.
(CIP제어번호: CIP2014003412)

■ 파본은 교환해 드립니다.